Finance d'entreprise

5e édition

Jonathan Berk, université de Stanford
Peter DeMarzo, université de Stanford

Gunther Capelle-Blancard, université Paris 1 Panthéon-Sorbonne
Nicolas Couderc, ESCP Europe

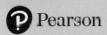

Le présent ouvrage a été traduit, adapté et actualisé à partir de *Corporate Finance – Fifth Edition*, publié par Pearson Education, une entreprise du groupe Pearson.

Entraînez-vous et testez-vous avec votre manuel **Finance d'entreprise 5ᵉ édition** !

Cette nouvelle édition s'accompagne pour la première fois d'un solutionnaire !
Révisez votre cours et corrigez les exercices du manuel grâce
aux **Corrigés** vendus séparément.

En bonus, **plus de 500 QCM interactifs**
vous permettent de vérifier vos connaissances en finance d'entreprise
et d'évaluer votre niveau de compréhension des concepts.

Pour accéder aux nombreuses ressources complémentaires
(QCM, diapositives, glossaire, etc.),
rendez-vous sur la page dédiée à l'ouvrage sur :

www.pearson.fr

Publié par Pearson France
Immeuble Terra Nova II
74, rue de Lagny
93100 Montreuil

Titre original : *Corporate Finance - Fifth Edition*
ISBN original : 978-1-2923-0421-2

Couverture : Valérie Leroux.
Mise en pages : Ma petite FaB

ISBN : 978-2-3260-0242-5
Copyright © 2020 Pearson France
Tous droits réservés.

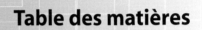

Table des matières

Chapitre 13
Comportement des investisseurs et efficience des marchés financiers

Liste des encadrés

Notations courantes

B	Placement sans risque dans le portefeuille de réplication
BPA_t	Bénéfice par action à la date t
C	Prix du call, montant d'un coupon
$Corr(R_i, R_j)$	Corrélation entre les rentabilités des actifs i et j
$Cov(R_i, R_j)$	Covariance entre les rentabilités des actifs i et j
d	Taux d'endettement
Div_t	Dividendes versés l'année t
$E[R_i]$	Rentabilité espérée de l'actif i
EBE	Excédent brut d'exploitation
$EcoIS$	Économies d'impôt permises par la déductibilité fiscale des intérêts
f (resp. f_T)	Taux de change à terme à un an (respectivement à T années)
F	Flux de trésorerie (*cash flow*)
$FTDA$	Flux de trésorerie disponibles pour les actionnaires
FTD_t	Flux de trésorerie disponible l'année t (*free cash flow*)
g	Taux de croissance
I	Investissement initial
Int_t	Intérêts payés l'année t
K	Prix d'exercice de l'option
k	Nombre de périodes de capitalisation infra-annuelles, ratio de couverture des charges d'intérêt
L	Loyers au titre d'un crédit-bail
$\ln$	Logarithme népérien
N	Nombre de flux de trésorerie, date de fin de projet, montant notionnel d'un *swap*
N_i	Nombre d'actions i sur le marché
P	Prix, dépôt ou emprunt initial, prix du put
P_{cum}	Prix d'une action *cum-dividende*
P_{ex}	Prix d'une action *ex-dividende*
P_i	Prix de l'actif i
q	Taux de dividende ; probabilité risque-neutre
R_i	Rentabilité de l'actif i
R_m	Rentabilité du portefeuille de marché
R_P	Rentabilité du portefeuille P
r	Taux d'intérêt, taux d'actualisation
r_A	Coût du capital des actifs
r_{CMPC}	Coût moyen pondéré du capital
r_{CP}	Coût des capitaux propres
r_D	Coût de la dette

r_f	Taux d'intérêt sans risque
r_i	Rentabilité exigée pour l'actif i, coût du capital de l'actif i
r_U	Coût du capital à endettement nul
S	Valeur du sous-jacent
s	Taux de change au comptant
T	Date d'échéance de l'option, maturité (spot)
TAE	Taux d'intérêt équivalent
TAP	Taux d'intérêt proportionnel
TRE	Taux de rentabilité à l'échéance ou taux de rentabilité actuarielle
TRE_C	Taux de rentabilité actuarielle d'une obligation à clause de remboursement anticipé
TRI	Taux de rentabilité interne
V_A	Valeur de marché des actifs d'une entreprise
V_{Cib}	Valeur de marché de l'entreprise cible d'une opération de fusion-acquisition
V_{CP}	Valeur de marché des capitaux propres (capitalisation boursière)
V_D	Valeur de marché de la dette
V_i	Valeur de marché de l'entreprise i
V_{Init}	Valeur de marché de l'entreprise initiatrice d'une opération de fusion-acquisition
V_P	Valeur de marché du passif
V_t	Valeur de marché de l'actif net d'une entreprise à la date t
V^D	Valeur de marché d'une entreprise endettée
V^U	Valeur de marché d'une entreprise à endettement nul
VA	Valeur actuelle
VAN	Valeur actuelle nette
$Var(R_i)$	Variance du taux de rentabilité R_i
VF	Valeur future
V_{Mi}	Valeur de marché des titres i
VN	Valeur nominale d'une obligation
x_i	Poids de l'actif i dans un portefeuille
α_i	Alpha de l'actif i
β_{CP}	Bêta des capitaux propres d'une entreprise
β_D	Bêta de la dette d'une entreprise
β_i	Bêta de l'actif i estimé relativement au portefeuille de marché M
β_i^P	Bêta de l'actif i relativement au portefeuille P
β_U	Bêta d'une entreprise à endettement nul
Δ	Sensibilité du prix de l'option aux variations du prix du sous-jacent, montant investi en actif sous-jacent dans le portefeuille de réplication
$\sigma(R_i)$	Écart type des rentabilités de l'actif i (ou volatilité)
τ	Taux d'imposition
τ^*	Gain fiscal effectif lié à l'endettement
τ_{cons}^*	Coût fiscal additionnel lié à la conservation de liquidités excédentaires
τ_{EX}^*	Coût fiscal effectif lié à un endettement excessif
τ_{CP}	Taux d'impôt moyen sur les revenus d'action (dividendes et plus-values) perçus par un actionnaire
τ_D	Taux d'impôt sur les intérêts perçus par un créancier
τ_{div}	Taux d'impôt sur les dividendes pour les investisseurs
τ_{IS}	Taux d'impôt sur les sociétés
τ_{pv}	Taux d'impôt sur les plus-values pour les investisseurs

Les auteurs

Jonathan Berk est professeur de finance à l'université de Stanford (*Graduate Business School*) et chercheur associé au NBER. Avant d'embrasser la carrière académique, il a travaillé pendant plusieurs années chez Goldman Sachs. Après avoir été éditeur du *Journal of Finance*, il est aujourd'hui membre du conseil d'orientation de la *Review of Finance et du Journal of Portfolio Management*. Ses centres d'intérêt portent sur l'évaluation et la structure financièrc des entreprises, les fonds d'investissement, la valorisation des actifs financiers, l'économie expérimentale et l'économie du travail. Il a reçu de nombreuses récompenses académiques (*Stephen Ross Prize in Financial Economics, TIAA-CREF Paul A. Samuelson Award, Smith Breeden Prize, Bernstein-Fabozzi/Jacobs Levy Award, Graham and Dodd Award of Excellence…*).

Peter DeMarzo est professeur de finance à l'université de Stanford (*Graduate Business School*), chercheur associé au NBER et président de l'*American Finance Association*. Auparavant, il enseignait à la Haas Business School et à la Kellogg Graduate School of Management. Il a été éditeur associé de la *Review of Financial Studies*, de *Financial Management* et du *B.E. Journals in Economic Analysis and Policy*. Ses travaux portent sur la structure optimale des contrats financiers, la titrisation et l'influence des asymétries d'information sur les décisions d'investissement et le prix des actions. Il a reçu un grand nombre de récompenses académiques (*Western Finance Association Corporate Finance Award, Barclays Global Investors/Michael Brennan Award, Charles River Associates Award…*) ainsi que le *Sloan Teaching Excellence Award*.

Gunther Capelle-Blancard est professeur d'économie à l'université Paris 1 Panthéon-Sorbonne et associé à *Paris School of Business*. Il a également enseigné à l'université Paris *Nanterre*, à l'université de Lille, à l'École centrale de Paris, à l'EDHEC, à HEC Lausanne, à Sciences Po et au Collège d'Europe de Bruges. Ses thèmes de recherche portent sur l'organisation et la régulation des marchés boursiers et dérivés et l'investissement socialement responsable. Il a reçu le prix de thèse de la Chancellerie des universités de Paris, le prix AFFI-Euronext et le Trophée SAB de la finance durable.

Nicolas Couderc travaille pour un grand groupe du secteur de l'énergie, au sein duquel il est directeur de la *business unit* qui développe les énergies renouvelables en France. Il est par ailleurs professeur de finance affilié à ESCP Europe. Ancien élève de l'École normale supérieure de Fontenay-Saint-Cloud, il est diplômé de Sciences Po et docteur en économie. Ses centres d'intérêt professionnels portent sur la transition énergétique, les déterminants des politiques financières et des choix d'investissement des entreprises et les liens entre stratégie et finance. Il a été classé parmi les *100 leaders économiques de demain* par l'Institut Choiseul en 2018.

La Loi du prix unique comme fil conducteur

La première édition française de *Finance d'entreprise* a été publiée en 2008. Depuis, la crise des *subprime* est passée par là : ses effets restent perceptibles, dans les consciences individuelles autant qu'au niveau macroéconomique. La décennie a également été marquée par l'imbrication toujours plus profonde de la technologie et de la finance, des *fintechs* aux crypto-monnaies : point de révolution ici, l'innovation technologique étant permanente dans la finance. Troisième tendance de fond, les enjeux environnementaux et climatiques ont fait leur entrée dans la sphère financière – il était temps, est-on tenté de dire.

Ces évolutions structurelles n'ont fait que renforcer notre conviction initiale : les concepts fondamentaux de la finance sont peu nombreux et simples à comprendre. Et il est facile d'emprunter le pont entre la théorie et le monde réel si l'on se laisse guider par ces concepts fondamentaux, car ceux-ci n'évoluent pas au gré de l'actualité ou des modes financières. Hélas, 80 ans (cumulés…) d'enseignement de la finance nous ont montré à quel point les étudiants ont parfois du mal à dépasser l'apparente complexité des mathématiques ou des modèles pour se concentrer sur l'essentiel : les principes de base, valables dans toutes les situations et qui garantissent des raisonnements sans erreur.

Cette difficulté ne se limite pas toujours aux étudiants, elle touche aussi certains professionnels de la finance. Quelle meilleure preuve de cela que la crise financière de 2008 ? Cette crise, la plus grave depuis la Grande Dépression des années 1930, a été permise par l'oubli des principes fondamentaux de la finance. Un exemple parmi tant d'autres : l'un de ces principes de base est que la rentabilité d'un actif financier est proportionnelle à son risque. Autrement dit, il n'existe pas de produit très rentable et sans risque : sinon, personne n'achèterait autre chose ! C'était pourtant, au mot près, la promesse faite par les banques aux acheteurs de crédits *subprime* titrisés. Beaucoup se sont laissé convaincre, et cela leur a coûté très cher…

La crise financière de 2008 a remis en cause bon nombre de certitudes, notamment à propos de la capacité autorégulatrice des marchés ; la technologie a fait émerger de nouveaux acteurs ; la lutte contre le changement climatique transformera la finance comme les autres secteurs économiques. Et malgré cela, une chose est certaine : les principes de base de la finance ne changeront pas. Les connaitre est donc nécessaire pour raisonner juste et prendre de bonnes décisions financières.

Ce livre est donc tout entier construit autour d'un fil conducteur unique pour l'ensemble des chapitres, car on apprend plus vite et mieux lorsque les choses sont présentées de manière unifiée en insistant sur les principes fondamentaux plutôt qu'en se perdant dans les détails et la complexité technique de tel ou tel produit. Ce fil conducteur, c'est la **Loi du prix unique** (également appelée « absence d'opportunité d'arbitrage »), qui signifie simplement que, « *dans la vie, on n'a rien sans rien* ». Grâce à cette approche unifiée, il est possible de présenter en même temps éléments théoriques et empiriques, et de montrer en quoi la finance forme un tout cohérent.

Les nouveautés de cette édition

Avec cette cinquième édition, notre démarche pédagogique demeure identique, mais nous avons mis à jour des parties significatives de l'ouvrage :

- Chaque chapitre a été mis à jour pour tenir compte des évolutions les plus récentes : les conséquences des taux d'intérêt négatifs sont abordées aux chapitres 5 et 6, l'innovation financière et les *fintechs* font l'objet d'une nouvelle section au chapitre 1, le financement des start-ups est traité au chapitre 23, les évolutions réglementaires et fiscales ont été intégrées tout au long de l'ouvrage, etc.

- Des **encadrés « Finance verte »** ont été ajoutés, pour traiter de la transition de la sphère financière vers un monde bas carbone.

- **Les chapitres 1 à 6 et 23 à 31 ont été largement réécrits** pour en améliorer la fluidité.

- De **nouvelles interviews** ont été réalisées pour coller à l'actualité.

- Une quinzaine de **nouveaux exercices et deux cas pratiques** ont été ajoutés, par exemple sur les crypto-monnaies (chapitre 3) et le Livret A (chapitre 5).

- Et bien entendu, tous les **chiffres, tableaux et figures** ont été actualisés avec les données les plus récentes disponibles.

- Les corrections des exercices de fin de chapitre sont désormais disponibles dans un ouvrage compagnon.

Une adaptation complète au contexte français

Adapter un ouvrage est d'abord une contrainte : il faut pouvoir lui donner une touche personnelle, sans pour autant trahir la version originale. C'est un défi d'autant plus grand que l'approche pédagogique française est opposée à l'approche américaine : en France, nous mettons l'accent sur les développements théoriques avant d'examiner leurs conséquences pratiques, tandis qu'aux États-Unis la démarche inverse est plus naturelle. En fait, ce qui aurait pu être perçu comme une contrainte a constitué pour nous une source d'enrichissement. Un exemple parmi d'autres : à notre connaissance, tous les ouvrages français qui traitent de décisions financières font référence au calcul de la somme des n premiers termes d'une suite géométrique pour évaluer les projets d'investissement. Cet ouvrage parvient au même résultat à l'aide d'un simple raisonnement d'arbitrage… Cela ne signifie pas que nous ayons abandonné la rigueur et l'élégance des mathématiques. Mais nous avons donné la priorité à la compréhension des principes et non à la formalisation des démonstrations mathématiques.

Notre travail d'adaptation ne s'est évidemment pas limité à la pédagogie : tout en préservant l'esprit de la version originale, tous les chapitres ont été adaptés au contexte français ou européen, certains presque intégralement, lorsqu'ils traitent, de près ou de loin, d'aspects institutionnels ou comptables. La quasi-totalité des exemples et des études de cas a été modifiée pour traiter d'entreprises européennes. Nous avons également ajouté de nombreux encadrés sur des thèmes importants pour le lecteur francophone, comme la crise des dettes souveraines en zone euro.

Dans cette même perspective, et pour illustrer la proximité entre la théorie financière et la pratique, nous avons réalisé plus d'une dizaine d'interviews d'acteurs importants sur la place financière de Paris. Notre conviction, partagée avec les auteurs de la version originale, est en effet que la finance est un des domaines dans lesquels l'écart entre la théorie et la pratique est le plus faible. La porosité entre le monde académique et le monde de l'entreprise en témoigne : trois des auteurs de l'ouvrage ont franchi – pas nécessairement dans le même sens – cette frontière au cours de leur vie professionnelle.

De ce double choc des cultures (États-Unis/France ; praticiens/universitaires) naît – nous l'espérons – un manuel de finance original, riche et accessible.

La structure de l'ouvrage

La **partie I** de l'ouvrage pose les fondements de la finance d'entreprise et présente les sources de financement à la disposition des entreprises (chapitre 1). Les états financiers, documents indispensables à toute décision financière, sont détaillés au chapitre 2, tandis que le chapitre 3 introduit la Loi du prix unique et le principe de la valeur actuelle.

La **partie II** aborde les questions relatives à la valeur temps de l'argent : l'actualisation et la capitalisation (chapitre 4), les taux d'intérêt (chapitre 5) et l'évaluation des obligations (chapitre 6).

La **partie III** s'intéresse à la manière de valoriser une entreprise ou un projet. Cette partie étudie successivement les critères de choix d'investissement (chapitres 7 et 8) et l'évaluation des actions (chapitre 9).

La **partie IV** est consacrée à l'arbitrage entre risque et rentabilité (chapitre 10), fondamental en finance, et aux principaux cadres conceptuels relatifs à la modélisation du risque : le chapitre 11 présente le modèle d'évaluation des actifs financiers, dont la connaissance est un préalable au calcul du coût moyen pondéré du capital (chapitre 12). Le chapitre 13 expose les théories de la finance comportementale.

La **partie V** traite de la décision relative à la structure financière des entreprises : comment une entreprise peut-elle obtenir les capitaux nécessaires au financement de ses investissements, et ce choix influence-t-il la valeur de l'entreprise ? La réponse à cette question est fournie en partant d'une hypothèse de marchés parfaits au chapitre 14, puis en levant cette hypothèse aux chapitres 15 et 16, qui prennent en compte respectivement la fiscalité et le risque de faillite. La politique de distribution est traitée au chapitre 17.

La **partie VI** revient sur la question des choix d'investissement, en intégrant cette fois la complexité du monde réel. Le chapitre 18 présente les trois méthodes utilisées pour évaluer en pratique des projets d'investissement ; le chapitre 19 propose un cas pratique d'évaluation d'entreprise.

La **partie VII** traite des options et du rôle que ces produits jouent dans les décisions d'investissement et de financement. Le chapitre 20 en présente le principe, le chapitre 21 est consacré aux modèles d'évaluation optionnelle et le chapitre 22 traite des options réelles, c'est-à-dire de l'application des raisonnements optionnels à la finance d'entreprise.

La **partie VIII** est consacrée au financement de long terme des entreprises : capitaux propres (chapitre 23), dette (chapitre 24) et crédit-bail (chapitre 25).

La **partie IX** prolonge la partie précédente en s'intéressant au court terme : la gestion du besoin en fonds de roulement (chapitre 26) et la gestion financière de court terme (chapitre 27).

Enfin, la **partie X** conclut l'ouvrage en introduisant des thèmes importants de la finance d'entreprise : les fusions et acquisitions (chapitre 28), la gouvernance d'entreprise (chapitre 29), la gestion des risques (chapitre 30) et la gestion des projets internationaux (chapitre 31).

Un cours annuel de finance d'entreprise pourra couvrir la quasi-totalité de l'ouvrage, tandis qu'un cours introductif semestriel se contentera de couvrir les chapitres 3 à 15 (en y ajoutant si le volume horaire le permet les chapitres 16 à 19). Pour un cours « accéléré », les chapitres 3 à 10 et 14 permettront de donner aux étudiants une vision synthétique des fondamentaux de la finance d'entreprise.

Pour aller plus loin...

La finance est partout : qui aurait pensé il y a 25 ans voir un article de *L'Équipe* consacré aux introductions en Bourse des clubs de football européens ? Alors, ne vous arrêtez pas au livre que vous tenez dans les mains et profitez de la multitude d'articles de journaux, de romans (de *L'Argent* d'Émile Zola à *American Psycho* de Bret Easton Ellis, en passant par *Liar's Poker ou The Big Short* de Michael Lewis…), de films et de séries télévisées (*Wall Street, Margin Call, Rogue Trader, Inside Job, Scalp…*), consacrés à la finance pour poursuivre votre découverte de ce domaine passionnant et évolutif !

Pour vous entraîner, les corrigés de tous les exercices de fin de chapitre (plus de 800…) sont disponibles sous la forme d'un livre-compagnon publié aux éditions Pearson. Plus de 500 QCM autocorrectifs sont également accessibles en ligne pour vérifier vos connaissances de façon interactive. N'hésitez pas non plus à télécharger gratuitement sur le site **www.pearson.fr** le plan détaillé de l'ouvrage ainsi qu'un glossaire de plus de 700 termes ; chacun dispose de sa traduction en anglais et d'une définition précise. Ce site propose également, en accès réservé aux professeurs, 1 500 diapositives librement utilisables comme support de cours.

Un dernier mot avant de passer aux choses sérieuses : n'hésitez pas à nous écrire (**gunther.capelle-blancard@univ-paris1.fr** et **ncouderc@escpeurope.eu**) pour nous donner votre sentiment à propos de ce livre et de ce que vous aimeriez trouver dans la prochaine édition…

Bonne lecture !

Gunther Capelle-Blancard et Nicolas Couderc

Remerciements

L'adaptation en français de cet ouvrage a été réalisée avec le renfort de collègues venus du monde académique comme du monde professionnel : **Thomas Baron**, **Marie-Aude Laguna**, **Anthony Miloudi**, **Victor Pagès**, **Sébastien Vivier-Lirimont et Delphine Ziarovski** ont pris en charge une partie du travail de traduction de la première édition, il y a douze ans maintenant.

Nos remerciements s'adressent également aux banquiers, financiers et dirigeants d'entreprise qui ont accepté de sacrifier un peu de leur temps pour se prêter au jeu de l'entretien et partager avec nous leurs expériences et leurs analyses :

- **Thierry d'Argent**, coresponsable mondial du *Coverage* et de l'*Investment Banking* de la *Société Générale* (chapitre 9) ;

- **Pedro Arias**, directeur des actifs réels et alternatifs chez *Amundi* (chapitre 19) ;

- **Agnès Bénassy-Quéré**, présidente déléguée du *Conseil d'analyse économique* (chapitre 6) ;

- **Stéphane Boujnah**, président du directoire et directeur général d'*Euronext* (chapitre 1) ;

- **Grégoire Chertok**, associé-gérant de *Rothschild & Cie* (chapitre 28) ;

- **Philippe Denery**, directeur général adjoint Finances de *TF1* (chapitre 7) ;

- **Dieudonné Djimi**, gérant obligataire chez *Ostrum Asset Management* (chapitre 6) ;

- **Olivier Garnier**, chef économiste de la *Société Générale* (chapitre 11) ;

- **Nicolas Gaussel**, responsable de la gestion quantitative *chez Lyxor Asset Management* (chapitre 12) ;

- **Xavier Girre**, directeur financier d'*EDF* (chapitre 12) ;

- **Geoffroy Guigou**, co-fondateur de *Younited Credit* (chapitre 23) ;

- **David Holland**, vice-président Finance de *Cisco* (chapitre 8) ;

- **Nicole Notat,** fondatrice et présidente de l'agence de notation extra-financière *Vigéo* (chapitre 29) ;

- **Antoine de Riedmatten**, associé et expert-comptable chez *Deloitte* (chapitre 2) ;

- **Myron Scholes**, professeur à la *Stanford Graduate School of Business* (chapitre 21) ;

- **Amine Tazi**, chef économiste de l'*Agence France Trésor* (chapitre 24).

Le manuscrit a bénéficié de la relecture attentive de collègues, que nous remercions chaleureusement pour leurs remarques et corrections :

- **Rahim Bah,** *Grenoble École de Management* ;

- **Arnaud Bervas,** *Banque de France* ;

- **Patrick Boisselier,** *CNAM* ;

- **Laurence Borbalan,** *EDHEC* ;

- **Christophe Boucher,** *université Paris Nanterre* et *ABN AMRO* ;

- **Sébastien Dereeper,** *université Lille Nord de France* ;

- **Georges Gallais-Hamonno,** *université d'Orléans* ;

- **David Le Bris,** *Toulouse Business School*, qui a également accepté de partager avec nous ses données sur la performance de long terme des marchés financiers français (chapitres 10 et 12) ;

- **Michel Levasseur,** *université Lille Nord de France* ;

- **Frédéric Lobez,** *université Lille Nord de France* ;

- **Clément Lyon-Caen,** *Toulouse Business School* ;

- **Isabelle Miroir-Lair,** *NEOMA Business School* ;

- **Jean Moussavou,** *Brest Business School* ;

- **Bruno Theil,** *chargé d'enseignement et ancien directeur financier (Mars, Valeo, LVMH)* ;

- **Philippe Thomas,** *ESCP Europe*.

À l'occasion de cette cinquième édition, Laurianne Bleuzé, notre éditrice, a pris le relais de Pierre Morin, qui avait porté les éditions précédentes. Nous les remercions chaleureusement tous les deux pour leur disponibilité, leurs conseils et leur pression (amicale !).

Nous pensons enfin à notre collègue et ami **Nicolas Nalpas**, professeur de finance à Toulouse Business School. Nicolas a été notre coauteur pour les trois premières éditions françaises de ce livre ; il nous a dramatiquement quittés en 2015. Nous lui avions dédié l'édition précédente ; nous ne l'oublions pas.

Gunther Capelle-Blancard et Nicolas Couderc

Chapitre 1
Entreprises et marchés financiers

Jusqu'au XVIIIᵉ siècle, les activités de production et d'échange sont presque exclusivement assurées au sein de la famille ou dans le cadre des corporations de métiers (les guildes) ; il n'existe pas vraiment d'entreprises au sens moderne du terme. Certes, l'Histoire regorge de personnages mi-négociants, mi-aventuriers animés d'un véritable esprit d'entreprise et que l'on peut qualifier d'entrepreneurs. Mais les premières entreprises n'apparaissent vraiment qu'au XVIIIᵉ siècle[1], avec la Révolution industrielle. Elles sont alors dirigées par leur propriétaire, véritable homme-orchestre, qui possède le savoir-faire technique, organise la production, anticipe les évolutions du marché, recrute, dirige la main-d'œuvre et trouve les financements.

À partir du XIXᵉ siècle, l'industrialisation modifie profondément l'organisation des entreprises : les usines se développent, la division du travail gagne du terrain, le salariat et la classe ouvrière apparaissent. Malgré tout, on confond encore l'entreprise avec l'entrepreneur et sa direction reste essentiellement une affaire de famille ; on considère que seul le cadre familial permet d'assurer l'identité, la continuité et le contrôle de l'entreprise sur plusieurs générations. En particulier, l'organisation familiale joue un rôle essentiel dans l'obtention de financements qui reposent sur des relations de confiance entre personnes.

Le Code de commerce de 1807 constitue une rupture, puisqu'il autorise pour la première fois en France la création de sociétés anonymes : c'est une révolution, car les associés ne sont responsables des pertes de l'entreprise qu'à hauteur du capital qu'ils y ont investi. Cela favorise la croissance de secteurs très capitalistiques, tels que la sidérurgie, les chemins de fer et les banques, dans lesquels les ressources familiales ne peuvent suffire à financer la croissance et le développement de l'offre de capitaux ; mais cela modifie également l'organisation du pouvoir au sein de l'entreprise et ouvre la voie aux grandes entreprises modernes, qui apparaissent à partir de 1900 avec le taylorisme et « l'organisation scientifique du travail » (OST).

Pour définir ce qu'est une entreprise, il est nécessaire d'en détailler les formes possibles (section 1.1), en mettant l'accent sur les sociétés anonymes. Ces sociétés ont deux caractéristiques essentielles : la séparation entre la propriété de l'entreprise et son contrôle (section 1.2) et la facilité avec laquelle les actions, qui constituent le capital de l'entreprise, peuvent s'échanger, en particulier sur les marchés financiers (section 1.3). Enfin, on détaillera les liens entre les innovations technologiques et les innovations financières (section 1.4).

---

1. P. Verley (1999), *Entreprises et entrepreneurs du XVIIIᵉ siècle au début du XXᵉ siècle*, Hachette, coll. « Carré Histoire ».

1.1. Qu'est-ce qu'une entreprise ?

Les entreprises en France : un ensemble hétérogène

En France, fin 2016, on compte près de 4,5 millions d'entreprises, définies par l'Insee comme des « unités légales exerçant une activité au sein du système productif marchand »[2]. Chaque année, environ 600 000 entreprises sont créées, et presque autant disparaissent. Ces entreprises forment un ensemble hétérogène, de par leur secteur d'activité, leur taille, leur but et leur forme juridique.

Le secteur d'activité. L'Insee distingue 11 secteurs d'activité qui vont du commerce (850 000 entreprises) au transport (130 000), en passant par l'industrie (290 000), la construction (600 000) ou encore les activités financières (160 000).

La taille. On distingue :

- les **microentreprises** (4,3 millions d'entreprises), qui emploient moins de 10 salariés et dont le chiffre d'affaires ou le bilan sont inférieurs à 2 millions d'euros ;
- les **petites et moyennes entreprises** (135 000 entreprises), qui emploient entre 10 et 249 salariés, et dont le chiffre d'affaires est inférieur à 50 millions d'euros ou le bilan à 43 millions d'euros ;
- les **entreprises de taille intermédiaire** (5 800 entreprises), qui emploient entre 250 et 5 000 salariés, et dont le chiffre d'affaires est inférieur à 1,5 milliard d'euros ou le bilan à 2 milliards d'euros ;
- les **grandes entreprises** (300 entreprises), qui n'entrent dans aucune des catégories précédentes.

On le voit, 95 % des entreprises françaises emploient moins de 10 salariés (et 70 % n'en emploient aucun). À l'opposé, les 0,01 % de grandes entreprises emploient à elles seules 30 % des salariés et réalisent également 30 % de la valeur ajoutée nationale.

À partir d'une certaine taille, les entreprises sont souvent organisées sous la forme de **groupes**. Un groupe est un ensemble de sociétés liées entre elles par des participations au capital et parmi lesquelles l'une (la « société mère », ou « tête de groupe ») exerce sur les autres un pouvoir de décision. On recense environ 120 000 groupes en France, qui rassemblent plus de 440 000 entreprises, mais seuls 200 de ces groupes emploient plus de 5 000 salariés.

Le but. Il existe trois types d'entreprises :

- les *entreprises privées à but lucratif*, parfois qualifiées d'entreprises capitalistes ;
- les *entreprises privées à but non lucratif* qui regroupent les mutuelles, les coopératives, les associations et les fondations, qui relèvent de l'économie sociale ;
- les *entreprises publiques*, sur lesquelles l'État exerce, directement ou non, une influence dominante. La France a connu deux grandes vagues de nationalisation : la première à la Libération et la seconde à l'arrivée de la gauche au pouvoir en 1981.

---

2. Insee, *Tableaux de l'économie française*, 2019.

Depuis, plusieurs phases de privatisation ont contribué à réduire le nombre d'entreprises publiques. Fin 2016 l'État contrôle, directement ou non, 1 700 entreprises qui emploient 780 000 salariés (5 % des salariés français), soit trois fois moins qu'il y a 30 ans. Les trois plus importantes sont la SNCF, La Poste et EDF.

Prix Nobel & Co.	Coase : la théorie de la firme

Aussi étrange que cela puisse paraître, les économistes sont longtemps restés indifférents à la façon dont les entreprises étaient organisées, privilégiant dans leur approche la figure de l'entrepreneur : dans la théorie microéconomique standard, c'est le marché qui coordonne les actions des agents, l'entreprise n'étant qu'une « boîte noire ». Il faut attendre Ronald Coase en 1937 pour s'interroger sur la nature des entreprises[*] : pour lui, la raison d'être des entreprises tient à l'existence de **coûts de transaction**, ainsi nommés car faisant obstacle à certaines transactions sur le marché. Ces derniers peuvent être des coûts de recherche et d'information (trouver le meilleur rapport qualité-prix), des coûts de négociation (parvenir à un accord entre acheteur et vendeur) ou des coûts de surveillance et d'exécution (vérifier que le vendeur respecte les termes du contrat). Lorsque ces coûts sont élevés, les mécanismes de marché ne fonctionnent pas bien. L'organisation de ces transactions au sein d'une institution hiérarchique, telle qu'une entreprise, peut se révéler plus efficace. Pour Coase, marché et entreprises sont donc deux formes alternatives et complémentaires de coordination des activités de production.

Ainsi, une entreprise ayant besoin de boulons a le choix entre les acheter sur le marché – ce qui implique de trouver un sous-traitant, de négocier un contrat et de payer le prix de marché de ces boulons – ou les produire elle-même – ce qui implique d'embaucher des salariés, de les former, d'acheter des machines et alourdit l'organisation de l'entreprise. Face à cette alternative (« faire » ou « faire faire »), l'entreprise choisira l'option la moins coûteuse. Les travaux de Coase ont donné naissance, à partir des années 1970, à la théorie des institutions et lui ont valu le prix Nobel d'économie en 1991.

---

[*] R. Coase (1937), « The Nature of the Firm », *Economica*, 4, 386-405.

Le statut juridique de l'entreprise

Une entreprise peut choisir différentes formes juridiques suivant la nature de son activité (commerciale, artisanale, libérale), le nombre d'associés, la fiscalité des bénéfices ou le degré de responsabilité de ses propriétaires vis-à-vis de ses dettes. Ce dernier critère est particulièrement important :

- lorsque les propriétaires sont responsables des dettes de l'entreprise sur leurs biens propres, les créanciers peuvent se retourner contre eux si l'entreprise est incapable de rembourser une dette, et ils sont alors tenus de la rembourser sur leur patrimoine personnel. Ainsi, un associé qui n'aurait investi que 1 000 € dans l'entreprise devrait rembourser le cas échéant la dette de cette dernière, fût-elle de plusieurs millions d'euros ;

- lorsque la responsabilité des propriétaires est limitée au montant de leur apport, ceux-ci ne perdent que ce qu'ils ont investi dans l'entreprise. On parle alors de sociétés à responsabilité limitée.

Avec tous ces critères et le goût français pour la complexité administrative, on aboutit à une quinzaine de statuts juridiques d'entreprises en France : seuls les plus courants sont présentés ici.

Les entreprises individuelles (EI) (*sole proprietorship*) sont détenues et gérées par une seule et même personne. Ces entreprises n'ont pas de **personnalité morale** : elles n'existent pas aux yeux de la loi et ne se distinguent donc pas de leur propriétaire-exploitant. Ce dernier ne peut différencier ses biens personnels de ses biens professionnels et il a une responsabilité illimitée vis-à-vis des dettes de l'entreprise. Le principal atout de l'entreprise individuelle est la simplicité. Ainsi, aucun capital minimal n'est exigé pour sa création. Son principal inconvénient est évidemment l'absence de séparation juridique entre l'entreprise et l'entrepreneur. De plus, la durée de vie de l'entreprise individuelle est limitée à celle de son propriétaire et le transfert de propriété est difficile à organiser.

Cette forme juridique est généralement celle de très petites entreprises, avec peu ou pas de salariés ; les commerçants, les artisans, les professions libérales ou les exploitants agricoles optent souvent pour ce statut. Près de la moitié des entreprises françaises sont des entreprises individuelles. Pour autant, elles n'emploient qu'un quart des personnes occupées et ne produisent qu'un cinquième de la valeur ajoutée.

Les sociétés en nom collectif (SNC) (*partnership*) ont au minimum deux propriétaires et disposent de la personnalité morale : ce sont des entités légales séparées de leurs propriétaires. À ce titre, elles peuvent signer des contrats, acquérir des biens, contracter des emprunts, etc. Elles sont néanmoins proches des entreprises individuelles, car les associés sont solidairement responsables des dettes de l'entreprise : un créancier peut demander à tout associé d'en rembourser l'intégralité. La confiance entre associés est donc essentielle, les décisions importantes sont prises à l'unanimité et les parts sociales qui composent le capital ne peuvent être cédées qu'avec le consentement de tous les associés. La société est dirigée par un ou plusieurs **gérants**, qui peuvent être ou non des associés et qui ont tous les pouvoirs de gestion et d'administration.

Malgré l'inconvénient de l'absence de séparation entre l'entreprise et ses propriétaires, certaines entreprises conservent ce statut, notamment quand l'activité n'est pas dissociable des personnes qui l'exercent ou de leur réputation : c'est le cas des débits de tabac ou des cabinets juridiques, par exemple. Elles représentent moins de 1 % des entreprises en France.

Les sociétés à responsabilité limitée (SARL) et les sociétés par actions simplifiées (SAS) sont des sociétés où les associés (entre 2 et 100) ne sont responsables qu'à concurrence de leur apport et bénéficient de la personnalité morale[3]. Une SARL est dirigée par un ou plusieurs gérants. Il n'y a pas de montant minimal pour le capital social et celui-ci est divisé en parts sociales, qui ne sont pas cessibles librement. Une variante existe lorsqu'il n'y a qu'un seul associé (le chef d'entreprise) : on parle alors d'**entreprise unipersonnelle à responsabilité limitée** (EURL).

---

3. Les sociétés à responsabilité limitée existent en France depuis 1925. Elles sont nées en Allemagne en 1893 : les *Gesellschaft mit beschränkter Haftung* (GmbH). Au Royaume-Uni ou au Canada, on parle de *Private Limited (Ltd) Company*. Aux États-Unis, cette forme juridique n'existe que depuis 1977 avec les *Limited Liability Companies* (LLC).

Les SAS sont apparues en 1999, avec un statut qui relâche certaines contraintes imposées aux SARL : le fonctionnement interne de la société ou la répartition du pouvoir entre associés sont du ressort des statuts de la société et non de la loi. De même, le capital d'une SAS est constitué d'actions, librement cessibles, et non de parts sociales. Du fait de sa flexibilité, le statut de SAS connaît un succès croissant : plus de 30 % des entreprises créées en 2018 l'ont choisi.

Les sociétés anonymes (SA) ont été créées en France en 1807 par le Code de commerce qui a autorisé les sociétés de capitaux[4]. Une SA dispose de la personnalité morale. Son capital est divisé en **actions** (*stocks* ou *shares*). Les associés, ou **actionnaires** (*shareholders*), sont au minimum deux (il n'y a pas de maximum) ; ils ne sont responsables des pertes de l'entreprise que dans la limite de leur apport. Ils ont droit à des **dividendes**, qui sont prélevés sur le bénéfice de la société. Ces dividendes rémunèrent leur participation au capital et leur prise de risque, et sont généralement versés au *prorata* du nombre de titres détenus[5]. Les principales décisions concernant l'entreprise (approbation des comptes, affectation des résultats, modification du capital social…) sont prises par un vote des actionnaires réunis en **assemblée générale**. En général, à chaque action est associé un droit de vote[6].

Les actions des sociétés anonymes sont librement échangeables, ce qui constitue un atout considérable pour attirer des investisseurs. Ainsi, même si les frais de constitution des sociétés anonymes sont importants, ces coûts pèsent peu pour une grande entreprise face aux avantages que ses actionnaires retirent de la limitation de leur responsabilité et de la possibilité de céder librement leurs actions.

Aujourd'hui, les sociétés anonymes ont un poids économique considérable, car c'est le statut de la plupart des grandes entreprises françaises. Les SA représentent à peine plus de 5 % des entreprises en France, mais elles emploient plus d'un quart des salariés et produisent un tiers de la valeur ajoutée totale. Ainsi, Total, la plus grande société anonyme française, exerce ses activités dans plus de 130 pays et compte plus de 100 000 salariés ; son chiffre d'affaires 2018 est de 200 milliards de dollars pour un bénéfice de plus de 10 milliards de dollars. La valeur des actions de Total, ou **capitalisation boursière**, dépasse 120 milliards d'euros.

À noter, le statut de **société européenne** (SE) a été créé en 2005 pour permettre aux sociétés anonymes d'exercer leurs activités dans toute l'Union européenne sans disposer de structures juridiques dans chaque État membre ; une vingtaine de sociétés françaises ont basculé vers ce nouveau statut, comme LVMH.

La fiscalité des sociétés

Une société étant une entité légale à part entière, ses profits font l'objet d'une imposition distincte de celle de ses propriétaires. Autrement dit, les actionnaires sont doublement imposés : la société paie des impôts sur ses bénéfices puis les actionnaires paient à leur tour des impôts sur les dividendes qu'ils reçoivent. Il existe dans la plupart des pays des mesures visant à alléger les effets de cette **double imposition**. Aux États-Unis, par

---

4. L'équivalent au Royaume-Uni est la *Public Limited (Ltd) Company*. Aux États-Unis, on parle simplement de *corporation*.
5. Sauf cas particulier, comme les actions à dividende prioritaire.
6. Sauf cas particulier, comme les actions à droit de vote double (voir chapitre 29).

exemple, le taux d'imposition sur les dividendes n'est que de 20 %, un taux inférieur au taux marginal d'imposition de nombreux actionnaires. Certains pays vont même jusqu'à annuler complètement l'effet de la double imposition des dividendes : c'est le cas notamment en Australie, au Chili ou au Mexique.

Historiquement, la France était le pays de l'OCDE dans lequel le taux global d'imposition des dividendes était le plus élevé – jusqu'à 60 % dans certains cas, et ce, malgré un dispositif limitant la double imposition des dividendes. En 2018, une réforme fiscale a permis de réduire sensiblement la fiscalité sur les dividendes : ils sont maintenant imposés au taux forfaitaire unique de 30 %, qui comprend à la fois l'impôt sur le revenu et les prélèvements sociaux.

Exemple 1.1

La double imposition des dividendes

Mosoft est une entreprise américaine qui réalise un bénéfice avant impôt de 8 $ par action. Les actionnaires ont voté en assemblée générale une distribution de 100 % du bénéfice après impôt. Le taux d'imposition sur les sociétés est de 25 % aux États-Unis et les dividendes sont imposés à 20 %. Quelle est la somme perçue, après impôt, par les actionnaires ? Même question pour Tatol, entreprise française pour laquelle le taux d'imposition sur les sociétés est de 25 %, les dividendes étant imposés à 30 % en France.

Solution

Mosoft paie d'abord l'impôt sur ses bénéfices : 8 × 25 % = 2 $ par action. Elle verse donc 6 $ par action à ses actionnaires. Ceux-ci doivent s'acquitter de l'impôt sur les dividendes : 6 × 20 % = 1,2 $ par action. Il leur reste 6 – 1,2 = 4,8 $ par action, ce qui représente un taux global de prélèvement obligatoire de : (2 + 1,2) / 8 = 40 %.

Pour Tatol, l'impôt sur les bénéfices est de 8 × 25 % = 2 € par action. Ses actionnaires reçoivent donc 6 € par action et doivent payer l'impôt sur les dividendes : 6 × 30 % = 1,8 € par action. Il leur reste 6 – 1,8 = 4,2 € par action, ce qui représente un taux global de prélèvement obligatoire de : (2 + 1,8) / 8 = 47,5 %.

1.2. Propriété et contrôle d'une société anonyme

Contrairement aux entreprises individuelles, dirigées par leur propriétaire, la propriété et le contrôle des sociétés anonymes sont le plus souvent distincts. Les actionnaires, qui sont les propriétaires de l'entreprise, sont en effet trop nombreux et trop dispersés pour espérer la diriger et la contrôler efficacement.

Qui dirige une société anonyme ?

Le conseil d'administration et le directeur général. Les actionnaires exercent indirectement leur contrôle en élisant, en assemblée générale, les personnes qui les représenteront au **conseil d'administration** (*board of directors*). Ces derniers, qualifiés **d'administrateurs** (*board members*), sont au minimum trois et au maximum 18. Ils peuvent être ou non actionnaires de la société, mais ils ont la responsabilité de la contrôler pour le compte de tous les actionnaires ; ils engagent leur responsabilité personnelle (civile, voire pénale pour les cas les plus graves) et ils sont rémunérés pour cela par des **jetons de présence**.

Le conseil d'administration détermine les règles de fonctionnement de l'entreprise, définit sa stratégie et surveille ses performances. Il a voix au chapitre pour les décisions les plus importantes (investissements, dividendes, rémunération des dirigeants, etc.). Pour accomplir ses missions, le conseil peut créer en son sein des comités spécialisés, par exemple sur les rémunérations, l'audit des comptes ou la stratégie.

Le conseil d'administration désigne le **directeur général** de l'entreprise (*chief executive officer* ou CEO), à qui il délègue la plupart des décisions de gestion quotidienne de l'entreprise. Le directeur général met en œuvre les décisions du conseil d'administration. En France, il est fréquent que le directeur général soit également président du conseil d'administration (*chairman of the board*) – il a alors le titre de **président-directeur général** (P-DG) ; dans ce cas, il n'y a pas de séparation des pouvoirs entre le conseil d'administration et le directeur général. C'était d'ailleurs la règle en France avant 2001, date à laquelle la Loi sur les nouvelles régulations économiques a permis cette dissociation des fonctions. Aujourd'hui, un peu moins de 50 % des entreprises du CAC 40 a opté pour cette dissociation des fonctions (parfois de manière conjoncturelle, pour offrir à un ancien P-DG la possibilité de quitter la société en douceur…).

Les sociétés anonymes peuvent également adopter, si elles le souhaitent, une structure duale – à l'allemande – avec un **directoire** composé de deux à sept membres qui assure la direction de l'entreprise et un **conseil de surveillance** qui se réunit au minimum de façon trimestrielle et contrôle la société. Les membres du directoire ne peuvent pas faire partie du conseil de surveillance, ni du directoire d'une autre entreprise. Michelin ou Vivendi, par exemple, ont choisi cette structure duale.

Le directeur financier. Le directeur général est généralement entouré de plusieurs cadres dirigeants, qui forment avec lui le comité exécutif, ou comex, de l'entreprise. Parmi eux, on retrouve le directeur des opérations (*chief operating officer* ou COO), le directeur commercial, le directeur des ressources humaines et le **directeur financier** (*chief financial officer* ou CFO). Ce dernier est en charge de la production de l'**information financière** de l'entreprise (comptabilité, consolidation et contrôle de gestion).

Il contribue également aux **choix d'investissement** ; à cet effet, il doit rigoureusement mesurer les coûts et les bénéfices de chaque projet afin de sélectionner ceux qui sont les plus intéressants pour les actionnaires. C'est une tâche fondamentale, puisque les investissements dessinent les contours futurs de l'entreprise.

Le directeur financier est aussi en charge des **décisions de financement**. En effet, une fois qu'un investissement a été décidé, il faut le financer. Faut-il autofinancer le projet, solliciter un crédit auprès d'une banque, privilégier un emprunt obligataire ou émettre de nouvelles actions ?

Le directeur financier doit enfin s'assurer que l'entreprise sera en mesure d'honorer au jour le jour ses engagements financiers. Le **pilotage de la trésorerie** et la **gestion des risques financiers** sont des responsabilités importantes du directeur financier. Certains projets d'investissement mobilisent des milliards d'euros et exigent des décennies avant d'être rentabilisés : le travail du directeur financier est de faire en sorte que cela ne mette pas en péril l'entreprise.

Les objectifs de l'entreprise

En théorie, les objectifs de l'entreprise sont déterminés par ses propriétaires, puisque le droit de propriété est « le droit de jouir et disposer des choses de la manière la plus absolue, pourvu qu'on n'en fasse pas un usage prohibé par les lois ou par les règlements » (article 544 du Code civil). Dans le cas d'une entreprise individuelle, il n'y a qu'un seul propriétaire et il est également dirigeant de l'entreprise : il est aisé de voir qui définit les objectifs assignés à l'entreprise. Les choses sont plus complexes pour une société anonyme, qui peut avoir des milliers, voire des millions d'actionnaires – soit autant de propriétaires – ayant eux-mêmes des intérêts différents.

Lesquels prendre en compte ? Au premier abord, on peut considérer pour simplifier que les intérêts de tous les actionnaires coïncident. Aussi surprenant que cela puisse paraître, c'est souvent le cas : quels que soient leurs patrimoines, leurs revenus et leurs préférences, tous les actionnaires souhaitent que l'entreprise mette en œuvre des projets qui créent de la valeur : en juillet 2019, une action Apple valait 125 fois plus qu'en octobre 2001 quand l'iPod a été lancé ; de quoi satisfaire les actionnaires, évidemment.

Ce qui profite à l'entreprise bénéficie-t-il toujours à la société ?

Les actionnaires d'Apple se sont enrichis depuis 2001, mais dans le même temps, les clients ont largement profité des produits de la marque à la pomme, et l'entreprise a créé des dizaines de milliers d'emplois. En règle générale, ce qui profite à une entreprise bénéficie à l'ensemble de la société. C'est l'idée de la « main invisible » chère à Adam Smith, pionnier de la théorie économique : « Ce n'est pas de la bienveillance du boucher, du brasseur ou du boulanger que nous attendons notre dîner, mais plutôt du soin qu'ils apportent à la recherche de leur propre intérêt[7]. »

Il existe toutefois de nombreux cas où l'intérêt des uns ne coïncide pas avec l'intérêt collectif, notamment lorsqu'il existe des **imperfections de marché**. Dans ces situations, un **conflit d'intérêt** peut apparaître entre les actionnaires (*shareholders*) et les autres **parties prenantes** de l'entreprise (*stakeholders*). Ce terme désigne tous ceux qui sont liés d'une manière ou d'une autre à l'entreprise et qui sont susceptibles d'être affectés par ses décisions : salariés, fournisseurs, clients, etc. Cela peut également désigner ceux qui habitent à proximité de l'entreprise, voire la société dans son ensemble ou les générations futures qui pourraient être affectées par les conséquences des activités de l'entreprise.

De tels conflits d'intérêt apparaissent par exemple lorsque des entreprises s'entendent pour fixer des prix élevés au détriment des consommateurs ou que des banques prennent des risques excessifs, comme l'a montré la crise financière de 2008 : cette stratégie peut être rentable pour les actionnaires à court terme, mais lorsque les risques se matéralisent la société dans son ensemble est affectée. Le même conflit d'intérêt existe lorsque les entreprises fabriquent des produits nocifs pour l'environnement sans en supporter le coût ou que leurs activités émettent des gaz à effet de serre qui contribuent au changement climatique.

Dans ces cas, des mesures de politique économique doivent être prises pour forcer l'alignement des intérêts des différentes parties prenantes : en l'espèce, un droit de la

---

7. A. Smith (1776), *Recherche sur la nature et les causes de la richesse des nations*.

concurrence efficace, le durcissement des règles prudentielles appliquées au secteur bancaire, la définition de normes sociales et environnementales, l'introduction de taxes spécifiques (**principe « pollueur-payeur »**). Ces mesures, sous réserve qu'elles soient suffisamment contraignantes, permettent aux entreprises de poursuivre un objectif de maximisation du profit dans un cadre qui garantit que cela profite à la société dans son ensemble.

Pour autant, les attentes exprimées vis-à-vis des entreprises changent, et la société accepte de moins en moins que le seul objectif affiché d'une entreprise soit le profit. Cette évolution culturelle et sociale, symbolisée par la « quête de sens » de la génération des *millenials* entrant sur le marché du travail, incite les entreprises à mieux prendre en compte les conséquences de leurs activités sur l'environnement et la société. Les questions de « soutenabilité » des activités, d'empreinte carbone et d'impact social deviennent centrales et invitent les actionnaires à réfléchir à la **responsabilité sociale de l'entreprise** (RSE, ou CSR pour *corporate social responsibility*) : au-delà de la recherche du profit, l'entreprise doit-elle agir en faveur d'autres objectifs ? Si oui, qui doit les définir, et comment ? Telle entreprise doit-elle fermer cette usine non rentable, sachant que la plupart des habitants de la ville voisine y travaillent ? Faut-il mettre en place ce nouveau procédé de production, plus coûteux mais qui réduit les émissions de phosphates dans les rivières environnantes, même si le procédé actuel respecte déjà les normes en vigueur ?

Ces questions, complexes, sont traitées en détail au chapitre 29. Mais on peut déjà noter qu'en France la loi Pacte (2019) prend acte de cette évolution des mentalités et modifie la définition de l'objet social de l'entreprise : cette dernière doit être « gérée dans son intérêt social, en prenant en considération les enjeux sociaux et environnementaux de son activité ». Celles dont les actionnaires le souhaitent peuvent même devenir des « sociétés à mission » et définir, en plus de la recherche de profit, un ou plusieurs objectifs sociaux ou environnementaux, qui seront contraignants : les décisions prises par l'entreprise devront être cohérentes avec la mission définie.

Zoom sur...	**Entreprises, conflits d'intérêt et campagnes électorales**

En France, la loi interdit aux entreprises tout financement de campagne électorale ou de parti politique. Cette mesure a été prise pour limiter le risque de corruption : de tels financements faisaient craindre des « renvois d'ascenseur » sous forme d'avantages en nature après l'élection. Cette interdiction a également eu le mérite de supprimer un conflit d'intérêt potentiel entre actionnaires, puisqu'il est improbable que tous les actionnaires tombent d'accord sur le candidat ou le parti à soutenir. Remarquons que le mouvement opposé a récemment eu lieu aux États-Unis : la Cour suprême a jugé en 2010 que le premier amendement autorisait les entreprises et les syndicats à soutenir financièrement un candidat ou un parti politique.

Ne soyons pas naïfs : tenir compte du bien-être des parties prenantes ou de l'intérêt collectif peut être dans l'intérêt des actionnaires. C'est le cas lorsque les stratégies les moins polluantes sont aussi les plus efficaces, lorsque les actions de réduction des émissions de gaz à effet de serre menées par l'entreprise permettent d'améliorer son image et donc d'augmenter ses ventes, ou lorsque l'amélioration des conditions de travail augmente la productivité des salariés. Il est aisé de décider de telles stratégies

« gagnant-gagnant » ; dans les autres situations, les actionnaires devront se mettre d'accord : certains seront prêts à des sacrifices, d'autres non, ce qui peut conduire à des conflits d'intérêt entre actionnaires.

Performance et incitations du dirigeant

Même si tous les propriétaires s'accordent sur les objectifs de l'entreprise, encore faut-il que cette dernière cherche effectivement à les atteindre. Dans le cas d'une société anonyme, comment les actionnaires peuvent-ils s'assurer que le dirigeant de l'entreprise essaie bien d'atteindre les objectifs qui ont été fixés ? On peut en effet craindre, en raison de la séparation entre la propriété de la société et son contrôle, que le dirigeant n'agisse pas vraiment dans l'intérêt des actionnaires et préfère poursuivre les siens propres. Ce type de problème est qualifié par les économistes de **conflit d'intérêt** ou de **coût d'agence**.

La façon la plus courante de résoudre ce problème consiste à aligner au mieux les intérêts du dirigeant sur ceux des actionnaires, afin de réduire le nombre de décisions dans lesquelles les intérêts des deux parties sont divergents. Pour ce faire, les actionnaires peuvent proposer au dirigeant un **contrat de rémunération incitatif**[8] : par exemple, en lui promettant des primes liées aux profits de l'entreprise ou à sa valeur boursière. Cette stratégie a cependant ses limites : en reliant trop fortement la rémunération du dirigeant à la performance de l'entreprise, on risque d'inciter ce dernier à prendre plus de risques, quitte à investir dans des projets qui ne vont pas dans le sens souhaité par les actionnaires. En outre, un dirigeant talentueux peut tout simplement refuser le poste si le contrat de rémunération proposé par les actionnaires est, de son point de vue, trop contraignant ou trop risqué.

Crise financière	**Réguler la rémunération des dirigeants**

Les récits à propos de stock-options, de parachutes dorés et de retraites-chapeaux ont souvent fait la une des journaux ces dernières années, et on ne compte plus les articles consacrés aux rémunérations « excessives » des dirigeants d'entreprises. Pour favoriser la transparence et tenter de juguler les excès, la régulation sur le sujet a progressivement été renforcée en France : les sociétés cotées sont aujourd'hui tenues de communiquer le montant des rémunérations totales versées aux mandataires sociaux, elles doivent soumettre à leur conseil d'administration les règles de rémunération des dirigeants et les faire approuver en assemblée générale, et l'attribution d'indemnités de départ aux dirigeants est soumise à des critères de performance. Dernier épisode en date, la loi Sapin 2 (2017) oblige les entreprises cotées à organiser un vote contraignant des actionnaires sur les modalités de rémunération des dirigeants lors des assemblées générales (principe du *say-on-pay*).

Un autre moyen à la disposition des actionnaires pour que le dirigeant prenne en compte les objectifs qu'ils assignent à l'entreprise consiste à faire pression sur lui : si le conseil

---

8. M. Jensen et W. Meckling (1976), « Theory of the Firm: Managerial Behavior, Agency Costs and Ownership Structure », *Journal of Financial Economics*, 3, 305-360 et J. Core, W. Guay et D. Larker (2003), « Executive Equity Compensation and Incentives: A Survey », *Federal Reserve Bank of New York Economic Policy Review*, 9, 27-50.

d'administration n'est pas satisfait des performances du dirigeant, il peut le remercier. En pratique, il est rare qu'un dirigeant soit poussé vers la sortie à cause d'une fronde de « petits » actionnaires. Aussi, les actionnaires mécontents choisissent-ils souvent de vendre leurs actions (ce que l'on appelle « voter avec ses pieds », par opposition au vote en assemblée générale). Si les actionnaires sont nombreux à agir de la sorte, le prix de l'action chute. À l'inverse, lorsqu'une société est bien gérée, les investisseurs sont nombreux à vouloir y acheter des actions, ce qui fait monter le cours boursier. Globalement, le prix des actions peut donc être considéré comme un baromètre permettant d'évaluer les dirigeants, puisqu'il reflète l'opinion des actionnaires sur la performance de l'entreprise.

Que se passe-t-il si le conseil d'administration s'évertue à accorder sa confiance à l'équipe dirigeante malgré de piètres performances ? Dans ce cas, il est probable que le cours de la Bourse baissera au fil du temps, ce qui exposera l'entreprise à une **offre publique d'achat hostile** (*hostile takeover*). C'est ce qui se produit lorsqu'un ou plusieurs investisseurs – qualifiés de *raiders* – essaient d'acheter suffisamment d'actions et donc de droits de vote pour changer les administrateurs et les dirigeants. Ils espèrent ainsi qu'avec une nouvelle équipe dirigeante, plus efficace et plus dévouée aux actionnaires, le cours boursier augmentera – pour leur propre bénéfice, mais aussi pour celui des autres actionnaires. Malgré la connotation négative généralement attachée à ces opérations, les *raiders* rendent en fait un grand service aux actionnaires. D'ailleurs, la menace d'une attaque hostile est souvent suffisante pour inciter les dirigeants à être plus performants et le conseil d'administration à prendre des décisions difficiles, le cas échéant. Le simple fait que les actions de l'entreprise soient librement échangeables en Bourse crée donc un « marché » pour le contrôle des entreprises, dont l'existence incite les dirigeants et le conseil d'administration à agir dans l'intérêt des actionnaires.

Le contrôle des créanciers sur l'entreprise

Les actionnaires ne sont pas les seuls à investir dans une entreprise : les **créanciers** également. Néanmoins, tant que l'entreprise honore ses engagements envers ces derniers, c'est-à-dire qu'elle paie les intérêts dus et qu'elle rembourse le capital emprunté, ils n'ont pas voix au chapitre en ce qui concerne sa gestion. C'est uniquement lorsque l'entreprise ne peut pas rembourser sa dette ou payer les intérêts que les créanciers se voient reconnaître des droits spécifiques (de contrôle, d'inspection, etc.) qui leur permettent de défendre leurs intérêts. En dernier recours, les créanciers peuvent saisir des actifs de l'entreprise à titre de compensation, voire prendre le contrôle de l'entreprise, à la place des actionnaires. La **faillite** d'une entreprise n'est donc rien d'autre qu'un transfert de propriété et de contrôle des actionnaires vers les créanciers (voir chapitre 16).

Afin d'éviter une telle situation, les dirigeants ont la possibilité de réorganiser l'entreprise et de renégocier la dette avec les créanciers. Ce n'est donc pas parce qu'une entreprise rencontre des difficultés financières qu'elle sera nécessairement liquidée : le plus souvent, les créanciers ont intérêt à accepter une réorganisation de l'entreprise pour qu'elle continue à fonctionner. Et même si le contrôle passe dans les mains des créanciers, il peut être dans leur intérêt de maintenir l'activité et de restructurer l'entreprise.

Crise financière	La faillite de Lehman Brothers

Le 15 septembre 2008, la banque d'investissement américaine Lehman Brothers, incapable de faire face à ses engagements, se déclare en cessation de paiement. Avec un passif supérieur à 700 milliards de dollars, c'est la plus grande faillite de l'histoire, qui manque de provoquer une crise systémique mondiale.

Malgré cette faillite, la banque n'a pas cessé ses activités : dès la semaine suivante, Barclays a acheté pour 1,75 milliard de dollars les activités de banque d'investissement et de courtage de Lehman Brothers en Amérique du Nord (y compris son siège social de Manhattan) ; la plupart des salariés n'ont donc pas eu à pointer au chômage : ils sont devenus salariés de Barclays. Le mois suivant, Nomura a fait de même avec plusieurs filiales non américaines de Lehman Brothers. D'autres filiales de Lehman Brothers ont été rachetées par des fonds de capital-risque ou des entreprises industrielles : EDF a ainsi racheté Eagle Energy, filiale de Lehman Brothers spécialisée dans le trading de matières premières.

Malgré ses conséquences pour l'économie mondiale, la faillite de Lehman Brothers ne s'est donc pas traduite par la cessation de ses activités, mais par un transfert de la propriété et du contrôle de l'entreprise.

1.3. Les marchés financiers

Les actionnaires souhaitent que les dirigeants agissent pour maximiser la valeur de l'entreprise et donc de leurs actions. Pour la plupart des entreprises, il est néanmoins compliqué d'estimer précisément la valeur des actions : les actionnaires sont peu nombreux, les achats et ventes d'actions sont rares et lorsqu'une transaction survient, l'information n'est pas toujours publique. Les choses sont différentes pour les entreprises qui choisissent de faire coter leurs actions sur un marché financier[9] : la **Bourse** est un marché organisé sur lequel s'échangent les actions, leur prix est connu de tous en temps réel et il est possible d'en acheter en grande quantité, dans un délai court et à un prix proche de celui auquel on aurait pu les vendre. Cette **liquidité** est évidemment un facteur clé pour attirer les investisseurs[10], puisque cela leur garantit de pouvoir vendre leurs actions quand ils le désireront.

Lorsqu'une entreprise émet des actions et les vend sur le marché, on parle de **marché primaire** des actions. Une fois émises, les actions des entreprises cotées sont librement échangeables ; on parle alors de **marché secondaire** des actions. Les émissions d'actions nouvelles étant rares, l'immense majorité des transactions est effectuée sur le marché secondaire.

---

9. Attention aux faux amis : en anglais, les entreprises cotées sont des *public companies* par opposition aux entreprises non cotées (*private companies*) ; les entreprises détenues par l'État sont des *state-owned companies*.

10. On compte en France environ 4 millions d'actionnaires individuels qui détiennent en direct des actions de sociétés cotées ; c'est moins qu'avant la crise financière de 2008.

| **Zoom sur...** | **La naissance des marchés financiers*** |

Entre le XIe et le XIIIe siècle, plusieurs centres financiers voient le jour en Italie (Pise, Venise, Florence, Gênes) et en Espagne (Valence, Barcelone). Mais les premières Bourses n'apparaissent qu'au XVe siècle, au nord de l'Europe. En 1409, c'est la naissance de la Bourse de Bruges. L'étymologie du mot « Bourse » viendrait d'ailleurs du nom d'un bâtiment construit à Bruges par la famille Van der Burse près duquel se déroulaient les premières transactions (les armoiries de la famille représentaient trois bourses pleines d'or). En 1460, c'est la naissance de la Bourse d'Anvers. Un bâtiment spécifiquement consacré aux transactions financières est achevé en 1531, sur le fronton duquel on peut lire : « *Ad usum mercatorum cujusque gentis ac linguae* » [À l'usage des marchands de tous les pays et de toutes les langues].

En 1530, c'est la naissance de la Bourse d'Amsterdam. Cette Bourse préfigure les Bourses modernes et connaît un formidable développement entre le XVIIe et la fin du XVIIIe siècle. Les volumes de transaction sont alors très importants et pour la première fois, de « petits épargnants », installés dans les nombreux cafés jouxtant la Bourse, peuvent prendre part au jeu. Jamais auparavant la frénésie qui entoure les marchés n'avait connu une telle ampleur. Les investisseurs rivalisent d'ingéniosité et des instruments financiers sophistiqués apparaissent. En 1688, Joseph Penso de la Vega publie *Confusion de confusiones*, un ouvrage qui décrit précisément les pratiques financières à la Bourse d'Amsterdam ; c'est le plus ancien ouvrage connu dont le sujet central est la Bourse. Y figurent notamment des remarques sur l'utilisation (parfois abusive) de stratégies financières sophistiquées et spéculatives dans lesquelles interviennent des options (voir chapitre 20) : on y explique par exemple comment « le hareng était vendu avant même qu'il n'ait été pêché ».

La Bourse de Paris date de 1563 (la première Bourse en France est créée à Lyon en 1462). L'engouement y est, avec un peu de retard, le même qu'à Amsterdam. En 1807, Napoléon lance la construction du palais Brongniart, qui s'inspire de temples grecs, pour regrouper en un seul endroit toutes les activités boursières de Paris ; il est inauguré en 1826. À l'ouverture, 26 titres sont cotés. Il abrite la fameuse corbeille autour de laquelle les agents de change négocient les transactions et sert de décor au célèbre roman d'Émile Zola, *L'Argent*. En 1900, plus de 800 titres français – actions et obligations – et près de 300 titres étrangers sont cotés quotidiennement à la Bourse de Paris.

---

* P. Spieser et L. Belze (2007), *Histoire de la finance : le temps, le calcul et les promesses*, Vuibert ; G. Gallais-Hamonno et P.-C. Hautcœur (2007), *Le Marché financier français au XIXe siècle*, Publications de la Sorbonne.

Les principales places financières mondiales

Depuis les années 2000, les Bourses ont connu de profondes mutations[11] : elles ont aujourd'hui le statut d'**entreprises de marché** ; elles sont en concurrence pour attirer à la fois les entreprises désireuses de se faire coter et les investisseurs. Cette concurrence pousse ces entreprises de marché à innover, à lever des capitaux (quitte à se faire elles-mêmes coter en Bourse !) et à se rapprocher les unes des autres : les Bourses ne sont plus des entités publiques nationales, mais de véritables entreprises. Cette section présente

---

11. Voir J. Hamon, B. Jacquillat et C. Saint-Étienne (2007), « Consolidation mondiale des Bourses », *Rapport du CAE*, 77, Documentation française et J. Angel, L. Harris et C. Spatt (2015), « Equity Trading in the 21st Century : An Update », *Quarterly Journal of Finance*, 5, 1-39.

les principales places boursières mondiales. La figure 1.1 représente la capitalisation boursière des entreprises cotées sur les principales Bourses mondiales.

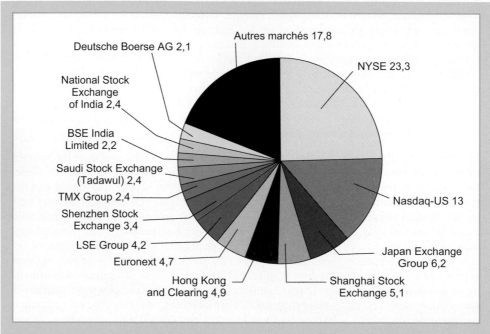

Figure 1.1 – Les principales places boursières, classées par capitalisation boursière totale des entreprises cotées (en milliers de milliards de dollars à fin 2019)

Source : **www.world-exchanges.org**.

Euronext. Euronext est la principale entreprise de marché de la zone euro. Créée en 2000, c'est la sixième Bourse mondiale, qui réunit les marchés boursiers d'actions et de produits dérivés français, belges, néerlandais et portugais ; elle opère également un marché actions à Londres. Euronext est cotée en Bourse – sur Euronext, bien entendu !

Euronext est un **marché électronique** : il n'existe pas de lieu physique où se déroulent les transactions. Auparavant, les investisseurs se réunissaient autour de la corbeille pour effectuer des transactions. Aujourd'hui, ils transmettent leurs ordres d'achat ou de vente d'actions par téléphone ou *via* des réseaux informatiques. C'est un **marché dirigé par les ordres** (*order-driven market*). Cela signifie que tous les ordres d'achat et de vente sont centralisés et s'accumulent dans un carnet d'ordres (*order book*) électronique. Contrairement au marché des changes qui fonctionne 24 heures sur 24, les transactions sur les marchés boursiers ont lieu pendant les séances de Bourse (*trading sessions*). Pour les titres les plus liquides, cotés en continu, les séances se déroulent comme suit :

- Entre 7 h 15 et 9 heures, période de préouverture, aucune transaction n'est autorisée ; les ordres s'accumulent et sont exécutés à 9 heures, au cours du *fixing* d'ouverture. Au moment du *fixing*, les ordres d'achat et de vente sont confrontés pour déterminer le prix d'équilibre – celui qui permet d'échanger le maximum de titres. Sont servis en premier les investisseurs les moins exigeants ; autrement dit, ceux qui proposent d'acheter à un prix élevé et ceux qui proposent de vendre à un prix faible (si deux investisseurs proposent un prix identique, la règle du premier arrivé, premier servi s'applique).

- Entre 9 heures et 17 h 30, les actions sont **cotées en continu**, c'est-à-dire qu'une transaction est réalisée dès que deux ordres dans le carnet, de sens opposé, coïncident en termes de prix ; le prix des actions fluctue donc au cours de la séance.

- Entre 17 h 30 et 17 h 35, période de préclôture, les ordres s'accumulent de nouveau dans le carnet et ils sont exécutés à 17 h 35, au cours du *fixing* **de clôture**.

- Enfin, entre 17 h 35 et 17 h 40, il est possible d'acheter ou de vendre des titres au prix de clôture.

Les investisseurs qui souhaitent acheter ou vendre des actions sur Euronext disposent de plusieurs types d'ordres de Bourse. De manière générale, sur les marchés dirigés par les ordres, on distingue principalement les **ordres sans limite de prix**, qui sont immédiatement exécutés aux conditions du marché, et les **ordres à cours limité**, pour lesquels l'investisseur définit un prix limite (un prix maximal à l'achat ou un prix minimal à la vente). Cela permet à l'investisseur de garantir un prix d'achat plafond ou un prix de vente plancher, mais avec le risque que son ordre ne soit exécuté que partiellement (voire pas du tout) s'il n'est pas assez compétitif par rapport aux ordres placés au même moment par d'autres investisseurs[12].

Le New York Stock Exchange (NYSE). La principale Bourse mondiale (et de loin) est la Bourse de New York, créée en 1792. Elle est située à Wall Street, Manhattan. Contrairement à Euronext, c'est un **marché dirigé par les prix** (*quote-driven market*). Cela signifie que les transactions s'organisent autour d'un intermédiaire : le **teneur de marché** (*market maker*). Dans le cas du NYSE, ce teneur de marché est en situation de monopole : on l'appelle le *specialist*. Les investisseurs doivent nécessairement s'adresser à ce fournisseur officiel de liquidité. Celui-ci affiche en permanence un prix auquel il est disposé à vendre (l'*ask*) et un prix auquel il est disposé à acheter (le *bid*) une quantité donnée d'actions. Le prix auquel le teneur de marché accepte de vendre à un investisseur est, naturellement, toujours supérieur au prix auquel il accepte d'acheter. La différence entre ces deux prix, à savoir la **fourchette de prix** ou *bid-ask spread*, rémunère le teneur de marché. C'est la contrepartie exigée pour assurer la liquidité du marché et elle constitue une composante importante des coûts de transaction payés par les investisseurs.

Quel que soit le mode de fonctionnement d'un marché boursier, qu'il soit dirigé par les ordres (comme Euronext) ou par les prix (comme le NYSE), les investisseurs qui souhaitent une exécution immédiate de leurs ordres font donc face à des prix différents selon qu'ils achètent ou vendent leurs titres[13].

---

12. Les investisseurs qui passent des ordres à cours limité assurent la liquidité du marché en permettant à ceux qui cherchent une exécution rapide de leurs ordres de trouver immédiatement une contrepartie. En permanence, pour chaque titre, on dispose, en effet, de deux prix : un prix auquel on peut acheter et un prix auquel on peut vendre immédiatement une certaine quantité (pas nécessairement la même) d'actions.

13. Analyser les avantages et les inconvénients des différents modes de fonctionnement des marchés financiers est l'objet de la théorie de la microstructure des marchés. Voir A. Minguet (2003), *Microstructure des marchés d'actions*, Economica.

Entretien	Stéphane Boujnah, président-directeur général d'Euronext

Stéphane Boujnah est président du directoire et directeur général d'Euronext depuis 2015. Il était précédemment responsable Europe continentale pour Santander Global Banking & Markets.

Quelles sont les activités d'Euronext ?

Euronext opère plusieurs marchés au comptant et dérivés en Europe, dont les marchés actions de Paris, Lisbonne, Amsterdam et Bruxelles. C'est une société européenne, indépendante et cotée en Bourse, dont l'objectif premier est de permettre aux marchés de capitaux de financer l'économie réelle, notamment en aidant les épargnants qui ont des capitaux à rencontrer les entreprises qui ont besoin de capitaux pour se développer. En ce sens, Euronext contribue au transfert de risques entre acteurs économiques. Ce sont bien les Bourses européennes, et singulièrement celle de Paris, qui ont permis, au XIXe siècle, le financement de l'expansion coloniale, du rail, de l'industrie textile, des mines, de la sidérurgie, de la tour Eiffel ou des canaux Freycinet. Aujourd'hui, Euronext est la maison commune de la croissance européenne.

Comme toute infrastructure de marché, Euronext « fabrique des prix » : la confrontation permanente de l'offre et de la demande de titres permet de révéler à chaque microseconde le « prix d'équilibre ». Les marchés gérés par Euronext doivent donc offrir la meilleure liquidité possible pour permettre au propriétaire d'un titre de le vendre aux meilleures conditions, à tout moment, et réciproquement pour offrir la même certitude aux acheteurs.

En 15 ans, le paysage boursier européen a été recomposé et de nouveaux concurrents sont apparus. Quelles sont les conséquences de cette évolution ?

Le modèle « un pays – une Bourse » a vécu. Euronext est aujourd'hui en concurrence avec les autres grandes infrastructures de marché européennes, comme le *London Stock Exchange* ou la *Deutsche Börse*, mais aussi avec des nouveaux entrants qui opèrent sur des marchés virtuels, comme les *dark pools*. Ces nouveaux entrants captent une partie des flux, mais ils se spécialisent sur quelques niches rentables, notamment les titres à forte liquidité ou les dérivés. Ils ont donc un périmètre plus réduit que celui d'Euronext qui accueille toutes les entreprises – les PME comme les grands groupes – et tous les investisseurs – les épargnants individuels comme les *traders* haute fréquence – qui fournissent une liquidité importante au marché. La réglementation européenne devrait progressivement astreindre les nouveaux entrants à des règles plus strictes, à l'image de celles qui s'imposent aux marchés organisés traditionnels, ce qui devrait réduire leur champ d'intervention.

Comment voyez-vous l'avenir des entreprises comme Euronext ?

Les infrastructures de marché sont soumises à une tension entre réglementation et innovation. Euronext gère une infrastructure critique qui doit être fiable, disponible et robuste. Euronext reçoit jusqu'à 2,4 milliards de messages de *trading* par jour, plus que le nombre de recherches quotidiennes sur Google, avec un temps moyen de réponse de 80 microsecondes. C'est la capacité à opérer une telle infrastructure en toute sécurité qui demeure notre cœur de métier. La plateforme d'Euronext est donc un objet technologique complexe qui doit évoluer, mais sous le contrôle d'une réglementation exigeante. Si une innovation a démontré son utilité et sa robustesse, et que les responsabilités en cas de dysfonctionnement sont claires, elle sera rapidement déployée sur Euronext. Sinon, des expérimentations seront menées sur des plateformes pilotes dédiées, comme c'est le cas aujourd'hui pour la *blockchain*.

Le Nasdaq. Le Nasdaq est un marché entièrement électronique, créé en 1971 par la *National Association of Securities Dealers* (NASD). Le Nasdaq est souvent considéré comme le marché des entreprises technologiques à fort potentiel de croissance (des entreprises comme Microsoft ou Apple y sont cotées). Il s'agit, comme le NYSE, d'un marché dirigé par les prix, mais les teneurs de marché sont en concurrence. Chaque teneur de marché fixe ses prix acheteur et vendeur, qui peuvent être observés par l'ensemble des participants. Le système Nasdaq affiche en premier les meilleurs prix et satisfait les ordres de Bourse en conséquence. Cette procédure garantit aux investisseurs de bénéficier à tout moment du meilleur prix, qu'ils soient vendeurs ou acheteurs.

Le London Stock Exchange (LSE). Initialement appelé le *Royal Exchange* mais rebaptisé en 1773, le *London Stock Exchange* a été créé à Londres en 1565. Il se caractérise par une grande ouverture à l'international. Ce marché est dirigé par les prix ; tout comme sur le Nasdaq, les teneurs de marché y sont en concurrence.

Les Bourses des pays émergents. En quelques années, de nouvelles Bourses, essentiellement situées dans le Sud-Est asiatique, sont venues bousculer la hiérarchie mondiale des places financières. Les Bourses en Chine, en Inde ou en Arabie Saoudite se classent aujourd'hui en bonne place parmi les 15 premières Bourses mondiales.

Les plateformes électroniques de trading et les *dark pools*

Depuis le milieu des années 2000, sous l'impulsion des progrès technologiques et de la libéralisation des marchés, les Bourses traditionnelles font face à de nouveaux concurrents. En Europe, c'est la directive « Marché d'instruments financiers » qui a mis fin, en 2007, au monopole des Bourses et à la concentration des ordres, en autorisant la création de **systèmes multilatéraux de négociation**, ou **plateformes électroniques de trading**. Au même moment, les États-Unis ont adopté un schéma similaire avec la régulation *National Market System*, qui a permis l'apparition des ***alternative trading systems***.

L'objectif de ces réformes est de promouvoir la concurrence entre opérateurs de marché. Elles ont, en quelques années, bouleversé le paysage boursier mondial. Aujourd'hui, seuls deux tiers des volumes sur les actions du CAC 40 sont encore négociés sur Euronext, le reste l'étant sur des plateformes électroniques telles que Chi-X ou Turquoise. Sur les marchés américains, l'évolution a été encore plus rapide, du fait de la structure spécifique de ces marchés dirigés par les prix : les plateformes électroniques réalisent aujourd'hui plus de 40 % des transactions sur des titres cotés sur le NYSE et le Nasdaq. L'arrivée de ces nouveaux acteurs a considérablement réduit l'importance des teneurs de marché officiels : avec la rencontre automatisée et électronique des ordres d'achat et de vente, n'importe qui peut « faire » les prix et « offrir » de la liquidité au marché, simplement en envoyant un ordre d'achat ou de vente à cours limité (comme sur un marché dirigé par les ordres).

Ces offreurs de liquidité sont rémunérés pour leur service par la fourchette de prix (l'écart entre le *bid* et l'*ask*), mais ils prennent le risque de ne pas voir leurs ordres exécutés, ou d'être victimes d'un ajustement brutal des cours. En effet, lorsqu'une bonne nouvelle survient, les traders cherchent à acheter le plus rapidement possible des titres en profitant des ordres de vente à cours limité envoyés au marché avant que l'information ne survienne. Pour se couvrir contre ce risque, les offreurs de liquidité sont donc en permanence à l'affût de toutes les informations susceptibles de faire bouger les cours, afin d'annuler à temps leurs ordres à cours limité et de les remplacer par de nouveaux ordres à des prix plus adaptés. Il existe donc une course de vitesse entre offreurs et demandeurs de liquidité ; cette course a fait apparaître le **trading à haute fréquence**[14] (*high frequency trading*), qui consiste à utiliser des algorithmes et des programmes informatiques toujours plus rapides pour placer, mettre à jour, annuler, ou tirer parti d'ordres à cours limité en quelques millisecondes, avant que les parties adverses n'aient eu le temps de réagir.

Les plateformes électroniques de trading présentent, comme les marchés organisés, un inconvénient : toutes les transactions sont visibles en temps réel de l'ensemble du marché. En réponse à cela, se développent depuis une dizaine d'années les ***dark pools***. Il s'agit de plateformes électroniques qui ne publient pas les ordres à cours limité qu'elles reçoivent, ce qui permet aux investisseurs de ne pas révéler leurs stratégies de trading. De plus, la fourchette de prix est très faible sur ces plateformes. En contrepartie, les *dark pools* ne garantissent pas l'exécution intégrale des ordres, s'il existe un déséquilibre entre les ordres d'achat et de vente. Plusieurs dizaines de *dark pools* concurrents existent aujourd'hui aux États-Unis, et une poignée en Europe.

La centralisation des transactions financières sur une place unique d'échange pour maximiser la liquidité, qui était la règle des marchés financiers depuis la création des premières Bourses, n'existe donc plus ; la concurrence fait rage entre Bourses traditionnelles et nouveaux entrants pour attirer les investisseurs. Il est bien trop tôt pour savoir si un modèle s'imposera au détriment des autres. En tous les cas, cette concurrence a permis une baisse des coûts de transaction, au bénéfice de tous les investisseurs.

1.4. Secteur financier et innovations technologiques : la *fintech*

La finance a toujours été friande d'innovations technologiques, au service de l'innovation financière. Le terme générique de ***fintech***, contraction de finance et de technologie, est aujourd'hui à la mode, mais ce n'est pas un phénomène récent. Quelques exemples suffisent pour s'en convaincre (voir également l'entretien du chapitre 23).

Finance et moyens de communication

Les financiers ont toujours été à l'avant-garde des utilisateurs des technologies de communication. Posséder une information avant les autres constitue en effet un avantage certain. Ainsi, dès 1840, le télégraphe installé entre New York et Philadelphie a été utilisé par certains investisseurs pour réaliser des **arbitrages**, c'est-à-dire pour tirer parti de différences de prix sur certaines actions cotées sur ces deux marchés. On a d'ailleurs constaté que cela a contribué à réduire les différences de prix entre ces deux marchés. Le même effet a été constaté entre les Bourses de New York et de Londres suite à la mise en service du premier câble transatlantique[15].

---

14. M. O'Hara (2015), « High frequency market microstructure », *Journal of Financial Economics*, 116, 257-270.
15. Garbade K. et W. Silber (1978), « Technology, Communication and the Performance of Financial Markets: 1840–1975 », *Journal of Finance*, 33(3), juin.

L'arrivée des systèmes d'information continue, puis des ordinateurs et d'Internet a permis d'accélérer la transmission des informations financières, pour aujourd'hui constituer un réseau mondial en temps réel. Pour aller toujours plus vite, certains investisseurs utilisent aujourd'hui la technologie des micro-ondes.

Sécurité et vérification des transactions

Les transactions financières nécessitent d'être aussi sécurisées que possible. Ce souci a été à l'origine de nombreuses inventions, au premier rang desquelles l'écriture : les premiers signes cunéiformes servaient ainsi en Mésopotamie à attester des transactions. Plus près de nous, l'ancêtre du fax, le pantélégraphe, est apparu dans les années 1860 pour permettre aux banques de transmettre les signatures de leurs clients au travers des fils du télégraphe.

Rien de surprenant donc à ce que la finance ait immédiatement compris l'intérêt de la *blockchain* pour sécuriser une transaction financière : cette technologie permet d'enregistrer n'importe quelle transaction de manière publique, sans faire appel à un tiers de confiance pour en certifier l'authenticité. La *blockchain* permet donc la création d'un registre public des transactions sans avoir besoin d'une chambre de compensation ou d'un intermédiaire spécialisé. Cette technologie a permis l'apparition des **crypto-monnaies**, dont la première, le *bitcoin*, a été créée en 2008. La détention et les échanges de *bitcoins* sont en effet enregistrés dans une *blockchain* publique, qui garantit numériquement les transactions.

Avec plusieurs milliards de transactions journalières à enregistrer et à vérifier par le système financier, la technologie *blockchain* a le potentiel pour révolutionner la manière dont sont organisés les systèmes de paiement. Pour cela, il faudra que la technologie démontre ses avantages par rapport aux méthodes actuelles.

L'informatisation des services bancaires

Le premier distributeur automatique de billets date de 1967. À l'époque, il n'existait pour ainsi dire aucun service automatique à destination des consommateurs. Un demi-siècle plus tard, tous les secteurs économiques s'y sont mis et offrent des services automatiques toujours plus riches et diversifiés.

Les distributeurs automatiques seront peut-être bientôt obsolètes, avec la généralisation des téléphones portables qui permettent de payer de nombreux biens et services, de transférer de l'argent et de réaliser la plupart des opérations bancaires sans passer par une banque. Dans les pays émergents, des centaines de millions de personnes n'ont accès au système financier qu'au travers de ce canal.

Ces innovations ont contribué à renforcer la concurrence dans le secteur financier, avec de nouveaux acteurs venant de secteurs différents : Apple, Google ou Paypal proposent ainsi des services de paiement, tandis qu'Amazon propose des crédits aux entreprises qui vendent leurs produits sur sa plateforme et que de nombreuses start-up (les *fintechs*) proposent des services financiers innovants aux particuliers et aux entreprises.

Intelligence artificielle et *big data*

L'utilisation intensive des données dans le secteur financier ne date pas d'hier. Des historiques de crédit des particuliers aux prix des titres cotés, les bases de données n'ont jamais manqué dans le secteur financier. Des entreprises comme Bloomberg ou Reuters sont d'ailleurs apparues pour collecter et vendre des quantités toujours plus grandes de données à leurs clients du secteur financier. Le *big data* est né dans le secteur financier, lorsque dans les années 1990 les Bourses ont commencé à publier le détail de toutes les transactions réalisées.

L'utilisation intensive de données a aujourd'hui gagné toutes les activités financières. Avec le renfort d'algorithmes d'intelligence artificielle, de *data mining* et de *machine learning*, certaines entreprises tentent de prévoir les évolutions de très court terme des prix sur les marchés, tandis que d'autres se spécialisent sur la prédiction du risque de faillite pour mieux appréhender le risque de crédit d'un emprunteur, ou la mesure du risque de sinistre associé à un contrat d'assurance. La même transformation est à l'œuvre dans les équipes d'analystes financiers (*equity* ou *credit research*), les investisseurs étant de plus en plus demandeurs d'analyses fondées sur l'exploitation massive de données : imagerie satellite, données personnelles des consommateurs ou analyse automatisée du langage entrent progressivement dans la boîte à outils des analystes financiers pour qu'ils continuent à offrir à leurs lecteurs des analyses à valeur ajoutée dans un monde où l'information est surabondante.

Il est difficile de savoir quelles seront les prochaines innovations technologiques qui viendront révolutionner les services financiers et permettront d'imaginer de nouveaux produits ou services. Il n'y a en revanche aucun doute sur le fait que le secteur financier continuera à être un lieu privilégié d'innovation, car cela offre à certains acteurs un avantage concurrentiel et répond aux attentes des consommateurs. Espérons néanmoins que la réglementation du secteur évoluera à la même vitesse, pour éviter les risques inhérents à des innovations mal maîtrisées.

Résumé

1.1.   Qu'est-ce qu'une entreprise ?

- Les principales formes juridiques d'entreprises en France sont : l'entreprise individuelle (EI), la société en nom collectif (SNC), la société par actions simplifiée (SAS) et la société anonyme (SA).

- Une société dispose de la personnalité morale : elle peut signer des contrats, acquérir des biens, contracter des emprunts, etc.

- Dans le cas des EI et des SNC, le ou les propriétaires sont responsables des dettes de l'entreprise sur leurs biens propres. Dans le cas des SAS et des SA, la responsabilité des propriétaires est limitée à leur apport. Au pire, ceux-ci ne perdent que ce qu'ils ont investi dans la société.

- Les dividendes versés par une société font généralement l'objet d'une double imposition : l'entreprise acquitte un impôt sur ses bénéfices, et les actionnaires doivent ensuite payer un impôt sur les dividendes qu'ils reçoivent.

1.2. Propriété et contrôle d'une société anonyme

- La propriété et le contrôle d'une société anonyme sont séparés : les actionnaires exercent leur contrôle indirectement, *via* le conseil d'administration. Le conseil d'administration délègue au directeur général la plupart des décisions de gestion quotidienne.

- Le directeur financier est en charge de la production de l'information financière. Il contribue aux choix d'investissement ; il est aussi responsable des décisions de financement, du pilotage de la trésorerie et de la gestion des risques financiers.

- L'intérêt des actionnaires se heurte parfois à celui des autres parties prenantes (salariés, fournisseurs, clients…). Ces conflits d'intérêt posent la question de la responsabilité sociale des entreprises.

- Il peut également exister un conflit d'intérêt entre actionnaires et dirigeant ; pour le limiter, il est possible de proposer à ce dernier un contrat de rémunération incitatif.

- La faillite d'une société peut s'interpréter comme un transfert de propriété et de contrôle des actionnaires vers les créanciers.

1.3. Les marchés financiers

- Si l'entreprise est cotée, ses actions peuvent s'échanger en Bourse ; la cotation permet d'accroître la liquidité des actions, c'est-à-dire de faciliter les achats et les ventes d'actions.

- Les Bourses sont aujourd'hui complètement informatisées : il n'y a plus de lieu physique où s'échangent les actions ; les investisseurs entrent en contact uniquement par téléphone ou *via* des réseaux informatiques.

- Les marchés boursiers sont essentiellement de deux types : ceux dirigés par les prix et ceux dirigés par les ordres. Dans le premier cas, le teneur de marché assure la liquidité du marché en proposant en permanence un prix acheteur et un prix vendeur. Dans le second cas, les ordres sont centralisés et confrontés directement.

- Les Bourses traditionnelles sont aujourd'hui en concurrence avec des plateformes électroniques de trading et des *dark pools*.

1.4. Secteur financier et innovations technologiques : la *fintech*

- Le terme *fintech* qualifie l'utilisation des nouvelles technologies dans le secteur financier. Mais l'intérêt du secteur financier pour les innovations technologiques ne date pas d'hier.

- Parmi les innovations qui ont transformé le secteur financier, on peut citer les télécommunications, les méthodes de vérification et de sécurisation des transactions, l'informatisation des services bancaires ou l'intelligence artificielle.

Exercices

1. Qu'est-ce qu'une entreprise ?

2. Quels sont les différents critères permettant de classer les entreprises ?

3. Qu'est-ce qui distingue une entreprise d'une société ?

4. Que signifie la « responsabilité limitée » dans le cadre d'une société ?

5. Quelles sont les formes juridiques d'entreprises dans lesquelles la responsabilité des propriétaires est limitée ?

6. Quels sont les avantages et les inconvénients de la forme juridique de la société anonyme ?

7. Grandex affiche un bénéfice net avant impôt de 2 € par action. Après avoir payé l'impôt sur les sociétés (au taux de 25 %), Grandex verse l'intégralité de son bénéfice en dividendes à ses actionnaires. Les dividendes touchés par des personnes physiques sont imposés au taux de 30 %. Quel est le revenu, net d'impôt, dont bénéficie un actionnaire ?

8. Des milliers de brevets sont déposés chaque année auprès de l'Organisation mondiale de la propriété intellectuelle (50 000 aux États-Unis, 20 000 en Chine, 10 000 en France). Ces brevets sont-ils un frein à l'innovation ? Les règles de propriété intellectuelle permettent-elles d'aligner l'intérêt des entreprises et de la société dans son ensemble ?

9. Vous venez d'être recruté comme directeur financier d'une start-up qui développe des applications pour l'iPhone. À quelles décisions financières allez-vous être confronté ?

10. Que peuvent faire les actionnaires pour aligner l'intérêt du dirigeant sur leurs propres intérêts ?

11. Un conflit d'intérêt peut-il apparaître entre le locataire et le propriétaire d'un appartement ? Pourquoi ? Quelles clauses inclure dans le contrat de location pour aligner les intérêts des deux parties ?

12. Vous êtes directeur général d'une entreprise sur le point d'être rachetée. L'entreprise acquéreuse propose un prix qui vous paraît faible. Mais l'accord prévoit que vous serez le directeur général de la nouvelle entité créée par la fusion des deux entreprises – avec au passage une forte revalorisation de votre salaire et de vos primes. À quel conflit d'intérêt êtes-vous exposé ?

13. Les opérations de fusion-acquisition hostiles sont-elles toujours défavorables aux actionnaires de l'entreprise cible ?

14. Pourquoi une société décide-t-elle d'entrer en Bourse ?

15. Quels sont les principaux changements survenus sur les marchés financiers au cours des 15 dernières années ?

16. Pourquoi la fourchette de prix représente-t-elle un coût de transaction ?

17. Comment la fourchette de prix est-elle déterminée ?

18. Voici le cours de l'action Peugeot tel qu'il apparaît sur Yahoo! Finance. Quel est le cours du *fixing* de clôture de la veille ? Quel est le cours du *fixing* d'ouverture aujourd'hui ? Quel prix faut-il payer pour acheter immédiatement une action Peugeot ? Quel prix reçoit-on si l'on vend immédiatement cette action ? Quel est le prix qu'accepte actuellement de payer l'acheteur le plus généreux ?

19. Euronext reçoit les ordres suivants pour le titre Accro :

- ordre à cours limité : achat de 200 actions à 25,00 € ;

- ordre à cours limité : vente de 200 actions à 26,00 € ;

- ordre à cours limité : vente de 100 actions à 25,50 € ;

- ordre à cours limité : achat de 100 actions à 25,25 €.

Quels sont les meilleurs *bid* et *ask* pour l'action Accro ? Quelle est la fourchette de prix ? Un ordre d'achat sans limite de prix pour 200 actions Accro arrive sur le marché. À quel prix d'achat moyen l'ordre sera-t-il exécuté ? Après exécution de cet ordre, quels seront les meilleurs *bid* et *ask*, et quelle sera la fourchette de prix ?

20. Pourquoi le secteur financier a-t-il toujours été friand d'innovations technologiques ?

Chapitre 2
L'analyse des états financiers

Comme le chapitre 1 l'a montré, le principal avantage des sociétés anonymes est que n'importe qui peut en devenir actionnaire. De ce fait, l'actionnariat de ces sociétés est souvent très étendu : les 2,7 milliards d'actions qui composent le capital d'Orange sont aux mains de plus de 800 000 actionnaires ! Parmi ces derniers, on trouve des particuliers qui détiennent quelques dizaines ou quelques centaines d'actions et des investisseurs institutionnels (sociétés d'assurances, banques, fonds de placement…) qui en détiennent plusieurs millions.

La majorité des actionnaires n'est pas impliquée dans la gestion de l'entreprise ; ils ont donc besoin d'informations pour évaluer les performances de cette dernière, contrôler les actions des dirigeants et décider de conserver ou de vendre leurs actions. Pour qu'ils disposent de l'information requise, les entreprises ont l'obligation légale de publier à intervalles réguliers des documents comptables, appelés états financiers, qui offrent une information fiable, normalisée et cohérente pour permettre aux actionnaires de se faire une idée de la santé financière de l'entreprise et de ses perspectives. La compréhension et l'analyse de ces états financiers occupent des ouvrages entiers de comptabilité et d'analyse financière[1] ; ce chapitre ne prétend donc pas à l'exhaustivité, et se concentre sur les éléments les plus utiles à la prise de décisions financières.

La section 2.1 présente les principes qui régissent les états financiers. Les principaux documents comptables – le bilan, le compte de résultat et le tableau des flux de trésorerie[2] – sont présentés dans les sections 2.2 à 2.4. La section 2.5 détaille les ratios financiers utiles pour l'analyse financière et l'évaluation des entreprises. Enfin, la section 2.6 traite de la question de la qualité de l'information comptable, mise en doute à la suite de scandales financiers depuis les années 2000.

---

1. L. Desrousseaux *et al.* (2019), *Comptabilité générale*, Pearson ; W. Dick et F. Missonier-Piera (2018), *Comptabilité financière en IFRS*, Pearson.

2. Les états financiers comprennent également des annexes qui précisent les méthodes comptables et fournissent des informations relatives aux filiales, aux opérations de fusions-acquisitions et aux engagements hors-bilan, par exemple les opérations de couverture et les garanties reçues ou accordées par l'entreprise. Toutes ces informations sont essentielles pour interpréter les états financiers d'une entreprise. Une grande latitude est laissée quant à la quantité et au contenu des notes annexes, le principe d'image fidèle devant servir de guide à leur établissement. Pour les comptes consolidés, les états financiers comprennent également un tableau de variation des capitaux propres (*statement of changes in equity*).

2.1. Les états financiers

Les **états financiers** (*financial statements*) sont des documents comptables réalisés à intervalles réguliers (à un rythme annuel au minimum, semestriel ou trimestriel) par toutes les entreprises. Ces documents sont publiés et destinés à tous ceux qui sont liés financièrement à l'entreprise : les actionnaires bien entendu, mais aussi les clients, les fournisseurs, les salariés, les créanciers, les autorités fiscales, les analystes financiers, etc. Pour que ces documents soient utiles aux parties prenantes, ils doivent être :

- intelligibles, c'est-à-dire compréhensibles immédiatement par des utilisateurs avertis ;
- fiables, c'est-à-dire exempts d'erreurs ou d'omissions significatives ;
- pertinents, c'est-à-dire accorder aux différents éléments une place proportionnelle à l'importance qu'ils ont pour l'entreprise ;
- comparables, soit de manière chronologique (une même entreprise au cours du temps) soit en coupe instantanée (plusieurs entreprises au même moment).

L'objectif est que l'information comptable donne une image fidèle de l'entreprise, en adoptant une démarche exhaustive et prudente (pour éviter la surestimation des produits ou la sous-estimation des charges) et en cherchant la plus grande neutralité possible. Pour garantir la fiabilité des états financiers, une tierce partie indépendante – l'**auditeur** – s'assure que les états financiers annuels ont été préparés selon les normes comptables en vigueur et en vérifie la régularité, l'exactitude et la sincérité. Dans l'Union européenne, ces audits sont réalisés par des professionnels certifiés : les **commissaires aux comptes**.

En France coexistent des normes françaises et des normes internationales. Ces dernières ont été développées pour permettre la comparabilité d'états financiers d'entreprises de différents pays[3]. Le besoin est apparu dans les années 1970 avec le développement des entreprises multinationales et l'essor des investissements internationaux. Ces normes internationales, dites **normes IFRS** (pour *International Financial Reporting Standards*), sont élaborées par l'*International Accounting Standards Board* (IASB). Plus de 120 pays ont adopté les normes IFRS, à l'exception notable des États-Unis et de la Chine qui maintiennent leurs standards comptables nationaux (aux États-Unis, les *Generally Accepted Accounting Principles*, dits US GAAP).

La principale différence entre les normes IFRS et les normes comptables françaises relève des principes : les premières accordent davantage de place à l'interprétation que les secondes. Elles fixent un cadre général, mais laissent aux professionnels une marge de manœuvre, cette souplesse étant compensée par la diffusion d'une grande quantité d'informations. Il existe aussi des différences pratiques : alors que les normes comptables françaises reposent sur une approche en coût comptable historique, les normes IFRS mettent l'accent sur la juste valeur (*fair value*)[4].

---

3. .J. Mistral, C. de Boissieu et J.-H. Lorenzi (2003), « Les normes comptables et le monde post-Enron », *Rapport du CAE*, n° 42, La Documentation française.
4. S. Marchal, M. Boukari et J.-L. Cayssials (2007), « L'impact des normes IFRS sur les données comptables des groupes français cotés », *Bulletin de la Banque de France*, n° 163.

En France, les normes IFRS s'appliquent depuis 2005 aux sociétés cotées en Bourse pour leurs comptes consolidés[5] : cela concerne 1 000 sociétés (et plus de 25 000 filiales), parmi les plus importantes. Les sociétés consolidantes non cotées peuvent choisir d'appliquer les normes IFRS ou les normes françaises. Mais toutes les entreprises doivent publier leurs comptes sociaux en normes françaises ; heureusement, ces dernières évoluent pour se rapprocher progressivement des normes IFRS.

2.2. Le bilan

Le **bilan** (*balance sheet* ou *statement of financial position*) est un document comptable qui fournit une vue d'ensemble du patrimoine de l'entreprise à un instant donné : il s'agit d'une photographie de ce que l'entreprise possède et de ce qu'elle doit. Elle est réalisée en général une fois par an, à la fin de l'exercice comptable (qui coïncide le plus souvent en Europe avec la fin de l'année civile).

Le tableau 2.1 représente le bilan simplifié d'une entreprise fictive, la World Company. Il est divisé en deux parties : l'**actif** (*assets*) et le **passif** (*equity + liabilities*). L'actif recense tous les emplois de l'entreprise et le passif l'ensemble de ses ressources, autrement dit de ses sources de financement. Par définition, l'actif et le passif sont égaux :

$$\text{Actif} = \text{Passif} \tag{2.1}$$

Cette égalité est la conséquence du **principe comptable de la partie double**. Quand l'entreprise achète un bien, elle peut l'inscrire à son actif s'il s'agit d'un bien durable (un bâtiment par exemple) ou le comptabiliser en charge, auquel cas il vient en réduction du bénéfice. Cette première partie de l'écriture fait donc augmenter l'actif ou baisser le passif. La seconde partie de l'écriture consiste à inscrire la contrepartie de l'achat, qui peut être une réduction de la trésorerie de l'entreprise (baisse de l'actif) ou l'apparition d'une dette à l'égard du vendeur (augmentation du passif). La seconde écriture vient par conséquent équilibrer la première, garantissant l'équilibre permanent de l'actif et du passif du bilan. Ainsi, l'actif de la World Company est bien égal à son passif : 183,6 millions d'euros en 2019.

---

5. Les comptes consolidés, à la différence des comptes sociaux, visent à présenter les comptes d'un groupe de sociétés comme si elles ne formaient qu'une seule entité économique.

Tableau 2.1	Bilan de la World Company (en millions d'euros)

	Actif	2018	2019		Passif	2018	2019
1	Ecarts d'acquisition	8,0	28,0	1	Capital social et primes d'émission	12,0	12,0
2	Autres immobilisations incorporelles	6,0	13,0	2	Réserves	3,0	4,0
3	Immobilisations corporelles	67,9	78,7	3	Report à nouveau	14,1	14,9
4	*Dont : Terrains et usines*	*58,7*	*58,7*	4	Résultat net de l'exercice	2,1	2,4
5	*Machines*	*9,2*	*20,0*	5	Capitaux propres (1 à 4)	31,2	33,3
6	Actifs financiers non courants	1,0	2,0				
7	Actif non courant (1 à 3 + 6)	82,9	121,7	6	Provisions pour risques et charges	4,0	4,8
8	Stocks	14,3	15,3	7	Dettes non courantes	61,8	106,0
9	Créances clients	13,2	18,5	8	Passif non courant (6 + 7)	65,8	110,8
10	Autres actifs courants	2,0	4,0				
11	Actifs financiers courants	1,0	1,0	9	Provisions pour risques et charges	0,4	0,6
12	Trésorerie et équivalents de trésorerie	19,5	23,1	10	Dettes courantes	11,0	9,0
				11	Dettes fournisseurs	24,5	29,9
13	Actif courant (8 à 12)	50,0	61,9	12	Passif courant (9 + 10 + 11)	35,9	39,5
14	**Total de l'actif** (7 + 13)	**132,9**	**183,6**	13	**Total du passif** (5 + 8 + 12)	**132,9**	**183,6**

L'actif du bilan

Le tableau 2.1 montre que l'**actif** du bilan est constitué de plusieurs postes, classés par liquidité croissante.

L'actif non courant (ou actif immobilisé). Ce poste comprend les actifs nécessaires à l'exploitation de l'entreprise qui ne sont pas détruits lors d'un cycle normal d'exploitation. Ce sont donc des actifs durables qui conservent une valeur économique au fil du temps. Les actifs non courants peuvent être de trois types :

- Les **immobilisations incorporelles**, qui regroupent les actifs fixes intangibles de l'entreprise. Parmi ces actifs, on trouve en premier lieu les **écarts d'acquisition**, encore appelés **survaleurs** ou *goodwill*. Un écart d'acquisition apparaît lorsqu'une entreprise en achète une autre à un prix supérieur à sa **valeur d'apport**, c'est-à-dire à la valeur à laquelle les actifs achetés entrent dans le bilan de l'entreprise acheteuse. Cette dernière doit donc ajouter à ses actifs incorporels la différence entre le prix payé et la valeur d'apport. On voit ainsi dans le tableau 2.1 que la World Company a acquis en 2019 pour 35 millions d'euros une entreprise dont la valeur d'apport des actifs était seulement de 15 millions d'euros : la différence (20 millions d'euros) est donc ajoutée aux écarts d'acquisition. Les **autres immobilisations incorporelles** comprennent le patrimoine immatériel de l'entreprise : brevets, fonds de commerce, marques, etc.

- Les **immobilisations corporelles**, qui comprennent les terrains, les bureaux, les usines, les équipements, etc., dont l'entreprise a besoin pour fonctionner.

- Les **actifs financiers non courants**, ou **immobilisations financières**, qui rassemblent les titres de filiales, les prêts et les cautions consentis à d'autres entreprises, ainsi que les titres de participation qui ont vocation à être conservés durablement.

Actifs non courants et amortissement. Certains actifs non courants s'usent ou deviennent obsolètes (les équipements, par exemple). D'autres voient leur valeur évoluer au fil du temps (les bâtiments, les titres...). La valeur comptable d'origine de ces actifs peut donc ne plus refléter leur valeur courante. Bien que ces variations de valeur ne constituent pas des charges effectives, il faut les prendre en compte si l'on souhaite donner une image fidèle de la situation patrimoniale de l'entreprise.

L'enregistrement d'**amortissements** permet de répartir dans le temps la perte de valeur des actifs immobilisés quand celle-ci est certaine et irréversible[6]. Lorsque l'entreprise constate une diminution de la valeur d'un actif, mais que celle-ci est incertaine ou réversible, la moins-value latente est enregistrée en **provision**[7]. L'actif peut être présenté de manière à faire apparaître amortissements et provisions : il faut pour cela le présenter en deux colonnes, actif brut et actif net, avec la relation :

$$\text{Actif net} = \text{Actif brut} - (\text{Amortissements} + \text{Provisions}) \tag{2.2}$$

Pour ce qui est des amortissements, il existe différentes méthodes pour répartir la perte de valeur sur la durée de vie des actifs :

- L'**amortissement linéaire** répartit de manière uniforme les charges d'amortissement sur la durée de vie théorique de l'actif ; la **valeur nette comptable** de l'actif, c'est-à-dire la différence entre sa valeur d'acquisition et le cumul des amortissements passés, baisse tous les ans du même montant. La charge d'amortissement annuelle s'obtient en divisant la valeur d'acquisition de l'actif par sa durée de vie théorique.

- L'**amortissement dégressif** permet de passer des amortissements plus importants au début, afin de bénéficier d'une réduction d'impôt plus avantageuse les premières années qu'avec un amortissement linéaire, ce qui favorise l'investissement. Ce régime d'amortissement est réservé à certains actifs neufs dont la durée de vie théorique est d'au moins trois ans. Pour obtenir le taux de l'amortissement dégressif, on multiplie le taux d'amortissement linéaire par un coefficient qui dépend de la durée de vie théorique du bien : 1,25 lorsque la durée de vie est de trois à quatre ans, 1,75 lorsque la durée de vie est de cinq à six ans, et 2,25 au-delà. Le taux obtenu est appliqué la première année sur la valeur d'acquisition, puis les années suivantes sur la valeur comptable nette. L'amortissement dégressif doit être abandonné au profit de l'amortissement linéaire lorsque le taux dégressif devient inférieur au taux linéaire *calculé sur la durée de vie théorique résiduelle*.

- L'**amortissement variable**, dont le rythme est déterminé par l'usure réelle de l'actif et non par une règle comptable.

Il est à noter que, lorsque l'achat a eu lieu en cours d'année, la première annuité d'amortissement est calculée *prorata temporis*, c'est-à-dire proportionnellement à la durée effective d'utilisation de l'actif. La première annuité étant partielle, elle est complétée par une annuité supplémentaire en fin de vie comptable de l'actif.

---

6. En moyenne, une usine sera amortie sur 20 ans, un ordinateur sur trois ans, une voiture sur cinq ans, etc.

7. Conformément au principe de prudence, les plus-values latentes ne sont pas comptabilisées.

Les régimes d'amortissement

La World Company a acheté le 1ᵉʳ mars et a commencé à utiliser le 1ᵉʳ avril 2019, pour 10 000 € HT, un véhicule utilitaire neuf d'une durée de vie théorique de cinq ans. Quels sont les amortissements que doit passer l'entreprise si elle pratique des amortissements linéaires ? Et si les amortissements sont dégressifs ?

Solution

Si les amortissements sont linéaires sur cinq ans, le taux d'amortissement est de 100 % / 5 = 20 % ; l'annuité est donc de $10\,000 \times 20\,\% = 2\,000$ €. Toutefois, le véhicule a été mis en service le 1ᵉʳ avril ; la première annuité n'est que de $2\,000 \times (9 \times 30) / 360 = 1\,500$ € au *prorata temporis*, en supposant que l'année se compose de 360 jours. Pour que l'amortissement du matériel soit total, une sixième annuité doit être inscrite au bilan de l'entreprise en 2024 pour le montant résiduel de 500 €.

	Valeur comptable de début d'exercice	Annuité d'amortissement	Amortissements cumulés	Valeur comptable nette de fin d'exercice
2019	10 000	1 500	1 500	8 500
2020	8 500	2 000	3 500	6 500
2021	6 500	2 000	5 500	4 500
2022	4 500	2 000	7 500	2 500
2023	2 500	2 000	9 500	500
2024	500	500	10 000	–

Si l'entreprise procède à des amortissements dégressifs, le coefficient à appliquer est égal à 1,75, compte tenu de la durée de vie du véhicule. Le taux d'amortissement dégressif est de 20 % × 1,75 = 35 %. La première année, l'amortissement est égal à 10 000 × 35 % × (9 × 30) / 360 = 2 625 € au *prorata temporis*. La deuxième année, la valeur résiduelle est de 7 375 € et l'amortissement est de 7 375 × 35 % = 2 581,3 €. La troisième année, 4 793,8 × 35 % = 1 677,8 €. La quatrième année, l'entreprise est contrainte de revenir à un mode d'amortissement linéaire, car la durée de vie résiduelle du véhicule n'est plus que de deux ans, ce qui correspondrait à un taux d'amortissement linéaire de 50 %, lequel est supérieur au taux d'amortissement dégressif de 35 %. Les deux dernières années, l'amortissement est donc égal à 3 115,9 / 2 = 1 558,0 €.

	Valeur comptable de début d'exercice	Annuité d'amortissement	Amortissements cumulés	Valeur comptable nette de fin d'exercice
2019	10 000,0	2 625,0	2 625,0	7 375,0
2020	7 375,0	2 581,3	5 206,3	4 793,8
2021	4 793,8	1 677,8	6 884,1	3 115,9
2022	3 115,9	1 558,0	8 442,0	1 558,0
2023	1 558,0	1 558,0	10 000,0	–

L'actif courant (ou actif circulant). Ce poste regroupe les actifs destinés à être consommés, détruits ou cédés dans le cadre d'un cycle normal d'exploitation. Autrement dit, il s'agit des actifs à court terme de l'entreprise. Cette catégorie inclut[8] :

- les **stocks** de matières premières, de composants, de produits en cours de fabrication (semi-finis) ou de produits finis ;

- les **créances clients** qui apparaissent lorsque l'entreprise vend à crédit ou accorde un délai de paiement à un client ;

- les **autres actifs courants** qui regroupent par exemple les créances fiscales, les charges constatées d'avance, etc. ;

- les **actifs financiers courants** qui, contrairement aux actifs financiers non courants, n'ont pas vocation à être conservés durablement par l'entreprise ;

- la **trésorerie et équivalents de trésorerie**, qui comprend les placements court terme, peu risqués et liquides (bons du Trésor de maturité inférieure à un an, par exemple) et les disponibilités détenues par l'entreprise (dépôts bancaires et compte de caisse).

Comme les actifs non courants, les actifs courants peuvent subir une perte de valeur. Le principe d'image fidèle impose alors à l'entreprise de passer une **provision**. C'est le cas, par exemple, lorsque la dégradation de la solvabilité d'un client rend improbable le paiement de sa créance (devenue une créance douteuse).

Le passif du bilan

Le **passif** de l'entreprise se compose de trois postes principaux, classés par ordre d'exigibilité croissante.

Les capitaux propres. Ils constituent les ressources les plus stables de l'entreprise, apportées par les actionnaires et augmentées des bénéfices non distribués de l'entreprise :

- Le **capital social** et les **primes d'émission** correspondent aux apports directs, en espèces ou en nature, des actionnaires à l'entreprise, lors de la constitution de la société ou ultérieurement (grâce à des augmentations de capital). Le capital social d'une entreprise est égal au nombre d'actions multiplié par leur **valeur nominale** unitaire, qui est fixée à la création de l'entreprise et rarement modifiée ensuite. En cas d'augmentation de capital, les actions émises sont souvent vendues à un prix supérieur à leur valeur nominale : les investisseurs paient donc, en plus de la valeur nominale, une **prime d'émission**, égale à la différence entre le prix de vente des titres, qui reflète la vraie valeur de l'entreprise au moment de l'augmentation de capital, et la valeur nominale des titres.

- Les bénéfices passés non distribués sous forme de dividendes (éventuellement diminués des pertes passées) sont accumulés par l'entreprise. Ils constituent un apport indirect de capitaux propres par les actionnaires, car il s'agit de bénéfices que les actionnaires ont décidé de laisser dans l'entreprise. Ces apports indirects de capitaux propres permettent à une entreprise d'améliorer sa situation financière et sa capacité

---

8. Les avances et les acomptes versés sur commande de matières premières ou marchandises, ainsi que les charges constatées d'avance (comme le loyer ou les assurances), sont également enregistrés dans les actifs courants.

d'autofinancement. Ils peuvent être comptabilisés en **réserves** (légales, réglementées, contractuelles ou facultatives) ou en **report à nouveau**. Le report à nouveau n'étant pas distribué en dividendes ni mis en réserve, il peut servir ultérieurement à verser un dividende aux actionnaires.

- Le **résultat net** de l'exercice courant, qui peut être positif ou négatif, vient augmenter ou réduire les capitaux propres de l'entreprise. Il apparaît au bilan avant **affectation**, c'est-à-dire avant distribution d'éventuels dividendes aux actionnaires.

Certaines entreprises, particulièrement rentables ou anciennes, ont un capital social faible par rapport à leurs capitaux propres : l'essentiel des apports de leurs actionnaires a été indirect. En 2018, L'Oréal avait ainsi 3,2 milliards d'euros en capital social et primes d'émission pour des capitaux propres comptables de 27 milliards.

Les passifs non courants et les passifs courants. Ces deux postes rassemblent les engagements financiers de l'entreprise vis-à-vis de tiers, en fonction de leur échéance. Sont comptabilisés en passifs non courants tous les engagements de l'entreprise qui ne seront pas réglés dans le cadre d'un cycle d'exploitation normal et sous une échéance de 12 mois, tandis que les passifs courants enregistrent les engagements de l'entreprise dont le règlement est prévu à brève échéance et qui s'inscrivent dans le cadre du cycle d'exploitation normal de l'entreprise. On retrouve dans ces deux postes[9] :

- Les **provisions pour risques et charges.** Des provisions pour risques sont passées lorsque l'entreprise est exposée à des litiges, des garanties offertes aux clients, des pertes sur des contrats, etc. Des provisions pour charges sont passées pour anticiper des dépenses, certaines ou probables, mais non encore effectives. C'est le cas, par exemple, lorsque l'entreprise s'attend à subir des coûts dans le futur (grosses réparations d'un bâtiment à mener dans plusieurs années, décontamination d'un site après l'arrêt de l'exploitation, etc.). Le passage d'une provision pour charge réduit le résultat de l'exercice au moment où elle est passée, alors que la charge anticipée n'est pas encore apparue. Lorsque la charge se matérialise lors d'un exercice ultérieur auquel elle ne se rapporte pas économiquement, l'entreprise procède à une reprise de la provision en produits, ce qui annule l'effet de la charge au niveau du résultat. Les provisions sont non courantes lorsque l'entreprise s'attend à les utiliser dans un délai excédant les 12 mois suivant la date de clôture des comptes, et courantes sinon.

- Les **dettes financières.** Contrairement aux capitaux propres, la dette a une date d'échéance et une rémunération indépendante du résultat net de l'entreprise. Il est donc moins risqué pour un investisseur de détenir de la dette que des actions d'une entreprise. Les dettes peuvent être contractées sur le marché financier (emprunt obligataire) ou auprès de banques (emprunt bancaire). Les dettes financières sont comptabilisées en passifs non courants lorsqu'elles ont une échéance dépassant l'exercice comptable suivant et en passifs courants dans le cas contraire.

- Les **dettes fournisseurs.** Ce sont les sommes dues aux fournisseurs de l'entreprise pour des biens et services que l'entreprise a achetés à crédit.

---

9. Les avances et les acomptes reçus, ainsi que les produits constatés d'avance, sont également enregistrés dans les passifs courants.

Valeur comptable et valeur de marché des capitaux propres

Idéalement, un bilan devrait permettre d'évaluer la valeur économique des capitaux propres de l'entreprise et donc la richesse des actionnaires. Ce n'est pas le cas en comptabilité française : la comptabilisation des postes du bilan se fait souvent en valeur historique (*book value*), plutôt qu'en juste valeur (*fair value*), malgré l'évolution progressive des normes comptables en faveur de la juste valeur. Si un immeuble est inscrit au bilan à son coût historique net des amortissements, sa valeur comptable peut être très différente de sa valeur de marché. Un second problème est que certains actifs de l'entreprise, pourtant essentiels à son fonctionnement, ne sont pas inscrits dans le bilan : les compétences de ses salariés, sa réputation ou les relations de confiance qu'elle a nouées avec ses clients et fournisseurs sont autant d'actifs qui créent de la valeur et qui n'apparaissent pas au bilan.

La **valeur comptable des capitaux propres** de l'entreprise n'est donc qu'une évaluation imprécise de la « vraie » valeur de ses capitaux propres. La meilleure preuve en est la différence, parfois étonnante, entre la valeur comptable et la **valeur de marché des capitaux propres**, c'est-à-dire ce qu'est prêt à payer un investisseur pour les acheter et devenir propriétaire de l'entreprise. Cette valeur de marché, ou **capitalisation boursière** (*market capitalization*), est égale au nombre d'actions de l'entreprise multiplié par leur prix. Elle n'a aucune raison de dépendre de la valeur comptable des capitaux propres ou du coût historique des actifs ; la seule chose qui compte, du point de vue de l'investisseur, c'est la capacité de l'entreprise à être rentable dans le futur.

Il existe même des situations dans lesquelles la valeur comptable des capitaux propres est négative : il suffit pour cela que les dettes de l'entreprise soient supérieures à la valeur comptable de son actif. C'est le cas, par exemple, d'Edenred, l'entreprise qui émet les Tickets Restaurants, en 2018. Deux cas différents peuvent conduire à cette situation : à partir de capitaux propres positifs, l'entreprise accumule des pertes, qui réduisent les capitaux propres jusqu'à ce qu'ils deviennent négatifs. Le second cas est plus heureux : les entreprises performantes peuvent emprunter plus de capitaux que la valeur comptable de leur actif, car les créanciers sont convaincus que la valeur de marché des actifs est très supérieure à leur valeur comptable. C'est dans cette situation que se trouve Edenred, avec une dette de 2,2 milliards d'euros et une valeur comptable de ses capitaux propres de – 1,4 milliard d'euros. Cela n'empêche nullement la valeur de marché de ses capitaux propres (sa capitalisation boursière) de s'élever à 11 milliards d'euros : les investisseurs estiment que les actifs d'Edenred valent nettement plus que leur valeur comptable.

Puisque la valeur comptable des capitaux propres n'est pas une bonne estimation de la « vraie » valeur de l'entreprise, qu'apprend-on à la lecture d'un bilan ? Le montant des capitaux propres peut être utilisé comme estimation de la **valeur de liquidation**, c'est-à-dire la valeur qui resterait si les actifs de l'entreprise étaient vendus et les dettes remboursées. Il peut également être utilisé pour calculer le *Price-to-Book ratio*.

Le *Price-to-Book ratio* (PBR), ou multiple des capitaux propres. En rapportant la valeur de marché des capitaux propres à leur valeur comptable, on obtient le *Price-to-Book ratio* (ou *Market-to-Book ratio*), également appelé multiple des capitaux propres :

PBR = Valeur de marché des capitaux propres / Valeur comptable des capitaux propres (2.3)

En France, sur les 15 dernières années, le PBR moyen des entreprises cotées était de 2 environ, avec des écarts marqués en fonction des secteurs d'activité et des entreprises. En général, plus le potentiel de croissance de l'entreprise est élevé et plus le multiple des capitaux propres le sera. Les entreprises dont le PBR est faible sont généralement qualifiées de **valeurs de rendement** (*value stocks*), par opposition à celles dont le PBR est élevé, qualifiées de **valeurs de croissance** (*growth stocks*). Ainsi, les entreprises des secteurs de l'informatique ou des biotechnologies affichent des ratios très élevés : le PBR d'Apple est de 10,5 en 2019. À l'opposé, les entreprises dans des secteurs matures, tels que l'automobile, ont des PBR faibles : seulement 0,4 pour Renault. En d'autres termes, le marché estime que les actifs de Renault valent moins que leur valeur comptable.

Exemple 2.2

Valeur de marché et valeur comptable des capitaux propres

Le nombre d'actions de la World Company s'élève à 3,6 millions ; chaque action vaut 14 €. Quelle est la capitalisation boursière de l'entreprise ? Comparez celle-ci à la valeur comptable de ses capitaux propres.

Solution

La capitalisation boursière de la World Company est de 3,6 millions d'actions × 14 € par action = 50,4 millions d'euros. La capitalisation boursière est significativement supérieure à la valeur comptable des capitaux propres inscrite au bilan (tableau 2.1) : 33,3 millions d'euros en 2019. Le *Price-to-Book ratio* de la World Company est donc de 50,4 / 33,3 = 1,51 : les actionnaires sont prêts à payer 1,51 fois la valeur comptable de ses capitaux propres pour l'acheter.

La valeur de marché de l'actif économique

De même que la valeur comptable des capitaux propres, la taille du bilan n'est pas très révélatrice. Une entreprise peut afficher un gros bilan sans que ce soit significatif en termes économiques. Ainsi, la World Company affiche en 2019 une dette totale (non courante et courante) de 106 + 9 = 115 millions d'euros, pour une trésorerie de 23,1 millions d'euros ; elle pourrait, sans modifier son fonctionnement ni sa valeur, avoir une dette de seulement 91,9 millions d'euros et une trésorerie nulle : il lui suffirait pour cela d'utiliser sa trésorerie pour rembourser partiellement sa dette. Inversement, la World Company pourrait augmenter son endettement et conserver en trésorerie les capitaux empruntés sans que cela ne change rien, à part la taille de son bilan.

Du point de vue économique, il convient donc de ne pas s'arrêter à la *dette brute*, et de s'intéresser plutôt à la *dette nette*, définie comme la dette brute moins la trésorerie : la dette nette de la World Company est de 91,9 millions d'euros. La dette nette d'une entreprise peut être négative, si sa trésorerie dépasse sa dette totale. C'est le cas d'Apple en 2019.

Pour avoir une vue globale de la valeur de l'entreprise, il est possible de calculer la **valeur de marché de l'actif économique** (*enterprise value*), qui est ce que devrait débourser un investisseur souhaitant acheter l'entreprise[10], récupérer la trésorerie et rembourser l'intégralité de ses dettes :

$$\text{Valeur de marché de l'actif économique}$$
$$= \text{Valeur de marché des capitaux propres} + \text{Dette nette} \qquad (2.4)$$

En 2019, la valeur de marché de l'actif économique de la World Company est de $50{,}4 + (115 - 23{,}1) = 142{,}3$ millions d'euros.

Valeur de marché de l'actif économique

Le cours boursier de l'action Safari est de 40 € pour 1 200 millions d'actions en circulation. La dette l'entreprise est de 38,4 milliards d'euros et sa trésorerie de 8 milliards d'euros. Quelles sont la capitalisation boursière de l'entreprise et la valeur de marché de son actif économique ?

Solution

Safari a une capitalisation boursière de $40 \times 1\ 200$ millions d'actions = 48 milliards d'euros. La valeur de marché de l'actif économique de Safari est donc de $48 + 38{,}4 - 8 = 78{,}4$ milliards d'euros.

Exemple 2.3

Le besoin en fonds de roulement

Le bilan permet également d'évaluer si l'entreprise dispose des ressources suffisantes pour faire face à ses besoins financiers à court terme. En effet, l'actif courant du bilan regroupe les emplois d'exploitation, c'est-à-dire les stocks (achats non consommés ou produits non vendus) et les créances clients (ventes non encaissées) : autant de postes que l'entreprise doit financer. Inversement, le passif courant contient des éléments qui constituent des ressources d'exploitation, car ils correspondent à des charges contractées mais non encore payées, principalement les dettes fournisseurs. Il est donc possible de calculer la différence entre les emplois et les ressources d'exploitation afin de déterminer le montant que l'entreprise doit mobiliser pour financer son cycle d'exploitation : c'est le **besoin en fonds de roulement** (BFR) :

$$\text{BFR} = \text{Stocks} + \text{Créances clients} - \text{Dettes fournisseurs} \qquad (2.5)$$

Si l'exploitation normale de l'entreprise la conduit à avoir des emplois supérieurs aux ressources qu'elle tire de l'exploitation (c'est le cas le plus fréquent), le besoin en fonds de roulement est positif, ce qui signifie qu'il doit être financé. Inversement, un BFR négatif – des emplois inférieurs aux ressources – signifie que le cycle d'exploitation de l'entreprise lui permet d'obtenir des ressources nettes. Le chapitre 26 présente en détail la manière de calculer et de gérer le BFR d'une entreprise.

---

10. Si l'entreprise consolide dans ses comptes les résultats de filiales qu'elle contrôle mais qu'elle ne détient pas à 100 %, il convient d'ajouter la valeur de marché des actions non détenues des filiales (les intérêts minoritaires) pour obtenir la valeur de marché de l'actif économique. Pour détenir la propriété totale de tous les actifs, il faudrait en effet racheter ces actions à leurs propriétaires.

En 2019, la World Company affiche des stocks pour un montant de 15,3 millions d'euros. Les créances clients sont de 18,5 millions d'euros, tandis que les dettes fournisseurs sont de 29,9 millions d'euros. Le besoin en fonds de roulement de la World Company est donc de 15,3 + 18,5 − 29,9 = 3,9 millions d'euros. En d'autres termes, l'exploitation normale de l'entreprise impose d'immobiliser ce montant. En 2018, le BFR était seulement de 3,0 millions d'euros : en 2019, la World Company a donc dû investir 0,9 million d'euros supplémentaires pour financer son cycle d'exploitation.

2.3. Le compte de résultat

Alors que le bilan détaille le patrimoine de l'entreprise à un instant donné, le **compte de résultat** (*income statement*, *statement of financial performance*, ou *Profit and Loss account*, P&L) récapitule l'ensemble des produits et des charges qui font varier le patrimoine de l'entreprise pendant la période considérée.

La logique du compte de résultat

On distingue les **produits**, qui augmentent la richesse de l'entreprise, et les **charges**, qui la réduisent. La différence entre les produits et les charges est le **résultat net** (*net income*) qui traduit la variation de richesse de l'entreprise au cours de l'exercice. Lorsqu'il est positif, l'entreprise s'est enrichie au cours de la période (on parle de **bénéfice**) ; elle s'est appauvrie dans le cas contraire (on parle alors de **perte**). Bien entendu, comme la section 2.2 l'a montré, le résultat net apparaît au passif du bilan, puisqu'une augmentation de la richesse de l'entreprise profite à ses propriétaires.

Il y a deux façons de présenter un compte de résultat : la **présentation par nature** (tableau 2.2) et la **présentation par fonction** ou par destination (tableau 2.3). La première présentation est la plus fréquente en Europe continentale (et obligatoire en normes comptables françaises), tandis que la seconde est la norme dans le monde anglo-saxon. Les normes IFRS laissant le choix aux entreprises, on constate une évolution progressive de la présentation des comptes consolidés des grandes entreprises françaises vers une présentation par fonction.

La présentation par nature repose sur une classification des charges et des produits en catégories homogènes, tandis que la présentation par fonction détaille les produits et charges en fonction du moment où ils surviennent au cours du cycle d'exploitation de l'entreprise. Dans cette présentation, les charges de personnel n'apparaissent donc pas, elles sont éclatées selon les fonctions occupées par les salariés : les charges relatives aux salariés travaillant en usine sont comptabilisées en coût des ventes, celles relatives aux ingénieurs de recherche en frais de R&D, etc. Suivant la même logique, il n'existe pas de poste amortissements dans la présentation par fonction, ces derniers étant répartis entre les différents types de coûts. Cette présentation des comptes implique donc de procéder à une allocation préalable des coûts, contrairement à la présentation par nature.

Tableau 2.2	Compte de résultat par nature de la World Company (en millions d'euros)

		2018	2019
1	Chiffre d'affaires	176,1	186,7
2	– Consommation de matières premières	– 89,0	– 99,0
3	– Autres consommations externes	– 58,3	– 54,4
4	= **Valeur ajoutée**	**28,8**	**33,3**
5	– Charges de personnel, impôts et taxes	– 20,6	– 21,7
6	= **Excédent brut d'exploitation**	**8,2**	**11,6**
7	– Dotation aux amortissements et provisions	– 1,1	– 1,2
8	= **Résultat d'exploitation**	**7,1**	**10,4**
9	– Résultat financier	– 4,3	– 7,2
10	= **Résultat avant impôt**	**2,8**	**3,2**
11	– Impôt sur les sociétés	– 0,7	– 0,8
12	= **Résultat net**	**2,1**	**2,4**
13	Résultat par action (en euros)	0,58	0,67
14	Résultat dilué par action (en euros)	0,55	0,63

Tableau 2.3	Compte de résultat par fonction de la World Company (en millions d'euros)

		2018	2019
1	Chiffre d'affaires	176,1	186,7
2	– Coût des ventes	– 81,0	– 89,7
3	– Coûts commerciaux	– 55,7	– 52,5
4	– Coûts administratifs	– 20,6	– 21,7
5	– Frais de R&D	– 11,7	– 12,4
6	= **Résultat d'exploitation**	**7,1**	**10,4**
7	– Résultat financier	– 4,3	– 7,2
8	= **Résultat avant impôt**	**2,8**	**3,2**
9	– Impôt sur les sociétés	– 0,7	– 0,8
10	= **Résultat net**	**2,1**	**2,4**
11	Résultat par action (en euros)	0,58	0,67
12	Résultat dilué par action (en euros)	0,55	0,63

Du chiffre d'affaires au résultat net

L'analyse du compte de résultat offre de précieuses informations concernant la stratégie, la structure des coûts et les marges d'une entreprise.

Le chiffre d'affaires. La première ligne du compte de résultat (*top line*) indique le **chiffre d'affaires** de l'entreprise, c'est-à-dire l'ensemble de la production vendue au cours d'un exercice. Cela permet d'évaluer la croissance de l'activité de l'entreprise. Ainsi, la croissance du chiffre d'affaires de la World Company entre 2018 et 2019 est de 6 %. Cette variation peut être la conséquence d'une croissance interne (ou organique) de l'entreprise ou d'une croissance externe ; elle peut relever d'un effet volume (hausse des quantités vendues) ou d'un effet prix (hausse des prix), comme l'illustre l'exemple 2.4.

Lorsqu'on analyse l'évolution du chiffre d'affaires d'un exercice à l'autre, il convient de ne pas négliger l'inflation qui explique une partie, parfois non négligeable, de l'effet prix : si le taux d'inflation est de 2 % en 2019, un tiers de la hausse du chiffre d'affaires de la World Company est purement nominale et ne relève pas d'une augmentation réelle du chiffre d'affaires de l'entreprise… Dans cette situation, tout chiffre d'affaires en hausse de moins de 2 % a en fait baissé en valeur constante !

L'analyse des causes de variation du chiffre d'affaires permet de se faire une idée de la stratégie suivie par l'entreprise : une forte hausse accompagnée d'un effet prix négatif et d'un effet volume positif traduit une stratégie de croissance agressive (baisse des prix de vente pour gagner des parts de marché). Au contraire, un effet prix positif, accompagné d'un effet volume faible, traduit une montée en gamme de l'entreprise.

Exemple 2.4

Effet prix et effet volume

La World Company a eu 28,4 millions de clients en 2018 et 29,5 millions en 2019 (chaque client n'achète qu'un seul produit). Quelle part de l'évolution du chiffre d'affaires relève d'un effet volume ? Et d'un effet prix ?

Solution

On a :

	2018	2019	Taux de croissance
Chiffre d'affaires	176,1	186,7	6,0 %
Nombre de clients	28,4	29,5	3,9 %

Il faut tout d'abord calculer le chiffre d'affaires moyen par client. Pour 2019, il est de : 186,70 / 29,5 = 6,33 €. En 2018, il n'était que de 6,20 €. Il a donc augmenté de 2,07 %. On peut ensuite calculer le chiffre d'affaires 2019 « fictif » de la World Company sous l'hypothèse que le chiffre d'affaires moyen par client n'a pas varié entre 2018 et 2019 : cela permet d'isoler l'effet volume, puisque l'effet prix est volontairement ignoré. Ce « chiffre d'affaires à prix constant » est égal à 6,20 € × 29,50 = 182,92 millions d'euros. En l'absence d'effet prix, le chiffre d'affaires de la World Company aurait donc augmenté de 182,92 − 176,10 = 6,82 millions d'euros. Or l'augmentation réelle a été de 186,70 − 176,10 = 10,60 millions d'euros[*].

L'effet volume explique par conséquent 6,82 / 10,60 = 64,35 % de la croissance du chiffre d'affaires, le reste (35,65 %) étant un effet prix. La croissance de la World Company repose donc sur une augmentation conjuguée de ses ventes et de ses prix : l'entreprise parvient à gagner des parts de marché tout en augmentant ses prix.

---

[*] Il est possible de calculer les effets prix et volume en partant du chiffre d'affaires moyen par client en 2019 et en le multipliant par le nombre de clients de 2018. Les deux méthodes sont mathématiquement exactes, même si elles aboutissent à des résultats différents.

La valeur ajoutée. La valeur ajoutée se définit comme la différence entre le chiffre d'affaires et la somme des consommations de marchandises en provenance de tiers. Lorsqu'il s'agit d'une entreprise commerciale, l'essentiel de la valeur ajoutée provient de la marge commerciale, c'est-à-dire de la différence entre les ventes de marchandises et leur coût de revient. Lorsqu'il s'agit d'une entreprise industrielle, la valeur ajoutée provient principalement de la marge sur consommation de matières, c'est-à-dire de la différence entre le prix des produits finis et semi-finis (que ceux-ci soient vendus, stockés ou conservés par l'entreprise pour son usage propre) et les consommations en provenance de tiers nécessaires à la production.

Les charges de personnel. Les charges de personnel représentent le coût du facteur de production travail (salaires, primes et cotisations sociales). Ce poste renseigne sur l'intensité de l'entreprise en travail, tandis que son évolution peut fournir des indications précieuses : si le nombre de salariés est connu, une décomposition de la variation des charges de personnel en effet prix et effet volume permet d'apprécier l'évolution de la main-d'œuvre : concerne-t-elle la quantité de travail (effet volume) ou sa qualité (effet prix) ? À partir de ce poste, il est également possible de calculer des indicateurs de productivité apparente du travail pour l'entreprise (Chiffre d'affaires / Charges de personnel, Chiffre d'affaires / Nombre de salariés, Valeur ajoutée / Charges de personnel).

L'excédent brut d'exploitation (EBE). L'excédent brut d'exploitation, ou EBITDA (pour *Earnings Before Interest, Taxes, Depreciation and Amortization*), se calcule comme le solde des produits et des charges d'exploitation. Autrement dit, il est égal à la valeur ajoutée moins les charges de personnel et les impôts et les taxes sur la production (diminués éventuellement des subventions accordées à l'entreprise).

L'excédent brut d'exploitation est un solde intermédiaire de gestion important pour analyser un compte de résultat. Il permet, en effet, d'apprécier les flux de trésorerie produits par l'exploitation : il n'est pas affecté par la structure financière de l'entreprise, pas plus que par sa politique d'investissement ou la fiscalité. L'excédent brut d'exploitation est donc un indicateur beaucoup plus fidèle que le résultat net de la capacité de l'entreprise à rémunérer les capitaux investis grâce à son cycle d'exploitation.

Le résultat d'exploitation (ou résultat opérationnel). À partir du résultat d'exploitation, ou EBIT (pour *Earnings Before Interest and Taxes*), les présentations par nature et par fonction du compte de résultat deviennent identiques :

- Dans l'approche par nature, le résultat d'exploitation est égal à l'excédent brut d'exploitation diminué des dotations aux amortissements et provisions.

- Dans l'approche par fonction, on passe directement du chiffre d'affaires au résultat d'exploitation en soustrayant l'ensemble des charges supportées par l'entreprise au cours des cycles d'exploitation et d'investissement.

Le résultat d'exploitation permet d'apprécier la performance intrinsèque de l'entreprise, indépendamment de sa structure financière et de la fiscalité.

Le résultat financier. Le résultat financier est égal à la différence entre les produits financiers (intérêts et dividendes reçus au titre des actifs financiers détenus par l'entreprise, plus-values de cession de titres) et les charges financières (intérêts payés, moins-values de cession de titres). Le résultat financier d'une entreprise dépend donc de sa structure financière : plus une entreprise est endettée, plus son résultat financier est négatif. Ainsi, le résultat financier de la World Company est égal à – 7,2 millions d'euros en 2019. La dette totale de l'entreprise étant de 115 millions d'euros, cela signifie que l'entreprise a emprunté en moyenne au taux de 7,2 / 115 = 6,2 %.

Le résultat avant impôt. Le résultat avant impôt est égal au résultat d'exploitation auquel on ajoute le résultat financier. Il indique la capacité de l'entreprise à réaliser des bénéfices compte tenu de sa performance opérationnelle et du coût de sa dette.

L'impôt sur les sociétés. En théorie, l'impôt sur les sociétés se calcule en multipliant le taux d'imposition légal de l'entreprise par le résultat avant impôt. En pratique, de nombreux éléments viennent compliquer l'analyse : différés d'impôt, déficits reportables, déductions et abattements divers, imposition d'une partie du résultat courant à l'étranger, etc. Dans le cas de la World Company, l'impôt représente 25 % du résultat avant impôt.

Le résultat net (*net income*). Dernière ligne du compte de résultat (*bottom line*), le résultat net est égal à la différence entre l'intégralité des produits et des charges de l'entreprise. Le résultat net peut être négatif (l'entreprise réalise une perte) ou positif (il y a alors bénéfice). Mais il est rare qu'un résultat net ait une grande signification en termes de performance de l'entreprise : une entreprise peut perdre beaucoup d'argent dans son cœur de métier, tout en présentant un résultat net positif grâce à la vente de certains actifs ! Le résultat net doit plutôt s'interpréter comme la part du chiffre d'affaires qui revient aux actionnaires, après que les fournisseurs, les salariés, les créanciers et l'État ont perçu la leur. Le résultat net sert donc au calcul du **bénéfice par action,** ou BPA (*Earnings Per Share*, EPS) :

$$\text{Bénéfice par action} = \text{Résultat net} / \text{Nombre d'actions en circulation} \qquad (2.6)$$

Le bénéfice par action de la World Company en 2019 est ainsi égal à 2,4 millions d'euros / 3,6 millions d'actions = 0,67 € par action. Le nombre d'actions en circulation n'est toutefois pas constant : si l'entreprise a accordé des **stock-options**[11] à ses dirigeants et que ceux-ci décident de les exercer, l'entreprise devra émettre de nouvelles actions ou céder des actions autodétenues. De même, si elle a émis des **obligations convertibles,** leur conversion en actions fera augmenter le nombre d'actions. Pour tenir compte de la dilution potentielle du capital, il est possible de calculer le **bénéfice par action dilué** (*diluted EPS*), qui rapporte le résultat net au nombre maximal d'actions émises ou potentiellement émises. Par exemple, si la World Company a offert à ses dirigeants 200 000 stock-options, son bénéfice par action dilué est de 2,4 / (3,6 + 0,2) = 0,63 € par action.

2.4. Le tableau des flux de trésorerie

Le compte de résultat mesure les produits et les charges de l'entreprise sur une période donnée. Cependant, il n'indique pas le montant des encaissements et des décaissements véritablement réalisés au cours de cette période. En effet, le compte de résultat prend en compte un certain nombre de charges, comme l'amortissement ou les provisions, qui ne donnent pas lieu à des flux de trésorerie. À l'inverse, certaines dépenses, comme l'achat d'un nouveau bâtiment, ne sont pas inscrites dans le compte de résultat et apparaissent seulement au bilan. Le **tableau des flux de trésorerie** (*statement of cash flows*) utilise l'information contenue dans le bilan (de l'année *n* et de l'année *n* – 1) et le compte de

---

11. Le détenteur de stock-options a le droit d'acheter un certain nombre d'actions de l'entreprise à un prix et à une date prédéfinis (voir chapitre 20).

résultat (de l'année *n*) afin de déterminer les flux de trésorerie de l'entreprise au cours de l'exercice. Il propose une approche fonctionnelle de la variation de trésorerie et met en évidence, successivement, la trésorerie dégagée par les processus d'exploitation, d'investissement et de financement.

Pour un investisseur qui cherche à valoriser une entreprise, le tableau des flux de trésorerie est particulièrement important. L'un de ses grands avantages tient à son caractère objectif par rapport aux autres états financiers pour lesquels l'incidence des conventions comptables est forte. La neutralité de l'information communiquée par le tableau des flux de trésorerie permet une meilleure comparabilité, et donc une meilleure prise de décision. Le tableau 2.4 présente les flux de trésorerie de la World Company.

Tableau 2.4	Tableau des flux de trésorerie de la World Company (en millions d'euros)	
		2019
1	Résultat net	2,4
2	Amortissements et provisions	1,2
3	Autres opérations sans incidence sur la trésorerie	− 1,0
4	Δ *Créances clients*	*5,3*
5	Δ *Stocks*	*1,0*
6	Δ *Dettes fournisseurs*	*5,4*
7	Variation du BFR (4 + 5 − 6)	0,9
8	**Flux de trésorerie liés à l'activité** (1 + 2 + 3 − 7)	**1,7**
9	Acquisitions d'immobilisations	− 40,0
10	Cessions d'immobilisations	–
11	**Flux de trésorerie liés aux opérations d'investissement** (9 + 10)	**− 40,0**
12	Dividendes versés	− 0,3
13	Augmentation de capital	–
14	Hausse de la dette courante	− 2,0
15	Hausse de la dette non courante	44,2
16	**Flux de trésorerie liés aux opérations de financement** (12 à 15)	**41,9**
17	**Variation de la trésorerie** (8 + 11 + 16)	**3,6**

Les flux de trésorerie liés à l'activité

Pour construire un tableau des flux de trésorerie, la première étape est de traiter les **flux de trésorerie liés à l'activité**. La méthode habituelle est de partir du résultat net de l'entreprise, puis d'ajouter ou d'enlever tous les éléments du compte de résultat qui modifient ce résultat net sans qu'ils correspondent à des flux de trésorerie effectifs.

Ainsi, pour en arriver au résultat net, on a enlevé les amortissements et provisions. Ce poste ne correspond pas à un flux de trésorerie, puisqu'il ne s'agit pas d'une charge décaissable. Pour obtenir les flux de trésorerie, il faut donc ajouter au résultat net ces amortissements et provisions qui annuleront ainsi l'effet de l'écriture initiale. Pour la

World Company, les amortissements et provisions s'élèvent à 1,2 million d'euros, que l'on ajoute donc au résultat net. On procède de même pour tous les postes du compte de résultat liés aux activités d'exploitation n'ayant donné lieu à aucun flux de trésorerie, tels que les impôts différés. Il faut ensuite prendre en compte les variations des créances clients, des dettes fournisseurs et des stocks :

- Quand une entreprise réalise une vente à crédit, la vente est comptabilisée immédiatement en chiffre d'affaires, alors qu'aucun flux de trésorerie n'a encore eu lieu. Il faut donc corriger le résultat net des ventes non encore payées, c'est-à-dire déduire l'augmentation des créances clients. D'après le tableau 2.1, les créances clients de la World Company ont augmenté de 13,2 à 18,5 millions d'euros entre 2018 et 2019. On doit donc déduire 18,5 − 13,2 = 5,3 millions d'euros des flux de trésorerie.

- Une augmentation des stocks (par exemple de produits finis) de l'entreprise correspond à une production de l'entreprise. Ceux-ci influencent bien entendu le compte de résultat, alors qu'aucun flux de trésorerie n'a lieu. Il faut donc déduire l'augmentation des stocks, ce qui représente 1 million d'euros pour la World Company en 2019.

- Inversement, lorsque l'entreprise profite d'un crédit fournisseur, le coût des marchandises livrées est inscrit immédiatement en charges, alors que le paiement effectif du fournisseur n'interviendra qu'ultérieurement. Il faut par conséquent ajouter la variation du poste dettes fournisseurs. Les dettes fournisseurs de la World Company ont augmenté de 29,9 − 24,5 = 5,4 millions d'euros en 2019, ce qui réduit son besoin en fonds de roulement.

En définitive, en transformant l'équation (2.5) et en notant Δ la variation d'une année sur l'autre, on peut résumer ces trois écritures en une seule :

$$\Delta \text{ BFR} = \Delta \text{ Créances clients} + \Delta \text{ Stocks} - \Delta \text{ Dettes fournisseurs} \qquad (2.7)$$

Ainsi, il suffit de *soustraire* la variation du BFR du résultat net pour comptabiliser les effets en termes de trésorerie des variations des créances clients, des stocks et des dettes fournisseurs. En 2019, le BFR de la World Company a augmenté de 0,9 million d'euros, comme l'a montré le bilan. Le tableau 2.4 permet de vérifier qu'il est équivalent de soustraire la variation du BFR ou de passer chacune des trois écritures. Au total, la World Company affiche donc un flux de trésorerie lié à son activité positif de 1,7 million d'euros.

Les flux de trésorerie liés aux opérations d'investissement

La deuxième partie du tableau de flux de trésorerie concerne les **flux liés aux opérations d'investissement**, par exemple, l'acquisition de bureaux, d'usines ou d'équipements. Ces dépenses n'apparaissent pas dans le compte de résultat : seules apparaissent les dotations aux amortissements et les provisions, qui ont déjà été traitées dans la première partie du tableau des flux de trésorerie. Pourtant, l'achat d'un immeuble ou d'une machine représente bien un flux de trésorerie négatif pour l'entreprise !

Il faut donc soustraire tous les actifs immobilisés achetés par l'entreprise et ajouter tous les actifs immobilisés cédés par l'entreprise, car ceux-ci engendrent des flux de trésorerie positifs. D'après le bilan (voir tableau 2.1), la World Company a augmenté ses immobilisations en 2019 d'un montant net de 38,8 millions d'euros (121,7 − 82,9), montant auquel il convient d'ajouter les amortissements de l'année (1,2 million d'euros) pour avoir les investissements bruts réalisés durant l'année : 38,8 + 1,2 = 40 millions d'euros.

Les flux de trésorerie liés aux opérations de financement

La dernière partie du tableau des flux de trésorerie recense les **flux liés aux opérations de financement** par capitaux propres et par endettement.

En ce qui concerne les financements par capitaux propres, les flux sont de deux types : les dividendes versés aux actionnaires, qui correspondent à un flux négatif pour l'entreprise, et les augmentations de capital, qui correspondent à un flux positif. En 2019, la World Company a versé 0,3 million d'euros à ses actionnaires en dividendes : ce chiffre est obtenu par différence entre le résultat net 2018 de l'entreprise (2,1 millions d'euros) et les variations des postes report à nouveau et réserves entre 2018 et 2019 (respectivement de 0,8 et 1 million d'euros). La différence entre ces deux chiffres (soit 0,3 million) traduit le montant du résultat net 2018 qui n'est pas venu grossir les capitaux propres de l'entreprise et qui a donc été versé en dividendes aux actionnaires. En ce qui concerne les augmentations de capital (émission d'actions nouvelles ou, inversement, rachats d'actions), la World Company n'a procédé à aucune opération de ce type en 2019, comme en témoigne la stabilité des postes relatifs aux capitaux propres dans le bilan.

Les flux de trésorerie d'une entreprise sont également affectés par la variation de l'endettement. Toute augmentation de la dette fournit à l'entreprise un flux de trésorerie positif, et réciproquement. En 2019, la World Company a nettement augmenté son endettement long terme (+ 44,2 millions d'euros), mais a réduit sa dette de court terme (– 2 millions d'euros).

La ligne 17 du tableau des flux de trésorerie combine les flux de trésorerie des trois types d'opérations (exploitation, investissement et financement), ce qui permet de calculer la variation de la trésorerie de l'entreprise durant la période considérée. La World Company a ainsi augmenté sa trésorerie de 3,6 millions d'euros en 2019. Cette hausse s'explique essentiellement par une hausse de la dette à long terme supérieure aux investissements. Bien entendu, il est possible de relier cette variation de la trésorerie avec l'information contenue dans le bilan : la World Company avait 23,1 millions d'euros de trésorerie en 2019 contre seulement 19,5 millions en 2018. On retrouve bien : 23,1 – 19,5 = 3,6 millions d'euros.

Amortissements et flux de trésorerie

Avec un taux d'imposition de 25 %, quelle est l'influence sur le résultat net et la trésorerie de la World Company d'un amortissement supplémentaire de 800 000 € en 2019 ?

Solution

Le résultat d'exploitation et le résultat courant baissent du montant de l'amortissement supplémentaire. L'impôt sur les sociétés est réduit de 25 % × 800 000 = 200 000 €. Le résultat net baisse donc de 800 000 – 200 000 = 600 000 €.

Dans le tableau des flux de trésorerie, le résultat net est plus faible de 600 000 €, mais l'amortissement additionnel est ajouté (800 000 €) car il ne correspond pas à un flux de trésorerie effectif. Le flux net de trésorerie lié à l'activité augmente donc de – 600 000 + 800 000 = 200 000 € : cela correspond à l'économie d'impôt permise par l'amortissement supplémentaire.

Exemple 2.5

2.5. Les ratios financiers

Les investisseurs et les analystes financiers utilisent les états financiers d'une entreprise pour comprendre son activité et sa situation financière. En général, cela passe par une comparaison des états financiers de l'entreprise à deux dates différentes pour mesurer les évolutions ou par une comparaison d'états financiers d'entreprises du même secteur. Ces comparaisons portent souvent sur des ratios financiers qu'il faut savoir calculer et interpréter ; c'est l'objet de cette section.

Les ratios de profitabilité

Le compte de résultat fournit des informations pour mesurer la profitabilité d'une entreprise. Ainsi, la **marge d'EBE**, ou **marge brute d'exploitation** (*EBITDA margin*), permet d'apprécier la qualité du cycle d'exploitation de l'entreprise et son évolution dans le temps. Elle s'exprime en pourcentage du chiffre d'affaires :

$$\text{Marge brute d'exploitation} = \text{Excédent brut d'exploitation} / \text{Chiffre d'affaires} \quad (2.8)$$

La marge brute d'exploitation de la World Company passe ainsi de 4,7 % en 2018 à 6,2 % en 2019. Cette augmentation de 1,5 point s'explique-t-elle par une réduction de la consommation de matières premières, une amélioration de la productivité du travail ou un effet prix sur les ventes ? Une analyse de l'évolution de ces différents postes montre que la productivité du travail de la World Company, mesurée en divisant les charges de personnel par le chiffre d'affaires n'a pas changé entre 2018 et 2019. En revanche, la consommation de matières premières (mesurée en divisant celle-ci par le chiffre d'affaires) a baissé de 2,5 points et les prix de vente sont plus élevés (exemple 2.4).

Suivant la même logique, la **marge d'exploitation**, ou **marge opérationnelle** (*operating margin* ou *EBIT margin*) est définie comme :

$$\text{Marge d'exploitation} = \text{Résultat d'exploitation} / \text{Chiffre d'affaires} \quad (2.9)$$

La marge d'exploitation permet d'apprécier la capacité de l'entreprise à produire de la richesse en tenant compte de son cycle d'exploitation et de son cycle d'investissement. C'est ce que gagne l'entreprise pour 1 € de chiffre d'affaires avant paiement des intérêts et des impôts. Par définition, la marge d'exploitation est sensible à la politique d'amortissement de l'entreprise, ce qui complique l'analyse et peut fausser le jugement. Pour cette raison, il est préférable d'analyser la marge brute d'exploitation lorsqu'on s'intéresse à des entreprises ayant des niveaux d'investissement différents. En 2019, la marge d'exploitation de la World Company est de 10,4 / 186,7 = 5,6 %, en augmentation par rapport à 2018 où elle était de 7,1 / 176,1 = 4,0 %.

Comparer la marge d'exploitation de deux entreprises d'un même secteur peut être utile pour juger de leurs performances relatives. Par exemple, en 2018, la marge d'exploitation en pourcentage du chiffre d'affaires de Peugeot était de 5,9 %, alors que BMW affichait une marge d'exploitation de 9,4 %. Mais tous les écarts de marges opérationnelles ne proviennent pas de différences de performance : ils peuvent également s'expliquer par des stratégies différentes. Ainsi, en 2018, la marge opérationnelle de L'Oréal s'élevait à 18 %, alors que celle de Carrefour ne dépassait pas 1 % : la stratégie de marge d'une entreprise de grande distribution qui poursuit une stratégie de volume (chiffre d'affaires élevé, marges faibles) ne peut pas être comparée à celle d'une entreprise de cosmétiques !

Le dernier ratio de profitabilité est la **marge nette** (*net profit margin*), toujours exprimée en pourcentage du chiffre d'affaires :

$$\text{Marge nette} = \text{Résultat net} / \text{Chiffre d'affaires} \qquad (2.10)$$

La marge nette indique la part de chaque euro de chiffre d'affaires qui reste pour les actionnaires après que l'entreprise a payé l'ensemble de ses charges. Il faut être prudent lorsqu'on interprète cet indicateur, car il est influencé par la politique d'amortissement de l'entreprise, par sa structure financière, voire par des choix comptables. En 2019, la marge nette de la World Company est de $2,4 / 186,7 = 1,3\ \%$, presque stable par rapport à 2018.

Les ratios de liquidité

Les ratios de liquidité permettent de s'assurer que les actifs liquides de l'entreprise sont suffisants pour couvrir ses besoins de trésorerie. Les trois principaux ratios de liquidité sont :

- le **ratio de liquidité générale** (*current ratio*), qui rapporte l'actif courant au passif courant ;
- le **ratio de liquidité réduite** (*quick ratio* ou *acid test ratio*), qui rapporte l'actif courant hors stocks au passif courant (les stocks ne sont pas pris en compte car leur liquidité est sujette à caution) ;
- le **ratio de liquidité immédiate** (*cash ratio*), qui rapporte la trésorerie et les équivalents de trésorerie au passif courant (seuls les actifs le plus liquides du bilan sont pris en compte).

Ainsi classés, ces trois ratios adoptent une définition de plus en plus stricte de ce qu'est un actif liquide. Leur interprétation est identique : plus un ratio de liquidité est élevé, plus le risque est faible que l'entreprise rencontre un problème de liquidité dans un futur proche. Les analystes prêtent attention à ces ratios pour détecter à l'avance toute situation de tension sur la liquidité de l'entreprise.

Un autre moyen pour mesurer, indirectement, la liquidité d'une entreprise est de rapporter le montant de son besoin en fonds de roulement à celui de son fonds de roulement. Cela permet de connaître la fraction du BFR financée par le fonds de roulement, c'est-à-dire par des capitaux permanents de l'entreprise, le solde du BFR étant financé par la dette financière courante.

Les ratios de liquidité de la World Company

Exemple 2.6

Quels sont les ratios de liquidité de la World Company en 2018 et 2019 ?

Solution

	2018	2019
Ratio de liquidité générale	$50 / 35,9 = 1,39$	$61,9 / 39,5 = 1,57$
Ratio de liquidité réduite	$(13,2 + 2,0 + 1,0 + 19,5) / 35,9 = 0,99$	$(18,5 + 4,0 + 1,0 + 23,1) / 39,5 = 1,18$
Ratio de liquidité immédiate	$19,5 / 35,9 = 0,54$	$23,1 / 39,5 = 0,58$

Les trois ratios de liquidité de la World Company s'améliorent légèrement entre 2018 et 2019.

Les ratios de BFR

Le besoin en fonds de roulement d'une entreprise indique combien elle doit immobiliser pour financer son cycle d'exploitation. Plusieurs **ratios de BFR** (*working capital ratios*), présentés en détail au chapitre 26, peuvent fournir des informations sur la manière dont une entreprise gère et optimise son BFR. Ils sont donc indiqués ici pour mémoire :

$$\text{BFR en jours de CA} = \frac{\text{BFR} \times 365}{\text{Chiffre d'affaires HT}} \tag{2.11}$$

$$\frac{\text{Délai de rotation}}{\text{des créances clients}} = \frac{\text{Créances clients}}{\text{Chiffre d'affaires journalier TTC}} = \frac{\text{Créances clients} \times 365}{\text{Chiffre d'affaires TTC}} \tag{2.12}$$

$$\frac{\text{Délai de rotation}}{\text{des dettes fournisseurs}} = \frac{\text{Dettes fournisseurs}}{\text{Achats journaliers TTC}} = \frac{\text{Dettes fournisseurs} \times 365}{\text{Achats annuels TTC}} \tag{2.13}$$

$$\frac{\text{Délai de rotation}}{\text{des stocks}} = \frac{\text{Stocks}}{\text{Achats journaliers HT}} = \frac{\text{Stocks} \times 365}{\text{Achats annuels HT}} \tag{2.14}$$

Exemple 2.7

Les ratios de BFR de la World Company

Le taux de TVA est de 20 %. Quels sont les ratios de BFR de la World Company en 2019 ?

Solution

Le BFR est de 3,9 millions d'euros, ce qui représente $3,9 \times 365 / 186,7 = 7,6$ jours de chiffre d'affaires. Le délai de rotation des créances clients est égal à $18,5 \times 365 / (186,7 \times 1,2) = 30$ jours de chiffre d'affaires TTC, ce qui signifie que les clients bénéficient en moyenne d'un crédit d'un mois. Le délai de rotation des dettes fournisseurs est égal à $29,9 \times 365 / ((99,0 + 54,4) \times 1,2) = 59$ jours d'achats TTC ; la World Company optimise au plus juste le paiement de ses fournisseurs, puisque la limite légale en Europe est de 60 jours. Enfin, le délai de rotation des stocks est de $15,3 \times 365 / (99,0 + 54,4) = 36$ jours.

Le ratio de couverture des frais financiers

Le **ratio de couverture des frais financiers** (*interest coverage ratio* ou *Debt Service Coverage Ratio*, DSCR) permet de mesurer la capacité de l'entreprise à payer ses charges d'intérêts avec ses bénéfices, et donc sa **solvabilité** – à ne pas confondre avec sa liquidité. On calcule ce ratio en divisant l'excédent brut d'exploitation[12] par les charges d'intérêts. Plus le ratio est élevé et plus il sera facile à l'entreprise de payer aux créanciers les intérêts qu'elle doit.

Exemple 2.8

Le ratio de couverture des frais financiers de la World Company

Quel est le ratio de couverture des frais financiers de la World Company en 2019 ?

Solution

Le ratio EBE / Charges d'intérêts de la World Company est de 1,6. C'est un niveau assez faible, qui pourrait indiquer une possible difficulté de l'entreprise à faire face à ses engagements financiers.

---

12. Et non le résultat d'expoiltation, la dotation aux amortissements et provisions n'ayant aucun impact sur la trésorerie.

Les ratios de structure financière

Plusieurs ratios de structure financière peuvent être calculés à partir du bilan. Ces ratios permettent d'apprécier la solidité financière de l'entreprise et son degré d'indépendance vis-à-vis de ses créanciers.

Le **levier**, ou **ratio dettes sur capitaux propres** (*debt-equity ratio*), rapporte la dette bancaire et financière (courante et non courante) aux capitaux propres de l'entreprise :

$$\text{Levier} = \text{Ratio dette} / \text{Capitaux propres} = \text{Dette} / \text{Capitaux propres} \qquad (2.15)$$

Pour la World Company, en 2019, le levier en valeur comptable est de $(106{,}0 + 9{,}0) / 33{,}3 = 3{,}45$, contre seulement $(61{,}8 + 11{,}0) / 31{,}2 = 2{,}33$ en 2018. Compte tenu de l'information limitée fournie par la valeur comptable des capitaux propres, il est plus pertinent de calculer le levier en valeur de marché. Le levier en valeur de marché de la World Company[13] en 2019 est de $(106{,}0 + 9{,}0) / 50{,}4 = 2{,}3$. Cela signifie que la dette représente 2,3 fois la capitalisation boursière de l'entreprise, ce qui est élevé.

Le **taux d'endettement** d'une entreprise (*debt-to-capital ratio*), à ne pas confondre avec le levier, consiste à rapporter la dette de l'entreprise à l'ensemble des capitaux dont elle dispose :

$$\text{Taux d'endettement} = \text{Dette} / (\text{Dette} + \text{Capitaux propres}) \qquad (2.16)$$

Là encore, il est possible de calculer le taux d'endettement à partir de valeurs comptables ou de marché. Il est par ailleurs possible d'utiliser la dette brute ou la dette nette. L'indicateur qui possède le plus de sens consiste à utiliser la dette nette et la valeur de marché des capitaux propres. Ainsi défini, le taux d'endettement de la World Company en 2019 est de $91{,}9 / (91{,}9 + 50{,}4) = 65\,\%$.

Les ratios de valorisation

Les analystes utilisent de nombreux ratios pour juger de la valeur de marché d'une entreprise. Le plus utilisé est le **PER** (pour *Price-Earnings Ratio,* ou *P/E ratio*), l'expression française de **ratio de capitalisation des bénéfices** étant peu utilisée. Le PER se calcule comme le rapport entre la capitalisation boursière et le résultat net ou, ce qui revient au même, entre le cours d'une action et le bénéfice par action :

$$\text{PER} = \frac{\text{Capitalisation boursière}}{\text{Résultat net}} = \frac{\text{Cours d'une action}}{\text{Bénéfice par action}} \qquad (2.17)$$

Si on considère que la valeur d'un titre est proportionnelle au revenu qu'il procure à l'actionnaire, le PER est un moyen simple d'apprécier la sur- ou sous-évaluation d'un titre. Le PER de la World Company est égal en 2019 à $50{,}4 / 2{,}4 = 14 / 0{,}67 = 21$. En d'autres termes, le prix d'une action de la World Company est égal à 21 fois le bénéfice 2019.

---

13. Dans cet exemple, le levier a été calculé en rapportant la valeur *de marché* des capitaux propres à la valeur *comptable* de la dette. Il serait préférable de n'utiliser que des valeurs de marché pour des raisons de cohérence. Mais la valeur comptable de la dette est souvent proche de sa valeur de marché. En pratique, on utilise donc fréquemment la valeur comptable de la dette à la place de sa valeur de marché.

L'interprétation du PER pose trois problèmes. Tout d'abord, le PER varie fortement d'un secteur à l'autre et d'une entreprise à l'autre : il est plus élevé dans les secteurs à forte croissance. Ainsi, en 2019, le PER moyen des grandes entreprises françaises était de 20 environ (contre 12 en 2012). Mais le secteur des biotechnologies, qui offre des revenus actuels faibles et la promesse de revenus futurs élevés, affiche un PER de plus de 40. À l'inverse, le PER des grandes banques françaises est inférieur à 10.

Ensuite, le PER dépend de la capitalisation boursière de l'entreprise, elle-même influencée par sa structure financière. Il n'est par conséquent pas possible de comparer les PER d'entreprises ayant des structures financières différentes. Dans un tel cas, il faut calculer des ratios de valorisation alternatifs en divisant la valeur de marché de l'actif économique de l'entreprise par l'excédent brut d'exploitation ou le résultat d'exploitation.

Enfin, lorsque le résultat net de l'entreprise est nul ou négatif, le PER n'est d'aucune utilité. Dans ce cas, il est possible de rapporter la valeur de marché de l'actif économique au chiffre d'affaires plutôt qu'au résultat net. Cet indicateur est toutefois à manier avec précaution : une entreprise structurellement déficitaire peut avoir un chiffre d'affaires élevé, comme c'est le cas pour beaucoup de start-up.

Erreur à éviter	Calculer des ratios incohérents

Lorsqu'on calcule un ratio financier, il faut s'assurer de l'homogénéité des grandeurs utilisées au numérateur et au dénominateur : si l'on considère par exemple la capitalisation boursière, il faut la rapporter au résultat net car, dans les deux cas, ces grandeurs sont relatives aux actionnaires. En revanche, il convient d'être très prudent lorsque l'on compare la capitalisation boursière au chiffre d'affaires, à l'EBE ou au résultat d'exploitation : ces soldes intermédiaires de gestion ont vocation à être répartis entre les actionnaires, les créanciers et l'État. Il est donc plus logique de mettre en relation le chiffre d'affaires, l'EBE ou le résultat d'exploitation avec la valeur de marché de l'actif économique qui, elle, tient compte à la fois de la dette et des capitaux propres de l'entreprise.

Exemple 2.9

Les ratios de profitabilité, de structure financière et de valorisation

Comparez la marge d'exploitation, la marge nette, le levier, le PER et le ratio valeur de marché de l'actif économique sur chiffre d'affaires de deux entreprises de grande distribution :

(En millions d'euros)	Carfour	Cazino
Chiffre d'affaires	85 963	26 757
Résultat d'exploitation	2 777	1 209
Résultat net	437	534
Capitalisation boursière	23 970	6 900
Capitaux propres en valeur comptable	11 115	7 916
Trésorerie	3 301	2 716
Dette totale	9 794	5 710

...

...

Solution

	Carfour	Cazino
Marge d'exploitation (en %)	2 777 / 85 963 = 3,2 %	1 209 / 26 757 = 4,5 %
Marge nette (en %)	437 / 85 963 = 0,5 %	534 / 26 757 = 2,0 %
Levier (en valeur comptable)	9 794 / 11 115 = 0,88	5 710 / 7 916 = 0,72
Levier (en valeur de marché)	9 794 / 23 970 = 0,41	5 710 / 6 900 = 0,83
PER	23 970 / 437 = 54,9	6 900 / 534 = 12,9
Valeur de marché de l'actif économique sur chiffre d'affaires	(9 794 + 23 970 − 3 301) / 85 963 = 0,35	(5 710 + 6 900 − 2 716) / 26 757 = 0,37

Le chiffre d'affaires de Carfour est trois fois plus élevé que celui de Cazino, mais la marge de Cazino est plus élevée. Le PER de Carfour est toutefois supérieur, ce qui traduit une anticipation de bénéfices futurs plus optimiste que pour Cazino. On ne peut pas dire pour autant que l'entreprise Carfour dans sa totalité soit mieux valorisée par le marché dans la mesure où son ratio valeur de marché de l'actif économique sur chiffre d'affaires est très proche de celui de Cazino.

Les ratios de rentabilité comptable

Plusieurs ratios peuvent être calculés pour apprécier la rentabilité annuelle de l'entreprise. Alors qu'une marge rapporte un résultat au chiffre d'affaires (c'est-à-dire un volume d'activité), une rentabilité rapporte un résultat aux capitaux qui ont été nécessaires à l'obtention de ce résultat.

La **rentabilité des capitaux propres**, ou **rentabilité financière** (*Return On Equity*, ROE)[14], se calcule de la manière suivante :

Rentabilité financière = Résultat net / Capitaux propres en valeur comptable   (2.18)

Un ratio élevé signifie que l'entreprise parvient à offrir une rentabilité élevée à ses actionnaires. Un des principaux inconvénients de cette mesure tient à la difficulté d'interprétation de la valeur comptable des capitaux propres. En 2019, la rentabilité financière de la World Company est de 2,4 / 33,3 = 7,2 %.

La **rentabilité de l'actif** (*Return On Assets*, ROA) est définie comme[15] :

Rentabilité de l'actif = (Résultat net + Charges financières) / Actif total   (2.19)

Le calcul de la rentabilité de l'actif doit intégrer les charges d'intérêts au numérateur car les actifs au dénominateur ont été financés par dette et par capitaux propres[16]. En 2019, la rentabilité de l'actif de la World Company est de (2,4 + 7,2) / 183,6 = 5,2 %. La

---

14. Le résultat net étant réalisé sur une année, la rentabilité des capitaux propres peut également être calculée sur la base de la valeur comptable moyenne des capitaux propres sur l'année considérée.

15. Il est également possible de calculer la rentabilité de l'actif et la rentabilité économique à partir du résultat d'exploitation après impôts normatifs : Résultat d'exploitation × (1 – Taux d'imposition normatif).

16. Il est possible, et plus rigoureux, d'intégrer les charges d'intérêt après impôt pour être cohérent avec le résultat net.

rentabilité de l'actif est moins dépendante de la structure financière que la rentabilité financière. Mais elle reste influencée par le BFR : une augmentation égale des créances clients et des dettes fournisseurs augmente la taille de l'actif et réduit donc la rentabilité de l'actif.

Pour éviter ce problème, il est possible de calculer la **rentabilité économique** (*Return On Capital Employed*, ROCE) de l'entreprise :

$$\text{Rentabilité économique} = \text{Résultat d'exploitation après impôt} / \text{Actif économique} \quad (2.20)$$

L'actif économique de l'entreprise est considéré en valeur comptable. La rentabilité économique est un indicateur très intéressant, car il rapporte le gain après impôt tiré de l'activité de l'entreprise (sans tenir compte du résultat financier) aux fonds qui ont été mobilisés pour cela, indépendamment de leur nature (capitaux propres ou dette). En 2019, la rentabilité économique de la World Company est de $10,4 \times (1 - 25 \%) / 125,2 = 6,2 \%$.

L'identité de DuPont

On peut décomposer la rentabilité financière d'une entreprise pour en analyser les déterminants grâce à l'**identité de DuPont** (du nom de l'entreprise américaine qui a popularisé cette décomposition). La rentabilité des capitaux propres peut en effet s'écrire :

$$\text{Rentabilité financière (ROE)}$$

$$= \underbrace{\frac{\text{Résultat net}}{\text{Chiffre d'affaires}}}_{\text{Marge nette}} \times \underbrace{\frac{\text{Chiffre d'affaires}}{\text{Actif total}}}_{\text{Taux de rotation de l'actif}} \times \frac{\text{Actif total}}{\text{Capitaux propres}} \quad (2.21)$$

Le premier terme est la marge nette qui mesure la profitabilité de l'entreprise. Le deuxième terme correspond au **taux de rotation de l'actif** ; il rend compte de l'efficacité avec laquelle l'entreprise utilise ses actifs pour réaliser son chiffre d'affaires. Le dernier terme indique la valeur de l'actif par euro de capitaux propres. En multipliant ces trois termes, on obtient la rentabilité financière. Pour la World Company, en 2019, la marge nette est de 1,3 % et le taux de rotation de l'actif de $186,7 / 183,6 = 1,02$. Avec un ratio Actif total / Capitaux propres de $183,6 / 33,3 = 5,5$, on retrouve bien la rentabilité financière : $1,3 \% \times 1,02 \times 5,5 = 7,2 \%$.

Exemple 2.10

Décomposition de la rentabilité financière

Le chiffre d'affaires de Walla s'élève à 446,9 milliards d'euros. Son résultat net est de 15,7 milliards, son actif total de 193,4 milliards et la valeur comptable de ses capitaux propres de 71,3 milliards. À cette même date, le chiffre d'affaires de son concurrent Woici est de 69,9 milliards d'euros, son résultat net de 2,9 milliards, son actif total de 46,6 milliards et ses capitaux propres s'élèvent, en valeur comptable, à 15,8 milliards. Comparez la profitabilité, le taux de rotation de l'actif et la rentabilité financière des deux entreprises. Si Woici avait été aussi efficace que Walla dans l'utilisation de ses actifs, quelle aurait été sa rentabilité financière ?

...

...

Solution

La marge nette de Walla est de 15,7 / 446,9 = 3,51 %, soit un taux inférieur à celui de Woici (2,9 / 69,9 = 4,15 %). En revanche, Walla utilise de manière plus efficace ses actifs avec un taux de rotation de 446,9 / 193,4 = 2,31 comparé à 69,9 / 46,6 = 1,50 pour Woici. Le ratio Actif total / Capitaux propres de Walla est de 193,4 / 71,3 = 2,71 contre 46,6 / 15,8 = 2,95 pour Woici. Au final, la rentabilité financière de Walla est supérieure à celle de Woici : 15,7 / 71,3 = 3,51 % × 2,31 × 2,71 = 22,0 % pour Walla, contre 2,9 / 15,8 = 4,15 % × 1,50 × 2,95 = 18,4 % pour Woici. Si Woici avait un taux de rotation de son actif équivalent à celui de Walla, sa rentabilité financière aurait été la même, car un taux de rotation des actifs de 2,31 induit un actif total de 69,9 / 2,31 = 30,3, ce qui modifie le ratio Actif total / Capitaux propres à 30,3 / 15,8 = 1,92. La rentabilité financière de Woici sera donc bien de 15,7 / 71,3 = 4,15 % × 2,31 × 1,92 = 18,4 %.

Exemple 2.10

2.6. La qualité de l'information comptable

Les états financiers sont d'une importance cruciale pour les investisseurs, car ils constituent la matière première à partir de laquelle ils se font une idée de la situation financière de l'entreprise et de ses perspectives. C'est également sur cette base qu'une banque décide de prêter, ou non, à une entreprise ou qu'un fournisseur décide d'octroyer, ou non, un délai de paiement. À ce titre, le format, le contenu et le rythme de publication des états financiers sont strictement encadrés, tout particulièrement pour les entreprises cotées en Bourse.

Malgré tout, on a assisté ces dernières années à plusieurs scandales provoqués par des **manipulations comptables**, c'est-à-dire par la publication volontaire d'états financiers visant à donner une image fausse d'une entreprise. De tels états financiers sont évidemment en rupture avec le principe comptable de l'image fidèle, et peuvent être obtenus par plusieurs techniques, légales ou non : gestion des résultats (*earnings management*), nettoyage des comptes (*big bath accounting*), habillage des comptes (*window dressing*), lissage des résultats (*income smoothing*), voire comptabilité créative (*creative accounting*). Cette **délinquance en col blanc** a conduit à des évolutions législatives en France comme aux États-Unis[17].

Des scandales retentissants

Aux États-Unis : Enron et Worldcom. Enron est, au début des années 1990, un opérateur de gaz naturel aux États-Unis. Profitant de la libéralisation du marché de l'énergie, Enron se lance dans le négoce d'électricité, de produits dérivés climatiques et de matières premières, se classant ainsi au septième rang des entreprises américaines en termes de capitalisation boursière ; le magazine *Fortune* l'élit même « entreprise américaine la plus innovante » six fois de suite, de 1995 à 2000. Fin 2001, la société dépose brutalement

---

17 Les questions de gouvernance d'entreprise, dont celles-ci, sont étudiées en détail au chapitre 29.

son bilan, et sa valeur de marché passe de 60 milliards de dollars à 0, entraînant dans sa chute Arthur Andersen, son cabinet d'audit.

L'enquête a montré que les dirigeants manipulaient les états financiers de l'entreprise dans le but délibéré de tromper les investisseurs et de gonfler artificiellement le prix des actions. Ainsi, en 2000, 96 % des profits comptables d'Enron étaient le résultat de manipulations comptables ! Si les aspects techniques et comptables des manipulations étaient complexes, leur principe était simple : Enron vendait à un prix surévalué des actifs à d'autres entreprises (dans la plupart des cas des filiales créées pour l'occasion et implantées dans des pays réputés pour leur manque de transparence ; plus de 3 000 sociétés offshore ont ainsi été créées par Enron), contre une promesse de rachat de ces actifs à un prix supérieur. Cela revenait pour Enron à emprunter des capitaux. Ceux-ci étaient pourtant enregistrés comme des revenus, tandis que les engagements futurs de l'entreprise étaient dissimulés (ils apparaissent, au mieux, en engagements hors-bilan).

Six mois après la faillite d'Enron, l'affaire WorldCom a amplifié les doutes quant à la qualité de l'information comptable et financière aux États-Unis. À son apogée, la capitalisation boursière de WorldCom atteignait 120 milliards de dollars. Comme pour Enron, des manipulations comptables en série, pendant plusieurs années, ont fini par provoquer la faillite de l'entreprise, la plus importante de l'histoire à l'époque.

La fraude consistait à comptabiliser des dépenses de fonctionnement en dépenses d'investissement. Grâce à cela, WorldCom pouvait afficher des profits plus élevés qu'ils ne l'étaient en réalité, car les dépenses de fonctionnement sont passées immédiatement en charges alors que les investissements sont amortis sur plusieurs années (voir exemple 2.1). Bien que certains analystes se soient inquiétés du taux d'investissement de l'entreprise, nettement supérieur à celui d'autres entreprises du secteur, cela n'a pas suffi à prévenir le marché et à éviter la crise.

En Europe : Ahold et Parmalat. Les manipulations comptables ne sont pas l'apanage des États-Unis et des normes comptables US GAAP. En Europe, Ahold, un géant néerlandais de la grande distribution, a reconnu en 2003 des manipulations comptables. Ces manipulations portaient sur plus de 500 millions d'euros et consistaient en une surévaluation volontaire des profits d'une filiale, grâce à la prise en compte anticipée (et optimiste) d'une partie de ses revenus. La réaction des marchés financiers a été brutale : le jour de l'annonce, Ahold a perdu 60 % de sa valeur en Bourse.

Autre exemple, Parmalat, le huitième groupe privé italien et géant de l'agroalimentaire, a affirmé en 2003 qu'il disposait de 4 milliards de dollars de liquidités placés aux États-Unis, pour rassurer les investisseurs sur sa capacité à faire face à ses dettes. Le problème est que ces liquidités n'existaient pas… L'enquête qui a suivi a fait apparaître d'autres manipulations comptables, dont la dissimulation d'une dette de 11 milliards d'euros.

Ailleurs dans le monde. Malgré une attention croissante portée à la qualité et la sincérité des informations financières publiées par les entreprises, des affaires de manipulation comptable existent dans presque tous les pays. Certains pays émergents sont particulièrement exposés, du fait d'une culture des affaires moins portée sur la transparence, d'un mécanisme de contrôle et de certification des états financiers peu efficace ou simplement d'un droit des affaires laxiste. Parmi les grands scandales comptables récents, on trouve le fonds souverain malais 1MDB, pour lequel 3,5 milliards de dollars auraient

« disparu » en 2015 de ses comptes, ou Daewoo Shipbuilding, un des principaux chantiers navals coréens, qui aurait enjolivé ses comptes d'environ 1,3 milliard de dollars. Le problème est particulièrement présent en Chine, où de telles affaires émergent régulièrement et où l'indépendance des auditeurs reste à démontrer : un scandale récent concerne Ruihua Certified Public Accountants, l'une des plus grandes entreprises chinoises d'audit et de certification des comptes, soupçonnée de n'avoir pas signalé la surévaluation des profits d'un de ses clients pour un montant de 1,8 milliard de dollars. *Quis custodiet ipsos custodes* ? À chaque fois, les ingrédients du scandale sont à peu de choses près les mêmes : malversations comptables, documents truqués, destruction de pièces comptables, sociétés-écrans, avec pour seuls buts de rendre impossible l'analyse des comptes et de véhiculer une image fausse de la société.

Crise financière — L'affaire Madoff

« C'est lorsque la marée se retire que l'on voit ceux qui nagent sans maillot de bain. » *Warren Buffett*

Le 11 décembre 2008, les agents fédéraux américains arrêtent Bernard Madoff, l'un des financiers les plus renommés de Wall Street, à la tête, pensait-on, d'un fonds spéculatif de 65 milliards de dollars. Pendant 17 ans, le fonds géré par Madoff a affiché une rentabilité annuelle comprise entre 10 % et 15 %. En fait, ces performances étaient fictives : Madoff avait mis en place une stratégie de fraude très simple qui consistait à utiliser les capitaux des souscriptions les plus récentes pour verser des dividendes aux investisseurs plus anciens. Cette escroquerie, classique en finance, est connue sous le nom de stratégie pyramidale, ou de chaîne de Ponzi (du nom d'un financier italo-américain qui avait utilisé cette même technique dans les années 1920). C'est de loin la plus grande fraude financière de l'histoire, et elle a valu à Madoff d'être condamné à 150 ans de prison ; elle a même fait l'objet d'un film hollywoodien, *The Wizard of Lies*. Pourtant, la stratégie de Madoff n'avait rien de sophistiqué, ni d'original ; le plus surprenant est donc l'ampleur et la durée de l'escroquerie. De nombreux investisseurs – Steven Spielberg, l'université de New York, ainsi que des banques internationales – ont été piégés. On peut même penser que, sans la crise qui a amené de nombreux investisseurs en manque de liquidités à retirer leurs capitaux pour compenser des pertes subies par ailleurs, Madoff aurait pu poursuivre encore longtemps ses activités.

Si Madoff a pu dissimuler une telle fraude, c'est qu'il ne se contentait pas de truquer ses comptes, il les inventait complètement puis les faisait auditer par un complice (un petit cabinet d'audit inconnu). Madoff jouissait d'une telle réputation qu'aucun investisseur ne trouvait étrange qu'un fonds si important fasse appel à un cabinet d'audit si modeste ; de plus, le fonds n'étant pas coté, il n'était pas soumis aux exigences de transparence imposées par la loi Sarbanes-Oxley. La morale de l'histoire est que, lorsqu'on décide d'investir dans une entreprise ou un fonds, il ne suffit pas d'examiner les documents comptables, il faut également s'interroger sur la réputation des auditeurs qui les ont certifiés.

| **Entretien** | **Antoine de Riedmatten, commissaire aux comptes chez Deloitte** |

Expert-comptable, Antoine de Riedmatten certifie les comptes de sociétés dont Deloitte est commissaire aux comptes. Présent dans 150 pays, Deloitte est un cabinet d'audit et de conseil qui emploie 10 000 personnes en France et réalise 1 milliard d'euros de chiffre d'affaires, ce qui en fait un des acteurs majeurs du marché.

À quoi sert un cabinet d'audit ?

Un cabinet d'audit sert à donner à la communauté financière une assurance sur la sincérité et la régularité des comptes et informations des entreprises par rapport aux lois et règlements comptables applicables. C'est donc une vérification externe à l'entreprise, réalisée par des spécialistes, en toute indépendance, de la qualité de son information financière. Cette indépendance est assurée à travers un état d'esprit recherché chez les collaborateurs qui nous rejoignent, la répartition de notre chiffre d'affaires entre de nombreux clients, la rotation de l'associé signataire tous les six ans, la limitation des services que nous pouvons rendre aux entreprises dont nous sommes commissaires aux comptes, une vérification régulière de nos propres travaux en interne et par notre organisme professionnel de régulation.

Quelles sont ses missions ?

La première mission est légale : la certification des comptes annuels de nos clients. Nous avons aussi une activité d'expertise comptable pour les entreprises dont nous ne sommes pas commissaire aux comptes, qui consiste à les assister dans l'établissement de leurs comptes. Nous les accompagnons aussi dans leurs opérations de croissance externe ou de cession/restructuration. Nous sommes enfin conseil dans des domaines financiers et informatiques : raccourcissement des délais de production des comptes, fiabilisation du contrôle interne, mise en place de nouveaux outils financiers.

Les scandales financiers des années 2000 ont-ils modifié le travail des auditeurs ?

Ces scandales financiers ont conduit la réglementation à renforcer l'indépendance des auditeurs et l'exigence en termes de contrôle interne et de recherche de fraudes. Le renforcement de l'indépendance s'est traduit par l'interdiction pour un auditeur de réaliser certaines missions pour son client d'audit en termes de nature de travaux (mise en place de logiciel comptable, montages fiscaux agressifs…), de type de rémunération (fin des *success fees*) et de volume des honoraires de conseil par rapport aux honoraires d'audit.

Le renforcement du contrôle interne est plus ou moins étendu selon les pays. Pour ce qui est de la recherche de fraudes, les auditeurs doivent notamment conduire des entretiens avec les responsables de l'entreprise, tester en détail certaines transactions manuelles. Plus généralement, ils doivent faire preuve de plus de scepticisme sur les déclarations du management de l'entreprise.

La réaction des pouvoirs publics

Aux États-Unis. La **loi Sarbanes-Oxley** (SOx), votée en 2002, constitue la réponse du Congrès américain aux affaires Enron et WorldCom. Il s'agit de restaurer la confiance des investisseurs et de renforcer la gouvernance d'entreprise, largement ébranlées par les nombreux scandales financiers. Cette loi exige, en particulier, que le P-DG et le directeur financier des entreprises cotées certifient les comptes des sociétés qu'ils dirigent. La loi prévoit également un alourdissement des sanctions à l'égard des dirigeants responsables de manipulations comptables : jusqu'à 5 millions de dollars et 20 ans de prison en cas de manipulations comptables volontaires et 1 million de dollars et 10 ans de prison en cas de manipulations « conscientes ». Ceux qui contribueraient à la mise au jour de telles manipulations sont, eux, assurés de l'immunité. Enfin, la loi SOx impose aux cabinets d'audit de se séparer des activités susceptibles de provoquer des conflits d'intérêt (activités d'audit et de conseil à un même client, par exemple).

Dans le contexte post-Enron, la loi SOx a été accueillie sans contestation : il ne s'est trouvé que trois parlementaires pour voter contre (et 522 pour : une unanimité jamais égalée…). Les milieux d'affaires, tout en soulignant le coût pour les entreprises, s'y sont pliés, d'autant qu'en 2010 le *Dodd-Frank Act* est venu alléger les exigences posées par la loi SOx pour les petites et moyennes entreprises. La loi SOx demeure néanmoins critiquée, particulièrement en raison de sa portée extraterritoriale. En effet, elle s'applique à toutes les entreprises cotées sur le territoire américain, y compris les entreprises étrangères, qui doivent déjà se soumettre aux normes de leur pays d'origine.

En France. Pour répondre à la crise de confiance des investisseurs, le Parlement a adopté en 2003 la **loi de sécurité financière**. Cette loi impose notamment aux entreprises une information plus complète des investisseurs, une responsabilisation accrue des dirigeants et un renforcement du contrôle interne. Par ailleurs, elle crée le Haut Conseil du commissariat aux comptes (H3C) chargé de « veiller au respect de la déontologie et de l'indépendance des commissaires aux comptes ». Cette loi exige également, à l'instar de la loi SOx, une séparation stricte entre les dirigeants et les analystes financiers, l'indépendance des commissaires aux comptes et l'interdiction de cumuler des activités d'audit et de conseil. Enfin, cette loi crée l'**Autorité des marchés financiers** (AMF), pôle unique de régulation et de supervision des marchés financiers en France.

Résumé

2.1. Les états financiers

- Les états financiers sont des documents comptables préparés périodiquement par les entreprises. Ils fournissent une information synthétique permettant d'apprécier leur situation financière.

- Les investisseurs, les dirigeants, les analystes financiers et les autres parties prenantes (créanciers, clients, administration fiscale) utilisent les états financiers pour s'informer sur l'entreprise.

- Les principaux états financiers sont le bilan, le compte de résultat et le tableau des flux de trésorerie.

2.2. Le bilan

- Le bilan (*balance sheet*) fournit une vue d'ensemble du patrimoine de l'entreprise à un instant donné. Il est composé du passif, qui permet de connaître la provenance des ressources de l'entreprise, et de l'actif, qui recense les emplois (comment les ressources sont utilisées). Actif et passif sont égaux par construction.

- La valeur comptable des capitaux propres de l'entreprise diffère de leur valeur de marché, c'est-à-dire de la capitalisation boursière. Cette dernière intègre les perspectives de croissance de l'entreprise. Une entreprise performante présente un *Price-to-Book ratio* supérieur à 1.

- L'actif économique est égal à la valeur comptable des capitaux propres augmentée de la dette nette. La valeur de marché de l'actif économique (*enterprise value*) est égale à la valeur de marché des capitaux propres augmentée de la dette nette.

.3. Le compte de résultat

- Le compte de résultat (*income statement*) récapitule les produits et les charges d'une entreprise au cours d'un exercice comptable. Il permet de calculer le résultat net.

- Le résultat net rapporté au nombre d'actions permet de calculer le bénéfice par action. Le bénéfice par action dilué est calculé en ajoutant au nombre d'actions en circulation le nombre d'actions nouvelles qui résulteraient de l'exercice des stock-options accordées par l'entreprise.

2.4. Le tableau des flux de trésorerie

- Le tableau des flux de trésorerie (*statement of cash flows*) répertorie les flux de trésorerie ayant affecté l'entreprise entre l'ouverture et la clôture de l'exercice. Il propose une approche fonctionnelle de la variation de trésorerie et met en évidence, successivement, la trésorerie dégagée par les processus d'exploitation, d'investissement et de financement.

.5. Les ratios financiers

- Les ratios de profitabilité se calculent en rapportant l'excédent brut d'exploitation, le résultat d'exploitation ou le résultat net au chiffre d'affaires. Ils donnent une indication de la performance de l'entreprise et de sa stratégie.

- Les ratios de liquidité permettent de se faire une idée de la capacité de l'entreprise à honorer ses engagements financiers, en comparant des actifs liquides au passif courant.

- Le ratio de couverture des frais financiers est le rapport de l'excédent brut d'exploitation sur les charges d'intérêts. Il permet de mesurer la capacité de l'entreprise à honorer ses engagements vis-à-vis de ses créanciers.

- Un ratio couramment utilisé pour évaluer la structure du passif, ou structure financière, d'une entreprise est le levier, ou ratio dette sur capitaux propres. Le levier est en général calculé à partir de la valeur de marché des capitaux propres. Un second ratio est le taux d'endettement, qui rapporte la dette à l'ensemble du passif de l'entreprise.

- Le ratio de valorisation le plus utilisé est le PER (*Price-Earnings ratio*) : c'est le rapport entre le cours d'une action et le bénéfice net par action. Il a tendance à être élevé pour les entreprises en forte croissance.

- La rentabilité des capitaux propres (*Return On Equity*, ROE) se calcule comme le rapport entre le résultat net et la valeur comptable des capitaux propres ; la rentabilité des actifs (*Return On Assets*, ROA) est le rapport entre Résultat net + Charges d'intérêts et Actif total ; la rentabilité économique (*Return On Capital Employed*,

ROCE) se calcule comme le rapport entre le résultat d'exploitation après impôt et l'actif économique.

- L'identité de DuPont permet de décomposer la rentabilité financière d'une entreprise :

$$\text{Rentabilité financière (ROE)}$$

$$= \underbrace{\frac{\text{Résultat net}}{\text{Chiffre d'affaires}}}_{\text{Marge nette}} \times \underbrace{\frac{\text{Chiffre d'affaires}}{\text{Actif total}}}_{\text{Taux de rotation de l'actif}} \times \frac{\text{Actif total}}{\text{Capitaux propres}} \qquad (2.21)$$

2.6. La qualité de l'information comptable

- Depuis les années 2000, des scandales comptables aux États-Unis (Enron, WorldCom…) et en Europe (Parmalat, Ahold…) jettent des doutes sur la qualité de l'information comptable et financière. En réaction à ces scandales, de nouvelles lois ont été votées : la loi Sarbanes-Oxley aux États-Unis, la Loi de sécurité financière en France. L'objectif de ces réformes est d'améliorer la qualité de l'information comptable, de limiter les conflits d'intérêt et de sanctionner plus sévèrement les fraudes et manipulations comptables.

Exercices

L'astérisque désigne les exercices les plus difficiles.

1. Quels sont les principaux états financiers ? Pourquoi peut-on avoir confiance dans l'information qu'ils contiennent ?

2. Donnez au moins trois catégories de personnes intéressées par les états financiers. Quelles sont les informations susceptibles de les intéresser ?

3. Trouvez les états financiers les plus récents publiés par L'Oréal, à partir du site web de l'entreprise, du site web de l'Autorité des marchés financiers et d'un site d'informations financières (Yahoo! Finance ou Boursorama, par exemple).

4. Indiquez pour chaque événement survenant le 31 décembre prochain quelle ligne du bilan sera modifiée, le montant de la modification et l'influence de celle-ci sur la valeur comptable des capitaux propres :

   a. La World Company utilise 20 millions d'euros de sa trésorerie pour rembourser 20 millions d'euros de dette à long terme.

   b. Un incendie détruit des stocks non assurés d'une valeur de 5 millions d'euros.

   c. La World Company utilise 5 millions d'euros de sa trésorerie et réalise un emprunt à long terme de 5 millions d'euros pour acheter un immeuble d'une valeur de 10 millions d'euros.

   d. Un client de la World Company a reçu 3 millions d'euros de marchandises et ne les a pas encore payées. Il fait faillite et ne paiera rien.

   e. Les ingénieurs de la World Company ont découvert un nouveau procédé permettant de réduire le coût de fabrication des produits de l'entreprise de 50 %.

   f. Un concurrent de la World Company annonce une baisse du prix de ses produits, ce qui contraint la World Company à faire de même.

5. D'après le tableau 2.1, comment a évolué la valeur comptable des capitaux propres de la World Company entre 2018 et 2019 ? Cela implique-t-il une augmentation du prix de marché des actions de la World Company ?

6. Les états financiers de Renault sont disponibles sur le site web de l'entreprise. À partir des comptes annuels consolidés disponibles les plus récents, répondez aux questions suivantes :

   a. À combien s'élève la trésorerie et les dettes fournisseurs de Renault ?

   b. Quels sont l'actif total et le passif total de Renault ? À combien s'élève la dette à long terme de Renault ? Quelle est la valeur comptable des capitaux propres de Renault ?

   c. Quel est le BFR de Renault ?

7. La valeur comptable des capitaux propres de Saint-Gabin est de 116 milliards d'euros, avec 10,6 milliards d'actions en circulation valant chacune 17 €. La trésorerie de Saint-Gabin est de 84 milliards d'euros et sa dette totale de 410 milliards d'euros.

   a. Quelle est sa capitalisation boursière ? Et son *Price-to-Book ratio* ?

   b. Quel est son levier en valeur comptable et en valeur de marché ?

   c. Quelle est la valeur de marché de son actif économique ?

8. La valeur comptable des capitaux propres de Gap est de 3,017 milliards de dollars et son cours de Bourse de 27,90 $ pour 489,22 millions d'actions émises. La valeur comptable des capitaux propres d'Abercrombie & Fitch est de 1,693 milliard de dollars, son cours de Bourse est de 35,48 $ pour 82,55 millions d'actions émises. Quel est le *Price-to-Book ratio* de chaque entreprise ? Quelle conclusion tirer de cette comparaison ?

9. La World Company lance en 2020 une campagne publicitaire qui augmente ses ventes de 15 %, sa marge d'exploitation demeurant de 5,6 % comme en 2019. Toutes les autres données restent inchangées.

   a. Quel est le résultat d'exploitation de la World Company en 2020 ?

   b. Quel est le résultat net de la World Company en 2020 ?

   c. Si le PER et le nombre d'actions en circulation restent inchangés, quel sera le cours d'une action World Company en 2020 ?

10. À partir des comptes consolidés de Renault récupérés à l'exercice 6, répondez aux questions suivantes : à combien s'élève le chiffre d'affaires ? Comment a-t-il évolué depuis le dernier exercice ? Quelles sont la marge brute d'exploitation, la marge d'exploitation et la marge nette ? Quel est le taux effectif d'imposition de Renault ? Quel est le bénéfice par action ?

11. L'entreprise Delta est imposée au taux de 25 %.

   a. Les dépenses d'exploitation de l'année en cours augmentent de 10 millions d'euros. Quel est l'effet sur le résultat net de l'année en cours ? Et sur le résultat net de l'année suivante ?

   b. Quel est l'effet sur le résultat net d'un investissement de 10 millions d'euros mis en service au début de l'exercice si l'entreprise procède à un amortissement linéaire sur cinq ans de l'actif ? Quel est l'effet sur le résultat net de l'année suivante ?

*12. Le nombre d'actions en circulation de Quisco est de 6,5 milliards pour un prix unitaire de 18 €. Quisco envisage de développer un système de réseau sans fil pour la maison pour un coût de 500 millions d'euros. L'autre solution s'offrant à l'entreprise est de racheter un concurrent qui dispose déjà de cette technologie. Ce rachat pourrait être payé en actions Quisco (au cours actuel de l'action), pour 900 millions d'euros. Alors que Quisco ne dispose pas encore de la technologie, le bénéfice par action de Quisco est de 0,80 €.

   a. Si Quisco développe en interne le produit, tous les coûts de R&D sont supportés cette année. Le taux d'imposition de Quisco est de 35 %. Comment ces coûts modifient-ils le bénéfice par action de Quisco ?

    b. Si Quisco rachète son concurrent, quel est l'effet sur le bénéfice par action de Quisco de cette année ? (On suppose que l'entreprise cible n'a ni produits ni charges : le seul effet du rachat sur le BPA de Quisco est de provoquer une variation du nombre d'actions.)

    c. Quelle solution Quisco doit-elle retenir, si le critère de choix est le bénéfice par action ? Ce critère est-il bon ? Pourquoi ?

13. À partir des comptes consolidés de Renault récupérés à l'exercice 6, répondez aux questions suivantes : quel est le montant des flux de trésorerie engendrés par l'activité ? Quel est le montant des investissements et des cessions d'actifs ? L'entreprise a-t-elle versé des dividendes ? Pour quel montant ? L'entreprise a-t-elle émis ou racheté des actions ? Que peut-on dire de la comparaison entre le résultat net de l'entreprise et sa variation de trésorerie ?

14. Une entreprise ayant un résultat net positif peut-elle être à court de trésorerie ? Pourquoi ?

15. L'entreprise Sonafi reçoit une commande d'une valeur de 5 millions d'euros le dernier jour de l'exercice comptable. Cette commande est satisfaite immédiatement, grâce à une livraison de produits d'une valeur de 2 millions d'euros provenant du stock de Sonafi. Le client paie comptant 1 million d'euros ; le reste sera versé d'ici 30 jours. On néglige les impôts. Quelle est l'influence de cette transaction sur le chiffre d'affaires ? Sur le résultat net ? Sur les créances clients ? Sur les stocks ? Sur la trésorerie ?

16. L'entreprise Nokela achète un cyclo-convertisseur d'une valeur de 40 millions d'euros et le met en service le premier jour de l'exercice comptable. La durée de vie de ce matériel est de quatre ans, sa valeur résiduelle est nulle. Le taux d'imposition de Nokela est de 25 %. Si l'entreprise choisit un amortissement linéaire, quelle sera l'influence de cet achat sur le résultat net et les flux de trésorerie de Nokela au cours des quatre prochaines années ? Et si l'entreprise choisit un amortissement dégressif ?

17. Starbucks a un chiffre d'affaires de 11,70 milliards de dollars, un excédent brut d'exploitation de 6,75 milliards et un résultat net de 1,25 milliard. Quelle est la marge brute d'exploitation de Starbucks ? Et sa marge nette ?

18. Apple a une trésorerie de 27,65 milliards de dollars, un actif courant de 51,94 milliards, un passif courant de 33,06 milliards et des créances clients de 14,30 milliards. Calculez les trois ratios de liquidité d'Apple. Que peut-on dire de la liquidité d'Apple ?

19. Que signifie pour une entreprise d'avoir des capitaux propres négatifs ? Comment alors interpréter le *Price-to-Book ratio* et le levier en valeur comptable ?

20. Vous êtes chargé de comparer la situation financière de deux entreprises, A et B :

	Dette	Valeur comptable des capitaux propres	Valeur de marché des capitaux propres	Résultat d'exploitation	Charges d'intérêts
Entreprise A	500	300	400	100	50
Entreprise B	80	35	40	8	7

Quel est le levier (en valeur comptable et en valeur de marché) de chaque entreprise ? Quel est le ratio de couverture des frais financiers ? Selon vous, quelle entreprise aura le plus de difficultés à honorer ses engagements envers ses créanciers ?

21. United Airlines a une capitalisation boursière de 6,8 milliards de dollars, une dette de 12,4 milliards, une trésorerie de 7,3 milliards et un chiffre d'affaires de 37,4 milliards. Southwest Airlines a une capitalisation boursière de 6,6 milliards, une dette de 3,3 milliards, une trésorerie de 3,3 milliards et un chiffre d'affaires de 17,0 milliards. Comparez les ratios capitalisation boursière sur chiffre d'affaires et valeur de marché de l'actif économique sur chiffre d'affaires des deux compagnies aériennes. Quel est le ratio permettant la comparaison la plus pertinente ? Pourquoi ?

22. Starbucks a un chiffre d'affaires de 11,70 milliards de dollars, un résultat net de 1,25 milliard, un actif total de 7,36 milliards et une valeur comptable des capitaux propres de 4,38 milliards.

    a. Calculez la rentabilité financière de Starbucks directement, puis en utilisant l'identité de DuPont.

    b. Si Starbucks veut augmenter sa rentabilité financière de 1 point, de combien doit augmenter le taux de rotation des actifs ?

    c. Si la marge nette de Starbucks baisse de 1 point, de combien doit augmenter le taux de rotation des actifs pour conserver la même rentabilité financière ?

23. L'entreprise Retaille a une marge nette de 3,5 %, un taux de rotation de l'actif de 1,8, un actif total de 44 millions d'euros et des capitaux propres en valeur comptable de 18 millions d'euros. Calculez la rentabilité des capitaux propres. Qu'en est-il si la marge nette augmente à 4 % ? Et si, de surcroît, le chiffre d'affaires augmente de 20 %, toutes choses égales par ailleurs ?

24. À partir des comptes consolidés de Renault récupérés à l'exercice 6, répondez aux questions suivantes : qui certifie les comptes de Renault ? Quelles ont été les commissions touchées par les commissaires aux comptes ?

25. WorldCom a comptabilisé en investissement 3,85 milliards de dollars qui étaient en fait des dépenses de fonctionnement. Quel est l'effet d'une telle manipulation comptable sur les flux de trésorerie de WorldCom (tenir compte de la fiscalité) ? Ces manipulations comptables étaient illégales et avaient pour but de tromper les investisseurs. Mais si une entreprise avait le choix entre la comptabilisation d'une charge en dépense de fonctionnement ou en investissement, quel serait le meilleur choix pour les actionnaires ?

Étude de cas – Analyse financière

En entretien d'embauche pour un poste d'analyste financier, vous disposez de 90 minutes pour réaliser les tâches suivantes concernant Danone, Renault et Peugeot :

1. Téléchargez à partir des sites web de ces trois entreprises le bilan, le compte de résultat et le tableau des flux de trésorerie des trois dernières années fiscales. Lorsque ces documents ne sont pas téléchargeables directement, téléchargez le document de référence de l'année concernée, qui les contient.

2. À partir d'un site web d'informations financières (**Yahoo! Finance** ou **Boursorama**), trouvez les prix des actions et calculez la capitalisation boursière de ces entreprises à chaque clôture d'exercice.

3. Pour chaque entreprise, calculez les ratios suivants :

   a. ratios de profitabilité : marge brute d'exploitation, marge d'exploitation, marge nette ;

   b. ratios de rentabilité : rentabilité financière, rentabilité économique, rentabilité de l'actif ;

   c. ratios de valorisation : PER (à partir du BPA dilué), Price-*to-Book ratio* ;

   d. ratios de liquidité : ratio de liquidité générale, ratio de liquidité réduite, ratio de liquidité immédiate ;

   e. ratios de structure financière : levier (à partir de la valeur comptable et de la valeur de marché des capitaux propres) et taux d'endettement ;

   f. ratios de solvabilité : ratio de couverture des frais financiers.

4. Comparez Peugeot et Renault, commentez les ratios et leurs évolutions d'une entreprise au regard de l'autre. Quelles sont les forces et faiblesses de chacune des deux entreprises ?

5. Comparez et interprétez les ratios de Renault et de Danone. Laquelle est une entreprise de croissance (*growth stock*) ? Laquelle est une entreprise de rendement (*value stock*) ? Comment a évolué la valeur de marché des deux entreprises ?

Chapitre 3
Décisions financières et Loi du prix unique

En 2007, Microsoft, Google et Yahoo! ont livré bataille pour entrer au capital de Facebook : c'est Microsoft qui l'a emporté, en achetant 1,6 % des actions Facebook pour 240 millions de dollars. Si les dirigeants de Microsoft ont décidé de réaliser cet investissement, c'est qu'ils ont jugé que les bénéfices l'emportaient sur les coûts : en l'espèce, Microsoft a obtenu en échange une part du capital de Facebook et l'exclusivité des droits publicitaires sur le site. Le raisonnement financier de Microsoft était bon, puisqu'en 2012, lorsque Facebook a été introduit en Bourse, la participation détenue par Microsoft était valorisée plus de 1 milliard de dollars.

Comme l'illustre cet exemple, dans une entreprise toute décision peut avoir une influence – positive ou négative – sur sa valeur. De manière générale, les dirigeants souhaitent faire augmenter la valeur de l'entreprise ; ils décident donc d'investir lorsqu'ils estiment, compte tenu des informations dont ils disposent, que les bénéfices l'emportent sur les coûts. En pratique, il est difficile de comparer les coûts et les bénéfices d'un projet : ils sont le plus souvent incertains et étalés dans le temps. L'objectif de la finance est précisément de proposer les outils qui permettent d'aboutir à une décision financière.

Ce chapitre débute avec le concept de valeur actuelle nette (sections 3.1 à 3.3), qui permet précisément de mesurer l'intérêt économique d'une décision *aujourd'hui* compte tenu de ses coûts et de ses bénéfices *futurs* et d'évaluer un projet ou une décision financière de manière objective. Les sections 3.4 et 3.5 introduisent le concept d'arbitrage. En économie, arbitrer consiste à choisir rationnellement entre plusieurs options (*arbitrium agere*, faire un choix), indépendamment de tout jugement subjectif. Une possibilité d'arbitrage apparaît, par exemple, lorsqu'un même bien s'échange à des prix différents : les investisseurs ont alors intérêt à acheter le bien là où il est le moins cher et à le revendre là où il est le plus cher. Sur des marchés concurrentiels, une telle situation ne peut être que temporaire : par leurs actions, les agents contribuent à rééquilibrer les prix et à faire disparaître les opportunités d'arbitrage. En généralisant ce raisonnement, on montre que, sur des marchés concurrentiels, deux projets équivalents doivent avoir le même prix : c'est ce qu'on appelle la **Loi du prix unique**. Cette loi est centrale dans la finance ; elle servira de fil conducteur à l'ensemble de l'ouvrage. Les dernières sections du chapitre montrent comment intégrer au raisonnement le risque (section 3.6) et les coûts de transaction (section 3.7).

3.1. Valoriser un projet

Pour valoriser un projet, il faut identifier ses coûts et ses bénéfices. Il est nécessaire de mobiliser pour cela des connaissances en marketing, en logistique, en fiscalité, en stratégie, etc. : ce travail n'est pas du ressort exclusif du directeur financier. En revanche, il incombe à ce dernier de rendre comparables les coûts et bénéfices du projet – ce qui implique de les exprimer en **valeur actuelle**, pour valoriser le projet et savoir s'il convient ou non d'investir.

Prix de marché et valeur d'un projet

Prenons un exemple. Un bijoutier a la possibilité de recevoir 10 onces d'or en échange de 400 onces de platine. Pour savoir si c'est avantageux, il faut connaître la valeur des deux métaux. L'once d'or s'échange sur le marché au prix de 900 €, tandis que l'once de platine se négocie à 15 €[1]. Les 10 onces d'or valent donc : 10 × 900 € = 9 000 € et les 400 onces de platine 400 × 15 € = 6 000 €. Le bijoutier doit accepter l'échange, puisque le bénéfice est supérieur au coût : il gagne 9 000 – 6 000 = 3 000 €. Ces 3 000 € représentent la **valeur nette** de l'échange. La réponse du bijoutier doit dépendre *exclusivement* de la valeur de marché de l'or et du platine : il doit accepter l'échange même s'il pense qu'il vendra plus facilement des bijoux en platine ou que le prix de l'or est trop élevé.

Pour s'en convaincre, supposons que le bijoutier puisse fabriquer 8 000 € de bijoux avec 10 onces d'or et 10 000 € de bijoux avec 400 onces de platine. La valeur des bijoux en platine est plus élevée que celle des bijoux en or. Pour autant, le bijoutier a quand même intérêt à accepter d'échanger du platine contre de l'or. Il lui suffira ensuite de revendre ses 10 onces d'or contre 9 000 €, puis d'acheter du platine avec cette somme : il pourra en acheter 9 000 / 15 = 600 onces, soit 200 onces de plus qu'il n'en détenait au départ. Autrement dit, si le bijoutier est en mesure d'acheter et de vendre or et platine à leur prix de marché, ses préférences personnelles et son opinion sur le « juste prix » des métaux ne doivent pas intervenir dans sa décision.

En généralisant, si les biens sont échangés sur un **marché concurrentiel**, c'est-à-dire s'ils peuvent être achetés et vendus au même prix, il est possible de calculer la valeur nette d'un projet sans se soucier des préférences ou des opinions de celui qui prend la décision. Cette idée simple, mais très puissante, est un des fondements de la finance :

La valeur d'un actif est déterminée par son prix sur un marché concurrentiel. Les coûts et les bénéfices associés à un projet doivent être évalués à l'aune de ces prix de marché ; lorsque les bénéfices sont supérieurs aux coûts, réaliser le projet crée de la valeur pour l'entreprise ou l'investisseur.

---

1. On ignore les commissions et autres coûts de transaction (voir section 3.7).

Exemple 3.1

Prix de marché et valeur

Vous venez de gagner à un jeu télévisé quatre places pour le nouveau spectacle de Justin Bieber (d'une valeur de 40 € chacune) ou deux places pour le prochain concert de Radiohead (d'une valeur de 45 € chacune). Vous appréciez très modérément le premier, mais vous êtes fan du groupe britannique. Sur eBay, une place pour le show de Justin s'échange à 30 €, tandis qu'une place pour le concert de Radiohead, qui affiche complet, vaut 50 €. Que choisissez-vous ?

Solution

Grâce à eBay, les places de concert s'échangent sur un marché concurrentiel : ni vos préférences, ni la valeur faciale des billets ne doivent influencer votre choix. Plutôt que de choisir les billets de votre groupe préféré, vous devez accepter les quatre places pour le spectacle de Justin (tant pis pour votre réputation), puis les revendre sur eBay au prix de 4 × 30 € = 120 €. Cela vous permettra d'acheter deux places pour Radiohead pour 2 × 50 € = 100 € et il vous restera 20 € pour vous offrir le T-shirt du concert.

Que faire en l'absence de prix de marché concurrentiels ?

Lorsque le marché est concurrentiel, les prix de marché permettent de comparer coûts et bénéfices d'un projet sans se soucier des préférences ou des opinions de celui qui prend la décision. En revanche, lorsque les prix de marché ne sont pas disponibles ou que le marché n'est pas concurrentiel – autrement dit, quand le prix auquel on peut acheter un bien est différent du prix auquel on peut le vendre –, on doit tenir compte de la situation particulière de l'acheteur et/ou du vendeur.

Imaginons par exemple que la Société Générale offre un iPhone d'un prix de 599 € pour toute ouverture de compte. Il n'existe pas de marché concurrentiel pour vendre des iPhone neufs ; la valeur du cadeau dépend donc du client considéré : s'il envisageait d'acheter un iPhone, le cadeau vaut effectivement 599 €, puisque c'est ce qu'il aurait payé pour l'acheter. Dans le cas contraire, la valeur du cadeau dépend du prix de revente de l'iPhone sur le marché d'occasion, par exemple 300 €. En fonction du client considéré, le cadeau a donc une valeur de 599 € ou de 300 €.

3.2. Taux d'intérêt et valeur temps de l'argent

Les coûts et les bénéfices d'un projet apparaissent généralement à des moments différents : il faut, le plus souvent, investir aujourd'hui pour espérer réaliser des bénéfices demain. Comment évaluer la valeur des projets dans ce cas ?

La valeur temps de l'argent

Prenons un exemple. Un projet nécessite d'investir 100 000 € aujourd'hui pour un bénéfice de 102 000 € dans un an. Les flux sont certains, mais il n'est pas possible de comparer directement ces deux montants car ils se produisent à des moments différents. Or 1 € aujourd'hui n'est pas équivalent à 1 € demain : il est toujours préférable de recevoir 1 €

aujourd'hui plutôt que dans un an et, par conséquent, 1 € aujourd'hui « vaut » davantage que 1 € dans un an. C'est ce qu'on appelle le **principe de préférence pour le présent**[2] : pour s'en convaincre, il suffit de se rappeler qu'il est toujours possible de placer l'argent dont on n'a pas immédiatement besoin sur un compte épargne qui porte intérêt : un placement de 100 € au taux de 3 % permettra d'obtenir 103 € dans un an.

La **valeur temps de l'argent** se définit comme la différence entre la valeur de 1 € dans le futur et sa valeur aujourd'hui : *il faut toujours tenir compte de la valeur temps de l'argent pour comparer des flux se produisant à des dates différentes.*

Le taux d'intérêt : un taux de change intertemporel

En plaçant ou en empruntant de l'argent à la banque, il est possible de convertir sans risque des euros aujourd'hui en euros futurs. De ce point de vue, le taux d'intérêt est comparable à un taux de change intertemporel. Le taux de change euro/dollar, par exemple, permet de convertir des euros en dollars : s'il est égal à 1 € pour 1,25 $, cela signifie qu'un euro peut être échangé contre 1,25 $ ou qu'un dollar vaut 1 / 1,25 = 0,8 €. Par analogie, un taux d'intérêt de 3 % signifie qu'il est possible d'échanger 1 € aujourd'hui contre 1,03 € dans un an ou, symétriquement, 1 € dans un an contre 1 / (1 + 3 %) = 0,97 € aujourd'hui. Plus généralement, le **taux d'intérêt sans risque**, noté r_f, est le taux d'intérêt (annuel) auquel on peut prêter ou emprunter aujourd'hui contre la promesse certaine d'un remboursement futur. Ce taux permet de convertir une somme d'argent actuelle en une somme d'argent future : 1 € aujourd'hui vaudra $(1 + r_f)$ € dans un an ; de manière symétrique, 1 € dans un an vaut $1 / (1 + r_f)$ € aujourd'hui.

Ce taux d'intérêt est un prix de marché déterminé par l'offre (d'épargne) et la demande (d'emprunts)[3]. Il permet d'évaluer les coûts et bénéfices d'un projet lorsqu'ils ne se produisent pas au même moment, sans se préoccuper des opinions ou des préférences des investisseurs, de la même manière que le taux de change permet de comparer les coûts et bénéfices d'un projet exprimés dans des monnaies différentes.

Revenons au projet proposé plus haut : il requiert un investissement immédiat de 100 000 €. En empruntant cette somme au taux d'intérêt sans risque de 3 %, il faudra rembourser dans un an 103 000 €, alors que le projet ne rapportera que 102 000 €. La **valeur nette** du projet dans un an est donc de – 1 000 € : en réalisant le projet, on sera plus pauvre de 1 000 € dans un an ; il faut donc le rejeter.

Le projet serait-il intéressant s'il n'était pas nécessaire d'emprunter les 100 000 € ? S'il est possible de prêter au même taux que le taux auquel on emprunte[4] – autrement dit, si le marché est concurrentiel –, la réponse est toujours non : placer 100 000 € au taux sans risque de 3 % permet d'obtenir 100 000 × (1 + 3 %) = 103 000 € dans un an. Investir 100 000 € dans le projet revient donc à renoncer à 103 000 € dans un an, alors que le projet ne rapporte à cette date que 102 000 € : la valeur nette dans un an est toujours de – 1 000 €.

---

2.   Ce principe est bien sûr valable que l'on raisonne en euros, en dollars ou dans n'importe quelle monnaie.

3.   Fisher, I. (1930), *The Theory of Interest: As Determined by Impatience to Spend Income and Opportunity to Invest It*, Macmillan.

4.   La situation dans laquelle ces deux taux sont différents est l'objet de la section 3.7.

Valeur actuelle et valeur future

Dans le calcul précédent, on compare les coûts et les bénéfices à la fin du projet (dans un an). On peut également effectuer cette comparaison à la date d'aujourd'hui. Que vaut aujourd'hui le fait de recevoir 102 000 € dans un an ? Pour le dire autrement, combien faut-il placer aujourd'hui au taux sans risque pour obtenir 102 000 € dans un an ? Avec un taux d'intérêt de 3 %, il faut placer 102 000 € / (1 + 3 %) = 99 029,13 €. Or, le projet impose d'investir aujourd'hui 100 000 € pour obtenir dans un an 102 000 €. En investissant dans le projet plutôt qu'en plaçant son argent à la banque, on est donc plus pauvre aujourd'hui de 99 029,13 – 100 000 = – 970,87 €.

On aboutit donc à la même conclusion, que les coûts et les bénéfices soient exprimés en euros aujourd'hui ou en euros dans un an : il faut refuser le projet. La perte nette peut être exprimée en euros aujourd'hui (– 970,87 €) ou en euros dans un an (– 1 000 €). Elle est équivalente dans les deux cas, car 970,87 € × (1 + 3 %) = 1 000 €.

Tableau 3.1	Valeur actuelle et valeur future du projet	
	Valeur actuelle (€)	**Valeur future (€)**
Coût : 100 000 € aujourd'hui	100 000 €	100 000 × (1 + 3 %) = 103 000 €
Bénéfice : 102 000 € dans un an	102 000 / (1 + 3 %) = 99 029,13 €	102 000 €
Gain net (perte nette si négatif)	**– 970,87 €**	**– 1 000 €**

Calculer la **valeur future** d'un projet revient à exprimer les coûts et les bénéfices en euros à la date finale du projet – ici, dans un an. Pour rendre les flux d'aujourd'hui comparables aux flux dans un an, il faut multiplier les premiers par $(1 + r_f)$. À l'inverse, calculer la **valeur actuelle** (ou valeur présente) d'un projet revient à « convertir » les coûts et les bénéfices en euros aujourd'hui. Pour rendre un flux dans un an comparable à un flux aujourd'hui, il faut le multiplier par $1 / (1 + r_f)$. Ce terme est le **facteur d'actualisation** à un an pour un investissement sans risque. Dans la mesure où le taux sans risque est positif, le facteur d'actualisation est inférieur à 1 : les bénéfices actualisés sont inférieurs aux bénéfices futurs.

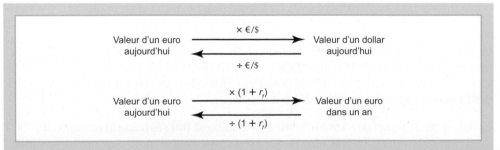

Figure 3.1 – Taux de change et taux d'intérêt

Pour évaluer un projet, il est nécessaire que ses coûts et ses bénéfices soient exprimés dans la même unité. Cela signifie qu'ils doivent être exprimés dans la même monnaie et à la même date. Pour passer d'une monnaie à l'autre, il faut utiliser le taux de change. Pour passer d'une date à une autre, il faut utiliser le taux d'intérêt.

Le coût de report d'un projet

En vue des Jeux Olympiques 2024, il est prévu de construire plusieurs équipements sportifs à Paris. Imaginons que leur coût estimé soit de 310 millions d'euros, pour une livraison prévue en 2022. Imaginons que les travaux aient un an de retard et que ce report provoque un alourdissement de la facture de 5 %. Quel est le coût de ce report si le taux d'intérêt est de 3 % ?

Solution

Si les travaux ont un an de retard, ils coûteront 310 millions × (1 + 5 %) = 325,5 millions d'euros. Pour comparer ce montant au coût initial des travaux, il faut convertir les flux futurs en flux actuels. Le taux d'intérêt est de 3 % ; par conséquent, 325,5 millions d'euros en 2023 / (1 + 3 %) = 316 millions d'euros en 2022. Le coût du report des travaux d'un an est donc de 316 millions – 310 millions = 6 millions d'euros en 2022.

3.3. La valeur actuelle nette

La pratique la plus fréquente pour comparer les bénéfices et les coûts d'un projet consiste à les comparer en euros d'aujourd'hui, en calculant la **valeur actuelle nette**, ou VAN (*Net Present Value*, NPV) du projet.

La valeur actuelle nette d'un projet

La VAN d'un projet est la différence entre les valeurs actuelles (VA) de ses bénéfices et de ses coûts :

Valeur actuelle nette

$$VAN = VA(\text{Bénéfices}) - VA(\text{Coûts}) \tag{3.1}$$

Si les flux sont exprimés sous forme algébrique, autrement dit si les bénéfices sont affectés d'un signe « + » et les coûts d'un signe « – », la VAN est simplement la somme des valeurs actuelles de tous les flux futurs :

$$VAN = VA(\text{Ensemble des flux du projet}) \tag{3.2}$$

La VAN d'un projet s'interprète comme la richesse créée *aujourd'hui* par le projet. À ce titre, la VAN peut servir de critère de décision : *un projet ne doit être accepté que si sa VAN est positive*. Dans ce cas, en effet, le projet enrichit celui qui l'entreprend. Au contraire, des projets à VAN négative détruisent de la valeur.

Considérons le projet suivant : investir 500 € aujourd'hui rapporte avec certitude 550 € dans un an. Le taux d'intérêt sans risque est de 5 %. Faut-il mettre en œuvre ce projet ? La VAN du projet est de – 500 + 550 / (1 + 5 %) = 23,81 €. La VAN étant positive, le projet est créateur de valeur. Pour s'en convaincre, supposons que l'on emprunte aujourd'hui 523,81 € au taux annuel de 5 %, ce qui permet de financer les 500 € nécessaires au projet et laisse en plus 23,81 € disponibles. On devra rembourser dans un an 523,81 € × (1 + 5 %) = 550 €, ce qui correspond exactement au flux que l'on recevra dans un an. Accepter un projet à VAN positive revient ainsi au même que s'enrichir immédiatement de la

VAN du projet, sans aucune obligation future en contrepartie : ici, en réalisant le projet, l'investisseur s'enrichit de 23,81 € immédiatement et ne devra rien dans un an, puisque le bénéfice futur du projet compense exactement le remboursement de l'emprunt.

Tableau 3.2	VAN d'un projet financé par endettement	
	Flux aujourd'hui (€)	**Flux dans un an (€)**
Emprunt	+523,81	$-523,81 € \times (1 + 5\%) = -550$
Projet	−500,00	+550
Flux nets	**+23,81**	**0**

Paiement immédiat ou paiement différé ?

Votre entreprise doit acheter une nouvelle imprimante qui coûte 9 500 €. Le fournisseur vous propose de payer 10 000 € dans un an. Le taux d'intérêt est de 7 %. Faut-il choisir de payer l'imprimante aujourd'hui ou dans un an ?

Solution

La valeur actuelle d'un paiement de 10 000 € dans un an est de 10 000 € / (1 + 7 %) = 9 345,79 €. En décidant de payer l'imprimante dans un an, on économise 9 500 € aujourd'hui. La VAN du paiement différé est donc égale à 9 500 – 9 345,79 = 154,21 €. La VAN est positive, il faut accepter le paiement différé. Cela revient à bénéficier d'une réduction de 154,21 € sur le prix de l'imprimante et à ne la payer que 9 345,79 €.

Exemple 3.3

Comparer des projets

Suivant la même logique, il est possible d'utiliser la VAN pour comparer des projets : *lorsqu'on doit choisir entre plusieurs projets, il faut retenir celui dont la VAN est la plus élevée.* Un investisseur a le choix entre trois projets sans risque, dont les flux sont décrits dans le tableau 3.3. Pour un taux d'intérêt sans risque de 20 %, quel projet faut-il retenir ?

Tableau 3.3	Trois projets alternatifs	
Projets	**Flux aujourd'hui (€)**	**Flux dans un an (€)**
A	42	42
B	−20	144
C	−100	225

La VAN de chaque projet est la suivante :

- Projet A : 42 + 42 / (1 + 20 %) = 77 € ;
- Projet B : − 20 + 144 / (1 + 20 %) = 100 € ;
- Projet C : − 100 + 225 / (1 + 20 %) = 87,5 €.

Les trois projets ont une VAN positive : ils sont tous trois créateurs de richesse. Si cela était possible, il conviendrait de les accepter tous. S'il n'est possible d'en accepter qu'un seul, il faut retenir le projet B car il a la VAN la plus élevée : 100 €. Si le marché est concurrentiel, cette décision vaut quelles que soient les préférences des agents.

Qu'en est-il si l'on souhaite absolument recevoir aujourd'hui 42 €, comme le propose le projet A ? Il faut tout de même choisir le projet B, que l'on complète par un emprunt de 62 €, ce qui permet de financer le projet B (20 €) et laisse 42 € disponibles. Et si on souhaite absolument investir aujourd'hui 100 €, comme avec le projet C ? Il faut alors combiner le projet B avec un prêt de 80 € (voir tableau 3.4).

Tableau 3.4	Projet B combiné à un prêt ou un emprunt	
	Flux aujourd'hui (€)	**Flux dans un an (€)**
Projet B	− 20	+ 144
Emprunt de 60 €	+ 62	− 62 € × (1 + 20 %) = − 74,4
Projet B + Emprunt de 60 €	**+ 42**	**+ 69,6**
Projet B	− 20	+ 144
Prêt de 80 €	− 80	+ 80 € × (1 + 20 %) = 96
Projet B + prêt de 80 €	**− 100**	**+ 240**

Le choix du projet B, accompagné le cas échéant d'un prêt ou d'un emprunt, donne toujours une richesse supérieure au choix d'un autre projet, car sa VAN est la plus grande des trois projets, et ce indépendamment des préférences des agents. Pour résumer :

Lorsqu'on doit choisir entre plusieurs options, il faut toujours choisir celle qui a la plus grande VAN. Si besoin, on peut ensuite emprunter ou placer au taux sans risque pour modifier à sa guise la façon dont les flux se répartissent dans le temps.

La figure 3.2 représente les trois projets, avec en abscisse leurs flux présents et en ordonnée leurs flux futurs. Calculer leur VAN revient à convertir les flux futurs en flux présents à l'aide du taux d'intérêt approprié. Graphiquement, la VAN du projet A se situe donc à l'intersection de l'axe des abscisses (les flux futurs sont alors nuls) et de la droite passant par le point A. La pente de cette droite est de − 1,2 : le taux d'intérêt sans risque est de 20 %, le taux de conversion est donc de 1 € aujourd'hui contre 1,2 € dans un an. De même, la VAN des projets B et C se situe à l'intersection de l'axe des abscisses et de la droite de pente − 1,2 passant par les points B et C, respectivement.

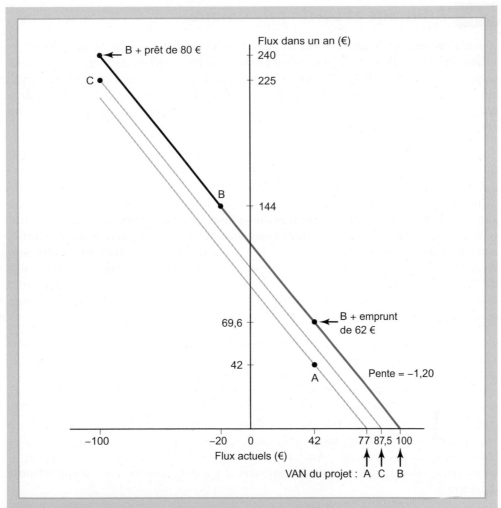

Figure 3.2 – Comparaison des projets A, B, C

Chaque droite représente l'ensemble des combinaisons possibles en associant chaque projet à un emprunt ou un prêt au taux d'intérêt sans risque de 20 %. La VAN d'un projet correspond à la situation où tous les flux sont exprimés en euros actuels. Un emprunt augmente les flux présents et réduit les flux futurs (et inversement pour un prêt). Les combinaisons possibles de flux présents et futurs grâce au projet ayant la plus forte VAN sont plus attractives que celles offertes par les autres projets.

Chacune de ces droites représente l'ensemble des combinaisons possibles en associant chaque projet à un emprunt ou un prêt au taux d'intérêt sans risque de 20 %. Le projet B, dont la VAN est la plus élevée, est situé sur la droite la plus éloignée de l'origine du graphique : il offre donc le meilleur choix, quelles que soient par ailleurs les préférences de l'investisseur.

3.4. Arbitrage et Loi du prix unique

Jusqu'à présent, on a supposé que les marchés étaient concurrentiels, au sens où un même bien s'échange au même moment sur tous les marchés au même prix. Cette hypothèse est-elle réaliste ? Prenons l'exemple de l'or qui se négocie en même temps sur les marchés de New York et Londres. Est-il possible que les prix de l'or sur ces deux marchés diffèrent durablement ? La réponse est non, et ce, pour une raison simple : sur ces marchés, il est possible d'acheter *et* de vendre de l'or.

Supposons que l'once d'or se négocie 850 $ à New York et 900 $ à Londres. Il est possible de gagner de l'argent en achetant de l'or à New York et en le revendant immédiatement à Londres[5]. Pour chaque once d'or achetée et revendue, le gain est de 50 $, soit 50 millions de dollars pour 1 million d'onces d'or ! Ce gain est immédiat, sans risque et il ne nécessite aucune mise de départ : autant dire que n'importe quel investisseur qui repère une telle différence de prix va immédiatement chercher à en tirer parti pour maximiser son profit. Ainsi, en quelques secondes, le marché de l'or à New York va crouler sous les ordres d'achat et celui de Londres sous les ordres de vente. Très rapidement, le cours de l'or à New York va augmenter sous l'effet des ordres d'achat, tandis que le cours à Londres va baisser sous l'effet des ordres de vente et ce jusqu'à ce qu'ils s'égalisent, quelque part entre 850 $ et 900 $ l'once.

Cette opération est un **arbitrage**. L'arbitrage le plus simple consiste à acheter et à vendre simultanément un même bien sur deux marchés pour profiter d'une différence de prix. Plus généralement, *une **opportunité d'arbitrage** existe dans toute situation où il est possible de réaliser un profit sans risque et sans mise de fonds initiale*[6]. Par définition, une opportunité d'arbitrage a une VAN positive. Les investisseurs sont toujours à l'affût d'opportunités d'arbitrage. Dès qu'une telle opportunité apparaît, ils sont nombreux à vouloir la saisir. Ce faisant, ils contribuent à rééquilibrer les prix et à faire disparaître les opportunités d'arbitrage. Autrement dit, sitôt décelées, les opportunités d'arbitrage disparaissent. Sur un **marché normal**[7], il y a donc une **absence d'opportunité d'arbitrage**[8].

Ainsi, sur un marché normal, le prix de l'or sera à tout moment identique à Londres et à New York. La même logique s'applique à tout actif échangé en même temps sur plusieurs marchés : si les prix diffèrent, les investisseurs vont immédiatement exploiter cette opportunité en achetant l'actif là où son prix est le plus faible pour le revendre là où son prix est le plus élevé. En agissant ainsi, ils exercent une pression sur les prix ; ces derniers s'égalisent alors rapidement. Cette propriété importante des marchés concurrentiels est connue sous le nom de **Loi du prix unique** :

Lorsqu'un actif s'échange simultanément sur plusieurs marchés concurrentiels, son prix est identique sur tous les marchés.

---

5. Pour ce faire, il n'y a même pas besoin de transporter physiquement l'or de New York à Londres : les investisseurs échangent des droits de propriété sur de l'or qui ne bouge pas.

6. On qualifie parfois ces situations de *free lunch* (repas gratuit).

7. L'expression de marché efficient est parfois utilisée pour décrire un marché sur lequel il n'y a pas d'opportunités d'arbitrage. Mais la notion d'efficience implique également des restrictions sur l'information détenue par les agents (voir chapitre 9), ce qui n'est pas nécessaire ici.

8. Rubinstein, M. (2001) « Rational Markets: Yes or No? The Affirmative Case », *Financial Analysts Journal*, 15-29.

Zoom sur...   **Une plaisanterie d'économiste**

Un professeur de finance et un étudiant marchent dans la rue. L'étudiant aperçoit sur le trottoir un billet de 100 € et s'apprête à le ramasser. Le professeur l'arrête et lui dit : « Ne te donne pas cette peine, s'il y avait vraiment un billet de 100 € par terre, quelqu'un l'aurait déjà pris. » Cette petite histoire illustre le concept d'absence d'opportunité d'arbitrage : trouver un billet de 100 € dans la rue est peu probable, car la plupart des gens font attention à ne pas perdre leurs billets de 100 € et dans le cas – rare – où cela arrive, il est ramassé rapidement, ce qui diminue d'autant la probabilité d'en trouver un. Pour se convaincre définitivement que les opportunités d'arbitrage sont rares, il suffit de se demander depuis quand n'avons-nous pas trouvé de billet de 100 € par terre !

3.5. Absence d'opportunité d'arbitrage et prix des actifs

Un **actif financier** est un titre, échangeable sur un marché financier, qui donne droit à des flux monétaires futurs. Acheter un actif financier revient à réaliser un placement. Émettre un actif financier consiste à solliciter un financement, en contrepartie de la promesse de verser ultérieurement de l'argent à l'acheteur de l'actif en question. La Loi du prix unique permet d'évaluer les actifs financiers, car elle nous apprend que des actifs financiers comparables doivent avoir le même prix. Cette idée peut être utilisée pour calculer le prix d'un actif à partir d'un autre dont le prix est connu.

Évaluer un actif financier avec la Loi du prix unique

Considérons par exemple un actif financier qui offre un paiement certain de 1 000 € dans un an. Cet actif peut être une obligation, émise par une entreprise qui a besoin d'un financement immédiat en échange d'un remboursement futur. Si le taux d'intérêt sans risque est de 5 %, quel est le prix de cet actif sur un marché normal ? Pour répondre à cette question, considérons qu'il est possible de placer de l'argent sur un compte rémunéré au taux d'intérêt sans risque. Pour recevoir 1 000 € dans un an sans risque, il faut placer aujourd'hui :

$$VA(1\ 000\ € \text{ dans un an}) = 1\ 000 / (1 + 5\ \%) = 952,38\ €$$

Il existe donc deux façons d'obtenir 1 000 € dans un an : (1) acheter l'obligation ; (2) placer 952,38 € au taux d'intérêt sans risque de 5 %. Ces placements ont les mêmes flux futurs ; d'après la Loi du prix unique, sur un marché normal, leur prix doit être identique. Autrement dit, le prix de l'obligation est égal à 952,38 €.

Identification d'opportunités d'arbitrage. Supposons que l'obligation s'échange sur le marché au prix de 940 €. On peut profiter de la situation pour réaliser un profit sans risque, en achetant l'obligation au prix de 940 € et en empruntant 952,38 €. Avec un taux d'intérêt de 5 %, il faudra rembourser à la banque 952,38 € × (1 + 5 %) = 1 000 € dans un an, alors que l'obligation produira un flux de 1 000 € à ce moment-là. Une telle stratégie permet de gagner aujourd'hui 952,38 – 940 = 12,38 €, sans prendre de risque, sans mise de fonds initiale et sans engagement futur (voir tableau 3.5). Dès qu'un investisseur remarque cette opportunité d'arbitrage, il achète le plus d'obligations possible, ce qui fait augmenter son prix jusqu'à ce qu'il atteigne 952,38 € ; une fois ce prix atteint, il n'y a plus d'opportunité d'arbitrage.

Tableau 3.5	Achat de l'obligation par endettement	
	Flux aujourd'hui (€)	**Flux dans un an (€)**
Achat de l'obligation	−940,00	+1 000,00
Emprunt bancaire	+952,38	−1 000,00
Flux net de trésorerie	**+12,38**	**0,00**

Une opportunité d'arbitrage symétrique existe si le prix de l'obligation est supérieur à 952,38 €, par exemple 960 €. Dans ce cas, il faut vendre l'obligation et placer 952,38 € au taux sans risque (voir tableau 3.6) : on gagne ainsi 7,62 € aujourd'hui. Là encore, dès que les investisseurs décèlent cette opportunité d'arbitrage, ils vendent en masse des obligations, ce qui fait baisser leur prix jusqu'à 952,38 €, faisant ainsi disparaître toute possibilité d'arbitrage. Cette stratégie implique de vendre l'obligation. Cela signifie-t-il que seuls ceux qui détiennent initialement l'obligation peuvent exploiter l'opportunité d'arbitrage ? Non, car sur les marchés financiers, il est possible de vendre un actif que l'on ne possède pas, en réalisant une **vente à découvert**[9] (*short sale*). Les ventes à découvert permettent d'exploiter les opportunités d'arbitrage lorsqu'un actif est surévalué et que l'on ne le possède pas.

Tableau 3.6	Vente de l'obligation	
	Flux aujourd'hui (€)	**Flux dans un an (€)**
Vente de l'obligation	+960,00	−1 000,00
Placement bancaire	−952,38	+1 000,00
Flux net de trésorerie	**+7,62**	**0,00**

Le prix en l'absence d'opportunité d'arbitrage. Tout prix différent de 952,38 € fait donc apparaître une opportunité d'arbitrage. Sur un marché normal, ce prix de 952,38 € est le **prix en l'absence d'opportunité d'arbitrage**. Il est déterminé en reproduisant à l'identique les flux monétaires futurs d'un actif financier et en calculant le coût immédiat de cette **réplication**. En l'absence d'opportunité d'arbitrage, ce coût est égal à la valeur actuelle des flux futurs auxquels l'actif financier donne droit :

Prix en l'absence d'opportunité d'arbitrage

$$\text{Prix de l'actif} = VA(\text{Ensemble des flux monétaires offerts par l'actif}) \qquad (3.3)$$

---

9. L'investisseur qui désire vendre à découvert un actif l'emprunte à quelqu'un qui le possède. Au terme de l'opération, l'investisseur rend l'actif à son propriétaire initial (ce qui implique que l'investisseur rachète l'actif sur le marché) ou verse au propriétaire initial les flux que ce dernier aurait dû recevoir. Ici, il est possible de vendre à découvert l'obligation en promettant à son propriétaire de lui verser 1 000 € dans un an.

Exemple 3.4

Le prix en l'absence d'opportunité d'arbitrage

Un actif offre à son propriétaire 100 € aujourd'hui et 100 € dans un an. Le taux d'intérêt sans risque est de 10 %. Quel est le prix en l'absence d'opportunité d'arbitrage de l'actif (avant le paiement des 100 € aujourd'hui) ? Si l'actif s'échange à 195 €, quelle stratégie doit-on mettre en œuvre ? Quel serait le taux d'intérêt pour lequel il y aurait absence d'opportunité d'arbitrage ?

Solution

Le prix en l'absence d'opportunité d'arbitrage est égal à la valeur actuelle des flux futurs de l'actif : 100 € + 100 € / (1 + 10 %) = 190,9 €. Puisque l'actif s'échange à 195 €, il est surévalué. La stratégie d'arbitrage consiste à vendre l'actif sur le marché pour 195 € et à placer 90,9 € au taux de 10 % pour répliquer le flux de 100 € dans un an. On reçoit donc aujourd'hui un flux de 104,1 €, soit 4,1 € de plus qu'en ayant acheté l'actif.

Il y aurait absence d'opportunité d'arbitrage si la valeur actuelle de 100 € dans un an était de 95 €, ce qui implique un taux d'intérêt de 100 / 95 – 1 = 5,26 %.

Taux d'intérêt et prix des obligations. Le prix en l'absence d'opportunité d'arbitrage d'une obligation sans risque est déterminé par l'équation (3.3). Il est également possible d'utiliser l'équation (3.3) « à l'envers » pour déterminer le taux d'intérêt sans risque en partant du prix d'une obligation sans risque. Si le marché est concurrentiel et qu'une obligation sans risque versant 1 000 € dans un an vaut aujourd'hui 929,8 €, le taux d'intérêt sans risque r_f doit satisfaire à l'équation suivante : $929,8 = 1\ 000 / (1 + r_f)$, d'où :

$$r_f = (1\ 000 / 929,8) - 1 = 7,55\ \%$$

En pratique, c'est de cette manière que les taux d'intérêt sont calculés, à partir du prix des obligations sans risque cotées sur les marchés. On peut calculer la **rentabilité** de l'obligation, c'est-à-dire le gain en pourcentage que réalise son détenteur :

$$\text{Rentabilité} = \frac{\text{Gain en fin de période}}{\text{Coût initial}} = \frac{1\ 000 - 929,8}{929,8} = 7,55\ \% \tag{3.4}$$

En l'absence d'opportunité d'arbitrage, la rentabilité d'une obligation sans risque est égale au taux d'intérêt sans risque. S'il en était autrement, les investisseurs pourraient réaliser un profit certain en réalisant un arbitrage. De manière générale :

En l'absence d'opportunité d'arbitrage, tous les investissements sans risque doivent offrir à leurs investisseurs la même rentabilité, égale au taux d'intérêt sans risque.

Le théorème de séparation

Sur un marché normal, le prix d'un actif financier est égal à la valeur actuelle des flux futurs qu'il offre. La VAN de l'achat (ou de la vente) d'un tel actif est donc par construction nulle :

$$VAN(\text{Achat de l'actif}) = VA(\text{Flux futurs de l'actif}) - \text{Prix de l'actif} = 0$$

$$VAN(\text{Vente de l'actif}) = \text{Prix de l'actif} - VA(\text{Flux futurs de l'actif}) = 0$$

Ce n'est pas surprenant : s'il en était autrement, il existerait une opportunité d'arbitrage, et de telles opportunités sont par définition absentes d'un marché normal. Une autre manière de comprendre ce résultat est de se rappeler qu'un échange implique un acheteur et un vendeur. Une VAN positive pour l'un des deux se traduirait par une VAN négative pour l'autre, qui n'aurait alors aucun intérêt à accepter l'échange. Pour que l'échange ait lieu, aucun des deux ne doit y perdre : l'échange doit avoir une VAN nulle.

Il n'en est pas de même avec les investissements que réalisent les entreprises : il y a bien création de valeur lorsqu'une entreprise décide de réaliser un projet à VAN positive, que ce soit la construction d'une usine, la commercialisation d'un nouveau produit, ou autre. Les transactions financières ne créent pas de valeur, mais elles sont utiles pour ajuster le calendrier des flux monétaires du projet pour qu'il corresponde aux préférences de l'entreprise ou des investisseurs. L'évaluation d'un projet d'investissement peut donc se focaliser sur sa dimension réelle et négliger les aspects financiers : il est possible de séparer les décisions d'investissement d'une entreprise de ses décisions de financement. C'est ce que l'on appelle le **théorème de séparation**, que l'on doit à James Tobin :

Échanger un actif financier sur un marché normal ne crée ni ne détruit de valeur. Il est donc possible d'évaluer la VAN d'un projet d'investissement indépendamment de son financement.

Exemple 3.5

Séparer les décisions d'investissement et de financement

Une entreprise étudie un investissement de 10 millions d'euros qui rapportera de façon certaine 12 millions d'euros dans un an. Pour financer ce projet, l'entreprise envisage d'emprunter de l'argent, et promet aux prêteurs de rembourser 5,5 millions d'euros dans un an. Le taux d'intérêt sans risque est de 10 %. L'entreprise doit-elle réaliser le projet ? Si oui, doit-elle le financer avec ses moyens propres ou en empruntant ?

Solution

La VAN du projet lorsqu'il est autofinancé est de : – 10 + 12 / (1 + 10 %) = 0,91 million d'euros. Il faut donc réaliser le projet.

Supposons que l'entreprise décide d'emprunter. Sur un marché normal, elle peut emprunter un montant égal à la valeur actuelle du remboursement promis : 5,5 / (1 + 10 %) = 5 millions d'euros. Elle n'a donc besoin que de 5 millions d'euros de trésorerie pour financer le projet. Dans un an, l'entreprise recevra 12 millions d'euros, mais elle devra rembourser 5,5 millions d'euros, ce qui lui laissera au bout du compte 6,5 millions d'euros. La valeur actuelle de 6,5 millions d'euros dans un an est égale à 6,5 / (1 + 10 %) = 5,91 millions d'euros. La VAN du projet financé par emprunt est donc égale à 5,91 – 5 = 0,91 million d'euros.

La VAN est identique dans les deux cas, comme le prévoit le théorème de séparation. Si le marché est normal, il est possible d'évaluer un projet sans se soucier de la façon dont l'entreprise le finance.

| **Crise financière** | **La liquidité et le rôle informationnel des prix** |

En 2008, à mesure que les prix de l'immobilier dégringolent, bon nombre de ménages américains se révèlent incapables de rembourser leurs crédits hypothécaires et l'inquiétude grandit à propos de la valeur des *Mortgage-Backed Securities* (MBS), qui sont des titres adossés à ces crédits. Sur les marchés, plus personne n'ose acheter ces titres ; le volume de transactions baisse de 80 %. Durant l'été, les marchés sont même paralysés faute d'acheteurs : ils sont devenus illiquides.

Les marchés ne fonctionnent correctement que s'ils sont suffisamment liquides, autrement dit s'il y a suffisamment d'acheteurs et de vendeurs pour vendre ou acheter à n'importe quel moment au prix courant. Quand un marché devient illiquide, cela n'est plus possible, et les prix de marché ne peuvent plus être utilisés pour évaluer les actifs. L'illiquidité du marché des MBS fait apparaître deux problèmes : les détenteurs de MBS ne peuvent plus se défaire de leurs actifs, et surtout les investisseurs perdent tout repère : on manque cruellement d'information pour évaluer les titres. Or, les banques américaines sont les principales détentrices de MBS. Faute de pouvoir évaluer les MBS, il devient impossible d'évaluer les banques elles-mêmes !

Face à cette incertitude, les investisseurs ont été pris de panique : ils ont essayé de se défaire de leurs MBS et de leurs valeurs bancaires à tout prix. La baisse des valeurs bancaires a alimenté les craintes à propos de la solidité et de la solvabilité des banques. La défiance étant alors à son comble, les banques ne pouvaient plus lever de fonds ; elles refusaient même de se prêter les unes aux autres, ce qu'elles font abondamment en temps normal. En conséquence, elles n'étaient plus à même d'accorder des crédits. Pour sortir de cette spirale infernale et éviter l'effondrement du système financier, les autorités ont dû intervenir massivement pour renflouer les banques et pour fournir de la liquidité sur le marché en achetant des MBS.

Évaluer un portefeuille d'actifs

Jusqu'à présent, seuls des actifs individuels ont été considérés. La Loi du prix unique s'applique de la même manière pour évaluer un **portefeuille d'actifs** : sur un marché normal, la valeur d'un portefeuille d'actifs est égale à la somme des valeurs des actifs qui le composent. Si tel n'était pas le cas, il serait possible de réaliser des arbitrages. C'est le **principe d'additivité des valeurs**[10]. Si C est un portefeuille composé d'un titre A et d'un titre B, alors son prix est :

$$\text{Prix}(C) = \text{Prix}(A + B) = \text{Prix}(A) + \text{Prix}(B) \tag{3.5}$$

Le principe d'additivité des valeurs s'applique aussi aux entreprises : la valeur d'une entreprise est égale à la VAN des différents projets et investissements de l'entreprise en question. Par conséquent, l'utilisation du critère de la VAN pour sélectionner les projets d'investissement coïncide avec l'objectif de maximisation de la valeur de l'entreprise :

---

10. Ce principe est en général vérifié sur les marchés financiers. Mais ce n'est pas le cas de tous les marchés : acheter un billet d'avion aller-retour est souvent moins coûteux que d'acheter séparément l'aller et le retour. En effet, les billets d'avion ne sont pas vendus sur un marché normal : on ne peut pas acheter et vendre des billets au même prix. Seules les compagnies aériennes peuvent vendre des billets et elles imposent des conditions de revente strictes. Autrement, il serait possible de gagner de l'argent en achetant un billet aller-retour et en revendant séparément l'aller et le retour à deux personnes n'effectuant qu'un seul déplacement.

Pour maximiser la valeur de l'entreprise, ses dirigeants doivent prendre les décisions qui maximisent la VAN de chaque projet. La VAN d'un projet représente la contribution du projet à la valeur totale de l'entreprise.

Exemple 3.6

Additivité des valeurs

Futurex est un groupe coté qui possède deux filiales : il détient 60 % des parts d'une chaîne de restaurants et 100 % d'une fabrique de skis. Si la valeur de marché de Futurex est de 160 millions d'euros et celle de la chaîne de restaurants de 120 millions d'euros, quelle est la valeur de la fabrique de skis ?

Solution

La participation de Futurex dans la chaîne de restaurants vaut 60 % × 120 millions d'euros = 72 millions d'euros. En appliquant le principe d'additivité des valeurs, la valeur de la fabrique de skis est donc de 160 millions d'euros – 72 millions d'euros = 88 millions d'euros.

Zoom sur... L'arbitrage sur indices boursiers

L'arbitrage sur indices boursiers fait partie des stratégies classiques des arbitragistes. Cela repose sur le principe d'additivité des valeurs : les indices boursiers, comme le CAC 40 en France ou le S&P 500 aux États-Unis, sont des portefeuilles d'actions. Il est possible d'acheter et de vendre individuellement les actions qui les composent. Il est également possible de réaliser des opérations sur l'indice lui-même, car il existe des produits financiers qui répliquent la performance des indices : des trackers (*Exchange Traded Funds*) ou des produits dérivés.

Si le prix de l'indice est différent de la somme des prix de toutes les actions qui le composent, une opportunité d'arbitrage existe : lorsqu'il est inférieur, les arbitragistes achètent l'indice et vendent les actions individuelles ; et inversement lorsqu'il est supérieur. On estime qu'aujourd'hui 20 % des transactions sur les marchés actions sont liées à des arbitrages sur indices boursiers.

Les arbitragistes utilisent des automates de *trading* et des algorithmes pour suivre les prix en temps réel, détecter les opportunités et passer leurs ordres. Plus ils sont rapides, plus ils réalisent des gains importants, car les arbitrages disparaissent dès qu'ils sont détectés et exploités. Une véritable course de vitesse a donc lieu, chaque *trader* cherchant à ce que ses ordres arrivent « en premier » sur les marchés boursiers. Cette compétition a ainsi amené en 2010 Spread Networks à installer une nouvelle fibre optique entre New York et Chicago. D'un coût de 300 millions de dollars, ce câble a ramené le temps de communication entre les deux villes de 16 à 13 millisecondes (un clignement d'œil dure 400 ms) et a permis à Spread Networks de profiter d'opportunités d'arbitrage entre le *New York Stock Exchange* et le marché des produits dérivés de Chicago plus rapidement qu'aucun de ses concurrents. La concurrence n'a pas été longue à réagir, puisque l'utilisation de communications par micro-ondes ont ensuite permis à d'autres *traders* de réduire le temps de communication entre les deux villes à 8 ms, faisant disparaître l'avantage dont disposait Spread Networks.

...

…

Cet exemple illustre la manière dont la concurrence entre *traders* conduit à la disparition très rapide des opportunités d'arbitrage sur les marchés. Sur un cas particulier (les arbitrages sur le future S&P 500 du *Chicago Mercantile Exchange* et le tracker S&P 500 du NYSE), il a été démontré* qu'en 2006 plus de 50 % des opportunités d'arbitrage persistaient au moins 40 ms, contre moins de 5 % en 2011.

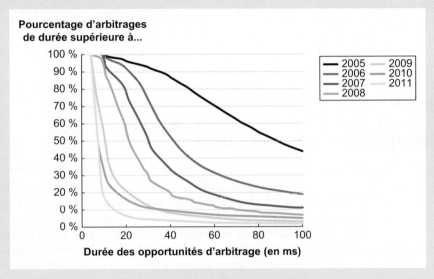

Le nombre d'opportunités d'arbitrage n'a pas baissé entre 2005 et 2011, pas plus que le profit moyen par arbitrage. Les arbitragistes dégagent donc un revenu équivalent sur toute la période. Mais la concurrence a fait baisser la durée pendant laquelle les arbitrages existent.

---

* Budish E., P. Crampton et J. Shim (2015), « The High-Frequency Trading Arms Race: Frequent Batch Auctions as a Market Design Response », *Quarterly Journal of Economics*, 1547-1621.

3.6. Le prix du risque

Pour simplifier, tous les projets considérés jusqu'à présent étaient sans risque : les coûts et les bénéfices étaient certains. Ce n'est évidemment pas le cas le plus fréquent ; la partie IV de l'ouvrage présentera en détail la manière de mesurer et de valoriser les projets risqués. En guise d'introduction, cette section montre comment les concepts des sections précédentes peuvent être utilisés pour comprendre le lien entre risque et valeur d'un projet.

On considère pour cela deux actifs financiers, (1) une obligation sans risque qui donne droit à un flux certain de 1 100 € dans un an et (2) un actif risqué qui suit la performance du marché boursier, le portefeuille de marché. Celui-ci vaudra 1 400 € dans un an si la conjoncture économique est bonne et 800 € si la conjoncture économique est mauvaise (les deux situations sont supposées équiprobables). Le portefeuille de marché vaudra donc *en espérance* 0,5 × 800 € + 0,5 × 1 400 € = 1 100 € dans un an. Le taux d'intérêt sans risque est de 4 %. Le tableau 3.7 résume les flux liés à ces deux titres.

Tableau 3.7	Obligation sans risque et portefeuille de marché

Actif financier	Prix de marché aujourd'hui (€)	Flux dans un an (€)	
		Conjoncture défavorable	Conjoncture favorable
Obligation sans risque	1 058	1 100	1 100
Portefeuille de marché	1 000	800	1 400

Sur un marché normal, le prix de l'obligation est égal à la valeur actuelle de ses flux futurs, soit 1 100 / (1 + 4 %) = 1 058 €. Le portefeuille de marché s'échange pourtant aujourd'hui au prix de 1 000 €. Pourquoi son prix de marché est-il inférieur à celui de l'obligation ?

Aversion au risque et prime de risque

La réponse est simple. Les investisseurs ne sont pas prêts à payer autant pour une *espérance* de 1 100 € que pour 1 100 € assurés. Autrement dit, ils n'aiment pas le risque ; en particulier, *le coût pour un individu de perdre 1 € quand la conjoncture est mauvaise est supérieur à la satisfaction que lui procure 1 € supplémentaire quand la conjoncture est bonne* : c'est ce qu'on appelle l'**aversion au risque** des investisseurs ; elle diffère d'un individu à l'autre en fonction de ses préférences personnelles. Plus les investisseurs, dans leur ensemble, manifestent de l'aversion au risque, plus le prix des actifs risqués sera faible comparé à celui d'une obligation sans risque qui rapporte en moyenne autant. Il n'est donc pas possible d'utiliser le taux d'intérêt sans risque pour calculer la valeur actuelle d'un projet ou d'un actif risqué.

Lorsque les agents investissent dans un projet ou un actif risqué, ils attendent une compensation à hauteur du risque qu'ils acceptent de courir. Les investisseurs qui achètent l'actif risqué à son prix de marché de 1 000 € recevront dans un an, en moyenne, 1 100 €, soit un gain espéré de 100 €. L'**espérance de rentabilité** de l'actif risqué est donc de 100 / 1 000 = 10 %. Il ne faut pas confondre cette espérance de rentabilité avec la **rentabilité effective** de ce placement, qui ne sera jamais de 10 % : elle sera de (1 400 − 1 000) / 1 000 = 40 % si la conjoncture est bonne ou de (800 − 1 000) / 1 000 = − 20 % si la conjoncture est mauvaise[11]. La différence entre la rentabilité espérée de l'actif risqué (10 %) et le taux d'intérêt sans risque (4 %) est la **prime de risque**, qui mesure la rentabilité supplémentaire que les investisseurs exigent pour compenser le risque de l'actif – ici 6 %. Donc :

Pour calculer la valeur actuelle d'un actif risqué, il faut actualiser ses flux espérés avec un taux d'actualisation égal au taux d'intérêt sans risque augmenté d'une prime de risque.

Le prix en l'absence d'opportunité d'arbitrage d'un actif risqué

Même en considérant des actifs risqués, la Loi du prix unique continue à s'appliquer ; si l'on connaît le prix d'un actif risqué, il est possible de calculer le prix en l'absence d'opportunité d'arbitrage d'autres actifs risqués.

---

11. L'espérance de rentabilité est la moyenne pondérée des rentabilités effectives : 0,5 × 40 % + 0,5 × (− 20 %) = 10 %.

Considérons par exemple un actif A qui donne droit à 600 € quand la conjoncture est bonne et 0 € autrement. Si l'on combine l'actif A avec une obligation sans risque qui verse 800 € dans un an, les flux futurs de ce portefeuille sont égaux à ceux du portefeuille de marché considéré précédemment. En l'absence d'opportunité d'arbitrage, le prix de marché du portefeuille composé de l'obligation et de l'actif A doit donc être de 1 000 €. Le prix de marché de l'obligation sans risque est de 800 / (1 + 4 %) = 769 €. D'après le principe d'additivité des valeurs, le prix de marché de l'actif A est donc de 1 000 € – 769 € = 231 €. Si ce n'était pas le cas, la Loi du prix unique serait violée, faisant apparaître une opportunité d'arbitrage.

| Tableau 3.8 | Prix de marché de l'actif A |

Actif financier	Prix de marché aujourd'hui (€)	Flux dans un an (€)	
		Conjoncture défavorable	Conjoncture favorable
Obligation sans risque	769	800	800
Actif A	?	0	600
Portefeuille de marché	1 000	800	1 400

La prime de risque dépend du niveau de risque

L'actif A s'échange donc aujourd'hui au prix de 231 € contre un paiement futur égal en moyenne à 0,5 × 0 + 0,5 × 600 = 300 €. L'espérance de rentabilité de l'actif A est égale à (300 – 231) / 231 = 30 %. Cette espérance de rentabilité est supérieure à celle du portefeuille de marché (10 %). La prime de risque de l'actif A est donc de 30 % – 4 % = 26 %, contre 6 % pour le portefeuille de marché.

Cet écart s'explique par le fait que l'actif A est plus risqué que le portefeuille de marché. Quand la conjoncture économique est mauvaise, les agents qui ont investi dans l'actif A perdent tout : la rentabilité effective de leur placement est de – 100 % (contre – 20 % pour le portefeuille de marché). Quand la conjoncture économique est bonne, la rentabilité effective de leur placement est de (600 – 231) / 231 = 160 % (contre 40 % pour le portefeuille de marché). La rentabilité de l'actif A est donc beaucoup plus variable que celle du portefeuille de marché ; il n'est pas surprenant que la prime de risque de l'actif A soit supérieure.

Le risque d'un actif est lié au risque de marché

L'exemple précédent pourrait suggérer que la prime de risque d'un actif est d'autant plus élevée que sa rentabilité est variable. Attention toutefois à ne pas tirer de conclusions trop rapides à partir de ce seul exemple. Considérons un actif B qui donne droit à 600 € quand la conjoncture est mauvaise et 0 € autrement. En combinant l'actif B et le portefeuille de marché, on obtient les flux futurs d'une obligation sans risque (1 400 € certains dans un an).

| Tableau 3.9 | Prix de marché de l'actif B | | |

Actif financier	Prix de marché aujourd'hui (€)	Flux dans un an (€)	
		Conjoncture défavorable	Conjoncture favorable
Portefeuille de marché	1 000	800	1 400
Actif B	?	600	0
Obligation sans risque	1 346	1 400	1 400

Le prix de marché de l'obligation sans risque est de 1 400 € / (1 + 4 %) = 1 346 €. Du fait de la Loi du prix unique, le prix de l'actif B est égal à 1 346 – 1 000 = 346 €. Si la conjoncture économique est mauvaise, l'actif B offre une rentabilité de (600 – 346) / 346 = 73,4 %. Si la conjoncture est bonne, sa rentabilité est de – 100 %. L'espérance de rentabilité de l'actif B est ainsi de 0,5 × 73,4 % + 0,5 × (– 100 %) = – 13,3 %. La prime de risque associée est égale à – 13,3 % – 4 % = – 17,3 % ; c'est-à-dire que l'actif B offre, en moyenne, 17,3 % *de moins* à ses investisseurs que le taux d'intérêt sans risque.

Ce résultat est surprenant : si l'on compare les actifs A et B, ils semblent proches – ils paient 600 € ou 0 €. Pourtant, le prix de marché de l'actif A (231 €) est inférieur à celui de l'actif B (346 €) et l'espérance de rentabilité de l'actif A est de 30 %, contre – 13,3 % pour l'actif B. Pourquoi leur prix et leur espérance de rentabilité sont-ils différents ? Pourquoi les investisseurs qui manifestent une aversion au risque achèteraient-ils un actif risqué offrant une espérance de rentabilité *inférieure* au taux d'intérêt sans risque ?

La réponse réside dans le profil de gain de l'actif B. Un investisseur qui manifeste de l'aversion au risque valorise davantage 1 € supplémentaire lorsque la conjoncture est mauvaise que lorsqu'elle est bonne (par définition même de l'aversion au risque). Or, quand la conjoncture est mauvaise et que le marché boursier affiche de piètres performances, l'actif B verse 600 €, au moment où l'investisseur en a le plus besoin. On peut donc voir l'actif B comme une **assurance** au cas où la conjoncture économique serait mauvaise. En détenant conjointement l'actif B et le portefeuille de marché, on réduit les risques liés aux fluctuations du marché boursier. Les investisseurs qui manifestent de l'aversion au risque sont prêts à payer pour cette assurance, sous la forme d'une prime de risque négative, c'est-à-dire d'une rentabilité plus faible que celle d'un actif sans risque. Ce résultat illustre un principe très important :

Le risque d'un actif ne peut pas être évalué indépendamment du risque des autres actifs. La prime de risque d'un actif est d'autant plus élevée que la rentabilité de l'actif est corrélée positivement à la conjoncture. Même si la rentabilité d'un actif est très incertaine, ce dernier peut très bien réduire le risque total du portefeuille détenu par l'investisseur, si cet actif permet de compenser tout ou partie du risque des autres actifs ; l'actif joue alors le rôle d'assurance et sa prime de risque est négative.

Le tableau 3.10 compare le risque et les primes de risque des différents actifs considérés jusqu'ici : on remarque que la prime de risque est proportionnelle au différentiel de rentabilité de l'actif selon la conjoncture.

| Tableau 3.10 | Risque et prime de risque | | | |

Actif financier	Rentabilités		Différentiel de rentabilités	Prime de risque
	Conjoncture défavorable	Conjoncture favorable		
Obligation sans risque	4 %	4 %	0 %	0 %
Portefeuille de marché	– 20 %	40 %	60 %	6 %
Actif A	– 100 %	160 %	260 %	26 %
Actif B	73 %	– 100 %	– 173 %	– 17,3 %

Risque, rentabilité et prix de marché

D'après la Loi du prix unique, le prix de marché d'un actif risqué est donc égal au coût de constitution d'un portefeuille qui réplique les flux futurs de l'actif en question. Une autre façon de calculer le prix des actifs risqués consiste à revenir à l'équation (3.2) et à l'appliquer à un actif risqué : le prix d'un actif est égal à la valeur actuelle de ses flux futurs. Dans le cas d'un actif risqué, il faut utiliser l'*espérance* des flux futurs et un taux d'actualisation r_i qui inclut une prime de risque cohérente avec le niveau de risque de l'actif :

$$r_i = r_f + \text{Prime de risque de l'actif } i \tag{3.6}$$

Exemple 3.7

Évaluation d'un actif risqué à partir de sa prime de risque

Une obligation risquée O paie dans un an 1 100 € quand la conjoncture est bonne et 1 000 € quand elle est mauvaise (les deux situations sont équiprobables). La prime de risque de cet actif est de 1 %. Le taux d'intérêt sans risque est de 4 %. Quel est le prix de cet actif ?

Solution

L'équation (3.6) indique que le taux d'actualisation approprié r_O est égal à :

$$r_O = r_f + \text{Prime de risque de l'obligation} = 4\ \% + 1\ \% = 5\ \%$$

L'espérance des flux futurs de l'obligation est : $(0,5 \times 1\ 100) + (0,5 \times 1\ 000) = 1\ 050$ € dans un an. Donc :

$$\text{Prix de l'obligation} = \text{Espérance des flux} / (1 + r_O) = 1\ 050\ € / (1 + 5\ \%) = 1\ 000\ €$$

La rentabilité effective de l'obligation est donc de 10 % quand la conjoncture est bonne et 0 % quand elle est mauvaise. La différence entre ces rentabilités est de 10 %, c'est-à-dire six fois moins que pour le portefeuille de marché (voir tableau 3.10). Sa prime de risque est également six fois plus faible.

3.7. Loi du prix unique et coûts de transaction

Jusqu'à présent, pour simplifier, on a ignoré les **coûts de transaction** liés aux opérations d'achat et de vente d'actifs financiers. De manière générale, on distingue sur les marchés financiers deux types de coûts de transaction :

- Les coûts directs, tels que les commissions payées aux intermédiaires financiers (*brokers*) lorsqu'on passe un ordre d'achat ou un ordre de vente.

- Les coûts indirects, qui dépendent principalement de la **fourchette de prix**, ou *bid-ask spread*. C'est l'écart entre le prix auquel un investisseur peut vendre un titre (*bid*) et le prix auquel il peut l'acheter (*ask*), le premier étant toujours inférieur au second (voir chapitre 1). Si le prix auquel on peut vendre une action Accor est de 33,38 € et que, au même moment, le prix auquel on peut l'acheter est de 33,44 €, alors on peut considérer que le prix de marché de l'action est de 33,41 €, avec un coût de transaction de 3 centimes à l'achat comme à la vente[12].

Quelles conséquences ces coûts de transaction ont-ils sur la Loi du prix unique et les prix en l'absence d'opportunité d'arbitrage ? Si un coût de transaction, par exemple de 5 $, est associé à l'achat d'une once d'or suivi de sa revente sur un autre marché, il faut que le différentiel de prix entre les deux marchés soit supérieur à 5 $ pour gagner de l'argent. Si le prix de l'once d'or est de 850 $ à New York et de 852 $ à Londres, la VAN de l'opération d'arbitrage est négative : 852 − 850 − 5 = − 3 $ par once d'or. Aucune opération d'arbitrage n'est possible sur ces marchés tant que l'écart de prix reste inférieur à 5 $.

S'il y a des coûts de transaction, il faut donc modifier à la marge les raisonnements précédents : on dira par exemple que le prix en l'absence d'opportunité d'arbitrage d'un actif est identique sur tous les marchés « aux coûts de transaction près ». De même, le prix d'un actif est égal à la valeur actuelle de ses flux futurs « aux coûts de transaction près ». Autrement dit :

En présence de coûts de transaction, les prix peuvent dévier, mais pas d'un montant supérieur aux coûts de transaction qu'impose la stratégie d'arbitrage. Les opérations d'arbitrage empêchent tout écart de prix supérieur à ces coûts de transaction.

Quoi qu'il en soit, sur la plupart des marchés financiers, les coûts de transaction sont faibles – de l'ordre de 2 à 5 centimes d'euro par action achetée ou vendue. En première approximation, ils peuvent donc être ignorés.

Exemple 3.8

Coûts de transaction et prix en l'absence d'opportunité d'arbitrage

Une obligation paie de façon certaine 1 000 € dans un an. Les dépôts sont rémunérés au taux sans risque de 6 %, tandis que les emprunts sans risque sont octroyés au taux de 6,5 %. Quel est l'intervalle de prix pour l'obligation en l'absence d'opportunité d'arbitrage ?

...

---

12. On suppose ici que le prix se situe au milieu de la fourchette. En fait, le prix peut se situer n'importe où entre les deux bornes de la fourchette, avec des coûts de transaction différents à l'achat et à la vente.

…

Solution

Le prix en l'absence d'opportunité d'arbitrage de l'obligation est égal à la valeur actuelle des flux futurs de l'obligation. Mais quel taux d'intérêt retenir ? Avec un taux de 6 %, le prix de l'obligation est de 1 000 € / (1 + 6 %) = 943,40 €. Avec un taux de 6,5 %, le prix n'est que de 1 000 € / (1 + 6,5 %) = 938,97 € : le prix de l'obligation est inversement proportionnel au taux d'intérêt. Le prix de l'obligation ne peut donc durablement être inférieur à 938,97 € ou supérieur à 943,40 €.

Si le prix de marché de l'obligation est supérieur à 943,40 €, les investisseurs vont vendre en masse l'obligation et investir 943,40 € au taux de 6 %. Ce faisant, les investisseurs vont exercer une pression à la baisse sur le prix de l'obligation, jusqu'à ce qu'il atteigne 943,40 €.

Si le prix de marché de l'obligation est inférieur à 938,97 €, les investisseurs vont emprunter en masse 938,97 € au taux de 6,5 % pour acheter l'obligation : dans un an, ils recevront 1 000 € par obligation détenue, ce qui leur permettra de rembourser leur emprunt. De par leur action, les investisseurs font augmenter le prix de l'obligation jusqu'à ce qu'il atteigne 938,97 €.

Si le prix de marché de l'obligation est compris entre 938,97 € et 943,40 €, les deux stratégies précédentes conduisent à des pertes : il n'y a pas d'opportunité d'arbitrage.

Résumé

3.1. Évaluer un projet

- Tout projet d'investissement nécessite qu'on en évalue les coûts et les bénéfices. Un projet est intéressant si ses bénéfices sont supérieurs à ses coûts.

- Pour comparer les coûts et les bénéfices, il convient qu'ils soient tous exprimés dans la même monnaie et à la même date.

- Un marché concurrentiel se définit comme un marché sur lequel un bien peut être vendu et acheté au même prix.

3.2. Taux d'intérêt et valeur temps de l'argent

- La valeur temps de l'argent se définit comme la différence entre la valeur de 1 € dans le futur et sa valeur aujourd'hui. Le taux d'intérêt sans risque r_f est le taux auquel on peut échanger de façon certaine de l'argent aujourd'hui contre de l'argent dans le futur.

3.3. La valeur actuelle nette

- La valeur actuelle (VA) d'un flux est sa valeur exprimée en euros aujourd'hui.

- La valeur actuelle nette (VAN) d'un projet est égale à la somme des valeurs actuelles de tous ses flux présents et futurs :

$$VAN = VA(\text{Bénéfices}) - VA(\text{Coûts}) \tag{3.1}$$

- Un projet n'est intéressant que si sa VAN est positive. La VAN d'un projet mesure sa création de valeur exprimée en euros aujourd'hui. Lorsque l'on doit choisir parmi plusieurs projets, il faut retenir celui dont la VAN est la plus élevée.

- Le critère de la VAN est indépendant des préférences des agents. En empruntant ou en prêtant au taux sans risque, il est possible de modifier à sa guise la façon dont les flux se répartissent dans le temps.

3.4. Arbitrage et Loi du prix unique

- L'arbitrage désigne une stratégie sans risque, qui ne nécessite aucune mise de fonds initiale et qui permet de réaliser un gain. Une opportunité d'arbitrage apparaît, par exemple, lorsqu'un bien s'échange à des prix différents sur deux marchés : les agents ont alors intérêt à acheter le bien là où il est le moins cher et à le revendre là où il est le plus cher.

- Un marché normal se définit comme un marché concurrentiel sur lequel il n'y a aucune opportunité d'arbitrage.

- La Loi du prix unique établit que si des biens ou des actifs équivalents sont échangés simultanément sur différents marchés concurrentiels, ils sont échangés au même prix sur tous les marchés. Cette Loi implique l'absence d'opportunité d'arbitrage.

3.5. Absence d'opportunité d'arbitrage et prix des actifs

- Le prix en l'absence d'opportunité d'arbitrage d'un actif est :

$$\text{Prix de l'actif} = VA(\text{Ensemble des flux monétaires offerts par l'actif}) \qquad (3.3)$$

- En l'absence d'opportunités d'arbitrage, tous les investissements sans risque offrent la même rentabilité, égale au taux d'intérêt sans risque.

- Le théorème de séparation établit que les achats et les ventes d'actifs sur des marchés normaux ne créent ni ne détruisent de valeur. En conséquence, la VAN d'un projet peut être évaluée indépendamment de la façon dont il est financé.

- Afin de maximiser la valeur d'une entreprise, ses dirigeants doivent sélectionner les projets à VAN positive. La VAN d'un projet représente sa contribution à la valeur totale de l'entreprise.

- Le principe d'additivité des valeurs établit que la valeur d'un portefeuille est égale à la somme des valeurs des actifs qui le composent.

3.6. Le prix du risque

- Si un actif est risqué, le taux d'actualisation retenu ne peut pas être le taux d'intérêt sans risque. Il est possible d'évaluer cet actif grâce à la Loi du prix unique en construisant un portefeuille qui réplique ses flux. Il est également possible de l'évaluer en actualisant ses flux futurs espérés à un taux d'actualisation qui intègre une prime de risque.

- Le risque d'un actif ne peut pas être évalué indépendamment du risque des autres actifs. La prime de risque d'un actif est d'autant plus élevée que sa rentabilité est corrélée positivement à la conjoncture. Si la rentabilité d'un actif est forte quand la conjoncture est mauvaise, il peut être utilisé comme assurance ; sa prime de risque est négative.

3.7. Loi du prix unique et coûts de transaction

- En présence de coûts de transaction, le prix d'un actif n'est pas forcément identique sur tous les marchés, mais les écarts de prix demeurent inférieurs aux coûts de transaction supportés pour réaliser un arbitrage.

Exercices

L'astérisque désigne les exercices les plus difficiles.

1. Rono envisage de réduire le prix de sa dernière voiture de 30 000 € à 28 000 €. La direction marketing estime que cela pourrait faire augmenter les ventes de 40 000 à 55 000 unités l'année prochaine. Après réduction du prix, la marge de Rono est de 6 000 € par véhicule. Si l'on suppose que la hausse des ventes est exclusivement imputable à la baisse de prix, cette décision est-elle économiquement intéressante ?

2. La Coopérative des pêcheurs de Saint-Gué se lance dans le négoce international de crevettes congelées. Un importateur tchèque souhaite en acheter 10 tonnes pour 2 millions de couronnes tchèques. La Coopérative a la possibilité de les acheter à un fournisseur thaïlandais contre 3 millions de bahts thaïlandais. Si 1 € s'échange contre 25,5 couronnes tchèques et contre 41,25 bahts thaïlandais, quelle est la valeur de l'opération pour la Coopérative ?

3. L'entreprise Ethanix produit de l'éthanol à partir de maïs à raison de 3 litres d'éthanol par boisseau de maïs. Le coût de la conversion s'élève à 1,60 € par boisseau et le prix d'un boisseau est de 3,75 €. À partir de quel prix de l'éthanol ce procédé est-il intéressant ?

4. Une société décide de verser à ses salariés une prime. Les salariés peuvent choisir entre 5 000 € comptant ou 100 actions de la société. Les actions s'échangent actuellement sur le marché au prix de 63 €.

   a. S'il est possible de vendre les actions immédiatement après les avoir reçues, quelle option retenir ? Quelle est sa valeur ?

   b. Si les actions offertes ne peuvent être vendues qu'après un an, quelle option retenir ? De quoi dépend la décision de chaque salarié ?

5. Vous envisagez de partir en vacances en Guadeloupe. Le vol le moins cher coûte 359 €. Vous pouvez également obtenir un billet gratuit grâce aux miles du programme de fidélité de la compagnie aérienne. Vous détenez 20 000 miles, mais il en faut 25 000 pour obtenir un billet gratuit. La compagnie aérienne vous propose d'acheter des miles supplémentaires au prix de 0,03 € le mile.

   a. Si vos miles expirent prochainement, quelle décision prendre ?

   b. Si vous pouvez conserver vos miles encore deux ans, quelles informations supplémentaires devez-vous prendre en compte avant de vous décider ?

6. Le taux d'intérêt sans risque est de 4 % :

   a. À quelle somme dans un an acceptez-vous de renoncer en échange de 200 € aujourd'hui ?

   b. À quelle somme acceptez-vous de renoncer aujourd'hui en échange de 200 € dans un an ?

   c. Dans quel(s) cas doit-on préférer 200 € aujourd'hui à 200 € dans un an ?

7. Une entreprise française a la possibilité d'investir dans un projet sans risque dont le coût aujourd'hui est de 1 million d'euros et le bénéfice de 114 millions de yens dans un an. Le taux d'intérêt sans risque est de 4 % en zone euro et de 2 % au Japon. Le taux de change actuel est de 110 yens pour 1 €. Quelle est la VAN du projet ?

8. Vous avez la possibilité de prendre part à un projet sans risque qui impose d'investir aujourd'hui 160 000 € pour obtenir 170 000 € dans un an. Jusqu'à quel taux d'intérêt ce projet est-il intéressant ?

9. Une entreprise de BTP vient d'être choisie pour construire un pont. Ce projet requiert un investissement de 10 millions d'euros aujourd'hui et de 5 millions d'euros dans un an. Le client versera 20 millions d'euros dans un an, une fois le pont livré. Les flux sont certains et le taux d'intérêt sans risque est de 10 %. Quelle est la VAN de ce contrat ? Que doit faire l'entreprise si elle a besoin d'argent immédiatement ?

10. Considérons trois projets dont les flux sont :

Projet	Flux aujourd'hui (€)	Flux dans un an (€)
A	– 10	20
B	5	5
C	20	– 10

Le taux d'intérêt sans risque est de 10 %. Quelle est la VAN de chaque projet ? Quel projet choisir si l'on ne peut en retenir qu'un seul ? Et si l'on peut en lancer deux ?

11. Un revendeur informatique doit acheter 10 000 claviers. Un fournisseur lui demande de verser 100 000 € aujourd'hui puis 10 € par clavier dans un an. Un autre fournisseur lui demande simplement de verser 21 € par clavier dans un an. Le taux d'intérêt sans risque est de 6 %.

   a. Quelle est la valeur actuelle de chaque offre ?

   b. Quelle est l'offre la plus intéressante ?

   c. Que doit faire l'entreprise si elle ne souhaite pas dépenser d'argent aujourd'hui ?

12. La banque KBK propose de prêter ou d'emprunter au taux d'intérêt sans risque de 5,5 %, tandis que la banque AMO propose de prêter ou d'emprunter au taux d'intérêt sans risque de 6 %. Existe-t-il une opportunité d'arbitrage ? Quelle évolution attendre des taux d'intérêt proposés par ces banques ?

13. Pendant les années 1990, les taux d'intérêt étaient plus faibles au Japon qu'en Islande, en Australie ou en Nouvelle-Zélande. En conséquence, de nombreux investisseurs ont emprunté de l'argent au Japon pour le placer dans les pays à taux d'intérêt élevé (ces opérations sont des *carry-trades*). Pourquoi cette stratégie ne repose-t-elle pas sur une opportunité d'arbitrage ?

14. Certaines sociétés européennes sont cotées non seulement dans leur pays d'origine, mais également aux États-Unis. C'est le cas de Nokia, cotée à la fois sur la Bourse d'Helsinki et sur le NYSE. Si l'action Nokia s'échange à 4,82 € à Helsinki et 5,37 $ sur le NYSE, quel est le taux de change euro/dollar implicite, d'après la Loi du prix unique ?

15. Considérons trois actifs sans risque dont les flux sont :

Actif	Flux aujourd'hui (€)	Flux dans un an (€)
A	500	500
B	0	1 000
C	1 000	0

Le taux d'intérêt sans risque est de 5 %. Quel est le prix en l'absence d'opportunité d'arbitrage de chaque actif avant le versement du premier flux ?

16. Un tracker (*Exchange Traded Fund*) est un titre échangeable en Bourse qui représente un portefeuille d'actions. Soit un tracker composé de deux actions Air France-KLM, d'une action Thalès et de trois actions LVMH. Les prix de marché au comptant de chaque titre sont :

Titre	Prix au comptant
Air France-KLM	28 €
Thales	40 €
LVMH	14 €

a. Quel est le prix du tracker sur un marché normal ?

b. Quelle stratégie mettre en œuvre si le tracker s'échange au prix de 120 € ?

c. Quelle stratégie mettre en œuvre si le tracker s'échange au prix de 150 € ?

17. Deux actifs sans risque A et B existent sur le marché :

Actif	Prix aujourd'hui (€)	Flux dans un an (€)	Flux dans deux ans (€)
A	94	100	0
B	85	0	100

a. Quel est le prix en l'absence d'opportunité d'arbitrage d'un actif C qui rapporte 100 € dans un an et 100 € dans deux ans ?

b. Quel est le prix en l'absence d'opportunité d'arbitrage d'un actif D qui rapporte 100 € dans un an et 500 € dans deux ans ?

c. Un actif E qui rapporte 50 € dans un an et 100 € dans deux ans s'échange aujourd'hui au prix de 130 €. Existe-t-il une opportunité d'arbitrage ?

18. Un actif sans risque qui rapporte 150 € dans un an s'échange aujourd'hui au prix de 140 €. S'il n'y a pas d'opportunité d'arbitrage, quel est le taux d'intérêt sans risque ?

19. L'entreprise Floo dispose d'une trésorerie de 100 000 €. Floo a par ailleurs la possibilité d'investir dans trois projets sans risque dont les flux sont :

Projet	Flux aujourd'hui (€)	Flux dans un an (€)
A	– 20 000	30 000
B	– 10 000	23 000
C	– 60 000	80 000

Toute la trésorerie inutilisée est placée au taux d'intérêt sans risque de 10 %. Dans un an, Floo sera liquidée au bénéfice exclusif de ses actionnaires.

a. Quelle est la VAN de chaque projet ? Quel(s) projet(s) l'entreprise doit-elle retenir ?

b. Quelle est aujourd'hui la valeur des actifs (trésorerie et projets) de Floo ?

c. Combien les investisseurs recevront-ils dans un an ? Quelle est la valeur de Floo aujourd'hui ?

d. Si Floo réalise les projets rentables et rend aujourd'hui la trésorerie inutilisée à ses actionnaires, combien leur verse-t-elle ? Quelle est la valeur de Floo aujourd'hui ?

e. Expliquez le lien entre les trois questions précédentes.

20. Les prix en l'absence d'opportunité d'arbitrage et les flux futurs de deux actifs risqués A et B sont :

Actif	Prix de marché aujourd'hui	Flux dans un an	
		Conjoncture défavorable	Conjoncture favorable
A	231	0	600
B	346	600	0

a. Quels sont les flux dont bénéficie le détenteur d'un portefeuille composé d'un actif A et d'un actif B ?

b. Quel est le prix de marché de ce portefeuille ? Quelle est sa rentabilité ?

21. L'actif C donne droit à 600 € quand la conjoncture est mauvaise et à 1 800 € quand la conjoncture est bonne. Le taux d'intérêt sans risque est de 4 %.

a. Est-il possible de répliquer l'actif C en combinant les actifs A et B de l'exercice précédent ?

b. Quel est le prix en l'absence d'opportunité d'arbitrage de l'actif C ?

c. Quelle est la rentabilité espérée de l'actif C si les deux états de conjoncture sont équiprobables ? Quelle est la prime de risque ?

d. Si la prime de risque de l'actif C est de 10 %, existe-t-il une opportunité d'arbitrage ?

*22. Un fonds d'investissement envisage de créer un nouvel actif financier, qui paiera 1 000 € dans un an si, à la clôture, la dernière décimale de l'indice CAC 40 est un chiffre pair et 0 € s'il s'agit d'un chiffre impair. Le taux d'intérêt sans risque est de 5 %. Les investisseurs ont de l'aversion au risque.

a. À quel prix cet actif devrait-il s'échanger ?

b. Si l'actif payait 1 000 € si la dernière décimale est impaire et rien sinon, cela modifierait-il votre réponse ?

c. Imaginons que ces deux actifs (celui qui paie 1 000 € quand c'est pair et celui qui paie 1 000 € quand c'est impair) soient disponibles sur le marché. En quoi cela modifie-t-il votre réponse ?

*23. Un actif risqué rapportera en moyenne 80 € dans un an. Le taux d'intérêt sans risque est de 4 % et l'espérance de rentabilité du portefeuille de marché est de 10 %. La rentabilité de l'actif risqué est élevée quand la conjoncture économique est bonne et faible quand la conjoncture économique est mauvaise. L'amplitude des variations est deux fois moins importante pour l'actif risqué que pour le portefeuille de marché.

    a. Quelle est la prime de risque de l'actif risqué ?

    b. Quel est le prix de marché de l'actif risqué ?

24. Les actions Hewlett-Packard s'échangent à la fois sur le NYSE et le Nasdaq. Sur le NYSE, l'action cote 28,00 $-28,10 $. Au même moment, sur le Nasdaq, un teneur de marché propose les cotations 27,85 $-27,95 $.

    a. Y a-t-il une opportunité d'arbitrage ? Si oui, comment l'exploiter ?

    b. Si le teneur de marché du Nasdaq révise ses cotations et propose 27,95 $-28,05 $, y a-t-il une opportunité d'arbitrage ? Si oui, comment l'exploiter ?

    c. Pour qu'il n'y ait pas d'opportunité d'arbitrage, quelle doit être la fourchette de prix du teneur de marché sur le Nasdaq ?

*25. Un tracker est composé de deux actifs, une action Société Générale et une obligation payant 100 € dans un an. Ce tracker cote actuellement 141,65 €-142,25 €. L'obligation cote 91,75 €-91,95 €. En l'absence d'opportunité d'arbitrage, quel est le prix à l'achat et à la vente d'une action Société Générale ?

Étude de cas – Arbitrages sur crypto-monnaies

Le *bitcoin*, une crypto-monnaie créée en 2008, s'échange sur de nombreux marchés. Analyste junior dans un *hedge fund*, vous pensez que cela peut offrir d'intéressantes opportunités d'arbitrage. Il s'agit de le vérifier. Pour simplifier, on ignore les coûts de transaction, réduits sur ces marchés, et on considère qu'il est possible d'acheter et de vendre des *bitcoins* à un prix identique, égal au milieu de la fourchette de prix (la moyenne entre le *bid* et l'*ask*).

On peut acheter ou vendre des *bitcoins* sur *Coinbase* en euros (**https://pro.coinbase. com/trade/BTC-EUR**), sur Bitstamp en euros ou dollars américains (**https://www. bitstamp.net/market/tradeview**) ou sur *Bithumb* en won coréen (**https://www. bithumb.com/tradeview**). Les taux de change USD/EUR et KRW/EUR sont disponibles sur **https://www.xe.com/fr**.

Le prix d'un *bitcoin* est-il identique sur les deux plateformes qui proposent des cotations en euros ? Si non, quelle stratégie d'arbitrage faut-il mettre en place, et quel serait le gain pour 1 000 € investis ? Quels seraient les coûts de transaction qui rendraient non-rentables ces opérations ?

En élargissant la stratégie aux plateformes qui proposent des *bitcoins* en dollars ou en won, de nouvelles opportunités d'arbitrage apparaissent-elles ? Sont-elles plus ou moins attractives que les précédentes ? Quel serait le gain associé à un investissement de 1 000 € dans la meilleure stratégie identifiée ? Quels seraient les coûts de transaction qui rendraient non-rentable cette stratégie ?

Si les marchés de *bitcoins* étaient normaux, il n'y aurait pas d'opportunité d'arbitrage, car des investisseurs auraient cherché à en tirer parti, ce qui les auraient fait disparaître. S'il existe des opportunités d'arbitrage pérennes entre les marchés de *bitcoins*, c'est qu'il y a des frictions qui empêchent ces arbitrages : quelles pourraient-elles être ?

Chapitre 4
La valeur temps de l'argent

É valuer un projet revient à en comparer les coûts et les bénéfices. Comme ceux-ci s'étalent dans le temps, il est nécessaire de tenir compte de la valeur temps de l'argent. Les projets examinés au chapitre 3 s'étalaient, au maximum, sur une période d'un an, mais la durée des projets est souvent plus longue. Par exemple, en 2005, Airbus a lancé l'idée d'un nouvel avion civil long-courrier, l'A350. Le premier avion n'a été livré qu'en 2015 et Airbus prévoit d'en vendre pendant plusieurs décennies. Compte tenu de la durée sur laquelle s'étalent les coûts et les revenus de ce projet, comment les dirigeants d'Airbus ont-ils évalué sa valeur actuelle nette ?

Pour calculer la VAN d'un projet lorsque les flux sont étalés dans le temps, ce qui est l'objet de ce chapitre, il convient d'abord de représenter la séquence de flux en dressant un échéancier (section 4.1). Il faut ensuite correctement transposer des flux dans le temps grâce aux règles de capitalisation et d'actualisation (section 4.2). Il est alors possible de calculer la valeur actuelle ou future d'une séquence de flux, et donc sa VAN (sections 4.3 et 4.4). On peut utiliser ces techniques pour évaluer n'importe quelle séquence de flux, autrement dit, n'importe quel actif. Certaines séquences de flux suivent des schémas particuliers : c'est le cas des annuités et des rentes perpétuelles, pour lesquelles il existe des formules simplificatrices (section 4.5), ou des séquences de flux pour lesquelles les flux sont infra-annuels (section 4.6). La section 4.7 explique la manière d'utiliser un tableur pour faire des calculs financiers, et la section 4.8 illustre l'utilisation pratique des formules de ce chapitre.

4.1. L'échéancier des flux

Il est possible de représenter graphiquement une séquence de flux à l'aide d'un **échéancier des flux** ou **diagramme des flux** (*timeline*). La construction d'un échéancier est souvent la première étape dans la compréhension et la résolution de problèmes financiers. Pour illustrer cela, prenons le cas d'une banque s'apprêtant à recevoir d'un emprunteur deux paiements égaux de 10 000 € à la fin des deux prochaines années. Ces informations sont représentées sur l'échéancier suivant :

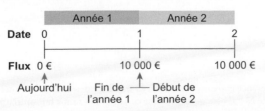

La date 0 est par convention la date d'aujourd'hui. La date 1 représente la fin de la première période. L'espace entre la date 0 et la date 1 représente le temps qui s'écoule entre ces deux dates – ici, la première année du prêt. À noter que la date 1 est à la fois la fin de l'année 1 et le début de l'année 2[1].

Dans cet exemple, les flux reçus par la banque sont positifs. Dans la plupart des cas, une opération financière implique des flux positifs (*inflows*) et négatifs (*outflows*). Lorsqu'une banque prête 10 000 € à un de ses clients qui remboursera en deux versements de 6 000 € à la fin des deux prochaines années, l'échéancier est, du point de vue de la banque :

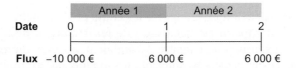

Le premier flux est précédé du signe moins puisqu'il s'agit d'un flux négatif pour la banque. Les deux flux de 6 000 € sont des flux positifs.

Un échéancier peut être utilisé pour représenter des flux se produisant à tout moment de l'année ; il suffit pour ce faire de changer la définition de la longueur d'une période (de l'année au mois ou au jour). La plupart des diagrammes de flux de ce chapitre sont très simples, au point de paraître inutiles. Cependant, plus les problèmes se compliquent, plus le recours à un diagramme des flux est utile pour ne pas risquer d'oublier des flux.

Exemple 4.1

Construction d'un échéancier des flux

Les frais de scolarité d'une grande école de commerce sont de 10 000 € par an. La scolarité dure deux ans. Les paiements doivent être effectués à parts égales à chaque début de semestre. Quel est le diagramme des flux ?

Solution

Si l'on considère que le premier semestre débute aujourd'hui, le premier versement a lieu à la date 0. Les paiements suivants sont espacés d'un semestre. Le diagramme des flux est :

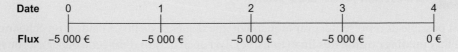

---

1. On ne fait pas de différence entre un flux versé à 23 h 59 le 31 décembre de l'année N et un flux versé à 0 h 01 le 1er janvier de l'année $N + 1$, bien qu'en pratique ce ne soit pas tout à fait similaire, en raison notamment de la fiscalité ; ce point est pour l'instant ignoré.

4.2. Les trois règles du « voyage dans le temps »

Les décisions financières impliquent le plus souvent de comparer des flux se produisant à des dates différentes. Ces comparaisons doivent suivre trois règles.

Règle 1 : tenir compte de la valeur temps de l'argent

Première règle : pour comparer des flux se produisant à des dates différentes, il faut tenir compte de la valeur temps de l'argent.

Cette règle traduit un enseignement du chapitre 3 : seuls des flux exprimés dans une même unité peuvent être comparés. Or, 1 € aujourd'hui et 1 € demain ne sont pas équivalents. Disposer immédiatement d'une certaine somme d'argent a plus de valeur que de disposer de cette somme dans le futur : on peut placer l'argent dont on dispose aujourd'hui, ce qui rapporte des intérêts. Pour comparer des flux à différentes dates, il faut les convertir dans la même unité : autrement dit, il faut les transposer dans le temps.

Règle 2 : transposer des flux dans le futur

On dispose de 1 000 € aujourd'hui. On désire déterminer le montant équivalent à cette somme dans un an. Si le taux d'intérêt est de 10 % sur le marché, il est possible d'utiliser ce taux d'intérêt comme un taux de conversion (un taux de change) pour transposer les flux dans le futur :

(1 000 € aujourd'hui) × (1,1 € dans un an pour 1 € aujourd'hui) = 1 100 € dans un an

De manière générale, si le taux d'intérêt annuel est r, il est possible de multiplier un flux intervenant en début d'année par le **facteur de taux d'intérêt** $(1 + r)$ pour le transposer en fin d'année. On peut appliquer cette règle plusieurs fois d'affilée. Pour calculer la valeur dans deux ans de 1 000 € reçus aujourd'hui, si le taux d'intérêt la seconde année est toujours de 10 % :

(1 100 € dans un an) × (1,1 € dans deux ans par euro dans un an) = 1 210 € dans deux ans

L'échéancier est :

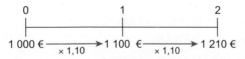

Avec un taux d'intérêt de 10 %, tous les flux (1 000 € à la date 0 ; 1 100 € à la date 1 ; 1 210 € à la date 2) sont équivalents. Ils sont cependant exprimés dans des unités différentes, puisqu'ils se produisent à différents moments. Les flèches vers la droite indiquent que les flux sont transposés dans le futur.

La valeur d'un flux transposée dans le futur est qualifiée de **valeur future** (ou valeur à terme, ou valeur acquise). Dans l'exemple précédent, 1 210 € est la valeur future de 1 000 € dans deux ans. La différence entre la valeur future d'un flux et sa valeur actuelle traduit la **valeur temps de l'argent :** en disposant de l'argent plus tôt, on peut le placer, en tirer des intérêts et obtenir ainsi plus d'argent à l'avenir.

On remarque par ailleurs que la valeur future augmente de 100 € la première année et de 110 € la seconde. La seconde année, les intérêts gagnés sont calculés sur les 1 000 € de départ mais également sur les 100 € d'intérêts reçus à la fin de la première année. Lorsque les intérêts portent eux-mêmes intérêts (ce qui est le cas dans cet exemple), on parle d'**intérêts composés** (autrement, on parle d'intérêts simples). Le procédé visant à transposer des flux dans le futur s'appelle la **composition** ou **capitalisation des intérêts**.

Deuxième règle : pour transposer un flux dans le futur, il faut le capitaliser.

Comment se modifie la valeur future si la transposition porte sur trois périodes ? Si l'on considère que le taux d'intérêt la troisième année est toujours de 10 %, en capitalisant le flux initial de 1 000 € sur trois ans, on obtient :

$$1\,000 \times (1 + 10\,\%) \times (1 + 10\,\%) \times (1 + 10\,\%) = 1\,000 \times (1 + 10\,\%)^3 = 1\,331\ \text{€}$$

Plus généralement, pour transposer un flux F dans n périodes futures, il faut le capitaliser n fois. Si le taux d'intérêt r est constant, la valeur future dans n périodes (VF_n) est :

Valeur future d'un flux

$$VF_n = \underbrace{F \times (1+r) \times (1+r) \times \ldots \times (1+r)}_{n\ fois} = F \times (1+r)^n \tag{4.1}$$

L'exemple 4.2 et la figure 4.1 montrent l'importance de la capitalisation dans l'accumulation de richesses. Quand un individu place de l'argent sur un compte rémunéré et qu'il laisse les intérêts s'accumuler, il touche des intérêts sur les intérêts des périodes précédentes. Au début, les intérêts sur les intérêts sont faibles. Mais si l'on considère des périodes suffisamment longues, les intérêts sur les intérêts deviennent substantiels.

Exemple 4.2

La puissance de la capitalisation

Vous placez 1 000 € sur un compte rémunéré au taux annuel de 10 %. Quel est le solde de ce compte dans 7 ans ? 20 ans ? 40 ans ? 75 ans ?

Solution

En appliquant la formule (4.1) :

- dans 7 ans : $1\,000\ \text{€} \times (1 + 10\,\%)^7 = 1\,948{,}72\ \text{€}$
- dans 20 ans : $1\,000\ \text{€} \times (1 + 10\,\%)^{20} = 6\,727{,}50\ \text{€}$
- dans 40 ans : $1\,000\ \text{€} \times (1 + 10\,\%)^{40} = 45\,259{,}26\ \text{€}$
- dans 75 ans : $1\,000\ \text{€} \times (1 + 10\,\%)^{75} = 1\,271\,895{,}37\ \text{€}$

En 7 ans, vous avez doublé votre capital. En 20 ans, celui-ci a été multiplié par 6,7. Que se passe-t-il les 20 années suivantes ? La richesse obtenue par euro investi pendant 40 ans n'est pas le double de celle obtenue en 20 ans, mais son carré ($6{,}7^2$, soit 45 € environ par euro investi). Une croissance de ce type est qualifiée de croissance géométrique. Au bout de 75 ans, vous êtes millionnaire !

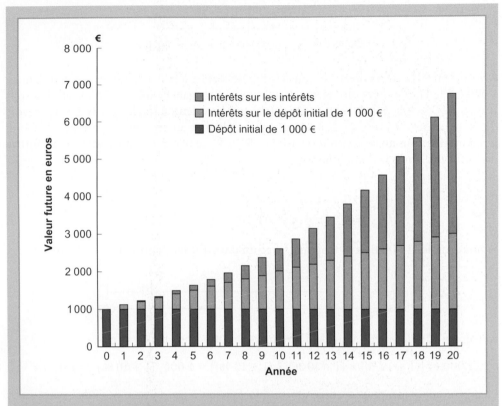

Figure 4.1 – La capitalisation des intérêts dans le temps

La part du dépôt initial, des intérêts sur ce dépôt et des intérêts sur les intérêts évolue au cours du temps. Ainsi, pour un taux d'intérêt de 10 %, le montant des intérêts sur les intérêts accumulés au bout de 15 ans dépasse le montant des intérêts sur le dépôt initial. Après 20 ans, pour un dépôt de 1 000 €, les intérêts sur les intérêts s'élèvent à 3 727,50 € tandis que les intérêts sur le dépôt initial s'élèvent à 2 000 €.

Règle 3 : transposer des flux dans le passé

Si l'on désire connaître la valeur aujourd'hui de 1 000 € à recevoir dans un an et que le taux d'intérêt soit de 10 %, il est possible de procéder comme au chapitre 3 :

(1 000 € dans un an) / (1,1 € dans un an par euro aujourd'hui) = 909,09 € aujourd'hui

Pour transposer un flux dans le passé, il faut le diviser par le facteur de taux d'intérêt, $(1 + r)$, avec r le taux d'intérêt. Ce procédé consistant à transposer dans le passé un flux (en calculant la valeur aujourd'hui d'un flux survenant dans le futur) est appelé **actualisation** (*discounting*).

Troisième règle : pour transposer un flux dans le passé, il faut l'actualiser.

Afin d'illustrer cette règle, supposons qu'un agent anticipe de recevoir 1 000 € dans deux ans. Si le taux d'intérêt annuel est de 10 % pour les deux prochaines années, l'échéancier est :

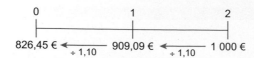

Avec un taux d'intérêt de 10 %, tous les flux (826,45 € à la date 0 ; 909,09 € à la date 1 ; 1 000 € à la date 2) sont équivalents. Les flèches vers la gauche indiquent que les flux sont transposés dans le passé, c'est-à-dire actualisés. La valeur actuelle de 1 000 € à recevoir dans deux ans est donc égale à 826,45 €. Pour le dire autrement, si on place 826,45 € pendant deux ans au taux d'intérêt annuel de 10 %, ce placement aura une valeur future de 1 000 € (d'après la deuxième règle) :

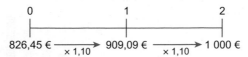

Si on reçoit les 1 000 € dans trois ans, avec un taux d'intérêt annuel de 10 %, on a :

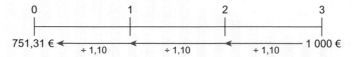

Autrement dit, la valeur actuelle d'un flux de 1 000 € dans trois ans est :

$$1\ 000\ €\,/\,[(1 + 10\ \%) \times (1 + 10\ \%) \times (1 + 10\ \%)] = 1\ 000\,/\,(1 + 10\ \%)^3 = 751,31\ €$$

Plus généralement, pour transposer un flux F jusqu'à un point n périodes avant qu'il ne se produise, il faut l'actualiser n fois. Cela signifie qu'il faut diviser le flux F par n facteurs de taux d'intérêt. Si le taux d'intérêt r est constant :

Valeur actuelle d'un flux

$$VA = F\,/\,(1 + r)^n \tag{4.2}$$

Exemple 4.3

Valeur actuelle d'un flux futur

On envisage l'achat d'une obligation. Ce titre donne droit à un flux unique de 15 000 € dans 10 ans. Le taux d'intérêt, sur le marché, est de 6 %. Quelle est la valeur de l'obligation aujourd'hui ?

Solution

Les flux de cette obligation sont représentés par l'échéancier suivant :

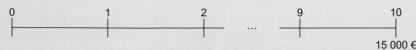

L'obligation a une valeur (future) de 15 000 € dans 10 ans. Afin de déterminer sa valeur aujourd'hui, il faut calculer sa valeur actuelle :

$$VA = 15\ 000\,/\,1,06^{10} = 8\ 375,92\ € \text{ aujourd'hui}$$

Cette obligation vaut aujourd'hui nettement moins que le flux auquel elle donne droit dans 10 ans, en raison de la valeur temps de l'argent.

Application des règles du « voyage dans le temps »

Les trois règles du « voyage dans le temps » permettent de comparer et de combiner des flux se produisant à différents moments. Si on envisage de placer 1 000 € aujourd'hui et 1 000 € à la fin de chacune des deux prochaines années et que le taux d'intérêt annuel soit de 10 %, quelle somme obtient-on dans trois ans ?

Il est possible d'utiliser les règles du « voyage dans le temps » de différentes façons pour répondre à cette question. Tout d'abord, on peut transposer le placement de la date 0 à la date 1. Puisque les deux placements seront exprimés dans la même unité, il sera alors possible de les additionner pour trouver le montant total placé à la date 1 :

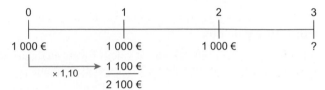

Le placement total à la date 1 est de 2 100 €. Ensuite, on transpose cette somme de la date 1 à la date 2, puis à la date 3 :

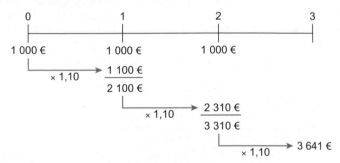

Le montant total à la fin des trois ans est de 3 641 €. Ce montant est la valeur future des trois placements de 1 000 € étalés dans le temps.

Une autre approche est possible : calculer la valeur future à la date 3 de chaque flux considéré indépendamment des autres, puis les additionner.

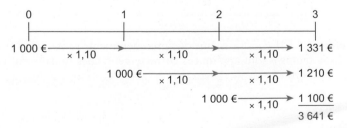

Les deux méthodes donnent la même valeur future. Lorsque les règles du « voyage dans le temps » sont respectées, le résultat est toujours le même – quel que soit l'ordre dans lequel ces règles sont appliquées. Le tableau 4.1 résume ces trois règles.

Tableau 4.1	Les trois règles du « voyage dans le temps »
Règle 1	Seuls des flux exprimés à une même date peuvent être comparés ou combinés
Règle 2	Pour transposer un flux dans le futur, il faut le capitaliser : Valeur future d'un flux : $VF_n = F \times (1 + r)^n$
Règle 3	Pour transposer un flux dans le passé, il faut l'actualiser : Valeur actuelle d'un flux : $VA = F / (1 + r)^n$

Exemple 4.4

Calculer la valeur future d'un flux

Proposez une troisième approche pour calculer la valeur future en date 3 de l'échéancier des flux précédent comprenant trois flux de 1 000 € espacés d'un an.

Solution

Il existe plusieurs manières de répondre à cette question. Outre les deux méthodes considérées plus haut, on peut calculer la valeur actuelle de chaque flux (soit en prenant les flux indépendamment les uns des autres, soit en cumulant leurs valeurs actuelles à chaque étape) puis la transposer dans trois ans.

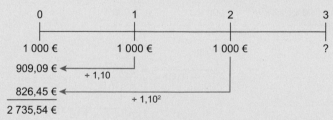

Placer 2 735,54 € aujourd'hui est équivalent à placer 1 000 € par an pendant trois ans. La valeur future à la date 3 de ce placement est alors :

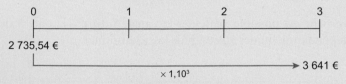

Le résultat obtenu, 3 641 €, est le même que précédemment. Tant que les trois règles du « voyage dans le temps » sont appliquées correctement, elles fournissent toujours une seule réponse : la bonne !

4.3. Valeur actuelle et future d'une séquence de flux

Dans la plupart des projets d'investissement, les flux sont multiples et apparaissent à différentes dates. Pour calculer la valeur actuelle ou future de ces projets, il convient donc de généraliser ce qui précède au cas d'une **séquence de flux**. Considérons une séquence de flux : F_0 à la date 0, F_1 à la date 1, et ainsi de suite, jusqu'à F_N à la date N.

La valeur actuelle de cette séquence de flux, pour un taux d'intérêt r, peut être calculée en deux étapes. Tout d'abord, on calcule la valeur actuelle de chaque flux, sans considérer les autres. Une fois ces flux exprimés dans la même unité (en euros aujourd'hui), on peut les ajouter.

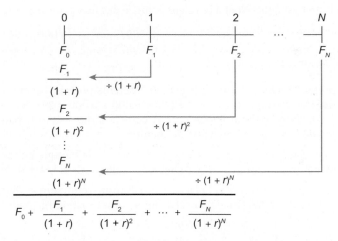

La formule générale permettant de calculer la valeur actuelle d'une séquence de flux est donc :

$$VA = F_0 + \frac{F_1}{(1+r)} + \frac{F_2}{(1+r)^2} + ... + \frac{F_N}{(1+r)^N} \qquad (4.3)$$

Cette formule peut être réécrite :

Valeur actuelle d'une séquence de flux

$$VA = \sum_{n=0}^{N} VA(F_n) = \sum_{n=0}^{N} \frac{F_n}{(1+r)^n} \qquad (4.4)$$

L'opérateur $\sum_{n=0}^{N}$ signifie « somme des éléments individuels pour chaque date n allant de 0 à N ». Notons que $(1 + r)^0 = 1$. La valeur actuelle d'une séquence de flux est donc égale à la somme des valeurs actuelles des flux qui composent la séquence. Ainsi, par analogie avec un flux unique, la valeur actuelle d'une séquence de flux est le montant que l'on doit investir aujourd'hui pour produire la séquence de flux $F_0, F_1, ..., F_N$.

La valeur actuelle d'une séquence de flux quelconque

Un étudiant a besoin d'argent pour s'acheter une voiture. Son père accepte de lui prêter la somme nécessaire. L'étudiant s'engage à rembourser le prêt en quatre ans et propose d'offrir à son père une rémunération égale au taux d'un placement bancaire. Le jeune diplômé pense pouvoir verser 5 000 € dans un an puis 8 000 € par an les trois années suivantes. Si le taux d'intérêt est de 6 %, quelle somme l'étudiant peut-il emprunter à son père ?

Solution

Les flux promis à son père par le jeune diplômé sont les suivants :

Le montant du prêt est équivalent à la valeur actuelle des flux promis par le fils :

$$VA = (5\,000\,/\,1{,}06) + (8\,000\,/\,1{,}06^2) + (8\,000\,/\,1{,}06^3) + (8\,000\,/\,1{,}06^4)$$
$$= 4\,716{,}98 + 7\,119{,}97 + 6\,716{,}95 + 6\,336{,}75$$
$$= 24\,890{,}66$$

Le père peut prêter 24 890,66 € en échange des paiements promis. Ce montant est inférieur à la somme des versements (5 000 + 8 000 + 8 000 + 8 000 = 29 000 €) en raison de la valeur temps de l'argent. Pour le père, prêter cette somme à son fils plutôt que de la placer sur un compte rémunéré revient-il au même ?

- Si le père avait placé pendant quatre ans 24 890,66 € à la banque au taux de 6 %, il aurait obtenu en fin de période : $VF = 24\,890{,}66 \times 1{,}06^4 = 31\,423{,}88$ € dans quatre ans.

- Si le père prête l'argent à son fils et place sur un compte rémunéré les flux qu'il reçoit de son fils au titre des remboursements, la valeur future disponible pour le père est :

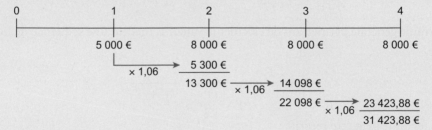

Le père dispose bien de la même richesse finale, qu'il place son argent sur un compte rémunéré ou qu'il le prête à son fils.

L'exemple 4.5 illustre un point très général : si on veut calculer la valeur future d'une séquence de flux, on peut le faire directement (c'est le second cas de l'exemple) ou calculer d'abord la valeur actuelle et ensuite la transposer dans le futur (premier cas). Chaque démarche respecte les règles du « voyage dans le temps » et donne donc le même résultat. En généralisant, on obtient la formule qui lie la valeur actuelle et la valeur future dans *n* périodes d'une séquence de flux :

Valeur future et valeur actuelle d'une séquence de flux

$$VF_n = VA \times (1 + r)^n \qquad (4.5)$$

4.4. Valeur actuelle nette d'une séquence de flux

Un projet peut être représenté sur un échéancier comme une séquence de flux, où les sorties d'argent (les dépenses et investissements) sont des flux négatifs et où les entrées d'argent (les recettes) sont des flux positifs. La **valeur actuelle nette** (VAN) d'un projet, telle que définie au chapitre 3, peut donc se calculer comme la valeur actuelle de tous les flux présents et futurs du projet :

$$VAN = VA \text{ (Bénéfices)} - VA \text{ (Coûts)} = VA \text{ (Bénéfices} - \text{Coûts)} \qquad (4.6)$$

La VAN d'un projet d'investissement

Clément peut décider d'investir aujourd'hui dans un projet. S'il investit 1 000 €, il aura droit à 500 € à la fin de chacune des trois prochaines années. Il a, par ailleurs, la possibilité de placer de l'argent au taux de 10 % par an. Clément doit-il investir dans le projet ?

Solution

Comme toujours, il faut commencer par construire l'échéancier. L'investissement de départ est un flux négatif et les revenus ultérieurs sont des flux positifs.

Afin de savoir s'il convient, ou non, d'accepter le projet, il faut calculer la VAN de la séquence de flux :

$$VAN = -1\ 000 + (500/1{,}1) + (500/1{,}1^2) + (500/1{,}1^3) = 243{,}43 \text{ €}$$

La VAN est positive, ce qui signifie que les bénéfices actualisés excèdent les coûts. Clément doit donc investir dans le projet, car cela équivaut à recevoir 243,43 € aujourd'hui.

Supposons que Clément emprunte 1 243,43 € aujourd'hui. Il utilise 1 000 € pour investir dans le projet ; il dispose en outre de 243,43 € qu'il peut dépenser à sa guise. Quelle somme doit-il rembourser dans trois ans ? Avec un taux d'intérêt de 10 %, le remboursement est de :

$$VF = 1\ 243{,}43 \times 1{,}1^3 = 1\ 655 \text{ € dans trois ans}$$

Parallèlement, le projet permet à Clément de bénéficier de 500 € à la fin de chacune des trois prochaines années, qui peuvent être placés sur un compte rémunéré. Dans trois ans, le solde du compte sera :

$$VF = (500 \times 1{,}1^2) + (500 \times 1{,}1) + 500 = 1\ 655 \text{ € dans trois ans}$$

Clément peut utiliser cette somme pour rembourser le prêt et les intérêts associés. Investir dans le projet lui permet donc de gagner immédiatement 243,43 € sans aucun coût futur.

Exemple 4.6

Utiliser Excel **Calculer une valeur actuelle**

Les opérations d'actualisation et de capitalisation peuvent être réalisées à l'aide de n'importe quelle calculatrice, mais il est souvent plus pratique d'utiliser un tableur. Reprenons l'exemple 4.6 :

	A	B	C	D	E
1	Taux d'actualisation	10,00%			
2	Période	0	1	2	3
3	Flux *Ft*	-1 000,00	500,00	500,00	500,00
4	Facteur d'actualisation	1,000	0,909	0,826	0,751
5	VA(*Ft*)	-1 000,00	454,55	413,22	375,66
6	**VAN**	**243,43**			

Les données du problème, à savoir le taux d'actualisation et la séquence de flux, sont renseignées dans les lignes 1 à 3. La ligne 4 permet de calculer le facteur d'actualisation $1/(1+r)^n$ pour chaque date (colonnes B à E). On multiplie ensuite chaque flux par le facteur d'actualisation correspondant, pour obtenir les valeurs actuelles ligne 5. Enfin, ligne 6, on additionne les valeurs actuelles pour calculer la VAN. Les formules sont les suivantes :

	A	B	C	D	E
4	Facteur d'actualisation	=1/(1+$B$1)^B2	=1/(1+$B$1)^C2	=1/(1+$B$1)^D2	=1/(1+$B$1)^E2
5	VA(*Ft*)	=B3*B4	=C3*C4	=D3*D4	=E3*E4
6	**VAN**	**=SOMME(B5:E5)**			

On peut également calculer la VAN en une seule étape en utilisant la formule Excel VAN(taux ;valeur1 ;valeur2 ;…). Il est toutefois préférable de ne pas céder à la facilité et de calculer la VAN étape par étape. Cela permet d'apprécier la contribution de chaque flux à la VAN globale et évite des erreurs. En effet, la formule Excel suppose que le premier flux est enregistré à la date 1. Autrement dit, s'il y a un flux à la date 0, il faut en tenir compte séparément. Par exemple, dans l'exemple précédent, la formule correcte de la VAN serait : = B3 + VAN(B1;C3:E3). Un autre problème tient à ce qu'Excel traite différemment un flux nul et une cellule vide ; dans le dernier cas, Excel ignore en effet à la fois le flux *et* la période. Dans le tableau suivant, le flux à la date 2 a été supprimé : à la ligne 6, le calcul de la VAN est correct ; en revanche, le calcul réalisé ligne 7 en utilisant la formule Excel considère que le dernier flux, celui de la date 3, se produit à la date 2, ce qui est manifestement faux.

	A	B	C	D	E
1	Taux d'actualisation	10,00%			
2	Période	0	1	2	3
3	Flux *Ft*	-1 000,00	500,00		500,00
4	Facteur d'actualisation	1,000	0,909	0,826	0,751
5	VA(*Ft*)	-1 000,00	454,55	0,00	375,66
6	**VAN**	**-169,80**	=SOMME(B5:E5)		
7	VAN (fonction Excel)	-132,23	=B3+VAN(B1;C3:E3)		

4.5. Rentes perpétuelles et annuités

Les formules développées jusqu'à maintenant permettent de calculer les valeurs actuelles et futures de n'importe quelle séquence de flux. Mais, en pratique, lorsque les flux s'étalent sur plus de quatre ou cinq périodes (ce qui est souvent le cas), les calculs peuvent être fastidieux. Dans certains cas particuliers, il existe heureusement des formules simplifiées.

Les rentes perpétuelles

Une **rente perpétuelle** (*perpetuity*) est un titre de dette qui prévoit le paiement régulier d'intérêts mais pas le remboursement du capital ; une rente perpétuelle n'a donc théoriquement pas de terme. En pratique, elle s'achève lorsque l'emprunteur fait faillite ou décide de racheter tous les titres en circulation sur le marché. L'émission de nouveaux titres de rente perpétuelle est rare sur les marchés, mais comprendre la façon dont on les évalue est utile.

Une rente perpétuelle garantit à son détenteur, pour toujours, un flux fixe payé à intervalles réguliers. L'échéancier est donc[2] :

La valeur actuelle d'une rente perpétuelle composée de F flux constants, lorsque le taux d'intérêt est r, est :

$$VA = \frac{F}{(1+r)} + \frac{F}{(1+r)^2} + \frac{F}{(1+r)^3} + \dots = \sum_{n=1}^{\infty} \frac{F}{(1+r)^n}$$

Dans la formule, aucun flux n'est indicé puisque, par définition, tous les flux sont égaux à F. Comment est-il possible de calculer la somme d'une séquence infinie de flux ? Pour ce faire, il faut remarquer que le facteur d'actualisation devient très grand à mesure que n augmente, de sorte qu'un flux très éloigné dans le temps sera négligeable une fois actualisé[3].

Supposons que l'on puisse placer 100 € sur un compte bancaire rémunéré à 5 % par an à l'infini. À la fin de la première année, la valeur acquise de ce dépôt est de 105 € (100 € + 5 € d'intérêts). Supposons que l'on retire les 5 € d'intérêts. À la fin de la deuxième année, le compte est de nouveau créditeur de 105 €. On retire de nouveau 5 €. En agissant ainsi année après année, on peut retirer 5 € chaque année, et ceci à l'infini :

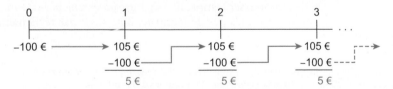

En plaçant 100 € à la banque aujourd'hui, on crée donc une rente perpétuelle de 5 € par an. D'après la Loi du prix unique, un même actif doit avoir un prix identique sur tous les marchés. La valeur actuelle d'une rente perpétuelle de 5 € par an doit par conséquent être de 100 €.

---

2. Sur le diagramme des flux, le premier flux n'est pas versé immédiatement, mais au terme de la première période. On parle alors d'intérêts *postcomptés*, ou terme échu. Quand l'intérêt est payé en début de période, on parle d'intérêts *précomptés*, ou terme à échoir. En général et sauf mention contraire, les intérêts sont post-comptés. Voir chapitre 5 pour plus de détails.

3. En termes mathématiques, on parle de suite géométrique ; une telle suite converge si $r > 0$.

Généralisons ce raisonnement. En plaçant P € sur un compte bancaire, il est possible de retirer chaque année les intérêts, $F = r \times P$, et laisser le principal, P, sur le compte. La valeur actuelle de la rente perpétuelle qui paie un flux constant F chaque année est donc égale à P :

Valeur actuelle d'une rente perpétuelle constante

$$P = VA(F \text{ perpétuel}) = F/r \qquad (4.7)$$

En déposant F/r € aujourd'hui, il est possible de profiter de $(F/r) \times r = F$ € d'intérêts à chaque période future, à l'infini.

Zoom sur...	**Quelques exemples de rentes perpétuelles**

Les rentes perpétuelles comptent parmi les titres financiers les plus anciens : elles existent depuis le XIIe siècle. Au départ, elles ont été créées pour contourner les lois contre l'usure édictées par l'Église catholique : les rentes perpétuelles ne prévoyant pas le remboursement du principal, elles n'étaient pas considérées comme des prêts par l'Église... En France, c'est François Ier qui lance, en 1535, le premier emprunt public français sous la forme d'une rente perpétuelle[*] ; les rentes perpétuelles françaises demeurent parmi les titres les plus négociés sur le marché jusqu'au XIXe siècle, puis tombent en désuétude. Les dernières rentes perpétuelles émises par l'État sont rachetées et retirées du marché en 1988.

La plus ancienne rente perpétuelle qui verse encore des intérêts a été émise en 1648 par Hoogheemraadschap Lekdijk Bovendams, une entreprise néerlandaise chargée de l'entretien des digues. Deux professeurs de Yale, W. Goetzmann et G. Rouwenhorst, ont vérifié que ces obligations versaient toujours des intérêts ; pour ce faire, ils ont acheté l'une d'entre elles en 2003 et ont récupéré 26 années d'arriérés d'intérêts. La rente verse aujourd'hui 11,34 € d'intérêts par an...

Il n'y a quasiment plus d'émission de « vraies » rentes perpétuelles, même si certains titres émis par des entreprises peuvent s'en rapprocher : ainsi, en 2010, HSBC a émis pour 3,4 milliards de dollars de titres de dette sans maturité déterminée. Mais la banque se réserve la possibilité de rembourser l'emprunt à sa guise après une période initiale de cinq ans et demi : même si le titre n'a pas de maturité, il ne s'agit pas réellement d'une rente perpétuelle.

---

[*]   J.-M. Vaslin (2007), « Le siècle d'or de la rente perpétuelle française », dans *Le Marché financier français au XIXe siècle*, vol. 2 (dir. G. Gallais-Hamonno), Publications de la Sorbonne.

Exemple 4.7

Se doter d'une rente perpétuelle

L'association des étudiants du Master Finance décide de créer un gala annuel et souhaite mettre en place un financement qui assure la pérennité de l'événement. Le coût annuel d'un gala est de 30 000 €. Les placements sont rémunérés au taux de 8 %. Le premier gala est prévu dans un an. Quelle somme l'association doit-elle placer afin de pouvoir financer l'organisation du gala chaque année éternellement ?

...

...

Solution

L'échéancier est le suivant :

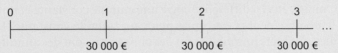

Il s'agit d'une rente perpétuelle constante de 30 000 € par an. La somme que doit placer l'association correspond à la valeur actuelle de cette séquence de flux : $VA = F/r =$ 30 000/0,08 = 375 000 €. Si l'association place aujourd'hui 375 000 € sur un compte rémunéré à 8 %, le gala annuel pourra avoir lieu chaque année.

Erreur à éviter	**Actualiser plus que nécessaire**

La formule de la rente perpétuelle est fondée sur le fait que le premier flux se produit à la fin de la première période (à la date 1). Il se peut toutefois que les flux de rentes perpétuelles commencent plus tard. Il est tout de même possible d'utiliser l'équation (4.7), mais en faisant attention à ne pas commettre une erreur courante. Reprenons l'exemple 4.7. Supposons que le premier gala a lieu non pas dans un an, mais dans deux. Comment cela modifie-t-il la somme à placer ? L'échéancier est désormais :

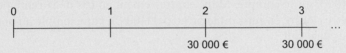

Il faut déterminer la valeur actuelle des flux, qui est égale à la somme qu'il convient de placer aujourd'hui. Mais on ne peut pas appliquer directement l'équation (4.7), car les flux ne suivent pas *exactement* ceux d'une rente perpétuelle telle qu'elle a été définie : il n'y a pas de flux à la fin de la première période. Si on se place à la date 1 (et non à la date 0), le premier flux est bien versé au bout d'un an (à la date 2), puis les flux suivants sont versés périodiquement : en se plaçant à la date 1, il est possible d'appliquer directement la formule de la rente perpétuelle. D'après l'exemple 4.7, on sait qu'il faut placer 375 000 € à la date 1 pour financer les galas à venir. Réécrivons ainsi l'échéancier :

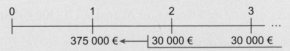

La question est désormais de savoir combien on doit placer à la date 0 (aujourd'hui) pour disposer de 375 000 € à la date 1. C'est un simple calcul de valeur actuelle :

$$VA = 375\ 000/1,08 = 347\ 222 \text{ € aujourd'hui}$$

L'erreur à ne pas commettre est d'actualiser deux fois 375 000 € en pensant que le premier gala se déroule dans deux ans : *la formule de la rente perpétuelle considère que les flux démarrent une période après la date présente.* Cette erreur concerne les rentes perpétuelles, mais également les annuités constantes.

Les annuités constantes

Une **annuité constante** est une séquence de N flux égaux se produisant à intervalles réguliers. L'intervalle de temps séparant deux flux consécutifs est la *période*. Souvent la période est d'un an, mais on utilise le terme d'annuité même lorsque la période est d'un trimestre, d'un mois[4], etc. La différence entre une annuité constante et une rente perpétuelle est que le nombre de flux est limité pour une annuité constante. La plupart des prêts automobiles, des prêts immobiliers et des obligations sont des annuités constantes. Les flux d'une annuité constante peuvent être représentés sur un échéancier :

Valeur actuelle d'une annuité constante. La valeur actuelle (VA) d'une annuité de N périodes, avec un flux F constant (en fin de période) et un taux d'intérêt r, est :

$$VA = \frac{F}{(1+r)} + \frac{F}{(1+r)^2} + \frac{F}{(1+r)^3} + \dots + \frac{F}{(1+r)^N} = \sum_{n=1}^{N} \frac{F}{(1+r)^n}$$

Lorsque le nombre de périodes N est grand, peut-on trouver une formule pour calculer directement la valeur actuelle d'une annuité constante ? Considérons un placement de 100 € qui rapporte 5 % d'intérêt. À la fin de l'année, on dispose de 105 €. Comme avec une rente perpétuelle, il est possible de retirer chaque année 5 € tout en laissant en permanence 100 € sur le compte. Mais, contrairement au cas de la rente perpétuelle, le compte peut être clôturé en retirant le principal (100 €), par exemple au bout de 20 ans. Dans ce cas, les flux sont :

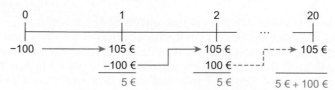

Avec un placement initial de 100 €, on crée une annuité de 5 € pendant 20 ans, auxquels s'ajoute un flux de 100 € dans 20 ans. D'après la Loi du prix unique :

100 € = VA (annuité de 5 € pendant 20 ans) + VA (100 € dans 20 ans)

En réorganisant les termes, on obtient :

VA (annuité de 5 € pendant 20 ans) = 100 € – VA (100 € dans 20 ans)

$$= 100 - (100/1{,}05^{20}) = 62{,}31 \text{ €}$$

La valeur actuelle d'une séquence de flux de 5 € reçus à la fin de chaque année pendant 20 ans est donc de 62,31 €. Il est possible de généraliser ce résultat. Un investisseur place P € sur un compte rémunéré et en retire à chaque période les intérêts, soit $F = r \times P$ €. Après N périodes, il clôture le compte. Pour un montant initial P, il reçoit une annuité

---

4. Par extension, le mot annuité désigne les flux eux-mêmes, mais uniquement lorsque la période est d'un an ; lorsque la période est d'un mois, les flux sont des mensualités.

d'un montant F à la fin de chaque période pendant N périodes, puis récupère le montant initial P au bout de N périodes :

$$P = VA \text{ (annuité de } F \text{ pendant } N \text{ périodes)} + VA \text{ (}P \text{ à la date } N\text{)}$$

Si l'on réorganise les termes, la valeur actuelle de l'annuité constante est :

$$VA(\text{annuité de } F \text{ pendant } N \text{ périodes}) = P - VA (P \text{ à la période } N)$$

$$= P - \frac{P}{(1+r)^N} = P \left(1 - \frac{1}{(1+r)^N} \right) \qquad (4.8)$$

Le paiement périodique F est égal aux intérêts de chaque période : $F = r \times P$. Il est donc possible de réorganiser l'équation (4.8), en remplaçant P par F/r :

Valeur actuelle d'une annuité constante[5]

$$VA(\text{annuité de } F \text{ pendant } N \text{ périodes avec un taux d'intérêt } r) = F \times \frac{1}{r} \left(1 - \frac{1}{(1+r)^N} \right) \qquad (4.9)$$

Valeur actuelle d'une annuité constante

La loterie nationale propose à ses gagnants de recevoir soit un versement annuel de 1 million d'euros pendant 30 ans (le premier versement ayant lieu aujourd'hui), soit 15 millions d'euros immédiatement. Le taux d'intérêt est de 8 %. Quelle solution retenir ?

Solution

La première solution offre 30 millions d'euros, mais échelonnés dans le temps. Il faut donc calculer la valeur actuelle de cette séquence de flux :

Le premier versement ayant lieu aujourd'hui, le dernier paiement aura lieu dans 29 ans (pour un total de 30 versements). Le million d'euros versé aujourd'hui est déjà en valeur actuelle. Il suffit donc de calculer la valeur actuelle des 29 flux futurs : il s'agit d'une annuité constante de 1 million d'euros pendant 29 ans, donc :

$$VA \text{ (annuité de 1 million d'euros pendant 29 ans)} = 1 \text{ million} \times \left(\frac{1}{0,08} \right) \times \left(1 - \frac{1}{(1 + 0,08)^{29}} \right)$$

$$= 11,16 \text{ millions d'euros aujourd'hui}$$

Ainsi, la valeur actuelle des flux est de 1 + 11,16 = 12,16 millions d'euros.

La seconde solution consiste à recevoir immédiatement 15 millions d'euros. Elle est plus intéressante que la première, même si le montant versé est moitié moindre. Cette différence est liée à la valeur temps de l'argent. Avec 15 millions d'euros aujourd'hui, il est possible de dépenser immédiatement 15 – 11,16 = 3,84 millions d'euros et de placer 11,16 millions d'euros pour obtenir 1 million d'euros par an pendant les 29 prochaines années

Exemple 4.8

---

5. L'astronome Edmond Halley a été le premier à démontrer cette formule (*Of Compound Interest*, publication posthume par H. Sherwin, *Sherwin's Mathematical Tables*, Londres, T. Page & Son, 1761).

Valeur future d'une annuité constante. Maintenant que l'on dispose d'une formule permettant de calculer la valeur actuelle d'une annuité constante, il est facile de calculer sa valeur future : pour connaître la valeur d'une annuité constante dans N périodes, il faut transposer sa valeur actuelle dans N périodes, c'est-à-dire capitaliser la valeur actuelle pendant N périodes au taux d'intérêt r :

Valeur future d'une annuité constante

$$VF \text{ (annuité constante)} = VA \times (1+r)^N$$

$$= \frac{F}{r}\left(1 - \frac{1}{(1+r)^N}\right) \times (1+r)^N$$

$$= F \times \frac{1}{r}\left((1+r)^N - 1\right) \qquad (4.10)$$

Exemple 4.9

Se constituer une épargne-retraite

Constance a 35 ans et s'inquiète pour sa retraite. Elle décide d'épargner 10 000 € tous les ans jusqu'à ses 65 ans. Le compte retraite est rémunéré à 10 %. De quelle somme Constance disposera-t-elle le jour de ses 65 ans ?

Solution

L'échéancier est le suivant :

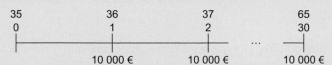

La séquence des flux correspond à une annuité constante de 10 000 € pendant 30 ans. Il suffit de calculer la valeur future de cette annuité pour connaître le solde du compte lorsque Constance aura 65 ans :

$$VF = 10\ 000 \times (1/0,1) \times (1,1^{30} - 1) = 10\ 000 \times 164,5 = 1,645 \text{ million d'euros à 65 ans}$$

Les rentes perpétuelles croissantes

Il s'agit d'une séquence de flux versés à intervalles réguliers, à l'infini, et dont le montant croît à taux constant (c'est la raison pour laquelle on parle aussi de rentes perpétuelles en progression géométrique). Une **rente perpétuelle croissante** avec un premier paiement F et un taux de croissance g peut être représentée par l'échéancier suivant :

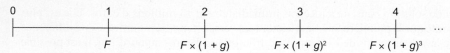

Le premier flux se produit à la date 1. Ce n'est qu'à partir de la deuxième période que le flux commence à augmenter. Le flux de la date n n'a donc augmenté que $n-1$ fois. D'après la formule générale de la valeur actuelle d'une séquence de flux, la valeur actuelle d'une rente perpétuelle croissante s'écrit :

$$VA = \frac{F}{(1+r)} + \frac{F(1+g)}{(1+r)^2} + \frac{F(1+g)^2}{(1+r)^3} + \dots = \sum_{n=1}^{\infty} \frac{F(1+g)^{n-1}}{(1+r)^n}$$

Supposons que les flux augmentent à un taux supérieur au taux d'actualisation ($g \geq r$). À mesure que n croît, les termes de la somme deviennent de plus en plus grands et la somme tend vers l'infini. Cela signifie que le prix à payer pour cette rente doit lui-même être infini. Par conséquent, il ne peut exister de rentes perpétuelles croissantes de ce type dans la mesure où personne n'est en mesure de payer un prix infini.

Les seules rentes croissantes perpétuelles possibles sont celles pour lesquelles le taux de croissance des flux est inférieur au taux d'actualisation ($g < r$), de telle sorte qu'à mesure que n croît chaque terme de la somme est inférieur au terme précédent ; la somme est alors finie. Pour obtenir la valeur actuelle d'une rente perpétuelle croissante, on recourt à la même logique qu'avec des rentes perpétuelles constantes : il suffit de calculer le montant à placer aujourd'hui pour créer cette séquence de flux. Comme les flux sont croissants, le montant à retirer augmente chaque année. Cela suppose que le montant du placement augmente également chaque année. Cela est possible en plaçant une partie des intérêts gagnés au cours de l'année écoulée.

Un investisseur souhaite bénéficier d'une rente perpétuelle croissante au taux de 2 % par an à partir d'un placement de 100 €. Le taux d'intérêt annuel est de 5 %. À la fin de la première année, il dispose de 105 € sur son compte. Il peut alors retirer 3 € et laisser sur son compte 102 €, soit 2 % de plus que l'année précédente. À la fin de la deuxième année, le solde du compte est de $102 \times 1,05 = 107,1$ €. Il est alors possible de retirer 3 € $\times\, 1,02 = 3,06$ €, en laissant donc un solde de $107,1 - 3,06 = 104,04$ €. Ce faisant, le montant laissé sur le compte, tout comme le montant qui a été retiré, a augmenté de 2 % ($102 \times 1,02 = 104,04$ €). L'échéancier est le suivant :

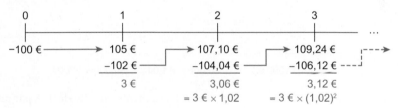

Grâce à cette stratégie, il est donc possible de créer une rente perpétuelle croissante, de premier flux 3 € et de taux de croissance annuel 2 %. La valeur actuelle de cette rente perpétuelle croissante doit être égale au coût initial, 100 €.

En généralisant, on montre que, pour augmenter chaque année au taux g les retraits, le solde du compte doit lui aussi augmenter au taux g. En d'autres termes, au lieu de réinvestir P la deuxième année, il faut réinvestir $P \times (1 + g) = P + g\,P$. Afin d'accroître le principal du montant $g\,P$, il faut limiter le retrait à $F = r\,P - g\,P = P \times (r - g)$.

Après chaque période, on peut donc retirer $F = P \times (r - g)$ et disposer à l'infini de flux croissants au taux g. Donc :

$$P = F / (r - g)$$

La valeur actuelle d'une rente perpétuelle de flux initial F croissant au taux g est égale à P, le placement initial. Donc :

Valeur actuelle d'une rente perpétuelle croissante

$$P = VA(\text{rente perpétuelle croissante}) = F / (r - g) \qquad (4.11)$$

Une manière de comprendre intuitivement cette formule consiste à se rappeler qu'avec une rente perpétuelle constante il faut laisser sur un compte suffisamment d'argent pour que les intérêts perçus soient égaux aux flux de la rente. Avec une rente perpétuelle croissante, il faut laisser davantage d'argent sur le compte, car il faut financer la croissance des flux. Combien faut-il laisser en plus ? Si la banque offre un taux d'intérêt de 10 % sur les dépôts et que l'on désire une croissance des flux (et donc du principal) de 3 %, la différence est de 10 % – 3 % = 7 %. Ainsi, la valeur actuelle de la rente perpétuelle ne correspond plus au premier flux divisé par le taux d'intérêt, mais au premier flux divisé par la *différence* entre le taux d'intérêt et le taux de croissance de la rente.

Exemple 4.10

Se doter d'une rente perpétuelle (*bis*)

Dans l'exemple 4.7, le plan de financement du gala des étudiants ne tenait pas compte des effets de l'inflation. En fait, il est plus prudent de prévoir que le coût du gala augmente de 4 % par an. Quel doit être alors le montant du placement initial ?

Solution

Le coût du prochain gala est de 30 000 €. Ce coût augmente ensuite de 4 % par an. Afin de financer pour toujours le gala, il faut placer l'équivalent de la valeur actuelle d'une rente perpétuelle croissante au taux de 4 %, soit (30 000 €) / (0,08 – 0,04) = 750 000 € aujourd'hui. Il faut ainsi doubler la somme placée au départ.

Les annuités croissantes

Il s'agit d'une séquence de N flux croissants versés à intervalles réguliers. L'échéancier d'une telle annuité avec un flux initial F croissant au taux g à chaque période jusqu'à la date N est :

La valeur actuelle d'une annuité qui verse à la fin de chaque période un flux égal à F à la date 1 puis des flux croissants au taux g pendant N périodes est :

Valeur actuelle d'une annuité croissante

$$VA = F \times \frac{1}{r-g} \left(1 - \left(\frac{1+g}{1+r} \right)^N \right)$$

(4.12)

L'annuité ayant un nombre fini de termes, l'équation (4.12) est vérifiée même si $g > r$[6]. La démonstration mathématique pour parvenir à cette expression simple de la valeur actuelle d'une annuité croissante est la même que pour les annuités constantes.

Se constituer une épargne-retraite (*bis*)

Dans l'exemple 4.9, Constance envisageait d'épargner 10 000 € par an pour sa retraite. Elle prévoit toutefois une augmentation de salaire de 5 % tous les ans jusqu'à sa retraite, ce qui lui permettrait d'augmenter son capital. Aussi, décide-t-elle d'augmenter ses placements chaque année de 5 %. De quelle somme Constance disposera-t-elle le jour de ses 65 ans, si son épargne est rémunérée au taux de 10 % ?

Solution

Le nouveau plan d'épargne est représenté par l'échéancier suivant :

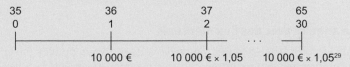

Cet exemple représente une annuité de flux initial 10 000 € croissant au taux de 5 % par an sur 30 ans. La valeur actuelle de cette annuité est :

$$VA = 10\ 000\ € \times \frac{1}{0,1 - 0,05} \left(1 - \left(\frac{1,05}{1,1} \right)^{30} \right)$$

$$= 10\ 000\ € \times 15,0463 = 150\ 463\ € \text{ aujourd'hui}$$

La valeur actuelle de l'épargne-retraite de Constance est de 150 463 €. Elle disposera à 65 ans de :

$$VF = 150\ 463\ € \times 1,1^{30}$$

$$= 2,625 \text{ millions d'euros dans 30 ans}$$

Constance disposera de 2,625 millions à l'âge de 65 ans grâce à son épargne-retraite. Cette somme représente quasiment 1 million d'euros de plus que si elle n'augmentait pas ses versements chaque année de 5 %.

Exemple 4.11

La formule de l'annuité croissante est une formule générale à partir de laquelle il est possible de déduire toutes les formules présentées dans cette partie : une rente perpétuelle

---

6 L'équation (4.12) n'est pas valable lorsque $r = g$. Dans ce cas, le taux d'intérêt et le taux de croissance se compensent exactement. La valeur actuelle équivaut à recevoir tous les flux dans un an : $VA = F \times N / (1 + r)$.

croissante peut être vue comme une annuité croissante avec N qui tend vers l'infini. Si $g < r$, alors $(1 + g) / (1 + r) < 1$. Puisque N tend vers l'infini, $(1 + g / 1 + r)^N$ tend vers 0. La formule d'une annuité croissante quand N tend vers l'infini est donc :

$$VA = \frac{F}{r - g}\left(1 - \left(\frac{1 + g}{1 + r}\right)^N\right) = \frac{F}{r - g}(1 - 0) = \frac{F}{r - g}$$

Il est aussi possible d'obtenir les formules de l'annuité et de la rente perpétuelle constantes en posant le taux de croissance g égal à 0.

4.6. Le cas des flux infra-annuels

Dans tous les exemples précédents, les flux sont annuels. Peut-on utiliser les mêmes méthodes lorsque les flux se produisent à une autre fréquence, mensuelle par exemple ? Oui, tout ce qui précède reste valable, à condition toutefois que toutes les données soient exprimées dans la même base. Autrement dit, pour une fréquence mensuelle par exemple, le taux d'intérêt doit lui aussi être mensuel.

Prenons le cas d'un compte sur livret rémunéré avec un taux d'intérêt mensuel de 2 %. Un dépôt de 1 000 € rapporte dans six mois : $F \times (1 + r)^n = 1\,000 \times 1{,}02^6 = 1\,126{,}16$ € : la logique est rigoureusement la même que précédemment.

Exemple 4.12

Évaluer une annuité avec des flux mensuels

Vous êtes sur le point d'acheter une nouvelle voiture : vous pouvez payer comptant 20 000 € ou emprunter cette somme contre un remboursement de 500 € par mois pendant quatre ans. Si le taux d'intérêt mensuel est de 0,5 %, quelle est la meilleure option ?

Solution

Il s'agit là d'une annuité constante de 48 termes (4 ans × 12 mois). La valeur actuelle est :

$$VA \text{ (annuité de 500 € pendant 48 périodes)} = 500\frac{1}{0{,}005}\left(1 - \frac{1}{1{,}005^{48}}\right) = 21\,290 \text{ €.}$$

Il vaut mieux payer la voiture comptant.

4.7. L'utilisation d'un tableur

Les calculatrices financières ou les tableurs, comme Excel ou Calc (le tableur gratuit et *open-source* d'Open Office), disposent de fonctions qui facilitent les calculs financiers. Le tableau 4.2 liste les principales fonctions relatives aux séquences de flux constants.

Tableau 4.2		Formules Excel relatives aux séquences de flux constants	

Variable	Notation	Fonction Excel	Utilité
Taux d'intérêt	*r*	TAUX	Calcule le taux d'intérêt par période d'une séquence de flux constants et réguliers
Nombre de périodes	*N*	NPM	Calcule le nombre de paiements d'une séquence de flux constants et réguliers avec un taux d'intérêt constant
Flux	*F*	VPM	Calcule le montant du flux périodique d'une séquence de flux constants avec un taux d'intérêt constant
Valeur actuelle	*VA*	VA	Calcule la valeur actuelle d'une séquence de flux constants et réguliers avec un taux d'intérêt constant
Valeur future	*VF*	VC	Calcule la valeur future d'une séquence de flux constants et réguliers avec un taux d'intérêt constant

Chacune des cinq variables du tableau 4.2 peut être solution de l'équation de la VAN, les quatre autres variables étant alors des données (*inputs*). Autrement dit, sachant la valeur de quatre paramètres, la formule permet de calculer la valeur du cinquième de sorte que la valeur actuelle de la séquence de flux soit nulle :

$$VA + VPM \times \frac{1}{TAUX}\left(1 - \frac{1}{\left(1+TAUX\right)^{NPM}}\right) + \frac{VC}{\left(1+TAUX\right)^{NPM}} = 0 \qquad (4.13)$$

La feuille Excel permettant de résoudre l'exemple 4.13 est disponible sur le site compagnon de l'ouvrage. Il suffit de saisir quatre variables pour obtenir la valeur de la cinquième. La feuille de calcul permet aussi de visualiser la séquence de flux et la formule utilisée.

Calculer une valeur future avec Excel

Vous envisagez de placer 20 000 € au taux de 8 %. De quelle somme disposerez-vous dans 15 ans ?

Solution

L'échéancier est le suivant :

La valeur dans 15 ans d'un placement de 20 000 € au taux de 8 % se calcule avec Excel grâce à la fonction VC : =VC(TAUX, NPM, VPM, VA). Dans notre cas, les paramètres sont TAUX = 8 %, NPM = 15, VPM = 0, VA = – 20 000. VA est négatif (c'est le capital que l'on *dépose* à la banque), alors que VC (la valeur future) est positive (c'est le capital que l'on peut *retirer* de la banque). Il est important de respecter les conventions de signes : un signe positif signifie qu'il s'agit d'une rentrée d'argent, un signe négatif une sortie d'argent. Excel donne la réponse cherchée : la valeur future est 63 443 €.

Exemple 4.13

...

Exemple 4.13

...

	A	B	C	D	E	F	G	H	I
1									
2		**Instructions**		Saisir quatre des variables N, TAUX, VA, F ou VF dans la zone grisée ci-dessous, et le calculateur résoudra l'équation pour la cinquième. La solution sera telle que la VAN de la séquence de flux, ligne 14, sera nulle.					
3									
4			**N**	**TAUX**	**VA**	**F**	**VF**	**Formule Excel**	
5		Sachant	15	8,00%	-20 000	0			
6		Résoudre VF					63 443	=VC(0,08,15,0,-20000)	
7									
10		Date	0	1	2	...	15		
11		VA	-20 000						
12		F		0	0	...	0		
13		VF					63 443		
14		Flux	-20 000	0	0	...	63 443		
15									

On vérifie bien que $20\,000 \times 1{,}08^{15} = 63\,443$.

Exemple 4.14

Calculer une valeur future avec Excel (bis)

Vous envisagez toujours de placer 20 000 € au taux de 8 %, mais vous décidez de retirer 2 000 € à la fin de chaque année. De quelle somme disposerez-vous dans 15 ans ?

Solution

L'échéancier est désormais le suivant :

0	1	2	$NPM = 15$
$VA = -20\,000$ €	$VPM = 2\,000$ €	2 000 €	... 2 000 € + $VC = ?$

Les retraits peuvent être vus comme une annuité que l'agent reçoit à partir de son compte bancaire. VA est négatif (dépôt initial à la banque), VPM est positif (retraits réguliers de la banque). La valeur future est calculée grâce à la même fonction que précédemment : =VC(TAUX, NPM, VPM, VA), avec TAUX = 8 %, NPM = 15, VPM = 2 000, VA = −20 000. D'après Excel, il restera 9 139 € sur le compte après 15 ans.

	A	B	C	D	E	F	G	H
4			**N**	**TAUX**	**VA**	**F**	**VF**	**Formule Excel**
5		Sachant	15	8,00%	-20 000	2 000		
6		Résoudre VF					9 139	=VC(0,08,15,2000,-20000)

Vérifions ce résultat : 20 000 €, rémunérés pendant 15 ans au taux de 8 %, ont une valeur future de 63 443 € (exemple 4.13). Si on utilise la formule de la valeur future d'une annuité constante, le retrait de 2 000 € par an pendant 15 ans à 8 % a une valeur future de :

$$(2\,000\ €) \times (1/0{,}08) \times (1{,}08^{15} - 1) = 54\,304\ €$$

On dispose donc bien au bout de 15 ans de 63 443 – 54 304 = 9 139 €.

4.8. Calculer les flux, le taux d'intérêt ou le nombre de périodes

Jusqu'à présent, l'objectif a été de calculer la valeur actuelle ou future d'une séquence de flux. Il peut arriver que la valeur actuelle ou future soit connue, mais pas le montant des flux, le taux d'intérêt ou le nombre de périodes. Par exemple, lorsqu'on contracte un prêt, on sait combien on désire emprunter, on connaît le taux d'intérêt, mais pas, *a priori*, ce que l'on devra payer pour honorer le prêt. Autre exemple, on peut se demander combien de temps est nécessaire pour se constituer un certain capital, étant donné le montant que l'on est prêt à épargner à chaque période et le taux d'intérêt. Dans ces situations, la valeur actuelle et la valeur future sont des données et non des inconnues. Cette section montre comment résoudre ces problèmes.

Les flux sont inconnus

Prenons un exemple. L'entreprise Alpha envisage d'acheter à crédit une machine d'une valeur de 100 000 €. Sa banque est d'accord pour lui accorder ce prêt, mais demande à être remboursée au moyen de paiements annuels F égaux pendant les 10 prochaines années. Le taux d'intérêt est de 8 %. Si le premier versement a lieu dans un an, quel est le versement annuel F ? Du point de vue de la banque, l'échéancier est le suivant :

La valeur actuelle des flux reçus par la banque doit être égale au montant du prêt consenti, compte tenu du taux d'intérêt de 8 %, soit :

100 000 = VA (annuité de F par an pendant 10 ans actualisée au taux de 8 %)

D'après la formule de la valeur actuelle d'une annuité :

$$100\,000 = F \times \frac{1}{0,08}\left(1 - \frac{1}{1,08^{10}}\right) = F \times 6,71$$

d'où : F = 100 000 / 6,71 = 14 903 €. Les 10 versements annuels s'élèvent donc chacun à 14 903 €.

On peut aussi utiliser le tableur :

	B	C	D	E	F	G	H	I
4		N	TAUX	VA	F	VF	Formule Excel	
5	Sachant	10	8,00%	100 000		0		
6	Résoudre F				-14 903		=VPM(0,08,10,100000,0)	

De manière générale, lorsqu'on désire calculer le montant des remboursements liés à un prêt, il faut partir du fait que le montant emprunté (le principal) est égal à la valeur actuelle des remboursements. En inversant la formule de l'annuité constante, il est possible d'établir le montant des remboursements. Ainsi, du point de vue de la banque, l'échéancier d'un prêt d'un montant P, remboursé en N flux périodiques de montant F avec un taux d'intérêt r, est :

La valeur actuelle des versements est égale au montant du principal, donc :

$$P = VA(\text{annuité d'un montant } F \text{ pendant } N \text{ périodes}) = F \times \frac{1}{r}\left(1 - \frac{1}{(1+r)^N}\right)$$

L'inconnue de cette équation est F. Il faut par conséquent, pour résoudre l'équation, l'inverser afin d'obtenir le montant des versements F en fonction du montant du prêt P, du taux d'intérêt r et du nombre de versements N :

$$F = \frac{P}{\dfrac{1}{r}\left(1 - \dfrac{1}{(1+r)^N}\right)} \qquad (4.14)$$

Exemple 4.15

Calculer les flux liés au remboursement d'un prêt

L'entreprise Biotech désire acquérir une machine pour 500 000 €. Le vendeur exige un paiement comptant de 20 %. Pour le reste, il consent un prêt sur quatre ans, à échéances mensuelles constantes. Le taux d'intérêt mensuel est de 0,5 %. Quelle somme l'entreprise devra-t-elle débourser tous les mois ?

Solution

Le prêt porte sur 500 000 € – 100 000 € = 400 000 € à rembourser en 4 × 12 = 48 mois. L'échéancier, du point de vue du vendeur, est :

```
0              1              2              48
|--------------|--------------|-----...------|
-400 000 €     F              F              F
```

Si l'on utilise l'équation (4.14), le montant F de chaque remboursement est :

$$F = \frac{P}{\dfrac{1}{r}\left(1 - \dfrac{1}{(1+r)^N}\right)} = \frac{400\,000}{\dfrac{1}{0,005}\left(1 - \dfrac{1}{(1,005)^{48}}\right)} = 9\,394 \text{ €}$$

Il est aussi possible d'utiliser le tableur :

	A	B	C	D	E	F	G	H
4			N	TAUX	VA	F	VF	Formule Excel
5		Sachant	48	0,50%	-400 000		0	
6		Résoudre F				9 394		=VPM(0,005;48;-400000;0)

L'entreprise doit verser 9 394 € chaque mois pendant quatre ans pour rembourser le prêt consenti.

La même idée peut être utilisée pour définir les remboursements d'un prêt dont on connaît la valeur future et non la valeur actuelle. Prenons un exemple. Franck et Claire vont prochainement avoir un enfant et, par précaution, ils souhaitent épargner dès maintenant pour financer ses études supérieures. Leur épargne est rémunérée 7 % par an. Combien doivent-ils placer chaque année afin de disposer de 60 000 € quand l'enfant aura 18 ans ? L'échéancier est le suivant :

On cherche le montant de l'annuité constante dont la valeur future est de 60 000 € dans 18 ans. D'après l'équation (4.10) qui donne la valeur future d'une annuité :

$$60\,000 = VF\ (\text{annuité}) = F \times (1\,/\,0{,}07) \times (1{,}07^{18} - 1) = F \times 34$$

Donc $F = (60\,000\,/\,34) = 1\,765$ €. Les parents doivent épargner 1 765 € tous les ans pour disposer de 60 000 € dans 18 ans, si le taux d'intérêt est de 7 % par an. Avec le tableur :

	A	B	C	D	E	F	G	H
			N	TAUX	VA	F	VF	Formule Excel
4								
5		Sachant	18	7,00%	0		60 000	
6		Résoudre F				-1 765		=VPM(0,07,18,0,60000)

Le taux d'intérêt est inconnu

Il arrive que la valeur actuelle d'un projet et le montant des flux soient connus, au contraire du taux d'intérêt qui rend compatibles ces différents termes. Ce taux d'intérêt est appelé le **taux de rentabilité interne**, ou **TRI** (*Internal Rate of Return*, IRR) : par définition, *le taux de rentabilité interne est le taux d'intérêt qui annule la VAN.*

Considérons un projet qui nécessite un investissement immédiat de 1 000 € et qui rapporte 2 000 € dans six ans. L'échéancier est le suivant :

Quel est le taux d'intérêt r tel que la VAN de ce projet soit nulle ? Pour répondre à cette question, il faut résoudre l'équation suivante :

$$VAN = -1\,000 + \frac{2\,000}{(1+r)^6} = 0$$

Cela revient à chercher r tel que 1 000 € d'aujourd'hui ont une valeur future de 2 000 € dans six ans. L'équation se réécrit :

$$1 + r = (2\,000\,/\,1\,000)^{1/6} = 1{,}1225$$

Soit $r = 0{,}1225$. Ce taux d'intérêt est le taux de rentabilité interne du projet d'investissement : ce dernier dégage une rentabilité annuelle de 12,25 % pendant six ans.

Lorsqu'il y a seulement deux flux, comme dans l'exemple précédent, il est simple de calculer le TRI. Dans le cas général, on investit aujourd'hui un montant P et on reçoit VF dans N périodes ; donc : $P \times (1 + TRI)^N = VF$, ce qui implique :

$$TRI \text{ avec deux flux} = (VF\,/\,P)^{1/N} - 1 \qquad (4.15)$$

Qu'en est-il lorsqu'il y a plus de deux flux ? C'est généralement plus compliqué, sauf lorsqu'il s'agit d'une rente perpétuelle, comme le montre l'exemple 4.16.

Exemple 4.16

Calculer le TRI d'une rente perpétuelle

Betsy décide de fonder sa propre entreprise. Elle souhaite investir immédiatement 1 million d'euros dans un projet qui devrait générer, dès la fin de l'année prochaine, 100 000 € de bénéfices ; ce montant devrait ensuite croître de 4 % chaque année. Quel est le taux de rentabilité interne ?

Solution

Ce projet s'analyse comme une rente perpétuelle croissante au taux de 4 %. L'échéancier est le suivant :

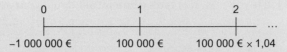

D'après l'équation (4.11), la valeur actuelle est égale à $F/(r-g)$. L'équation à résoudre est donc la suivante : $1\,000\,000 = 100\,000 / (r - 0{,}04)$, soit : $r = 100\,000 / 1\,000\,000 + 0{,}04 = 0{,}14$. Le TRI est donc de 14 %.

Plus généralement, si on investit un montant P en échange d'une rente perpétuelle de flux initial F croissante au taux g, alors le TRI s'obtient facilement par la formule suivante :

$$TRI \text{ d'une rente perpétuelle croissante} = F/P + g \qquad (4.16)$$

Considérons un exemple plus complexe. Une entreprise désirant acheter un monte-charge a le choix entre un achat comptant au prix de 40 000 € ou quatre versements annuels de 15 000 €. L'entreprise doit donc comparer le taux de l'emprunt proposé par le vendeur à celui qu'elle pourrait obtenir d'une banque. Il faut par conséquent calculer le taux d'intérêt implicite correspondant au crédit proposé par le vendeur, c'est-à-dire le TRI de ce prêt. L'échéancier du prêt est le suivant :

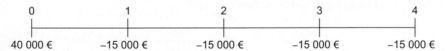

Le prêt proposé par le vendeur est une annuité comprenant quatre termes constants de 15 000 €. Cette annuité a une valeur actuelle de 40 000 € (car c'est ce que l'acheteur économise s'il choisit l'achat à crédit). Annuler la VAN des flux revient à égaliser la valeur actuelle des flux avec le prix d'achat :

$$40\,000 = 15\,000 \times \frac{1}{r}\left(1 - \frac{1}{\left(1+r\right)^{4}}\right)$$

La valeur r solution de cette équation est le TRI, c'est-à-dire ici le taux d'intérêt implicite de l'emprunt. Compte tenu de la forme de l'équation, il n'existe aucune manière simple de la résoudre. Le seul moyen de déterminer r est de procéder par tâtonnements, en essayant différentes valeurs de r et en se rapprochant peu à peu du résultat (un tableur peut aider…). En prenant comme point de départ $r = 10$ %, on trouve une valeur de l'annuité de :

$$15\,000 \times \frac{1}{0,1}\left(1 - \frac{1}{(1,1)^4}\right) = 47\,548$$

La valeur actuelle des versements est trop grande ; le taux d'intérêt doit donc être plus élevé, par exemple $r = 20\,\%$:

$$15\,000 \times \frac{1}{0,2}\left(1 - \frac{1}{(1,2)^4}\right) = 38\,831$$

La valeur actuelle des versements est désormais trop faible. Le taux d'intérêt est donc compris entre 10 % et 20 %. Avec 15 %, les remboursements sont trop faibles ; par conséquent, le taux est compris entre 15 % et 20 %. En réduisant progressivement l'intervalle, on se rapproche de la bonne solution, jusqu'à $r = 18,45\,\%$:

$$15\,000 \times \frac{1}{0,1845}\left(1 - \frac{1}{(1,1845)^4}\right) = 40\,000$$

Le taux d'intérêt du crédit proposé par le vendeur du monte-charge est de 18,45 %. L'entreprise doit comparer ce taux avec celui qu'elle aurait pu obtenir de sa banque, afin de choisir le crédit le moins coûteux.

Zoom sur...	**Le calcul du TRI par interpolation linéaire**

Un moyen rapide de calculer le TRI sans procéder à de trop nombreuses itérations (et sans utiliser un tableur) consiste à procéder par **interpolation linéaire**. On sait ici que le TRI est compris entre $r_1 = 10\,\%$ ($VAN_1 = 7\,548$) et $r_2 = 20\,\%$ ($VAN_2 = -1\,169$). Or, par application du théorème de Thalès :

$$\frac{r_1 - TRI}{r_1 - r_2} = \frac{VAN_1 - 0}{VAN_1 - VAN_2} \Leftrightarrow TRI = r_1 + \frac{(r_2 - r_1) \times VAN_1}{VAN_1 - VAN_2}$$

L'application de cette formule donne :

$$TRI = 10\,\% + \frac{(20\,\% - 10\,\%) \times 7\,548}{7\,548 - (-1169)} = 18,65\,\%$$

ce qui est proche du résultat exact (18,45 %). L'approximation sera d'autant meilleure que l'intervalle de taux d'intérêt sera petit au départ. Le chapitre 7 reviendra sur ce sujet pour traiter de situations plus complexes.

Exemple 4.17

Calculer le TRI d'une annuité

Betsy a réussi à convaincre une banque d'investissement de financer le million d'euros nécessaire au projet en échange de versements égaux à 125 000 € payables à chaque fin d'année pendant 30 ans. Quel est le taux de rentabilité interne réalisé par la banque, si le crédit est remboursé comme prévu ?

Solution

L'échéancier du point de vue de la banque est :

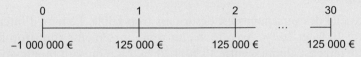

L'échéancier est celui d'une annuité de 30 ans. Le TRI est le taux qui annule la VAN :

$$1\,000\,000 = \frac{125\,000}{r}\left(1 - \frac{1}{\left(1+r\right)^{30}}\right)$$

Par approximations successives, ou avec un tableur, on converge vers la solution : le TRI pour la banque est de 12,09 %.

	A	B	C	D	E	F	G	H
4			N	TAUX	VA	F	VF	Formule Excel
5		Sachant	30		-1 000 000	125 000	0	
6		Résoudre TAUX		12,09%				=TAUX(30,125000,-1000000,0)

Utiliser Excel **La fonction TRI**

Il est possible d'utiliser directement la fonction TRI d'Excel qui est de la forme =TRI(VALEURS, ESTIMATION), avec VALEURS la série des flux et ESTIMATION le taux utilisé pour la première itération (optionnel). Par exemple :

	A	B	C	D	E
1	Période	0	1	2	3
2	Flux Ft	-1 000	300	400	500
3	TRI	8,9%	=TRI(B2:E2)		

La fonction TRI est à utiliser avec prudence, car elle doit inclure tous les flux du projet, le premier se produisant à la date 0 (à la différence de la fonction VAN !). La fonction TRI ignore également les cellules vides. Par ailleurs, la séquence de flux doit contenir au moins une valeur négative. Enfin, comme on le verra au chapitre 7, la fonction TRI admet parfois plusieurs solutions, ou aucune.

Le nombre de périodes est inconnu

Il est enfin possible de calculer le nombre de périodes nécessaire pour qu'un capital initial atteigne un certain montant compte tenu du taux d'intérêt et des valeurs actuelle et future. Prenons un exemple. Théo place 10 000 € sur un compte rémunéré à 10 % par an et souhaite savoir combien de temps il doit attendre avant de disposer de 20 000 € :

L'inconnue est N :

$$VF = 10\ 000\ € \times 1,1^N = 20\ 000\ €$$

Il est possible de procéder par tâtonnements successifs, comme pour le TRI : pour $N = 7$ ans, $VF = 19\ 487\ €$, ce qui est inférieur à 20 000 €. Pour $N = 8$ ans, $VF = 21\ 436\ €$. Il faut donc entre sept et huit ans pour que le placement initial dépasse les 20 000 €. En fait, environ 7,3 ans (soit un peu moins de sept ans et quatre mois) sont nécessaires. On peut également trouver la réponse directement. En divisant chaque membre de l'équation précédente par 10 000 €, on obtient :

$$1,1^N = 20\ 000 / 10\ 000 = 2$$

Pour résoudre cette équation, dans laquelle l'inconnue est à la puissance, il faut utiliser une des propriétés de la fonction **logarithme népérien** : $\ln(x)^y = y \ln(x)$. Appliquée à la formule précédente, cette propriété permet d'obtenir :

$$N \ln(1,1) = \ln(2)$$

$$N = \ln(2) / \ln(1,1) = 0,6931 / 0,0953 \sim 7,27\ \text{ans}$$

En utilisant un tableur, on obtient évidemment la même solution :

	A	B	C	D	E	F	G	H
4			N	TAUX	VA	F	VF	Formule Excel
5		Sachant		10,00%	-10 000	0	20 000	
6		Résoudre N	7,27					=NPM(0,1,0,-10000,20000)

La « **règle des 72** ». Combien de temps faut-il pour qu'un capital double, compte tenu du taux d'intérêt ? Autrement dit, combien d'années faut-il pour que la valeur future d'un placement de 1 € au taux d'intérêt r soit égale à 2 € ? On cherche N tel que :

$$VF = 1 \times (1 + r)^N = 2\ €$$

Une approximation d'assez bonne qualité est : $N = 72 / r$. Ainsi, avec un taux d'intérêt de 9 %, il faut environ $72 / 9 = 8$ périodes pour qu'un capital double ($1,09^8 = 1,99$). La « règle des 72 » est assez précise lorsque le taux d'intérêt est supérieur à 2 % (l'erreur est inférieure à une période).

Calculer le nombre de périodes pour atteindre un capital donné

Lilou épargne pour se constituer un apport personnel en vue d'un achat immobilier. Elle dispose déjà de 10 050 € et peut épargner 5 000 € à la fin de chaque année. L'épargne est rémunérée à 7,25 % par an. Combien d'années doit-elle attendre avant de disposer de 60 000 € ?

...

Exemple 4.18

Exemple 4.18

…

Solution

L'échéancier de ce problème est :

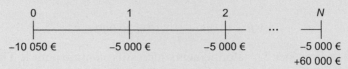

On cherche N tel que la valeur future de la séquence de flux (apport initial compris) soit égale au montant désiré :

$$10\,050 \times 1,0725^N + 5\,000 \times (1/0,0725) \times (1,0725^N - 1) = 60\,000$$

ce qui peut se réécrire :

$$1,0725^N = (60\,000 \times 0,0725 + 5\,000) / (10\,050 \times 0,0725 + 5\,000) = 1,632$$

Grâce aux propriétés de la fonction logarithme, il vient :

$$N = \ln(1,632) / \ln(1,0725) = 7 \text{ ans}$$

Lilou devra attendre sept ans avant de disposer de la somme désirée.

Résumé

4.1. L'échéancier des flux

- Un échéancier des flux est une représentation graphique d'une séquence de flux très utile pour clarifier un problème financier.

4.2. Les trois règles du « voyage dans le temps »

- Les trois règles du « voyage dans le temps » sont :
    - **a.** Seuls des flux se produisant au même moment peuvent être comparés ou combinés.
    - **b.** Pour transposer un flux dans le futur, il faut le capitaliser.
    - **c.** Pour transposer un flux dans le passé, il faut l'actualiser.
- La valeur future dans n périodes d'un flux F reçu aujourd'hui est :

$$VF_n = F \times (1 + r)^n \tag{4.1}$$

- La valeur actuelle d'un flux F reçu dans n périodes est :

$$VA = F / (1 + r)^n \tag{4.2}$$

4.3. Valeur actuelle et future d'une séquence de flux

- La valeur actuelle VA d'une séquence de flux est :

$$VA = \sum_{n=0}^{N} \frac{F_n}{(1+r)^n} \tag{4.4}$$

- La valeur future VF_n d'une séquence de flux à la date n de valeur actuelle VA est :

$$VF_n = VA \times (1+r)^n \tag{4.5}$$

4.4. Valeur actuelle nette d'une séquence de flux

- La VAN d'une opportunité d'investissement est égale à la valeur actuelle de ses bénéfices moins ses coûts : VA(Bénéfices – Coûts).

4.5. Rentes perpétuelles et annuités

- Une rente perpétuelle est un titre de dette qui prévoit le paiement régulier d'intérêts mais pas le remboursement du capital ; une rente perpétuelle n'a donc théoriquement aucun terme.

- Une rente perpétuelle constante paie un flux constant F à chaque période jusqu'à l'infini. La valeur actuelle d'une rente perpétuelle est :

$$VA = F/r \tag{4.7}$$

- Une annuité est une séquence de N flux égaux se produisant à intervalles réguliers. L'intervalle de temps séparant deux flux consécutifs est la période ; celle-ci n'est pas nécessairement égale à une année.

- En cas d'annuité constante, le flux F versé à la fin de chaque période pendant N périodes est le même. La valeur actuelle d'une annuité constante est :

$$VA = F \times \frac{1}{r} \left(1 - \frac{1}{(1+r)^N} \right) \tag{4.9}$$

La valeur future d'une annuité constante à la fin de ladite annuité est :

$$VF_n = F \times \frac{1}{r} \left((1+r)^N - 1 \right) \tag{4.10}$$

- Si les flux croissent au taux constant g à chaque période, la valeur actuelle d'une rente perpétuelle croissante est :

$$VA = F/(r-g) \tag{4.11}$$

Et la valeur actuelle d'une annuité croissante est :

$$VA = F \times \frac{1}{r-g} \left(1 - \left(\frac{1+g}{1+r} \right)^N \right) \tag{4.12}$$

4.6. Le cas des flux infra-annuels

- Une séquence de flux mensuels (ou à toute autre fréquence) s'évalue exactement selon la même logique que des flux annuels, à condition que le taux d'intérêt et le nombre de périodes soient exprimés en base mensuelle (ou dans la base correspondante).

4.7. L'utilisation d'un tableur

- Excel ou Calc disposent de fonctions qui facilitent les calculs financiers ; il convient toutefois d'être prudent en utilisant les fonctions financières préprogrammées.

4.8. Calculer les flux, le taux d'intérêt ou le nombre de périodes

- Le flux F de remboursement périodique d'un prêt à annuités constantes, de principal P sur N périodes au taux d'intérêt r, est :

$$F = \dfrac{P}{\dfrac{1}{r}\left(1 - \dfrac{1}{\left(1+r\right)^N}\right)} \tag{4.14}$$

- Le taux de rentabilité interne (TRI) est le taux d'intérêt qui annule la VAN de l'opportunité d'investissement. Quand il n'y a que deux flux :

$$TRI \text{ avec deux flux} = (VF/P)^{1/N} - 1 \tag{4.15}$$

- Quand il s'agit d'une rente perpétuelle croissante au taux g :

$$TRI \text{ d'une rente perpétuelle croissante} = F/P + g \tag{4.16}$$

Exercices

L'astérisque désigne les exercices les plus difficiles.

1. Sylvain et Marion désirent acheter des alliances en vue de leur mariage. Ils empruntent pour cela 4 000 € et devront en échange rembourser 1 000 € à la fin de chaque année pendant 5 ans. Quel est l'échéancier des flux du point de vue de Sylvain et Marion ? Et du point de vue de la banque ?

2. Un emprunt immobilier contracté il y a quatre ans prévoit des versements mensuels de 1 500 €. Le flux le plus récent vient d'avoir lieu. L'emprunt arrivera à son terme dans 26 ans (son terme initial était de 30 ans). Quel est l'échéancier du point de vue de l'emprunteur ? Et du point de vue de la banque ?

3. Calculez la valeur future de 2 000 € :

   a. Dans 5 ans avec un taux d'intérêt de 5 % par an.

   b. Dans 10 ans avec un taux d'intérêt de 5 % par an.

   c. Dans 5 ans avec un taux d'intérêt de 10 % par an.

   d. Pourquoi les intérêts en a sont-ils inférieurs à la moitié de ceux en b ?

4. Calculez la valeur actuelle de 10 000 € reçus :

   a. dans 12 ans avec un taux d'intérêt de 4 % par an ;

   b. dans 20 ans avec un taux d'intérêt de 8 % par an ;

   c. dans six ans avec un taux d'intérêt de 2 % par an.

5. On propose à Lilou 5 000 € aujourd'hui ou 10 000 € dans 10 ans. Le taux d'intérêt annuel est de 7 %. Que doit-elle choisir ?

6. Théo doit choisir entre les trois options suivantes : 100 € à recevoir dans un an ; 200 € à recevoir dans cinq ans ; 300 € à recevoir dans 10 ans. Quelles sont les options les plus et moins favorables si le taux d'intérêt annuel est de 10 % ? Et si le taux d'intérêt est de 5 % ? 20 % ?

7. Vous avez investi 1 000 € sur un compte rémunéré au taux de 8 % par an. Quel est le solde de votre compte après trois ans et combien avez-vous touché d'intérêts sur les intérêts ? Même question après 25 ans.

8. Une banque propose un compte épargne à 2 %, assorti d'un bonus dans cinq ans égal à la moitié des intérêts perçus si le dépôt initial n'a pas été retiré jusque-là. Quelle est la rentabilité de l'épargne au bout de cinq ans ?

9. Un couple désire disposer de 100 000 € sur un compte bancaire dans 10 ans. Ce compte est rémunéré à 3 % par an. Combien doit-il déposer aujourd'hui sur le compte ?

10. Olivier envisage son départ à la retraite : il aura le choix entre recevoir 250 000 € à son départ ou 350 000 € cinq ans après son départ. Quelle alternative doit-il retenir si le taux d'intérêt est de 0 % par an ? 8 % par an ? 20 % par an ?

11. Un grand-père a placé de l'argent le jour de la naissance de son petit-fils. Ce dernier a désormais 18 ans et peut pour la première fois retirer l'argent de ce compte. Le solde du compte est de 3 996 €. Le taux d'intérêt est de 8 %. Quelle sera la somme sur le compte si le petit-fils n'y touche pas jusqu'à ses 25 ans ? Si le petit-fils n'y touche pas jusqu'à ses 65 ans ? Quelle somme a été initialement déposée par le grand-père ?

12. Vous recevrez 100 € à la fin de chaque année pendant les trois prochaines années.

    a. Si le taux d'intérêt est de 8 %, quelle est la valeur présente de cette séquence de flux ?

    b. Quelle est la valeur future dans trois ans de la valeur présente de la séquence de flux ?

    c. Supposons que vous déposiez les 100 € que vous recevez chaque année sur un compte rémunéré au taux de 8 %. Quel serait le solde de ce compte dans trois ans ?

13. Tony vous propose d'investir dans une start-up 10 000 € dans un an, 20 000 € dans deux ans et 30 000 € dans trois ans. Le taux d'intérêt est de 3,5 % par an. Quelle est la valeur actuelle de cette proposition ? Quelle est la valeur future de cette proposition dans trois ans (à la date du dernier paiement) ?

14. Arnaud a emprunté de l'argent et doit rembourser 1 000 € à la fin de chacune des trois prochaines années. La banque lui propose de ne pas payer les deux premiers versements et de faire un versement unique dans trois ans. Le taux d'intérêt est de 5 %. Quel est le montant du versement unique tel qu'Arnaud soit indifférent entre ce schéma de remboursement et ce qui était initialement prévu ?

15. En investissant aujourd'hui 10 000 €, Delphine recevra 500 € dans un an, 1 500 € dans deux ans et 10 000 € dans 10 ans. Quelle est la VAN de cette opportunité d'investissement si le taux d'intérêt est de 6 % par an ? Doit-elle accepter cette opportunité ? Mêmes questions si le taux d'intérêt est de 2 % par an.

16. Une entreprise envisage l'investissement suivant : verser 1 000 € aujourd'hui puis 5 000 € dans deux ans pour recevoir 4 000 € à la fin de chacune des trois prochaines années. Quelle est la VAN de ce projet si le taux d'intérêt est de 2 % ? L'entreprise doit-elle réaliser l'investissement ?

17. Jim épargne sur un compte à 4 % 1 000 € par an, mais retire 3 000 € tous les trois ans. Quel est le solde du compte au bout de 18 ans ?

18. Géo Trouvetout a dessiné les plans d'une presse permettant d'imprimer des billets en euros (c'est interdit par la loi…). Son principal défaut est sa lenteur : il faut un an pour imprimer 100 €. Une fois construite, la presse fonctionne éternellement et n'a pas besoin de maintenance. Elle peut être construite immédiatement. Son coût de fabrication est de 1 000 €. Le taux d'intérêt est de 9,5 %. Faut-il fabriquer la presse ?

19. Quelle est la réponse à l'exercice précédent s'il faut un an pour construire la presse à billets ?

20. L'État britannique a émis une rente perpétuelle (une obligation *consol*) offrant 100 £ d'intérêts, à l'infini. Le taux d'intérêt est de 4 %. Quelle est la valeur de l'obligation immédiatement après le versement annuel des intérêts ? Quelle est la valeur de l'obligation juste avant ?

21. Quelle est la valeur actuelle de 1 000 € versés à la fin de chacune des 100 prochaines années si le taux d'intérêt est de 7 % par an ?

*22. Une fondation décide de financer à l'infini une école de musique. Pour cela, la fondation verse à l'école 1 million d'euros tous les cinq ans. Le premier versement aura lieu dans cinq ans. Le taux d'intérêt est de 8 %. Quelle est la valeur actuelle du don accordé par la fondation ?

*23. Pour acheter votre maison, vous avez obtenu un crédit sur 30 ans au taux de 6 % avec des remboursements annuels de 1 200 €. Vous venez juste de payer une annuité, et vous décidez de rembourser le prêt par anticipation. Cela implique de verser à la banque le solde du crédit. Quel montant devez-vous verser à la banque si cela fait 12 ans que vous avez emprunté (il reste 18 annuités) ? Si cela fait 20 ans ? Et si cela fait 12 ans mais que vous décidez de rembourser l'emprunt juste avant la douzième annuité ?

24. Vous venez d'avoir 25 ans et vous décidez de commencer à épargner pour votre retraite. Vous prévoyez d'épargner 5 000 € à la fin de chaque année (le premier flux aura lieu dans un an) jusqu'à l'âge de 65 ans. Le taux d'intérêt est de 8 % par an. Quel sera votre patrimoine au moment de votre départ à la retraite ? Même question si vous attendez d'avoir 35 ans pour commencer à épargner.

25. Une grand-mère verse chaque année 1 000 € sur un compte bancaire pour son petit-fils. Le premier versement a eu lieu le jour de son premier anniversaire. Le compte bancaire offre une rémunération annuelle de 3 %. Quelle est la somme disponible sur le compte juste après les 18 ans du petit-fils ?

26. André vient de gagner à la loterie une rente perpétuelle croissante. Le premier versement aura lieu dans un an. Il sera de 1 000 €. Chaque année, le flux croît de 8 %. Le taux d'intérêt est de 12 %. Quelle est la valeur actuelle de la rente ? Quelle est la valeur de la rente juste après le premier versement ?

*27. L'entreprise Dupain envisage de construire une machine qui lui permettra d'économiser 1 000 € la première année. La machine s'use au fil du temps, le montant des économies qu'elle autorise diminue donc de 2 % par an à l'infini. Quelle est la valeur actuelle des économies permises par la machine, si le taux d'intérêt est de 5 % par an ?

28. Un laboratoire pharmaceutique a développé un nouveau médicament. Son brevet a une durée de 17 ans. Les bénéfices permis par ce médicament seront de 2 millions d'euros la première année, puis ils augmenteront de 5 % par an pendant la durée du brevet. Au terme de la période, un générique sera autorisé sur le marché, ce qui fera tomber les bénéfices à 0. Quelle est la valeur actuelle du médicament, si le taux d'intérêt est de 10 % ?

29. Marie vient de s'inscrire dans une école privée. Les droits de scolarité s'élèvent à 10 000 € par an, payables au début de chaque année scolaire. Elle restera dans cet établissement jusqu'à son baccalauréat, dans 13 ans. Au cours de la période, les droits de scolarité augmenteront de 5 % par an. Quelle est la valeur actuelle des droits de scolarité si le taux d'intérêt est de 5 % par an ?

30. Un père promet à son fils de lui verser 5 000 € dans un an, puis d'augmenter le versement de 5 % chaque année. Il y aura 20 versements en tout. Avec un taux d'intérêt de 5 %, quelle est la valeur actuelle de ces dons ?

31. Une entreprise devrait voir ses bénéfices croître de 30 % par an pendant les cinq prochaines années. À l'issue de cette période, de nouveaux concurrents apparaîtront, réduisant la croissance des bénéfices à 2 % par an à l'infini. L'entreprise vient d'annoncer un bénéfice de 1 million d'euros. Quelle est la valeur actuelle de ses bénéfices totaux, si le taux d'intérêt est de 8 % ? Chaque flux a lieu en fin d'année.

*32. Jeanne a écrit il y a 10 ans un roman à succès ; son éditeur lui a versé chaque année des droits d'auteur, égaux à 15 % du chiffre d'affaires du roman tel qu'annoncé par l'éditeur. Ce chiffre d'affaires a été de 1 million d'euros la première année et a augmenté ensuite de 5 % chaque année. Un audit vient de mettre à jour une fraude de l'éditeur qui a sous-estimé les volumes de vente du livre : Jeanne aurait dû recevoir chaque année 10 % de plus.

   a. Si l'on suppose que l'éditeur offre un taux d'intérêt de 4 % sur les paiements en retard, quelle somme l'éditeur doit-il à Jeanne ?

   b. L'éditeur n'a pas les moyens de payer cette somme immédiatement ; il propose donc à Jeanne de la rembourser sous la forme d'une augmentation de ses droits d'auteur futurs. On suppose que le roman de Jeanne continuera à se vendre pendant 20 ans et que la croissance des ventes se poursuivra au même rythme. Jeanne peut placer son épargne sur un compte rémunéré au taux de 3 %. Quel pourcentage doivent représenter les droits d'auteur futurs de Jeanne pour qu'elle ait intérêt à accepter la proposition de l'éditeur ?

*33. Votre oncle propose de vous donner de l'argent pendant 20 ans : 100 € dans un an, puis 3 % de plus chaque année. Combien faudrait-il placer aujourd'hui au taux annuel de 6 % pour obtenir les mêmes flux pendant 20 ans ? Calculez, avec l'aide d'un tableur, le solde du compte bancaire à chaque fin d'année, pour vérifier qu'il atteint 0 au bout de 20 ans.

34. Supposons que vous ayez 5 000 € sur votre compte épargne rémunéré à un taux de 0,5 % par mois. Si vous ne réalisez aucun dépôt ni retrait, quel sera le solde de votre compte dans cinq ans ?

35. Votre entreprise dépense 5 000 € par mois en frais d'impression et d'affranchissement pour ses envois de prospectus publicitaires. Si le taux d'actualisation est de 0,5 % par mois, quelle est l'économie que l'on pourrait réaliser en envoyant les prospectus par e-mail ?

36. Estelle vient d'être admise en Master Finance. Elle a obtenu de sa banque un prêt étudiant qui lui permettra d'obtenir 1 000 € à chaque fin de mois pendant 21 mois. Le taux d'intérêt mensuel est de 1 %. Quel montant Estelle devra-t-elle rembourser au terme de sa scolarité, dans 22 mois ?

37. Gaëlle décide d'acheter une rente perpétuelle. L'obligation donne droit à un versement en fin d'année, à l'infini. Le taux d'intérêt est de 5 %. Gaëlle a acheté l'obligation 1 000 €. Quelle est la valeur des intérêts annuels ?

38. Samuel envisage d'acheter une maison coûtant 350 000 €. Il dispose de 50 000 € d'apport personnel mais il doit emprunter le solde. La banque lui propose un prêt

sur 30 ans au taux de 7 % par an. S'il accepte ce prêt, quel sera le montant du remboursement annuel ?

*39. Samuel accepte le prêt proposé à l'exercice précédent. Toutefois, il ne souhaite pas payer plus de 23 500 € par an. Sous cette condition, la banque accepte de lui prêter les 300 000 € nécessaires. À la fin du prêt (dans 30 ans), Samuel devra procéder au paiement du « ballon » du prêt, c'est-à-dire solder le prêt en remboursant tout ce qui ne l'a pas été. Quel sera le montant de ce ballon ?

40. Alexandre vient de faire une offre de 600 000 € pour l'achat d'un appartement. Sa banque lui propose deux prêts immobiliers à mensualités constantes : le premier sur 30 ans au taux d'intérêt de 0,5 % par mois ; le second sur 15 ans au taux d'intérêt de 0,4 % par mois. Quel est le montant des mensualités dans chacun des cas ?

41. Alexandre a choisi le premier prêt de l'exercice précédent. Quel montant lui restera-t-il à rembourser dans 15 ans ?

42. Henri dispose de 1 000 000 € qu'il souhaite transmettre à ses trois neveux : Charles, 16 ans, Clément, 13 ans et Maxence, 8 ans. Il leur ouvre donc à chacun un compte épargne dont le taux est de 2 %. Henri souhaite répartir son don de sorte que chacun dispose du même montant nominal à sa majorité (il s'agit d'un don qui prendra effet de son vivant ; si la transmission ne prenait effet qu'après son décès, on parlerait d'un legs). Comment Henri doit-il répartir son capital ? Cette répartition est-elle juste ? Sinon, que faudrait-il faire ?

*43. Marion envisage d'acheter une œuvre d'art d'une valeur de 50 000 €. Le vendeur lui propose un prêt qu'elle remboursera à raison d'un versement tous les deux ans pendant les 20 prochaines années. Le taux d'intérêt est de 4 %. Quel montant devra-t-elle verser tous les deux ans ?

44. Constance a 30 ans aujourd'hui. Elle décide de verser chaque année un montant identique sur un compte d'épargne pour sa retraite. Le premier versement a lieu aujourd'hui, le dernier le jour de son 65e anniversaire. Le taux d'intérêt est de 5 %. Quel montant Constance doit-elle verser chaque année si elle veut disposer de 2 millions d'euros sur son compte le jour de ses 65 ans ?

*45. Constance réalise que le plan retraite de l'exercice précédent a un défaut : son revenu augmente chaque année, il lui semble logique d'épargner moins maintenant et plus ensuite. Elle décide donc d'augmenter ses versements de 7 % chaque année. Quel montant Constance doit-elle verser aujourd'hui sur son compte d'épargne si elle veut disposer de 2 millions d'euros le jour de ses 65 ans ?

46. Vous avez 35 ans et vous avez décidé d'épargner 5 000 € à la fin de chaque année (le premier flux est dans un an) jusqu'à l'âge de 65 ans pour votre retraite. Le taux d'intérêt est de 8 % par an. Une fois à la retraite, quel montant fixe pourrez-vous retirer chaque année (le premier retrait est prévu à 66 ans) jusqu'à l'âge de 90 ans ?

*47. À tout juste 30 ans, Émilie vient d'obtenir un premier poste à responsabilité. Elle souhaite se constituer une retraite complémentaire. Elle prévoit de travailler sans interruption jusqu'à 65 ans et de vivre jusqu'à 100 ans. Elle estime que pour vivre confortablement, une fois à la retraite, elle aura besoin de 100 000 € par an, le premier flux survenant à la fin de sa première année de retraite. Elle va épargner un montant constant chaque année de sa vie active en commençant dans un an. Le taux d'intérêt est de 7 % par an. Quel montant Émilie doit-elle épargner chaque année ?

*48. L'exercice précédent n'est pas très réaliste : il est rare que l'épargne-retraite soit constante dans le temps. En général, on préfère épargner un pourcentage fixe de ses revenus. Le salaire de départ d'Émilie est de 75 000 €. Il augmentera de 2 % par an jusqu'à sa retraite. Quel pourcentage de son revenu doit-elle épargner chaque année pour disposer de l'épargne nécessaire le jour de sa retraite ?

49. Un projet requiert un investissement initial de 5 000 € aujourd'hui et donne droit à 6 000 € dans un an. Quel est le TRI du projet ?

50. Supposons que vous puissiez investir 2 000 € aujourd'hui pour recevoir 10 000 € dans cinq ans. Calculez le TRI. En investissant 2 000 €, quel montant fixe devez-vous recevoir à la fin de chaque année pendant cinq ans pour bénéficier du même TRI ?

51. Un concessionnaire automobile propose une Rono contre quatre versements annuels de 10 000 €. Il est également possible d'acheter la Rono comptant pour 32 500 €. Quel est le taux d'intérêt implicite du crédit proposé par le concessionnaire, autrement dit quel est le TRI ? On considère que les paiements ont lieu en fin d'année.

52. Une banque propose de verser éternellement 100 € chaque année en échange d'un dépôt de 1 000 € aujourd'hui. Le premier versement aura lieu dans un an. Quel est le taux d'intérêt offert par la banque, autrement dit quel est le TRI de cet investissement ?

53. Yohan envisage d'acheter un entrepôt pour un coût de 500 000 €. Louer un espace équivalent lui coûterait aujourd'hui 20 000 € par an, mais le loyer est susceptible d'augmenter. Si le taux d'intérêt est de 6 %, quel est le taux de croissance du prix de la location tel que les deux options soient équivalentes ?

*54. Un producteur de pélardon (un fromage des Cévennes) commercialise quatre variétés de sa production, en fonction de la durée d'affinage : deux mois, neuf mois, 15 mois, deux ans. En boutique, chaque variété est vendue respectivement 7,95 € ; 9,49 € ; 10,95 € et 11,95 € le kilo. Le producteur dispose d'un entrepôt de stockage qui ne lui coûte rien. Il hésite à propos du moment auquel il doit vendre ses fromages. Quel est le TRI (exprimé en pourcentage par mois) de l'investissement consistant à stocker aujourd'hui 10 kg de pélardon âgés de deux mois afin de pouvoir en vendre 5 kg âgés de neuf mois, 3 kg âgés de 15 mois et 2 kg âgés de deux ans ?

*55. Un jeune retraité vient de placer 200 000 € dans une assurance-vie lui offrant une annuité de 25 000 € par an jusqu'à son décès. Le taux d'intérêt est de 5 %. Combien d'années le retraité doit-il vivre afin que la valeur actualisée reçue au titre de l'annuité dépasse la somme qu'il a déboursée ?

*56. Une entreprise envisage de construire une usine réalisant 1 million d'euros de chiffre d'affaires par an aussi longtemps qu'elle fonctionnera. Les coûts de maintenance de l'usine sont de 50 000 € la première année, puis augmentent de 5 % par an. Les revenus et les coûts se produisent en fin d'année. L'entreprise ne fermera pas l'usine tant que celle-ci sera profitable (à savoir tant que son CA dépassera le coût de maintenance). Le coût de construction de l'usine est de 10 millions d'euros. Le taux d'intérêt est de 6 % par an. Faut-il construire l'usine ?

Étude de cas – La valeur d'un diplôme

Carole vient d'avoir 30 ans ; elle est diplômée en informatique. Elle est salariée d'une entreprise de télécommunications. Son salaire annuel est de 38 000 € et elle pense qu'il va augmenter de 3 % par an. Carole espère partir à la retraite à l'âge de 65 ans. Elle possède aujourd'hui 75 000 €, actuellement investis en obligations du Trésor français d'échéance 30 ans. Elle souhaite reprendre ses études, et utilisera son épargne pour payer ses frais de scolarité[7]. Carole hésite entre deux formations et désire étudier les conséquences financières de chacune des deux options.

La première option consiste à obtenir un certificat en sécurité informatique qui lui permettrait de monter d'un échelon dans son entreprise et de gagner 10 000 € de plus qu'actuellement. Cet écart de salaire devrait ensuite augmenter de 3 % par an, aussi longtemps qu'elle travaillera. La préparation à l'examen se fait par correspondance sur une période d'un an ; le programme coûte 5 000 €, payables en début d'année. Carole peut se préparer durant son temps libre et n'envisage aucune perte de revenu pendant la préparation.

L'autre option consiste à faire un MBA qui lui permettra d'augmenter son salaire de 20 000 €. Cet écart de salaire devrait ensuite augmenter également de 3 % par an, aussi longtemps qu'elle travaillera. Les cours s'étalent sur trois ans et coûtent 25 000 € par an, payables au début de chaque année. Organisé pour des salariés en activité, le MBA permet à Carole de continuer à travailler.

1. Déterminez le taux d'intérêt offert actuellement par les obligations du Trésor 30 ans. Le site web de la Banque de France fournit les informations requises (onglet Statistiques> Taux et cours).

2. Construisez à l'aide d'un tableur l'échéancier des flux de chaque option en considérant que le salaire de Carole lui est versé en une fois, à la fin de l'année, et que l'augmentation de son salaire sera effective un an après la fin de la formation considérée.

3. Calculez la valeur actuelle du différentiel de salaire dans chacune des deux options. Calculez ensuite les VAN de chaque option en soustrayant le coût (actualisé, si besoin) de la formation considérée.

4. Quel choix doit faire Carole ? Qu'en est-il si les deux options sont mutuellement exclusives (il n'y a aucun avantage à suivre les deux formations) ? Quel serait le taux d'intérêt à partir duquel Carole changerait d'avis ?

---

7. Si Carole n'a pas l'argent nécessaire, elle peut l'emprunter. Plus original, elle pourrait également vendre une fraction de ses revenus futurs. Cette idée suscite un intérêt croissant de la part des chercheurs et entrepreneurs : M. Palacios (2004), *Investing in Human Capital: A Capital Markets Approach to Student Funding*, Cambridge University Press.

Chapitre 5
Les taux d'intérêt

Au chapitre 4, le taux d'intérêt était unique et connu. En pratique, il existe de nombreux taux d'intérêt : ils diffèrent suivant les banques, suivant le type de compte et même suivant le statut des clients. Fin 2019, en France, le taux d'intérêt proposé par le Livret A était de 0,75 %, celui du Livret d'épargne populaire (LEP) de 1,25 %, tandis que BforBank proposait un compte d'épargne rémunéré à 2 % pendant deux mois (mais seulement à ses nouveaux clients). Les taux d'intérêt varient également selon l'horizon de placement : fin 2019, les titres de dettes émis par l'État français d'échéance un an (les bons du Trésor) affichaient un taux d'intérêt négatif de - 0,6 %, tandis que les titres d'échéance 30 ans (les obligations assimilables du Trésor) offraient 0,5 %. Les taux d'intérêt varient enfin en fonction du risque présenté par l'emprunteur : l'État français emprunte à des taux plus faibles que Sanofi, qui elle-même emprunte à des taux inférieurs à ceux d'une PME. Dans ces conditions, comment choisir le taux d'intérêt adapté pour calculer la valeur actuelle ou future d'une opportunité d'investissement ?

Ce chapitre présente les déterminants des taux d'intérêt ainsi que l'approche pour choisir le « bon » taux d'intérêt à utiliser lors de calculs financiers. La section 5.1 détaille la manière dont les taux d'intérêt sont cotés et peuvent être utilisés pour des calculs financiers. La section 5.2 illustre cela en l'appliquant aux différentes modalités de remboursement d'emprunts. Les principaux déterminants des taux d'intérêt, comme l'inflation, la politique monétaire, le risque ou la fiscalité, sont détaillés à la section 5.3. Enfin, la section 5.4 introduit le concept de coût d'opportunité du capital.

5.1. Cotation et calcul des taux d'intérêt

Avant de déterminer le taux d'intérêt approprié, il faut comprendre la façon dont les taux d'intérêt sont cotés. Ces derniers peuvent être cotés sur une base annuelle (comme au chapitre 4) ou sur une base semestrielle, mensuelle, journalière… En tout état de cause, il est rare que la base temporelle de cotation corresponde exactement à la durée du projet examiné. Il est donc fréquent de devoir ajuster le taux d'intérêt pour qu'il corresponde à l'échéancier du projet considéré.

Le taux annuel effectif

Les taux d'intérêt sont le plus souvent exprimés sous la forme d'un **taux annuel effectif** (*Effective Annual Rate*), noté TAE, qui indique le montant des intérêts à percevoir dans un an. Par exemple, avec un TAE de $r = 5$ %, un placement de 100 000 € aujourd'hui permet de gagner dans un an :

$$100\ 000\ € \times (1 + r) = 100\ 000\ € \times 1,05 = 105\ 000\ €$$

et dans deux ans :

$$100\ 000\ € \times (1 + r)^2 = 100\ 000\ € \times 1,05^2 = 110\ 250\ €$$

Le taux équivalent

Un placement au taux annuel de 5 % pendant deux ans équivaut donc à un placement au taux de 10,25 % sur deux ans :

$$100\ 000\ € \times 1,05^2 = 100\ 000\ € \times 1,1025 = 110\ 250\ €$$

Plus généralement, à partir d'un TAE, il est facile de calculer le **taux équivalent** pour une période supérieure à un an en élevant à la puissance appropriée le **facteur de taux d'intérêt** $(1 + r)$.

La méthode est identique lorsqu'il s'agit de trouver le taux d'intérêt équivalent pour des périodes plus courtes que l'année. Dans ce cas, la puissance associée au facteur de taux d'intérêt $(1 + r)$ est une fraction. Ainsi, bénéficier de 5 % d'intérêt par an équivaut à recevoir chaque semestre pour 1 € investi :

$$(1 + r)^{1/2} = 1,05^{1/2} = 1,0247\ €$$

Un TAE de 5 % équivaut donc à un taux semestriel de 2,47 %. Ce résultat se vérifie en calculant les intérêts que l'on aurait accumulés au bout d'un an grâce à deux placements semestriels successifs au taux de 2,47 % :

$$(1 + r)^2 = 1,0247^2 = 1,05\ €$$

De manière générale, *deux taux d'intérêt se rapportant à des périodes de longueurs différentes sont dits équivalents s'ils procurent des valeurs futures identiques au terme de la même durée de placement.* Il est possible de convertir un taux d'intérêt r pour une période en un taux d'intérêt équivalent pour n périodes grâce à la formule :

$$\text{Taux équivalent pour } n \text{ périodes} = (1 + r)^n - 1 \qquad (5.1)$$

Dans cette formule, n peut être supérieur à 1 (pour calculer un taux sur une durée supérieure à une période) ou inférieur à 1 (pour calculer un taux sur une durée inférieure à une période). Quand on calcule une valeur actuelle ou future, il convient de retenir comme taux d'actualisation un taux cohérent avec la périodicité des flux. Cet ajustement est *indispensable* pour ne pas faire d'erreur.

Valoriser des flux mensuels

Une banque offre un taux d'intérêt de 6 % (TAE). Quel est le taux d'intérêt mensuel équivalent ? Combien faut-il épargner chaque mois afin de disposer de 100 000 € dans 10 ans ?

Solution

D'après l'équation (5.1), le taux d'intérêt mensuel équivalent à un TAE de 6 % est : $(1,06)^{1/12} - 1 = 0,4868$ %. Pour déterminer le montant que l'on doit épargner chaque mois afin de disposer de 100 000 € dans 10 ans, il faut déterminer le versement mensuel F ayant une valeur future de 100 000 € dans 10 ans, avec un taux d'intérêt mensuel de 0,4868 %. L'échéancier est :

Les flux d'épargne constituent donc une annuité de $10 \times 12 = 120$ paiements mensuels. L'équation (4.10) donne la valeur future d'une annuité :

$$VF(\text{Annuité}) = F \times \frac{1}{r}\left((1+r)^n - 1\right)$$

On peut calculer le paiement mensuel F avec $r = 0,4868$ % et $n = 120$ mois :

$$F = \frac{VF\left(\text{Annuité}\right)}{\frac{1}{r}\left[(1+r)^n - 1\right]} = \frac{100\,000\,\text{€}}{\frac{1}{0,004868}\left[(1,004868)^{120} - 1\right]} = 615,47\ \text{€ par mois}$$

	A	B	C	D	E	F	G	H
4			N	TAUX	VA	F	VF	Formule Excel
5		Sachant	120	0,4868%	0		100 000	
6		Résoudre F			-615,47			=VPM(0,004868,120,0,100000)

Lorsqu'on épargne 615,47 € par mois, si les intérêts r sont calculés mensuellement sur la base d'un TAE de 6 %, le solde du compte bancaire sera exactement de 100 000 € dans 10 ans.

Taux annuel proportionnel et taux période

Le taux d'intérêt est parfois coté sous la forme d'un **taux annuel proportionnel** (*Annual Percentage Rate*), noté TAP. Cette convention consiste à indiquer un taux d'**intérêt simple**, c'est-à-dire *sans* l'effet de la capitalisation, sur une période d'un an. Parce qu'il n'inclut pas l'effet de la capitalisation des intérêts, le TAP ne permet pas de connaître directement le montant des intérêts. Pour calculer ce dernier, il convient de convertir le TAP en TAE. Prenons un exemple.

La banque Granit propose un compte rémunéré à 6 % (TAP), capitalisé mensuellement. Le taux mensuel correspondant est égal à 6 %/12 = 0,5 %. Parce que les intérêts sont capitalisés chaque mois, on gagne, en fait, $1\,\text{€} \times (1,005)^{12} = 1,061678\,\text{€}$ pour un placement d'un an, soit un TAE de 6,1678 %. Le TAE est supérieur au TAP du fait de la

capitalisation des intérêts : les intérêts produisent eux-mêmes des intérêts. Le TAP ne reflète donc pas le montant effectif des intérêts annuels. Par conséquent, *le taux annuel proportionnel ne doit jamais être utilisé dans des calculs financiers.*

Pourquoi coter un taux d'intérêt proportionnel ? C'est en fait très pratique lorsqu'on cherche à calculer le taux effectif sur une période donnée, appelé **taux période**. Celui-ci se calcule simplement *prorata temporis* (c'est-à-dire proportionnellement au temps) à partir du taux proportionnel avec k périodes de capitalisation par an :

$$\text{Taux période} = TAP/k \tag{5.2}$$

Une fois calculé le taux période avec l'équation (5.2), il est possible de calculer le taux d'intérêt effectif pour n'importe quel intervalle de temps grâce à l'équation (5.1). Le TAE correspondant au TAP, lorsqu'il y a k périodes de capitalisation par an, est donc :

Taux annuel proportionnel et taux annuel effectif

$$1 + TAE = (1 + \text{Taux période})^k = (1 + TAP/k)^k \tag{5.3}$$

Le tableau 5.1 présente les taux annuels effectifs correspondant à un TAP de 6 % pour différents nombres de périodes de capitalisation k ou, ce qui revient au même, pour différents intervalles de capitalisation. Le TAE augmente avec la fréquence de capitalisation puisque la possibilité de bénéficier d'intérêts sur les intérêts apparaît plus tôt. Il est même possible d'imaginer une capitalisation des intérêts plus fréquente que quotidiennement : à la minute ou à la seconde par exemple. Ce faisant, on se rapproche de la **capitalisation continue** (*continuous compounding*), dont le principe est expliqué en annexe de ce chapitre. En pratique, capitaliser les intérêts à une fréquence plus élevée que journalière a une incidence négligeable sur le TAE[1].

Tableau 5.1   Taux annuels effectifs pour un taux annuel proportionnel de 6 %

Intervalle de capitalisation	Taux annuel effectif
Annuel	$(1 + 0,06/1)^1 - 1 = 6\,\%$
Semestriel	$(1 + 0,06/2)^2 - 1 = 6,09\,\%$
Mensuel	$(1 + 0,06/12)^{12} - 1 = 6,1678\,\%$
Quotidien	$(1 + 0,06/365)^{365} - 1 = 6,1831\,\%$

Exemple 5.2

Convertir un taux annuel proportionnel en un taux équivalent

Une entreprise souhaite disposer d'un nouveau système informatique d'une durée de vie de quatre ans. Il est possible de l'acheter pour 150 000 € comptant ou de le financer par crédit-bail, ce qui suppose de verser 4 000 € à la fin de chaque mois*. L'entreprise peut emprunter à 5 % (TAP) avec capitalisation semestrielle des intérêts. Faut-il acheter le système informatique comptant ou verser 4 000 € par mois ?

…

---

1. Un TAP de 6 % avec une capitalisation continue correspond à un TAE d'environ 6,1837 %, soit quasiment le même taux qu'avec une capitalisation quotidienne.

...

Solution

Le crédit-bail correspond à une annuité de 4 000 € pendant 48 mois. La valeur actuelle des flux du crédit-bail peut être calculée à l'aide de la formule de l'annuité, mais il faut d'abord calculer le taux d'actualisation correspondant à une période d'un mois. Pour ce faire, il est nécessaire de convertir le TAP de l'emprunt à 5 % avec capitalisation semestrielle des intérêts en un taux période (mensuel). Cette conversion se fait en deux temps. Dans un premier temps, l'équation (5.2) permet de convertir le TAP en un taux période (semestriel) : 5 % / 2 = 2,5 %. Dans un second temps, l'équation (5.1) est utilisée pour convertir le taux période semestriel en un taux équivalent mensuel : $(1,025)^{1/6} - 1 = 0,4124$ % par mois.

Une autre approche est possible, en utilisant d'abord l'équation (5.3) pour convertir le taux annuel proportionnel en un taux annuel effectif : $1 + TAE = (1 + 5 \% / 2)^2 = 1,050625$. On convertit ensuite le taux annuel effectif en un taux équivalent mensuel avec l'équation (5.1) : $(1,050625)^{1/12} - 1 = 0,4124$ % par mois.

Une fois obtenu le taux équivalent, on peut calculer la valeur actuelle des paiements mensuels relatifs au crédit-bail grâce à la formule de l'annuité constante [équation (4.9)] :

$$VA = 4\ 000 \times \frac{1}{0,004124} \left(1 - \frac{1}{1,004124^{48}}\right) = 173\ 867\ \text{€}$$

	A	B	C	D	E	F	G	H
4			N	TAUX	VA	F	VF	Formule Excel
5		Sachant	48	0,41%		-4 000	0	
6		Résoudre VA			173 867			=VA(0,004124,48,-4000,0)

Ainsi, payer 4 000 € par mois pendant 48 mois est équivalent à un paiement aujourd'hui de 173 867 €. Ce coût est supérieur de 173 867 – 150 000 = 23 867 € au coût d'achat comptant du système informatique. Il vaut mieux donc acheter au comptant. Une autre manière de raisonner est de calculer qu'avec un taux de 5 % capitalisé semestriellement, l'entreprise, si elle s'engage à verser à la banque 4 000 € par mois, peut emprunter 173 867 € aujourd'hui. Avec ce crédit, elle peut acheter le système informatique et bénéficier de 23 867 € en plus.

---

*   Quand on compare un achat comptant et un crédit-bail, des considérations comptables et fiscales entrent en jeu, mais elles sont ignorées dans cet exemple. Le crédit-bail est étudié en détail au chapitre 25.

Le taux annuel effectif global

Pour faciliter la comparaison entre diverses propositions de crédit, les établissements financiers sont, en France, tenus d'informer leurs clients du **taux annuel effectif global**, ou TAEG, d'un prêt. Ce taux prend en compte, outre le taux d'intérêt, tous les frais annexes (ou bonifications) à caractère obligatoire, y compris le coût de l'assurance-crédit. Il n'est donc pas possible d'utiliser directement un TAEG pour faire des calculs financiers, car il intègre des éléments de nature différente, mais ce taux exprime bien le coût *global* d'un crédit pour l'emprunteur : c'est donc le chiffre à regarder pour comparer des propositions de crédit

Exemple 5.3

Calcul du TAEG

Matthieu souhaite acquérir à crédit un scooter d'une valeur de 3 000 €. Le concessionnaire lui propose l'offre de financement suivante : prêt sur un an à 9 % (TAP) avec capitalisation mensuelle des intérêts ; le principal et les intérêts sont payés en une seule fois en fin de période ; des frais de dossier de 150 € sont payables comptant. Quel est le taux annuel effectif global ?

Solution

Quel est le TAE du prêt si l'on ne tient pas compte des frais de dossier ? Le TAP de 9 % avec capitalisation mensuelle correspond à un taux mensuel de 9 % / 12 = 0,75 %, donc à un TAE de $(1 + 0,0075)^{12} - 1 = 9,38$ %. Dans un an, Matthieu devra donc payer 3 000 × (1 + 9,38 %) = 3 281,42 €. Aujourd'hui, il ne paie que les frais de dossier, soit 150 €. L'échéancier du prêt est donc :

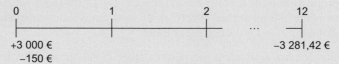

Compte tenu des frais de dossier, le taux annuel effectif global de ce prêt est :

$$TAEG = 3\ 281,42\,/\,(3\ 000 - 150) - 1 = 15,14\,\%$$

Intérêts précomptés et intérêts postcomptés

Tous les raisonnements précédents reposent sur l'hypothèse que les intérêts sont payés en fin de période. Il s'agit d'**intérêts postcomptés** (ou terme échu). Les intérêts peuvent également être payés en début de période. Dans ce cas, on parle d'**intérêts précomptés** (ou terme à échoir).

Pour un taux d'intérêt donné, le prêteur préfère recevoir les intérêts en début de période (leur valeur actuelle est plus élevée) tandis que l'emprunteur préfère payer les intérêts en fin de période (leur valeur actuelle est plus faible). Un taux d'intérêt postcompté est donc toujours supérieur au taux d'intérêt précompté équivalent.

Exemple 5.4

Intérêts postcomptés et intérêts précomptés

Sandra a besoin de 2 000 € pour s'offrir des vacances bien méritées. Elle a le choix entre deux prêts à un an : soit un prêt à intérêts précomptés au taux de 4 % ; soit un prêt à intérêts postcomptés au taux de 4,1 %. Quel prêt doit-elle retenir ?

Solution

Par définition, les intérêts du prêt à intérêts précomptés doivent être payés immédiatement. Autrement dit, pour disposer aujourd'hui de 2 000 €, Sandra doit emprunter plus que cette somme. Si on note P le montant du prêt :

$$P - 2\ 000 = P \times 4\ \% \Leftrightarrow P = \frac{2\ 000}{1 - 4\ \%} = 2\ 083,33\ €$$

...

Exemple 5.4

Si on emprunte aujourd'hui 2 083,33 € à intérêts précomptés au taux de 4 %, les intérêts à payer aujourd'hui sont égaux à 2 083,33 € × 4 % = 83,33 €. Sandra dispose donc bien de 2 000 € pour ses vacances. L'échéancier du prêt à intérêts précomptés est :

Le TAE de ce prêt est : (2 083,33 / 2 000) − 1 = 4,17 %. Le taux d'un prêt à intérêts post-comptés équivalent à un prêt à intérêts précomptés de 4 % est donc de 4,17 %. Ce taux est supérieur à celui du prêt à intérêts postcomptés (4,1 %). Sandra doit donc retenir cette dernière option.

Zoom sur... | **Taux d'intérêt et finance islamique**

Les religions chrétienne, judaïque et islamique réprouvent le prêt à intérêt, quoique de manière plus ou moins sévère. C'est aujourd'hui l'Islam qui a la position la plus ferme. En effet, le Coran interdit le *riba*, qui signifie usure et qui, dans son interprétation la plus stricte, se réfère aux prêts à intérêts fixes et prédéterminés ; l'Islam préconise au contraire le partage des risques entre créanciers et débiteurs. Impossible donc de prêter ou d'emprunter auprès d'une banque « traditionnelle » si l'on souhaite respecter ces préceptes ; d'où l'émergence, il y a une quarantaine d'années, de la finance islamique. Elle pèse aujourd'hui 2 500 milliards d'euros dans le monde et est en croissance rapide (+ 10 % par an). Environ 600 banques islamiques (ou filiales islamiques de banques traditionnelles) se partagent le marché.

Pour respecter les préceptes religieux, les banques islamiques doivent devenir parties prenantes de tous les projets qu'elles financent, en nouant un partenariat avec leurs clients pour partager avec eux les gains et les pertes économiques des projets financés. Aussi, les banques islamiques proposent-elles des produits particuliers, structurés de façon à produire ce partage des gains et des pertes : le *mudharaba*, par exemple, permet à une entreprise d'obtenir un financement grâce auquel elle peut investir dans un projet déterminé en échange d'une part des profits, qui rémunérera la banque. Les pertes éventuelles sont partiellement supportées par la banque. Sur les marchés financiers, le principal produit de finance islamique est le *sukuk*, obligation adossée à un actif tangible (usine, immeuble…).

5.2. Modalités de remboursement d'un emprunt

La plupart des emprunts accessibles aux particuliers, comme les crédits immobiliers ou les crédits à la consommation, sont remboursés sous forme d'annuités constantes. Autrement dit, les versements sont identiques tout au long de la période du crédit, et le crédit est totalement remboursé avec le dernier versement. Cette modalité de remboursement (on parle aussi parfois d'amortissement de l'emprunt) n'est toutefois pas la seule envisageable. Cette section présente les modalités de remboursement d'emprunt les plus courantes.

Remboursement par annuités constantes

Les prêts bancaires (ou **prêts indivis**) à annuités constantes sont remboursés de la manière suivante : l'emprunteur verse à la fin de chaque période à la banque une somme au titre des intérêts sur le capital à rembourser, plus une somme correspondant au remboursement du capital. Le prêt est construit de sorte que le total de ces deux composantes soit constant. L'emprunteur paie donc un montant identique à la fin de chaque période. En général, les prêts bancaires imposent un remboursement mensuel ; on parle alors de mensualités (qui sont juste une forme particulière d'annuités).

En plus du TAEG, utile pour comparer des offres de crédit entre elles mais inutilisable pour faire des calculs financiers, une offre de crédit indique toujours le montant, le taux d'intérêt et la durée envisagée du prêt. Une offre de crédit se présente donc par exemple comme « 30 000 euros, au TAP de 6,75 %, pendant 60 mois ». Pour calculer les annuités relatives à ce crédit, il faut d'abord calculer le taux équivalent. Quand l'intervalle de capitalisation du TAP n'est pas précisé, il est par convention égal à l'intervalle entre les paiements, ici un mois. Ce crédit prévoit donc un remboursement en 60 versements mensuels identiques, calculés sur la base d'un TAP de 6,75 % avec capitalisation mensuelle des intérêts. L'échéancier de ce crédit est :

Le versement F est tel que la valeur actuelle des flux, évaluée avec le taux équivalent du crédit, est égale au montant emprunté, ou **principal**, $P = 30\ 000\ €$. Un TAP de 6,75 % avec capitalisation mensuelle correspond à un taux mensuel (taux période) de 6,75 % / 12 = 0,5625 %. Les versements F étant constants, on peut utiliser l'équation (4.14) pour trouver F :

$$F = \frac{P}{\dfrac{1}{r}\left(1 - \dfrac{1}{(1+r)^N}\right)} = \frac{30\ 000}{\dfrac{1}{0,005625}\left(1 - \dfrac{1}{(1,005625)^{60}}\right)} = 590,5\ €$$

On peut utiliser la même logique pour calculer le principal restant à rembourser, ou **capital restant dû** (*outstanding principal*), à n'importe quelle date, puisqu'il est égal par définition à la valeur actuelle des versements futurs évaluée avec le taux équivalent du crédit.

Exemple 5.5

Capital restant dû

Une entreprise a emprunté 3 millions d'euros il y a 10 ans à 7,80 % (TAP avec capitalisation mensuelle) sur 30 ans. Combien l'entreprise doit-elle à la banque aujourd'hui ? Quel est le montant d'intérêts payés par l'entreprise l'année dernière ?

...

...

Solution

La première étape consiste à établir le montant des mensualités. L'échéancier (en mois) est le suivant :

Un TAP de 7,8 % avec capitalisation mensuelle correspond à un taux mensuel de 7,8 % / 12 = 0,65 %. Le versement mensuel est :

$$F = \dfrac{P}{\dfrac{1}{r}\left(1 - \dfrac{1}{(1+r)^N}\right)} = \dfrac{3\ 000\ 000}{\dfrac{1}{0{,}0065}\left(1 - \dfrac{1}{(1{,}0065)^{360}}\right)} = 21\ 596\ €$$

Après 10 ans, le capital restant dû est égal à la valeur actuelle des 240 versements mensuels restant à effectuer :

$$\text{Capital restant dû après 10 ans} = 21\ 596\ € \times \dfrac{1}{0{,}0065}\left(1 - \dfrac{1}{1{,}0065^{240}}\right) = 2\ 620\ 759\ €$$

Par conséquent, après 10 ans, l'entreprise doit encore à la banque 2 620 759 € sur les 3 millions initialement empruntés.

L'année dernière, l'entreprise a versé à la banque un total de 21 596 € × 12 = 259 152 €. Pour trouver la part des intérêts payés dans cette somme, le plus simple est de raisonner à l'inverse, en calculant le montant payé au titre du remboursement en capital. Il y a un an (il restait 21 ans de versements, soit 252 mois), le capital restant dû était de :

$$\text{Capital restant dû après 9 ans} = 21\ 596\ € \times \dfrac{1}{0{,}0065}\left(1 - \dfrac{1}{1{,}0065^{252}}\right) = 2\ 673\ 248\ €$$

Le montant du capital à rembourser a donc diminué de 2 673 248 - 2 620 759 = 52 489 € en une année. Autrement dit, sur le total des versements, 52 489 € ont été utilisés pour rembourser le principal, et le reste, soit 259 152 – 52 489 = 206 663 €, a servi à payer les intérêts.

Remboursement par fractions constantes du capital

Les emprunts peuvent également être remboursés en consacrant à chaque période le même montant au remboursement du capital. Dans ce cas, les annuités ne sont plus constantes, car les intérêts que doit payer l'emprunteur sur le capital restant dû diminuent à mesure que le capital restant dû se réduit. Les annuités baissent donc à mesure que le prêt est remboursé.

Construire un tableau d'amortissement

Une entreprise contracte un prêt de 1 million d'euros à 8 % (TAP), remboursable en cinq versements annuels. Le remboursement du capital se fait par amortissement constant : une même fraction du capital est remboursée chaque année. Quelles sont les sommes décaissées par l'entreprise pour faire face au remboursement de son emprunt ?

Solution

Chaque année, l'entreprise doit rembourser la même fraction du capital, soit pour un prêt sur cinq ans : 1 000 000 / 5 = 200 000 € par an. Par ailleurs, chaque année, l'entreprise doit payer des intérêts sur le capital à rembourser. À la fin de la première année, les intérêts s'élèvent à 1 000 000 × 8 % = 80 000 €. À la fin de la deuxième année, le montant payé par l'entreprise au titre des intérêts est plus faible car le capital restant dû au début de la deuxième année n'est que de 1 000 000 – 200 000 = 800 000 €. Les intérêts ne sont donc plus que de 800 000 × 8 % = 64 000 €. Le raisonnement est le même les années suivantes. Chaque année, le montant du capital restant dû décroît, tout comme les intérêts à payer. L'échéancier de ce prêt est le suivant :

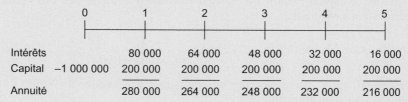

Une autre manière de représenter ce problème consiste à dresser le **tableau d'amortissement** de l'emprunt.

Date	Capital restant dû en début de période	Remboursement en capital	Intérêts de la période	Annuité	Capital restant dû en fin de période
1	1 000 000 €	200 000 €	80 000 €	280 000 €	800 000 €
2	800 000 €	200 000 €	64 000 €	264 000 €	600 000 €
3	600 000 €	200 000 €	48 000 €	248 000 €	400 000 €
4	400 000 €	200 000 €	32 000 €	232 000 €	200 000 €
5	200 000 €	200 000 €	16 000 €	216 000 €	0 €

Autres modalités de remboursement

Remboursement in fine. Dans certains cas, le remboursement du capital prêté peut se faire intégralement à l'échéance. On parle alors de remboursement *in fine*. C'est surtout valable pour les emprunts obligataires (voir chapitre 6). Les intérêts peuvent être payés à intervalles réguliers jusqu'à l'échéance ou également *in fine* (en même temps que le remboursement du capital). Le montant que l'emprunteur doit payer à l'échéance se calcule alors comme la valeur future (au taux d'intérêt du prêt) du montant emprunté initialement.

Remboursement par annuités croissantes. Il est également possible de rembourser un emprunt en versant des annuités croissantes. Cette modalité d'amortissement est surtout utilisée en période de forte inflation ou lorsque l'emprunteur prévoit que son revenu va augmenter significativement au cours des prochaines années : c'est le cas en particulier des emprunts immobiliers proposés aux jeunes diplômés.

Remboursement par annuités croissantes

Exemple 5.7

Farid, la trentaine, vient de décrocher une promotion. Il envisage d'acheter un appartement. Il souhaite à cet effet emprunter 450 000 € sur 20 ans à 6 % (TAP). Cet emprunt est remboursable chaque mois, par annuités croissantes, le taux de croissance des flux étant de 0,2 % à partir de la première mensualité. Quel est le montant de la première mensualité ? Et de la dernière ? Comparez avec un emprunt remboursé par annuités constantes.

Solution

L'échéancier sur 240 mois est le suivant :

La valeur actuelle des mensualités est égale au montant du principal P. Ces mensualités forment une annuité croissante, on peut donc utiliser l'équation (4.12) pour trouver la valeur du premier flux F, puisque tous les autres paramètres sont connus :

$$F = \frac{P}{\dfrac{1}{r-g}\left(1-\left(\dfrac{1+g}{1+r}\right)^{N}\right)}$$

Un TAP de 6 % avec capitalisation mensuelle correspond à un taux mensuel de 6 % / 12 = 0,5 %. La première mensualité est donc :

$$F = \frac{450\,000}{\dfrac{1}{0,5\,\%\,-\,0,2\,\%}\left(1-\left(\dfrac{1+0,2\,\%}{1+0,5\,\%}\right)^{240}\right)} = 2\,636,59\ \text{€}$$

La dernière mensualité sera donc de $2\,636,59\ \text{€} \times (1+0,2\,\%)^{239} = 4\,250,39\ \text{€}$. Si Farid avait choisi un prêt à annuités constantes, ses mensualités auraient été de $3\,223,94\ \text{€}$ chaque mois.

Remboursement différé. Une dernière modalité de remboursement consiste à décaler de plusieurs périodes le moment à partir duquel l'emprunteur doit rembourser le capital et/ou payer les intérêts. Cette modalité de remboursement est typique des prêts étudiants, mais depuis quelques années, elle est aussi de plus en plus populaire pour les crédits à la consommation.

> **Crise financière** **Les prêts *subprime***
>
> Entre 2000 et 2007, on a assisté aux États-Unis à une forte augmentation des prêts immobiliers accordés aux ménages les plus fragiles : les fameux prêts *subprime* (ce terme désignant les emprunteurs à risque, qu'ils aient des revenus modestes, un travail instable ou de mauvais antécédents bancaires, par opposition aux emprunteurs *prime,* qui offrent de bonnes garanties de remboursement).
>
> Une part importante des prêts *subprime* était non pas à taux fixe, mais à taux ajustable. Ces prêts proposent un taux d'intérêt initial faible (*teaser rate*), pendant une période de deux à cinq ans, puis un second taux – beaucoup plus élevé – pour le reste de la durée du prêt. Un prêt ajustable de 500 000 $ sur 30 ans offrira ainsi un taux fixe (TAP) de 4,80 % pendant deux ans, ajusté ensuite à 7,2 % pour les 28 années suivantes. Au taux initial, les mensualités sont de 2 623,33 $. Après deux ans, le capital restant dû est de 484 332 $ (c'est la valeur de tous les flux ultérieurs actualisés au taux mensuel de 4,8 % / 12 = 0,4 %). Avec le nouveau taux d'intérêt, qui est de 7,2 % / 12 = 0,6 % par mois, la mensualité passe à 484 332 × 0,6 % / (1 − (1 + 0,6 %)$^{-336}$) = 3 355,62 $.
>
> Entre 2000 et 2005, les nombreux ménages américains qui avaient emprunté à taux ajustable ont pu profiter de la faiblesse des taux d'intérêt pour contracter de nouveaux prêts et ainsi rembourser leurs anciens prêts avant que la période initiale de taux d'intérêt faible n'arrive à terme. À partir de 2005, la hausse des taux d'intérêt a progressivement rendu le refinancement des prêts plus compliqué, et la situation des emprunteurs s'est dégradée. La crise a éclaté en 2007, avec la poursuite de la hausse des taux d'intérêt et surtout le retournement du marché immobilier américain qui a fait chuter la valeur des biens immobiliers en dessous de la valeur des prêts, supprimant ainsi toute possibilité de refinancement pour les emprunteurs. Les ménages les plus endettés n'ont eu d'autre choix que de vendre leurs biens, ce qui a exercé une pression à la baisse sur les prix de l'immobilier encore plus forte, entraînant de nouveaux ménages dans le surendettement. La spirale infernale était en marche.

5.3. Les déterminants des taux d'intérêt

Fondamentalement, les taux d'intérêt sont déterminés sur les marchés financiers par la confrontation entre l'offre et la demande de capitaux. Mais cette offre et cette demande sont elles-mêmes influencées par de nombreux facteurs macroéconomiques (inflation, croissance anticipée…) et microéconomiques (le risque ou la fiscalité de l'emprunteur).

Inflation et taux d'intérêt

Les taux d'intérêt affichés par les banques, ainsi que ceux utilisés jusqu'ici pour actualiser les flux, sont des **taux d'intérêt nominaux**. En raison de l'inflation, le taux d'intérêt nominal ne représente pas la hausse du pouvoir d'achat qui résulte d'un placement financier. Le taux de croissance du pouvoir d'achat, après prise en compte de l'inflation, est déterminé par le **taux d'intérêt réel**. La relation qui lie le taux d'intérêt nominal r, le taux d'intérêt réel r_r et le taux d'inflation π est connue sous le nom de **relation de Fischer** :

Relation de Fisher

$$1 + r_r = \frac{1+r}{1+\pi} \tag{5.4}$$

On peut modifier l'équation (5.4) afin d'exprimer le taux d'intérêt réel en fonction du taux nominal et du taux d'inflation, avec une approximation utile quand l'inflation est faible :

Taux d'intérêt réel

$$r_r = \frac{r-\pi}{1+\pi} \approx r - \pi \tag{5.5}$$

Autrement dit, le taux d'intérêt réel est approximativement égal au taux d'intérêt nominal moins le taux d'inflation. On ne doit pas recourir au taux d'intérêt réel pour actualiser les flux futurs, à moins que ceux-ci ne soient eux-mêmes exprimés en termes réels, c'est-à-dire corrigés de l'inflation. Dans tout cet ouvrage, les flux sont exprimés en termes nominaux ; il convient donc de les actualiser avec un taux d'intérêt nominal.

La figure 5.1 illustre l'évolution du taux d'intérêt nominal et du taux d'inflation en France depuis 1960. Le taux d'intérêt nominal tend à évoluer avec l'inflation. En effet, la volonté des agents d'épargner est en partie liée à la croissance anticipée de leur pouvoir d'achat (donnée par le taux d'intérêt réel) : quand le taux d'inflation est élevé, un taux d'intérêt nominal plus élevé est nécessaire pour inciter les agents à épargner. À noter que la période récente est tout à fait exceptionnelle, avec des taux nominaux négatifs : les banques et les entreprises paient pour placer leurs excédents de trésorerie ! C'est la conséquence d'une grande abondance de liquidités dans l'économie, elle-même provoquée par une épargne élevée, un niveau d'investissement insuffisant et une politique monétaire très accommodante pour soutenir l'activité. Le chapitre 6 reviendra sur ce phénomène.

Taux d'intérêt réel

En 1975, en France, le taux d'intérêt sur les titres d'État à 10 ans était environ de 10,3 % et le taux d'inflation de 11,7 %. En 2019, le même taux d'intérêt était environ de – 0,3 % et le taux d'inflation de 1,1 %. Quels étaient les taux d'intérêt réels à long terme en 1975 et en 2019 ?

Solution

En 1975, le taux d'intérêt réel pour un emprunt d'État à 10 ans était de (10,3 % – 11,7 %) / 1,117 = – 1,25 %. Même si le taux d'intérêt nominal était positif, le taux d'intérêt réel était négatif car l'inflation était trop élevée. En épargnant à ce taux d'intérêt nominal, les investisseurs disposaient d'un pouvoir d'achat plus faible à la fin de l'année qu'au début.

En 2019, le taux d'intérêt réel est de (– 0,3 % – 1,1 %) / 1,011 = – 1,4 %. Pour un épargnant, la situation est pire qu'en 1975, puisque même le taux d'intérêt nominal est négatif . on paie pour placer son épargne en emprunts d'État !

Exemple 5.8

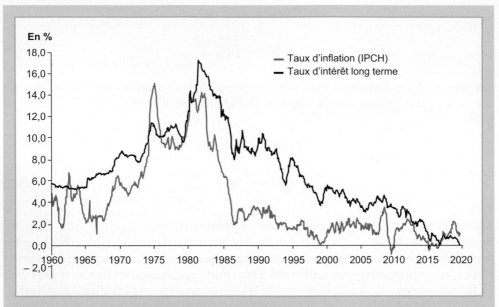

Figure 5.1 – Taux d'intérêt et taux d'inflation en France

Le taux d'intérêt nominal a tendance à suivre les évolutions de l'inflation.

Source : OCDE. Le taux d'intérêt est le taux de rentabilité des obligations d'État à 10 ans. Le taux d'inflation est calculé à partir de l'indice des prix à la consommation harmonisé.

Investissement et taux d'intérêt

Les taux d'intérêt influencent la propension à épargner des agents, mais aussi l'incitation des entreprises à investir. Considérons un projet sans risque nécessitant un investissement de 10 millions d'euros et produisant un revenu de 3 millions d'euros par an pendant quatre ans. Si le taux d'intérêt sans risque est de 5 %, la VAN de ce projet est :

$$VAN = -10 + (3/1{,}05) + (3/1{,}05^2) + (3/1{,}05^3) + (3/1{,}05^4) = 0{,}638 \text{ million d'euros}$$

Le projet est rentable. Si le taux d'intérêt augmente à 9 %, la VAN diminue à :

$$VAN = -10 + (3/1{,}09) + (3/1{,}09^2) + (3/1{,}09^3) + (3/1{,}09^4) = -0{,}281 \text{ million d'euros}$$

Et le projet n'est plus rentable. Quand les coûts précèdent les bénéfices (ce qui est le plus souvent le cas), une hausse du taux d'intérêt diminue la VAN d'un projet. Toutes choses égales par ailleurs, une hausse des taux d'intérêt diminue donc le nombre de projets à VAN positive dans l'économie, ce qui a pour effet de réduire les investissements des entreprises et donc la demande de fonds prêtables.

La **politique monétaire** consiste à utiliser cette relation entre taux d'intérêt et investissement : quand l'économie ralentit, les banques centrales peuvent diminuer les **taux d'intérêt directeurs**, qui sont des taux d'intérêt de court terme qu'elles contrôlent, pour stimuler l'investissement des entreprises. Quand l'économie est en surchauffe et que l'inflation est élevée, les banques centrales peuvent à l'inverse augmenter les taux d'intérêt directeurs pour freiner l'investissement[2].

| Crise financière | **La réaction des autorités monétaires lors de la crise de 2008** |

En 2008, alors que la crise financière menaçait la planète, les autorités monétaires ont décidé de baisser drastiquement leurs taux d'intérêt directeurs. L'intervention la plus marquante est sans doute celle de la Réserve fédérale américaine qui a abaissé son taux directeur à zéro. Réduire les taux d'intérêt à court terme est généralement un outil efficace pour relancer l'économie. Mais, en 2008, les prix à la consommation chutent : l'économie américaine entre en déflation. Le taux d'inflation est donc négatif et, malgré un taux d'intérêt nominal nul, le taux d'intérêt réel reste positif. Cet épisode est caractéristique du phénomène de trappe à liquidité qui désigne une situation où la politique monétaire n'est plus d'aucun recours pour stimuler l'économie. Les autorités doivent alors prendre d'autres mesures de relance. Cela passe souvent par une augmentation des dépenses publiques, ce qui creuse le déficit public. Une solution alternative consiste à mener ce que l'on appelle une politique monétaire « non conventionnelle ». Il s'agit notamment des mesures exceptionnelles d'assouplissement monétaire (*quantitative easing*) où la banque centrale achète directement des titres de dette publique pour augmenter la quantité de monnaie en circulation dans l'économie.

La courbe des taux

La structure par terme des taux d'intérêt. Le taux d'intérêt dépend, outre de l'inflation et des investissements réalisés par les entreprises, de l'horizon de placement (ou d'emprunt) considéré. La relation entre durée et taux d'intérêt est appelée **structure par terme des taux d'intérêt**. Cette relation peut être représentée graphiquement par la **courbe des taux** (*yield curve*). La figure 5.2 illustre la structure par terme des taux d'intérêt sans risque en France à trois dates différentes. On note que les taux d'intérêt étaient plus élevés avant la crise (2007) et qu'ils sont en 2019 négatifs pour des durées d'emprunt jusqu'à sept ans. La différence entre les taux d'intérêt à court terme et les taux à long terme était aussi beaucoup moins importante avant la crise.

La structure par terme des taux d'intérêt permet de calculer la valeur actuelle et la valeur future d'un placement sans risque. Par exemple, en avril 2013, la valeur future d'un placement de 100 € pendant un an, sans risque, était égale à : $100 \times 1,0018 = 100,18$ €. À la même date, la valeur future d'un placement de 100 € pendant 20 ans, sans risque, était égale à[3] : $100 \times 1,0311^{20} = 184,51$ €.

---

2. Il s'agit là d'une description très succincte de la politique monétaire. Pour plus de détail, voir F. Mishkin, Ch. Bordes, D. Lacoue-Labarthe, N. Leboisne et J.-C. Poutineau (2013), *Monnaie, Banque et Marchés financiers*, 10e éd., Pearson.
3. On peut aussi placer chaque année pendant 20 ans au taux d'intérêt à un an. Cependant, les taux d'intérêt futurs étant inconnus, le paiement final n'est pas sans risque.

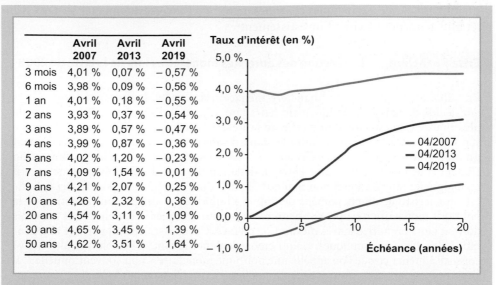

	Avril 2007	Avril 2013	Avril 2019
3 mois	4,01 %	0,07 %	− 0,57 %
6 mois	3,98 %	0,09 %	− 0,56 %
1 an	4,01 %	0,18 %	− 0,55 %
2 ans	3,93 %	0,37 %	− 0,54 %
3 ans	3,89 %	0,57 %	− 0,47 %
4 ans	3,99 %	0,87 %	− 0,36 %
5 ans	4,02 %	1,20 %	− 0,23 %
7 ans	4,09 %	1,54 %	− 0,01 %
9 ans	4,21 %	2,07 %	0,25 %
10 ans	4,26 %	2,32 %	0,36 %
20 ans	4,54 %	3,11 %	1,09 %
30 ans	4,65 %	3,45 %	1,39 %
50 ans	4,62 %	3,51 %	1,64 %

Figure 5.2 – Structure par terme des taux d'intérêt sans risque en France

Cette figure représente la courbe des taux sur les titres d'État français. En général, la courbe est croissante, ce qui signifie qu'une opération de plus long terme bénéficie d'un taux d'intérêt plus élevé.

Sources : Agence France Trésor et Bloomberg.

On peut appliquer la même logique pour calculer la valeur actuelle d'un flux ou d'une séquence de flux. Un flux sans risque reçu dans deux ans doit être actualisé au taux d'intérêt à deux ans, et un flux sans risque reçu dans 10 ans doit être actualisé au taux d'intérêt à 10 ans.

Il est nécessaire que le terme du taux d'intérêt et celui du flux coïncident :

**Valeur actuelle d'une suite de flux actualisés
à des taux reflétant la structure par terme des taux**

$$VA = \frac{F_1}{(1+r_1)} + \frac{F_2}{(1+r_2)^2} + \dots + \frac{F_N}{(1+r_N)^N} = \sum_{n=1}^{N} \frac{F_n}{(1+r_n)^n} \qquad (5.6)$$

avec r_n le taux d'intérêt d'un placement sans risque qui arrive à échéance dans n années. Par rapport à l'équation (4.4), on utilise ici un taux d'actualisation différent pour chaque flux : chaque taux provient de la courbe des taux, pour le terme correspondant au terme du flux. Lorsque la courbe des taux est relativement plate, comme en 2007, l'équation (5.6) est peu différente de l'équation (4.4). Il est donc possible d'ignorer la courbe des taux et d'utiliser un taux d'intérêt « moyen » r. Lorsque les taux d'intérêt à court et à long terme sont significativement différents, comme en 2019, l'utilisation de l'équation (5.6) s'impose.

La forme de la courbe des taux. Comme l'illustre la figure 5.2, la courbe des taux peut changer de forme au fil du temps. À certains moments, les taux courts sont proches des taux longs, et à d'autres ils peuvent être très différents. En général, la courbe des taux est croissante ; autrement dit, les taux courts sont inférieurs aux taux longs. Cependant, il arrive parfois que les taux courts soient supérieurs aux taux longs : on parle alors d'inversion de la courbe des taux. Comment interpréter l'évolution de la courbe des taux ?

Structure par terme des taux d'intérêt et valeur actuelle

Quelle est la valeur actuelle d'une séquence de flux de 1 000 € par an pendant cinq ans, si l'on retient la courbe des taux française de 2013 ? De 2019 ?

Solution

L'équation (4.4) ne peut pas être appliquée dans la mesure où les taux d'actualisation diffèrent pour chaque flux. On utilise l'équation (5.6) :

$$VA_{2013} = \frac{1\,000}{1 + 0,18\,\%} + \frac{1\,000}{(1 + 0,37\,\%)^2} + \frac{1\,000}{(1 + 0,57\,\%)^3} + \frac{1\,000}{(1 + 0,87\,\%)^4} + \frac{1\,000}{(1 + 1,2\,\%)^5}$$

$$= 4\,881,98\ \text{€}$$

$$VA_{2019} = \frac{1\,000}{(1 - 0,55\,\%)} + \frac{1\,000}{(1 - 0,54\,\%)^2} + \frac{1\,000}{(1 - 0,47\,\%)^3} + \frac{1\,000}{(1 - 0,36\,\%)^4} + \frac{1\,000}{(1 - 0,23\,\%)^5}$$

$$= 5\,056,76\ \text{€}$$

Traduction des taux d'intérêt négatifs en Europe, il faut en 2019 payer plus de 5 000 euros pour acheter un titre sans risque donnant droit à 1 000 euros par an pendant cinq ans…

Les banques centrales contrôlent les taux d'intérêt à très court terme en fixant le **taux directeur**, qui est le taux auquel les banques peuvent emprunter auprès de la banque centrale pour des périodes courtes. Tous les autres taux d'intérêt de la courbe des taux sont déterminés sur le marché afin d'ajuster l'offre et la demande de capitaux, qui sont fonction des anticipations des agents. Quand les emprunteurs anticipent une baisse prochaine des taux d'intérêt, ils sont peu enclins à emprunter à un taux fixé aujourd'hui pour une longue période ; ils préfèrent emprunter à court terme et contracter un nouveau prêt quand les taux auront diminué. À l'inverse, quand les agents anticipent une hausse prochaine des taux d'intérêt, ils préfèrent placer à court terme. Ils placeront à long terme lorsque les taux d'intérêt auront augmenté. Par conséquent, en cas d'anticipations de baisse des taux d'intérêt, les investisseurs exercent une pression à la hausse sur les taux d'intérêt à court terme ; dans ce cas de figure, les taux d'intérêt à long terme ont tendance à leur être inférieurs, et inversement quand les anticipations sont à la hausse[4].

Une courbe des taux très pentue, avec des taux longs supérieurs aux taux courts, indique donc une anticipation de hausse des taux d'intérêt dans le futur[5]. Une courbe des taux décroissante, ou « *inversée* », avec des taux longs inférieurs aux taux courts, indique généralement une anticipation de baisse des taux d'intérêt dans le futur. Les taux d'intérêt ayant tendance à diminuer suite à un ralentissement de l'économie, une courbe des taux inversée est souvent interprétée comme un signal négatif pour la croissance économique (figure 5.3). La courbe des taux fournit ainsi des informations particulièrement importantes pour les investisseurs : elle permet d'obtenir les taux d'actualisation pour des flux sans risque observés à différents moments dans le temps, mais elle sert aussi d'indicateur avancé de la croissance économique.

---

4. Une autre manière de comprendre la forme de la courbe des taux consiste à remarquer que le taux d'intérêt à long terme est fonction du taux d'intérêt à court terme actuel et des taux courts futurs anticipés (voir chapitre 6).

5. La pente de la courbe des taux est aussi fonction du degré d'aversion au risque des agents (voir chapitre 6).

| Erreur à éviter | Utiliser la formule des annuités lorsque le taux d'actualisation varie |

Lors du calcul de la valeur actuelle d'une annuité, une erreur courante est d'utiliser la formule des annuités avec un taux d'intérêt unique alors que le taux d'intérêt varie avec l'horizon de placement. Par exemple, il n'est pas possible de calculer la valeur actuelle de l'annuité de l'exemple 5.9 en utilisant le taux d'intérêt à cinq ans de 2013 :

$$1000 \frac{1}{0,012}\left(1 - \frac{1}{1,012^5}\right) = 4\,825\ \text{€}$$

Pour utiliser cette formule, il faudrait d'abord calculer le taux d'intérêt unique auquel on doit recourir pour actualiser les flux. Cela imposerait de calculer la valeur actuelle de l'annuité avec l'équation (5.6), puis son TRI, et enfin de l'utiliser dans cette formule. Ainsi, dans l'exemple 5.9, le TRI de l'annuité est de 0,80 %. Si l'on désire utiliser cette formule, c'est ce taux qu'il faut retenir pour actualiser les flux.

Pour être clair : les formules présentées au chapitre 4 pour simplifier le calcul de la valeur actuelle de certaines annuités sont fondées sur l'actualisation de tous les flux *au même taux*. Il ne faut donc pas utiliser ces formules lorsque les flux doivent être actualisés à des taux différents.

Exemple 5.10

Taux courts et taux longs

Le taux d'intérêt à un an en euros est aujourd'hui de 1 %. Jézabel, une prévisionniste reconnue, prévoit que ce même taux d'intérêt sera de 2 % dans un an et de 4 % dans deux ans. La courbe des taux est-elle plate, croissante ou inversée ?

Solution

Le taux d'un placement aujourd'hui pour un an est noté $r_1 = 1$ %. Si l'on souhaite investir 100 € au taux sans risque sur deux ans, on peut placer aujourd'hui pour un an au taux r_1 puis réinvestir la valeur acquise dans un an au taux de 2 %. La valeur acquise dans deux ans est alors égale à :

$$100\ \text{€} \times (1 + 1\ \%) \times (1 + 2\ \%) = 103,02\ \text{€}$$

Du fait de la Loi du prix unique, ce montant est identique à celui obtenu si l'on avait prêté directement 100 € pour deux ans au taux r_2. On en déduit que $100\ \text{€} \times (1 + r_2)^2 = 103,02$ €, soit :

$$r_2 = [(1 + 1\ \%)(1 + 2\ \%)]^{1/2} - 1 = 1,499\ \%$$

De même, pour le taux à trois ans :

$$r_3 = [(1 + 1\ \%)(1 + 2\ \%)(1 + 4\ \%)]^{1/3} - 1 = 2,326\ \%$$

Ainsi, les taux d'intérêt à un an, deux ans et trois ans sont : $r_1 = 1$ %, $r_2 = 1,499$ % et $r_3 = 2,326$ %. La courbe des taux est croissante, les agents anticipent vraisemblablement une hausse des taux d'intérêt.

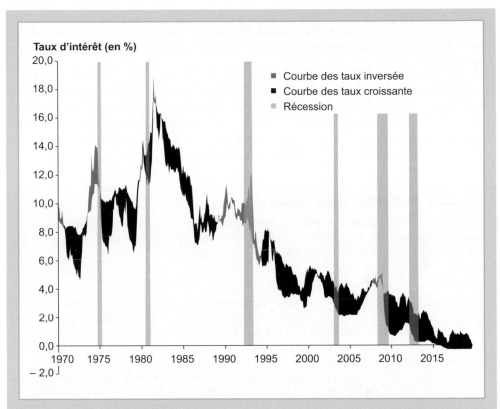

Figure 5.3 – Écart entre les taux d'intérêt à long terme et à court terme

L'écart entre les taux d'intérêt à long terme et à court terme peut servir d'indicateur avancé de la croissance économique.

Sources : INSEE et OCDE. Le taux d'intérêt à court terme est le taux à trois mois. Le taux d'intérêt à long terme est le taux de rentabilité des obligations d'État à 10 ans. Les périodes de récession sont définies comme deux trimestres au moins de croissance négative du PIB sur trois trimestres consécutifs.

Risque de défaut et taux d'intérêt

Les taux d'intérêt varient également (et surtout !) selon l'identité de l'emprunteur. Plus le risque de non-paiement des intérêts ou de non-remboursement du capital est élevé, plus le créancier exige de l'emprunteur un taux d'intérêt élevé. En effet, le taux d'intérêt fixe le montant *maximal* que le créancier peut espérer recevoir : il recevra moins si l'emprunteur, du fait de difficultés financières, est incapable d'honorer ses engagements.

Les titres de dettes émis par l'État, au moins dans les pays riches, sont considérés comme sans risque. Pour tous les autres emprunteurs, le **risque de faillite** (ou **risque de défaut**) n'est pas nul ; le taux d'intérêt qu'ils paient est donc plus élevé que celui des titres sans risque. La différence entre le taux d'intérêt risqué et le taux sans risque est qualifiée de **prime de risque**, ou **spread de taux**. Cette prime de risque est évidemment croissante avec le risque présenté par l'emprunteur. Par exemple, fin 2019, les entreprises les plus solides financièrement peuvent emprunter à des taux négatifs : – 0,10 % en moyenne pour un emprunt d'un an, soit environ un demi-point de plus que le taux auquel l'État français s'endette (– 0,55 %). Les entreprises les plus fragiles, elles, peuvent être amenées à payer plus de 10 % pour s'endetter. Ces différences de taux d'intérêt reflètent les différences d'appréciation des prêteurs quant à la capacité de remboursement de chaque emprunteur.

Tous les placements considérés jusqu'à présent dans cet ouvrage étaient sans risque et les chapitres qui suivent vont progressivement examiner des cas plus généraux. Mais, d'ores et déjà, on peut retenir que *le taux d'actualisation approprié pour un placement ou un emprunt donné correspond au taux de rentabilité le plus élevé constaté pour un placement ou emprunt alternatif de même horizon et de même risque.*

Exemple 5.11

Actualiser des flux financiers risqués

Sonafi, une entreprise assez endettée, emprunte à cinq ans au taux de 5,0 % par an tandis que l'état français emprunte à 0,6 %. Vous détenez une créance de 1 000 € sur chacun de ces émetteurs. Quelle est la valeur actuelle de ces créances ?

Solution

Les obligations émises par Sonafi ne sont pas sans risque : il est possible que l'entreprise ne puisse pas honorer ses engagements. Les investisseurs sont prêts à supporter ce risque, mais ils exigent pour cela un taux de 5,0 %, soit une prime de 4,4 % par rapport aux emprunts publics considérés comme sans risque. Le taux d'actualisation à retenir doit tenir compte de la prime de risque ; la valeur actuelle de la dette de Sonafi s'élève donc à $1\ 000/1,05^5 = 783,53$ €. En revanche, la valeur actuelle de la créance de 1 000 € émise par le Trésor est bien plus élevée : $1\ 000/1,006^5 = 970,53$ €.

Fiscalité et taux d'intérêt

Comme n'importe quel revenu[6], les intérêts perçus par les investisseurs sont soumis à l'impôt. En France, les produits de placement à revenu fixe (coupons d'obligations, intérêts de livrets non réglementés…) sont soumis à un prélèvement forfaitaire libératoire de 30 % (voir chapitre 1). Prenons un exemple. Stéphane a placé l'année dernière 1 000 € au taux $r = 3$ %. Il a donc gagné 30 € d'intérêts ; il doit payer : $30 \times 30\ \% = 9$ € d'impôt. Son revenu net n'est par conséquent que de : $30 - 9 = 21$ €. Son taux d'intérêt après impôt, ou **taux d'intérêt net**, est de 2,1 %. Le taux r est donc un taux d'intérêt avant impôt, ou **taux d'intérêt brut**. En notant τ le taux d'imposition, le taux d'intérêt net se calcule comme :

$$r - (\tau \times r) = r(1 - \tau) \tag{5.7}$$

Ce qui est valable pour les intérêts perçus l'est également pour les intérêts payés, lorsque ceux-ci sont déductibles des impôts, ce qui est le cas pour les entreprises. Autrement dit, la possibilité de déduire de son assiette fiscale les charges d'intérêts diminue le taux d'intérêt après impôt d'un prêt (voir chapitre 15).

---

6. À l'exception des produits d'épargne réglementés comme le Livret A ou le Plan d'épargne logement qui bénéficient d'une exonération fiscale. Voir l'étude de cas à la fin de ce chapitre.

Exemple 5.12

Taux d'intérêt net

Simon a un compte épargne rémunéré à un taux de 6 % (TAE). Il s'est endetté pour acheter un appartement à un taux de 5 % (TAP) avec capitalisation mensuelle des intérêts. Le taux d'imposition sur les intérêts perçus est de 30 %, les intérêts payés ne sont pas déductibles des impôts. Quel est le taux d'intérêt net dans chacun des deux cas ?

Solution

On ne peut comparer que des TAE entre eux. Le taux du compte épargne est déjà exprimé en TAE : 6 %. À l'aide de l'équation (5.3), on obtient le TAE de l'emprunt immobilier : $(1 + 5\,\% / 12)^{12} - 1 = 5{,}1\,\%$. Il faut ensuite prendre en compte l'effet des impôts. Les intérêts payés ne sont pas déductibles des impôts : le taux d'intérêt net du crédit immobilier est donc égal au taux brut. Les intérêts reçus sur le compte épargne sont imposables, le taux net est donc de 6 % × (1 – 30 %) = 4,2 %.

Simon pense avoir fait une bonne affaire en empruntant à un taux (5 %) inférieur à celui auquel son épargne est rémunérée (6 %). Mais la capitalisation mensuelle des intérêts sur le crédit et les impôts sur les intérêts perçus font qu'en fait, le taux d'intérêt net sur son épargne (4,2 %) est inférieur à celui qu'il paie sur son crédit immobilier (5,1 %) : Simon devrait donc utiliser son épargne pour solder son crédit immobilier.

5.4. Le coût d'opportunité du capital

Dans les chapitres précédents, le taux utilisé pour calculer les valeurs actuelles ou futures d'un projet était donné directement par l'énoncé : il s'agissait du « taux d'intérêt de marché », sans plus de précision. En pratique, il existe une multitude de taux d'intérêt et le terme « taux d'intérêt de marché » est pour le moins équivoque. Le taux d'actualisation doit en fait être fondé sur le **coût d'opportunité du capital**, ou **coût du capital**. Il s'agit de *la rentabilité anticipée la plus élevée constatée sur le marché pour un placement ayant un risque et un horizon comparables au flux à actualiser.* Ce sera le taux d'actualisation à utiliser dans tous les chapitres suivants.

Le coût d'opportunité du capital est la rentabilité qu'un investisseur anticipe quand il choisit un nouveau projet. Pour un projet sans risque, ce coût du capital est égal au taux d'intérêt d'un titre de dette émis par l'État. Mais le coût du capital est un concept général qui peut être appliqué à des projets risqués. Les méthodes permettant de calculer le coût d'opportunité du capital seront présentées dans les chapitres suivants.

Erreur à éviter	Choisir un mauvais taux d'actualisation : une erreur à 6 700 milliards de dollars

La plupart des États américains offrent à leurs fonctionnaires un régime de retraite à prestations définies. Le montant des retraites est ainsi garanti et s'apparente à une créance sans risque. À combien s'élève, en valeur actuelle, le montant de ces engagements ? Cette question est évidemment cruciale pour assurer une bonne gestion du régime de retraite.

Pour calculer la valeur actuelle des engagements, les États américains utilisent un taux arbitraire (généralement 8 %). C'est pourtant là une grave erreur ! Le taux d'actualisation doit être fonction du niveau de risque. Or, ces engagements étant garantis, il faudrait retenir le taux sans risque, qui est actuellement bien en dessous de 8 % (le taux de 8 % est justifié – à tort – par le niveau de rentabilité espérée des placements effectués par le régime de retraite). Cette erreur a conduit à sous-estimer la valeur des retraites à payer ; en conséquence, les régimes de retraite se retrouvent largement sous-capitalisés. En 2008, le « trou » s'élevait à 3 000 milliards de dollars*. Depuis lors, la situation a empiré, puisqu'il a atteint 6 700 milliards de dollars.

---

* R. Novy-Marx et J. Rauh, (2009) « The Liabilities and Risks of State-Sponsored Pension Plans », *Journal of Economic Perspectives*, 23(4).

Résumé

5.1. Cotation et calcul des taux d'intérêt

- Le taux annuel effectif (TAE) permet de calculer le montant des intérêts effectivement versés ou perçus en un an. Le TAE peut être utilisé comme taux d'actualisation pour des flux annuels.

- Avec r un taux d'intérêt annuel effectif donné, le taux d'intérêt équivalent pour un placement sur n périodes (n pouvant être une fraction) est :

$$(1 + r)^n - 1 \qquad (5.1)$$

- Le taux annuel proportionnel (TAP) indique le montant des intérêts versés ou reçus en un an, sans prendre en compte l'effet de la capitalisation. De ce fait, le TAP ne peut pas être utilisé comme taux d'actualisation.

- Pour un placement capitalisé k fois par an, on a :

$$1 + TAE = \left(1 + \frac{TAP}{k}\right)^k \qquad (5.3)$$

- Pour un TAP donné, le TAE augmente avec la fréquence de capitalisation.

- Le taux annuel effectif global (TAEG) tient compte du taux d'intérêt ainsi que de tous les frais annexes (ou bonifications) à caractère obligatoire.

- Lorsque les intérêts sont payés en fin de période, on parle d'intérêts postcomptés (ou terme échu). Lorsque les intérêts sont payés en début de période, on parle d'intérêts précomptés (ou terme à échoir).

5.2. Modalités de remboursement d'un emprunt

- Les emprunts peuvent être remboursés selon plusieurs modalités : par annuités constantes, par amortissement constant du capital, ou *in fine* (avec versement ou non d'intérêts intermédiaires).

- Le capital restant dû d'un prêt est égal à la valeur actuelle des versements futurs actualisés au taux d'intérêt effectif du prêt.

5.3. Les déterminants des taux d'intérêt

- Le taux d'intérêt nominal mesure le taux de croissance de l'argent investi, tandis que le taux d'intérêt réel mesure le taux de croissance du pouvoir d'achat (c'est-à-dire après déduction de l'inflation).

- Pour un taux d'intérêt nominal r et un taux d'inflation π, le taux d'intérêt réel est :

$$r_r = \frac{r - \pi}{1 + \pi} \approx r - \pi \qquad (5.5)$$

- Les taux d'intérêt nominaux ont tendance à être élevés quand l'inflation est forte et bas quand l'inflation est faible.

- Une hausse des taux d'intérêt réduit la VAN de tous les projets d'investissement. La banque centrale augmente généralement son taux d'intérêt directeur lorsqu'elle souhaite modérer l'investissement et lutter contre l'inflation. Elle diminue son taux directeur pour stimuler l'investissement et la croissance économique.

- Les taux d'intérêt varient avec l'horizon de placement en raison de la structure par terme des taux d'intérêt. La courbe des taux représente cette structure par terme.

- Les flux doivent être actualisés à un taux correspondant à leur horizon. La valeur actuelle d'une séquence de flux est donc :

$$VA = \frac{F_1}{(1 + r_1)} + \frac{F_2}{(1 + r_2)^2} + \dots + \frac{F_N}{(1 + r_N)^N} = \sum_{n=1}^{N} \frac{F_n}{(1 + r_n)^n} \qquad (5.6)$$

- La forme de la courbe des taux est influencée par les anticipations des investisseurs concernant les taux d'intérêt futurs et la croissance économique. Elle a tendance à s'inverser avant les récessions économiques.

- Les titres émis par l'État, au moins dans les pays riches, peuvent être considérés comme sans risque. Le taux d'intérêt qu'ils offrent correspond donc au taux sans risque. Les autres emprunteurs pouvant faire défaut, ils doivent payer un taux d'intérêt plus élevé. Le différentiel de taux est appelé prime de risque, ou *spread* de taux.

- Si les intérêts d'un placement sont imposés au taux τ, ou si la charge d'intérêts d'un emprunt est déductible des impôts, le taux d'intérêt net est :

$$r(1 - \tau) \qquad (5.7)$$

5.4. Le coût d'opportunité du capital

- Le taux d'actualisation approprié correspond à la rentabilité anticipée la plus élevée constatée sur le marché pour un placement de même horizon et de même risque que le flux à actualiser.

Annexe – La capitalisation continue des intérêts

Cette annexe présente la méthode d'actualisation à appliquer lorsque les intérêts sont capitalisés en continu.

Taux annuel effectif et taux annuel proportionnel

Lorsqu'on passe d'une capitalisation quotidienne à une capitalisation horaire ou à la seconde, on se rapproche du cas de la **capitalisation continue**, dans lequel le nombre de périodes k tend vers l'infini. L'équation (5.3) ne peut pas être utilisée pour calculer le taux d'actualisation à partir du TAP lorsque les intérêts sont capitalisés en continu. Dans ce cas, le taux d'actualisation pour une période d'un an – c'est-à-dire le TAE – est :

Taux annuel effectif avec capitalisation continue des intérêts

$$(1 + TAE) = e^{TAP} \tag{5A.1}$$

avec e la fonction exponentielle (ou constante mathématique $e = 2{,}71828…$). Une fois connu le TAE, il est possible de calculer le taux d'actualisation pour n'importe quelle fréquence de capitalisation en utilisant l'équation (5.2).

Alternativement, si on connaît le TAE et qu'on désire connaître le TAP avec capitalisation continue, il faut inverser l'équation (5A.1) en considérant le logarithme népérien (ln) de chaque membre de l'équation, sachant que par définition, $\ln(e^x) = x$:

Taux annuel proportionnel avec capitalisation continue des intérêts

$$TAP = \ln(1 + TAE) \tag{5A.2}$$

La différence entre la capitalisation continue et la capitalisation journalière des intérêts est très faible. Ainsi, avec un TAP de 6 %, le taux annuel effectif est de $(1 + 0{,}06 / 365)^{365} - 1 = 6{,}18313\,\%$ avec une actualisation quotidienne, contre $e^{0{,}06} - 1 = 6{,}18365\,\%$ avec une actualisation continue. La capitalisation continue est donc peu utilisée en pratique pour les opérations courantes. En revanche, elle se révèle très utile lorsqu'il s'agit d'évaluer des actifs financiers complexes.

Flux continus

Comment calculer la valeur actuelle d'un projet pour lequel les flux sont continus ? C'est le cas, par exemple, d'une entreprise comme Amazon.com qui réalise des ventes pratiquement à chaque instant. Pour calculer la valeur actuelle de flux reçus ou payés de manière continue, on peut partir de la formule de la rente perpétuelle croissante. Avec F le flux initial croissant au taux annuel g et r le taux d'intérêt (TAE), on a :

Valeur actuelle d'une rente perpétuelle croissante continue

$$VA = F / (r_c - g_c) \tag{5A.3}$$

avec $r_c = \ln(1 + r)$ et $g_c = \ln(1 + g)$, respectivement le taux d'actualisation et le taux de croissance exprimés sous la forme d'un TAP avec capitalisation continue.

Une manière approchée, plus simple, de traiter des flux se produisant de manière continue sur une année consiste à les remplacer par un flux unique intervenant à mi-année (le 1er juillet, donc). Dans ce cas, toutes les formules du chapitre peuvent être utilisées, simplement en appliquant à ce flux de mi-année un facteur de taux d'intérêt égal à $(1 + r)^{0,5}$ pour le décaler de six mois.

Valoriser un projet avec des flux continus

Tatol envisage d'acheter une plateforme pétrolière qui produit initialement 30 millions de barils de pétrole par an. Tatol a négocié un contrat à long terme lui permettant de vendre le pétrole à un prix fixé à l'avance qui garantit un profit de 1,25 € par baril. La production de pétrole de la plateforme diminue de 3 % par an. Le taux d'actualisation est de 10 % (TAE). Combien l'entreprise est-t-elle prête à payer pour la plateforme pétrolière ?

Solution

Les bénéfices tirés de la plateforme pétrolière sont la première année de : 30 millions de barils × 1,25 € / baril = 37,5 millions d'euros. Le taux d'actualisation de 10 % équivaut à un TAP avec capitalisation continue égal à $r_c = \ln(1 + 0,1) = 9,531$ % ; de même, le taux de croissance équivaut à un TAP avec capitalisation continue de $g_c = \ln(1 - 0,03) = -3,046$ %. Si on utilise l'équation (5A.3), la valeur actuelle des bénéfices de la plateforme pétrolière est :

$$VA = 37,5 / (9,531\,\% + 3,046\,\%) = 298,16 \text{ millions d'euros}$$

Alternativement, on peut considérer que le taux de profit initial est de 37,5 millions d'euros ; à la fin de la première année, il ne sera plus que de 37,5 × (1 – 3 %) = 36,375 millions. En milieu d'année, le profit est donc de (37,5 + 36,375) / 2 = 36,938 millions. Donc :

$$VA = 36,938 / (r - g) \times (1 + r)^{0,5} = 36,938 / (10\,\% + 3\,\%) \times (1 + 10\,\%)^{0,5}$$
$$= 298,00 \text{ millions d'euros}$$

Les deux méthodes permettent d'obtenir des résultats très proches.

Exemple 5A.1

Exercices

L'astérisque désigne les exercices les plus difficiles.

1. Une banque rémunère tout dépôt d'une durée de deux ans au taux de 20 %. Quel est le taux d'intérêt équivalent pour des périodes d'un mois, de six mois et d'un an ?

2. Est-il préférable de disposer d'un compte bancaire offrant 5 % par an pendant trois ans (TAE) ou :

   a. d'un compte offrant 2,5 % d'intérêts tous les six mois pendant trois ans ?

   b. d'un compte offrant 7,5 % d'intérêts tous les 18 mois pendant trois ans ?

   c. d'un compte offrant 0,5 % d'intérêts tous les mois pendant trois ans ?

3. La plupart des universités proposent à leurs professeurs de prendre, tous les sept ans, une année sabbatique. Au cours de cette année, les professeurs n'ont ni cours ni charge administrative, mais ils conservent bien sûr leur salaire. Pour un professeur des universités gagnant 50 000 € par an et en poste pendant 42 ans, quelle est la valeur actuelle des salaires gagnés pendant ses années sabbatiques si le TAE est de 6 % ?

4. Trois possibilités de placement à un an sont offertes à Lola :

   a. 10 % (TAP) capitalisés mensuellement ;

   b. 8 % (TAP) capitalisés annuellement ;

   c. 9 % (TAP) capitalisés quotidiennement.

   Quel est, dans chaque cas, le TAE (en considérant qu'une année compte 365 jours) ?

5. Vous envisagez de quitter votre banque pour une banque concurrente qui propose un compte rémunéré au taux (TAP) de 8 % avec capitalisation mensuelle. Votre conseiller actuel, qui souhaite vous conserver comme client, propose de s'aligner en vous proposant un compte rémunéré avec capitalisation semestrielle des intérêts. Quel taux doit-il proposer ?

6. Un compte bancaire offre un TAE de 5 %. Quel est le taux annuel proportionnel si la capitalisation est semestrielle ? Et avec une capitalisation mensuelle ?

7. Avec un TAP de 8 % et une capitalisation mensuelle des intérêts, quelle est la valeur actuelle d'une annuité versant 100 € tous les six mois pendant cinq ans ?

8. Vous pouvez gagner 50 € d'intérêts en plaçant 1 000 € pendant huit mois. En supposant que le taux d'intérêt effectif soit le même quelle que soit la durée du placement, combien gagneriez-vous pour un placement sur six mois ? Un an ? 18 mois ?

9. Vous avez placé 100 € sur un compte rémunéré il y a cinq ans et le solde de votre compte est aujourd'hui de 134,39 €. En supposant que les intérêts étaient capitalisés semestriellement, quel était le TAP de ce placement ? Et si les intérêts étaient capitalisés mensuellement ?

10. Éliette est admise dans une prestigieuse école de commerce parisienne. Les frais de scolarité imposent huit versements de 5 000 € payés semestriellement ; le premier versement doit avoir lieu dans six mois. Combien faut-il placer aujourd'hui sur un compte rémunéré à 4 % (TAP) avec capitalisation semestrielle pour s'acquitter des frais de scolarité ?

11. Un prêt est proposé à Gustave à 5 % (TAP) avec capitalisation mensuelle des intérêts. Quel est le montant des intérêts payés chaque mois en pourcentage du capital restant dû ?

12. Une banque fait de la publicité pour un crédit à la consommation sur 60 mois à 5,99 % (TAP). Quel est le montant des mensualités pour un emprunt de 8 000 € ?

13. Une banque propose à Marie-Charlotte un crédit sur 30 ans au taux annuel effectif de 5,375 %. Quel est le montant des mensualités pour un emprunt de 150 000 € ?

14. Philippe décide de rembourser son crédit par anticipation. Le crédit, dont la maturité initiale était de 30 ans, a été contracté il y a quatre ans et huit mois. Ses mensualités sont de 2 356 € et chaque versement a été effectué en temps et en heure. Une mensualité vient juste d'être payée. Le taux d'intérêt du crédit est de 6,375 % (TAP). Quelle somme Philippe doit-il verser pour rembourser le crédit aujourd'hui ?

15. Muriel vient de vendre son appartement 1 million d'euros. Pour acheter cet appartement, il y a exactement 18 ans et demi, elle avait emprunté 800 000 € sur 30 ans à 5,25 % (TAP). Cet emprunt prévoyait des mensualités constantes. Muriel vient de payer une mensualité. De quelle somme dispose Muriel après avoir vendu son appartement et remboursé son crédit ?

16. Laurence vient d'acheter une maison en empruntant 500 000 € sur 30 ans avec des paiements mensuels et un TAP de 6 %. Quel est le montant des intérêts et le remboursement en capital la première année ? Et la vingtième année ?

17. Tony a obtenu il y a quelques années un prêt pour acheter un appartement. Le prêt arrivera à échéance dans 25 ans, le taux (TAP) est de 7,625 % et les mensualités sont de 1 449 €.

    a. Combien Tony doit-il encore rembourser (en d'autres termes, quel est le capital restant dû) ?

    b. Tony craint de ne pas pouvoir payer ses mensualités et de se faire saisir son appartement. Si la banque saisit l'appartement, elle peut espérer le revendre au mieux 150 000 €. La banque accepte donc de réduire les mensualités de Tony. Le taux des prêts à 25 ans est aujourd'hui de 5 % (TAP). Quelle est la mensualité la plus faible que peut accepter la banque pour ne pas perdre d'argent par rapport à la saisie de l'appartement ?

*18. Charles a contracté il y a quelques années un prêt étudiant. Il lui reste à rembourser 500 € par mois pendant les quatre prochaines années. Le TAP est de 9 %. Il décide de verser aujourd'hui 100 € de plus que sa mensualité. Si ses prochains paiements sont de 500 € jusqu'au remboursement intégral du crédit, quel sera le montant de sa dernière mensualité ? Quelle est la rentabilité (exprimée sous la forme d'un TAP avec capitalisation mensuelle) de ce paiement de 100 € ?

*19. (Suite de l'exercice 18). Charles décide en fait de verser chaque mois 250 € de plus pour rembourser son emprunt, soit une mensualité totale de 750 €. En combien de temps le prêt sera-t-il remboursé ?

*20. (Suite de l'exercice 13). Marie-Charlotte accepte le crédit proposé par la banque. Plutôt que d'effectuer des versements mensuels, elle a obtenu la possibilité d'effectuer des versements toutes les deux semaines. Combien de temps lui faut-il pour rembourser le crédit si le TAE est de 5,375 % ?

*21. Maxence a contracté le 1er juillet un emprunt sur 30 ans à 12 % (TAP), remboursable par mensualités constantes. La première mensualité a lieu le 1er août. Maxence décide d'utiliser chaque année son 13e mois pour rembourser par anticipation une partie de son prêt : il s'engage ainsi à doubler le montant de la mensualité payée le 1er janvier de chaque année. En combien de temps le prêt sera-t-il remboursé ?

22. Un concessionnaire automobile vend une voiture 20 000 € et propose à Franck soit de tout payer comptant et de bénéficier d'un rabais de 2 000 €, soit de payer uniquement 5 000 € comptant et le reste sur 30 mois sans frais. Franck peut emprunter à 15 % (TAP) avec capitalisation mensuelle des intérêts. Quelle option Franck doit-il retenir ?

23. Élise a emprunté il y a cinq ans au taux d'intérêt de 10 % (taux annuel proportionnel) pour 30 ans. Ses mensualités constantes s'élèvent à 1 402 €. Depuis, les taux d'intérêt ont baissé, le TAP n'est plus que de 6,625 % ; Élise cherche à refinancer cet emprunt, c'est-à-dire à contracter un nouvel emprunt pour rembourser le premier. Le nouvel emprunt sera également remboursé par mensualités constantes.

   a. Quelles sont les mensualités du nouvel emprunt si sa durée est de 30 ans ?

   b. Quelles sont les mensualités du nouvel emprunt si sa durée est de 25 ans ?

   c. Si les mensualités restent égales à 1 402 €, combien de temps faudra-t-il pour rembourser le nouveau crédit ?

   d. Si les mensualités demeurent à 1 402 € et qu'Élise emprunte sur 25 ans, de quelle somme supplémentaire dispose-t-elle aujourd'hui ?

24. Théo a emprunté 25 000 € à 15 % (TAP) avec capitalisation mensuelle des intérêts. Il a la possibilité de ne verser chaque mois que le montant des intérêts, ce qu'il fait. Sa banque lui propose une nouvelle offre de financement – aux mêmes conditions – avec un TAP de 12 %. Théo décide donc de refinancer son prêt initial. Il souhaite continuer à payer les mêmes mensualités. Quelle somme supplémentaire Théo peut-il emprunter ?

25. Dressez le tableau d'amortissement d'un emprunt de 400 000 € au taux de 6 % remboursé à raison d'un flux annuel pendant 10 ans en considérant successivement un remboursement (*i*) par annuités constantes, (*ii*) par amortissement constant du capital, (*iii*) *in fine* avec intérêts intermédiaires et (*iv*) *in fine* sans intérêts intermédiaires.

*26. Thomas est étudiant. Il souhaite emprunter pour financer ses études. Sa banque lui propose le prêt suivant : 50 000 € à 6 % (TAP) ; aucun remboursement ni paiement d'intérêt pendant les deux premières années ; remboursement par mensualités constantes les trois années suivantes. À combien s'élèvent les mensualités ? Comparez avec un emprunt sans différé. Qu'en est-il si seul le remboursement du capital est différé, autrement dit, si les intérêts sont payés au cours des deux premières années ?

27. En 1974, l'inflation a atteint en France le taux record de 15,2 % et le taux d'intérêt long terme était de 11,2 %. Quel était le taux d'intérêt réel ? Comment a évolué le pouvoir d'achat de l'épargne au cours de l'année ?

28. Si le taux d'inflation est de 5 %, quel est le taux d'intérêt nominal nécessaire afin d'obtenir un taux d'intérêt réel de 3 % ?

29. Le taux d'intérêt réel peut-il être négatif ? Et le taux d'intérêt nominal ? Pourquoi ?

30. Soit un projet imposant un investissement initial de 100 000 € et produisant un flux unique de 150 000 € dans cinq ans. Quelle est la VAN de ce projet si le TAE est de 5 % ? De 10 % ? Quel est le taux d'intérêt maximal acceptable pour que le projet demeure rentable ?

31. La structure par terme des taux d'intérêt sans risque est la suivante :

Terme	1 an	2 ans	3 ans	5 ans	7 ans	10 ans	20 ans
TAE (en %)	1,99	2,41	2,74	3,32	3,76	4,13	4,93

Les taux non renseignés dans le tableau peuvent être calculés de manière approximative par interpolation linéaire : par exemple, le taux d'intérêt à quatre ans est la moyenne du taux à trois ans et de celui à cinq ans. Calculez la valeur actuelle des séquences de flux sans risque suivantes :

a. 1 000 € dans deux ans et 2 000 € dans cinq ans ;

b. 500 € chaque année pendant cinq ans ;

c. 2 300 € par an pendant 20 ans ;

d. 100 € par an pendant trois ans ;

e. Dans le dernier cas, quel taux unique faudrait-il utiliser pour pouvoir appliquer la formule des annuités constantes ?

f. Quelle est la forme de la courbe des taux ? Que peut-on dire des anticipations des investisseurs à propos des taux d'intérêt futurs ?

32. Le taux d'intérêt à un an est aujourd'hui de 6 %. Le marché anticipe un ralentissement de l'économie dans un an et une diminution du taux d'intérêt de 1 point ; dans deux ans, toujours d'après les investisseurs, l'économie sera en récession, poussant la BCE à baisser son taux d'intérêt directeur, ce qui réduira le taux d'intérêt à un an à 2 % ; grâce à cela, l'activité économique repartira et le taux d'intérêt à un an passera à 3 % l'année suivante puis continuera à croître de 1 % par an jusqu'à ce qu'il atteigne 6 %. Ensuite, les taux ne bougeront plus, si l'on en croit le consensus de marché.

a. Quel est aujourd'hui le taux d'intérêt à deux ans ?

b. Quelle est aujourd'hui la structure par terme des taux d'intérêt jusqu'à 10 ans ? Représentez la courbe des taux d'intérêt et comparez le taux d'intérêt à un an et celui à 10 ans.

33. EDF emprunte à cinq ans au taux de 3,1 %. Préféreriez-vous que EDF vous paie 500 € aujourd'hui ou 700 € dans cinq ans ? Même question pour Accor qui emprunte à 10 %.

34. Considérons deux placements : le premier offre 3 % d'intérêts et n'est pas imposé, tandis que le second offre 4 % d'intérêts, mais est imposé au taux de 30 %. Quel placement retenir ?

35. Sébastien, qui habite aux États-Unis, vient d'acheter un nouveau bateau. Il est fier d'avoir obtenu pour cela un prêt à un taux de 7 % (TAP, avec capitalisation mensuelle). Ce taux est inférieur à celui qu'il avait obtenu pour acheter son appartement à Miami, qui était de 8 % (TAP avec capitalisation mensuelle). Son taux marginal d'imposition étant de 25 % et les intérêts sur les emprunts immobiliers étant déductibles des impôts, a-t-il vraiment réalisé une bonne opération ?

36. Balthazar souhaite souscrire un prêt pour financer son inscription en MBA à Boston. Il peut bénéficier soit d'un crédit à la consommation à un taux de 5,5 % (TAE), soit d'un prêt gagé sur son appartement – un *home equity loan, classique aux états-Unis* – au taux de 6 % (TAP avec capitalisation mensuelle). Les intérêts payés sur les *home equity loans*, contrairement à ceux des crédits à la consommation, sont déductibles des impôts. Balthazar étant imposé au taux de 15 %, quelle option lui conseillez-vous ?

37. Alain doit 5 000 € au titre d'un crédit automobile à 4,8 %, 10 000 € au titre d'un crédit à la consommation à 14,9 % et 25 000 € au titre de son crédit immobilier à 3,5 %. Les taux des trois crédits sont exprimés en TAP avec capitalisation mensuelle. Par ailleurs, son compte d'épargne, rémunéré à 5,5 % (TAE), a un solde créditeur de 30 000 € et il a placé sur son assurance-vie 100 000 € rémunérés à 5,25 % (TAP, capitalisation quotidienne). Le taux d'imposition sur les intérêts perçus est de 30 %. Quel placement est le plus avantageux ? Alain doit-il utiliser son épargne pour rembourser certains de ses crédits ? Lesquels ?

38. Votre entreprise est endettée au taux de 8 %. En tant que directeur financier, vous envisagez de rembourser par anticipation cette dette en utilisant toutes les liquidités que vous n'investissez pas dans de nouveaux projets. Le taux d'intérêt sans risque est actuellement de 5 %. Jusqu'à ce que votre dette soit complètement remboursée, quel taux d'actualisation devez-vous retenir pour évaluer les futurs projets sans risque qui s'offrent à vous ?

39. Durant l'été 2008, une entreprise britannique a organisé un jeu-concours qui permettait de gagner soit une Ferrari, soit 90 000 £ (environ 113 000 €). La Ferrari ainsi que les 90 000 £ (en coupures de 100 £) étaient exposés sur un stand situé dans un hall d'embarquement d'Heathrow à Londres. Si l'on considère que le taux d'intérêt sans risque en livres sterling était de 5 % et que le taux en euros était de 4 %, combien cela coûtait-il chaque mois à l'entreprise d'exposer les 90 000 £ (hors frais de surveillance, de location de stand, etc.) ?

40. Votre entreprise envisage d'acquérir un nouveau système informatique. Son coût est soit de 32 000 € comptant, soit de 1 000 € chaque mois pendant trois ans.

    a. Si l'entreprise peut emprunter au taux de 6 % (TAP, avec capitalisation mensuelle), quelle solution est la plus avantageuse ?

    b. Qu'en est-il si le taux est de 18 % (TAP, avec capitalisation mensuelle) ?

Étude de cas – Le Livret A, un produit d'épargne réglementé

Le Livret A est un produit d'épargne réglementé qui permet à chaque Français d'épargner jusqu'à 22 950 euros sans risque (les fonds sont garantis par l'État), sans contrainte (l'épargne n'est pas bloquée) et sans impôt sur les intérêts perçus. Le Livret A bénéficie de plus d'un taux d'intérêt bonifié. Nul besoin d'être grand financier pour comprendre pourquoi le Livret A est un des placements favoris des Français : le montant épargné sur ces livrets dépasse 280 milliards d'euros en 2019.

1. Trouvez sur Internet le taux d'intérêt dont bénéficient actuellement les détenteurs de Livret A (le taux fixé par les pouvoirs publics est sous la forme d'un taux annuel proportionnel) ainsi que les conditions de capitalisation des intérêts. Calculez le taux annuel effectif offert par un Livret A.

2. Si les pouvoirs publics n'avaient pas mis en place une bonification d'intérêt, le taux d'intérêt offert par un tel placement serait probablement très proche de celui offert aux acheteurs de bons du Trésor sans risque d'échéance un mois. Trouvez ce taux de marché sur le site internet de la Banque de France (onglet Statistiques > Taux et cours > Taux indicatifs des bons du Trésor et OAT).

3. Compte tenu de la règle particulière de calcul des intérêts (la « règle des quinzaines »), quels sont les intérêts touchés par un épargnant au bout d'un an :

    a. S'il place 10 000 euros du 1er janvier au 31 décembre ?

    b. S'il place et retire en même temps 10 000 euros le 7 de chaque mois (on néglige l'effet de la capitalisation infra-annuelle des intérêts) ?

    c. S'il place et retire en même temps 10 000 euros le 7 et le 20 de chaque mois ?

4. Quel est le gain tiré en un an de la bonification du taux d'intérêt par un épargnant qui a atteint le plafond de son Livret A ?

5. Quel est le coût de la bonification du taux d'intérêt du Livret A pour les finances publiques ? À votre avis, pourquoi le Livret A existe-t-il ?

Chapitre 6
L'évaluation des obligations

L'encours des titres de dette émis par les émetteurs français s'élève en 2019 à plus de 4 000 milliards d'euros, répartis pratiquement à parts égales entre l'État et les entreprises (essentiellement des banques). Bien que moins médiatique que le marché des actions, le marché de la dette occupe une place essentielle dans le financement de l'économie : il représente le double de la capitalisation boursière de toutes les entreprises cotées en France !

Ce chapitre est consacré aux obligations et à leurs méthodes d'évaluation (*bond pricing*). Comprendre cela est utile à plusieurs égards. Tout d'abord, le prix des obligations d'État sert au calcul des taux d'intérêt sans risque qui permettent de construire la courbe des taux présentée au chapitre 5. Ensuite, dans la mesure où les entreprises émettent régulièrement des obligations pour se financer, leur rentabilité détermine en partie le coût du capital. Enfin, l'étude des obligations est une bonne introduction aux techniques d'évaluation des actifs financiers (*asset pricing*) sur un marché concurrentiel. Les méthodes présentées dans ce chapitre faciliteront donc la compréhension du chapitre 9 consacré à l'évaluation des actions.

La Loi du prix unique suppose que, sur un marché concurrentiel, le prix d'un actif est égal à la valeur actuelle de ses flux futurs. Ce chapitre débute donc par l'étude du lien entre flux financiers, prix et rentabilité d'une obligation (section 6.1), puis étudie la dynamique de ce prix au fil du temps (section 6.2). La section 6.3 est consacrée aux relations entre les prix d'obligations différentes. Les sections 6.4 et 6.5 concluent le chapitre en traitant des obligations qui présentent un risque de défaut, qu'elles soient émises par des entreprises ou des États (obligations souveraines).

6.1. Flux financiers, prix et rentabilité des obligations

Cette section présente la relation fondamentale entre le prix et la rentabilité d'une obligation.

Coupon et valeur nominale d'une obligation

Les obligations sont des **titres de créance** (ou **titres de dette**). Elles peuvent être émises par l'État ou des entreprises qui souhaitent emprunter pour financer leurs dépenses ; elles sont achetées par des investisseurs, que l'on appelle prêteurs, **porteurs obligataires**, ou simplement obligataires.

Lors d'une émission d'obligations, leurs caractéristiques sont définies dans un **document d'information** ou un **prospectus d'émission**. Ce document définit tout d'abord la rémunération offerte aux obligataires. Un investisseur accepte d'acheter des obligations, donc de prêter de l'argent, en échange de la promesse de paiements futurs, qui se présentent généralement sous la forme de deux flux : le **remboursement** du capital emprunté et le paiement d'**intérêts**, appelés **coupons**. Leur périodicité est le plus souvent annuelle en France, et trimestrielle ou semestrielle aux États-Unis. Le prospectus indique également la **valeur nominale** des obligations (ou **valeur faciale, principal**), qui est souvent un multiple de 1 000 € et qui sert de montant de référence pour le calcul des coupons, ainsi que son **échéance**, date à laquelle le capital emprunté sera intégralement remboursé. La période comprise entre la date d'émission de l'obligation et son échéance est la **maturité initiale** de l'obligation.

Les intérêts versés par une obligation dépendent donc de son **taux de coupon** et de sa valeur nominale. Par convention, le taux de coupon est exprimé sous la forme d'un taux annuel proportionnel (TAP), donc :

Coupon d'une obligation

$$C = (\text{Taux de coupon}/\text{Nombre de coupons dans l'année}) \times \text{Valeur nominale} \quad (6.1)$$

Par exemple, une obligation de 1 000 € avec un taux de coupon de 10 % et des coupons semestriels détache un coupon de 1 000 € × 10 % / 2 = 50 € tous les six mois.

Obligations zéro-coupon

Certaines obligations ne donnent droit à aucun coupon : ce sont des **obligations zéro-coupon**. Elles sont à intérêts précomptés et elles sont remboursées *in fine* (voir chapitre 5). Autrement dit, l'obligataire reçoit à l'échéance un flux unique égal à la valeur nominale de l'obligation ; il n'y a aucun flux intermédiaire. C'est le cas, par exemple, des **bons du Trésor à taux fixe et à intérêt précompté** (BTF) émis par l'Agence France Trésor qui gère la dette publique française. La valeur actuelle d'un flux étant, par nature, inférieure au flux en question, les obligations zéro-coupon sont toujours échangées avec une **décote** : leur prix d'émission est inférieur à leur valeur nominale.

Considérons une obligation sans risque zéro-coupon à un an, de valeur nominale 100 000 €, dont le prix d'émission est de 96 618,36 €. Si cette obligation est détenue jusqu'à l'échéance, l'échéancier est :

Bien que l'obligation zéro-coupon ne prévoie aucun paiement intermédiaire et que le paiement final soit simplement égal à la valeur nominale, le temps s'écoulant entre l'émission de l'obligation et son remboursement est rémunéré : le prix d'émission de l'obligation est inférieur à sa valeur nominale.

Rentabilité à l'échéance d'une obligation zéro-coupon. Le TRI est défini dans les chapitres précédents comme le taux d'actualisation qui annule la VAN. Le TRI d'une obligation zéro-coupon correspond donc à la rentabilité que les investisseurs obtiennent s'ils achètent l'obligation à son prix de marché et la détiennent jusqu'à l'échéance. Dans le cas d'actifs financiers (au contraire des actifs physiques), on parle plus volontiers de **taux de rentabilité à l'échéance (TRE)** ou, pour faire court, de rentabilité à l'échéance (en anglais, *Yield To Maturity*[1]) plutôt que de TRI, mais la signification du concept est identique :

La rentabilité à l'échéance d'une obligation est le taux d'actualisation qui égalise la valeur actuelle des flux futurs espérés et le prix courant de l'obligation.

La rentabilité à l'échéance de l'obligation zéro-coupon de maturité un an émise au prix de 96 618,36 € et de valeur nominale 100 000 € est donc :

$$96\ 618,36 = \frac{100\ 000}{1 + TRE} \quad \Rightarrow \quad TRE = \frac{100\ 000}{96\ 618,36} - 1 = 3,5\ \%$$

Autrement dit, la rentabilité à l'échéance de cette obligation est de 3,5 %. Puisque l'obligation est sans risque, les flux futurs sont certains. Investir dans cette obligation et la détenir jusqu'à son échéance équivaut à gagner 3,5 % en un an. Selon la Loi du prix unique, tous les placements sans risque à un an doivent donc offrir une rentabilité de 3,5 %.

De façon générale, la rentabilité à l'échéance d'une obligation zéro-coupon qui arrive à échéance dans N périodes, de prix P et de valeur nominale VN est solution de l'équation :

$$P = VN/(1 + TRE_N)^N \tag{6.2}$$

avec TRE_N la rentabilité exigée par période de capitalisation de la part d'un investisseur conservant l'obligation jusqu'à son échéance (à la date N). En reformulant cette équation, on obtient :

Rentabilité à l'échéance d'une obligation zéro-coupon de maturité N

$$TRE_N = (VN/P)^{1/N} - 1 \tag{6.3}$$

Taux d'intérêt sans risque. Il existe autant de taux d'intérêt sans risque r_N que de maturités, comme l'a montré le chapitre 5. Ces taux d'intérêt sans risque r_N peuvent être déterminés à partir d'obligations zéro-coupon sans risque de défaut. La Loi du prix unique garantit en effet que le taux d'intérêt sans risque, pour une échéance donnée, est égal à la rentabilité à l'échéance de l'obligation zéro-coupon de même maturité :

Taux d'intérêt sans risque de maturité N

$$r_N = TRE_N \tag{6.4}$$

Ce taux d'intérêt sans risque, qui mesure la rentabilité à l'échéance d'une obligation zéro-coupon sans risque, est appelé **taux d'intérêt comptant**, ou **taux spot** ; c'est celui que l'on utilise pour construire la **courbe des taux** (voir chapitre 5), qui s'appelle donc également **courbe des taux zéro-coupon** (*zero-coupon yield curve*).

---

1. Le terme *Yield To Maturity* est parfois traduit en français par taux de rentabilité actuariel, moins explicite que le terme anglo-saxon. C'est la raison pour laquelle il ne sera pas utilisé dans cet ouvrage.

Exemple 6.1

Rentabilités pour différentes maturités

Quelle est la rentabilité à l'échéance des obligations zéro-coupon de valeur nominale 100 € dont les prix et les maturités sont les suivants ?

Maturité	1 an	2 ans	3 ans	4 ans
Prix	96,62 €	92,45 €	87,63 €	83,06 €

Solution

Maturité	1 an	2 ans	3 ans	4 ans
TRE	$(100 / 96,62) - 1$ $= 3,50\,\%$	$(100 / 92,45)^{1/2} - 1$ $= 4,00\,\%$	$(100 / 87,63)^{1/3} - 1$ $= 4,50\,\%$	$(100 / 83,06)^{1/4} - 1$ $= 4,75\,\%$

Crise financière — **Le mystère des rentabilités négatives**

Le 9 décembre 2008, pour la première fois depuis la Grande Dépression, la rentabilité à l'échéance des bons du Trésor américains à trois mois – les fameux *T-bills* – est passée en-dessous de zéro. Autrement dit ces bons du Trésor, qui sont des zéro-coupons sans risque, ont été cotés *au-dessus* du pair : un investisseur souhaitant investir 1 million de dollars devait payer 1 000 025,56 $ (le taux était de – 0,01 %). La rentabilité à l'échéance étant négative, il existait une opportunité d'arbitrage sur le marché : en vendant des *T-bills* pour une valeur nominale de 1 million de dollars, on s'assurait un profit sans risque de 25,56 $ dans trois mois. De fait, la rentabilité à l'échéance n'est pas restée longtemps négative, car des ventes massives de *T-bills* ont fait baisser les prix des obligations. Pourtant, l'opération n'était pas tout à fait sans risque : lorsqu'un investisseur vend pour 1 million de dollars de *T-bills*, il doit bien placer cette somme quelque part. En temps normal, c'est sur un compte bancaire. Décembre 2008 n'était cependant pas un mois comme les autres : la défiance vis-à-vis des banques était à son paroxysme. De nombreux investisseurs n'ont donc pas osé réaliser cet arbitrage, de crainte de ne pas pouvoir récupérer leurs fonds en cas de faillite bancaire. Les 25,56 $ pouvaient à cet égard s'interpréter comme le montant que ces investisseurs étaient prêts à payer pour confier leur argent au Trésor américain plutôt qu'à une banque commerciale.

Le même phénomène a eu lieu en Europe à partir de l'été 2012. Au départ, les craintes de voir la Grèce sortir de l'euro et des doutes sur la solidité de certaines banques européennes ont incité les investisseurs à se reporter vers des obligations d'État allemandes, françaises ou suisses pour se protéger contre une possible crise. Face à une demande en forte hausse, les rentabilités à l'échéance de ces titres ont baissé jusqu'à devenir négatives. Mais contrairement au cas américain, depuis lors, les rentabilités à l'échéance ont continué à baisser : en 2019, toutes les obligations d'état françaises de maturité inférieure à sept ans affichent ainsi des rentabilités à l'échéance négatives, jusqu'à – 0,5 % !

...

...

On estime que 15 000 milliards d'euros sont aujourd'hui investis dans des obligations qui offrent des rentabilités négatives. L'ampleur et la persistance de ce phénomène sont difficiles à expliquer, mais le déséquilibre constaté en Europe entre un taux d'épargne élevé et un niveau d'investissement faible constitue un premier élément de réponse. L'action de la Banque centrale européenne, qui maintient volontairement son taux directeur à 0 % pour stimuler l'activité économique, en est un autre. Enfin, la plupart des détenteurs de ces titres sont des compagnies d'assurance ou des fonds de pension, à qui la réglementation impose de détenir des quantités importantes d'actifs peu risqués. Ils pourraient détenir à la place de l'argent liquide, qui leur offrirait une rentabilité nulle, mais ils préfèrent visiblement supporter une rentabilité à l'échéance légèrement négative pour s'éviter le coût et le risque de devoir gérer d'importantes quantités d'argent liquide...

Obligations couponnées

Comme leur nom l'indique, les **obligations couponnées** versent périodiquement un coupon. C'est, en France, le cas de la plupart des obligations émises par les entreprises ainsi que des **obligations assimilables du Trésor** (OAT) dont l'échéance initiale est comprise entre deux et 50 ans (voir chapitre 24).

Les flux futurs d'une obligation couponnée

Exemple 6.2

L'Agence France Trésor gère la dette de l'État français. Elle vient d'émettre une OAT de maturité initiale 10 ans et de valeur nominale 1 €. Les coupons sont annuels et la rentabilité à l'échéance est de 2,5 %. Quels sont les paiements versés à l'obligataire qui détient 1 000 OAT et les conserve jusqu'à l'échéance ?

Solution

Les obligataires reçoivent tous les ans 1 € × 2,5 % = 0,025 €, soit pour 1 000 obligations 25 €. L'échéancier est :

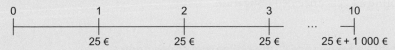

Le dernier flux a lieu dans 10 ans. Les obligataires reçoivent alors, pour chaque obligation détenue, un dernier coupon égal à 0,25 € et le remboursement du principal de 1 €.

La rentabilité à l'échéance d'une obligation, qu'elle soit couponnée ou non, correspond par définition au TRI de l'obligation détenue jusqu'à son échéance.

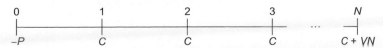

Dans le cas d'une obligation couponnée, le TRE correspond donc au taux d'actualisation *unique* qui égalise la valeur actuelle des flux futurs et le prix courant de l'obligation :

$$P = \underbrace{\frac{C}{\left(1+TRE\right)^1} + \frac{C}{\left(1+TRE\right)^2} + \frac{C}{\left(1+TRE\right)^3} + ... + \frac{C+VN}{\left(1+TRE\right)^N}}_{N \text{ termes}}$$

$$= C \times \sum_{t=1}^{N} \frac{1}{\left(1+TRE\right)^t} + \frac{VN}{\left(1+TRE\right)^N}$$

Comme le détachement des coupons s'apparente à une annuité constante (voir chapitre 4), la rentabilité à l'échéance est solution de l'équation suivante[2] :

Rentabilité à l'échéance d'une obligation couponnée

$$P = C \times \frac{1}{TRE}\left(1 - \frac{1}{\left(1+TRE\right)^N}\right) + \frac{VN}{\left(1+TRE\right)^N} \qquad (6.5)$$

À la différence des obligations zéro-coupon, aucune formule simple ne permet d'obtenir directement la rentabilité à l'échéance des obligations couponnées. Il faut donc recourir à des méthodes d'interpolation linéaire ou utiliser un tableur pour trouver le TRE solution de l'équation (6.5).

La rentabilité à l'échéance d'une obligation calculée avec l'équation (6.5) correspond au taux d'intérêt effectif pour une période égale à la durée entre deux détachements de coupons. Lorsque les coupons sont détachés tous les ans, comme c'est souvent le cas en Europe, cela ne pose aucune difficulté particulière. En revanche, lorsque les coupons sont payés tous les semestres, comme c'est la norme en Amérique du Nord, il faut multiplier le TRE par deux (une année comprend deux semestres) afin de l'exprimer sous forme d'un taux annuel proportionnel (voir chapitre 5).

Grâce à l'équation (6.5), il est également possible de calculer le prix d'une obligation à partir de la rentabilité à l'échéance. À cet effet, il suffit d'actualiser les flux futurs au taux de rentabilité à l'échéance de l'obligation.

Exemple 6.3

Rentabilité à l'échéance d'une obligation couponnée

Le Trésor américain vient d'émettre une obligation à cinq ans, de valeur nominale 1 000 $. Les coupons sont semestriels et le taux de coupon est de 5 % (taux annuel proportionnel). Cette obligation est émise au prix de 957,35 $. Quelle est la rentabilité à l'échéance ?

...

---

2. L'équation (6.5) suppose que le premier coupon est payé à la fin de la première période. Si le premier coupon est versé plus tôt, il faut multiplier le prix P par $(1 + TRE)^f$, avec f la fraction déjà écoulée de la période entre deux coupons.

...

Solution

L'obligataire recevra 10 coupons semestriels de 1 000 $ × 5 % / 2 = 25 $ jusqu'à l'échéance de l'obligation. La rentabilité à l'échéance est donc :

$$957,35 = 25 \times \frac{1}{TRE}\left(1 - \frac{1}{\left(1 + TRE\right)^{10}}\right) + \frac{1\ 000}{\left(1 + TRE\right)^{10}}$$

Par approximations successives, ou en utilisant un tableur, on obtient TRE = 3 %.

	A	B	C	D	E	F	G	H
4			N	TAUX	VA	F	VF	Formule Excel
5		Sachant	10		-957,35	25	1 000	
6		Résoudre TAUX		3,00%				=TAUX(10,25,-957,35,1000)

Comme les coupons sont semestriels, cette rentabilité porte sur une période de six mois. Pour obtenir un taux en base annuelle, il convient de le multiplier par le nombre de coupons versés au cours d'une année (ici, deux). La rentabilité à l'échéance de cette obligation, exprimée sous forme d'un taux annuel proportionnel, est donc de 6 %.

Prix d'une obligation couponnée

L'obligation de l'exemple 6.3 voit sa rentabilité à l'échéance passer à 6,30 % (taux annuel proportionnel). Quel est le nouveau prix de l'obligation ?

Solution

Un taux annuel proportionnel de 6,30 % correspond à un taux semestriel de 3,15 %. Le nouveau prix de l'obligation est donc :

$$P = 25 \times \frac{1}{0,0315}\left(1 - \frac{1}{\left(1 + 0,0315\right)^{10}}\right) + \frac{1\ 000}{\left(1 + 0,0315\right)^{10}} = 944,98\ \$$$

	A	B	C	D	E	F	G	H
4			N	TAUX	VA	F	VF	Formule Excel
5		Sachant	10	3,1500%		25	1 000	
6		Résoudre VA			-944,98			=VA(0,0315,10,25,1000)

Il est par conséquent possible de passer du prix d'une obligation à sa rentabilité, et inversement : prix et rentabilité d'une obligation donnent en fait la même information et sont, à ce titre, interchangeables. Ainsi, l'obligation de l'exemple 6.4 peut être cotée indifféremment à un taux de 6,30 % ou à un prix de 944,98 $ pour une valeur nominale de 1 000 $. Coter les obligations par leur rentabilité à l'échéance facilite les comparaisons. La rentabilité à l'échéance est en effet indépendante de la valeur nominale de l'obligation. Il est également possible, et c'est la convention de marché, de coter les obligations en pourcentage de leur valeur nominale. Ainsi, l'obligation de l'exemple 6.1 serait cotée en pratique 94,498 % : cette obligation peut être achetée (ou vendue) à un prix égal à 94,498 % de sa valeur nominale.

6.2. La dynamique du prix des obligations

Les obligations zéro-coupon sont toujours échangées, avant l'échéance, à un prix inférieur à leur valeur nominale (puisque les intérêts sont précomptés). En revanche, les obligations couponnées peuvent être échangées à un prix supérieur, égal ou inférieur à leur valeur nominale : l'obligation cote alors, respectivement, **au-dessus du pair**, **au pair** ou **au-dessous du pair,** le pair étant la valeur nominale de l'obligation. Pourquoi une obligation pourrait-elle coter au-dessous ou au-dessus du pair ?

Pair et cotation des obligations

Lorsqu'un investisseur achète une obligation *au-dessous* du pair, il reçoit les coupons promis et une plus-value égale à la différence *positive* entre la valeur nominale et le prix d'achat de l'obligation. Sa rentabilité à l'échéance est donc *supérieure* au taux de coupon. Étant donné le lien entre prix des obligations et rentabilité à l'échéance, la réciproque est vérifiée : si la rentabilité à l'échéance d'une obligation couponnée est supérieure au taux de coupon, la valeur actuelle des flux futurs (actualisés au TRE) est inférieure à la valeur nominale et l'obligation est échangée au-dessous du pair.

Pour les obligations échangées au-dessus du pair, c'est l'inverse : les gains obtenus par l'obligataire sur les coupons sont réduits par la moins-value égale à la différence entre le prix de l'obligation et sa valeur nominale. Autrement dit, une obligation couponnée est négociée au-dessus du pair lorsque sa rentabilité à l'échéance est inférieure au taux de coupon.

Enfin, lorsqu'une obligation est échangée au pair, c'est-à-dire lorsque le prix est identique à la valeur nominale, le taux de coupon est égal à la rentabilité à l'échéance.

Tableau 6.1	Le prix des obligations immédiatement après le détachement du coupon

Lorsque le prix de l'obligation est...	Les obligations sont dites...	Cela se produit lorsque...
... supérieur à sa valeur nominale	... au-dessus du pair	... taux de coupon > *TRE*
... égal à sa valeur nominale	... au pair	... taux de coupon = *TRE*
... inférieur à sa valeur nominale	... au-dessous du pair	... taux de coupon < *TRE*

Exemple 6.5

Taux de coupon et rentabilité à l'échéance

Trois obligations A, B et C de valeur nominale 100 €, de maturité 30 ans, détachent un coupon annuel et offrent des taux de coupon de respectivement 10 %, 5 % et 3 %. La rentabilité à l'échéance de chaque obligation sur le marché est identique : 5 %. Quel est le prix de marché de ces obligations ? Quelle obligation est échangée au-dessus du pair ? Au-dessous du pair ? Au pair ?

...

…

Solution

Le prix des obligations est :

$$P_A = 10 \times \frac{1}{0,05}\left(1 - \frac{1}{1,05^{30}}\right) + \frac{100}{1,05^{30}} = 176,86\ €$$

$$P_B = 5 \times \frac{1}{0,05}\left(1 - \frac{1}{1,05^{30}}\right) + \frac{100}{1,05^{30}} = 100,00\ €$$

$$P_C = 3 \times \frac{1}{0,05}\left(1 - \frac{1}{1,05^{30}}\right) + \frac{100}{1,05^{30}} = 69,26\ €$$

L'obligation A est échangée au-dessus du pair, l'obligation B au pair et l'obligation C au-dessous du pair.

La plupart des émetteurs d'obligations couponnées choisissent un taux du coupon tel que, à l'émission, l'obligation s'échange au pair (c'est-à-dire sa valeur nominale). Une fois l'obligation émise, deux mécanismes peuvent provoquer une variation de son prix. D'une part, avec le temps qui passe l'échéance se rapproche et, toutes choses égales par ailleurs, la valeur actuelle des flux futurs change. D'autre part, quelle que soit la date considérée, toute variation du taux d'intérêt induit une modification de la rentabilité à l'échéance des obligations disponibles sur le marché et de leur prix. Ces deux effets sont analysés dans les deux sections suivantes.

L'effet du temps sur le prix des obligations

Prenons un exemple. Une obligation zéro-coupon d'échéance 30 ans, de valeur nominale 100 € a une rentabilité à l'échéance de 5 %. Elle s'échange sur le marché au prix de :

$$P(\text{maturité} = 30\text{ ans}) = 100 / 1,05^{30} = 23,14\ €$$

Cinq ans plus tard, le prix de cette obligation, si la rentabilité à l'échéance est toujours de 5 %, est de :

$$P(\text{maturité} = 25\text{ ans}) = 100 / 1,05^{25} = 29,53\ €$$

En cinq ans, le prix de l'obligation a donc augmenté. En effet, le dénominateur de l'équation diminue, toutes choses égales par ailleurs, avec la maturité. Si on achète l'obligation 23,14 € et qu'on la revend cinq ans après 29,53 €, la rentabilité de l'opération est de :

$$(29,53 / 23,14)^{1/5} - 1 = 5,0\ \%$$

La rentabilité de l'opération est identique au TRE de l'obligation. Cet exemple illustre une propriété plus générale : si la rentabilité à l'échéance de l'obligation est constante, la rentabilité d'un placement obligataire est égal au TRE des obligations, même lorsque l'obligation est vendue avant l'échéance. Ce résultat est également vérifié pour les obligations couponnées. La dynamique du prix de ces obligations est toutefois plus complexe, car des flux sont versés périodiquement au détenteur du titre.

Prix d'une obligation couponnée avant et après le détachement du coupon

Une obligation d'échéance 30 ans et de valeur nominale 100 € offre des coupons annuels de 10 %. Quel est le prix à l'émission de cette obligation si sa rentabilité à l'échéance est de 5 % ? Si la rentabilité à l'échéance est constante, quel sera son prix juste avant et juste après le paiement du premier coupon ?

Solution

Le prix à l'émission de cette obligation a été calculé dans l'exemple 6.5 : il s'agit de l'obligation A. Donc :

$$P = 10 \times \frac{1}{0,05}\left(1 - \frac{1}{1,05^{30}}\right) + \frac{100}{1,05^{30}} = 176,86 \text{ €}$$

Pour calculer son prix dans un an, juste avant le paiement du premier coupon, il suffit d'actualiser les flux futurs de l'obligation ; sa maturité résiduelle est de 29 ans. L'échéancier est alors :

Le premier flux de 10 € à la date 0 correspond au premier coupon. Il est préférable d'actualiser les flux futurs en considérant séparément ce premier coupon ; en effet, il est alors possible d'utiliser pour les 29 coupons restants la formule d'une annuité constante. Comme la rentabilité à l'échéance est supposée constante, on a :

$$P\left(\text{avant le détachement du } 1^{\text{er}} \text{ coupon}\right) = 10 + \underbrace{10 \times \frac{1}{0,05}\left(1 - \frac{1}{1,05^{29}}\right)}_{\text{VA(annuité de 29 termes)}} + \frac{100}{1,05^{29}} = 185,71 \text{ €}$$

Le prix de l'obligation juste avant le détachement du premier coupon est plus élevé que son prix initial. Le nombre de coupons est identique, mais l'investisseur n'a pas à attendre aussi longtemps pour recevoir son premier coupon, ce qui justifie le prix plus élevé. Il est également possible de calculer le prix de l'obligation dans un an, juste avant le paiement du premier coupon, en calculant la valeur dans un an du prix à l'émission au taux de 5 % :

$$176,86 \text{ €} \times 1,05 = 185,71 \text{ €}$$

Comment évolue le prix de l'obligation juste après le détachement du premier coupon ? L'échéancier est identique au précédent, à ceci près que l'obligataire ne perçoit pas de coupon à la date 0. Par conséquent, juste après le paiement du premier coupon, le prix de l'obligation est :

$$P\left(\text{juste après le détachement du } 1^{\text{er}} \text{ coupon}\right) = 10 \times \frac{1}{0,05}\left(1 - \frac{1}{1,05^{29}}\right) + \frac{100}{1,05^{29}} = 175,71 \text{ €}$$

Immédiatement après le paiement du coupon, le prix de l'obligation baisse donc de 10 €, soit un montant égal au coupon détaché. Dans cet exemple, le prix dans un an juste après le détachement du premier coupon est inférieur au prix d'émission. En effet, dans la mesure où le nombre de coupons à recevoir est moindre, le prix que les investisseurs sont prêts à payer diminue.

Enfin, on vérifie qu'un investisseur qui achèterait l'obligation à l'émission pour la revendre dans un an, juste après le paiement du premier coupon, reçoit bien une rentabilité de : (10 + 175,71) / 176,86 − 1 = 5 %.

La figure 6.1 illustre l'effet du temps qui passe sur le prix des obligations, sous l'hypothèse que la rentabilité à l'échéance est constante, ici 5 %. Dans le cas des obligations zéro-coupon, la rentabilité est uniquement fonction de la croissance du prix de l'obligation. Pour les obligations couponnées, cette rentabilité est fonction des coupons et de la variation du prix de l'obligation. Entre deux détachements de coupons, leur prix augmente à un taux égal à la rentabilité à l'échéance. Chaque fois qu'un coupon est détaché, le prix de l'obligation chute du montant du coupon. Lorsque l'obligation est échangée au-dessus du pair, la baisse du prix induite par le détachement du coupon est supérieure à la hausse du prix entre chaque détachement de coupon, le prix de l'obligation diminue donc avec le temps. Si l'obligation est échangée au-dessous du pair, l'augmentation du prix entre chaque détachement de coupon est supérieure à la baisse du prix induite par le détachement du coupon, de sorte que le prix de l'obligation augmente avec le temps. Dans tous les cas, le prix tend vers la valeur nominale de l'obligation lorsqu'on s'approche de l'échéance.

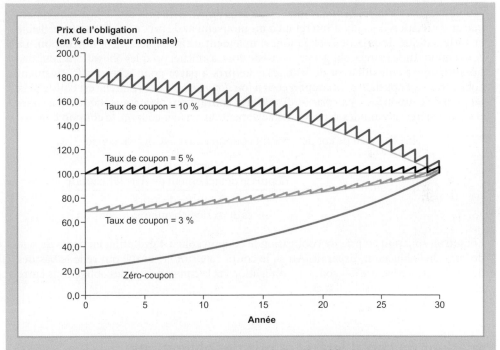

Figure 6.1 – L'effet du détachement des coupons sur le prix des obligations

Cette figure illustre l'effet du détachement des coupons sur le prix des obligations lorsque la rentabilité à l'échéance est constante. Le prix d'une obligation zéro-coupon augmente progressivement. Le prix d'une obligation couponnée augmente également entre deux dates de détachement de coupons, mais baisse d'un montant égal au coupon lorsqu'il est détaché.

| **Zoom sur...** | **Prix au pied de coupon et prix coupon couru** |

Comme l'illustre la figure 6.1, le prix des obligations couponnées augmente à l'approche de la date de détachement du prochain coupon et chute brusquement à la date de détachement du coupon : la courbe est en dents de scie. Ces mouvements se produisent alors même que la rentabilité à l'échéance de l'obligation est constante.

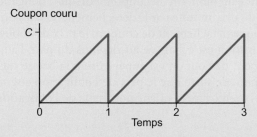

Les obligataires s'intéressent davantage aux mouvements de prix des obligations causés par une variation des taux d'intérêt qu'à un mouvement de prix parfaitement prévisible et systématique du prix de l'obligation, simplement lié au détachement du coupon. La convention sur le marché obligataire consiste donc à afficher pour les obligations couponnées un cours coté différent de leur prix. Le prix à payer pour acheter effectivement l'obligation est appelé le **prix coupon couru** (ou *dirty price*). Sur le marché est coté le **prix au pied de coupon** (ou *clean price*) : c'est le prix courant de l'obligation auquel on a soustrait les intérêts accumulés depuis le détachement du dernier coupon, le **coupon couru** :

$$\text{Prix au pied de coupon} = \text{Prix coupon couru} - \text{Coupon couru}$$

$$\text{Coupon couru} = \text{Coupon} \times \frac{\text{Nombre de jours depuis le détachement du dernier coupon}}{\text{Nombre de jours entre deux détachements de coupon}}$$

Lorsqu'on soustrait au prix de l'obligation le coupon couru, l'évolution en dents de scie du prix de l'obligation disparaît. Ainsi, le cours coté suit la courbe qui relie le bas des dents de scie. La lecture des cours des obligations et la comparaison des obligations entre elles s'en trouvent ainsi facilitées.

Variations du taux d'intérêt et prix des obligations

Lorsque les taux d'intérêt varient, la rentabilité exigée par les investisseurs pour détenir des obligations change également. Considérons par exemple une obligation zéro-coupon à 30 ans, de valeur nominale 100 € et de rentabilité à l'échéance de 5 %. Celle-ci s'échange au prix suivant :

$$P(TRE = 5\,\%) = 100\,/\,1{,}05^{30} = 23{,}14\ €$$

Si les taux d'intérêt augmentent brutalement de 1 point, les investisseurs exigeront une rentabilité à l'échéance de 6 %. Cette variation de la rentabilité provoque une baisse immédiate du prix de l'obligation :

$$P(TRE = 6\,\%) = 100\,/\,1{,}06^{30} = 17{,}41\ €$$

Le prix de l'obligation baisse donc de $(17{,}41 - 23{,}14)\,/\,23{,}14 = -24{,}8$ %. Cet exemple illustre un principe général : une rentabilité à l'échéance plus élevée implique un taux d'actualisation lui aussi plus élevé. Par conséquent, cela entraîne une baisse de la valeur actuelle des flux futurs et donc du prix de l'obligation : *lorsque le taux d'intérêt et la rentabilité à l'échéance des obligations augmentent, leur prix diminue, et vice versa.* Cette relation inverse entre prix et rentabilité à l'échéance est parfois qualifiée d'**effet balançoire**.

La sensibilité du prix des obligations aux variations de taux d'intérêt dépend de leur séquence de flux futurs. La valeur actuelle d'un flux perçu dans quelques jours est moins affectée par une variation du taux d'actualisation qu'un flux futur perçu dans plusieurs années. Ainsi, les obligations zéro-coupon de maturité courte sont moins sensibles aux variations du taux d'intérêt que celles de maturité longue. De manière comparable, les obligations à taux de coupon élevé sont moins sensibles aux variations du taux d'intérêt que des obligations à taux de coupon faible, toutes choses égales par ailleurs, car elles offrent des flux plus élevés à court terme. La **duration** mesure la maturité moyenne des flux offerts par une obligation. Elle permet d'apprécier la sensibilité du prix d'une obligation aux variations de taux d'intérêt : plus la duration est élevée, plus la sensibilité est grande[3].

Le prix des obligations est donc fonction de leur maturité et des taux d'intérêt. À mesure que le temps passe, le prix des obligations converge vers leur valeur nominale, alors que les variations de rentabilité à l'échéance font varier le prix de manière imprévisible. La figure 6.2 illustre ces résultats en représentant l'évolution au fil du temps du prix d'une obligation zéro-coupon de maturité initiale 30 ans. Le prix du titre converge vers sa valeur nominale au fur et à mesure que l'échéance approche, mais de manière irrégulière : le prix de l'obligation augmente lorsque la rentabilité à l'échéance baisse, et réciproquement. La détention de cette obligation expose donc à un **risque de taux d'intérêt** : si son détenteur décide de vendre l'obligation alors que les taux sont bas, le prix sera élevé (et donc la rentabilité effective dont bénéficiera le vendeur sera également élevée). Au contraire, si les taux d'intérêt sont élevés, le prix de l'obligation sera faible, de même que la rentabilité effective pour le vendeur. En pratique, il est possible pour un investisseur de se protéger contre ce risque de taux (voir l'annexe de ce chapitre).

---

3. Pour une définition formelle de la duration, se reporter au chapitre 30.

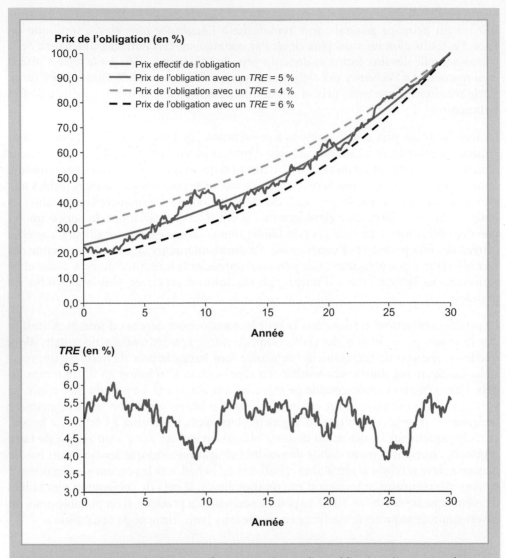

Figure 6.2 – Rentabilité à l'échéance et fluctuations du prix d'une obligation zéro-coupon de maturité initiale 30 ans

La figure du bas représente l'évolution de la rentabilité à l'échéance de l'obligation ; celle du haut, le prix de l'obligation. Le prix de l'obligation converge progressivement vers sa valeur nominale, les variations de rentabilité à l'échéance se traduisant par des hausses ou des baisses de prix. Le graphique illustre également les trajectoires de prix correspondant à une rentabilité à l'échéance fixe de 4, 5 et 6 %.

Sensibilité des obligations au taux d'intérêt

Arnaud hésite entre l'achat d'une obligation zéro-coupon d'échéance 15 ans et celui d'une obligation couponnée d'échéance 30 ans qui offre un coupon annuel de 10 %. Quel est le pourcentage de variation du prix de chaque obligation si la rentabilité à l'échéance passe de 5 % à 6 % ?

Solution

TRE	Obligation zéro-coupon d'échéance 15 ans	Obligation couponnée (10 %) d'échéance 30 ans
5 %	$100 / 1{,}05^{15} = 48{,}10 €$	$10 \times \dfrac{1}{0{,}05}\left(1 - \dfrac{1}{1{,}05^{30}}\right) + \dfrac{100}{1{,}05^{30}} = 176{,}86 €$
6 %	$100 / 1{,}06^{15} = 41{,}73 €$	$10 \times \dfrac{1}{0{,}06}\left(1 - \dfrac{1}{1{,}06^{30}}\right) + \dfrac{100}{1{,}06^{30}} = 155{,}06 €$
Variation du prix (en %)	$(41{,}73 - 48{,}10) / 48{,}10 = -13{,}2 \%$	$(155{,}06 - 176{,}86) / 176{,}86 = -12{,}3 \%$

Le prix du zéro-coupon à 15 ans varie de – 13,2 % lorsque la rentabilité à l'échéance passe de 5 % à 6 %. En ce qui concerne l'obligation à 30 ans dont le taux de coupon est de 10 %, le prix varie de – 12,3 %. Bien que l'obligation d'échéance 30 ans ait une maturité plus longue, son taux de coupon est plus élevé. Au total, son prix est moins sensible aux variations de la rentabilité à l'échéance.

6.3. Courbe des taux et arbitrage obligataire

Jusqu'à maintenant, nous nous sommes intéressés à la relation entre le prix d'une obligation et sa rentabilité à l'échéance. En fait, d'après la Loi du prix unique, il existe une relation entre les prix et les rentabilités à l'échéance de *toutes* les obligations : grâce à elle, il est possible, à partir des taux d'intérêt comptant déduits du prix d'obligations zéro-coupon sans risque d'échéances différentes, de calculer le prix et la rentabilité à l'échéance de *n'importe quelle* obligation sans risque. Ainsi, la connaissance de la courbe des taux est-elle suffisante pour valoriser n'importe quelle obligation sans risque.

La réplication d'une obligation couponnée

Il est possible de **répliquer** les flux futurs d'une obligation couponnée grâce à la constitution d'un portefeuille d'obligations zéro-coupon. D'après la Loi du prix unique, on peut calculer le prix d'une obligation couponnée à partir du prix de ce portefeuille de titres zéro-coupon. Ainsi, pour répliquer les flux d'une obligation de valeur nominale 1 000 € d'échéance trois ans et de taux de coupon annuel 10 %, il suffit de constituer un portefeuille contenant trois obligations zéro-coupon :

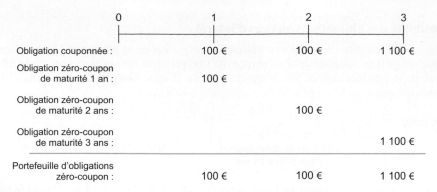

À chaque détachement de coupon est associée une obligation zéro-coupon dont la valeur nominale est égale au coupon et dont l'échéance correspond à la date de détachement du coupon. De même, il faut associer au flux terminal (paiement du dernier coupon et remboursement du principal) un zéro-coupon à trois ans dont la valeur nominale est de 1 100 € (soit 11 obligations zéro-coupon dont la valeur nominale est de 100 €). Comme les flux futurs de l'obligation couponnée sont identiques à ceux du portefeuille de zéro-coupon, la Loi du prix unique permet d'établir que leurs prix doivent être identiques.

Tableau 6.2	Rentabilité et prix des obligations zéro-coupon (valeur nominale 100 €)

Échéance	1 an	2 ans	3 ans	4 ans
TRE	3,50 %	4,00 %	4,50 %	4,75 %
Prix	96,62 €	92,45 €	87,63 €	83,06 €

À partir des données du tableau 6.2, il est possible de calculer le coût de constitution du portefeuille de zéro-coupon :

Zéro-coupon	Valeur nominale	Coût
1 an	100 €	96,62 €
2 ans	100 €	92,45 €
3 ans	1 100 €	11 × 87,63 €
Coût total		**1 153,00 €**

D'après la Loi du prix unique, l'obligation couponnée à trois ans doit être négociée au prix de 1 153 €. Si le prix de l'obligation couponnée était moins élevé, il serait possible d'arbitrer en achetant l'obligation couponnée et en vendant à découvert les obligations zéro-coupon, et inversement si le prix était plus élevé.

L'évaluation d'une obligation couponnée à partir de la rentabilité à l'échéance de zéro-coupon

Dans la section précédente, on s'est fondé sur les prix des obligations zéro-coupon pour calculer le prix des obligations couponnées. Pour arriver à ce résultat, on peut également utiliser la rentabilité à l'échéance des obligations zéro-coupon. En effet, celle-ci est par définition égale au taux d'intérêt qui prévaut sur un marché concurrentiel pour un placement sans risque d'échéance identique à celle de l'obligation zéro-coupon consi-dérée. Le prix d'une obligation couponnée doit donc être égal à la valeur actuelle des coupons et de la valeur nominale, actualisés au taux d'intérêt qui prévaut sur un marché concurrentiel, soit, en partant de l'équation (5.6) :

Prix d'une obligation couponnée

$$P = VA\left(Flux\ futurs\ de\ l'obligation\right) = \frac{C}{1 + TRE_1} + \frac{C}{\left(1 + TRE_2\right)^2} + ... + \frac{C + VN}{\left(1 + TRE_N\right)^N} \quad (6.6)$$

avec C le coupon, TRE_N la rentabilité à l'échéance d'une obligation zéro-coupon de maturité N et VN la valeur nominale de l'obligation couponnée. En utilisant la renta-bilité à l'échéance des obligations zéro-coupon du tableau 6.2, on obtient le prix d'une obligation de valeur nominale 1 000 € de taux de coupon annuel 10 % :

$$P = \frac{100}{1,035} + \frac{100}{1,04^2} + \frac{100 + 1\,000}{1,045^3} = 1\,153\ €$$

Ce prix est évidemment identique à celui obtenu à partir des prix des obligations zéro-coupon. On peut donc déterminer le prix d'une obligation couponnée en actualisant ses flux futurs au taux de rentabilité à l'échéance des obligations zéro-coupon corres-pondantes. En d'autres termes, la lecture de la courbe des taux zéro-coupon suffit pour calculer le prix de n'importe quelle obligation sans risque.

La rentabilité à l'échéance des obligations couponnées

L'équation (6.6) permet de calculer le prix d'une obligation couponnée à partir de la rentabilité à l'échéance des obligations zéro-coupon, tandis que l'équation (6.5) permet de calculer la rentabilité à l'échéance d'une obligation couponnée à partir de son prix. En combinant ces deux équations, il est possible d'établir la relation entre la rentabilité à l'échéance des obligations zéro-coupon et celle des obligations couponnées.

Revenons à l'obligation d'échéance trois ans, de valeur nominale 1 000 € et de taux de coupon 10 % : si on utilise la rentabilité à l'échéance des obligations zéro-coupon du tableau 6.2 et l'équation (6.6), on trouve que le prix de cette obligation est de 1 153 €. Ensuite, en utilisant l'équation (6.5), on peut calculer sa rentabilité à l'échéance, solu-tion de l'équation :

$$P = 1\,153 = \frac{100}{\left(1 + TRE\right)} + \frac{100}{\left(1 + TRE\right)^2} + \frac{100 + 1\,000}{\left(1 + TRE\right)^3}$$

Avec un tableur (ou par tâtonnement), on obtient que la rentabilité à l'échéance de l'obligation couponnée est égale à 4,44 %.

	A	B	C	D	E	F	G	H
4			N	TAUX	VA	F	VF	Formule Excel
5		Sachant	3		-1 153,00	100	1 000	
6		Résoudre TAUX		4,44%				=TAUX(3,100,-1153,1000)

La rentabilité à l'échéance d'une obligation couponnée est égale à la moyenne pondérée des rentabilités des obligations zéro-coupon d'échéances inférieures ou égales. Les pondérations dépendent (de façon complexe) des flux futurs à chaque date de l'obligation couponnée. Dans cet exemple, la rentabilité à l'échéance des obligations zéro-coupon est de 3,5 %, 4 % et 4,5 %. Le poids du troisième flux futur dans la valeur actuelle de l'obligation couponnée est le plus important des trois, puisqu'il inclut la valeur nominale de l'obligation. La rentabilité à l'échéance de l'obligation couponnée est donc plus proche de celle de l'obligation zéro-coupon d'échéance trois ans (4,5 %).

Exemple 6.8

Rentabilité à l'échéance d'obligations de maturité identique

À partir de la rentabilité à l'échéance des obligations zéro-coupon suivantes, quelle est la rentabilité à l'échéance d'une obligation de taux de coupon annuel 4 % et d'échéance trois ans ? Toutes les obligations sont sans risque.

Maturité	1 an	2 ans	3 ans	4 ans
TRE d'obligations zéro-coupon	3,50 %	4,00 %	4,50 %	4,75 %

Solution

Pour calculer la rentabilité à l'échéance de l'obligation couponnée, il faut d'abord calculer son prix :

$$P = \frac{40}{1,035} + \frac{40}{1,04^2} + \frac{40 + 1\,000}{1,045^3} = 986,98$$

D'après l'équation (6.5), sa rentabilité à l'échéance est solution de l'équation suivante :

$$986,98 = \frac{40}{\left(1 + TRE\right)} + \frac{40}{\left(1 + TRE\right)^2} + \frac{40 + 1\,000}{\left(1 + TRE\right)^3}$$

À l'aide d'un tableur ou par interpolation linéaire, on trouve $TRE = 4,47\ \%$.

Avec l'exemple 6.8, on voit que la rentabilité à l'échéance de l'obligation zéro-coupon trois ans est de 4,5 %, alors que celle de l'obligation qui offre un taux de coupon de 4 % est de 4,47 % et que nous avons vu précédemment que la rentabilité à l'échéance d'une obligation offrant un coupon de 10 % était de 4,44 %. On en conclut que la rentabilité à l'échéance d'obligations de maturité identique est fonction de leur taux de coupon.

Cela se comprend : à mesure que le taux de coupon augmente, les coupons les plus proches ont un poids relativement plus lourd que les coupons les plus éloignés dans la valeur actuelle. Si la courbe des taux est croissante (comme c'est le cas ici), la rentabilité à l'échéance décroît avec le taux de coupon de l'obligation. À l'inverse, lorsque la courbe des taux zéro-coupon est décroissante, la rentabilité à l'échéance croît avec le taux de coupon. Lorsque la courbe des taux est plate, la rentabilité à l'échéance des obligations zéro-coupon et des obligations couponnées est identique, indépendamment de leurs échéances et de leurs taux de coupon.

La courbe des taux en pratique

On peut construire la courbe des taux à partir des obligations zéro-coupon ou à partir d'obligations couponnées. Lorsque les financiers se réfèrent à « la » courbe des taux, ils désignent le plus souvent une courbe des taux zéro-coupon. Mais ce n'est pas toujours le cas et certaines courbes des taux sont construites à partir d'obligations du Trésor versant un coupon. Or, comme l'illustre l'exemple 6.8, deux obligations de même maturité peuvent avoir des rentabilités à l'échéance différentes si elles ont des taux de coupon différents. Par convention, les praticiens utilisent donc systématiquement les obligations les plus récemment émises pour construire une courbe des taux à partir d'obligations couponnées. Ces obligations sont qualifiées d'**obligations *on-the-run***[4]. Avec des méthodes analogues à celles utilisées précédemment, on peut déterminer la rentabilité à l'échéance d'obligations zéro-coupon à partir de la courbe des taux construite à partir d'obligations couponnées en appliquant la Loi du prix unique (voir exercice 29).

6.4. Les obligations d'entreprise

Les obligations émises par les États développés sont le plus souvent considérées comme étant sans risque (voir section 6.5). Mais il existe également des **obligations d'entreprise,** ou **corporate** (*corporate bonds*). Ces dernières peuvent présenter un **risque de défaut,** ou **risque de crédit :** l'emprunteur peut faire défaut s'il n'est pas en mesure de payer les intérêts et/ou de rembourser le principal selon l'échéancier prévu. Comment ce risque de crédit influence-t-il le prix et la rentabilité des obligations ?

La rentabilité à l'échéance des obligations risquées

Le prix que les investisseurs sont prêts à payer pour acheter une obligation risquée est évidemment inférieur au prix qu'ils seraient prêts à payer pour une obligation similaire sans risque de défaut. En effet, ils recevront les flux promis *seulement si* l'emprunteur ne fait pas défaut. Pour compenser ce risque, les investisseurs réclament une rentabilité plus élevée, et d'autant plus élevée que le risque de défaut de l'emprunteur est grand.

L'effet de ce risque de défaut sur la rentabilité à l'échéance des obligations peut être analysé à l'aide d'un exemple. Supposons que la rentabilité à l'échéance d'une obligation zéro-coupon sans risque d'échéance un an émise par l'état français soit de 4 %. L'entreprise Nadone émet des obligations zéro-coupon d'échéance identique et de valeur nominale 1 000 €. Quels sont le prix et la rentabilité à l'échéance de cette obligation ?

Absence de risque de défaut. Si les investisseurs jugent que Nadone ne fera pas défaut, ils s'attendent à recevoir de manière certaine 1 000 € dans un an, comme prévu. L'obligation est sans risque ; la Loi du prix unique établit donc que la rentabilité de cette obligation est identique à celle de l'obligation zéro-coupon émise par le Trésor. Par conséquent, le prix de l'obligation Nadone est :

$$P = \frac{1\,000}{1 + TRE_1} = \frac{1\,000}{1,04} = 961,54\,€$$

---

4. Les obligations anciennement émises sont *off-the-run*.

Dieudonné Djimi est Fixed Income Portfolio Manager chez Ostrum Asset Management, qui a plus de 200 milliards d'euros sous gestion en produits de taux.

Qui sont les investisseurs et quels sont les produits échangés sur le marché obligataire ?

Le marché obligataire implique de nombreux types d'investisseurs et permet d'échanger une large gamme de produits avec des niveaux de risque très différents : titres souverains, titres d'agences, obligations *corporate*, *Asset-Backed Securities* (ABS) et *Collateralized Debt Obligations* (CDO). Pour chaque produit, il existe différentes sous-catégories : titres spéculatifs (*high yield*) ou investissement, marchés développés ou émergents…

Comment fonctionne le marché obligataire ?

Comme tout marché, le marché obligataire structure la rencontre entre l'offre et la demande. De manière schématique, une entreprise ou un État s'adresse au marché pour trouver un financement. L'emprunteur émet des titres de dette avec des caractéristiques de maturité, de prix et de risque qui correspondent aux attentes des investisseurs. Les banques servent d'intermédiaires sur ce marché primaire. Une fois émises, les obligations s'échangent sur le marché secondaire, pour des raisons de valorisation, de réglementation, de liquidité ou simplement de gestion de portefeuille.

Quels sont les déterminants de la valeur des obligations souveraines ?

Un titre obligataire est exposé à différents risques : risque de taux, risque de change, risque de défaut. Dans le cadre d'une obligation souveraine française, pour un investisseur français, il n'existe pas, par définition, de risque de change. Le risque de défaut est quasi nul car la probabilité que l'État français ne puisse pas honorer ses engagements est très faible. Le risque le plus important est donc le risque de taux. Une augmentation des taux d'intérêt fait chuter le prix des obligations, et inversement. La question à se poser est : « Pourquoi les taux d'intérêt changent-ils ? » Ils sont fonction des prévisions d'inflation et de croissance économique réalisées par les investisseurs. Mais d'autres éléments peuvent venir les influencer : une crise sur un marché émergent peut entraîner un afflux brutal de capitaux vers des marchés moins risqués tels que les États-Unis ou la France, ce qui provoque une baisse des taux d'intérêt et une hausse du prix des obligations (phénomène de *flight to quality*).

Et en ce qui concerne les titres émis par des entreprises ?

La principale différence entre un titre souverain et un titre *corporate* concerne le risque de crédit, plus important en général pour une entreprise que pour un État. Ce risque est fonction du *rating* de l'émetteur. Les titres offrent une rentabilité d'autant plus importante que le risque de défaut est important. La question que se posent les obligataires en permanence est : « La prime de risque de tel titre est-elle suffisante pour compenser le risque de défaut de l'emprunteur ? »

Défaut certain. Si, au contraire, il est certain que Nadone fera défaut et que, dans ce cas, l'entreprise ne sera en mesure de rembourser que 90 % du montant emprunté, les investisseurs anticipent parfaitement leur manque à gagner. Il n'y a donc pas de risque lié à la détention de cette obligation, et son prix s'obtient simplement en actualisant les flux futurs au taux d'intérêt sans risque :

$$P = \frac{900}{1 + TRE_1} = \frac{900}{1,04} = 865,38 \text{ €}$$

La certitude du défaut futur de l'entreprise réduit les flux futurs que les investisseurs recevront et par conséquent le prix qu'ils sont prêts à payer pour l'obligation. Une fois le prix de l'obligation connu, il est possible de calculer la rentabilité à l'échéance de l'obligation. Pour ce faire, il faut utiliser les flux futurs *promis* et non les flux futurs qui seront *effectivement* versés :

$$TRE = (VN/P) - 1 = (1\,000 / 865,38) - 1 = 15,56 \text{ %}$$

La rentabilité à l'échéance de l'obligation émise par Nadone est bien plus élevée que celle des obligations sans risque émises par le Trésor. Cela ne signifie pas que les investisseurs obtiendront *effectivement* une rentabilité de 15,56 %. Puisque Nadone fera défaut, la rentabilité espérée de ses obligations est bien de 4 %, égale au taux sans risque :

$$(900 / 865,38) - 1 = 4 \text{ %}$$

La rentabilité à l'échéance d'une obligation présentant un risque de défaut n'est pas égale à sa rentabilité espérée. En effet, comme la rentabilité à l'échéance est calculée à partir des flux futurs promis et non des flux futurs effectifs, elle est par définition supérieure à la rentabilité espérée.

Probabilité de défaut comprise entre 0 et 1. Les deux cas précédents sont des cas extrêmes. En pratique, la probabilité de défaut des entreprises est comprise entre 0 et 1 ; elle est en général beaucoup plus proche de 0 que de 1. S'il y a une chance sur deux que Nadone rembourse intégralement l'obligation et une sur deux qu'elle ne rembourse que 900 €, que se passe-t-il ? En moyenne, les investisseurs recevront à l'échéance 950 €. Mais cette somme constitue une espérance, donc la détention de l'obligation est risquée.

Pour déterminer le prix de l'obligation, il faut actualiser les flux futurs *espérés* avec un taux d'actualisation correspondant à la rentabilité d'autres titres de créance *de même risque*. Si la probabilité est plus grande que Nadone fasse défaut lorsque la conjoncture économique est mauvaise que lorsqu'elle est bonne, les investisseurs exigeront une **prime de risque** pour détenir cette obligation (voir chapitre 3). Par conséquent, le coût de la dette de l'entreprise, qui est la rentabilité espérée par les investisseurs pour compenser le risque de défaut, est plus élevé que le taux d'intérêt sans risque. Si la prime de risque est de 1,1 %, le coût de la dette de Nadone est de 5,1 %[5], puisque le taux d'intérêt sans risque est de 4 %. Le prix de l'obligation, égal à l'espérance des flux futurs actualisée, est alors :

$$P = (1\,000 \times 50 \text{ %} + 900 \times 50 \text{ %}) / 1,051 = 903,90 \text{ €}$$

---

5. L'évaluation de la prime de risque d'une obligation risquée est examinée au chapitre 12.

Par conséquent, la rentabilité à l'échéance est égale à 10,63 % :

$$TRE = (VN/P) - 1 = (1\,000/903,90) - 1 = 10,63\,\%$$

Ce taux de 10,63 % est la rentabilité maximale dont bénéficieront les investisseurs, si l'entreprise ne fait pas défaut. En cas de défaut, ils ne recevront que 900 €, soit une rentabilité *ex-post* de 900/903,90 − 1 = − 0,43 %. La rentabilité espérée par les investisseurs est donc égale *ex-ante* à 0,5 × 10,63 % + 0,5 × (−0,43 %) = 5,1 %, ce qui correspond bien au coût de la dette de l'entreprise.

Tableau 6.3	Prix, rentabilité espérée et rentabilité à l'échéance d'une obligation en fonction de la probabilité de défaut de l'émetteur

Obligation zéro-coupon d'échéance 1 an	Probabilité de défaut = 0 %	Probabilité de défaut = 50 %	Probabilité de défaut = 100 %
Prix de l'obligation	961,54 €	903,90 €	865,38 €
Rentabilité à l'échéance	4,00 %	10,63 %	15,56 %
Rentabilité espérée	4 %	5,1 %	4 %

Le tableau 6.3 détaille le prix, la rentabilité espérée et la rentabilité à l'échéance de l'obligation émise par Nadone en fonction de sa probabilité de défaut. Le prix de l'obligation diminue et la rentabilité à l'échéance augmente à mesure que la probabilité de défaut augmente. *La rentabilité espérée de l'obligation, égale au coût de la dette de l'entreprise, est inférieure à sa rentabilité à l'échéance lorsque la probabilité de défaut est non nulle. Une rentabilité à l'échéance plus élevée ne signifie pas nécessairement une rentabilité espérée plus élevée.*

La notation des obligations

Il est difficile et coûteux pour les investisseurs d'évaluer eux-mêmes le risque de défaut de chaque emprunteur. Pour réduire le coût de cette collecte d'informations et améliorer l'évaluation du risque des émetteurs d'obligations, il existe des entreprises spécialisées dans cette évaluation du risque de défaut : les **agences de notation** (ou agences de *rating*). Cette information est communiquée au marché sous forme de notes. Standard & Poor's, Moody's et FitchRatings sont les trois principales agences de notation mondiales. Le tableau 6.4 détaille l'échelle de notes de chaque agence pour les obligations à long terme[6].

Ces agences classent les obligations en deux grandes catégories : catégorie placement (*investment grade*) pour les meilleures et catégorie « spéculative » (ou *high yield*, ou *junk*) pour les autres. Les notes sont sous forme de lettres : selon les agences, AAA ou Aaa est la meilleure note et C ou D la plus mauvaise (qui correspond à un emprunteur qui a fait défaut). Entre ces deux extrêmes, il y a une vingtaine de **crans** (ou *notches*).

C'est en général l'émetteur qui sollicite et paie pour faire noter les obligations qu'il envisage d'émettre. Les notes sont revues périodiquement par les agences de notation et annoncées publiquement (sous réserve de l'accord de l'émetteur). La note accordée à une émission obligataire particulière dépend de la probabilité de défaut de l'émetteur et

---

6. Ces agences évaluent également le risque de défaut des dettes à court terme.

de l'existence d'actifs servant de collatéraux, que les créanciers pourront exiger en cas de faillite de l'entreprise[7].

La note obtenue est de grande importance puisqu'elle influe sur la prime de risque que les émetteurs doivent offrir pour placer leurs obligations, et donc sur le coût de leur dette. D'ailleurs, si les émetteurs paient pour se faire noter, c'est que cela facilite le placement des titres qu'ils émettent. Une fois les titres émis, une dégradation de la note s'accompagne d'une baisse du prix du titre. La dégradation de la note en dessous d'un certain seuil prédéfini peut également contraindre l'émetteur au remboursement anticipé de certains titres de dette (ces mécanismes de protection des créanciers sont des *rating triggers*). De plus, des contraintes légales limitent la détention d'obligations notées « spéculatives » par certains investisseurs institutionnels ; en cas de dégradation, il devient alors difficile de vendre ces obligations sans subir une forte décote car le marché est moins liquide à l'achat.

Tableau 6.4	Échelle de notation des obligations

Moody's	Standard & Poor's ou Fitch	Signification	Exemple (au 1er janvier 2019)
		Catégorie placement	
Aaa	AAA	Meilleure qualité possible. Risque de crédit faible, voire nul.	Allemagne, Microsoft
Aa	AA	Grande qualité, très faible risque de crédit.	France, Google
A	A	Au-dessus de la moyenne, faible risque de crédit.	EDF
Baa	BBB	Qualité moyenne, risque de crédit modéré.	Renault, Lafarge
		Catégorie « spéculatif »	
Ba	BB	Caractère spéculatif, risque de crédit significatif.	Afrique du Sud
B	B	Caractère spéculatif, risque de crédit élevé.	Grèce, Égypte
Caa	CCC ou CC	Caractère très spéculatif, risque de crédit très élevé.	Congo
Ca	C	Caractère hautement spéculatif, très proche du défaut. Un certain potentiel de récupération du principal et des intérêts existe.	Senvion
C	D	Catégorie la plus basse. En défaut. Potentiel de récupération du principal et des intérêts limité.	Venezuela

Note : les notations pour les obligations à long terme constituent des opinions sur le risque de crédit relatif à des titres de dette dont l'échéance est supérieure à un an et sur l'éventualité qu'un engagement financier ne soit pas honoré comme prévu. Ces notations reflètent aussi bien la probabilité d'un défaut que toute perte financière supportée dans un scénario de défaut. Par ailleurs, Moody's applique des coefficients numériques de 1 à 3 à chaque note : 1 indique que l'obligation se situe dans la fourchette haute de la note considérée, 2 au milieu et 3 dans la fourchette basse.

Source : www.moodys.com.

7. G. Capelle-Blancard et J. Couppey-Soubeyran (2006), « Les agences de notation », *Les Cahiers français*, n° 331, « Le financement de l'économie », 64-69.

| Finance verte | **La notation extra-financière des entreprises** |

De plus en plus d'entreprises communiquent sur leur performance extra-financière : réduction des gaz à effet de serre, lutte contre la pollution, respect des droits de l'homme, lutte contre la corruption, etc. De nombreux investisseurs prennent en compte ces « indicateurs ESG » (environnement, social et gouvernance) dans leur évaluation de la qualité d'une entreprise : les fonds d'Investissement socialement responsable (ISR) en font même un principe de gestion (voir l'encadré « Fonds ISR » du chapitre 11 et le chapitre 29).

S'y retrouver dans le maquis des indicateurs ESG peut néanmoins être complexe[*], car chaque entreprise choisit les thèmes sur lesquels elle communique, les indicateurs qu'elle suit, etc. Disposer d'une base harmonisée pour comparer les performances extra-financières entre entreprises aiderait donc les investisseurs à y voir clair. Sur la même logique que les agences de notation financière, des agences de notation extra-financière sont donc apparues (Vigeo-Eiris, Carbon Disclosure Project, SAM...) et le métier d'analyste ESG s'est rapidement développé. Certains fonds, comme le fonds souverain norvégien, annoncent même que leurs analystes ESG sont systématiquement présents à côté de leurs analystes financiers lors des rencontres avec les entreprises dans lesquelles ils investissent.

2019 a marqué un tournant, puisque pour la première fois, une agence de notation, Moody's en l'occurrence, a annoncé envisager une baisse de la note de crédit d'Exxon, emprunteur noté AAA, non pas à cause d'une dégradation de sa santé financière, mais à cause de la difficulté que pourrait avoir cette entreprise à s'adapter à une économie bas carbone : l'extra-financier n'est peut-être pas si éloigné de la finance qu'il y paraît...

---

[*] Sur la difficulté d'apprécier les indicateurs ESG, voir Capelle-Blancard G. et A. Petit (2013), « Mesurer les performances extra-financières : le véritable défi de l'ISR », *Revue Française de Gestion*, 39(236), 109-126.

La courbe des taux *corporate*

Il est possible de construire une courbe des taux à partir d'obligations risquées émises par les entreprises. La figure 6.3 en représente plusieurs : outre la courbe des taux sans risque (OAT), apparaissent sur la figure les courbes des taux construites à partir d'obligations émises par des entreprises européennes qui sont notées entre AAA et B par Standard & Poor's. La différence entre la rentabilité des obligations d'entreprise d'une note donnée et celle des obligations souveraines est le ***spread* de taux**, ou ***spread* de crédit**. Le *spread* est d'autant plus élevé que la note est basse, autrement dit que le risque de défaut est élevé[8] ; le *spread* augmente fortement entre les notes BBB et BB : cela marque la frontière entre le monde de l'*investment grade* et celui des obligations spéculatives.

---

8. L'unité utilisée pour mesurer les *spreads* est le point de base, ce qui correspond à un centième de point de pourcentage : 1 pb = 0,01 %.

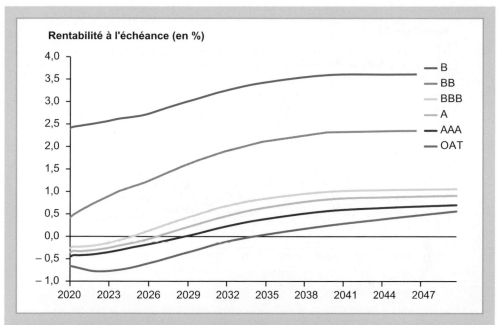

Figure 6.3 – Courbes des taux *corporate* en Europe, septembre 2019

La figure représente les courbes des taux construites à partir des obligations émises par l'état français et par des entreprises européennes notées entre AAA et B. La rentabilité à l'échéance et le *spread* de taux sont d'autant plus élevés que le risque de défaut est élevé.

Source : Bloomberg.

| **Crise financière** | **La crise du crédit et les rendements obligataires** |

La crise qui a éclaté en septembre 2008 avec la faillite de Lehman Brothers couvait depuis août 2007. C'est en effet à ce moment que les risques latents sur le marché des crédits hypothécaires américains se sont concrétisés, avec la dégradation de nombreux produits structurés (en l'occurrence des titres de dettes gagés sur les emprunts *subprime*) et la faillite de plusieurs prêteurs spécialisés dans l'immobilier. À partir de l'été 2007, les investisseurs ont progressivement revu à la hausse leur estimation des risques. Ils se sont alors tournés vers des titres sûrs, en particulier les titres émis par le Trésor américain.

Ce phénomène qui caractérise toute crise financière est qualifié de « fuite vers la qualité » (*flight to quality*). En vendant leurs titres de dette risqués, les investisseurs ont amplifié la baisse des prix, ce qui s'est logiquement traduit par une augmentation des écarts de taux (les *spreads*). La figure 6.4 représente l'évolution des *spreads* de taux entre les obligations à long terme émises par les entreprises et celles émises par le Trésor américain. Même les titres notés AAA ont vu leur *spread* augmenter : alors qu'il est généralement de 50 pb, il a atteint plus de 200 pb au plus fort de la crise. La détente des *spreads* à partir de mi-2009 s'analyse comme un premier pas vers la sortie de crise, pour les États-Unis au moins. L'Europe, elle, a enchaîné avec la crise des dettes souveraines en 2012...

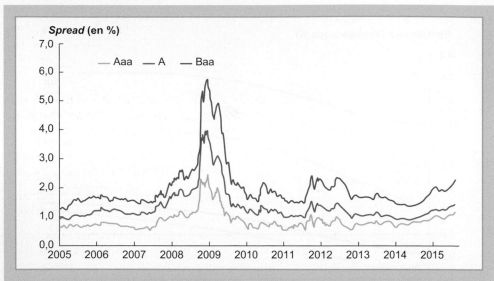

Figure 6.4 – Les *spreads* de taux pendant la crise de 2008

Les *spreads* de taux entre les titres de dette risqués (obligations à 30 ans émises par des entreprises américaines) et les titres de dette sans risque (obligations à 30 ans émises par le Trésor américain) ont fortement augmenté pendant la crise de 2008, reflétant les craintes des investisseurs sur les marchés et le repli vers les titres jugés les plus sûrs.

Source : Bloomberg.

6.5. Les obligations souveraines

Les **obligations souveraines** sont des obligations émises par les États, pour financer leurs dettes publiques. C'est le cas par exemple des obligations assimilables du Trésor (OAT) en France, des *Bunds* allemands ou des *Treasury bonds* (*T-bonds*) américains. Les obligations émises par l'Allemagne, les États-Unis, la France ou un autre pays du G7 sont généralement considérées comme sans risque ; autrement dit, on suppose qu'il n'y a aucun risque que l'État emprunteur fasse défaut. On utilise donc ces titres pour estimer le taux d'intérêt sans risque, qui sert de mètre-étalon par rapport auquel sont valorisés ensuite tous les autres actifs. Le taux sans risque est donc au cœur de la théorie financière… Mais ces obligations souveraines sont-elles *vraiment* sans risque ?

Tout dépend, en fait, de ce que l'on entend par là. Depuis la crise financière de 2008 et la forte augmentation des dettes publiques dans les pays riches, certains investisseurs ont commencé à douter de l'existence même d'un actif sans risque. En 2011, Standard & Poor's a d'ailleurs baissé la notation des *Treasury bonds* (redevenus depuis AAA) ; en 2012, la trop forte augmentation de sa dette publique a fait perdre à la France son précieux AAA (qu'elle n'a pas retrouvé depuis lors). En fait, personne ne peut être absolument certain que les gouvernements français ou même américain ne feront *jamais* défaut sur leurs dettes[9] ! On peut simplement dire que la probabilité d'un tel événement est très faible et, surtout, qu'elle est *plus faible* que pour n'importe quel autre titre.

---

9. Et ce, d'autant plus que la France a déjà fait défaut sur sa dette dans l'histoire, non pas une, mais neuf fois (le défaut le plus récent datant de 1812)… Les États-Unis, eux, ont fait défaut deux fois, en 1790 et en 1933.

À proprement parler, on devrait plutôt parler d'obligations « dont le risque de défaut est le plus faible » plutôt que d'obligations « sans risque ». La crise financière aura au moins eu le mérite de rappeler aux investisseurs que le risque zéro n'existe pas…

L'existence d'un taux « sans risque » est encore plus sujette à caution lorsqu'on considère les obligations émises par des pays hors-G7. Jusqu'à récemment, le **défaut souverain** était considéré comme un phénomène limité aux pays émergents d'Amérique latine, d'Asie ou d'Afrique. Mais la crise grecque de 2012 a rappelé aux investisseurs que les pays développés pouvaient également faire défaut. Lors de cette crise, les créanciers privés de la Grèce ont dû accepter de renoncer à la moitié environ de leurs créances (soit plus de 100 milliards d'euros) : cela a été la plus importante restructuration de dette souveraine de l'histoire[10] ; et pourtant cela n'a pas suffi, puisqu'en 2015 la Grèce n'est pas parvenue à rembourser le FMI et aurait également fait défaut sur ses obligations vis-à-vis de la Banque centrale européenne sans un secours d'urgence de 86 milliards d'euros accordé par les autres pays de la zone euro. Cependant, le défaut grec est loin d'être un cas unique, comme le montre la figure 6.5 : à certains moments de l'histoire, plus d'un tiers des pays étaient en défaut de paiement. Depuis 2000, cela signifie qu'il y a en moyenne sept pays en défaut souverain dans le monde chaque année.

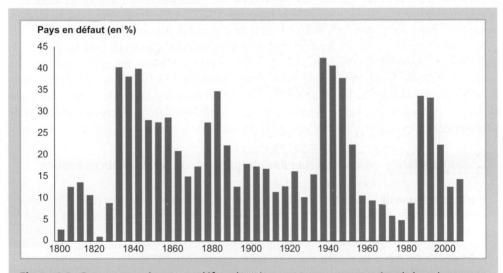

Pays en défaut (en %)

Figure 6.5 – Pourcentage de pays en défaut de paiement ou en restructuration de leur dette, 1800-2006

Les deux derniers pics correspondent à la Seconde Guerre mondiale et aux crises de la dette des pays émergents des années 1980 et 1990.

Source : C. Reinhart et K. Rogoff (2009), *This Time Is Different,* Princeton University Press.

Comme pour les dettes d'entreprise, le prix et la rentabilité des obligations souveraines sont donc fonction du risque de défaut : plus il est élevé, plus le prix est bas et la rentabilité élevée. Il y a pour autant une différence essentielle entre un défaut souverain et le défaut d'une entreprise : contrairement aux entreprises, un État confronté à des difficultés pour respecter ses obligations financières a, généralement, la possibilité de créer de la monnaie pour rembourser

---

10. Voir la seconde étude de cas de ce chapitre, consacrée au défaut et à la restructuration de la dette grecque.

ses dettes. Bien sûr, « faire fonctionner la planche à billets » peut conduire à une forte **inflation** et/ou à une forte dépréciation de la monnaie. Aussi, les détenteurs de dette souveraine suivent-ils avec attention l'évolution de l'inflation dans les pays très endettés : une accélération de l'inflation peut signifier que le pays en question a jugé politiquement préférable de « laisser filer » l'inflation pour rembourser les dettes avec une monnaie dépréciée plutôt que de faire défaut. Mais pour les prêteurs, pas de doutes : même sans défaut, ils auront perdu du pouvoir d'achat.

Malgré leur capacité à créer de la monnaie, les États ne parviennent pas toujours à éviter le défaut : cela peut être la conséquence d'une volonté politique, par exemple parce que le régime en place a décidé de répudier la dette contractée par un régime précédent au motif qu'il était illégitime, en application de la théorie de la **dette odieuse** (comme ce fut le cas, par exemple, pour la dette de la Russie tsariste après la Révolution de 1917). Cela peut être également le cas parce que l'inflation a atteint des niveaux tels que la situation devient insoutenable, comme au Venezuela en 2017. Une troisième raison pouvant conduire au défaut est que dans certains cas, les états emprunteurs ne peuvent pas utiliser l'arme monétaire pour alléger leur dette – soit parce que leur dette souveraine est libellée dans une monnaie étrangère, comme en Argentine en 2001, soit parce que leur monnaie est utilisée par plusieurs pays. C'est le cas par exemple en zone euro : les États membres ont cédé le contrôle de leur masse monétaire à la Banque centrale européenne (BCE). En conséquence, aucun pays ne peut, seul, jouer de la planche à billets. Et si la BCE décidait d'assouplir sa politique monétaire pour alléger la dette d'un pays, l'inflation subséquente affecterait tous les pays de la zone, faisant ainsi porter le fardeau à tous. Privés de cette possibilité, les pays de la zone euro courent un risque de défaut bien réel. Pour preuve, les défauts de la Grèce en 2012 et en 2015. C'est pour cette raison que les pays membres de la zone euro ont décidé de s'astreindre à une discipline financière commune dont les critères sont définis dans le **Pacte de stabilité et de croissance** européen, et qu'ils sont venus à la rescousse de la Grèce lorsqu'elle en a eu besoin.

| Crise financière | La rentabilité des obligations souveraines européennes |

Avant la création de l'euro, les taux d'intérêt sur la dette souveraine des pays européens étaient très différents. Cela reflétait principalement des différences dans les anticipations d'inflation et de risque de change pour les différents pays. Avec la mise en place de l'union monétaire en 1999, les taux d'intérêt européens ont rapidement convergé vers celui des emprunts d'État allemands. Les investisseurs considéraient alors que les titres de dette des différents États membres étaient tous exposés au même risque de défaut, d'inflation et de change, et donc qu'ils étaient aussi « sûrs » les uns que les autres. Pour la grande majorité des investisseurs, un défaut pur et simple d'un pays était impensable : au pire, imaginait-on, les États membres seraient financièrement responsables et feraient en sorte, quoi qu'il en coûte, d'éviter un défaut.

Comme le montre la figure 6.6, la crise financière de 2008 a fait voler en éclats cette certitude. Les investisseurs ont commencé à craindre que certains pays (Grèce, Espagne, Portugal…) ne soient incapables de rembourser leurs dettes et contraints au défaut ; les taux souverains se sont alors mis à diverger. En fait, plutôt que d'apporter une certaine discipline comme on l'espérait, l'union monétaire a favorisé l'augmentation de la dette des pays membres les plus fragiles en leur permettant d'emprunter à des taux faibles. Dans le cas de la Grèce, le défaut était même devenu inévitable*…

---

*   Krugman, Obstfeld, Melitz, Capelle-Blancard et Crozet (2018), *Économie internationale*, Pearson.

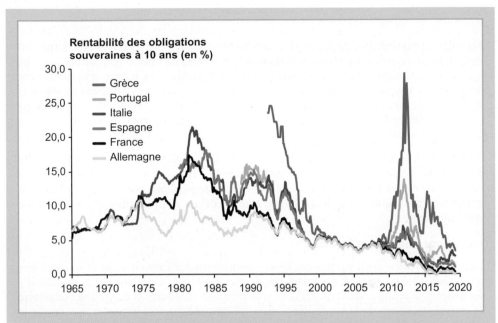

Figure 6.6 – Rentabilité des obligations souveraines européennes

Avant l'introduction de l'euro en 1999, les taux d'intérêt des pays européens variaient selon la conjoncture propre à chacun, notamment l'inflation anticipée et le risque de change. Les taux ont convergé après le passage à l'euro, pour diverger en 2008, avec la crise financière, quand le risque de défaut s'est matérialisé.

Source : Macrobond, Government Benchmarks.

| Entretien | **Agnès Bénassy-Quéré, professeur d'économie** |

Agnès Bénassy-Quéré, professeur à l'université Paris 1 Panthéon-Sorbonne et à Paris School of Economics, est spécialiste de l'Union monétaire européenne.

Quelles sont les principales raisons de la crise des dettes souveraines européennes ?

Si la crise de la zone euro a bien été déclenchée par la crise économique mondiale de 2007-2009, ses racines sont internes : elles tiennent à une architecture inadaptée de la politique économique en Europe, en particulier des erreurs de conception. C'est pourquoi cette crise est profonde et susceptible de modifier le visage de l'union monétaire.

À quelles erreurs de conception faites-vous allusion ?

La première cause se trouve dans le Traité sur le fonctionnement de l'Union européenne, qui fonde la politique monétaire unique et précise les droits et devoirs des États membres, mais néglige bien des points. En particulier, rien n'est prévu concernant les engagements « hors-bilan » des États membres, notamment les garanties implicites offertes au secteur bancaire en cas de difficulté. Le meilleur exemple est celui de l'Irlande, pays vertueux, respectant à la lettre le Pacte de stabilité et de croissance durant la première décennie de la monnaie unique : sa dette est seulement de 25 % du PIB en 2007, juste avant la crise. À cette même date, cependant, l'actif total des banques irlandaises représente huit fois le PIB !

...

…

En outre, la surveillance des banques et la résolution d'éventuelles crises bancaires sont restées, après l'unification monétaire, du ressort des États membres. Afin de ne pas nuire à leurs « champions nationaux », ces derniers ont eu tendance à fermer les yeux devant les prises de risque excessives du secteur financier, dans un environnement intellectuel favorable aux innovations financières, dont on attendait qu'elles réduisent les coûts de financement en accroissant la liquidité des marchés et en permettant une meilleure diversification des risques pour les prêteurs.

Enfin, le Traité prévoit des clauses de non-monétisation de la dette publique et de non-renflouement qui ne prennent pas en compte l'intégration financière qui existe en Europe : à partir du moment où les titres de dette publique sont détenus en grande partie hors des frontières de l'État qui les émet, le défaut d'un État fait courir un risque systémique.

Des leçons ont-elles été tirées ?

La crise a effectivement permis quelques réformes institutionnelles : la mise en œuvre d'un dispositif de gestion des crises financières (le Mécanisme européen de stabilité financière), le renforcement du Pacte de stabilité pour améliorer la discipline budgétaire et élargir le champ de la surveillance et la création de l'union bancaire, qui confie la supervision des grandes banques de la zone euro à la Banque Centrale Européenne.

Résumé

6.1. Flux financiers, prix et rentabilité des obligations

- Une obligation est un titre de dette émis par l'État ou une entreprise pour emprunter des capitaux. Ce titre est acheté par un investisseur (le créancier, ou obligataire) qui, en échange du prix de l'obligation, reçoit la promesse de flux futurs.

- Les caractéristiques de chaque obligation sont consignées dans un document d'information ou un prospectus d'émission. Celui-ci définit la valeur nominale de l'obligation, l'échéance, le taux de coupon et leur périodicité.

- Par convention, le taux de coupon d'une obligation est exprimé sous forme d'un taux annuel proportionnel. Le coupon C d'une obligation est égal à :

C = (Taux de coupon / Nombre de coupons versés dans l'année) × Valeur nominale (6.1)

- Les obligations zéro-coupon ne versent aucun coupon. Les investisseurs ne reçoivent que la valeur nominale de l'obligation à l'échéance.

- La rentabilité à l'échéance d'une obligation est le taux d'actualisation qui égalise la valeur actuelle des flux futurs promis par l'emprunteur au prix actuel de l'obligation. La rentabilité à l'échéance d'une obligation zéro-coupon de maturité N est :

$$TRE_N = (VN/P)^{1/N} - 1 \qquad (6.2)$$

- Le taux d'intérêt sans risque pour un placement de durée N est égal à la rentabilité à l'échéance d'une obligation zéro-coupon sans risque de maturité égale. La courbe qui relie rentabilité à l'échéance des obligations zéro-coupon et maturité est la courbe des taux zéro-coupon.

- La rentabilité à l'échéance d'une obligation couponnée est égale au taux d'actualisation qui égalise la valeur actuelle des flux futurs et le prix courant de l'obligation :

$$P = C \times \frac{1}{TRE}\left(1 - \frac{1}{\left(1+TRE\right)^N}\right) + \frac{VN}{\left(1+TRE\right)^N} \qquad (6.5)$$

6.2. La dynamique du prix des obligations

- Une obligation s'échange au-dessus du pair si son taux de coupon est supérieur à sa rentabilité à l'échéance. Elle est échangée au-dessous du pair dans le cas contraire. Lorsque le taux de coupon d'une obligation est égal à la rentabilité à l'échéance, elle est échangée au pair.

- Si la rentabilité à l'échéance de l'obligation est constante, la rentabilité d'un placement obligataire est égale à sa rentabilité à l'échéance, même lorsque l'obligation est vendue avant l'échéance.

- L'évolution du prix des obligations dépend des variations de taux d'intérêt. Lorsque les taux d'intérêt augmentent, le prix des obligations diminue, et réciproquement. Les obligations dont l'échéance est lointaine ou celles qui offrent un taux de coupon faible sont plus sensibles aux variations de taux d'intérêt que celles dont l'échéance est proche ou qui offrent un taux de coupon élevé. La duration permet de mesurer la sensibilité du prix d'une obligation aux variations de taux d'intérêt.

- À mesure que l'obligation s'approche de l'échéance, son prix converge vers sa valeur nominale.

6.3. Courbe des taux et arbitrage obligataire

- Il est possible de reproduire les flux d'une obligation couponnée à l'aide d'un portefeuille d'obligations zéro-coupon de même risque. Son prix peut donc être calculé à l'aide de la Loi du prix unique et de la courbe des taux zéro-coupon :

$$P = VA\left(\textit{Flux futurs de l'obligation}\right) = \frac{C}{1+TRE_1} + \frac{C}{\left(1+TRE_2\right)^2} + ... + \frac{C+VN}{\left(1+TRE_N\right)^N} \quad (6.6)$$

- Lorsque la courbe des taux n'est pas plate, des obligations de même maturité mais de taux de coupon différent ont une rentabilité à l'échéance différente.

6.4. Les obligations d'entreprise

- L'émetteur d'une obligation fait défaut lorsqu'il ne verse pas l'ensemble des flux promis (coupons et principal). La probabilité que l'émetteur fasse défaut est le risque de défaut, ou risque de crédit.

- La rentabilité espérée d'une obligation risquée est égale au taux d'intérêt sans risque augmenté d'une prime de risque, qui est fonction du risque de défaut de l'émetteur. Cette rentabilité espérée représente le coût de la dette de l'émetteur. Elle est inférieure à la rentabilité à l'échéance, car la rentabilité à l'échéance est calculée en tenant compte des flux futurs *promis*, et non des flux futurs *espérés*.

- Les agences de notation évaluent le risque de défaut des émetteurs d'obligations.

- Le *spread* de taux est la différence entre la rentabilité des titres risqués et celle des titres sans risque de même échéance. Le *spread* de taux est la prime de risque qui rémunère la détention d'une obligation risquée.

6.5. Les obligations souveraines

- Les obligations émises par les États sont appelées obligations souveraines. La rentabilité des obligations souveraines reflète l'anticipation des investisseurs à propos de l'inflation, du risque de change et du risque de défaut.

- Le risque de défaut est très faible pour les titres émis par les pays les plus riches, mais ce n'est pas le cas des obligations souveraines émises par les autres pays. À la différence des entreprises, les états, pour éviter un défaut, peuvent créer de la monnaie, ce qui provoque généralement une hausse de l'inflation et une dépréciation de la monnaie.

Annexe – Les taux d'intérêt à terme

Un **contrat à terme de taux d'intérêt**, ou *Forward Rate Agreement*, est un contrat qui définit *aujourd'hui* le taux d'intérêt d'un prêt ou d'un placement qui débutera dans le futur. Ce sont les principaux produits grâce auxquels les entreprises et les institutions financières peuvent gérer leur risque de taux. Cette annexe montre comment les taux d'intérêt à terme peuvent être déduits des taux comptant zéro-coupon.

Le calcul des taux d'intérêt à terme

Un **taux d'intérêt à terme** (noté par convention *f*, pour *forward*) est un taux d'intérêt fixé aujourd'hui pour un prêt ou un placement débutant ultérieurement. Dans un souci de simplification, cette annexe ne traite que des taux à terme portant sur des opérations d'une durée d'un an. Par exemple, le taux à terme d'échéance cinq ans fait référence au taux auquel un agent peut *aujourd'hui* s'engager à prêter ou emprunter pour une opération débutant dans quatre ans et s'achevant dans cinq ans.

La Loi du prix unique permet de calculer tous les taux à terme à partir de la courbe des taux comptant zéro-coupon. Commençons par le taux à terme pour l'année 1 : il s'agit du taux d'intérêt relatif aux opérations réalisées aujourd'hui et arrivant à échéance dans un an ; ce taux à terme (qui n'en est pas vraiment un puisqu'il débute à la date 0) correspond au même échéancier qu'une obligation zéro-coupon d'échéance un an. D'après la Loi du prix unique, ce taux est égal au taux d'intérêt comptant :

$$f_1 = TRE_1 \tag{6A.1}$$

Considérons maintenant le taux à terme pour l'année 2. On suppose que la rentabilité à l'échéance d'une obligation zéro-coupon à un an est de 5,5 % et que celle d'une obligation zéro-coupon à deux ans est de 7,0 %. Il existe deux façons de réaliser un placement sans risque d'une durée de deux ans. Il est possible d'acheter aujourd'hui une obligation zéro-coupon d'échéance deux ans ; le gain sera dans deux ans de $1,07^2$ € par euro investi. Il est également possible d'investir dans une obligation zéro-coupon d'échéance un an (au taux 5,5 %), ce qui offre un gain de 1,055 € en fin de première année, puis de placer cette somme la seconde année au taux *f* (ce taux est défini aujourd'hui, il n'y a donc aucune incertitude sur celui-ci). Le gain de la stratégie au bout de deux ans est de $1,055 \times (1 + f_2)$ €. Comme ces deux stratégies sont sans risque et de même échéance, d'après la Loi du prix unique, leur rentabilité doit être identique :

$$1,07^2 = 1,055 \times (1 + f_2)$$

On en déduit donc le taux à terme pour l'année 2 :

$$f_2 = 1,07^2 / 1,055 - 1 = 8,52 \%$$

Plus généralement, le taux à terme pour l'année N, f_N, peut être calculé en comparant la rentabilité à l'échéance d'une obligation zéro-coupon d'échéance N avec la rentabilité d'une obligation zéro-coupon d'échéance N – 1. S'il n'y a pas d'opportunité d'arbitrage, la relation est vérifiée :

$$(1 + TRE_N)^N = (1 + TRE_{N-1})^{N-1} \times (1 + f_N)$$

Cette équation peut être réécrite pour faire apparaître la formule du taux à terme :

$$f_N = \frac{\left(1 + TRE_N\right)^N}{\left(1 + TRE_{N-1}\right)^{N-1}} - 1 \tag{6A.2}$$

Exemple 6A.1

Calcul des taux à terme

Quels sont les taux à terme compte tenu des rentabilités à l'échéance des obligations zéro-coupon suivantes :

Maturité (années)	1	2	3	4
TRE	5,00 %	6,00 %	6,00 %	5,75 %

Solution

$$f_1 = TRE_1 = 5,00\,\%$$

$$f_2 = \frac{\left(1 + TRE_2\right)^2}{\left(1 + TRE_1\right)} - 1 = \frac{1,06^2}{1,05} - 1 = 7,01\,\%$$

$$f_3 = \frac{\left(1 + TRE_3\right)^3}{\left(1 + TRE_2\right)^2} - 1 = \frac{1,06^3}{1,06^2} - 1 = 6,00\,\%$$

$$f_4 = \frac{\left(1 + TRE_4\right)^4}{\left(1 + TRE_3\right)^3} - 1 = \frac{1,0575^4}{1,06^3} - 1 = 5,00\,\%$$

L'exemple 6A.1 montre que lorsque la courbe des taux est croissante (autrement dit, $TRE_N > TRE_{N-1}$), le taux à terme est plus élevé que la rentabilité à l'échéance de l'obligation zéro-coupon de même échéance : $f_N > TRE_N$. À l'inverse, lorsque la courbe des taux est décroissante, le taux à terme est inférieur à la rentabilité à l'échéance de l'obligation zéro-coupon. Si la courbe des taux est plate, le taux à terme est égal à la rentabilité à l'échéance de l'obligation zéro-coupon.

Le calcul de la rentabilité à l'échéance à partir des taux à terme

Dans l'équation (6A.2), les taux à terme sont exprimés en fonction de la rentabilité à l'échéance des obligations zéro-coupon. Il est possible d'inverser cette relation pour écrire la rentabilité à l'échéance des obligations zéro-coupon en fonction des taux à terme. Puisque les taux à terme sont connus avec certitude, un placement d'un an au taux à terme répété N fois est équivalent à un placement sans risque de maturité N. La rentabilité des deux stratégies doit donc être identique, soit :

$$(1 + f_1) \times (1 + f_2) \times \ldots \times (1 + f_N) = (1 + TRE_N) \tag{6A.3}$$

Par exemple, lorsqu'on utilise les taux à terme de l'exemple 6A.1, la rentabilité à l'échéance d'une obligation zéro-coupon qui arrive à échéance dans quatre ans est :

$$(1 + TRE_4) = [(1 + f_1) \times (1 + f_2) \times (1 + f_3) \times (1 + f_4)]^{1/4}$$
$$= [1,05 \times 1,0701 \times 1,06 \times 1,05]^{1/4} = 1,0575$$

Taux d'intérêt à terme et taux d'intérêt comptant futur

Même s'il est connu avec certitude aujourd'hui, le taux à terme porte sur une opération (prêt ou emprunt) qui débutera dans le futur. Y a-t-il un rapport entre le taux à terme et le taux d'intérêt *comptant* futur ? Ce dernier est par définition *inconnu* à l'heure actuelle. Mais il est tentant de penser que le taux à terme est un bon indicateur du taux d'intérêt comptant futur. En réalité, ce n'est pas le cas : c'est uniquement vrai si les investisseurs sont neutres au risque.

Taux d'intérêt à terme et taux d'intérêt comptant futur

Une entreprise dispose d'un excédent de trésorerie à placer pour deux ans. La rentabilité d'une obligation zéro-coupon à un an sans risque est de 5 %. Le taux à terme d'échéance deux ans (pour une opération débutant dans un an) est de 6 %. L'entreprise doit choisir entre deux stratégies. La première consiste à acheter une obligation zéro-coupon d'échéance un an et à garantir dès maintenant le taux d'intérêt de la deuxième année grâce à un contrat à terme de taux d'intérêt. La seconde stratégie consiste à acheter successivement deux obligations zéro-coupon sans risque d'échéance un an. Cette seconde stratégie est risquée puisque la rentabilité à l'échéance de l'obligation qui sera achetée dans un an est aujourd'hui inconnue. Sous quelles conditions la seconde stratégie est-elle préférable à la première ?

Solution

La valeur à terme de la première stratégie (sans risque) est $1{,}05 \times 1{,}06$. La stratégie risquée rapporte quant à elle $1{,}05 \times (1 + r)$, avec r le taux d'intérêt comptant à un an qui prévaudra dans un an. Si le taux d'intérêt comptant futur est de 6 %, la rentabilité des deux stratégies sera égale. En revanche, l'entreprise réalisera un gain en choisissant la stratégie risquée si le taux d'intérêt dans un an est supérieur à 6 %, et une perte s'il est inférieur à 6 %. Le choix de cette stratégie implique donc un pari sur l'évolution du taux d'intérêt comptant entre maintenant et dans un an.

Exemple 6A.2

Comme l'illustre l'exemple 6A.2, le taux à terme peut être considéré comme un taux d'intérêt « point mort ». Si ce taux est égal au taux d'intérêt comptant futur, les investisseurs sont indifférents entre l'achat d'une obligation d'échéance deux ans et l'achat d'une obligation d'échéance un an suivi d'un placement au taux comptant futur. Si les investisseurs sont neutres au risque, ils n'ont pas de préférence pour l'une ou l'autre de ces stratégies. En pratique, les investisseurs sont rarement indifférents au risque. Cela signifie que :

Taux d'intérêt comptant futur espéré = Taux d'intérêt à terme + Prime de risque   (6A.4)

La prime de risque peut être positive ou négative selon les préférences des investisseurs[11]. Il en résulte que les taux à terme ne sont pas de bons indicateurs des taux d'intérêt comptant futurs.

---

11. Les analyses empiriques suggèrent que la prime de risque est négative lorsque la courbe des taux est croissante et positive dans le cas contraire. Voir E. F. Fama et R. R. Bliss (1987), « The Information in Long-Maturity Forward Rates », *American Economic Review*, 77(4), 680–692 ; J. Y. Campbell et R. J. Shiller (1991), « Yield Spreads and Interest Rate Movements: A Bird's Eye View », *Review of Economic Studies*, 58(3), 495–514.

Exercices

L'astérisque désigne les exercices les plus difficiles.

1. Une obligation d'échéance 30 ans et de valeur nominale 1 000 € détache un coupon semestriel égal à 5,5 % de la valeur nominale. Quel est le coupon ? Quel est l'échéancier des flux ?

2. Une obligation détache un coupon semestriel. Ses flux sont :

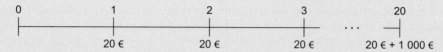

Quelle est la maturité résiduelle de l'obligation ? Quel est son taux de coupon ? Quelle est sa valeur nominale ?

3. Le tableau ci-dessous fournit le prix de plusieurs obligations zéro-coupon de valeur nominale 100 € sans risque de défaut :

Maturité (années)	1	2	3	4	5
Prix	95,51 €	91,05 €	86,38 €	81,65 €	76,51 €

Quelle est la rentabilité à l'échéance de chaque obligation ? Quelle est la courbe des taux zéro-coupon ? Quelle est la forme de la courbe des taux ?

4. La courbe des taux zéro-coupon sans risque indique :

Maturité (années)	1	2	3	4	5
TRE	5,00 %	5,50 %	5,75 %	5,95 %	6,05 %

Quel est le prix d'une obligation zéro-coupon de valeur nominale 100 € sans risque et d'échéance deux ans ? Et si l'échéance est de quatre ans ? Quel est le taux d'intérêt sans risque à cinq ans ?

5. Le 9 décembre 2008, le prix des *T-bills* à trois mois était de 100,002556 $ pour une valeur faciale de 100 $ (voir encadré « Crise financière » de la section 6.1). Quelle était la rentabilité à l'échéance de ces zéro-coupons ?

6. Une obligation d'échéance 10 ans et de valeur nominale 1 000 € offre un taux de coupon de 8 % et des coupons semestriels. Cette obligation s'échange actuellement au prix de 1 034,74 €. Quelle est la rentabilité à l'échéance de l'obligation (en taux annuel proportionnel) ? La rentabilité à l'échéance de l'obligation passe brutalement à 9 %. Quel est le nouveau prix de l'obligation ?

7. Une obligation d'échéance cinq ans et de valeur nominale 1 000 € détache un coupon annuel. Cette obligation s'échange actuellement au prix de 900 €. Sa rentabilité à l'échéance est de 6 %. Quel est son taux de coupon ?

8. Le prix actuel de plusieurs obligations de valeur nominale 1 000 € est :

Obligation	A	B	C	D
Prix	972,50 €	1 040,75 €	1 150,00 €	1 000,00 €

Parmi ces obligations, lesquelles sont au pair, au-dessus ou au-dessous du pair ?

9. Pourquoi la rentabilité d'une obligation échangée au-dessous du pair est-elle supérieure à son taux de coupon ?

10. Une obligation à sept ans, de valeur nominale 1 000 €, offre un taux de coupon de 8 % et des coupons semestriels. La rentabilité à l'échéance est actuellement de 6,75 % (TAP). Cette obligation est-elle échangée au pair, au-dessus ou au-dessous du pair ? La rentabilité à l'échéance passe à 7 %. Quel est le nouveau prix de cette obligation ?

11. L'entreprise ISL émet 200 000 obligations au pair à 10 ans, de valeur nominale 1 500 €, avec un coupon annuel de 5 %. Les frais d'émission s'élèvent à 3 millions d'euros. Quel est le taux effectif pour l'emprunteur ?

12. Sitex émet aujourd'hui des obligations de maturité 10 ans, de valeur nominale 1 000 € et de coupon annuel 7 %. La rentabilité à l'échéance de ces titres est de 6 %. Quel est le prix d'une obligation à l'émission ? Si la rentabilité à l'échéance reste constante, quel sera le prix de l'obligation juste avant le versement du premier coupon ? Et juste après ?

*13. Une entreprise a émis le 31 octobre 2004 des obligations au pair, d'échéance 25 ans, de valeur nominale 700 € et de coupon annuel 6 %. Le 31 octobre 2021, le taux de marché pour des obligations similaires est de 7 %. Quel est le prix de cette obligation ? Le 15 mars 2022, le taux de marché est toujours de 7 %. Quel est son nouveau prix ?

14. Un investisseur achète une obligation d'échéance 10 ans, de valeur nominale 100 € et de coupon annuel 6 %. Il la revend immédiatement après avoir reçu le quatrième coupon. La rentabilité à l'échéance de l'obligation est supposée constante à 5 %. Quels sont les flux versés et reçus par l'investisseur ? Quel est le TRI de son investissement ?

15. Les obligations suivantes versent des coupons annuels :

Obligation	A	B	C	D
Taux de coupon	0 %	0 %	4 %	8 %
Maturité (année)	15	10	15	10

Quelle est la variation du prix de ces obligations (en pourcentage), si le taux d'intérêt passe de 6 % à 5 % ? Quelles sont les obligations les moins sensibles et les plus sensibles à cette baisse de taux d'intérêt ? Pourquoi ?

16. Un investisseur achète une obligation zéro-coupon d'échéance 30 ans dont la rentabilité à l'échéance est de 6 %. Il détient cette obligation pendant cinq ans avant de la revendre. Quel est le TRI de l'opération si la rentabilité à l'échéance est stable pendant toute la période ? Qu'en est-il si la rentabilité à l'échéance est passée à 7 % ?

à 5 % ? L'obligation ne présente aucun risque de défaut. Le risque est-il nul si l'investisseur souhaite la revendre avant son échéance ? Pourquoi ?

17. Un investisseur a acheté il y a 10 ans une obligation émise par l'état d'échéance 30 ans de coupon annuel 5 %, émise au pair. La rentabilité à l'échéance des obligations sans risque est actuellement de 7 % (TAE). S'il décide de revendre l'obligation aujourd'hui, quel sera le TRI de son investissement ? Et s'il décide de conserver l'obligation jusqu'à l'échéance ? La comparaison des deux TRI peut-elle aider à faire le bon choix (vendre ou conserver l'obligation) ?

18. La rentabilité à l'échéance des obligations zéro-coupon sans risque est de 3 % pour une maturité de un an et de 5 % pour une maturité de cinq ans. Vous souhaitez investir pour un an en achetant la seconde obligation. Mais vous êtes préoccupé par le risque de hausse de sa rentabilité à l'échéance pendant l'année à venir. À partir de quelle hausse auriez-vous eu meilleur compte à acheter la première obligation ?

Pour les exercices 19 à 24, on utilisera les obligations zéro-coupon sans risque dont la rentabilité à l'échéance est donnée ci-dessous :

Maturité (années)	1	2	3	4	5
TRE	4,00 %	4,30 %	4,50 %	4,70 %	4,80 %

19. Quel est le prix d'une obligation d'échéance deux ans, de valeur nominale 1 000 €, sans risque de défaut et de taux de coupon annuel 6 % ? Cette obligation est-elle échangée au pair, au-dessus ou au-dessous du pair ?

20. Quel est le prix d'une obligation d'échéance cinq ans, sans risque de défaut, zéro-coupon, de valeur nominale 1 000 € ?

21. Quel est le prix d'une obligation d'échéance trois ans, sans risque de défaut, de valeur nominale 1 000 € et de taux de coupon annuel 4 % ? Quelle est la rentabilité à l'échéance de cette obligation ?

22. Quelle est la maturité d'une obligation sans risque de défaut, dont les coupons sont annuels et la rentabilité à l'échéance de 4 % ? Pourquoi ?

*23. Une obligation d'échéance quatre ans, sans risque de défaut, dont les coupons sont annuels et dont la valeur nominale est de 1 000 €, est échangée au pair. Quel est le taux de coupon de cette obligation ?

24. Une obligation d'échéance cinq ans, sans risque de défaut et de coupon annuel 5 % a une valeur nominale de 1 000 €. Sans faire de calculs, déterminez si cette obligation s'échange au-dessus ou au-dessous du pair. Quelle est la rentabilité à l'échéance de cette obligation ? La rentabilité à l'échéance de cette obligation augmente à 5,2 % : quel est son nouveau prix ?

*25. Une obligation d'échéance 10 ans, dont les coupons sont annuels et dont la valeur nominale est de 1 500 €, est échangée au pair. La rentabilité à l'échéance pour ce type d'obligation est de 5 %. L'emprunteur souhaite limiter les décaissements liés aux coupons. Quelles solutions s'offrent à lui ? L'émetteur propose un taux de coupon de 3 % ; à combien doit s'élever la prime de remboursement ? Si l'émetteur opte pour une prime de remboursement de 20%, quel doit être le prix à l'émission ?

*26. Une entreprise a émis 100 000 obligations de valeur nominale 100 €, avec un coupon annuel de 6 %, au prix de 97 € avec une prime de remboursement de 5 %.

Le remboursement se fait par amortissement constant sur six ans. Construire le tableau d'amortissement de cet emprunt. Déterminer son taux de rentabilité à l'échéance. Quelle est la rentabilité pour un souscripteur dont l'obligation est remboursée au premier tirage ? Au dernier tirage ?

*27. Les prix d'obligations zéro-coupon, sans risque de défaut et de valeur nominale 1 000 €, sont résumés dans le tableau :

Maturité (années)	1	2	3
Prix	970,87 €	938,95 €	904,46 €

Une obligation d'échéance trois ans, sans risque de défaut, de taux de coupon annuel 10 % et de valeur nominale 1 000 €, s'échange actuellement au prix de 1 183,50 €. Y a-t-il une opportunité d'arbitrage ? Si oui, comment en profiter ? Sinon, pourquoi ?

*28. Les prix et les flux futurs de quatre obligations sans risque de défaut sont :

(En euros)		Flux futurs		
Obligation	Prix (aujourd'hui)	Année 1	Année 2	Année 3
A	934,58	1 000	0	0
B	881,66	0	1 000	0
C	1 118,21	100	100	1 100
D	839,62	0	0	1 000

Y a-t-il des opportunités d'arbitrage ? Si oui, comment en profiter ?

*29. Les taux de coupon annuels et rentabilités à l'échéance d'obligations sans risque de défaut sont :

Maturité (années)	1	2	3	4
Taux de coupon	0,00 %	10,00 %	6,00 %	12,00 %
TRE	2,000 %	3,908 %	5,840 %	5,783 %

Quelle est la rentabilité à l'échéance d'une obligation zéro-coupon d'échéance deux ans, d'après la Loi du prix unique ? Quelle est la courbe des taux zéro-coupon ?

30. Pourquoi la rentabilité espérée d'une obligation risquée n'est-elle pas égale à sa rentabilité à l'échéance ?

31. L'entreprise Grumon vient d'émettre des obligations zéro-coupon de maturité cinq ans. Les analystes estiment que la probabilité de défaut est de 20 % et, en cas de défaut, l'entreprise ne sera en mesure de rembourser que la moitié de ce qu'elle doit. Les investisseurs exigent une rentabilité de 6 % pour ce type d'actif. Quel est le prix et la rentabilité à l'échéance de l'obligation ?

32. Le tableau détaille les rentabilités à l'échéance d'obligations zéro-coupon d'échéance un an :

Obligation	Rentabilité à l'échéance (%)
Obligation souveraine AAA	3,1
Obligation *corporate* AAA	3,2
Obligation *corporate* BBB	4,2
Obligation *corporate* B	4,9

Quel est le prix (en pourcentage de la valeur nominale) d'une obligation *corporate* AAA ? Quel est le *spread* de taux de ces obligations ? Et pour les obligations B ? Comment varie le *spread* de taux avec la notation ? Pourquoi ?

33. Une entreprise envisage d'émettre une obligation d'échéance 30 ans, offrant un coupon annuel de 7 % et de valeur nominale 1 000 €. L'entreprise estime pouvoir obtenir la note A de la part de Standard & Poor's. Néanmoins, de récents problèmes financiers rencontrés par l'entreprise conduisent Standard & Poor's à avertir celle-ci d'une possible dégradation de sa note à BBB. La rentabilité à l'échéance des obligations notées A est de 6,5 % et celle des obligations BBB de 6,9 %. Quel est le prix de l'obligation si l'entreprise demeure notée A ? Et si elle est dégradée ?

34. L'entreprise Bertin souhaite émettre des obligations d'échéance cinq ans, de valeur nominale 1 000 € et de coupon annuel 6,5 %. Les rentabilités à l'échéance d'obligations d'entreprise d'échéance cinq ans en fonction de leur note sont :

Note	AAA	AA	A	BBB	BB
TRE	6,20 %	6,30 %	6,50 %	6,90 %	7,50 %

   a. Si les obligations sont notées AA, quel sera le prix des obligations émises par Bertin ? Combien faudra-t-il émettre d'obligations pour lever 10 millions d'euros ? Quelle doit être la note des obligations pour qu'elles puissent être émises au pair ?

   b. Le prix d'émission des obligations est de 959,54 €. Quelle est la note de l'entreprise ? S'agit-il de *junk bonds* ?

35. La rentabilité à l'échéance des obligations d'échéance cinq ans notées BBB est 8,2 % (TAP), tandis que celle des obligations sans risque de même échéance est de 6,5 %. Les obligations offrent des coupons semestriels, leur taux de coupon est de 7 %. Quel est le prix de chaque obligation, en pourcentage de sa valeur nominale ? Quel est le *spread* de taux pour les obligations BBB ?

36. La société Jeumout vient juste d'émettre des obligations zéro-coupon d'échéance cinq ans à un prix de 74 €. Vous avez acheté une obligation et envisagez de la détenir jusqu'à l'échéance, où elle sera remboursée au pair.

   a. Quelle est la rentabilité à l'échéance de cette obligation ?

   b. Quelle est la rentabilité espérée si la probabilité de défaut est nulle ?

   c. Quelle est la rentabilité espérée si la probabilité de défaut est de 100 % et que vous êtes certain de recevoir 90 % de la valeur nominale de l'obligation ?

   d. Quelle est la rentabilité espérée si la probabilité de défaut est de 50 %, qu'elle est plus élevée lorsque la conjoncture est mauvaise, et que vous recevrez 90 % de la valeur faciale de l'obligation en cas de défaut ?

   e. Que peut-on dire à propos du taux sans risque à cinq ans dans chacun des cas ?

37. Comment un pays peut-il éviter de faire défaut sur sa dette ? Pourquoi est-ce coûteux pour les investisseurs, même si le pays ne fait pas défaut ? Et dans ce cas, pourquoi certains pays font-ils tout de même défaut ?

38. Supposons que le taux sur la dette souveraine allemande soit de 1 %, tandis que celui sur la dette souveraine espagnole est de 6 %. Quel pays est le plus susceptible de faire défaut selon les investisseurs ? Pourquoi ?

39. Les rentabilités à l'échéance d'obligations zéro-coupon d'échéances différentes sont :

Maturité (années)	1	2	3	4	5
TRE (zéro-coupon)	4,0 %	5,5 %	5,5 %	5,0 %	4,5 %

Quel est le taux à terme deux ans (c'est-à-dire pour un placement d'un an débutant dans un an) ? Et trois ans (*i.e.* pour un placement d'un an débutant dans deux ans) ? Et cinq ans ? Que peut-on conclure à propos des taux à terme lorsque la courbe des taux est plate ? Quel est le taux à terme d'un placement qui débute dans un an et qui arrive à échéance dans cinq ans, si aucune opportunité d'arbitrage n'existe ?

*40. La rentabilité à l'échéance d'une obligation zéro-coupon d'échéance un an est de 5 %. Les taux à terme deux et trois ans (c'est-à-dire pour des placements d'un an débutant dans un et deux ans) sont respectivement de 4 % et 3 %. Quelle devrait être la rentabilité à l'échéance d'une obligation zéro-coupon d'échéance trois ans ?

Étude de cas 1 – Émission obligataire et rating

Vous venez d'être embauché comme stagiaire à la direction financière de Vinci. L'entreprise prévoit d'émettre des obligations d'échéance 10 ans, offrant un coupon annuel de 6 % et de valeur nominale 1 000 €. L'emprunt obligataire sera de 50 millions d'euros. Le directeur financier souhaite que vous étudiiez l'incidence d'une amélioration de la note de Vinci donnée par Moody's sur cette émission obligataire.

1. Recherchez la courbe des taux sans risque européenne, publiée quotidiennement sur le site internet de la Banque centrale européenne (**www.ecb.europa.eu/stats/money/yc/html/index.en.html**).

2. Recherchez les rentabilités à l'échéance associées à chaque *rating*. Ces données sont disponibles par exemple sur **www.boursorama.com/bourse/taux** dans la rubrique « *Échelle de rendement moyen par rating* ». On supposera que ces rentabilités concernent des obligations de maturité cinq ans.

3. Calculez le *spread* de taux pour chaque *rating*, en soustrayant de sa rentabilité à l'échéance le taux sans risque approprié. On supposera que les *spreads* sont identiques quelle que soit la maturité considérée pour les obligations. Vérifiez que vos résultats sont du même ordre de grandeur que les *spreads* calculés par Aswath Damodaran, dont le site internet regorge de données et de statistiques intéressantes pour un financier (**http://pages.stern.nyu.edu/~adamodar/New_Home_Page/datafile/ratings.htm**).

4. Recherchez la note actuelle décernée aux obligations à long terme émises par Vinci. Pour cela, rendez-vous sur le site de l'entreprise ou sur celui de Moody's (**www.moodys.com**), enregistrez-vous (*Log in*, c'est gratuit), puis recherchez le nom de l'entreprise. Recherchez la note de crédit long terme de l'entreprise (*LT Issuer rating*).

5. Calculez les taux de rentabilité à l'échéance à utiliser pour valoriser les obligations Vinci, en ajoutant aux rentabilités à l'échéance des titres sans risque le *spread* approprié. Tracez la courbe des taux *corporate* pour le *rating* de Vinci.

6. Dressez l'échéancier des flux futurs que verseront les obligations Vinci. Calculez le prix d'émission des obligations et leur rentabilité à l'échéance.

7. Répétez les étapes 5 et 6 sous l'hypothèse que la note de Vinci a été améliorée d'un cran par Moody's.

8. Quel montant Vinci peut-elle emprunter en plus, à charges d'intérêts identiques, si sa note a été améliorée ?

Étude de cas 2 – Le défaut et la restructuration de la dette grecque[12]

La Grèce a fait défaut sur sa dette en mars 2012, en n'honorant pas ses engagements auprès de ses créanciers. Pour chaque euro de dette grecque existante, les créanciers de l'État grec ont reçu le 12 mars 2012 :

- Deux bons émis par le Fonds européen de stabilité financière (FESF), d'une valeur nominale unitaire de 0,075 €. Le premier bon arrivait à échéance au bout d'un an et versait à ce moment-là un coupon de 0,4 % ; le second avait une échéance de deux ans et offrait un coupon annuel de 1 %.

- Plusieurs obligations émises par l'État grec, d'une valeur nominale totale de 0,315 €. Ces obligations étaient équivalentes à une obligation unique de même valeur nominale offrant un coupon annuel (versé le 12 décembre) de 2 % pour les années 2012 à 2015, 3 % pour les années 2016 à 2020, 3,65 % pour 2021 et 4,3 % ensuite. Chaque 12 décembre, à compter de 2023 et jusqu'en 2042, 5 % du principal est remboursé.

- Plus quelques autres titres ne valant pas grand-chose…

Ce *swap* de dette a été proposé dans des termes identiques à tous les investisseurs, sans prendre en compte les titres de dette qu'ils détenaient effectivement. La perte subie par les différents créanciers n'a donc pas été identique.

1. Pour comprendre pourquoi, construisez l'échéancier des flux offerts aux créanciers, puis utilisez la courbe des taux zéro-coupon grecs juste après l'annonce du *swap* de la dette (voir figure 6.7) pour calculer la valeur actuelle des titres offerts aux créanciers le 12 mars 2012.

2. Maintenant, considérez deux obligations émises par l'État grec avant le défaut : la première arrivait à échéance le 12 mars 2012, la seconde le 12 mars 2024. Cette dernière offrait un taux de coupon annuel de 4,7 %. Calculez, à l'aide de la courbe des taux, la valeur de chaque obligation en pourcentage de sa valeur nominale.

3. Quelle perte, ou *haircut*, a subi le détenteur de la première obligation, en pourcentage de sa valeur nominale, lors du *swap* de dette ? Et le détenteur de la seconde ?

---

12. Inspiré (y compris la figure 6.7) de J. Zettelmeyer, C. Trebesch et M. Gulati (2013), « The Greek Debt Restructuring: An Autopsy », *Economic Policy*, juillet, 513-563.

4. Supposez que la participation des créanciers au *swap* proposé ait été volontaire (ce qui a été prétendu en 2012…) et donc qu'au moment du *swap*, la valeur des titres existants était égale à celle des titres offerts en échange. Sous cette hypothèse, quelle était la rentabilité à l'échéance de l'obligation existante d'échéance 2024 ? Comment expliquer la différence entre cette rentabilité et celle de la figure 6.7 ?

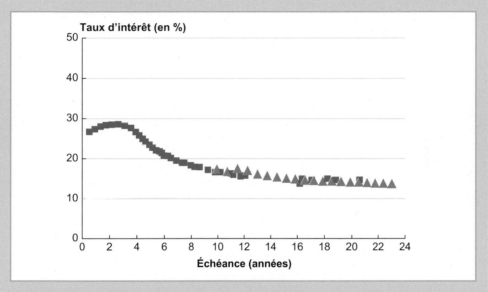

Figure 6.7 – Courbe des taux implicites de l'État grec, 12 mars 2012

Chapitre 7
Les critères de choix d'investissement

En 2017, Amazon a acquis la chaîne de supermarchés bio *Whole Foods Market* pour 13,7 milliards de dollars, ce qui représente la plus importante acquisition externe jamais réalisée par l'entreprise. Outre le coût d'acquisition, Amazon a mobilisé d'importantes ressources pour intégrer la chaîne de magasins à ses activités traditionnelles de vente en ligne. Vraisemblablement, les dirigeants d'Amazon ont pensé que cette acquisition générerait d'importantes synergies qui se traduiraient par une augmentation des revenus futurs de l'entreprise. Comment savaient-ils que ces revenus supplémentaires dépasseraient l'investissement initial ? Et plus généralement, comment les dirigeants des entreprises prennent-ils des décisions qui, selon eux, maximiseront la valeur de ces dernières ?

De telles décisions ne sont prises qu'après examen minutieux des coûts et des bénéfices attendus, et les projets ne sont lancés que s'ils affichent une valeur actuelle nette positive. Bien que la règle de la VAN permette de maximiser la création de valeur pour les actionnaires, certaines entreprises s'appuient parfois sur d'autres critères, comme le délai de récupération (actualisé ou non) ou le TRI. L'objectif de ce chapitre est d'analyser ces différents critères : bien que parfois utiles, ils conduisent dans certaines circonstances à de mauvaises décisions. Après avoir étudié chacun de ces critères dans le cas où le choix se limite à un seul projet, on considère le cas de plusieurs investissements alternatifs, puis le cas où l'entreprise doit faire face à une contrainte sur ses ressources.

7.1. La valeur actuelle nette

Le concept de valeur actuelle nette (VAN) a été présenté au chapitre 3. Dans le cas d'un projet d'investissement de type « à prendre ou à laisser », dont la mise en œuvre n'obère pas la capacité de l'entreprise à réaliser d'autres projets, la règle de la VAN s'énonce simplement.

Règle de la VAN. *Il convient d'investir si et seulement si la VAN est positive et, lorsqu'on doit choisir entre plusieurs projets, il faut retenir celui avec la VAN la plus élevée. La VAN correspond à la valeur actuelle de la richesse créée.*

Appliquer la règle de la VAN

Les ingénieurs agronomes de la Fantastique Ferme Française (FFF) pensent pouvoir fabriquer un nouveau fertilisant : ce dernier est à la fois écologique et peu coûteux. La production du fertilisant requiert une usine qui peut être construite immédiatement pour 250 millions d'euros. La direction commerciale estime que les bénéfices du nouveau fertilisant seront de 35 millions d'euros par an à partir de la fin de la première année, et ce, indéfiniment :

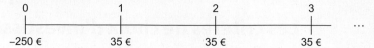

Si on utilise la formule de la rente perpétuelle (chapitre 4), avec un taux d'actualisation r, la VAN de cette séquence de flux est :

$$VAN = -250 + \frac{35}{r}$$

La figure 7.1 représente la VAN de ce projet en fonction du taux d'actualisation r. La VAN est positive si $r < 14\%$; ce taux est le taux de rentabilité interne (TRI). Les dirigeants de FFF estiment à 10 % par an le coût du capital du projet. Dans ce cas, la VAN du projet est de 100 millions d'euros. Les dirigeants doivent donc mettre en œuvre ce projet, qui conduira à une augmentation de 100 millions d'euros de la valeur de l'entreprise.

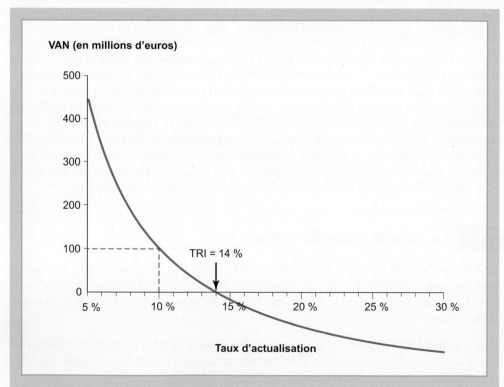

Figure 7.1 – VAN du projet de fertilisant de la FFF

La VAN du projet d'investissement est fonction du taux d'actualisation. La VAN est positive si le taux d'actualisation est inférieur à 14 %, le taux de rendement interne (TRI). Avec un coût du capital de 10 %, le projet a une VAN de 100 millions d'euros.

Profil de VAN et TRI

La mesure de la VAN dépend du coût du capital retenu pour le projet. Or, il y a souvent de l'incertitude autour de sa véritable valeur. Dans ce cas, il peut être utile de calculer le **profil de VAN**. Celui-ci représente la valeur de la VAN pour différents taux d'actualisation. La figure 7.1 représente la VAN du projet FFF pour un taux d'actualisation qui varie de 5 % à 30 %. On observe que la VAN n'est positive que si le taux d'actualisation est inférieur à 14 %. Quand $r = 14$ %, la VAN s'annule ; c'est le taux qui correspond au TRI.

Le recours au TRI est très utile pour déterminer la sensibilité de la VAN à une erreur dans l'estimation du coût du capital d'un projet. Dans le cas du projet FFF, celui-ci reste rentable tant que l'erreur d'estimation du coût du capital ne dépasse pas 4 points de pourcentage. En général, *la différence entre le coût du capital et le TRI d'un projet est l'erreur d'estimation maximale sur le coût du capital qui peut exister sans que cela n'altère la conclusion.*

La VAN face aux autres critères

La règle de la VAN indique que FFF doit réaliser l'investissement nécessaire à la commercialisation du nouveau fertilisant. D'autres critères existent. Ceux-ci permettent d'obtenir une décision généralement identique, mais *pas systématiquement*. En tout état de cause, si un critère contredit la règle de la VAN, toute décision fondée sur celui-ci ne maximisera pas la valeur de l'entreprise ; c'est donc une mauvaise décision du point de vue financier.

| Entretien | Philippe Denery, directeur financier de TF1 |

Philippe Denery est directeur général adjoint « finances » de TF1. Entré il y a 20 ans dans le groupe Bouygues, il y a occupé des postes à responsabilité au sein de nombreux départements : direction financière, ingénierie financière, fusions et acquisitions…

Quel est le rôle du directeur financier ?

La première responsabilité du directeur financier est de traduire dans les états financiers de l'entreprise sa performance, ses risques, ses opportunités ainsi que l'évolution de ses métiers. La qualité de l'information financière est cruciale, car elle permet à toutes les parties prenantes d'avoir une vision claire et pertinente de la situation de l'entreprise. Elle est également indispensable en tant qu'outil de pilotage pour les dirigeants, afin d'éclairer leurs choix, d'orienter leurs stratégies, d'apprécier les résultats au regard des objectifs fixés.

Le directeur financier est également en charge de la communication financière de l'entreprise. Cela lui permet d'avoir des échanges réguliers avec les actionnaires et les analystes financiers, de leur expliquer les décisions et les orientations stratégiques prises par le management et de partager sur la performance financière de l'entreprise, à court terme, ainsi que sur les enjeux à moyen et long termes.

…

…

Comment la direction financière est-elle associée aux choix d'investissement de l'entreprise ?

La direction financière dispose de l'expertise, des méthodes et des modèles qui lui permettent d'avoir une vision chiffrée des risques et opportunités de chaque projet. Cette expertise lui permet d'analyser les projets d'investissement sur une base rationnelle et de les comparer entre eux. Elle contribue au processus de prise de décision et aux choix stratégiques retenus et appropriés.

Chez TF1, l'évaluation des projets repose, comme dans la plupart des entreprises, sur une double approche financière et stratégique : l'aspect financier d'un projet est évalué à l'aide des outils traditionnels (actualisation des flux de trésorerie disponibles au coût moyen pondéré du capital ou approche par les multiples) ; les éléments stratégiques se mesurent plutôt à l'aune des synergies entre le projet et les autres activités de l'entreprise. L'évaluation d'un projet doit prendre en compte ses conséquences, positives ou négatives, sur l'ensemble des activités de l'entreprise !

Quels sont les défis à relever dans les prochaines années ?

La crise financière ainsi que les évolutions permanentes de l'environnement réglementaire, technologique et concurrentiel ont révélé les limites des outils de mesure et de contrôle des risques, qui devront donc être améliorés. Le contrôle interne devra être repensé et renforcé.

Dans les années 1970, seulement 10 % des entreprises américaines utilisaient la VAN pour sélectionner leurs investissements[1]. Début 2000, ce taux s'élevait à 75 %[2]. Cette progression est remarquable (signe que les cours de finance n'ont pas été complètement inutiles !). Malgré tout, une entreprise américaine sur quatre continue de ne pas suivre la règle de la VAN, mais d'utiliser d'autres critères. En Europe, l'usage de la VAN est nettement moins répandu[3]. En France, par exemple, seulement un tiers des entreprises suivent toujours ou presque toujours la règle de la VAN…

Pourquoi autant d'entreprises ne s'appuient-elles pas sur le bon critère pour choisir leurs investissements ? Les raisons ne sont pas très claires. Quoi qu'il en soit, puisque ces critères alternatifs sont couramment utilisés par certaines entreprises, il faut les connaître, savoir comment s'en servir et comprendre pourquoi la règle de la VAN leur est supérieure.

---

1. L. J. Gitman et J. R. Forrester Jr. (1977), « A Survey of Capital Budgeting Techniques Used by Major U.S. Firms », *Financial Management*, 6, 66-71.
2. J. Graham. et H. Campbell (2001), « The Theory and Practice of Corporate Finance: Evidence from the Field », *Journal of Financial Economics*, 60, 187-243.
3. D. Brounen, A. de Jong et K. Koedijk (2004), « Corporate Finance in Europe; Confronting Theory with Practice », *Financial Management*, 33(4), 71-102.

7.2. Le taux de rentabilité interne

La règle du TRI

La règle du **taux de rentabilité interne** (TRI) est assez intuitif : si la rentabilité d'un projet est supérieure à celle offerte par des projets de même risque et de même maturité, il faut mettre en œuvre le premier projet. Plus formellement, cette règle s'énonce ainsi :

Règle du taux de rentabilité interne (TRI). *Tout investissement dont le taux de rentabilité interne dépasse le coût du capital doit être réalisé. Tout investissement dont le taux de rentabilité interne est inférieur au coût du capital doit être refusé.*

La règle du TRI conduit à la même décision que celle de la VAN dans la plupart des cas, mais pas tous. Par exemple, dans le cas des fertilisants de la FFF, le coût du capital est inférieur au TRI (14 %), le projet a une VAN positive et il faut réaliser l'investissement. La règle du TRI conduit bien à maximiser la richesse créée par les actionnaires lorsque le projet est unique et que tous les flux négatifs précèdent les flux positifs. Dans les autres cas, la règle du TRI peut être en contradiction avec la règle de la VAN. Voici quelques situations dans lesquelles il faut éviter d'utiliser la règle du TRI.

Écueil n° 1 : les gains précèdent parfois les pertes

Hadrien, fondateur et P-DG de SuperTech vient de partir à la retraite. Une grande maison d'édition lui propose 1 million d'euros pour écrire son autobiographie. Si Hadrien accepte, l'éditeur lui verse immédiatement 1 million d'euros. Hadrien estime que l'écriture de ses mémoires lui demandera de travailler à plein temps pendant trois ans, pendant lesquels il ne pourra avoir d'autres sources de revenu. Si Hadrien refusait la proposition, son revenu serait de 500 000 € par an ; il évalue le coût d'opportunité du capital à 10 %. L'échéancier est le suivant :

0	1	2	3
1 000 000 €	– 500 000 €	– 500 000 €	– 500 000 €

Le TRI du projet est solution de l'équation :

$$VAN = 1\,000\,000 - \frac{500\,000}{\left(1+r\right)} - \frac{500\,000}{\left(1+r\right)^2} - \frac{500\,000}{\left(1+r\right)^3}$$

	A	B	C	D	E	F	G	H
4			N	TAUX	VA	F	VF	Formule Excel
5		Sachant	3		1 000 000,00	-500 000	0	
6		Résoudre TAUX		23,38%				=TAUX(3,-500000,1000000,0)

Le TRI est de 23,38 % ; il dépasse largement le coût du capital, qui est de 10 %. Selon la règle du TRI, Hadrien devrait signer le contrat. Quelle est la VAN du projet ?

$$VAN = 1\,000\,000 - \frac{500\,000}{1,1} - \frac{500\,000}{1,1^2} - \frac{500\,000}{1,1^3} = -243\,426 \text{ €}$$

Avec un taux d'actualisation de 10 %, la VAN du projet est négative. Signer le contrat reviendrait pour Hadrien à perdre de l'argent ; il doit donc refuser d'écrire le livre.

La figure 7.2 représente le profil de VAN de ce projet. Quel que soit le coût du capital, la règle du TRI et celle de la VAN divergent :

- La VAN est positive lorsque le coût du capital est supérieur à 23,38 % ; or, dans ce cas, si l'on suit la règle du TRI, il faudrait refuser le projet.

- La VAN est négative quand le coût du capital est inférieur à 23,38 % : dans ce cas, il faut refuser le projet, ce qui est exactement l'inverse de ce que préconise le TRI.

La figure 7.2 illustre le principal problème posé par l'utilisation de la règle du TRI. Dans la plupart des cas, les pertes précèdent les gains. Mais, lorsque ce n'est pas le cas, tout se passe comme si l'agent (ici, Hadrien) empruntait l'argent. Et, lorsqu'on emprunte de l'argent, on souhaite un taux d'intérêt le plus faible possible. Le raisonnement est donc inversé par rapport aux situations habituelles.

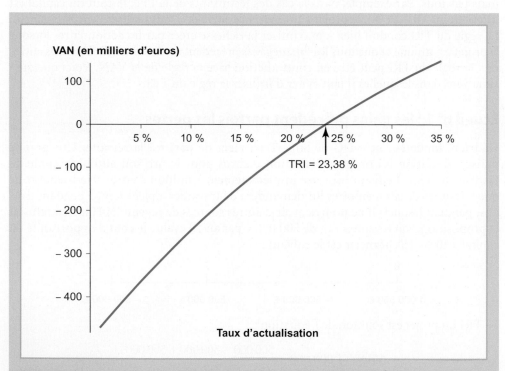

Figure 7.2 – Profil de VAN du projet d'écriture des mémoires d'Hadrien

Lorsque les bénéfices d'un investissement précèdent les coûts, la VAN est une fonction croissante du taux d'actualisation.

Dans ce cas, la règle du TRI ne permet pas de prendre la bonne décision. Le TRI procure cependant une information utile, *en complément* de la VAN : il informe sur la sensibilité de la VAN de l'investissement à l'incertitude concernant le coût du capital. Dans le cas présent, l'écart entre le coût du capital et le TRI est élevé : 13,8 %. La VAN de ce projet est donc négative pour Hadrien, à moins qu'il n'ait sous-estimé le coût du capital de 13,8 % au moins, ce qui semble peu plausible.

Écueil n° 2 : il peut exister plusieurs TRI

Hadrien ayant refusé la première offre, l'éditeur lui propose un nouveau contrat qui prévoit le versement de 1 million d'euros lorsque l'ouvrage sera publié dans quatre ans, auquel s'ajoute une avance de 550 000 €. Hadrien doit-il accepter ou rejeter la nouvelle offre ? Le nouvel échéancier est le suivant :

0	1	2	3	4
550 000 €	− 500 000 €	− 500 000 €	− 500 000 €	1 000 000 €

La VAN du nouveau contrat est :

$$VAN = 550\,000 - \frac{500\,000}{(1+r)} - \frac{500\,000}{(1+r)^{2}} - \frac{500\,000}{(1+r)^{3}} + \frac{1\,000\,000}{(1+r)^{4}}$$

Le TRI est obtenu en calculant r tel que la VAN s'annule. La résolution de l'équation montre qu'il y a non pas *un*, mais *deux* TRI : deux valeurs de r annulent la VAN. Cela se vérifie aisément en remplaçant r par 7,164 % ou par 33,673 %. Dans cette situation, il est évident que la règle du TRI ne peut pas être utilisée.

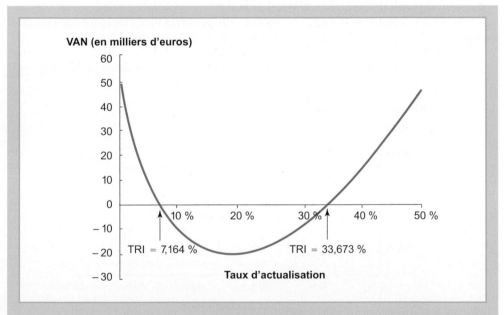

Figure 7.3 – Profil de VAN du contrat avec avance et droits d'auteur

Il y a dans ce cas plus d'un TRI, ce qui rend impossible l'application de la règle du TRI. Si le coût du capital relatif à l'opportunité d'investissement est inférieur à 7,164 % ou supérieur à 33,673 %, Hadrien doit accepter le contrat. Sinon, il doit le refuser.

Pour savoir quelle décision prendre, il faut examiner le profil de VAN de ce projet (figure 7.3). Si le coût du capital est inférieur à 7,164 % ou supérieur à 33,673 %, Hadrien doit accepter l'opportunité d'investissement. Si le TRI est compris entre ces deux valeurs, il doit la refuser. Même si la règle du TRI ne fonctionne pas ici, le calcul des deux TRI est malgré tout utile, car cela permet de borner le coût du capital. Si l'estimation du coût du capital est fausse, et que le coût du capital soit en réalité inférieur à 7,164 % ou supérieur à 33,673 %, alors la décision de ne pas accepter le projet est destructrice de valeur. Étant donné que ces bornes sont éloignées du coût du capital utilisé lors du calcul de la VAN (10 %), Hadrien peut avoir confiance dans le bien-fondé de sa décision de rejeter le nouveau contrat que lui propose l'éditeur.

En cas de TRI multiples, la règle du TRI ne permet pas d'être certain de prendre la bonne décision : lorsque le taux d'actualisation est compris dans l'intervalle formé par les deux TRI, la VAN peut aussi bien être négative (comme ici) que positive. Dans certaines situations, il existe même plus de deux TRI (il peut en fait y avoir autant de TRI différents que de changements de signes des flux au cours du temps). Dans tous les cas, la seule possibilité consiste alors à se référer à la VAN.

Écueil n° 3 : il peut n'exister aucun TRI

Finalement, Hadrien et l'éditeur se mettent d'accord sur une avance de 750 000 € (au lieu de 550 000 €) et un paiement de 1 million d'euros dans quatre ans. Dans ce cas-là, il n'y a tout simplement *aucun* taux d'actualisation qui annule la VAN. Comme l'illustre la figure 7.4, la VAN de cette opportunité d'investissement est toujours positive, quel que soit le coût du capital retenu. Attention, il ne faut pas pour autant en déduire que chaque fois que le TRI n'existe pas la VAN est positive : elle peut très bien être négative. Lorsqu'il est impossible de calculer le TRI, la seule possibilité est de se référer à la VAN.

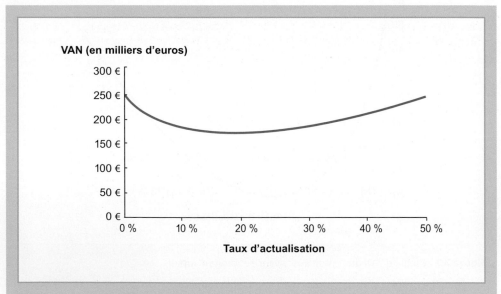

Figure 7.4 – Profil de VAN du nouveau contrat

Le TRI n'existe pas ici, la VAN étant positive pour n'importe quel taux d'actualisation. La règle du TRI ne peut donc pas être utilisée.

| **Erreur à éviter** | **TRI et règle du TRI** |

Les exemples précédents illustrent certains problèmes liés à l'utilisation du TRI comme critère de choix d'investissement. Pour autant, il ne faut pas confondre la règle du TRI avec le TRI lui-même : si la règle du TRI peut conduire à des décisions erronées, le calcul du TRI reste néanmoins utile. Grâce à ce taux, il est en effet possible de mesurer la sensibilité de la VAN à une erreur d'estimation sur le coût du capital, et la rentabilité moyenne des projets d'investissement.

Les problèmes liés à l'utilisation de la règle du TRI

Exemple 7.1

Considérons les quatre projets suivants :

Projet	0	1	2
A	– 375	– 300	900
B	– 22 222	50 000	– 28 000
C	400	400	– 1 056
D	– 4 300	10 000	– 6 000

Parmi ces projets, lequel a un TRI proche de 20 % ? Pour quel(s) projet(s) la règle du TRI conduit-elle à la bonne décision ?

Solution

La figure ci-dessous représente le profil de VAN de chaque projet. Les projets A, B et C ont un TRI proche de 20 %, tandis que pour le projet D aucun taux ne permet d'annuler la VAN. On note que la VAN du projet B s'annule également pour un taux de 5 %.

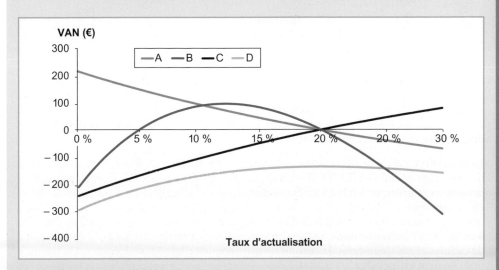

La règle du TRI ne conduit à la bonne décision que dans le cas du projet A pour lequel les pertes précèdent les gains.

Il peut être difficile d'interpréter le TRI d'un projet sans observer le profil complet de la VAN. Or, cela nécessite de répéter le calcul de la VAN pour un large intervalle de taux d'actualisation, ce qui se révèle fastidieux… à moins de savoir utiliser un tableur !

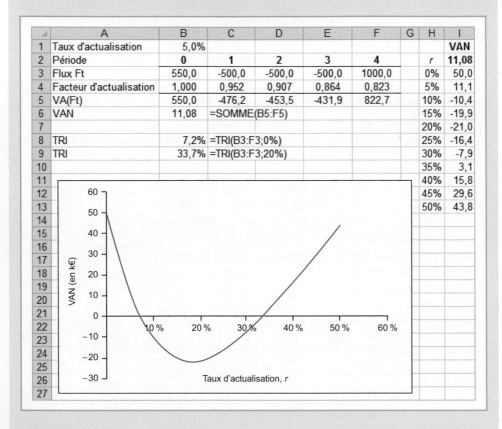

▲	A	B	C	D	E	F	G	H	I
1	Taux d'actualisation	5,0%							**VAN**
2	Période	**0**	**1**	**2**	**3**	**4**		*r*	**11,08**
3	Flux Ft	550,0	-500,0	-500,0	-500,0	1000,0		0%	50,0
4	Facteur d'actualisation	1,000	0,952	0,907	0,864	0,823		5%	11,1
5	VA(Ft)	550,0	-476,2	-453,5	-431,9	822,7		10%	-10,4
6	VAN	11,08	=SOMME(B5:F5)					15%	-19,9
7								20%	-21,0
8	TRI	7,2%	=TRI(B3:F3;0%)					25%	-16,4
9	TRI	33,7%	=TRI(B3:F3;20%)					30%	-7,9
10								35%	3,1
11								40%	15,8
12								45%	29,6
13								50%	43,8

sidérons l'exemple associé à la figure 7.3. Comme le montre la cellule B6, l'investissement a une VAN positive de 11,08 pour un taux d'actualisation de 5 %. La VAN de ce projet s'annule pour deux valeurs distinctes du taux d'actualisation. Celles-ci sont présentées dans les cellules B8 et B9. Elles sont calculées en utilisant la fonction TRI d'Excel pour deux valeurs initiales différentes (0 % et 20 %).

Le profil de VAN du projet, calculé pour une gamme de taux de 0 % à 50 %, est présenté dans la plage de cellules H2:I13. Il correspond au tracé de la figure 7.3. Il serait possible de construire le profil de VAN en insérant chaque taux d'actualisation dans la cellule B1 et en enregistrant la VAN qui en résulte. Heureusement, Excel automatise ce travail d'analyse de scénarios. Pour cela, il faut d'abord saisir une colonne (ou une ligne) de données avec les taux d'actualisation que l'on souhaite utiliser, comme c'est le cas ici dans la plage de cellules H3:H13. Le haut de la colonne suivante, la cellule I2, doit contenir la formule dont on veut enregistrer le résultat.

…

…

Dans le cas présent, la formule de I2 est tout simplement « = B6 », qui correspond à la VAN calculée. Pour construire la table de données, il faut ensuite sélectionner les cellules H2:I13, comme indiqué ci-dessous, et ouvrir la fenêtre « Table de données » (Données > Analyse de scénarios > Table de données). Il faut alors entrer « B1 » comme « cellule d'entrée en colonne » pour indiquer que chaque entrée dans la colonne qui contient les taux d'actualisation doit se substituer à la cellule B1. Lorsqu'on clique sur « OK », Excel calcule la VAN pour chaque taux d'actualisation, générant ainsi le profil de VAN. La table de données sera automatiquement mise à jour dans le cas où le montant des flux de trésorerie du projet venait à être modifié.

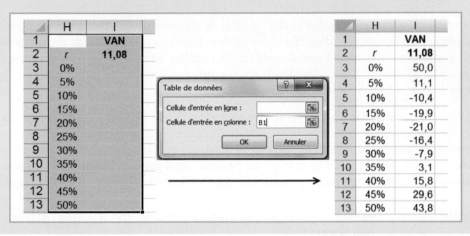

7.3. Le délai de récupération

Le critère de choix d'investissement le plus simple est sans doute le **délai de récupération** (*payback period*). On parle aussi parfois de délai de recouvrement ou de temps de retour (sous-entendu sur investissement). Ce critère repose sur l'idée qu'un projet qui permet de récupérer rapidement les capitaux initialement investis est un bon projet. La règle qui en découle consiste à minimiser ce délai.

Le délai de récupération

L'entreprise FFF exige que les projets qu'elle entreprend aient un délai de récupération égal ou inférieur à cinq ans. Avec une telle règle de décision, FFF accepte-t-elle le projet du nouveau fertilisant ?

Solution

La somme des flux de l'année 1 à l'année 5 est de 35 millions d'euros × 5 = 175 millions d'euros, ce qui est inférieur aux 250 millions d'euros nécessaires au lancement du projet. Le délai de récupération de ce projet étant supérieur à cinq ans, FFF rejette ce projet.

Exemple 7.2

La règle du délai de récupération conduit FFF à rejeter le projet. Avec un coût du capital de 10 %, la VAN du projet est pourtant de 100 millions d'euros. Prendre une décision d'investissement en s'appuyant sur le délai de récupération est donc une erreur.

Le délai de récupération n'est pas un bon critère puisqu'il ignore la valeur temps de l'argent et ne dépend pas du coût du capital[4]. Un critère qui ignore le coût du capital, c'est-à-dire l'existence d'investissements alternatifs, n'est jamais optimal. Malgré tout, plus de 50 % des entreprises américaines et françaises recourent au délai de récupération pour sélectionner leurs investissements. Parmi les entreprises françaises (c'est également vrai des entreprises allemandes et britanniques), ce critère est donc plus populaire que celui de la VAN !

Pourquoi ces entreprises utilisent-elles le délai de récupération ? Probablement pour sa simplicité : un simple calcul mental suffit souvent pour calculer le délai de récupération. Lorsque les investissements sont de petite taille (acheter une nouvelle photocopieuse ou réparer l'ancienne ?), le coût (éventuel) d'une mauvaise décision ne justifie pas que l'on passe du temps à calculer la VAN.

Le délai de récupération biaise les décisions en faveur des projets à court terme. Cela signifie que, en général, lorsque la période de récupération maximale acceptée par l'entreprise est courte (un ou deux ans), la plupart des projets qui satisfont à ce critère auront une VAN positive. Les entreprises peuvent ainsi gagner du temps en calculant d'abord le délai de récupération puis, seulement si ce dernier échoue, la VAN d'un projet.

Zoom sur...	**Pourquoi certaines entreprises utilisent-elles d'autres critères que la VAN ?**

La majorité des entreprises françaises n'utilise pas la règle de la VAN comme unique règle de décision : environ 50 % des entreprises s'appuient sur le délai de récupération, d'autres recourent à plusieurs règles simultanément (très souvent la règle de la VAN *et* celle du TRI). Pourquoi les entreprises s'appuient-elles sur des règles qui peuvent conduire à une décision non optimale ?

Les dirigeants justifient souvent le recours à la règle du TRI par le fait qu'elle ne requiert pas la connaissance du coût du capital, contrairement à la VAN. Au premier abord, cet argument est recevable : le TRI ne dépend pas du coût du capital. Mais, s'il n'est pas nécessaire de connaître le coût du capital pour *calculer* le TRI, il faut le connaître pour appliquer la règle du TRI. Par conséquent, le coût d'opportunité est aussi important pour la règle du TRI que pour celle de la VAN. Par ailleurs, sans connaître le coût du capital, il est possible de représenter la VAN en fonction du taux d'actualisation.

En fait, l'utilisation de la règle du délai de récupération est plus fréquente dans les petites entreprises et dans celles dont les dirigeants sont âgés. Au contraire, la règle de la VAN est plus fréquemment utilisée dans les grandes entreprises ou lorsque le dirigeant est titulaire d'un MBA : ces éléments empiriques tendent à prouver que les cours de finance sont utiles…

…

---

4. Il est toutefois possible de calculer un délai de récupération actualisé. Le principe est le même, à ceci près que les flux sont actualisés au coût du capital. C'est certes plus rigoureux, mais, dans ce cas, autant utiliser la VAN.

…

Si vous êtes amené à travailler dans une entreprise qui s'appuie uniquement sur la règle du TRI, il est tout de même toujours utile de calculer la VAN. Si les deux règles conduisent à la même décision, la règle du TRI pourra être utilisée sans crainte. En revanche, si elles entrent en contradiction, il faut, à l'image de ce qui précède, en chercher les raisons et tenter de faire adopter la règle de la VAN à l'entreprise !

7.4. Choisir entre plusieurs projets

Jusqu'à maintenant, seuls ont été étudiés les choix d'investissement relatifs à des projets « indépendants », c'est-à-dire dont l'acceptation ou le rejet n'avait aucune influence sur les autres projets de l'entreprise. Il arrive fréquemment qu'une entreprise doive choisir un projet parmi plusieurs projets mutuellement exclusifs : au lancement d'un nouveau yaourt, le dirigeant doit choisir une campagne publicitaire au détriment de toutes les autres !

La règle de la VAN en cas de projets mutuellement exclusifs

Quand les projets sont mutuellement exclusifs, il n'est pas suffisant de déterminer quels projets ont une VAN positive. Avec des **investissements mutuellement exclusifs**, l'objectif est de classer les investissements potentiels et de choisir le meilleur. Dans ce cas, la règle de la VAN offre une réponse simple : *il faut choisir le ou les projets ayant la VAN la plus élevée.*

La VAN en présence de plusieurs projets

Un local est à vendre et vous envisagez d'y implanter un commerce. Vous hésitez entre plusieurs activités. Quel projet choisissez-vous ?

Projet	Investissement initial	Flux de l'année 1	Taux de croissance annuel	Coût du capital
Librairie	300 000 €	63 000 €	3 %	8 %
Salon de thé	400 000 €	80 000 €	3 %	8 %
Papeterie	400 000 €	104 000 €	0 %	8 %
Matériel informatique	400 000 €	100 000 €	3 %	11 %

Solution

Si on suppose pour simplifier que les projets durent éternellement, la VAN se calcule facilement à l'aide de la formule de la rente perpétuelle croissante. Ainsi, la VAN est-elle de 960 000 € pour la librairie, de 1 200 000 € pour le salon de thé, de 900 000 € pour la papeterie et de 850 000 € pour le magasin de matériel informatique. Tous les projets sont à VAN positive, mais puisqu'on ne peut en retenir qu'un, il faut ouvrir un salon de thé.

Exemple 7.3

La règle du TRI face à des projets mutuellement exclusifs

Le TRI étant une mesure de la rentabilité espérée, il est tentant en présence de plusieurs investissements mutuellement exclusifs de retenir le projet ayant le TRI le plus élevé. Cette démarche est à éviter, car source d'erreurs : des problèmes existent lorsque les investissements mutuellement exclusifs ont des échelles, des calendriers ou des risques différents.

Différence d'échelle. Préférez-vous un projet avec une rentabilité de 500 % mais pour lequel vous ne pouvez investir que 1 €, ou un projet avec une rentabilité de 20 % mais qui vous permet d'investir 1 million d'euros ? Certes, la rentabilité du premier projet est alléchante, mais au bout du compte, il ne rapporte que 5 €, tandis que le second rapporte 200 000 €. Cet exemple simple illustre un des défauts principaux liés à l'utilisation de la règle du TRI : elle ne permet pas de mesurer la création de richesse.

La VAN d'un projet est proportionnelle à sa taille : si on peut doubler sa taille, on double sa VAN ; mathématiquement, la VAN est une fonction dite homothétique. En revanche, le TRI n'a pas cette propriété : le TRI d'un investissement – qui mesure la rentabilité moyenne – est indépendant de l'échelle du projet. On ne peut donc pas se fonder sur la règle du TRI pour comparer des projets de tailles différentes.

En guise d'illustration, reprenons le cas de la librairie et du salon de thé (exemple 7.3). Le TRI est de 24 % dans le premier cas, contre 23 % dans le second. Bien que le TRI du salon de thé soit inférieur à celui de la librairie, sa VAN est plus élevée (1,2 million d'euros contre 960 000 €) car sa taille l'est également (l'investissement initial est de 400 000 € contre 300 000 €). Il est donc préférable d'ouvrir un salon de thé.

Différences de calendrier. Un autre problème avec le TRI est qu'il peut conduire à choisir un projet au détriment d'un autre dont la VAN est pourtant identique, seulement parce que le calendrier est différent. Réciproquement, deux projets avec le même TRI ne sont pas forcément équivalents : en effet, mieux vaut généralement un projet qui offre une rentabilité élevée plusieurs années plutôt qu'une seule année. Le plus simple est d'illustrer cela par un exemple. Considérons deux projets, l'un à court terme, l'autre à long terme :

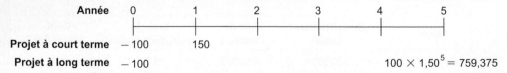

Les deux projets ont un TRI de 50 %, mais le premier rapporte ce taux pendant un an, tandis que le second rapporte ce même taux pendant cinq ans. Si on considère un coût du capital de 10 %, la VAN du projet à court terme est de $-100 + 150/1,10 = 36,36$ €, tandis que celle du projet à long terme est de $-100 + 759,375/1,10^5 = 371,51$ €, soit plus de 10 fois plus élevée.

Même lorsqu'on considère des projets ayant la même durée de vie, la distribution des flux dans le temps peut être différente. Comparons le projet de salon de thé et celui de la papeterie. L'investissement initial est le même, tout comme l'horizon de placement (qui est infini). Mais, alors que le TRI pour la papeterie est plus élevé (26 % contre 23 %), la VAN est plus faible (900 000 € contre 1,2 million d'euros). Certes, les flux du salon de thé sont plus faibles les premières années, mais ils croissent plus vite ; de fait, le salon de thé peut être considéré comme un projet à plus long terme.

| Zoom sur... | **TRI et modalités de financement** |

Dans la mesure où le TRI ne permet pas de mesurer la création de valeur, il est facile de manipuler le résultat en réorganisant les flux. En particulier, on peut très bien augmenter le TRI en finançant une partie de l'investissement initial par emprunt. Considérons un projet qui nécessite un investissement de 100 € et qui rapporte dans un an 130 €. Le TRI de ce projet est donc de 30 %. Imaginons que l'investissement puisse être financé partiellement à crédit : on emprunte 80 € et l'on paiera 100 € dans un an. Ce faisant, le projet coûte effectivement 20 € et rapporte dans un an (net du remboursement du crédit et du paiement des intérêts) 30 €, soit un TRI de 50 % ! Le projet est-il pour autant plus attractif ? La réponse est évidemment négative.

Un projet avec un TRI de 50 % n'est pas forcément plus intéressant qu'un projet avec un TRI de 30 %. La décision d'investir dépend également, rappelons-le, de la taille de chaque projet. En outre, le fait d'emprunter pour financer le projet est susceptible d'augmenter les risques (ce point sera développé dans les parties V et VI de l'ouvrage).

Différences de risque. Un dernier problème lié à l'utilisation de la règle du TRI est qu'elle ignore les risques associés aux différents projets. En effet, pour savoir si un TRI est attractif, il faut nécessairement le comparer au coût du capital. Or, ce dernier est fonction du risque associé au projet. Aussi, un même TRI peut-il être intéressant pour certains projets, mais pas pour d'autres. Un TRI, par exemple, de 10 % est tout à fait acceptable pour un projet sans risque, beaucoup moins s'il représente la rentabilité espérée d'une *start-up*.

Considérons de nouveau l'exemple 7.3. Le TRI pour le magasin de matériel informatique s'élève à 28 %, soit la rentabilité la plus élevée parmi tous les projets. Mais c'est aussi le projet le plus risqué comme en témoigne son coût du capital lui-même élevé. La rentabilité élevée de ce projet ne suffit pas à compenser ce surcroît de risque.

Le TRI différentiel

Malgré tous les écueils précédents, il est possible d'appliquer la règle du TRI pour comparer des projets mutuellement exclusifs, à condition toutefois de calculer le TRI sur le différentiel des flux. Ce **TRI différentiel** s'interprète comme le taux d'actualisation à partir duquel il est intéressant de passer d'un projet à l'autre.

Le TRI différentiel

Votre entreprise envisage de réhabiliter une vieille usine. L'architecte vous propose deux projets :

	0	1	2	3
Rénovation mineure	−10	6	6	6
Rénovation majeure	−50	23	25	25

Exemple 7.4

...

Exemple 7.4

…

Quel est le TRI de chaque option ? Quel est le TRI différentiel ? Le coût du capital de chaque projet étant de 12 %, quel choix doit faire l'entreprise ?

Solution

En utilisant un tableur, on obtient facilement le TRI de chaque projet : il est de 36,3 % en cas de rénovation mineure et de 23,4 % en cas de rénovation majeure. Comme les projets sont de tailles différentes, il n'est toutefois pas possible de conclure à ce stade.

	A	B	C	D	E	F	G	H
4			N	TAUX	VA	F	VF	Formule Excel
5		Sachant	3		-10,00	6	0	
6		Résoudre TAUX		36,31%				=TAUX(3,6,-10,0)

	A	B	C	D	E	F	G	H
4			N	TAUX	VA	F	VF	Formule Excel
5		Sachant	3		-50,00	25	0	
6		Résoudre TAUX		23,38%				=TAUX(3,25,-50,0)

Afin de calculer le TRI différentiel, on commence par soustraire les flux du projet de rénovation mineure à ceux du projet de rénovation majeure. Le TRI différentiel est solution de l'équation suivante :

$$-50 - (-10) + \frac{25 - 6}{1 + TRI} + \frac{25 - 6}{(1 + TRI)^2} + \frac{25 - 6}{(1 + TRI)^3} = 0$$

	A	B	C	D	E	F	G	H
4			N	TAUX	VA	F	VF	Formule Excel
5		Sachant	3		-40,00	19	0	
6		Résoudre TAUX		20,04%				=TAUX(3,19,-40,0)

Le TRI qui annule le différentiel de flux est de 20,0 %, ce qui est supérieur au coût du capital. Passer du projet de rénovation mineure au projet de rénovation majeure est donc financièrement intéressant. Cela se vérifie aisément à la figure 7.5. Pour un coût du capital de 12 %, la VAN du projet de rénovation majeure est en effet supérieure, bien que son TRI soit plus faible. Notons aussi que le TRI différentiel permet d'identifier le point de retournement, autrement dit le taux à partir duquel la VAN est identique pour les deux projets.

Le TRI différentiel résout certaines des difficultés rencontrées lors de choix d'investissements mutuellement exclusifs. Pour autant, cette méthode partage plusieurs des inconvénients du TRI classique :

- Le fait que le TRI dépasse le coût du capital pour chacun des deux projets n'implique pas que les deux projets aient une VAN positive. Le TRI différentiel peut aussi être supérieur au coût du capital sans qu'aucun des deux projets n'aient une VAN positive.

- Le TRI différentiel n'existe pas forcément, et ce, même s'il existe un TRI pour chaque projet.

- Plusieurs TRI différentiels peuvent exister. En pratique, la possibilité de solutions multiples est même plus grande avec un TRI différentiel qu'avec un TRI classique.

- Il faut s'assurer que le différentiel de flux est initialement négatif, puis positif, faute de quoi la décision sera erronée. À noter que les projets peuvent avoir, individuellement, des flux négatifs puis positifs, sans qu'il en soit de même pour le différentiel de flux.

- Le TRI différentiel suppose implicitement que les risques des deux projets sont identiques.

En résumé, bien que le TRI différentiel constitue un critère fiable de choix entre projets, il peut être difficile à appliquer. Il est donc beaucoup plus simple d'utiliser la règle de la VAN.

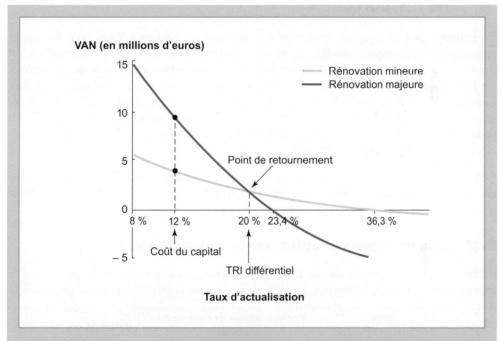

Figure 7.5 – Comparaison des projets de rénovation

Malgré un TRI plus faible, le projet de rénovation majeure a une VAN plus élevée pour un coût du capital de 12,0 %. Le TRI différentiel correspond au point de retournement, autrement dit il s'agit du taux à partir duquel la décision change.

Zoom sur... **Peut-on comparer les rentabilités ?**

Dans ce chapitre, nous avons insisté sur les problèmes que l'on pouvait rencontrer en comparant le TRI de plusieurs projets. Pour autant, comparer des rentabilités n'est pas toujours une mauvaise idée. Par exemple, si vous envisagez d'épargner, il est pertinent de comparer les taux effectifs offerts par différentes banques. Comment savoir dans quelles occasions il convient de comparer les rentabilités ?

Il est possible de comparer les rentabilités lorsque l'échelle, l'échéancier et les risques sont les mêmes. Ces conditions sont rarement toutes les trois remplies lors du choix entre plusieurs projets d'investissement. En revanche, c'est souvent le cas lorsqu'il s'agit

...

...

de choisir entre plusieurs placements financiers. Lorsqu'un investisseur place des capitaux sur un compte épargne ou achète des titres, il décide généralement du montant de son placement et de sa durée. Si les placements ont de plus le même risque, il est alors possible de comparer leurs rentabilités.

7.5. Choix d'investissement sous contraintes de ressources

En principe, les entreprises devraient réaliser tous les projets à VAN positive qui se présentent. En pratique toutefois, le nombre de projets susceptibles d'être réalisés est limité. Souvent, cette limite est imposée par des contraintes en termes de ressources. En l'occurrence, dans l'exemple 7.3, il n'y avait qu'un seul local disponible et il fallait donc sélectionner le projet le plus attractif parmi tous ceux envisageables. Le projet sélectionné saturait à lui seul la contrainte d'espace. Mais qu'en aurait-il été si cela n'avait pas été le cas ? S'il avait été possible, par exemple, d'aménager dans le magasin de matériel informatique un espace papeterie ?

Dans cette section, nous allons voir que lorsqu'une ressource est disponible en quantité fixe, ce qui limite le nombre de projets possibles, accepter le projet dont la VAN est maximale n'est pas forcément la meilleure décision.

Évaluation de projets et optimisation des ressources

Balthazar gère un entrepôt de stockage. Trois nouveaux clients, A, B et C, proposent de louer tout ou partie de l'entrepôt. Le tableau ci-dessous synthétise leurs propositions.

Projet	VAN (en millions d'euros)	Surface utilisée de l'entrepôt (en %)	Indice de profitabilité
A	100	100	1,000
B	75	60	1,250
C	75	40	1,875

Le projet A a la VAN la plus élevée. Ce serait toutefois une erreur d'accepter ce projet car il mobilise entièrement l'entrepôt. Les projets B et C réalisés simultanément utilisent tout l'espace disponible ; ils produisent une VAN combinée supérieure à celle du projet A seul (150 contre 100 millions d'euros). Il faut donc accepter conjointement les projets B et C, même si leurs VAN individuelles sont inférieures à celle du projet A.

L'indice de profitabilité

Dans cet exemple, il est simple d'identifier la combinaison de projets optimale. En pratique, cela peut être compliqué. Les praticiens utilisent souvent l'**indice de profitabilité** afin d'identifier la combinaison optimale des projets à accepter :

$$\text{Indice de profitabilité} = \frac{\text{Valeur créée}}{\text{Ressource consommée}} = \frac{VAN}{\text{Ressource consommée}} \qquad (7.1)$$

L'indice de profitabilité mesure la valeur créée (en termes de VAN) par unité de ressource consommée. Il faut accepter les projets pour lesquels l'indice de profitabilité est le plus élevé jusqu'à épuisement de la ressource sur laquelle pèse la contrainte. Cette règle est fréquemment utilisée lorsque l'entreprise fait face à une contrainte financière. L'indice de profitabilité est alors calculé en rapportant la VAN au montant à investir initialement ; il mesure dans ce cas la VAN créée par euro investi. Mais cette règle est d'application bien plus générale. On peut s'en servir chaque fois qu'une ressource indispensable à un projet est limitée : la place disponible dans un entrepôt, le nombre de camions d'une entreprise de transport ou le nombre d'informaticiens dans une SSII.

Les limites de l'indice de profitabilité

Si l'indice de profitabilité est simple à calculer, il arrive parfois qu'il ne permette pas de prendre la bonne décision. Supposons que, dans l'exemple précédent, l'entreprise ait également la possibilité de réaliser un projet qui mobilise trois hommes/année pour une VAN de 100 000 €. L'indice de profitabilité de ce projet est de 0,1 / 3 = 0,03. Le projet est donc classé dernier et doit *a priori* être rejeté. Cependant, les quatre projets retenus n'utilisent que 187 des 190 hommes/année disponibles, ce qui laisse trois hommes/ année inutilisés : il est donc profitable pour l'entreprise de mettre en œuvre ce petit projet même si son indice de profitabilité est faible !

Un problème encore plus sérieux survient quand existent plusieurs contraintes de ressources. Dans ce cas, l'utilité de l'indice de profitabilité disparaît. Le seul moyen fiable de trouver la meilleure combinaison de projets est de les examiner tous en détail. Cela peut prendre beaucoup de temps, mais des techniques de programmation sont aujourd'hui disponibles pour résoudre rapidement et efficacement ce type de problème.

Indice de profitabilité et contrainte sur les ressources humaines

Exemple 7.5

Une SSII souhaite développer un nouveau logiciel qu'elle essaiera de vendre ensuite à ses clients. La VAN de ce projet est de 17,7 millions d'euros. Le développement du logiciel nécessite 50 hommes/année (c'est-à-dire le travail de 50 informaticiens pendant un an, de 100 informaticiens pendant six mois, etc.). La SSII dispose d'une ressource totale de 190 hommes/année. L'entreprise peut décider de lancer d'autres projets. Quels projets doit-elle lancer ?

Projet	VAN (en millions d'euros)	Nombre d'hommes/année prévisionnel
Logiciel	17,7	50
Projet A	22,7	47
Projet B	8,1	44
Projet C	14,0	40
Projet D	11,5	61
Projet E	20,6	58
Projet F	12,9	32
Total	107,5	332

...

Exemple 7.5

...

Solution

L'objectif est de maximiser la VAN totale que l'on peut créer avec la ressource disponible de 190 hommes/année. Il faut donc calculer l'indice de profitabilité de chaque projet avec au dénominateur le nombre d'hommes/année et ensuite classer les projets par ordre décroissant d'indice de profitabilité :

Projet	VAN (en millions d'euros)	Nombre d'hommes/ année prévisionnel	Indice de profitabilité	Cumul des hommes/année
Projet A	22,7	47	0,483	47
Projet F	12,9	32	0,403	79
Projet E	20,6	58	0,355	137
Logiciel	17,7	50	0,354	187
Projet C	14,0	40	0,350	
Projet D	11,5	61	0,189	
Projet B	8,1	44	0,184	

La dernière colonne représente le cumul des hommes/année, traduisant l'épuisement progressif de la ressource rare. Afin de maximiser la VAN, l'entreprise doit retenir les quatre premiers projets (les projets A, F, E et le logiciel) et rejeter les trois autres projets.

Résumé

7.1. La valeur actuelle nette

- Si l'objectif est de maximiser la richesse créée, la règle de la VAN permet toujours de choisir le meilleur projet.

7.2. Le taux de rentabilité interne

- La différence entre le coût du capital et le TRI est l'erreur d'estimation maximale acceptable sans remettre en cause l'acceptabilité du projet.

- Il faut, en général, choisir les opportunités d'investissement dont le TRI dépasse le coût du capital. La règle du TRI peut toutefois conduire à des choix erronés si les flux positifs précèdent les flux négatifs. Il est même possible dans certains cas qu'il y ait soit plusieurs, soit aucun TRI.

7.3. Le délai de récupération

- Le délai de récupération (*payback period*) est le temps nécessaire pour que les flux futurs (éventuellement actualisés) compensent l'investissement initial. Ce critère est simple, mais peut conduire à des décisions erronées. Il favorise notamment les projets à court terme.

7.4. Choisir entre plusieurs projets

■ Lorsqu'il faut choisir parmi plusieurs projets mutuellement exclusifs, il convient d'opter pour celui qui a la VAN la plus élevée (et ne pas utiliser le TRI).

■ Le TRI peut éventuellement être utilisé pour comparer deux placements financiers, à condition cependant que l'échelle, l'échéancier et les risques des différents projets soient les mêmes.

■ Le TRI différentiel permet de comparer deux projets mutuellement exclusifs (il faut toutefois que leur TRI dépasse le coût du capital). Si on soustrait les flux du projet B de ceux du projet A, et que le TRI de cette différence de flux soit supérieur au coût du capital, il faut choisir le projet A. Sinon, il faut choisir le projet B.

7.5. Choix d'investissement sous contraintes de ressources

■ Lorsqu'on doit choisir parmi plusieurs projets alors qu'une ressource est limitée, il faut classer les projets selon leur indice de profitabilité et choisir les projets dont l'indice est le plus élevé, jusqu'à ce que la contrainte de ressources soit saturée :

$$\text{Indice de profitabilité} = \frac{\text{Valeur créée}}{\text{Ressource consommée}} = \frac{VAN}{\text{Ressource consommée}} \quad (7.1)$$

Exercices

L'astérisque désigne les exercices les plus difficiles.

1. On vous propose d'investir 10 000 € dans un projet qui rapportera 12 000 € dans un an. Le coût du capital pour ce projet est de 10 %. Quelle est la VAN ? Avez-vous intérêt à accepter ? Quelle erreur peut-on se permettre dans l'estimation du coût du capital sans que cela ne remette en cause la décision ?

2. Vous envisagez d'investir 200 000 € dans la start-up Vivi.fr qui, vous l'espérez, vous rapportera 1 million d'euros dans neuf ans. Le coût du capital pour ce projet risqué est évalué à 20 %. Quelle est la VAN ? Avez-vous intérêt à accepter ? Quelle erreur peut-on se permettre dans l'estimation du coût du capital sans que cela ne remette en cause la décision ?

3. L'entreprise Usinor envisage la construction d'une usine qui coûte 100 millions d'euros. Sa construction dure un an. L'usine, une fois bâtie, permettra de réaliser un profit de 30 millions d'euros à la fin de chaque année, et ce, éternellement. Le coût du capital est de 8 %. Quelle est la VAN du projet ? Faut-il réaliser cet investissement ? Quel est le TRI du projet ? Le TRI et la VAN conduisent-ils à la même décision ? Quelle est l'erreur d'estimation du coût du capital acceptable sans que cela ne remette en cause le bien-fondé de la décision ?

4. L'entreprise Clovis envisage de lancer un nouveau produit. Les frais de développement s'élèvent à 10 millions d'euros mais vous espérez dégager un profit de 3 millions d'euros par an pendant les cinq prochaines années. Représentez graphiquement le profil de VAN de ce projet pour un taux d'actualisation compris entre 0 % et 30 %. Sur quel intervalle de taux ce projet est-il rentable ?

5. Bill Clinton a reçu 10 millions de dollars pour écrire sa biographie *My Way*. L'écriture du livre lui a pris trois ans au cours desquels il aurait pu animer des conférences et gagner 8 millions de dollars par an (supposés payables en fin d'année). Le coût du capital est de 10 %. Quelle est la VAN de l'écriture de l'autobiographie (en ignorant les droits d'auteur futurs) ? Une fois le livre achevé, des droits d'auteur (d'un montant initial de 5 millions de dollars) sont versés à Bill Clinton, leur montant diminuant annuellement de 30 % à l'infini. Quelle est la VAN de l'écriture du livre ? Quel est le TRI associé aux deux situations précédentes ? La règle du TRI est-elle applicable ? Si oui, dans quel(s) cas ? Qu'en conclure ?

6. Cyclosport envisage le développement d'un nouveau vélo de course ultraléger. Le développement du vélo prendra six ans et coûtera 200 000 € par an. Une fois commercialisé, le vélo devrait rapporter 300 000 € par an pendant 10 ans. Le coût du capital est supposé égal à 10 %.

   a. Quelle est la VAN ? L'entreprise doit-elle développer le vélo ? Quel est le TRI ? Quelle est l'erreur d'estimation du coût du capital acceptable sans que cela remette en cause le bien-fondé de la décision ?

   b. Quel délai supplémentaire de développement du vélo modifierait la décision ?

   c. Mêmes questions si le coût du capital est supposé égal à 14 %.

7. Opensea envisage d'acquérir un navire de croisière pour 500 millions d'euros. L'entreprise espère ainsi augmenter son bénéfice de 70 millions d'euros chaque année pendant 20 ans. Son coût du capital est de 12 %. Représentez le profil de VAN de ce projet et déterminez graphiquement le TRI (on suppose que les bénéfices sont tous enregistrés en fin d'année). L'investissement est-il financièrement intéressant ? Quelle erreur peut-on se permettre dans l'estimation du coût du capital sans que cela ne remette en cause la décision ?

8. Nantendo veut lancer l'an prochain une nouvelle console de jeu. Pour ce faire, il lui faut dépenser cette année 900 000 € en coûts de développement. Les revenus espérés sont de 800 000 € l'année du lancement, 1,5 million d'euros l'année suivante, puis ils baisseront de 40 % par an pendant trois ans, période à l'issue de laquelle le produit sera retiré de la vente. Les coûts fixes annuels de commercialisation sont de 100 000 € et les coûts variables de 50 % des revenus. Quels sont les flux de trésorerie du projet des années 0 à 5 ? Quel est le profil de la VAN (pour des taux d'actualisation compris entre 0 et 40 %) ? Quelle est la VAN du projet si le coût du capital est de 10 % ? À partir de quel coût du capital le projet deviendrait-il non rentable ?

9. Vous envisagez d'investir 100 000 € dans un projet qui vous rapportera 120 000 € dans un an. Quel est le TRI ? Étant donné les risques, le coût du capital pour ce projet est évalué à 20 %. Avez-vous intérêt à accepter ?

10. On vous propose un investissement à long terme qui vous permet de multiplier par 100 en 40 ans votre mise de départ. Ce projet est très risqué et le coût du capital est de 25 %. Quelle est sa VAN ? Quel est son TRI ? Les deux critères convergent-ils ? Faut-il accepter ?

11. Une grande banque propose au professeur Dupont de devenir conseiller spécial auprès des membres du Conseil d'administration. Le contrat prévoit 50 000 € pour huit heures de travail par mois pendant un an. Le salaire horaire du professeur Dupont est de 550 € et son coût du capital de 15 % (TAE). Calculez la VAN et le TRI de cette proposition. Le professeur Dupont doit-il accepter cette proposition ?

12. L'entreprise Blanche envisage de commercialiser un nouveau produit dont les coûts de développement sont de 5 millions d'euros. Ce produit devrait rapporter 1 million d'euros chaque année pendant 10 ans. L'entreprise devra en outre fournir un service après-vente lui coûtant 100 000 € par an, à l'infini. Tous les flux sont supposés avoir lieu en fin d'année. Quelle est la VAN si le coût du capital est de 6 % ? L'entreprise doit-elle mettre en œuvre le projet ? Mêmes questions pour un coût du capital de 2 % et de 11 % ? Quel est le TRI de ce projet ? L'entreprise doit-elle se lancer dans ce projet ?

13. Vous avez la possibilité d'investir dans trois projets dont les flux sont les suivants :

Année	0	1	2	3	4
Projet A	– 150	20	40	60	80
Projet B	– 825	0	0	7 000	– 6 500
Projet C	20	40	60	80	– 245

a. Pour quel(s) projet(s) le critère du TRI est-il valable ?

b. Estimez le TRI de chaque projet (au point de pourcentage près).

c. Quelle est la VAN de chaque projet si le coût du capital est de 5 % ? 20 % ? 50 % ?

*14. Arova envisage d'exploiter une nouvelle mine d'uranium pour un coût de 120 millions d'euros, à payer immédiatement. Le bénéfice devrait être de 20 millions d'euros par an durant les 10 prochaines années. Ensuite, la mine fermera et le site devra être nettoyé pour répondre aux normes environnementales, puis surveillé. Cette surveillance coûtera 2 millions d'euros par an, à l'infini. D'après la règle du TRI, faut-il commencer l'exploitation de la mine ? Si le coût du capital est de 8 %, que dit la règle de la VAN ?

15. L'entreprise Corent dépense chaque année 500 000 € en frais d'entretien et de maintenance. Compte tenu de la mauvaise conjoncture, l'entreprise envisage pour les trois prochaines années de ne plus entretenir ses équipements. Cette décision impose toutefois de devoir remplacer les équipements dans quatre ans pour un coût de 2 millions d'euros. Quel est le TRI ? La règle du TRI est-elle pertinente ici ? À partir de quel coût du capital cette stratégie est-elle financièrement intéressante ?

*16. Hilmétal envisage d'investir dans une nouvelle mine d'or en Afrique du Sud. La mine requiert un investissement initial de 250 millions d'euros. À partir de l'année prochaine, le bénéfice devrait être de 30 millions d'euros par an pendant les 20 prochaines années. Les coûts de fonctionnement sont de 10 millions d'euros par an. Après 20 ans, la mine ne produira plus d'or, mais nécessitera des travaux d'entretien coûtant 5 millions d'euros par an à l'infini. Quel est le TRI de cet investissement ? Représentez la VAN en fonction du taux d'actualisation.

17. L'entreprise Mat vient d'être sollicitée pour le développement d'un logiciel. Le contrat proposé prévoit 500 000 € à la signature, puis 900 000 € dans quatre ans une fois que le logiciel sera installé chez le client. Le coût pour la mise au point du logiciel et son installation est estimé à 450 000 € par an pendant trois ans.

a. Quel est le TRI ?

b. Le coût du capital étant de 10 %, Mat doit-elle accepter le contrat ?

Finalement, Mat renégocie le contrat et obtient que le second paiement soit de 1 million d'euros.

c. Quel est le nouveau TRI ?

d. Le coût du capital étant inchangé, Mat doit-elle accepter le contrat ?

18. L'entreprise Colmate décide de construire une nouvelle usine pour un coût de 100 millions d'euros. Une fois construite, l'usine devrait rapporter 15 millions d'euros par an entre l'année 2 et l'année 21. À cette date, il faudra démonter l'usine et restaurer le site, pour un coût estimé à 200 millions d'euros. Le coût du capital est de 12 %. Quelle est la VAN de ce projet ? Peut-on ici se fier à la règle du TRI ? Quel est le TRI ?

19. Un agent immobilier a la possibilité de placer une annonce publicitaire dans un journal professionnel pendant un an pour un coût de 5 000 €. Les commissions espérées liées à cette annonce sont de 500 € par mois durant le temps de parution de l'annonce. Quel est le délai de récupération ?

20. Un producteur de cinéma envisage de financer un nouveau film pour un coût total de 10 millions d'euros à payer immédiatement. La production (tournage, montage, distribution, etc.) débute aujourd'hui et durera un an. Le film sortira immédiatement après et devrait rapporter 5 millions d'euros l'année de sa sortie, puis 2 millions d'euros annuels pendant quatre ans (tous ces flux sont censés avoir lieu

en fin d'année). Quel est le délai de récupération de ce projet ? Si le producteur exige un délai de récupération maximum de deux ans, produira-t-il le film ? Avec un coût du capital de 10 %, quelle est sa VAN ?

21. Alain hésite entre deux projets d'investissement mutuellement exclusifs, chacun imposant un investissement initial de 10 millions d'euros. L'investissement A offre un bénéfice de 2 millions d'euros par an à l'infini à partir de la fin de la première année. L'investissement B offre un bénéfice de 1,5 million d'euros à la fin de la première année, ce montant croissant de 2 % chaque année. Quel investissement a le TRI le plus élevé ? Si le coût du capital est de 7 %, quel investissement a la VAN la plus élevée ? Dans quels cas la règle du TRI permet-elle de choisir le bon projet ?

22. Faites l'exercice précédent en considérant un coût du capital de 7 % et en utilisant le critère du TRI différentiel.

23. Vous venez d'être recruté et on vous demande de reprendre l'analyse de trois projets d'investissement. L'analyse recommandait de retenir le projet dont le TRI était le plus élevé. Vous décidez de tout refaire. Vous n'avez pas de doute quant à la façon dont les TRI ont été calculés, mais vous ne retrouvez pas toutes les données nécessaires. En particulier, impossible de savoir à combien s'élève l'investissement initial pour le projet B ; impossible également de connaître le montant récupérable à la fin de l'année 3 concernant le projet C (en plus du bénéfice réalisé cette année-là). Les données dont vous disposez sont résumées dans le tableau ci-dessous :

Projet	TRI	Année 0	Année 1	Année 2	Année 3
A	60 %	– 100	30	153	88
B	55 %	?	0	206	95
C	50 %	– 100	37	0	?

Le coût du capital est de 10 % pour les trois projets. Quelle est la VAN de chaque projet ? Quel projet retenir ? Pourquoi la règle du TRI ne doit-elle pas être utilisée ici ?

24. Une entreprise de jouets a le choix entre deux projets : fabriquer des châteaux forts ou des maisons de poupée :

	Flux de trésorerie à la fin de l'année (en milliers d'euros)			
	0	**1**	**2**	**TRI**
Maisons de poupée	– 30	15	20	10,4 %
Châteaux forts	– 80	39	52	8,6 %

L'entreprise ne peut choisir qu'un projet : si le coût du capital est de 8 %, quel est le bon choix selon la règle du TRI différentiel ?

25. Évaluez les deux projets suivants :

	Flux de trésorerie à la fin de l'année (en milliers d'euros)		
	0	**1**	**2**
X	– 30	20	20
Y	– 80	40	60

Utilisez le TRI différentiel afin d'examiner dans quels cas retenir le projet X, dans quels cas retenir le projet Y et dans quels cas ne retenir aucun des deux projets.

26. Deux projets imposent chacun un investissement de 10 millions d'euros et offrent chacun des revenus annuels fixes et positifs pendant 10 ans. Sous quelles conditions peut-on hiérarchiser ces projets en utilisant la règle du TRI ?

27. Vous envisagez de vous lancer dans un projet sans risque qui impose un placement de 1 000 € aujourd'hui et qui assure un revenu de 500 € dans deux ans, puis de 750 € dans cinq ans. Quel est le TRI ? Si vous devez choisir entre ce placement ou un dépôt sur un compte rémunéré au taux de 5 % (TAE), pouvez-vous fonder votre décision sur la comparaison des TRI ? Pourquoi ?

28. Freecable envisage deux projets qui devraient lui permettre d'augmenter la capacité de son réseau. Le projet A nécessite un investissement comptant de 20 millions d'euros contre un bénéfice estimé à 20 millions d'euros par an pendant les trois prochaines années. Le projet B requiert un investissement comptant de 100 millions d'euros et génère un bénéfice estimé à 60 millions d'euros par an pendant les trois prochaines années.

    a. Quel est le TRI associé à chaque projet ?

    b. Si le coût du capital est de 12 %, quelle est la VAN de chaque projet ?

    Freecable négocie avec son fournisseur au sujet du projet B et obtient la possibilité de payer en quatre fois : un paiement comptant de 20 millions d'euros, puis des paiements annuels de 35 millions d'euros pendant trois ans.

    c. Quel est le TRI dans ce cas ?

    d. Cet accord est-il préférable au précédent ?

29. Fleur de Lotus, un fleuriste de quartier, achète ses fleurs chaque matin à Rungis. Le tableau ci-dessous indique le coût d'achat, la VAN et le nombre maximal de bouquets de chaque variété qui pourraient être vendus chaque jour :

	Coût/bouquet	VAN/bouquet	Nombre maximal de bouquets vendus/jour
Roses	20 €	3 €	25
Lilas	30 €	8 €	10
Pensées	30 €	4 €	10
Orchidées	80 €	20 €	5

    Fleur de Lotus souhaite dépenser 1 000 € par jour en achat de fleurs : quelle quantité de chaque variété de fleurs faut-il acheter ?

30. Sam est concessionnaire automobile et envisage de reconfigurer son espace d'exposition de 1 000 m². Il fait appel à un spécialiste des *show-rooms* à qui il fournit les informations suivantes :

Modèle	VAN par véhicule (en €)	Espace requis (en m²)
MB345	3 000	200
MC237	5 000	250
MY456	4 000	240
MG231	1 000	150
MT347	6 000	450
MF302	4 000	200
MG201	1 500	150

Les 1 000 m² doivent nécessairement inclure un bureau. Plus le bureau est grand, plus les clients se sentent à l'aise, ce qui favorise les ventes. De fait, on peut considérer que l'espace bureau est aussi créateur de valeur : on estime sa VAN à 14 €/m². Quels modèles doivent être exposés et quelle est la taille optimale de l'espace bureau ?

*31. Un promoteur immobilier anticipe un fort développement du tourisme dans le pays bigouden. Il dispose de 1 800 000 € pour acheter des propriétés qu'il revendra dans cinq ans. Les prix d'achat aujourd'hui et les prix de vente dans cinq ans pour chaque propriété sont :

Projet	Prix aujourd'hui	Taux d'actualisation	Prix de vente espéré dans cinq ans
La Villa de l'Océan	300 000 €	15 %	1 800 000 €
Le Manoir de la Torche	1 500 000 €	15 %	7 550 000 €
L'Hôtel du Far	900 000 €	15 %	5 000 000 €
La Crêperie du Port	600 000 €	8 %	3 550 000 €
Le Penty	300 000 €	8 %	1 000 000 €
La Résidence Chouchen	900 000 €	8 %	4 650 000 €

Quel est le TRI de chaque opportunité d'investissement ? Quelle est la VAN ? Quelles propriétés le promoteur doit-il acquérir ? Qu'en est-il si le promoteur ne dispose que de 1 200 000 € ?

*32. Orchid Biotech évalue plusieurs projets de développement de médicaments. Bien que les flux de trésorerie soient difficiles à prévoir, l'entreprise a évalué les investissements initiaux et les VAN de chacun. L'entreprise a aussi évalué le nombre de chercheurs nécessaires à chaque projet. Dans le tableau, les données financières sont en millions d'euros :

Projet	Investissement initial	Nombre de chercheurs	VAN
1	10	2	10,1
2	15	3	19,0
3	15	4	22,0
4	20	3	25,0
5	30	10	60,2

L'entreprise a un budget de 60 millions d'euros. Comment doit-elle classer les projets ? Quel(s) projet(s) doit-elle mettre en œuvre ? Avec 12 chercheurs à la disposition de l'entreprise (qui n'envisagent pas d'embaucher de chercheurs supplémentaires), comment l'entreprise doit-elle classer les projets ? Quel(s) projet(s) doit-elle mettre en œuvre ? Si l'entreprise dispose de 15 chercheurs peut-on utiliser l'indice de profitabilité pour classer les projets ? Quels projets retenir dans ce cas ?

Étude de cas – Les droits de retransmission télévisée de la Ligue des champions

Le 29 novembre 2019, Canal+ a décroché un lot mis aux enchères par l'UEFA pour la retransmission de matchs de la Ligue des champions en France sur la période 2021-2024.

Vous êtes analyste pour un fonds d'investissement, spécialisé sur le secteur télévision, internet et multimédia. Ce secteur est en pleine effervescence, car de nouveaux concurrents cherchent à acheter des contenus pour fidéliser leurs audiences : événements sportifs, séries télévisées, films, etc. Les droits de retransmission des matchs de football de plusieurs championnats européens seront prochainement mis aux enchères. Votre supérieure désire que vous prépariez ces échéances. Elle vous demande donc d'analyser la stratégie de Canal+ lors de ces enchères. La somme payée par Canal+ n'est pas publique, on suppose qu'il s'agit d'un montant de 80 millions d'euros par an entre 2021 et 2024. Il faut estimer les revenus futurs qu'espère réaliser Canal+ grâce aux abonnés supplémentaires qui souscriront à la chaîne pour voir les matchs, ainsi que la VAN de l'opération pour la chaîne. Ici, votre supérieure vous recommande de raisonner « à l'envers », en partant de la VAN pour en déduire les revenus futurs. En effet, on peut estimer assez simplement la VAN en supposant que la variation de la capitalisation boursière de Vivendi, maison mère de Canal+ suite à l'annonce, fournit une bonne approximation du consensus du marché de la VAN de l'opération.

1. En utilisant Yahoo! Finance (**fr.finance.yahoo.com**) ou Boursorama (**www.boursorama.com**), recherchez le titre Vivendi coté à Paris et calculez la variation du cours boursier entre le cours de clôture du 29 novembre 2019 et le cours d'ouverture de la séance de Bourse suivante.

2. Il faut disposer du nombre d'actions Vivendi en circulation (rubrique « Statistiques » ou « Société ») pour calculer la variation de la capitalisation boursière de Vivendi. Cette variation de la capitalisation boursière est censée être une bonne estimation de la VAN de l'obtention des droits télévisés par Canal+.

3. Il faut également disposer du coût du capital approprié. Les chapitres suivants détaillent la méthode de calcul, mais nous n'en sommes pas encore là ! Heureusement pour vous, l'Autorité de régulation des communications électroniques et des postes (ARCEP) réalise ce calcul chaque année dans le cadre de la fixation du taux réglementaire de rémunération du capital pour les activités de télédiffusion. Sur le site **www.arcep.fr**, recherchez par mot clé « coût du capital » dans la rubrique « Avis et décisions ». Sélectionnez la décision qui correspond à 2019.

4. Connaissant le coût du capital, le montant annuel des droits à payer pour diffuser les matchs, la VAN et la durée du contrat (quatre ans), il est maintenant possible de calculer le revenu supplémentaire annuel (supposé constant) entre 2021 et 2024 qu'espère réaliser Canal+ grâce à la Ligue des champions. À combien d'abonnés supplémentaires cela correspond-il (le prix de l'abonnement étant de 25 €/mois) ?

5. Votre supérieure pense que le résultat de cette enchère constitue une bonne nouvelle pour les chaînes de télévision ayant remporté des lots, et une mauvaise pour les perdants. Pour vérifier cette intuition, recherchez comment le prix des actions de TF1 (qui a gagné lors de ces enchères le droit de diffuser la finale en clair) et Altice (propriétaire de la chaîne RMC Sport qui détenait les droits pour la période précédente et qui n'a rien gagné cette fois-ci) a évolué le 29 novembre 2019. Qu'en conclure ?

Chapitre 8
Les choix d'investissement : cas pratique

En 2017 Nintendo a sorti sa septième console de jeu vidéo, la Switch. La précédente console de jeu de Nintendo, la Wii U, a connu des ventes décevantes et l'entreprise a dû subir des pertes en 2014. Il a fallu quatre ans et plusieurs milliards de dollars investis en R&D pour développer la Switch. Alors que les investisseurs étaient sceptiques au départ, les ventes ont dépassé les attentes avec près de 18 millions d'unités vendues la première année, faisant presque doubler le cours de l'action Nintendo. La décision de Nintendo de lancer une nouvelle console constitue un choix stratégique, mais également un choix économique et financier ; bref, un choix d'investissement. Comment les coûts et bénéfices de ce type de décisions sont-ils évalués ? Pourquoi (et comment) Nintendo a-t-il pris sa décision ?

Ce chapitre, intégralement construit autour d'un cas pratique, présente les outils nécessaires à l'évaluation des décisions d'investissement. Ces décisions, à savoir l'identification des projets qui méritent d'être financés et ceux qui doivent être abandonnés, constituent une part importante du travail des directeurs financiers. Cela implique de calculer la valeur actuelle nette (VAN) de chaque projet, afin de ne retenir que ceux dont la VAN est positive, comme l'a montré le chapitre 7. À cet effet, il faut tout d'abord estimer les flux de trésorerie espérés, en construisant des prévisions des bénéfices et des coûts du projet. Les flux de trésorerie sont ensuite actualisés pour calculer la VAN du projet, c'est-à-dire sa capacité à créer de la valeur pour les actionnaires. Enfin, la prévision des flux de trésorerie étant incertaine, il faut disposer d'outils pour mesurer les conséquences d'une erreur de prévision et la sensibilité de la VAN aux hypothèses relatives aux flux de trésorerie.

8.1. Estimer le résultat net d'un projet

Lorsqu'une entreprise doit décider de réaliser, ou non, un projet d'investissement, elle doit d'abord estimer les conséquences de ce projet sur ses flux de trésorerie ; cette étape s'appelle la **planification financière** (*capital budgeting*). Certains aspects du projet considéré affecteront les bénéfices de l'entreprise, d'autres, ses coûts. Ce sont bien des flux de trésorerie qu'il convient de calculer – seuls ceux-ci ont une réalité « monétaire » et influencent la valeur du projet. On utilise pour cela les états comptables de l'entreprise comme point de départ.

Suivons les dirigeants de Xila qui envisagent de développer un réseau sans fil pour la maison, baptisé HomeNet. En plus de connecter ordinateurs et tablettes, HomeNet permettra de contrôler stéréo, climatisation, système d'alarme, etc. Bref, un système domotique complet et révolutionnaire. Xila a déjà investi 300 000 € dans une étude de faisabilité, et les premiers résultats sont prometteurs.

Hypothèses de travail

En se fondant sur des études de marché, Xila espère pouvoir vendre 100 000 unités de HomeNet par an. L'espérance de vie du produit est de quatre ans, compte tenu du rythme des innovations technologiques. Le prix au détail conseillé par le service marketing est de 375 €, ce qui correspond à un prix de gros de 260 €. Xila estime à 5 millions d'euros les coûts de développement du produit (R&D, design, tests…). Si le produit est lancé, sa production sera sous-traitée, pour un coût de revient unitaire (tout compris) de 110 €.

Xila doit développer le logiciel capable de contrôler tous les équipements de la maison, ce qui nécessitera à plein temps une équipe de 50 informaticiens pendant un an (autrement dit, le projet a un coût de 50 années/homme). Un informaticien coûte à l'entreprise 200 000 € par an.

Xila doit enfin construire un laboratoire afin de mener des tests de compatibilité entre le système HomeNet et les appareils commercialisés par les autres entreprises. Ce laboratoire, qui sera aménagé dans une usine du groupe, suppose un investissement de 7,5 millions d'euros. À la fin de l'année, le produit sera prêt à être commercialisé et le laboratoire sera opérationnel. Après le lancement du produit sur le marché, Xila prévoit des dépenses marketing de 2 millions d'euros par an et des dépenses administratives de 800 000 € par an[1].

Prévision du résultat net du projet

Du chiffre d'affaires au résultat d'exploitation. Le tableau 8.1 présente le compte de résultat du projet HomeNet. L'année 0, Xila dépense en R&D 5 millions d'euros et $50 \times 200\,000$ € = 10 millions d'euros pour la mise au point du logiciel, soit un total de 15 millions d'euros. Le chiffre d'affaires annuel sera de 100 000 unités $\times$ 260 € l'unité = 26 millions d'euros pendant quatre ans. Le coût des ventes sera de 100 000 unités $\times$ 110 € l'unité = 11 millions d'euros par an[2].

Le projet requiert un investissement de 7,5 millions d'euros (création d'un nouveau laboratoire). Cet investissement n'est pas comptabilisé en charge de l'exercice 0, car la durée de vie du laboratoire dépasse un cycle de production (chapitre 2). L'entreprise doit donc procéder à l'**amortissement**[3] de cette dépense. La méthode la plus simple est le **régime linéaire**, qui consiste à répartir de manière égale la valeur comptable d'acquisition du bien sur sa durée d'utilisation. Si les équipements du laboratoire sont amortis sur une durée de cinq ans, l'amortissement annuel est de 1,5 million d'euros par an (ligne 6

---

1. Tous les chiffres sont relatifs au projet, et non à l'entreprise dans son ensemble. Lorsqu'on cherche à analyser un projet, il faut raisonner en différence par rapport à la situation de l'entreprise sans ce projet.
2. Pour simplifier, on considère que tous les flux sont enregistrés en fin d'année. Lorsque le profil des flux est irrégulier, cela oblige parfois à des prévisions sur des périodes plus courtes – le trimestre ou le mois (le chapitre 19 présente un exemple).
3. Le principe comptable de l'amortissement explique pourquoi le résultat net d'une entreprise n'est pas un flux de trésorerie : les amortissements sont des charges *calculées*, ou *non décaissables*, de l'entreprise.

du tableau 8.1). Étant donné que le compte de résultat est présenté par fonctions, les amortissements passés pour le laboratoire sont comptabilisés dans les dépenses de R&D.

La contribution espérée de HomeNet au résultat d'exploitation de Xila est au final de 10,7 millions d'euros par an au cours des quatre ans du projet.

Tableau 8.1	Compte de résultat à endettement nul du projet HomeNet					
		0	**1**	**2**	**3**	**4**	**5**
Prévision du résultat net à endettement nul de HomeNet (en milliers d'euros)						
1	Chiffre d'affaires		26 000	26 000	26 000	26 000	
2	– Coût des ventes		– 11 000	– 11 000	– 11 000	– 11 000	
3	– Frais administratifs		– 800	– 800	– 800	– 800	
4	– Coûts marketing		– 2 000	– 2 000	– 2 000	– 2 000	
5	– Coûts de R&D	– 15 000	– 1 500	– 1 500	– 1 500	– 1 500	– 1 500
6	*dont amortissements*		*– 1 500*	*– 1 500*	*– 1 500*	*– 1 500*	*– 1 500*
7	**= Résultat d'exploitation**	**– 15 000**	**10 700**	**10 700**	**10 700**	**10 700**	**– 1 500**
8	– Impôt sur les sociétés	3 750	– 2 675	– 2 675	– 2 675	– 2 675	375
9	**= Résultat net à endettement nul**	**– 11 250**	**8 025**	**8 025**	**8 025**	**8 025**	**– 1 125**

Charges d'intérêts. Pour passer du résultat d'exploitation au résultat net, il faut calculer le résultat financier. Pour le projet HomeNet, il suffit de déduire les charges d'intérêts du résultat d'exploitation, car il n'y a pas de produits financiers. Mais, en général, lorsqu'on cherche à décider d'un choix d'investissement, *on néglige les charges d'intérêts*. En effet, l'objectif est d'évaluer la qualité intrinsèque du projet, qui ne dépend pas de ses modalités de financement[4]. La méthode courante est donc de calculer un **résultat net à endettement nul**. En d'autres termes, on suppose que Xila n'utilise aucune dette pour le financer, que ce soit ou non le cas en réalité : les charges d'intérêts ne sont pas déduites du résultat d'exploitation. La façon dont les projets sont financés et l'influence des sources de financement sur la valeur des projets sont l'objet de la partie V de l'ouvrage.

Impôts sur les sociétés. Il faut prendre en compte la fiscalité. Le taux d'imposition qu'il convient d'utiliser est le **taux marginal d'imposition** de l'entreprise, c'est-à-dire le taux qui s'appliquera à une augmentation de 1 € de son résultat courant avant impôt. Le taux marginal d'imposition de Xila est : $\tau_{IS} = 25\ \%$. L'impôt que devra payer Xila si le projet HomeNet est lancé est simplement :

$$\text{Impôt sur les sociétés} = \text{Résultat d'exploitation} \times \tau_{IS} \qquad (8.1)$$

Du fait du projet HomeNet, l'impôt sur les sociétés de Xila augmentera donc de 10,7 millions d'euros × 25 % = 2,675 millions d'euros (ligne 8 du tableau 8.1). On obtient ainsi par soustraction le résultat net du projet HomeNet, qui est de 8,025 millions d'euros.

---

[4] Cette approche est fondée sur le théorème de séparation (chapitre 3) : si les marchés sont parfaits, la VAN d'une décision d'investissement peut être évaluée indépendamment de la façon dont cet investissement est financé. Le chapitre 18 traitera de l'influence des modalités de financement sur la valeur d'un projet.

L'année 0, le résultat d'exploitation de HomeNet est négatif. Cela a-t-il un sens de calculer l'impôt relatif au projet ? Oui, dans la mesure où l'on raisonne ici au niveau du projet : l'année 0, grâce au projet HomeNet, le résultat d'exploitation de Xila est plus faible de 15 millions d'euros qu'il ne l'aurait été sans le projet. Cela signifie que le projet HomeNet permet à l'entreprise de réduire son impôt de 15 millions d'euros × 25 % = 3,75 millions d'euros. Cette économie d'impôt est un des bénéfices du projet HomeNet qu'il convient de ne pas négliger[5]. De même, l'année 5, l'entreprise réalise une économie d'impôt en raison de l'amortissement du laboratoire.

Le résultat net à endettement nul. Le résultat net à endettement nul[6] peut être trouvé directement grâce à :

$$\text{Résultat net à endettement nul} = \text{Résultat d'exploitation} \times (1 - \tau_{IS})$$
$$= (\text{Chiffre d'affaires} - \text{Coûts et amortissements}) \times (1 - \tau_{IS}) \quad (8.2)$$

Impôts et résultat d'exploitation négatif

PtitDéj envisage de lancer des barres de céréales sans OGM. Les dépenses publicitaires liées au lancement de ce produit seront de 15 millions d'euros l'an prochain. Avec ses autres produits, PtitDéj espère un résultat courant avant impôt de 300 millions d'euros l'an prochain. Le taux marginal d'imposition est de 25 %. Quel est l'impôt que devra payer l'an prochain PtitDéj selon que le nouveau produit est, ou non, lancé ?

Solution

Sans le nouveau produit, PtitDéj paiera 300 millions d'euros × 25 % = 75 millions d'euros d'impôts l'année prochaine. Si le nouveau produit est lancé, le résultat avant impôt de PtitDéj sera de 300 millions d'euros – 15 millions d'euros = 285 millions d'euros et l'entreprise devra donc 285 millions d'euros × 25 % = 71,25 millions d'euros d'impôts. Par conséquent, le nouveau produit réduira l'an prochain les impôts de PtitDéj de 75 – 71,25 = 3,75 millions d'euros.

Prise en compte des effets indirects

Seuls les effets directs du projet HomeNet ont jusqu'à maintenant été considérés. Il est probable que le projet influence, de manière indirecte, les autres activités de l'entreprise et donc son résultat net. Il convient donc d'intégrer au calcul ces effets indirects.

Les coûts d'opportunité. La plupart du temps, les nouveaux projets impliquent de mobiliser des ressources internes de l'entreprise. Ce n'est pas parce que l'entreprise ne paie pas pour l'utilisation ou l'acquisition de ces ressources qu'elles sont gratuites. Dans de nombreux cas, elles auraient pu être employées à autre chose et créer ainsi de la valeur pour l'entreprise. Il existe donc un **coût d'opportunité** à l'utilisation d'une ressource de

---

5. On peut penser que cette économie d'impôt n'est valable que si Xila présente un résultat courant avant impôt positif et paie effectivement des impôts. Toutefois, même si ce n'est pas le cas, l'économie d'impôt n'est pas pour autant sans valeur, étant donné les possibilités de reports en avant ou en arrière des déficits.

6. Le résultat net à endettement nul est parfois appelé NOPAT, acronyme américain de « *Net Operating Profit After Tax* ».

l'entreprise : c'est la valeur qu'elle aurait pu créer si elle avait été utilisée dans un autre projet[7].

Cette valeur liée à l'utilisation alternative de la ressource est perdue dès que la ressource est mobilisée par le projet. Il faut donc prendre en compte le coût d'opportunité des ressources utilisées comme un coût additionnel du projet. Ainsi, pour HomeNet, le laboratoire sera construit dans une usine du groupe, qui aurait pu être employée autrement.

Erreur à éviter	Le coût d'opportunité d'un actif inutilisé

Une erreur courante consiste à penser qu'un actif inutilisé a un coût d'opportunité nul. Quel est le coût d'opportunité d'un terrain en friche, d'une machine inutilisée ou d'un entrepôt abandonné ? Même si l'actif ne sert à rien actuellement, l'entreprise doit tout de même tenir compte de son coût d'opportunité : il pourra peut-être servir plus tard et créer de la valeur. Et si l'actif n'est vraiment pas utile à l'entreprise, elle peut le vendre ou le louer. La valeur tirée par l'entreprise de l'utilisation de l'actif dans un projet alternatif, de sa vente ou de sa location est le coût d'opportunité de cet actif, qui doit être pris en compte.

Coût d'opportunité de l'espace dédié au laboratoire HomeNet

Le laboratoire HomeNet sera abrité dans une usine qui aurait pu être louée 200 000 € par an pendant les années 1 à 4. Comment la prise en compte de ce coût d'opportunité modifie-t-elle le résultat net du projet ?

Solution

Le coût d'opportunité est le loyer perdu. Ce coût d'opportunité réduit le résultat net de HomeNet sur les années 1 à 4 de 200 000 × (1 – 25 %) = 150 000 €.

Exemple 8.2

Les externalités. Les externalités d'un projet sont les conséquences indirectes du projet sur le profit des autres activités de l'entreprise. Une concurrence entre produits d'une même entreprise est fréquente, et il convient d'en tenir compte de manière systématique, sauf à prendre le risque de surestimer la contribution du nouveau projet au résultat d'exploitation de l'entreprise. Cette influence des ventes du produit nouveau sur les ventes des autres produits de l'entreprise est la **cannibalisation**. En ce qui concerne HomeNet, on estime que 25 % des ventes seront effectuées par des clients qui auraient acheté à la place un routeur sans fil de Xila. La baisse des ventes de ce produit est donc la conséquence du choix de développer HomeNet et doit être intégrée aux coûts du projet.

Le tableau 8.2 calcule le résultat net à endettement nul de HomeNet en incluant le coût d'opportunité de l'usine dédiée au laboratoire et de la cannibalisation. Dans ce tableau, les frais administratifs augmentent de 200 000 € (le montant des loyers perdus), et l'externalité liée à la cannibalisation est prise en compte : si le routeur sans fil est vendu au prix de 100 €, la baisse anticipée du chiffre d'affaires de Xila est de

---

7. Le coût d'opportunité du capital a été défini au chapitre 5 comme la rentabilité obtenue en investissant dans un autre projet de même risque. Le coût d'opportunité d'un actif physique est défini suivant la même logique.

25 % × 100 000 unités × 100 € l'unité = 2,5 millions d'euros, qui doivent être imputés au projet HomeNet. Le chiffre d'affaires lié à HomeNet chute donc de 26 à 23,5 millions d'euros à cause de la cannibalisation.

Ce phénomène réduit également les coûts de production du routeur sans fil (puisque ses ventes baissent) : si son coût unitaire de fabrication est de 60 €, le coût des ventes baisse de 25 % × 100 000 unités × 60 € = 1,5 million d'euros. Grâce à HomeNet, Xila peut réduire sa production de routeurs sans fil, ce qui lui permet de réduire également le coût des ventes de 11 à 9,5 millions d'euros.

En comparant les tableaux 8.1 et 8.2, on s'aperçoit que la prise en compte des effets indirects du projet HomeNet a pour effet de réduire son résultat net additionnel à endettement nul de 8,025 à 7,125 millions d'euros.

Tableau 8.2	Compte de résultat à endettement nul du projet HomeNet, incluant les externalités et les coûts d'opportunité					
		0	**1**	**2**	**3**	**4**	**5**
Prévision du résultat net à endettement nul de HomeNet (en milliers d'euros)							
1	Chiffre d'affaires		23 500	23 500	23 500	23 500	
2 –	Coûts des ventes		– 9 500	– 9 500	– 9 500	– 9 500	
3 –	Frais administratifs		– 1 000	– 1 000	– 1 000	– 1 000	
4 –	Coûts marketing		– 2 000	– 2 000	– 2 000	– 2 000	
5 –	Coûts de R&D	– 15 000	– 1 500	– 1 500	– 1 500	– 1 500	– 1 500
6	*dont amortissements*		*– 1 500*	*– 1 500*	*– 1 500*	*– 1 500*	*– 1 500*
7 =	**Résultat d'exploitation**	**– 15 000**	**9 500**	**9 500**	**9 500**	**9 500**	**– 1 500**
8 –	Impôt sur les sociétés	3 750	– 2 375	– 2 375	– 2 375	– 2 375	375
9 =	**Résultat net à endettement nul**	**– 11 250**	**7 125**	**7 125**	**7 125**	**7 125**	**– 1 125**

Prise en compte des coûts irrécupérables

Un **coût irrécupérable** (*sunk cost*) est une dépense déjà engagée par l'entreprise, qu'elle ne pourra en aucun cas récupérer même si elle décidait d'arrêter immédiatement le projet. Sauf exception, *ces coûts irrécupérables ne doivent jamais être pris en compte lors de la décision d'investissement*. En effet, ils ne dépendent pas de la décision que doit prendre l'entreprise, car ils ont déjà eu lieu. La règle de décision pour savoir quels coûts doivent être pris en compte et quels coûts doivent être exclus de l'analyse est simple : *si la décision à laquelle réfléchit l'entreprise n'a aucune influence sur un flux de trésorerie donné, celui-ci ne doit pas influencer la décision.*

Les 300 000 € déjà dépensés par Xila pour l'étude de faisabilité du projet HomeNet ont donc été négligés, car ils ont déjà été dépensés et ne seront pas récupérés, quelle que soit la décision de l'entreprise.

Les frais généraux. Comme leur nom l'indique, ils ne sont pas directement imputables à une activité précise. Ils ne doivent donc pas être pris en compte pour calculer le résultat net additionnel d'un projet. Seuls les frais généraux *additionnels* qui sont liés à la décision d'investissement doivent être inclus. Ainsi, les loyers perdus (à cause du laboratoire) sont inclus dans les frais généraux additionnels liés à HomeNet.

| **Zoom sur...** | **Coûts irrécupérables : « l'effet Concorde »** |

Les individus se laissent fréquemment influencer par l'existence de coûts irrécupérables : ils sont victimes de ce qu'on appelle le « biais d'engagement » (*sunk cost fallacy*). Les agents continuent souvent à investir dans un projet à VAN négative parce qu'ils ont déjà investi beaucoup dans le projet et qu'ils ont l'impression qu'en stoppant ce dernier ils auront gaspillé l'argent investi. Ce comportement s'observe par exemple chez les petits actionnaires, qui rechignent à vendre leurs actions après qu'elles ont chuté, ou chez les (mauvais) joueurs de poker, incapables de se coucher après un mauvais tirage parce qu'ils ont trop misé aux tours de table précédents.

Les individus ne sont pas les seuls à être victimes du biais d'engagement. Pour preuve, la décision prise par les gouvernements français et britannique de continuer à financer le Concorde, alors qu'il était évident que les ventes de cet avion ne seraient pas suffisantes pour justifier la poursuite de son développement. Il faut toutefois reconnaître que les raisons sous-jacentes à ce choix n'étaient pas uniquement financières : les conséquences politiques d'un tel abandon ont été jugées suffisamment graves pour que le projet soit mené à terme.

Les dépenses passées de R&D. Lorsqu'une entreprise consacre des ressources au développement d'un nouveau produit, il arrive que les dirigeants persistent à vouloir lancer le produit, même si ce dernier a peu de chances d'être un jour rentable. La justification avancée est que si le produit est abandonné, l'argent investi aura été dépensé en pure perte. Inversement, certains projets sont abandonnés parce qu'ils ne semblent pas suffisamment rentables pour compenser les investissements *passés* qu'il a fallu réaliser pour les lancer. Aucun de ces deux raisonnements n'est valable. Les investissements passés sont par nature irrécupérables ; il n'est donc pas pertinent d'en tenir compte lors d'un choix d'investissement. *La décision de continuer ou d'abandonner un projet doit être exclusivement fonction de ses coûts et bénéfices futurs, et non passés.*

Les effets de la concurrence. Les entreprises doivent se préoccuper du risque de cannibalisation de leurs produits existants lorsqu'elles réfléchissent à un nouveau produit, et en tenir compte dans leur planification financière. Il existe néanmoins une situation dans laquelle il ne faut pas intégrer l'effet de la cannibalisation à l'analyse : s'il est probable que des concurrents lancent de nouveaux produits qui feront de toute façon baisser les ventes de l'entreprise au fil du temps, ces ventes perdues doivent être considérées comme des coûts échoués. Dans ce cas, elles ne doivent pas influencer la décision de lancer ou non un nouveau produit.

En pratique...

Le projet HomeNet est très simple. En pratique, l'estimation des coûts et des bénéfices associés à un projet est beaucoup plus complexe. Par exemple, l'hypothèse de ventes constantes au cours des quatre années de vie du projet n'est pas réaliste : les ventes augmentent en général au fil des années jusqu'à un seuil de maturité, avant de décliner progressivement en fin de vie du produit. C'est le cycle de vie normal d'un produit.

De même, le prix de vente d'un produit et ses coûts de fabrication évoluent au fil du temps : les prix et les coûts augmentent avec l'inflation. Les coûts de fabrication diminuent avec le progrès technique et les économies d'échelle (augmentation des quantités produites). Dans la plupart des secteurs, les prix de vente évoluent également avec l'intensité de la concurrence qui réduit les marges. Tous ces facteurs et leurs influences sur le résultat net à endettement nul du projet devraient être pris en compte.

Exemple 8.3

Variation des prix et résultat net à endettement nul de HomeNet

Les ventes anticipées de HomeNet sont maintenant de 100 000 unités l'année 1 ; 125 000 les années 2 et 3 ; 50 000 l'année 4. Le prix de vente de HomeNet, de l'ancien routeur et le coût des ventes baissent de 10 % par an. En revanche, les frais administratifs augmentent de 4 % par an. Quel est le résultat net à endettement nul de HomeNet ?

Solution

Avec la baisse de 10 % des prix, le prix de vente unitaire de l'année 2 est de 260 € × 0,90 = 234 € pour HomeNet et de 100 € × 0,90 = 90 € pour le routeur. L'année 2, le chiffre d'affaires est donc égal à 125 000 unités × 234 € l'unité – 31 250 unités cannibalisées × 90 € l'unité = 26,438 millions d'euros. Et ainsi de suite pour les années suivantes.

		0	1	2	3	4	5
	Prévision du résultat net à endettement nul de HomeNet (en milliers d'euros)						
1	Chiffre d'affaires		23 500	26 438	23 794	8 566	
2	– Coût des ventes		–9 500	–10 688	–9 619	–3 463	
3	– Frais administratifs		–1 000	–1 040	–1 082	–1 125	
4	– Coûts marketing		–2 000	–2 080	–2 163	–2 250	
5	– Coûts de R&D	–15 000	–1 500	–1 500	–1 500	–1 500	–1 500
6	*dont amortissements*		*–1 500*	*–1 500*	*–1 500*	*–1 500*	*–1 500*
7	**= Résultat d'exploitation**	**–15 000**	**9 500**	**11 130**	**9 430**	**228**	**–1 500**
8	– Impôt sur les sociétés	3 750	–2 375	–2 783	–2 358	–57	375
9	**= Résultat net à endettement nul**	**–11 250**	**7 125**	**8 348**	**7 073**	**171**	**–1 125**

8.2. Déterminer les flux de trésorerie disponibles et la VAN d'un projet

Le résultat net est une mesure comptable des performances de l'entreprise. Il ne représente pas le bénéfice réel : l'entreprise ne peut pas utiliser son résultat net pour financer de nouveaux investissements ou verser des dividendes à ses actionnaires. Pour évaluer un choix d'investissement, il faut apprécier les conséquences en termes de **flux de trésorerie disponibles** pour l'entreprise.

Le passage du résultat net aux flux de trésorerie disponibles

Pour passer du résultat net aux flux de trésorerie disponibles, il faut ajouter au résultat net toutes les charges qui ont été déduites et qui ne correspondent pas à des flux de trésorerie et en retrancher tous les flux qui ne sont pas inscrits au compte de résultat.

Investissement et amortissements. Les amortissements ne sont pas des charges décaissables. L'amortissement est une technique comptable (justifiée pour des raisons fiscales) qui permet de répartir le coût d'acquisition d'un actif sur toute sa durée d'utilisation. Aucun flux de trésorerie ne correspond aux amortissements. Il faut donc annuler l'effet des amortissements qui ont été pris en compte dans le compte de résultat ; pour ce faire, il convient de les ajouter au résultat net (puisqu'ils étaient précédemment déduits). Il faut en revanche prendre en compte les investissements de l'entreprise.

Pour calculer les flux de trésorerie disponibles de HomeNet en partant du résultat net, il faut ajouter les amortissements (1,5 million d'euros par an de l'année 1 à l'année 5) et soustraire les investissements (7,5 millions d'euros payés à l'année 0). Ce sont les lignes 10 et 11 du tableau 8.3 construit à partir du tableau 8.2.

Variation du besoin en fonds de roulement. Le besoin en fonds de roulement (BFR) est la différence entre les emplois et les ressources d'exploitation. Le BFR se calcule avec l'équation (2.5) :

$$BFR = \text{Emplois d'exploitation} - \text{Ressources d'exploitation}$$
$$= \text{Stocks} + \text{Créances clients} - \text{Dettes fournisseurs, fiscales et sociales} \qquad (8.3)$$

La plupart des projets impliquent une variation du BFR de l'entreprise. En effet, les entreprises voient fréquemment leurs stocks de matières premières et de produits finis augmenter lors du lancement d'un nouveau produit, du fait des aléas de production et des fluctuations de la demande. De plus, si le nouveau produit engendre une augmentation du chiffre d'affaires, il est probable que les créances clients augmentent (car les clients ne paient pas tous comptant). Une augmentation de la production se traduit également par une augmentation des dettes fournisseurs.

Le projet HomeNet n'impose pas à l'entreprise d'augmenter ses stocks, puisque les produits sont directement livrés aux clients et que la fabrication est sous-traitée. Cependant, les créances clients représentent en moyenne 15 % du chiffre d'affaires annuel de Xila et les dettes fournisseurs sont égales à 15 % du coût des ventes annuelles[8]. Le BFR de HomeNet est détaillé dans le tableau 8.4.

---

8. Si les créances clients sont égales à 15 % du chiffre d'affaires, elles représentent donc 15 % × 365 = 55 jours de chiffre d'affaires. Il en est de même pour les dettes fournisseurs (chapitre 26).

Tableau 8.3	Flux de trésorerie disponibles du projet HomeNet, incluant cannibalisation et perte de loyers

		0	1	2	3	4	5
Prévision du résultat net à endettement nul de HomeNet (en milliers d'euros)							
1	Chiffre d'affaires		23 500	23 500	23 500	23 500	
2 –	Coût des ventes		–9 500	–9 500	–9 500	–9 500	
3 –	Frais administratifs		–1 000	–1 000	–1 000	–1 000	
4 –	Coûts marketing		–2 000	–2 000	–2 000	–2 000	
5 –	Coûts de R&D	–15 000	–1 500	–1 500	–1 500	–1 500	–1 500
6	*dont amortissements*		*–1 500*	*–1 500*	*–1 500*	*–1 500*	*–1 500*
7 =	Résultat d'exploitation	–15 000	9 500	9 500	9 500	9 500	–1 500
8 –	Impôt sur les sociétés	3 750	–2 375	–2 375	–2 375	–2 375	375
9 =	**Résultat net à endettement nul**	**–11 250**	**7 125**	**7 125**	**7 125**	**7 125**	**–1 125**
10 +	Amortissements		1 500	1 500	1 500	1 500	1 500
11 –	Investissements	–7 500					
12 –	Augmentation du BFR		–2 100				2 100
13 =	**Flux de trésorerie disponibles**	**–18 750**	**6 525**	**8 625**	**8 625**	**8 625**	**2 475**

Tableau 8.4	Besoin en fonds de roulement du projet HomeNet

		0	1	2	3	4	5
Prévision du BFR (en milliers d'euros)							
1	Stocks						
2 +	Créances clients (15 % du CA)		3 525	3 525	3 525	3 525	
3 –	Dettes fournisseurs (15 % du coût des ventes)		–1 425	–1 425	–1 425	–1 425	
4 =	**Besoin en fonds de roulement**		**2 100**	**2 100**	**2 100**	**2 100**	

Le BFR du projet est nul à l'année 0, égal à 2,1 millions d'euros des années 1 à 4 et nul de nouveau à l'année 5. Comment ce BFR influence-t-il les flux de trésorerie disponibles du projet ? Toute augmentation du BFR implique de l'entreprise un investissement, ce qui réduit ses flux de trésorerie disponibles. Inversement, toute diminution du BFR libère des capitaux que l'entreprise peut réutiliser à sa guise. La grandeur qui compte est donc la variation du BFR, et non le BFR lui-même. Cette variation se calcule simplement :

$$\Delta BFR_t = BFR_t - BFR_{t-1} \qquad (8.4)$$

Une fois le BFR connu, il est possible de compléter le calcul des flux de trésorerie disponibles de HomeNet dans le tableau 8.3 : l'année 1, le BFR de HomeNet augmente de 2,1 millions d'euros. Cette augmentation signifie que l'entreprise doit consacrer au financement de son BFR une partie de ses flux de trésorerie (ligne 12 du tableau 8.3). Cette réduction des flux de trésorerie disponibles à l'année 1 correspond aux 3,525 millions d'euros de ventes qui n'ont pas encore été payés par les clients de l'entreprise (augmentation des créances clients) moins 1,425 million d'euros de coûts des ventes qui n'a pas encore été payé par l'entreprise (hausse des dettes fournisseurs).

Entre les années 2 et 4, le BFR de HomeNet ne varie pas ; aucun investissement dans le BFR n'est donc nécessaire. L'année 5, le projet est terminé, le BFR du projet revient à 0 (il diminue alors de 2,1 millions) : les derniers clients paient leurs achats, les derniers paiements des fournisseurs sont effectués. L'entreprise récupère par conséquent son investissement initial en BFR, les 2,1 millions s'ajoutent aux flux de trésorerie disponibles de l'année 5.

Le flux de trésorerie disponible annuel lié à HomeNet est donc égal au résultat net à endettement nul ajusté des amortissements, des investissements et des variations du BFR (ligne 12 du tableau 8.3).

Le BFR en présence de ventes variables

Quelle est l'évolution du BFR de HomeNet dans le cadre des hypothèses de l'exemple 8.3 ?

Solution

		0	1	2	3	4	5
Prévision du BFR (en milliers d'euros)							
1	Stocks						
2	+ Créances clients (15 % du CA)		3 525	3 966	3 569	1 285	
3	– Dettes fournisseurs (15 % du coût des ventes)		–1 425	–1 603	–1 443	–519	
4	= **Besoin en fonds de roulement**		**2 100**	**2 363**	**2 126**	**765**	
5	**Variation du besoin en fonds de roulement**		**2 100**	**263**	**–236**	**–1 361**	**–765**

Un investissement important en BFR est exigé l'année 1, suivi d'un autre investissement (plus réduit) l'année 2 car le chiffre d'affaires augmente. Le BFR est progressivement récupéré entre les années 3 et 5 car les ventes baissent.

Exemple 8.4

Le calcul direct des flux de trésorerie disponibles

Il aurait été possible de calculer directement les flux de trésorerie disponibles de HomeNet sans passer par l'établissement du compte de résultat prévisionnel :

Flux de trésorerie disponibles

$$\text{Flux de trésorerie disponibles} = \overbrace{(\text{Chiffre d'affaires} - \text{Coûts} - \text{Amortissements}) \times (1 - \tau_{IS})}^{\text{Résultat net à endettement nul}}$$
$$+ \text{Amortissements} - \text{Investissements} - \Delta BFR \qquad (8.5)$$

En fait, les amortissements sont déduits puis rajoutés : seule compte la déduction d'impôt qu'ils engendrent, par définition égale aux amortissements multipliés par le taux d'imposition de l'entreprise. On peut donc réécrire l'équation :

$$\text{Flux de trésorerie disponibles} = (\text{Chiffre d'affaires} - \text{Coûts}) \times (1 - \tau_{IG})$$
$$- \text{Investissements} - \Delta BFR + (\tau_{IS} \times \text{Amortissements}) \qquad (8.6)$$

Dans cette équation, le terme (τ_{IS} × Amortissements) est **l'économie d'impôt permise par les amortissements**, liée à la déductibilité fiscale de ceux-ci. L'enregistrement des amortissements a donc un effet *négatif* sur le résultat net de l'entreprise et *positif* sur ses flux de trésorerie disponibles (grâce aux économies d'impôt réalisées).

Le calcul de la VAN

Pour calculer la VAN de HomeNet, il faut actualiser les flux de trésorerie disponibles au coût du capital approprié, noté r. Ce dernier correspond à la rentabilité espérée par les investisseurs du meilleur investissement alternatif de mêmes risque et échéance (chapitre 5). La façon d'estimer ce coût du capital est présentée dans la partie IV. Pour l'instant, on admet que le projet HomeNet a un risque identique aux autres projets de Xila et que le coût du capital approprié pour ces projets est r = 12 %. Le calcul de la valeur actuelle de chaque flux de trésorerie disponible futur (FTD_t) de HomeNet est donc direct (ligne 4 du tableau 8.5) :

$$VA(FTD_t) = FTD_t / (1 + r)^t \tag{8.7}$$

Tableau 8.5	VAN du projet HomeNet						
		0	**1**	**2**	**3**	**4**	**5**
Valeur actuelle nette (en milliers d'euros)							
1 Flux de trésorerie disponibles		−18 750	6 525	8 625	8 625	8 625	2 475
2 Coût du capital du projet	12 %						
3 Facteur d'actualisation		1,000	0,893	0,797	0,712	0,636	0,567
4 **VA des flux de trésorerie disponibles**		**−18 750**	**5 826**	**6 876**	**6 139**	**5 481**	**1 404**
5 **VAN des flux de trésorerie disponibles**		**6 976**					

L'investissement initial nécessaire au projet HomeNet (déduction faite de l'économie d'impôt) est de 18,75 millions d'euros. La VAN de HomeNet est donc de 6,976 millions d'euros.

Utiliser Excel	**La planification financière**

Un tableur est un outil idéal pour faire des prévisions financières. Un certain nombre de règles doivent néanmoins être respectées pour éviter les erreurs.

Règle 1. Rassembler toutes les hypothèses de travail

Toutes les prévisions financières reposent sur des hypothèses à propos des revenus futurs du projet, des parts de marché ou des coûts. Il est plus efficace de rassembler toutes ces hypothèses en un seul endroit, par exemple dans un tableau ou une feuille dédiée, plutôt que de les disséminer dans le fichier. Ainsi, il est aisé de vérifier la cohérence des

...

...

hypothèses et de les modifier si nécessaire. Pour le projet HomeNet par exemple, le tableau des hypothèses est le suivant :

	A	B	C	D	E	F	G	H	I	J
5										
6						0	1	2	3	4	5
7		**Hypothèses de travail**								
8		1	HomeNet							
9		2	Ventes (milliers d'unités)			100	100	100	100	
10		3	Prix de vente (€/unité)			260	260	260	260	
11		4	Coût des ventes (€/unité)			110	110	110	110	
12		5	Produit existant							
13		6	Ventes (milliers d'unités)	25 %		– 25	– 25	– 25	– 25	
14		7	Prix de vente (€/unité)			100	100	100	100	
15		8	Coût des ventes (€/unité)			60	60	60	60	
16		9	Taux d'imposition	33 %		33 %	33 %	33 %	33 %	33 %
17		10	Autres coûts (K€)							
18		11	Coût de R&D (logiciel et matériel)		– 15 000					

Règle 2. Utiliser les couleurs et la mise en page

Il est très utile d'identifier les hypothèses numériques avec une couleur particulière et les résultats de formules avec une autre. Dans l'exemple, les cellules correspondant au niveau des ventes sont en gris à l'année 1 (hypothèse numérique) et en blanc les années suivantes (résultat). Si l'on souhaite étudier les conséquences d'une modification des ventes, il n'y a donc qu'une seule cellule à modifier et elle apparaît clairement.

Règle 3. Garder flexible le modèle

Lorsqu'on commence à construire un modèle avec Excel, on ne sait jamais à l'avance quelles variantes on étudiera. Il faut donc garder le modèle aussi flexible que possible. Ainsi, les ventes et les prix sont supposés stables. Pourtant, le modèle est construit avec une valeur chaque année pour ces variables, ce qui permettra en cas de besoin de tester la robustesse du projet à une évolution des ventes dans le temps (à l'image de l'exemple 8.3).

Règle 4. Ne jamais saisir de paramètre « en dur »

La source d'erreurs la plus fréquente avec Excel consiste à saisir des paramètres « en dur » dans des formules, en pensant que ces paramètres ne seront pas modifiés pendant l'étude. Toutefois, si cela survient, il sera difficile de s'assurer que l'ensemble du modèle financier a bien été mis à jour. Pour éviter ce risque, le plus simple est de n'entrer aucun paramètre en dur. Ainsi, dans le fichier HomeNet, le calcul de l'impôt sur les sociétés est effectué en multipliant le résultat d'exploitation par la cellule F16 (qui contient le taux d'imposition supposé pour l'année 1) plutôt qu'en multipliant par 25 % le résultat d'exploitation. Ainsi, en cas de modification du taux , il suffira de modifier l'hypothèse et le modèle se mettra à jour automatiquement.

	A	B	C	D	E	F	G	H	I	J
44										
45						0	1	2	3	4	5
53		7	= Résultat d'exploitation			– 15 000	9 500	9 500	9 500	9 500	– 1 500
54		8	– Impôt sur les sociétés			4 950	=-F16*F53	– 3 135	– 3 135	– 3 135	495
55		9	= Résultat net à endettement nul			– 10 050	6 365	6 365	6 365	6 365	– 1 005

8.3. Choisir entre différents projets

Lorsque l'entreprise dispose de plusieurs projets possibles et mutuellement exclusifs, il faut calculer les flux de trésorerie disponibles de chacun des projets, puis retenir celui dont la VAN est la plus élevée (voir chapitre 7). C'est également le cas lorsqu'un même projet comprend des options ou des choix stratégiques. Ainsi, Xila pourrait réfléchir à la meilleure façon de produire HomeNet : doit-elle recourir à la sous-traitance (comme on l'a supposé jusqu'à maintenant) ou fabriquer elle-même les produits ?

Le projet initial consistait à sous-traiter entièrement la production des produits, pour un coût unitaire fixe de 110 €. Xila pourrait produire elle-même les produits dans ses usines, pour un coût unitaire de 100 €. Mais la production en interne impose à l'entreprise un investissement initial de 5 millions d'euros. L'entreprise devra également constituer des stocks égaux à un mois de production. Quelle est la meilleure solution ?

Pour répondre à cette question, il faut calculer les flux de trésorerie disponibles de chaque possibilité et comparer leurs VAN. Pour simplifier, on peut négliger d'analyser tous les flux de trésorerie qui sont indépendants de l'option choisie[9]. Le tableau 8.6 détaille le calcul de la VAN des deux options, en ne retenant que les flux liés au choix d'une option particulière ; on néglige donc, par exemple, le chiffre d'affaires. Les différences proviennent de l'investissement l'année 0 et des différences de coûts unitaires de production : 110 € l'unité × 100 000 unités par an = 11 millions d'euros par an pour la sous-traitance, contre 100 € l'unité × 100 000 unités par an = 10 millions d'euros par an pour la production en interne.

Les investissements (et donc les amortissements) sont identiques dans les deux cas. Seule la variation du BFR est à prendre en compte pour passer du résultat net aux flux de trésorerie disponibles. Si la fabrication est sous-traitée, les dettes fournisseurs sont égales à 15 % du coût des ventes, soit 15 % × 11 millions d'euros = 1,65 million d'euros. Cela représente le crédit octroyé l'année 1 à Xila par son sous-traitant, crédit qui ne sera remboursé que l'année 5, lorsque les derniers produits seront payés par Xila. Il s'agit bien d'une *diminution* du BFR de Xila l'année 1, qui doit être ajoutée au flux de trésorerie disponible. L'année 5, symétriquement, le BFR *augmente* puisque Xila règle l'intégralité de ses dettes envers son sous-traitant, ce qui réduit d'autant le flux de trésorerie disponible.

Si la fabrication est réalisée en interne, les dettes fournisseurs représentent 15 % × 10 millions d'euros = 1,5 million d'euros. Mais Xila aura besoin de stocks égaux à un mois de production, soit un coût de 10 millions d'euros / 12 = 0,833 million d'euros. Le BFR de Xila *diminue* donc de 1,5 – 0,833 = 0,667 million d'euros l'année 1. Le BFR de l'entreprise *augmente* par conséquent d'un montant identique l'année 5.

---

9. Il est souvent plus simple de comparer seulement le différentiel de flux de trésorerie disponibles (cela évite de devoir analyser les deux possibilités puis de les comparer ; on analyse directement leur différence).

Tableau 8.6	VAN de la production en interne et de la sous-traitance

		0	1	2	3	4	5
Sous-traitance (en milliers d'euros)							
1	Résultat d'exploitation		−11 000	−11 000	−11 000	−11 000	
2	− Impôt sur les sociétés		2 750	2 750	2 750	2 750	
3	= Résultat net à endettement nul		−8 250	−8 250	−8 250	−8 250	
4	− Augmentation du BFR		1 650				−1 650
5	**= Flux de trésorerie disponibles**		**−6 600**	**−8 250**	**−8 250**	**−8 250**	**−1 650**
6	**VAN (coût du capital : 12 %)**	**−24 521**					
Production en interne (en milliers d'euros)							
7	Résultat d'exploitation	−5 000	−10 000	−10 000	−10 000	−10 000	
8	− Impôt sur les sociétés	1 250	2 500	2 500	2 500	2 500	
9	= Résultat net à endettement nul	−3 750	−7 500	−7 500	−7 500	−7 500	
10	− Augmentation du BFR		667				−667
11	**= Flux de trésorerie disponibles**	**−3 750**	**−6 833**	**−7 500**	**−7 500**	**−7 500**	**−667**
12	**VAN (coût du capital : 12 %)**	**−26 313**					

Pour comparer les flux de trésorerie disponibles de chaque option, il suffit de calculer leurs VAN respectives au coût du capital de 12 %[10]. Les deux VAN sont négatives, puisque seuls les coûts de production sont pris en compte. Le recours à la sous-traitance est le meilleur choix, car son coût actuel net est de 24,5 millions d'euros contre 26,3 millions d'euros pour la fabrication en interne.

8.4. Quelques problèmes supplémentaires...

Prise en compte des autres charges non décaissables. D'une manière générale, toutes les charges non décaissables (et tous les produits non encaissables) qui apparaissent dans le compte de résultat prévisionnel doivent être neutralisées lors du calcul des flux de trésorerie disponibles. Ainsi, toutes les dépréciations passées par l'entreprise dans son compte de résultat doivent être compensées lors du calcul des flux de trésorerie disponibles.

Prise en compte de l'échéancier des flux de trésorerie. Pour simplifier, on considère que les flux de trésorerie de HomeNet sont comptabilisés par années complètes, comme s'ils se produisaient intégralement en fin d'année (ou s'ils se produisaient de manière uniforme tout au long de l'année). Lorsque le profil des flux n'est pas uniforme au cours de la période considérée, il faut établir des prévisions sur des périodes plus courtes (le trimestre, le mois, la semaine) de manière que, *sur la période considérée*, il soit réaliste de supposer que les flux sont réguliers.

Prise en compte des méthodes d'amortissement. Grâce aux amortissements, une entreprise peut augmenter ses flux de trésorerie disponibles en raison de l'économie

---

10. Le risque de chaque option pourrait être différent, ce qui imposerait d'utiliser un coût du capital différent pour chaque option.

d'impôt qu'ils engendrent. De ce fait, et parce qu'une économie d'impôt actuelle vaut plus qu'une économie d'impôt future, les entreprises ont toujours intérêt à recourir à la méthode permettant l'amortissement le plus rapide possible de leurs investissements : cela augmente leur valeur. En France, le recours à l'**amortissement dégressif** est donc plus intéressant que l'amortissement linéaire, car il en découle un amortissement plus important au cours des premières années (chapitre 2).

Amortissements dégressifs du laboratoire

Xila peut recourir à la méthode de l'amortissement dégressif pour l'investissement de 7,5 millions d'euros réalisé pour son laboratoire. La durée d'utilisation du laboratoire est de cinq ans. Quels sont les amortissements passés par Xila ?

Solution

D'après le chapitre 2, le coefficient pour un équipement d'une durée d'utilisation égale à cinq ans est de 1,75. Le taux d'amortissement dégressif est donc égal à 20 % × 1,75 = 35 %. On peut recourir à ce taux pour les trois premières années. En revanche, il doit être abandonné l'année 4, car le taux d'amortissement dégressif devient inférieur au taux d'amortissement linéaire *calculé sur la durée résiduelle* (50 %). Les amortissements sont par conséquent :

		0	1	2	3	4	5
Amortissement dégressif (en milliers d'euros)							
1	Valeur comptable du laboratoire	7 500	7 500	4 875	3 169	2 060	1 030
2	Taux d'amortissement	0 %	35 %	35 %	35 %	50 %	50 %
3	**Amortissement**		**2 625**	**1 706**	**1 109**	**1 030**	**1 030**

Le régime d'amortissement dégressif entraîne des économies d'impôt plus précoces que le régime linéaire, ce qui augmente la valeur actuelle nette du projet. HomeNet, avec des amortissements dégressifs, affiche ainsi une VAN de 7,302 millions d'euros (contre 6,976 millions d'euros avec des amortissements linéaires).

La valeur de liquidation. Les actifs dont l'entreprise n'a plus besoin peuvent être vendus, rendus à leur propriétaire initial ou recyclés[11]. Pour calculer les flux de trésorerie disponibles d'un projet, il faut tenir compte des **valeurs de liquidation** des actifs immobilisés par celui-ci et de leurs conséquences fiscales. En effet, le gain en capital que réalise l'entreprise lorsqu'elle revend un actif est imposé comme un bénéfice normal, au taux de l'impôt sur les sociétés. Le gain est la plus-value de cession, définie comme la différence entre le prix de vente de l'actif et la valeur nette comptable de l'actif :

$$\text{Plus-value de cession} = \text{Prix de vente} - \text{Valeur nette comptable} \qquad (8.8)$$

La valeur nette comptable d'un actif est par définition celle qui est écrite au bilan de l'entreprise. Elle est égale à sa valeur d'acquisition minorée du total des amortissements passés depuis l'origine :

$$\text{Valeur nette comptable} = \text{Valeur d'acquisition} - \text{Total des amortissements passés} \qquad (8.9)$$

---

11. Certains actifs ont une valeur de liquidation négative. C'est le cas, par exemple, lorsque le site d'exploitation doit être dépollué.

Exemple 8.6

Valeur de liquidation et flux de trésorerie disponibles

En plus des 7,5 millions d'euros nécessaires au laboratoire du projet HomeNet, Xila devra utiliser pour le projet du matériel qu'elle possède déjà. La valeur de marché actuelle de ce matériel est de 2 millions d'euros. Sa valeur comptable est de 1 million d'euros. Si l'entreprise conserve ce matériel, sa valeur nette comptable sera nulle l'an prochain. L'année 5, le matériel aura une valeur de marché de 800 000 €. Quels ajustements doivent être apportés aux flux de trésorerie disponibles de HomeNet ?

Solution

Le matériel peut être vendu aujourd'hui au prix de 2 millions d'euros. Le gain après impôt de cette vente est le coût d'opportunité de l'utilisation de ce matériel pour le projet HomeNet. Il faut donc soustraire des flux de trésorerie disponibles de HomeNet l'année 0 : 2 millions d'euros – 25 % × (2 millions – 1 million) = 1,750 million d'euros. L'année 1, la valeur comptable nette du matériel tombe à 0, ce qui signifie que l'entreprise termine de l'amortir ; elle passe donc un amortissement égal à 1 million d'euros. L'économie d'impôt liée à cet amortissement est de 25 % × 1 million = 250 000 €.

L'année 5, l'entreprise vend le matériel 800 000 € (sa valeur de liquidation). La valeur comptable nette du matériel est nulle, donc la plus-value de cession est égale à la valeur de liquidation. Le flux de trésorerie après impôt lié à cette plus-value est par conséquent de 800 000 € × (1 – 25 %) = 600 000 €. Le tableau détaille les ajustements à apporter aux flux de trésorerie disponibles et à la VAN du tableau 8.3 pour tenir compte de la valeur de liquidation du matériel.

		0	1	2	3	4	5
	Flux de trésorerie disponibles et VAN (en milliers d'euros)						
1	Flux de trésorerie disponibles initiaux	– 18 750	6 525	8 625	8 625	8 625	2 475
	Ajustements liés à la valeur de liquidation						
2	Valeur de liquidation (après impôt)	– 1 750					600
3	Économies d'impôt liées à l'amortissement		250				
4	**Flux de trésorerie disponibles avec l'équipement**	**– 20 500**	**6 775**	**8 625**	**8 625**	**8 625**	**3 075**
5	**VAN (coût du capital à 12 %)**	**5 790**					

Les flux de trésorerie disponibles d'un projet doivent tenir compte des flux produits par la revente des actifs considérée après impôt :

$$\text{Flux de trésorerie disponibles après impôt résultant de la vente de l'actif}$$
$$= \text{Prix de cession} - (\tau_{IS} \times \text{Plus-value de cession}) \quad (8.10)$$

La valeur terminale. Lorsque la durée de vie du projet est longue ou indéfinie, le calcul des flux de trésorerie disponibles s'effectue parfois sur un horizon plus court que celui du projet. En pareil cas, il faut estimer la valeur des flux de trésorerie disponibles se produisant au-delà de l'horizon de prévision. Grâce à cette estimation, on peut obtenir la **valeur terminale** du projet, qui est égale à la valeur actuelle de *tous* les flux de trésorerie disponibles postérieurs à l'horizon de prévision, en date de fin de prévision.

Plusieurs méthodes existent pour calculer la valeur terminale d'un projet. Lorsqu'un investissement a une durée de vie longue, le plus simple est d'effectuer une prévision explicite des flux de trésorerie disponibles sur une période courte, puis de supposer une croissance des flux de trésorerie à taux constant au-delà.

Exemple 8.7

Valeur terminale avec croissance constante des flux

Grobille envisage d'ouvrir de nouveaux magasins. La prévision des flux de trésorerie disponibles de ces nouveaux magasins est (en millions d'euros) :

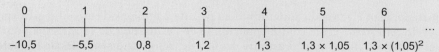

Grobille prévoit que les flux de trésorerie disponibles postérieurs à l'année 4 croîtront au taux constant de 5 % par an à l'infini. Le coût du capital pour ce projet est de 10 %. Quelle est la valeur terminale des flux de trésorerie disponibles à partir de l'année 4 ? Quelle est la VAN de ce projet ?

Solution

Les flux de trésorerie disponibles sont de 1,3 million d'euros l'année 4, puis ils augmentent de 5 % par an. La valeur des flux de trésorerie disponibles à partir de l'année 4 peut donc être calculée à l'aide de la formule de la rente perpétuelle croissante (chapitre 4). Cette valeur est la valeur terminale du projet l'année 3 :

$$\text{Valeur terminale}_3 = \frac{FTD_4}{r-g} = \frac{1,3 \text{ million d'euros}}{10\% - 5\%} = 26 \text{ millions d'euros}$$

Les flux de trésorerie disponibles relatifs au projet sont donc (en millions d'euros) :

	0	1	2	3
Flux de trésorerie disponibles (années 0 à 3)	– 10,5	– 5,5	0,8	1,2
Valeur terminale				26,0
Flux de trésorerie disponibles	**– 10,5**	**– 5,5**	**0,8**	**27,2**

La VAN du projet est égale à :

$$VAN = -10,5 - (5,5 / 1,10) + (0,8 / 1,10^2) + (27,2 / 1,10^3) = 5,597 \text{ millions d'euros}$$

Reports en avant ou en arrière des déficits. Deux règles de droit fiscal, le **report en arrière** et le **report en avant** des déficits, autorisent les entreprises à reporter un déficit observé au cours d'un exercice comptable sur les exercices antérieurs ou ultérieurs. Cela permet aux entreprises de réduire leurs impôts, puisqu'un déficit une année donnée offre la possibilité de ne payer aucun impôt cette année-là et de réduire l'impôt que l'entreprise devra acquitter lorsqu'elle sera redevenue bénéficiaire (report en avant) ou de bénéficier d'une créance sur le Trésor public (report en arrière). Le report en avant des déficits réduit néanmoins la valeur actuelle des économies d'impôt possibles.

Exemple 8.8

Report en avant des déficits

Vérian bénéficie de reports déficitaires à hauteur de 1 million d'euros, à cause de résultats courants négatifs au cours des six dernières années. Le résultat courant avant impôt de l'entreprise est cette année égal à 300 000 euros. Il sera ensuite constant à l'infini. Pendant combien d'années l'entreprise ne paiera-t-elle aucun impôt ?

Solution

Avec un résultat courant avant impôt de 300 000 euros par an, et un report déficitaire de 1 million d'euros, au bout de trois ans, il ne restera à Vérian que 100 000 euros de report déficitaire. L'année 4, l'entreprise sera donc imposée sur 200 000 euros de résultat courant et devra payer des impôts.

Zoom sur… | **Reports en avant et valeur de l'entreprise : l'exemple d'Eurotunnel**

Lorsqu'une entreprise a subi des pertes pendant plusieurs années, les reports en avant dont elle dispose peuvent représenter un actif important de cette entreprise, voire constituer une bonne partie de sa valeur. Pourquoi ces reports en avant sont-ils un actif de l'entreprise ? Parce que, si l'entreprise devient bénéficiaire, son taux d'impôt sera nul jusqu'à épuisement du stock de déficits. Et si l'entreprise en question se fait racheter par une autre (bénéficiaire), l'entreprise acheteuse pourra bénéficier des reports en avant pour réduire ses propres impôts… Il peut être tout à fait rentable d'acheter une entreprise déficitaire !

En France, fin 2012, Eurotunnel disposait de reports déficitaires d'une valeur de 2,9 milliards d'euros, correspondant aux déficits liés à l'exploitation du tunnel sous la Manche depuis son ouverture. Compte tenu d'un taux d'impôt qui était alors de 33 %, cela signifie que l'entreprise disposait d'un actif d'une valeur de 957 millions d'euros.

8.5. Analyser un projet

Un choix d'investissement se fonde sur un critère simple : il suffit de maximiser la valeur actuelle nette. En pratique, le problème ne vient pas du critère, mais de l'incertitude qui entoure les flux de trésorerie et le coût du capital. En fait, le plus important avant de décider d'un investissement, c'est de vérifier que les estimations et les hypothèses adoptées sont réalistes et que les conséquences d'une erreur de prévision sont limitées. Pour ce faire, il faut apprécier l'incertitude entourant l'estimation de la valeur d'un projet.

Analyse de point mort (*break-even analysis*)

Lorsque la valeur d'un paramètre est incertaine, il est possible de déterminer le **point mort** de celui-ci, c'est-à-dire la valeur du paramètre telle que la VAN du projet soit nulle. Ensuite, la question à se poser est : quelle est la probabilité que le paramètre considéré n'atteigne pas la valeur de point mort ?

Ce raisonnement a été utilisé implicitement lors du calcul du taux de rentabilité interne (TRI), au chapitre 7. La différence entre le TRI et le coût du capital indique en effet la marge d'erreur sur le coût du capital qui est permise sans que la décision d'investissement ne soit modifiée : lorsqu'un TRI est égal à 6,1 % et que le coût du capital est de 6 %, une minuscule erreur de prévision sur le coût du capital suffit à rendre le projet destructeur de valeur…

Au contraire, le TRI des flux de trésorerie disponibles de HomeNet est de 27 % (tableau 8.7). Cela signifie que le coût du capital du projet (prévu à 12 %) pourrait plus que doubler sans que la VAN de ce projet ne devienne négative. Les conséquences d'une erreur de prévision « normale » sur le coût du capital ne sont donc pas de nature à mettre en péril la rentabilité du projet.

Tableau 8.7	**TRI du projet HomeNet**					
	0	**1**	**2**	**3**	**4**	**5**
TRI de HomeNet						
1 Flux de trésorerie disponibles	− 18 750	6 525	8 625	8 625	8 625	2 475
2 **Taux de rentabilité interne**	**27,03 %**					

Il est évidemment possible de mener une analyse de point mort pour tous les principaux paramètres relatifs à un projet. Le tableau 8.8 présente le point mort (estimé par tâtonnements successifs) de plusieurs paramètres importants pour le projet HomeNet.

Tableau 8.8	**Point mort du projet HomeNet**
Paramètre	**Point mort**
Nombre d'unités vendues	77 650 unités par an
Prix de gros unitaire	229 €
Coût de fabrication unitaire	141 €

Ainsi, lorsqu'on part des hypothèses initiales du projet HomeNet, le point mort en termes de ventes annuelles est un peu en dessous de 80 000 unités. Avec des ventes annuelles égales à 100 000 unités (hypothèse de départ), le point mort en termes de prix de vente unitaire est de 229 €.

Il est également possible de calculer le point mort d'exploitation, autrement dit le niveau des ventes qui annule le résultat d'exploitation (et non la VAN). Le point mort d'exploitation est d'environ 32 000 unités par an ; la VAN est alors égale à − 14 millions d'euros.

Erreur à éviter	**Impôt sur les sociétés et investissement**

Les partisans d'une baisse du taux d'imposition sur les sociétés utilisent souvent l'argument que cela stimulera l'investissement des entreprises et donc la croissance économique. La réalité est plus nuancée : une baisse du taux d'imposition n'a d'influence que si elle conduit les entreprises à *modifier* certaines de leurs décisions d'investissement. Pour que ce soit le cas, il faut que la baisse de l'impôt transforme un projet à VAN négative en un projet à VAN positive. En d'autres termes, la baisse du taux d'imposition doit rendre de *nouveaux* projets d'investissement rentables.

La figure ci-dessous montre la VAN du projet HomeNet en fonction des ventes espérées, selon que le taux d'imposition des sociétés est de 25 % ou de 35 %. Un taux d'imposition faible améliore la VAN d'un projet quand elle est positive, mais la réduit quand elle est négative. La réduction du taux d'imposition augmente donc la valeur des entreprises profitables, mais cela modifie-t-il leurs investissements ? En fait, la figure montre que le point où la VAN est nulle (le point mort) est à peine modifié par le taux d'imposition. Si les ventes attendues sont trop faibles pour que le projet HomeNet ait une VAN positive avec un taux d'imposition de 35 %, abaisser ce dernier à 25 % ne modifiera probablement pas les choses.

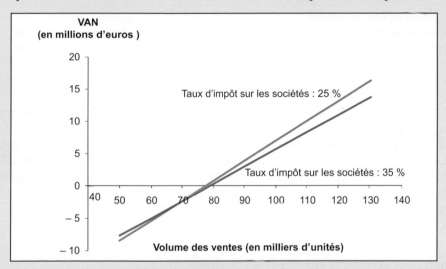

Cet exemple illustre une idée plus générale. Comme les projets à VAN nulle ne sont pas très rentables, ils ne paient que très peu d'impôts. Changer le taux d'imposition n'affecte donc guère leur valeur. Plus formellement, si l'on regarde l'équation (8.6), les impôts modifient les revenus et les coûts du projet de manière identique. Le taux d'imposition n'influence la valeur des projets que par le biais de l'amortissement et de la variation du besoin en fonds de roulement. Seuls les projets ayant des durées d'amortissement longues ou ceux nécessitant d'importants investissements dans le fonds de roulement seront donc sensibles à une réduction de l'impôt sur les sociétés.

Il peut également y avoir des canaux indirects par lesquels une réduction de l'impôt sur les sociétés stimulerait l'investissement. L'augmentation des profits pourrait permettre à certaines entreprises d'investir alors qu'elles étaient auparavant contraintes financièrement. Si les entreprises versaient des dividendes plus élevés, les actionnaires, plus riches, pourraient dépenser davantage, ce qui augmenterait la demande globale. Il n'en demeure pas moins que l'effet direct d'une baisse de l'impôt sur les sociétés sur le niveau d'investissement des entreprises est très limité dans la plupart des cas.

Analyse de sensibilité

On peut également recourir à une **analyse de sensibilité** pour opérer un choix d'investissement. Cette analyse consiste à estimer la variation de la VAN à la suite d'une variation de la valeur d'un paramètre. De cette façon, il est possible de mesurer l'ampleur des conséquences d'une erreur de prévision d'un paramètre sur la VAN, et donc d'identifier quelles hypothèses ont l'incidence la plus forte sur le choix d'investissement. Ce sont celles-là qui devront faire l'objet de l'investigation la plus poussée et d'un suivi attentif de la part des dirigeants de l'entreprise si le projet est effectivement lancé.

À titre d'illustration, les paramètres sous-jacents au calcul de la VAN de HomeNet sont détaillés dans le tableau 8.9, avec deux jeux d'hypothèses supplémentaires : l'un favorable et l'autre défavorable.

| Tableau 8.9 | Analyse de sensibilité du projet HomeNet | | |

Paramètre	Hypothèse défavorable	Hypothèse de départ	Hypothèse favorable
1 Unités vendues (en milliers)	70	100	130
2 Prix de vente (en euros)	240	260	280
3 Coût des ventes (en euros par unité)	120	110	100
4 Taux de cannibalisation	40 %	25 %	10 %
5 Coût du capital	15 %	12 %	10 %

Afin de mesurer les conséquences sur la VAN du projet d'une erreur de prévision sur un paramètre, il faut recalculer la VAN de HomeNet sous ces nouvelles hypothèses. Ainsi, si le nombre d'unités vendues est seulement de 70 000 par an, la VAN du projet est égale à – 2,4 millions d'euros. Par contre, si le nombre d'unités vendues est de 130 000, la VAN est de 16,3 millions d'euros. Le calcul est répété pour chaque paramètre, et le résultat est représenté à la figure 8.1. Les paramètres les plus significatifs pour le calcul de la VAN de HomeNet sont le nombre d'unités vendues et le prix de vente de chaque unité. Ce sont donc ces deux paramètres qu'il convient d'étudier avec le plus d'attention.

Exemple 8.9

Analyse de sensibilité aux dépenses publicitaires

Les dépenses publicitaires prévues sont de 2 millions d'euros par an au cours des années 1 à 4. En fait, le P-DG craint que, pour atteindre ses objectifs de vente, Xila ne soit obligée de dépenser 3 millions d'euros par an. Quelle est la VAN du projet sous cette hypothèse ?

Solution

Les dépenses marketing sont égales à 3 millions d'euros. Il est possible de partir du tableau 8.3 pour calculer la VAN du projet sous cette hypothèse. L'autre solution est de calculer l'effet de la variation de 1 million d'euros des dépenses marketing : cela réduit le résultat d'exploitation de 1 million d'euros. Les flux de trésorerie disponibles de HomeNet diminuent donc d'un montant après impôt de $1 \text{ million} \times (1 - 25 \%) = 0,75$ million d'euros par an. La valeur actuelle de cette baisse est de :

$$VA = (-0,75 / 1,12) + (-0,75 / 1,12^2) + (-0,75 / 1,12^3) + (-0,75 / 1,12^4)$$
$$= -2,704 \text{ millions d'euros}$$

La VAN de HomeNet baisse donc à $6,976 - 2,704 = 4,273$ millions d'euros.

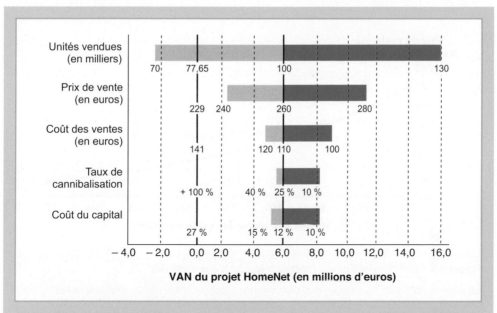

Figure 8.1 – Analyse de sensibilité : VAN de HomeNet

Les barres colorées montrent la variation de la VAN dans la situation la plus favorable (par rapport à la situation centrale) pour chaque paramètre ; en gris, la variation de la VAN dans la situation la moins favorable. Le point mort de chaque paramètre est également représenté. Sous les hypothèses initiales, la VAN de HomeNet est de 6 976 millions d'euros.

Analyse de scénario

Jusqu'ici, seule la variation d'*un* paramètre en même temps a été étudiée. Pourtant, il est vraisemblable que plusieurs paramètres soient liés : le prix de vente des produits et le nombre d'unités vendues, par exemple. L'**analyse de scénario** prend en compte l'effet sur la VAN de la variation de plusieurs paramètres simultanément. Le tableau 8.10 détaille ainsi deux scénarios alternatifs au scénario central pour examiner l'intérêt d'une stratégie de volume (baisse du prix de vente de HomeNet) et d'une stratégie de prix (hausse du prix). À la lecture de ce tableau, on s'aperçoit que la stratégie initiale est optimale.

Tableau 8.10   Analyse de scénario sur les différentes stratégies de tarification

Stratégie	Prix de vente unitaire (en euros)	Unités vendues (en milliers)	VAN (en millions d'euros)
Stratégie actuelle	260	100	6,976
Stratégie de volume (baisse des prix)	245	110	6,419
Stratégie de prix (hausse des prix)	275	90	6,865

La figure 8.2 représente l'ensemble des combinaisons prix/volume telles que la VAN du projet soit égale à 6,976 millions d'euros. Toutes les combinaisons au-dessus de cette courbe ont une VAN plus élevée.

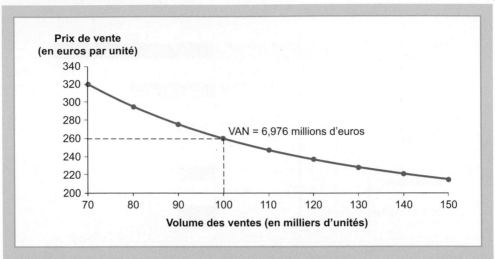

Figure 8.2 – Combinaisons prix/volume de même VAN que HomeNet

La courbe présente l'ensemble des combinaisons prix/volume qui permettent à l'entreprise d'obtenir une VAN égale à 6,976 millions d'euros. Au-dessus (respectivement au-dessous) de cette courbe, la VAN est supérieure (inférieure).

| Entretien | David Holland, vice-président finance de Cisco |

David Holland est vice-président de l'entreprise américaine Cisco en charge des financements, de la gestion des risques et des activités de marché. Cisco est un des leaders mondiaux des réseaux informatiques ; la compagnie emploie des dizaines de milliers de salariés dans plus de 75 pays pour un chiffre d'affaires annuel de plus de 50 milliards de dollars.

En quoi le fait de considérer les flux de trésorerie disponibles plutôt que le résultat net est-il important ?

J'ai l'habitude de dire que les flux de trésorerie sont des faits, alors que le résultat net n'est qu'une opinion. Le calcul du résultat net est obtenu dans un cadre comptable qui obéit à une logique propre, mais qui ne parle pas forcément aux investisseurs. À l'inverse, l'interprétation des flux de trésorerie est claire : il n'y a pas lieu de discuter de l'argent qui entre et qui sort des caisses de l'entreprise. Les investissements réalisés par Cisco sont principalement fondés sur les modèles de flux de trésorerie, ce qui permet de tenir compte des risques et d'apprécier la création de valeur pour les actionnaires.

Quels sont les indicateurs utilisés par Cisco pour choisir ses investissements ?

Nous utilisons principalement la VAN. Il ne s'agit toutefois pas juste d'accepter les projets à VAN positive et de rejeter les autres. Il convient également d'identifier les facteurs qui conditionnent le plus la décision et de montrer comment ils interagissent. Nous examinons, par exemple, différentes stratégies de marge : cela permet d'apprécier en quoi nos résultats dépendent des hypothèses sur les coûts opérationnels et la croissance des revenus.

...

...

Nous préférons le critère de la VAN à celui du TRI qui peut être équivoque, voire conduire à de mauvais choix. Ce critère est certes attractif de par sa simplicité. Cependant, il ne tient pas compte de la taille du projet. Demandez aux actionnaires s'ils préfèrent un projet avec une rentabilité de 25 % qui augmente leur richesse de 1 million de dollars ou un projet avec une rentabilité de 13 % qui crée 1 milliard de richesse… La VAN capture cet effet taille et permet d'évaluer l'impact d'un projet sur le cours boursier de l'entreprise. C'est non seulement utile aux actionnaires, mais aussi aux salariés qui sont intéressés aux performances financières de leur entreprise.

Vos modèles d'évaluation tiennent-ils compte de l'incertitude qui entoure la valeur des paramètres ?

Cisco doit prendre des centaines de décisions d'investissement chaque année. Évaluer les flux de trésorerie est toujours un exercice difficile. Mais c'est plus vrai encore dans le secteur des nouvelles technologies. Lorsque vous faites l'acquisition d'une raffinerie, vous avez une assez bonne vision à moyen terme des flux que cela va générer. En revanche, investir dans la mise au point d'un nouveau composant technologique qui entrera dans la fabrication des routeurs dans quelques années ou décider de se lancer sur un nouveau segment de marché est très complexe. Les investissements, tout comme les résultats, sont souvent intangibles. Les analyses de scénarios et de sensibilité, ainsi que l'usage de la théorie des jeux, nous permettent de contrôler les risques et d'ajuster notre stratégie.

Utiliser Excel	L'analyse de projet

Excel dispose de fonctions utiles pour analyser un projet d'investissement.

La fonction Valeur cible pour l'analyse du point mort

La fonction Valeur cible permet de calculer le point mort d'un projet en fonction d'une hypothèse du modèle. Par exemple, pour déterminer le prix de vente correspondant au point mort du projet HomeNet, il faut appeler la fonction Valeur cible (Données > Analyse de scénarios > Valeur cible), puis entrer les trois paramètres de la fonction : la cellule qui contient la valeur cible recherchée, ici la VAN du projet (cellule E94) ; la cible à atteindre (0 pour le point mort) ; le paramètre sur lequel jouer pour atteindre la cible, ici le prix de vente unitaire (cellule F10). Par itérations successives, Excel trouve le niveau recherché du prix de vente qui annule la VAN du projet (ici 229 €).

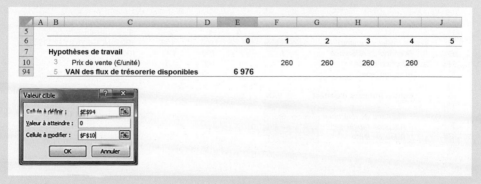

...

...

Les tables de données pour l'analyse de sensibilité

Les tables de données ont été utilisées au chapitre 7 pour étudier la sensibilité de la VAN à la modification d'une hypothèse. Il est possible de construire des tables de données à deux dimensions pour analyser la sensibilité de la VAN à la modification simultanée de deux variables. L'exemple ci-dessous montre la VAN de HomeNet pour des couples différents de coûts unitaires de production et de taux de cannibalisation.

		Q	R	S	T	U
6						
7			**Coût unitaire (€ /unité)**			
8		**6 976**	*110*	*105*	*100*	*95*
9		25%	**6 976**	8 092	9 206	10 320
10	Cannibalisation	35%	6 086	7 199	8 313	9 428
11		45%	5 192	6 307	7 422	8 537
12		55%	4 301	5 416	6 530	7 645
13		65%	3 410	4 525	5 638	6 754
14		75%	2 517	3 632	4 747	5 862

Pour construire cette table, il faut renseigner les valeurs que l'on souhaite considérer comme sensibilités pour les deux variables (en italique dans le tableau) ainsi que la formule définissant la variable étudiée (dans le coin supérieur gauche du tableau. Ici, la formule est un lien vers la cellule contenant la VAN du projet). Il faut ensuite sélectionner l'ensemble de la table, puis appeler la fonction Table de données (Données > Analyse de scénarios > Table de données) et renseigner les cellules correspondant aux paramètres d'entrée (le coût unitaire et le taux de cannibalisation). On s'aperçoit ainsi que si le taux de cannibalisation est de 45 % mais que le coût unitaire de production soit réduit à 100 €, la VAN du projet HomeNet s'améliore à 7,4 millions d'euros.

Les tables de données pour l'analyse de scénarios

Les tables de données peuvent être utilisées pour étudier des scénarios variés. Pour ce faire, il faut les définir. Par exemple, on peut construire plusieurs scénarios d'évolution des ventes, puis utiliser la fonction Index pour changer rapidement de scénario : dans l'exemple ci-dessous, il suffit de changer la valeur de la cellule T32 pour passer d'un scénario à l'autre (1, 2 ou 3 suivant le scénario désiré). Il est ensuite possible de créer une table de données unidimensionnelle pour comparer les VAN dans chaque scénario.

	P Q	R	S T	U	V	W	X	Y	Z
30									
31				0	1	2	3	4	
32	Ventes (milliers d'unités)		1	-	100	100	100	=INDEX(Y33:Y35;$T$32)	
33	*Scénario de référence*		*1*	-	*100*	*100*	*100*	*100*	
34	*Adoption rapide*		*2*	-	*100*	*120*	*140*	*140*	
35	*Adoption lente*		*3*	-	*50*	*75*	*100*	*100*	
36									
37	**Ventes (milliers d'unités)**		**VAN**						
38			6 976						
39	*Scénario de référence*	*1*	6 976						
40	*Adoption rapide*	*2*	14 153						
41	*Adoption lente*	*3*	341						
42									

Résumé

Estimer le résultat net d'un projet

- La planification financière (*capital budgeting*) consiste à étudier les conséquences d'un projet sur les flux de trésorerie de l'entreprise. On peut ainsi calculer la VAN et s'assurer que le projet crée de la valeur pour l'entreprise.

- Le résultat net additionnel d'un projet est la variation espérée du résultat net de l'entreprise imputable au projet.

- Le résultat net additionnel d'un projet est calculé en tenant compte de tous les bénéfices et de tous les coûts liés au projet, y compris les externalités et les coûts d'opportunité. Il faut en revanche exclure les coûts irrécupérables et les charges d'intérêts.

  a. Les externalités sont les flux de trésorerie (positifs ou négatifs) qui se produisent lorsqu'un projet a une incidence sur les autres activités de l'entreprise.

  b. Le coût d'opportunité est le coût à supporter pour l'utilisation d'un actif ; il correspond à la valeur de l'actif dans son usage alternatif le plus profitable.

  c. Un coût irrécupérable est une dépense déjà effectuée ; en cas d'arrêt du projet, celle-ci est perdue.

- L'impôt sur les sociétés est calculé en multipliant le résultat courant avant impôt à endettement nul par le taux d'imposition marginal. Il faut tenir compte, le cas échéant, des reports déficitaires en avant ou en arrière.

- Lorsqu'on envisage de réaliser un investissement, on ne doit pas se préoccuper, dans un premier temps, de la façon dont on va le financer. Aussi, convient-il d'ignorer les dépenses d'intérêts et de calculer le résultat net à endettement nul du projet :

$$\text{Résultat net à endettement nul} = \text{Résultat d'exploitation} \times (1 - \tau_{IS}) \qquad (8.2)$$
$$= (\text{Chiffre d'affaires} - \text{Coûts et amortissements}) \times (1 - \tau_{IS})$$

Déterminer les flux de trésorerie disponibles et la VAN d'un projet

- Les flux de trésorerie disponibles sont calculés à partir du résultat net à endettement nul en éliminant toutes les charges non décaissables (c'est-à-dire celles qui ne sont pas des dépenses effectives) et en ajoutant toutes les dépenses en capital.

  a. L'amortissement n'est pas une charge décaissable ; il faut donc l'ajouter au résultat net à endettement nul.

  b. Les investissements doivent être déduits du résultat net.

  c. Les augmentations du BFR doivent être déduites du résultat net.

- Pour calculer directement les flux de trésorerie disponibles, on utilise la formule :

$$\text{Flux de trésorerie disponibles} = \overbrace{(\text{Chiffre d'affaires} - \text{Coûts} - \text{Amortissements}) \times (1 - \tau_{IS})}^{\text{Résultat net à endettement nul}}$$
$$+ \text{Amortissements} - \text{Investissements} - \Delta BFR$$

$$(8.5)$$

- Le taux d'actualisation à retenir pour un projet correspond au coût du capital ; il est égal à la rentabilité espérée d'un actif de même risque et de même échéance.

- Seuls les projets à VAN positive doivent être retenus.

8.3. Choisir entre différents projets

- Si l'entreprise a le choix entre plusieurs projets mutuellement exclusifs, il faut choisir celui dont la VAN est la plus élevée.

- Lorsqu'on compare différentes alternatives, le plus simple est de ne prendre en compte que les flux de trésorerie disponibles qui diffèrent et de retenir l'alternative ayant la plus grande VAN.

8.4. Quelques problèmes supplémentaires…

- L'amortissement influence les flux de trésorerie disponibles en raison des économies d'impôt qu'il permet. L'entreprise peut augmenter la VAN d'un projet à l'aide d'un régime d'amortissement plus rapide (régime dégressif plutôt que linéaire, par exemple).

- Quand un actif est vendu, les éventuels impôts à payer sont calculés sur la différence entre le prix de vente et la valeur comptable de l'actif net des amortissements.

- Les flux de trésorerie disponibles doivent intégrer la valeur de liquidation après impôt du projet ou sa valeur terminale lorsque celui-ci se prolonge au-delà de l'horizon de prévision des flux de trésorerie. La valeur terminale se calcule comme la valeur actuelle des flux de trésorerie espérés au-delà de l'horizon de prévision.

8.5. Analyser un projet

- L'analyse de point mort consiste à calculer la valeur d'un paramètre telle que la VAN d'un projet soit nulle.

- L'analyse de sensibilité calcule la variation de la VAN provoquée par une modification de la valeur d'un paramètre.

- L'analyse de scénario calcule la variation de la VAN provoquée par la modification simultanée de la valeur de plusieurs paramètres.

L'astérisque désigne les exercices les plus difficiles.

1. Pisa Pizza commercialise des pizzas surgelées et envisage d'introduire sur le marché une nouvelle gamme allégée. Le chiffre d'affaires anticipé est de 20 millions d'euros par an. Pisa Pizza estime que 40 % de la demande de nouvelles pizzas se fera au détriment des pizzas qu'elle vend actuellement. Le prix des deux gammes de pizzas est identique. De combien augmente le chiffre d'affaires de l'entreprise ? En fait, la moitié des clients qui passeront de l'ancienne gamme de pizzas à la nouvelle se seraient tournés vers la concurrence si Pisa Pizza n'avait pas lancé des pizzas plus diététiques. Quelle est l'augmentation du chiffre d'affaires liée au lancement de ces pizzas ?

2. Kokomochi envisage de lancer une campagne publicitaire d'un coût de 5 millions d'euros pour son nouveau dessert, le Mini Mochi Munch. Le département marketing estime que cette campagne conduira à une augmentation des ventes de Mini Mochi Munch de 9 millions d'euros cette année et de 7 millions d'euros l'année prochaine. En outre, l'entreprise anticipe que les nouveaux clients qui goûteront le Mini Mochi Munch achèteront ensuite plus volontiers les autres produits Kokomochi. Les ventes des autres produits sont donc censées augmenter de 2 millions chaque année. Le taux de marge d'exploitation sur les Mini Mochi Munch est de 35 % et le taux de marge d'exploitation est en moyenne de 25 % sur les autres produits. Le taux d'imposition marginal de l'entreprise est de 20 %. Quel est le résultat net additionnel associé au projet « campagne publicitaire » ?

3. Home Déco, une chaîne de boutiques de décoration d'intérieur, possède actuellement sept boutiques en France. La direction envisage d'ouvrir une huitième boutique. L'entreprise est déjà propriétaire du terrain où sera située la boutique, pour l'instant occupé par un entrepôt désaffecté. Le mois dernier, le département marketing a dépensé 10 000 € pour une étude de marché visant à déterminer la demande potentielle adressée à cette nouvelle boutique. Il faut maintenant décider d'ouvrir la boutique ou non. Parmi les éléments suivants, quels sont ceux qui doivent être intégrés dans le calcul du résultat net additionnel de la nouvelle boutique ?

   a. le prix du terrain où sera situé le magasin ;

   b. le coût de démolition de l'entrepôt ;

   c. la baisse des ventes dans les autres boutiques (certains clients iront dans la nouvelle boutique plutôt que dans une ancienne) ;

   d. les 10 000 € dépensés en étude de marché ;

   e. le coût de construction de la nouvelle boutique ;

   f. la valeur du terrain s'il était vendu ;

   g. les charges d'intérêts relatives à la dette nécessaire à la construction de la boutique.

4. Hyperion commercialise actuellement une imprimante couleur, Hyper 500, au prix de 350 €. L'entreprise envisage de baisser son prix de 50 € l'année prochaine. Le coût unitaire de fabrication de l'imprimante est de 200 €. Les ventes anticipées sont de 20 000 unités cette année. Si l'entreprise baisse immédiatement le prix de 50 €, elle peut espérer augmenter les ventes de 25 % cette année. Quel est l'effet d'une baisse immédiate du prix sur le résultat d'exploitation cette année ? Pour toute imprimante vendue, Hyperion anticipe que ses ventes de cartouches d'encre augmenteront de 75 € par an sur les trois prochaines années ; le taux de marge d'exploitation d'Hyperion sur ces cartouches est de 70 %. Quel est l'effet additionnel d'une baisse immédiate du prix sur le résultat d'exploitation des trois prochaines années ?

5. Certaines hypothèses du projet HomeNet peuvent être affinées. En particulier, il est peu probable que les ventes soient constantes et on peut imaginer qu'elles augmentent au fil du temps. En revanche, les prix vont devoir être régulièrement ajustés à la baisse afin que le produit reste concurrentiel. Il est également probable que des économies d'échelle puissent être réalisées, ce qui réduira progressivement le coût de production unitaire. Les nouvelles hypothèses sont donc les suivantes : vous prévoyez de vendre 50 000 unités la première année, puis 50 000 de plus chaque année, les trois années suivantes. Le prix, qui au départ est de 260 €, devrait décroître de 10 % chaque année tandis que le coût unitaire, initialement de 110 €, devrait diminuer de 20 % par an. En outre, la loi ne vous permet plus d'amortir vos investissements sur cinq ans, mais sur trois ans seulement.

   a. Calculez le nouveau résultat net à endettement nul (pour simplifier, on ignore les effets indirects ; autrement dit, il convient de se référer au tableau 8.1).

   b. On suppose désormais que, chaque année, 20 % des acheteurs du produit HomeNet auraient acheté un autre routeur de la firme Xila vendu au prix de 100 €, pour un coût de production unitaire de 60 €. Recalculez le résultat net à endettement nul sous cette nouvelle hypothèse.

6. Cellular Access est un opérateur de téléphonie mobile. Son dernier exercice fiscal fait état d'un résultat net de 250 millions d'euros, de dotations aux amortissements de 100 millions d'euros et d'investissements de 200 millions d'euros. Le BFR a par ailleurs augmenté de 10 millions d'euros. L'entreprise n'est pas endettée. Calculez ses flux de trésorerie disponibles.

7. Castle Games envisage de créer une filiale de développement de jeux vidéo. Le directeur financier souhaite calculer le BFR associé à ce projet. Il dispose des données suivantes :

	Année 1	Année 2	Année 3	Année 4	Année 5
Stocks	5	7	10	12	13
Créances clients	21	22	24	24	24
Dettes fournisseurs	18	22	24	25	30

Quels sont les flux de trésorerie associés aux variations du BFR pour les cinq années ?

8. Mersey est une entreprise de transport qui souhaite acquérir deux nouveaux wagons frigorifiques. Le coût d'un wagon est de 2 millions d'euros et il est supposé constant. Les wagons ont une durée de vie supposée infinie, mais pour des raisons fiscales il est prévu de les amortir linéairement sur cinq ans. Le taux d'imposition marginal est de 25 %. L'achat des wagons est possible dans deux ou quatre ans. Suivant l'option choisie par Mersey, comment cela modifie-t-il les flux de trésorerie disponibles ?

9. Emdale doit décider d'augmenter, ou non, sa capacité de production. La direction anticipe les flux de trésorerie suivants sur les deux prochaines années (en millions d'euros) :

	Année 1	Année 2
Chiffre d'affaires	125	160
Consommations de matières premières et charges de personnel	40	60
Amortissements	25	36
Augmentation du BFR	5	8
Investissements	30	40
Taux d'imposition marginal	25 %	25 %

Quel est le résultat net additionnel ? Quels sont les flux de trésorerie disponibles ?

10. Percolat SA envisage d'augmenter ses capacités de production grâce à un investissement de 25 millions d'euros. Un rapport réalisé par des consultants, qui a coûté 1 million d'euros, prévoit le résultat suivant (en milliers d'euros) :

	1	2	...	9	10
Chiffre d'affaires	30 000	30 000	...	30 000	30 000
− Coûts des ventes	− 20 500	− 20 500	...	− 20 500	− 20 500
− Coûts commerciaux	− 2 000	− 2 000	...	− 2 000	− 2 000
− Amortissements	− 2 500	− 2 500	...	− 2 500	− 2 500
= Résultat d'exploitation	7 500	7 500	...	7 500	7 500
− Impôt sur les sociétés	− 1 875	− 1 875	...	− 1 875	− 1 875
= **Résultat net**	**5 625**	**5 625**	...	**5 625**	**5 625**

Les consultants ont utilisé un régime linéaire d'amortissement pour le nouvel équipement acheté l'année 0, suivant la recommandation des comptables de l'entreprise. Le rapport conclut que le projet augmentera le résultat net de l'entreprise de 5,625 millions d'euros pendant 10 ans, et donc que la valeur du projet est de 56,25 millions d'euros.

Le DAF considère que les consultants ont fourni un travail incomplet : ils n'ont pas pris en compte les 10 millions de BFR nécessaires au projet l'année 0 (intégralement récupérés l'année 10). Par ailleurs, la moitié des coûts commerciaux sera dépensée que le projet soit mené à terme ou non. Le coût du capital de ce projet est de 14 %. Quelle est la VAN du projet ?

11. Reprenez les hypothèses de l'exercice 5(a) et calculez le nouveau BFR de HomeNet (prenez comme modèle le tableau 8.4), ainsi que les flux de trésorerie disponibles (prenez comme modèle le tableau 8.3).

12. Vélolec produit chaque année 300 000 vélos. Les chaînes sont achetées auprès d'un sous-traitant 2 € pièce. Le responsable de la production estime qu'il est possible de les produire en interne pour un coût unitaire de 1,5 €. Il faut pour ce faire acquérir une machine qui coûte 250 000 € et dont la durée de vie est de 10 ans au terme desquels la valeur résiduelle est de 20 000 €. Il est possible d'amortir linéairement cette machine sur toute sa durée de vie. Fabriquer les chaînes en interne nécessite par ailleurs d'augmenter le BFR de 50 000 €, mais le responsable de la production prétend qu'on peut négliger cette dépense car elle sera récupérée dans 10 ans. Le taux d'imposition marginal est de 25 % et le coût du capital de 15 %. Quelle est la VAN associée à la décision de faire, plutôt que de faire faire ?

13. PML a fait l'acquisition l'année dernière d'une machine au prix de 110 000 €. Cette machine est amortie linéairement sur une période de 11 ans. À ce moment-là, sa valeur de marché sera nulle. La valeur de marché actuelle de la machine est de 50 000 €. L'excédent brut d'exploitation lié à l'utilisation de cette machine est de 20 000 € par an pendant 10 ans. Une nouvelle machine, plus performante, vient d'être commercialisée au prix de 150 000 €. Cette machine pourrait être amortie linéairement sur une période de 10 ans. Sa valeur de marché dans 10 ans sera nulle. L'excédent brut d'exploitation lié à l'utilisation de cette nouvelle machine est de 40 000 € par an pendant 10 ans. Le taux d'imposition marginal de l'entreprise est de 25 %. Le coût d'opportunité du capital est de 10 %. L'entreprise doit-elle remplacer l'ancienne machine ?

14. Beryl loue actuellement une machine d'embouteillage pour 50 000 € par an, dépenses de maintenance incluses. L'entreprise hésite à prolonger le contrat de location. Deux options sont possibles :

    a. Acheter la machine qui est actuellement louée au prix de 150 000 €. Les dépenses de maintenance sont de 20 000 € par an.

    b. Acheter une nouvelle machine plus sophistiquée au prix de 250 000 €. Le coût de maintenance est de 15 000 € par an, mais cela réduira le coût d'embouteillage de l'entreprise de 10 000 € par an. Il faudra dépenser 35 000 € immédiatement pour former les ouvriers.

    Le taux d'actualisation est de 8 %. Les coûts de maintenance sont payés à la fin de chaque année, tout comme les loyers. Les amortissements se font sur sept ans selon le régime linéaire. La durée de vie des deux machines est de 10 ans et leur valeur de marché sera nulle au bout de cette période. Le taux d'imposition est de 25 %. Que doit faire l'entreprise ?

15. Markov Industrie a récemment dépensé 15 millions d'euros pour l'achat d'un nouvel équipement. Sa durée de vie est de cinq ans. Le taux d'imposition marginal est de 25 %. Quelle est l'économie d'impôt réalisée par l'entreprise si elle adopte un régime d'amortissement linéaire ? Et si l'amortissement est dégressif ? Quel régime l'entreprise doit-elle choisir ?

16. L'entreprise Casta envisage d'acheter un nouvel équipement d'une valeur de 10 millions d'euros. Le taux d'imposition marginal est de 25 % et le coût du capital de 8 %. On considère plusieurs modalités d'amortissements :

    a. amortissement linéaire sur 10 ans ;

    b. amortissement linéaire sur cinq ans ;

c. amortissement dégressif sur cinq ans ;

d. passage en charges sur l'exercice courant.

Calculez dans chaque cas la VAN liée aux économies d'impôt.

17. Arnold SA projette de se lancer sur le marché des barres ultraprotéinées. Cela impose d'utiliser un entrepôt que la firme a acquis trois ans plus tôt pour 1 million d'euros et qui, depuis, est loué 120 000 € par an (il pourra être reloué au même prix au terme du projet). Il faut également acquérir du matériel pour 1,4 million d'euros. Celui-ci peut être amorti linéairement sur une durée de 10 ans. L'entreprise prévoit toutefois que le projet s'étalera sur huit ans, au terme desquels le matériel pourra être revendu 500 000 €. Le projet requiert un BFR équivalent à 10 % des ventes prévues pour l'année à venir et sera récupéré au terme des huit ans. L'entreprise espère réaliser un chiffre d'affaires annuel de 4,8 millions d'euros pendant les huit ans. Les coûts de production (hors amortissement) sont estimés à 80 % du chiffre d'affaires. Les profits sont imposés au taux de 30 % et le coût du capital est de 15 %. Calculez les flux de trésorerie disponibles et la VAN.

18. Bay Immo envisage de créer un département consacré à l'immobilier commercial. Les prévisions des flux de trésorerie disponibles de ce projet au cours des quatre prochaines années sont :

	Année 1	Année 2	Année 3	Année 4
Flux de trésorerie disponibles	– 185 000 €	– 12 000 €	99 000 €	240 000 €

Les flux de trésorerie après l'année 4 augmenteront de 3 % par an à l'infini. Le coût du capital est de 14 %. Quelle est la valeur terminale en année 4 des flux postérieurs à l'année 4 ? Quelle est la valeur actuelle du projet ?

19. L'entreprise QZA envisage la création d'une filiale. Le coût du capital est de 12 %. L'objectif est d'estimer la valeur terminale de la filiale, au bout de cinq ans. À cette date, les prévisions sont les suivantes : chiffre d'affaires : 1,2 million d'euros ; flux de trésorerie disponibles : 110 000 € ; résultat d'exploitation : 100 000 € ; valeur comptable des capitaux propres : 400 000 € ; résultat net : 50 000 € ; taux d'augmentation des flux de trésorerie disponibles : 2 % par an à l'infini.

a. Quelle est la valeur terminale de la filiale en année 5 ?

b. Le PER moyen des entreprises du secteur est de 30. Quelle est la valeur terminale si le PER de la filiale en année 5 est identique au PER moyen des entreprises du secteur ?

c. Le *price-to-book ratio* moyen des entreprises du secteur est de 4. Quelle est la valeur terminale calculée à partir de ce ratio ?

20. Reprenez les hypothèses de l'exercice 5(a) et calculez la VAN du projet HomeNet en supposant successivement que le coût du capital est de 10 % ; 12 % ; 14 %. Quel est le TRI ?

21. Reprenez les hypothèses de l'exercice 5(a) et calculez le point mort du projet HomeNet en termes de prix de vente puis d'unités vendues, pour un coût du capital de 12 %.

22. Bauer est un fabricant d'éoliennes. Le dirigeant évalue un projet de nouvelle usine pour faire face au développement du marché mondial. Le coût du capital de ce projet est de 12 %. Les flux de trésorerie disponibles anticipés sont (en millions d'euros) :

	Année 0	Années 1 à 9	Année 10
Chiffre d'affaires		100	100
– Consommation de matières premières		– 35	– 35
– Charges de personnel		– 10	– 10
= Excédent brut d'exploitation		55	55
– Amortissements		– 15	– 15
= Résultat d'exploitation		40	40
– Impôt sur les sociétés (25 %)		– 10	– 10
= **Résultat net à endettement nul**		**30**	**30**
+ Amortissements		+ 15	+ 15
– Augmentation du BFR		– 5	– 5
– Investissements	– 150		
+ Valeur terminale			+ 12
= **Flux de trésorerie disponibles**	**– 150**	**40**	**52**

a. Dans ce scénario central, quelle est la VAN du projet ?

b. Le P-DG n'est pas certain de ses anticipations de chiffre d'affaires. Il souhaite étudier la sensibilité de la VAN au chiffre d'affaires. Quelle est la VAN du projet si le chiffre d'affaires est inférieur ou supérieur de 10 % aux prévisions ?

c. Plutôt que supposer que les flux de trésorerie de ce projet sont constants, le P-DG aimerait analyser la sensibilité de la VAN à une croissance du chiffre d'affaires et des coûts de production. Plus précisément, il souhaite étudier l'hypothèse d'une augmentation de 2 % par an du chiffre d'affaires, des consommations de matières premières et des charges de personnel à partir de l'année 2. Quelle est la nouvelle VAN du projet ? Et si l'augmentation est de 5 % par an ?

d. Pour analyser la sensibilité de ce projet au taux d'actualisation, le P-DG souhaite calculer la VAN pour différents coûts du capital. Réalisez un graphique représentant la VAN en fonction du taux d'actualisation (de 5 % à 35 %). Pour quelle fourchette de taux d'actualisation la VAN est-elle positive ?

*23. Billingham envisage d'augmenter ses capacités de production en achetant une nouvelle chaîne de production, XC-750. Le coût de la chaîne est de 2,75 millions d'euros. L'installation de celle-ci prendra plusieurs mois et entraînera une réduction de la production de l'entreprise. Une étude de faisabilité, réalisée par des consultants, a permis de rassembler les données suivantes :

- *Ventes :* à partir de l'année prochaine (et pendant 10 ans), la nouvelle chaîne de production conduira à une augmentation du chiffre d'affaires annuel de 10 millions d'euros.

- *Production :* l'interruption de production fera baisser le chiffre d'affaires de 5 millions d'euros cette année. La consommation de matières premières représente 70 % du chiffre d'affaires (sur tous les produits). L'augmentation de la production permise par la nouvelle chaîne de production imposera une augmentation des stocks de 1 million d'euros pendant les 10 ans du projet.

- *Ressources humaines* : l'expansion imposera d'embaucher du personnel supplémentaire, pour un coût annuel de 2 millions d'euros.

- *Comptabilité* : la XC-750 sera amortie sur 10 ans. Les créances clients seront égales à 15 % du chiffre d'affaires supplémentaire. Les dettes fournisseurs seront égales à 10 % de la consommation de matières premières. Le taux d'imposition marginal de Billingham est de 25 %.

a. Quel est le résultat net additionnel lié à l'achat de la XC-750 ?

b. Quels sont les flux de trésorerie disponibles associés à l'achat de la XC-750 ?

c. Le coût du capital est de 10 %. Quelle est la VAN du projet ?

d. La marge d'erreur sur la prévision de chiffre d'affaires est de 2 millions d'euros. Quelle est la VAN associée à l'hypothèse la plus favorable ? La moins favorable ?

e. Quel est le chiffre d'affaires additionnel permettant d'atteindre le point mort ?

f. Billingham pourrait également acheter la XC-900, plus performante. Son coût est de 4 millions d'euros. Les capacités supplémentaires de la XC-900 par rapport à la XC-750 ne seraient pas utilisées les deux premières années d'exploitation, mais entraîneraient une augmentation du chiffre d'affaires de l'entreprise des années 3 à 10. Quel chiffre d'affaires annuel additionnel (en plus des 10 millions d'euros espérés grâce à la XC-750) sur les années 3 à 10 justifierait d'acheter la XC-900 ?

Étude de cas – La décision de commercialiser une nouvelle voiture

Vous venez d'être embauché(e) par la direction financière de Renault, dans le département en charge des choix d'investissement. Votre première tâche est de calculer les flux de trésorerie disponibles et la VAN d'un projet de voiture électrique. Le développement de ce véhicule nécessite un investissement initial égal à 10 % des immobilisations corporelles de l'entreprise.

Le projet a une durée de vie de cinq ans. Au bout de la première année, il faudra investir une somme supplémentaire égale à 10 % de l'investissement initial. L'investissement nécessaire sera de 5 % de l'investissement initial en fin de deuxième année puis de 1 % en fin de troisième, quatrième et cinquième années. La première année, grâce au nouveau véhicule, le chiffre d'affaires de l'entreprise devrait augmenter de 3 %. Ensuite, le chiffre d'affaires lié à ce nouveau produit devrait augmenter de 15 % la deuxième année, 10 % la troisième, 5 % les quatrième et cinquième années. Le taux d'imposition marginal de Renault est supposé de 25 %.

Le responsable du département vous a indiqué que les coûts des biens et services vendus, les coûts du financement des ventes, les frais de R&D et les frais généraux du projet seront égaux (en pourcentage) à ceux de l'entreprise. De même, le BFR du projet est proportionnel à celui de l'entreprise. Le régime d'amortissement retenu est linéaire. Faut-il lancer le projet ?

1. La première étape est d'obtenir les états financiers (bilan, compte de résultat et tableau des flux de trésorerie simplifiés) du dernier exercice de Renault, disponibles sur le site web de l'entreprise (rubrique Finance > Présentations et documents) ou sur un site d'informations financières spécialisées.

2. Il faut ensuite calculer le flux de trésorerie disponible de l'entreprise à l'aide de l'équation (8.5).

   a. En supposant que la profitabilité de l'investissement sera identique à celle des autres projets de l'entreprise (et qu'elle restera constante tout au long du projet), calculez le résultat d'exploitation prévisionnel de ce projet.

   b. Établissez le tableau d'amortissement.

   c. Calculez le BFR du projet, en supposant que ce BFR est égal à un pourcentage constant du chiffre d'affaires additionnel et que ce pourcentage est identique à celui des autres projets de l'entreprise.

   d. Calculez l'investissement additionnel annuel et la variation annuelle du BFR. Calculez les flux de trésorerie disponibles relatifs au projet.

3. Déterminez le TRI et la VAN du projet pour un coût du capital de 12 %.

4. Réalisez une étude de sensibilité pour calculer la VAN si :

   a. L'augmentation du chiffre d'affaires la première année est de 2 ou de 4 %.

   b. Le coût du capital est de 10 % ou de 14 %.

   c. Les revenus du projet augmentent de 0 % ou de 10 % par an à compter de la deuxième année.

Chapitre 9
L'évaluation des actions

Le 25 janvier 2016, après quatre ans de négociations, un protocole d'accord intergouvernemental est signé entre la France et l'Inde pour la vente de 36 avions Rafale. C'est une excellente nouvelle pour Dassault Aviation, dont l'action monte de plus de 8 % au cours de la semaine. Le 31 mai 2016, Volkswagen annonce une hausse inattendue de son résultat d'exploitation pour le début de l'année. Ce jour-là, l'action Volkswagen perd pourtant en Bourse plus de 2,5 %, l'une des plus fortes baisses de la journée en Europe.

Quels motifs poussent un investisseur à acheter ou à vendre telle ou telle action ? Quels sont les déterminants du cours d'une action ? Pourquoi l'action Volkswagen a-t-elle perdu 2,5 % alors que ses résultats sont en hausse ? Quelles décisions peuvent prendre les dirigeants de l'entreprise pour faire monter le prix de leur action ?

Ce chapitre répond à ces questions en prenant comme point de départ, encore une fois, la Loi du prix unique : le prix d'un actif doit être égal à la valeur actuelle des flux futurs auxquels il donne droit (voir chapitre 3). Ce qui était valable dans le cas des obligations au chapitre 6 l'est tout autant pour les actions, à ceci près que les flux futurs sont beaucoup plus difficiles à prévoir. La section 9.1 porte sur la mesure des dividendes, des rendements et des plus- ou moins-values en capital ; autrement dit, sur la rentabilité associée à la détention d'une action. Les sections 9.2 et 9.3 sont consacrées à la présentation de différents modèles d'actualisation des flux futurs (modèle d'actualisation des dividendes, augmenté ou non, modèle d'actualisation des flux de trésorerie disponibles). Ces modèles actuariels sont ensuite complétés par la méthode dite des comparables (section 9.4). Enfin, la section 9.5 s'intéresse à l'information contenue dans les cours boursiers et à ce que cela implique pour les investisseurs et les entreprises.

9.1. Le modèle d'actualisation des dividendes

La Loi du prix unique établit que le prix d'un actif est égal à la valeur actuelle des flux futurs auxquels il donne droit. Dans le cas d'une action, la principale difficulté réside dans la prévision des flux futurs dont bénéficiera l'actionnaire. Dans un souci de simplification, l'analyse porte tout d'abord sur un actionnaire dont l'horizon de placement est limité à un an. Ce cadre très simplifié met en évidence la relation entre prix de l'action et rentabilité pour l'investisseur. Il est ensuite possible de généraliser aux situations impliquant des horizons plus longs et d'introduire la méthode d'évaluation des actions par actualisation des dividendes.

Un placement à un an

Être actionnaire donne droit à deux sources différentes de revenus potentiels. L'entreprise peut rémunérer directement ses actionnaires en leur versant des dividendes. L'investisseur peut également gagner de l'argent en revendant ses actions. Les dividendes et le produit de la vente des actions dépendent de l'horizon de placement de l'investisseur.

Supposons pour commencer que l'investisseur ait un horizon de placement de un an. L'investisseur achète comptant à la date 0 une action au prix P_0 pour la revendre dans un an au prix P_1. En tant qu'actionnaire, il a droit au dividende versé par l'entreprise : Div_1. Pour simplifier, on suppose que le dividende est versé en fin d'année. L'échéancier est le suivant :

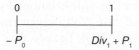

À la date 0, le prochain dividende et le prix de l'action à la date 1 ne sont pas connus avec certitude. Un investisseur doit acheter une action donnée si, compte tenu de ces anticipations, la VAN de ce placement est positive ou nulle – autrement dit, si la valeur actuelle des dividendes et du prix futurs est supérieure ou égale au prix d'achat. Mais les vendeurs potentiels exigent eux aussi une VAN positive ou nulle pour accepter de se séparer de leurs titres – autrement dit, la valeur actuelle des dividendes et du prix futurs doit être inférieure ou égale au prix de vente. Le jeu du marché, qui permet la rencontre entre acheteurs et vendeurs, fait donc progressivement s'ajuster le prix de l'action, jusqu'au point d'équilibre où le prix actuel est égal aux flux futurs actualisés anticipés par le marché.

Les flux futurs ne sont pas connus avec certitude ; ils ne peuvent donc pas être actualisés au taux d'intérêt sans risque. Au lieu de cela, ils doivent être actualisés au **coût des capitaux propres**, r_{CP}, qui est la rentabilité espérée de placements alternatifs disponibles sur le marché de même risque que les actions. Le prix d'équilibre de l'action est donc :

$$P_0 = \frac{Div_1 + P_1}{1 + r_{CP}} \qquad (9.1)$$

On retrouve ici un des résultats du chapitre 3 : l'achat ou la vente d'un titre financier sur un marché concurrentiel est par construction une opération à VAN nulle.

Rendement, gain en capital et rentabilité

L'équation (9.1) peut être reformulée :

Rentabilité d'une action

$$r_{CP} = \frac{Div_1 + P_1}{P_0} - 1 = \underbrace{\frac{Div_1}{P_0}}_{\text{Rendement}} + \underbrace{\frac{P_1 - P_0}{P_0}}_{\text{Taux de plus-value}} \qquad (9.2)$$

$$\underbrace{\qquad\qquad\qquad\qquad\qquad\qquad}_{\text{Rentabilité}}$$

Le premier terme du membre de droite de l'équation (9.2) est le **rendement** de l'action (*dividend yield* ou taux de dividende), c'est-à-dire le dividende annuel espéré rapporté au prix actuel de l'action. Il mesure le gain (en pourcentage[1]) qu'espère l'investisseur du dividende. Le second terme est le gain en capital réalisé par l'actionnaire : la différence entre le prix de vente espéré et le prix d'achat de l'action, $P_1 - P_0$. Afin d'exprimer ce **gain en capital** en pourcentage (comme le rendement), on le divise par le prix courant de l'action : on parle alors de **taux de plus-value** (lorsque P_1 est inférieur à P_0, le gain se transforme en perte et on parlera plutôt d'un taux de moins-value).

La somme du rendement et du taux de plus-value est la **rentabilité**[2] (*total return*) que tire un investisseur de la détention de l'action pendant un an. Ainsi, l'équation (9.2) établit que la rentabilité de l'action doit être égale au coût des capitaux propres. En d'autres termes, *la rentabilité d'une action doit être égale à la rentabilité espérée des placements alternatifs de risque similaire disponibles sur le marché.*

Si tel n'est pas le cas, alors du simple fait de la loi de l'offre et de la demande, les placements offrant la rentabilité la moins élevée seront vendus au profit des placements offrant la rentabilité la plus élevée, ce qui aura immanquablement une incidence sur les prix de sorte que l'équilibre sera rapidement atteint.

Prix et rentabilité des actions

Exemple 9.1

Les investisseurs anticipent que LDS va verser dans un an un dividende de 0,56 € par action ; ils anticipent également que le cours de l'action dans un an sera de 45,50 €. La rentabilité espérée des placements de risque identique est de 6,80 %. Quel doit être le prix d'une action LDS ? À combien s'élèvent rendement, gain en capital et rentabilité espérés ?

Solution

Lorsqu'on utilise l'équation (9.1) :

$$P_0 = \frac{Div_1 + P_1}{1 + r_{CP}} = \frac{0,56 + 45,50}{1,068} = 43,13$$

À ce prix, le rendement espéré est égal à $Div_1 / P_0 = 0,56 / 43,13 = 1,30\,\%$. Le gain en capital espéré est de $45,50 - 43,13 = 2,37$ € par action, soit un taux de plus-value de $2,37 / 43,13 = 5,50\,\%$. La rentabilité espérée est donc de $1,30\,\% + 5,50\,\% = 6,80\,\%$, égale au coût des capitaux propres.

---

1. Parce qu'il s'exprime en pourcentage, on parle parfois de taux de rendement ; il s'agit toutefois d'un pléonasme.
2. Là encore, il arrive que l'on parle (abusivement) de taux de rentabilité.

Zoom sur...   Le mécanisme des ventes à découvert

Si la rentabilité espérée d'une action est inférieure à celle que l'on anticipe sur un autre titre de risque comparable, il faut vendre cette action avant que son cours ne baisse. Il est possible de profiter de cette anticipation, même si l'on ne possède pas l'action : il suffit pour ce faire de vendre l'action à découvert.

La première étape dans une **vente à découvert** (*short sale*) consiste à contacter un courtier qui cherchera à emprunter auprès d'un investisseur le titre en question. Une fois que le vendeur est assuré de disposer du titre, il est libre de le vendre sur le marché au prix comptant. Bien entendu, il devra ultérieurement dénouer sa position, c'est-à-dire racheter ce même titre afin de le rendre au prêteur, et payer à ce dernier les intérêts dus. Si entre-temps, le titre paie des dividendes (dans le cas des actions) ou détache un coupon (dans le cas des obligations), alors le vendeur devra naturellement s'acquitter de ces flux. En fait, le prêteur – il s'agit le plus souvent d'investisseurs institutionnels qui ont un horizon de placement relativement long – n'a même pas besoin d'être informé de l'opération ; il perçoit ses dividendes ou ses coupons comme si de rien n'était. Et si jamais il décide lui-même de vendre son titre, alors le courtier s'arrange pour l'emprunter auprès de quelqu'un d'autre, voire force le vendeur à découvert à dénouer sa position. Ainsi, dans une vente à découvert, le vendeur reçoit le prix comptant puis, tant que la position reste ouverte, paie les dividendes ou les coupons au détenteur du titre avant finalement de racheter le titre pour clore sa position. Autrement dit, les flux sont exactement inverses à ceux d'un achat de titre.

Les ventes à découvert sont typiquement utilisées pour spéculer sur la baisse du prix des actifs. À ce titre, elles sont souvent montrées du doigt lors des périodes de crise car elles participent à l'effondrement des cours. Ainsi, au plus fort de la crise financière de 2007-2009, les autorités de marché de plusieurs pays ont suspendu temporairement les ventes à découvert sur les valeurs bancaires. De même, au moment de la crise grecque de 2010, l'Allemagne a décidé d'interdire les ventes à découvert sur les obligations souveraines.

On reproche également aux ventes à découvert de déstabiliser les cours. L'exemple le plus remarquable est celui de l'entreprise Volkswagen qui le temps d'une séance, le 28 octobre 2008, est devenue la première capitalisation boursière du monde ! De nombreux fonds spéculatifs (*hedge funds*) avaient en effet parié sur la baisse du cours de Volkswagen en vendant massivement à découvert le titre. Or, le titre est peu liquide en raison d'un flottant (le pourcentage d'actions susceptibles d'être effectivement échangées en Bourse) très faible. Lorsque, à la surprise générale, l'entreprise Porsche a annoncé détenir des options d'achat (chapitre 20) lui permettant de prendre possession de près d'un tiers du capital, la panique s'est emparée des marchés. Tous les investisseurs qui avaient vendu à découvert se sont rués pour acheter le peu d'actions disponibles et dénouer leurs positions, ce qui a fait littéralement exploser le cours de l'action (figure ci-dessous). C'est ce qu'on appelle un *short squeeze*. Les fonds spéculatifs auraient perdu dans l'affaire plusieurs dizaines de milliards d'euros.

...

...

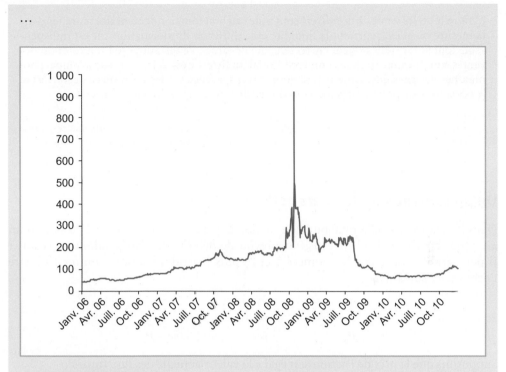

Le prix de l'action Volkswagen

Le 28 octobre 2008, le cours de Bourse de Volkswagen a brusquement augmenté suite à des achats massifs par des fonds spéculatifs cherchant à dénouer dans l'urgence leurs ventes à découvert.

Source : Yahoo! Finance.

Les marchés boursiers ne sont pas les seuls à être victimes de liquidation forcée. Ainsi, pendant la crise du Covid-19, un phénomène assez similaire au précédent s'est produit sur le marché du pétrole. L'achat et la vente de pétrole se fait le plus souvent sur les marchés à terme (voir chapitre 20), c'est-à-dire pour une livraison le mois prochain, le suivant, voire dans plusieurs années. Le contrat le plus populaire aux États-Unis (il en existe plusieurs types en fonction de la qualité du pétrole et de son lieu d'extraction) est le contrat WTI (*West Texas Intermediate*) négocié à la bourse de commerce de New York (NYMEX). Ces contrats prévoient une livraison physique du pétrole à l'échéance et se négocient jusqu'à trois jours ouvrables avant le 25e jour calendaire du mois précédant l'échéance.

Le 20 avril 2020, de nombreux spéculateurs se sont retrouvés dans l'impossibilité de revendre leurs contrats « Mai 2020 ». Le problème est que si vous n'arrivez pas à liquider vos contrats avant le dernier jour de cotation, vous vous retrouvez à devoir stocker 1 000 barils pour chaque contrat détenu. Or, les capacités de stockage étaient pratiquement à saturation.* La situation était si critique que des dizaines de supertankers mouillaient au large des côtes américaines pour servir d'installations de stockage flottantes temporaires.

De nombreux traders ont ainsi payé pour se débarrasser des contrats en leur possession. Cela s'est traduit par une baisse très importe du prix, jusqu'à – 37 dollars à la clôture ! Contrairement à un *short squeeze* classique, il s'agit ici d'un *short squeeze* inverse ; on pourrait presque parler de *long squeeze* car ce sont les traders avec une position longue qui se sont retrouvés coincés.

Malgré tout, les ventes à découvert sont utiles au bon fonctionnement des marchés dans la mesure où elles favorisent la liquidité et la diffusion d'informations. Il est indispensable toutefois qu'elles soient correctement encadrées, ce qui suppose l'interdiction des ventes à nu (c'est-à-dire sans emprunt initial du titre – c'est déjà le cas sur la plupart des marchés des pays développés), une grande transparence sur les positions à découvert et la possibilité de prendre des mesures d'interdiction temporaire en cas de crise.

---

* Les gisements de WTI sont situés principalement au Texas, loin des infrastructure portuaires ce qui rend complexe le transport du pétrole, contrairement au Brent extrait en mer du Nord et coté à Londres.

Un placement sur plusieurs périodes

Dans l'équation (9.1), la rentabilité de l'action dépend de son prix espéré au bout d'un an. Que se passe-t-il si l'investisseur prévoit de détenir l'action pendant deux ans ? Il percevra deux dividendes (années 1 et 2) puis revendra l'action, comme l'illustre l'échéancier suivant :

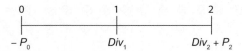

Supposons que le prix de l'action soit égal à la valeur actuelle des flux futurs[3] :

$$P_0 = \frac{Div_1}{1 + r_{CP}} + \frac{Div_2 + P_2}{\left(1 + r_{CP}\right)^2} \qquad (9.3)$$

Les équations (9.1) et (9.3) sont différentes : dans le premier cas n'apparaissent que le dividende et le prix en fin de première période, alors que dans le second cas figurent également le dividende et le prix de l'action en fin de seconde période. Un investisseur dont l'horizon est de deux ans évalue pourtant l'action suivant la même logique que l'investisseur à un an ; le prix de l'action est influencé par les mêmes paramètres dans les deux cas. En effet, l'investisseur détenant l'action pendant un an n'est pas *directement* intéressé par les dividendes et le prix de l'action au-delà de sa durée de détention. Néanmoins, le prix de l'action à la fin de l'année 1 dépend du dividende et du prix de l'action anticipés pour la fin de l'année 2. Ces données affectent donc *indirectement* la rentabilité de son placement. L'équation (9.1) n'est pas seulement valable à partir de la date 0 : elle est vérifiée pour n'importe quelle période de un an. Le prix qu'un investisseur, dont l'horizon de placement est de un an, est prêt à payer pour acheter l'action à la date 1 est donc :

$$P_1 = \frac{Div_2 + P_2}{1 + r_{CP}}$$

---

3. Le coût des capitaux propres est supposé constant. Il est tout à fait possible de lever cette hypothèse en prenant en compte la structure par terme du coût des capitaux propres, comme au chapitre 5 avec la courbe des taux sans risque.

En substituant dans l'équation (9.1) P_1 par sa valeur ci-dessus, on aboutit à l'équation (9.3) :

$$P_0 = \frac{Div_1 + P_1}{1 + r_{CP}} = \frac{Div_1 + \dfrac{Div_2 + P_2}{1 + r_{CP}}}{1 + r_{CP}} = \frac{Div_1}{1 + r_{CP}} + \frac{Div_2 + P_2}{\left(1 + r_{CP}\right)^2}$$

Autrement dit, que l'horizon de placement de l'investisseur soit de un an ou de deux ans, l'approche reste la même.

Le modèle d'actualisation des dividendes

Ce raisonnement peut être généralisé à un nombre quelconque de périodes : il suffit à cet effet de remplacer de manière itérative le prix de l'action à une période par le prix que sera prêt à payer l'investisseur à la période suivante et le dividende qu'il touchera. C'est en procédant ainsi qu'il est possible d'obtenir le modèle général d'évaluation des actions par actualisation des dividendes où l'horizon de placement N est choisi de façon arbitraire :

Modèle d'actualisation des dividendes

$$P_0 = \frac{Div_1}{1 + r_{CP}} + \frac{Div_2}{\left(1 + r_{CP}\right)^2} + ... + \frac{Div_N + P_N}{\left(1 + r_{CP}\right)^N} \qquad (9.4)$$

L'équation (9.4) s'applique aussi bien à un investisseur unique dont l'horizon de placement est de N périodes (il recevra donc N dividendes annuels puis vendra l'action) qu'à une série d'investisseurs qui, chacun leur tour, détiendront l'action sur quelques périodes avant de la revendre, leur durée cumulée de détention de l'action étant égale à N périodes.

L'équation (9.4) est vérifiée quel que soit l'horizon N. Tous les investisseurs (qui partagent les mêmes anticipations quant aux dividendes futurs) accordent, par conséquent, la même valeur à l'action, indépendamment de leur horizon de placement. Connaître la durée de détention de l'action ou savoir si le gain se fera sous forme de dividendes ou de plus-values n'est donc pas utile pour estimer la valeur d'une action. Dans le cas particulier où l'action est détenue indéfiniment, ce qui revient à faire tendre N vers l'infini, alors *le prix de l'action est égal à la valeur actuelle de tous les dividendes futurs, à l'infini* :

$$P_0 = \frac{Div_1}{1 + r_{CP}} + \frac{Div_2}{\left(1 + r_{CP}\right)^2} + \frac{Div_3}{\left(1 + r_{CP}\right)^3} + ... = \sum_{n=1}^{\infty} \frac{Div_n}{\left(1 + r_{CP}\right)^n} \qquad (9.5)$$

9.2. Application du modèle d'actualisation des dividendes

Dans l'équation (9.5), la valeur d'une action est fonction de l'espérance des dividendes futurs de l'entreprise. L'estimation de ces dividendes futurs est bien entendu difficile, d'autant plus que les dividendes en question sont lointains : qui sait en effet ce qu'il adviendra de Google ou de Renault dans 10 ou 20 ans ? L'hypothèse la plus courante consiste, pour simplifier, à supposer que les dividendes croissent à un taux constant à long terme. Cette section examine les conséquences de cette hypothèse sur la formule d'évaluation des actions et sur l'arbitrage entre versement de dividendes et financement de la croissance de l'entreprise.

Dividendes croissants à taux constant : le modèle de Gordon-Shapiro

Le scénario le plus simple consiste à supposer que le taux de croissance g des dividendes sera constant à l'infini. Pour un investisseur qui achète une action aujourd'hui et la détient indéfiniment, l'échéancier est :

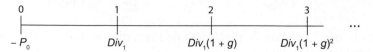

Il s'agit d'une rente perpétuelle croissante dont la valeur actuelle est donnée par l'équation (4.11). Si on applique cette formule, le prix de l'action est[4] :

Modèle de Gordon-Shapiro

$$P_0 = \frac{Div_1}{r_{CP} - g} \tag{9.6}$$

Dans ce modèle, la valeur actuelle d'une action, et donc son prix, dépend du prochain dividende divisé par le coût des capitaux propres moins le taux de croissance de ces dividendes. Ce modèle est souvent appelé le modèle de Gordon-Shapiro, du nom des deux économistes qui les premiers l'ont formulé rigoureusement[5].

Exemple 9.2

Évaluation d'une action par le modèle d'actualisation des dividendes croissants à taux constant

Les dirigeants de Powo prévoient de verser dans un an un dividende de 2,30 € par action. Le coût des capitaux propres de l'entreprise est de 7 % ; les dividendes sont supposés croître au taux de 2 % par an, à l'infini. Quel est le prix actuel d'une action Powo ?

Solution

Puisque les dividendes croissent au taux espéré de 2 % à l'infini, on peut recourir à l'équation (9.6) pour calculer le prix de l'action :

$$P_0 = \frac{Div_1}{r_{CP} - g} = \frac{2,30}{0,07 - 0,02} = 46,00 \text{ €}$$

L'équation (9.6) peut être écrite de manière à faire apparaître le coût du capital comme fonction du rendement de l'action et du taux de croissance des dividendes :

$$r_{CP} = \frac{Div_1}{P_0} + g \tag{9.7}$$

---

4. L'équation (9.6) n'est valable que si $g < r_{CP}$. Il n'est de toute façon pas crédible que les dividendes augmentent à l'infini à un rythme supérieur au taux de rentabilité exigé par les actionnaires. Si les dividendes croissent à un taux $g \geq r_{CP}$ seulement de manière temporaire, le modèle ne peut pas être utilisé, puisqu'il repose sur l'hypothèse d'un taux de croissance constant.

5. M. J. Gordon. et E. Shapiro (1956), « Capital Investment Analysis: The Required Rate of Profit », *Management Science*, 3, 102-110.

En comparant l'équation (9.7) à l'équation (9.2), il apparaît que g est égal au taux de plus-value. En d'autres termes, lorsque le taux de croissance des dividendes est constant, le taux de croissance du prix de l'action est égal au taux de croissance des dividendes.

Dividende *versus* croissance

Dans l'équation (9.6), le prix de l'action augmente avec le montant du prochain dividende (Div_1) et le taux de croissance espéré g. Une entreprise souhaitant maximiser la valeur de ses actions doit donc faire en sorte de maximiser ces deux variables. Elle est cependant confrontée à un dilemme : augmenter le taux de croissance des dividendes impose à l'entreprise d'investir ; les capitaux ainsi employés ne peuvent pas être utilisés pour verser aujourd'hui des dividendes : en d'autres termes, *pour être capable de verser des dividendes futurs très élevés, une entreprise doit accepter de verser aujourd'hui des dividendes plus faibles (et réciproquement)*. On peut s'appuyer sur le modèle précédent, qui repose sur un taux de croissance constant des dividendes, afin de préciser les conséquences de cet arbitrage.

Un modèle de croissance à taux constant. Qu'est-ce qui détermine le taux de croissance des dividendes versés par une entreprise ? On pose d_t le **taux de distribution des dividendes** à l'instant t, c'est-à-dire la part de son bénéfice que l'entreprise alloue au versement des dividendes. Le dividende par action à la date t d'une entreprise peut donc s'écrire :

$$Div_t = \underbrace{\frac{\text{Bénéfices}_t}{\text{Nombre d'actions émises}_t}}_{\text{Bénéfice par action }(BPA_t)} \times d_t \tag{9.8}$$

Le dividende annuel est égal au **bénéfice par action** ou **BPA** (*Earnings Per Share*, EPS), multiplié par le taux de distribution des dividendes[6]. L'entreprise ne peut donc augmenter le dividende que de trois façons :

1. en augmentant son bénéfice ;

2. en augmentant le taux de distribution des dividendes ;

3. en réduisant le nombre d'actions en circulation (c'est-à-dire en procédant à des rachats d'actions).

Pour simplifier, on suppose que le nombre d'actions en circulation est constant : l'entreprise n'émet pas de nouvelles actions, ni n'en rachète[7]. L'entreprise a donc le choix entre les stratégies 1 et 2.

Une entreprise peut utiliser ses bénéfices pour rémunérer ses actionnaires ou pour financer de nouveaux investissements. C'est en investissant aujourd'hui que l'entreprise peut espérer augmenter ses dividendes futurs. On suppose en effet que, en l'absence de nouveaux investissements, le bénéfice de l'entreprise restera constant. Si l'augmentation du bénéfice entre l'année t et l'année $t + 1$ est uniquement imputable aux nouveaux investissements, alors :

$$BPA_{t+1} - BPA_t = \frac{\text{Nouveaux investissements} \times \text{Rentabilité des nouveaux investissements}}{\text{Nombre d'actions}} \tag{9.9}$$

---

6. En pratique, le dividende versé en année t est relatif au bénéfice réalisé en année $t - 1$.
7. Cette hypothèse sera levée au chapitre 17.

Si les nouveaux investissements sont financés par le bénéfice mis en réserve en année t, le montant des nouveaux investissements est égal au bénéfice multiplié par le **taux de rétention des bénéfices**, c'est-à-dire la part du bénéfice conservée par l'entreprise[8] :

$$\text{Nouveaux investissements} = \left(1 - d_t\right) \times \text{Bénéfices}_t$$

$$= \left(1 - d_t\right) \times \left(BPA_t \times \text{Nombre d'actions}\right) \qquad (9.10)$$

En combinant les équations (9.9) et (9.10) et en divisant par BPA_t, on obtient un taux de croissance du bénéfice de l'entreprise[9] égal à :

$$\text{Taux de croissance du bénéfice} = \frac{BPA_{t+1} - BPA_t}{BPA_t}$$

$$= \left(1 - d_t\right) \times \text{Rentabilité des nouveaux investissements} \qquad (9.11)$$

Si l'entreprise choisit de maintenir constant le taux de distribution des dividendes ($d_t = d$), le taux de croissance du bénéfice est égal au taux de croissance des dividendes g. Par conséquent :

$$g = \left(1 - d\right) \times \text{Rentabilité des nouveaux investissements} \qquad (9.12)$$

La croissance est-elle rentable ? L'équation (9.12) montre que toute entreprise peut augmenter son taux de croissance, simplement en conservant une partie plus importante de ses bénéfices. Un taux de croissance plus élevé se paie donc par un dividende plus faible [équation (9.8)]. Si les dirigeants veulent faire augmenter le prix de l'action, doivent-ils diminuer les dividendes actuels pour investir davantage ou doivent-ils au contraire diminuer les investissements pour augmenter immédiatement les dividendes ? La réponse à cette question dépend de la rentabilité de la croissance envisagée, c'est-à-dire de la rentabilité des investissements projetés.

Exemple 9.3

Sacrifier les dividendes aujourd'hui pour financer la croissance de demain

SportGood espère réaliser cette année un bénéfice de 6 € par action. L'entreprise prévoit de le reverser en totalité aux actionnaires sous forme de dividendes car elle n'a pas de projets d'investissement. Étant donné ces prévisions, le prix courant de l'action SportGood est de 60 €.

Aujourd'hui, le P-DG de SportGood s'aperçoit qu'il pourrait profiter d'un emplacement libre pour ouvrir une nouvelle boutique dans la galerie marchande à côté de chez lui. Il décide donc de réduire le taux de distribution des dividendes à 75 % et d'utiliser le résultat mis en réserve pour financer ce projet, dont la rentabilité attendue est de 12 %.

Il pense qu'il pourra continuer à ouvrir des boutiques au même rythme, à l'infini. En supposant que le coût des capitaux propres de l'entreprise ne varie pas, quel est l'effet de cette politique sur le prix de l'action ?

...

---

8. Par définition, Taux de rétention = 1 – Taux de distribution.
9. Le taux de croissance du bénéfice de l'entreprise est égal au taux de croissance du bénéfice par action puisque le nombre d'actions est constant.

Exemple 9.3

...

Solution

Il faut tout d'abord évaluer le coût des capitaux propres de SportGood. L'entreprise prévoit initialement de verser des dividendes d'un montant égal à son bénéfice par action, soit 6 €. Étant donné le prix de l'action (60 €), son rendement est de 6/60 = 10 %. En l'absence de perspective de croissance ($g = 0$), on peut estimer le coût des capitaux propres grâce à l'équation (9.7) :

$$r_{CP} = \frac{Div_1}{P_0} + g = 10\ \% + 0\ \% = 10\ \%$$

Si SportGood réduit son taux de distribution des dividendes à 75 %, d'après l'équation (9.8) le prochain dividende sera égal à $Div_1 = BPA_1 \times 75\ \% = 6 \times 75\ \% = 4,50$ €. Par ailleurs, comme l'entreprise a décidé de réinvestir 25 % de son résultat, d'après l'équation (9.12), son taux de croissance sera $g = (1 - d) \times$ Rentabilité des nouveaux investissements = 25 % × 12 % = 3 %. En supposant que SportGood peut continuer à croître à ce taux indéfiniment, il est possible de calculer le nouveau prix de l'action grâce à l'équation (9.6) :

$$P_0 = \frac{Div_1}{r_{CP} - g} = \frac{4,50}{0,10 - 0,03} = 64,29\ €$$

Le prix de l'action SportGood augmente par conséquent de 4,29 € si l'entreprise décide d'accroître ses investissements. La VAN du projet est donc positive et la croissance est rentable.

Dans l'exemple 9.3, la réduction des dividendes versés par l'entreprise permet à celle-ci de croître. La croissance étant rentable (à VAN positive), cela contribue à l'augmentation du prix de l'action. Mais il n'en va pas toujours ainsi, comme le montre l'exemple 9.4.

Exemple 9.4

Un exemple de croissance non rentable

SportGood, l'entreprise de l'exemple 9.3, attend en fait une rentabilité des nouveaux investissements de 8 % et non de 12 %. Quelle est la variation du prix de l'action suite à la modification du taux de distribution des dividendes ?

Solution

Tout comme dans l'exemple précédent, les dividendes de SportGood diminuent à 6 × 75 % = 4,50 €. En revanche, le taux de croissance est plus faible : $g = 25\ \% \times 8\ \% = 2\ \%$ contre 3 % auparavant. Le nouveau prix de l'action est donc de :

$$P_0 = \frac{Div_1}{r_{CP} - g} = \frac{4,50}{0,10 - 0,02} = 56,25\ €$$

Par conséquent, bien que le taux de croissance de l'entreprise soit positif, les nouveaux investissements ont une VAN négative et le prix des actions diminue. Le P-DG de l'entreprise doit refuser ce projet.

En comparant les exemples 9.3 et 9.4, il apparaît que l'effet d'une diminution des dividendes pour financer de nouveaux investissements dépend de façon cruciale de la rentabilité de ces derniers. Dans l'exemple 9.3, la rentabilité des nouveaux investissements est supérieure au coût des capitaux propres, de sorte que l'investissement a une VAN positive. Au contraire, dans l'exemple 9.4, elle est inférieure ; la VAN est donc négative, même si le bénéfice augmente. Par conséquent, *une diminution des dividendes permettant de financer de nouveaux investissements fait augmenter le prix de l'action si et seulement si les nouveaux investissements ont une VAN positive.*

Dividendes croissants à taux variable

Les jeunes entreprises performantes connaissent souvent à leur début un taux de croissance très élevé. Durant cette période de croissance soutenue, ces entreprises ont tendance à ne distribuer aucun dividende (à retenir 100 % des bénéfices) afin d'investir au maximum et de profiter pleinement des opportunités d'investissement qui s'offrent à elles. Une fois ces entreprises arrivées à maturité, le taux de croissance diminue avec la raréfaction des opportunités d'investissement jusqu'à rejoindre un niveau analogue à celui des entreprises déjà bien établies. Elles commencent à verser des dividendes à partir du moment où leurs bénéfices sont supérieurs à leurs besoins.

Plusieurs raisons rendent impossible l'utilisation du modèle précédent pour estimer la valeur des actions de ces entreprises. D'une part, ces dernières ne versent pas de dividendes quand elles sont jeunes. D'autre part, leur taux de croissance n'est pas constant. La forme générale du modèle d'actualisation des dividendes peut néanmoins être utilisée, en distinguant différentes périodes. Une hypothèse simplificatrice consiste à supposer que le taux de croissance g de l'entreprise se stabilise une fois que l'entreprise est à maturité à la date N – le modèle de Gordon-Shapiro pouvant alors être utilisé pour toutes les années postérieures :

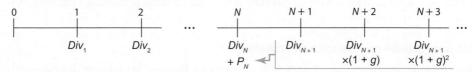

Sous cette hypothèse simplificatrice, la valeur terminale (ou valeur de continuation) P_N est calculée à l'aide de la formule de Gordon-Shapiro :

$$P_N = \frac{Div_{N+1}}{r_{CP} - g} \qquad (9.13)$$

P_N ainsi estimé peut être utilisé comme valeur terminale du modèle d'actualisation des dividendes. En combinant l'équation (9.4) et l'équation (9.13), on obtient :

$$P_0 = \frac{Div_1}{1+r_{CP}} + \frac{Div_2}{\left(1+r_{CP}\right)^2} + ... + \frac{Div_N}{\left(1+r_{CP}\right)^N} + \frac{1}{\left(1+r_{CP}\right)^N}\left(\frac{Div_{N+1}}{r_{CP} - g}\right) \qquad (9.14)$$

Évaluation d'une entreprise avec deux taux de croissance différents

Sfry vient de commercialiser de nouvelles chips allégées. Le succès est au rendez-vous. Sfry veut réinvestir ses bénéfices afin de croître. Le bénéfice par action est de 2 € cette année et il va augmenter de 20 % par an jusqu'à l'année 4. D'ici là, des concurrents seront entrés sur le marché ; les analystes pensent qu'à la fin de l'année 4 Sfry réduira ses investissements et versera 60 % de ses bénéfices sous forme de dividendes. Son taux de croissance se stabilisera à son niveau de long terme, 4 %. Le coût des capitaux propres est de 8 %. Quelle est la valeur d'une action Sfry aujourd'hui ?

Solution

Le bénéfice par action est de 2 € l'année 0, puis il croît de 20 % par an jusqu'à l'année 4 avant que son taux de croissance ne se stabilise à 4 % par an. Le taux de distribution des dividendes est nul jusqu'à l'année 4, puis augmente à 60 % du BPA. À partir de l'année 4, le taux de croissance des dividendes est constant. On peut donc utiliser la formule (9.13) pour calculer le prix d'une action à la fin de l'année 3. Il faut pour ce faire connaître le dividende à l'année 4, qui est égal à $2 \times (1 + 20 \%)^4 \times 60 \% = 2,49$ €. Donc :

$$P_3 = \frac{Div_4}{r_{CP} - g} = \frac{2,49}{0,08 - 0,04} = 62,25 \text{ €}$$

Il suffit ensuite d'appliquer l'équation (9.4) avec P_3 comme valeur terminale :

$$P_0 = \frac{Div_1}{1 + r_{CP}} + \frac{Div_2}{\left(1 + r_{CP}\right)^2} + \frac{Div_3 + P_3}{\left(1 + r_{CP}\right)^3} = 0 + 0 + 0 + \frac{62,25}{\left(1 + 0,08\right)^3} = 49,42 \text{ €}$$

Les limites du modèle d'actualisation des dividendes

Le modèle d'actualisation des dividendes permet de valoriser des actions à partir d'une estimation des dividendes futurs. À la différence des obligations à taux fixe (dont les flux futurs sont certains, à moins que l'émetteur ne fasse défaut), prévoir les dividendes futurs est très hasardeux. Prenons l'exemple d'Alstom (ALO.PA). Début 2020, les analystes prévoient que le prochain dividende versé par l'entreprise sera de 1,2 € par action. Si l'on suppose que le coût des capitaux propres de l'entreprise est de 11 % et que le taux de croissance espéré des dividendes est de 8 %, d'après le modèle d'actualisation des dividendes le prix « théorique » de l'action Alstom est :

$$P_0 = \frac{Div_1}{r_{CP} - g} = \frac{1,2}{0,11 - 0,08} = 40 \text{ €}$$

Ce prix est relativement proche du cours de Bourse fin janvier 2011, qui était de 43 €. Toutefois, si on suppose que le taux de croissance espéré du dividende est non plus de 8 % mais de 7 %, alors le prix « théorique » chute à 30 € ! Une faible variation du taux de croissance du dividende a donc une influence importante sur le prix de l'action. Or, il est très difficile d'obtenir une estimation précise et fiable du taux de croissance du dividende, ce qui constitue une limite sérieuse à l'utilisation de ce modèle.

Les dividendes futurs dépendent des bénéfices futurs, du taux de distribution et du nombre d'actions en circulation. Mais le bénéfice dépend à son tour des charges d'intérêts, elles-mêmes fonction de la dette de l'entreprise. Le nombre d'actions en circulation et le taux de distribution dépendent de la propension de l'entreprise à racheter ses propres actions lorsqu'elle réalise des bénéfices. L'endettement et les plans de rachat d'actions sont des décisions presque discrétionnaires de la part des dirigeants ; elles ne peuvent pas être anticipées de façon fiable[10]. Il existe donc deux méthodes actuarielles alternatives pour dépasser ces limites et évaluer des actions.

Prix Nobel & Co.   **Williams : l'évaluation actuarielle**

Le modèle d'évaluation actuarielle des actions apparaît la première fois dans *Theory of Investment Value*, écrit en 1938 par John Burr Williams. Cet ouvrage marque un tournant dans l'histoire de la finance d'entreprise*. C'est la première fois en effet que l'analyse repose sur une démarche rigoureuse et formelle. Comme l'écrit J. B. Williams en préface : « Les modèles mathématiques sont des outils d'une grande puissance dont l'usage promet des avancées notables pour l'analyse des choix d'investissement. À chaque fois dans l'histoire des sciences, l'invention d'un nouvel outil a été la clé pour de nouvelles découvertes et on peut espérer que cette règle s'applique aussi en économie. »

Cet ouvrage a servi de base à Williams pour écrire sa thèse de doctorat, soutenue à Harvard en 1940 ; mais, à l'époque, sa vision était révolutionnaire et la légende veut que son jury de thèse ait beaucoup hésité avant de lui conférer le grade de docteur.

Après cela, Williams est retourné travailler dans le secteur privé où il a gagné beaucoup d'argent : sans doute en appliquant les principes contenus dans son fameux ouvrage ! Les académiques comme les praticiens font aujourd'hui constamment référence aux principes que Williams a introduits dans son ouvrage et aux outils qu'il a contribué à populariser.

---

*   Outre le modèle actuariel, on trouve dans ce livre de nombreuses idées à la base de la théorie financière moderne : utilisation de comptes *pro forma* et de tableaux des flux de trésorerie pour des calculs de valorisation, outils d'analyse fondamentale…

9.3.   Deux modèles alternatifs d'évaluation actuarielle

Cette section présente deux approches alternatives pour évaluer le prix des actions, qui évitent les problèmes du modèle d'actualisation des dividendes :

- le modèle d'actualisation des dividendes augmenté, qui permet d'ignorer l'arbitrage entre dividendes et rachat d'actions ;
- le modèle d'actualisation des flux de trésorerie disponibles, qui se fonde sur les flux futurs reçus par l'ensemble des investisseurs, aussi bien obligataires qu'actionnaires, ce qui permet d'ignorer l'effet de l'endettement sur les bénéfices de l'entreprise.

---

10.   Le recours à l'endettement et la décision de rachat d'actions sont analysés dans la partie V de l'ouvrage.

Le modèle d'actualisation des dividendes augmenté

Dans le modèle d'actualisation des dividendes, on considère que tous les flux futurs versés par l'entreprise aux actionnaires sont des dividendes. En pratique, les entreprises ont de plus en plus recours au **rachat d'actions** lorsqu'elles souhaitent rendre des capitaux à leurs actionnaires : l'entreprise utilise alors sa trésorerie excédentaire pour racheter ses propres actions. Cela a deux conséquences sur le modèle d'actualisation des dividendes : (i) plus l'entreprise rachète d'actions, moins elle peut verser de dividendes ; (ii) en rachetant ses actions, l'entreprise diminue le nombre de titres en circulation et augmente mécaniquement son bénéfice et son dividende par action.

Dans le modèle d'actualisation des dividendes, on se place du point de vue d'un seul actionnaire qui actualise les dividendes futurs qu'il reçoit pour déterminer le prix de l'action :

$$P_0 = VA(\text{Dividendes par action futurs}) \qquad (9.15)$$

Lorsqu'une entreprise rachète ses propres actions, il est préférable d'utiliser le **modèle d'actualisation des dividendes augmenté** pour évaluer le prix de ses actions. Dans ce modèle, l'ensemble des versements de l'entreprise à ses actionnaires (autrement dit le montant total versé aux actionnaires, en dividendes ou en rachat d'actions) est actualisé[11]. La valeur actuelle de ces flux futurs est ensuite divisée par le nombre total d'actions en circulation afin d'obtenir le prix d'une action :

Modèle d'actualisation des dividendes augmenté

$$P_0 = \frac{VA(\text{Dividendes et rachats d'actions futurs})}{\text{Nombre d'actions}_0} \qquad (9.16)$$

Les simplifications de la section 9.2 (taux de croissance constant) peuvent également être posées avec ce modèle. Les deux seules différences avec le modèle non augmenté sont que *l'actualisation porte sur le montant total des dividendes et des rachats d'action et que le taux de croissance considéré est celui du bénéfice, plutôt que celui du bénéfice par action*. Cette méthode est plus fiable, mais reste simple à utiliser lorsque l'entreprise procède à des rachats d'actions.

Évaluation des actions en présence de rachats d'actions

Titan a 217 millions d'actions en circulation et anticipe que son bénéfice dans un an sera de 860 millions d'euros. Titan prévoit de reverser aux actionnaires 50 % du bénéfice : 30 % sous la forme de dividendes et 20 % en rachetant des actions. Le

bénéfice de Titan est censé croître au taux de 7,5 % par an ; le taux de distribution des dividendes est supposé constant. Le coût des capitaux propres est de 10 %. Quel est le prix de l'action Titan ?

...

Exemple 9.6

---

11. Ces flux futurs peuvent s'interpréter comme le montant total qui serait versé à un investisseur détenant 100 % des actions de l'entreprise. Celui-ci recevrait en effet tous les dividendes, ainsi que le produit de la vente de ses actions dans le cadre du rachat d'actions initié par l'entreprise.

…

Solution

Le montant total des versements réalisés par Titan s'élève à 50 % × 860 millions = 430 millions d'euros (puisqu'on utilise le modèle d'actualisation des dividendes augmenté, il n'est pas nécessaire de connaître la part allouée aux dividendes et au rachat d'actions). Si le coût des capitaux propres est de 10 % et le taux de croissance espéré des bénéfices de 7,5 %, la valeur actuelle des versements futurs peut être considérée comme une rente croissante perpétuelle :

$$VA(\text{Dividendes et rachats d'actions futurs}) = \frac{430 \text{ millions}}{0,10 - 0,075} = 17,2 \text{ milliards d'euros}$$

Cette valeur actuelle est la valeur de marché totale des capitaux propres de Titan (c'est-à-dire sa capitalisation boursière). Afin de calculer le prix de l'action, il suffit de diviser cette valeur par le nombre total d'actions en circulation :

$$P_0 = \frac{17,2 \text{ milliards d'euros}}{217 \text{ millions d'actions}} = 79,26 \text{ € par action}$$

Titan verse un dividende par action de 30 % × 860 millions d'euros / 217 millions d'actions = 1,19 €, soit un rendement de 1,19 / 79,26 = 1,50 %. Étant donné le bénéfice par action espéré, le dividende et le prix de l'action, l'équation (9.7) permet de conclure que le taux de croissance du prix de l'action est : $g = r_{CP} - Div_1 / P_0 = 8,50 \%$.

Ce taux de croissance est plus élevé que le taux de croissance du bénéfice qui est égal à 7,50 % puisque le nombre d'actions en circulation diminue en raison du rachat d'actions*.

---

*   Un taux de croissance du bénéfice par action de 8,5 % est cohérent avec un taux de croissance du bénéfice de 7,5 % accompagné du plan de rachat d'actions prévu par Titan : si le prix espéré des actions est de 79,26 × 1,085 = 86,00 € l'an prochain, Titan rachètera 20 % × 860 millions d'euros / 86,00 € par action = 2 millions d'actions. Le nombre d'actions en circulation ne sera alors plus que de 215 millions et le bénéfice par action augmentera de 1,075 × (217 / 215) − 1 = 8,5 %.

Le modèle d'actualisation des flux de trésorerie disponibles ou modèle DCF (*Discounted Cash Flow*)

Le modèle d'actualisation des dividendes augmenté s'intéresse non pas à la valeur d'une action, mais à la capitalisation boursière de l'entreprise (la valeur de marché des capitaux propres). Le modèle d'actualisation des flux de trésorerie disponibles va encore plus loin en considérant la valeur de l'entreprise du point de vue de l'ensemble des investisseurs, qu'ils soient détenteurs de capitaux propres (actionnaires) ou de titres de dette (obligataires). Ce modèle est également connu sous le nom de modèle DCF (acronyme de *Discounted Cash Flow*). Au chapitre 2, la valeur de marché de l'actif économique a été définie :

$$\text{Valeur de marché de l'actif économique} =$$
$$\text{Valeur de marché des capitaux propres} + \text{Dette nette} \qquad (9.17)$$

La dette nette correspond à la dette diminuée de la trésorerie détenue par l'entreprise.

Valeur de l'actif économique. Pour estimer la valeur des capitaux propres d'une entreprise, il faut calculer la valeur actuelle des flux futurs que recevront les détenteurs des capitaux propres (les actionnaires). De manière analogue, pour estimer la valeur de marché de l'actif économique d'une entreprise, V_0, il convient de calculer la valeur actuelle des flux de trésorerie disponibles (*free cash flow*) qui peuvent être versés aux investisseurs, qu'ils soient actionnaires ou créanciers.

Modèle d'actualisation des flux de trésorerie disponibles

$$V_0 = VA(\text{Flux de trésorerie disponibles}) \tag{9.18}$$

Les flux de trésorerie disponibles se calculent de la manière suivante (chapitre 7) :

$$\text{Flux de trésorerie disponibles} = \overbrace{\left(\text{Chiffre d'affaires} - \text{Coûts} - \text{Amortissements}\right) \times \left(1 - \tau\right)}^{\text{Résultat net (à endettement nul)}} \tag{9.19}$$
$$+ \text{Amortissements} - \text{Investissements} - \Delta BFR$$

Étant donné la valeur de l'actif économique V_0, il est par ailleurs possible de déterminer la valeur actuelle des actions P_0, connaissant la valeur de la dette D_0 et de la trésorerie :

$$P_0 = \frac{V_0 - D_0 + \text{Trésorerie}_0}{\text{Nombre d'actions}_0} \tag{9.20}$$

De façon intuitive, la différence entre le modèle d'actualisation des dividendes et le modèle d'actualisation des flux de trésorerie disponibles réside dans la prise en compte de la dette nette : dans le premier cas, on en tient compte indirectement par la prise en compte des charges d'intérêts sur le bénéfice de l'entreprise, alors que, dans le second cas, les charges d'intérêts sont ignorées[12] pour calculer la valeur de l'actif net ; on les retire ensuite explicitement du résultat [équation (9.20)].

Mise en œuvre du modèle. Une différence majeure entre le modèle d'actualisation des flux de trésorerie disponibles et les modèles précédents réside dans le choix du taux d'actualisation. Précédemment, le coût des capitaux propres de l'entreprise r_{CP} était utilisé car les flux à actualiser étaient versés aux actionnaires. Ici, les flux de trésorerie disponibles sont versés aux créanciers aussi bien qu'aux actionnaires ; ils doivent donc être actualisés au **coût moyen pondéré du capital, CMPC** (*Weighted Average Cost of Capital*, WACC). Ce coût r_{CMPC} est la rentabilité moyenne espérée que l'entreprise doit offrir à ses investisseurs pour rémunérer les risques qu'ils prennent[13]. Si la dette de l'entreprise est nulle, $r = r_{CP}$. Le calcul du coût moyen pondéré du capital est présenté dans les parties IV et V. Le modèle d'actualisation des flux de trésorerie disponibles est donc :

$$V_0 = \frac{FTD_1}{1 + r_{CMPC}} + \frac{FTD_2}{\left(1 + r_{CMPC}\right)^2} + ... + \frac{FTD_N}{\left(1 + r_{CMPC}\right)^N} + \frac{V_N}{\left(1 + r_{CMPC}\right)^N} \tag{9.21}$$

---

12. Les flux de trésorerie disponibles sont calculés à partir d'un résultat net à endettement nul.

13. Le coût moyen pondéré du capital d'une entreprise peut aussi être vu comme le coût du capital moyen de l'ensemble des projets de l'entreprise ; de ce point de vue, il est fonction du risque moyen de ses investissements.

La valeur terminale V_N (ou valeur de continuation) de l'entreprise est souvent estimée en posant une hypothèse de taux de croissance g_{FTD} à long terme constant des flux de trésorerie disponibles au-delà de l'année N, de sorte que :

$$V_N = \frac{FTD_{N+1}}{r_{CMPC} - g_{FTD}} = \left(\frac{1 + g_{FTD}}{r_{CMPC} - g_{FTD}}\right) \times FTD_N \qquad (9.22)$$

Ce taux de croissance à long terme g_{FTD} est fondé sur le taux de croissance à long terme des bénéfices anticipés.

Exemple 9.7

Le modèle DCF

L'entreprise CPK a un chiffre d'affaires de 518 millions d'euros en 2020. Il augmentera de 9 % en 2021, puis ce taux baissera de 1 point par an jusqu'à atteindre en 2026 le taux moyen de croissance du secteur, 4 %. Le résultat d'exploitation est égal à 9 % du chiffre d'affaires. L'augmentation du CA devrait se traduire par une augmentation du BFR égale à 10 % de la variation du CA. Les investissements sont égaux aux amortissements. L'entreprise a 100 millions d'euros de trésorerie et une dette de 3 millions d'euros (en valeur de marché) ; il y a 21 millions d'actions en circulation. Le taux d'imposition est de 25 % et le coût moyen pondéré du capital est de 11 %. Quelle est la valeur d'une action CPK fin 2020 (on suppose que les flux se passent en fin d'année) ?

Solution

Les flux de trésorerie disponibles futurs de CPK, en millions d'euros, sont :

Années		2020	2021	2022	2023	2024	2025	2026
1	Chiffre d'affaires	518,0	564,6	609,8	652,5	691,6	726,2	755,3
2	*Taux de croissance*		9 %	8 %	7 %	6 %	5 %	4 %
3	Résultat d'exploitation		50,8	54,9	58,7	62,2	65,4	68,0
4	– Impôts (25 %)		– 12,7	– 13,7	– 14,7	– 15,6	– 16,3	– 17,0
5	+ Amortissement		0	0	0	0	0	0
6	– Investissement		0	0	0	0	0	0
7	– Augmentation BFR		– 4,7	– 4,5	– 4,3	– 3,9	– 3,5	– 2,9
8	= FTD			33,4	36,6	39,8	42,8	45,6	48,1

Comme les investissements sont compensés par les amortissements, les lignes 5 et 6 du tableau sont égales à zéro. Les flux de trésorerie disponibles sont supposés croître à un taux constant à compter de 2026 ; l'équation (9.22) peut donc être utilisée pour calculer la valeur terminale de l'entreprise en 2026 :

$$V_{2026} = \left(\frac{1 + g_{FTD}}{r_{CMPC} - g_{FTD}}\right) \times FTD_{2022} = \left(\frac{1,04}{0,11 - 0,04}\right) \times 48,1 = 714,3 \text{ millions d'euros}$$

D'après l'équation (9.21), la valeur de l'actif économique fin 2020 est la valeur actuelle des flux de trésorerie disponibles futurs augmentés de la valeur terminale :

$$V_{2020} = \frac{33,4}{1,11} + \frac{36,6}{1,11^2} + \frac{39,8}{1,11^3} + \frac{42,8}{1,11^4} + \frac{45,6}{1,11^5} + \frac{48,1}{1,11^6} + \frac{714,3}{1,11^6} = 624,8 \text{ millions d'euros}$$

...

Exemple 9.7

...

L'équation (9.20) permet d'estimer la valeur d'une action fin 2020 :

$$P_{2020} = \frac{624,8 + 100 - 3}{21} = 34,37 \text{ €}$$

Modèle DCF et planification financière. Il existe un lien fondamental entre le modèle d'actualisation des flux de trésorerie disponibles et la règle de la VAN utilisée pour la planification financière (chapitre 8) : les flux de trésorerie disponibles futurs de l'entreprise seront produits par ses investissements présents et futurs. La valeur de l'actif économique de l'entreprise peut donc s'interpréter comme la VAN totale que l'entreprise obtiendra grâce à ses projets actuels et futurs. La VAN d'un projet particulier est la contribution de ce projet à la valeur de l'actif économique. Pour maximiser le prix d'une action de l'entreprise, il faut donc accepter tous les projets ayant une contribution positive aux flux de trésorerie disponibles de l'entreprise, c'est-à-dire une VAN positive.

Pour estimer les flux de trésorerie disponibles d'un projet, il faut prévoir l'évolution du chiffre d'affaires, des charges, des impôts, etc. Il en est de même lorsqu'on cherche à prévoir la valeur de l'actif économique. Du fait de l'incertitude entourant ces prévisions, une analyse de sensibilité s'impose (chapitre 8).

Évaluation actuarielle et analyse de sensibilité

Exemple 9.8

CPK (exemple 9.7) prévoit que son résultat d'exploitation sera égal à 9 % de son chiffre d'affaires. En fait, il est possible que l'entreprise parvienne à réduire ses charges d'exploitation, augmentant ainsi son résultat d'exploitation à 10 % du chiffre d'affaires. Dans cette situation, quel sera le prix d'une action ?

Solution

Par rapport à l'exemple 9.7, le résultat d'exploitation augmente de 1 % du CA. En 2021, le résultat d'exploitation est supérieur de 1 % × 564,6 millions = 5,6 millions d'euros à celui de l'exemple 9.7. Cela se traduit par une augmentation des flux de trésorerie disponibles de (1 – 0,25) × 5,6 millions = 4,2 millions d'euros. Suivant la même logique pour les autres années, les flux de trésorerie disponibles sont :

Année	2021	2022	2023	2024	2025	2026
FDT_t	37,7	41,2	44,7	48,0	51,0	53,7

La valeur terminale est égale à $V_{2026} = [1,04 / (0,11 - 0,04)] \times 53,7 = 798,4$ millions d'euros et :

$$V_{2017} = \frac{33,2}{1,11} + \frac{36,3}{1,11^2} + \frac{39,4}{1,11^3} + \frac{42,4}{1,11^4} + \frac{45,2}{1,11^5} + \frac{47,7}{1,11^6} + \frac{708,6}{1,11^6} = 547,3 \text{ millions d'euros}$$

La nouvelle valeur estimée de l'action est $P_{2020} = (699,4 + 100 - 3) / 21 = 37,92$ € par action, soit une différence de 10 % par rapport à la situation précédente.

La figure 9.1 résume les différentes méthodes d'évaluation des actions présentées jusqu'ici. La valeur d'une action dépend de la valeur actuelle des dividendes futurs. Il est ensuite possible d'estimer la valeur de marché des capitaux propres de l'entreprise (autrement dit, sa capitalisation boursière) grâce à la valeur actuelle de l'ensemble des versements réalisés par l'entreprise aux actionnaires : dividendes et rachats d'actions. Enfin, la valeur actuelle des flux de trésorerie disponibles, qui se réfère à l'argent versé aux détenteurs de la dette et des capitaux propres de l'entreprise (à savoir les créanciers et les actionnaires), détermine la valeur de marché de l'actif économique.

La valeur actuelle des…	détermine…
… dividendes par action	… le prix d'une action
… dividendes et rachats d'actions	… la valeur (de marché) des capitaux propres
… flux de trésorerie disponibles	… la valeur (de marché) de l'actif économique

Figure 9.1 – Une comparaison des modèles d'évaluation actuarielle des actions

En calculant la valeur actuelle des dividendes par action, des dividendes et rachats d'actions ou des flux de trésorerie disponibles, il est possible d'estimer la valeur de marché d'une action, des capitaux propres ou de l'actif économique.

9.4. L'évaluation des actions par la méthode des comparables

La Loi du prix unique a servi jusqu'ici à évaluer le prix d'une action, la valeur des capitaux propres ou la valeur de l'actif économique d'une entreprise, sur la base de l'hypothèse que la valeur d'un actif doit être égale à la valeur actuelle des flux futurs auxquels il donne droit. Il est possible d'utiliser la Loi du prix unique suivant une logique différente, qui est celle de la **méthode des comparables** : plutôt que d'estimer directement les flux futurs, on peut estimer la valeur d'une entreprise ou d'un actif par comparaison avec la valeur d'une entreprise ou d'un actif produisant les mêmes flux futurs et ayant le même risque. Si deux entreprises produisent des flux futurs identiques, la Loi du prix unique établit qu'elles doivent avoir la même valeur.

Il n'existe évidemment pas deux entreprises qui soient parfaitement identiques. Même si deux entreprises du même secteur vendent des produits proches, il est probable que leur structure ou leur taille soit différente. Cette section présente la méthode des multiples, dont l'objectif est justement de comparer deux entreprises qui ne sont pas directement comparables, en corrigeant des différences d'échelle et de taille.

Les multiples

Les différences d'échelle entre deux entreprises peuvent être corrigées en exprimant les variables sous forme d'un multiple (c'est-à-dire d'un ratio). Prenons l'exemple d'un immeuble de bureaux. Pour estimer sa valeur, il suffit de multiplier sa surface par le prix moyen du mètre carré constaté dans des immeubles de mêmes caractéristiques vendus récemment. Ce raisonnement très simple peut être appliqué à l'évaluation des actions.

Le PER. Le multiple le plus utilisé est le **ratio de capitalisation des bénéfices**, plus connu sous l'acronyme anglo-saxon de **PER** (pour *Price-Earning Ratio*[14]). Le PER d'une entreprise est égal au prix d'une action divisé par le bénéfice par action (voir chapitre 2) ou, de manière équivalente, à la capitalisation boursière de l'entreprise divisée par le bénéfice total. La valeur d'une entreprise peut donc être estimée en multipliant son bénéfice par action courant par le PER d'entreprises comparables.

Il est possible de calculer le PER d'une entreprise à partir de son bénéfice passé au cours des 12 derniers mois (12 mois glissants) ou à partir de son bénéfice prévisionnel (anticipé pour les 12 mois à venir). Dans le premier cas, on parle de PER glissant (*trailing PER*) et, dans le second cas, de PER prévisionnel (*forward PER*). Il est évidemment plus logique d'utiliser le PER prévisionnel lorsqu'on cherche à valoriser une entreprise, car les bénéfices futurs comptent plus que les bénéfices passés[15]…

Le PER prévisionnel peut être interprété au regard du modèle d'actualisation des dividendes, augmenté ou non. Par exemple, lorsque le taux de croissance des dividendes est constant, en divisant l'équation (9.6) par le bénéfice par action, on obtient :

$$\text{PER prévisionnel} = \frac{P_0}{BPA_0} = \frac{Div_1/BPA_0}{r_{CP}-g} = \frac{d}{r_{CP}-g} \tag{9.23}$$

L'équation (9.23) établit que, si deux actions donnent droit aux mêmes flux et ont le même taux de croissance du BPA et le même risque, elles ont nécessairement le même coût des capitaux propres, et donc le même PER. Cette équation montre aussi qu'une entreprise, ou un secteur, dont le taux de croissance est élevé et dont la trésorerie est élevée par rapport aux investissements nécessaires (c'est-à-dire qui peut avoir un taux de distribution des dividendes élevé) doit afficher un PER élevé.

PER et évaluation des actions

L'entreprise Herman a un bénéfice par action de 1,38 €. Le PER moyen d'entreprises comparables à Herman (même secteur d'activité) est de 21,3. D'après la méthode des multiples, quel est le prix de l'action Herman ? Quelles sont les hypothèses implicites ?

Solution

Le prix de l'action Herman est calculé en multipliant son bénéfice par action par le PER d'entreprises comparables. On a donc $P_0 = 1,38 \times 21,3 = 29,39$ €. Cette estimation suppose que l'entreprise présente un risque, un taux de distribution des dividendes et un taux de croissance identiques à ceux des entreprises comparables.

Exemple 9.9

---

14. Paradoxalement, cet acronyme n'est pas utilisé aux États-Unis (!), les Américains préférant l'expression « P/E Ratio ».

15. Il convient ici de se concentrer sur la partie récurrente du bénéfice de l'entreprise. On calcule donc en général un bénéfice de l'entreprise hors résultat exceptionnel pour calculer le PER prévisionnel.

Les multiples de l'actif économique. Il existe des multiples fondés sur la valeur de l'actif économique plutôt que sur la valeur des capitaux propres. Leur utilisation est fréquente, surtout lorsqu'il s'agit de comparer des entreprises dont l'endettement diffère. En effet, la valeur de l'actif économique est la valeur totale de l'entreprise. Pour être cohérent, il faut diviser cette valeur par un agrégat n'intégrant pas les charges d'intérêts. À ce titre, l'excédent brut d'exploitation (EBE), le résultat d'exploitation (REX) ou les flux de trésorerie disponibles font l'affaire. On parle alors de multiple d'EBE, de multiple de résultat d'exploitation ou de multiple des flux de trésorerie disponibles. Chaque multiple a ses limites, mais le premier est le plus utilisé. D'après l'équation (9.22), si la croissance espérée des flux de trésorerie disponibles est constante, alors :

$$\frac{V_0}{EBE_1} = \frac{FTD_1/EBE_1}{r_{CMPC} - g_{FTD}} \tag{9.24}$$

Comme pour le PER, ce multiple est d'autant plus élevé que le taux de croissance de l'entreprise est élevé et que les investissements sont faibles : les flux de trésorerie disponibles sont alors élevés en proportion de l'EBE.

Exemple 9.10

Multiple de l'actif économique et évaluation

Le bénéfice par action de Rocques est de 2,30 € et son EBE est de 30,7 millions d'euros. Le nombre d'actions en circulation est de 5,4 millions et la dette nette s'élève à 125 millions d'euros. L'entreprise Matte est comparable à Rocques, mais elle n'a pas de dette. Matte a un PER de 13,3 et un ratio valeur de l'actif économique sur EBE de 7,4. Quelle est, d'après les deux multiples, la valeur des actions Rocques ? Quel multiple fournit l'estimation la plus fiable ?

Solution

Si on utilise le PER de Matte, le prix de l'action de Rocques est estimé à : $P_0 = 2,30 \times 13,3 = 30,59$ €. Si on utilise le multiple d'EBE, la valeur de l'actif économique de Rocques est de $V_0 = 30,7$ millions $\times 7,4 = 227,2$ millions d'euros. Le prix de l'action est alors : $P_0 = (227,2 - 125)/5,4 = 18,93$ €. Le levier des deux entreprises étant différent, la seconde estimation, fondée sur la valeur de l'actif économique, est la plus fiable.

Les autres multiples. Il existe beaucoup d'autres multiples. Il est possible d'exprimer la valeur de l'actif économique comme un multiple du chiffre d'affaires (l'utilisation de ce multiple à des fins de comparaison suppose que les entreprises réalisent une marge commerciale identique). Il est également possible (et souvent trompeur) de ramener la valeur de l'actif économique au résultat net des entreprises. On peut également, lorsque les actifs immobilisés sont élevés, rapporter la valeur comptable par action à la valeur de marché des capitaux propres.

Il existe également des multiples spécifiques à des secteurs d'activité, dont la connaissance est indispensable à l'évaluation correcte d'une entreprise du secteur concerné : les professionnels savent qu'un magasin de prêt-à-porter s'évalue à l'aide d'un multiple de chiffre d'affaires par mètre carré de boutique ou qu'une entreprise de téléphonie mobile ou de fourniture d'accès à Internet doit être comparée à ses concurrentes sur la base d'un actif économique par abonné…

Les limites des multiples

Deux entreprises ne sont jamais parfaitement identiques. Leurs multiples ne sont donc pas identiques, par définition. Le tableau 9.1 illustre cela pour Nike, Puma et Reebok.

Tableau 9.1	Multiple d'entreprises d'un même secteur (janvier 2006)		
	Capitalisation boursière (milliards de dollars)	**PER**	*Price to book ratio*	**Multiple de CA**
Nike	21,8	16,6	3,59	1,43
Puma	5,1	15,0	5,02	2,19
Reebok	3,5	14,9	2,41	0,90
Médiane	**5,1**	**15,0**	**3,59**	**1,43**

Ces différences sont dues à des taux de croissance futurs, des niveaux de risque et un coût des capitaux propres spécifiques à chaque entreprise. En outre, des différences de conventions comptables entre l'Allemagne et les États-Unis peuvent expliquer l'écart entre Puma et les deux autres entreprises : les actionnaires ont conscience de ces différences existent et évaluent le prix des actions en conséquence. Lorsqu'on recourt aux multiples pour évaluer une entreprise, il n'existe aucun moyen de tenir compte de ces différences, et il faut donc être très prudent.

Une autre limite inhérente à l'utilisation des comparables est qu'ils fournissent des informations relatives quant à la valeur d'une entreprise par rapport à celle d'autres entreprises. Il est donc impossible de savoir si un secteur dans son ensemble est sur- ou sous-évalué à l'aide de cette méthode. Par exemple, au moment de la bulle internet des années 1990, la plupart des entreprises de la « nouvelle économie » ne réalisaient aucun profit. De nouveaux multiples ont donc été créés pour les évaluer (cours de Bourse rapporté au nombre de pages consultées). Si ces multiples permettaient bien de comparer les entreprises entre elles, ils ne permettaient pas de s'apercevoir que le prix de ces actions était difficile à justifier à l'aide d'une estimation objective des flux de trésorerie futurs actualisés[16].

Comparaison des méthodes d'évaluation des actions

La méthode des multiples est comme un raccourci : plutôt qu'une évaluation du coût des capitaux propres et des bénéfices ou des flux de trésorerie disponibles futurs d'une entreprise, la méthode des multiples repose sur la comparaison avec une entreprise similaire. Outre son évidente simplicité, l'approche par les multiples présente donc l'avantage de reposer sur des prix de marché, observés pour des entreprises réelles, plutôt que d'être fondée sur une prévision de flux futurs.

Symétriquement, les méthodes actuarielles évitent de supposer que des entreprises sont « comparables ». En effet, le fait qu'une entreprise soit particulièrement bien gérée – qu'elle soit exposée à des risques spécifiques, qu'elle maîtrise un processus de

---

16. Voir L. Pástor et P. Veronesi (2006), « Was There a Nasdaq Bubble in the Late 1990s? », *Journal of Financial Economics*, 81(1), 61-100 ; M. Richardson et E. Ofek (2003), « DotCom Mania: The Rise and Fall of Internet Stock Prices », *Journal of Finance*, 58, 1113-1138.

production plus efficace que les autres ou qu'elle détienne un brevet particulièrement prometteur – n'entre pas en ligne de compte dans la méthode des multiples… Avec les méthodes actuarielles, toute l'information disponible sur les avantages compétitifs d'une entreprise, sa profitabilité, son coût du capital et ses perspectives de croissance est prise en considération. En outre, il est possible de réaliser des analyses de sensibilité pour s'assurer de la robustesse des résultats. Les méthodes actuarielles présentent enfin l'avantage d'expliciter la performance future que devra réaliser l'entreprise pour justifier sa valeur actuelle, ce qui est une information très utile pour les dirigeants et les salariés.

Au final, l'évaluation des actions est affaire d'expérience et de bon sens. Aucune méthode n'est systématiquement meilleure qu'une autre (sinon, il ne serait pas utile d'en présenter plusieurs). Chacune repose sur des hypothèses ou des prévisions souvent trop incertaines pour permettre une valorisation sûre et définitive. Pour cette raison, les praticiens combinent toujours plusieurs approches, qui sont jugées d'autant plus pertinentes qu'elles aboutissent à des résultats convergents. Il n'est pas rare qu'un prospectus présentant une offre d'achat d'actions utilise cinq ou six méthodes différentes pour justifier le prix d'achat proposé.

| **Zoom sur...** | **Crypto-actifs et bulle spéculative** |

Les crypto-actifs, comme le *bitcoin*, ont suscité beaucoup d'intérêt ces dernières années, en raison de la technologie innovante de la *blockchain* (voir chapitre 1), mais aussi de leur potentiel en tant que nouvel actif de placement. Cependant, contrairement à la plupart des actifs, les crypto-actifs ne versent pas de dividendes ou de coupons. Comment valoriser un crypto-actif ? Pourquoi aurait-il une quelconque valeur ?

Valeur transactionnelle. Pour comprendre le prix d'un crypto-actif, il faut tenir compte de la valeur économique de la monnaie : un *bitcoin* est échangeable partout dans le monde, il peut donc être utilisé pour transférer des fonds au-delà des frontières. On peut acheter des *bitcoins* aux États-Unis et les transférer en ligne aux Philippines, puis les utiliser directement ou les convertir en monnaie locale. Le *bitcoin* permet ainsi de réaliser des transactions anonymes sur des produits illicites ou encore de contourner la fiscalité, le contrôle des capitaux ou les règles anti-blanchiment.

Le *bitcoin* offre donc à ses utilisateurs un dividende transactionnel. Prenons l'exemple du marché mondial des transferts de fonds : ceux-ci sont souvent le fait de travailleurs émigrés qui envoient une part de leur salaire dans leur pays d'origine. La Banque mondiale estime que le volume de ces transferts est de 640 milliards de dollars en 2018, en croissance de 4,5 % par an. Le coût habituel d'un tel transfert est au minimum de 5 % du montant transféré. Si le *bitcoin* représentait 25 % de ce marché, cela réduirait le coût de ces transferts de $640 \times 25\,\% \times 5\,\% = 8$ milliards de dollars. Cet avantage de 8 milliards de dollars pour les utilisateurs de bitcoins représente un *dividende transactionnel*.

Le *bitcoin* peut donc être évalué en actualisant ce dividende transactionnel. Avec un taux d'actualisation de 10 %, et en supposant un taux de croissance de 1,5 %*, en appliquant le modèle de croissance à taux constant des dividendes (équation [9.6]), la valeur actuelle de l'encours de *bitcoins* en 2018 est de :

$$P_0 = Div_1 / (r - g) = 8 / (10\,\% - 1,5\,\%) = 94 \text{ milliards de dollars}$$

Avec 17 millions de *bitcoins* en circulation, cela correspond à une valeur de 94 / 17 = 5 529 \$ par *bitcoin*.

…

...

Mais c'est un calcul très optimiste : le *bitcoin* est loin d'avoir conquis une part significative du marché des transferts de fonds internationaux. De plus, le volume quotidien des transactions a considérablement diminué par rapport à son sommet, car la plupart des détenteurs de *bitcoins* préfèrent les conserver avec un objectif spéculatif. Enfin, les *bitcoins* peuvent être utilisés à de nombreuses reprises, successivement, pour transférer des fonds : la valeur transactionnelle du *bitcoin* dépend donc de sa vitesse de circulation. Par exemple, si une opération de transfert de fonds prend une journée en moyenne, un même bitcoin peut servir à 365 transferts de fonds par an. Pour satisfaire à l'ensemble des besoins du marché des transferts de fonds, il suffirait de 640 / 365 = 1,75 milliard de dollars en *bitcoins*, soit un prix d'environ 100 dollars par *bitcoin*.

Cela dit, le *bitcoin* est devenu un actif de choix pour les transactions illégales et le blanchiment d'argent, qui représentent l'essentiel de son dividende transactionnel. Cela augmente la probabilité que les États finissent par limiter, voire interdire les échanges en *bitcoins*, ce qui en réduirait la valeur.

Valeur de couverture. Une autre possibilité est que le *bitcoin* ait une valeur transactionnelle limitée en temps normal, mais qu'il puisse servir de valeur refuge en période de crise. Historiquement, l'or a souvent joué ce rôle lorsque les monnaies nationales étaient trop peu fiables. Bien que l'or ait une valeur intrinsèque car il peut être utilisé pour fabriquer des bijoux et des composants électroniques, la quantité d'or nécessaire pour cela ne représente qu'une infime fraction de l'or sur le marché. La plus grande part de la valeur de l'or est aujourd'hui liée au fait qu'il constitue une protection utile en cas de crise ou d'hyperinflation. Il est possible que le *bitcoin*, ou d'autres crypto-actifs, héritent de ce rôle.

Effet de réseau. La valeur transactionnelle et la valeur de couverture du *bitcoin* dépendent toutes deux d'un effet de réseau. Pour être utile pour les transactions, un crypto-actif doit être adopté très largement et se négocier sur un marché liquide. De plus, pour pouvoir servir de réserve de valeur en période de crise, sa valeur marchande totale doit être significative par rapport à la taille de l'économie mondiale. D'ailleurs, du fait de ces externalités de réseau, alors que l'on dénombre aujourd'hui plusieurs dizaines de crypto-actifs, il est probable que peu d'entre eux subsisteront.

Bulle spéculative. La spéculation est également une explication possible du prix élevé du *bitcoin* : les actifs ayant une durée de vie potentielle infinie (comme l'or, les actions ou le *bitcoin*) peuvent avoir une valeur élevée aujourd'hui simplement parce que les investisseurs espèrent pouvoir les vendre demain pour une valeur supérieure, et ce parce qu'ils anticipent une valeur encore plus élevée après-demain, etc. Prenons l'exemple d'un titre à durée de vie illimitée qui ne rapportera jamais de dividendes. L'actif se négociera au prix P_0 aujourd'hui si les investisseurs s'attendent à ce que son prix augmente à leur coût du capital, c'est-à-dire si $E[P_1] = P_0 \times (1 + r)$ avec r le coût du capital approprié compte tenu du risque sur le prix futur P_1. En répétant ce raisonnement pour P_2 et ainsi de suite, nous pouvons justifier n'importe quel prix P_0 aujourd'hui tant que l'on s'attend à ce que le prix continue de croître au coût du capital pour toujours, de sorte que $E[P_t] = P_0 \times (1 + r)^t$.

Une telle série de prix croissants, où le prix actuel est justifié uniquement par son augmentation dans le futur, correspond à une bulle spéculative rationnelle. Bien que les investisseurs se comportent de façon rationnelle à chaque période compte tenu de leurs anticipations**, si le coût du capital dépasse le taux de croissance économique, la bulle doit éclater à un moment, sinon le prix finira par dépasser la taille de l'économie dans son ensemble. Cependant, il est généralement impossible de prédire à quel moment

...

...

elle éclatera. Une telle bulle spéculative est l'équivalent d'une pyramide de Ponzi – il est possible de gagner de l'argent tant que de nouveaux investisseurs y entrent, mais cela ne peut que finir mal.

Comment identifier de telles bulles spéculatives ? Malheureusement, il n'y a pas de réponse simple, car il est impossible de dire si une flambée des prix (et la chute qui suit) est attribuable à une bulle ou simplement à l'évolution des attentes des investisseurs quant aux flux futurs. Une bulle est plus susceptible de se former lorsque des investisseurs relativement naïfs sont attirés par un actif en raison des récentes hausses de prix qu'ils espèrent voir se poursuivre, sans se soucier des fondamentaux. La hausse et la baisse subséquente des actions Internet en 1999-2001 peuvent être considérées comme un bon exemple de bulle spéculative***. Les investisseurs ont fait grimper la valeur des actions Internet, dont beaucoup faisaient partie de l'indice Nasdaq (voir figure) à des niveaux sans précédent et difficiles à justifier avec leurs flux de trésorerie futurs espérés. En fin de compte, les prix ont chuté (et de nombreuses entreprises ont fait faillite) à mesure que les valorisations revenaient à des niveaux plus conformes à la valeur espérée des flux de trésorerie futurs. La figure montre également l'évolution des prix du *bitcoin*, qui a déjà connu une baisse de 80 % par rapport à son sommet : reste à savoir jusqu'où il pourrait chuter et quelles seront les utilisations les plus importantes de ce nouvel actif****.

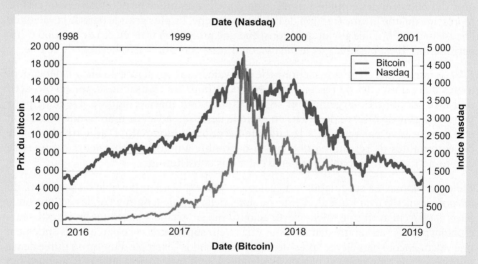

---

* Il faudrait estimer le taux de croissance du flux de trésorerie par unité monétaire, c'est-à-dire le taux de croissance de la valeur transactionnelle totale moins le taux de croissance anticipé du nombre de *bitcoins* en circulation. Bien que le nombre de *bitcoins* soit plafonné à 21 millions, de nombreux substituts émergent et lui font concurrence.

** Voir chapitre 13 pour d'autres formalisations des bulles spéculatives.

*** Sur la bulle Internet, voir L. Pástor et P. Veronesi (2006), « Was There a Nasdaq Bubble in the Late 1990s? », *Journal of Financial Economics,* 81, 61-100 et M. Richardson et E. Ofek (2003), « DotCom Mania: The Rise and Fall of Internet Stock Prices », *Journal of Finance,* 58, 1113-1138.

**** S. Athey I. Parashkevov, V. Sarukkai, et J. Xia (2016), « Bitcoin Pricing, Adoption, and Usage: Theory and Evidence », *Document de travail Stanford University* et L. Cong, Y. Li et N. Wang (2018), « Tokenomics: Dynamic Adoption and Valuation », *Document de travail Ohio State University.*

| **Entretien** | **Thierry d'Argent, banquier d'affaires à la Société Générale** |

Thierry d'Argent est coresponsable mondial du coverage *et de l'*investment banking *de la Société Générale. Il siège au comité exécutif de la banque de financement et d'investissement et au comité de direction du groupe.*

Pourquoi une entreprise décide-t-elle d'en acheter une autre ?

Pour sélectionner une cible à acheter, nous conseillons à nos clients en recherche de croissance externe de raisonner à partir de la création de valeur permise par l'opération : celle-ci peut provenir d'économies d'échelle ou de gammes permises par une taille plus importante, de l'accès à de nouveaux marchés ou de synergies (de coûts ou de revenus). L'opération doit permettre une création de valeur suffisante pour justifier le prix payé pour la cible, en particulier la prime payée au-delà de sa valeur *stand alone*. Elle doit également être cohérente avec la stratégie de l'entreprise pour être comprise des actionnaires. En ce sens, des opérations qui modifient radicalement le profil d'activité ou l'exposition d'une entreprise au risque de marché sont toujours plus délicates à expliquer car elles impliquent une évolution du positionnement et de la stratégie de l'entreprise.

Comment déterminer la valeur d'une entreprise que l'on souhaite acheter ?

L'approche de référence reste l'actualisation des flux de trésorerie futurs ou des dividendes, selon que l'on veut valoriser l'actif économique ou les capitaux propres. Si l'on calcule la valeur de l'actif économique, il faut ensuite soustraire la dette financière nette de la cible pour obtenir la valeur de marché des capitaux propres, ce qui implique de s'interroger sur la valeur de marché des différents passifs – et c'est parfois une source de débats entre experts ! Ces méthodes sont presque toujours utilisées en conjonction avec une approche par les multiples (comparables) et par une comparaison avec les valorisations observées lors de transactions récentes. Nos équipes disposent également de modèles de valorisation à base d'options [qui seront étudiés au chapitre 20]. Il est important d'utiliser plusieurs méthodes : si les valorisations obtenues par les différentes méthodes sont éloignées, c'est un signal d'alerte, et il faut vérifier que les hypothèses retenues sont réalistes du point de vue de l'acheteur.

Quelles sont les spécificités relatives à la valorisation d'une entreprise non cotée ?

Si l'entreprise qu'on souhaite acheter est cotée, le prix de marché de ses actions permet une valorisation directe de ses capitaux propres. Compte tenu de l'efficience des marchés financiers, cela fournit une information très importante : l'acheteur doit sérieusement s'interroger s'il pense que la cible a, à ce moment précis, une valeur très différente de celle indiquée par le marché. Si la cible n'est pas cotée, ce point de référence n'est pas disponible et, d'une manière générale, l'information disponible est beaucoup plus réduite. Le travail de valorisation est donc plus complexe et l'incertitude plus grande. Des discussions approfondies avec les actionnaires et le management de la cible sont donc indispensables pour construire le *business plan* et estimer la valeur de l'entreprise.

9.5. Information, concurrence et prix des actions

Quel que soit le modèle d'évaluation considéré, il relie trois variables entre elles : les flux de trésorerie futurs espérés, le coût du capital (fonction du risque) et la valeur des actions. Quelles conclusions tirer lorsque le prix de marché de l'action ne correspond pas à sa valeur estimée ? Doit-on en conclure que l'action est sous- ou surévaluée ? Ou au contraire que notre estimation du risque ou des flux de trésorerie futurs est trop optimiste ou pessimiste ?

L'information contenue dans les cours boursiers

Chaque jour, des milliers d'investisseurs interagissent sur les marchés boursiers et confrontent leurs opinions sur la valeur des actions. Le prix de marché est le résultat d'un équilibre entre l'offre et la demande, d'un consensus entre acheteurs et vendeurs sur la valeur du titre en question. Lorsqu'un modèle d'évaluation suggère qu'un titre a une valeur de 30 €, alors qu'il s'échange au prix de 20 € sur le marché, il y a toujours de quoi s'interroger : pourquoi donc des milliers d'investisseurs – dont certains sont des professionnels avec une longue expérience et qui ont accès à une information financière détaillée et spécialisée – ne sont pas prêts à payer plus de 20 € l'action ? En général, ils ont une bonne raison, dont le modèle ne tient pas compte. La prudence est par conséquent toujours de rigueur.

À quoi servent donc les modèles d'évaluation ? Parce qu'ils relient trois variables dans une même équation, ils permettent d'estimer l'une d'elles (n'importe laquelle) à partir des deux autres. Dans le cas des entreprises cotées, le prix des actions est connu : il suffit d'observer les prix sur le marché. En pratique, les modèles d'évaluation ne sont donc pas utilisés pour déterminer le prix des actions (qui est connu), mais pour estimer les flux de trésorerie futurs ou le coût du capital de l'entreprise, en partant du prix de marché des actions. L'utilisation des modèles d'évaluation pour estimer le prix des actions n'a de sens que lorsque l'entreprise n'est pas cotée ou lorsque, pour une raison quelconque, on est capable de prévoir les flux futurs de l'entreprise ou son coût du capital de manière plus fiable que le marché.

Exemple 9.11

L'utilisation de l'information contenue dans les cours

Arthur doit analyser le taux de croissance des dividendes de Tecnor. Après avoir longuement étudié la conjoncture économique, le secteur et les états financiers de l'entreprise, il estime que ce taux devrait être de 4 %. Tecnor paiera cette année un dividende de 5 € par action. Le coût des capitaux propres est de 10 % et une action vaut actuellement 76,92 € sur le marché. Le taux de croissance des dividendes retenu par Arthur est-il réaliste ?

Solution

Lorsqu'on applique le modèle d'actualisation des dividendes avec un taux de croissance constant de 4 %, le prix d'une action est de $P_0 = 5 / (0,10 - 0,04) = 83,33$ €.

Le prix de marché étant de 76,92 €, cela signifie que la plupart des investisseurs prévoient un taux de croissance des dividendes inférieur à celui d'Arthur. Si on suppose un taux de croissance constant, le taux compatible avec le prix de marché est [équation (9.7)] :

$$g = r_{CP} - Div_1 / P_0 = 10\,\% - 5 / 76,92 = 3,5\,\%$$

Le taux de croissance des dividendes cohérent avec le prix de marché actuel d'une action Tecnor est donc plus faible que celui retenu par Arthur. Ce dernier devrait ajuster à la baisse ses prévisions de croissance des dividendes ou trouver des arguments solides pour étayer son estimation.

Concurrence et marchés efficients

Le fait que les prix reflètent et synthétisent les informations détenues par une multitude d'investisseurs est une conséquence logique de la concurrence qui existe entre investisseurs. En achetant et en vendant les actions, les investisseurs révèlent leur opinion sur les titres, et donc, implicitement, les informations dont ils disposent. Ces achats et ces ventes font changer le prix marché de chaque titre. Si les investisseurs sont nombreux à penser, pour une raison ou pour une autre, que l'entreprise est sous-évaluée, ils achèteront en masse ses actions, ce qui fera augmenter leur prix ; et inversement en cas de surévaluation.

L'hypothèse d'efficience des marchés, qui découle de cette concurrence entre investisseurs pour trouver des opérations à VAN positive[17], implique que les actions sont échangées à un prix « juste », étant donné les flux de trésorerie futurs auxquels elles donnent droit et l'information dont disposent les investisseurs. Que se passe-t-il si une nouvelle information susceptible d'influencer la valeur de l'entreprise est portée à la connaissance des investisseurs ? Le degré de concurrence sur les marchés, et donc la véracité de l'hypothèse d'efficience des marchés, dépend du nombre d'investisseurs au fait de cette information[18]. Considérons deux cas polaires.

Information publique et facile à interpréter. Parmi ces informations qualifiées de publiques, on trouve celle qui est contenue dans les rapports annuels, les états financiers, les communiqués de presse de l'entreprise, ainsi que celle diffusée par les médias, spécialisés ou non, de même que toute l'information accessible de sources publiques.

Si ces informations s'interprètent facilement, tous les investisseurs sont en mesure de déterminer leur influence sur la valeur de l'entreprise. En pareil cas, la concurrence entre investisseurs est intense et le prix de l'action réagit de manière presque instantanée à l'arrivée de nouvelles informations. Seul un petit nombre d'investisseurs, très rapides ou très chanceux, parviennent à acheter ou à vendre des actions avant que leur prix ne s'ajuste totalement. Pour les autres, le prix de l'action reflète toute l'information disponible avant qu'ils n'aient pu échanger le moindre titre. En d'autres termes, l'hypothèse d'efficience des marchés financiers s'applique parfaitement lorsque les informations sont publiques et faciles à interpréter (on parle de *forme semi-forte* de l'efficience des marchés).

La réaction des marchés boursiers aux informations publiques

Les laboratoires Myox ont annoncé – à la surprise générale – qu'un de leurs médicaments allait être retiré de la vente en raison de la découverte d'effets secondaires. Les flux de trésorerie disponibles devraient chuter de 85 millions d'euros par an au cours des 10 prochaines années. Le nombre d'actions en circulation s'élève à 50 millions. Myox n'est pas endettée et le coût de ses capitaux propres est de 8 %. Comment le prix de l'action Myox évolue-t-il suite à cette annonce ?

...

Exemple 9.12

---

17. Acheter des actions sous-évaluées ou vendre des actions surévaluées.

18. Sur l'efficience des marchés financiers, voir E. F. Fama (1970), « Efficient Capital Markets: A Review of Theory and Empirical Work », *Journal of Finance*, 25, 383-417 ; E. F. Fama (1991), « Efficient Capital Markets: II », *Journal of Finance*, 46(5), 1575-1617 ; B. Malkiel (2003), *A Random Walk Down Wall Street*, W. W. Norton, 8ᵉ éd.

Exemple 9.12

...

Solution

La méthode des flux de trésorerie disponibles actualisés est ici très utile : en l'absence d'endettement, le coût des capitaux propres est égal au CMPC : $r_{CMPC} = r_{CP} = 8\%$. Si on utilise la formule des annuités, la baisse anticipée des flux de trésorerie disponibles réduit la valeur de l'actif économique de :

$$85 \text{ millions} \times \frac{1}{0,08}\left(1 - \frac{1}{1,08^{10}}\right) = 570 \text{ millions d'euros}$$

Le prix de chaque action devrait donc baisser de $570/50 = 11,40$ €. L'information est publique, les conséquences sur les flux de trésorerie disponibles de l'entreprise sont directes. Les investisseurs réagissent donc immédiatement, et la baisse devrait être quasi instantanée.

Information privée et/ou difficile à interpréter. Certaines informations ne sont pas publiques ou pas immédiates d'accès. Les analystes financiers consacrent du temps et des efforts pour obtenir des informations sur la qualité de la gestion de l'entreprise, sur l'état du marché, sur la concurrence, les fournisseurs, etc. Autant d'informations pertinentes pour l'analyse des flux futurs d'une entreprise.

De surcroît, même lorsqu'une information est publique, ses effets sur les flux futurs peuvent être complexes à analyser : il arrive que seuls quelques experts soient en mesure d'apprécier les conséquences économiques et financières d'un rapport consacré aux nouvelles technologies, ou que seuls quelques avocats fiscalistes comprennent les effets d'une modification de la fiscalité des entreprises. De même, lorsqu'une transaction commerciale est complexe, il peut être compliqué d'en analyser les conséquences. Sur certains marchés, des spécialistes ont développé une expertise leur permettant de prévoir avec une grande précision le goût des consommateurs et donc les chances de succès d'un nouveau produit.

Dans tous les cas, même si l'information est publique, l'interprétation de ses conséquences sur les flux futurs de l'entreprise relève en soi d'une information privée. Lorsque l'information privée est détenue par un petit nombre d'investisseurs, ils peuvent réaliser des profits en achetant ou vendant des actions sur la base de cette information[19], le cours de Bourse ne s'ajustant que progressivement au fil de leurs opérations. Dans ce cas, l'hypothèse d'efficience des marchés n'est pas vérifiée au sens strict (dans sa *forme forte*), mais le prix des titres finit quand même par refléter toute l'information[20].

De plus, si les opportunités de profit inhérentes à la détention de ces informations sont élevées, d'autres investisseurs consacreront des ressources à l'acquisition de l'expertise nécessaire pour trouver et comprendre ces informations. Plus le nombre d'individus

---

19. Rien ne garantit que la détention d'informations privées permette aux investisseurs informés d'en tirer profit. Pour que cela soit possible, ils doivent rencontrer des investisseurs prêts à échanger avec eux ; en d'autres termes, il faut que le marché soit suffisamment liquide, c'est-à-dire qu'il existe des investisseurs sur le marché qui souhaitent vendre ou acheter des titres sans disposer d'informations à leur propos, en prenant le risque que d'autres investisseurs soient mieux informés qu'eux.

20 P. Koudijs (2015), « Those Who Know Most: Insider Trading in 18th c. Amsterdam », *Journal of Political Economy*, 123, 1356–1409.

informés augmente, plus la concurrence entre eux est intense pour exploiter les opportunités de profit. À long terme, le degré d'efficience des marchés est donc limité par le coût d'acquisition de l'information[21].

La réaction des marchés boursiers aux informations privées

Phénix vient d'annoncer la mise au point d'un nouveau médicament et n'attend plus que l'autorisation de mise sur le marché. Si l'entreprise obtient cette autorisation, la valeur de marché de Phénix augmentera de 750 millions d'euros du fait des profits futurs que l'entreprise pourra réaliser. Cela représente un gain de 15 € par action. La probabilité d'obtenir l'autorisation de mise sur le marché est de 10 %. Quelle est la réaction du prix de l'action le jour de l'annonce ? Comment le prix de l'action évolue-t-il ensuite ?

Solution

Beaucoup d'investisseurs savent que la probabilité d'obtenir l'autorisation de mise sur le marché est de 10 %. Le prix de l'action devrait donc augmenter le jour de l'annonce de 10 % × 15 = 1,50 €. Avec le temps, les analystes et les experts du domaine vont procéder à leur propre évaluation des chances d'obtention de l'autorisation de mise sur le marché. S'ils concluent que le médicament a de grandes chances de recevoir l'autorisation, ils achèteront des actions, ce qui fera augmenter le prix. À l'inverse, s'ils estiment que les chances sont faibles, ils vendront le titre, dont le prix chutera (figure ci-contre). S'ils ne se trompent pas, ces investisseurs réaliseront un profit lorsque l'incertitude disparaîtra, car le cours de l'action s'ajustera alors immédiatement aux profits futurs anticipés.

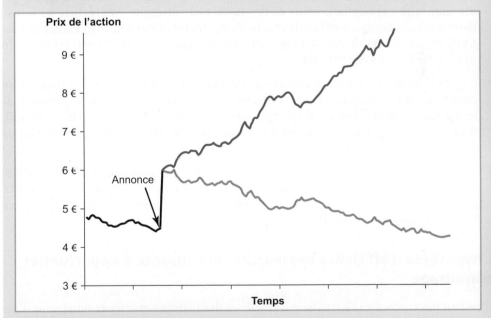

Cours possibles de l'action Phénix

Le cours de l'action Phénix s'ajuste immédiatement à l'annonce du lancement (possible) d'un nouveau médicament. Le prix évolue ensuite en fonction des anticipations des investisseurs quant à la probabilité que l'entreprise reçoive ou non l'autorisation de mise sur le marché.

Exemple 9.13

---

21 C'est l'idée du paradoxe de Grossman-Stiglitz : voir chapitre 13.

Conséquences de l'hypothèse d'efficience des marchés

La concurrence entre investisseurs et ses conséquences sur les cours boursiers sont importantes pour les investisseurs bien sûr, mais également pour les dirigeants d'entreprise.

Les conséquences pour les investisseurs. Sur les marchés boursiers, comme ailleurs en général, pour tirer leur épingle du jeu (autrement dit, pour identifier les opérations à VAN positive), les investisseurs doivent avoir un avantage sur les autres. Cet avantage peut prendre plusieurs formes. L'investisseur peut avoir accès à des informations privilégiées, avoir une expertise particulière, supporter des coûts de transaction plus faibles que les autres, etc.

Quoi qu'il en soit, les bonnes affaires – sur les marchés financiers comme ailleurs – sont rares. C'est une mauvaise nouvelle pour ceux qui espèrent s'enrichir facilement et sans effort en Bourse. C'est malgré tout plutôt réjouissant. En effet, cela signifie que les investisseurs peuvent acheter des actions, même sans compétence ou information particulière, en ayant la certitude que le prix qu'ils paient reflète effectivement toutes les informations disponibles.

Les conséquences pour les dirigeants d'entreprise. La valeur de marché d'une action est fonction des flux futurs auxquels elle donne droit. Le dirigeant d'une entreprise doit donc, s'il désire travailler dans l'intérêt de ses actionnaires :

- *Focaliser son attention sur la VAN et les flux de trésorerie disponibles.* Un dirigeant qui souhaite faire augmenter le cours de Bourse de son entreprise doit réaliser les investissements qui augmentent la valeur actuelle des flux de trésorerie disponibles futurs. L'utilisation des méthodes de choix d'investissement (chapitre 7) permet donc de maximiser le cours des actions.

- *Ne pas succomber à l'illusion comptable.* Beaucoup de dirigeants font l'erreur de se concentrer sur le résultat net comptable, ignorant les flux de trésorerie disponibles. Si les marchés sont efficients, les conséquences comptables d'une décision n'ont aucune influence sur sa valeur de marché. La comptabilité ne devrait donc pas orienter les décisions des dirigeants.

- *Ne pas hésiter à avoir recours à des opérations financières pour financer les investissements.* Si les marchés sont efficients, l'entreprise peut émettre des actions à un prix équitable, et donc lever des capitaux sur les marchés financiers pour financer des investissements à VAN positive.

L'hypothèse d'efficience des marchés et l'absence d'opportunités d'arbitrage

Il ne faut pas confondre l'hypothèse d'efficience des marchés et le fonctionnement d'un marché normal fondé sur l'absence d'opportunités d'arbitrage (chapitre 3). Une opportunité d'arbitrage apparaît lorsque deux actifs (titres ou portefeuilles de titres) dont les flux futurs sont *identiques* ont des prix différents. Il est alors possible de réaliser un profit certain en achetant l'actif dont le prix est le plus bas et en vendant l'actif dont le prix est le plus élevé. Les investisseurs exploitent immédiatement de telles opportunités, qui disparaissent donc. Sur un marché normal, aucune opportunité d'arbitrage ne peut par conséquent vraiment durer. En pratique, c'est bien la situation que l'on observe généralement sur les marchés financiers.

L'hypothèse d'efficience des marchés s'interprète plutôt en termes de rentabilité, comme dans l'équation (9.2). Elle établit que des actifs de *risque équivalent* doivent avoir la même *rentabilité espérée*. L'hypothèse d'efficience des marchés est d'une certaine manière incomplète si elle n'est pas assortie d'une définition de la notion de « risque équivalent ». De surcroît, deux investisseurs pourront avoir une perception différente du risque et de la rentabilité (en fonction de leurs informations et préférences respectives). Il est donc peu probable que l'hypothèse d'efficience des marchés soit parfaitement validée. Elle doit plutôt s'envisager comme une représentation idéale visant à caractériser un marché très concurrentiel. Pour tester la validité de l'hypothèse d'efficience des marchés, et mettre en œuvre la méthode des flux futurs actualisés introduite dans ce chapitre, il faut disposer d'une théorie du risque et de la rentabilité et s'intéresser aux comportements des investisseurs et à leur rationalité[22]. C'est l'objet de la partie IV de cet ouvrage.

Résumé

9.1. **Le modèle d'actualisation des dividendes**

- La Loi du prix unique établit que le prix d'une action est égal à la valeur actuelle des dividendes auxquels elle donne droit et du produit de sa revente future. Les flux futurs sont risqués, ils doivent donc être actualisés au coût des capitaux propres. Ce dernier est égal à la rentabilité de titres disponibles sur le marché dont le risque est équivalent à celui des capitaux propres.

- La rentabilité (*total return*) d'une action est égale à la somme du rendement (*dividend yield*) et du taux de plus-value. La rentabilité espérée d'une action est égale au coût des capitaux propres :

$$r_{CP} = \frac{Div_1 + P_1}{P_0} - 1 = \underbrace{\frac{Div_1}{P_0}}_{\text{Rendement}} + \underbrace{\frac{P_1 - P_0}{P_0}}_{\text{Taux de plus-value}} \qquad (9.2)$$

$$\underbrace{\qquad\qquad\qquad\qquad\qquad}_{\text{Rentabilité}}$$

- Si les investisseurs ont des croyances identiques, le modèle d'actualisation des dividendes établit que, pour tout horizon de temps N, le prix du titre est solution de l'équation suivante :

$$P_0 = \frac{Div_1}{1 + r_{CP}} + \frac{Div_2}{\left(1 + r_{CP}\right)^2} + \dots + \frac{Div_N + P_N}{\left(1 + r_{CP}\right)^N} \qquad (9.4)$$

- Le modèle d'actualisation des dividendes pose que le prix de l'action est égal à la valeur actuelle de l'ensemble des dividendes futurs.

---

22 Voir N. Barberis et R.Thaler (2003), « A Survey of Behavioral Finance », *Handbook of Economics of Finance*, 1, 1053–1128.

9.2. Application du modèle d'actualisation des dividendes

- Le modèle de Gordon-Shapiro suppose que les dividendes espérés croissent à taux constant g. En pareil cas, g est aussi le taux de plus-value espéré. Le prix de l'action est alors :

$$P_0 = \frac{Div_1}{r_{CP} - g} \qquad (9.6)$$

- Le dividende par action à la date t dépend du bénéfice, du nombre d'actions en circulation et du taux de distribution des dividendes d_t :

$$Div_t = \underbrace{\frac{\text{Bénéfices}_t}{\text{Nombre d'actions émises}_t}}_{\text{Bénéfice par action } (BPA_t)} \times d_t \qquad (9.8)$$

- Si le taux de distribution des dividendes et le nombre d'actions sont constants, et si le bénéfice varie uniquement en fonction de la rentabilité des investissements nouveaux autofinancés, le taux de croissance du bénéfice de l'entreprise, des dividendes et du prix de l'action est :

$$g = (1 - d) \times \text{Rentabilité des nouveaux investissements} \qquad (9.12)$$

- La baisse des dividendes pour financer des investissements n'a un effet positif sur le prix de l'action que si les investissements nouveaux ont une VAN positive.

- Si l'entreprise a un taux de croissance de long terme g constant après la période $N + 1$, le modèle de Gordon-Shapiro peut servir à l'estimation de la valeur terminale de l'action P_N.

9.3. Deux modèles alternatifs d'évaluation actuarielle

- Si l'entreprise procède à des rachats d'actions, le modèle d'actualisation des dividendes augmenté est plus fiable. Dans ce modèle, la valeur des capitaux propres est égale à la valeur actuelle de l'ensemble des dividendes futurs et des rachats d'actions. Pour déterminer le prix de l'action, on divise la valeur des capitaux propres par le nombre total d'actions en circulation de l'entreprise :

$$P_0 = \frac{VA(\text{Dividendes et rachats d'actions futurs})}{\text{Nombre d'actions}_0} \qquad (9.16)$$

- Le taux de croissance de l'ensemble des versements réalisés par l'entreprise dépend du taux de croissance de ses bénéfices, et non de celui du bénéfice par action.

- Quand une entreprise est endettée, il est préférable d'utiliser le modèle d'actualisation des flux de trésorerie disponibles. Dans ce modèle, la valeur de l'actif économique est égale à la valeur actuelle des flux de trésorerie disponibles futurs de l'entreprise :

$$V_0 = V_A(\text{Flux de trésorerie disponibles}) \qquad (9.18)$$

Les flux futurs sont actualisés au coût moyen pondéré du capital (CMPC). Ce coût correspond à la rentabilité espérée que l'entreprise devra offrir aux investisseurs en compensation du risque qu'ils prennent en détenant conjointement la dette et les capitaux propres de l'entreprise.

Le prix des actions s'obtient en soustrayant à la valeur de l'actif économique la dette et en ajoutant la trésorerie, puis en divisant par le nombre d'actions en circulation :

$$P_0 = \frac{V_0 - D_0 + \text{Trésorerie}_0}{\text{Nombre d'actions}_0} \tag{9.20}$$

9.4. L'évaluation des actions par la méthode des comparables

- Une action peut être évaluée par la méthode des comparables. Les multiples les plus couramment utilisés sont le PER et le multiple d'EBE. Cette méthode suppose qu'il existe des entreprises comparables dont le risque et le taux de croissance sont semblables à ceux de l'entreprise qu'on cherche à évaluer.

- Aucun modèle d'évaluation ne peut fournir de résultat sûr et définitif à propos de la valeur d'une action. Il est préférable d'utiliser plusieurs méthodes et d'identifier ainsi une fourchette de prix raisonnable.

9.5. Information, concurrence et prix des actions

- Le prix des actifs financiers agrège toute l'information disponible et pertinente. Lorsque le prix d'une action tel qu'estimé par un modèle est différent du prix de marché, une des hypothèses sous-jacentes du modèle est probablement erronée.

- La concurrence entre investisseurs tend à éliminer toute opération financière à VAN positive. Cette concurrence est d'autant plus forte que l'information est publique et facile à interpréter. Tout investisseur détenant une information privée peut tirer profit de l'information qu'il détient ; cette information se reflète alors dans les prix, mais seulement de façon progressive.

- L'hypothèse d'efficience des marchés établit que la concurrence entre investisseurs élimine tout échange présentant une VAN positive, ou de façon équivalente que des actifs dont le risque est équivalent ont la même rentabilité espérée.

- Sur un marché efficient, un investisseur ne peut trouver une opération financière à VAN positive sans posséder un avantage concurrentiel quelconque. La contrepartie de cette quasi-impossibilité est que l'investisseur non informé obtient en général une juste rentabilité pour les titres qu'il détient.

- Sur un marché efficient, pour augmenter la capitalisation boursière d'une entreprise, les dirigeants doivent s'attacher à maximiser la valeur actuelle de ses flux de trésorerie disponibles futurs et ne pas se concentrer sur les conséquences comptables de leurs décisions ou sur la politique financière.

Exercices

1. L'entreprise Evco, dont le coût du capital est de 15 %, prévoit de payer un dividende de 2 € par action dans un an. À quel prix peut-on espérer vendre une action juste après le paiement du dividende dans un an sachant que le prix courant de l'action est de 50 € ?

2. Le prix des actions de la société Anle est de 20 €. Le dividende par action sera dans un an de 1 € et le prix espéré juste après le versement du dividende est de 22 €. Quel est le taux de dividende anticipé ? Quelle est la plus-value anticipée ? Quel est le coût du capital de la société ?

3. Acap prévoit de payer un dividende de 2,80 € par action dans un an, puis de 3 € dans deux ans. Le cours de Bourse anticipé dans deux ans est de 52 €. Le coût des capitaux propres est de 10 %. Quel prix un investisseur est-il prêt à payer aujourd'hui pour une action Acap qu'il souhaite détenir pendant deux ans ? L'investisseur projette de détenir l'action pendant un an : à quel prix peut-il espérer la revendre ? Quel prix est-il prêt à payer pour une action Acap aujourd'hui, s'il souhaite conserver le titre pendant un an ? Comparez avec la première réponse.

4. Le prix de l'action de Krell est de 22 €. Krell est censée verser un dividende de 0,88 € cette année. Le cours de Bourse devrait atteindre 23,54 € dans un an. Quel est le rendement et quel est le coût des capitaux propres de l'action ?

5. NoGro verse un dividende de 0,5 € par trimestre et continuera à verser de tels dividendes à l'infini. Son coût des capitaux propres est de 15 %. Quel est le prix estimé d'une action ? Quel serait le prix d'une action si NoGro versait un dividende annuel unique de 2 € ?

6. Sumite versera un dividende de 1,50 € cette année. La croissance des dividendes sera égale à 6 % et le coût des capitaux propres est de 10 %. Quel est le prix estimé d'une action ?

7. Le rendement de l'action Dorpac est de 1,5 %. Le coût des capitaux propres de Dorpac est de 8 % et l'on prévoit que ses dividendes vont croître à taux constant. Quel est le taux de croissance espéré des dividendes de Dorpac ? Quel est le taux de croissance espéré du prix de l'action Dorpac ?

8. En 2018, des analystes ont recommandé à General Electric (GE) de suspendre ses dividendes afin de préserver sa capacité d'investissement future. Si le marché s'attend à ce que GE ne verse pas de dividendes pendant deux ans, puis verse un dividende de 1 $ par action la troisième année, et que les dividendes augmentent de 3 % par an à l'infini, quelle est la valeur d'une action GE aujourd'hui ? . Le coût du capital de GE est de 9 %.

9. Début 2012, le cours de l'action Korp était de 20 €. Cette année-là et l'année suivante, Korp a versé un dividende de 0,72 € puis, en 2014, de 0,36 €. Jusqu'en 2018, l'entreprise n'a plus versé aucun dividende. Fin 2018, le prix de l'action était de 15,25 €. Imaginez qu'un investisseur ait pu savoir parfaitement, dès 2012, comment l'entreprise évoluerait jusqu'en 2018. Combien aurait-il été prêt à payer pour acquérir

l'action Korp en 2012 (puisque ces anticipations sont parfaites, on suppose qu'il actualise les flux futurs au taux sans risque de 5 %). Peut-on dire que le marché est inefficient ?

10. DFB prévoit cette année un bénéfice par action de 5 € et projette de verser un dividende de 3 € par action. Le bénéfice non distribué sera réinvesti dans de nouveaux projets dont la rentabilité espérée est de 15 % par an. Le coût des capitaux propres de DFB est de 12 %. Le taux de distribution des dividendes, le nombre d'actions en circulation et la rentabilité des nouveaux investissements sont supposés constants. Quel est le taux de croissance des bénéfices de DFB ? Quel est le prix estimé d'une action ? DFB verse finalement cette année un dividende de 4 € par action ; le taux de distribution des dividendes sera maintenu à ce niveau par la suite. Quel est le cours théorique d'une action DFB ? DFB doit-elle augmenter son dividende ?

11. Coupert vient juste d'annoncer que le dividende par action allait être réduit de 4 € à 2,50 € et que les capitaux conservés par l'entreprise serviraient au financement de nouveaux projets. Avant cette annonce, le dividende était censé croître à un taux de 3 % et le prix de l'action était de 50 €. Désormais, il est censé croître à un taux de 5 %. En supposant que le risque de Coupert ne change pas, quel est le prix estimé de l'action Coupert ? Les nouveaux investissements sont-ils à VAN positive ?

12. P&G doit verser un dividende de 0,65 € dans un an. Les analystes prévoient que son dividende devrait croître au taux de 12 % pendant cinq ans, puis au taux de 2 % par an. Le coût des capitaux propres de l'entreprise est de 8 %. Quel est le prix estimé d'une action ?

13. Calgote vient juste de verser un dividende annuel de 0,96 € par action. Les analystes prévoient que le taux de croissance de son bénéfice sera de 11 % par an dans les cinq prochaines années. Ensuite, le taux de croissance ne sera plus que de 5,2 % par an. Le coût des capitaux propres de Calgote est de 8,5 % par an et le taux de distribution des dividendes est supposé constant. Quel est le prix estimé d'une action ?

14. Quelle est la valeur d'une entreprise dont le coût des capitaux propres est r_{CP}, le montant initial des dividendes est Div, qui croît pendant N années (c'est-à-dire jusqu'à l'année N) au taux g_1, puis au taux de g_2 indéfiniment ?

15. Halbert prévoit que son bénéfice par action sera de 3 € l'année prochaine. Halbert prévoit de ne verser aucun dividende pendant les deux prochaines années, puis 50 % de son bénéfice les deux années suivantes et 20 % de son bénéfice ensuite. Chaque année, le bénéfice non distribué sera investi dans de nouveaux projets dont la rentabilité espérée est de 25 % par an. Le nombre d'actions est supposé constant. La croissance du bénéfice provient uniquement des investissements autofinancés. Le coût des capitaux propres est de 10 %. Quel est le prix estimé de l'action Halbert ?

16. Alphabet (Google) n'a encore jamais versé de dividende, mais au printemps 2018, l'entreprise a annoncé vouloir racheter pour 8 589 869 869 056 $ d'actions durant l'année (le choix de ce nombre étant justifié par sa « perfection » ; il est égal à la somme de ses diviseurs). En supposant que l'entreprise procédera ensuite à un rachat d'actions chaque année, pour un montant en hausse de 7 % par an, et que le coût du capital d'Alphabet soit de 8 %, quelle devrait être la capitalisation

boursière d'Alphabet ? Avec 700 millions d'actions en circulation, quel devrait être le cours de l'action ?

17. Les aciéries du Maine prévoient de verser un dividende de 3 € cette année. Le bénéfice espéré devrait croître au taux de 4 % par an ; le coût des capitaux propres est de 10 %. Le taux de distribution des dividendes et le taux de croissance espéré sont supposés constants. Les aciéries du Maine n'émettent ni ne rachètent d'actions. Quel est le prix estimé d'une action ?

L'entreprise décide finalement de verser un dividende de 1 € cette année et d'utiliser le bénéfice non distribué pour racheter ses actions. Quel sera le taux de croissance des dividendes, du bénéfice par action et du prix de l'action ?

18. BMI est une entreprise financée uniquement par capitaux propres. Son bénéfice par action (BPA) est cette année de 5 €. Les dirigeants de BMI sont confiants quant aux perspectives de croissance et souhaitent autofinancer leurs prochains investissements. Ils décident de suspendre leur programme de rachat d'actions et de réduire, cette année et l'an prochain, leur dividende à 1 € par action (contre pratiquement le double l'an dernier). Au-delà, les opportunités de croissance seront moindres, et il est prévu de les autofinancer tout en ayant un taux de distribution des bénéfices de 60 % (deux tiers sous forme de dividendes et un tiers sous forme de rachat d'actions). Tous les paiements aux actionnaires ont lieu en fin d'année et le dividende de l'année vient juste d'être payé. Le BPA des activités existantes est supposé constant dans le futur, tandis que la rentabilité des nouveaux projets est de 15 % et le coût du capital est de 10 %. Estimez le BPA de BMI pour les deux prochaines années. Combien vaut aujourd'hui une action BMI ?

19. Les analystes prévoient qu'Arcoler produira les flux de trésorerie disponibles suivants au cours des cinq prochaines années :

Année	1	2	3	4	5
FTD (en millions d'euros)	53	68	78	75	82

Ensuite, les flux de trésorerie disponibles de l'entreprise augmenteront au taux de 4 % par an. Le coût moyen pondéré du capital est de 14 %. D'après le modèle d'actualisation des flux de trésorerie disponibles, quelle est la valeur de l'actif économique d'Arcoler ? La dette nette est de 300 millions d'euros. Le nombre d'actions en circulation est de 40 millions. Quel est le prix estimé d'une action ?

20. L'entreprise IDX a une dette de 30 millions d'euros et sa trésorerie excédentaire est de 110 millions d'euros. Ses flux de trésorerie disponibles seront de 45 millions d'euros l'année prochaine et de 50 millions d'euros l'année suivante ; ils devraient ensuite croître de 5 % par an. Il existe 50 millions d'actions et le coût pondéré du capital est de 9,4 %. Quel est le prix d'une action IDX ?

21. Sora a une dette de 120 millions d'euros et une trésorerie excédentaire de 40 millions d'euros. Il y a 60 millions d'actions en circulation. Les flux de trésorerie disponibles espérés les quatre prochaines années sont les suivants :

Années	0	1	2	3	4
Prévision des flux de trésorerie disponibles (en millions d'euros)					
1 Chiffre d'affaires	433,0	468,1	516,3	547,3	574,6
2 Taux de croissance		8,1 %	10,3 %	6,0 %	5,0 %
3 Consommation de matières premières		313,6	345,9	366,7	385,0
4 Charges de personnel		93,6	103,3	109,5	114,9
5 Excédent brut d'exploitation		875,3	965,5	1 023,4	1 074,5
6 Amortissements		−7,0	−7,5	−9,0	−9,5
7 Résultat d'exploitation		53,8	59,6	62,1	65,2
8 Moins : Impôts (25 %)		−13,5	−14,9	−15,5	−16,3
9 Plus : Amortissements		7,0	7,5	9,0	9,5
10 Moins : Investissement		−7,7	−10,0	−9,9	−10,4
11 Moins : Augmentation du BFR		−6,3	−8,7	−5,6	−4,9
12 Flux de trésorerie disponibles		33,4	33,5	40,1	43,1

a. Les bénéfices et les flux de trésorerie disponibles de Sora sont supposés croître au taux de 5 % par an après l'année 4. Le coût moyen pondéré du capital est de 10 %. Quel est le prix estimé d'une action ?

b. Les consommations de matières premières représentent 67 % du chiffre d'affaires de l'entreprise. Si elles montent à 70 %, quelle sera la variation du prix d'une action ?

c. Les consommations de matières premières sont toujours supposées égales à 67 % des ventes, mais les charges de personnel baissent de 20 % à 16 % du chiffre d'affaires. Quelle sera la variation du prix d'une action (sous l'hypothèse que rien n'est modifié à l'exception des impôts) ?

d. En année 0, le BFR est égal à 18 % du chiffre d'affaires. Si Sora peut réduire son BFR à 12 % de son CA à partir de l'année 1, et que toutes les autres hypothèses initiales soient conservées, quelle est l'estimation du prix de l'action ? Remarque : ne pas confondre BFR et variation du BFR.

22. Retour à l'exemple 9.7. Quelle est la fourchette de prix estimée de l'action CPK sous les hypothèses suivantes ?

a. Le taux de croissance du bénéfice est compris entre 7 % et 11 %.

b. La marge brute d'exploitation est comprise entre 8 % et 10 % du chiffre d'affaires.

c. Le coût moyen pondéré du capital est compris entre 10,5 % et 12 %.

d. L'incertitude porte conjointement sur les trois paramètres.

23. Le prix des actions PepsiCo est de 108,55 $ pour un BPA de 6,44 $. Le BPA de Coca-Cola est de 2,48 $. À l'aide de ces données, estimez le prix d'une action Coca-Cola.

24. En 2006, Kenneth Cole Productions (KCP), une entreprise américaine du secteur de la mode avait un bénéfice par action de 1,65 $ et la valeur comptable de ses capitaux propres était de 12,05 $ par action. Le chiffre d'affaires de KCP était de 518 millions d'euros, son EBE de 55,6 millions d'euros, sa trésorerie de 100 millions d'euros et sa dette de 3 millions d'euros. Le nombre d'actions en circulation était de 21 millions. Dans quelle fourchette peut-on s'attendre à trouver le prix de l'action

KCP, d'après le PER des entreprises concurrentes Nike, Puma et Reebok (voir tableau 9.1 de la section 9.4). Même question avec le *price to book ratio* et le multiple de chiffre d'affaires.

25. (Suite de l'exercice précédent.) Outre des chaussures de sport, KCP dessine et vend des sacs à main et autres accessoires. Il convient par conséquent d'utiliser des multiples d'entreprises du secteur textile-habillement. Les informations suivantes sont disponibles pour des concurrents de KCP :

    – entreprise A : valeur de l'actif économique sur EBE = 9,73 et PER = 18,4 ;

    – entreprise B : valeur de l'actif économique sur EBE = 7,19 et PER = 17,2.

    Quel est le prix estimé de l'action KCP dans chaque cas ?

26. On dispose des informations suivantes concernant des compagnies aériennes américaines pour 2018. Discutez la pertinence de la méthode des comparables pour évaluer les entreprises de ce secteur. En supposant qu'Alaska Air ait 123 millions d'actions en circulation, calculez le prix d'une de ses actions sur la base des cinq multiples proposés, en fonction de la valeur médiane de chaque multiple pour l'ensemble des compagnies aériennes.

Nom de l'entreprise	CB	VAE	VAE/CA	VAE/EBE	VAE/REX	PER	PER anticipé
Alaska Air	7 286	8 207	1,02×	5,1×	6,7×	7,7×	12,5×
American Airlines	17 879	37 327	0,87×	5,7×	8,2×	10,5×	8,2×
Delat Air lines	35 580	44 164	1,02×	5,7×	8,0×	10,8×	8,8×
Hawaiian Airlines	2 023	2 057	0,73×	3,4×	4,1×	5,8×	7,2×
JetBlue Airways	5 450	5 814	0,80×	4,1×	5,9×	4,9×	10,8×
SkyWest	2 909	5 040	1,56×	7,2×	12,6×	6,6×	11,8×
Southwest Airlines	30 318	30 691	1,44×	6,9×	8,9×	8,6×	12,3×
United Continental	21 961	31 393	0,80×	5,7×	9,2×	11,4×	9,3×

CB : capitalisation boursière ; VAE : valeur de l'actif économique ; CA : chiffre d'affaires ; EBE : excédent brut d'exploitation ; REX : résultat d'exploitation ; PER : *price-earning ratio*.

Source : Capital IQ.

27. (Suite de l'exercice 6.) Vous apprenez dans la presse que Summite vient de réviser ses anticipations de croissance et anticipe désormais une croissance de 3 % par an. Quelle est la valeur d'une action sous cette nouvelle hypothèse ? À quel prix s'échangent désormais les actions Summite ?

28. En 2018, le prix de l'action Coca-Cola était de 44 $, son dividende de 1,48 $. Vous estimez que le dividende devrait croître d'environ 7 % par an à l'infini. Le coût des capitaux propres de Coca-Cola est égal à 8 %. Quel est le prix estimé d'une action Coca-Cola ? Compte tenu du prix de marché de l'action Coca-Cola, quelle conclusion peut-on tirer quant à la croissance attendue par le marché des dividendes futurs ?

29. Roybus vient d'annoncer qu'une de ses principales unités de production à Taïwan a été détruite par un incendie. Bien que l'usine soit entièrement assurée, les flux de trésorerie disponibles annuels de l'entreprise devraient baisser de 180 millions d'euros cette année et de 60 millions d'euros l'an prochain ; la dette de Roybus n'est pas influencée par l'accident. Il y a 35 millions d'actions en circulation. Le coût

moyen pondéré du capital est de 13 %. Comment le cours de Bourse va-t-il réagir ? Est-il possible de réaliser un profit en vendant le titre Roybus ? Pourquoi ?

30. Apnex est sur le point d'annoncer le résultat d'essais cliniques sur un nouveau médicament. Si les tests s'avèrent probants, l'action Apnex vaudra 70 €. Dans le cas contraire, elle ne vaudra que 18 €. La veille de l'annonce, l'action Apnex s'échange à 55 €. Que peut-on déduire du prix de marché de l'action à propos de l'anticipation des investisseurs quant aux résultats des tests ? Un gérant de *hedge fund* a embauché plusieurs scientifiques pour estimer les chances de succès de ce nouveau médicament. Ce fonds peut-il réaliser un profit en échangeant des titres dans les heures qui précèdent l'annonce ? Qu'est-ce qui pourrait empêcher le fond de tirer profit de l'information qu'il détient ?

Étude de cas – L'estimation du prix d'une action Danone

Vous venez d'être embauché en tant qu'analyste actions par une société de gestion et vous êtes bien décidé à faire vos preuves. Votre première mission consiste à étudier le titre Danone. Votre supérieur vous demande d'utiliser le modèle d'actualisation des dividendes et la méthode des flux de trésorerie disponibles actualisés pour estimer le prix d'une action. Danone a un coût des capitaux propres de 8,5 % et un coût moyen pondéré du capital de 6,5 % après impôt. La rentabilité espérée de ses investissements est de 10 %. Vous êtes un peu inquiet car vous vous rappelez les mises en garde de votre professeur de finance : les différentes méthodes peuvent conduire à des estimations très différentes de la valeur de marché d'un titre. À vous de jouer !

1. Allez sur Boursorama et recherchez l'entreprise Danone. Rassemblez les informations sur le prix courant du titre (dernier cours), le bénéfice par action et le montant du dernier dividende. Quel est le taux de distribution des dividendes ? Quel est le nombre d'actions en circulation ?

2. Cliquez sur « Consensus ». À partir des prévisions de résultats, calculez le taux de croissance annuel espéré à court terme ; on ne dispose que des deux prochaines années, on supposera donc que ce taux restera constant sur les cinq années suivantes.

3. Rendez-vous sur le site Danone, cliquez sur l'onglet « Investisseur » puis « Résultats ». Téléchargez le compte de résultat, le bilan et le tableau des flux de trésorerie des deux dernières années et créez un tableur contenant ces données.

4. Afin de déterminer la valeur du titre sur la base du modèle d'actualisation des dividendes :

   a. Créez à l'aide d'un tableur un échéancier pour les cinq prochaines années.

   b. Utilisez le dividende actuel et son taux de croissance futur pour prévoir le montant des dividendes au cours des cinq prochaines années.

   c. Déterminez le taux de croissance à long terme sur la base du taux de distribution des dividendes à partir de l'équation (9.12).

   d. En utilisant le taux de croissance à long terme et l'équation (9.13), déterminez le prix du titre dans cinq ans.

   e. Déterminez le prix courant du titre en utilisant l'équation (9.14).

5. De manière à déterminer la valeur du titre grâce à la méthode des flux de trésorerie disponibles actualisés :

   a. Créez un échéancier pour les sept prochaines années.

   b. Estimez le chiffre d'affaires annuel pour les sept prochaines années.

   c. En supposant que tous les postes du compte de résultat représentent une part stable du chiffre d'affaires, construisez les comptes de résultat prévisionnels pour les années 1 à 7.

   d. À partir du résultat net annuel, calculez les flux de trésorerie disponibles de l'entreprise en utilisant l'équation (9.18). Pour ce faire, il faut estimer la variation du BFR, les amortissements et les investissements. Les chiffres pour les deux années précédentes sont disponibles dans le tableau des flux de trésorerie. On suppose que ces trois postes seront stables au cours des sept prochaines années.

   e. Déterminez la valeur terminale dans cinq ans en utilisant l'équation (9.22). Déterminez la valeur de l'actif économique de l'entreprise (c'est-à-dire la valeur actuelle de ses flux de trésorerie disponibles futurs).

   f. Déterminez le prix d'une action Danone [équation (9.20)].

6. Comparez le prix de marché de l'action et les résultats des deux méthodes. Quelles recommandations feriez-vous à vos clients sur la base de vos estimations ?

7. Expliquez à votre supérieur pourquoi les résultats des deux méthodes diffèrent. Insistez sur les hypothèses implicites de chaque modèle et sur celles faites au cours de l'analyse. Comment amélioreriez-vous la précision de votre prévision ?

Chapitre 10
Marchés financiers et mesure des risques

Entre 2000 et 2020, le prix de l'action Schneider Electric a plus que doublé pour une rentabilité annuelle moyenne de 5,4 % (dividendes inclus), avec de fortes variations annuelles sur la période, de – 35 % en 2008 à + 54 % en 2009. Au cours de la même période, les actionnaires de Sodexo ont bénéficié d'une rentabilité moyenne de 4,6 % avec un minimum de – 68 % en 2002 et un maximum de 52 % en 2005. Enfin, les investisseurs en obligations à 10 ans émises par l'état français ont bénéficié d'une rentabilité moyenne annuelle de 2,9 %, avec un minimum de 0,1 % en 2019 et un maximum de 5,4 % en 2000. On voit que les profils de rentabilité et de volatilité de tous ces titres sont très différents : comment expliquer cela ?

L'objectif de ce chapitre est de présenter la relation entre la rentabilité d'un actif et sa volatilité. La section 10.1 est consacrée à l'examen des données historiques des titres cotés, afin d'analyser la relation entre rentabilité et risque : alors que les placements en actions sont plus risqués que les placements en obligations, ils bénéficient d'une rentabilité moyenne plus élevée. Pour dépasser l'approche historique, il faut préciser la manière dont risque et rentabilité sont calculés (sections 10.2 et 10.3), pour démontrer qu'il existe un arbitrage à faire entre risque et rentabilité (section 10.4). Cependant, tous les risques n'ont pas à être rémunérés : en détenant un portefeuille diversifié contenant de nombreux actifs, les investisseurs peuvent s'affranchir du risque spécifique à chaque titre (section 10.5) : les sections 10.6 et 10.7 démontrent donc que seuls les risques qui ne peuvent pas être éliminés par la détention d'un portefeuille diversifié justifient une prime de risque. La relation entre risque et rentabilité ainsi identifiée permet d'évaluer la prime de risque à exiger pour une opportunité d'investissement et peut être utilisée pour déterminer le coût du capital approprié d'un projet donné (section 10.8).

10.1. Risque et rentabilité : un aperçu historique

Considérons cinq portefeuilles investis dans des classes d'actifs différentes :

1. Le premier est composé d'actions des grandes entreprises cotées aux États-Unis, celles appartenant à l'indice Standard & Poor's 500 (S&P 500).

2. Le deuxième est composé d'actions des entreprises les plus petites cotées sur le *New York Stock Exchange* (celles du premier quintile en termes de capitalisation, composition ajustée trimestriellement).

3. Le troisième est composé d'actions diversifiées internationales[1].

4. Le quatrième est composé d'obligations à long terme (20 ans environ) émises par des entreprises américaines notées AAA.

5. Le dernier est composé de bons du Trésor américains d'échéance trois mois.

La figure 10.1 décrit l'évolution de ces cinq portefeuilles de 1925 à 2017 (on ignore les coûts de transaction et on suppose que les dividendes et les intérêts ont été systématiquement réinvestis). On constate que le portefeuille qui a connu la plus forte progression est celui composé de petites capitalisations, suivi de ceux comprenant les actions du S&P 500, les actions internationales, les obligations d'entreprise et enfin les bons du Trésor américains. La figure 10.1 indique également l'indice des prix à la consommation (IPC). On notera que, quel que soit le portefeuille considéré, la performance réelle sur toute la période a été positive.

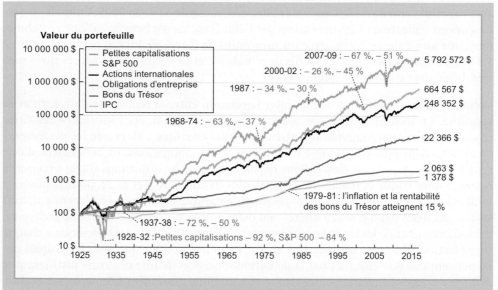

Figure 10.1 – Évolution comparée de différentes classes d'actifs sur la période 1925-2017

Les portefeuilles, chacun d'une valeur égale à 100 $ en 1925, sont construits sur l'hypothèse d'absence de coûts de transaction et de réinvestissement des dividendes et des intérêts. L'indice des prix à la consommation (IPC) est également représenté. L'échelle est logarithmique.

Sources : CRSP, Standard & Poor's et Global Finance Data.

Mais les différences sont impressionnantes. Un portefeuille d'une valeur de 100 $ en 1925 investi en actions d'entreprises de petites capitalisations aurait atteint une valeur de… 5,8 millions de dollars en 2017 ! Ce portefeuille aurait affiché une croissance sans commune mesure avec celle du portefeuille investi en bons du Trésor américains (à peine plus de 2 000 $ en 2017). Pourquoi alors investir dans autre chose que des petites entreprises cotées ?

---

1. L'indice est construit à partir des données de Global Financial Data avec une répartition initiale d'environ 44 % sur l'Amérique du Nord, 44 % sur l'Europe et 12 % sur l'Asie, l'Afrique et l'Australie.

Il convient de remarquer que le portefeuille d'actions composé de petites capitalisations est également celui dont les fluctuations ont été les plus importantes. Il a notamment baissé plus que les autres durant la Grande Dépression des années 1930 : 100 $ investis en 1925 ne valent que 15 $ en 1932 et il faut attendre la fin de la Seconde Guerre mondiale pour que la valeur de ce portefeuille dépasse celle du portefeuille obligataire. Au contraire, le portefeuille composé de bons du Trésor n'a pas baissé sur cette période, sa valeur augmentant modestement mais régulièrement avec le temps. De manière similaire, lors de la crise financière de 2008, les portefeuilles composés d'actions ont perdu plus de 50 %, et jusqu'à 70 % pour le portefeuille de petites capitalisations qui a abandonné 1,5 million de dollars entre le pic de 2007 et le point bas de 2009. Les portefeuilles composés d'actions voient donc leur rentabilité s'effondrer en période de crise économique, au moment où les épargnants peuvent avoir le plus besoin de puiser dans leur épargne (s'ils ont perdu leur emploi, pour compenser une baisse de la valeur de leur logement, etc.). Les bons résultats « en moyenne » des portefeuilles d'actions ont donc un revers : le risque de forte baisse de leur valeur au pire moment.

En pratique, peu de gens réalisent des placements avec un horizon de 92 ans comme c'est le cas à la figure 10.1. De manière à avoir une perspective plus réaliste, la figure 10.2 présente les résultats pour des placements de 100 $ sur des périodes de 1, 5, 10 et 20 ans. Pour un horizon de placement d'un an, le portefeuille le plus volatil est celui composé d'actions de petites capitalisations, suivi de celui composé d'actions du S&P 500, du portefeuille obligataire et enfin de celui investi en bons du Trésor. Ce classement est le même que celui obtenu précédemment en comparant les gains sur longue période. À mesure que l'horizon de placement augmente, la performance des portefeuilles composés d'actions s'améliore relativement aux autres portefeuilles. Cela étant, même avec un horizon de 10 ans, il y a des périodes pendant lesquelles les actions sous-performment les bons du Trésor. De même, le portefeuille composé de petites capitalisations n'est pas forcément le plus rentable après 20 ans : un tel portefeuille constitué au début des années 1980 réalise de moins bonnes performances qu'un portefeuille composé de grandes capitalisations ou d'obligations d'entreprise.

Il est à noter que la majorité des études académiques sur les performances relatives des différentes classes d'actifs portent sur les États-Unis. Or, il s'agit de la principale puissance économique de la seconde partie du XXe siècle. Aussi est-il légitime de se demander si ces résultats sont généralisables à d'autres pays. Dans l'ensemble ils le sont – au moins pour les pays industrialisés. Toutefois, dans la plupart de ces pays, la progression des marchés boursiers sur une longue période a été plus faible qu'aux États-Unis, et parfois même inférieure à celle des placements obligataires ou en bons du Trésor.

Le chapitre 3 a introduit le concept d'**aversion au risque**, qui explique pourquoi les placements dont la valeur baisse le plus pendant les crises (au moment où l'on en a le plus besoin) doivent, pour compenser, avoir une **rentabilité espérée** plus élevée. Les figures 10.1 et 10.2 fournissent des preuves empiriques convaincantes de ce lien entre risque et rentabilité. Ce lien est bien négatif : les investisseurs exigent une prime de risque pour détenir des actifs risqués. Il reste toutefois à quantifier ce lien. L'objectif de ce chapitre est justement d'évaluer la rentabilité espérée des actifs en fonction de leur risque. Pour ce faire, il faut d'abord rappeler quelques outils mathématiques qui permettent de mesurer le risque et la rentabilité. C'est l'objet de la section 10.2.

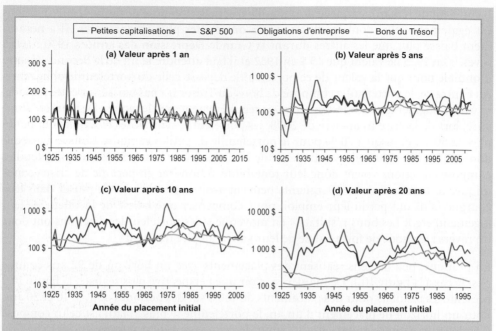

Figure 10.2 – Portefeuilles de 100 $ investis dans différentes classes d'actifs pour différents horizons de placement

Les portefeuilles, chacun d'une valeur initiale égale à 100 $, sont construits sur l'hypothèse d'absence de coûts de transaction et de réinvestissement des dividendes et des intérêts.

Sources : CRSP, Standard & Poor's et Global Finance Data.

| Zoom sur... | **Les performances du marché boursier français sur 150 ans** |

Quelle serait aujourd'hui la valeur d'un portefeuille diversifié composé des 40 actions les plus liquides cotées à la Bourse de Paris, si on avait pu investir l'équivalent de 100 € en 1854 ? La figure ci-dessous représente, sur une échelle logarithmique, un indice (avec dividendes réinvestis) construit par David Le Bris à partir de données d'archive concernant les 40 entreprises cotées les plus importantes de la Bourse de Paris chaque année depuis 1854. Cet indice est comparé avec l'évolution d'un portefeuille obligataire composé de titres d'État français, l'évolution du prix de l'or et celle de l'indice des prix à la consommation.

...

...

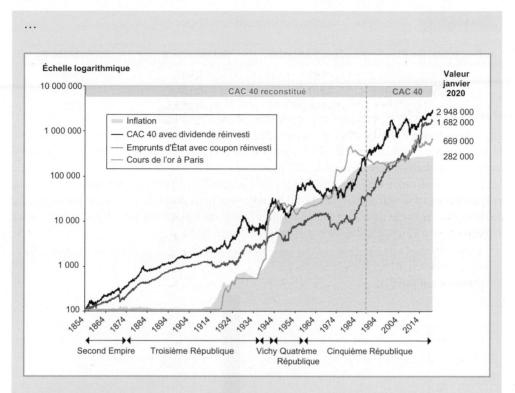

100 € placés en actions du CAC 40 à la Bourse de Paris en 1854 auraient rapporté près de 3 millions d'euros (dividendes réinvestis) début 2020. À long terme, comme aux États-Unis, les actions représentent le placement le plus rentable (notamment par rapport aux emprunts d'État), et de loin. Néanmoins, la performance est largement inférieure à celle du marché américain : sur la période 1925-2017, la progression est environ dix fois plus faible pour le CAC 40 que pour le S&P 500 ! L'inflation a été, en outre, beaucoup plus forte en France qu'aux États-Unis après la Première Guerre mondiale (auparavant, l'inflation était maîtrisée en partie grâce au mécanisme de l'étalon-or).

Source : données et calculs David Le Bris. L'échelle du graphique est logarithmique.

10.2. Mesures traditionnelles du risque et de la rentabilité

Lorsqu'un entrepreneur décide d'investir dans un projet ou qu'un investisseur achète un actif financier, ils ont une certaine vision des risques et de la rentabilité qu'ils en attendent. Comment mesurer ces deux grandeurs ?

Densité de probabilité

La rentabilité d'un actif mesure la variation en pourcentage de sa valeur au cours d'une période donnée. Par définition, la rentabilité future d'un actif risqué est inconnue *ex-ante*, mais il est possible de définir plusieurs états de la nature qui correspondent à différents niveaux de rentabilité et d'associer à chacun de ces états une probabilité de réalisation. Ces informations peuvent être représentées à l'aide d'une **densité de probabilité**, qui associe une probabilité P_R à chaque rentabilité possible R.

Tableau 10.1	Densité de probabilité des rentabilités de l'action BFI		
Prix actuel (en €)	**Prix dans 1 an (en €)**	**Rentabilité, R**	**Probabilité, P_R**
100	140	0,40	25 %
	110	0,10	50 %
	80	−0,20	25 %

Prenons un exemple. L'action BFI cote actuellement 100 €. Les analystes prévoient que le prix de cette action sera de 140 € dans un an avec une probabilité de 25 %, de 110 € avec une probabilité de 50 % et de 80 € avec une probabilité de 25 %. L'entreprise BFI ne verse pas de dividendes. Les rentabilités de l'action BFI l'année prochaine seront donc respectivement de 40 %, 10 % et −20 % dans les trois états de la nature possibles. Le tableau 10.1 résume cette densité de probabilité. Il est également possible de représenter cette densité à l'aide d'un histogramme (voir figure 10.3).

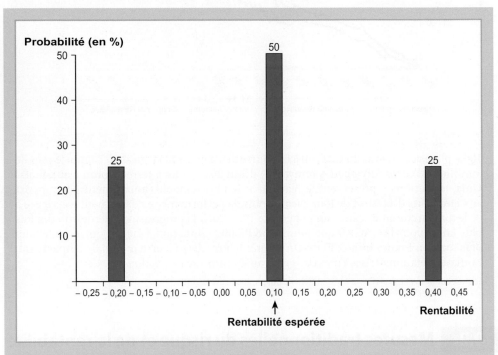

Figure 10.3 – Histogramme de la densité de probabilité des rentabilités de l'action BFI

La hauteur de chaque barre mesure la probabilité d'observer la rentabilité indiquée en abscisse.

Rentabilité espérée

À partir de cette densité de probabilité, il est possible de calculer la **rentabilité espérée**. Celle-ci est égale à la moyenne des rentabilités possibles, chaque rentabilité étant pondérée par sa probabilité d'occurrence :

Rentabilité espérée

$$\text{Rentabilité espérée} = E[R] = \sum_R P_R \times R \qquad (10.1)$$

La rentabilité espérée est celle qu'un investisseur obtiendrait en moyenne s'il pouvait effectuer le même investissement un grand nombre de fois (les rentabilités provenant à chaque fois de la même densité de probabilité). Dans l'histogramme précédent, la rentabilité espérée est le point d'équilibre de la densité (si l'on considère les probabilités comme des pondérations). Pour l'action BFI, la rentabilité espérée est donc :

$$E\left[R_{BFI}\right] = 25\ \% \times -0,2 + 50\ \% \times 0,1 + 25\ \% \times 0,4 = 10\ \%$$

Variance et écart-type

La variance et l'écart-type sont les deux mesures les plus courantes du risque. La variance, notée σ^2, est l'espérance du carré des écarts à la moyenne. L'écart-type, σ, est simplement la racine carrée de la variance :

Variance et écart-type

$$\sigma_R^2 = Var\left[R\right] = E\left[\left(R - E\left[R\right]\right)^2\right] = \sum_R P_R \times \left(R - E\left[R\right]\right)^2 = \sum_R P_R \times \left(R - \sum_R P_R \times R\right)^2$$

$$\sigma_R = \sqrt{Var\left[R\right]} \tag{10.2}$$

La rentabilité d'un placement sans risque est identique dans tous les états de la nature. Sa variance est donc nulle. Si le placement est risqué, la variance augmente proportionnellement avec les écarts à la moyenne des rentabilités. La variance représente par conséquent une mesure de dispersion autour de la moyenne (espérance) de la densité des rentabilités. Dans le cas de l'action BFI, la variance est :

$$\sigma_{R_{BFI}}^2 = Var\left[R_{BFI}\right] = 25\ \% \times \left(-0,2 - 0,1\right)^2 + 50\ \% \times \left(0,1 - 0,1\right)^2 + 25\ \% \times \left(0,4 - 0,1\right)^2 = 0,045$$

L'écart-type des rentabilités de l'action BFI est donc :

$$\sigma_{R_{BFI}} = \sqrt{Var\left[R_{BFI}\right]} = \sqrt{0,045} = 21,2\ \%$$

L'écart-type des rentabilités est fréquemment appelé la **volatilité**. Bien que la variance et l'écart-type mesurent tous deux la volatilité des rentabilités d'un actif, il est plus simple d'utiliser l'écart-type car il s'exprime dans la même unité de mesure que les rentabilités[2].

---

2. La variance et l'écart-type sont les mesures de risque les plus utilisées en finance. Mais ces mesures ne font pas de différence entre les hausses et les baisses. Or sauf exception, les investisseurs ne sont sensibles qu'aux mouvements dans un seul sens (lorsqu'ils possèdent le titre, ils craignent une baisse ; lorsqu'ils vendent à découvert, ils craignent une hausse). Des mesures alternatives du risque ont donc été proposées : la semi-variance, qui mesure la variance des mouvements baissiers exclusivement, ou la *Value-at-Risk* (ou VaR) qui calcule la perte maximale espérée d'un portefeuille sur un horizon donné à un niveau de confiance prédéfini. Ces mesures alternatives sont plus complexes ; pourtant elles produisent, dans de nombreux cas (comme dans l'exemple 10.1 ou lorsque les rentabilités suivent une distribution normale), le même classement en termes de risque que l'écart-type. On ne recourt par conséquent à ces mesures alternatives que dans des situations particulières dans lesquelles l'écart-type seul ne suffit pas à caractériser complètement le risque.

Rentabilité espérée et volatilité d'un actif

La rentabilité de l'action AMC sera de 45 % ou de – 25 % l'année prochaine. Ces deux états de la nature sont équiprobables. Quelle est sa rentabilité espérée ? Sa volatilité ?

Solution

La rentabilité espérée est la moyenne pondérée par les probabilités des rentabilités des deux états de la nature :

$$E\left[R_{AMC}\right] = \sum_{R_{AMC}} P_{R_{AMC}} \times R_{AMC} = 0,5 \times 0,45 + 0,5 \times \left(-0,25\right) = 10 \ \%$$

Pour calculer la volatilité des rentabilités, il faut tout d'abord calculer leur variance :

$$\sigma^2_{R_{AMC}} = Var\left[R_{AMC}\right] = \sum_{R_{AMC}} P_{R_{AMC}} \times \left(R_{AMC} - E\left[R_{AMC}\right]\right)^2$$

$$= 50 \ \% \times \left(0,45 - 0,1\right)^2 + 50 \ \% \times \left(-0,25 - 0,1\right)^2 = 0,1225$$

La volatilité est égale à la racine carrée de la variance :

$$\sigma_{R_{AMC}} = \sqrt{Var\left[R_{AMC}\right]} = 35 \ \%$$

À la lecture de l'exemple 10.1, on s'aperçoit que les actions AMC et BFI offrent les mêmes rentabilités espérées : 10 %. Les rentabilités d'AMC sont plus dispersées autour de leur moyenne que celles de BFI (voir figure 10.4). La variance de l'action AMC est donc plus élevée que celle de l'action BFI.

S'il était possible d'observer les densités de probabilité anticipées par les investisseurs pour les différents actifs financiers, il serait possible de calculer leurs rentabilités espérées et leurs volatilités pour caractériser la relation entre ces deux mesures. Il est hélas difficile, pour ne pas dire impossible, de les observer en pratique. Une approche courante consiste par conséquent à les estimer à partir des données historiques ; cette estimation est satisfaisante si l'environnement économique est stable et si les rentabilités passées sont susceptibles de refléter celles qui seront observées à l'avenir.

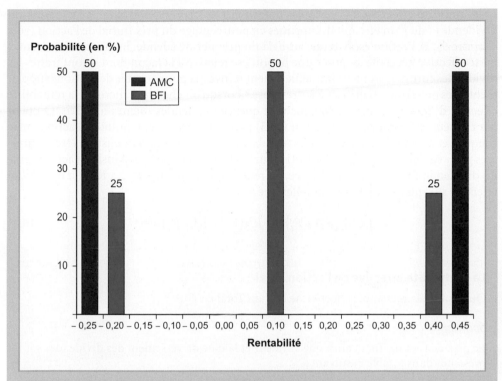

Figure 10.4 – Densité de probabilité des rentabilités de BFI et AMC

Les deux actions ont les mêmes rentabilités espérées. Cependant, l'action AMC possède une variance et donc un écart-type supérieurs à ceux de l'action BFI.

10.3. Rentabilité historique des actifs financiers

Cette section explique comment calculer la rentabilité et la volatilité d'un actif financier à partir de données historiques. L'évolution passée d'un actif est en effet utile pour se faire une idée de la densité de probabilité des rentabilités futures.

Rentabilités historiques

La **rentabilité effective**, ou **historique**, ou **constatée**, est la rentabilité qui a effective-ment été réalisée par un actif donné au cours d'une période définie et passée. Comment la calculer ? Prenons l'exemple d'une action. Cette action a un prix P_t à la date t. En date $t + 1$, si cette action verse un dividende Div_{t+1} et que son prix est P_{t+1}, la rentabilité effec-tive de la détention de cette action entre les dates t et $t + 1$ est :

$$R_{t+1} = \frac{P_{t+1} + Div_{t+1} - P_t}{P_t} = \frac{Div_{t+1}}{P_t} + \frac{P_{t+1} - P_t}{P_t}$$

$$= \text{Rendement (Dividende)} + \text{Taux de plus-value (Gain en capital)} \qquad (10.3)$$

La **rentabilité effective** R_{t+1} entre les dates t et $t + 1$ correspond donc à la somme du dividende et du gain en capital, exprimés en pourcentage du prix initial de l'action (voir chapitre 9). Si l'action est détenue au-delà du premier dividende, la mesure de la rentabilité effective nécessite de poser une hypothèse relative à la façon dont seront traités les dividendes futurs : seront-ils immédiatement réinvestis pour acheter des actions supplémentaires ou seront-ils utilisés à autre chose ? Lorsqu'on cherche à mesurer la rentabilité effective d'un actif donné, la logique veut que les dividendes soient réinvestis. On peut par conséquent recourir à l'équation (10.3) pour calculer la rentabilité de l'action entre chaque versement de dividende. Ces rentabilités effectives peuvent ensuite être composées pour calculer la rentabilité effective sur un horizon plus long. Ainsi, si l'action verse un dividende à la fin de chaque année, les rentabilités annuelles $R_1,\ldots,R_4$ et la rentabilité effective sur quatre ans R_{1-4} sont telles que :

$$1 + R_{1-4} = \left(1 + R_1\right)\left(1 + R_2\right)\left(1 + R_3\right)\left(1 + R_4\right) \tag{10.4}$$

Exemple 10.2

La rentabilité effective de l'action Total

Quelle a été la rentabilité effective de l'action Total en 2019 ?

Solution

Le prix de l'action Total, ainsi que la valeur et la date de versement des dividendes sont présentés dans le tableau suivant :

Date	Prix (en €)	Dividende (en €)	Rentabilité en %
01/01/2019	46,18		
19/03/2019	51,54	0,64	12,99
11/06/2016	48,25	0,64	– 5,14
27/09/2020	47,38	0,66	– 0,44
31/12/2019	49,20		3,84

Les rentabilités entre deux dates sont calculées grâce à l'équation (10.3). Par exemple, entre le 1er janvier et le 19 mars, la rentabilité de l'action Total est égale à :

$$\frac{51,54 + 0,64 - 46,18}{46,18} = 12,99\ \%$$

La rentabilité sur l'année de l'action Total s'obtient grâce à l'équation (10.4) :

$$R_{2019} = 1,1299(1 - 5,14\ \%)(1 - 0,44\ \%)1,0384 - 1 = 10,8\ \%$$

L'exemple 10.2 rappelle que la rentabilité d'un actif provient à la fois des flux auxquels il donne droit (les dividendes dans le cas d'une action) et des gains en capital. Oublier l'une de ces deux composantes conduit à une vision erronée de la performance. Les rentabilités de n'importe quel actif financier se calculent suivant la même logique. Celle d'un portefeuille se calcule simplement en tenant compte de tous les flux reçus et de la valeur de marché du portefeuille à chaque date d'occurrence d'un flux.

Le tableau 10.2 indique que, sur la période 2001-2019, l'action Total a connu 10 années sur 19 une rentabilité annuelle plus élevée que l'indice CAC 40. Globalement, on remarque que le titre Total a tendance à fluctuer dans le même sens que le CAC 40 (14 fois sur 19). La rentabilité de l'obligation assimilable du Trésor (OAT) à 10 ans a quant à elle été beaucoup plus stable dans le temps et a été supérieure 7 années sur 19 à celle du CAC 40.

Tableau 10.2	Rentabilités historiques du CAC 40, de Total et de l'OAT 10 ans				
Date	**CAC 40**	**Dividendes versés sur le CAC 40***	**Rentabilité effective du CAC 40**	**Rentabilité effective de l'action Total**	**Rentabilité effective de l'OAT 10 ans**
2001	4 625	71	– 20,8 %	9,5 %	4,9 %
2002	3 064	84	– 31,9 %	– 5,8 %	4,9 %
2003	3 558	115	19,9 %	26,8 %	4,1 %
2004	3 821	142	11,4 %	38,1 %	4,1 %
2005	4 715	122	26,6 %	52,4 %	3,4 %
2006	5 542	158	20,9 %	5,1 %	3,8 %
2007	5 614	158	4,2 %	11,5 %	4,3 %
2008	3 218	132	– 40,3 %	– 28,1 %	4,2 %
2009	3 936	169	27,6 %	22,1 %	3,6 %
2010	3 805	153	0,6 %	– 5,4 %	3,1 %
2011	3 160	136	– 13,4 %	4,7 %	3,3 %
2012	3 641	162	20,4 %	4,5 %	2,5 %
2013	4 296	154	22,2 %	21,5 %	2,2 %
2014	4 273	140	2,7 %	0,5 %	1,7 %
2015	4 637	146	11,9 %	3,4 %	0,8 %
2016	4 862	187	8,9 %	24,0 %	0,5 %
2017	5 313	169	12,7 %	– 0,3 %	0,8 %
2018	4 731	157	– 8,0 %	5,4 %	0,8 %
2019	5 978	193	30,5 %	10,8 %	0,1 %

* Dividendes totaux des entreprises du CAC 40 réinvestis (en points d'indice).

Sur une période spécifique, par exemple l'année, pour un actif donné, un seul tirage aléatoire est observé à partir de la densité de probabilité de ses rentabilités. Sous l'hypothèse que cette densité de probabilité est stable dans le temps, il est possible d'observer plusieurs rentabilités effectives au cours de plusieurs périodes (plusieurs années), et donc d'observer plusieurs tirages à partir d'une même densité. En observant la fréquence d'occurrence de différents intervalles de rentabilités effectives, on peut construire une **densité de probabilité empirique** de ces rentabilités. Ce raisonnement peut être mené à partir des données de la figure 10.1. Les rentabilités effectives annuelles des différents portefeuilles sont utilisées pour construire un histogramme (voir figure 10.5). La hauteur de chaque barre représente le nombre d'années pendant lesquelles les rentabilités annuelles de ces portefeuilles ont appartenu aux intervalles en abscisse.

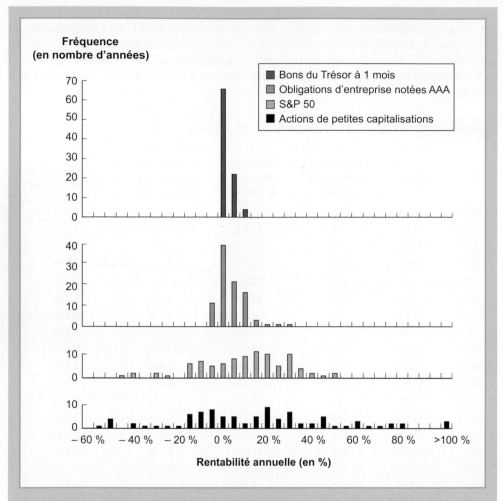

Figure 10.5 – Densités de probabilité empiriques des rentabilités de différents portefeuilles, 1926-2017

La hauteur de chaque barre représente le nombre d'années pendant lesquelles les rentabilités annuelles ont appartenu aux intervalles en abscisse. La dispersion maximale de la densité de probabilité des rentabilités est atteinte par les actions de petites capitalisations. Au contraire, la densité de probabilité empirique des obligations d'entreprise ou des bons du Trésor est très peu dispersée.

Rentabilité annuelle moyenne

La **rentabilité annuelle moyenne** d'un actif au cours d'une période est simplement la moyenne arithmétique de ses rentabilités effectives annuelles. Avec R_t la rentabilité effective d'un titre en année t, la rentabilité annuelle moyenne entre l'année 1 et l'année T du titre est :

Rentabilité annuelle moyenne

$$\overline{R} = \frac{1}{T} \sum_{t=1}^{T} R_t = \frac{1}{T}\left(R_1 + \dots + R_T\right)$$

(10.5)

La rentabilité annuelle moyenne d'un titre est le point central de la densité de probabilité empirique de ses rentabilités annuelles. Sous l'hypothèse de stabilité de la densité de probabilité, la rentabilité annuelle moyenne d'un actif constitue une estimation de sa rentabilité espérée. D'après les données du tableau 10.2, la rentabilité moyenne annuelle du CAC 40 sur la période 2001-2019, par exemple, est :

$$\overline{R} = \frac{1}{19}(-20,8\ \% - 31,9\ \% + \ldots + 30,5\ \%) = 5,6\ \%$$

Le tableau 10.3 détaille les rentabilités annuelles moyennes sur la période 1926-2017 des différents portefeuilles présentés à la section 10.1. En moyenne, les investisseurs ont bénéficié, sur cette période, d'une rentabilité supérieure de 12,0 % – 3,4 % = 8,6 % par an en détenant les actions du S&P 500 plutôt que des bons du Trésor américains.

Tableau 10.3	Rentabilités annuelles moyennes de différents portefeuilles, 1926-2017

Portefeuille	Rentabilité annuelle moyenne
Actions de petites capitalisations	18,7 %
Actions du S&P 500	12,0 %
Obligations d'entreprises	6,2 %
Bons du Trésor	3,4 %

Zoom sur...	**L'indice CAC 40**

L'indice CAC 40, utilisé pour mesurer la performance des principales actions de la place de Paris, a été coté pour la première fois le 31 décembre 1987*, avec un niveau de départ fixé arbitrairement à 1 000 points. Depuis, le gain moyen pour un investisseur, dividendes inclus, a été de 5,6 % par an, mais avec de fortes variations d'une année sur l'autre (+ 57 % en 1988, – 40 % en 2008…). L'indice a connu 21 années de hausse pour 10 années de baisse. Son plus bas niveau a été enregistré le 29 janvier 1988, à 893,82 points. Il a atteint son plus haut niveau historique en pleine euphorie liée à la bulle internet, le 4 septembre 2000, à 6 944,77 points, pour ensuite rechuter jusqu'à 2 400 points en mars 2003, remonter à plus de 6 000 points en juillet 2007, redescendre à 2 500 points en mars 2009 pour retrouver une nouvelle fois les 6 000 points en janvier 2020, avant de retomber en mars 2020 sous les 3 700 points en pleine panique financière provoquée par la pandémie Covid-19 (avec, le 12 mars 2020, la plus forte baisse de l'histoire du CAC 40 : – 12,3 % en une journée).

Depuis sa création, les entreprises tricolores qui composent l'indice – les *blue chips* – ont beaucoup changé. Moins de la moitié de celles qui composaient l'indice en 1988 sont toujours présentes (Carrefour, L'Oréal, Michelin…), en tenant compte de celles qui ont changé de nom (Danone, Suez…). Une dizaine de sociétés ont quitté le CAC 40 parce qu'elles ont fusionné avec d'autres déjà incluses dans l'indice (Elf avec Total par exemple). Une douzaine d'autres entreprises ont cédé leur place suite à l'apparition de nouveaux poids lourds issus, notamment, des privatisations (Engie, France Télécom devenu Orange…). Enfin et surtout, il a fallu que la composition de l'indice s'adapte à la montée en puissance du secteur tertiaire en intégrant des sociétés de services (Atos, Vivendi…).

…

Variance et volatilité des rentabilités

La figure 10.5 montre que la dispersion des rentabilités est différente selon le portefeuille considéré : le portefeuille d'actions de petites capitalisations a une densité empirique beaucoup plus étalée que les autres, le portefeuille bénéficiant de la dispersion la plus faible étant le portefeuille de bons du Trésor.

Afin de quantifier ces différences, il est possible de calculer la **variance** d'une densité de probabilité empirique des rentabilités de cet actif. Celle-ci est la moyenne des carrés des écarts à l'espérance des rentabilités. La seule complication réside dans le fait que cette rentabilité espérée est inconnue. Elle peut être estimée par la moyenne des rentabilités observées[3].

Estimation de la variance à partir des rentabilités effectives

$$Var\left[R\right] = \frac{1}{T-1}\sum_{t=1}^{T}\left(R_t - \bar{R}\right)^2 \tag{10.6}$$

L'écart-type de la densité de probabilité empirique est simplement la racine carrée de la variance[4].

Le tableau 10.4 fournit une estimation de la volatilité des rentabilités des portefeuilles de la section 10.1. Comme attendu, le portefeuille d'actions de petites capitalisations a la volatilité la plus élevée, suivi par les actions du S&P 500, les obligations d'entreprise et enfin les bons du Trésor. Ces derniers titres sont clairement les moins risqués de tous.

3.   La formule contient une division par $1/(T-1)$ et non $1/T$. En effet, cette formule s'appuie sur une estimation de la rentabilité espérée (la moyenne des rentabilités observées) et non la « vraie » espérance (inconnue). Un degré de liberté est donc perdu ; il ne reste par conséquent que $T-1$ observations pour estimer la variance.
4.   Si la périodicité des rentabilités de l'équation (10.6) n'est pas annuelle, la variance doit être annualisée en la multipliant par le nombre de périodes par année. Par exemple, lorsqu'on utilise des rentabilités mensuelles, il convient de multiplier la variance par 12 et l'écart-type par $\sqrt{12}$.

Tableau 10.4	Volatilités annuelles de différents portefeuilles, 1926-2017

Portefeuille	Volatilité des rentabilités (écart-type)
Actions de petites capitalisations	39,2 %
Actions du S&P 500	19,8 %
Obligations d'entreprise	6,4 %
Bons du Trésor	3,1 %

La volatilité historique

À partir des données du tableau 10.2, quelles sont la variance et la volatilité des rentabilités du CAC 40 sur la période 2001-2019 ?

Solution

La rentabilité annuelle moyenne du CAC 40 sur cette période est de 5,6 %. La variance est calculée grâce à l'équation (10.6) :

$$Var(R) = \frac{1}{T-1}\sum_{t=1}^{T}(R_t - \bar{R})^2 = \frac{1}{18}\left((-0,208 - 0,056)^2 + \ldots + (0,305 - 0,056)^2\right) = 0,0411$$

La volatilité (écart-type) des rentabilités du CAC 40 sur la période est :

$$\sigma_R = \sqrt{Var(R)} = \sqrt{0,0411} = 20,3\ \%$$

Exemple 10.3

Rentabilités historiques et rentabilités futures : l'erreur d'estimation

Pour estimer le coût du capital d'un projet d'investissement, il faut savoir quelle rentabilité espérée exigent les investisseurs. Sous l'hypothèse de stabilité de la densité de probabilité des rentabilités, il est possible d'estimer cette rentabilité exigée par comparaison avec la rentabilité effective dont ont bénéficié des investisseurs dans des projets passés de même risque. Cette approche soulève deux difficultés.

Premièrement, on ne sait pas ce que les investisseurs anticipaient par le passé : les seules données observables sont les rentabilités effectives des différents actifs. Ainsi, en 2008, les investisseurs ayant acheté les actions du CAC 40 ont perdu 40 % de la valeur de leur investissement. Ce n'est sûrement pas ce qu'ils anticipaient... Sinon, ils auraient acheté des bons du Trésor ! Toutefois, sous l'hypothèse que les investisseurs ne sont, en moyenne, ni trop optimistes ni trop pessimistes, la rentabilité effective annuelle moyenne (calculée à partir de la densité de probabilité empirique) ne devrait pas être trop éloignée de la rentabilité qu'ils espèrent.

Il en résulte alors la seconde difficulté : *la rentabilité moyenne calculée à partir de données historiques ne constitue qu'une estimation de la rentabilité espérée* ; elle est donc sujette à une erreur d'estimation. Étant donné la volatilité des rentabilités des actions, cette erreur d'estimation peut être importante, et ce, même si est pris en compte un grand nombre d'observations comme le montre ce qui suit.

L'erreur type. Dès lors que l'on réalise une estimation, il convient d'apprécier l'erreur d'estimation que l'on commet. Celle-ci peut être calculée grâce à la mesure statistique d'**erreur type**. L'erreur type est l'écart-type de la moyenne estimée autour de sa « vraie » valeur. L'erreur type donne par conséquent une indication de l'écart qui peut exister entre la rentabilité moyenne calculée à partir de rentabilités historiques et la rentabilité espérée par les investisseurs, cette dernière étant la valeur recherchée. Sous l'hypothèse de stabilité temporelle de la densité de probabilité des rentabilités et d'indépendance des rentabilités observées année après année[5], l'erreur type de l'estimation de la rentabilité espérée est :

Erreur type de l'estimation de la rentabilité espérée

$$\sigma_{\bar{R}} = \frac{\sigma_R}{\sqrt{\text{Nombre d'observations}}} \qquad (10.7)$$

Une fois l'erreur type calculée, il est possible de construire des intervalles de confiance autour de l'estimation de la rentabilité espérée. En effet, il y a 95 % de probabilités pour que la vraie rentabilité espérée d'un actif appartienne à un intervalle de plus ou moins deux fois l'erreur type autour de la rentabilité historique moyenne de cet actif[6]. Cet **intervalle de confiance à 95 %** est donc :

$$\text{Rentabilité moyenne historique} \pm 2 \times \text{l'erreur type} \qquad (10.8)$$

Par exemple, entre 1926 et 2017, la rentabilité annuelle moyenne du S&P 500 a été de 12 % et sa volatilité historique de 19,8 % (voir tableaux 10.3 et 10.4). Si l'on suppose que les 92 observations annuelles sont indépendantes et identiquement distribuées, l'intervalle de confiance à 95 % de la rentabilité espérée du S&P 500 est :

$$12,0\ \% \pm 2 \left(\frac{19,8\ \%}{\sqrt{92}} \right) = 12,0\ \% \pm 4,1\ \%$$

La rentabilité annuelle espérée appartient donc (avec un niveau de confiance de 95 %) à l'intervalle de 7,9 % à 16,1 %. Ainsi, même avec 92 années d'observation, il n'est pas possible d'estimer très précisément la rentabilité espérée du S&P 500. Par ailleurs, ce calcul néglige la possibilité que la densité de probabilité des rentabilités ait changé au cours de la période… Mais pour corriger ce biais, il faudrait n'utiliser que des données récentes, ce qui rendrait l'estimation encore moins précise.

---

5. En termes statistiques, cela revient à supposer que les rentabilités observées sont indépendantes et identiquement distribuées (iid). La propriété d'indépendance signifie que la rentabilité observée une année donnée ne dépend pas des rentabilités observées précédemment, et ce, même si chaque rentabilité observée est issue de la même densité de probabilité (hypothèse selon laquelle les rentabilités sont identiquement distribuées). En d'autres termes, la probabilité que la rentabilité observée cette année soit positive ne dépend pas des rentabilités observées les années précédentes. Cette hypothèse est fortement liée à celle d'efficience des marchés financiers.

6. Si les rentabilités sont indépendantes et identiquement distribuées selon une loi normale, la rentabilité moyenne estimée sera située dans 95,44 % des cas à moins de deux erreurs types autour de la vraie rentabilité moyenne. Si les rentabilités ne sont pas distribuées suivant une loi normale, cette formule est approximativement vérifiée en présence d'un grand nombre d'observations (théorème central-limite).

Les limites des estimations de rentabilité espérée. En moyenne, les actifs individuels sont plus volatils que les portefeuilles. En outre, certains titres n'existent que depuis quelques années, ce qui limite le nombre de données disponibles. Les rentabilités espérées estimées à partir de rentabilités historiques sont donc toujours entachées d'erreurs d'estimation importantes. Une autre stratégie d'estimation s'impose alors. Cette méthode alternative est détaillée dans la suite du chapitre et repose sur des estimations statistiques plus robustes : elle consiste à mesurer le risque d'un actif puis à utiliser la relation entre risque et rentabilité – qu'il faudra établir – pour en inférer la rentabilité espérée.

Précision des estimations de rentabilité espérée

Si on utilise les rentabilités de l'indice CAC 40 au cours de la période 2001-2019 (voir tableau 10.2), quel est l'intervalle de confiance à 95 % de l'estimation de la rentabilité espérée du CAC 40 ?

Solution

La rentabilité moyenne annuelle de l'indice CAC 40 sur la période est de 5,6 %. La volatilité des rentabilités de cet indice est de 20,3 % sur la même période (exemple 10.3). L'erreur type de l'estimation de la rentabilité espérée est donc, d'après l'équation (10.7), de :

$$\sigma_{\bar{R}} = \frac{\sigma_R}{\sqrt{T}} = \frac{20,3\ \%}{\sqrt{19}} = 4,7\ \%$$

Si on utilise l'équation (10.8), l'intervalle de confiance à 95 % contenant la rentabilité espérée est :

$$5,6\ \% \pm 24,7\ \% = [-3,7\ \%\ ; 14,9\ \%]$$

On le voit, il est difficile d'estimer avec précision la rentabilité espérée du CAC 40 avec si peu d'observations (ici 19).

Exemple 10.4

Zoom sur...   **Moyenne arithmétique ou moyenne géométrique ?**

Dans ce chapitre, la rentabilité annuelle moyenne a été calculée à l'aide de la moyenne arithmétique. Pourquoi n'a-t-on pas utilisé la moyenne géométrique, qui permet d'obtenir la rentabilité annuelle composée (ou **taux de croissance annuel moyen, TCAM**) ? La formule de la moyenne géométrique est :

$$\text{Rentabilité annuelle composée} = \left[\left(1 + R_1\right) \times ... \times \left(1 + R_T\right)\right]^{\frac{1}{T}} - 1$$

Dans le cas du S&P 500, la rentabilité annuelle composée de 1926 à 2017 est de 10,0 %. Il est possible de calculer, de la même manière, la rentabilité annuelle des portefeuilles composés d'actions de petites capitalisations (12,7 %), d'obligations d'entreprise (6,1 %) et de bons du Trésor (3,3 %).

...

...

Toutes ces rentabilités annuelles composées sont inférieures aux rentabilités moyennes annuelles correspondantes du tableau 10.3. En d'autres termes, une moyenne géométrique est toujours inférieure à une moyenne arithmétique. Cette différence provient du fait que les rentabilités sont volatiles. Afin de mieux comprendre l'effet de la volatilité sur la moyenne, considérons un actif dont les rentabilités annuelles sont de +20 % la première année et de – 20 % la seconde année. La rentabilité annuelle moyenne (arithmétique) est :

$$\frac{1}{2}\left(20\ \% - 20\ \%\right) = 0\ \%$$

Mais la valeur de 1 € placé dans cet actif vaut à la fin de la seconde année :

$$1 \times 1,2 \times 0,80 = 0,96\ €$$

L'investisseur a donc perdu de l'argent (0,04 €). Pourquoi ? Parce que le gain de 20 % porte sur un actif d'une valeur de 1 € alors que la perte de 20 % porte sur un actif valant 1,20 €. Dans cet exemple, la rentabilité annuelle composée est négative :

$$(0,96)^{\frac{1}{2}} - 1 = -2,02\ \%$$

Plus la volatilité des rentabilités annuelles est importante, plus la différence entre rentabilité annuelle moyenne et rentabilité annuelle composée sera importante (cette différence est à peu près égale à la moitié de la variance des rentabilités).

Quel est le meilleur indicateur de la rentabilité d'un actif ? La rentabilité annuelle composée représente la performance *historique* moyenne de l'actif au cours d'une période donnée. Elle coïncide avec la rentabilité annuelle qui serait nécessaire pour reproduire la performance de l'actif sur une période de longueur équivalente. On s'appuie donc souvent sur cet indicateur pour comparer la performance historique de différents actifs : les OPCVM rendent ainsi compte de leurs performances grâce à leur rentabilité annuelle composée sur cinq ou dix ans.

On recourt à la rentabilité annuelle moyenne lorsqu'une estimation de la rentabilité *espérée* d'un actif sur un horizon donné est recherchée. L'hypothèse selon laquelle les rentabilités passées sont obtenues à partir de tirages indépendants d'une même densité de probabilité fait que la moyenne arithmétique des rentabilités historiques est un estimateur sans biais de la vraie rentabilité espérée*.

---

* Ce résultat nécessite que les rentabilités historiques utilisées soient mesurées sur le même intervalle de temps que la rentabilité espérée à estimer ; on recourt donc à la moyenne des rentabilités historiques mensuelles pour estimer la rentabilité mensuelle espérée future. Du fait de l'erreur d'estimation, elle-même dépendante de la taille de l'échantillon utilisé, la rentabilité espérée calculée sur différents horizons sera différente de la rentabilité composée. Lorsqu'on augmente la taille de l'échantillon, la première converge vers la seconde.

...

…

Afin de comprendre de manière intuitive ce résultat, revenons à l'exemple précédent. Si la rentabilité de l'actif est, de manière équiprobable, égale à +20 % ou – 20 % dans le futur et si ces rentabilités sur deux ans sont observées un grand nombre de fois, alors 1 € aujourd'hui vaudra de manière équiprobable dans deux ans :

$$(1,20) \times (1,20) = 1,44 \text{ €}$$
$$(1,20) \times (0,80) = 0,96 \text{ €}$$
$$(0,80) \times (1,20) = 0,96 \text{ €}$$
$$\text{ou } (0,80) \times (0,80) = 0,64 \text{ €}$$

Par conséquent, sa valeur moyenne dans deux ans sera $(1,44 + 0,96 + 0,96 + 0,64)/4$ = 1 €. Cela correspond à une rentabilité moyenne composée de 0 %, elle-même égale à sa rentabilité annuelle espérée calculée comme sa rentabilité annuelle moyenne (arithmétique).

10.4. L'arbitrage entre risque et rentabilité

Les investisseurs manifestent de l'aversion au risque (voir chapitre 3) : autrement dit, la satisfaction qu'ils éprouvent lors d'une augmentation de leur revenu est plus faible que le désagrément qu'ils subissent dans le cas d'une baisse d'un même montant. C'est pourquoi les investisseurs ne choisissent jamais de détenir un portefeuille plus volatil à moins qu'ils en n'espèrent une rentabilité plus élevée. Cette section propose de mesurer la relation entre risque et rentabilité à partir de données historiques.

Rentabilité des portefeuilles diversifiés

Les tableaux 10.3 et 10.4 fournissent des informations concernant la rentabilité annuelle moyenne et la volatilité de différents portefeuilles entre 1926 et 2017. Le tableau 10.5 calcule la **rentabilité excédentaire** par rapport au taux sans risque et reprend la volatilité de ces portefeuilles. La rentabilité moyenne excédentaire par rapport au taux sans risque, également appelée **prime de risque**, correspond à la différence entre la rentabilité moyenne d'un actif et celle des bons du Trésor, que l'on suppose sans risque (ce qui, dans les pays développés, est une hypothèse acceptable).

La figure 10.6 représente la rentabilité annuelle moyenne et la volatilité des différents portefeuilles de la section 10.1 ainsi que celle d'un portefeuille supplémentaire (actions de moyennes capitalisations américaines). Cette figure montre clairement que les portefeuilles les plus volatils sont ceux dont les rentabilités moyennes sont les plus élevées. Cette relation est cohérente avec l'aversion au risque des investisseurs : un portefeuille plus risqué doit offrir aux investisseurs une rentabilité moyenne plus élevée pour compenser le risque supplémentaire.

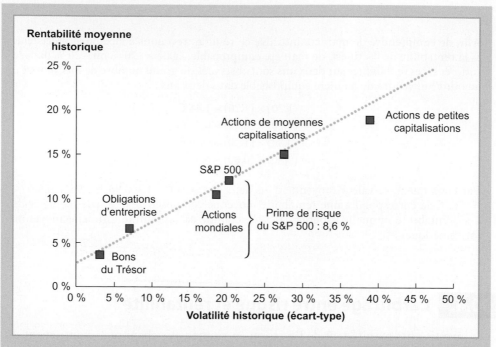

Figure 10.6 – Arbitrage entre risque et rentabilité de plusieurs portefeuilles diversifiés, 1926-2017

Cette figure montre la relation qui lie volatilité et rentabilité moyenne de plusieurs portefeuilles diversifiés. Outre les portefeuilles de la section 10.1, la figure représente un portefeuille composé d'actions d'entreprises moyennes.

Sources : CRSP, Morgan Stanley Capital International.

Tableau 10.5	Volatilité et rentabilité excédentaire de différents portefeuilles, 1926-2017

Portefeuille	Volatilité des rentabilités (écart-type)	Rentabilité excédentaire au taux sans risque
Actions de petites capitalisations	39,2 %	15,3 %
Actions du S&P 500	19,8 %	8,6 %
Obligations d'entreprise	6,4 %	2,9 %
Bons du Trésor	3,1 %	0,0 %

Rentabilité des titres individuels

La figure 10.6 suggère une relation simple entre risque et rentabilité d'un actif financier : plus un actif est volatil, plus il est rentable, et plus la prime de risque est élevée. Au vu de la figure, il est tentant de considérer que cette relation est linéaire : une droite semble relier les portefeuilles sur la figure. Cette conclusion obtenue à partir de portefeuilles composés d'un grand nombre d'actifs financiers est-elle vérifiée pour les titres individuels ? À l'évidence, ce n'est pas le cas, comme l'illustre la figure 10.7 : il n'existe pas de relation évidente entre volatilité et rentabilité d'actifs individuels. Sur la figure, chaque point représente le couple rentabilité annuelle moyenne/volatilité d'une action.

500 actions appartenant aux plus grandes entreprises cotées américaines sont représentées (données trimestrielles). Les actions sont classées par taille décroissante, de telle sorte que la capitalisation de l'action 1 est la plus élevée et celle de l'action 500 la plus faible.

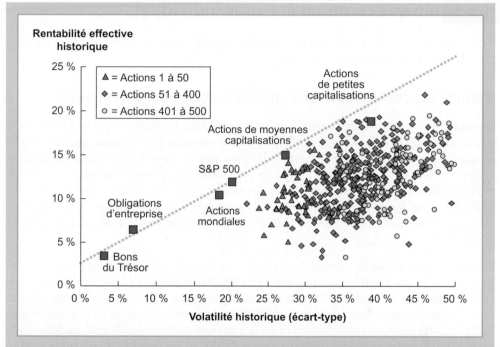

Figure 10.7 – Risque et rentabilité historiques de titres individuels, 1926-2017

Contrairement aux portefeuilles diversifiés, il n'existe pas de relation évidente entre volatilité et rentabilité moyenne des actions. Les actions présentent une volatilité plus élevée et une rentabilité moyenne plus faible que la relation apparente qui lie les risques et rentabilités des portefeuilles.

Source : CRSP.

Il semble exister une relation entre la taille d'une entreprise et le risque de ses actions : les titres des grandes capitalisations ont une volatilité moyenne plus faible que celle des actions des petites capitalisations. Les actions individuelles des grandes capitalisations sont toutefois plus volatiles qu'un portefeuille composé de ces mêmes titres (le S&P 500). Il n'y a pas en revanche de relation claire entre volatilité et rentabilité des titres : l'étude des actions individuelles montre qu'il existe de nombreux cas dans lesquels des volatilités élevées sont associées à des rentabilités faibles. Enfin, l'ensemble des points relatifs aux actions individuelles se situe en dessous de la ligne virtuelle reliant les portefeuilles diversifiés. En d'autres termes, les actions individuelles présentent un risque plus élevé et une rentabilité plus faible que ce qu'il est possible d'anticiper à partir de l'extrapolation des données observées sur les portefeuilles.

Si la volatilité semble constituer une mesure acceptable du risque d'un portefeuille diversifié, elle n'est pas très adaptée à l'analyse des titres individuels. Pourquoi les investisseurs ne réclament-ils (apparemment) pas une rentabilité plus élevée afin de compenser le risque lié à la détention de titres plus volatils ? Comment expliquer qu'un portefeuille constitué d'actions du S&P 500 soit moins risqué que les 500 actions individuelles qui composent l'indice ? Pour répondre à ces questions, il faut en revenir à la notion de risque pour un investisseur.

10.5. Risque commun et risque individuel

Cette section détaille les différences entre le risque d'un titre individuel et celui d'un portefeuille composé de plusieurs titres.

Assurances contre les risques naturels et de vol : un exemple

Considérons deux polices d'assurance habitation dans la région niçoise. La première couvre les risques de vol ; la seconde les risques naturels. On suppose que les risques de cambriolage et de catastrophe naturelle pour une maison à Nice sont identiques et égaux à 1 % par an. En d'autres termes, la probabilité que la société d'assurances doive effectuer des versements au titre de ces dommages pour une seule maison à Nice est identique pour les deux types de polices d'assurance. Elle a vendu 100 000 polices de chaque type à Nice. Quel est le risque du portefeuille de polices d'assurance détenu par la société ?

Comme la probabilité de cambriolage est de 1 %, la société d'assurances peut légitimement attendre que 1 maison sur 100, parmi les 100 000 maisons assurées, soit cambriolée, ce qui représente théoriquement 1 000 sinistres par an. Le nombre réel de cambriolages sera chaque année un peu différent de 1 000. Sous l'hypothèse que les cambriolages sont indépendants les uns des autres (le fait qu'une maison soit cambriolée ne modifie pas la probabilité d'un cambriolage dans d'autres maisons), il est possible d'estimer la densité de probabilité du nombre de cambriolages annuel : le nombre de déclarations est presque toujours compris entre 875 et 1 125 (ce qui représente un taux de maisons cambriolées compris entre 0,875 % et 1,125 %). Si la société d'assurances dispose d'une trésorerie suffisante pour rembourser 1 200 cambriolages, elle est quasiment certaine de pouvoir répondre à ses obligations contractuelles.

Les polices d'assurance contre les catastrophes naturelles se comportent différemment : la plupart du temps, aucun tremblement de terre ne se produit. Si, toutefois, tel est le cas, toutes les maisons seront très probablement endommagées puisque situées dans la même ville. La société d'assurances peut donc s'attendre à 100 000 sinistres. Elle doit détenir des réserves suffisantes pour couvrir les 100 000 sinistres potentiels en cas de catastrophe naturelle.

Du point de vue de la société d'assurances, les deux types de polices représentent des actifs dont les caractéristiques de risque sont très différentes : le nombre de sinistres relatif aux polices d'assurance contre les catastrophes naturelles est très variable (donc risqué). Il sera probablement nul, mais sera peut-être égal à 100 % des polices d'assurance vendues. Le risque du portefeuille de polices d'assurance n'est pas différent de celui d'une police individuelle : il s'agit toujours d'une situation de tout ou rien. Inversement, le nombre de sinistres relatif aux polices d'assurance contre le vol est relativement prévisible : d'une année sur l'autre, ce risque est proche de 1 % du nombre total de polices vendues par la société. Le portefeuille de polices d'assurance contre le vol n'est donc pratiquement pas risqué[7] !

Pourquoi les deux portefeuilles de polices d'assurance sont-ils si différents alors que les polices d'assurance individuelles sont assez semblables ? Intuitivement, la différence entre les polices réside dans le fait qu'une catastrophe naturelle touche toutes les maisons simultanément, contrairement à un cambriolage. Ainsi, le risque de catastrophe naturelle est parfaitement corrélé entre les maisons ; on parle d'ailleurs à ce sujet de **risque commun**. Inversement, les risques de cambriolage des différentes maisons ne sont pas corrélés les uns aux autres ; on parle de **risque indépendant**. Le fait de constituer un portefeuille composé d'actifs présentant des risques indépendants consiste à effectuer une **diversification**.

Le rôle de la diversification

La différence entre risque commun et risque indépendant peut être mesurée par l'écart-type du pourcentage de sinistres. Du point de vue d'un assuré, les deux polices d'assurance ont le même écart-type. En début d'année, chaque propriétaire estime qu'il aura 1 % de risque de subir un cambriolage et un risque identique de subir une catastrophe naturelle. À la fin de l'année, le propriétaire aura subi un sinistre (100 %) ou non (0 %). Si on utilise l'équation (10.2), l'écart-type est donc :

$$\sigma_{\text{Sinistre}(\%)} = \sqrt{Var\left[\text{Sinistre}\left(\%\right)\right]} = \sqrt{99\ \% \times \left(0 - 0,01\right)^2 + 1\ \% \times \left(1 - 0,01\right)^2} = 9,95\ \%$$

Du point de vue de la société d'assurances, l'écart-type de ses deux portefeuilles de polices n'est pas identique. Dans le cas des catastrophes naturelles (risque commun), le pourcentage de déclaration est de 100 % ou de 0 %. Cette situation est analogue à celle de l'assuré individuel. Le nombre de sinistres subis par les assurés au titre des catastrophes naturelles est donc de 1 % en moyenne, avec un écart-type de 9,95 %.

Les assurés subissent également 1 % de sinistres en moyenne au titre des polices d'assurance contre le vol, mais ces risques sont identiques et indépendants ; l'écart-type du pourcentage moyen de sinistres est obtenu en calculant son erreur type. Or, l'erreur type décroît avec la racine carrée du nombre de polices d'assurance concernées [équation (10.7)] :

$$\sigma_{\text{Sinistres}(\%\ \text{moyen})} = \frac{\sigma_{\text{Sinistres}(\%)}}{\sqrt{N}} = \frac{9,95\ \%}{\sqrt{100\ 000}} = 0,03\ \%$$

Aux yeux de la société d'assurances, le portefeuille de polices contre le vol est presque sans risque...

Le principe de diversification, ou de mutualisation des risques, constitue le fondement même de l'assurance. Au-delà des assurances contre le vol, de nombreuses autres formes d'assurances reposent sur le fait que le nombre de sinistres au cours d'une période

---

7. Du point de vue de la compagnie d'assurances, les risques inhérents à la vente des diverses polices d'assurance sont différents. La société fixe donc en général des primes (payées par les assurés) très différentes suivant les types de polices : l'assurance contre une catastrophe naturelle coûte en général plus cher que celle contre le vol ou l'incendie, et ce, même si ces deux risques ont la même probabilité de se réaliser.

donnée est relativement prévisible lorsque la société d'assurances dispose d'un grand nombre de clients. Même les risques inhérents aux catastrophes naturelles peuvent être diversifiés : il faut pour cela vendre des contrats dans différentes régions ou différents pays. Ce principe de diversification sert à réduire le risque dans de nombreux cadres, de l'agriculture à l'aéronautique.

Exemple 10.5

Diversification et jeux de hasard

Dans un casino, la roulette comprend autant de cases que de numéros de 1 à 36 (plus deux numéros spéciaux : 0 et 00). Chacun de ces numéros possède la même probabilité de sortir à chaque lancer. Si un joueur parie sur un seul numéro, et que le numéro sort, le parieur reçoit 36 fois la mise ; sinon, il ne reçoit rien. Quel est le profit espéré du casino si un joueur mise 1 € sur un seul numéro ? Quel est l'écart-type de ce profit pour un pari individuel ? Si 9 millions de paris identiques sont réalisés chaque mois dans le casino, quel est l'écart-type mensuel des profits moyens du casino par euro misé ?

Solution

Comme il y a 38 numéros sur la roulette, il existe 1 chance de gagner sur 38 en pariant sur un numéro. Le casino perd 35 € dans le cas d'un pari gagnant et gagne 1 € dans le cas d'un pari perdant. Lorsqu'on utilise l'équation (10.1), le profit espéré du casino est :

$$E\left[\text{Profit}\right] = \frac{1}{38} \times \left(-35\right) + \frac{37}{38} \times 1 = 0,0526 \text{ €}$$

Pour chaque euro misé, le casino gagne 5,26 centimes en moyenne. On calcule l'écart-type de ce profit grâce à l'équation (10.2) :

$$\sigma_{\text{Profit}} = \sqrt{\frac{1}{38} \times \left(-35 - 0,0526\right)^2 + \frac{37}{38} \times \left(1 - 0,0526\right)^2} = 5,76 \text{ €}$$

Cet écart-type est relativement important compte tenu de la faiblesse du profit du casino. Toutefois, si de nombreux paris semblables sont placés, le casino bénéficiera d'une diversification de ses risques. Si on utilise l'équation (10.7), l'écart-type du profit mensuel moyen du casino par euro misé est :

$$\sigma_{\text{Profit mensuel moyen}} = \frac{5,76}{\sqrt{9 \times 10^6}} = 0,0019 \text{ €}$$

En d'autres termes, d'après l'équation (10.8), l'intervalle de confiance à 95 % du profit moyen mensuel du casino par euro misé est :

$$\left[0,0526 - 2 \times 0,0019 \; ; \; 0,0526 + 2 \times 0,0019\right] = \left[0,0488 \; ; \; 0,0564\right]$$

En moyenne, 9 millions de paris sont réalisés chaque mois dans le casino. Cela correspond à 9 millions d'euros de mises. Dans 95 % des cas, le profit mensuel du casino sera compris entre 439 000 € et 508 000 €. Grâce au grand nombre de paris effectués, le risque associé aux profits du casino est faible. L'hypothèse sous-jacente à ce calcul est que chaque pari est indépendant des autres. Ainsi, si les 9 millions d'euros étaient pariés en une seule fois, sur un seul numéro, le risque du casino serait très élevé, puisque sa perte maximale serait de 35 × 9 millions = 315 millions d'euros en cas de pari gagnant. C'est pour cette raison que les casinos imposent des limites à leurs clients sur les montants pariés.

10.6. Diversification d'un portefeuille d'actions

Comme l'exemple de l'assurance l'a montré, le risque d'un portefeuille dépend du caractère commun ou indépendant des risques individuels des actifs qui le composent : les risques indépendants sont réduits par la constitution d'un portefeuille diversifié, contrairement aux risques communs. Qu'en est-il dans le cas de portefeuilles d'actions[8] ?

Risque spécifique et risque systématique

Sur un horizon donné, le risque lié à la détention d'une action est lié à la possibilité que sa rentabilité effective soit inférieure à celle espérée. Quels sont les déterminants de la rentabilité issue de la détention d'une action ? Les dividendes et les cours des actions varient en fonction de deux types d'informations différentes :

- *Les informations spécifiques à l'entreprise.* Par exemple, le fait qu'une entreprise annonce la signature d'un contrat fera augmenter le prix de ses actions et de ses dividendes futurs. À l'inverse, le départ imprévu d'un dirigeant est souvent perçu de manière négative par les investisseurs.

- *Les informations relatives à l'ensemble du marché.* Par exemple, les informations relatives à la situation macroéconomique influencent le cours de toutes les actions cotées : lorsque la BCE annonce qu'elle baisse ses taux directeurs, le prix des actions a tendance à augmenter. Inversement, les attentats du 11 septembre 2001 ont eu un fort impact négatif sur les marchés.

Les incertitudes sur la rentabilité d'une action, relatives à des informations spécifiques à l'entreprise, peuvent être considérées comme des risques indépendants : à l'instar des cambriolages, les informations concernant une entreprise sont indépendantes de celles des autres sociétés. Ce risque constitue donc un **risque spécifique**, **idiosyncratique**, **non systématique**, ou **diversifiable**. Au contraire, les incertitudes sur la rentabilité d'une action relatives à des informations macroéconomiques s'apparentent à un risque commun : à l'instar des risques naturels, toutes les actions sont influencées simultanément par ces informations. Le risque est donc **systématique**, **non diversifiable**, ou **de marché**.

Lorsqu'un portefeuille contient différentes actions, les risques spécifiques liés à chaque action vont se compenser grâce à la diversification : des bonnes nouvelles feront augmenter certaines actions contenues dans le portefeuille tandis que des mauvaises nouvelles en feront baisser d'autres. En moyenne, les variations des prix des actions provoquées par les informations spécifiques se compenseront entre elles. *A contrario*, les nouvelles macroéconomiques influenceront le cours de toutes les actions dans le même sens. La diversification ne sera par conséquent d'aucune aide contre le risque de marché.

Prenons un exemple. Le cours des actions d'entreprises de type S (pour systématique) est exclusivement influencé par la conjoncture économique. On suppose que l'économie a une probabilité de 50 % d'être en croissance (rentabilité de 40 % pour les actions de type S) et 50 % d'être en récession (rentabilité de −20 % pour les actions de type S). Le risque est ici systématique ; la détention d'un portefeuille d'actions de type S ne réduira

---

8. Markowitz fut le premier à formaliser le rôle de la diversification lors de la constitution du portefeuille optimal d'un investisseur. H. M. Markowitz, (1952), « Portfolio Selection », *Journal of Finance*, 7, 77-91.

donc pas le risque. Lorsque la conjoncture est favorable, le portefeuille a une rentabilité identique à celle de n'importe quelle entreprise S (40 %) ; lorsque la conjoncture est mauvaise, le portefeuille a une rentabilité de – 20 %.

Il existe également des entreprises de type I (pour idiosyncratique). Leurs cours de Bourse ne dépendent que de risques spécifiques. Leurs rentabilités sont de manière équiprobable de 35 % ou de – 25 %, selon la demande qui est adressée à chaque entreprise (ces demandes sont indépendantes les unes des autres). Les risques étant spécifiques à chaque entreprise, la détention d'un portefeuille composé d'actions de nombreuses entreprises de type I assure une diversification des risques : la moitié des entreprises I auront une rentabilité de 35 % et l'autre moitié une rentabilité de –25 %. La rentabilité du portefeuille sera alors égale à la rentabilité moyenne, 50 % × 0,35 + 50 % × (−0,25) = 5 %.

La figure 10.8 représente l'ampleur de la baisse de la volatilité d'un portefeuille en fonction du nombre d'actions de type S et I qu'il contient. Les entreprises de type S font exclusivement face à un risque systématique ; la volatilité du portefeuille S ne change donc pas lorsque le nombre d'actions augmente. *A contrario*, les entreprises de type I sont exclusivement soumises à un risque idiosyncratique ; le risque du portefeuille diminue par conséquent lorsque le nombre d'actions augmente. On remarque d'ailleurs que le risque spécifique baisse très vite lorsque la taille du portefeuille s'accroît et disparaît presque totalement lorsque le portefeuille contient un grand nombre de lignes.

Dans la réalité, les entreprises ne sont jamais de type S ou I. Leurs performances sont influencées à la fois par des risques systématiques et par des risques idiosyncratiques. De ce fait, la diversification du portefeuille réduit sa volatilité, mais elle ne peut pas annuler le risque car seul le risque spécifique disparaît avec l'augmentation de la taille du portefeuille. Le risque systématique du portefeuille, lui, demeure indépendant de sa taille.

Une des questions soulevées par la figure 10.7 est donc résolue : la volatilité du portefeuille d'actions du S&P 500 est inférieure à celle de n'importe quelle action composant cet indice. C'est la conséquence des risques spécifiques de chaque action qui est éliminée lorsque les titres sont combinés au sein d'un portefeuille.

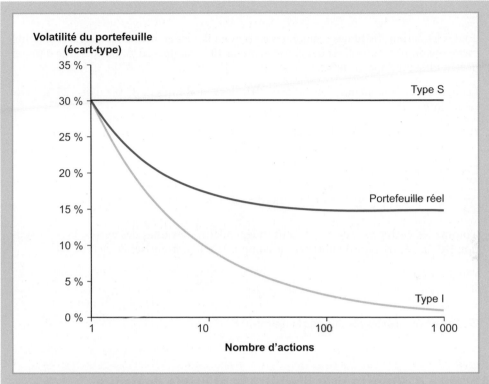

Figure 10.8 – Volatilité de portefeuilles composés d'actions de type S et I

Les entreprises de type S sont exclusivement exposées à un risque systématique. La volatilité d'un portefeuille S ne change donc pas lorsque sa taille augmente. Les entreprises de type I sont exclusivement exposées à un risque idiosyncratique. Celui-ci est réduit grâce à la diversification du portefeuille. En général, les actions sont exposées à la fois à des risques systématiques et à des risques idiosyncratiques. Le risque d'un portefeuille « réel » diminue donc à mesure que sa taille s'accroît (disparition progressive du risque idiosyncratique) sans s'annuler (le risque systémique demeure).

La volatilité d'un portefeuille

Quelle est la volatilité de la rentabilité moyenne de 10 entreprises de type S ? Et de type I ?

Solution

Les actions de type S offrent des rentabilités équiprobables de 40 % ou – 20 %. Leur rentabilité espérée est donc :

$$E\left[R_S\right] = 50 \% \times 0{,}4 + 50 \% \times -0{,}2 = 10 \%$$

L'écart-type de leurs rentabilités est :

$$\sigma_{R_S} = \sqrt{50 \% \times \left(0{,}4 - 0{,}1\right)^2 + 50 \% \times \left(-0{,}2 - 0{,}1\right)^2} = 30 \%$$

...

Exemple 10.6

Exemple 10.6

…

Toutes les actions S ont des rentabilités élevées ou faibles en même temps. La rentabilité moyenne de 10 actions S est par conséquent de 40 % ou de – 20 %. La volatilité d'un tel portefeuille est donc de 30 %.

Les actions I ont la même probabilité d'offrir des rentabilités de 35 % ou de – 25 %. Leur rentabilité espérée est alors :

$$E[R_I] = 50 \% \times 0{,}35 + 50 \% \times (-0{,}25) = 5 \%$$

L'écart-type de leurs rentabilités est :

$$\sigma_{R_I} = \sqrt{50 \% \times (0{,}35 - 0{,}05)^2 + 50 \% \times (-0{,}25 - 0{,}05)^2} = 30 \%$$

Comme les entreprises de type I sont indépendantes les unes des autres, avec l'équation (10.7), l'écart-type du portefeuille composé de 10 entreprises de ce type est :

$$\sigma_{\overline{R}_I} = \frac{30 \%}{\sqrt{10}} = 9{,}5 \%$$

On retrouve ainsi les résultats de la figure 10.8.

Absence d'opportunités d'arbitrage et prime de risque

Chaque action de type I présente un risque spécifique. À quelle prime de risque peut-on prétendre si on achète une telle action sur un marché concurrentiel ? La réponse est simple : aucune.

Supposons en effet que la rentabilité espérée des actions I soit supérieure au taux d'intérêt sans risque. En détenant un portefeuille composé d'actions I, les investisseurs pourraient, grâce à la diversification de ce portefeuille, en détenir un sans risque offrant une meilleure rentabilité que le taux sans risque. Dans cette situation, il existerait une opportunité d'arbitrage : les investisseurs emprunteraient au taux sans risque pour acheter des actions de type I et réaliser un profit sans risque. Une telle opportunité d'arbitrage disparaîtrait rapidement car les investisseurs achèteraient massivement des actions de type I, ce qui ferait augmenter leur prix et baisser leur rentabilité espérée jusqu'au niveau du taux d'intérêt sans risque. La concurrence entre investisseurs égalise par conséquent la rentabilité des actions de type I et celle du taux sans risque. On retrouve ici la Loi du prix unique : un portefeuille de type I n'étant pas risqué, il doit offrir la même rentabilité que le taux sans risque. Ainsi :

La prime de risque est nulle lorsque le risque peut être annulé grâce à la diversification. Les investisseurs ne peuvent donc pas obtenir de prime de risque lorsqu'ils s'exposent à des risques spécifiques.

Ce principe s'applique à tous les actifs financiers. Sa conséquence est que la prime de risque d'une action ne dépend pas de son risque diversifiable[9]. Comme les investisseurs

---

9. S. Ross, (1976), « The Arbitrage Theory of Capital Asset Pricing », *Journal of Economic Theory*, 13(12), 341-360.

peuvent éliminer le risque spécifique « gratuitement », simplement grâce à la diversification de leur portefeuille, ils ne peuvent pas exiger de compensation (de prime de risque) lorsqu'ils décident de prendre un tel risque.

Cependant, la diversification ne réduit pas l'exposition d'un portefeuille au risque systématique des actifs qui le composent. Les investisseurs ayant une aversion au risque, ils réclament donc une prime de risque pour accepter d'être exposés à un risque systématique : sans cette prime de risque, il serait plus avantageux pour eux de vendre leurs actions pour acheter des actifs sans risque. Par conséquent, seul le risque systématique d'un actif détermine la prime de risque que peut exiger un investisseur pour le détenir :

La prime de risque offerte par un actif est déterminée uniquement par son risque systématique ; elle ne dépend pas de son risque diversifiable.

De ce fait, on ne peut pas recourir à la volatilité d'une action, qui est une mesure de son risque *total* (systématique et spécifique), pour déterminer sa prime de risque. L'exemple 10.6 montre ainsi que la volatilité des actions de type I ou S est identique (30 %), mais que les actions S offrent des rentabilités espérées de 10 % alors que les actions I n'offrent que des rentabilités espérées de 5 %. Cette différence de rentabilité espérée est la conséquence de la nature différente du risque des deux actions : les actions I ne sont exposées qu'à des risques spécifiques (autrement dit, elles n'offrent pas de prime de risque) : leur rentabilité espérée est alors égale au taux sans risque. Au contraire, les actions S ne sont exposées qu'à un risque systématique. Les investisseurs bénéficient donc d'une prime de risque de 5 % lorsqu'ils achètent ces titres (car la rentabilité espérée est de 10 %).

Une seconde question relative à la figure 10.7 est ainsi résolue : la volatilité peut être considérée comme une mesure de risque adaptée dans le cas d'un portefeuille diversifié, car son risque total se réduit à son risque systématique. La volatilité n'est toutefois pas adaptée pour mesurer le risque d'un titre individuel, car sa volatilité dépend à la fois de ses risques systématique et spécifique, ce dernier n'étant pas rémunéré par le marché. Il est par conséquent normal qu'aucune relation évidente n'existe entre volatilité et rentabilité moyenne des titres individuels : pour estimer la rentabilité espérée d'un titre, il faut disposer d'une mesure de risque dépendant exclusivement de son risque systématique.

Risque diversifiable contre risque systématique

Parmi les risques suivants, lesquels sont diversifiables ? Systématiques ? Lesquels auront une influence sur la prime de risque exigée par les investisseurs ?

   a. Le fondateur d'une entreprise part à la retraite.

   b. Le prix du pétrole augmente, ce qui fait augmenter les coûts de production.

   c. Suite à un défaut de conception, un produit doit être retiré de la vente.

   d. La baisse de la demande provoque un ralentissement de la croissance économique.

...

Exemple 10.7

Exemple 10.7

...

Solution

Le prix du pétrole et la croissance économique influencent l'ensemble des actions. Les risques *b* et *d* sont donc systématiques. Il n'est pas possible de se protéger contre ces risques grâce à la constitution de portefeuilles diversifiés. Ces risques sont par conséquent rémunérés par une prime de risque. Les risques *a* et *c* sont spécifiques aux entreprises considérées. Ils sont diversifiables. Ils doivent être pris en compte lorsqu'on estime les flux monétaires futurs de l'entreprise, mais ils n'influencent pas la prime de risque réclamée par les investisseurs. Ces risques n'ont alors aucune influence sur le coût du capital de l'entreprise.

Crise financière   Les bénéfices de la diversification lors des krachs boursiers

La figure ci-après illustre les bénéfices tirés de la diversification au cours des 45 dernières années. La partie foncée illustre la volatilité historique de l'indice S&P 500 (annualisée à partir des rentabilités quotidiennes chaque trimestre). Elle correspond donc au risque de marché qui ne peut être diversifié. La partie claire représente la volatilité moyenne des 500 actions composant l'indice (pondérée selon la taille de chaque action). Elle désigne donc le risque idiosyncratique, soit le risque pouvant être diversifié par la détention d'un portefeuille contenant un grand nombre de valeurs.

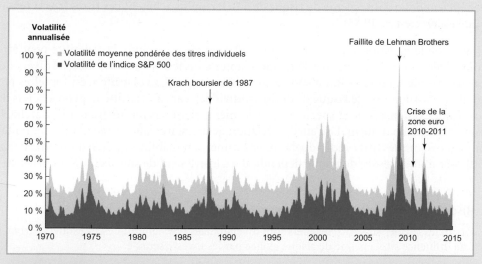

La volatilité du portefeuille de marché fluctue au cours du temps et atteint des sommets lors des périodes de krachs. Il est à noter aussi que la fraction du risque pouvant être diversifiée semble diminuer lors des krachs. Depuis les années 1970, 50 % de la volatilité des titres individuels peut être diversifiée. Toutefois, en 1987 au moment du krach boursier, en 2008 lors de la crise financière ou en 2011 pendant la crise de la zone euro, cette part s'est considérablement réduite pour ne représenter qu'environ 20 % de la volatilité des actions individuelles. Lors de la crise de 2008, la volatilité du portefeuille diversifié (composé des actions du S&P 500) a été multipliée par sept sous les effets conjugués de la hausse de la volatilité du marché et de la baisse de la part de la volatilité pouvant être diversifiée.

...

…

Bien que tout investisseur ait toujours intérêt à diversifier son portefeuille, il est important de garder à l'esprit que les bénéfices que l'on peut en tirer dépendent de la conjoncture économique. En période de krach, ceux-ci sont bien moindres.

Source : données issues de CRSP.

Erreur à éviter   L'illusion de la diversification temporelle

Le principe de diversification indique que les investisseurs peuvent réduire significativement le risque de leur portefeuille en combinant différents actifs, ce qui réduit, voire supprime, son risque spécifique. Certains pensent que la même logique peut s'appliquer à la dimension temporelle d'un placement : conserver un placement pendant plusieurs années réduirait son risque. Est-ce le cas ?

L'équation (10.7) indique que si les rentabilités annuelles sont indépendantes les unes des autres, la volatilité de la rentabilité annuelle moyenne baisse avec le nombre d'années. Toutefois, du point de vue de l'investisseur à long terme, cc n'est pas la volatilité de la *rentabilité annuelle moyenne* qui compte, mais la volatilité de la *rentabilité cumulée sur la période*. Or cette dernière augmente avec l'horizon de placement, comme l'illustre l'exemple suivant : en 1925, les actions des grandes capitalisations américaines ont augmenté en moyenne de 30 %. Ainsi, un investissement de 77 $ au début de l'année 1925 atteint en fin d'année $77 \times 1{,}30 = 100$ $. Grâce à la figure 10.1, on sait que 100 $ investis en actions du S&P 500 en 1926 ont une valeur de 664 567 $ en 2017.

Toutefois, si une crise avait provoqué en 1925 une baisse de 35 % du S&P 500, les 77 $ du début d'année se seraient transformés en $77 \times (1 - 0{,}35) = 50$ $ début 1926. Avec des rentabilités inchangées depuis cette date, la richesse finale de l'investisseur n'aurait été que de 332 283 $ en 2017, soit la moitié du montant précédent. Par conséquent, malgré l'horizon de long terme, la rentabilité observée la première année a des effets significatifs sur la valeur du portefeuille à la fin de la période.

Le caractère fallacieux de la diversification temporelle peut être également illustré avec l'exemple de la crise financière de 2008. Si un investisseur à long terme avait placé 100 $ dans les actions de petites capitalisations en 1925, il aurait obtenu un peu plus de 2 millions de dollars fin 2006 ; ce montant n'aurait été que de 1 million de dollars fin 2008, soit moitié moins ! De nouveau, l'allongement de l'horizon de placement n'a pas permis de diminuer le risque.

Théoriquement, si les rentabilités sont indépendantes dans le temps, autrement dit si les rentabilités futures ne sont pas influencées par la rentabilité actuelle, toute variation de la valeur d'un portefeuille aujourd'hui se répercute à l'identique sur sa valeur future. Le seul cas où l'on peut parler de diversification « temporelle », c'est donc lorsqu'une rentabilité inférieure à la moyenne une année donnée augmente la probabilité d'observer une rentabilité supérieure à la moyenne les années suivantes (et réciproquement). Cela revient à supposer que les rentabilités suivent un processus de *retour vers la moyenne*. Si tel était le cas, des rentabilités passées faibles permettraient d'espérer des rentabilités futures élevées.

. . .

...

Sur des périodes de quelques années, aucune preuve n'existe en faveur du retour vers la moyenne des rentabilités des actifs financiers. De tels processus sont en revanche observables dans certains cas, sur des périodes plus longues, mais la robustesse du phénomène n'est pas avérée (peut-être par manque de données historiques). Même si c'était le cas, une stratégie de type achat-détention (*buy and hold*) ne serait pas optimale pour profiter de cette diversification « temporelle » : il serait alors plus judicieux d'acheter des actions après une période de rentabilités faibles et de les vendre après une période de rentabilités élevées. Cette stratégie est différente de celle préconisée par la diversification « traditionnelle », qui suppose la détention d'un grand nombre d'actions différentes.

10.7. Mesurer le risque systématique

Lorsqu'un investisseur évalue le risque d'un investissement (et donc la prime de risque requise), il ne considère que le risque systématique, impossible à éliminer par la diversification.

Identifier le risque systématique : le portefeuille de marché

La mesure du risque systématique d'un actif impose de déterminer, dans la volatilité de ses rentabilités, la part qui incombe à son exposition au risque systématique. Cela revient à évaluer la sensibilité de l'action aux chocs systématiques qui influencent l'économie dans son ensemble. Il s'agit donc d'observer la façon dont *la rentabilité offerte par l'action change à la suite d'une variation de 1 % de la rentabilité d'un portefeuille exclusivement exposé au risque de marché (ou risque systématique)*. Pour ce faire, il faut trouver un portefeuille qui soit exclusivement exposé au risque systématique, c'est-à-dire que les variations de sa rentabilité ne seront liées qu'aux chocs systématiques subis par l'économie. On appelle ce portefeuille un **portefeuille efficient**, car complètement diversifié (il n'est plus possible de réduire son risque sans diminuer en même temps sa rentabilité espérée). Comment peut-on identifier un tel portefeuille ?

Comme le montreront les trois chapitres suivants, l'identification d'un portefeuille efficient est l'une des questions centrales de la finance moderne. L'effet de la diversification augmente avec le nombre d'actifs composant le portefeuille. Un portefeuille efficient doit donc contenir un grand nombre d'actifs. Poussant la logique à son terme, on peut supposer que le portefeuille le plus efficient est celui qui bénéficie d'une diversification maximale. Pour ce faire, il doit contenir l'ensemble des actifs cotés sur le marché ; on parle alors de **portefeuille de marché**. Pour des raisons de simplicité et de disponibilité des données, on suppose fréquemment qu'il est possible d'approcher le portefeuille de marché à l'aide d'un indice boursier relativement large : le CAC All-Tradable en France[10] ou le S&P 500 aux États-Unis. Cette simplification repose sur l'hypothèse implicite que les indices retenus contiennent suffisamment de titres pour qu'on puisse les considérer comme presque totalement diversifiés.

---

10. En fait, les rentabilités effectives du CAC All tradable sont très corrélées à celles du CAC 40. Dans un souci de simplification, le portefeuille de marché français est donc fréquemment approché à l'aide du CAC 40.

Sensibilité au risque systématique : le bêta

Sous l'hypothèse que le portefeuille de marché (ou le CAC 40 par exemple) est efficient, sa rentabilité ne dépend que des chocs systématiques affectant l'économie. Il est alors possible de mesurer le risque systématique d'un titre en calculant la sensibilité de sa rentabilité aux modifications de la rentabilité du portefeuille de marché. Cela consiste à calculer son **bêta :**

Le bêta β d'un actif représente la variation espérée, en pourcentage, de sa rentabilité suite à une modification de 1 % de celle du portefeuille de marché.

Bêtas des entreprises. Il existe des techniques statistiques pour estimer le bêta d'un titre ou d'un portefeuille à partir de leurs rentabilités historiques. Elles font l'objet du chapitre 12. Mais il faut d'ores et déjà remarquer qu'une estimation relativement précise du bêta d'un actif peut être obtenue avec beaucoup moins de données que l'estimation de la rentabilité espérée (exemple 10.4). Si on utilise l'indice CAC 40 en tant que portefeuille de marché, le tableau 10.6 présente les bêtas des actions françaises appartenant à cet indice, à partir de données mensuelles sur la période 2015-2019. Ainsi, une augmentation de 1 % de la rentabilité du marché français correspond en moyenne à une hausse de 1,37 % de la rentabilité de BNP Paribas, mais de seulement 0,46 % de celle de Sanofi.

Estimation du bêta

La rentabilité du portefeuille de marché augmente de 47 % lorsque l'économie est en croissance et baisse de 25 % en période de récession. Quel est le bêta d'une action de type S dont les rentabilités sont respectivement de 40 % et – 20 % dans ces deux états de la nature ? Quel est le bêta d'une action de type I ?

Solution

Le risque systématique lié à la conjoncture économique fait varier la rentabilité du portefeuille de marché de 47 % – (– 25 %) = 72 %. La rentabilité d'une action de type S se modifie, elle, de 40 % – (– 20 %) = 60 %. Le bêta d'une action S vaut donc :

$$\beta_S = \frac{60\,\%}{72\,\%} = 0,833$$

Une modification de 1 % de la rentabilité du portefeuille de marché correspond en moyenne à une variation de 0,833 % de la rentabilité d'une action S.

La rentabilité d'une action I, exposée exclusivement à un risque idiosyncratique, n'est par définition pas influencée par la conjoncture économique. Sa rentabilité ne dépend que de facteurs spécifiques à l'entreprise. Quel que soit l'état de l'économie, l'action I a par conséquent la même rentabilité espérée. Son bêta est donc :

$$\beta_I = \frac{0\,\%}{72\,\%} = 0$$

Exemple 10.8

L'interprétation du bêta. Le bêta d'un actif dépend de sa sensibilité au risque de marché. Dans le cas d'une action, le bêta est donc influencé par la sensibilité de ses flux de trésorerie disponibles aux conditions économiques. Le bêta moyen d'une action cotée sur le marché est à peu près unitaire. En d'autres termes, le prix moyen d'une action tend à varier de 1 % lorsque le marché dans son ensemble fluctue de 1 %. Les entreprises de secteurs d'activité cycliques, dont les revenus connaissent des variations importantes au cours des cycles économiques, sont par définition plus sensibles au risque systématique que les autres. Elles ont donc des bêtas supérieurs à 1 alors que ceux des entreprises appartenant à des secteurs non cycliques sont inférieurs à 1.

C'est ce que l'on peut remarquer dans le tableau 10.6 : par exemple, les bêtas de Danone, Sodexo et Orange sont faibles et inférieurs à celui du marché (égal à 1). Les entreprises appartenant aux secteurs de la santé ou des biens de consommation courantes sont relativement insensibles au risque de marché puisque la demande pour leurs produits est relativement inélastique aux soubresauts de la conjoncture économique. *A contrario*, les actions du secteur technologique, automobile ou financier ont tendance à avoir des bêtas élevés à l'instar de STMicroelectronics (1,2), Renault (1,51) ou Crédit Agricole (1,59). Les chocs qui affectent l'économie ont un impact amplifié sur l'activité de ces entreprises.

Erreur à éviter	**Confondre le bêta et la volatilité**

La volatilité mesure le risque total d'un actif – risque systématique et risque spécifique –, alors que le bêta ne mesure que la quantité de risque systématique contenue dans l'actif. Il n'y a donc aucune raison d'établir une relation entre ces deux mesures. Deux entreprises, Airbus et Atos, peuvent avoir des volatilités proches (35 à 40 % par an), mais des bêtas différents (1,15 contre 1,44) : les risques totaux des deux titres sont proches, mais la part de risque liée au risque systématique est plus importante dans le cas d'Atos que dans celui d'Airbus. Cela s'explique tout d'abord par le fait qu'Airbus a des activités diversifiées dans l'aéronautique civile, la défense et l'espace, au contraire d'Atos qui est spécialisé. De plus, les commandes dans l'aéronautique ou la défense font l'objet de contrats qui courent sur plusieurs années. Airbus est donc moins sensible à la conjoncture économique qu'Atos, dont l'activité est plus cyclique.

Tableau 10.6	Bêtas des entreprises du CAC 40		
Entreprise	**Secteur d'activité**	**Bêta (mensuel sur 5 ans)**	**Capitalisation boursière (en milliards d'euros)**
Thales (HO.PA)	Industrie	0,29	19,3
Orange (ORA.PA)	Télécommunications	0,33	32,4
Sodexo (SW.PA)	Voyage et loisir	0,44	12,8
Veolia Environnement (VIE.PA)	Services aux collectivités	0,44	14,7
Sanofi (SAN.PA)	Santé	0,46	105,2
L'Oréal (OR.PA)	Vente aux consommateurs	0,47	134,5
Pernod Ricard (RI.PA)	Alimentaire	0,47	38,9
EssilorLuxotica (EL.PA)	Santé	0,54	53,9
Publicis (PUB.PA)	Médias	0,55	8,4
Danone (BN.PA)	Alimentaire	0,56	43,7
Hermes International (RMS.PA)	Vente aux consommateurs	0,58	66,5
Vivendi (VIV.PA)	Médias	0,59	27,3
Vinci (DG.PA)	BTP et matériaux	0,63	55,5
Unibail-WFD (ARX.AS)	Immobilier	0,65	15,1
Safran (SAF.PA)	Industrie	0,69	49,7
Dassault Systèmes (DSY.PA)	Industrie	0,72	37,3
Air Liquide (AI.PA)	Chimie	0,76	58,1
Total (TOT.PA)	Pétrole et gaz	0,76	99,9
Bouygues (EN.PA)	BTP et matériaux	0,77	13,5
Carrefour (CA.PA)	Vente aux consommateurs	0,88	12,6
Engie (ENGI.PA)	Énergie	0,91	36,6
LVMH (MC.PA)	Vente aux consommateurs	0,91	187,3
Cap Gemini (CAP.PA)	Technologie	0,92	16,8
Legrand (LR.PA)	Industrie	0,97	18,4
Saint-Gobain (SGO.PA)	BTP et matériaux	1,03	17,2
Accor (AC.PA)	Voyage et loisir	1,06	8,8
Schneider Electric (SU.PA)	Industrie	1,08	52,7
Michelin (ML.PA)	Automobile	1,11	17,2
Airbus (AIR.PA)	Industrie	1,15	84,7
AXA (CS.PA)	Assurance	1,16	50,7
Kering (KER.PA)	Vente aux consommateurs	1,20	63,8
STMicroelectronics (STM.PA)	Technologie	1,22	22,2
Société Générale (GLE.PA)	Banque	1,23	21,8
BNP Paribas (BNP.PA)	Banque	1,37	54,7
Atos (ATO.PA)	Technologie	1,44	7,3
Renault (RNO.PA)	Automobile	1,51	7,8
Crédit Agricole (ACA.PA)	Banque	1,59	31,2
PSA Groupe (UG.PA)	Automobile	1,79	15,8
Technip FMC (FTI.PA)	Pétrole et gaz	1,81	6,0
ArcelorMittal (MT.AS)	Matériaux de base	2,34	13,1

Données : février 2015-février 2020.

10.8. Bêta et coût du capital

Comme on l'a vu précédemment, une opportunité d'investissement doit être évaluée à l'aune de son coût du capital, qui représente la rentabilité espérée que l'on pourrait obtenir sur le marché pour des projets de risque et rentabilité similaires. Lorsque cette opportunité est risquée, son coût du capital correspond à la somme du taux sans risque et de la prime de risque qui coïncide avec son risque systématique. Ce dernier étant mesurable *via* le bêta, il est dès lors possible d'estimer la prime de risque exigée par les investisseurs.

Estimer la prime de risque

Avant d'estimer cette prime de risque pour un titre individuel, il est nécessaire d'apprécier l'appétit des investisseurs vis-à-vis du risque, puisque la taille de la prime de risque requise par ces derniers dépend fondamentalement de leur aversion au risque. Plutôt que d'essayer de mesurer cette dernière, il est possible de l'inférer indirectement en évaluant la prime de risque requise par les investisseurs dont les portefeuilles ne contiennent que du risque systématique ou encore que du risque de marché.

La prime de risque de marché. À partir du portefeuille de marché, il est possible de mesurer l'appétit des investisseurs vis-à-vis du risque de marché. La prime de risque correspond à la différence entre la rentabilité espérée de ce portefeuille et le taux sans risque :

$$\text{Prime de risque de marché} = E\big[R_m\big] - r_f \qquad (10.9)$$

À titre d'exemple, si le taux sans risque est de 5 % et la rentabilité espérée du portefeuille de marché de 11 %, la prime de risque de marché vaut 6 %. De la même façon que le taux sans risque reflète la patience des investisseurs et fournit une mesure de la valeur temps de l'argent, la prime de risque de marché témoigne de la tolérance vis-à-vis du risque de ces derniers et représente le prix de marché du risque dans l'économie.

La prise en compte du bêta. La prime de risque du marché correspond à la rémunération attendue par les investisseurs qui détiennent un portefeuille à bêta unitaire (le portefeuille de marché). Une action française ayant un bêta de 2 est exposée à deux fois plus de risque systématique que le CAC 40. Pour chaque euro investi sur cette action, il est possible d'investir 2 € dans les actions qui composent le CAC 40 en étant exposé à la même quantité de risque systématique. D'après la Loi du prix unique, les investisseurs doivent donc réclamer une prime de risque deux fois plus importante pour détenir l'action que celle qu'ils exigent pour détenir le CAC 40.

En d'autres termes, il est possible d'utiliser le bêta d'un titre pour mesurer, à risque systématique équivalent, l'ampleur de l'investissement à effectuer dans le portefeuille de marché. Afin de rémunérer à leur juste valeur le risque systématique supporté par les investisseurs et la valeur de temps de leur argent, le coût du capital r_I d'une opportunité d'investissement de bêta β_I doit satisfaire à la relation suivante :

Estimation du coût du capital d'un investissement à partir de son bêta

$$\big[R_I\big] = \text{Taux sans risque} + \beta_I \times \text{Prime de risque de marché}$$

$$= r_f + \beta_I \times \big(E\big[R_m\big] - r_f\big) \qquad (10.10)$$

Ainsi, si la prime de risque de marché est de 4,5 % et que le taux d'intérêt sans risque soit de 3,5 %, l'équation (10.10) permet de calculer la rentabilité espérée des actions Accor et Danone :

$$E\left[R_{\text{Accor}}\right] = 3,5\ \% + 1,06 \times 4,5\ \% = 8,27\ \%$$

$$E\left[R_{\text{Danone}}\right] = 3,5\ \% + 0,56 \times 4,5\ \% = 6,02\ \%$$

La différence de rentabilités moyennes entre ces deux actions n'est pas surprenante : les actionnaires d'Accor exigent une rentabilité plus élevée en moyenne que ceux de Danone car ils sont exposés à un risque systématique plus important.

Quelle est la conséquence d'un placement en actions qui possèdent un bêta négatif ? D'après l'équation (10.10), un tel titre devrait avoir une prime de risque négative, et donc une rentabilité inférieure à celle de l'actif sans risque. Cela semble illogique à première vue. Pourtant, un tel actif aura tendance à réaliser de bonnes performances lorsque l'ensemble du marché baisse. Détenir un tel actif permet donc de se protéger contre une partie du risque systématique auquel est exposé le reste du portefeuille. Il est alors naturel que les investisseurs ayant une aversion au risque soient disposés à payer une prime pour bénéficier de cette assurance – cette prime affiche une rentabilité inférieure au taux d'intérêt sans risque.

Rentabilité espérée et bêta

Dans le cadre de l'exemple 10.8, en supposant que le taux sans risque est de 5 % et que la probabilité de croissance économique est égale à celle de récession, quel est le coût du capital des actions de type S ? Comparez celui-ci avec l'espérance de rentabilité des actions de ce type.

Solution

S'il y a équiprobabilité entre croissance et récession, la rentabilité espérée du portefeuille de marché est :

$$E\left[R_m\right] = 50\ \% \times 0,47 + 50\ \% \times \left(-0,25\right) = 11\ \%$$

La prime de risque du marché est égale à :

$$E\left[R_m\right] - r_f = 11\ \% - 5\ \% = 6\ \%$$

Le bêta des actions de type S est de 0,833 (exemple 10.8). D'après l'équation (10.10), le coût du capital des actions de type S est :

$$r_S = r_f + \beta_S\left(E\left[R_m\right] - r_f\right) = 5\ \% + 0,833 \times (11\ \% - 5\ \%) = 10\ \%$$

Il est égal à l'espérance de rentabilité de ces actions (exemple 10.6). Par conséquent, les investisseurs qui détiennent ces actions peuvent espérer une rentabilité qui rémunère adéquatement le risque systématique qu'ils supportent.

Exemple 10.9

Le modèle d'évaluation des actifs financiers

L'équation (10.10) est le fondement du **modèle d'évaluation des actifs financiers** (**MEDAF** ou **CAPM** en anglais)[11]. C'est la méthode la plus couramment utilisée par les praticiens pour estimer le coût du capital. Ce chapitre a permis d'établir une justification intuitive du recours au MEDAF et de l'utilisation du portefeuille de marché comme référence pour mesurer le risque systématique. Le chapitre 11 présente de manière détaillée ce modèle et les hypothèses qui le sous-tendent. Il détaille aussi la façon dont les professionnels de la gestion de fonds optimisent la composition de leurs portefeuilles. Le chapitre 12 se concentre sur les techniques d'estimation des bêtas des titres individuels et des projets d'investissement des entreprises afin d'en déterminer le coût du capital. En conclusion de cette partie, le chapitre 13 fait le point sur les travaux de recherche récents consacrés au MEDAF en tant que modèle d'évaluation d'actifs. Il propose aussi des extensions de ce modèle.

Résumé

10.1. Risque et rentabilité : un aperçu historique

- Les actifs dont la valeur baisse le plus pendant les crises doivent, pour compenser, offrir une rentabilité espérée plus élevée. Il existe donc un lien négatif entre risque et rentabilité d'un actif : les investisseurs exigent une prime de risque pour détenir des actifs risqués.

10.2. Mesures traditionnelles du risque et de la rentabilité

- La densité de probabilité des rentabilités d'un actif résume les informations relatives à ses différentes rentabilités possibles et leurs probabilités d'occurrence respectives.

  a. La rentabilité espérée, ou moyenne, est :

  $$\text{Rentabilité espérée} = E[R] = \sum_R PR \times R \qquad (10.1)$$

  b. La variance et l'écart-type (ou volatilité) mesurent la volatilité des rentabilités :

  $$\sigma_R^2 = Var\left[R\right] = E\left[\left(R - E\left[R\right]\right)^2\right] = \sum_R P_R \times \left(R - E\left[R\right]\right)^2 = \sum_R P_R \times \left(R - \sum_R P_R \times R\right)^2$$

  $$\sigma_R = \sqrt{Var\left[R\right]} \qquad (10.2)$$

10.3. Rentabilité historique des actifs financiers

- La rentabilité réalisée (ou totale) d'un actif correspond à la somme de son rendement (le dividende dans le cas d'une action) et du taux de plus-value (gain en capital).

---

11. Le MEDAF a été développé de manière indépendante par quatre chercheurs : J. Treynor (1961), « Towards a Theory of Market Value of Risky Assets » ; W. Sharpe (1964), « Capital Asset Prices: A Theory of Market Equilibrium under Conditions of Risk », *Journal of Finance*, 19, 425-442 ; J. Lintner (1965), « The Valuation of Risk Assets and the Selection of Risky Investments in Stock Portfolios and Capital Budgets », *Review of Economics and Statistics*, 47, 13-37 ; J. Mossin (1966), « Equilibrium in a Capital Asset Market », *Econometrica*, 34, 768-783.

a. À partir de la densité de probabilité empirique des rentabilités effectives, il est possible d'estimer la rentabilité espérée et la variance des rentabilités. Pour cela, il faut calculer la rentabilité annuelle moyenne et la variance des rentabilités réalisées :

$$\overline{R} = \frac{1}{T}\sum_{t=1}^{T} R_t = \frac{1}{T}\left(R_1 + ... + R_T\right) \tag{10.5}$$

$$Var\left[R\right] = \frac{1}{T-1}\sum_{t=1}^{T}\left(R_t - \overline{R}\right)^2 \tag{10.6}$$

b. La racine carrée de la variance estimée est une estimation de la volatilité des rentabilités.

c. La rentabilité moyenne calculée à partir des rentabilités historiques n'est qu'une estimation de sa « vraie » rentabilité espérée. L'erreur type de l'estimation est :

$$\sigma_{\overline{R}} = \frac{\sigma_R}{\sqrt{\text{Nombre d'observations}}} \tag{10.7}$$

- Historiquement, les actions de petites capitalisations ont eu des volatilités et des rentabilités moyennes plus élevées que les actions de grandes capitalisations, qui ont elles-mêmes des volatilités et des rentabilités moyennes plus élevées que les obligations.

10.4. L'arbitrage entre risque et rentabilité

- Il n'existe pas de relation claire entre volatilité et rentabilité des titres individuels.

10.5. Risque commun et risque individuel

- Le risque total d'un actif est la somme de son risque idiosyncratique et de son risque systématique.

    a. La variation de la rentabilité des actions provoquée par des informations spécifiques à l'entreprise est la conséquence du risque idiosyncratique (risque spécifique, non systématique ou diversifiable).

    b. Le risque systématique provient des informations relatives au marché dans son ensemble ; il influence donc tous les titres simultanément. Ce risque commun est également appelé risque de marché ou risque non diversifiable.

10.6. Diversification d'un portefeuille d'actions

- La diversification permet d'éliminer le risque idiosyncratique mais n'a pas d'influence sur le risque systématique.

    a. Les investisseurs peuvent éliminer le risque idiosyncratique grâce à la diversification de leur portefeuille ; ils n'exigent donc pas de prime de risque pour ce type de risque.

    b. Les investisseurs ne peuvent pas éliminer le risque systématique ; ils exigent donc d'être rémunérés pour ce type de risque.

    c. La prime de risque d'un titre dépend par conséquent de son risque systématique et non de son risque total.

- Un portefeuille efficient est un portefeuille qui est exclusivement exposé au risque systématique et qui ne peut pas être plus diversifié : il n'est pas possible de réduire le risque du portefeuille sans diminuer également sa rentabilité.

10.7. Mesurer le risque systématique

- Le portefeuille de marché est un portefeuille qui contient tous les titres du marché. Il est souvent considéré comme efficient.

- Il est possible de mesurer le risque systématique d'un actif grâce à son bêta (β) Le bêta d'un actif mesure la sensibilité de sa rentabilité à la rentabilité du portefeuille de marché.

10.8. Bêta et coût du capital

- La prime de risque du marché est la rentabilité espérée excédentaire au taux sans risque du portefeuille de marché :

$$\text{Prime de risque de marché} = E\left[R_m\right] - r_f \tag{10.9}$$

Elle reflète la tolérance des investisseurs vis-à-vis du risque et représente le prix de marché du risque dans l'économie.

- Le coût du capital d'une opportunité d'investissement risquée est égal à la somme du taux d'intérêt sans risque et d'une prime de risque. Le modèle d'évaluation des actifs financiers (MEDAF) stipule que la prime de risque est égale au bêta de l'actif multiplié par la prime de risque du portefeuille de marché :

$$r_I = r_f + \beta_I \times (E\left[R_m\right] - r_f) \tag{10.10}$$

L'astérisque désigne les exercices les plus difficiles.

1. La figure représente la densité de probabilité des rentabilités annuelles de l'action Logre. Quelle est sa rentabilité espérée ? Quel est l'écart-type de ses rentabilités ?

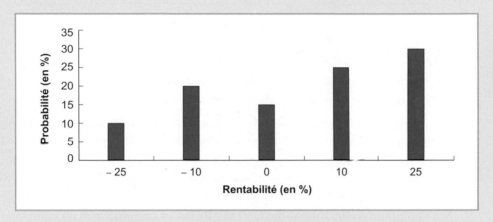

2. Le tableau donne la densité de probabilité des rentabilités annuelles de l'action Pousset. Quelle est sa rentabilité espérée ? Quel est l'écart-type de ses rentabilités ?

Probabilité	40 %	20 %	20 %	10 %	10 %
Rentabilité	– 100 %	– 75 %	– 50 %	– 25 %	1 000 %

3. (Suite des exercices 1 et 2.) Quelles sont les différences entre les actions Logre et Pousset ? Pourquoi choisir de détenir l'une plutôt que l'autre ?

4. Paul a acheté des actions au prix de 50 € le titre, il y a un an. Il les a revendues aujourd'hui à 55 € le titre. L'entreprise vient de verser 1 € de dividende par action.

    a. Quelle est la rentabilité effective obtenue par Paul ?

    b. Quelle partie de la rentabilité effective provient d'une part du rendement de l'action (dividende) et d'autre part du gain en capital ?

5. (Suite de l'exercice précédent.) Que cela change-t-il si la valeur du titre a baissé de 5 € au lieu d'augmenter de ce montant ? Le gain en capital est-il différent ? Pourquoi ? Et le rendement ?

6. Quelle a été la rentabilité d'un placement en actions Binga sur l'année 2016 et sur l'année 2019, en supposant que le dividende est immédiatement réinvesti ?

Date	Prix (en €)	Dividende (en €)
2 janvier 2016	86,62	
6 février 2016	79,91	0,40
7 mai 2016	84,55	0,40
6 août 2016	65,40	0,40
5 novembre 2016	49,55	0,40
2 janvier 2017	45,25	

Date	Prix (en €)	Dividende (en €)
3 janvier 2019	66,40	
9 février 2019	72,63	0,42
11 mai 2019	79,08	0,42
10 août 2019	57,41	0,42
8 novembre 2019	66,65	0,42
3 janvier 2020	74,22	

7. Les rentabilités du titre Alpha sur les quatre dernières années sont les suivantes : − 4 %, + 28 %, + 12 % et + 4 %.

   a. Quelle est la rentabilité annuelle moyenne sur la période ?

   b. Quelle est la variance des rentabilités sur la période ?

   c. Quel est l'écart-type des rentabilités du titre ?

*8. On suppose que les rentabilités historiques et futures sont indépendamment et identiquement distribuées et sont issues de la même densité de probabilité.

   a. À partir des tableaux 10.3 et 10.4, calculez l'intervalle de confiance à 95 % de l'estimation de la rentabilité annuelle espérée pour les quatre portefeuilles (l'historique des données s'étend sur 92 années).

   b. On suppose que les valeurs des tableaux 10.3 et 10.4 représentent les vraies rentabilités et volatilités espérées (estimations sans erreur) et que ces rentabilités sont normalement distribuées. Pour chacun des quatre portefeuilles, quelle est la probabilité que l'investisseur ne perdra pas plus de 5 % l'année prochaine ? *Suggestion :* la fonction Excel **loi.normale.n(x, moyenne, écart-type, 1)** peut être utilisée pour calculer la probabilité qu'une variable aléatoire normalement distribuée avec une moyenne et un écart-type donnés soit inférieure à x.

   c. Toutes les probabilités calculées en *b* ont-elles un sens ? Si oui, expliquez pourquoi. Sinon, quelle en est la raison ?

9. En utilisant les données du tableau 10.2, calculez la rentabilité annuelle moyenne et la volatilité de l'action Total entre 2001 et 2019.

10. En utilisant les données du tableau 10.2, calculez, sur la période 2002-2019, le rendement et le taux de plus-value annuels moyens de l'indice CAC 40, ainsi que leur volatilité. Quelle est, des dividendes ou des gains en capital, la composante la plus importante de la rentabilité de l'indice CAC 40 et quelle est sa principale source de volatilité ?

11. Les rentabilités de l'actif XC sur les quatre dernières années ont été de 10 %, 20 %, − 5 % et 15 %.

   a. Quel est le taux de croissance annuel moyen de l'actif sur les quatre années ?

   b. Quelle est la rentabilité annuelle moyenne de l'actif sur la période ?

   c. Quelle est la meilleure mesure de la performance passée de l'actif ?

   d. Au cas où les rentabilités de l'actif sont indépendamment et identiquement distribuées, quelle est la meilleure mesure de l'estimation de la rentabilité espérée de l'actif pour l'année prochaine ?

12. Téléchargez depuis le site **http://finance.yahoo.com** l'historique des cours et des dividendes de l'action Renault (*ticker* : RNO.PA) entre le 1er janvier 2015 et le 1er janvier 2020. Quelle est la rentabilité mensuelle équivalente de l'action Renault sur la période (c'est-à-dire la variation mensuelle en pourcentage qui aurait eu la même performance cumulée que l'action Renault sur la période) ?

13. (Suite de l'exercice précédent.)

   a. Quelle est la rentabilité mensuelle moyenne sur la période ?

   b. Quelle est la volatilité mensuelle des rentabilités sur la période ?

14. (Suite des exercices 12 et 13.) Pourquoi y a-t-il une différence entre la rentabilité moyenne calculée dans l'exercice 13 et la rentabilité effective de l'exercice 12 ? Ces deux mesures sont-elles utiles ? Pourquoi ?

15. (Suite de l'exercice 13.) Quel est l'intervalle de confiance à 95 % de l'estimation de la rentabilité mensuelle moyenne ?

16. En quoi la relation entre la rentabilité moyenne et la volatilité historique d'une action se différencie-t-elle de la même relation dans le cas d'un portefeuille diversifié ?

17. La banque A a octroyé 100 crédits à ses clients. Chaque crédit porte sur un montant de 1 million d'euros et doit être remboursé aujourd'hui. Chacun des crédits a une probabilité de défaut de 5 %, auquel cas la banque ne reçoit rien. La probabilité de défaut est indépendante entre les différents crédits. La banque B a octroyé un unique crédit d'un montant de 100 millions d'euros, dont elle attend également le remboursement aujourd'hui. La probabilité de défaut est identique. Quelle est la différence entre les risques supportés par les deux banques ? Quelle est la banque soumise à moins de risque ? Pourquoi ? Quel est le remboursement total espéré par chaque banque ? Quel est l'écart-type de ces remboursements ?

18. Jean est un investisseur qui a une forte aversion au risque. Il a le choix entre deux portefeuilles. Les rentabilités espérées et les volatilités des deux portefeuilles sont identiques. Le premier contient des titres qui fluctuent tous à l'identique : en cas de hausse d'un titre, tous augmentent et réciproquement en cas de baisse. Le second portefeuille est composé de titres dont les rentabilités sont indépendantes : la variation du prix d'un titre n'a pas d'influence sur les prix des autres. Quel portefeuille Jean doit-il choisir ? Pourquoi ?

19. Il existe deux types d'actions : S et I. Les prix des actions de type S évoluent de manière coordonnée. Les prix des actions de type I varient de manière indépendante. Quelles que soient les actions, elles ont une probabilité de 60 % d'avoir une rentabilité de 15 % et une probabilité de 40 % d'avoir une rentabilité de − 10 %. Quelle est la volatilité d'un portefeuille équipondéré composé de 20 actions S ? De 20 actions I ? Représentez graphiquement la volatilité des portefeuilles en fonction du nombre d'actions qu'ils contiennent.

20. Pourquoi la prime de risque d'un actif ne dépend-elle pas de son risque diversifiable ?

21. Parmi les risques suivants, lesquels relèvent de risques systématiques et de risques diversifiables ?

   a. Le P-DG disparaît dans un accident d'avion.

b. L'économie entre en récession, ce qui réduit la demande adressée à l'entreprise.

c. L'ingénieur le plus doué de la division R&D part chez la concurrence.

d. Les recherches en cours dans la division R&D n'aboutissent pas.

22. Le taux d'intérêt sans risque est de 5 %. Le portefeuille de marché aura, chaque année, autant de probabilités d'augmenter de 40 % que de baisser de 20 %. Comparez les deux stratégies d'investissement suivantes : (i) investir la première année dans l'actif sans risque et la suivante dans le portefeuille de marché ; (ii) investir sur deux ans dans le portefeuille de marché.

   a. Quelle stratégie aura la rentabilité espérée la plus importante ?

   b. Quelle stratégie aura l'écart-type le plus grand ?

   c. Détenir les actions sur une plus longue période réduit-il le risque ?

23. Qu'appelle-t-on un portefeuille efficient ?

24. Que mesure le bêta d'un actif ?

25. Aujourd'hui, le marché des actions a augmenté de 10 %. À partir du tableau 10.6, à quelle hausse peut-on s'attendre pour les actions Carrefour, Vivendi et Axa ?

26. Quel actif subira la perte la plus importante en cas de chute de 10 % du marché :

   a. 1 000 € investis dans un titre avec un bêta de 1,23 ?

   b. 5 000 € investis dans un titre avec un bêta de 0,53 ?

   c. 2 500 € investis dans un titre avec un bêta de 0,90 ?

27. On suppose que le portefeuille de marché a autant de probabilités d'augmenter de 30 % que de baisser de 10 % :

   a. Quel est le bêta du titre PIR dont le cours augmente de 43 % en moyenne lorsque le marché est haussier et diminue de 17 % lorsque le marché est baissier ?

   b. Quel est le bêta du titre POL dont le cours augmente de 18 % en moyenne lorsque le marché est baissier et diminue de 22 % lorsque le marché est haussier ?

   c. Quel est le bêta du titre JAK dont le cours augmente de 4 %, alors que le marché est stable ?

28. (Suite de l'exercice précédent.) On suppose que le taux d'intérêt sans risque est de 4 % :

   a. Quelle est la rentabilité espérée de l'action PIR, à partir du bêta calculé dans l'exercice précédent ? Même question à partir des probabilités indiquées dans l'exercice précédent.

   b. Mêmes questions avec l'action POL.

29. Si la prime de risque du marché est de 5 % et si le taux d'intérêt sans risque est de 4 %, lorsqu'on utilise le tableau 10.6, quelle est la rentabilité espérée des actions LVMH, Renault et Sanofi ?

30. (Suite de l'exercice précédent.) Pourquoi tous les investisseurs ne détiennent-ils pas uniquement des titres Renault plutôt que des actions Sanofi ?

31. Si la prime de risque du marché et le taux sans risque sont, respectivement, de 6,5 % et 5 %, quel est le coût du capital d'un projet dont le bêta est de 1,2 ?

32. Parmi les propositions suivantes, lesquelles sont cohérentes avec l'hypothèse d'efficience des marchés, le MEDAF, et les deux ?

    a. Un titre exclusivement exposé au risque diversifiable a une rentabilité espérée supérieure au taux d'intérêt sans risque.

    b. Un titre de bêta égal à 1 a eu une rentabilité de 15 % l'an dernier ; celle du marché a été de 9 %.

    c. Une action d'une petite capitalisation dont le bêta est de 1,5 a, en moyenne, une rentabilité supérieure à celle d'une action de grande capitalisation de bêta égal à 1,5.

Étude de cas – Risque et rentabilité d'un portefeuille

Vous démarrez un stage au sein d'une société de conseil en placements financiers et on vous charge d'analyser les profils de risque et de rentabilité de plusieurs actions composant le portefeuille d'un client. Plus précisément, il vous est demandé de déterminer les rentabilités mensuelles moyennes et les écarts-types de 12 actions sur les cinq dernières années. Ce travail vous sera utile pour les prochains chapitres (conservez vos fichiers…). Les actions (symboles entre parenthèses) sont : Axa (CS.PA), BNP Paribas (BNP. PA), Bouygues (EN.PA), Carrefour (CA.PA), Danone (BN.PA), Engie (ENGI.PA), Kering (KER.PA), LafargeHolcim (LHN.PA), L'Oréal (OR.PA), Michelin (ML.PA), Saint-Gobain (SGO.PA) et Vinci (DG.PA).

1. Trouvez les prix de chaque action au cours des cinq dernières années sur Yahoo! Finance (**http://finance.yahoo.com**).

   À cet effet, entrez le symbole du titre puis Rechercher. Cliquez sur Données historiques. Assurez-vous de bien sélectionner des données mensuelles. Cliquez d'abord sur Rechercher, puis sur Télécharger au format tableur. Quelques manipulations de données sont nécessaires pour que votre tableur lise correctement ces dernières : convertir les données, remplacer les points (.) par des virgules (,). Ne conservez que les colonnes Adj. Close (cours de clôture ajusté) et Date.

2. Convertissez ces prix en rentabilités mensuelles.

3. Calculez la rentabilité mensuelle moyenne et l'écart-type des rentabilités mensuelles de chaque titre[12]. Annualisez ces chiffres (multipliez la moyenne mensuelle par 12 et l'écart-type mensuel par 12).

4. Calculez la rentabilité moyenne de l'ensemble des titres mois par mois. Cette rentabilité est celle d'un portefeuille équipondéré composé de ces 12 titres. Calculez la moyenne et l'écart-type des rentabilités mensuelles de ce portefeuille. Vérifiez que

---

12. L'équation (10.3) permet de calculer des rentabilités à partir de prix et de dividendes. La série de prix Adjusted Close fournie par Yahoo! Finance est déjà ajustée pour les dividendes et les divisions d'actions (*stock splits*). Inutile donc de s'en préoccuper.

la rentabilité moyenne de ce portefeuille est égale à la moyenne des rentabilités moyennes de tous les titres. Annualisez ces chiffres (comme à la question 3).

5. En utilisant les chiffres annuels, créez un graphique avec l'écart-type (volatilité) en abscisse et la rentabilité moyenne en ordonnée. À cet effet, créez trois colonnes sur votre feuille de calcul contenant les statistiques calculées aux questions 3 et 4 pour chaque titre et le portefeuille équipondéré. La première colonne contiendra le code de la valeur, la deuxième son écart-type annuel et la dernière sa rentabilité annuelle moyenne. Créez ensuite un graphique « nuage de points » à l'aide des données des deux dernières colonnes (écart-type et moyenne).

6. Que remarquez-vous à propos des volatilités des titres individuels par rapport à la volatilité du portefeuille équipondéré ?

Chapitre 11
Choix de portefeuille et modèle d'évaluation des actifs financiers

Le chapitre introduit la théorie du choix de portefeuille. L'objectif est de caractériser, parmi tous les portefeuilles possibles, les portefeuilles efficients, c'est-à-dire ceux qui possèdent la plus grande espérance de rentabilité pour un niveau de volatilité donné. Cela passe par l'utilisation de techniques statistiques d'optimisation moyenne-variance (sections 11.1 à 11.4). Ces dernières sont couramment utilisées par les institutions financières, notamment les sociétés de gestion d'actifs.

Le chapitre présente ensuite les hypothèses qui sous-tendent le modèle d'évaluation des actifs financiers, ou MEDAF (*Capital Asset Pricing Model*, ou CAPM). Dans ce fameux modèle, le seul portefeuille efficient est le portefeuille de marché – celui composé de tous les titres risqués disponibles –, et la rentabilité espérée de tout titre dépend de son bêta avec le portefeuille de marché (sections 11.5 à 11.7).

Les résultats obtenus dans ce chapitre ont une portée très générale. Ils peuvent en effet être appliqués à n'importe quel actif et à n'importe quel investisseur. La théorie du choix de portefeuille dépasse en outre le simple cadre de la finance de marché. Elle est essentielle en finance d'entreprise. Après tout, les dirigeants d'entreprise sont également des investisseurs : ils ont la charge de sélectionner des projets d'investissement pour le compte des actionnaires. Lorsqu'une entreprise sélectionne un projet d'investissement, elle doit s'assurer que celui-ci possède une VAN positive. Pour ce faire, elle doit calculer le coût du capital du projet, le MEDAF étant la méthode utilisée par la plupart des grandes entreprises pour estimer ce coût (section 11.8).

11.1. L'espérance de rentabilité d'un portefeuille

Un portefeuille est un ensemble de **lignes d'actifs** caractérisé par les **pondérations** des différents actifs qui le composent. Ces pondérations (ou poids), notées x, sont définies comme la part de chaque actif dans la valeur totale du portefeuille. Le poids du titre i (noté x_i) dans un portefeuille est ainsi :

$$x_i = \frac{\text{Valeur du titre } i}{\text{Valeur totale du portefeuille}} \tag{11.1}$$

La somme des poids est, par définition, égale à l'unité ($\sum_i x_i = 1$). Ainsi, un portefeuille composé de 100 actions Michelin au prix unitaire de 60 € et de 200 actions Carrefour au prix unitaire de 45 € a une valeur totale de : $100 \times 60 \,€ + 200 \times 45 \,€ = 15\,000\,€$. Les pondérations respectives de ces deux lignes de titres dans le portefeuille, x_M et x_C, sont :

$$x_M = (100 \times 60 \,€) / 15\,000\,€ = 40\,\%$$

$$x_C = 1 - x_M = (200 \times 45\ \text{€})\,/\,15\,000\ \text{€} = 60\ \%$$

Pour calculer la rentabilité d'un portefeuille, il suffit de disposer des rentabilités et des pondérations des actifs qui le composent. Considérons un portefeuille P composé de N titres. La rentabilité du portefeuille R_P est égale à la moyenne des rentabilités des N titres $(R_1,\ldots, R_N)$ pondérée par le poids de chaque titre $(x_1,\ldots, x_N)$:

$$R_P = x_1 \times R_1 + \ldots + x_N \times R_N = \sum_{i=1}^{N} x_i R_i \tag{11.2}$$

Exemple 11.1

La rentabilité d'un portefeuille

Léa constitue un portefeuille d'une valeur totale de 15 000 € en achetant 100 actions Michelin au prix unitaire de 60 € et 200 actions Carrefour au prix unitaire de 45 €. Un mois plus tard, le prix de l'action Michelin est de 66 € et celui de l'action Carrefour de 42,75 €. Quelle est la valeur finale du portefeuille de Léa ? Quelle est sa rentabilité ? Si Léa n'a pas modifié la composition de son portefeuille, quelles sont les nouvelles pondérations des titres au sein de son portefeuille ?

Solution

En fin de période, la valeur totale du portefeuille est de $100 \times 66\ \text{€} + 200 \times 42,75\ \text{€} =$ 15 150 €, soit 150 € de plus que le montant initialement investi par Léa. Cela correspond à une rentabilité de 1 % sur un mois. La rentabilité des actions Michelin a été de $(66/60) - 1 = 10\ \%$, alors que celle des actions Carrefour a été de $(42,75/45) - 1 = -5\ \%$. Il est également possible de calculer la rentabilité du portefeuille à l'aide de l'équation (11.2), car les pondérations initiales du portefeuille étaient de 40 % pour Michelin et 60 % pour Carrefour :

$$R_P = x_M R_M + x_C R_C = 40\ \% \times 10\ \% + 60\ \% \times (-5\ \%) = 1\ \%$$

Compte tenu des variations de prix, les nouvelles pondérations des actions dans le portefeuille de Léa sont [équation (11.1)] :

$$x_M = (100 \times 66\ \text{€})\,/\,15\,150\ \text{€} = 43,56\ \%$$

$$x_C = (200 \times 42,75\ \text{€})\,/\,15\,150\ \text{€} = 56,44\ \%$$

Si Léa ne modifie pas la composition de son portefeuille, la pondération des actions dont la rentabilité est supérieure à celle du portefeuille augmente (Michelin) et celle dont la rentabilité est inférieure baisse (Carrefour).

L'équation (11.2) permet également de calculer la rentabilité espérée d'un portefeuille, car l'opérateur espérance est linéaire (l'espérance d'une somme est la somme des espérances). L'espérance de rentabilité d'un portefeuille est donc :

$$E\left[R_P \right] = E\left[\sum_{i=1}^{N} x_i R_i \right] = \sum_{i=1}^{N} E\left[x_i R_i \right] = \sum_{i=1}^{N} x_i E\left[R_i \right] \tag{11.3}$$

La rentabilité espérée d'un portefeuille est simplement la moyenne pondérée des rentabilités espérées des actifs qui le composent.

Exemple 11.2

La rentabilité espérée d'un portefeuille

Anouk achète pour 10 000 € d'actions Airbus et 30 000 € d'actions Total. Les rentabilités annuelles espérées d'Airbus et de Total sont respectivement de 10 % et 16 %. Quelle est l'espérance de rentabilité du portefeuille détenu par Anouk ?

Solution

Anouk a investi 40 000 €. Les poids des actions Airbus et Total dans son portefeuille sont respectivement de 10 000 € / 40 000 € = 25 % pour Airbus et 30 000 € / 40 000 € = 75 % pour Total. L'espérance de rentabilité de son portefeuille est donc :

$$E[R_P] = x_{\text{Airbus}}E[R_{\text{Airbus}}] + x_{\text{Total}}E[R_{\text{Total}}] = 25\,\% \times 0{,}1 + 75\,\% \times 0{,}16 = 14{,}5\,\%$$

11.2. La volatilité d'un portefeuille composé de deux actions

Lorsqu'un portefeuille est composé de plusieurs titres, une partie des risques est éliminée grâce à la diversification (voir chapitre 10). Le risque résiduel du portefeuille dépend du degré d'exposition des actions à des risques communs. Il faut donc disposer d'outils statistiques pour quantifier le risque commun des actions et la volatilité du portefeuille. C'est l'objet de cette section.

Combiner les risques

Comment le risque d'un portefeuille évolue-t-il selon le type d'actions qui le composent ? Le tableau 11.1 détaille les rentabilités de trois actions fictives. Bien que leurs rentabilités annuelles diffèrent, ces trois actions offrent les mêmes rentabilités moyennes et les mêmes volatilités.

Il est possible de composer deux portefeuilles équipondérés, composés chacun de deux des trois actions du tableau 11.1. Le portefeuille (1) est composé d'actions des deux compagnies aériennes (Air Med et Europe Air), tandis que le portefeuille (2) est composé d'actions Europe Air et Pétrole Plus. La rentabilité moyenne de chaque portefeuille est égale à la rentabilité moyenne des actions qui le composent [équation (11.3)]. Leurs volatilités, elles, sont de 12,1 % pour le portefeuille (1) et de 5,1 % pour le portefeuille (2) ; elles sont différentes à la fois d'un portefeuille à l'autre et de celles des actions qui les composent.

Deux points importants sont à relever. Premièrement, lorsque l'on combine des actions au sein d'un portefeuille, le risque est réduit grâce à la diversification : les prix des trois actions, et donc leurs rentabilités, n'évoluent pas de manière symétrique ; la constitution d'un portefeuille permet donc de faire disparaître une partie du risque : la volatilité de chaque portefeuille est plus faible que celle des actions qui les composent. Deuxièmement, la part du risque éliminé d'un portefeuille dépend du degré de risque commun auquel les actions sont exposées, et donc de la tendance de leurs prix à évoluer de manière conjointe : les prix des actions des compagnies aériennes ont tendance à augmenter ou baisser en même temps. La volatilité du portefeuille composé de ces actions est un peu plus faible que celle des actions individuelles. En revanche, les actions d'Europe Air et de Pétrole Plus ont connu des évolutions très contrastées, donc le portefeuille constitué de ces actions est nettement moins risqué que les actions qui le composent : les mauvaises performances en 2014 et 2015 de Pétrole Plus sont compensées par les bonnes performances d'Europe Air sur la même période, et inversement en 2017 et 2018. Le bénéfice de la diversification est obtenu sans coût, autrement dit, sans diminution de la rentabilité moyenne.

Tableau 11.1	Rentabilités d'actions et de portefeuilles de deux actions				
	Rentabilités des actions			**Rentabilités des portefeuilles**	
Année	**Air Med**	**Europe Air**	**Pétrole Plus**	**1/2 $R_{\text{Air Med}}$ + 1/2 $R_{\text{Europe Air}}$**	**1/2 $R_{\text{Europe Air}}$ + 1/2 $R_{\text{Pétrole Plus}}$**
2014	21 %	9 %	– 2 %	15,0 %	3,5 %
2015	30 %	21 %	– 5 %	25,5 %	8,0 %
2016	7 %	7 %	9 %	7,0 %	8,0 %
2017	– 5 %	– 2 %	21 %	– 3,5 %	9,5 %
2018	– 2 %	– 5 %	30 %	– 3,5 %	12,5 %
2019	9 %	30 %	7 %	19,5 %	18,5 %
Rentabilité moyenne	10,0 %	10,0 %	10,0 %	10,0 %	10,0 %
Volatilité	13,4 %	13,4 %	13,4 %	12,1 %	5,1 %

Calcul de la covariance et de la corrélation

Pour mesurer le risque d'un portefeuille, il ne suffit donc pas de connaître les rentabilités et le risque des actions qui le composent, car le risque d'un portefeuille dépend également du degré de risque commun des actions. Il faut par conséquent disposer d'une mesure de l'évolution conjointe des prix (ou des rentabilités) des actions, ce qui est rendu possible grâce au calcul de la covariance ou de la corrélation. La **covariance** entre deux rentabilités est l'espérance du produit des écarts à la moyenne de celles-ci :

Covariance des rentabilités

$$Cov(R_i, R_j) = E[(R_i - E[R_i])(R_j - E[R_j])] \tag{11.4}$$

Lorsque la covariance est estimée à partir de rentabilités historiques, cette formule devient[1] :

Estimation de la covariance à partir de rentabilités historiques

$$Cov\left(R_i, R_j\right) = \frac{1}{T-1} \sum_{t=1}^{T} \left(R_{i,t} - \overline{R}_i\right)\left(R_{j,t} - \overline{R}_j\right) \tag{11.5}$$

Intuitivement, si les rentabilités de deux actions ont tendance à évoluer ensemble, leurs rentabilités seront au-dessus ou en dessous de leurs moyennes au même moment ;

---

1. À l'instar de l'équation (10.6), pour estimer la volatilité historique d'un titre, il convient de diviser par $T-1$ plutôt que par T, car un degré de liberté est perdu dans l'estimation de la rentabilité espérée par la moyenne arithmétique.

la covariance sera donc positive. À l'inverse, si les actions évoluent de manière contraire, la rentabilité de l'une sera au-dessus de sa moyenne lorsque la rentabilité de l'autre sera en dessous ; la covariance sera donc négative. Le signe d'une covariance est ainsi facile à interpréter. En revanche, sa magnitude n'est pas très informative, car elle mélange deux informations : elle est d'autant plus importante que les deux actions sont volatiles (les écarts de leurs rentabilités à leurs moyennes sont importants) et qu'elles évoluent dans le même sens.

Le calcul de la **corrélation** des rentabilités neutralise l'effet « volatilité de chaque action ». La corrélation est en effet égale à la covariance des rentabilités divisée par le produit de leurs écarts-types :

$$Corr\left(R_i, R_j\right) = \frac{Cov\left(R_i, R_j\right)}{\sigma_{R_i} \times \sigma_{R_j}} \tag{11.6}$$

Un écart-type étant toujours positif, la corrélation est de même signe que la covariance. Son signe s'interprète donc de la même manière. En divisant la covariance par le produit des écarts-types des rentabilités, on s'assure que la corrélation est toujours comprise entre − 1 et +1.

La corrélation permet une mesure précise de la relation liant les rentabilités de deux titres (voir figure 11.1) : une corrélation égale à + 1 signifie que les rentabilités des deux titres sont positives ou négatives en même temps et que leurs variations sont, en pourcentage, identiques. Une corrélation nulle implique une absence de lien entre les évolutions des rentabilités. Une corrélation égale à − 1 indique que les sens de variation des actions sont opposés et de même ampleur. La corrélation est par conséquent une mesure indirecte du degré de risque commun partagé par les rentabilités de deux titres : plus elle est proche de + 1, plus les rentabilités ont tendance à évoluer ensemble, du fait de leurs risques communs.

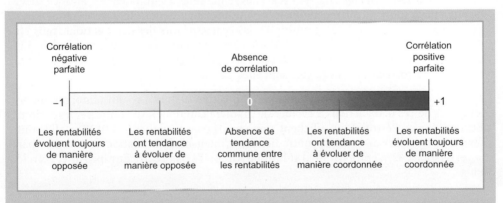

Figure 11.1 – Corrélation entre les rentabilités de deux titres

La corrélation mesure la force de la relation entre les rentabilités de deux titres et leur propension à évoluer de manière conjointe. Elle est comprise entre +1 (les évolutions des rentabilités sont identiques) et − 1 (les rentabilités évoluent toujours de manière opposée). Lorsque la corrélation est nulle, les évolutions des rentabilités n'ont aucun lien.

Exemple 11.3

Covariance et corrélation d'une action avec elle-même

Quelles sont la covariance et la corrélation de la rentabilité d'une action avec elle-même ?

Solution

Soit R_s la rentabilité de l'action. D'après l'équation (11.4), la covariance des rentabilités de cette action avec elle-même est :

$$Cov\left(R_s, R_s\right) = E\left[\left(R_s - E\left[R_s\right]\right)\left(R_s - E\left[R_s\right]\right)\right] = E\left[\left(R_s - E\left[R_s\right]\right)^2\right] = Var\left[R_s\right]$$

La dernière égalité est obtenue simplement grâce à la définition de la variance (chapitre 10). La covariance des rentabilités d'une action avec elle-même est donc égale à sa variance.

D'après l'équation (11.6), la corrélation des rentabilités de cette action avec elle-même est :

$$Corr\left(R_s, R_s\right) = \frac{Cov\left(R_s, R_s\right)}{\sigma_{R_s} \times \sigma_{R_s}} = \frac{Var\left[R_s\right]}{Var\left[R_s\right]} = 1$$

car le carré de l'écart-type est égal à la variance. Une action est donc parfaitement positivement corrélée avec elle-même, ce qui est logique : c'est même une tautologie !

Exemple 11.4

Covariance et corrélation

À partir du tableau 11.1, quelles sont la covariance et la corrélation des actions Air Med et Europe Air d'une part et des actions Europe Air et Pétrole Plus d'autre part ?

Solution

Pour chaque action, il faut calculer l'écart des rentabilités à leur moyenne. Pour ce faire, il convient de soustraire la rentabilité moyenne de chaque action (10 %) à ses rentabilités du tableau 11.1. Ensuite, il faut multiplier les écarts relatifs des deux actions, puis en faire la somme. Enfin, en divisant par $T - 1 = 5$, on obtient la covariance recherchée. En divisant la covariance par le produit des écarts-types (13,4 % × 13,4 %) des deux actions, on obtient la corrélation. Les calculs sont effectués dans le tableau 11.2.

Air Med et Europe Air ont une covariance positive (0,0112), ce qui témoigne d'une tendance de ces deux actions à évoluer de manière conjointe. Au contraire, les actions Europe Air et Pétrole Plus affichent une covariance négative (– 0,0128) : elles ont tendance à évoluer de manière contradictoire. L'intensité de la relation est mesurée par la corrélation : 62 % entre Air Med et Europe Air et – 71,33 % entre Europe Air et Pétrole Plus.

Tableau 11.2	Calcul de la covariance et de la corrélation entre paires d'actions

Année	Écarts à la moyenne			Air Med et Europe Air	Europe Air et Pétrole Plus
	$(R_{AM} - \bar{R}_{AM})$	$(R_{EA} - \bar{R}_{EA})$	$(R_{PP} - \bar{R}_{PP})$	$(R_{AM} - \bar{R}_{AM})(R_{EA} - \bar{R}_{AM})$	$(R_{EA} - \bar{R}_{EA})(R_{PP} - \bar{R}_{PP})$
2014	11 %	– 1 %	– 12 %	– 0,0011	0,0012
2015	20 %	11 %	– 15 %	0,0220	– 0,0165
2016	– 3 %	– 3 %	– 1 %	0,0009	0,0003
2017	– 15 %	– 12 %	11 %	0,0180	– 0,0132
2018	– 12 %	– 15 %	20 %	0,0180	– 0,0300
2019	– 1 %	20 %	– 3 %	– 0,0020	– 0,0060
Somme $= \sum_{t=1}^{6} \left(R_{i,t} - \bar{R}_i \right)\left(R_{j,t} - \bar{R}_j \right) =$				0,0558	– 0,0642
Covariance : $Cov\left(R_i, R_j \right) = \dfrac{1}{T-1} \times$ Somme $= \dfrac{1}{5} \times$ Somme $=$				0,0112	– 0,0128
Corrélation : $Corr\left(R_i, R_j \right) = \dfrac{Cov\left(R_i, R_j \right)}{\sigma_{R_i} \times \sigma_{R_j}} =$				62,00 %	– 71,33 %

Utiliser Excel	**Calculs de variance, de covariance et de corrélation avec un tableur**

Les fonctions variance (VAR) et écart-type (ECARTYPE) d'Excel ou d'Open Office sont programmées à partir de l'équation (10.6) pour estimer respectivement la variance et l'écart-type à l'aide de données historiques. Mais la fonction covariance (COVARIANCE) n'emploie pas l'équation (11.5). Le tableur divise par T et non pas par $T-1$. Pour estimer correctement la covariance de rentabilités historiques, il faut donc corriger le résultat donné par le tableur en le multipliant par un facteur $T/T-1$. Une autre approche consiste à utiliser la fonction COEFFICIENT.CORRELATION pour calculer la corrélation d'une façon cohérente avec les fonctions VAR et ECARTYPE, puis à multiplier le résultat par le produit des écarts-types. Plus simple encore, les versions récentes d'Excel ont introduit une nouvelle formule COVARIANCE.STANDARD qui permet d'estimer correctement la covariance à partir d'un échantillon historique.

Les corrélations entre les rentabilités de différentes actions sont d'autant plus élevés qu'elles sont influencées par les mêmes événements économiques. Ainsi, les actions d'entreprises d'un même secteur d'activité ont tendance à afficher des corrélations supérieures à celles de secteurs différents. Ainsi, Danone, seule action du secteur des biens de consommation du tableau 11.3, est faiblement corrélé avec les autres titres (entre 12 % et 39 %), alors que la corrélation entre les deux titres du secteur technologique (Nokia et STMicroelectronics) est de 71 % et que celle des deux titres du secteur pétrole et gaz est de 61 %. On remarque par ailleurs que toutes les corrélations sont positives, ce qui traduit une tendance générale des actions du tableau à évoluer ensemble

	STMicro-electronics	Nokia	Total	Technip	Danone
Volatilité (écart-type)	38 %	50 %	18 %	39 %	19 %
Corrélation avec :					
STMicroelectronics	100 %	71 %	47 %	48 %	39 %
Nokia	71 %	100 %	43 %	54 %	31 %
Total	47 %	43 %	100 %	61 %	12 %
Technip	48 %	54 %	61 %	100 %	20 %
Danone	39 %	31 %	12 %	20 %	100 %

Tableau 11.3 Volatilités historiques annualisées et corrélations de quelques actions françaises (calculs à partir des données mensuelles)

Exemple 11.5

Calcul de la covariance à partir de la corrélation

À partir du tableau 11.3, quelle est la covariance entre STMicroelectronics et Nokia ?

Solution

La covariance peut être obtenue à partir de la corrélation, en inversant l'équation (11.6) :

$$Cov(R_{STM}, R_{NK}) = Corr(R_{STM}, R_{NK}) \times \sigma_{R_{STM}} \times \sigma_{R_{NK}} = 0{,}71 \times 0{,}38 \times 0{,}50 = 0{,}135$$

Calcul de la variance et de l'écart-type d'un portefeuille

Grâce aux notions de covariance et de corrélation, il est possible de calculer la variance d'un portefeuille. L'exemple 11.3 a établi que la variance des rentabilités d'une action est égale à la covariance des rentabilités de cette action avec elle-même. Par conséquent, la variance d'un portefeuille composé de deux titres dont la rentabilité est $R_P = x_1 R_1 + x_2 R_2$ est :

$$Var[R_P] = Cov(R_P, R_P) = Cov(x_1 R_1 + x_2 R_2, x_1 R_1 + x_2 R_2) \tag{11.7}$$
$$= x_1 x_1 \, Cov(R_1, R_1) + x_1 x_2 \, Cov(R_1, R_2) + x_2 x_1 \, Cov(R_2, R_1) + x_2 x_2 \, Cov(R_2, R_2)$$

En effet, la covariance est un opérateur bilinéaire, c'est-à-dire qu'elle est un opérateur linéaire dans chacun de ses deux arguments[2]. Lorsqu'on réarrange les différents termes et que l'on remarque que $Cov(R_i, R_i) = Var[R_i]$, la variance d'un portefeuille composé de deux titres peut se réécrire :

Variance d'un portefeuille composé de deux titres

$$Var[R_P] = x^2_1 \, Var[R_1] + x^2_2 \, Var[R_2] + 2x_1 x_2 \, Cov(R_1, R_2) \tag{11.8}$$

---

2. C'est-à-dire (avec des majuscules pour les variables aléatoires – rentabilités par exemple – et des minuscules pour les paramètres connus – pondérations par exemple) : $Cov(A + B, C) = Cov(A, C) + Cov(B, C)$ et $Cov(mA, B) = m \times Cov(A, B)$.

L'écart-type (ou volatilité) de ce portefeuille est la racine carrée de la variance : $\sigma_{R_P} = \sqrt{Var[R_P]}$. Il est possible avec cette formule de retrouver les résultats du tableau 11.1 : les variances des titres Europe Air et Pétrole Plus sont égales au carré de leurs écarts-types, soit $0{,}134^2 = 0{,}018$. La covariance entre les deux actions est de $-0{,}0128$ (exemple 11.4). D'après l'équation (11.8), la variance du portefeuille équipondéré (50 % investi dans chacun des deux titres) est :

$$Var\left[\frac{1}{2}R_{EA} + \frac{1}{2}R_{PP}\right] = \left(\frac{1}{2}\right)^2 Var[R_{EA}] + \left(\frac{1}{2}\right)^2 Var[R_{PP}] + 2 \times \frac{1}{2} \times \frac{1}{2} \times Cov(R_{EA}, R_{PP})$$

$$= \left(\frac{1}{2}\right)^2 \times 0{,}018 + \left(\frac{1}{2}\right)^2 \times 0{,}018 + 2 \times \frac{1}{2} \times \frac{1}{2} \times (-0{,}0128) = 0{,}0026$$

La volatilité de ce portefeuille est donc $\sqrt{0{,}0026} = 5{,}1$ %, ce qui correspond au résultat du tableau 11.1. Comme en témoignent l'équation (11.8) et le tableau 11.1, la variance d'un portefeuille dépend de la variance des titres qui le composent mais également de leurs covariances. L'équation (11.8) peut être réécrite à l'aide de la corrélation :

$$Var[R_P] = x_1^2 Var[R_1] + x_2^2 Var[R_2] + 2x_1 x_2 \sigma_{R_1} \sigma_{R_2} Corr(R_1, R_2) \qquad (11.9)$$

Les équations (11.8) et (11.9) établissent qu'un portefeuille composé exclusivement de **positions longues**, c'est-à-dire de pondérations positives sur tous les actifs du portefeuille, a une variance d'autant plus élevée que les titres qui le composent évoluent ensemble ou, en d'autres termes, que la covariance ou la corrélation des rentabilités est élevée. La variance du portefeuille est maximale lorsque la corrélation est égale à +1.

Volatilité d'un portefeuille composé de deux actions

À partir du tableau 11.3, quelle est la volatilité d'un portefeuille équipondéré composé d'actions Total (FP) et Technip (TEC) ? Même question pour un portefeuille équipondéré composé des titres Technip (TEC) et Danone (BN).

Solution

D'après l'équation (11.9), la variance du portefeuille est :

$$Var[R_P] = \left(\frac{1}{2}\right)^2 \sigma_{R_{FP}}^2 + \left(\frac{1}{2}\right)^2 \sigma_{R_{TEC}}^2 + 2 \times \frac{1}{2} \times \frac{1}{2} \times \sigma_{R_{FP}} \times \sigma_{R_{TEC}} \times Corr(R_{FP}, R_{TEC})$$

$$= 0{,}5^2 \times 0{,}18^2 + 0{,}5^2 \times 0{,}39^2 + 2 \times \frac{1}{2} \times \frac{1}{2} \times 0{,}18 \times 0{,}39 \times 0{,}61 = 0{,}0675$$

La volatilité de ce portefeuille est donc : $\sigma_{R_P} = \sqrt{0{,}0675} = 25{,}99$ %.

...

Exemple 11.6

…

La variance du portefeuille composé des titres Technip et Danone est :

$$Var\left[R_P\right] = \left(\frac{1}{2}\right)^2 \sigma^2_{R_{TEC}} + \left(\frac{1}{2}\right)^2 \sigma^2_{R_{BN}} + 2 \times \frac{1}{2} \times \frac{1}{2} \times \sigma_{R_{TEC}} \times \sigma_{R_{BN}} \times Corr\left(R_{TEC}, R_{BN}\right)$$

$$= 0{,}5^2 \times 0{,}39^2 + 0{,}5^2 \times 0{,}19^2 + 2 \times \frac{1}{2} \times \frac{1}{2} \times 0{,}39 \times 0{,}19 \times 0{,}20 = 0{,}0545$$

La volatilité de ce portefeuille est donc : $\sigma_{R_P} = \sqrt{0{,}0592} = 23{,}34\,\%$.

La volatilité du portefeuille équipondéré composé des actions Total et Technip est moindre que celle de l'action Technip. La volatilité du portefeuille formé des titres Technip et Danone est moins élevée que la précédente, alors même que le titre Danone est plus volatil que celui de Total. C'est la conséquence d'une corrélation moindre des actions de ce portefeuille (20 % contre 61 % pour le premier), et donc d'une meilleure diversification.

11.3. La volatilité d'un portefeuille composé de *N* actions

Il est possible de réduire le risque d'un portefeuille en augmentant sa taille, ce qui permet de bénéficier d'une meilleure diversification. La rentabilité d'un portefeuille composé de *N* actions est la moyenne pondérée des rentabilités des actions qui le composent :

$$R_P = x_1 R_1 + \dots + x_N R_N = \sum_{i=1}^{N} x_i R_i$$

Lorsqu'on utilise la propriété de bilinéarité de la covariance, la variance de ce portefeuille est :

$$Var\left[R_P\right] = Cov\left(R_P, R_P\right) = Cov\left(\sum_{i=1}^{N} x_i R_i, R_P\right) = \sum_{i=1}^{N} x_i Cov\left(R_i, R_P\right) \tag{11.10}$$

La variance d'un portefeuille est égale à la covariance moyenne pondérée de chaque titre avec le portefeuille lui-même. Par conséquent, le risque d'un portefeuille dépend de la façon dont la rentabilité de chaque titre le composant évolue en fonction de la rentabilité du portefeuille. En remplaçant R_P par son expression, on obtient :

$$Var\left[R_P\right] = \sum_{i=1}^{N} x_i Cov\left(R_i, R_P\right) = \sum_{i=1}^{N} x_i Cov\left(R_i, \sum_{j=1}^{N} x_j R_j\right) = \sum_{i=1}^{N} x_i \sum_{j=1}^{N} x_j Cov\left(R_i, R_j\right)$$

$$= \sum_{i=1}^{N} \sum_{j=1}^{N} x_i x_j Cov\left(R_i, R_j\right) \tag{11.11}$$

La variance d'un portefeuille est égale à la somme des covariances entre les rentabilités de toutes les actions qui le composent prises deux à deux, multipliées par leurs pondérations respectives[3]. En d'autres termes, la volatilité des rentabilités d'un portefeuille dépend des covariations globales des titres qu'il contient.

---

3. L'équation (11.11) est une généralisation de l'équation (11.7).

Diversification d'un portefeuille équipondéré composé de *N* actions

L'équation (11.11) permet de calculer la variance d'un **portefeuille équipondéré** de *N* titres. Le poids de chaque titre x_i dans ce portefeuille est par définition égal à $(1/N)$. Sa variance est donc[4] :

Variance d'un portefeuille équipondéré composé de *N* titres

$$Var\left[R_P\right] = \frac{1}{N}\left(\text{Variance moyenne des titres}\right)$$

$$+ \left(1 - \frac{1}{N}\right)\left(\text{Covariance moyenne entre paires de titres}\right) \qquad (11.12)$$

Lorsque le nombre de titres *N* dans un portefeuille augmente, sa variance, et donc son risque total, dépend de plus en plus de la covariance moyenne existant entre les paires des titres qui le composent. Ainsi, la volatilité historique des rentabilités d'une action d'une entreprise de grande capitalisation est d'environ 40 % (voir chapitre 10) et la corrélation moyenne entre les rentabilités de ces actions est de l'ordre de 30 %. Si l'on considère un portefeuille composé de telles actions, choisies au hasard, la volatilité d'un portefeuille équipondéré est, d'après l'équation (11.12) :

$$\sigma_{R_P} = \sqrt{\frac{1}{N}\left(0{,}40\right)^2 + \left(1 - \frac{1}{N}\right)\left(0{,}4 \times 0{,}4 \times 0{,}3\right)}$$

La volatilité décroît à mesure que *N* augmente (voir figure 11.2). Environ la moitié de la volatilité du portefeuille peut être éliminée grâce à la diversification. La courbe est convexe, ce qui signifie que le bénéfice de la diversification décroît avec le nombre de titres composant le portefeuille : la baisse de la volatilité est plus importante lorsque l'on passe de un à deux titres que lorsqu'on passe de 100 à 101 titres par exemple. Sachant qu'en pratique l'achat d'un titre supplémentaire est coûteux (frais de courtage, frais de gestion du portefeuille), un arbitrage existe sur le nombre de titres à inclure dans un portefeuille. En général, un portefeuille constitué d'une trentaine de titres est suffisant pour profiter d'une grande partie des bénéfices de la diversification ; il n'est donc pas utile de chercher à constituer le plus grand portefeuille possible ! De toute façon, même un portefeuille composé d'un nombre infini de titres demeurerait exposé à un risque : sa variance converge vers la covariance moyenne de ses titres. Avec les hypothèses de cet exemple, la volatilité converge donc vers $\sqrt{0{,}4 \times 0{,}4 \times 0{,}3} = 21{,}91$ %[5].

---

4. La variance d'un portefeuille équipondéré composé de *N* actions comprend *N* termes de variance [$i = j$ dans l'équation (11.11)], chacun ayant un poids de $x^2 = 1/N^2$. La variance moyenne a donc un poids total de $N \times (1/N^2) = 1/N$ dans la variance du portefeuille. Il y a par ailleurs $N^2 - N$ termes de covariance (cas où $i \neq j$) : l'équation (11.11) comprend au total N^2 termes, moins *N* termes de variance. Chaque covariance a un poids de $x_i x_j = 1/N^2$. La covariance moyenne a donc un poids de $(N^2 - N) \times (1/N^2) = 1 - (1/N)$.

5. Et si la covariance moyenne était négative ? Ce n'est en fait pas possible. Si la covariance entre deux actions peut être négative, tel n'est pas le cas pour un portefeuille diversifié : les rentabilités de *toutes* les actions composant le portefeuille ne peuvent pas fluctuer simultanément dans des directions opposées.

Exemple 11.7

Diversification à l'aide de types différents d'actions

Les actions d'un même secteur d'activité ont tendance à afficher une corrélation supérieure à celle d'actions de secteurs différents. De même, les actions de pays différents ont des corrélations plus faibles que les actions d'un même pays. Quelle est la volatilité d'un portefeuille composé d'un très grand nombre d'actions d'un même secteur d'activité, si ces dernières ont une volatilité de 40 % et une corrélation de 60 % ? Quelle est la volatilité d'un portefeuille composé d'un très grand nombre d'actions de pays différents si ces dernières ont une volatilité de 40 % et une corrélation de 10 % ?

Solution

D'après l'équation (11.12), quand N tend vers l'infini, la volatilité du portefeuille sectoriel est :

$$\sqrt{\text{Covariance moyenne}} = \sqrt{0,4 \times 0,4 \times 0,6} = 31,0\ \%$$

Cette volatilité est supérieure à celle obtenue à la figure 11.2 qui suppose des actions de secteurs d'activité différents. Au contraire, une diversification supérieure peut être obtenue en sélectionnant des titres de différents pays. La volatilité du portefeuille est alors :

$$\sqrt{\text{Covariance moyenne}} = \sqrt{0,4 \times 0,4 \times 0,1} = 12,6\ \%$$

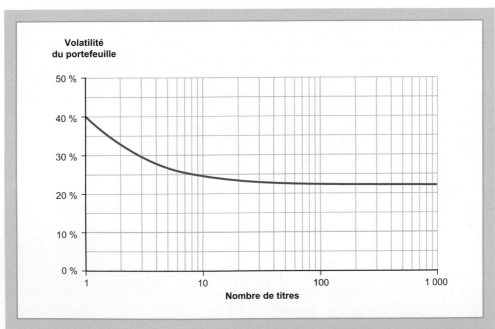

Figure 11.2 – Volatilité d'un portefeuille équipondéré en fonction de sa taille

La volatilité du portefeuille diminue à mesure que le nombre d'actions N composant le portefeuille augmente. Le risque de marché ne disparaît pas, même avec N tendant vers l'infini.

L'équation (11.12) peut également être utilisée pour établir un résultat important du chapitre 10 : lorsque les risques sont indépendants, l'intégralité du risque du portefeuille peut être supprimée grâce à la diversification.

Volatilité d'un portefeuille composé de titres de risques indépendants

Quelle est la volatilité d'un portefeuille équipondéré de N titres, dont les risques sont identiques et indépendants ?

Solution

Si les risques sont indépendants, ils sont non corrélés ; leur covariance est donc nulle. La volatilité d'un tel portefeuille équipondéré est par conséquent [équation (11.12)] :

$$\sigma_{R_P} = Var\left[R_P\right] = \sqrt{\frac{1}{N}Var\left[\text{Risque individuel}\right]} = \frac{\sigma_{\text{Risque individuel}}}{\sqrt{N}}$$

On retrouve l'équation (10.7) utilisée pour évaluer des risques indépendants. Lorsque N tend vers l'infini, le risque du portefeuille converge vers zéro : un portefeuille de très grande taille ne comprenant pas de risque commun a un risque nul ; les risques indépendants des titres qui le composent sont éliminés grâce à la diversification.

Exemple 11.8

Diversification d'un portefeuille quelconque

Lorsque les pondérations des titres ne sont pas égales, mais quelconques, l'équation (11.10) peut être réécrite :

$$Var\left[R_P\right] = \sum_{i=1}^{N} x_i Cov\left(R_i, R_P\right) = \sum_{i=1}^{N} x_i \sigma_{R_i} \sigma_{R_P} Corr\left(R_i, R_P\right)$$

La division des deux membres de cette équation par l'écart-type du portefeuille permet de décomposer la volatilité du portefeuille :

Volatilité d'un portefeuille quelconque

$$\sigma_{R_P} = \sum_{i=1}^{N} \underbrace{x_i}_{\substack{\text{Poids du} \\ \text{titre } i}} \times \underbrace{\sigma_{R_i}}_{\substack{\text{Risque total} \\ \text{du titre } i}} \times \overbrace{Corr\left(R_i, R_P\right)}^{\substack{\text{Contribution du titre } i \text{ à la} \\ \text{volatilité du portefeuille}}}$$

(11.13)

avec *Part du risque du titre i commune avec P*

Chaque titre contribue à la volatilité du portefeuille en fonction de son poids dans le portefeuille et de sa propre volatilité (risque total), normée par sa corrélation avec le portefeuille. En d'autres termes, le risque total d'un portefeuille est influencé par les volatilités des titres qui le composent, *ajustées de la proportion de risque commun que chaque titre partage avec le portefeuille*. Par conséquent, si un portefeuille n'est composé que de positions longues (tous les actifs qui le composent possèdent des pondérations positives), sa volatilité sera toujours inférieure à la moyenne pondérée des volatilités des titres qui le composent[6] :

$$\sigma_{R_P} = \sum_{i=1}^{N} x_i \sigma_{R_i} \, Corr\left(R_i, R_P\right) < \sum_{i=1}^{N} x_i \sigma_{R_i}$$

(11.14)

Si l'on compare cette équation avec l'équation (11.3), un résultat important apparaît : l'espérance de rentabilité d'un portefeuille est égale à la moyenne pondérée des rentabilités espérées des actifs qui le composent, mais la volatilité du portefeuille est *inférieure* à la moyenne pondérée des volatilités de ces titres. La diversification du portefeuille contribue donc à réduire son risque total plus que sa rentabilité.

11.4. Arbitrage rentabilité-risque : le choix d'un portefeuille efficient

Les équations permettant de calculer l'espérance de rentabilité et la volatilité d'un portefeuille sont connues. Il est donc possible de se consacrer maintenant à l'objectif principal de ce chapitre : la formation d'un portefeuille efficient[7]. Le raisonnement part du cas le plus simple : un portefeuille composé de deux actions.

Les portefeuilles efficients composés de deux actions

On considère un portefeuille composé d'actions Nokia (NK) et Danone (BN). On suppose, en outre, qu'elles ne sont pas corrélées et qu'elles performeront de la manière suivante :

Action	Rentabilité espérée	Volatilité
Nokia	26 %	50 %
Danone	6 %	25 %

Quel portefeuille un investisseur devrait-il détenir ? Existe-t-il des portefeuilles préférables aux autres ? Pour le savoir, il faut calculer l'espérance de rentabilité et la volatilité des portefeuilles obtenus en faisant varier les pondérations des deux actions. Par exemple, un portefeuille composé à 40 % de Nokia et à 60 % de Danone a une espérance de rentabilité [équation (11.3)] :

$$E\left[R_{40-60}\right] = x_{NK} E\left[R_{NK}\right] + x_{BN} E\left[R_{BN}\right] = 0,4 \times 0,26 + 0,6 \times 0,06 = 14 \text{ %}$$

---

6. Sauf si ces derniers ont une corrélation positive parfaite (+1) avec le portefeuille (et donc entre eux).

7. Les techniques d'optimisation de portefeuille ont été développées dans un article publié en 1952 par Harry Markowitz : H. Markowitz (1952), « Portfolio Selection », *Journal of Finance*, 7, 77-91. Des travaux connexes à ceux de Markowitz ont été réalisés par Andrew Roy (1952) et Bruno de Finetti dans les années 1940 : A. Roy (1952), « Safety First and the Holding of Assets », *Econometrica*, 20, 431-449 ; M. Rubinstein (2006), « Bruno de Finetti and Mean-Variance Portfolio Selection », *Journal of Investment Management*, 4, 3-4.

D'après l'équation (11.9), sa variance est :

$$Var\left[R_{40-60}\right] = x_{NK}^2\, \sigma_{R_{NK}}^2 + x_{BN}^2 \sigma_{R_{BN}}^2 + 2 \times x_{NK} \times x_{BN} \times \sigma_{R_{NK}} \times \sigma_{R_{BN}} \times Corr\left(R_{NK},\, R_{BN}\right)$$

$$= 0{,}4^2 \times 0{,}50^2 + 0{,}6^2 \times 0{,}25^2 + 2 \times 0{,}4 \times 0{,}6 \times 0{,}50 \times 0{,}25 \times 0 = 0{,}0625$$

Sa volatilité est donc : $\sigma_{R_{40-60}} = \sqrt{0{,}0625} = 25\,\%$. Le tableau 11.4 fournit les résultats pour différents jeux de pondération.

Tableau 11.4	Rentabilités espérées et volatilités de plusieurs portefeuilles obtenus en faisant varier les pondérations		
Pondérations		**Rentabilité espérée (%)**	**Volatilité (%)**
x_{NK}	x_{BN}	*E[R]*	σ_R
100 %	0 %	26 %	50,0 %
80 %	20 %	22 %	40,3 %
60 %	40 %	18 %	31,6 %
40 %	60 %	14 %	25,0 %
20 %	80 %	10 %	22,4 %
0 %	100 %	6 %	25,0 %

Grâce à la diversification, il est possible de constituer un portefeuille dont la volatilité est inférieure à celle de chaque action le composant : investir 20 % dans Nokia et 80 % dans Danone, par exemple, conduit à une volatilité de seulement 22,4 %. Toutefois, les investisseurs s'intéressent à la fois à la volatilité et à l'espérance de rentabilité de leur portefeuille. Il faut donc prendre en considération ces deux dimensions simultanément. Pour ce faire, la figure 11.3 représente graphiquement les données du tableau 11.4. L'ensemble des portefeuilles pouvant être obtenus à l'aide de ces deux actions forme une hyperbole dans le plan volatilité-rentabilité espérée.

Ainsi, certains portefeuilles ne constituent pas des choix rationnels pour l'investisseur : un portefeuille composé de 100 % de Danone et donc 0 % de Nokia est dominé, à la fois en rentabilité espérée et en volatilité, par un portefeuille composé de 20 % de Nokia et de 80 % de Danone : ce dernier portefeuille a une espérance de rentabilité *supérieure* et une volatilité *inférieure* à un portefeuille composé exclusivement d'actions Danone. Il n'est donc pas rationnel d'investir exclusivement dans l'action Danone.

Identifier les portefeuilles efficients. Inversement, chaque portefeuille situé sur la partie supérieure de l'hyperbole contient plus de 20 % de Nokia et est efficient, car il n'existe pas de portefeuille qui soit à la fois plus rentable et moins risqué : pour un niveau de volatilité donné, ces portefeuilles offrent la rentabilité espérée la plus élevée. En d'autres termes, il n'est pas possible d'obtenir une meilleure rentabilité espérée sans accepter un niveau de risque (volatilité) plus élevé. S'il est facile pour un investisseur de repérer, et donc d'écarter les portefeuilles inefficients, le choix optimal parmi tous les portefeuilles efficients est une tâche délicate. Celui-ci dépendra des préférences et de la tolérance de l'investisseur vis-à-vis du risque. Par exemple, un investisseur très prudent choisira le portefeuille de risque minimum (20 % de Nokia et 80 % de Danone) tandis qu'un investisseur agressif, qui cherche à obtenir la plus grande espérance de rentabilité possible, choisira un portefeuille uniquement composé d'actions Nokia (en se limitant aux portefeuilles à pondérations positives).

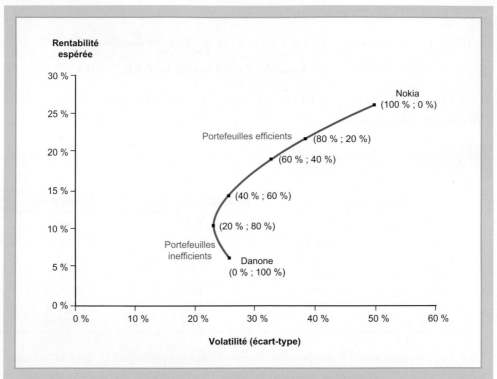

Figure 11.3 – Arbitrage entre rentabilité espérée et risque pour les portefeuilles composés de deux actions

Les pondérations (x_{NK} ; x_{BN}) des différents portefeuilles sont indiquées entre parenthèses. Les portefeuilles investis à plus de 80 % dans Danone sont inefficients (partie inférieure de l'hyperbole) car un investisseur peut, pour un même niveau de volatilité, disposer d'un portefeuille ayant une rentabilité supérieure (localisé sur la partie supérieure de l'hyperbole). Les portefeuilles efficients sont donc sur la branche supérieure de l'hyperbole.

Exemple 11.9

Améliorer la rentabilité espérée d'un portefeuille

Chloé a investi 100 % de son portefeuille en actions Danone. Elle sollicite l'aide d'un conseiller en placement, car elle aimerait maximiser la rentabilité espérée de son portefeuille sans pour autant augmenter sa volatilité. Quel portefeuille Chloé devrait-elle détenir ?

Solution

Chloé devrait détenir un portefeuille composé à 40 % de Nokia et 60 % de Danone, car c'est le portefeuille qui lui procurera la rentabilité la plus élevée (14 % contre 6 % actuellement) avec une volatilité identique à son portefeuille actuel (25 %).

L'effet de la corrélation

L'hyperbole de la figure 11.3 a été obtenue sous l'hypothèse que la corrélation future entre les rentabilités de Nokia et Danone sera nulle. Qu'en serait-il si la corrélation venait à être différente ? La corrélation n'influence pas la rentabilité espérée d'un portefeuille, mais seulement sa volatilité, comme l'a montré la section 11.2 : la volatilité d'un portefeuille est d'autant plus faible que la corrélation entre les actions qui le composent est petite. La figure 11.4 représente les hyperboles obtenues pour différents niveaux de corrélation entre les rentabilités des actions Nokia et Danone.

Les ensembles de portefeuilles sont obtenus pour des corrélations égales respectivement à 1 ; 0,5 ; 0 ; −0,5 et −1. Plus la corrélation est faible, plus le risque des portefeuilles diminue. Lorsque les deux actions sont parfaitement et positivement corrélées (+1), l'ensemble des portefeuilles qui peuvent être constitués se situe sur le segment de droite qui relie les deux actions. Dans ce cas extrême (représenté par la droite qui relie les deux titres de la figure 11.4), la volatilité du portefeuille est égale à la moyenne pondérée des volatilités des deux titres : il n'y a pas de gain à la diversification.

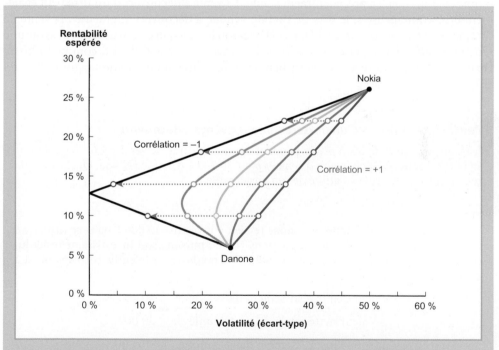

Figure 11.4 – Ensemble des portefeuilles constitués d'actions Nokia et Danone pour différents niveaux de corrélation entre les rentabilités des deux titres

Lorsque la corrélation est strictement inférieure à 1, la courbe s'incurve sur la gauche : la volatilité des portefeuilles est réduite grâce à la diversification. L'incurvation, et donc la réduction du risque, est d'autant plus prononcée que la corrélation diminue.

Lorsque les deux actions sont parfaitement et négativement corrélées (−1), les portefeuilles possibles se situent sur deux segments de droite qui se coupent sur l'axe des ordonnées (lignes noires) ; seuls les portefeuilles situés sur le segment supérieur sont efficients. Il est notamment possible de constituer un portefeuille sans risque, autrement dit un portefeuille dont la volatilité est nulle.

Prise en compte des ventes à découvert

Jusqu'à présent, seuls les portefeuilles constitués de **positions longues** ont été pris en compte : tous les actifs avaient des pondérations positives au sein du portefeuille. Il est également possible de former des portefeuilles affichant une pondération négative pour un titre ; on parle alors au sujet de ce titre de **position courte**. Ces positions peuvent être formées grâce à des **ventes à découvert** (*short selling*) : cela consiste à vendre un titre que l'on ne détient pas et à le racheter ultérieurement (le mécanisme est expliqué au chapitre 9).

Vendre à découvert constitue une stratégie profitable, par exemple pour un investisseur qui anticipe une baisse du prix du titre. Comme une vente à découvert nécessite l'emprunt du titre auprès d'un autre investisseur avec une promesse de rachat dans le futur afin de le lui rendre, si ses anticipations se confirment, il pourra acheter le titre moins cher qu'il ne l'a précédemment vendu. La vente à découvert d'un titre peut également être avantageuse si le prix de l'action vendue à découvert augmente : la vente de l'action peut en effet servir à acheter, et la position longue ainsi constituée peut avoir une rentabilité effective supérieure à celle de la position courte. Cela dit, comme l'illustre l'exemple 11.10, vendre à découvert peut entraîner une augmentation significative du risque du portefeuille.

Exemple 11.10

Rentabilité et risque d'un portefeuille avec vente à découvert

Jean dispose de 20 000 € à placer pendant un an. Il décide de vendre à découvert pour 10 000 € d'actions Danone afin d'acheter pour 30 000 € d'actions Nokia. Quelles sont la rentabilité espérée et la volatilité de son portefeuille ?

Solution

Vendre à découvert des actions Danone revient à investir – 10 000 € dans ce titre. Jean peut donc acheter pour 30 000 € d'actions Nokia, puisque son investissement net lui coûte seulement 30 000 – 10 000 = 20 000 €. Les poids de portefeuille correspondant à ces opérations sont donc :

$$x_{NK} = \frac{\text{Valeur de l'investissement dans Nokia}}{\text{Valeur nette totale du portefeuille}} = \frac{30\,000}{20\,000} = 150\,\%$$

$$x_{BN} = \frac{\text{Valeur de l'investissement dans Danone}}{\text{Valeur nette totale du portefeuille}} = \frac{-10\,000}{20\,000} = -50\,\%$$

...

...

On remarque que les poids de portefeuille somment toujours bien à l'unité. Il est dès lors possible de calculer l'espérance de rentabilité et la volatilité du portefeuille de Jean en utilisant les équations (11.3) et (11.8) :

$$E[R_P] = x_{NK} E[R_{NK}] + x_{BN} E[R_{BN}] = 1{,}5 \times 0{,}26 - 0{,}5 \times 0{,}06 = 36\%$$

$$\sigma_{R_P} = \sqrt{Var[R_P]} = \sqrt{x_{NK}^2 \, Var[R_{NK}] + x_{BN}^2 \, Var[R_{BN}] + 2x_{NK} \, x_{BN} \, Cov(R_{NK}, R_{BN})}$$

$$= \sqrt{1{,}5^2 \times 0{,}50^2 + (-0{,}5)^2 \times 0{,}25^2 + 2 \times 1{,}5 \times (-0{,}5) \times 0} = 76\%$$

Il est à noter que, dans ce cas, la vente à découvert a certes permis d'accroître la rentabilité espérée du portefeuille, mais elle en a largement augmenté la volatilité, et ce, à un niveau bien supérieur à la volatilité de chacun des deux titres qui composent le portefeuille.

La figure 11.5 représente l'ensemble des portefeuilles composés d'actions Nokia et Danone que l'investisseur peut détenir si les ventes à découvert sont autorisées : vendre à découvert Nokia pour investir dans Danone n'est pas efficient (courbe en pointillé dans la partie inférieure de la figure), car il existe des portefeuilles dont la rentabilité espérée est plus élevée et la volatilité plus faible.

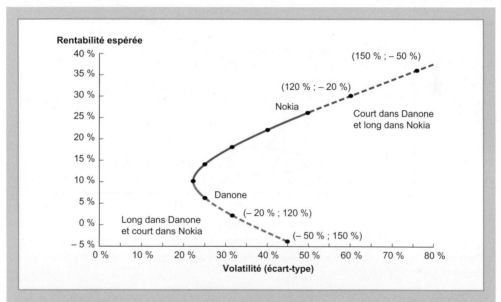

Figure 11.5 – Portefeuilles possibles composés d'actions Nokia et Danone lorsque les ventes à découvert sont autorisées

Les pondérations (x_{NK} ; x_{BN}) des différents portefeuilles sont indiquées entre parenthèses. La partie supérieure représente les portefeuilles efficients alors que la partie inférieure désigne ceux qui sont inefficients. Les portefeuilles comprenant des ventes à découvert (de Nokia sur la branche basse de l'hyperbole et de Danone sur la branche haute) sont indiqués en pointillé. Ainsi, vendre à découvert des actions Nokia pour acheter des actions Danone n'est pas efficient. L'inverse l'est, mais contribue à augmenter la volatilité du portefeuille, ce qui peut convenir à un investisseur agressif préoccupé principalement par l'obtention d'une rentabilité espérée élevée.

Au contraire, la vente à découvert d'actions Danone pour investir plus de 100 % de la valeur de son portefeuille dans des actions Nokia est efficiente : même si une telle stratégie augmente la volatilité du portefeuille, elle permet d'atteindre une espérance de rentabilité supérieure aux portefeuilles sans vente à découvert. De manière générale, il est possible, grâce à la vente à découvert, d'obtenir, au prix d'une augmentation de la volatilité, des rentabilités espérées plus élevées si l'on pense que les positions courtes auront des rentabilités inférieures à celles des positions longues. Ce type de stratégie convient à un investisseur agressif très tolérant vis-à-vis du risque.

Les portefeuilles efficients composés de *N* actions

Accroître la taille d'un portefeuille réduit ainsi son risque grâce à la diversification [équation (11.3)]. Quel est l'effet de l'ajout d'une troisième action au portefeuille composé d'actions Nokia et Danone ? On suppose que l'action Accor n'est corrélée avec aucune des deux autres actions et que sa rentabilité espérée n'est que de 2 % avec une volatilité identique à celle de Danone (25 %).

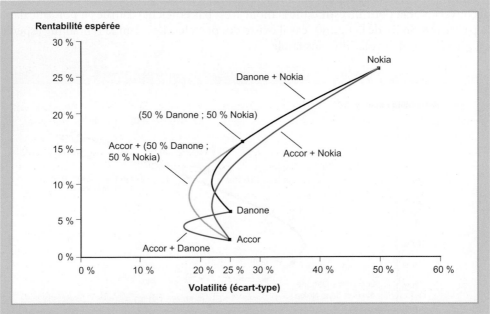

Figure 11.6 – Espérance de rentabilité et volatilité d'une sélection de portefeuilles composés d'actions Accor, Nokia et Danone

Si l'on combine des actions Accor avec des actions Nokia et Danone, de nouvelles opportunités apparaissent (courbe grise). Il est notamment possible d'obtenir de meilleurs couples rentabilité espérée-risque par rapport aux portefeuilles composés seulement de Nokia et Danone (courbe noire).

L'action Accor (AC) est dominée par l'action Danone : leurs volatilités sont identiques mais sa rentabilité espérée est plus faible. Cela signifie-t-il qu'aucun investisseur ne souhaite détenir des actions Accor ? Clairement non : il faut également tenir compte du potentiel de diversification offert par les actions Accor. La figure 11.6 représente les portefeuilles possibles composés à partir de ces trois actions. Les courbes en couleur désignent les portefeuilles composés d'actions Accor et d'actions Nokia ou Danone. L'hyperbole grise représente les portefeuilles composés de titres Accor et d'un mélange de 50 % d'actions Nokia et 50 % d'actions Danone[8]. Certains portefeuilles composés des trois actions (courbe grise) dominent ceux qu'il est possible de construire avec seulement Nokia et Danone (courbe noire).

Prix Nobel & Co.	**Markowitz et Tobin : la théorie du choix de portefeuille**

L'optimisation moyenne-variance permet de déterminer les portefeuilles qui offrent la rentabilité la plus élevée pour un risque donné. Elle a été développée par Harry Markowitz dans son article « Portfolio Selection », publié par le *Journal of Finance* en 1952. Cette technique est aujourd'hui couramment utilisée dans les salles de marché des banques et sociétés de gestion. C'est grâce à cette contribution fondamentale à la théorie financière que Markowitz a reçu le prix Nobel d'économie en 1990.

Les travaux de Markowitz ont permis non seulement de mettre en exergue le rôle fondamental joué par la covariance dans l'accroissement du risque d'un portefeuille (l'accroissement de ce risque lorsqu'on ajoute un titre à un portefeuille ne provient que de la covariance de ce titre avec le portefeuille détenu), mais aussi de prouver la nécessaire prise en compte conjointe de l'espérance de rendement et de la volatilité (risque) dans la formation des portefeuilles. Il a aussi démontré que la diversification permet à l'investisseur de réduire le risque de son portefeuille sans pour autant sacrifier quoi que ce soit en termes de rentabilité espérée (une sorte de « repas gratuit » en finance). Markowitz a développé ensuite des algorithmes numériques afin de calculer la frontière efficiente pour un ensemble de titres.

On retrouve les mêmes idées dans un article écrit par Andrew Roy, « Safety First and the Holding of Assets », publié également en 1952 dans la revue *Econometrica*. Markowitz le reconnaît d'ailleurs lui-même[*] : « Je suis souvent surnommé le père de la finance moderne, mais Roy pourrait légitimement revendiquer de ce titre une part égale. » Mark Rubinstein[**] a par ailleurs découvert un article écrit en 1940 (12 ans avant celui de Markowitz) par Bruno de Finetti dans la revue italienne *Giornale dell'Instituto Italiano degli Attuari*, qui reprend une bonne part de ces concepts. Cet article est resté inconnu jusqu'à sa première traduction en anglais en 2004 par Luca Barone.

En prolongeant les travaux de Markowitz, James Tobin[***] a montré les conséquences de l'introduction d'un actif sans risque dans la détermination de la frontière efficiente. À la section 11.5, on verra qu'il est possible dans ce cas d'identifier un unique portefeuille optimal composé uniquement d'actifs risqués qui ne dépend pas de l'aversion au risque des investisseurs. Dans son article, Tobin a démontré le théorème dit de « séparation » qui permet d'identifier ce portefeuille risqué optimal. Ce théorème établit que les portefeuilles efficients en présence d'un actif sans risque sont composés de seulement deux actifs : ce portefeuille risqué optimal et l'actif sans risque. J. Tobin a reçu le prix Nobel d'économie en 1981.

---

[*]   H. Markowitz (1999), « The Early History of Portfolio Theory: 1600-1960 », *Financial Analysts Journal*, 55, 5-16.

[**]   M. Rubinstein (2006), *A History of the Theory of Investments*, John Wiley and Sons, 349.

[***] J. Tobin (1958), « Liquidity Preferences as Behavior Toward Risk », *Review of Economic Studies*, 25(2), 65-86.

---

8. Lorsqu'un portefeuille en inclut un autre, il faut faire attention à la signification des poids de chaque action dans le portefeuille détenu par l'investisseur : un portefeuille composé de 30 % d'actions Accor et à hauteur de 70 % d'un portefeuille contenant 50 % d'actions Nokia et 50 % d'actions Danone est ainsi constitué de 30 % d'actions Accor, de 70 % × 50 % = 35 % d'actions Nokia et de 70 % × 50 % = 35 % d'actions Danone.

Lorsque les actions Accor sont combinées avec tous les portefeuilles possibles constitués d'actions Nokia et Danone, l'ensemble des portefeuilles qu'il est possible de constituer forme une aire et non plus une simple hyperbole. Lorsque les ventes à découvert sont interdites, cette surface est constituée par la zone foncée de la figure 11.7.

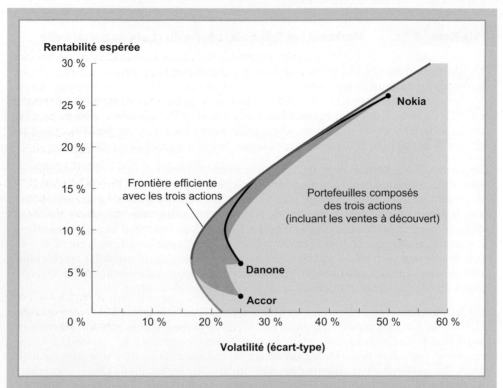

Figure 11.7 – Rentabilité espérée et volatilité de tous les portefeuilles composés des actions Accor, Nokia et Danone

Les portefeuilles composés des trois actions lorsque les ventes à découvert sont interdites sont représentés par l'aire foncée. Lorsque les ventes à découvert sont autorisées, les portefeuilles possibles forment l'aire claire. Les meilleures combinaisons rentabilité espérée-risque se situent sur la frontière efficiente (courbe en couleur). La situation d'un investisseur est donc améliorée par la détention d'un portefeuille constitué de trois actions plutôt que de deux.

Tous les portefeuilles possibles comprenant des ventes à découvert sont illustrés par la zone claire. La plupart de ces portefeuilles, avec ou sans ventes à découvert, sont néanmoins inefficients : les portefeuilles efficients – qui offrent la rentabilité espérée la plus élevée pour un niveau de volatilité donné – sont situés sur la branche haute de l'hyperbole enveloppant ces deux surfaces.

Cette courbe est la **frontière efficiente pour ces trois actions**. Aucune d'entre elles ne se situe sur la frontière efficiente : ne détenir qu'une seule de ces actions en portefeuille n'est donc pas efficient[9].

---

9. Certains portefeuilles efficients ne contiennent toutefois que des actions Nokia et Danone.

Lorsque l'ensemble des opportunités d'investissement augmente, passant de deux à trois actions, la frontière efficiente s'améliore car elle se déplace dans la direction nord-ouest, c'est-à-dire dans une direction où la rentabilité espérée est plus élevée et la volatilité plus faible. Comme l'illustre la figure 11.7, l'ancienne frontière efficiente avec deux actions est enveloppée par la nouvelle frontière. De manière générale, ajouter de nouveaux titres dans un portefeuille assure une plus grande diversification et améliore donc la frontière efficiente.

L'ajout d'une troisième action à un portefeuille améliore par conséquent la situation de l'investisseur. Qu'en est-il si l'on ajoute encore plus d'actions ? La figure 11.8 montre l'évolution de la frontière efficiente lorsqu'on passe de trois (Air Liquide, Pernod Ricard et Vallourec) à dix titres (les trois précédents auxquels on ajoute Bouygues, LVMH, Peugeot, Renault, Saint-Gobain, Total, Vinci).

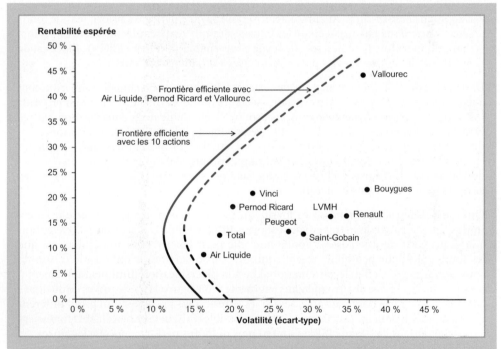

Figure 11.8 – Frontières efficientes avec trois et dix actions

La frontière efficiente se déplace vers la gauche à mesure que de nouveaux titres sont ajoutés au portefeuille, ce qui améliore la diversification du portefeuille. Les calculs sont fondés sur huit ans de données historiques mensuelles.

Même si la plupart des sept actions supplémentaires affichent des couples rentabilité-risque espérée moins attractifs que ceux des trois premières actions (elles sont donc dominées), la frontière efficiente se déplace vers la gauche lorsqu'il est possible de constituer un portefeuille de dix titres. Les portefeuilles sont par conséquent d'autant plus efficients que l'univers de titres considérés est large. Ce résultat peut être généralisé en construisant la frontière efficiente pour des portefeuilles pouvant contenir l'ensemble des actions existantes : la diversification du portefeuille est alors optimale.

Finance verte **L'investissement socialement responsable**

L'investissement socialement responsable (ISR) désigne une approche d'investissement qui ne repose pas uniquement sur les critères financiers habituels (rentabilité, risque…), mais qui intègre des critères extra-financiers pour traduire des préoccupations sociales et environnementales. Les fonds gérés selon ce principe, « fonds ISR » ou « fonds éthiques », tentent donc de concilier performance financière et exigences sociales et environnementales. Schématiquement, leurs gérants adoptent deux types de stratégies :

- L'approche par filtrage (*screening*). Le filtrage négatif est fondé sur l'exclusion de certaines entreprises, au motif qu'elles ne respectent pas les critères définis (secteurs du pétrole ou du charbon pour la dimension environnementale, secteurs de l'alcool ou de l'armement pour la dimension sociale, etc.)*. Le filtrage positif consiste au contraire à privilégier des secteurs d'activité « vertueux » (énergies renouvelables, mobilité propre, etc.).

- L'approche *best-in-class*. Aucun secteur n'est exclu ou privilégié a priori, mais le fonds sélectionne dans chaque secteur les entreprises qui réalisent les meilleures performances environnementales, sociales et de gouvernance (critères « ESG ») : l'idée est de privilégier les entreprises les plus « vertueuses » de chaque secteur.

Le principe de l'ISR est ancien, puisque certaines communautés religieuses interdisaient à leurs membres d'investir dans certains secteurs dès le XVIIIe siècle ; le premier fonds ISR moderne est probablement français : sœur Nicole Reille de la congrégation Notre-Dame a en effet créé le fonds « Faim et Développement » dès 1983. Depuis, la croissance du secteur a été impressionnante : toutes les banques proposent aujourd'hui à leurs clients des placements « éthiques » et la France compte 500 fonds ISR pour un encours de 150 milliards d'euros (+ 15 % par an). Cela ne représente néanmoins que 5 % des encours totaux des fonds d'investissement.

Qu'en est-il des performances des fonds ISR ? La théorie financière montre qu'il est impossible de battre le marché (voir chapitre 10), les fonds ISR ne font pas exception à la règle. Cela signifie aussi – bonne nouvelle pour les investisseurs éthiques – que les fonds ISR, pour peu qu'ils soient suffisamment diversifiés, n'ont pas de raison de sous-performer. En effet, le gain marginal lié à la diversification diminue rapidement à mesure que le nombre de titres détenus augmente (voir figure 11.2). Se priver de quelques titres n'est donc pas dommageable, sauf si les titres exclus présentent un profil différent de ceux que l'on détient. Autrement dit, il est possible d'aligner ses placements financiers et ses convictions : les fonds ISR ne sont ni plus ni moins performants que les autres.

---

*   Les actions ainsi exclues sont parfois qualifiées de *sin stocks*.

11.5.   Prise en compte de l'actif sans risque

Jusqu'à présent, seuls les portefeuilles composés d'actifs risqués (des actions) ont été considérés. La diversification en réduit le risque. Il existe cependant une autre manière de minimiser le risque d'un portefeuille : il suffit d'investir une partie de ce dernier dans un actif sans risque, tel que des bons du Trésor. Lorsqu'on procède ainsi, la rentabilité espérée du portefeuille baisse. Au contraire, un investisseur à la recherche de rentabilités espérées élevées peut décider d'emprunter des capitaux (au taux sans risque) pour placer une proportion supérieure à 100 % de sa richesse en actions. Comment la prise en compte de l'actif sans risque modifie-t-elle la composition du portefeuille qu'un investisseur doit détenir ?

L'actif sans risque

Considérons un investisseur qui détient un portefeuille quelconque, composé exclusivement d'actifs risqués. Sa rentabilité est R_P. Quelles sont les conséquences en termes de rentabilité et de risque si l'investisseur décide d'investir une fraction $(1 - x)$ de sa richesse en bons du Trésor, dont la rentabilité est r_f ? D'après l'équation (11.3), la rentabilité espérée R_{xP} de ce nouveau portefeuille est :

$$E[R_{xP}] = (1 - x)r_f + xE[R_P]$$
$$= r_f + x(E[R_P] - r_f) \tag{11.15}$$

La rentabilité espérée du portefeuille est égale à la moyenne pondérée des rentabilités espérées des bons du Trésor et du portefeuille risqué. Le taux d'intérêt offert par les bons du Trésor est connu à l'avance. Si l'on réarrange les termes, l'interprétation est plus simple : à partir d'un placement intégral en bons du Trésor rapportant r_f, l'investisseur décide d'un investissement de x % de sa richesse dans le portefeuille P pour obtenir un surcroît de rentabilité $(E[R_P] - r_f)$. Ce dernier est égal à la prime de risque du portefeuille risqué (sa rentabilité excédentaire). En définitive, la rentabilité espérée du portefeuille est la somme du taux sans risque et de la prime de risque du portefeuille risqué, pondérée par le poids du portefeuille risqué au sein du portefeuille total.

Quelle est la volatilité d'un tel portefeuille ? La volatilité d'un actif sans risque est nulle par définition (le taux sans risque r_f est connu à l'avance), et sa rentabilité est constante (elle ne varie pas avec celle du portefeuille risqué). La covariance entre l'actif sans risque et le portefeuille risqué est donc nulle. D'après l'équation (11.8), la volatilité du portefeuille est :

$$\sigma_{R_{xP}} = \sqrt{(1-x)^2 Var\left[r_f\right] + x^2 Var\left[R_P\right] + 2(1-x)x Cov\left(r_f, R_P\right)}$$
$$= \sqrt{0 + x^2 Var\left[R_P\right] + 0} = \sqrt{x^2 Var\left[R_P\right]} = x\sigma_{R_P} \tag{11.16}$$

La volatilité du portefeuille est par conséquent égale au produit de la volatilité du portefeuille risqué par le poids de ce dernier au sein du portefeuille total. À la figure 11.9, la droite représente les couples rentabilité espérée-risque des portefeuilles composés d'actif sans risque et d'un portefeuille risqué, pour différentes valeurs de x. Comme l'établissent les équations (11.15) et (11.16), lorsque la part x investie dans le portefeuille P augmente, la prime de risque et la volatilité du portefeuille augmentent proportionnellement. De ce fait, les portefeuilles composés d'actif sans risque et de P forment une demi-droite passant par les points représentant les couples rentabilité-risque de l'actif sans risque et du portefeuille P.

L'achat d'actions avec effet de levier

Lorsque la part x investie dans le portefeuille P augmente de 0 à 100 %, les portefeuilles ainsi constitués se situent sur le segment de droite entre l'actif sans risque et le point P (voir figure 11.9). Si x est supérieur à 100 %, le portefeuille obtenu est sur la même droite, mais au-delà du point P. C'est équivalent à une vente à découvert de l'actif sans risque : cela signifie que l'investisseur emprunte des capitaux au taux d'intérêt sans risque (par exemple auprès de sa banque).

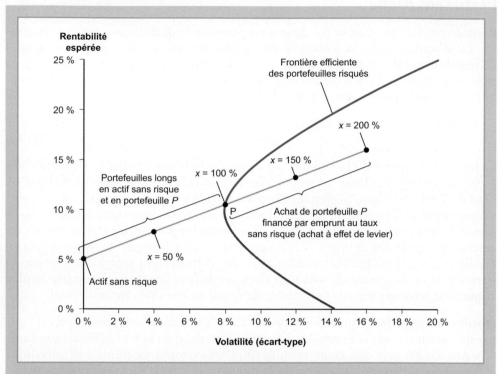

Figure 11.9 – Couples rentabilité-risque des portefeuilles composés d'actif sans risque et d'un portefeuille risqué

Si le taux sans risque est de 5 %, l'actif sans risque est au point de coordonnées (volatilité 0 % ; rentabilité espérée 5 %). La droite représente les portefeuilles composés d'une proportion x de portefeuille risqué P et d'une proportion $(1 - x)$ d'actif sans risque. Lorsque x est supérieur à 100 %, le portefeuille est financé par un emprunt au taux d'intérêt sans risque.

Emprunter des fonds pour acheter des actions revient à procéder à un **achat avec effet de levier**, ou un achat à crédit. C'est une stratégie d'investissement risquée : lorsque x est supérieur à 100 %, les portefeuilles obtenus sont plus risqués que le portefeuille P. Mais cette stratégie permet d'obtenir des rentabilités espérées supérieures à celles de P tout en utilisant les mêmes titres contenus dans ce portefeuille.

Exemple 11.11

Achat à effet de levier

Luc dispose de 10 000 € et décide d'emprunter la même somme au taux de 5 %. Il place les 20 000 € dans le portefeuille Q, dont la rentabilité espérée est de 10 % et la volatilité de 20 %. Quelles sont l'espérance de rentabilité et la volatilité de son portefeuille ? Quelle est la rentabilité effective du portefeuille de Luc si Q augmente de 30 % dans l'année ? Si Q diminue de 10 % dans l'année ?

...

...

Solution

Luc a doublé la valeur initiale de son portefeuille en finançant l'achat du portefeuille Q par endettement ($x = 200\,\%$). D'après les équations (11.15) et (11.16), la rentabilité espérée et la volatilité de son portefeuille sont :

$$E\left[R_{xQ}\right] = r_f + x\left(E\left[R_Q\right] - r_f\right) = 5\,\% + 2 \times \left(10\,\% - 5\,\%\right) = 15\,\%$$

$$\sigma_{R_{xQ}} = x\sigma_{R_Q} = 2 \times 20\,\% = 40\,\%$$

Luc obtient donc une rentabilité espérée et un risque supérieurs à ceux du portefeuille Q.

Si le portefeuille Q augmente de 30 %, Luc disposera de 26 000 € à la fin de l'année. Il devra rembourser son prêt, soit 10 000 € × 1,05 = 10 500 €. Sa richesse finale sera donc de 26 000 € – 10 500 € = 15 500 €. Avec un investissement initial de 10 000 €, la rentabilité effective du portefeuille de Luc est de 55 %.

Si le portefeuille Q diminue de 10 %, Luc disposera de 18 000 € – 10 500 € = 7 500 € à la fin de l'année. La rentabilité effective de son portefeuille sera de – 25 %.

Les rentabilités effectives du portefeuille de Luc sont donc plus extrêmes que celles du portefeuille Q (55 % et – 25 % contre 30 % et – 10 %). En fait, l'intervalle de variation de son portefeuille a doublé (de 40 % à 80 %), ce qui correspond au doublement de la volatilité du portefeuille de Luc par rapport à celle du portefeuille Q.

Identification du portefeuille tangent

À la figure 11.9, le portefeuille P n'est pas le meilleur portefeuille combinant actions et actif sans risque : il existe des portefeuilles efficients (composés exclusivement d'actifs risqués) dont le couple rentabilité-risque est meilleur que celui de P. Il est donc possible de combiner l'actif sans risque avec de tels portefeuilles pour en obtenir de nouveaux situés sur des droites plus pentues que celle passant par P. Or, une droite plus pentue signifie que, pour un niveau de volatilité donné, la rentabilité espérée est plus importante.

Pour un niveau de risque donné, l'investisseur cherchant à obtenir la rentabilité espérée la plus élevée possible doit chercher la droite la plus pentue combinant l'actif sans risque et un portefeuille appartenant à la frontière efficiente des actifs risqués. Cette pente pour un portefeuille donné P correspond au **ratio de Sharpe** du portefeuille :

$$\text{Ratio de Sharpe} = \frac{\text{Rentabilité excédentaire du portefeuille}}{\text{Volatilité du portefeuille}} = \frac{E\left[R_P\right] - r_f}{\sigma_{R_P}} \qquad (11.17)$$

Le ratio de Sharpe exprime la prime de risque offerte par le portefeuille pour une unité de risque[10]. Le portefeuille risqué optimal à combiner avec l'actif sans risque est donc celui qui appartient à la frontière efficiente des portefeuilles risqués et dont le ratio de

---

10. Le ratio a été proposé initialement par William Sharpe pour mesurer et comparer la performance d'OPCVM : W. Sharpe (1966), « Mutual Funds Performance », *Journal of Business*, 39, 119-138.

Sharpe est maximal : il permet d'atteindre la droite la plus pentue qui est tangente en ce portefeuille à la frontière efficiente des actifs risqués, comme le montre la figure 11.10. Ce **portefeuille superefficient** est appelé **portefeuille tangent**. Tout autre portefeuille d'actifs risqués est moins favorable à l'investisseur. Le portefeuille tangent ayant le plus grand ratio de Sharpe de tous les portefeuilles risqués, il fournit la rémunération la plus élevée par unité de risque[11].

La figure 11.10 montre que les portefeuilles combinant l'actif sans risque et le portefeuille tangent permettent d'obtenir le meilleur arbitrage entre risque et rentabilité. Le portefeuille tangent est donc le seul portefeuille risqué efficient lorsqu'un actif sans risque existe. *Le portefeuille tangent que doit choisir un investisseur parmi tous les portefeuilles risqués ne dépend pas par conséquent de son aversion pour le risque : indépendamment de cette dernière, tout investisseur devrait détenir celui-ci.*

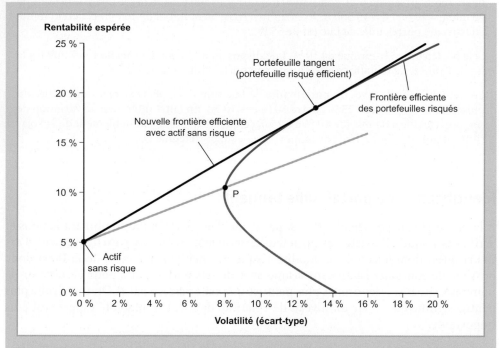

Figure 11.10 – Le portefeuille tangent ou portefeuille risqué efficient

Le portefeuille tangent est le portefeuille ayant le ratio de Sharpe le plus élevé. Les portefeuilles situés sur la droite noire reliant l'actif sans risque et le portefeuille tangent constituent le meilleur arbitrage possible entre risque et rentabilité.

L'aversion pour le risque d'un investisseur détermine exclusivement la proportion de sa richesse investie dans le portefeuille tangent : les investisseurs prudents investiront une faible part de leur richesse dans ce portefeuille et choisiront un point sur la droite à proximité de l'actif sans risque. Au contraire, les investisseurs désireux de prendre des

---

11. Outre son interprétation en termes de pente (figure 11.10), le ratio de Sharpe représente également le nombre d'écarts-types dont peut baisser la rentabilité du portefeuille sans que celui-ci ne rapporte moins que l'actif sans risque. Si les rentabilités sont distribuées suivant une loi normale, le portefeuille ayant le ratio de Sharpe le plus élevé est celui qui a le plus de chances d'afficher une rentabilité supérieure au taux sans risque.

risques préféreront un portefeuille proche du portefeuille tangent, voire le dépassant (achat à effet de levier). Tous les investisseurs doivent donc détenir au final le même portefeuille d'actifs risqués : le portefeuille tangent. Ce résultat est à la base du **théorème de séparation** que l'on doit à James Tobin (voir l'encadré prix Nobel ci-dessus).

L'un des objectifs de ce chapitre est donc atteint : on sait qu'il existe un seul portefeuille efficient composé d'actifs risqués. Il s'agit du portefeuille tangent, qui possède le ratio de Sharpe le plus élevé de tous les portefeuilles possibles. En combinant ce portefeuille avec l'actif sans risque, un investisseur peut obtenir la rentabilité espérée la plus élevée pour un niveau de volatilité donné.

Choix de portefeuille optimal

Marie souhaite des conseils en placements financiers. Elle dispose actuellement de 100 000 €, investis dans le portefeuille P (voir figure 11.10). Ce portefeuille a une rentabilité espérée de 10,5 % et une volatilité de 8 %. Le taux sans risque est de 5 %, le portefeuille tangent a une espérance de rentabilité de 18,5 % et une volatilité de 13 %. Quel portefeuille Marie doit-elle détenir pour maximiser la rentabilité espérée du portefeuille sans augmenter sa volatilité ? Si elle préfère conserver la même espérance de rentabilité et minimiser son risque, quel portefeuille Marie doit-elle détenir ?

Solution

Dans les deux cas, les meilleurs portefeuilles sont ceux qui combinent l'actif sans risque et le portefeuille tangent. Si l'on note x la part investie dans le portefeuille tangent T, les équations (11.15) et (11.16) permettent de calculer sa rentabilité espérée et sa volatilité :

$$E\left[R_{xT}\right] = r_f + x\left(E\left[R_T\right] - r_f\right) = 5\ \% + x\left(18,5\ \% - 5\ \%\right) = 5\ \% + x \times 13,5\ \%$$

$$\sigma_{R_{xT}} = x\,\sigma_{R_T} = x \times 13\ \%$$

Pour maintenir la volatilité à 8 %, on a $x = 8\ \% / 13\ \% = 61,5\ \%$. Marie doit investir 61,5 % de sa richesse (61 500 €) dans le portefeuille tangent et 38,5 % (38 500 €) en actif sans risque. La rentabilité espérée du portefeuille est de 5 % + 61,5 % × 13,5 % = 13,3 %. C'est la rentabilité la plus élevée possible pour le niveau de risque choisi (8 %).

Pour maintenir l'espérance de rentabilité à 10,5 %, on a : 5 % + x × 13,5 % = 10,5 %, soit $x = 40,7\ \%$. Marie doit investir 40 700 € dans le portefeuille tangent et 59 300 € dans l'actif sans risque. La volatilité de son portefeuille est de 40,7 % × 13 % = 5,30 %. C'est la volatilité la plus faible possible pour le niveau de rentabilité espérée exigé (10,5 %).

Exemple 11.12

11.6. Portefeuille efficient et coût du capital

Cette section est consacrée à l'utilisation du portefeuille efficient pour déterminer le coût du capital d'une entreprise. Après tout, si une entreprise souhaite lever des nouveaux capitaux pour financer sa croissance, les investisseurs souscriront à cette augmentation de capital uniquement s'ils y trouvent un intérêt. Pour répondre à question, cette section dérive une condition qui permet de savoir s'il est possible d'améliorer un portefeuille déjà constitué en y ajoutant un titre donné. Cette condition sera alors utilisée pour calculer le taux de rentabilité exigé par les investisseurs, soit le coût du capital d'une entreprise.

Améliorer la performance d'un portefeuille : le bêta et la rentabilité exigée

On considère un portefeuille arbitraire P. Est-il possible d'augmenter son ratio de Sharpe en effectuant un achat de titres i financé par effet de levier ? Si on achète avec effet de levier de l'actif i, cela a des conséquences à la fois sur la rentabilité espérée et la volatilité du portefeuille :

1. Puisque l'on baisse la proportion investie dans l'actif sans risque pour augmenter celle de l'actif risqué, i, la rentabilité espérée du portefeuille augmente la rentabilité excédentaire du taux sans risque de l'actif i [équation (11.15)], soit $E[R_i] - r_f$.

2. Comme le titre i comprend une part de risque commun avec le portefeuille P (le risque idiosyncratique se trouvant éliminé par diversification), l'ajout du titre i augmentera le risque du portefeuille d'une proportion correspondant à sa volatilité multipliée de sa corrélation avec P [équation (11.13)], soit $\sigma_{R_i} \times Corr(R_i, R_P)$.

Le gain en espérance de rentabilité, obtenu par l'ajout de titre i, dans le portefeuille compense-t-il l'augmentation de la volatilité du portefeuille ainsi modifié ? Alternativement, il est possible d'augmenter le couple rentabilité espérée-risque du portefeuille en investissant un montant plus important dans le portefeuille P lui-même. Dans ce dernier cas, le ratio de Sharpe de P, $\left(E[R_P] - r_f\right)/\sigma_{R_P}$, indique de combien sa rentabilité s'accroîtrait pour une augmentation donnée de risque. Par conséquent, investir dans le titre i n'est bénéfique pour l'investisseur que si sa rentabilité espérée excédentaire est plus élevée que ce qu'il serait possible d'atteindre avec le portefeuille P lui-même, soit si[12] :

$$\underbrace{E[R_i] - r_f}_{\substack{\text{Rentabilité excédentaire} \\ \text{additionnelle de l'actif } i}} > \underbrace{\sigma_{R_i} \times Corr(R_i, R_P)}_{\substack{\text{Volatilité additionnelle} \\ \text{de l'actif } i}} \times \overbrace{\underbrace{\frac{E[R_P] - r_f}{\sigma_{R_P}}}_{\substack{\text{Prime de risque du} \\ \text{portefeuille } P \\ \text{par unité de risque}}}}^{\substack{\text{Rentabilité additionnelle en investissant} \\ \text{à risque identique dans } P}} \tag{11.18}$$

Une autre interprétation de cette condition est possible en définissant *le bêta d'un actif* i *relativement au portefeuille* P :

$$\beta_i^P = \frac{\sigma_{R_i} \times Corr(R_i, R_P)}{\sigma_{R_P}} \tag{11.19}$$

β_i^P mesure la sensibilité de l'actif i aux fluctuations du portefeuille P : une modification de β_i^P % de la rentabilité excédentaire de l'actif i est attendue pour toute augmentation de 1 % de la rentabilité excédentaire du portefeuille P (du fait des risques communs entre i et P). L'équation (11.18) peut alors être réécrite :

$$E[R_i] > r_f + \beta_i^P \times (E[R_P] - r_f)$$

---

12. Si $Corr(R_i, R_P)$ est positif, l'équation (11.18) peut être réécrite plus intuitivement comme la comparaison de la rentabilité excédentaire par unité de risque additionnelle due au titre i avec le ratio de Sharpe du portefeuille :

$$\frac{E[R_i] - r_f}{\sigma_{R_i} \times Corr(R_i, R_P)} > \frac{E[R_P] - r_f}{\sigma_{R_P}}$$

Par conséquent, investir dans l'actif i n'augmente le ratio de Sharpe du portefeuille P que si, étant donné P, sa rentabilité espérée $E[R_i]$ est supérieure à sa rentabilité exigée r_i, définie par :

$$r_i \equiv r_f + \beta_i^P \times \left(E[R_P] - r_f\right) \tag{11.20}$$

La rentabilité exigée d'un actif correspond donc à la rentabilité espérée nécessaire pour compenser l'augmentation du risque du portefeuille causée par cet actif. Elle est égale à la somme du taux d'intérêt sans risque et d'une prime de risque, égale au produit de la prime de risque du portefeuille actuel (P) par la quantité de risque commun du titre avec le portefeuille (β_i^P). Si l'espérance de rentabilité de i est supérieure à sa rentabilité exigée, l'augmentation du poids de l'actif i dans le portefeuille augmente sa performance globale.

Rentabilité exigée d'un nouveau projet d'investissement

Pauline a investi dans le fonds Oméga, lequel est composé de diverses classes d'actifs. Son espérance de rentabilité est de 15 % et sa volatilité est de 20 %. Elle détient également des bons du Trésor (sans risque) rémunérés à 3 %. Son courtier lui suggère d'ajouter des parts d'une société civile de placement immobilier (SCPI) à son portefeuille actuel. Ces parts ont une rentabilité espérée de 9 % et une volatilité de 35 %. Leur corrélation avec le fond Oméga est de 10 %. Pauline doit-elle suivre l'avis de son courtier ?

Solution

R_I est la rentabilité de la SCPI et R_O celle du fonds Oméga. Le bêta de la SCPI relativement au fonds Oméga est [équation (11.19)] :

$$\beta_I^O = \frac{\sigma_{R_I} \times Corr\left(R_I, R_O\right)}{\sigma_{R_O}} = \frac{35\,\% \times 0{,}1}{20\,\%} = 0{,}175$$

La rentabilité exigée minimale pour que la SCPI constitue une opportunité de placement intéressante pour Pauline est [équation (11.20)] :

$$r_I = r_f + \beta_I^O \times (E[R_O] - r_f) = 3\,\% + 0{,}175 \times (15\,\% - 3\,\%) = 5{,}1\,\%$$

La SCPI a une espérance de rentabilité de 9 %, ce qui est supérieur à la rentabilité exigée de ce fonds. La performance du portefeuille de Pauline sera donc améliorée si elle achète des parts de la SCPI.

Exemple 11.13

Rentabilités espérées et portefeuille efficient

Si l'espérance de rentabilité d'un titre est supérieure à sa rentabilité exigée, il est possible d'améliorer la performance du portefeuille en augmentant le poids de ce titre dans le portefeuille. Quel poids lui accorder dans le portefeuille ? À mesure que le poids de l'actif i augmente dans le portefeuille, sa corrélation avec celui-ci augmente, ce qui accroît sa rentabilité exigée jusqu'à $E[R_i] = r_i$. En ce point, la pondération du titre i sera optimale. Inversement, si la rentabilité espérée du titre i est inférieure à sa rentabilité exigée, il faut réduire sa pondération, ce qui diminuera sa corrélation avec le portefeuille et donc sa rentabilité exigée r_i. Cette réduction du poids de l'actif i doit être poursuivie jusqu'à ce que $E[R_i] = r_i$.

Si l'investisseur ne subit aucune contrainte sur ses transactions, il devrait acheter ou vendre les titres de son portefeuille jusqu'à ce que les espérances de rentabilité de tous les titres soient égales à leurs rentabilités exigées ($E[R_i] = r_i$ pour tous les titres i). Aucune nouvelle transaction ne pourra alors améliorer le ratio rentabilité-risque du portefeuille. Ce portefeuille sera alors optimal :

Un portefeuille est optimal (ou efficient) si et seulement si la rentabilité espérée de tout titre qui entre dans sa composition est égale à sa rentabilité exigée.

D'après l'équation (11.20), cela implique l'existence d'une relation entre espérance de rentabilité d'un actif et le bêta de cet actif relativement au portefeuille efficient :

Rentabilité espérée d'un titre

$$E\left[R_i\right] = r_i \equiv r_f + \beta_i^{eff} \times \left(E\left[R_{eff}\right] - r_f\right) \tag{11.21}$$

avec R_{eff} la rentabilité du portefeuille efficient (le portefeuille ayant le ratio de Sharpe le plus élevé).

Exemple 11.14

Identification du portefeuille efficient

À partir du fonds Oméga et de la SCPI (exemple 11.13), si l'on suppose que Pauline a investi 100 millions d'euros dans le fonds Oméga, quelle somme supplémentaire doit-elle investir dans la SCPI si elle souhaite constituer le portefeuille efficient combinant ces deux actifs ?

Solution

Pour chaque euro investi dans le fonds Oméga, on suppose que Pauline emprunte x_I € (elle vend à découvert x_I € de bons du Trésor) pour acheter des parts de SCPI. Son portefeuille a donc une rentabilité de $R_P = R_O + x_I \times (R_I - r_f)$. Le tableau 11.5 fournit l'espérance de rentabilité et la volatilité du portefeuille de Pauline en fonction de la part x_I investie dans la SCPI, grâce aux formules :

$$E\left[R_P\right] = E\left[R_O\right] + x_I\left(E\left[R_I\right] - r_f\right)$$

$$Var\left[R_P\right] = Var\left[R_O + x_I\left(E\left[R_I\right] - r_f\right)\right] = Var\left[R_O\right] + x_I^2 Var\left[R_I\right] + 2x_I Cov\left(R_O, R_I\right)$$

Augmenter la pondération de la SCPI améliore dans un premier temps le ratio de Sharpe du portefeuille de Pauline [équation (11.17)]. Mais à mesure que cette pondération augmente, la corrélation de la rentabilité de la SCPI avec le portefeuille augmente aussi :

$$Corr\left(R_I, R_P\right) = \frac{Cov\left(R_I, R_P\right)}{\sigma_{R_I}\sigma_{R_P}} = \frac{Cov\left(R_I, R_O + x_I\left(R_I - r_f\right)\right)}{\sigma_{R_I}\sigma_{R_P}}$$

$$= \frac{Cov\left(R_I, R_O\right)}{\sigma_{R_I}\sigma_{R_P}} + \frac{x_I Cov\left(R_I, R_I\right)}{\sigma_{R_I}\sigma_{R_P}} = \frac{Cov\left(R_I, R_O\right)}{\sigma_{R_I}\sigma_{R_P}} + \frac{x_I\sigma_{R_I}}{\sigma_{R_P}}$$

Le bêta de la SCPI [équation (11.19)] s'accroît également, ce qui augmente sa rentabilité exigée. Celle-ci est égale à 9 % (l'espérance de rentabilité) lorsque $x_I = 11$ %. Il s'agit de la pondération de la SCPI qui maximise le ratio de Sharpe du portefeuille de Pauline. Le portefeuille efficient constitué de ces deux actifs est ainsi composé de 0,11 € de SCPI pour chaque euro investi en fonds Oméga.

Tableau 11.5		Ratio de Sharpe et rentabilité exigée pour différentes pondérations du fonds Oméga				

x_I	$E[Rp]$	σ_{Rp}	Ratio de Sharpe	$Corr\left(R_i, R_p\right)$	β_i^P	R_I
0 %	15,00 %	20,00 %	0,6000	10,0 %	0,18	5,10 %
4 %	15,24 %	20,19 %	0,6063	16,8 %	0,29	6,57 %
8 %	15,48 %	20,47 %	0,6097	23,4 %	0,40	8,00 %
10 %	15,60 %	20,65 %	0,6103	26,6 %	0,45	8,69 %
11 %	15,66 %	20,74 %	0,6104	28,2 %	0,48	9,03 %
12 %	15,72 %	20,84 %	0,6103	29,7 %	0,50	9,35 %
16 %	15,96 %	21,30 %	0,6084	35,7 %	0,59	10,60 %

L'équation (11.21) établit la relation qui lie le risque d'un projet d'investissement et sa rentabilité exigée. Il est dès lors possible de déterminer la prime de risque appropriée pour un projet d'investissement à partir de son bêta avec le portefeuille efficient. Le portefeuille efficient (le portefeuille tangent) – celui qui dispose du ratio de Sharpe le plus élevé sur le marché – représente donc le portefeuille de référence à partir duquel il est possible de mesurer le risque systématique d'une économie.

Au chapitre 10, il a été montré que le *portefeuille de marché*, qui contient tous les actifs risqués, est parfaitement diversifié et qu'il devrait, par conséquent, être utilisé comme référence pour mesurer le risque systématique. Afin de relier ces deux analyses et donc trouver le lien entre portefeuille de marché et portefeuille tangent (efficient), il convient d'étudier la relation d'équilibre qui naît de la prise en compte des décisions d'investissement optimales de tous les investisseurs. Cela fait l'objet de la prochaine section.

11.7. Le modèle d'évaluation des actifs financiers (MEDAF)

La section 11.6 a montré qu'il est possible, une fois le portefeuille tangent (efficient) identifié, de calculer la rentabilité espérée d'un titre en fonction de son bêta calculé relativement au portefeuille efficient [équation (11.21)]. Toutefois, pour mettre en œuvre cette approche, il faut identifier le portefeuille efficient, ce qui impose au préalable de connaître les rentabilités espérées, les volatilités et les corrélations de tous les actifs. Comment faire ?

Pour répondre à cette question, il faut revenir au modèle d'évaluation des actifs financiers (MEDAF), présenté au chapitre 10. Ce modèle permet d'identifier le portefeuille efficient sans qu'il soit nécessaire d'estimer les rentabilités espérées de chaque titre : à l'aide de trois hypothèses relatives au comportement des investisseurs, et sur la base de leurs choix de portefeuille, le MEDAF permet de démontrer que le portefeuille efficient n'est rien d'autre que le portefeuille de marché, c'est-à-dire celui qui contient toutes les actions et autres actifs sur le marché.

Les hypothèses du MEDAF

La première hypothèse est la même que celle du chapitre 3 :

1. *Les investisseurs peuvent prêter ou emprunter au taux d'intérêt sans risque et ils peuvent acheter ou vendre n'importe quel actif financier à son prix de marché, sans supporter ni coûts de transaction ni impôts.*

La deuxième hypothèse suppose que les investisseurs se comportent comme décrit jusqu'ici dans ce chapitre, à savoir qu'ils choisissent les portefeuilles dont le ratio de Sharpe est maximal :

2. *Tous les investisseurs détiennent un portefeuille efficient, c'est-à-dire un portefeuille offrant la rentabilité espérée la plus élevée pour une volatilité donnée.*

Bien sûr, chaque investisseur a son anticipation personnelle des volatilités, corrélations et rentabilités espérées des titres. Mais ces anticipations ne sont pas le fruit du hasard : elles découlent, entre autres, des informations disponibles et de l'historique des prix des actifs sur le marché. Ces informations étant publiques, et donc disponibles pour tous, il est raisonnable de supposer que les anticipations formées par différents investisseurs sont fondées sur les mêmes données, et donc qu'elles sont relativement similaires. Dès lors, il ne semble pas déraisonnable de considérer un cas particulier dans lequel tous les investisseurs forment des prévisions identiques quant aux distributions de probabilité des rentabilités futures des actifs financiers : on parle d'**anticipations homogènes**. Soyons clairs : la probabilité que tous les investisseurs aient des anticipations homogènes est nulle. Mais il est probable que leurs anticipations soient assez similaires ; une telle hypothèse simplificatrice constitue donc une approximation acceptable :

3. *Les investisseurs forment des anticipations homogènes sur les rentabilités espérées, les volatilités et les corrélations de tous les actifs financiers.*

Offre, demande et efficience du portefeuille de marché

Si les investisseurs forment des anticipations homogènes, ils détiennent tous le même portefeuille efficient d'actifs risqués, celui dont le ratio de Sharpe est maximal (le portefeuille tangent de la figure 11.10), qu'ils mélangent avec l'actif sans risque dans une proportion qui dépend de leur aversion au risque. En d'autres termes, tous les actifs risqués sont combinés dans des proportions identiques dans les portefeuilles de tous les investisseurs (pour le dire autrement, chaque titre est pondéré en fonction de son poids sur le marché).

De plus, tous les titres sont nécessairement détenus par quelqu'un – c'est-à-dire par tout le monde, puisque les portefeuilles des investisseurs sont tous identiques ! Une conclusion s'impose : *le portefeuille efficient contient tous les actifs risqués, pondérés par leur capitalisation boursière* ; il est le **portefeuille de marché** (voir chapitre 10). C'est la conséquence de l'équilibre entre offre et demande de titres sur les marchés : côté demande, tous les investisseurs détiennent le portefeuille efficient. Côté offre, les titres présents sur le marché constituent, par définition, le portefeuille de marché. Autrement dit, si un titre ne faisait pas partie du portefeuille efficient, aucun investisseur ne souhaiterait le détenir et il n'y aurait aucune demande pour celui-ci. Son prix baisserait, sa rentabilité espérée augmenterait, jusqu'à ce qu'il devienne rationnel de l'acheter. Le prix de marché des titres s'ajuste donc pour que le portefeuille efficient soit identique au portefeuille de marché, ce qui est le cas lorsqu'il y a équilibre entre offre et demande de titres ou, en d'autres termes, lorsque les marchés financiers sont à l'équilibre.

Poids de portefeuille et portefeuille de marché

Après une recherche active, Camille a identifié le portefeuille efficient et décide d'investir dans celui-ci. Au-delà des autres actifs qui le constituent, elle détient pour 10 000 € dans les titres Cap Gemini et 5 000 € dans ceux de Sanofi. Son ami Paul, qui est plus fortuné mais aussi plus prudent, ne détient que 2 000 € d'actions Sanofi. En supposant que son portefeuille est aussi efficient, combien a-t-il investi dans Cap Gemini ? Si tous les investisseurs détiennent le portefeuille efficient, que peut-on dire de la capitalisation boursière de Cap Gemini comparée à celle de Sanofi ?

Exemple 11.15

Solution

Puisque tous les portefeuilles efficients sont des combinaisons d'actif sans risque et du portefeuille tangent, ils sont investis selon les mêmes proportions dans les actifs risqués. Par conséquent, puisque Camille a investi deux fois plus dans Cap Gemini que dans Sanofi, cela doit aussi être le cas de Paul. Ce dernier a donc investi 4 000 € dans Cap Gemini. Si tous les investisseurs détiennent le même portefeuille tangent (dans des proportions différentes), cela implique que la capitalisation boursière de Cap Gemini doit être le double de celle de Sanofi.

Composition d'un portefeuille optimal : la droite de marché

Si les hypothèses du MEDAF sont valides, le portefeuille de marché est efficient et le portefeuille tangent de la figure 11.10 est le portefeuille de marché. Ce résultat est illustré à la figure 11.11. Le point de tangence entre la frontière efficiente des actifs risqués et la droite correspond au portefeuille efficient (ou portefeuille de marché). Elle représente les portefeuilles qui disposent de la plus grande rentabilité espérée à risque donné. La droite est donc connue sous le nom de **droite de marché** ou **CML** (*Capital Market Line*). Selon le MEDAF, tous les investisseurs devraient détenir un portefeuille sur cette droite, qui correspond à une combinaison d'actif sans risque et de portefeuille de marché.

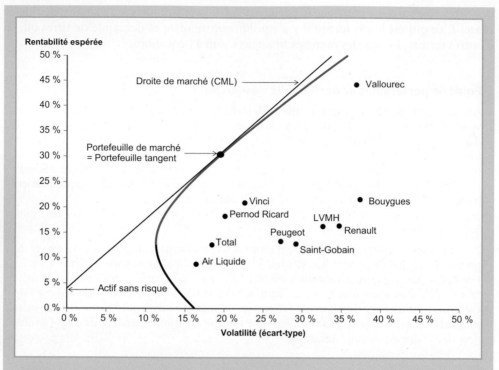

Figure 11.11 – La droite de marché (*Capital Market Line, CML*)

Lorsque les investisseurs forment des anticipations homogènes, le portefeuille tangent et le portefeuille de marché sont identiques. La droite de marché qui lie l'actif sans risque au portefeuille de marché représente les portefeuilles dont la rentabilité espérée est la plus élevée pour une volatilité donnée.

11.8. Déterminer la prime de risque

D'après le MEDAF, le portefeuille tangent coïncide avec le portefeuille de marché. La rentabilité espérée d'un titre ou le coût du capital d'un projet d'investissement peuvent donc être calculés en utilisant le portefeuille de marché comme référence.

Risque de marché et bêta

Le portefeuille de marché étant le portefeuille tangent, l'équation (11.21) peut se réécrire de la manière suivante :

$$E\big[R_i\big] = r_i = r_f + \underbrace{\beta_i \times \big(E\big[R_m\big] - r_f\big)}_{\text{Prime de risque du titre } i} \tag{11.22}$$

où β_i est le bêta du titre i relativement au portefeuille de marché [équations (11.6) et (11.19)] :

$$\beta_i = \frac{\overbrace{\sigma_{R_i} \times Corr\left(R_i, R_m\right)}^{\substack{\text{Part de la volatilité du titre } i \text{ qui} \\ \text{est commune avec celle du marché}}}}{\sigma_{R_m}} = \frac{Cov\left(R_i, R_m\right)}{Var\left[R_m\right]} \tag{11.23}$$

Le bêta d'un titre mesure donc la part de sa volatilité qui est due au risque systématique lorsque le portefeuille de marché est pris comme référence. Il témoigne donc de la sensibilité du titre au risque de marché. L'équation (11.22) correspond exactement à celle intuitivement établie à la fin du chapitre 10. Pour déterminer la prime de risque appropriée de tout actif, il est nécessaire que la prime de risque de marché (la rentabilité espérée du marché excédentaire du taux sans risque) soit ajustée pour tenir compte du risque systématique incorporé dans les rentabilités de l'actif considéré.

L'équation du MEDAF peut aussi s'interpréter en utilisant la Loi du prix unique : sur un marché concurrentiel, les actifs de risques identiques devraient présenter les mêmes rentabilités espérées. Puisque les investisseurs peuvent éliminer le risque spécifique en formant des portefeuilles bien diversifiés, la mesure de risque adéquate est le bêta de l'actif relativement au portefeuille de marché, β_i. Comme le montre l'exemple suivant, le MEDAF [équation (11.22)] permet d'établir que la rentabilité espérée de tout actif devrait correspondre à celle obtenue sur la droite de marché pour un même niveau de risque de marché.

Calcul de la rentabilité espérée d'une action

Le taux sans risque est de 4 %. Le portefeuille de marché a une rentabilité espérée de 10 % et une volatilité de 26 %. L'action Modelabs (MDL) a une volatilité de 16 % et une corrélation avec le portefeuille de marché de 33 %. Quel est son bêta avec le portefeuille de marché ? Quel est le portefeuille sur la droite de marché qui comprend un risque de marché identique et quelle est sa rentabilité espérée ?

Solution

Le bêta de Modelabs est obtenu à partir de l'équation (11.23) :

$$\beta_{MDL} = \frac{\sigma_{R_{MDL}} \times Corr\left(R_{MDL}, R_m\right)}{\sigma_{R_m}} = \frac{0,26 \times 0,33}{0,16} = 0,54$$

Le prix de l'action Modelabs voit son prix s'accroître de 0,54 % lorsque le portefeuille de marché gagne 1 %. Il est possible d'obtenir la même sensibilité au risque de marché en investissant 54 % de sa richesse dans le portefeuille de marché et 46 % dans l'actif sans risque. La rentabilité espérée de Modelabs devrait donc correspondre à celle de ce portefeuille puisqu'il comprend la même quantité de risque de marché. Si on utilise l'équation (11.15) avec $x = 0,54$, celle-ci devrait être de :

$$E\left[R_{MDL}\right] = r_f + x\left(E\left[R_m\right] - r_f\right) = 4\ \% + 0,54\left(10\ \% - 4\ \%\right) = 7,2\ \%$$

Comme $x = \beta_{MDL}$, ce calcul est équivalent à celui qui utilise l'équation du MEDAF [équation (11.22)]. Par conséquent, les investisseurs exigent une rentabilité espérée de 7,2 % pour compenser le risque issu de la détention du titre Modelabs.

Exemple 11.16

Rentabilité espérée d'un titre à bêta négatif

Le bêta de l'action Alarue (ALR) est de – 0,3. Selon le MEDAF, que vaudrait la rentabilité espérée sur ce titre comparé au taux sans risque ? Comment expliquer ce résultat ?

Solution

Comme la rentabilité espérée du marché est supérieure au taux sans risque, celle d'ALR sera inférieure au taux sans risque [équation (11.22)]. À titre d'exemple, si le taux sans risque est de 4 % et la rentabilité espérée du marché de 10 %, celle-ci est :

$$E\left[R_{\text{ALR}}\right] = r_f + \beta_{\text{ALR}}\left(E\left[R_m\right] - r_f\right) = 4\ \% - 0,30\left(10\ \% - 4\ \%\right) = 2,2\ \%$$

Ce résultat peut paraître surprenant : pourquoi les investisseurs accepteraient-ils une rentabilité de 2,2 % pour détenir un actif risqué alors qu'ils peuvent obtenir 4 % sans risque ? En fait, un investisseur rationnel ne détient pas uniquement des actions Alarue : il les combine avec d'autres titres afin d'obtenir un portefeuille diversifié. Or, le bêta d'Alarue est négatif. La corrélation de ses rentabilités avec celles du portefeuille de marché est par conséquent elle-même négative. Lorsque le marché baisse, les actions Alarue ont ainsi tendance à augmenter. Cet actif s'apparente donc à un produit de couverture : il permet de réduire le risque systématique d'un portefeuille. Ces actions constituent une assurance contre la baisse ! Les investisseurs acceptent de payer le prix de cette assurance sous la forme d'une rentabilité espérée inférieure au taux sans risque.

Prix Nobel & Co.   Sharpe : le MEDAF

William Sharpe a reçu le prix Nobel en 1990 pour sa contribution au développement du MEDAF. En 1998, il analyse ainsi son travail* :

« La théorie du portefeuille se focalisait sur les décisions d'un investisseur unique détenant un portefeuille optimal. Je me suis demandé ce qui se passait si tous les investisseurs optimisaient. Ils avaient tous lu Markowitz et appliquaient ses recommandations. Puis certains ont décidé de détenir un peu plus d'actions IBM que les autres, mais il n'y avait pas assez d'actions IBM pour satisfaire la demande. Le prix de l'action IBM s'est donc mis à monter, ce qui a modifié les anticipations de risque et de rentabilité des investisseurs à propos de l'action IBM. Ce processus d'ajustement progressif a continué jusqu'à ce qu'un prix d'équilibre soit atteint et que tous les investisseurs détiennent collectivement ce qui était disponible sur le marché. À ce moment, que dire de la relation entre risque et rentabilité ? La réponse est que la rentabilité espérée est proportionnelle au bêta estimé relativement au portefeuille de marché. »

Le MEDAF était, et reste, un modèle d'équilibre. Pourquoi un investisseur s'attend-il à bénéficier d'une rentabilité plus élevée sur un titre plutôt que sur un autre ? Il faut que les actifs dont les rentabilités sont négatives en période de crise offrent une compensation : sinon, qui accepterait de les détenir ? La compensation provient de ce que ces actifs offrent une rentabilité supérieure au marché en période de hausse. L'idée sous-jacente au MEDAF est qu'une rentabilité espérée supérieure s'accompagne d'un risque accru de mauvaises performances en périodes de crise. Le bêta mesure cela. Les actifs ou les classes d'actifs à bêtas élevés affichent donc des performances inférieures à celles des actifs à bêtas faibles en périodes de crise.

...

...

Le MEDAF repose sur quelques hypothèses simples et permet de parvenir facilement à un résultat clair et élégant. Suite à ce modèle, certains ont proposé des MEDAF « améliorés » pour se rapprocher du monde réel, en complexifiant le modèle initial, en faisant dépendre les rentabilités espérées des bêtas, des impôts, de la liquidité, du taux de rendement et d'autres facteurs. Mais l'idée fondamentale demeure : il n'y a aucune récompense à attendre lorsqu'on prend des risques. Sinon, il serait facile de s'enrichir à Las Vegas !

*   J. Burton (1998), « Revisiting the CAPM », *Dow Jones Asset Manager*, mai/juin, 20-28.

La droite du MEDAF, ou *Security Market Line* (SML)

L'équation (11.22) indique qu'il existe une relation linéaire entre le bêta d'un titre et son espérance de rentabilité. Cette relation est représentée à la figure 11.12(b). Cette droite passe par l'actif sans risque ($\beta = 0$) et le portefeuille de marché ($\beta = 1$). Elle porte le nom de **droite du MEDAF, droite des actifs** ou **SML** (*Security Market Line*). Si les rentabilités espérées des titres sont calculées en fonction de leur bêta, *tous* les titres sont situés sur la SML.

Ce résultat fait apparaître une différence fondamentale avec la figure 11.12(a), où *aucune* des actions n'est située sur la droite de marché : il n'existe *aucune* relation linéaire entre la rentabilité espérée d'un titre et sa volatilité. Ainsi, la rentabilité espérée d'Air Liquide (AL) ne dépend que de la part de sa volatilité liée au risque de marché, $\sigma_{R_{AL}} \times Corr\left(R_{AL},\ R_m\right)$.

La distance horizontale entre une action et la droite de marché traduit la part de la volatilité de l'action (son risque total) provenant du risque diversifiable. La relation entre risque et rentabilité devient évidente lorsqu'on s'intéresse au risque systématique plutôt qu'au risque total d'une action...

Le bêta d'un portefeuille

Tous les actifs risqués appartiennent à la droite du MEDAF. Celle-ci contient donc également tous les portefeuilles possibles constitués à partir d'actifs risqués, tels que les OPCVM. Logiquement, la rentabilité espérée d'un portefeuille dépend exclusivement de son bêta. Si on utilise l'équation (11.23), le bêta d'un portefeuille, dont les rentabilités sont $R_P = \sum_i x_i R_i$, est donné par[13] :

$$\beta_P = \frac{Cov\left(R_P,\ R_m\right)}{Var\left[R_m\right]} = \frac{Cov\left(\sum_i x_i R_i,\ R_m\right)}{Var\left[R_m\right]} = \sum_i x_i \frac{Cov\left(R_i,\ R_m\right)}{Var\left[R_m\right]} = \sum_i x_i \beta_i \quad (11.24)$$

En d'autres termes, *le bêta d'un portefeuille est égal à la moyenne pondérée des betas des actifs qui le composent.*

13. En utilisant la propriété de bilinéarité de la covariance.

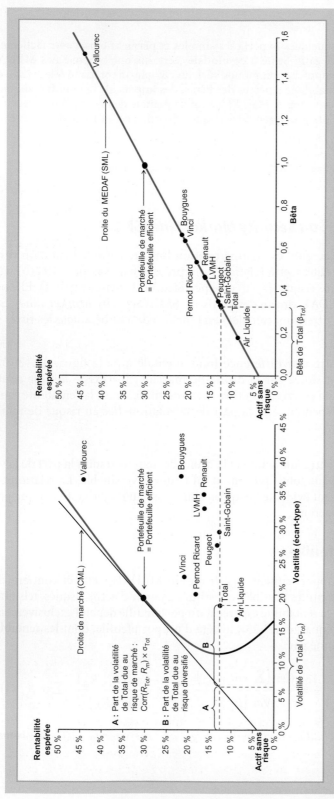

Figure 11.12 – Droite de marché (CML) et droite du MEDAF (SML)

(a) La droite de marché relie les portefeuilles qui combinent l'actif sans risque et le portefeuille tangent. Ces portefeuilles présentent la rentabilité espérée la plus élevée pour un niveau donné de volatilité. Dans le cadre du MEDAF, le portefeuille de marché appartient à la droite de marché, au contraire de tous les autres portefeuilles d'actifs risqués, ces derniers étant exposés à un risque diversifiable (voir l'exemple de l'action Total).

(b) La droite du MEDAF montre la rentabilité exigée d'un actif financier en fonction de son bêta estimé relativement au marché. D'après le MEDAF, tous les titres et tous les portefeuilles possibles sont situés sur la droite du MEDAF.

Rentabilité espérée d'un portefeuille

Les bêtas de Danone (BN) et d'Ubisoft (UBI) sont respectivement de 0,5 et 1,8. Le taux sans risque est de 4 % et la rentabilité espérée du portefeuille de marché est de 10 %. Selon le MEDAF, quelle est l'espérance de rentabilité d'un portefeuille équipondéré de ces deux titres ?

Solution

La rentabilité espérée d'un portefeuille peut se calculer de deux manières. La première solution est d'appliquer la relation du MEDAF (SML) à chaque titre :

$$E[R_{BN}] = r_f + \beta_{BN}\left(E[R_m] - r_f\right) = 4\ \% + 0,5\ (10\ \% - 4\ \%) = 7\ \%$$

$$E[R_{UBI}] = r_f + \beta_{UBI}\left(E[R_m] - r_f\right) = 4\ \% + 1,8\ (10\ \% - 4\ \%) = 14,8\ \%$$

La rentabilité espérée du portefeuille *P* équipondéré de ces deux titres est donc :

$$E[R_P] = \frac{1}{2}E[R_{BN}] + \frac{1}{2}E[R_{UBI}] = \frac{1}{2} \times 7\ \% + \frac{1}{2} \times 14,8\ \% = 10,9\ \%$$

Il est également possible de calculer le bêta du portefeuille grâce à l'équation (11.24) :

$$\beta_P = \frac{1}{2}\beta_{BN} + \frac{1}{2}\beta_{UBI} = 1,15$$

On peut maintenant appliquer la relation du MEDAF à ce portefeuille :

$$E[R_P] = r_f + \beta_P\left(E[R_m] - r_f\right) = 4\ \% + 1,15\ (10\ \% - 4\ \%) = 10,9\ \%$$

Que retenir du MEDAF ?

Comme l'ont montré les deux sections précédentes, le MEDAF repose sur des hypothèses fortes : les marchés sont supposés concurrentiels, les investisseurs forment des anticipations homogènes et ils détiennent tous des portefeuilles efficients. Sous ces hypothèses, les conclusions du MEDAF sont que :

- Le portefeuille de marché est le seul portefeuille risqué efficient. La rentabilité espérée la plus élevée pour une volatilité donnée est obtenue en combinant le portefeuille de marché et l'actif sans risque.

- La prime de risque d'un actif est proportionnelle à son bêta, calculé relativement au marché. Il existe donc une relation linéaire entre la rentabilité exigée d'un actif et son risque systématique. Cette droite est la droite du MEDAF, ou *Security Market Line* [équations (11.22) et (11.23)].

Certaines hypothèses du MEDAF ne décrivent pas exactement le comportement réel des investisseurs : tous les investisseurs ne détiennent pas le portefeuille de marché, par exemple. Le chapitre 13 présentera des extensions du MEDAF, développées pour rapprocher le modèle du comportement observé des investisseurs. Bien qu'imparfait, le MEDAF demeure à ce jour une référence en termes d'arbitrage entre simplicité et capacité à appréhender la réalité. À ce titre, il demeure le modèle le plus utilisé par les praticiens pour estimer la rentabilité espérée ou le coût du capital d'un projet. Il est donc important de bien comprendre comment le MEDAF peut être estimé et utilisé en pratique, notamment pour construire le portefeuille de marché et estimer les bêtas ; c'est l'objet du chapitre 12.

Entretien	Olivier Garnier, chef économiste de la Société Générale

Olivier Garnier était jusqu'en 2017 chef économiste de la Société Générale.

Comment la diversification permet-elle d'améliorer l'arbitrage entre risque et rentabilité ?

La diversification est probablement le seul « *free lunch* » en finance. Elle permet de réduire le risque de son portefeuille sans en diminuer le rendement, en investissant dans des actifs imparfaitement corrélés entre eux. Bien que ce principe soit très ancien et l'un des plus connus (voir le dicton « ne pas mettre tous ses œufs dans le même panier »), les gains que l'on peut en attendre sont encore plus élevés aujourd'hui qu'hier. Pourquoi ? Parce que les entreprises sont passées d'un modèle dominant de conglomérats généralistes à celui de spécialistes se concentrant sur un ou deux métiers : en conséquence, la composante « idiosyncratique » de la volatilité des actions a eu tendance à augmenter. La bonne nouvelle est que la diversification des portefeuilles est non seulement de plus en plus nécessaire et bénéfique, mais qu'elle est aussi plus facile à réaliser. Tout d'abord, le développement des OPCVM a permis aux investisseurs individuels de bénéficier des avantages de la diversification même dans le cas où leur portefeuille est de taille modeste. Ensuite, les possibilités de diversification n'ont cessé de s'élargir avec la multiplication des styles d'investissement, des classes d'actifs (y compris « alternatives » : *hedge funds*, capital-investissement…) et des marchés géographiques.

Sur le long terme, les placements en actions surperforment les autres classes d'actifs. Cela signifie-t-il qu'un investisseur à long terme doit toujours être investi à 100 % en actions ?

Non, et pour plusieurs raisons. En premier lieu, l'allocation d'actifs doit tenir compte du passif de l'investisseur. Par exemple, un fonds de pension à prestations définies, dont le passif est en partie assimilable à une obligation, devra aussi investir dans des instruments de dettes afin de réduire son exposition au risque de taux d'intérêt. De même, si un épargnant individuel a des revenus d'activité très volatils ou corrélés à la Bourse, il aura tout intérêt à diversifier ses placements en dehors des actions. En deuxième lieu, l'horizon de placement d'un investisseur ne reste pas indéfiniment à long terme : à mesure qu'un salarié se rapproche de l'âge de la retraite, il devra – dans la plupart des cas – réduire son exposition aux actions. Enfin, si l'on retient l'hypothèse de retour vers la moyenne des rendements boursiers (et donc aussi de la prime de risque par rapport aux obligations), alors il est optimal de faire varier au cours du temps l'exposition aux actions : celle-ci doit être réduite lors des phases où les rendements boursiers accumulés deviennent très supérieurs à leur moyenne de long terme et elle doit être au contraire accrue dans le cas inverse.

...

...

Est-il possible pour un gérant de portefeuille de battre régulièrement le marché ?

Il s'agit là d'un vieux débat entre les théoriciens de l'efficience des marchés et les praticiens de la gestion dite « active ». Je ne chercherai pas ici à trancher cette question, mais me contenterai de faire deux observations.

Premièrement, une exposition complètement passive aux risques de marchés n'est généralement pas dans l'intérêt des investisseurs. En effet, les marchés sont régulièrement sujets à des phénomènes de « bulles », conduisant à des valorisations complètement déconnectées de leurs fondamentaux. Or, la gestion indicielle a pour gros inconvénient de suivre aveuglément de tels excès boursiers : plus un titre ou un marché voit son prix s'envoler, plus sa pondération dans l'indice – et donc dans le portefeuille – va augmenter. Compte tenu des phénomènes de retour vers la moyenne, un investisseur à long terme aura au contraire intérêt à adopter la stratégie opposée, consistant à ajuster son exposition en sens inverse de l'évolution des valorisations. Ceci montre que la valeur ajoutée de la gestion active ne se situe pas seulement dans sa capacité ou non à battre les indices, mais aussi dans les possibilités qu'elle offre de gérer de façon dynamique l'exposition aux risques des marchés.

Deuxièmement, du côté des praticiens, l'opposition traditionnelle entre gestion passive et active est aujourd'hui dépassée : celles-ci sont de plus en plus utilisées de façon complémentaire comme l'illustre l'approche dite « cœur-satellite ». Cette approche consiste à séparer le portefeuille en deux parties : une partie « cœur », qui vise à obtenir l'exposition aux risques de marché (« *bêtas* ») adaptée aux besoins du client et qui repose sur une gestion largement indicielle ; des « satellites » très spécialisés, pour lesquels les gérants sont très peu contraints et dont le seul objectif est de dégager de l'« *alpha* ».

Résumé

11.1. L'espérance de rentabilité d'un portefeuille

- La pondération d'un actif i dans un portefeuille est la part x_i de la richesse d'un investisseur investie dans cet actif. La somme des pondérations d'un portefeuille est égale à 1 :

$$x_i = \text{Valeur du titre } i \,/ \text{Valeur totale du portefeuille} \qquad (11.1)$$

- La rentabilité espérée d'un portefeuille est la moyenne de l'espérance des rentabilités des titres qui le composent, pondérées par les poids respectifs de chaque titre :

$$E\left[R_P\right] = \sum_{i=1}^{N} x_i E\left[R_i\right]$$

11.2 La volatilité d'un portefeuille composé de deux actions

- Le risque d'un portefeuille dépend de la tendance des rentabilités des actions à évoluer conjointement. La covariance et la corrélation mesurent ces comouvements des rentabilités.

a. La covariance entre les rentabilités R_i et R_j est :

$$Cov\left(R_i, R_j\right) = E\left[\left(R_i - E\left[R_i\right]\right)\left(R_j - E\left[R_j\right]\right)\right] \tag{11.4}$$

Lorsqu'elle est calculée à partir de données historiques, la formule est :

$$Cov\left(R_i, R_j\right) = \frac{1}{T-1}\sum_{t=1}^{T}\left(R_{i,t} - \overline{R}_i\right)\left(R_{j,t} - \overline{R}_j\right) \tag{11.5}$$

b. La corrélation est la covariance divisée par le produit des écarts-types des rentabilités. La corrélation est par définition comprise entre -1 et $+1$. Elle représente la part de la volatilité due aux risques communs entre les titres :

$$Corr\left(R_i, R_j\right) = \frac{Cov\left(R_i, R_j\right)}{\sigma_{R_i} \times \sigma_{R_j}} \tag{11.6}$$

- La variance d'un portefeuille dépend de la covariance entre les actions qui le composent.

    a. La variance d'un portefeuille composé de deux titres est :

$$Var[R_P] = x^2_1\, Var[R_1] + x^2_2\, Var[R_2] + 2x_1 x_2\, Cov(R_1, R_2) \tag{11.8}$$

    b. Si les pondérations des actions dans le portefeuille sont positives, une covariance entre les actions faibles implique une variance du portefeuille faible.

11.3. La volatilité d'un portefeuille composé de N actions

- La variance d'un portefeuille équipondéré de N titres est :

$$Var\left[R_P\right] = \frac{1}{N}\left(\text{Variance moyenne des titres}\right)$$
$$+ \left(1 - \frac{1}{N}\right)\left(\text{Covariance moyenne entre chaque paire de titres}\right) \tag{11.12}$$

- La diversification élimine les risques indépendants d'un portefeuille. La volatilité d'un portefeuille composé de nombreux titres dépend exclusivement du risque commun entre les actions du portefeuille.

- Chaque titre contribue à la volatilité du portefeuille en fonction de son poids dans le portefeuille, de son risque total et de sa corrélation avec le portefeuille. Ce dernier facteur limite l'influence d'un titre à la part de son risque total commune avec le portefeuille :

$$\sigma_{R_P} = \sum_{i=1}^{N} x_i \times \sigma_{R_i} \times Corr\left(R_i, R_P\right) \tag{11.13}$$

11.4. Arbitrage rentabilité-risque : le choix d'un portefeuille efficient

- Les portefeuilles efficients offrent aux investisseurs l'espérance de rentabilité la plus élevée possible pour un risque donné. L'ensemble des portefeuilles efficients forme la frontière efficiente. Lorsque les investisseurs augmentent la taille de leur portefeuille en ajoutant de nouveaux titres, la frontière se déplace vers la gauche, améliorant la situation des investisseurs.

    a. Un investisseur souhaitant bénéficier d'une espérance de rentabilité élevée et d'une faible volatilité devrait détenir un portefeuille efficient.

    b. Parmi les portefeuilles efficients, les investisseurs choisissent celui dont les caractéristiques correspondent le mieux à leurs préférences en termes d'arbitrage entre risque et rentabilité.

- Les investisseurs peuvent effectuer des ventes à découvert. Cela revient à vendre un titre pour le racheter ultérieurement. Une position courte se matérialise par une pondération négative dans le portefeuille. Les ventes à découvert permettent d'augmenter le nombre et la diversité des portefeuilles possibles.

11.5. Prise en compte de l'actif sans risque

- Des portefeuilles peuvent être constitués par la combinaison de l'actif sans risque et d'un portefeuille d'actifs risqués.

    a. La rentabilité espérée et la volatilité de ces portefeuilles sont :

$$E[R_{xP}] = r_f + x(E[R_P] - r_f) \tag{11.15}$$

$$\sigma_{R_{xP}} = x\sigma_{R_P} \tag{11.16}$$

    b. Ces portefeuilles se situent sur une droite passant par les deux actifs les constituant.

- L'objectif d'un investisseur cherchant la rentabilité espérée la plus élevée pour un niveau de volatilité donné est de trouver le portefeuille risqué offrant la droite la plus pentue lorsqu'il est combiné avec l'actif sans risque. La pente de cette droite est le ratio de Sharpe :

$$\text{Ratio de Sharpe} = \frac{\text{Rentabilité excédentaire du portefeuille}}{\text{Volatilité du portefeuille}} = \frac{E[R_P] - r_f}{\sigma_{R_P}} \tag{11.17}$$

- Le portefeuille risqué ayant le ratio de Sharpe le plus élevé est le portefeuille efficient, ou tangent. Celui-ci constitue la combinaison optimale d'actifs risqués que doit détenir n'importe quel investisseur, indépendamment de son aversion pour le risque. Un investisseur peut définir le niveau de risque de son portefeuille en choisissant les pondérations du portefeuille efficient et de l'actif sans risque au sein de son portefeuille.

11.6. Portefeuille efficient et coût du capital

- Le bêta indique la sensibilité de la rentabilité de l'actif aux fluctuations de la rentabilité du portefeuille P. Le bêta d'un actif relativement à un portefeuille P est :

$$\beta_i^P = \frac{\sigma_{R_i} \times Corr(R_i, R_P)}{\sigma_{R_P}} = \frac{Cov(R_i, R_P)}{Var[R_P]} \tag{11.19}$$

- Augmenter la pondération d'un actif i dans un portefeuille améliore sa performance si la rentabilité espérée de l'actif i est supérieure à sa rentabilité exigée r_i :

$$r_i = r_f + \beta_i^P \times (E[R_P] - r_f) \tag{11.20}$$

- Un portefeuille est efficient lorsque les rentabilités espérées $E[R_i]$ de tous les titres qui le composent sont égales à leurs rentabilités exigées r_i. Il existe donc une relation entre les bêtas et les espérances de rentabilité des titres :

$$E[R_i] = r_i \equiv r_f + \beta_i^{eff} \times \left(E\left[R_{eff}\right] - r_f \right) \tag{11.21}$$

1.7. Le modèle d'évaluation des actifs financiers (MEDAF)

- Les trois hypothèses principales du modèle d'évaluation des actifs financiers (MEDAF) sont les suivantes :

    a. Les investisseurs peuvent acheter ou vendre n'importe quel actif financier à son prix de marché, sans coûts de transaction ni impôts. Ils peuvent, de plus, prêter ou emprunter au taux d'intérêt sans risque.

    b. Tous les investisseurs détiennent un portefeuille efficient, c'est-à-dire un portefeuille offrant la rentabilité espérée la plus élevée pour une volatilité donnée.

    c. Les investisseurs forment des anticipations homogènes sur les rentabilités espérées, les volatilités et les corrélations de tous les actifs financiers.

- L'offre de titres est par définition égale à la demande de titres. Le MEDAF implique donc que le portefeuille de marché (contenant tous les titres risqués) est le portefeuille efficient.

- Sous les hypothèses du MEDAF, la droite de marché (CML), qui relie l'actif sans risque et le portefeuille de marché, représente l'ensemble des portefeuilles efficients.

1.8. Déterminer la prime de risque

- Sous les hypothèses du MEDAF, la prime de risque de tout titre est égale au produit de la prime de risque de marché par le bêta de l'actif. Cette relation constitue la droite du MEDAF (SML). Elle détermine la rentabilité exigée d'un actif :

$$E[R_i] = r_i = r_f + \underbrace{\beta_i \times \left(E[R_m] - r_f \right)}_{\text{Prime de risque du titre } i} \tag{11.22}$$

- Le bêta d'un titre mesure la part de son risque total liée au risque systématique (ou risque de marché) :

$$\beta_i = \frac{\overbrace{\sigma_{R_i} \times Corr\left(R_i, R_m\right)}^{\substack{\text{Part de la volatilité du titre } i \text{ qui}\\ \text{est commune avec celle du marché}}}}{\sigma_{R_m}} = \frac{Cov\left(R_i, R_m\right)}{Var\left[R_m\right]} \tag{11.23}$$

- Le bêta d'un portefeuille correspond à la moyenne pondérée des bêtas des titres qui le composent.

Annexe – Le MEDAF avec des taux d'intérêt prêteur et emprunteur différents

Dans ce chapitre, on a supposé que les investisseurs peuvent emprunter ou prêter au même taux sans risque. En pratique, toutefois, les investisseurs qui prêtent au taux sans risque bénéficient d'un taux d'intérêt inférieur à celui qu'ils paient s'ils empruntent. Lorsqu'un investisseur réalise un achat avec effet de levier, il paie en général un taux d'intérêt supérieur de 1 ou 2 points au taux d'un bon du Trésor. Les investisseurs institutionnels, qui disposent de collatéral pour leurs opérations de prêt/emprunt[14], paient 20 ou 30 points de base[15] de plus que le taux sans risque. En quoi ces taux d'intérêt différents modifient-ils les conclusions du MEDAF ?

La figure 11A.1 représente les portefeuilles efficients lorsque les taux d'intérêt prêteur et emprunteur diffèrent. Le taux prêteur r_P est de 3 % alors que le taux emprunteur r_E est de 6 %. Un portefeuille tangent existe pour chaque taux, noté respectivement T_P et T_E. Un investisseur peu désireux de prendre des risques combine un placement au taux r_P avec le portefeuille T_P. Les portefeuilles qu'il peut atteindre sont donc sur la droite du bas. Au contraire, un investisseur souhaitant prendre des risques emprunte au taux r_E et investit plus de 100 % de sa richesse initiale dans T_E (droite du haut). Les portefeuilles que cet investisseur peut détenir sont moins performants que ceux qu'il aurait pu avoir en empruntant au taux r_P (droite en pointillé du haut). Enfin, un investisseur désirant détenir un portefeuille de rentabilité espérée comprise entre T_P et T_E investit exclusivement dans des actifs risqués pour composer un portefeuille situé sur la frontière efficiente des actifs risqués, entre T_P et T_E.

Si les taux prêteur et emprunteur diffèrent, un investisseur détiendra donc un portefeuille tangent différent selon son degré d'aversion au risque. Le premier résultat du MEDAF selon lequel le portefeuille de marché est l'unique portefeuille composé d'actifs risqués efficient disparaît donc.

Le résultat principal du MEDAF pour la finance d'entreprise demeure toutefois valide : la droite du MEDAF, reliant rentabilité espérée d'un titre ou d'un portefeuille à son risque systématique, continue à exister en présence de taux d'intérêt prêteur et emprunteur différents. Pour comprendre pourquoi, il faut admettre que :

N'importe quelle combinaison de portefeuilles appartenant à la frontière efficiente des actifs risqués se situe également sur cette frontière[16].

Tous les investisseurs détiennent des portefeuilles appartenant à la frontière efficiente des actifs risqués, entre T_P et T_E. Collectivement, ils détiennent nécessairement le portefeuille de marché. Ce dernier se situe donc sur la frontière efficiente, entre T_P et T_E. Le portefeuille de marché est par conséquent situé au point de tangence entre une droite

---

14. Ces opérations sont des *repo* (pour *repurchase agreement*) ; grâce à elles, il est possible d'emprunter à des taux plus faibles que ceux du marché car l'emprunteur cède au prêteur des titres, souvent des bons du Trésor, en promettant de les lui racheter à l'échéance du contrat de prêt. Le prêteur est ainsi protégé contre le risque de défaut, puisqu'il gardera dans ce cas les titres en compensation.

15. Un point de base équivaut à 0,01 %.

16. Intuitivement, les portefeuilles appartenant à la frontière efficiente des actifs risqués ne contiennent pas de risque spécifique. La combinaison de tels portefeuilles est donc elle-même exempte de risque spécifique ; elle appartient par conséquent à la frontière efficiente des actifs risqués.

partant d'un taux d'intérêt r^*, compris entre r et r_E, et un point de la frontière efficiente compris entre T_P et T_E (voir figure 11A.1). La caractérisation de la droite de marché dépend exclusivement de l'existence d'un portefeuille de marché tangent pour un taux d'intérêt donné ; la droite de marché existe donc et son équation est inchangée :

$$E[R_i] = r^* + \beta_i \times \left(E[R_m] - r^*\right) \tag{11A.1}$$

La droite du MEDAF (SML) est par conséquent construite à partir d'un taux d'intérêt r^*, compris entre r_P et r_E, et non du taux r_f. Ce taux dépend de la proportion relative de prêteurs et d'emprunteurs dans l'économie. Même si ces proportions sont inconnues, l'équation (11A.1) permet d'estimer la rentabilité espérée d'un titre de manière assez précise, car les taux prêteur et emprunteur sont rarement très éloignés l'un de l'autre[17].

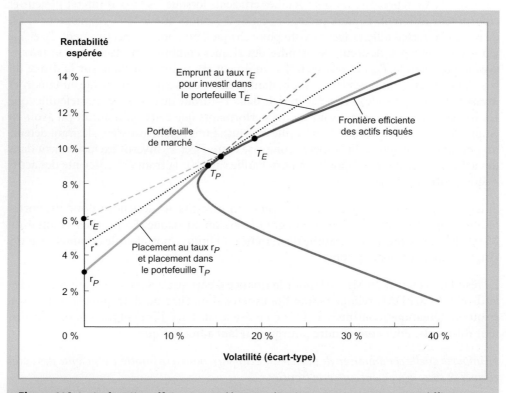

Figure 11A.1 – La frontière efficiente quand les taux d'intérêt prêteur et emprunteur diffèrent

Les investisseurs qui prêtent au taux r_P investiront dans le portefeuille T_P. Ceux qui empruntent au taux r_E investiront dans le portefeuille T_E. Certains investisseurs n'emprunteront ni ne prêteront, se contentant de détenir un portefeuille d'actifs risqués appartenant à la frontière efficiente entre T_P et T_E.

Comme tous les investisseurs choisissent un portefeuille efficient d'actifs risqués sur la frontière efficiente compris entre T_P et T_E, le portefeuille de marché est donc sur la frontière efficiente, compris entre ces deux points. La droite tangente à la frontière efficiente passant par le portefeuille de marché détermine le taux r^* qui peut être utilisé pour la droite du MEDAF (SML).

---

17. M. Brennan (1971), « Capital Market Equilibrium with Divergent Borrowing and Lending Rates », *Journal of Financial and Quantitative Analysis*, 6, 1197-1205.

Un raisonnement similaire peut être adopté quant au choix du taux sans risque à utiliser. Le chapitre 6 a montré que ce taux se modifie en fonction de l'horizon de placement *via* la notion de courbe des taux d'intérêt (ou de structure par terme des taux d'intérêt). Afin de choisir son portefeuille optimal sur la droite, un investisseur doit déterminer tout d'abord le taux d'intérêt correspondant à son horizon de placement. Si tous les investisseurs possèdent le même horizon de placement, le taux d'intérêt sans risque correspondant à cet horizon peut être utilisé afin de construire la SML. Si les investisseurs, bien qu'ayant des anticipations homogènes, ont des horizons de placement différents, l'équation (11A.1) sera vérifiée pour un r^* sur la courbe des taux. Son niveau dépend alors de la proportion d'investisseurs pour chaque horizon de placement[18].

---

18 Cette discussion peut être généralisée au cas où il n'existe pas de taux sans risque : F. Black (1972), « Capital Market Equilibrium with Restricted Borrrowing », *Journal of Business*, 45, 444-455 ; M. Rubinstein (1973), « The Fundamental Theorem of Parameter-Preference Security Valuation », *Journal of Financial and Quantitative Analysis*, 1, 61-69.

Exercices

L'astérisque désigne les exercices les plus difficiles.

1. Paula souhaite placer ses économies pour préparer sa retraite. Elle décide de placer 200 000 € dans trois actions : 50 % en actions Pouleauxœufsd'or (valant chacune 25 €), 25 % en actions Yapaspire (valant chacune 80 €) et le reste en actions J'aimelafinance (valant chacune 2 €). Si le prix de l'action Pouleauxœufsd'or augmente jusqu'à 30 €, celui de l'action Yapaspire baisse à 60 € et celui de l'action J'aimelafinance augmente à 3 € :

   a. Quelle est la valeur finale du portefeuille de Paula ?

   b. Quelle est la rentabilité de son portefeuille ?

   c. Si Paula n'achète ni ne vend aucune action après que les prix ont été modifiés, quelles sont les pondérations de son portefeuille ?

2. Un portefeuille est composé de 1 000 actions Cap Gemini (CAP), 10 000 actions Ubisoft (UBI) et 5 000 actions BNP Paribas (BNP). Les prix de marché et les rentabilités espérées sont respectivement 40 €, 8 €, 50 € et 12 %, 10 %, 10,5 %.

   a. Quelles sont les pondérations de ces trois actions dans le portefeuille ?

   b. Quelle est la rentabilité espérée du portefeuille ?

   c. On suppose que les actions Cap Gemini et Ubisoft s'apprécient de 5 € alors que celles de BNP Paribas se déprécient de 10 €. Quelles sont les nouvelles pondérations de ces trois actions dans le portefeuille ?

   d. On suppose que les rentabilités espérées des actions restent inchangées. Quelle est la rentabilité espérée du portefeuille compte tenu des nouveaux prix des actions ?

3. On suppose que le marché est composé seulement des trois actions suivantes :

Action	Nombre total d'actions en circulation	Prix de marché (en euros)	Rentabilité espérée
A	100 millions	100	18 %
B	50 millions	120	12 %
C	200 millions	30	15 %

   a. Quelle est la capitalisation boursière de ce marché ?

   b. Quel est le poids représenté par chaque action dans cette capitalisation boursière ?

   c. Un investisseur détient le portefeuille de marché, c'est-à-dire un portefeuille dont les pondérations correspondent exactement à celles des trois actions telles que déterminées en *b*. Quelle est la rentabilité espérée d'un tel portefeuille ?

4. Il existe deux façons de calculer l'espérance de rentabilité d'un portefeuille : à partir de la valeur globale du portefeuille et des dividendes totaux ou à partir de la moyenne pondérée des espérances de rentabilité des titres qui le composent. Quelle méthode donne la rentabilité espérée la plus élevée ?

5. Utilisez le tableau ci-dessous et déterminez :

	2014	**2015**	**2016**	**2017**	**2018**	**2019**
A	– 10 %	20 %	5 %	– 5 %	2 %	9 %
B	21 %	7 %	30 %	– 3 %	– 8 %	25 %

a. la rentabilité moyenne et la volatilité de chaque action A et B ;

b. la covariance et la corrélation entre les deux actions.

6. (Suite de l'exercice précédent.) On forme un portefeuille équipondéré des actions A et B.

a. Quelle est la rentabilité du portefeuille chaque année ?

b. À l'aide des résultats obtenus dans *a*, quelle est la rentabilité moyenne et la volatilité du portefeuille ?

c. Démontrez que (i) la rentabilité moyenne du portefeuille est égale à la moyenne des rentabilités moyennes des deux actifs et (ii) la volatilité du portefeuille correspond au résultat obtenu dans l'équation (11.9).

d. Pourquoi la volatilité du portefeuille est-elle inférieure à la volatilité moyenne des deux actifs ?

7. (Suite de l'exercice 5.) Quelle est la volatilité d'un portefeuille composé de 70 % d'actions A et de 30 % d'actions B ?

8. À l'aide des données du tableau 11.3, quelle est la covariance entre les actions Total et Technip ?

9. On suppose que les rentabilités de deux actifs affichent une corrélation de + 1. Si la rentabilité du premier actif est au-dessus de la moyenne cette année, quelle est la probabilité que la rentabilité du deuxième actif soit au-dessus de la moyenne ?

10. Les actions AA et BB ont une volatilité égale à 40 %. Quelle est la volatilité d'un portefeuille investi à 50 % dans chacune des deux actions si leur corrélation est (a) + 1 ; (b) 0,50 ; (c) 0 ; (d) – 0,50 ; (e) – 1 ? Dans quels cas la volatilité du portefeuille est-elle inférieure à celle des deux actions ?

11. On suppose que la volatilité de l'action Alpha Éditeurs (AE) est égale à 60 % et celle de l'action Bêta Imprimeur (BI) à 30 %. Si la corrélation entre les actions est de 25 %, quelle est la volatilité des portefeuilles investis dans les deux actifs de la manière suivante : (a) 100 % BI ; (b) 75 % BI et 25 % AE ; (c) 50 % AE et 50 % BI ?

12. On suppose que les volatilités des actions Avon et Nova sont égales à, respectivement, 50 % et 25 % et que ces deux titres sont parfaitement négativement corrélés. Quelle doit être la composition du portefeuille de risque nul investi dans ces deux titres ?

13. On suppose que la volatilité de l'action Tex est égale à 40 % et que celle de l'action Mex est de 20 %. Si les deux actions sont non corrélées :

a. Quelle est la composition du portefeuille dont la volatilité est égale à celle de l'action Mex ?

b. Quelle est la composition du portefeuille de volatilité minimale ?

14. D'après les données du tableau 11.1, quelle est la volatilité d'un portefeuille composé à 25 % d'actions Air Med, à 25 % d'actions Europe Air et à 50 % d'actions Pétrole Plus ? Quelle est la rentabilité annuelle la plus faible offerte par ce portefeuille sur la période ? Comparez avec les titres individuels.

15. D'après des données du tableau 11.3, quelle est la volatilité d'un portefeuille équipondéré composé des actions Total, Technip et Danone ?

16. On suppose que les volatilités des titres d'un même secteur d'activité sont égales à 50 % et que les corrélations entre paires d'actions sont de 20 %. Quelle est la volatilité d'un portefeuille équipondéré composé de : (a) 1 titre ; (b) 30 titres ; (c) 1 000 titres ?

17. Quelle est la volatilité d'un portefeuille équipondéré composé de nombreux titres d'un même secteur d'activité dans lequel les volatilités sont égales à 50 % et dont les corrélations entre paires d'actions sont de 40 % ?

18. Dans un portefeuille équipondéré, les volatilités des titres sont égales à 50 % et les corrélations entre paires d'actions sont de 20 %.

    a. Quelle est la volatilité du portefeuille si le nombre de titres devient très grand ?

    b. Quelle est la corrélation moyenne entre chaque titre et le portefeuille ?

19. Un portefeuille est composé des actions A et B. La volatilité de l'action A est égale à 65 % et sa corrélation avec le portefeuille est de 10 %. La volatilité de l'action B est égale à 30 % et sa corrélation avec le portefeuille est de 25 %. La volatilité du portefeuille augmentera-t-elle si on vend une faible quantité d'actions B et qu'on investit le montant récupéré dans les actions A ? Et si on fait le contraire ?

20. Un portefeuille est composé de trois actifs, Delta, Gamma et Oméga dont les volatilités sont égales à, respectivement, 60 %, 30 % et 20 %. Le portefeuille est investi à 50 % dans Delta, 25 % dans Gamma et 25 % dans Oméga.

    a. Quelle est la volatilité maximale du portefeuille ?

    b. Si la volatilité du portefeuille est celle calculée en *a*, quelle est la corrélation entre Delta et Oméga ?

21. L'espérance de rentabilité de l'action Renault est de 20 % et sa volatilité est égale à 40 %. L'espérance de rentabilité de l'action Pernod Ricard est de 10 % et sa volatilité est égale à 30 %. Les deux actions ne sont pas corrélées.

    a. Quelles sont l'espérance de rentabilité et la volatilité d'un portefeuille équipondéré composé de ces deux titres ?

    b. Un portefeuille uniquement constitué d'actions Pernod Ricard est-il efficient ? Et s'il est uniquement constitué d'actions Renault ?

22. On suppose que les actions Kering ont une rentabilité espérée de 26 % et une volatilité de 50 %, alors que celles de Danone sont respectivement de 6 % et 25 %. On suppose que les deux actions sont parfaitement négativement corrélées.

    a. Quelle est la composition du portefeuille de risque nul ?

    b. S'il n'existe pas d'opportunités d'arbitrage, quel est le taux d'intérêt sans risque de l'économie ?

Pour les exercices 23 à 26, il convient d'utiliser les données du tableau ci-dessous.

	Rentabilité espérée	Volatilité	Corrélation
Carrefour	26 %	50 %	22 %
L'Oréal	6 %	25 %	

23. Quelles sont l'espérance de rentabilité et la volatilité d'un portefeuille équipondéré composé d'actions Carrefour et L'Oréal ?

24. Si la corrélation entre les actions Carrefour et L'Oréal augmente :

  a. L'espérance de rentabilité du portefeuille augmente-t-elle ou diminue-t-elle ?

  b. La volatilité du portefeuille augmente-t-elle ou diminue-t-elle ?

25. Quelles sont l'espérance de rentabilité et la volatilité d'un portefeuille composé d'une position longue de 10 000 € en actions Carrefour et d'une position courte de 2 000 € en actions L'Oréal ?

*26. Quelles sont les espérances de rentabilité et les volatilités de portefeuilles composés d'actions Carrefour et L'Oréal, lorsque les pondérations peuvent varier ? Représentez graphiquement la rentabilité espérée de ces portefeuilles en fonction de leurs volatilités. Quelles sont les pondérations qui permettent d'obtenir une combinaison efficiente des deux actions ?

27. Le portefeuille d'un *hedge fund* est composé d'actions Cap Gemini et Ubisoft dont l'espérance de rentabilité est de 12 % et 14,5 % et la volatilité de 45 % et 40 %, respectivement ; la corrélation entre les deux actions est égale à 65 %. Le gérant du hedge fund a décidé de vendre pour 35 millions d'euros d'actions Cap Gemini afin d'acheter pour 85 millions d'euros d'actions Ubisoft.

  a. Quelle est l'espérance de rentabilité du portefeuille ?

  b. Quelle est la volatilité du portefeuille ?

28. (Suite de l'exercice précédent.) On suppose que la corrélation entre les actions Cap Gemini et Ubisoft augmente. Le portefeuille devient-il plus ou moins risqué ?

29. Jean détient un portefeuille dont la volatilité est égale à 30 %. Il décide de vendre à découvert une faible quantité d'actions avec une volatilité de 40 % et d'investir le montant récupéré dans son portefeuille. Si cette transaction diminue le risque de son portefeuille, quelle est la corrélation minimale possible entre les actions vendues et le portefeuille de Jean ?

30. L'espérance de rentabilité de l'action C est de 20 % et sa volatilité est égale à 40 %. L'espérance de rentabilité de l'action D est de 12 % et sa volatilité est égale à 30 %. Les actions ne sont pas corrélées.

  a. Quelles sont l'espérance de rentabilité et la volatilité d'un portefeuille équipondéré composé des titres C et D ?

  L'action E n'est pas corrélée avec les actions C et D, son espérance de rentabilité est de 16 % et sa volatilité est égale à 30 %.

  b. Quelle est la stratégie la plus intéressante : investir seulement dans les actions E ou dans le portefeuille de la question *a* ?

   c. L'ajout des actions E dans le portefeuille défini en *a* peut-il rendre le portefeuille plus performant ?

31. Un investisseur dispose de 10 000 € à placer. Il décide d'investir 20 000 € dans les actions Avanquest et de vendre à découvert des actions Business Object pour 10 000 €. L'espérance de rentabilité d'Avanquest est de 15 % avec une volatilité égale à 30 %, contre respectivement, 12 % et 25 % pour Business Object. Les deux actions ont une corrélation égale à 0,9. Quelles sont l'espérance de rentabilité et la volatilité du portefeuille de l'investisseur ?

32. L'année prochaine, la rentabilité et la volatilité de l'action HGH sont attendues à 20 % et 30 % respectivement. Paul dispose de 25 000 € à investir. Il décide de placer 50 000 € dans les actions HGH en vendant à découvert pour 25 000 € des actions KBH ou LWI. Les titres KBH et LWI ont tous les deux une rentabilité espérée de 10 % et une volatilité de 20 %, mais la corrélation entre HGH et KBH est égale à + 0,5 tandis que celle entre HGH et LWI et égale à – 0,5. Lequel de ces deux actifs devrait-il être vendu à découvert ?

*33. Anouk dispose de 100 000 € et décide d'emprunter 15 000 € supplémentaires au taux d'intérêt de 4 %. Anouk place l'intégralité des 115 000 € dans un portefeuille d'actions J dont la rentabilité espérée est de 15 % et la volatilité de 25 %.

   a. Quelles sont la rentabilité espérée et la volatilité du portefeuille d'Anouk ?

   b. Quelle est sa rentabilité réalisée si J augmente de 25 % au cours de l'année ?

   c. Quelle est sa rentabilité réalisée si J diminue de 20 % au cours de l'année ?

34. Un investisseur dispose de 100 000 € à placer. Il décide d'investir 150 000 € dans le portefeuille de marché en empruntant 50 000 €.

   a. Si le taux d'intérêt sans risque est de 5 % et l'espérance de rentabilité du marché est égale à 10 %, quelle est l'espérance de rentabilité du portefeuille ?

   b. Si la volatilité du marché est de 15 %, quelle est la volatilité du portefeuille ?

35. 100 000 € sont actuellement investis dans un portefeuille P_1 avec une rentabilité espérée de 12 % et une volatilité égale à 8 %. Le taux d'intérêt sans risque est de 5 %. Il existe un portefeuille P_2 avec une espérance de rentabilité de 20 % et une volatilité de 12 %.

   a. Quel portefeuille P_3 aurait, à volatilité égale, une rentabilité espérée plus élevée que celle du portefeuille P_1 ?

   b. Quel portefeuille P_3 aurait, à rentabilité espérée égale, une volatilité plus faible que celle de P_1 ?

36. Le taux d'intérêt sans risque est de 4 %. Un conseiller en investissement doit proposer à ses clients un des fonds ci-dessous. Quel que soit le fonds choisi, les clients le combineront avec un prêt/emprunt au taux sans risque selon leurs aversions au risque.

	Rentabilité espérée	Volatilité
Fonds A	10 %	10 %
Fonds B	15 %	22 %
Fonds C	6 %	2 %

Quel fonds le conseiller devrait-il proposer à ses clients sans qu'il ait besoin de connaître leurs aversions au risque ?

37. Si tous les investisseurs souhaitent détenir un portefeuille qui, pour un niveau donné de volatilité, maximise l'espérance de rentabilité et qu'il existe un actif sans risque, pourquoi tous les investisseurs doivent-ils détenir le même portefeuille d'actifs risqués ?

38. Antoine a investi dans le fonds Véga. La rentabilité espérée du fonds est de 12 % et sa volatilité de 25 %. Le taux d'intérêt sans risque est de 4 %. Le courtier d'Antoine lui suggère d'investir dans un fonds de capital-risque. Celui-ci a une espérance de rentabilité de 20 %, une volatilité de 80 % et une corrélation de 20 % avec le fonds Véga. Quelle est la rentabilité exigée par Antoine du fonds de capital-risque ? Antoine doit-il ajouter ce fonds à son portefeuille ?

39. Paul a identifié une opportunité d'investissement qui, compte tenu de son portefeuille actuel, a une espérance de rentabilité supérieure à sa rentabilité exigée. Que doit-il conclure au sujet de son portefeuille ?

40. Le fonds Optima a une espérance de rentabilité de 20 % et une volatilité de 20 %. Le gérant de ce fonds prétend qu'aucun autre portefeuille ne présente un ratio de Sharpe plus élevé. Supposons que cela soit vrai et que le taux sans risque soit de 5 %. Quel est le ratio de Sharpe du fonds Optima ? Si l'action Engie a une volatilité de 30 % et une espérance de rentabilité de 11 %, quelle est sa corrélation avec le fonds Optima ? Si le fonds SubOptima a une corrélation de 80 % avec le fonds Optima, quel est le ratio de Sharpe du fonds SubOptima ?

41. Le portefeuille de Pierre est investi dans le fonds Agressor, dont l'espérance de rentabilité est égale à 14 % et la volatilité de 20 %. Le taux d'intérêt sans risque s'élève à 3,8 %. Son courtier lui suggère d'ajouter des actions Defensor dans son portefeuille. Ce titre, dont la corrélation avec le fonds Agressor est nulle, a une espérance de rentabilité de 20 % et une volatilité de 60 %.

    a. Le courtier a-t-il raison ?

    b. Pierre décide de suivre le conseil du courtier et effectue un investissement important en actions Defensor. Son portefeuille est désormais composé à 60 % dans le fonds Agressor et à 40 % en actions Defensor. Le courtier de Pierre lui explique qu'il a commis une erreur et devrait réduire l'investissement en actions Defensor. A-t-il raison ?

    c. Pierre suit les recommandations de son courtier et réduit sa position en actions Defensor à tel point qu'il ne reste que 15 % du portefeuille investis dans celles-ci. Cela correspond-il à une pondération adéquate ?

42. (Suite de l'exercice précédent.) Calculez le ratio de Sharpe mê chacun des portefeuilles. Quelle pondération des actions Defensor maximise le ratio de Sharpe ?

43. (Suite de l'exercice 38.) On suppose qu'Antoine suit la suggestion du courtier et investit 50 % de son portefeuille dans le fonds de capital-risque.

    a. Quel est le ratio de Sharpe du fonds Véga ?

    b. Quel est le ratio de Sharpe du nouveau portefeuille ?

    c. Quelle est la proportion optimale du portefeuille à placer dans le fonds de capital-risque ? (Conseil : utilisez Excel).

44. Lorsque le MEDAF évalue correctement le risque, le portefeuille de marché est un portefeuille efficient. Expliquez pourquoi.

45. Un groupe pharmaceutique, Médic, vient d'annoncer la sortie d'un médicament contre le cancer. Le prix de l'action Médic a augmenté de 5 à 100 € dans la journée. Un de vos amis vous appelle pour vous dire qu'il détient des actions Médic. Vous répondez avec fierté que vous en possédez également. Tous les deux, vous ne vous souciez que de la rentabilité espérée et de la volatilité de vos portefeuilles, et vous détenez donc uniquement le portefeuille de marché et de l'actif sans risque. Le taux d'intérêt sans risque annuel est égal à 3 %. Avant l'annonce de Médic, la capitalisation boursière du groupe représentait 0,2 % du marché.

    a. Après l'annonce, votre portefeuille s'est accru de 1 % (on suppose que les prix de tous les autres actifs sont restés inchangés de telle façon que sans l'augmentation des prix des actions Médic, la rentabilité du marché aurait été nulle). Comment votre portefeuille est-il investi ?

    b. Le portefeuille de votre ami a augmenté de 2 % après l'annonce. Comment est-il investi ?

46. Un portefeuille d'investissement de 15 000 € est composé à 100 % d'actions Cap Gemini. Le taux d'intérêt sans risque est égal à 5 % et le titre Cap Gemini possède une espérance de rentabilité de 12 % et une volatilité de 40 %. La rentabilité espérée et la volatilité du portefeuille de marché sont égales, respectivement, à 10 % et 18 %. Sous l'hypothèse du MEDAF :

    a. Quel investissement alternatif, de même rentabilité espérée que l'action Cap Gemini, minimiserait la volatilité ? Quelle serait la volatilité de cet investissement ?

    b. Quel investissement alternatif, de même volatilité que Cap Gemini, maximiserait la rentabilité espérée ? Quelle serait la rentabilité espérée de cet investissement ?

47. On suppose que toutes les actions du monde sont divisées en deux portefeuilles mutuellement exclusifs (chaque action ne peut être présente que dans un seul portefeuille) : les actions « croissance » et les actions « valeur ». On suppose que les deux portefeuilles ont des capitalisations égales et une corrélation de 0,5 ainsi que les caractéristiques du tableau ci-dessous :

	Rentabilité espérée	Volatilité
Actions « valeur »	13 %	12 %
Actions « croissance »	17 %	25 %

Le taux d'intérêt sans risque est égal à 2 %.

    a. Quelle est l'espérance de rentabilité et la volatilité du portefeuille de marché (composé de manière équipondérée avec les deux types d'actions) ?

    b. Le MEDAF est-il valide sur ce marché ? (Indice : le portefeuille de marché est-il efficient ?)

48. On suppose que le taux d'intérêt sans risque est égal à 4 % et que l'espérance de rentabilité et la volatilité du portefeuille de marché sont, respectivement, de 10 % et 16 %. La volatilité de l'action Orange est égale à 20 % et sa corrélation avec le marché est de 0,06.

 a. Quel est le bêta d'Orange ?

 b. Sous l'hypothèse du MEDAF, quelle est la rentabilité espérée du titre ?

49. Un portefeuille est composé de trois actions :

	Poids dans le portefeuille	Volatilité	Corrélation avec le portefeuille de marché
Action A	25 %	12 %	40 %
Action B	35 %	25 %	60 %
Action C	40 %	13 %	50 %

La volatilité du portefeuille de marché est égale à 10 % et sa rentabilité espérée est de 8 %. Le taux d'intérêt sans risque est de 3 %.

 a. Calculez le bêta et l'espérance de rentabilité de chaque titre.

 b. À l'aide des résultats obtenus en *a*, calculez la rentabilité espérée du portefeuille.

 c. Quel est le bêta du portefeuille ?

 d. À l'aide du résultat obtenu en *c*, calculez la rentabilité espérée du portefeuille et vérifiez sa cohérence avec le résultat obtenu en *b*.

50. Le bêta de l'action Axa est égal à 2,16 tandis que celui de l'action L'Oréal est de 0,69. Si le taux d'intérêt sans risque est égal à 4 % et la rentabilité espérée du portefeuille de marché est de 10 %, quelle est, selon le MEDAF, la rentabilité espérée du portefeuille composé à 60 % d'actions Axa et à 40 % d'actions L'Oréal ?

*51. Quelle est la prime de risque d'un actif de bêta nul ? Substituer un actif de bêta nul par un actif sans risque dans un portefeuille fait-il baisser sa volatilité sans modifier sa rentabilité espérée ?

Étude de cas – Gestion de portefeuille

Toujours en stage dans la société de conseil en placements financiers du chapitre 10, vous êtes invité à approfondir le travail que vous avez réalisé au chapitre précédent. Plus précisément, votre supérieur souhaiterait que vous amélioriez le portefeuille de 12 actions constitué au chapitre 10 en :

• déterminant les pondérations optimales de chaque titre afin d'obtenir des combinaisons optimales de risque et de rentabilité ;

• calculant l'amélioration de la rentabilité et du risque de ce nouveau portefeuille par rapport à l'ancien portefeuille équipondéré.

À cet effet, l'utilisation du solveur d'un tableur est conseillée : la méthode consistant à procéder par approximations successives risque de prendre beaucoup de temps…

1. Pour commencer, partez du portefeuille équipondéré du chapitre 10. Calculez les rentabilités de ce portefeuille à partir d'une formule fondée sur les pondérations de celui-ci (initialement, les pondérations sont de 1 / 12). Ces pondérations étant appelées à varier, il faut les faire apparaître explicitement dans des cellules différentes. Une cellule doit par ailleurs contenir la somme des pondérations (celle-ci doit être égale à 1). Les rentabilités du portefeuille calculées pour les différents mois étudiés doivent impérativement faire référence aux cellules contenant les pondérations ; sinon, le solveur ne fonctionnera pas.

2. Déterminez la rentabilité mensuelle moyenne du portefeuille et leur écart-type. Annualisez ces résultats (la méthode est décrite au chapitre 10) afin de faciliter leur interprétation.

3. Déterminez la frontière efficiente lorsque les ventes à découvert ne sont pas autorisées. Utilisez le solveur du tableur. Le solveur doit être paramétré ainsi :

   a. La « cellule à définir » contient l'écart-type annualisé du portefeuille. Il faut « minimiser » cette valeur.

   b. Les « cellules variables » contiennent les pondérations des actions dans le portefeuille.

   c. Ajoutez des contraintes en cliquant sur le bouton Ajouter, situé sur le côté de la boîte de dialogue. Les ventes à découvert sont interdites : le vecteur des pondérations doit être « supérieur ou égal » à « zéro ». De plus, la cellule contenant la somme des pondérations doit être égale à 1.

   d. Calculez la composition du portefeuille de volatilité minimale.

   e. Lorsque vous cliquez sur « Résoudre », le solveur doit fournir une réponse au problème posé. En cas d'erreur, vérifiez que les contraintes sont correctement définies.

4. Ensuite, trouvez les portefeuilles de variance minimale pour un niveau donné de rentabilité espérée. Pour ce faire, débutez en identifiant le portefeuille optimal qui a une rentabilité supérieure de 2 points à celle du portefeuille de variance minimale (à cet effet, il faut ajouter une contrainte fixant la rentabilité annuelle souhaitée du portefeuille), puis répétez l'opération par incréments de 2 %, en copiant-collant à chaque fois les valeurs obtenues pour les conserver. À quel niveau le solveur ne parvient-il plus à trouver de solution ? Représentez graphiquement la frontière efficiente en l'absence de ventes à découvert, en créant un graphique « nuage de points », comme au chapitre 10. L'écart-type du portefeuille est en abscisse et sa rentabilité espérée en ordonnée. Comment ces portefeuilles se comparent-ils avec ceux du chapitre 10 ?

5. Recommencez l'analyse en autorisant les ventes à découvert (cela revient à supprimer les contraintes liées à la positivité des pondérations des 12 titres). Utilisez le solveur pour calculer la volatilité (annuelle) du portefeuille de variance minimale, puis de portefeuilles de rentabilités annuelles égales à 5 %, 10 %, 20 %, 30 % et 40 %. Représentez la nouvelle frontière efficiente sur le même graphique que précédemment. Comparez les rentabilités et les écarts-types de ces portefeuilles avec ceux de la question précédente.

6. Recommencez l'analyse en ajoutant un actif sans risque dont la rentabilité mensuelle est égale à 0,5 %. Le calcul des rentabilités mensuelles du portefeuille doit tenir

compte du poids de cet actif (13 pondérations au total dont la somme est égale à 1). En supposant que les ventes à découvert sont autorisées, calculez la volatilité (annuelle) du portefeuille lorsque les rentabilités annuelles du portefeuille sont égales à 5 %, 10 %, 20 %, 30 % et 40 %. Représentez les résultats sur le graphique précédent. Quel est le portefeuille tangent ?

Chapitre 12
L'estimation du coût du capital

Lorsque les dirigeants d'une entreprise souhaitent évaluer un projet d'investissement et calculer sa VAN, ils doivent utiliser le coût du capital approprié, qui inclut une prime pour rémunérer le risque pris par les actionnaires. Les deux chapitres précédents ont présenté un modèle permettant d'estimer cette prime de risque : le modèle d'évaluation des actifs financiers (MEDAF). Dans ce chapitre, le MEDAF est utilisé pour calculer le coût du capital d'une opportunité d'investissement.

Le chapitre débute par l'estimation du coût des capitaux propres de l'entreprise (section 12.1), ce qui implique au préalable de construire un portefeuille de marché (section 12.2) et d'estimer le bêta des actions (section 12.3). Il s'attache ensuite à l'estimation du coût de la dette, en s'appuyant sur son bêta ou sa rentabilité à l'échéance (section 12.4), pour déboucher sur le calcul du coût du capital approprié pour un projet (section 12.5). La section 12.6 traite du cas dans lequel l'entreprise cherche à investir dans un projet n'ayant pas le même risque ou le même mode de financement que ses autres projets. La section 12.7 conclut le chapitre en revenant sur l'utilisation du MEDAF en pratique.

12.1. Le coût des capitaux propres

Le coût du capital représente la rentabilité espérée la plus élevée possible parmi tous les projets de risque similaire disponibles sur le marché. Le modèle d'évaluation des actifs financiers (MEDAF) permet justement d'identifier ces différents projets. D'après ce modèle, le portefeuille de marché est parfaitement diversifié et n'est exposé qu'au risque systématique. Les investissements sont donc de risque analogue s'ils possèdent la même sensibilité au risque de marché, mesurée par leur bêta relativement au portefeuille de marché.

Le coût du capital d'un projet correspond à la rentabilité espérée des actifs disponibles ayant le même bêta. Autrement dit, les investisseurs exigent une prime de risque comparable à ce qu'ils pourraient obtenir en prenant un risque de marché similaire en investissant dans le portefeuille de marché. La droite du MEDAF (Security Market Line) fournit l'estimation du coût du capital d'une opportunité d'investissement en fonction de son bêta :

Équation du MEDAF pour le coût du capital

$$r_i = r_f + \underbrace{\beta_i \times \left(E\left[R_{mi} \right] - r_f \right)}_{\text{Prime de risque du titre } i} \tag{12.1}$$

L'évaluation du prix d'une action nécessite de connaître le coût des capitaux propres. Si le bêta des actions est connu, il est donc possible d'utiliser l'équation (12.1).

Le coût des capitaux propres

Supposons que le titre Saint-Gobain (SGO) ait une volatilité de 30 % et un bêta de 1,45 tandis que le titre Engie (ENGI) présente une volatilité de 38 % et un bêta de 0,82. Laquelle des deux actions comprend le plus de risque total ? Même question concernant le risque de marché. Supposons que le taux sans risque soit de 3 % et la rentabilité espérée du portefeuille de marché de 8 %. Calculez et comparez le coût des capitaux propres de Saint-Gobain et d'Engie.

Solution

Le risque total est mesuré par la volatilité des actions. Par conséquent, les actions d'Engie comprennent plus de risque total que celles de Saint-Gobain. Sachant que le bêta estimé de Saint-Gobain est de 1,45, on s'attend à ce que ses actions augmentent de 1,45 % lorsque le marché croît de 1 %. Par conséquent, la prime de risque sur les actions de Saint-Gobain est 1,45 fois plus importante que celle du marché. Le coût des capitaux propres de cette entreprise est donné par l'équation (12.1) :

$$r_{SGO} = 3\ \% + 1,45 \times (8\ \% - 3\ \%) = 10,27\ \%$$

Le bêta d'Engie est de 0,82. Son coût des capitaux propres est donc :

$$r_{ENGI} = 3\ \% + 0,82 \times (8\ \% - 3\ \%) = 7,10\ \%$$

Comme le risque de marché ne peut être diversifié, c'est celui-ci qui détermine le coût du capital. Ainsi, le coût des capitaux propres de Saint-Gobain est plus élevé que celui d'Engie, même si les actions de cette entreprise sont moins volatiles que celles de la seconde.

Bien que les calculs effectués dans l'exemple précédent paraissent simples, ils nécessitent l'estimation de deux paramètres clés :

• Il convient tout d'abord de construire le portefeuille de marché afin de déterminer sa rentabilité espérée excédentaire au taux sans risque.

• Il faut ensuite procéder à l'estimation du bêta du titre, afin d'obtenir sa sensibilité par rapport au portefeuille de marché.

Les deux sections suivantes s'attachent à montrer comment estimer ces deux paramètres.

12.2. La construction du portefeuille de marché

Afin de pouvoir utiliser le MEDAF, il est nécessaire d'identifier le portefeuille de marché. Cette section montre comment le construire et estimer la prime de risque de marché.

La composition du portefeuille de marché

Le portefeuille de marché combine tous les actifs risqués. Mais comment pondérer les titres au sein de ce portefeuille ? La réponse est simple : ce portefeuille représente l'offre totale de titres. La composition de ce portefeuille doit donc refléter le poids de chaque titre sur le marché. Le poids de chaque titre i dans le portefeuille de marché doit par conséquent être proportionnel à sa **capitalisation boursière** (valeur de marché totale de l'ensemble des titres) :

$$V_{CP,i} = (\text{Nombre de titres } i \text{ en circulation}) \times (\text{Prix du titre } i)$$
$$= N_i \times P_i \tag{12.2}$$

Il est alors possible de calculer le poids de chaque titre dans le portefeuille :

$$x_i = \frac{\text{Valeur de marché du titre } i}{\text{Valeur totale de marché de tous les titres du portefeuille}} = \frac{V_{CP,i}}{\sum_j V_{CP,j}} \tag{12.3}$$

À l'instar du portefeuille de marché, tout portefeuille construit de sorte que les pondérations de chaque titre soient proportionnelles à leur capitalisation boursière est dit **pondéré par la capitalisation boursière**.

Investir dans un tel portefeuille implique que l'on détient, pour chaque entreprise, une part égale du nombre total de titres en circulation. Il n'est donc pas nécessaire de modifier la composition d'un portefeuille pondéré par la capitalisation boursière lorsque le prix des actions varie. Seule la variation du nombre d'actions en circulation justifie une modification de sa composition, ce qui est rare. En effet, pour ce faire, il est nécessaire qu'une entreprise émette ou rachète des actions. Dans la mesure où ce portefeuille nécessite peu de « maintenance », les investisseurs détenant ce type de portefeuilles sont dits adeptes d'une **gestion passive**.

Les indices de marché

D'après le MEDAF, les investisseurs ont intérêt à détenir le portefeuille de marché, qui est donc un portefeuille pondéré par la capitalisation boursière de tous les titres risqués. En pratique, comment constituer un tel portefeuille ? Sur chaque marché boursier, il existe plusieurs indices boursiers, qui représentent les performances du marché actions. Plutôt que de construire soi-même le portefeuille de marché, il est possible d'utiliser ces indices comme des portefeuilles qui représentent le marché.

Exemples d'indices boursiers. En France, le CAC 40 est l'indice le plus connu (voir chapitre 10). Sa valeur est déterminée à partir des cours de 40 actions cotées choisies parmi les 45 entreprises dont les capitalisations sont les plus importantes et les titres les plus échangés sur Euronext Paris. Ces 40 valeurs sont choisies de sorte que l'indice soit représentatif des différents secteurs d'activité. À lui seul, il représente environ 70 % de la capitalisation boursière totale de la place de Paris : début 2020, les valeurs de l'indice pesaient plus de 1 700 milliards d'euros. On recourt régulièrement à cet indice pour représenter le portefeuille de marché en France.

| Zoom sur... | **Portefeuilles pondérés par la capitalisation boursière et recomposition** |

Les portefeuilles pondérés par la capitalisation boursière offrent le grand avantage de ne pas nécessiter d'ajustements en cas de modifications des prix des actifs qui les composent, ce qui permet d'économiser d'importants coûts de transaction.

Considérons l'exemple d'un portefeuille d'une valeur de 50 000 €, pondéré par la capitalisation boursière et composé de trois titres, Crédit Agricole (ACA), BNP Paribas (BNP) et Société Générale (GLE) :

Action	Prix (en euros)	Nombre de titres en circulation (en millions)	Capitalisation boursière (en milliards d'euros)	Proportion de chaque titre dans le portefeuille	Montant de l'investissement à effectuer dans chacun des titres	Nombre de titres à acheter
ACA.PA	10	3 000	30	28,6 %	14 300 €	1 430
BNP.PA	50	1 000	50	47,6 %	23 800 €	476
GLE.PA	25	1 000	25	23,8 %	11 900 €	476
Total			**105**	**100,0 %**	**50 000 €**	**2 382**

La pondération de chaque titre dans le portefeuille est proportionnelle à sa capitalisation boursière. De plus, le nombre de titres qui composent le portefeuille est bien proportionnel à celui en circulation sur le marché.

On suppose que le prix des titres BNP augmente à 60 € tandis que celui des actions Société Générale baisse à 20 € ; celui des titres Crédit Agricole restant inchangé. Le tableau ci-dessous détaille les modifications qui s'opèrent au sein du portefeuille :

Action	Prix (en euros)	Nombre de titres en circulation (en millions)	Capitalisation boursière (en milliards d'euros)	Proportion de chaque titre dans le portefeuille	Nombre d'actions détenues	Valeur liquidative
ACA	10	3 000	30	27,3 %	1 430	14 300 €
BNP	60	1 000	60	54,5 %	476	28 560 €
GLE	20	1 000	20	18,2 %	476	9 520 €
Total			**110**	**100,0 %**	**2 382**	**52 380 €**

Bien que le poids de chaque titre soit différent, les valeurs liquidatives des trois actions composant le portefeuille restent proportionnelles à la capitalisation boursière. Par exemple, le poids du titre BNP Paribas dans le portefeuille est de 28 560 / 52 380 = 54,5 %, ce qui correspond bien au ratio Capitalisation boursière du titre / Capitalisation boursière totale du portefeuille (60 / 110 = 54,5 %). Aucune transaction n'est ainsi nécessaire pour maintenir un portefeuille pondéré par la capitalisation boursière. Cela serait nécessaire si une entreprise rachetait des titres sur le marché ou en émettait de nouveaux, ou encore si une entreprise venait à être exclue du portefeuille (ou de l'indice) pour être remplacée.

La composition de l'indice CAC 40 varie au cours du temps. Les actions dont la capitalisation boursière s'est effondrée sont susceptibles de sortir de l'indice, si cela ne modifie pas trop les poids des différents secteurs d'activité. Elles seront alors remplacées par de nouveaux titres, sélectionnés suivant les mêmes critères. Deux recompositions sont effectuées en moyenne chaque année. Comme la plupart des grands indices boursiers mondiaux, le CAC 40 est calculé sur la base du rapport entre les capitalisations boursières flottantes[1] actuelles des 40 entreprises qui le composent et celles calculées avec les cours du 31 décembre 1987. Cette dernière valeur forme la base de l'indice qui a été fixée à 1 000 points à la fin de l'année 1987. Au 31 janvier 2020, l'indice valait 5 806 points.

Zoom sur...	**Les cinq principales valeurs du CAC 40**

Début 2020, les capitalisations boursières et les poids dans l'indice des cinq principales valeurs du CAC 40 sont les suivants :

Action	Capitalisation boursière (en milliards d'euros)	Poids dans l'indice CAC 40
LVMH	195	8,6 %
L'Oréal	143	5,0 %
Sanofi	115	7,5 %
Total	110	9,3 %
Airbus Group	97	5,7 %

À elles seules, ces cinq entreprises pèsent plus d'un tiers de la capitalisation totale de l'indice. Toute modification du prix de l'une de ces cinq actions aura donc une influence forte sur le niveau de l'indice CAC 40. On remarque que Total pèse plus lourd dans l'indice que LVMH alors que sa capitalisation boursière est bien moindre. La raison tient à ce que les pondérations sont calculées sur la base du flottant et non de la capitalisation totale.

Investir dans l'indice de marché. En France, il existe d'autres indices plus larges que le CAC 40 : l'indice SBF 120[2] comprend, en plus des 40 valeurs du CAC 40, 80 titres cotés en continu d'entreprises plus « petites ». Suivant la même logique, le CAC All-Tradable comprend toutes les valeurs du marché parisien dont le volume de transaction en euros échangés annuellement représente au moins 20 % de la capitalisation boursière flottante. Sur la base de ce dernier indice, 10 indices sectoriels sont construits.

Il est aujourd'hui facile d'investir directement dans un indice, car de nombreuses sociétés de gestion proposent des fonds indiciels dont l'objectif est justement de répliquer la composition et la performance des indices. Il existe en outre une multitude de **trackers** (*Exchange-Traded Fund,* ETF) qui sont des titres représentant un portefeuille d'actifs – ici d'actions –, lesquels s'échangent sur le marché comme n'importe quel autre titre.

---

1. Pour calculer l'indice, on utilise la capitalisation boursière flottante plutôt que la capitalisation boursière totale. Il est ainsi possible de ne tenir compte que des titres réellement négociables, à l'exclusion des actions détenues par des filiales, par les fondateurs, par des personnes morales exerçant un contrôle sur l'entreprise ou par l'État, et des actions liées par un pacte d'actionnaires et des blocs d'actions supérieurs à 5 % qui sont stables (pas de baisse significative depuis trois ans).
2. SBF, pour Société des Bourses Françaises.

Entretien | **Nicolas Gaussel, responsable du département de gestion quantitative chez Lyxor Asset Management**

Nicolas Gaussel est responsable de la gestion quantitative et membre du comité exécutif de Lyxor Asset Management. Il a été auparavant responsable de la gestion alternative pour l'Asie au sein de SGAM (Société Générale Asset Management) à Tokyo.

Comment expliquez-vous le succès croissant de la gestion indicielle ?

Ce succès s'explique principalement par l'incapacité de la grande majorité des gérants de fonds à offrir des performances meilleures que celles du marché. De façon plus préoccupante encore, le fait qu'un gérant ait réussi à surperformer un indice dans le passé ne signifie pas qu'il en soit capable à l'avenir. Or, les frais liés à ce type de gestion restent importants. La combinaison de ces deux facteurs incitent assez naturellement beaucoup d'investisseurs à se contenter de véhicules d'investissement indiciel, dont les coûts sont faibles et bien identifiés, et qui performeront à long terme mieux que la plupart des gérants actifs.

Qu'est-ce qu'un ETF et pourquoi les préférer à un OPCVM indiciel « classique » ?

Un tracker, ou ETF, est un fonds indiciel. Comme son nom l'indique, il est conçu pour répliquer la performance d'un indice. Il existe aujourd'hui en France plus de 200 ETF, construits sur des indices divers : paniers d'actions françaises ou étrangères, produits de taux d'intérêt, indices de matières premières (or, pétrole, etc.). Un ETF est un OPCVM qui est coté en permanence par des teneurs de marché, et qui peut être acheté et vendu comme n'importe quel titre coté. Plutôt que de souscrire à un fonds, l'investisseur achète ou vend quand il le souhaite ces fonds par l'intermédiaire d'un courtier. L'avantage de cette structure est qu'elle offre une très grande simplicité opérationnelle et la possibilité de traiter à tout moment, contrairement aux circuits classiques de souscriptions-rachats de parts de fonds.

Quel est le marché pour ces produits ?

Les ETF sont apparus il y a une quinzaine d'années en France. Ils se sont imposés lentement, mais c'est aujourd'hui chose faite : le marché connaît ces dernières années un taux de croissance supérieur à 50 %, porté à la fois par la hausse des volumes et par l'apparition régulière de nouveaux trackers, qui permettent des stratégies d'investissement innovantes. La flexibilité offerte par la cotation en continu des ETF est un avantage considérable pour l'investisseur lorsqu'il s'agit de prendre des décisions d'investissement rapides.

Les longues périodes de marchés baissiers que l'on a connues depuis 2000 (éclatement de la bulle internet en 2000-2001 et crise financière de 2008-2009) ne remettent-elles pas en cause ces investissements ?

Les longues phases baissières sur les marchés actions développés ne remettent pas en cause l'incapacité des gérants à surperformer une classe d'actifs donnée. En revanche, elles remettent en question l'existence même d'une prime de risque sur certaines classes d'actifs. Ainsi, il est probable que les réflexions liées aux méthodes d'allocation d'actifs tactiques et stratégiques doivent être revisitées à la lumière des crises récentes.

Les praticiens utilisent communément le CAC 40 comme portefeuille de marché, même s'il ne constitue pas le *vrai* portefeuille de marché dans la mesure où il est loin de contenir tous les actifs risqués de l'économie. Mais le CAC 40 est simple à calculer et à suivre, tout en répliquant relativement bien les performances globales du marché (sa corrélation avec l'indice CAC All-Tradable par exemple est de 95 %). Le CAC 40 est ainsi considéré comme un portefeuille approchant, un bon *proxy*, c'est-à-dire un portefeuille qui réplique assez fidèlement le véritable portefeuille de marché.

Pour le marché américain, c'est le S&P 500 qui sert généralement de référence[3]. Cet indice regroupe les actions des 500 principales entreprises américaines. Le DJIA (*Dow Jones Industrial Average*) est également parfois utilisé ; il s'agit du plus ancien indice boursier au monde, publié pour la première fois en 1884. Il présente cependant un défaut important : il n'est pas pondéré par la capitalisation boursière, mais **par les prix des actions** (c'est-à-dire qu'il contient le même *nombre* d'actions de toutes les entreprises incluses dans l'indice).

Soulignons également l'existence d'indices internationaux ou mondiaux. En zone euro, par exemple, deux des indices les plus utilisés sont le *Dow Jones Euro Stoxx 50* et le *FTSEurofirst 300*.

La prime de risque de marché

L'une des composantes clés du MEDAF est la prime de risque de marché qui représente la rentabilité espérée excédentaire du portefeuille de marché par rapport au taux sans risque : $E[R_m] - r_f$. Pour la mesurer, il faut tout d'abord déterminer le taux d'intérêt sans risque.

La détermination du taux sans risque. Le taux sans risque correspond au taux auquel les investisseurs peuvent prêter ou emprunter. Il est souvent obtenu à partir de la courbe des taux de la dette souveraine (voir chapitre 6), comme celle du Trésor en France. Toutefois la plupart des investisseurs doivent accepter de payer un taux d'intérêt supérieur pour emprunter des fonds. Même les obligations des emprunteurs privés les mieux notés comprennent une prime de risque relativement à celles du Trésor, du fait d'une liquidité moindre. Aussi, les praticiens utilisent-ils parfois les taux des obligations privées AAA plutôt que ceux des obligations du Trésor pour mesurer le taux sans risque.

Par ailleurs, il faut tenir compte de l'horizon de placement. Quelle maturité doit-on choisir sur la courbe des taux ? Ce choix dépend à la fois de l'horizon des investisseurs et de leur propension à épargner ou emprunter (voir chapitre 11), que l'on ne connaît pas précisément. La plupart des analystes financiers utilise les rentabilités à l'échéance des obligations à long terme (10 à 30 ans)[4].

La prime de risque historique. Une approche très répandue pour mesurer la prime de risque de marché consiste à utiliser la moyenne historique de la rentabilité excédentaire

---

3. Le premier indice global des marchés boursiers américains a été le S&P 90, créé en 1923. Le S&P 500 a été introduit le 4 mars 1957.
4. R. F. Bruner, K. M. Fades, R. S. Harris et R. C. Higgins (1998) « Best Practices in Estimating the Cost of Capital: Survey and Synthesis », *Financial Practice and Education*, 8, 13-28 ; D. Brounen, A. de Jong et K. Koedijk (2004), « Corporate Finance in Europe: Confronting Theory With Practice », *Financial Management*, 33(4), 71-101.

au taux sans risque de l'indice de marché. Elle nécessite de mesurer les rentabilités des actions sur le même horizon que celui dont on se sert pour le taux sans risque. Puisqu'il s'agit d'estimer la prime de risque de marché *future*, il convient d'arbitrer entre la quantité de données utilisées et leur représentativité : un grand nombre de données est nécessaire pour fournir une estimation relativement précise d'une rentabilité espérée, mais s'appuyer sur des données trop anciennes est très peu représentatif des anticipations actuelles des investisseurs.

Le tableau 12.1 reporte la rentabilité excédentaire du CAC 40 et celle du S&P 500 par rapport au taux du Trésor français et américain à un an et dix ans[5] sur les périodes 1926-2015 et 1965-2015. Pour chacune des deux périodes, la prime de risque de marché diminue lorsqu'on considère des titres de dettes à long terme plutôt qu'à court terme. Cette différence provient de la forme très majoritairement croissante de la courbe des taux (taux longs supérieurs aux taux courts) que l'on retrouve historiquement sur les marchés.

Ce tableau témoigne également d'une baisse de la prime de risque au cours du temps : mesurée sur les 50 dernières années, la prime de risque est significativement inférieure à celle de la période 1926-2015. Dans le cas français, cette prime est même négative lorsqu'on considère les taux à long terme[6]. Plusieurs facteurs peuvent expliquer ce déclin. Tout d'abord, le nombre d'investisseurs détenant des actions ne cesse d'augmenter, ce qui améliore substantiellement le partage du risque. Ensuite, les coûts liés à la construction de portefeuilles diversifiés se sont réduits grâce aux innovations financières telles que l'apparition des OPCVM[7] et des trackers. Enfin, nonobstant la dernière crise financière, la volatilité des marchés boursiers n'a cessé de décroître. Tous ces facteurs tendent à une réduction du risque lié à l'investissement sur les marchés actions. Ils expliquent donc la réduction de la prime de risque observée. La plupart des chercheurs et des analystes pensent que les primes de risque de marché futures seront plus proches des estimations effectuées sur les périodes historiques récentes, et situées dans un intervalle de 4 à 6 % relativement aux bons du Trésor (et 3 à 5 % lorsqu'elles sont mesurées vis-à-vis des obligations du Trésor à long terme)[8].

---

5. En raison du manque de données disponibles dans le cas français, les bons du Trésor considérés ont une maturité comprise entre un jour et quelques jours. Concernant les taux longs français, les emprunts d'État sont des rentes perpétuelles jusqu'en 1970 et sont à dix ans ensuite. Les rentabilités du CAC 40 sont mesurées à horizon un an dans les deux cas : D. Le Bris et P. C. Hautcœur (2010), « A Challenge to Triumphant Optimists? A Blue Chips Index for the Paris Stock Exchange, 1854-2007 », *Financial History Review*, 17, 141-183.

6. La période 1962-1967 est très mauvaise pour les actions françaises. Les mauvaises performances du marché boursier français au cours de cette période proviennent principalement de l'interruption brutale de la croissance des dividendes : B. Blancheton, H. Bonin et D. Le Bris (2014), « French Paradox: Financial Crisis during 1960's Golden Age », *Business History*, 56(3) 391-413.

7. Organismes de placement collectif en valeurs mobilières qui comprennent les SICAV (sociétés d'investissement à capital variable) et FCP (fonds communs de placement).

8. I. Welch (2000), « Views of Financial Economists On the Equity Premium And on Professional Controversies », *Journal of Business*, 73, 501-537, mis à jour en 2009 ; J. Graham et C. Harvey (2001), « The Equity Risk Premium in 2008: Evidence from the Global CFO Outlook Survey », *SSRN* ; I. Welch et A. Goyal (2008), « A Comprehensive Look at the Empirical Performance of Equity Premium Prediction », *Review of Financial Studies*, 21, 1455-1508.

Tableau 12.1	Primes de risque historiques du CAC 40* et du S&P 500		
		1926-2015	**1965-2015**
Prime de risque du CAC 40 relativement aux…			
… taux du marché monétaire		4,9 %	3,8 %
… emprunts d'État de long terme		1,0 %	– 0,8 %
Prime de risque du S&P 500 relativement aux…			
… taux des Bons du Trésor 1 an		7,7 %	5,0 %
… taux des Bons du Trésor 10 ans**		5,9 %	3,9 %

* Données et calculs par David Le Bris.

** Basées sur la comparaison des rentabilités capitalisées sur une période de détention de 10 ans.

L'approche fondamentale. L'utilisation de données historiques pour estimer la prime de risque de marché souffre de deux inconvénients majeurs. D'une part, même lorsqu'on se fonde sur 50 années ou plus de données, l'erreur type de l'estimation reste importante (l'intervalle de confiance à 95 % de la rentabilité excédentaire du S&P 500 est de ±4,3 % sur la période 1926-2015). D'autre part, du fait de leur caractère rétrospectif, il n'est pas certain qu'elles soient représentatives des anticipations actuelles.

Une alternative consiste à adopter une approche fondamentale pour estimer cette prime. À partir de la prévision des flux de trésorerie futurs des entreprises, il est possible d'estimer la rentabilité espérée du marché en cherchant le taux d'actualisation qui correspond au niveau de l'indice de marché actuel. À l'aide par exemple du modèle de Gordon-Shapiro (chapitre 9), la rentabilité espérée du marché est égale à :

$$r_m = \frac{Div_1}{P_0} + g = \text{Rendement} + \text{Taux de croissance espéré du dividende} \qquad (12.4)$$

L'hypothèse de constance du taux de croissance espéré du dividende ne tient pas lorsqu'on considère une entreprise isolée, mais devient plus plausible au niveau du marché dans son ensemble. À titre d'exemple, le rendement offert par le CAC 40 est actuellement d'environ 4 %. Si on anticipe une croissance de 4 % des bénéfices et des dividendes des entreprises, la rentabilité espérée du marché est de 8 %. Un tel niveau est cohérent avec des primes de risque de marché futures comprises entre 3 et 5 %, ce qui est le cas pour la plupart des marchés développés[9].

12.3. L'estimation du bêta

Pour utiliser le MEDAF, après avoir défini le taux sans risque, il faut estimer le bêta du titre, à savoir la sensibilité de ses rentabilités par rapport à celles du marché. Le bêta mesure le risque systématique d'un titre et ne prend pas en compte le risque diversifiable. Pour un investisseur disposant d'un portefeuille diversifié, c'est donc la mesure de risque appropriée.

---

9. Pour les États-Unis : E. Fama et K. French (2002), « The Equity Premium », *Journal of Finance*, 57, 637-659 ; J. Siegel (2004), « The Long-Run Equity Risk Premium », *CFA Institute Conference Proceedings Points of Inflection: New Directions for Portfolio Management* ; L. Pastor, M. Sinha et B. Swaminathan (2008), « Estimating the Intertemporal Risk-Return Tradeoff Using the Implied Cost of Capital », *Journal of Finance*, 63, 2859-2097. Sur les autres marchés : J. Claus et J. Thomas (2001), « Equity Premia as Low as Three Percent? Evidence from Analysts' Earnings Forecasts for Domestic and International Stock Markets », *Journal of Finance*, 63, 1629-1666 ; D. Schroder (2007), « The Implied Equity Risk Premium – An Evaluation of Empirical Methods », *Kredit und Kapital*, 40(4), 583-613.

Estimation du bêta à partir de données historiques

Le bêta que l'on cherche est celui qui mesure la sensibilité des rentabilités futures du titre par rapport au risque de marché. En pratique, il est estimé à partir de données historiques. Cette approche est acceptable si le bêta est relativement constant au cours du temps, ce qui semble être le cas pour la plupart des entreprises.

De nombreux fournisseurs d'informations financières proposent des estimations des bêtas à partir de données historiques. En général, ces estimations reposent sur deux à cinq ans de données (104 données hebdomadaires ou 60 données mensuelles) et utilisent le CAC 40 pour représenter le portefeuille de marché. Le tableau 10.6 fournit les bêtas estimés des entreprises du CAC 40. Comme l'a montré le chapitre 10, les différences de bêtas reflètent les sensibilités différentes des profits des entreprises vis-à-vis de la conjoncture économique. Les valeurs financières ou le secteur automobile présentent des bêtas élevés (1,5 et plus) car leurs activités sont très influencées par le cycle économique : les ventes de voitures s'effondrent pendant les crises économiques. *A contrario*, la demande pour les biens de consommation courante est peu affectée par le cycle économique. Les entreprises telles que Danone ont des bêtas faibles (environ 0,5).

À titre d'exemple, la figure 12.1 compare les rentabilités mensuelles de LVMH – Moët Hennessy Louis Vuitton SA (MC.PA) et celles du CAC 40 au cours de la période 2005-2020. LVMH semble afficher des rentabilités élevées lorsque le marché monte et des rentabilités faibles lorsque le marché baisse. Globalement, les rentabilités de LVMH fluctuent dans le même sens que celles du CAC 40, et avec une amplitude comparable : le bêta de LVMH devrait être proche de 1.

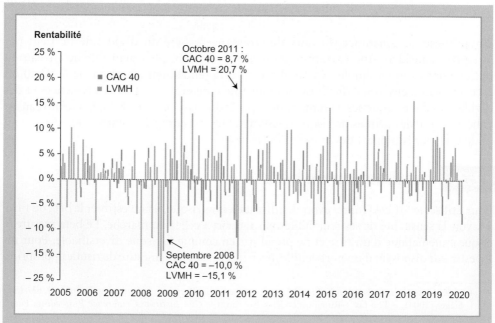

Figure 12.1 – Rentabilités mensuelles de LVMH et du CAC 40 sur la période 2005-2020

Les rentabilités de LVMH tendent à varier dans le même sens que le marché (CAC 40), en amplifiant les variations constatées.

Plutôt que de représenter chronologiquement les rentabilités de ces actifs, il est possible de mettre en évidence la sensibilité des rentabilités de LVMH par rapport à celles du CAC 40 en représentant sous forme de nuage de points la rentabilité excédentaire de LVMH en fonction de celle du CAC 40 (voir figure 12.2) : chaque point représente un couple de rentabilité excédentaire (CAC 40-LVMH) un mois donné entre 2005 et 2020. Par exemple, en septembre 2008, la rentabilité de LVMH a été de − 15,1 % tandis que celle du CAC 40 a été de − 10,0 % ; les taux des bons du Trésor s'établissaient à 4 % environ. La figure représente également la droite qui passe « au milieu » du nuage de points, résumant du mieux possible la relation linéaire existant entre les rentabilités excédentaires du CAC 40 (en abscisse) et celles de LVMH (en ordonnée). Il s'agit de la **droite d'ajustement des moindres carrés** : elle minimise la somme des carrés des écarts entre les points du nuage et la droite.

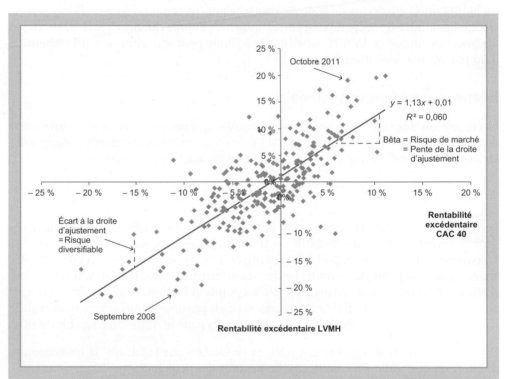

Figure 12.2 – Rentabilités excédentaires mensuelles de LVMH et du CAC 40 (2005-2020)

Le bêta de LVMH correspond à la pente de la droite des moindres carrés. Il mesure la modification espérée de la rentabilité excédentaire de LVMH pour une variation de + 1 % de la rentabilité excédentaire du portefeuille de marché. Les distances entre les points et la droite correspondent au risque diversifiable du titre LVMH.

Identification de la droite des moindres carrés

La forme du nuage de points témoigne d'une covariance positive entre les rentabilités des deux actifs. Grâce à la droite des moindres carrés, on s'aperçoit qu'une hausse de 10 % de la rentabilité du marché implique une hausse de la rentabilité de LVMH de 10 %

environ, car la pente de cette droite est approximativement de 1 : le bêta de LVMH sur cette période est donc proche de 1.

Le bêta d'un titre est égal à la pente de la droite des moindres carrés d'un graphique en nuage de points des rentabilités excédentaires du titre par rapport à celles du marché[10].

Le bêta mesure en effet la quantité de risque systématique d'un titre, et la droite des moindres carrés capte la part de la rentabilité du titre expliquée par le facteur de risque systématique (ou risque de marché) : un mois donné, les rentabilités de LVMH peuvent être éloignées de la droite, car les variations des rentabilités de LVMH ne sont pas complètement expliquées par les mouvements du marché (risque spécifique). Néanmoins, il existe une tendance commune entre les deux actifs, mesurée par la droite : c'est le risque de marché de LVMH. En moyenne, la distance entre les points et la droite est nulle : les points situés au-dessus de la droite contrebalancent ceux qui sont en dessous ; cela traduit bien l'idée d'indépendance entre l'influence du marché sur LVMH (la droite) et le risque spécifique de LVMH. Ce risque spécifique peut être éliminé par la détention d'un portefeuille bien diversifié.

Réaliser une régression linéaire

La **régression linéaire** est une technique statistique qui permet d'estimer les coefficients de la droite des moindres carrés à partir d'un nuage de points. Cette droite correspond à la décomposition de la rentabilité excédentaire d'un actif en trois éléments[11] :

$$\left(R_i - r_f\right) = \alpha_i + \beta_i\left(R_m - r_f\right) + \varepsilon_i \tag{12.5}$$

Le terme α_i représente la constante de la régression ; c'est l'ordonnée à l'origine de la droite. β_i correspond à la sensibilité du titre au risque systématique : si la rentabilité excédentaire du marché, $(R_m - r_f)$, augmente de 1 %, celle du titre variera de β_i %. Ce terme indique la **pente** de la droite. Le troisième terme, ε_i, est le **résidu** de la régression. Il mesure par conséquent la distance entre les points et la droite des moindres carrés, et est donc nul en moyenne. S'il ne l'était pas, il serait possible d'améliorer la qualité de la régression. Dans le cadre du MEDAF, ce résidu représente le risque diversifiable du titre.

On estime la droite des moindres carrés en se fondant sur le fait que la moyenne des résidus doit être nulle. En considérant l'espérance des deux membres l'équation (12.5), on a :

$$E\left[R_i\right] = \underbrace{r_f + \beta_i\left(R_m - r_f\right)}_{\substack{\text{Rentabilité espérée} \\ \text{du titre } i \text{ selon la SML}}} + \underbrace{\alpha_i}_{\substack{\text{Distance du titre } i \text{ à la SML} \\ \text{(positive ou négative)}}} \tag{12.6}$$

---

10. La fonction PENTE() d'un tableur permet de calculer précisément la pente de la droite des moindres carrés. Il est possible également d'afficher son équation en même temps que la courbe linéaire de tendance sur le graphique en nuage de points.

11. Lorsqu'on utilise les termes usuels de la statistique, la rentabilité excédentaire du titre représente la variable dépendante de la régression (y) et la rentabilité excédentaire du marché correspond à la variable indépendante (x).

La constante α_i mesure la performance passée du titre i par rapport à la performance *attendue* de ce titre (c'est-à-dire prédite par la SML). α_i correspond à la distance entre le titre et la SML. Si la distance est positive, cela signifie que, sur la période considérée, le titre a affiché une rentabilité supérieure à celle prédite par le MEDAF, et inversement. α_i s'apparente donc à une mesure de performance ajustée du risque d'un actif. Selon le MEDAF, α_i ne devrait par conséquent pas être significativement différent de zéro[12].

L'estimation du bêta de LVMH à partir de l'outil de régression linéaire d'Excel sur les données mensuelles de la période 2005-2020 donne 1,13 : les rentabilités de ce titre tendent à fluctuer autant que celles du marché. L'intervalle de confiance à 95 % de cette estimation est [0,98 ; 1,29]. Sous l'hypothèse de stabilité du bêta de LVMH au cours du temps, le bêta futur espéré de LVMH appartient à cet intervalle. Muni de cette estimation, on est en mesure d'estimer le coût des capitaux propres de LVMH.

Estimation du coût des capitaux propres à l'aide d'une régression linéaire

Le taux sans risque est de 3 % et la prime de risque de marché est estimée à 5 %. Étant donné l'intervalle de confiance à 95 % du bêta de LVMH, quel est celui du coût de ses capitaux propres ?

Solution

L'intervalle de confiance à 95 % du bêta de LVMH est [0,98 ; 1,29]. D'après l'équation du MEDAF, cela implique un intervalle pour ses capitaux propres compris entre 3 % + 0,98 × 5 % = 7,9 % et 3 % + 1,29 × 5 % = 9,4 %.

Exemple 12.2

L'alpha estimé de LVMH à partir de la régression est d'environ 1 %. Autrement dit, la rentabilité mensuelle moyenne de LVMH sur la période a été supérieure de 1 % à celle prédite par la droite du MEDAF (SML). L'erreur type de cette estimation est de 0,55 % : l'alpha de LVMH n'est donc pas significativement différent de zéro au seuil de 95 %. Toutefois, les estimations d'alpha, comme celles de rentabilités espérées, nécessitent des régressions sur des périodes longues pour être statistiquement fiables. De plus, les alphas estimés ne sont pas stables au fil du temps. Par conséquent, bien que le titre LVMH ait eu une rentabilité supérieure à celle prédite par la SML sur la période 2005-2020, rien n'assure qu'il en sera de même à l'avenir. Cette section a présenté la principale méthodologie pour estimer le risque de marché d'un titre. Les techniques de prévision des bêtas ainsi que leur mise en œuvre sont exposées en annexe de ce chapitre.

---

12. Lorsque α_i est interprété de cette façon, il prend le nom d'alpha de Jensen. L'utilisation de cette régression en tant que test du MEDAF a été proposée par F. Black, M. Jensen et M. Scholes (1972), « The Capital Asset Pricing Model: Some Empirical Tests », *in* M. Jensen (éd.), *Studies in the Theory of Capital Markets*, Praeger.

Le bêta d'un actif, nécessaire au calcul de sa rentabilité espérée, est estimé à partir de données historiques. La question est alors : pourquoi ne pas estimer la rentabilité espérée d'un actif directement à partir de la moyenne de ses rentabilités historiques ?

Ce serait simple et direct, mais cette méthode pose un problème statistique : le chapitre 10 a montré que la précision de l'estimation d'une rentabilité espérée à partir de l'historique de rentabilités dépend de son erreur type. À titre d'exemple, même avec 100 années de données, une action ayant une volatilité de 30 % aura une erreur type de $30\ \%/\sqrt{100} = 3\ \%$. L'intervalle de confiance à 95 % autour de la rentabilité moyenne espérée a donc une largeur d'environ 12 %. Autant dire que la précision de cette estimation est faible. Et encore, il existe peu d'entreprises pour lesquelles on dispose de 100 années de données. Même dans ce cas, l'entreprise d'aujourd'hui ne ressemblerait que très peu à celle d'il y a 100 ans.

Au contraire, il est possible d'estimer un bêta de manière relativement précise avec seulement deux années de données (hebdomadaires). Au moins en théorie, le MEDAF permet donc d'obtenir une estimation de la rentabilité espérée d'un titre bien plus précise que si l'on s'appuyait sur ses rentabilités historiques.

12.4. Le coût de la dette

Dans les sections précédentes, le MEDAF a permis d'estimer le coût des capitaux propres d'une entreprise. De même, cette section présente les principales méthodes pour estimer le **coût du capital de la dette**. Cela permettra ensuite d'évaluer le coût du capital d'un projet d'investissement.

Rentabilité à l'échéance et rentabilité espérée

La rentabilité à l'échéance (TRE) d'une obligation correspond au TRI qu'obtient un investisseur en la détenant jusqu'à l'échéance, et donc en recevant les flux promis par le titre (voir chapitre 6). Sous l'hypothèse d'absence de risque de défaut, le TRE d'une obligation peut donc être utilisé pour estimer la rentabilité espérée des créanciers. Par contre, si le risque de défaut sur les engagements de la firme vis-à-vis de ses créanciers est élevé, celui-ci surestime la rentabilité espérée de ces investisseurs.

Cette section montre que le TRE de la dette d'une entreprise correspond à la rentabilité *promise* en cas d'absence de défaut. La rentabilité espérée des créanciers est en général moins élevée quand le risque de défaut est pris en compte. Il est tout de même courant que le coût du capital de la dette soit approché par son TRE. Cela constitue une estimation raisonnable si la dette présente un risque de défaut très faible. Si celui-ci est élevé, le TRE surestime largement la rentabilité espérée des détenteurs de dette et donc le coût de la dette.

...

...

À titre d'exemple, considérons l'obligation notée B d'Alcatel-Lucent émise le 7 avril 2004 et d'échéance au 7 avril 2014 (taux de coupon de 5,19 %). Au 10 avril 2009, son TRE coté sur le marché était de 24,017 %. Étant donné le risque de défaut important sur cette dette (au cœur de la crise financière), ce taux surestimait largement la rentabilité espérée des investisseurs. Ce TRE a ensuite diminué pour atteindre un point bas à 5,133 % le 10 février 2011.

Une autre analyse consiste à appliquer le MEDAF. Si on considère un taux sans risque de 2 % et une prime de risque de marché de 5 %, une rentabilité espérée de 24 % induit un bêta pour cette dette supérieur à 4, soit plus de deux fois le bêta des actions de cette entreprise, qui sont pourtant plus risquées ! Les méthodes décrites dans cette section permettent une bien meilleure estimation du coût de la dette d'Alcatel-Lucent.

Afin de comprendre le lien entre la rentabilité à l'échéance de la dette et sa rentabilité espérée, on considère une obligation dont le TRE vaut y et qui arrive à échéance dans un an. Pour chaque euro investi dans cette obligation aujourd'hui, cette dernière offre la promesse de verser $(1 + y)$ € dans un an. On suppose que cette obligation fera défaut avec une probabilité p. Dans ce cas, le détenteur de ce titre ne recevra que $(1 + y - L)$ €, où L représente la perte espérée pour chaque euro investi dans le titre en cas de défaut. La rentabilité espérée de cette obligation est donc[13] :

$$r_D = (1 - p)\, y + p\, (y - L) = y - pL$$
$$= \text{TRE} - \text{Prob (défaut)} \times \text{Perte espérée en cas de défaut} \qquad (12.7)$$

Le tableau 12.2 présente les taux de défaut moyens observés en fonction de la note des obligations ainsi que leurs valeurs maximales lors des périodes de crise économique. Afin de bien comprendre l'influence de ce facteur sur la rentabilité espérée d'un détenteur d'obligation, il est à noter que la perte espérée en cas de défaut atteint 60 % par exemple dans le cas des dettes subordonnées[14]. Cela signifie que les détenteurs d'une obligation notée B ont une rentabilité espérée inférieure à la rentabilité « apparente » (cotée sur le marché) de 3,21 % × 0,60 = 1,93 %. Le TRE d'une obligation constitue donc une estimation fiable de leur rentabilité espérée uniquement pour les titres dont la probabilité de défaut est faible (notés Baa ou mieux).

| **Tableau 12.2** | Taux de défaut moyens en fonction de la notation de la dette (2000-2019) |

Notation	Aaa	Aa	A	Baa	Ba	B	Caa
Au bout d'un an	0,00 %	0,02 %	0,06 %	0,17 %	0,85 %	3,21 %	9,52 %
En période de récession	0,00 %	0,10 %	0,19 %	0,63 %	1,58 %	5,34 %	22,59 %

Source : « Corporate Defaults and Recovery Rates », Moody's Investor Services, 2020.

---

13. Bien que cette équation ait été dérivée pour une obligation qui échoit dans un an, celle-ci reste valable pour toute maturité du titre sous l'hypothèse de la constance du TRE, de la probabilité de défaut et du taux de recouvrement en cas de défaut ; ce dernier étant égal à $1 - L$, la perte espérée en cas de défaut pour 1 € investi.

14. Ce qualificatif désigne les obligations « non sécurisées » dont l'émission n'est attachée à aucun collatéral. En cas de défaut, ces obligations ne sont remboursées qu'après celui des créanciers privilégiés titulaires de dette dite senior.

Bêtas de la dette

De manière alternative, le coût de la dette peut être estimé à l'aide du MEDAF. En théorie, il serait possible de calculer les bêtas d'une dette à l'aide de ses rentabilités historiques à l'instar de l'estimation des bêtas des capitaux propres. Toutefois, la liquidité des titres de dette est souvent faible (obligations privées) voire presque nulle (dette bancaire). Les données de rentabilité des titres de dette ne sont donc pas assez fiables pour effectuer ces calculs. Un autre moyen consiste à estimer les bêtas de la dette à partir des prix des actions (voir chapitre 21). Il est aussi possible de se fonder sur les bêtas des indices obligataires construits selon la note de crédit des obligations qui les constituent (tableau 12.3). Le tableau 12.3 montre que les bêtas de la dette tendent à être faibles bien qu'ils augmentent avec le risque de défaut et l'échéance.

Tableau 12.3	Bêtas moyens de la dette selon sa note de crédit et sa maturité			
Notation	**A et au-dessus**	**BBB**	**BB**	**B**	**CCC**
Bêta moyen	< 0,05	0,10	0,17	0,26	0,31
Maturité (note BBB et au-dessus)	**1-5 ans**	**5-10 ans**	**10-15 ans**	**15 ans et plus**
Bêta moyen	0,01	0,06	0,07	0,14

* Ces bêtas correspondent à des bêtas moyens pour l'ensemble des secteurs d'activité. Or, les bêtas de la dette devraient tenir compte de l'exposition au risque de marché nécessairement différente selon les secteurs d'activité. Une méthode simple pour circonvenir ce problème consiste à ajuster les bêtas du tableau 12.3 en les multipliant par les bêtas des capitaux propres moyens des différents secteurs (figure 12.4).

Source : S. Schaefer et I. Strebulaev (2009), « Risk in Capital Structure Arbitrage », *Stanford GSB working paper.*

Exemple 12.3

Estimer le coût de la dette

En janvier 2014, l'obligation Lafarge 4,75 %, 30/09/2020, notée Ba (ou BB), affichait un TRE de 3,6 %. Le taux sans risque était de 1,6 %. En considérant que la prime de risque de marché est de 4,1 %, quelle était la rentabilité espérée des détenteurs de cette dette ?

Solution

La note de crédit de Lafarge était relativement basse, ce qui témoigne d'un risque de défaut non négligeable. Le TRE coté surestime vraisemblablement la rentabilité espérée des créanciers. À partir de l'estimation moyenne du risque de défaut à un an sur les obligations notées Ba du tableau 12.2, et en supposant que la perte en cas de défaut est de 40 %, l'équation (12.7) donne une estimation du coût de cette dette de :

$$r_D = y - pL = 3,6\ \% - 0,85\ \% \times 60\ \% = 3,1\ \%$$

Alternativement, à partir du MEDAF et du bêta estimé de cette dette à partir du tableau 12.3, son coût estimé est :

$$r_D = r_f + \beta_D \times (E[R_m] - r_f) = 1,6\ \% + 0,17 \times 4,1\ \% = 2,3\ \%$$

Bien que ces estimations revêtent un caractère approximatif, elles témoignent toutes les deux d'un coût de la dette de Lafarge bien plus faible que le TRE de cette obligation.

Les deux méthodes présentées dans cette section ne constituent que des approximations du vrai coût de la dette : la prise en compte d'informations plus précises sur le risque de défaut et le taux de recouvrement en cas de défaut améliorerait sensiblement l'estimation. On a aussi considéré le coût de la dette du point de vue d'un investisseur extérieur à l'entreprise. Or, le coût de la dette du point de vue de l'entreprise est inférieur du fait de la déductibilité fiscale des intérêts. La section 12.6 prendra en compte cet élément.

12.5. Le coût du capital d'un projet

Jusque-là, face à un choix d'investissement, on considérait le coût du capital comme donné (chapitre 8). À l'aide des outils développés dans les sections précédentes, il est désormais possible de l'estimer. On continue toutefois de supposer que la décision d'investissement est indépendante de la décision de financement. Cela revient à supposer que le projet est entièrement financé par capitaux propres, et donc qu'il ne nécessite pas l'émission d'une nouvelle dette. Les effets liés aux différentes formes de financement seront examinés à la section 12.6.

Que ce soit pour estimer le coût des capitaux propres ou le coût de la dette d'une entreprise, nous nous sommes basés sur des données historiques. Cette approche ne peut toutefois pas être utilisée pour calculer le coût du capital d'un *nouveau* projet. La méthode la plus répandue consiste à estimer le bêta d'un projet à partir de ceux des entreprises comparables opérant sur un marché similaire. En fait, l'entreprise qui lance le projet considéré fait partie de ces entreprises comparables. Dans certains cas, c'est même la seule entreprise comparable. Le coût des capitaux propres de ces entreprises peut constituer une bonne approximation du coût du capital du projet.

Les comparables financés uniquement par capitaux propres

Le cas le plus simple se présente lorsqu'il existe des entreprises comparables uniquement financées par capitaux propres (entreprises non endettées) qui opèrent dans une branche d'activité unique et identique à celle du projet considéré. Comme ces entreprises ne sont financées que par capitaux propres, détenir des actions de ces dernières revient à détenir un portefeuille composé de leurs actifs. Aussi, si les actifs de ces entreprises ont un risque de marché comparable à celui du projet en question, le bêta des capitaux propres de celles-ci représente une bonne estimation du bêta du projet.

L'estimation du bêta d'un projet à partir d'une entreprise monoproduit

Vous envisagez de vous lancer dans la création d'un site internet concurrent de 1000mercis.com, spécialisé dans l'organisation d'enterrement de vie de garçon/jeune fille. Afin de construire votre *business plan*, vous souhaitez estimer le coût du capital de ce projet en supposant un taux sans risque de 3 % et une prime de risque de marché de 5 %. 1000mercis n'a pas de dette et son bêta vaut 0,59.

…

Exemple 12.4

...

Solution

Le coût du capital de ce projet est :

$$r_{\text{projet}} = r_f + \beta_{1000\text{mercis}} \times (E[R_m] - r_f) = 3\ \% + 0,59 \times 5\ \% = 5,95\ \%$$

Ainsi en supposant que le risque de marché de votre projet est analogue à celui de 1000mercis, le coût du capital estimé de votre projet ressort à 5,95 %. En d'autres termes, plutôt que d'investir dans votre projet, vous pourriez le faire directement en achetant les actions 1000mercis. Étant donné cette alternative, votre projet se doit d'avoir une rentabilité espérée au moins égale à celle des actions de 1000mercis.

Les comparables endettés

Le cas de comparables endettés est un peu plus compliqué. Dans ce cas, les flux de trésorerie disponibles vont à la fois aux actionnaires et aux créanciers. Par conséquent, la rentabilité des capitaux propres n'est pas représentative de celle de ses actifs : une entreprise endettée est plus risquée pour ses actionnaires. Le bêta des capitaux propres d'une telle entreprise ne sera alors pas une bonne estimation du bêta de ses actifs et donc du projet considéré.

Comment peut-on estimer le bêta des actifs d'entreprises comparables dans ce cas ? La figure 12.3 montre qu'il est possible de créer synthétiquement un droit sur les actifs d'une entreprise en détenant simultanément une partie de sa dette et de ses capitaux propres. En possédant un portefeuille composé de ces deux types de titres (actions et obligations) selon des pondérations adéquates, un investisseur aura droit à (une partie de) l'ensemble des flux monétaires disponibles issus des actifs de cette entreprise. La rentabilité de ses actifs correspond alors à celle de ce portefeuille. De la même manière, le bêta de ses actifs est égal à celui de ce portefeuille.

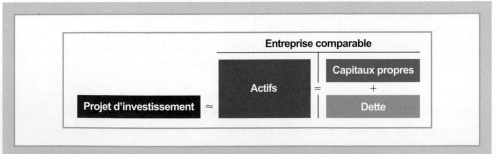

Figure 12.3 – Utilisation d'une entreprise endettée comme comparable pour mesurer le risque d'un projet

L'identification d'une entreprise endettée, dont le risque de marché des actifs est comparable à celui du projet considéré, permet d'estimer le coût du capital de ce dernier à partir de celui d'un portefeuille composé de dette et de capitaux propres de cette entreprise.

Le coût du capital à endettement nul

Comme le chapitre 11 l'a montré, la rentabilité espérée d'un portefeuille de titres est égale à la moyenne pondérée des rentabilités espérées des actifs qui le composent, où les pondérations correspondent à la valeur de marché relative de ces actifs. Par conséquent, le **coût du capital de l'actif** d'une entreprise, autrement appelé **coût du capital à endettement nul**, qui représente la rentabilité espérée des actifs de cette entreprise exigée par ses investisseurs, correspond à la moyenne pondérée des coûts de sa dette et de ses capitaux propres :

$$
\begin{pmatrix} \text{Coût du capital à} \\ \text{endettement nul ou} \\ \text{coût du capital} \\ \text{de l'actif} \end{pmatrix} = \begin{pmatrix} \text{Proportion de} \\ \text{la valeur} \\ \text{de l'entreprise} \\ \text{financée par} \\ \text{capitaux propres} \end{pmatrix} \times \begin{pmatrix} \text{Coût des} \\ \text{capitaux} \\ \text{propres} \end{pmatrix} + \begin{pmatrix} \text{Proportion de} \\ \text{la valeur} \\ \text{de l'entreprise} \\ \text{financée} \\ \text{par dette} \end{pmatrix} \times \begin{pmatrix} \text{Coût de} \\ \text{la dette} \end{pmatrix}
$$

Si on note V_{CP} et V_D les valeurs respectives totales des capitaux propres et de la dette d'une entreprise comparable et r_{CP} et r_D leurs coûts associés, le coût du capital de l'actif (ou coût du capital à endettement nul) de cette entreprise, r_U, est[15] :

Coût du capital de l'actif ou endettement nul

$$
r_U = \frac{V_{CP}}{V_{CP} + V_D}\, r_{CP} + \frac{V_D}{V_{CP} + V_D}\, r_D \tag{12.8}
$$

Bêta à endettement nul. Comme le bêta d'un portefeuille n'est que la somme pondérée des bêtas des titres qui le composent, une équation similaire permet de déterminer le bêta de l'actif d'une entreprise (ou encore son bêta à endettement nul) et donc celui du projet considéré :

Bêta de l'actif ou bêta à endettement nul

$$
\beta_U = \frac{V_{CP}}{V_{CP} + V_D}\, \beta_{CP} + \frac{V_D}{V_{CP} + V_D}\, \beta_D \tag{12.9}
$$

Coût du capital à endettement nul

Une entreprise souhaite lancer un nouveau biscuit. Elle identifie Danone (BN) comme l'entreprise la plus représentative de son projet. La capitalisation boursière de Danone est de 40 milliards d'euros avec un bêta de 0,5. La dette de Danone, notée BBB, s'élève à 20 milliards d'euros avec un TRE moyen de 4 %. Calculez le coût du capital de ce projet en supposant un taux sans risque de 2,5 % et une prime de risque de 5 %.

...

Exemple 12.5

---

15. Cette formule fait l'hypothèse que l'entreprise maintient un levier constant, de telle sorte que les pondérations $V_{CP}/(V_{CP} + V_D)$ et $V_D/(V_{CP} + V_D)$ sont fixes. Les équations (12.8) et (12.9) sont alors valides, y compris en présence d'impôts. Le chapitre 18 traite en détail le cas où le levier de l'entreprise se modifie au cours du temps.

...

Solution

Investir dans ce projet revient à investir dans les actifs de Danone en détenant une part de sa dette et de ses capitaux propres. Le coût du capital du projet peut donc être déterminé à partir du coût du capital à endettement nul de Danone. Si l'on recourt au MEDAF, le coût des capitaux propres de Danone est :

$$r_{BN} = r_f + \beta_{BN} \times (E[R_m] - r_f) = 2,5\ \% + 0,5 \times 5\ \% = 5\ \%$$

Le coût de la dette peut être estimé à l'aide de son TRE moyen, soit 4 %. Par conséquent, d'après l'équation (12.8), le coût du capital à endettement nul de Danone est :

$$r_U = \frac{40}{40 + 20} \times 5\ \% + \frac{20}{40 + 20} \times 4\ \% = 4,67\ \%$$

Alternativement, on peut utiliser le MEDAF à partir du bêta à endettement nul de cette entreprise, lequel vaut d'après l'équation (12.9) :

$$\beta_U = \frac{40}{40 + 20}\, 0,5 + \frac{20}{40 + 20}\, 0 = 0,33$$

Le coût du capital à endettement nul de Danone selon cette méthode ressort à :

$$r_U = r_f + \beta_U \times (E[R_m] - r_f) = 2,5\ \% + 0,33 \times 5\ \% = 4,17\ \%$$

Danone étant une entreprise de risque comparable au projet, le coût du capital du projet correspond à celui à endettement nul de Danone : il est donc compris entre 4,17 % et 5 %. Les deux méthodes n'aboutissent pas au même résultat. C'est dû au fait que, dans le premier cas, on a supposé que le coût de la dette était égal au TRE moyen de la dette de Danone alors que, dans le second, on a fait l'hypothèse que le bêta de sa dette était nul, ce qui revient à la considérer comme sans risque et donc à valoriser son coût au taux sans risque. Or, on sait que le TRE constitue un majorant du vrai coût de la dette (voir section 12.4) ; de même, le taux sans risque représente un minorant de celui-ci. Le vrai coût de la dette de Danone est donc situé au milieu de ces deux bornes tout comme le coût du capital du projet l'est par rapport aux deux méthodes présentées pour le calculer.

Trésorerie et dette nette. Dans certains cas, les entreprises possèdent une trésorerie largement excédentaire par rapport à leurs besoins opérationnels. Cette réserve s'apparente à un actif sans risque dans le bilan de l'entreprise et réduit donc d'autant le risque des actifs de celle-ci. Or, le risque qui devrait être pris en compte est celui des actifs opérationnels de l'entreprise. Autrement dit, il s'agit du risque lié à la *valeur économique de l'entreprise* défini au chapitre 2 comme la valeur de marché des capitaux propres additionnée de celle de la dette auxquels on soustrait la trésorerie. Le levier de l'entreprise est alors mesuré par rapport à sa **dette nette** :

$$\text{Dette nette} = \text{Dette totale} - \text{Trésorerie et autres titres sans risque} \qquad (12.10)$$

L'intuition derrière l'utilisation de la dette nette plutôt que la dette totale provient de ce que si l'entreprise détient 1 € en trésorerie et possède une dette sans risque de 1 €, alors les intérêts respectivement reçus et versés sur ces deux éléments se compensent exactement. On aboutirait alors à une situation où l'entreprise en question n'aurait ni dette ni trésorerie[16].

Si une entreprise possède une trésorerie supérieure à sa dette, la dette nette devient négative. Dans ce cas, son bêta à endettement nul, et donc son coût du capital, sera supérieur au bêta de ses capitaux propres, lesquels sont moins risqués que les actifs de l'entreprise du fait de cette trésorerie disponible (à bêta nul).

Trésorerie excédentaire et bêta

Début 2008, Microsoft avait une capitalisation boursière de 716 milliards de dollars, une dette de 89 milliards de dollars et une trésorerie de 133 milliards de dollars. Sachant que le bêta estimé de ses capitaux propres était de 1,04, calculez le bêta de ses actifs.

Solution

Microsoft avait une dette nette de – 44 milliards de dollars. Par conséquent, sa valeur économique est de 716 – 44 = 672 milliards de dollars, ce qui correspond à la valeur de ses actifs à laquelle la trésorerie est soustraite. Si l'on suppose que Microsoft peut placer sa trésorerie au taux sans risque, le bêta de ses actifs (ou bêta de sa valeur économique) est :

$$\beta_U = \frac{V_{CP}}{V_{CP} + V_D} \beta_{CP} + \frac{V_D}{V_{CP} + V_D} \beta_D = \frac{716}{716 - 44} \times 1,04 + \frac{-44}{25 - 44} \times 0 = 1,11$$

Les capitaux propres de Microsoft sont donc moins risqués que ses actifs opérationnels du fait de sa trésorerie largement positive.

Exemple 12.6

Bêtas des capitaux propres sectoriels

Puisque l'on sait désormais ajuster le bêta des entreprises pour tenir compte du levier, il est possible de combiner ces estimations de bêtas des actifs pour un même secteur d'activité. Cela réduit d'autant le risque d'erreur dans l'estimation du bêta d'un projet à partir des bêtas des actifs des entreprises comparables.

---

16. La valeur d'une entreprise, *V*, peut aussi être approchée comme un portefeuille composé de capitaux propres et de dette nette (la dette nette désigne la dette diminuée de la trésorerie excédentaire de l'entreprise) : $V = V_{CP} + V_D - Trésorerie$. Dans ce cas, les équations (12.8) et (12.9) peuvent être facilement réécrites en prenant en compte ce nouveau terme. Dans le cas de l'équation (12.9), on aurait :

$$\beta_U = \frac{V_{CP}}{V_{CP} + V_D - Trésorerie} \beta_{CP} + \frac{V_D}{V_{CP} + V_D - Trésorerie} \beta_D - \frac{Trésorerie}{V_{CP} + V_D - Trésorerie} \beta_T$$

En utilisant la dette nette plutôt que la dette totale moins la trésorerie, on obtient un bêta de la dette nette qui n'est qu'une moyenne pondérée des bêtas de ces deux éléments.

Estimation du bêta de l'actif d'un secteur d'activité

On considère les données suivantes pour quelques entreprises européennes de la grande distribution : bêta des capitaux propres, ratio dette nette sur valeur économique de l'entreprise ($V_D/(V_D + V_{CP})$), et note moyenne de la dette. Estimez les bêtas de l'actif, moyen et médian, de ce secteur d'activité.

Entreprise	Code (*ticker*)	Bêta des capitaux propres	$V_D/(V_D + V_{CP})$	Note de la dette
Ahold	AH.AMS	0,52	0,15	BBB
Carrefour	CA.PA	1,00	0,35	BBB
Casino	CO.PA	0,64	0,62	BB
Delhaize Group	DELB.BR	0,48	0,34	BB
Metro	MEO.DE	1,34	0,45	BBB

Solution

Sachant que le ratio $V_D/(V_D + V_{CP})$ représente la part de l'actif financée par dette, $(1 - V_D/(V_D + V_{CP}))$ représente la part financée par capitaux propres. Lorsqu'on utilise les données sur les bêtas de la dette en fonction de la note de crédit (tableau 12.3), le bêta de l'actif de chaque entreprise est calculé à l'aide de l'équation (12.9). Par exemple, dans le cas de Carrefour, on a :

$$\beta_U = \frac{V_{CP}}{V_{CP} + V_D} \beta_{CP} + \frac{V_D}{V_{CP} + V_D} \beta_D = (1 - 0,35) \times 1,00 + 0,4 \times 0,1 = 0,69$$

Ce même calcul effectué pour l'ensemble des entreprises donne :

Code (*ticker*)	Bêta des capitaux propres	$V_D/(V_D + V_{CP})$	Note de la dette	Bêta de la dette	Bêta de l'actif
AH.AMS	0,52	0,15	BBB	0,10	0,46
CA.PA	1,00	0,35	BBB	0,10	0,69
CO.PA	0,64	0,62	BB	0,17	0,35
DELB.BR	0,48	0,34	BB	0,17	0,37
MEO.DE	1,34	0,45	BBB	0,10	0,78
				Moyenne	0,53
				Médiane	0,46

Les différences observées dans les bêtas des capitaux propres sont dues principalement aux différences de levier financier utilisé par ces entreprises. Les bêtas de l'actif sont bien plus proches, ce qui témoigne d'un risque de marché similaire dans ce secteur d'activité. En calculant un bêta moyen ou médian, on combine les estimations de ces bêtas de l'actif pour un ensemble d'entreprises comparables, ce qui réduit l'erreur d'estimation du bêta d'un projet d'investissement dans ce secteur.

La figure 12.4 présente les bêtas de l'actif des entreprises selon leur secteur d'activité. Les secteurs peu sensibles à la conjoncture économique et donc au risque de marché, tels que la santé, l'or ou les produits de luxe présentent des bêtas plus faibles et moins volatils que ceux issus des secteurs cycliques tels que le secteur technologique ou l'acier.

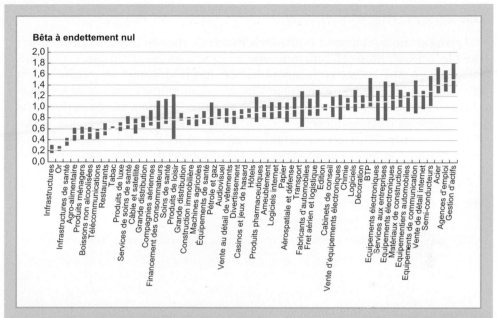

Figure 12.4 – Bêtas de l'actif des entreprises selon leur secteur d'activité (2018)

Les barres verticales désignent l'intervalle entre le bêta minimal et le bêta maximal de l'actif des entreprises du secteur d'activité considéré, la barre blanche représentant le bêta moyen du secteur. Les secteurs défensifs tels que la santé présentent des bêtas plus faibles que ceux des secteurs cycliques comme le secteur technologique.

Source : Calcul des auteurs à partir des données Capital IQ.

| Finance verte | **Coût du capital et responsabilité sociale** |

Avec un nombre croissant de prêteurs et d'investisseurs qui orientent leurs fonds en faveur de la transition énergétique, l'accès au capital pour les entreprises qui ignorent les préoccupations environnementales se complexifie. Le secteur du charbon est emblématique de ce point de vue : en France, la plupart des banques ont pris des engagements pour se désengager de ce secteur ; de nombreux investisseurs institutionnels font de même. Si la base d'investisseurs prêts à financer l'industrie charbonnière se réduit, cela peut faire augmenter son coût du capital. Et si l'accès à des financements compétitifs se réduit, il sera plus compliqué pour le secteur charbonnier de développer de nouveaux projets, car ceux-ci sont très capitalistiques.

...

...

Au plan théorique, comment expliquer la hausse du coût du capital des entreprises dont les activités nuisent à l'environnement ? Avec la montée du risque climatique, l'opprobre contre les entreprises dont les activités contribuent au réchauffement climatique augmente. Outre un risque d'image, ces entreprises risquent de voir leurs clients se détourner d'elles, d'être plus que les autres exposées à la hausse des prix de l'énergie ou d'être soumises à des contraintes réglementaires : la France a ainsi décidé de fermer ses dernières centrales à charbon en 2023, quoi qu'en pensent leurs propriétaires. Ces risques peuvent dégrader la solvabilité des entreprises concernées et augmenter le risque pour leurs actionnaires, d'où une augmentation de leur coût du capital. Plusieurs études empiriques[*] tendent d'ailleurs à démontrer l'existence d'un tel lien.

---

[*] C. Saka et T. Oshika (2014) « Disclosure effects, carbon emissions and corporate value », Sustainability Accounting, 5(1), 22-45.

12.6. Prise en compte du risque spécifique au projet et de son mode de financement

Jusqu'à présent, le coût du capital d'un projet d'investissement a été évalué à l'aide du bêta de l'actif des entreprises appartenant au même secteur d'activité. On a aussi supposé que le projet était uniquement financé par capitaux propres. Cette section montre comment prendre en compte les différences de risque et de mode de financement des projets d'investissement.

Les différences en termes de risque

Le bêta de l'actif d'une entreprise reflète le risque moyen de ses actifs. Mais les différents projets entrepris par une entreprise peuvent être plus ou moins sensibles au risque de marché. Le directeur financier qui évalue une opportunité d'investissement doit donc évaluer le risque du projet au regard de son exposition propre au risque de marché. Le groupe Bolloré par exemple est un conglomérat industriel et financier qui opère par l'intermédiaire de ses filiales et de ses participations dans des secteurs très divers allant des transports maritimes, de la distribution de produits pétroliers, à la finance en passant par la publicité et les télécommunications. Ces différentes activités présentent des bêtas très différents, comme en témoigne la figure 12.4. Le bêta de l'actif du groupe Bolloré reflète donc le risque moyen de ces dernières et ne doit par conséquent pas être utilisé dans le cadre de l'évaluation d'un projet touchant à un secteur d'activité particulier. C'est bien le bêta de l'actif des entreprises comparables à ce projet qu'il convient de considérer. Ainsi, dans le cas des entreprises opérant dans de multiples secteurs d'activité, il s'agit de trouver des comparables dont les activités sont monosectorielles pour chacune des branches de l'entreprise afin de pouvoir calculer le coût du capital.

Même lorsque les activités d'une entreprise sont concentrées dans un même secteur, il convient de porter une attention particulière à chaque projet. Par exemple, si Bouygues

Telecom fait l'acquisition d'un immeuble de bureaux, les flux de trésorerie issus de ce projet comprennent un risque de marché bien différent de son activité courante dans les réseaux de télécommunications. Le coût du capital pour évaluer ce projet est donc spécifique à celui-ci.

Le niveau du **levier d'exploitation** qui reflète la proportion des coûts fixes par rapport aux coûts variables constitue un autre facteur susceptible d'affecter le coût du capital d'un projet. Le bêta d'un projet, et donc son coût du capital, sera d'autant plus élevé que la part de ses coûts fixes est importante si l'on suppose que les variations de revenus d'exploitation du projet ne dépendent pas elles-mêmes de ce niveau de levier. Pour tenir compte de cet effet, il convient donc d'assigner aux projets, comprenant une proportion supérieure à la moyenne de coûts fixes, et donc dont les leviers d'exploitation sont supérieurs à ceux moyens des autres actifs, un coût du capital plus élevé.

Levier d'exploitation et bêta

On considère un projet de durée infinie dont les flux de trésorerie espérés annuels s'élèvent à 120 € et dont les coûts espérés sont de 50 €. Ces coûts sont variables de sorte que la marge opérationnelle du projet est constante au cours du temps. Le bêta du projet est de 1. Le taux sans risque et la rentabilité espérée du marché sont respectivement de 5 % et 10 %. Quelle est la valeur de ce projet ? Quels seraient le bêta et la valeur de ce projet dans le cas où ses revenus varient avec un bêta unitaire mais que ses coûts sont fixes à 50 € annuels ?

Exemple 12.8

Solution

Les flux de trésorerie espérés de ce projet sont de 120 – 50 = 70 € par an. Étant donné son bêta, le coût du capital du projet est de 5 % + 1 × (10 % – 5 %) = 10 %. Comme les coûts de ce projet sont variables et perpétuels, sa valeur est donc de 70 / 10 % = 700 €.

Si les coûts sont fixes, il convient de calculer la valeur du projet en actualisant séparément les revenus et les coûts. Les revenus ont toujours un bêta de 1, et donc un coût du capital de 10 %, et une valeur de 120 / 10 % = 1 200 €. Les coûts étant désormais fixes, ils doivent être actualisés au taux sans risque, de sorte que leur valeur actuelle est de 50 / 5 % = 1 000 €. La valeur du projet est par conséquent de 1 200 – 1 000 = 200 €.

Que devient le bêta du projet dans ce cas ? Le projet peut être assimilé à un portefeuille composé de ses revenus et de ses coûts. Son bêta est donc la somme pondérée des bêtas de ces deux éléments :

$$\beta_P = \frac{R}{R-C}\,\beta_R - \frac{C}{R-C}\,\beta_C = \frac{1\,200}{1\,200 - 1\,000} \times 1 - \frac{1\,200}{1\,200 - 1\,000} \times 0 = 6$$

Le coût du capital de ce projet est par conséquent : r = 5 % + 6 × (10 % – 5 %) = 35 %. On peut vérifier la cohérence de ce résultat en actualisant les flux de trésorerie espérés du projet à ce coût du capital : 70 / 35 % = 200 €. On retrouve bien la valeur calculée en séparant les coûts et les revenus. Comme l'illustre cet exemple, lorsque la proportion des coûts fixes par rapport aux coûts variables d'un projet augmente, le bêta du projet est plus élevé ce qui réduit sa valeur.

| **Erreur à éviter** | **Ajuster le bêta d'un projet en fonction du risque d'exécution** |

Lorsqu'une entreprise lance une nouvelle ligne de produits ou entreprend un nouveau projet, elle fait face à un **risque d'exécution** plus élevé. Il se matérialise par exemple par des retards de production ou des campagnes marketing inefficaces. Ce risque réduit donc potentiellement les flux de trésorerie du projet.

Les entreprises tiennent parfois compte de ce risque en augmentant le coût du capital des projets qui en comportent. Or, elles ne devraient pas puisque ces risques sont spécifiques à l'entreprise et sont donc diversifiables ! Intuitivement, un investisseur, qui détient les titres de nombreuses entreprises, diversifie ce type de risque. Le coût du capital d'un projet ne devrait dépendre que de sa sensibilité au risque de marché.

Cela ne veut pas dire qu'il faut ignorer ce risque. En fait, il convient de le prendre en compte dans les flux de trésorerie espérés du projet. Par exemple, si l'on prévoit qu'un projet générera un flux de trésorerie disponible de 100 € l'année prochaine mais que la probabilité de ne rien obtenir soit de 20 %, alors le flux de trésorerie espéré du projet n'est que de 80 €. Ainsi, bien que le coût du capital reste inchangé, la valeur actualisée du projet sera d'autant plus faible que le risque d'exécution est important.

Modes de financement et coût moyen pondéré du capital

À la section 12.5, on a supposé que le projet était entièrement financé à l'aide de capitaux propres. Que devient le coût du capital d'un projet si une entreprise le finance en partie par dette ?

La réponse à cette question constitue le sujet de la cinquième partie de cet ouvrage où l'ensemble des conséquences de la politique de financement d'une entreprise est étudié. Cette section se contente donc d'apporter les principaux éléments de réponse.

Marchés des capitaux parfaits. Lorsque les marchés de capitaux sont parfaits, c'est-à-dire lorsqu'il n'y a pas d'impôts, ni coûts de transaction, et aucune autre imperfection de marché, les décisions de financement et d'investissement sont indépendantes (chapitre 3). En d'autres termes, le choix de la politique de financement n'a aucune incidence sur le coût du capital d'un projet ou sa VAN ; cette dernière ne dépend que des flux de trésorerie disponibles générés par le projet. L'intuition derrière ce résultat est simple : lorsque les marchés sont concurrentiels, toutes les transactions financières sont de VAN nulle. Ces dernières n'affectent donc pas la valeur du projet.

La plus importante des imperfections de marché : l'impôt. Lorsqu'il existe des imperfections sur les marchés de capitaux, les décisions financières peuvent avoir un impact sur la valeur des projets d'investissement. La plus importante de ces « imperfections » est sans nul doute l'existence de l'impôt sur les sociétés, car les intérêts sont déductibles de cet impôt, ce qui rend le financement par dette attractif aux yeux des investisseurs. Comme l'a montré le chapitre 5, si l'on note r le taux d'intérêt de la dette et τ_{IS} le taux d'impôt sur les sociétés, le coût net de la dette s'écrit :

$$\text{Taux d'intérêt effectif après impôt} = r(1 - \tau_{IS}) \qquad (12.11)$$

Le coût moyen pondéré du capital. Comme on le verra au chapitre 15, lorsqu'une entreprise finance un projet d'investissement en s'endettant, elle bénéficie de la déductibilité des intérêts sur celle-ci. Afin de tenir compte de cet avantage dans la VAN d'un projet, il convient de calculer le coût du capital effectif après impôt, autrement appelé **coût moyen pondéré du capital** (**CMPC** ou **WACC** en anglais)[17].

Coût moyen pondéré du capital (CMPC)

$$r_{CMPC} = \frac{V_{CP}}{V_{CP} + V_D}\, r_{CP} + \frac{V_D}{V_{CP} + V_D}\, r_D\big(1 - \tau_{IS}\big) \qquad (12.12)$$

La différence entre le coût moyen pondéré du capital [équation (12.12)] et le coût du capital à endettement nul [équation (12.8)] provient de la seule prise en compte de la déductibilité des intérêts. De ce fait, le coût du capital à endettement nul est souvent appelé **CMPC avant impôt**. Voici les deux points principaux qui les distinguent :

- Le coût du capital à endettement nul (ou CMPC avant impôt) correspond à la rentabilité espérée des investisseurs qui détiennent l'actif de l'entreprise. Dans un monde avec impôt, il peut être utilisé pour évaluer tous les projets financés uniquement par capitaux propres et dont les risques sont identiques à celui de l'entreprise elle-même.

- Le coût moyen pondéré du capital (ou CMPC) coïncide avec le coût du capital effectif après impôt de l'entreprise. Comme les intérêts d'emprunt sont déductibles de l'impôt, le CMPC est inférieur à la rentabilité espérée de l'actif de l'entreprise. En présence d'impôt, le CMPC est utilisé pour évaluer les projets de mêmes risques que l'actif de l'entreprise et qui sont financés de manière identique à cette dernière.

La définition d'un levier financier cible permet de réécrire l'équation (12.12) en fonction de l'équation (12.8), et le CMPC devient :

$$r_{CMPC} = r_U - \frac{V_D}{V_{CP} + V_D} \times \tau_{IS} \times r_D \qquad (12.13)$$

Le CMPC est donc égal au coût du capital à endettement nul auquel on soustrait les économies d'impôt liées à la présence de dette. L'avantage de cette formule par rapport à la précédente est que l'on peut utiliser les estimations des bêtas de l'actif des entreprises appartenant au même secteur que le projet considéré pour calculer le CMPC[18]. Le chapitre 15 reviendra en détail sur le calcul du CMPC et sur les conséquences des décisions de financement des entreprises.

---

17. L'annexe du chapitre 18 fournit la démonstration de cette formule. L'équation (12.12) suppose que le taux d'intérêt de la dette (r_D) est égal à sa rentabilité espérée. Comme l'a montré ce chapitre, cela constitue une hypothèse raisonnable lorsque la dette est sans risque et qu'elle s'échange au pair. Si tel n'est pas le cas, le coût du capital après impôt de la dette peut être estimé plus précisément à l'aide de la formule suivante : $\big(r_D - \tau_{IS} \times \bar{r}_D\big)$ où $\bar{r}_D$ est le rendement courant de la dette, soit : $\bar{r}_D$ = Dernier intérêt versé / (Valeur de marché de la dette).

18. L'équation (12.13) présente un autre avantage : comme l'on s'en sert uniquement pour estimer l'avantage fiscal lié à la dette, on peut remplacer le taux d'intérêt de la dette, r_D, par son rendement courant, $\bar{r}_D$, lorsque celle-ci est risquée (note de bas de page précédente).

Estimation du CMPC

Michelon a une capitalisation boursière de 100 millions d'euros et une dette de 25 millions d'euros. Le coût des capitaux propres de cette entreprise est de 10 %, alors que le coût de sa dette s'établit à 6 %. Si le taux d'imposition sur les sociétés est de 25 %, quel est le coût du capital à endettement nul de Michelon ? Quel est son CMPC ?

Solution

Le coût du capital à endettement nul (ou CMPC avant impôt) de Michelon est :

$$r_U = \frac{V_{CP}}{V_{CP} + V_D} r_{CP} + \frac{V_D}{V_{CP} + V_D} r_D = \frac{100}{125} 0,1 + \frac{25}{125} 0,06 = 9,2\ \%$$

Ce coût est utilisé pour évaluer tous les projets d'investissement financés uniquement par capitaux propres et dont les risques sont identiques à ceux des actifs de Michelon.

D'après l'équation (12.12), le coût moyen pondéré du capital (ou CMPC) de Michelon est :

$$r_{CMPC} = \frac{V_{CP}}{V_{CP} + V_D} r_{CP} + \frac{V_D}{V_{CP} + V_D} r_D \left(1 - \tau_{IS}\right) = \frac{100}{125} 0,1 + \frac{25}{125} 0,06 \left(1 - 25\ \%\right) = 8,9\ \%$$

$$= r_U - \frac{V_D}{V_{CP} + V_D} \times r_D \times \tau_{IS} = 9,2\ \% - \frac{25}{125} \times 6\ \% \times 25\ \% = 8,9\ \%$$

On se sert de ce coût pour évaluer tous les projets d'investissement de mêmes risques que ceux des actifs de Michelon et dont la structure de financement est identique à celle de l'entreprise.

12.7. Conclusion sur l'utilisation du MEDAF

Ce chapitre a présenté les méthodes d'estimation du coût du capital d'un projet à partir du MEDAF. Il a été nécessaire non seulement d'opérer quelques approximations, mais aussi de poser un certain nombre d'hypothèses, et ce, sans compter celles qui sous-tendent le MEDAF lui-même. Les résultats obtenus dans ce chapitre sont-ils fiables ? Cela vaut-il la peine de procéder à tous ces calculs ?

Bien qu'il soit impossible d'apporter des réponses définitives à ces questions, il est important de relativiser les critiques potentielles. Tout d'abord, les approximations qui sous-tendent le calcul du coût de capital d'un projet sont en pratique moins importantes que celles nécessaires pour déterminer les flux de trésorerie prévisionnels. Ensuite, ce modèle est simple d'utilisation et, de ce fait, robuste : seuls quelques paramètres clés sont nécessaires et ceux-ci sont relativement peu sensibles aux erreurs d'estimation. Par conséquent, bien qu'il soit relativement imprécis, les erreurs qu'il engendre sont faibles. En tous cas, elles sont bien plus faibles que celles générées par l'utilisation d'autres méthodes comme la moyenne des rentabilités historiques. Le MEDAF impose en outre une certaine discipline : là encore, c'est dû au faible nombre de paramètres qui relèvent d'hypothèses simples et qu'il est nécessaire de documenter précisément. Le modèle est ainsi moins sujet aux manipulations que ce qui prévaudrait dans le cas où l'on choisirait le coût du capital d'un projet sans le justifier clairement. Et comme le MEDAF est un modèle très largement utilisé, il est probable que les décisions des dirigeants coïncident avec ce que les investisseurs auraient eux-mêmes décidé. Enfin, et c'est sans doute le plus important, même si le MEDAF n'est pas exact, il reste un modèle tout à fait juste dans son interprétation des facteurs de risque devant être rémunérés. Les dirigeants d'entreprises cotées ne devraient pas se soucier du risque diversifiable puisque leurs actionnaires peuvent facilement l'éliminer en diversifiant leurs propres portefeuilles. Ils doivent par contre rémunérer ces derniers pour le risque systématique des décisions qu'ils prennent.

Ainsi, il existe suffisamment de bonnes raisons de recourir au MEDAF pour estimer le coût du capital d'un projet. Il est de notre point de vue tout à fait valable au regard de sa facilité d'utilisation et d'implémentation, notamment lorsqu'on le compare à d'autres modèles plus sophistiqués (présentés au chapitre 13). Il n'est donc pas surprenant d'observer qu'il reste, plus de 40 ans après sa formulation, le modèle dominant utilisé par la plupart des praticiens pour évaluer le coût du capital[19].

Si le MEDAF constitue une approche adéquate dans l'évaluation de la décision d'investissement pour une entreprise, qu'en est-il du point de vue des investisseurs ? Par exemple, la détention du portefeuille de marché représente-elle vraiment la meilleure stratégie d'investissement ? Pourraient-ils obtenir une meilleure performance en transigeant sur les annonces d'entreprise ou en déléguant la gestion de leurs fonds à un professionnel ? Ces questions sont l'objet du chapitre 13.

Entretien	**Xavier Girre, directeur financier d'EDF**

Xavier Girre est directeur exécutif Groupe en charge de la direction financière d'EDF. Il est également administrateur et président du comité d'audit de la Française des Jeux.

Comment le coût du capital est-il déterminé chez EDF ?

EDF utilise le modèle standard du MEDAF pour calculer le coût du capital approprié pour ses projets d'investissement. Nous calculons un coût du capital adapté à chaque métier, pour tenir compte des différences de risque entre projets. Supposer que des investissements régulés – dans la distribution d'électricité par exemple – présentent le même risque systématique que des investissements exposés aux prix de marché de l'électricité ne serait pas approprié. Au total, EDF distingue une dizaine d'activités et de niveaux de risque, et évalue le coût du capital concerné pour chaque pays dans lequel intervient le Groupe. Ces taux sont définis au niveau central de l'entreprise, pour s'assurer de la cohérence d'ensemble des investissements des différentes entités du Groupe.

...

---

19. D'après une enquête menée auprès de 400 directeurs financiers d'entreprises américaines, 70 % des entreprises utilisent le MEDAF pour évaluer le coût de leurs capitaux propres : J. Graham et C. Harvey (2001), « The Theory and Practice of Corporate Finance: Evidence from the Field », *Journal of Financial Economics*, 60, 187-243. Une autre étude américaine cite le chiffre de 85 % : R. F. Bruner, K. M. Eades, R. S. Harris et R. C. Higgins (1998), « Best Practices in Estimating the Cost of Capital: Survey and Synthesis », *Financial Practice and Education*, 8, 13-28. Il semble que l'utilisation du MEDAF soit moins fréquente en Europe qu'aux États-Unis, puisque seules 45 % des entreprises l'utilisent, la France étant dans la moyenne européenne (étude menée auprès de 313 directeurs financiers). Il n'en demeure pas moins que c'est le modèle le plus utilisé par les entreprises européennes : D. Brounen, A. de Jong et K. Koedijk (2004), « Corporate Finance in Europe: Confronting Theory With Practice », *Financial Management*, 33(4), 71-101.

…

Comment procédez-vous lorsqu'il s'agit d'une activité nouvelle pour EDF ?

Lorsque c'est possible, nous réalisons un *benchmark* avec des entreprises comparables au projet considéré, et nous réalisons une analyse économique détaillée pour conforter nos résultats. Lorsque nous ne trouvons pas de comparables, il faut procéder de manière qualitative ; la pratique et l'expérience remplacent les modèles : lorsque nous avons démarré une activité de gestion d'infrastructure de bornes de recharge de véhicules électriques, nous avons étudié en détail les risques systématiques auxquels le projet était exposé pour estimer le coût du capital approprié. Dans tous les cas, nous intégrons périodiquement le retour d'expérience des projets passés pour ajuster les coûts du capital de nos différents métiers.

Comment prenez-vous en compte les risques spécifiques d'un projet donné ?

Les risques spécifiques à un projet (dépassement de coûts, aléas techniques, etc.) sont pris en compte en scénarisant les flux de trésorerie futurs du projet. Certains projets sont néanmoins exposés à des risques difficiles à quantifier (notamment changement de réglementation ou risques technologiques). Dans ce cas, nous considérons les hypothèses les plus défavorables et mesurons la résistance du projet à ces hypothèses.

Les taux d'intérêt négatifs en Europe modifient-t-il la manière d'évaluer les opportunités d'investissement ?

Nous mettons régulièrement à jour les paramètres de calcul du MEDAF, car le contexte de marché évolue. La baisse des taux d'intérêt constatée depuis quelques années a donc fait baisser les coûts du capital utilisés par EDF. Nous avons également pu être amenés à augmenter les primes de risque prises en compte dans le modèle, ou à calculer des taux sans risque sur une période plus ou moins longue de façon à refléter de façon suffisamment prudente les taux de marché.

Résumé

12.1. Le coût des capitaux propres

- Étant donné le bêta d'un titre, il est possible d'estimer son coût du capital à l'aide de l'équation du MEDAF (SML) :

$$r_i = r_f + \underbrace{\beta_i \times \left(E\left[R_m - r_f \right] \right)}_{\text{Prime de risque du titre } i} \tag{12.1}$$

12.2. La construction du portefeuille de marché

- Afin d'utiliser le MEDAF, il convient (i) de construire le portefeuille de marché et (ii) d'estimer le bêta du titre, qui correspond à sa sensibilité aux variations de la rentabilité du portefeuille de marché.

- Le portefeuille de marché est un portefeuille pondéré par la capitalisation boursière de tous les titres qui s'échangent sur le marché. Selon le MEDAF, le portefeuille de marché est efficient.

- Dans un portefeuille pondéré par la capitalisation boursière, le montant investi dans chacun des titres est proportionnel à sa capitalisation boursière.

- Investir dans un portefeuille pondéré par la capitalisation boursière correspond à une forme passive de gestion de portefeuille, car sa composition n'est pas modifiée lorsque les prix des actifs qui le composent fluctuent.

- Comme le vrai portefeuille de marché est difficile, voire impossible, à construire, on utilise un portefeuille approchant, à savoir un indice de marché comme le CAC 40.

- Le taux sans risque de la SML devrait refléter la moyenne des taux sans risque, emprunteur et prêteur, sur le marché. Les praticiens choisissent souvent le taux sans risque qui correspond à leur horizon d'investissement à partir de la courbe des taux.

12.3. L'estimation du bêta

- Le bêta mesure la sensibilité d'un titre au risque de marché. Plus précisément, le bêta correspond à la modification espérée (en pourcentage) de la rentabilité du titre pour une variation de 1 % de la rentabilité du portefeuille de marché.

- On utilise les rentabilités historiques pour estimer le bêta. Il correspond à la pente de la droite des moindres carrés sur un graphique en nuage de points dans lequel chaque point représente le couple rentabilité excédentaire du marché-rentabilité excédentaire du titre sur une période de temps donnée (généralement le mois ou la semaine).

- L'ordonnée à l'origine de la droite des moindres carrés, ou encore la constante de la régression des rentabilités excédentaires du titre sur les rentabilités excédentaires du marché, correspond à l'alpha du titre. Il mesure la façon dont le titre a performé historiquement vis-à-vis de la SML.

- Au contraire de la moyenne historique des rentabilités, une estimation fiable du bêta ne nécessite que quelques années de données.

- Les bêtas apparaissent relativement stables au cours du temps, alors que les alphas ne le sont pas.

12.4. Le coût de la dette

- En raison du risque de défaut, le coût de la dette, qui correspond à la rentabilité espérée des détenteurs de dette, est inférieur à sa rentabilité à l'échéance, cette dernière s'apparentant à une rentabilité promise par le titre de dette.

- Étant donné les données annuelles de probabilité de défaut et d'espérance de perte en cas de défaut, le coût de la dette peut être estimé par l'équation suivante :

$$r_D = \text{TRE} - \text{Prob(défaut)} \times \text{Perte espérée en cas de défaut} \qquad (12.7)$$

- On peut utiliser le MEDAF pour estimer le coût de la dette. Il est cependant difficile d'estimer le bêta de la dette à partir des rentabilités espérées des titres obligataires à cause de leur manque de liquidité. En pratique, il est préférable d'estimer leur bêta à partir des notes de crédit de la dette.

12.5. Le coût du capital d'un projet

- Le coût du capital d'un projet peut être estimé à l'aide du coût des capitaux propres à endettement nul d'entreprises comparables qui opèrent dans le même secteur d'activité. Étant donné les valeurs de marché des capitaux propres et de la dette, le coût du capital à endettement nul est donné par :

$$r_U = \frac{V_{CP}}{V_{CP} + V_D}\, r_{CP} + \frac{V_D}{V_{CP} + V_D}\, r_D \qquad (12.8)$$

- Le bêta d'un projet peut être estimé à partir du bêta à endettement nul d'une entreprise comparable :

$$\beta_U = \frac{V_{CP}}{V_{CP} + V_D}\, \beta_{CP} + \frac{V_D}{V_{CP} + V_D}\, \beta_D \qquad (12.9)$$

- Une trésorerie positive réduit le bêta des capitaux propres. L'estimation du bêta à endettement nul requiert donc d'utiliser la dette nette qui correspond à la dette totale à laquelle est soustraite la trésorerie.

- L'erreur d'estimation du bêta d'un projet est réduite lorsque le bêta à endettement nul moyen (autrement appelé bêta de l'actif du secteur) est calculé à partir de ceux de plusieurs entreprises appartenant au même secteur d'activité que le projet considéré.

12.6. Prise en compte du risque spécifique au projet et de son mode de financement

- Le bêta de l'actif d'une entreprise ou d'un secteur d'activité reflète le risque de marché du projet d'investissement moyen de cette entreprise ou de ce secteur. Les projets d'investissement d'une entreprise peuvent être plus ou moins sensibles au risque de marché que le projet moyen d'une entreprise. Le levier d'exploitation est l'un des facteurs qui augmente le risque de marché d'un projet.

- Il ne faut pas corriger le coût du capital d'un projet des risques spécifiques de ces projets (tel le risque d'exécution). Ces risques affectent directement l'estimation des flux de trésorerie prévisionnels du projet.

- Le coût du capital à endettement nul peut être utilisé pour calculer le coût du capital d'un projet financé uniquement par capitaux propres. Si le projet est financé en partie par dette, le coût de la dette effectif après impôt est inférieur à la rentabilité espérée des détenteurs de dette. Dans ce cas, il convient d'utiliser le coût moyen pondéré du capital (CMPC) :

$$r_{CMPC} = \frac{V_{CP}}{V_{CP} + V_D}\, r_{CP} + \frac{V_D}{V_{CP} + V_D}\, r_D \left(1 - \tau_{IS}\right) \qquad (12.12)$$

- Le CMPC peut être calculé à partir du bêta de l'actif d'un secteur d'activité :

$$r_{CMPC} = r_U - \frac{V_D}{V_{CP} + V_D} \times \tau_{IS} \times r_D \qquad (12.13)$$

12.7. Conclusion sur l'utilisation du MEDAF

- Bien que le MEDAF soit un modèle imparfait, il est simple à utiliser, robuste et difficile à manipuler ; il souligne en outre l'importance du risque de marché. De ce fait, il demeure la méthode la plus répandue pour évaluer les décisions d'investissement.

Annexe – Les aspects pratiques liés à la prévision du bêta

La section 12.3 a montré que l'estimation du bêta s'obtient en régressant les rentabilités excédentaires du titre sur celles du portefeuille de marché. Plusieurs points nécessitent d'être précisés afin de rendre cette méthode pleinement opérationnelle. Il reste à choisir (i) l'horizon temporel utilisé pour effectuer cette régression ainsi que la fréquence des observations, (ii) l'indice de marché qui représente le portefeuille de marché, (iii) la méthode pour extrapoler le bêta obtenu sur les données passées en un bêta futur, (iv) la façon de traiter les données aberrantes.

L'horizon temporel

Lorsqu'on estime le bêta grâce aux rentabilités historiques d'un titre, on fait face à un arbitrage entre la quantité de données que l'on souhaite utiliser et leur représentativité. Si l'horizon temporel est trop court, l'estimation du bêta ne sera pas fiable car l'estimateur des moindres carrés n'est convergent qu'asymptotiquement. Toutefois, si on se fonde sur des données trop anciennes, on court le risque de s'appuyer sur des rentabilités très peu représentatives du risque de marché actuel et donc des rentabilités futures du titre. Pour les actions, la pratique courante consiste à utiliser deux années de données hebdomadaires ou cinq années de données mensuelles[20].

Le portefeuille représentatif du marché

Le MEDAF suppose que le bêta d'un titre est mesuré relativement au portefeuille de marché qui contient tous les titres risqués disponibles sur le marché. En pratique cependant, on utilise un indice boursier suffisamment large comme le CAC 40 en France ou le S&P 500 aux États-Unis. D'autres indices plus larges comme le CAC All-Tradable, tant qu'ils sont pondérés par la capitalisation boursière, peuvent aussi bien être utilisés ; de même que ceux qui comprendraient non seulement les actions les plus représentatives sur le marché mais aussi les obligations. Comme la prime de risque de marché reflète le risque de marché, il convient dans ce dernier cas de diminuer cette prime car les obligations sont moins sensibles à la conjoncture économique que ne le sont les actions. Si l'on cherche à estimer le bêta d'une action internationale, il est d'usage courant d'utiliser ou bien un indice domestique ou un indice international. Là encore, cela aura un impact sur la prime de risque de marché choisie.

Stabilité des bêtas et extrapolation

Le bêta estimé d'une action tend à varier au cours du temps. À titre d'exemple, la figure 12A.1 témoigne de l'évolution du bêta estimé de LVMH sur la période 2007-2016. La plus grande part de ses variations proviennent vraisemblablement de l'erreur d'estimation. Par conséquent, il convient de se méfier lorsqu'un bêta estimé ressort assez éloigné des valeurs typiques que l'on retrouve historiquement ou de celles des entreprises du même secteur d'activité. C'est

---

20. Même si des observations quotidiennes fourniraient un plus grand nombre de points, il n'est pas recommandé de procéder ainsi, spécialement lorsque l'action considérée n'est pas très liquide. En effet, des facteurs de court terme influencent la rentabilité journalière des actions. Or, ils ne sont en aucun cas représentatifs des facteurs de risque de long terme que l'on doit mesurer ici. Idéalement, il faudrait faire correspondre la fréquence des observations avec l'horizon de l'investissement. Toutefois, la nécessité d'obtenir un nombre suffisamment important de données fait qu'il n'est pas raisonnable de choisir une périodicité plus longue que celle mensuelle.

pourquoi, afin de limiter autant que possible l'erreur d'estimation, les praticiens préfèrent souvent, au bêta du titre individuel, le bêta moyen de l'actif du secteur auquel le titre appartient (figure 12.4). De plus, les études empiriques montrent que le bêta d'un titre tend à converger vers la moyenne des bêtas (1) au cours du temps[21]. Pour toutes ces raisons, les praticiens recourent à des **bêtas corrigés** calculés comme une moyenne entre le bêta historique et sa valeur moyenne pour l'ensemble des entreprises, c'est-à-dire 1. Par exemple, Merrill Lynch et Bloomberg les calculent à l'aide de la formule suivante :

$$\text{Bêta corrigé du titre } i = \frac{2}{3} \times \beta_i + \frac{1}{3} \times 1 \tag{12A.1}$$

Les techniques d'estimation utilisées par quatre fournisseurs d'informations financières sont exposées dans le tableau 12A.1. Chacun emploie une méthodologie qui lui est propre, ce qui explique les différences observées dans leurs estimations des bêtas.

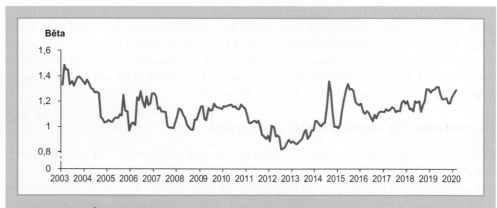

Figure 12A.1 – Évolution des bêtas estimés de LVMH, 2000-2020

Le bêta estimé de LVMH évolue au fil du temps. Bien que les variations du bêta puissent s'interpréter comme une modification de la sensibilité du titre au risque de marché, la plus grande part de ses variations est due à l'erreur d'estimation. Les calculs sont effectués à partir des données mensuelles en glissement sur trois ans. Le portefeuille de marché est approché par l'indice CAC 40.

| **Tableau 12A.1** | Méthode d'estimation du bêta par plusieurs fournisseurs d'information financière |

	Bloomberg	Capital IQ	Six Financial Information	Refinitiv-Eikon
Horizon temporel	2 ans	1, 2, 5 ans	5 ans	5 ans
Fréquence des observations de rentabilité	Hebdomadaire	Hebdomadaire, mensuelle (5 ans)	Hebdomadaire	Mensuelle
Indice de marché	CAC 40	CAC 40*	CAC 40**	CAC 40***
Correction (Oui/Non)	Les deux	Non	Non	Non

* MSCI en cas d'actions internationales.

** Choix par défaut, mais l'utilisateur peut sélectionner d'autres indices de référence, par exemple CAC All Tradable, SBF 120, DJ Euro Stoxx 50, FTSE Eurotop 100, CAC Next 70, indice personnalisé…

***Indice auquel l'entreprise appartient : par exemple, CAC All Tradable si l'entreprise est comprise dans cet indice tout en n'appartenant pas au CAC 40 ou au SBF 120.

---

21. M. Blume (1975), « Betas and Their Regression Tendencies », *Journal of Finance*, 30, 785-795.

Valeurs aberrantes

Les bêtas obtenus par régression linéaire sont sensibles à la présence d'observations aberrantes (rentabilités de magnitude exceptionnellement importante). À titre d'exemple, la figure 12A.2 représente le nuage de points des rentabilités mensuelles de Genentech (DNA) par rapport à celles du S&P 500 (2002-2004). Le bêta estimé de Genentech est de 1,21. Cependant, lorsqu'on observe le graphique, deux points paraissent aberrants : en avril 2002, le prix de DNA a chuté de près de 30 % et, en mai 2003, il a augmenté de 65 % ! En fait, ces deux rentabilités anormales correspondent à l'arrivée d'informations relatives au développement de nouveaux médicaments par l'entreprise : contretemps dans le développement de Raptiva, un médicament permettant de lutter contre le psoriasis (avril 2002) et succès des tests cliniques de son médicament contre le cancer Avastin (mai 2003). Ces rentabilités témoignent donc d'un risque spécifique et non d'un risque systématique ! Mais ils biaisent tout de même l'estimation du bêta : si la régression est effectuée de nouveau en remplaçant les rentabilités de DNA par celles du secteur des biotechnologies pendant les deux mois problématiques, le bêta de Genentech ressort à 0,6. Il est probable que ce chiffre corresponde à une meilleure évaluation du risque systématique de Genentech.

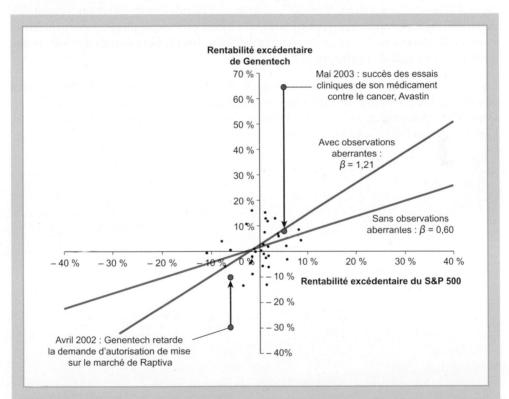

Figure 12A.2 – Estimation du bêta de Genentech selon que les observations aberrantes sont ou non prises en compte

L'estimation est fondée sur les rentabilités mensuelles de DNA et du S&P 500 sur la période 2002-2004. Deux points paraissent aberrants et dépendent largement d'informations spécifiques à l'entreprise (point gris). Si l'on remplace ces rentabilités par les rentabilités moyennes du secteur d'activité de DNA (points en couleur), une estimation plus fiable du risque systématique de l'entreprise est possible.

D'autres motifs peuvent être avancés pour exclure certaines observations aberrantes. Par exemple, les praticiens excluent souvent les observations de rentabilité lors de la période 1998-2001 afin d'éviter les distorsions dues à la bulle spéculative sur les valeurs des secteurs technologiques, médias et télécommunications[22]. Un argument similaire peut être apporté au regard des actions des entreprises financières durant la crise financière en 2008-2009. D'un autre côté, l'inclusion des données observées lors des périodes de conjoncture économique défavorable informe sur la sensibilité du titre aux récessions futures.

Autres considérations

L'utilisation de données historiques pour prévoir le bêta futur d'un titre doit toujours s'accompagner de prudence : des changements de l'environnement économique ou financier peuvent se produire, réduisant la portée prédictive des données passées. Le cas classique est le changement de secteur d'activité d'une entreprise. La Compagnie générale des eaux, entreprise de services aux collectivités, est ainsi devenue progressivement à la fin des années 1990 une entreprise de médias et de communication (Vivendi), avant d'être scindée en deux, Vivendi Universal et Vivendi Environnement (renommée depuis Veolia Environnement). L'utilisation d'un bêta historique poserait des problèmes évidents ! Dans ce cas, il vaut probablement mieux utiliser le bêta moyen des entreprises du nouveau secteur de l'entreprise.

En outre, la plupart des praticiens s'appuient sur des informations complémentaires aux rentabilités historiques d'un titre lorsqu'ils cherchent à estimer son bêta : caractéristiques sectorielles, taille de l'entreprise, spécificités de ses états financiers, etc. L'évaluation du bêta d'un titre est plus un art qu'une science…

---

22. A. Annema et M. H. Goedhart (2003), « Better Betas », *Mc Kinsey on Finance*, hiver, 10-13.

Utiliser Excel — Calculer l'alpha et le bêta

À partir des cours ajustés du CAC 40 (^FCHI) et de Total (FP.PA), téléchargés sur fr.**finance.yahoo.com**, et du taux d'adjudication des bons du Trésor à 13 semaines (TMB) téléchargé sur le site de la Banque de France (Statistiques > Taux et cours > Indices obligataires), on peut calculer les rentabilités des titres excédentaires du taux sans risque.

Il est ensuite possible d'utiliser les fonctions PENTE() et ORDONNEE.ORIGINE() pour trouver le bêta et l'alpha de Total. Le premier argument de ces fonctions est la variable « y » (ici, les rentabilités excédentaires de Total) et le second argument la variable « x » (ici, les rentabilités excédentaires du CAC 40).

	A	B	C	D	E	F	G	H	I	J	K	L	M
1	Date	Total	CAC40	Taux d'intérêt sans risque		Rentabilité mensuelle excédentaire							
2						Total	CAC 40						
3	janv.-12	30,08	3298,55										
4	févr.-12	31,26	3452,45	0,14		0,028	0,035	=(C4/C3-1)-$D4/12					
5	mars-12	28,85	3423,81	0,05		-0,081	-0,012						
6	avr.-12	27,21	3212,80	0,07		-0,063	-0,067						
7	mai-12	26,23	3017,01	0,08		-0,043	-0,068		Bêta	0,944	=PENTE(F4:F62;G4:G62)		
8	juin-12	27,22	3196,65	0,07		0,032	0,054		Alpha	0,29%	=ORDONNEE.ORIGINE(F4:F62;G4:G62)		
9	juil.-12	28,84	3291,66	-0,01		0,060	0,031						
10	août-12	30,45	3413,07	-0,01		0,057	0,038						
11	sept.-12	30,02	3354,82	-0,01		-0,013	-0,016			Bêta	Alpha		
12	oct.-12	30,19	3429,27	-0,02		0,007	0,024		Valeur	0,944	0,29%		
13	nov.-12	29,92	3557,28	-0,02		-0,007	0,039		Ecart-type	0,107	0,51%		
14	déc.-12	30,80	3641,07	-0,03		0,032	0,026						
15	janv.-13	31,52	3732,60	0,00		0,024	0,025		{=DROITEREG(F4:F62;G4:G62;VRAI;VRAI)}				

On peut alternativement utiliser la fonction matricielle DROITEREG() qui fournit de plus l'écart-type. Pour utiliser cette fonction, il convient de sélectionner quatre cellules (J12:K13 dans l'exemple), de taper la formule indiquée sans les accolades, puis de valider avec Ctrl+Shift+Entrée pour indiquer à Excel qu'il s'agit d'une fonction matricielle. Ainsi, l'intervalle de confiance à 95 % du bêta de Total est : 0,94 ± (2 × 0,107), soit [0,73 ; 1,16].

Une autre possibilité consiste à représenter sous forme graphique le nuage de points puis à ajouter une courbe de tendance linéaire au graphique et à cocher la case « Afficher l'équation sur le graphique ».

Erreur à éviter — Changer d'indice afin d'améliorer la qualité de l'ajustement

Les bêtas étant obtenus par l'estimation de régressions économétriques, on pourrait supposer (à tort) qu'un ajustement de meilleure qualité, mesuré par le **R-carré** (ou **R^2**) de la régression, permet d'obtenir une meilleure estimation. Par exemple, si on avait effectué la régression des rentabilités excédentaires de LVMH en sélectionnant un indice sectoriel comme l'indice « CAC Articles Personnels » (composé de valeurs comme Hermès, Christian Dior, etc.), plutôt que l'indice CAC 40, on aurait obtenu un R^2 bien plus élevé. Toutefois, il faut garder à l'esprit que le but de la régression est de déterminer la sensibilité du titre au risque de marché. Or, les indices sectoriels, par définition, ne constituent pas des portefeuilles bien diversifiés et ne représentent pas le vrai portefeuille de marché. Le bêta de LVMH mesuré en régressant ses rentabilités sur celles de cet indice ne constitue pas, par conséquent, une évaluation correcte du risque de marché de ses titres.

Exercices

L'astérisque désigne les exercices les plus difficiles.

1. On suppose que le bêta d'Orange est de 0,34. Si le taux sans risque et la rentabilité espérée du portefeuille de marché sont respectivement de 3 % et 8 %, quel est le coût des capitaux propres d'Orange ?

2. Le portefeuille de marché a une espérance de rentabilité de 10 % et une volatilité de 20 %, alors que la volatilité des actions de Cap Gemini est de 40 %.

   a. Étant donné la volatilité de ses actions, doit-on s'attendre à ce que Cap Gemini ait un coût des capitaux propres supérieur à 10 % ?

   b. Que faudrait-il pour que le coût des capitaux propres de Cap Gemini soit de 10 % ?

3. ArcelorMittal a un bêta de 1,50 alors que celui de Danone est de 0,5. Si la prime de risque de marché est de 5 %, laquelle de ces deux entreprises a le coût des capitaux propres le plus élevé ? Quelle est la magnitude de l'écart ?

4. On suppose que l'univers d'investissement disponible se limite aux cinq actions présentées dans le tableau ci-dessous. En quoi consiste le portefeuille de marché (quelles sont les pondérations des titres dans celui-ci) ?

Action	Prix d'une action (en euros)	Nombre de titres en circulation (en millions)
A	10	10
B	20	12
C	8	3
D	50	1
E	45	20

5. (Suite de l'exercice précédent.) Pierre détient le portefeuille de marché et a investi 12 000 € dans l'action C.

   a. Combien Pierre a-t-il investi dans l'action A ?

   b. Combien Pierre détient-il d'actions B ?

   c. Si le prix de l'action C chute soudainement de 4 €, quelles sont les transactions que Pierre doit opérer afin de garder un portefeuille de marché ?

6. On suppose que l'action MeilleurTitre s'échange à 20 € par titre. Sa capitalisation boursière est de 6 milliards d'euros. Michelin a 245 millions de titres en circulation sur le marché. Si Marie détient le portefeuille de marché et que celui-ci contienne 100 actions MeilleurTitre, combien d'actions Michelin doit-elle avoir ?

7. Euronext publie un indice CAC équipondéré (CAC 40 Equal Weight), qui correspond au CAC 40 si ce n'est que tous les titres qui le composent ont une égale pondération.

a. Si l'on cherche à détenir un portefeuille qui réplique exactement la performance de cet indice, quelles sont les transactions nécessaires en réponse à des modifications quotidiennes des prix des actions qui le composent ?

b. Cet indice est-il approprié en tant que portefeuille de marché ?

8. En lieu et place du CAC 40, Hélène souhaite utiliser un indice de marché plus large composé de toutes les actions et obligations cotées en France. Peut-elle se servir de la même estimation de la prime de risque de marché lorsqu'elle utilise le MEDAF ? Dans le cas contraire, comment peut-elle l'estimer de manière adéquate ?

9. Mesurée de début 1999 à fin 2010, la rentabilité du CAC 40 a été négative. Cela signifie-t-il que la prime de risque de marché à utiliser dans le cadre du MEDAF soit négative ?

10. Vous souhaitez estimer le coût des capitaux propres de la société XYZ. Pour ce faire, vous disposez des rentabilités passées de ce titre :

Année	Taux sans risque	Rentabilité du marché	Rentabilité d'XYZ
2019	3 %	6 %	10 %
2020	1 %	– 37 %	– 45 %

a. Quelle a été la rentabilité moyenne de XYZ sur la période ?

b. En calculant les rentabilités excédentaires du taux sans risque de XYZ et du portefeuille de marché, estimez le bêta de XYZ sur la période.

c. Estimez l'alpha de XYZ sur la période.

d. Si le taux sans risque est actuellement de 3 % et la prime de risque de marché de 8 %, estimez à l'aide du MEDAF la rentabilité espérée de XYZ.

e. Quelle est la meilleure estimation de la rentabilité espérée de XYZ, compte tenu de vos réponses précédentes ? En quoi la question *c* affecte-t-elle votre estimation ?

*11. À l'aide des données disponibles sur Yahoo!Finance, estimez les bêtas des actions Airbus et EDF à partir de leurs rentabilités historiques sur les cinq dernières années. (*Conseil* : utilisez la fonction PENTE() dans Excel.)

*12. (Suite de l'exercice précédent.) Estimez l'alpha des actions Airbus et EDF. (*Conseil* : utilisez la fonction ORDONNEE.ORIGINE() dans Excel.)

*13. (Suite de l'exercice précédent.) Donnez un intervalle de confiance à 95 % de l'alpha et du bêta des actions Airbus et EDF à l'aide de l'outil « Régression linéaire » d'Excel (menu Données).

14. La dette de Pepco est notée Ba et échoit dans six ans. Sa rentabilité à l'échéance est de 2,05 %.

a. Quelle est la rentabilité espérée maximale de cette dette ?

b. Au même moment, les obligations du Trésor de même maturité ont un TRE de 1,5 %. Ces obligations peuvent-elles avoir la même rentabilité espérée que celle calculée en *a.* ?

c. On suppose que, chaque année, la probabilité que Pepco fasse défaut sur sa dette est de 0,5 %. En cas de défaut, la perte espérée s'élève à 60 %. Quelle est l'estimation de la rentabilité espérée de cette dette ?

15. Fin 2018, la dette de Pipo est notée CCC et échoit dans six ans. Sa rentabilité à l'échéance est de 17,3 %. Au même moment, les obligations du Trésor de même maturité ont un TRE de 3 %. En supposant que la prime de risque de marché est de 5 %, et que le bêta de la dette de Pipo est de 0,31, si la perte anticipée en cas de défaut est de 60 %, quelle serait la probabilité de défaut annuelle qui correspond au TRE de cette dette ? Fin 2020, la rentabilité à l'échéance passe à 8,3 %, alors que les obligations du Trésor de même maturité affichent un TRE de 1 %. Quelle est la nouvelle estimation de la probabilité de défaut ?

16. En 2009, pendant la crise, l'entreprise de bâtiment Homebuilder a émis des obligations à six ans avec un TRE de 8,5 % et notées Ba. Le taux sans risque de même maturité est de 3 % et la prime de risque de 5 %. Estimez la rentabilité espérée de cette dette en utilisant deux méthodes différentes et comparez les résultats.

17. Pica souhaite émettre une dette de maturité cinq ans et anticipe une note de crédit de BBB (ou Baa) pour ces obligations. On suppose que les obligations notées AAA de même maturité ont un TRE de 4 % et que la prime de risque de marché est de 5 %. À l'aide des tableaux 12.2 et 12.3 :

a. Estimez le TRE de la dette de Pica en supposant une perte espérée en cas de défaut de 60 % au cours des périodes de conjoncture économique favorable. Quel écart de crédit (credit spread) avec les obligations notées AAA Pica devra-t-elle supporter ?

b. Estimez le TRE de la dette de Pica en supposant une perte espérée en cas de défaut de 80 % au cours des périodes de récession économique. Vous ferez l'hypothèse que les périodes de récession ne modifient pas le bêta de la dette ni la prime de risque de marché. Quel écart de crédit (credit spread) avec les obligations notées AAA Pica devra-t-elle supporter ?

c. En fait, il est raisonnable de supposer que le bêta de la dette et la prime de risque de marché augmentent en cas de récession. Revenez sur la question *b* en supposant qu'ils s'accroissent de 20 % lors de ces périodes.

18. Votre entreprise s'apprête à investir dans une machine d'emballage. ToutPlastique est une entreprise financée uniquement par capitaux propres, spécialisée dans ce secteur d'activité. Le bêta des capitaux propres de ToutPlastique est de 0,85. Le taux sans risque est de 4 % et la prime de risque de marché de 5 %. Si votre entreprise est uniquement financée à l'aide de capitaux propres, estimez son coût du capital.

19. (Suite de l'exercice précédent.) Vous décidez de rechercher d'autres comparables afin de réduire l'erreur d'estimation de votre coût du capital. Vous avez trouvé une deuxième entreprise spécialisée dans ce secteur d'activité, Turban. 15 millions d'actions de Turban sont cotées sur le marché au prix de 20 € par action. Cette entreprise est endettée à hauteur de 100 millions d'euros. Le TRE de sa dette s'élève à 4,5 %. Par ailleurs, le bêta des capitaux propres de Turban est de 1.

a. En supposant que la dette de Turban a un bêta nul, estimez le bêta à endettement nul de cette entreprise. En utilisant cette estimation et le MEDAF, estimez le coût du capital à endettement nul de cette entreprise.

b. En utilisant le MEDAF, estimez le coût des capitaux propres de Turban. En supposant que le coût de sa dette est égal à son TRE, estimez le coût du capital à endettement nul de cette entreprise à l'aide du MEDAF.

c. Comment pouvez-vous expliquer les différences dans les résultats trouvés en *a* et *b* ?

d. Vous décidez de prendre la moyenne des résultats trouvés en *a* et en *b*, puis de faire la moyenne avec le résultat obtenu à l'exercice 18. Quelle est l'estimation finale du coût du capital du projet ?

20. Technix souhaite investir dans un projet qui sera financé par capitaux propres. Technix souhaite calculer la valeur de ce projet. Pour ce faire, l'entreprise doit tout d'abord estimer son coût du capital. Technix a trouvé une entreprise comparable opérant dans le même secteur d'activité que le projet et dont les titres (actions et obligations) sont cotés sur les marchés. Les données sont reportées dans le tableau suivant :

Montant de la dette en circulation (notée AA)	400 millions d'euros
Nombre d'actions en circulation	80 millions
Prix d'une action	15 €
Valeur comptable par action des capitaux propres	6 €
Bêta des capitaux propres	1,2

Quelle est l'estimation du bêta du projet de Technix ? Quelles hypothèses ont été nécessaires pour aboutir à ce résultat ?

21. Cap Gomini a une capitalisation boursière de 6 milliards d'euros. Sa dette, notée A, s'élève à 2 milliards d'euros. Sa trésorerie est de 4 milliards d'euros. Le bêta estimé de ses capitaux propres est de 1,25.

a. Quelle est la valeur de l'actif économique de Cap Gomini ?

b. En supposant que la dette de Cap Gomini possède un bêta nul, quel est le bêta de son actif ?

22. On considère les données suivantes :

Entreprise	Capitalisation boursière (en millions d'euros)	Actif économique (en millions d'euros)	Bêta des capitaux propres	Note de la dette
Air France-KLM	3 395	10 345	1,43	BBB
Easyjet	1 671	1 691	1,01	BB
Lufthansa	6 333	8 235	1,18	BBB
Ryanair	4 783	4 926	0,62	A

a. En utilisant le tableau 12.3, estimez le bêta de la dette de chaque entreprise.

b. Estimez le bêta de l'actif de chaque entreprise.

c. Quel est le bêta moyen de l'actif du secteur du transport aérien si l'on se fonde uniquement sur ces quatre entreprises ?

23. Yopi est une entreprise financée par capitaux propres qui opère dans deux secteurs d'activité. La branche boissons non alcoolisées a un bêta de l'actif de 0,6 et génère un flux de trésorerie prévisionnel de 50 millions d'euros cette année. Yopi anticipe qu'elle croîtra de manière perpétuelle de 3 % par an. La branche industrie chimique a un bêta de l'actif de 1,2 et génère un flux de trésorerie prévisionnel de 70 millions d'euros cette année. Yopi anticipe qu'elle croîtra de manière perpétuelle de 2 % par an. Le taux sans risque et la prime de risque de marché sont respectivement de 4 et 5 %.

a. Estimez la valeur de chaque branche d'activité de Yopi.

b. Estimez le bêta des capitaux propres ainsi que le coût du capital de Yopi. Ce coût du capital est-il utile pour évaluer les projets d'investissement de cette entreprise ? De quelle manière le bêta des capitaux propres est-il susceptible d'évoluer au cours du temps ?

*24. Artamis (ART) est une *holding* dont les 20 millions d'actions cotent sur le marché 32 € (par action). L'entreprise a une dette de 64 millions d'euros. Alain Lelou, le fondateur de cette entreprise, a fait fortune dans la restauration rapide. Il a vendu une partie de ses restaurants afin d'acquérir un club de football professionnel. L'actif d'ART est composé du club de football et de 50 % des actions cotées de la chaîne de restauration rapide, Kebaba (KEB). La capitalisation boursière de KEB s'élève à 850 millions d'euros. La valeur de cette entreprise s'établit à 1,05 milliard d'euros. Après une recherche extensive, vous avez déterminé que le bêta moyen de l'actif du secteur de la restauration rapide est de 0,75. Les dettes d'ART et de KEB sont très bien notées, de telle sorte que vous estimez à zéro leur bêta. Suite à la régression des rentabilités excédentaires historiques d'ART sur celles du CAC 40, vous avez estimé le bêta des capitaux propres d'ART à 1,33. À partir de ces informations, estimez le bêta de l'actif représenté par le rachat du club de football par ART.

25. Les revenus annuels de l'aciérie IronMagic sont en moyenne de 30 millions d'euros, avec un coût variable total qui s'élève à 80 % des revenus (pas de coûts fixes). Les coûts variables incluent le coût d'achat de l'énergie qui représente à lui seul 25 % des coûts totaux. Le bêta de l'actif de l'aciérie est de 1,25. Le taux sans risque et la prime de risque de marché sont respectivement de 4 et 5 %. Le taux d'imposition sur les sociétés est de 25 %.

a. Estimez la valeur actuelle de l'aciérie en supposant une croissance nulle des revenus.

b. On suppose que l'aciérie souscrit un contrat d'achat de long terme pour la fourniture de l'énergie nécessaire. Ce contrat constitue un coût fixe et s'élève annuellement à 3 millions d'euros (avant impôt). Quelle est la valeur d'Iron-Magic si l'entreprise souscrit ce contrat ?

c. De quelle manière la souscription du contrat décrit en *b* modifie-t-elle le coût du capital de l'aciérie ? Expliquez.

26. Il existe sur le marché 40 millions d'actions de l'entreprise Unida qui cotent 10 € (par action). La dette d'Unida s'élève à 100 millions d'euros. On suppose que le coût des capitaux propres de l'entreprise est de 15 %. Le coût de sa dette s'établit à 8 % et le taux d'imposition sur les sociétés est de 25 %.

a. Quel est le coût du capital à endettement nul d'Unida ?

b. Quel est le coût de sa dette après impôt ?

c. Quel est le coût moyen pondéré du capital d'Unida ?

27. On cherche à estimer le coût moyen pondéré du capital de la compagnie aérienne Airfly. Le coût du capital à endettement nul de l'entreprise peut être estimé à 9 %. Toutefois, Airfly va se financer à hauteur de 25 % par dette au taux de 6 %. Si le taux d'imposition sur les sociétés est de 25 %, quel est le CMPC d'Airfly ?

Étude de cas 1 – Estimation du CMPC de Disney

Vous venez de vous faire embaucher dans le département Finance-Trésorerie de Walt Disney Company (DIS). Votre équipe est chargée d'estimer le CMPC de l'entreprise. Vous devez présenter vos résultats lors d'une réunion dès demain. Vous savez que l'ensemble des informations dont vous avez besoin peut être téléchargé depuis Internet.

1. En utilisant le site Yahoo! Finance (fr.finance.yahoo.com), sous la rubrique *Bourse/Taux des obligations du Trésor américain*, vous trouverez la rentabilité à l'échéance d'un *T-bond* de maturité 10 ans. Vous récupérez cette valeur et la considérez comme le taux sans risque de votre analyse.

2. Après avoir tapé le code (*ticker*) « DIS » de Disney dans l'écran de recherche, vous obtenez les principales informations financières de l'entreprise en sélectionnant l'onglet « Statistiques ». Collectez la capitalisation boursière de Disney, la valeur de l'entreprise (capitalisation boursière + dette nette), la trésorerie ainsi que le bêta des capitaux propres.

3. Afin d'obtenir le coût de la dette de Disney et sa valeur de marché, vous avez besoin de connaître la rentabilité à l'échéance et le prix d'obligations long terme émises par l'entreprise. Allez sur finra-markets.morningstar.com. Dans la rubrique *Market Data*, choisissez *Bonds*, puis tapez le nom de l'entreprise et sélectionnez les obligations d'entreprise (« *Corporate* »). La liste des dettes émises par l'entreprise apparaît. Vous recherchez la rentabilité espérée d'une dette non rachetable (*non-callable*) de maturité aussi proche que possible de 10 ans (en supposant que Disney utilise ces obligations pour mesurer le coût de sa dette). Trouvez la rentabilité à l'échéance (*yield to maturity*) et la note de crédit (*S&P Rating*) de l'obligation de référence choisie.

4. Il faut également enregistrer le prix de marché de chaque obligation ainsi que la taille de chaque émission obligataire (*Amount Outstanding Size*), qui s'obtient en cliquant sur chaque symbole d'obligation.

5. Le prix de chaque obligation est reporté en pourcentage de sa valeur nominale. Afin de calculer la valeur de marché de chacune des émissions, il suffit de multiplier le montant émis par le prix de l'obligation correspondante et de le diviser par 100. En sommant les différents montants, vous obtenez la valeur de marché de la dette de l'entreprise.

6. Calculez alors les pondérations représentant les proportions de la dette et des capitaux propres à partir des valeurs de marché des capitaux propres et de la dette.

7. Calculez le coût des capitaux propres de Disney à l'aide du MEDAF. Pour ce faire, vous utiliserez la rentabilité des obligations américaines à 10 ans (donnée collectée en 1) et vous supposerez une prime de risque de marché de 5 %.

8. En supposant que Disney fait face à un taux d'imposition sur les sociétés de 35 %, calculez le coût du capital après impôt de sa dette.

9. Calculez alors le CMPC de Disney.

10. Calculez ensuite la dette nette de l'entreprise en soustrayant la trésorerie à la valeur de marché de la dette. Recalculez les pondérations des sources de financement de Disney en utilisant la valeur des capitaux propres, la valeur de la dette nette et la valeur de l'entreprise. Recalculez ensuite les pondérations en vous basant sur la dette nette. De quelle manière le CMPC a-t-il changé ?

11. Êtes-vous confiant vis-à-vis de la fiabilité des estimations réalisées jusqu'ici ? Quelles sont les hypothèses implicites que vous avez posées lors de la collecte des différentes données ?

Étude de cas 2 – Régression linéaire

Dans l'étude de cas précédente, on a pris le bêta fourni par Yahoo! Finance. Vous souhaitez maintenant pousser un peu plus loin l'analyse en estimant ce bêta vous-même.

1. Téléchargez depuis Yahoo! Finance (**fr.finance.yahoo.com**) les prix de clôture ajustés du titre Disney et du S&P 500 à l'aide de la procédure décrite au chapitre 10. Le code (*ticker*) pour le S&P 500 est ^GSPC.

2. Collectez le taux des T-Bills à trois mois[23] à partir du site de la Réserve fédé-rale (**https://www.federalreserve.gov/datadownload/Choose.aspx?rel=H15**). Cliquez sur le bouton « Build package » et sélectionnez :

   a. le jeu de données (« Selected Interest Rates ») ;

   b. l'instrument considéré : le taux des T-Bills sur le marché secondaire (« TB ») ;

   c. la maturité : trois mois (« M3 ») ;

   d. la fréquence d'observation : mensuelle (« Monthly »).

Cliquez sur « Add to package » puis sur « Format package » : sélectionnez les dates correspondant à votre analyse ainsi que le type de fichier (Excel). Cliquez ensuite sur « Download File ». Convertissez le taux d'intérêt annuel en un taux mensuel : c'est le taux sans risque que vous pouvez utiliser avec le MEDAF.

3. Créez des séries mensuelles de rentabilité pour le S&P 500 et Disney à l'instar de la procédure présentée dans l'étude de cas du chapitre 10.

4. Créez ensuite les séries de rentabilités excédentaires du taux sans risque pour le S&P 500 et Disney en soustrayant le taux sans risque à leur rentabilité.

5. Calculez le bêta de Disney à l'aide de l'équation (12.5) et la fonction PENTE() d'Excel. Comparez le résultat obtenu avec le bêta estimé par Yahoo! Finance. Pourquoi les résultats diffèrent-ils ?

6. Calculez l'alpha de Disney sur la période à l'aide de la fonction ORDONNEE. ORIGINE() d'Excel. Comment interprétez-vous cet alpha estimé ?

---

23. Le taux eurodollar à un mois est le taux moyen des dépôts et des prêts en dollars sur le marché interbancaire londonien. C'est le taux moyen auquel les institutions financières se prêtent des capitaux ; pour cette raison, il est fréquemment considéré comme un bon *proxy* du taux sans risque.

Chapitre 13
Comportement des investisseurs et efficience des marchés financiers

William Miller, gérant du fonds actions Legg Mason Value Trust était considéré, jusqu'à ce que la crise financière éclate, comme l'un des meilleurs gérants de portefeuille au monde : son fonds a en effet surperformé le marché chaque année entre 1991 et 2005. Mais entre 2007 et 2008, son fonds a perdu près de 65 % de sa valeur, soit deux fois plus que le marché au cours de cette même période. Son fonds a de nouveau surperformé en 2009, avant de s'effondrer de 2010 à 2012 conduisant finalement Miller à se retirer. Les investisseurs qui ont acheté des parts de ce fonds en 1991 ont perdu en deux ans l'ensemble de la surperformance réalisée au cours des 15 années précédentes. Les performances obtenues par ce gérant jusqu'en 2007 étaient-elles dues à la chance ou est-ce la période post-2007 qui fait figure d'accident de parcours[1] ?

Une des conclusions essentielles du MEDAF est qu'il est impossible de réaliser une performance supérieure à celle du marché de manière persistante. Dans ce chapitre, nous allons examiner précisément cette prédiction du MEDAF et dans quelle mesure le portefeuille de marché peut être considéré comme efficient. Le chapitre débute par l'analyse du rôle joué par la concurrence en soulignant le fait que si des investisseurs sont capables de « battre le marché », c'est que d'autres détiennent des portefeuilles qui sous-performent (sections 13.1 et 13.2). Le chapitre étudie aussi le comportement des investisseurs individuels qui ont tendance à faire de nombreuses erreurs qui nuisent à leur performance. Bien qu'il soit *a priori* possible pour quelques gérants professionnels de tirer parti de ces erreurs, les investisseurs qui ont acheté des parts de ces fonds n'en profitent guère (sections 13.3 et 13.4). Le chapitre examine ensuite certains « styles » de gestion reposant sur la détention d'actions de petites capitalisations, d'actions à forts rendements ou d'actions qui ont surperformé dans la période récente, et offrent des rentabilités supérieures à celles prédites par le MEDAF (sections 13.5 et 13.6). Le chapitre se conclut par la présentation de modèles multifactoriels permettant de rendre compte de ces « anomalies » afin de calculer le coût du capital (section 13.7 et 13.8).

13.1. Concurrence sur les marchés de capitaux

Afin de comprendre le rôle de la concurrence dans le cadre du MEDAF (voir chapitre 11), il est utile d'examiner comment le comportement des investisseurs conduit à l'équilibre des marchés.

---

1. T. Lauricella (2008), « The Stock Picker's Defeat », *Wall Street Journal*, 10 décembre.

L'alpha d'une action

Considérons tout d'abord, comme dans le cadre de la figure 11.12, que le marché est efficient. Supposons que de nouvelles informations soient rendues publiques annonçant une hausse de la rentabilité espérée de 5 % pour Bouygues et Vallourec et une baisse de 5 % pour Air Liquide et Total (à prix constants), tout en laissant inchangée l'espérance de rentabilité du portefeuille de marché[2]. Il apparaît alors sur la figure 13.1 que le portefeuille de marché n'est plus efficient. Pour un même niveau de risque, il est en effet possible de détenir un portefeuille dont la rentabilité espérée est plus élevée pour un risque identique. Les investisseurs modifient donc la composition de leur portefeuille pour qu'il continue d'être efficient.

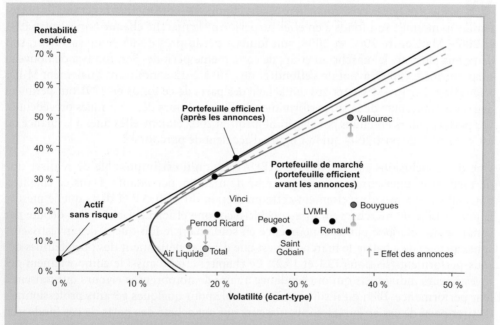

Figure 13.1 – Un portefeuille de marché inefficient

Si le portefeuille de marché est inefficient, le marché n'est pas à l'équilibre, tel que défini par le MEDAF. Cela se produit lorsque de nouvelles informations sont rendues publiques, induisant une modification des rentabilités espérées de certains titres (augmentation des rentabilités espérées de Bouygues et Vallourec et baisse des rentabilités espérées d'Air Liquide et Total) comparée à la situation initiale présentée à la figure 11.12.

Afin d'améliorer la performance de leur portefeuille, les investisseurs détenant initialement le portefeuille de marché comparent la rentabilité espérée de chaque titre avec sa rentabilité exigée, obtenue à partir du MEDAF [SML, équation (12.1)] :

$$r_s = r_f + \beta_s \times (E[R_m] - r_f) \tag{13.1}$$

---

2. Des informations influençant la rentabilité de certains titres devraient également modifier celle du portefeuille de marché, puisque ce dernier comprend tous les titres du marché. Il est toutefois possible, pour simplifier, de négliger cet effet de « second tour » en supposant que toutes les variations de prix se compensent (c'est le cas par exemple si la pondération des titres dont les rentabilités augmentent est égale à celle des titres dont les rentabilités baissent).

Les quatre actions dont les rentabilités espérées sont modifiées n'appartiennent plus à la droite du MEDAF (voir figure 13.2). La différence entre la rentabilité espérée du titre s et sa rentabilité exigée définit l'**alpha** de cet actif :

$$\alpha_s = E[R_s] - r_s \qquad (13.2)$$

Lorsque le portefeuille de marché est efficient, tous les titres et tous les portefeuilles sont sur la droite du MEDAF et leur alpha est nul. Au contraire, lorsque le portefeuille de marché n'est pas efficient, les alphas de certains titres et de certains portefeuilles sont non nuls, et les investisseurs peuvent détenir un portefeuille plus performant que le portefeuille de marché : comme on l'a vu au chapitre 11, le ratio de Sharpe d'un portefeuille augmente lorsqu'il contient des titres dont la rentabilité espérée dépasse la rentabilité exigée, ce qui est le cas lorsque ces actifs ont un alpha positif. Ce résultat peut également être obtenu en vendant à découvert les titres dont les alphas sont négatifs.

Comment profiter des actions à alphas non nuls

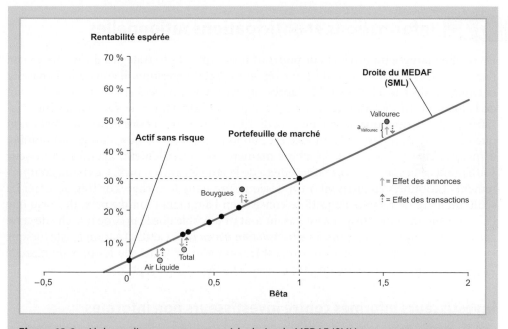

Figure 13.2 – Alpha et distance par rapport à la droite du MEDAF (SML)

Si le portefeuille de marché est inefficient, certains titres ne sont plus situés sur la SML. L'alpha d'un titre correspond à la distance par rapport à la SML. Il est possible de composer un portefeuille plus performant que le portefeuille de marché en achetant les titres dont l'alpha est positif et en vendant ceux dont l'alpha est négatif. Lorsque l'on procède ainsi, les prix et donc les rentabilités espérées s'ajustent et l'alpha se réduit jusqu'à devenir nul.

Face à la situation décrite à la figure 13.2, les investisseurs rationnels détenant initialement le portefeuille de marché vont acheter des actions Bouygues et Vallourec et vendre des actions Air Liquide et Total. Ces opérations provoquent la hausse du prix des actions demandées et la baisse du prix des actions offertes, ce qui modifie les rentabilités espérées de ces titres : lorsque le prix d'une action augmente, le rendement (dividende sur prix de l'action) baisse, tout comme le taux de plus-value espéré, et inversement. La rentabilité espérée varie donc en sens inverse du prix. Les recompositions de portefeuille conduisent par conséquent à une baisse de la rentabilité espérée des titres à alpha positif et à une hausse de celle des titres à alpha négatif. Ces ajustements se poursuivent jusqu'à ce que le marché soit de nouveau à l'équilibre, c'est-à-dire lorsque tous les titres sont revenus sur la droite du MEDAF et que le portefeuille de marché est de nouveau efficient.

La conclusion principale du MEDAF, qui veut que le portefeuille de marché soit toujours efficient, n'est certes pas absolument vérifiée. Toutefois, la concurrence entre les investisseurs qui cherchent à « battre » le marché en investissant dans des titres à alpha positif et en vendant à découvert ceux à alpha négatif implique que le portefeuille de marché est proche de l'efficience presque tout le temps. Ainsi, le MEDAF peut-il être considéré comme une bonne description de la situation lorsque les marchés sont concurrentiels. Il est en outre possible que des stratégies d'investissement, qui cherchent à profiter de l'existence (temporaire) de titres à alpha non nul sur le marché, existent et puissent donc battre le marché.

13.2. Informations et anticipations rationnelles

De quelle manière un investisseur pourrait-il tirer profit de stratégies d'investissement dans des titres à alpha non nul ? Pour répondre à cette question, il convient d'analyser la situation décrite à la figure 13.2 après l'arrivée des annonces sur le marché. Du fait de l'alpha positif de Vallourec avant que le prix de son action ne s'ajuste, les investisseurs vont anticiper une hausse du prix du titre et donc placer des ordres d'achat avant que cela ne se produise. Si l'annonce est publique, il est probable qu'un grand nombre d'investisseurs procédera de la même manière. Symétriquement, aucun investisseur souhaitant se dessaisir du titre n'acceptera de le faire à l'ancien prix. Ces deux comportements rationnels aboutissent à un déséquilibre dans le carnet d'ordres du titre. La seule manière de rétablir l'équilibre consiste en l'augmentation du prix, de sorte que l'alpha devienne nul. Ainsi, il n'est pas du tout impossible que le prix de marché de cette action se soit ajusté alors qu'*aucune transaction n'a eu lieu*. Cette situation existe lorsque la concurrence entre les investisseurs est très intense de sorte que les prix de marché s'ajustent avant même qu'aucun titre ne soit échangé à l'ancien prix[3].

Investisseurs informés contre investisseurs non informés

La discussion précédente a mis en exergue le fait qu'*acheter une action à alpha positif nécessite de pouvoir trouver un investisseur désireux de la vendre (à l'ancien prix)*. Le MEDAF a été développé sous l'hypothèse que les investisseurs ont tous accès au même ensemble informationnel et forment des anticipations homogènes. Sous cette hypothèse, tous les investisseurs devraient savoir quel titre a un alpha positif et aucun d'eux ne devrait vouloir le vendre. Bien entendu, cette hypothèse n'est pas réaliste. En pratique, les investisseurs détiennent des informations différentes et ils fournissent de gros efforts pour en acquérir, d'où l'existence des départements de recherche actions dans la plupart

---

3. Cette idée selon laquelle les prix de marché s'ajustent sans qu'il n'y ait eu de transactions est parfois appelé théorème de l'absence de transaction (*no-trade theorem*) : P. Milgrom et N. Stokey (1982), « Information, Trade and Common Knowledge », *Journal of Economic Theory*, 26, 17-27.

des grandes banques. En conséquence, il est possible que certains investisseurs « sophistiqués » puissent tirer avantage de l'existence d'investisseurs naïfs n'ayant pas accès aux mêmes informations[4].

Cette possible différence informationnelle n'est toutefois pas une condition suffisante pour s'assurer de l'existence de transactions. Un résultat important du MEDAF est que les investisseurs devraient détenir le portefeuille de marché combiné avec l'actif sans risque. *Ce résultat ne dépend pas de la qualité des informations dont les investisseurs disposent.* Même les investisseurs « naïfs » et/ou moins informés sont en mesure de suivre ce conseil ; ce sont même probablement ceux qui y ont le plus intérêt…

Comment éviter d'être battu par des investisseurs mieux informés ?

Pauline ne dispose d'aucune information particulière sur les marchés boursiers. Elle sait toutefois que les autres investisseurs en possèdent et qu'ils les utilisent lorsqu'ils composent leur portefeuille. Cette asymétrie d'information préoccupe Pauline, car elle craint de réaliser une performance inférieure aux autres investisseurs. Comment peut-elle garantir à son portefeuille une performance comparable à celle de l'investisseur informé « moyen » ?

Solution

Pauline peut bénéficier de la même rentabilité que celle de l'investisseur informé moyen en détenant le portefeuille de marché. Celui-ci est en effet constitué de la moyenne des portefeuilles détenus par l'ensemble des investisseurs (puisque la demande est nécessairement égale à l'offre de titres).

Si Pauline ne détient pas le portefeuille de marché, elle se retrouve avec un portefeuille surpondérant les « mauvaises » actions : quelles que soient les actions surpondérées dans son portefeuille, les investisseurs informés les sous-pondéreront, et *vice versa* (encore une fois, car la demande doit être égale à l'offre). Or, ces derniers choisissent les titres en étant mieux informés. Leur portefeuille surperforme donc le marché et bénéficie d'un alpha positif. Le portefeuille de Pauline, symétriquement, affiche alors un alpha négatif.

Exemple 13.1

Anticipations rationnelles

L'exemple 13.1 met en lumière un résultat central de la théorie financière ; tous les investisseurs, indépendamment de leurs compétences et des informations dont ils disposent, peuvent être certains d'obtenir un alpha nul s'ils détiennent le portefeuille de marché : celui-ci est par définition sur la droite du MEDAF. De plus, aucun investisseur ne devrait détenir une position longue dans les titres à alpha négatif. Or, le portefeuille moyen de tous les investisseurs correspond au portefeuille de marché. L'alpha moyen des investisseurs est donc nul. Puisque aucun investisseur n'accepte de détenir une action à alpha

---

4. Ce problème est connu sous le nom de paradoxe de Grossman-Stiglitz. S. Grossman et J. Stiglitz (1980), « On the Impossibility of Informationally Efficient Markets », *American Economic Review*, 70(3), 393-408. Voir également M. Hellwig (1980), « On the Aggregation of Information in Competitive Markets », *Journal of Economic Theory*, 22, 477-498 et D. Diamond et R. Verrecchia (1981), « Information Aggregation in a Noisy Rational Expectations Economy », *Journal of Financial Economics*, 9, 221-235.

négatif, aucun investisseur ne peut non plus bénéficier d'un alpha positif. On retrouve ainsi l'idée que le portefeuille de marché est efficient. En définitive, l'hypothèse d'anticipations homogènes n'est donc pas nécessaire au MEDAF. Il suffit de lui substituer une hypothèse plus plausible, celle d'**anticipations rationnelles** selon laquelle tous les investisseurs utilisent leur propre information et l'interprètent correctement, tout comme celle contenue dans les prix des titres et dans les transactions opérées par les autres[5].

En fait, pour qu'il soit possible de battre le marché et de bénéficier d'un alpha positif, il faut supposer qu'il existe des investisseurs détenant des portefeuilles à alpha négatif, alors même qu'ils auraient pu sans effort détenir un portefeuille à alpha nul (le portefeuille de marché). De cette analyse, deux conclusions importantes peuvent être tirées :

Le portefeuille de marché peut être inefficient (et il est alors possible de battre le marché) si, et seulement si, un nombre significatif d'investisseurs :

1. *n'ont pas d'anticipations rationnelles de sorte qu'ils interprètent de manière incorrecte les informations qu'ils détiennent, pensant (à tort) détenir un portefeuille à alpha positif alors qu'il est, en réalité, négatif ;*

ou

2. *se préoccupent de caractéristiques autres que la rentabilité espérée et la volatilité des actifs, de sorte qu'ils acceptent de détenir un portefeuille inefficient.*

Comment les investisseurs se comportent-ils en réalité ? Est-ce que les investisseurs informés suivent les prescriptions du MEDAF et détiennent le portefeuille de marché ? Afin de répondre à ces questions, la section suivante présente une revue de la littérature empirique sur le comportement des investisseurs individuels.

13.3. Le comportement des investisseurs individuels

Cette section s'attache à vérifier si les investisseurs individuels suivent les recommandations du MEDAF. En réalité, bien des investisseurs ne semblent pas détenir un portefeuille efficient. Ils ont plutôt tendance à sous-diversifier leur portefeuille et à effectuer un trop grand nombre de transactions. De tels comportements non rationnels sont-ils susceptibles de créer des opportunités pour les investisseurs plus sophistiqués ?

Sous-diversification et biais de portefeuille

De nombreuses études empiriques montrent que les investisseurs individuels ne diversifient pas correctement leur portefeuille. Ainsi, en 2001 aux États-Unis, la moitié des ménages qui détiennent des actions en détiennent moins de quatre, et neuf ménages sur dix en détiennent moins de dix (*Survey of Consumer Finances*)[6]. Les investisseurs ont en outre tendance à concentrer leurs investissements dans des titres appartenant à un même secteur d'activité ou à une même zone géographique, ce qui limite encore

---

5. P. DeMarzo et C. Skiadas (1998), « Aggregation, Determinacy, and Informational Efficiency for a class of Economics with Asymmetric Information », *Journal of Economic Theory*, 80, p. 123-152.

6. V. Polkovnichenko (2005), « Household Portfolio Diversification: A case for Rank Dependent Preferences », *Review of Financial Studies*, 18, 1467-1502.

la diversification de leur portefeuille. Pire, aux États-Unis, les salariés investissent en moyenne près d'un tiers de leur plan d'épargne-retraite en actions de leur propre entreprise[7]. Ce phénomène de sous-diversification n'est évidemment pas propre aux ménages américains. D'autres études en France[8] ou en Suède[9] montrent approximativement la même chose.

Plusieurs explications peuvent être apportées. La première vient du **biais de familiarité** : les investisseurs individuels ont tendance à privilégier les entreprises qu'ils connaissent le mieux[10]. La seconde est qu'ils sont plus soucieux de la performance relative de leur portefeuille comparé à leurs proches, que de sa performance absolue : on parle de **préoccupations relatives en termes de richesse** (*catching up with the Joneses*). Ils ont tendance à choisir des portefeuilles sous-diversifiés mais qui ressemblent à ceux de leurs collègues ou de leurs voisins[11]. La sous-diversification représente un cas manifeste de comportement sous-optimal de la part des investisseurs individuels.

Excès de confiance et agressivité

Selon le MEDAF, les investisseurs devraient détenir un portefeuille combinant l'actif sans risque et le portefeuille de marché, ce dernier contenant tous les titres risqués. Le portefeuille de marché étant pondéré par la capitalisation boursière, en théorie nul besoin d'échanger pour s'adapter aux mouvements de prix des actifs. Par conséquent, si tous les investisseurs détenaient le portefeuille de marché, on ne devrait pas observer de volumes de transaction importants sur les marchés financiers. En réalité, les volumes de transaction sur les marchés financiers sont énormes[12].

La figure 13.3 illustre l'évolution des volumes de transaction sur le marché parisien des actions depuis 1969. Au début des années 1970, la valeur des actions échangées chaque année à la Bourse de Paris s'élevait à moins de 4 milliards d'euros. Au début des années 1980, on atteignait 10 milliards d'euros. Au début des années 1990, cette valeur atteignait déjà 100 milliards d'euros. Ces dernières années, on est passé à plus de 1 000 milliards d'euros en actions échangées sur Euronext Paris… Ainsi, en 30 ans, les transactions boursières ont augmenté 100 fois plus vite que le PIB. Depuis 2007, on observe tout de même une baisse importante. Cela coïncide avec la crise financière, mais cela tient surtout à l'entrée en vigueur en Europe de la **directive MIF** (pour Marchés d'instruments financiers) qui met fin à la centralisation des ordres de Bourse.

---

7.   La plus grosse partie de la retraite d'un Américain provient d'un système de capitalisation (la part de la répartition étant bien plus faible qu'en France). L'investissement y est défiscalisé et géré dans un compte spécial : le 401(k). S. Benartzi (2001), « Excessive Extrapolation and the Allocation of 401(k) Accounts to Company Stock », *Journal of Finance*, 56, 1747-1764.

8.   L. Arrondel et A. Masson (2010), « Temperance in Stock Market Participation: Evidence from France », *Economica*, 77(306), 314-333 ; L. Arrondel et A. Masson (2003), « Stockholding in France », *Stockholding in Europe*, édité par L. Guiso, M. Haliassos et T. Jappelli, Palgrave Macmillan Publishers, 75-109.

9.   J. Campbell (2006), « Household Finance », *Journal of Finance*, 61, 1553-1604. Cette étude montre notamment que 50 % de la volatilité du portefeuille des investisseurs individuels en Suède est due au risque spécifique.

10. G. Huberman (2001), « Familiarity Breeds Investment », *Review of Financial Studies*, 14, 659-680.

11. P. DeMarzo, R. Kaniel et I. Kremer (2004), « Diversification as a Public Good: Community Effects in Portfolio Choice », *Journal of Finance*, 59, 1677-1715.

12   G. Capelle-Blancard (2017), « À quoi servent les (centaines de milliers de milliards de) transactions boursières ? », *Revue d'Économie Financière*, 127, 37-58.

La figure 13.3 ne représente, en fait, que les transactions réalisées sur Euronext Paris, qui sur les 10 dernières années ne représentent que deux tiers des échanges.

Les investisseurs ont en général tendance à recomposer leur portefeuille trop fréquemment : en moyenne, chaque action est détenue moins d'une année en portefeuille. Comment expliquer de tels comportements ? Les psychologues ont montré depuis les années 1960 que les investisseurs surestiment leur capacité et la précision de leur information. C'est ce que l'on appelle le **biais d'excès de confiance**. Brad Barber et Terrance Odean[13] considèrent que ce biais est à l'origine des mauvaises décisions prises par les investisseurs individuels : ces derniers pensent être à même de sélectionner les titres qui vont surperformer (*winners*) et vendre les titres amenés à baisser (*losers*), alors qu'en réalité ils en sont incapables ; l'excès de confiance les conduit à effectuer trop de transactions.

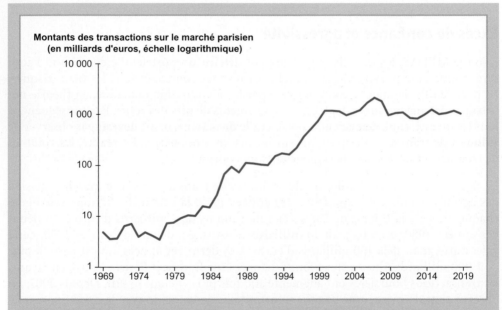

Figure 13.3 – Montant annuel des transactions sur le marché parisien des actions (en milliards d'euros), 1969-2020

L'augmentation spectaculaire des transactions est difficile à concilier avec les prescriptions du MEDAF qui veut que les investisseurs rationnels détiennent le portefeuille de marché ; lequel ne nécessite pas d'effectuer un grand nombre de transactions dans la mesure où il est pondéré par la capitalisation boursière. La baisse en 2008-2009 est liée à la crise financière, mais également à la montée en puissance des plateformes alternatives de négociation et des transactions de gré à gré qui représentent, en fin de période, un tiers des échanges totaux (et qui ne sont pas représentés ici).

Source : Euronext.

---

13. B. Barber et T. Odean (2000), « Trading Is Hazardous to Your Wealth: The Common Stock Investment Performance of Individual Investors », *Journal of Finance*, 55, 773-806.

| Crise financière | **La taxation des transactions financières** |

Presque 80 ans après la proposition de John Maynard Keynes de taxer les transactions à Wall Street, 40 ans après celle de James Tobin de placer quelques grains de sable dans les rouages trop bien huilés de la finance mondiale, l'idée de taxer les transactions financières fait son chemin. La France en 2012, puis l'Italie en 2013 ont décidé de taxer les échanges d'actions et une taxe à l'échelle européenne est en discussion dans 11 pays de la zone euro. Cette taxe, proposée par la Commission européenne depuis 2011, s'appliquera dès lors qu'au moins un des participants à la transaction est établi dans l'un des 11 pays qui l'ont adoptée (« principe de résidence ») ou dès lors que la transaction implique un instrument financier émis dans l'un de ces pays (« principe du lieu d'émission »), et ce, quel que soit l'endroit où la transaction a lieu.

Les débats autour de la taxe sur les transactions financières (TTF) portent régulièrement sur son incidence sur la volatilité. Les uns espèrent réduire l'instabilité des marchés en décourageant la spéculation, tandis que les autres font valoir qu'une telle taxe serait contre-productive car, en diminuant la liquidité, elle contribuerait à augmenter la volatilité.

Que les marchés illiquides soient des marchés volatils est un fait avéré. Il ne faut pas pour autant en conclure que toute augmentation des volumes de transaction favorise la stabilité des marchés, ni réciproquement qu'une diminution des volumes implique nécessairement une hausse de la volatilité. Dans les modèles théoriques qui traitent de ce lien, tout dépend des hypothèses sur la rationalité des intervenants. S'ils sont supposés parfaitement rationnels, alors toute augmentation des coûts de transaction nuit à l'efficience des marchés. En revanche, dès lors que l'on considère que les intervenants (ne serait-ce que certains d'entre eux) font preuve de rationalité limitée, alors la réduction des volumes peut avoir des effets bénéfiques.

Et qu'en est-il en pratique ? Les études empiriques menées dans les pays où une TTF existe (ou a existé) ne décèlent aucun effet robuste sur la volatilité – ni dans un sens, ni dans l'autre – malgré la baisse des volumes de transaction. Prenons le cas de la taxe introduite en France en août 2012 au taux de 0,2 % (le taux a depuis été augmenté à 0,3 %). Cette TTF sur les échanges d'actions se prête particulièrement bien à une étude d'impact[*] dans la mesure où seules sont taxées les grandes entreprises avec une capitalisation boursière supérieure à 1 milliard d'euros (une centaine environ) et qui ont leur siège social en France.

L'idée consiste alors à examiner l'activité sur ces titres avant et après l'introduction de la taxe, et à comparer ces résultats avec un échantillon d'entreprises « témoins » qui ne sont pas soumis à la taxe – soit parce qu'il s'agit d'entreprises françaises de taille moyenne, soit parce qu'il s'agit d'entreprises ayant leur siège social à l'étranger. Cette approche permet d'isoler les effets propres à la taxe d'autres changements survenus simultanément.

Le résultat est que cette taxe a conduit à une baisse des transactions de l'ordre de 20 %. Ce qui est peu comparé à la croissance très forte des transactions, accrues de 2000 % depuis le début des années 1990… Mais surtout, la taxe n'a pas eu d'effet sur la volatilité des actions. En conclusion, la taxation des transactions financières – du moins telle qu'elle est pratiquée aujourd'hui – a peu d'effet sur les marchés. Ce n'est ni l'apocalypse redoutée par certains, ni la panacée espérée par d'autres.

---

[*] G. Capelle-Blancard et O. Havrylchyk (2016), « The Impact of the French Securities Transaction Tax on Market Liquidity and Volatility », *International Review of Financial Analysis*, 47, 166-178.

Les investisseurs qui réalisent trop de transactions n'obtiennent pas pour autant des rentabilités supérieures à celles du marché. En fait, elles sont bien moindres en raison des coûts de transaction (fourchette de prix et commissions) dont ils doivent s'acquitter. La figure 13.4 montre que la performance obtenue par les investisseurs individuels est une fonction décroissante du nombre de transactions. Ces auteurs ont aussi comparé, dans une autre étude, la performance obtenue par les hommes et les femmes[14] : en accord avec les études menées en psychologie, qui témoignent d'un excès de confiance plus prégnant chez les hommes que chez les femmes, les deux économistes montrent que ces dernières obtiennent en moyenne de meilleures performances en Bourse ! [15]

Là encore, ce biais n'est pas propre aux investisseurs américains. Mark Grinblatt et Matti Keloharju ont par exemple montré que le volume de transactions opérées par les investisseurs finlandais est une fonction croissante de leur excès de confiance, voire de leur agressivité. Ce trait de caractère est mesuré dans cette étude par le nombre de contraventions pour excès de vitesse reçus par les investisseurs. Pour les auteurs, ce comportement peut également s'interpréter comme une **recherche de sensation**. Il ressort de l'étude, une nouvelle fois, que l'excès de confiance se traduit par des pertes pour l'investisseur[16].

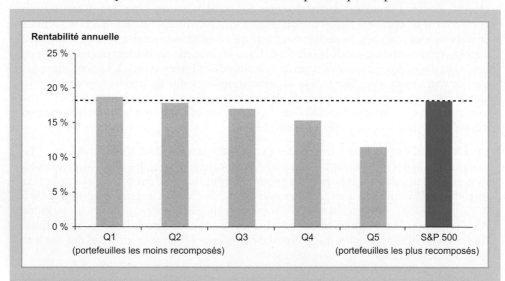

Figure 13.4 – Rotation du portefeuille et rentabilités obtenues par les investisseurs individuels

La figure représente la rentabilité moyenne annuelle (net des frais de transaction et des commissions) des investisseurs individuels disposant d'un compte-titres auprès d'un grand courtier en valeurs mobilières sur la période 1991-1997. Les investisseurs sont regroupés en quintiles selon la fréquence des recompositions de leur portefeuille, mesuré par le taux de rotation qui s'exprime comme le ratio volume annuel de transactions sur nombre de titres (*turnover ratio*). Les investisseurs effectuant le moins de transactions ont obtenu une performance nette légèrement supérieure au S&P 500. À l'inverse, celle-ci décroît à mesure que le taux de rotation augmente.

Source : B. Barber et T. Odean (2000), « Trading Is Hazardous to Your Wealth: The Common Stock Investment Performance of Individual Investors », *Journal of Finance*, 55, 773-806.

---

14. B. Barber et T. Odean (2001), « Boys Will Be Boys: Gender, Overconfidence, and Common Stock Investment », *Quarterly Journal of Economics*, 116, 261-292.

15. Voir aussi l'encadré « Les femmes et la finance » (Chapitre 13).

16. M. Grinblatt et M. Keloharju (2009), « Sensation Seeking, Overconfidence, and Trading Activity », *Journal of Finance*, 64, 549-578.

Comportement des investisseurs individuels et prix des titres

Les phénomènes de sous-diversification et d'excès de confiance observés chez les investisseurs sont en contradiction avec les prescriptions du MEDAF. Cela remet-il en cause la validité du modèle ?

Potentiellement, il n'en est rien. Sous l'hypothèse que ces investisseurs s'écartent des prescriptions du modèle de manière aléatoire, les violations de comportement optimal observées peuvent s'interpréter comme un terme idiosyncratique. De ce fait, si l'on agrège les portefeuilles effectivement détenus par ces derniers, les titres surpondérés dans certains portefeuilles compensent ceux sous-pondérés dans les autres. En conséquence, le portefeuille agrégé correspond alors exactement au portefeuille de marché et ces phénomènes n'ont aucune conséquence sur les prix de marché ou les rentabilités espérées. Cela revient à supposer que ces investisseurs ne font qu'échanger des titres entre eux, générant ainsi des commissions pour les courtiers en valeurs mobilières, mais sans remettre en cause l'efficience des marchés.

Pour que de tels biais comportementaux aient un impact sur le marché, il faut que des facteurs systématiques en soient à l'origine. Dans ce cas, les échanges de titres perdent leur caractère idiosyncratique et il est alors possible d'observer des mouvements de prix de marché prévisibles et corrélés à ces facteurs. L'étude de ces derniers, et donc des motifs pouvant expliquer la non-détention du portefeuille de marché par les investisseurs, fait l'objet de la prochaine section.

13.4. Des biais systématiques de comportement

Le comportement des investisseurs n'a d'impact sur le prix des actifs, et ne crée des opportunités dont peuvent profiter les investisseurs informés (ou sophistiqués), que si les erreurs commises par les non-informés ont un caractère systématique et sont donc prévisibles. Cette section présente une synthèse des études empiriques qui étudient ces biais systématiques.

Conserver trop longtemps les titres perdants : l'effet de disposition

Les investisseurs ont tendance à conserver trop longtemps les titres qui ont perdu de la valeur (les perdants) et à vendre trop rapidement ceux qui en ont gagné (les gagnants). Ce phénomène est connu sous le nom d'**effet de disposition**. Hersh Shreffin et Meir Statman, en s'appuyant sur les travaux des chercheurs en psychologie Daniel Kahneman et Amos Tversky, ont postulé que cet effet survient parce que les investisseurs deviennent risquophiles lorsqu'ils font face à des pertes potentielles[17]. Cela reflète également la réticence à « admettre ses erreurs » en encaissant les pertes (qui deviennent effectives lorsqu'un investisseur décide de vendre un titre à un prix moindre que celui auquel il l'a acheté).

---

17. H. Shrefin et M. Statman (1985), « The Disposition to Sell Winners Too Early and Ride Losers Too Long: Theory and Evidence », *Journal of Finance*, 40, 777-790 ; D. Kahneman et A. Tversky (1979), « Prospect Theory: An Analysis of Decision under Risk », *Econometrica*, 47, 263-291.

De multiples travaux ont confirmé l'existence de cet effet de disposition chez les investisseurs. Par exemple, une étude sur les échanges effectués sur le marché taïwanais des actions au cours de la période 1995-1999 a montré qu'en moyenne les investisseurs prennent deux fois plus de temps pour réaliser leurs pertes que leurs gains et que 85 % des investisseurs sont sujets au biais de disposition[18]. *A contrario*, les gérants de portefeuille assimilables à des investisseurs sophistiqués sont moins sujets à l'effet de disposition[19].

Cette tendance à conserver trop longtemps les perdants et à vendre trop rapidement les gagnants n'est pas sans conséquences fiscales. En effet, comme les plus-values en capital ne sont taxées qu'une fois réalisées, il serait optimal, du moins d'un point de vue fiscal, de les retarder en conservant plus longtemps les gagnants afin de réduire la valeur actuelle des impôts sur les plus-values. À l'inverse, il serait optimal de réaliser ses pertes rapidement, notamment vers la fin de l'année, afin d'obtenir les déductions sur le revenu imposable permises par les pertes en capital.

Bien entendu, ce comportement est rationnel si l'investisseur anticipe un rebond de ses titres perdants de sorte qu'à l'avenir ils surperforment ses titres gagnants. Bien que les investisseurs puissent effectivement avoir ce sentiment, il est rarement justifié dans les faits : les titres perdants que continuent à détenir les investisseurs ont tendance à sous-performer les titres gagnants vendus trop tôt ! En moyenne, cette sous-performance s'élève à 3,4 % l'année qui suit la vente des gagnants[20].

| **Prix Nobel & Co.** | **Kahneman et Tversky : la théorie des perspectives** |

En 2002, Daniel Kahneman a reçu le prix Nobel pour sa théorie des perspectives (*Prospect Theory*), développée avec le psychologue Amos Tversky, qui aurait sans doute également reçu le prix s'il n'était pas décédé en 1996. La théorie des perspectives est un modèle du comportement de l'individu dans des situations risquées (c'est-à-dire des situations où les distributions de probabilité des événements aléatoires sont connues*). Ce modèle décrit les choix *effectivement* opérés par les individus, et non ceux qu'ils *auraient faits* s'ils avaient adopté une approche rationnelle. Ce modèle postule ainsi que les agents évaluent les revenus tirés d'une perspective risquée par comparaison à une situation de référence (effet de contexte ou *framing effect*). Il établit que les individus ont tendance à être averses au risque dans les situations de gain et risquophiles dans celles de perte, et qu'ils surpondèrent les probabilités d'occurrence des événements rares. L'effet de contexte (*frame*) se produit par exemple en Bourse si l'investisseur compare le prix de vente possible d'un titre à son prix d'achat avant de décider de le vendre. La théorie des perspectives est à l'origine de nombreux développements en économie du risque et de l'incertain ainsi qu'en finance comportementale.

---

* Par opposition aux situations d'incertitude où celles-ci sont inconnues : F. Knight (1921), *Risk, Uncertainty and Profit*, The Riverside Press.

---

18. B. Barber, Y. T. Lee, Y. J. Liu et T. Odean (2007), « Is the Aggregate Investor Reluctant to Realize Losses? Evidence from Taiwan », *European Financial Management*, 13, 423-447.

19. R. Dahr et N. Zhu (2006), « Up Close and Personal: Investor Sophistication and the Disposition Effect », *Management Science*, 52, 726-740.

20. T. Odean (1998), « Are investors Reluctant to Realize Their Losses? », *Journal of Finance*, 53, 1775-1798.

Attention des investisseurs, humeur et expérience

Les investisseurs individuels ne sont pas des opérateurs de marché à plein temps et ils ne disposent donc que d'un temps limité pour prendre leur décision d'investissement. Par conséquent, ils peuvent être influencés par des événements ou des annonces qui retiennent leur attention. Plusieurs études montrent qu'ils ont tendance à acheter des actions qui ont fait l'objet d'articles dans les journaux spécialisés, d'une publicité particulière, dont le volume de transactions s'est révélé particulièrement élevé ou encore dont les rentabilités (positives ou négatives) observées ont été particulièrement importantes[21].

Le comportement des investisseurs semble aussi être influencé par leur humeur. Ainsi, par exemple, le niveau d'ensoleillement a un effet positif sur l'humeur des individus et des études ont montré que la rentabilité des actions a tendance à être plus élevée lors des journées ensoleillées. À New York, par exemple, la rentabilité annualisée du marché lors de telles journées est en moyenne d'environ 24,8 % alors qu'elle n'est que de 8,7 % lors des journées maussades[22]. Cet effet ne se limite pas à la météo. Les résultats des grands événements sportifs influencent aussi les prix de marché. Une étude récente estime que la perte d'un match en phase éliminatoire de la Coupe du monde de football a un effet négatif sur la rentabilité observée des actions le jour suivant dans le pays concerné d'à peu près 0,5 % ; là encore, l'humeur des investisseurs semble en être la cause[23].

Enfin, les investisseurs semblent bien plus faire confiance à leur propre expérience des marchés qu'aux performances historiques des actifs financiers : les investisseurs ayant grandi et vécu lors des périodes fastes sur les marchés ont plus de chance d'acheter des actions que ceux qui ont connu les périodes tumultueuses où les rentabilités des actions ont été très mauvaises[24].

Comportement moutonnier

Jusqu'à présent, cette section a traité des facteurs qui permettent d'expliquer en quoi les décisions d'achat ou de vente de titres de la part des investisseurs sont susceptibles d'être corrélées. Un autre biais comportemental largement documenté peut expliquer ce phénomène : la tendance au mimétisme (ou au conformisme) est communément appelée **comportement moutonnier**.

Plusieurs explications peuvent être apportées. Tout d'abord, si certains investisseurs croient que d'autres disposent d'une information supérieure à la leur, ils ont intérêt à imiter leur décision d'investissement. Ce type de comportement conduit alors à

---

21. G. Grullon, G. Kanatas et J. Weston (2004), « Advertising, Breadth of Ownership, and Liquidity », *Review of Financial Studies*, 17, 439-461 ; M. Seasholes et G. Wu (2007), « Predictable Behavior, Profits and Attention », *Journal of Empirical Finance*, 14, 590-610 ; B. Barber et T. Odean (2008), « All That Glitters: The Effect of Attention and News on the Buying Behavior of Individual and Institutional Investors », *Review of Financial Studies*, 21, 785-818.

22. Calculs effectués sur les données de 1982 à 1997 : D. Hirshleifer et T. Shumway (2003), « Good Day Sunshine: Stock Returns and the Weather », *Journal of Finance*, 58, 1009-1032.

23. A. Edmans, D. Garcia et O. Norli (2007), « Sports Sentiment and Stock Returns », *Journal of Finance*, 62, 1967-1998.

24. U. Malmandier et S. Nagel (2011), « Depression Babies: Do Macroeconomic Experiences Affect Risk-Taking? », *Quarterly Journal of Economics*, 126, 373-416.

des **cascades informationnelles** dans lesquelles les investisseurs ignorent leur propre ensemble d'information en espérant pouvoir tirer profit de celui des autres[25].

Ensuite, certains individus choisissent délibérément d'en imiter d'autres dans le but d'éviter d'obtenir des rentabilités inférieures à celles de leurs collègues[26]. Enfin, les professionnels de la gestion de fonds font face à un risque de réputation si leur décision d'investissement s'écarte trop de celles de leurs confrères[27].

Les conséquences de ces biais comportementaux

L'idée selon laquelle les investisseurs commettent des erreurs n'est pas nouvelle en soi. Ce qui est plus surprenant, c'est que ces erreurs persistent alors qu'elles sont coûteuses et qu'il est facile de les éviter (en achetant et en détenant le portefeuille de marché).

Quoi qu'il en soit, celles-ci peuvent avoir des conséquences sur le MEDAF. Si les investisseurs individuels s'engagent dans des stratégies à alpha négatif, il est alors possible pour les investisseurs sophistiqués d'en profiter et d'obtenir des alphas positifs. Observe-t-on l'existence de ces investisseurs sophistiqués empiriquement ? La section suivante tente de répondre à cette question.

Prix Nobel & Co.	Thaler : la finance comportementale

En 2017, le Comité de la fondation Nobel a décerné le prix de la Banque de Suède en sciences économiques à Richard Thaler pour « sa contribution à l'économie comportementale ». Mais de son propre aveu, c'est dans le champ de l'économie financière que ses travaux ont eu le plus de résonance*. L'intérêt de Thaler pour les marchés financiers s'explique par le fait qu'ils sont l'archétype du marché sans « friction » et constituent donc l'environnement idéal pour tester la rationalité des agents et le concept d'homo œconomicus. L'objectif de Thaler est audacieux, surtout qu'il est professeur à l'Université de Chicago, le centre névralgique mondial de la recherche en finance, où règnent alors Merton Miller, Eugène Fama et Myron Scholes. Thaler ambitionne ainsi de révolutionner la finance « de l'intérieur »...

Pour Thaler, l'absence d'opportunité d'arbitrage, voire l'imprévisibilité des cours boursiers, ne signifient pas nécessairement que les prix reflètent les fondamentaux. L'idée est simple :

« Les prix sont justes » $\Rightarrow$ « absence d'opportunité d'arbitrage »

Mais « absence d'opportunité d'arbitrage » $\not\Rightarrow$ « les prix sont justes »

...

25. S. Bikhchandani, D. Hirshleifer et I. Welch (1992), « A Theory of Fads, Fashion, Custom and Cultural Change as Informational Cascades », *Journal of Political Economy*, 100, 992-1026 ; C. Avery et P. Zemsky (1998), « Multidimensional Uncertainty and Herd Behavior in Financial Markets », *American Economic Review*, 88, 724-748.

26. P. DeMarzo, R. Kaniel et I. Kremer (2008), « Relative Wealth Concerns and Financial Bubbles », *Review of Financial Studies*, 21, 19-50.

27. D. Scharfstein et J. Stein (1990), « Herd Behavior and Investment », *American Economic Review*, 80, 465-479.

…

Thaler a publié de nombreux articles simples, et d'autant plus convaincants, remettant en cause la notion clé d'arbitrage. Sans pour autant dénier la grande difficulté qu'il y a à battre le marché, il montre que certains écarts de prix ne sont pas spontanément corrigés par le marché, comme souvent stipulé (abusivement) depuis Milton Friedman.

Thaler a également mis en lumière le rôle de la comptabilité mentale dans la prise de décision : les individus ont tendance à évaluer les gains et les pertes séparément et non conjointement, et à accorder trop d'importance aux variations de prix de court terme. Thaler a aussi montré l'importance de l'architecture de choix dans les politiques publiques, avec le principe du « nudge ». L'idée consiste simplement à tirer parti du fait que les individus n'optimisent pas toujours leurs décisions et s'en tiennent souvent au résultat par défaut, qui doit donc être bien pensé au préalable. Il est, par exemple, plus efficace de proposer aux salariés un plan d'épargne-retraite complémentaire par défaut en laissant toutefois la possibilité à certains de ne pas y adhérer, plutôt que l'inverse.

Ainsi Thaler a-t-il façonné autour de lui un nouveau champ d'analyse : la finance comportementale. Alors que, dans les années 1980, la finance était devenue une discipline essentiellement mathématique, ses travaux ont marqué un tournant en y réintroduisant une dimension économique et humaine. La recherche en finance traite désormais moins des prix que des comportements. Les prix des actifs financiers sont, généralement, bien arbitrés et il est très difficile de « battre le marché ». Pour autant, cela ne signifie pas que les prix reflètent toujours correctement les fondamentaux, ni que les investisseurs rationnels prédominent sur les marchés.

---

*   M. Broihanne et G. Capelle-Blancard (2018), « Richard Thaler ou comment la finance est devenue comportementale », *Revue d'économie politique*, 128(4), 549-574.

13.5. L'efficience du portefeuille de marché

Pour qu'un investisseur sophistiqué puisse profiter des erreurs commises par les investisseurs individuels, deux conditions sont requises. Premièrement, ces erreurs doivent être persistantes et d'ampleur suffisante pour impacter les prix des titres. C'est la condition qui rend possible l'apparition de stratégies à alpha positif telles que décrites à la figure 13.2. Deuxièmement, la concurrence entre investisseurs sophistiqués doit être limitée de sorte qu'il soit possible d'exploiter ces stratégies. Si la concurrence est trop forte, ces opportunités disparaissent trop rapidement empêchant ainsi les investisseurs d'en tirer profit de manière significative. Cette section s'attache à vérifier si, en pratique, certains investisseurs sont effectivement capables de battre le marché.

Effectuer des transactions sur la base d'informations publiques ou de recommandations

Est-il possible de créer de la valeur en investissant sur la base d'informations lues dans la presse ou sur Internet ou de recommandations d'analystes ? Si relativement peu d'investisseurs y prêtent attention, il est sans doute possible de tirer parti de ces sources publiques d'information.

Offres de rachat. Pour une entreprise, l'une des annonces les plus importantes eu égard à l'impact sur le prix de ses actions est d'être la cible d'une offre de rachat. En général, les acquéreurs proposent une prime significative par rapport au cours de Bourse au moment de l'annonce. Bien entendu, à l'arrivée d'une telle information sur le marché, le prix des actions de l'entreprise cible effectue un saut significatif, sans toutefois atteindre le prix promis dans l'offre de rachat. Bien que cette différence existe et crée de fait une opportunité d'investissement apparemment profitable, il subsiste de l'incertitude : l'offre de rachat peut s'effectuer au prix annoncé, voire à un prix plus élevé mais peut aussi échouer ! La figure 13.5 témoigne de la réponse moyenne des marchés financiers à l'annonce d'offres de rachat. Elle illustre la **rentabilité anormale cumulée** des actions de la cible qui mesure, au moment de l'annonce, la rentabilité effective de ses actions relativement à celle qui serait prédite à partir de son bêta. Cette figure montre que le saut observé au moment de l'annonce est si important qu'en moyenne les rentabilités futures des actions ne surperforment pas le marché. Bien entendu, si un investisseur est capable de prévoir que l'entreprise sera effectivement rachetée, il pourra profiter de ce type d'information.

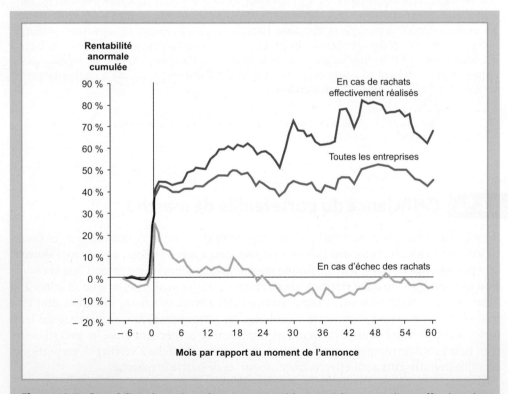

Figure 13.5 – Rentabilités des actions des entreprises cibles suite à l'annonce d'une offre de rachat

Suite au saut initial du prix des actions observé au moment de l'annonce, les rentabilités subséquentes des entreprises cibles ne semblent pas anormales en moyenne. Toutefois, les actions des entreprises effectivement rachetées présentent un alpha positif alors que celles dont l'offre échoue ont un alpha négatif. Par conséquent, un investisseur peut profiter de telles annonces seulement s'il est capable d'en inférer le résultat final.

Source : adapté de M. Bradley, A. Dessai et E. H. Kim, « The Rationale Behind Interfirm Tender offers: Information or Synergy? », *Journal of Financial Economics*, 11, 183-206

Recommandations d'analystes. De nombreux magazines spécialisés ainsi que certaines émissions de télévision proposent des conseils boursiers. Est-il possible de profiter de telles recommandations ? La figure 13.6 illustre les résultats d'une étude analysant les réactions des prix des actions suite aux recommandations effectuées dans une émission très populaire aux États-Unis (« Mad Money » animée par Jim Cramer) en distinguant si ces dernières s'appuient ou non sur des annonces nouvelles à propos des entreprises concernées.

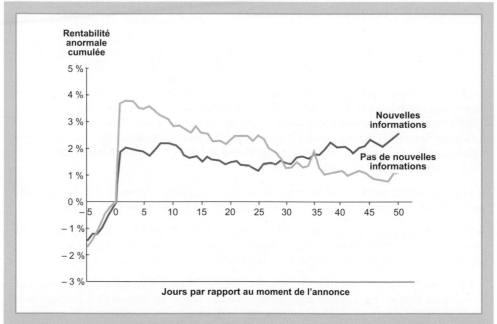

Figure 13.6 – Réactions des prix des actions suite aux recommandations effectuées dans l'émission américaine « Mad Money »

Lorsque les recommandations coïncident avec de nouvelles informations, la réaction des prix des actions suite à ces dernières semble normale puisque cela ne conduit pas à observer, subséquemment, des alphas significativement différents de zéro. Par contre, lorsque les recommandations ne s'appuient pas sur de nouvelles informations, les prix des titres concernés semblent surréagir. Bien que les investisseurs sophistiqués tentent de profiter de ce phénomène en vendant à découvert ces titres, les prix mettent du temps à retrouver leurs niveaux normaux car ces titres sont peu liquides.

Source : adapté de J. Engelberg, C. Sasseville et J. Williams (2011), « Market Madness? The Case of Mad Money », *Management Science*.

Dans le cas où celles-ci font suite à des informations nouvelles, les prix des titres reflètent ces nouvelles informations dès le jour suivant et restent stables ensuite (relativement au marché dans son ensemble). Dans le cas où les recommandations ne sont pas accompagnées d'informations nouvelles, on observe un saut significatif des prix des titres le jour suivant, mais ceux-ci tendent ensuite à baisser par rapport au portefeuille de marché (indiquant alors un alpha négatif) dans les semaines qui suivent. Cette étude indique aussi que les entreprises qui sont recommandées, sans que soient annoncées de nouvelles informations, sont relativement plus petites et leurs actions moins liquides. Ce phénomène peut donc s'interpréter comme la conséquence des transactions effectuées par les investisseurs individuels suite à ces recommandations qui poussent le prix de ces actions à un niveau trop élevé le jour suivant. Ces derniers semblent donc soumis au biais d'excès de confiance en prêtant trop attention aux recommandations plutôt qu'en prenant en compte le comportement des autres investisseurs. De là, survient une question encore plus intéressante : pourquoi les investisseurs avisés ne tirent-ils pas profit de ce phénomène en vendant à découvert ces actions ? En fait, ils le font (le niveau des ventes à découvert[28] augmente sur ces titres), mais ces actions étant peu liquides, le coût de ces opérations est élevé et les prix de ces titres mettent plus de temps à se corriger.

Zoom sur...   **Les femmes et la finance***

En France, il faut attendre 1965 pour que les femmes puissent enfin ouvrir un compte bancaire sans l'autorisation de leur mari et 1967 pour que l'interdiction faite aux femmes d'accéder à la Bourse de Paris soit officiellement levée. Aujourd'hui encore, les métiers financiers les plus prestigieux comptent moins de femmes que d'hommes, et l'idée saugrenue selon laquelle la finance serait une affaire d'hommes n'a pas disparu, certains continuant même à penser que le succès financier est corrélé à des « valeurs masculines » telles que la virilité, le sang-froid, l'audace ou le goût pour la compétition… Les préjugés ont la vie dure et expliquent que les inégalités de genre en finance demeurent importantes, et ce à tous les niveaux :

• Les enquêtes montrent que les femmes détiennent, toutes choses égales par ailleurs, moins d'actions que les hommes et qu'elles sont discriminées dans l'accès au crédit.

• Dans les banques, les femmes sont majoritaires (57 % en France), mais occupent souvent des fonctions support. Les carrières les plus prestigieuses – et les mieux rémunérées – restent largement l'apanage des hommes.

• Les conseils d'administration des grands groupes se sont récemment féminisés, par obligation légale : on compte aujourd'hui plus de 40 % de femmes en France (voir section 29.2). La même évolution est perceptible dans les comités exécutifs de ces entreprises, mais la progression y est beaucoup plus lente, particulièrement pour les postes de direction générale : en France, à peine 2 % des grandes entreprises sont dirigées par des femmes.

• Les autorités de régulation financière ne font pas exception, même si les progrès y sont plus rapides que dans le secteur privé. En France, la loi impose désormais la parité.

• Enfin, même à l'université, les femmes sont minoritaires dans le champ de la finance, où elles ne représentent qu'un quart des chercheurs.

En 2010, Christine Lagarde, alors directrice du Fonds monétaire international (et première femme à occuper ce poste), a déclaré dans le *New York Times* : « Si Lehman Brothers avait été "Lehman Sisters", le monde aurait peut-être été différent. » Est-ce certain ? Une telle supposition contribue précisément à renforcer les préjugés (en l'occurrence, une prétendue « prudence féminine ») que l'on entend combattre. Quoi qu'il en soit, les inégalités de genre dans la sphère financière n'ont aucun fondement légitime et cette raison suffit pour que l'on y remédie. Espérons que cet ouvrage aide autant ses lectrices que ses lecteurs…

---

*   Pour plus de détails, voir Capelle-Blancard G., J. Couppey-Soubeyran et A. Reberioux (2019), « Vers un nouveau genre de finance ? », *La Revue de la régulation*, 25(1).

---

28. Les chapitres 9 et 11 expliquent le mécanisme des ventes à découvert.

| **Prix Nobel & Co.** | **Fama, Shiller et Hansen : l'(in)efficience des marchés** |

Eugene Fama, Robert Shiller et Lars Peter Hansen ont reçu le prix Nobel en 2013. Si la plupart des économistes reconnaissent l'importance de leurs travaux, le fait qu'ils reçoivent ce prix *ensemble* en a surpris plus d'un. En effet, Fama est surtout connu pour l'hypothèse d'efficience des marchés, qui postule qu'il est impossible de battre le marché et de prévoir l'évolution des cours boursiers, tandis que Shiller a insisté sur l'excès de volatilité sur les marchés provoqué par l'irrationalité des investisseurs et le fait qu'il était possible d'en profiter. Hansen, quant à lui, a été récompensé pour avoir développé les outils statistiques permettant de tester la validité des deux théories.

Le comité Nobel explique ainsi sa décision : « Au début des années 1960, Fama et d'autres ont démontré que les cours boursiers étaient très difficiles à prévoir et que l'information nouvelle était incorporée immédiatement dans les prix. On aurait donc pu penser qu'il est encore plus difficile de les prévoir sur un horizon de quelques années ; pourtant Shiller a découvert dans les années 1980 que ce n'était pas le cas. En effet, les prix des actions fluctuent plus que les dividendes, et le ratio prix sur dividendes a tendance à baisser lorsqu'il est élevé, et inversement. Hansen a développé la méthode statistique permettant de tester ces différentes théories. À eux trois, ils ont permis de grandes avancées dans la compréhension des prix d'actifs. »

Source : « The Prize in Economic Sciences 2013, *Press Release ;* **www.nobelprize.org.**

La performance des gestionnaires de fonds

L'analyse ci-dessus suggère qu'il n'est pas aisé de tirer profit de nouvelles informations. Toutefois, des investisseurs sophistiqués peuvent éventuellement en être capables, par exemple en prévoyant le résultat d'une offre de rachat ou en vendant à découvert les petites capitalisations ayant fait l'objet de recommandations. Parmi ces investisseurs avisés, les gestionnaires de portefeuille paraissent le plus à même de tirer profit de telles opportunités d'investissement. En pratique, en sont-ils vraiment capables ?

La plus-value des gérants de portefeuille. La réponse est oui. La surperformance brute, mesurée par l'alpha (avant commission) et ajustée par la valeur des actifs sous gestion, représente 3 millions de dollars par an en moyenne (voir figure 13.7), et même 9 millions de dollars si l'on ne retient que les gérants ayant plus de cinq ans d'expérience[29]. Bien sûr, ce n'est pas parce qu'en moyenne les gérants de portefeuille surperforment le marché que tous en sont capables. En fait, la plupart échouent : le gérant médian « détruit de la valeur ». La plupart se conduisent en effet comme les investisseurs individuels et échangent trop souvent, de sorte que les coûts de transaction excèdent les gains éventuels. Mais les gérants les plus doués gèrent des montants plus élevés, ce qui permet à l'industrie de la gestion collective de dégager une valeur positive au total.

La plus-value pour les investisseurs. Les investisseurs tirent-ils profit de ces « bons » gérants ? Cette fois-ci, la réponse est non. Comme l'illustre la figure 13.7, la performance nette (après commissions) des fonds est négative : l'alpha net moyen est de − 0,34 %. Il

---

29. J. Berk et J. van Binsbergen (2015), « Measuring Managerial Skill in the Mutual Fund Industry », *Journal of Financial Economics,* 118, 1-20.

y a un large consensus sur ce point : les fonds gérés activement n'offrent donc pas, en moyenne, de meilleures performances pour les investisseurs que les fonds indiciels gérés passivement[30], et c'est à cause des frais supérieurs que les premiers prélèvent.

Bien entendu, là encore, ce n'est pas parce qu'en moyenne l'alpha des fonds collectifs est négatif qu'il n'existe pas des gérants capables de générer des alphas positifs. Mais comment peut-on les identifier ? Morningstar aux États-Unis ou EuroPerformance en Europe classent chaque année les gérants de portefeuille en fonction de leur performance. Par exemple, William Miller, gérant du fonds Legg Mason Value Trust, dont les performances ont été soulignées en introduction de ce chapitre, s'est vu décerner par Morningstar non seulement le titre de gérant de l'année en 1998, mais aussi, l'année suivante, celui de gérant de la décennie. Comme cela a déjà été souligné, les investisseurs attirés par les fonds ainsi mis en avant obtiennent généralement des rentabilités assez faibles les années suivantes. Miller n'est pas un cas isolé. Dans une étude datée de 1994, le directeur général du célèbre fonds Vanguard, John Bogle, a comparé les rentabilités du marché à celles obtenues par un investisseur ayant choisi, chaque année, de placer ses fonds auprès des lauréats du « Honnor Roll Funds » décerné par le magazine économique américain *Forbes*[31]. Sur une période de 19 ans, cette stratégie a produit une rentabilité annuelle moyenne de 11,2 % alors que celle de l'indice de marché a été de 13,1 % au cours de la même période[32]. Les bonnes performances passées de ces fonds n'ont, à l'évidence, pas été un bon indicateur de leur capacité à battre le marché sur les périodes subséquentes. Bien d'autres études confirment ce résultat en remarquant que la prévisibilité des rentabilités des fonds d'investissement est faible[33].

Ces résultats sur les fonds collectifs sont certes un peu surprenants, ils n'en sont pas moins conformes à l'hypothèse de marchés de capitaux parfaitement concurrentiels. S'il est possible de prévoir qu'un gérant particulièrement qualifié est capable de générer un alpha positif dans le futur, alors comme dans le cas de toutes opportunités d'investissement profitables, tous les investisseurs devraient se ruer sur son fonds ; le gérant verrait en conséquence la taille de son fonds grandir énormément sous l'afflux de capitaux. Par exemple, William Miller a vu les actifs sous gestion de son fonds croître de 700 millions de dollars en 1997 à 28 milliards en 2007. Toutefois, plus la taille d'un fonds est grande, et plus il est difficile pour un gérant de pouvoir identifier des opportunités d'investissement profitables. De ce fait, il ne lui est plus possible de générer des performances au-dessus de la moyenne. Finalement les rentabilités du fonds vont décroître jusqu'à

---

30. R. Kosowski, A. Timmermann, R. Wermers et H. White (2006), « Can Mutual Fund "Stars" Really Pick Stocks? New Evidence from a Bootstrap Analysis », *Journal of Finance*, 61, 2551-2596 ; E. Fama et K. French (2010), « Luck versus Skill in the Cross-Section of Mutual Fund Alpha Estimates », *Journal of Finance*, 65, 1915-1947 ; J. Berk et J. van Binsbergen (2015), « Measuring Managerial Skill in the Mutual Fund Industry », *Journal of Financial Economics*, 118, 1-20.

31. Des classements similaires existent dans tous les pays. En France, *Les Echos*, *La Tribune* ou *Challenge* en publient régulièrement.

32. J. Bogle (1994), *Bogle on Mutual Funds: New Perspectives for the Intelligent Investor*, Mc Graw-Hill.

33. Une exception concerne les fonds dont les frais de gestion sont élevés. Ironiquement, ces fonds présentent des rentabilités prévisibles plus faibles que le marché : M. Cahart (1997), « On Persistence in Mutual Fund Performance », *Journal of Finance*, 52, 57-82.

ce que son alpha devienne nul[34]. Observer des alphas négatifs peut s'expliquer si les fonds offrent d'autres avantages ou résulter de l'excès de confiance des investisseurs. Ces derniers ont beaucoup trop tendance à croire qu'ils sont capables de bien sélectionner leur gérant et ils investissent bien trop dans ces fonds[35].

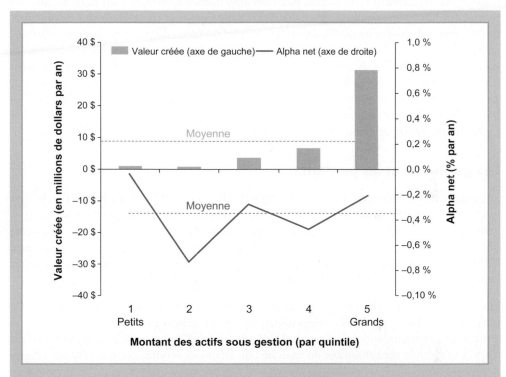

Figure 13.7 – Valeur créée par les gestionnaires de fonds et rentabilité pour les investisseurs, 1977-2011

La valeur créée par les gestionnaires de fonds est calculée par rapport aux fonds indiciels ; elle est mesurée avant commissions (alpha brut) et tient compte de la taille des fonds. L'alpha net déduit les frais prélevés par les gérants. Pour le calcul des moyennes, seuls sont retenus les gérants ayant plus de cinq ans d'expérience. Bien que les gérants créent en moyenne de la valeur, ils captent cette valeur par le biais de leurs commissions, et les investisseurs ne bénéficient pas d'alphas positifs.

Dans la mesure où les investisseurs ont tendance à confier en priorité leurs fonds aux gérants ayant eu les meilleures performances par le passé, la taille du fonds devrait être un bon prédicteur de la valeur ajoutée du gérant. Mais même si les investisseurs sélectionnent les bons gérants, ils en bénéficient peu, car la surperformance du fonds est capturée par

---

34. Ce mécanisme a été exposé par J. Berk et R. Green (2004), « Mutual Fund Flows in Rational Markets », *Journal of Political Economy*, 112, 1269-1295. Les articles suivants reportent tous que les flux de capitaux investis réagissent à la performance passée du fonds : M. Gruber (1996), « Another Puzzle: The Growth in Actively Managed Mutual Funds », *Journal of Finance*, 51, 783-810 ; E. Sirri et P. Tufano (1998), « Costly Search and Mutual Funds Flows », *Journal of Finance*, 53, 1589-1622 ; J. Chevalier et G. Ellison (1997), « Risk Taking by Mutual Funds as a Response to Incentives », *Journal of Political Economy*, 105, 110-1200.

35. La plupart des investisseurs qui ont confié leurs fonds à William Miller l'ont payé très cher. Les pertes survenues après 2007 sont certes à la hauteur des gains obtenus depuis 1992, mais la plupart des investisseurs sont entrés après 1992. Pour eux les pertes ont largement dépassé les gains. Comme on pouvait s'y attendre, le fonds a subi des sorties de capitaux importantes après 2007 de sorte que son actif sous gestion n'était plus, fin 2008, que de 1,2 milliard de dollars.

le gestionnaire sous la forme de frais de gestion élevés. Les frais de gestion sont le plus souvent calculés sous la forme d'un pourcentage des actifs sous gestion. Ce pourcentage est assez similaire d'un fonds à l'autre. Les gérants les plus talentueux disposent des fonds dont la taille est la plus importante et encaissent donc les plus gros frais de gestion. Ce résultat est exactement celui auquel nous devions nous attendre. Sur un marché concurrentiel, un bon gestionnaire de fonds réussit à s'approprier la rente liée à son savoir-faire. Qu'il s'agisse de gestionnaires de fonds de retraite, de fonds de pension ou de fondations, les études donnent des résultats très comparables à ceux décrits ci-dessus. De même, les sociétés de gestion de patrimoine ont tendance à embaucher les gérants qui ont historiquement surperformé leur indice de référence (*benchmark*) de manière significative (voir figure 13.8). Malheureusement, une fois embauchés, ces gérants obtiennent des performances non significativement différentes de la moyenne des autres gérants et leur rentabilité excédentaire à celle de leur indice de référence compense tout juste leurs frais de gestion.

Les gagnants et les perdants

Les études empiriques montrent qu'il est particulièrement difficile de battre l'indice de marché. Ce résultat n'est pas si surprenant. En effet, comme la section 13.2 l'a montré, l'investisseur moyen (sur la base d'une moyenne pondérée par la capitalisation boursière) obtient un alpha nul, avant même que ne soient pris en compte les coûts de transaction. Battre le marché nécessite par conséquent des qualifications très spécifiques, telles que la capacité à mieux analyser les informations ou des coûts de transaction moindres.

Les investisseurs individuels sont particulièrement désavantagés sur ces deux aspects. De plus, ils sont sujets à des biais comportementaux. Pour toutes ces raisons, ils devraient s'en tenir aux recommandations « sages » du MEDAF et détenir le portefeuille de marché. En fait, d'après une étude sur l'ensemble du marché taïwanais des actions, ceux-ci perdent à cause des transactions qu'ils effectuent, en moyenne 3,8 % par an : un tiers de cette perte résulte de mauvaises décisions d'investissement, les deux autres tiers des coûts de transaction[36].

La même étude montre que les institutions financières réalisent en moyenne une performance annuelle de 1,5 %. Alors que les gérants de portefeuille semblent profiter des infrastructures mises à leur disposition, et d'informations de meilleure qualité, les résultats de cette section suggèrent que bien peu de ces profits reviennent, *in fine*, aux particuliers qui investissent dans ces fonds.

---

36. Le marché taïwanais est très particulier car, contrairement aux marchés européens ou américains, il permet d'identifier précisément qui sont les acheteurs et les vendeurs dans chaque transaction boursière : B. Barber, Y. Lee, Y. Liu et T. Odean (2009), « Just How Much Do Individual Investors Lose by Trading », *Review of Financial Studies*, 22, 609-632.

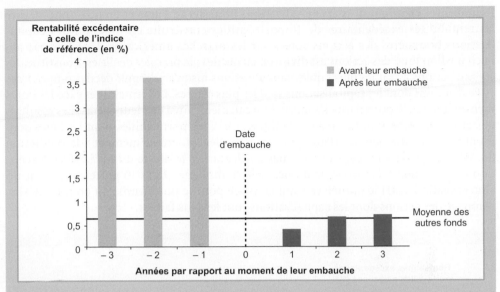

Figure 13.8 – Rentabilités observées des gérants avant et après leur embauche par des sociétés de gestion

Les sociétés de gestion ont tendance à embaucher des gérants qui ont significativement battu leur indice de référence dans le passé. Cependant, une fois embauchés, ces gérants n'ont pas fait mieux que la moyenne des autres, qui affichent une rentabilité annuelle excédentaire de 0,64 %. Les résultats sont fondés sur 8 755 embauches effectuées par 3 400 sociétés de gestion entre 1994 et 2003. Les rentabilités sont calculées avant frais de gestion (en moyenne, entre 50 et 70 points de base par an).

Sources : A. Goyal et S. Wahal (2008), « The Selection and Termination of Investment Management Firms by Plan Sponsors », *Journal of Finance*, 63, 1805-1847 ; J. Busse, A. Goyal et S. Wahal (2010), « Performance and Persistence in Institutional Investment Management », *Journal of Finance*, 65, 765-790.

13.6. Les stratégies d'investissement et le débat sur l'efficience

Dans cette section, il ne s'agit plus comme précédemment d'étudier les portefeuilles des investisseurs, mais d'analyser directement différentes *stratégies (ou styles) d'investissement* : en particulier, les stratégies fondées sur la taille des entreprises (mesurée par la capitalisation boursière) ou sur le rapport de la valeur comptable sur la valeur de marché des capitaux propres. Ces stratégies permettent-elles d'obtenir des rentabilités supérieures à celles du marché ?

Effet taille

Le chapitre 10 a montré que les actions de petite taille (celles dont les capitalisations boursières sont les plus faibles) présentent historiquement des rentabilités supérieures à celles du marché. De plus, bien que leurs bêtas soient supérieurs, il semble que leurs performances ajustées du risque soient plus élevées que celles du marché. Ce résultat empirique est connu sous le nom d'**effet taille**.

Rentabilités excédentaires et capitalisations boursières. Fama et French[37] ont mesuré les rentabilités excédentaires de 10 portefeuilles construits en fonction des capitalisations boursières des actions cotées sur les marchés américains. Une fois par an, l'échantillon total des actions est divisé en 10 déciles : le premier décile est constitué des 10 % d'actions ayant les plus faibles capitalisations jusqu'au dernier décile composé des 10 % d'actions dont les capitalisations sont les plus élevées. Les rentabilités excédentaires mensuelles des 10 portefeuilles sont ensuite calculées, ainsi que leurs bêtas. Les résultats de cette démarche sont présentés à la figure 13.9 : les portefeuilles dont les bêtas sont les plus élevés affichent les rentabilités les plus élevées, conformément à la prédiction du MEDAF. Tous sont cependant situés au-dessus de la droite du MEDAF, à l'exception du portefeuille du dixième décile. Cela signifie que 9 des 10 portefeuilles ont un alpha positif, l'écart le plus élevé étant constaté pour le portefeuille du premier décile, composé des actions dont les capitalisations sont les plus faibles.

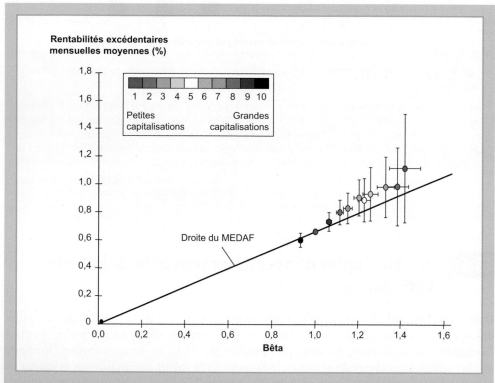

Figure 13.9 – Rentabilités excédentaires de 10 portefeuilles composés en fonction des capitalisations boursières des actions (1926-2018, États-Unis)

Chaque point représente le couple rentabilité excédentaire-bêta d'un portefeuille. Les rentabilités excédentaires sont mesurées relativement au taux sans risque à un mois. Les portefeuilles sont formés d'actions sélectionnées en fonction de leurs capitalisations boursières et recomposés tous les mois. La droite est celle du MEDAF. Si le portefeuille de marché est efficient et en l'absence d'erreurs de mesure, tous les portefeuilles devraient se situer sur la droite. Les barres d'erreur représentent les intervalles de confiance à 95 % des estimations de leur alpha (verticalement) et de leur bêta (horizontalement).

Source : données de Kenneth French.

---

37. E. Fama et K. French (1992), « The Cross-Section of Expected Stock Return », *Journal of Finance*, 47, 427-465.

Ce phénomène pourrait n'être que la résultante d'erreurs d'estimation. Comme l'illustre la figure, les erreurs types des estimations des alphas croissent avec leur valeur, ce qui élargit les intervalles de confiance. Les alphas estimés ne sont donc pas significativement différents de zéro. Toutefois, le fait qu'aucun alpha ne soit négatif est surprenant : si la positivité des alphas n'était que la conséquence d'erreurs d'estimation, on devrait trouver autant de portefeuilles au-dessous de la droite du MEDAF qu'au-dessus. De fait, l'hypothèse de nullité conjointe des alphas de ces 10 portefeuilles peut être rejetée, à l'aide d'un test statistique adapté.

Rentabilités excédentaires et ratio *book-to-market*. Des résultats comparables ont été obtenus en composant les portefeuilles non pas en fonction de la capitalisation boursière des entreprises, mais à partir du **rapport valeur comptable sur valeur de marché des capitaux propres (*book-to-market ratio*).** Les praticiens classifient les actions dont ce ratio est élevé comme des actions « valeur », alors que les actions « croissance » correspondent aux titres dont ce ratio est faible (voir chapitre 2). La figure 13.10 montre que 8 des 10 portefeuilles construits ainsi se situent au-dessus de la droite du MEDAF (c'est-à-dire qu'ils présentent un alpha positif). Une fois encore, un test joint rejette l'hypothèse de nullité des 10 alphas.

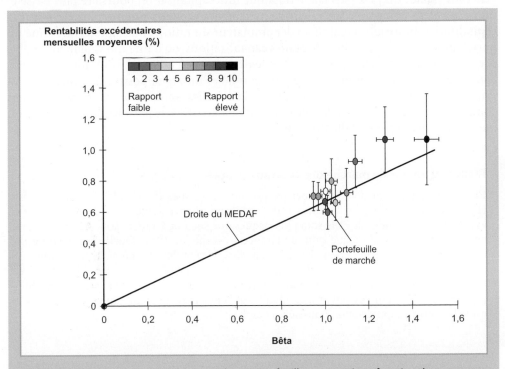

Figure 13.10 – Rentabilités excédentaires de 10 portefeuilles composés en fonction du rapport valeur comptable sur valeur de marché des capitaux propres (1926-2018, États-Unis)

Chaque point représente le couple rentabilité excédentaire-bêta d'un portefeuille. Les rentabilités excédentaires sont mesurées relativement au taux sans risque à un mois. Les portefeuilles sont formés d'actions sélectionnées en fonction de leurs rapports valeur comptable sur valeur de marché des capitaux propres et recomposés tous les mois. La droite est celle du MEDAF. Si le portefeuille de marché est efficient et en l'absence d'erreurs de mesure, tous les portefeuilles devraient se situer sur la droite. Les barres d'erreur représentent les intervalles de confiance à 95 % des estimations de leur alpha (verticalement) et de leur bêta (horizontalement).

Source : données de Kenneth French.

Résultats empiriques. L'effet taille et l'effet *book-to-market* ont été mis en évidence pour la première fois par Rolf Banz[38]. Mais ces résultats n'ont pas tout de suite été considérés comme convaincants, du fait de la démarche suivie qui consistait à *chercher activement* des actions à alpha positif. De nombreux chercheurs considéraient que les résultats de Banz étaient simplement dus à un biais statistique connu sous le nom de **data snooping**. Cela fait référence à l'idée selon laquelle, parmi un grand nombre de caractéristiques, il est toujours possible d'en trouver qui par pur hasard sont corrélées avec l'erreur d'estimation des rentabilités moyennes[39].

Suite à l'article de Banz, une explication théorique à cette relation entre rentabilité espérée et capitalisation boursière a été avancée : si le bêta n'est pas une mesure parfaite du risque d'un titre – du fait d'erreurs d'estimation ou parce que le portefeuille de marché n'est pas efficient –, il faut en effet s'attendre à un effet taille[40]. De fait, si le portefeuille de marché n'est pas efficient, il existe des actions au-dessus et en dessous de la droite du MEDAF. Si une action présente un alpha positif, toutes choses égales par ailleurs, elle aura une rentabilité espérée plus importante que les autres et donc un prix plus faible. Un prix plus faible implique une capitalisation boursière plus basse et un ratio valeur comptable sur valeur de marché des capitaux propres plus élevé (car la capitalisation boursière apparaît au dénominateur du ratio). Ainsi, lorsqu'on forme un portefeuille composé d'actions de petites capitalisations, ou d'un ratio valeur comptable sur valeur de marché élevé, on devrait obtenir un portefeuille qui, selon toute vraisemblance, aura une rentabilité espérée plus grande et un alpha positif. Le raisonnement symétrique établit que les actions de grandes capitalisations, ou de faibles ratios valeur comptable sur valeur de marché, auront un alpha négatif si le portefeuille de marché est inefficient. L'exemple 13.2 illustre ce point.

Exemple 13.2

Risque et valeur de marché des capitaux propres

Ptite et Grauce sont deux entreprises qui ont les mêmes dividendes futurs espérés (1 million d'euros par an à l'infini). Il existe une incertitude autour des flux futurs exacts. Les dividendes de Ptite sont plus risqués que ceux de Grauce ; son coût du capital annuel est de 14 % alors que celui de Grauce n'est que de 10 %. Quelle entreprise a la capitalisation boursière la plus élevée ? Laquelle a la rentabilité espérée la plus grande ? On suppose maintenant que ces deux actions ont le même bêta (à cause de l'inefficience du portefeuille de marché ou d'erreurs d'estimation) ; le MEDAF prédit une rentabilité espérée de 12 % pour ces deux titres. Quelle est l'entreprise qui a un alpha positif ? Quel est le lien entre capitalisation boursière et alpha ?

...

---

38. R. Banz (1981), « The Relationship between Return and Market Values of Common Stock », *Journal of Financial Economics*, 9, 3-18 ; M. E. Blume et F. Husic (1973), « Price, Beta and Exchange Listing », *Journal of Finance*, 28, 283-299.

39. David Leinweber illustre ce point dans son livre *Nerds on Wall Street* (publié en 2008 chez Wiley Financial) : en cherchant des variables apparemment absurdes corrélées avec les rentabilités, il trouve que, sur une période de 13 années, la production annuelle de beurre au Bangladesh « explique » les variations annuelles de rentabilités du S&P 500 !

40. J. Berk (1995), « A Critique of Size Related Anomalies », *Review of Financial Studies*, 8, 275-286.

Exemple 13.2

…

Solution

Les flux de dividendes des deux entreprises sont identiques :

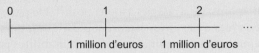

La valeur de marché de chaque entreprise est égale à la valeur de ses dividendes futurs actualisés à son coût du capital :

$$V_{CP,Ptite} = \frac{1}{0,14} = 7,143 \text{ millions d'euros}$$

$$V_{CP,Grauce} = \frac{1}{0,10} = 10 \text{ millions d'euros}$$

Ptite a donc une valeur de marché plus faible et une rentabilité espérée plus élevée que Grauce. Elle a également un alpha plus élevé :

$$\alpha_{Ptite} = 0,14 - 0,12 = 2\ \%$$
$$\alpha_{Grauce} = 0,10 - 0,12 = -2\ \%$$

L'entreprise dont la valeur de marché est la plus faible est également celle qui a l'alpha le plus élevé.

En résumé, lorsque le portefeuille de marché est inefficient, les actions de petites capitalisations ou celles dont le rapport valeur comptable sur valeur de marché des capitaux propres est élevé ont un alpha positif. À la lumière de ces résultats, il semble possible que le portefeuille de marché soit inefficient.

Momentum

Les rentabilités passées des actions constituent un second critère pour former des portefeuilles à alpha positif. Jegadeesh et Titman[41] ont classé chaque mois les actions américaines selon leur rentabilité constatée au cours des six mois précédents, au cours de la période 1965-1989. Ils montrent que les actions affichant les meilleures performances passées ont un alpha positif au cours des six mois suivants. Cela constitue un nouvel élément contre le MEDAF : si le portefeuille de marché était efficient, les rentabilités passées ne permettraient pas de prédire les alphas futurs.

Acheter les actions qui ont affiché des rentabilités élevées au cours des derniers mois et vendre à découvert celles ayant affiché des rentabilités faibles est qualifié de **stratégie momentum**. Sur la période 1965-1989, cette stratégie offre un alpha par an de 12,83 %.

---

41. N. Jegadeesh et S. Titman (1993), « Returns to Buying Winners and Selling Losers: Implications for Market Efficiency », *Journal of Finance*, 48, 65-91.

Les conséquences de l'existence d'alpha positif

Depuis la formulation du MEDAF, il est devenu de plus en plus évident qu'il était possible de former des portefeuilles fondés sur la capitalisation boursière, le rapport valeur comptable sur valeur de marché des capitaux propres, ou les rentabilités passées des actions et de profiter ainsi de stratégies à alpha positif. De plus, ces stratégies à alpha positif ne sont pas réservées à des investisseurs sophistiqués, puisqu'elles sont fondées sur des informations publiques : la connaissance des rentabilités passées suffit à la mise en œuvre d'une stratégie *momentum*. De deux choses l'une :

1. Soit les investisseurs ignorent systématiquement ces opportunités d'investissement à VAN positive. Cela signifie que le MEDAF fournit une évaluation correcte des primes de risque, mais que les investisseurs ne cherchent pas à maximiser leur rentabilité espérée pour un niveau de risque donné – qu'ils ignorent l'existence de ces stratégies ou que le coût de leur mise en œuvre excède la VAN.

2. Soit ces stratégies à alpha positif supposent des risques que les investisseurs ne souhaitent pas prendre et qui ne sont pas pris en compte par le MEDAF. Dans ce cas, le bêta d'une action estimé relativement au portefeuille de marché ne constitue pas une mesure adéquate de son risque systématique. Le MEDAF ne mesure alors donc pas correctement les primes de risque.

La seule raison susceptible d'expliquer l'existence d'opportunités d'investissement à VAN positive réside dans des barrières à l'entrée limitant la concurrence. Dans la pratique, l'identification de telles barrières est complexe : les stratégies *momentum* sont connues depuis au moins une dizaine d'années. La plupart des investisseurs en sont informés. Leurs coûts de mise en œuvre sont faibles : l'information nécessaire est disponible gratuitement et de nombreux fonds d'investissement permettent à chacun de profiter sans peine de stratégies *momentum* ou de stratégies reposant sur l'effet taille ou l'effet *book-to-market*. La première hypothèse semble donc peu crédible.

Il ne reste par conséquent que la seconde possibilité : le portefeuille de marché n'est pas efficient et le bêta d'une action ne constitue pas une mesure correcte de son risque systématique. Cela revient à dire que les stratégies à alpha positif comprennent en fait des risques qui ne sont pas pris en compte par le MEDAF. Plusieurs raisons peuvent être avancées pour expliquer l'inefficience du portefeuille de marché. Examinons-les.

Zoom sur…	**L'efficience du marché et du portefeuille de marché**

Le chapitre 9 a introduit l'*hypothèse d'efficience du marché* : la concurrence élimine toutes les opportunités d'investissement à VAN positive. Autrement dit, tout titre de risque équivalent doit avoir la même rentabilité espérée. Toutefois, la notion de « risque équivalent » est difficile à définir. Un test direct de l'hypothèse d'efficience des marchés est donc impossible. Mais cette notion est définie dans le MEDAF. Il est donc possible d'utiliser le MEDAF pour tester l'existence d'opportunités d'investissement à VAN positive (à alpha positif), et donc l'efficience du marché.

…

…

À cet effet, les chercheurs différencient les tests d'efficience au sens faible, au sens semi-fort et au sens fort. **L'efficience au sens faible** est vérifiée s'il n'est pas possible de tirer profit de stratégies fondées sur l'information contenue dans les prix passés des titres – par exemple, l'achat des actions perdantes et la vente des actions gagnantes (stratégie *momentum*). **L'efficience au sens semi-fort** reprend la même idée, mais en élargissant les informations prises en compte à toutes les informations publiques, comme les annonces ou les recommandations d'analystes. Enfin, **l'efficience au sens fort** est encore plus large, puisqu'elle prend également en compte toute l'information privée concernant les titres – par exemple, le fait de savoir avant le marché qu'une OPA sera lancée.

L'hypothèse d'efficience des marchés, quelle que soit sa forme, n'implique *pas* que les prix de marché reflètent parfaitement l'information *future*. Par exemple, la crise financière de 2008 a démontré la surévaluation des actions des banques en 2007 : vendre des actions de banques avant la crise aurait constitué une stratégie à VAN positive, mais cela ne contredit pas l'hypothèse d'efficience. Pour ce faire, il faudrait démontrer que la crise financière était prévisible et que de nombreux investisseurs ont tiré parti de cette information. Le fait que si peu d'investisseurs aient réalisé de bonnes performances pendant la crise prouve bien que celle-ci était difficilement prévisible. Certes, quelques investisseurs ont parié à la baisse sur les titres hypothécaires américains, à l'image de John Paulson. Mais son fonds, Advantage Plus, a perdu 60 % de sa valeur entre 2010 et 2015. On ne peut donc pas exclure que sa réussite pendant la crise soit liée à la chance ou à un goût prononcé pour le risque…

Lorsqu'on utilise le MEDAF pour évaluer le risque d'un titre ou d'un projet, on fait l'hypothèse implicite que le marché est efficient. Ce chapitre montre que cette conclusion est à nuancer : ni les investisseurs individuels, ni les gérants de fonds professionnels n'arrivent à battre le marché en moyenne, mais il existe de manière persistante des stratégies d'investissement qui le permettent. La question fondamentale demeure donc : comment mesurer correctement le risque en finance ? Ces stratégies d'investissement à VAN positive reposent-elles sur des risques systématiques non pris en compte par le MEDAF (c'est-à-dire qu'elles auraient un alpha nul dans un modèle plus général) ? Ou, au contraire, sont-elles de véritables opportunités dont l'alpha positif permet une rentabilité supérieure sans surcroît de risque ?

Non-représentativité de l'indice de marché. Le vrai portefeuille de marché comprend tous les actifs échangeables dans une économie. Il contient donc bien d'autres actifs que des actions : il inclut des actifs immobiliers, des œuvres d'art, des métaux précieux, des matières premières, etc. Mais il n'est pas possible de disposer d'un indice de marché couvrant un univers d'actifs aussi large, car un grand nombre d'entre eux n'est pas échangeable sur un marché concurrentiel. Par défaut, on utilise un indice du marché actions (tel que le CAC 40) comme approximation du vrai portefeuille de marché, en supposant que l'indice choisi est très corrélé avec le vrai portefeuille de marché. Si le vrai portefeuille de marché est efficient, mais que l'indice de marché actions n'est pas très corrélé avec lui, ce dernier sera inefficient et les actions présenteront un alpha différent de zéro[42]. L'existence d'alphas positifs peut donc simplement refléter le fait qu'un indice

---

42. Si le vrai portefeuille de marché est efficient, même une légère différence entre celui-ci et l'indice de marché peut conduire à une relation non significative entre rentabilités des titres et bêtas : R. Roll et S. Ross (1994), « On the Cross-Sectional Relation between Expected Returns and Betas », *Journal of Finance*, 49, 101-121.

de marché non représentatif du vrai portefeuille de marché a été utilisé, et non pas qu'il existe des opportunités d'investissement à VAN positives ignorées par les investisseurs[43].

Biais comportementaux. Comme l'a montré la section 13.4, les investisseurs sont sujets à de multiples biais comportementaux. Par exemple, ils peuvent prêter une trop grande attention aux actions de grandes capitalisations de type croissance qui font l'objet d'une large couverture médiatique ou encore adopter une stratégie à contre-courant du marché (stratégie dite *contrarian*) en vendant les actions gagnantes et en achetant les perdantes. En tombant dans ces travers, les investisseurs finissent par détenir des portefeuilles inefficients. D'autres plus avisés ou sophistiqués en choisissent un efficient. Cependant, comme la demande de titres égale l'offre sur le marché, ce portefeuille efficient est composé de plus de titres de petites capitalisations de type valeur ou *momentum* afin de compenser les transactions opérées par les investisseurs aux comportements biaisés. Les alphas sont donc nul relativement à ce portefeuille efficient, et positifs lorsque le portefeuille de marché est pris en considération ; ce dernier correspondant à la combinaison des portefeuilles détenus par les investisseurs biaisés et sophistiqués.

Préférences alternatives vis-à-vis du risque et actifs non négociables. Les investisseurs détiennent des portefeuilles inefficients s'ils se préoccupent d'autres caractéristiques de risque que de leur volatilité, par exemple s'ils sont attirés par les actifs présentant des distributions de rentabilité asymétriques (*skewed*) permettant d'obtenir des rentabilités très élevées avec une faible probabilité. Ils se retrouvent alors avec un portefeuille non parfaitement diversifié. En outre, les investisseurs sont exposés à bien d'autres risques que celui de leur portefeuille. Or, ces risques ne sont pas échangeables sur le marché. L'exemple le plus significatif de ce type de risque est sans nul doute lié au capital humain[44]. Chaque travailleur est exposé au risque du secteur dans lequel il travaille. Un *trader* de la Société Générale est exposé au risque systématique du secteur financier, un ingénieur informatique au risque du secteur technologique. La détention d'un actif spécialisé (son capital humain) devrait donc influencer la composition du portefeuille d'actifs financiers détenu par chaque individu : le *trader* devrait sous-pondérer, voire même vendre à découvert, les actions du secteur bancaire, tandis que l'ingénieur ne devrait pas détenir d'actions du secteur technologique. De ce fait, deux investisseurs ayant un capital humain différent peuvent détenir un portefeuille efficient, mais la composition de la part négociable de leur portefeuille n'a aucune raison d'être identique, ni d'être elle-même efficiente[45].

L'inefficience du portefeuille de marché ne remet pas en cause la possibilité de l'existence d'un *autre* portefeuille efficient. En fait, comme l'a souligné le chapitre 11, la relation du MEDAF reste valide pour *tout* portefeuille efficient. Par conséquent, à la lumière des constats empiriques prouvant l'inefficience du portefeuille de marché, les chercheurs ont

---

43. Le MEDAF repose sur l'hypothèse d'efficience du vrai portefeuille de marché, mais il est impossible de le construire. On ne peut donc pas tester le MEDAF : R. Roll (1977), « A Critique of the Asset Pricing Theory's Tests », *Journal of Financial Economics*, 4, 129-176. Du point de vue d'un praticien, savoir si le MEDAF peut ou non être testé n'est pas fondamental ; ce qui compte, c'est de pouvoir identifier un portefeuille efficient à partir duquel il peut calculer le coût du capital.

44. Bien que rare, il existe tout de même des nouveaux marchés innovants sur lesquels il est possible d'échanger du capital humain contre le financement des études : M. Palacios (2004), *Investing in Human Capital: A Capital Markets Approach to Student Funding*, Cambridge University Press.

45. Le capital humain permet d'expliquer une partie de l'inefficience observée de l'indice de marché : R. Jagannathan et Z. Wang (1996), « The Conditional CAPM and the Cross-Sections of Expected Returns », *Journal of Finance*, 51, 3-53 ; I. Palacios-Huerta (2003), « The Robustness of the Conditional CAPM with Human Capital », *Journal of Financial Econometrics*, 1, 272-289.

cherché à développer d'autres modèles d'évaluation des actifs financiers reposant sur une autre décomposition du risque systématique et donc qui ne supposent plus l'efficience du portefeuille de marché. La présentation de ces modèles fait l'objet de la section suivante.

13.7. Les modèles multifactoriels d'évaluation des actifs financiers

La rentabilité espérée d'un actif négociable peut être exprimée en fonction de la rentabilité espérée du portefeuille efficient (voir chapitre 11) :

$$E\left[R_s\right] = r_f + \beta_s^{eff} \times \left(E\left[R_{eff}\right] - r_f\right) \tag{13.3}$$

Si le portefeuille de marché est inefficient, il faut trouver un autre portefeuille efficient pour utiliser l'équation (13.3). En pratique, cela est très difficile car il est impossible d'estimer avec précision les rentabilités espérées et les volatilités. Néanmoins, bien qu'il ne soit pas *a priori* possible de trouver le portefeuille efficient en tant que tel, certaines de ses propriétés sont connues. Tout d'abord, on sait qu'il doit être bien diversifié. Ensuite, il est possible de le construire à partir d'autres portefeuilles bien diversifiés ; cela peut sembler évident, mais c'est très utile : *il n'est donc pas nécessaire d'identifier le porte-feuille efficient*. Il suffit d'être capable d'identifier différents portefeuilles, qui, en étant combinés, pourraient former le portefeuille efficient. Il est alors possible de mesurer le risque systématique d'un actif à partir de cette combinaison de différents portefeuilles.

Les portefeuilles de facteurs

On suppose qu'on a identifié des portefeuilles dont la combinaison permet d'obtenir un portefeuille efficient. Ils sont appelés **portefeuilles de facteurs**. L'annexe du chapitre montre que si on utilise N portefeuilles de ce type dont les rentabilités sont $R_{F1}, \ldots, R_{FN}$, la rentabilité espérée d'un actif s est donnée par :

Modèle multifactoriel d'évaluation des actifs financiers

$$E\left[R_s\right] = r_f + \beta_s^{F1}\left(E\left[R_{F1}\right] - r_f\right) + \beta_s^{F2}\left(E\left[R_{F2}\right] - r_f\right) + \ldots + \beta_s^{FN}\left(E\left[R_{FN}\right] - r_f\right)$$

$$= r_f + \sum_{n=1}^{N} \beta_s^{Fn}\left(E\left[R_{Fn}\right] - r_f\right) \tag{13.4}$$

Ici, $\beta_s^{F1}, \ldots \beta_s^{FN}$ correspondent aux bêtas des facteurs et représentent, respectivement, les sensibilités du titre s à chacun des N facteurs de risque. Ils s'interprètent de la même façon que le bêta dans le MEDAF : le bêta d'un facteur correspond à la variation espérée en pourcentage de la rentabilité excédentaire du titre s lorsque celle du portefeuille du facteur considéré augmente de 1 % (en gardant constantes celles des autres facteurs).

L'équation (13.4) montre que la prime de risque d'un actif négociable peut s'écrire comme la somme des primes de risque de chaque facteur pondérées par les sensibilités de l'actif à ces facteurs – *les bêtas des facteurs*. Les deux équations (13.3) et (13.4) n'expriment aucune contradiction. L'équation (13.4) donne la rentabilité espérée d'un titre en fonction de multiples facteurs. L'équation (13.3) l'exprime en fonction du portefeuille efficient. Les deux équations sont donc valides : tout dépend des portefeuilles que l'on souhaite utiliser. Lorsque l'on considère le portefeuille efficient, il capte la totalité du risque systématique d'un actif ; on parle alors de **modèle à un facteur**. Si on utilise plus d'un portefeuille comme facteurs, ces portefeuilles *considérés ensemble* permettent de capter la totalité du risque systématique d'un actif, mais chacun d'eux n'en capture qu'une partie ; on parle dans ce cas de **modèle multifactoriel**[46]. Ces portefeuilles de facteurs peuvent être des facteurs de risque en eux-mêmes ou être corrélés avec un facteur de risque inobservable. À l'inverse du MEDAF, qui est un modèle d'équilibre, ces modèles multifactoriels reposent sur l'absence d'opportunité d'arbitrage ; on les qualifie donc parfois de **modèle d'évaluation par arbitrage** ou de **modèle *APT* (*Arbitrage Pricing Theory*)**.

La stratégie « *smart bêta* »

Le modèle multifactoriel permet aux investisseurs de décomposer la prime de risque en différents facteurs de risque. Tous les investisseurs n'étant pas exposés de la même manière à ces facteurs, le modèle permet d'adapter leur exposition : un investisseur déjà fortement exposé à un facteur de risque peut préférer réduire son exposition à ce facteur et surpondérer dans son portefeuille les facteurs de risque auxquels il est moins exposé.

L'idée que les investisseurs peuvent adapter leur exposition au risque en fonction de facteurs de risque communs est de plus en plus connue des praticiens comme une stratégie « smart bêta » : les investisseurs qui ont la capacité d'assumer le risque d'un facteur particulier (soit parce qu'ils ne se soucient pas personnellement de ce risque, soit parce qu'ils sont naturellement moins exposés à ce facteur de risque) trouveront attrayante la rentabilité excédentaire associée à ce facteur. En surpondérant ce dernier, ces investisseurs peuvent augmenter leur rentabilité espérée en augmentant le bêta de ce facteur de risque dans leur portefeuille. Un moyen simple d'augmenter le risque lié au facteur est d'acheter le portefeuille de facteurs. Par conséquent, il est devenu de plus en plus courant pour les sociétés de fonds communs de placement de proposer des portefeuilles de facteurs gérés passivement qui permettent aux investisseurs de gérer leur exposition aux facteurs de risque.

Portefeuilles autofinancés

Il est possible de simplifier l'équation (13.4) : la rentabilité excédentaire d'un portefeuille de facteur, $E[R_{Fn}] - r_f$, peut être vue comme la rentabilité de ce portefeuille financé par un emprunt au taux sans risque. En d'autres termes, ce portefeuille est **autofinancé** (« *long-short* ») en ce qu'il ne coûte rien à constituer. En général, un tel portefeuille affiche une somme des pondérations nulle, et non égale à 1 comme d'habitude. Si l'on suppose que tous les portefeuilles de facteurs sont autofinancés, l'équation (13.4) peut être réécrite :

Modèle multifactoriel d'évaluation des actifs financiers avec portefeuilles autofinancés

$$E\left[R_s\right] = r_f + \beta_s^{F1} E\left[R_{F1}\right] + \beta_s^{F2} E\left[R_{F2}\right] + \ldots + \beta_s^{FN} E\left[R_{FN}\right]$$

$$= r_f + \sum_{n=1}^{N} \beta_s^{Fn} E\left[R_{Fn}\right] \tag{13.5}$$

---

46. Ces modèles ont été développés à l'origine par Stephen Ross et Robert Merton : S. Ross (1976), « The Arbitrage Theory of Asset Pricing », *Journal of Economic Theory*, 13, 341-360 ; R. C. Merton (1973), « An Intertemporal Capital Asset Pricing Model », *Econometrica*, 41, 867-887.

Il est donc possible de calculer le coût du capital d'un projet sans identifier le portefeuille efficient, grâce à un modèle multifactoriel. Ces modèles reposent en effet sur une hypothèse plus légère que le MEDAF : au lieu de supposer connu le portefeuille efficient, ils se contentent de supposer qu'un portefeuille efficient peut être construit par combinaison des portefeuilles de facteurs. Il convient maintenant d'étudier la façon de sélectionner ces facteurs.

Sélection des portefeuilles de facteurs

Il existe différentes méthodes pour identifier plusieurs portefeuilles de facteurs dont une combinaison permet de constituer le portefeuille efficient. Le point de départ est de partir du portefeuille de marché lui-même. Il offre en effet une prime de risque importante et, même s'il se révélait inefficient, il capte une part non négligeable du risque systématique d'un actif : les figures 13.9 et 13.10 montrent que les portefeuilles dont les rentabilités espérées sont les plus élevées ont les bêtas les plus élevés, et ce, même si la plupart des portefeuilles ne sont pas localisés sur la droite du MEDAF. Le premier portefeuille qu'il convient donc de retenir est le portefeuille autofinancé composé d'une position longue dans le portefeuille de marché et d'une position courte dans l'actif sans risque.

Il faut maintenant sélectionner les autres portefeuilles de facteurs. On sait que les stratégies d'investissement fondées sur la capitalisation boursière des titres, leur rapport valeur comptable sur valeur de marché des capitaux propres et leur *momentum* permettent de bénéficier d'alphas positifs. Un alpha positif, c'est-à-dire une rentabilité ajustée du risque positive, signifie que ces portefeuilles captent un risque non pris en compte par le portefeuille de marché. Les portefeuilles construits pour tirer parti de ces stratégies constituent donc de bons candidats pour être des portefeuilles de facteurs dans un modèle multifactoriel. Il est par conséquent possible de constituer trois portefeuilles supplémentaires, chacun construit à l'aide d'une des stratégies à alpha positif.

Stratégie basée sur la capitalisation boursière. On classe les entreprises suivant leur capitalisation boursière. On construit alors un portefeuille équipondéré, S (pour *Small*), constitué des actions de capitalisations inférieures à la capitalisation *médiane* des actions cotées sur le marché considéré. Un second portefeuille équipondéré, B (pour *Big*), est composé des actions de capitalisations supérieures à la médiane. Historiquement, la stratégie à alpha positif consiste à détenir une position longue dans S financée par une position courte dans B. Le portefeuille est donc autofinancé ; on l'appelle le **portefeuille Small-Minus-Big** ou **SMB**.

Stratégie basée sur le ratio book-to-market. On classe les actions suivant le ratio book-to-market (le rapport entre les valeurs comptables et les capitalisations boursières) des entreprises cotées sur le marché considéré. On construit alors un portefeuille équipondéré, L (pour *Low*), d'actions dont le ratio *book-to-market* se classe dans les 30 premiers centiles de la distribution. Un second portefeuille équipondéré, H (pour *High*), est constitué des actions dont le ratio *book-to-market* se situe dans les 30 derniers centiles. Historiquement, la stratégie à alpha positif consiste à détenir une position longue dans H financée par une position courte dans L. Le portefeuille est donc autofinancé ; on l'appelle le portefeuille **High-Minus-Low** ou **HML**.

Stratégie basée sur les rentabilités passées. On classe les actions suivant leurs rentabilités passées[47]. On compose alors une position longue dans les 30 % d'actions ayant les rentabilités passées les plus élevées et une position courte dans les 30 % ayant les rentabilités les plus faibles. Ce portefeuille autofinancé est connu sous le nom de **portefeuille momentum** ou **MOM**.

Le modèle multifactoriel à la Fama-French-Cahart. Il est bien évident que ces portefeuilles doivent être recomposés régulièrement, par exemple tous les ans. La combinaison de la rentabilité excédentaire du portefeuille de marché et de ces trois portefeuilles constitue l'un des choix les plus fréquents de facteurs de risque lors d'une modélisation multifactorielle du risque systématique d'un actif. Ces portefeuilles ont été initialement proposés par Eugene Fama, Kenneth French et Mark Carhart ; on parle donc de **modèle multifactoriel à la Fama-French-Carhart**, ou modèle FFC. La rentabilité espérée d'un actif s s'écrit alors :

Spécification multifactorielle à la Fama-French-Carhart

$$E[R_s] = r_f + \beta_s^m \left(E[R_m] - r_f \right) + \beta_s^{SMB} E[R_{SMB}] + \beta_s^{HML} E[R_{HML}] + \beta_s^{MOM} E[R_{MOM}] \qquad (13.6)$$

où β_s^m, β_s^{SMB}, β_s^{HML} et β_s^{MOM} correspondent aux sensibilités du titre s à chacun des quatre facteurs.

Spécification à la Fama-French-Carhart et coût du capital

Les approches multifactorielles permettent de mieux modéliser le risque systématique d'un actif qu'un modèle monofactoriel. Ils présentent toutefois un inconvénient majeur : ils imposent d'estimer les rentabilités espérées de chacun des portefeuilles de facteur. Chaque facteur supplémentaire complique donc la mise en œuvre du modèle. La difficulté est d'autant plus grande qu'au contraire du MEDAF les risques liés à chaque facteur ne sont pas explicitement définis. Il n'est donc pas possible d'estimer les rentabilités espérées qu'ils doivent offrir à partir d'un raisonnement économique. La seule possibilité est d'utiliser les rentabilités moyennes historiques de ces portefeuilles[48].

Les rentabilités historiques des portefeuilles du modèle FFC sont connues pour être volatiles. L'usage est par conséquent d'utiliser les séries les plus longues possibles : les rentabilités mensuelles moyennes historiques des quatre portefeuilles FFC au cours des 91 dernières années sont ainsi détaillées dans le tableau 13.1. Le portefeuille de marché est un portefeuille pondéré par la capitalisation boursière de toutes les actions cotées sur le NYSE, l'Amex et le Nasdaq. Même avec autant d'historique, les intervalles de confiance demeurent assez larges.

---

47. On évalue celles-ci sur l'année écoulée, dont on a souvent exclu le mois le plus récent pour éviter de prendre en compte le bruit lié aux rentabilités de court terme.

48. Un second inconvénient de tels modèles réside dans le fait que les facteurs sont construits à partir d'actifs négociables. Il n'y a aucune assurance qu'ils permettent d'évaluer les risques d'actifs non échangés sur un marché (par exemple les risques associés à une technologie nouvelle). En pratique, on suppose qu'un risque non échangeable est idiosyncratique et qu'il ne justifie donc aucune prime de risque.

Tableau 13.1	Rentabilités mensuelles moyennes des portefeuilles FFC (1927-2018, États-Unis)

Facteur	Rentabilité mensuelle moyenne (en %)	Intervalle de confiance à 95 % (en %)
$R_m - r_f$	0,66	± 0,32
SMB	0,22	± 0,19
HML	0,38	± 0,21
MOM	0,66	± 0,28

Source : Kenneth French, **http://mba.tuck.dartmouth.edu/pages/faculty/ken.french/data_library.html.**

La spécification FFC date de la seconde moitié des années 1990. Elle est aujourd'hui largement répandue dans la littérature académique. Le débat se poursuit néanmoins pour savoir si celle-ci constitue une réelle avancée par rapport au MEDAF[49]. Il est établi qu'elle permet une meilleure mesure du risque des fonds d'investissement gérés activement : en effet, les fonds ayant eu des rentabilités élevées dans le passé ont un alpha positif dans le cadre du MEDAF[50]. Cet effet disparaît lorsqu'on mesure leurs performances avec le modèle FFC[51].

Modèle FFC et coût du capital d'un projet d'investissement

Vous envisagez de lancer une nouvelle franchise de *fast-food* sur le marché américain. Les analystes financiers estiment que ce projet a le même risque systématique que les actions de McDonald's. Quel est le coût du capital à utiliser pour ce projet d'investissement selon le modèle FFC ?

Solution

Il faut estimer les bêtas du titre McDonald's relativement aux quatre facteurs de la spécification FFC. À cet effet, il convient d'effectuer une régression linéaire des rentabilités excédentaires de l'action McDonald's sur les rentabilités des quatre portefeuilles factoriels du modèle FFC. Les coefficients estimés correspondent aux différents bêtas des facteurs. Le tableau ci-dessous présente l'estimation des quatre bêtas des facteurs du modèle FCC, à partir de données mensuelles sur la période 2005-2015 :

Facteur	Bêta estimé	Borne inférieure de l'intervalle de confiance à 95 %	Borne supérieure de l'intervalle de confiance à 95 %
$R_m - r_f$	0,59	0,44	0,75
SMB	− 0,53	− 0,81	− 0,25
HML	− 0,02	− 0,27	0,24
MOM	0,13	− 0,01	0,27

...

Exemple 13.3

49. M. Cooper, R. Gutierrez Jr. et B. Marcum (2005), « On the Predictability of Stock Returns in Real Time », *Journal of Business*, 78, 469-500 et J. B. Berk et J. H. van Binsbergen (2016), « Assessing Asset Pricing Models Using Revealed Preference », *Journal of Financial Economics*, 119, 1-23.

50. M. Grinblatt et S. Titman (1992), « The Persistence of Mutual Fund Performance », *Journal of Finance*, 47, 1977-1984 ; D. Hendriks, J. Patel et R. Zeckhauser (1993), « Hot Hands in Mutual Funds: Short-Run Persistence of Performance 1974-1988 », *Journal of Finance*, 4, 93-130.

51. M. Carhart (1997), « On Persistence in Mutual Fund Performance », *Journal of Finance*, 52, 57-82.

...

Sachant que le taux sans risque aux États-Unis est de 2,4 % (soit 0,2 % par mois), la rentabilité espérée des actions McDonald's est donc, à partir de l'équation (13.6) :

$$E\left[R_{MCD}\right] = r_f + \beta_{MCD}^m \left(E\left[R_m\right] - r_f\right) + \beta_{MCD}^{SMB} E\left[R_{SMB}\right] + \beta_{MCD}^{HML} E\left[R_{HML}\right] + \beta_{MCD}^{MOM} E\left[R_{MOM}\right]$$

$$= 0,20\,\% \times 0,59 \times 0,66\,\% - 0,53 \times 0,22\,\% - 0,02 \times 0,38\,\% + 0,13 \times 0,66\,\%$$

$$= 0,55\,\%$$

La rentabilité espérée annualisée est alors de 0,55 % × 12 = 6,6 %. Le coût du capital du projet est par conséquent d'environ 6,6 %. (Une incertitude substantielle subsiste quant aux vraies valeurs des bêtas et des rentabilités espérées de chacun des facteurs.)

À titre de comparaison, une régression standard du MEDAF sur la même période conduit à un bêta de marché estimé à 0,45 pour McDonald's. On obtient ainsi une rentabilité attendue de 0,20 % + 0,45 × 0,66 % = 0,5 % par mois, soit environ 6,0 % par an.

13.8. Les méthodes utilisées en pratique

Lorsqu'on demande aux directeurs financiers comment ils calculent le coût du capital, 75 % aux États-Unis et 45 % en Europe répondent : « le MEDAF »[52]. Cette réponse est d'autant plus fréquente que les entreprises sont grandes. En France comme aux États-Unis, les réponses qui viennent ensuite sont, dans l'ordre, « la rentabilité historique offerte à nos actionnaires », « un modèle à plusieurs facteurs » et enfin « le modèle d'actualisation des dividendes » (présenté au chapitre 9).

En ce qui concerne les investisseurs financiers, nul besoin de le leur demander, on peut le savoir directement : lorsqu'une opportunité à alpha positif se présente sur le marché, les investisseurs devraient se jeter dessus et la faire disparaître. Mais, pour calculer les alphas, les investisseurs doivent disposer d'un modèle de risque. En observant les investissements réalisés, il est possible de déduire le modèle de risque que les financiers ont utilisé. Une étude[53] sur les investissements dans les fonds communs de placement américains établit ainsi que le comportement des investisseurs est le plus souvent cohérent avec le MEDAF, mais que d'autres modèles sont également utilisés (en particulier les modèles multifactoriels).

Directeurs financiers et investisseurs utilisent donc principalement, mais pas exclusivement, le MEDAF. Cette diversité d'approches n'est pas étonnante : au-delà de ses avantages, toute technique souffre de limites ou d'imprécisions. La théorie financière n'en est pas encore au stade où elle pourra disposer d'un modèle unique permettant d'estimer avec précision les rentabilités espérées, et donc le coût du capital.

---

52. J. Graham et C. Harvey (2001), « The Theory and Practice of Corporate Finance: Evidence from the Field », *Journal of Financial Economics*, 60, 187-243 et (2002), « How Do CFOs Make Capital Budgeting and Capital Structure Decisions? », *Journal of Applied Corporate Finance*, 15, 8-23 ; D. Brounen, A. de Jong et K. Koedijk (2004), « Corporate Finance in Europe: Confronting Theory With Practice », *Financial Management*, 33(4), 71-101.

53. J. Berk et J. van Binsbergen (2016), « Assessing Asset Pricing Models Using Revealed Preference », *Journal of Financial Economics*, 119, 1-23.

Lorsqu'une décision d'investissement doit être prise, il existe de fait une incertitude sur le coût du capital à utiliser. Mais ce n'est pas la seule imprécision à accepter pour calculer une VAN : l'imprécision relative à l'estimation du coût du capital est souvent plus faible que celle qui concerne les flux de trésorerie disponibles futurs. Le MEDAF, qui est simple, robuste théoriquement et assez cohérent avec les comportements des investisseurs, est donc à considérer en premier pour calculer le coût du capital…

Résumé

13.1. Concurrence sur les marchés de capitaux

- La différence entre la rentabilité espérée d'un titre et sa rentabilité exigée définit l'alpha de cet actif :

$$\alpha_s = E[R_s] - r_s \tag{13.2}$$

- La concurrence entre les investisseurs qui cherchent à « battre » le marché en investissant dans des titres à alpha positif et en vendant à découvert ceux à alpha négatif implique que le portefeuille de marché est proche de l'efficience presque tout le temps.

13.2. Informations et anticipations rationnelles

- Si tous les investisseurs ont des anticipations homogènes et ont tous accès aux mêmes informations, ils devraient tous reconnaître les titres à alpha positif et aucun d'eux ne devrait vouloir les vendre. La seule possibilité dans ce cas pour retrouver l'équilibre sur le marché est que le prix du titre augmente immédiatement, de sorte que son alpha devient nul.

- Un résultat important du MEDAF est que les investisseurs devraient détenir le portefeuille de marché combiné avec l'actif sans risque. Ce résultat ne dépend pas de la qualité des informations dont disposent les investisseurs. L'investisseur le plus naïf et le moins informé a tout intérêt à suivre ce conseil et éviter ainsi d'être « arbitré » par des investisseurs sophistiqués.

- Le MEDAF ne requiert que l'hypothèse selon laquelle les investisseurs ont des anticipations rationnelles. Cela signifie que tous les investisseurs utilisent leur propre information et l'interprètent correctement tout comme celle contenue dans les prix des titres et dans les transactions opérées par les autres.

- Le portefeuille de marché peut être inefficient si, et seulement si, un nombre significatif d'investisseurs n'ont pas d'anticipations rationnelles ou bien s'ils se préoccupent de caractéristiques autres que la rentabilité espérée et la volatilité des actifs.

13.3. Le comportement des investisseurs individuels

- Les études empiriques montrent que les investisseurs individuels ne diversifient pas correctement leur portefeuille (biais de sous-diversification) et favorisent les entreprises avec lesquelles ils sont familiers (biais de familiarité).

- Les investisseurs effectuent trop de transactions sur les marchés. Ce comportement provient, au moins en partie, d'un biais d'excès de confiance qui les conduit à surestimer la précision de leurs informations.

13.4. Des biais systématiques de comportement

- Pour que le comportement des investisseurs non informés ait un impact sur le marché, il faut qu'il soit possible d'observer les facteurs systématiques qui en sont à l'origine, de sorte que les mouvements de prix soient prévisibles et corrélés à ces facteurs.

- L'effet de disposition (la tendance à garder trop longtemps les actions perdantes et à vendre trop rapidement celles gagnantes), l'humeur ou le mimétisme (le fait d'exécuter des transactions analogues à celles des autres investisseurs) conduisent à des biais comportementaux systématiques de la part des investisseurs non informés.

13.5. L'efficience du portefeuille de marché

- Il n'est pas aisé de tirer profit de transactions sur la base de nouvelles informations. Toutefois, des investisseurs sophistiqués peuvent en être capables et, par exemple, à même de prévoir le résultat d'une offre de rachat. À l'équilibre cependant, les investisseurs individuels ne devraient pas s'attendre à pouvoir bénéficier de la compétence des gérants de fonds. Les études empiriques montrent, en effet, que les investisseurs individuels obtiennent, en moyenne, un alpha négatif lorsqu'ils confient leur épargne à un gérant professionnel.

- La faculté de battre le marché nécessite des qualifications très spécifiques, comme l'aptitude à mieux analyser les informations, à obtenir des coûts de transaction moindres ou à éviter les biais comportementaux. La plupart des investisseurs devraient donc s'en tenir aux recommandations « sages » du MEDAF et détenir le portefeuille de marché.

13.6. Les stratégies d'investissement et le débat sur l'efficience

- L'effet taille fait référence au fait que les actions de petites capitalisations ont historiquement un alpha positif. L'effet *book-to-market* fait référence au même phénomène pour des actions dont le ratio valeur comptable sur valeur de marché des capitaux propres est élevé.

- Une stratégie d'investissement de type *momentum* consiste à prendre une position longue dans les actifs ayant eu de bonnes performances passées et une position courte dans ceux ayant eu de mauvaises performances. Une telle stratégie est à alpha positif, par rapport aux prédictions du MEDAF.

- Les titres peuvent avoir un alpha différent de zéro si l'indice de marché n'est pas représentatif du vrai portefeuille de marché.

- Le portefeuille de marché est inefficient si les investisseurs se préoccupent d'autres caractéristiques de risque que la volatilité de leur investissement ou bien s'ils sont exposés à d'autres risques que celui de leur portefeuille ; l'exemple le plus significatif de ce type de risque est sans nul doute lié au capital humain.

13.7. Les modèles multifactoriels d'évaluation des actifs financiers

- Lorsqu'on utilise plus d'un portefeuille pour capter le risque systématique, on est en présence d'un modèle multifactoriel, ou modèle d'évaluation par arbitrage. Avec la combinaison de N portefeuilles diversifiés, la rentabilité espérée d'un titre s est :

$$E[R_s] = r_f + \beta_s^{F1}\left(E[R_{F1}] - r_f\right) + \beta_s^{F2}\left(E[R_{F2}] - r_f\right) + \ldots + \beta_s^{FN}\left(E[R_{FN}] - r_f\right)$$

$$= r_f + \sum_{n=1}^{N} \beta_s^{Fn}\left(E[R_{Fn}] - r_f\right) \tag{13.4}$$

- Il est possible de simplifier l'écriture du modèle multifactoriel en exprimant les primes de risque des facteurs comme les rentabilités espérées de portefeuilles autofinancés. La rentabilité espérée d'un actif devient alors :

$$E[R_s] = r_f + \beta_s^{F1}E[R_{F1}] + \beta_s^{F2}E[R_{F2}] + \ldots + \beta_s^{FN}E[R_{FN}]$$

$$= r_f + \sum_{n=1}^{N} \beta_s^{Fn}E[R_{Fn}] \tag{13.5}$$

- Les portefeuilles les plus couramment utilisés dans le cadre d'un modèle multifactoriel sont les portefeuilles de marché, SMB, HML et *momentum*. Cette spécification est connue sous le nom de spécification à la Fama-French-Carhart (FFC) :

$$E[R_s] = r_f + \beta_s^m\left(E[R_m] - r_f\right) + \beta_s^{SMB}E[R_{SMB}] + \beta_s^{HML}E[R_{HML}] + \beta_s^{MOM}E[R_{MOM}] \tag{13.6}$$

13.8. Les méthodes utilisées en pratique

- Le MEDAF est le modèle le plus couramment utilisé en pratique pour estimer le coût du capital. Cette méthode est parcimonieuse, fondée théoriquement et cohérente avec le comportement des investisseurs.

Annexe – Construire un modèle multifactoriel

Cette annexe montre que s'il est possible de construire un portefeuille efficient à l'aide d'une série de portefeuilles bien diversifiés, cette série de portefeuilles évalue correctement les prix des actifs sur le marché. On suppose pour débuter qu'on a identifié deux portefeuilles dont la combinaison permet d'obtenir le portefeuille efficient. Ces portefeuilles de facteurs ont des rentabilités R_{F1} et R_{F2}. Le portefeuille efficient est donc composé d'une combinaison de ces deux portefeuilles, pondérés par x_1 et x_2 :

$$R_{eff} = x_1 R_{F1} + x_2 R_{F2} \tag{13A.1}$$

Il est possible d'utiliser ces portefeuilles de facteurs pour mesurer le risque systématique d'un titre. En effet, la régression des rentabilités excédentaires d'une action s sur celles de ces deux portefeuilles donne :

$$R_s - r_f = \alpha_s + \beta_s^{F1}\left(R_{F1} - r_f\right) + \beta_s^{F2}\left(R_{F2} - r_f\right) + \varepsilon_s \tag{13A.2}$$

Cette procédure statistique est une **régression multiple**, identique à la régression linéaire du chapitre 12, avec deux variables explicatives, $R_{F1} - r_f$ et $R_{F2} - r_f$, au lieu d'une seule (la rentabilité excédentaire du portefeuille de marché). Elle s'interprète de la même manière : la rentabilité excédentaire du titre s peut s'écrire comme la somme d'une constante α_s, de la part de la variabilité des rentabilités du titre due à chacun des deux facteurs, et d'un terme d'erreur ε_s[54]. Ce terme d'erreur, qui est le résidu de la régression, représente la part du risque de l'actif qui n'est pas liée aux facteurs de risque (systématique).

Si le portefeuille efficient peut être construit à partir de ces deux portefeuilles de facteurs [équation (13A.1)], la constante α_s doit être égale à zéro, à l'erreur d'estimation près. Cela se comprend lorsqu'on considère un portefeuille composé d'une position longue en actions s et de positions courtes de β_s^{F1} et β_s^{F2} des deux portefeuilles de facteurs servant à financer une position longue en actif sans risque. La rentabilité de ce portefeuille P est :

$$R_P = R_s - \beta_s^{F1} R_{F1} - \beta_s^{F2} R_{F2} + \left(\beta_s^{F1} + \beta_s^{F2}\right) r_f$$

$$= R_s - \beta_s^{F1}\left(R_{F1} - r_f\right) + \beta_s^{F2}\left(R_{F2} - r_f\right) \tag{13A.3}$$

En remplaçant R_s dans l'équation (13A.3) par son expression de l'équation (13A.2), on obtient :

$$R_P = r_f + \alpha_s + \varepsilon_s \tag{13A.4}$$

Le portefeuille P offre donc une prime de risque α_s et est exposé à un risque spécifique ε_s. Comme ε_s n'est pas corrélé avec les facteurs, il n'est pas non plus corrélé avec le portefeuille efficient :

$$Cov\left(R_{eff}, \varepsilon_s\right) = Cov\left(x_1 R_{F1} + x_2 R_{F2} \; \varepsilon_s\right)$$

$$= x_1 Cov\left(R_{F1}, \varepsilon_s\right) + x_2 Cov\left(R_{F2}, \varepsilon_s\right)$$

$$= 0 \tag{13A.5}$$

On sait depuis le chapitre 11 que *tout risque non corrélé avec le portefeuille efficient est diversifiable et n'offre donc aucune prime de risque*. La rentabilité espérée du portefeuille P doit par conséquent être égale au taux sans risque, ce qui signifie que $\alpha_s = 0$[55]. De ce fait, si l'on considère l'espérance de l'équation (13A.2), le modèle à deux facteurs d'évaluation des actifs financiers est :

$$E\left[R_s\right] = r_f + \beta_s^{F1}\left(E\left[R_{F1}\right] - r_f\right) + \beta_s^{F2}\left(E\left[R_{F2}\right] - r_f\right) \tag{13A.6}$$

---

54. D'espérance nulle et non corrélé avec chacun des facteurs.

55. En effet, l'équation (13.A5) implique que $\beta_P^{eff} = \dfrac{Cov\left(R_{eff}, \varepsilon_s\right)}{Var\left(R_{eff}\right)} = 0$. En reportant ce résultat dans l'équation (13.3), on obtient : $E[R_P] = r_f$. Or, comme d'après l'équation (13.A4), $E[R_P] = r_f + \alpha_s$, on a donc $\alpha_s = 0$.

L'astérisque désigne les exercices les plus difficiles.

1. Supposons que tous les investisseurs possèdent les mêmes informations et qu'ils ne se préoccupent que de la rentabilité espérée et de la volatilité. Si de nouvelles informations sont dévoilées à propos d'un titre, ces informations peuvent-elles affecter le prix et la rentabilité d'autres titres ? Si oui, expliquez pourquoi.

2. Supposons que le MEDAF soit une bonne description de la rentabilité d'une action. La rentabilité espérée du marché est de 7 % avec une volatilité de 10 % et un taux sans risque de 3 %. De nouvelles informations arrivent et ne changent pas ces chiffres mais engendrent des modifications sur la rentabilité espérée des titres suivants :

	Rentabilité espérée	Volatilité	Bêta
Vertipur	12 %	20 %	1,50
Samopi	10 %	40 %	1,80
Hane	9 %	30 %	0,75
AutoPico	6 %	35 %	1,20

   a. Aux prix de marché actuel, quels titres représentent une bonne opportunité d'achat ?

   b. Sur quels titres devriez-vous placer un ordre de vente ?

3. Supposons que Le MEDAF soit vérifié. Le taux d'intérêt sans risque augmente *et aucun autre paramètre ne change.*

   a. Le portefeuille de marché est-il toujours efficient ?

   b. Si vous avez répondu oui à la question *a*, expliquez pourquoi. Si votre réponse est négative, quelles actions représentent-elles une bonne opportunité d'achat et lesquelles devraient être vendues ?

4. Vous savez qu'il existe des *traders* informés sur le marché, mais vous-même ne disposez d'aucune information. Décrivez une stratégie d'investissement qui garantit que vous ne perdrez pas d'argent au profit des *traders* informés et expliquez pourquoi cela fonctionne.

5. Quelles sont les conditions pour lesquelles le portefeuille de marché pourrait ne pas être efficient ?

6. Expliquez la signification de la phrase suivante : « Le portefeuille de marché est une barrière qui protège les moutons des loups, mais rien ne peut protéger les moutons d'eux-mêmes ».

7. Vous effectuez des transactions sur un marché où vous savez qu'il y a peu de *traders* hautement qualifiés et mieux informés que vous. Il n'y a pas de coûts de transaction. Chaque jour, vous choisissez de façon aléatoire cinq actions à acheter et cinq actions à vendre (par exemple en tirant à pile ou face).

a. Sur le long terme, votre stratégie sur- ou sous-performera-t-elle celle consistant à détenir le portefeuille de marché ou bien aura-t-elle la même rentabilité que celui-ci ?

b. Votre réponse à la question *a* serait-elle modifiée si tous les *traders* du marché étaient aussi bien informés et aussi qualifiés les uns que les autres ?

8. Pourquoi le MEDAF implique-t-il que les investisseurs ne devraient effectuer des transactions que très rarement ?

9. Jean est chirurgien et souffre d'un biais d'excès de confiance. Il aime jouer en Bourse et croit *mordicus* en ses propres prédictions. En fait, il est peu informé, comme la plupart des investisseurs. Une rumeur selon laquelle Signe Vito (une *start-up* qui fabrique des étiquettes pour l'industrie médicale) va faire l'objet d'une offre de rachat à 20 € par action. Si le rachat n'a pas lieu, le cours de l'action sera de 15 €. Cette incertitude sera levée dans les prochaines heures. Jean est convaincu que le rachat aura bien lieu et a donné des instructions à son courtier pour qu'il achète l'action à n'importe quel prix tant que celui-ci reste inférieur à 20 €. En fait, la probabilité réelle que l'achat ait lieu est de 50 %, mais une poignée de gens sont informés et savent si le rachat aura lieu ou pas. Ils ont également passé des ordres. Personne d'autre n'achète cette action.

a. Décrivez l'évolution du prix du marché une fois que ces ordres auront été passés si le rachat a bien lieu dans quelques heures. Quel sera le bénéfice de Jean : positif, négatif ou nul ?

b. Quelle fourchette de prix pourra-t-elle être observée une fois que ces ordres auront été passés si le rachat n'a finalement pas lieu ? Quel sera le bénéfice de Jean : positif, négatif ou nul ?

c. Quel est le profit espéré de Jean ?

10. Afin de mettre en perspective le volume de transactions observé sur le marché (voir figure 13.3), calculez le volume de transactions moyen d'un investisseur que l'on devrait observer s'il se contente d'investir dans le CAC 40. Comme le portefeuille est pondéré par la capitalisation boursière, il sera nécessaire d'effectuer des transactions lorsque le Conseil scientifique des indices modifie sa composition. On ne tient pas compte d'autres raisons néanmoins importantes, comme l'émission de nouvelles actions ou leur rachat. En supposant que le Conseil modifie la composition du CAC 40 en changeant deux titres par an, quel est le pourcentage de rotation du portefeuille ? Vous supposerez que le nombre total moyen de titres pour les actions qui sont ajoutées ou supprimées de l'indice soit identique au nombre moyen d'actions des titres qui composent le CAC 40.

11. Comment l'effet de disposition impacte-t-il l'impôt de l'investisseur ?

12. On considère les trajectoires de prix de deux actions au cours de six périodes :

	1	2	3	4	5	6
Action 1	10	12	14	12	13	16
Action 2	15	11	8	16	15	18

Aucune action ne verse de dividende. Supposez que vous êtes un investisseur soumis à un effet de disposition, que vous ayez acheté à la date 1 et que vous vous situiez actuellement à la date 3. On suppose tout au long de cette question que vous n'effectuez aucune autre transaction sur ces titres que celles spécifiées dans les questions qui suivent :

a. Quelle(s) action(s) seriez-vous enclin à vendre ? Et à conserver ?

b. Que feriez-vous si vous étiez à la date 6 ?

c. Qu'en est-il si vous aviez acheté à la date 3 au lieu de la date 1 alors que vous êtes actuellement à la date 6 ?

d. Qu'en est-il si vous aviez acheté à la date 3 au lieu de la date 1 alors que vous êtes actuellement à la date 5 ?

13. Une nouvelle action vient juste d'être émise au prix de 50 €. Un an plus tard, cette entreprise sera rachetée au prix de 60 ou 40 € par action, selon les informations qui paraîtront durant l'année. L'action ne verse pas de dividende. On suppose que tous les investisseurs sont soumis à un effet de disposition ; ils vendent donc l'action si son prix augmente de plus de 10 %.

a. En supposant que de bonnes nouvelles seront publiées dans six mois (ce qui implique que l'offre de rachat sera de 60 € par action), quel est le prix d'équilibre (celui qui égalise l'offre à la demande) auquel l'action sera échangée une fois que ces annonces auront été publiées ?

b. On suppose que vous soyez le seul investisseur à ne pas être sujet à l'effet de disposition et que les quantités que vous échangez soient suffisamment faibles pour ne pas affecter les prix. Sans savoir à l'avance ce qui se passera, quelle stratégie d'investissement demanderiez-vous à votre courtier d'adopter ?

14. Dieudonné est gérant chez Semi Globe Asset Management. Il peut générer un alpha annuel de 2 % si l'actif sous gestion de son fonds ne dépasse pas 100 millions d'euros. Au-delà de ce montant, ses capacités s'étiolent. L'alpha est donc nul pour les investissements au-delà de 100 millions d'euros. Semi Globe facture des frais de gestion annuels de 1 % (au début de chaque année). On suppose qu'il existe toujours des investisseurs à la recherche d'un alpha positif et qu'aucun investisseur n'investirait dans un fond avec un alpha négatif. À l'équilibre, c'est-à-dire lorsque aucun investisseur ne se retire ni n'investit dans le fonds :

a. Quel alpha les investisseurs dans le fonds de Dieudonné s'attendent-ils à recevoir ?

b. Quel montant sous gestion aura Dieudonné ?

c. Combien Semi Globe gagnera-t-il grâce aux frais de gestion prélevés ?

15. Tarek et Élodie gèrent chacun un fonds d'investissement. Chacun d'eux gère 100 millions d'euros et prélève 1 % de commissions. Élodie réalise un alpha de 2 % avant commissions et Tarek 1 % seulement.

a. Quel est l'alpha net de commissions dont bénéficient les investisseurs dans chaque fonds ?

b. Quel fonds voit son actif sous gestion augmenter ?

c. On suppose que les deux gérants ont épuisé leurs bonnes idées d'investissement, et donc que les nouveaux investissements qu'ils réaliseront seront investis dans le portefeuille de marché (alpha nul). Quels montants supplémentaires seront investis dans chaque fonds ?

d. Une fois à l'équilibre, quelle sera la taille de chaque fonds ? Et son alpha (avant et après commissions) ? Quelles seront les commissions touchées par Tarek et Élodie ?

16. On suppose que le marché est constitué de trois types d'investisseurs : 50 % sont des investisseurs naïfs qui suivent les modes, 45 % sont des investisseurs passifs, ils ont lu ce manuel de finance et possèdent donc un portefeuille de marché, et 5 % sont des *traders* informés. Le portefeuille constitué de tous les *traders* informés a un bêta de 1,5 et une rentabilité espérée de 15 %. La rentabilité espérée du marché est de 11 % et le taux sans risque est de 5 %.

a. Quel est l'alpha des *traders* informés ?

b. Quel est l'alpha des investisseurs passifs ?

c. Quelle est la rentabilité espérée des investisseurs naïfs qui suivent les modes ? Quel est leur alpha ?

17. Expliquez ce qu'est l'effet taille.

*18. On suppose que toutes les entreprises versent le même dividende espéré. Si elles ont des rentabilités espérées différentes, comment leur valeur de marché et leur rentabilité seront-elles liées ? Qu'en est-il de la relation entre rendement de leur dividende et rentabilité espérée ?

19. Chacune des six entreprises ci-dessous devrait verser annuellement le dividende indiqué, et ce, à perpétuité :

Entreprise	Dividende (en millions d'euros)	Coût du capital (en % par an)
S1	10	8
S2	10	12
S3	10	14
B1	100	8
B2	100	12
B3	100	14

a. Calculez la valeur de marché de chaque entreprise.

b. Classez les trois entreprises S selon leur valeur de marché et observez comment leur coût du capital est ordonné. Quelle serait la rentabilité espérée d'un portefeuille autofinancé qui serait long sur l'entreprise possédant la plus grosse valeur de marché et serait court sur celle avec la valeur de marché la plus faible ? (La rentabilité espérée d'un portefeuille autofinancé est la moyenne pondérée des rentabilités des actions qui le composent.) Répétez le calcul avec les entreprises B.

c. Classez les six entreprises par valeur de marché. Comment ce classement ordonne-t-il le coût du capital ? Quel serait la rentabilité espérée d'un portefeuille autofinancé qui serait long sur l'entreprise possédant la plus grosse valeur de marché et serait court sur celle avec la valeur de marché la plus faible ?

d. Répétez la question *c*, mais classez cette fois les entreprises selon leur rendement (rapport du dividende sur le prix des titres) plutôt que par leur valeur de marché.

Qu'en conclue quant au fait de classer selon les rendements plutôt que par les valeurs de marché ?

20. Considérons les actions suivantes, qui paient toutes un dividende de liquidation dans un an et rien dans l'intervalle.

	Capitalisation boursière (en millions d'euros)	Dividende de liquidation attendu (en millions d'euros)	Bêta
Action A	800	1 000	0,77
Action B	750	1 000	1,46
Action C	950	1 000	1,25
Action D	900	1 000	1,07

a. Calculez la rentabilité espérée de chaque action.

b. Quel est le signe de la corrélation entre la rentabilité espérée et la capitalisation boursière des actions ?

21. (Suite de l'exercice précédent.) On suppose que le taux sans risque et la prime de risque de marché sont respectivement de 3 % et 7 %.

a. Quelle devrait être la rentabilité espérée de chaque action selon le MEDAF ?

b. On suppose désormais que le MEDAF n'est pas vérifié. Vous décidez d'étudier de manière approfondie le type d'erreur commise par le MEDAF. Pour ce faire, vous régressez la rentabilité espérée actuelle sur celle issue du MEDAF. Quelles sont l'ordonnée à l'origine et la pente de la droite des moindres carrés issue de cette régression[56] ?

c. Quels sont les résidus de cette régression ? En d'autres termes, calculez, pour chaque action, la différence entre la rentabilité actuelle espérée et la rentabilité espérée estimée à l'aide de la régression précédente. [Celle-ci est calculée à l'aide des coefficients estimés de la constante (l'ordonnée à l'origine de la droite des moindre carrés) et de la prime de risque de marché (la pente de la droite des moindre carrés) de la régression.]

d. Quel est le signe de la corrélation entre les résidus calculés à la question *c* et la capitalisation boursière ?

e. Que conclue des réponses apportées à la question *b* de l'exercice précédent et à la question *d* de cet exercice-ci, au niveau de la relation qui lie la capitalisation boursière de l'entreprise et sa rentabilité ? (Les résultats ne dépendent pas des chiffres utilisés dans ce problème. Vous êtes invité à vérifier cela en refaisant le problème par vous-même, en utilisant une autre valeur pour la prime de risque de marché et en choisissant aléatoirement les bêtas et les capitalisations boursières des actions[57]).

22. Expliquez comment construire une stratégie de *trading* à alpha positif si les actions qui ont obtenu une rentabilité relativement haute dans le passé tendent à avoir un alpha positif et les actions qui ont eu une rentabilité relativement faible par le passé tendent à avoir un alpha négatif.

---

56. Les fonctions Excel PENTE() et ORDONNEE.ORIGINE() fournissent les réponses demandées.
57. La fonction Excel ALEA() génèrera un nombre aléatoire entre 0 et 1.

*23. Si vous pouvez utiliser les rentabilités passées pour construire une stratégie d'investissement qui crée de la valeur (dont l'alpha est positif), le portefeuille de marché n'est pas efficient. Expliquez pourquoi.

24. Pourquoi n'est-il pas rare de trouver des actions à alpha différent de zéro si l'indice de marché n'est pas fortement corrélé avec le vrai portefeuille de marché, même si ce dernier est efficient ?

25. Expliquez pourquoi, si certains investisseurs sont sujets à un biais comportemental systématique, tandis que d'autres choisissent des portefeuilles efficients, le portefeuille de marché ne sera pas efficient.

26. Pourquoi un salarié exclusivement préoccupé par la rentabilité espérée et la volatilité de son portefeuille devrait-il sous-pondérer les actions de l'entreprise pour laquelle il travaille, en comparaison d'un salarié d'une autre entreprise ?

Pour les exercices 27 à 29, on se réfère au tableau des bêtas des facteurs ci-dessous (estimés sur la période 2007-2017) :

Facteur	Microsoft	Exxon Mobil	General Electric
$R_m - r_f$	1,10	0,66	1,22
SMB	– 0,71	– 0,38	– 0,29
HML	– 0,01	0,17	0,78
MOM	0,02	0,21	– 0,17

27. À l'aide des sensibilités aux facteurs du tableau ci-dessus et des rentabilités espérées du tableau 13.1, calculez la prime de risque de l'action GE d'après la spécification FFC. Le bêta de GE estimé à partir du MEDAF sur la même période est égal à 1,47. Comparez les primes de risque obtenues dans les deux cas.

28. Total étudie un projet d'investissement dans le secteur de l'énergie aux États-Unis. Ce projet a le même niveau de risque systématique que les actions Exxon Mobil. Quel est le coût du capital de ce projet d'après la spécification FFC, si le taux sans risque américain est de 3 % ?

29. Microsoft envisage de développer un nouveau logiciel. Le risque de ce projet est identique à celui de l'entreprise. Quel est le coût du capital de ce projet d'après la spécification FFC, si le taux sans risque américain est de 3 % ? Le bêta de Microsoft sur la même période, estimé à partir du MEDAF, est de 0,99. Quel est le coût du capital correspondant ?

Chapitre 14

La structure financière « en marchés parfaits »

Lorsqu'une entreprise a besoin de capitaux pour financer ses projets, elle peut soit s'endetter, en sollicitant un crédit bancaire ou en émettant des obligations, soit émettre de nouvelles actions (section 14.1). Comment choisir entre ces deux possibilités ? Prenons un exemple. L'entreprise EBS est spécialisée dans la fabrication de planches de surf. Elle souhaite investir dans une nouvelle usine. À cet effet, EBS a besoin de 50 millions d'euros. Plusieurs possibilités s'offrent à l'entreprise. La première est de lever des capitaux grâce à l'émission d'actions nouvelles. Compte tenu des risques, le directeur financier estime que les actionnaires exigeront une prime de risque de 10 % en plus du taux d'intérêt sans risque, qui est de 5 %. Le coût des capitaux propres de l'entreprise est donc de 15 %. Il est également possible de financer le projet par endettement. Puisque EBS n'a aucune dette et que sa situation financière est excellente, l'entreprise peut emprunter 50 millions d'euros au taux de 6 %. Ce taux d'intérêt est inférieur au coût des capitaux propres d'EBS. Doit-on conclure que l'endettement doit être privilégié ? Ce choix (financier) est-il susceptible d'influencer la VAN du projet d'investissement ? Si tel était le cas, cela modifierait la valeur de l'entreprise, et donc le prix de ses actions…

Ce chapitre répond à ces questions dans le cadre de marchés financiers supposés parfaits, autrement dit en posant les hypothèses suivantes : les prix des actifs reflètent leur vraie valeur ; il n'y a ni impôts ni coûts de transaction ; les flux de trésorerie d'un projet ne dépendent pas de ses modalités de financement. Malgré la simplicité de ces hypothèses, ce cadre d'analyse permet d'obtenir des résultats intéressants et sera utilisé par la suite comme référence. Dans ce cadre d'hypothèses, la conclusion qui découle de la Loi du prix unique est que, contrairement à l'intuition, le choix entre dette et actions n'a aucune influence sur la valeur de l'entreprise, le prix de ses actions ou son coût du capital (sections 14.2 à 14.4). Ainsi, dans un monde sans « imperfections » de marché, EBS devrait être indifférente à la solution retenue pour obtenir les financements nécessaires à sa croissance.

14.1. Capitaux propres ou dette ?

La composition du passif d'une entreprise, c'est-à-dire la proportion relative de dette et de capitaux propres, détermine sa **structure financière**. Lorsqu'une entreprise lève des capitaux auprès d'investisseurs externes, elle choisit le type de titres qui sont émis. En général, les entreprises choisissent de se financer par capitaux propres exclusivement ou par un mélange de capitaux propres et de dette[1].

---

1. Il est impossible pour une entreprise de se financer exclusivement par dette : les créanciers prendraient alors trop de risques. Ceux-ci exigent toujours des propriétaires de l'entreprise une prise de risque sous forme d'une participation au capital de leur entreprise.

Le cas d'un financement exclusif par capitaux propres

Une entreprise a la possibilité d'investir immédiatement 800 € pour bénéficier l'année prochaine d'un revenu égal à 1 400 € ou à 900 €, selon la conjoncture économique. Les deux scénarios sont équiprobables (voir tableau 14.1).

Tableau 14.1	Flux de trésorerie du projet	
	Année 1	
Année 0	**Croissance** **(probabilité : 50 %)**	**Récession** **(probabilité : 50 %)**
– 800 €	1 400 €	900 €

Puisque le revenu du projet est fonction de la conjoncture, il intègre un risque de marché. Les actionnaires exigent donc une prime de risque (10 %), qui s'ajoute au taux d'intérêt sans risque (5 %), pour accepter de financer ce projet. Le coût du capital du projet est donc de 15 %. Le revenu espéré à l'année 1 est de 0,5 × 1 400 € + 0,5 × 900 € = 1 150 €. La VAN du projet est donc de :

$$VAN = -800 + \frac{1150}{1,15} = 200 \text{ €}$$

La VAN du projet est positive. Si le projet avait été financé exclusivement par capitaux propres, combien les actionnaires auraient-ils été prêts à payer pour acheter toutes les actions de l'entreprise ? On sait depuis le chapitre 3 que, en l'absence d'opportunités d'arbitrage, le prix d'un actif est égal à la valeur actuelle des revenus qu'il produit. L'entreprise n'ayant aucune dette, les actionnaires recevront l'intégralité des revenus du projet. La valeur actuelle des capitaux propres est donc :

$$VA = \frac{1150}{1,15} = 1\,000 \text{ €}$$

Notre entrepreneur peut donc recevoir 1 000 € s'il vend toutes les actions de son entreprise. Après avoir investi 800 € pour financer le projet, il lui restera 200 € de profit, qui correspondent à la VAN du projet. En d'autres termes, la VAN d'un projet revient aux propriétaires originels de l'entreprise.

Quelle est la rentabilité pour les actionnaires qui investissent dans cette **entreprise non endettée ?** Comme l'investissement initial des actionnaires dans l'entreprise est de 1 000 €, la rentabilité des actionnaires est de 40 % en cas de conjoncture favorable et de – 10 % en cas de récession (voir tableau 14.2). Les deux scénarios étant équiprobables, la rentabilité espérée pour les actionnaires est de 0,5 × 40 % + 0,5 × – 10 % = 15 %. Les actionnaires sont rémunérés au coût du capital de l'entreprise, c'est-à-dire à hauteur des risques qu'ils prennent, puisque le risque de l'entreprise non endettée correspond au risque du projet.

Tableau 14.2	Flux de trésorerie et rentabilité d'une entreprise non endettée

		Année 1	
	Année 0	**Croissance**	**Récession**
Valeur de l'entreprise non endettée	1 000 €	1 400 € (+ 40 %)	900 € (– 10 %)

Le cas d'un financement mixte : capitaux propres et dette

L'entreprise peut choisir un financement mixte et emprunter par exemple 500 €. Quelle que soit la conjoncture économique future, les bénéfices de l'entreprise permettent de rembourser la dette. Cette dernière est donc sans risque, et l'entreprise peut emprunter au taux de 5 %. Dans un an, elle devra rembourser $500 \times 1,05 = 525$ €.

Les créanciers sont remboursés avant que les actionnaires ne soient rémunérés. L'entreprise distribuera donc à ces derniers $1\ 400 - 525 = 875$ € si la conjoncture est favorable et seulement $900 - 525 = 375$ € dans le cas contraire (voir tableau 14.3).

Tableau 14.3	Flux de trésorerie d'une entreprise endettée

		Année 0	Année 1	
			Croissance	**Récession**
1	Dette	500 €	525 €	525 €
2	Actions de l'entreprise endettée	V_{CP}	875 €	375 €
3	**Valeur de l'entreprise endettée** (1 + 2)	**1 000 €**	**1 400 €**	**900 €**

Quelle est la valeur V_{CP} des **capitaux propres de l'entreprise endettée ?** Quelle est la structure financière qui maximise la richesse de l'entrepreneur ? Dans un article publié en 1958[2], Franco Modigliani et Merton Miller ont répondu à cette question de façon originale pour l'époque. Ils démontrent que, sous l'hypothèse de marchés parfaits, la valeur totale de l'entreprise ne dépend pas de sa structure financière. En effet, les flux de trésorerie de l'entreprise sont toujours égaux aux flux de trésorerie du projet ; ils ont donc toujours une valeur actuelle de 1 000 € (ligne 3 du tableau 14.3). Or, la somme des flux de trésorerie dont bénéficient les actionnaires et les créanciers est par définition égale aux flux de trésorerie du projet. La Loi du prix unique conduit donc à la conclusion que le total des dettes et des capitaux propres doit être de 1 000 €. Puisque la valeur actuelle des dettes est de 500 €, la valeur des capitaux propres de l'entreprise endettée est nécessairement de $V_{CP} = 1\ 000$ € $- 500$ € $= 500$ €.

Les flux de trésorerie dont bénéficient les actionnaires d'une entreprise endettée sont plus faibles que ceux d'une entreprise non endettée. La valeur des capitaux propres est donc plus faible : 500 €, et non 1 000 €. Le fait que les capitaux propres aient une valeur plus faible ne signifie pourtant pas que la situation de l'entrepreneur se soit dégradée. Il

---

2. F. Modigliani et M. Miller (1958), « The Cost of Capital, Corporation Finance and the Theory of Investment », *American Economic Review* 48(3), 261-297.

continue en effet de lever 1 000 €, comme précédemment. Le choix entre un financement exclusivement par actions et un financement mixte actions/dette lui est par conséquent indifférent.

L'effet de la dette sur le risque et la rentabilité

En 1958, les conclusions de Modigliani et Miller allaient à l'encontre de la vision traditionnelle qui prévalait alors. On considérait alors que l'endettement influençait la valeur de l'entreprise. En particulier, il était alors admis que la valeur des capitaux propres de l'entreprise endettée était supérieure à 500 €, car la valeur actuelle des flux de trésorerie des actionnaires actualisés à 15 % est de :

$$\frac{0,5 \times 875 + 0,5 \times 375}{1,15} = 543 €$$

L'erreur de raisonnement réside dans le choix du taux d'actualisation : le recours à l'endettement augmente le risque supporté par les actionnaires. Il n'est donc pas approprié d'actualiser les flux de trésorerie d'une entreprise endettée au même taux que celui d'une entreprise non endettée. Les actionnaires d'une entreprise endettée exigent une rentabilité espérée plus élevée pour compenser le risque plus grand qu'ils courent. Le tableau 14.4 permet de comparer la rentabilité des capitaux propres des deux entreprises (endettée et non endettée). Les capitaux propres de l'entreprise non endettée dégagent une rentabilité de 40 % ou de − 10 % selon la conjoncture, offrant aux actionnaires une espérance de rentabilité de 15 %. Être actionnaire de l'entreprise endettée est plus risqué, puisque la rentabilité est de 75 % ou de − 25 %. En moyenne, les actionnaires de l'entreprise endettée reçoivent une rémunération de 25 %, ce qui est supérieur à celle dont bénéficient les actionnaires de l'entreprise non endettée, afin de compenser l'augmentation du risque.

		Année 0	Année 1		Rentabilité espérée
			Croissance	**Récession**	
1	Dette	500 €	525 € (+ 5 %)	525 € (+ 5 %)	5 %
2	Actions de l'entreprise non endettée	1 000 €	1 400 € (+ 40 %)	900 € (− 10 %)	15 %
3	Actions de l'entreprise endettée	500 €	875 € (+ 75 %)	375 € (− 25 %)	25 %

Tableau 14.4   Rentabilité des capitaux propres en fonction de l'endettement de l'entreprise

Pour être plus précis, il convient d'évaluer la relation entre risque et rentabilité des actions. Pour ce faire, il faut calculer la sensibilité de la rentabilité au risque systématique de l'économie[3] (voir tableau 14.5). Par définition, la rentabilité (certaine) de la dette de l'entreprise endettée n'est pas exposée au risque systématique. La prime de risque de la dette est donc nulle. Les actions de l'entreprise endettée sont exposées à deux fois plus de risque systématique que les actions de l'entreprise non endettée. Logiquement, les actionnaires de l'entreprise endettée reçoivent une **prime de risque** deux fois plus élevée.

---

3. Pour simplifier, cet exemple ne comprend que deux états de la nature et cette sensibilité détermine donc le bêta des actions.

		Sensibilité des rentabilités (risque systématique)	Prime de risque
		$\Delta R = R$ (croissance) – R (récession)	$E[R] - r_f$
1	Dette	5 % – 5 % = 0 %	5 % – 5 % = 0 %
2	Actions de l'entreprise non endettée	40 % – (– 10 %) = 50 %	15 % – 5 % = 10 %
3	Actions de l'entreprise endettée	75 % – (– 25 %) = 100 %	25 % – 5 % = 20 %

Tableau 14.5 — Risque systématique et prime de risque

En résumé, lorsque les marchés sont supposés parfaits, si l'entreprise est financée à 100 % par capitaux propres, les actionnaires exigent une rentabilité de 15 %. Si la société est financée à 50 % par dette et à 50 % par capitaux propres, les créanciers reçoivent une rentabilité de 5 %, et les actionnaires exigent une rentabilité de 25 %, car l'endettement a augmenté le risque lié à la détention d'actions. Ainsi, *l'endettement d'une entreprise augmente le risque des actions, même si on suppose que le risque de faillite est nul.*

L'endettement est donc moins coûteux que les capitaux propres, mais il contribue à faire augmenter le coût des capitaux propres. Il faut donc considérer le coût *combiné* des deux sources de financement. Le coût moyen du capital de l'entreprise endettée est de $0,5 \times 5\ \% + 0,5 \times 25\ \% = 15\ \%$, soit un coût égal à celui de l'entreprise non endettée.

Précisons que ce qui importe, ce n'est pas en soi le niveau absolu de la dette, mais son niveau relatif par rapport aux capitaux propres. Ce niveau relatif peut s'exprimer comme la part de la dette dans le total des financements : $V_D / (V_D + V_{CP})$. On peut l'exprimer aussi sous la forme simplement du ratio V_D / V_{CP} ; dans ce cas, on parlera de levier d'endettement. Ainsi, par exemple, une entreprise financée à moitié par dette et à moitié par capitaux propres aura un taux d'endettement de 50 %, ce qui correspond à un levier de 100 %.

Endettement et coût des capitaux propres

L'entrepreneur emprunte seulement 200 € pour financer son projet. Quelle est, d'après Modigliani-Miller, la valeur des capitaux propres de l'entreprise ? Quelle est la rentabilité espérée pour les actionnaires ?

Solution

La valeur des flux de trésorerie étant inchangée (1 000 €) si l'entreprise emprunte 200 €, ses capitaux propres vaudront 800 €. L'entreprise devra rembourser $200 \times 1,05 = 210$ € dans un an. Cela signifie que la rentabilité pour les actionnaires sera de (1 400 € – 210 €) / 800 € – 1 = 48,75 % si la conjoncture est favorable et de (900 € – 210 €) / 800 € – 1 = – 13,75 % sinon. La rentabilité espérée des capitaux propres est ainsi de $0,5 \times 48,75\ \% + 0,5 \times$ (– 13,75 %) = 17,5 %. La sensibilité des capitaux propres est de 48,75 % – (– 13,75 %) = 62,5 %, soit 62,5 % / 50 % = 125 % de la sensibilité de l'entreprise non endettée. La prime de risque exigée par les actionnaires est de 17,5 % – 5 % = 12,5 %, ce qui correspond bien à 125 % de la prime de risque des actions de l'entreprise non endettée. Avec un taux d'endettement de 20 %, le coût moyen pondéré du capital de l'entreprise reste égal à 80 % × (17,5 % + 20,5 % × 5 %) = 15 %.

Les actionnaires reçoivent donc une compensation appropriée pour le risque qu'ils prennent en achetant les actions de l'entreprise endettée à hauteur de 200 €.

Exemple 14.1

14.2. Modigliani-Miller, acte 1 : dette, arbitrage et valeur de l'entreprise

La Loi du prix unique permet d'établir que le taux d'endettement n'influence pas la valeur totale de l'entreprise, c'est-à-dire le montant des capitaux que l'entrepreneur peut lever. Le taux d'endettement influence uniquement la répartition des flux de trésorerie entre créanciers et actionnaires, sans modifier les flux de trésorerie de l'entreprise. La proposition 1 de Modigliani-Miller généralise ce résultat sous un ensemble d'hypothèses qui caractérisent des marchés de capitaux parfaits :

1. Les agents économiques (investisseurs et entreprises) peuvent acheter ou vendre les mêmes actifs financiers, à un prix de marché (concurrentiel) égal à la valeur actuelle de leurs flux de trésorerie futurs.

2. Il n'existe pas d'impôts ni de coûts de transaction sur les marchés financiers.

3. Les décisions de financement d'une entreprise n'influencent pas les flux de trésorerie de ses actifs et ne sont porteuses d'aucune information à leur propos.

Proposition 1 de Modigliani-Miller. *Dans le cadre de marchés de capitaux supposés parfaits, la valeur d'une entreprise est égale à la valeur de marché des flux de trésorerie de ses actifs ; cette valeur n'est pas influencée par la structure financière de l'entreprise.*

Modigliani-Miller et la Loi du prix unique

Modigliani et Miller sont parvenus à ce résultat grâce à un raisonnement très simple. En l'absence d'impôts et de coûts de transaction, les flux de trésorerie dont bénéficient les investisseurs (actionnaires et créanciers) sont égaux aux flux de trésorerie générés par l'actif de l'entreprise. La Loi du prix unique indique que les titres émis par l'entreprise ont une valeur de marché égale à celle de ses actifs. Dès lors, tant que les choix financiers ne modifient pas les flux de trésorerie, il n'y a aucune raison pour que ceux-ci influencent sa valeur ou le montant des capitaux propres.

Il est d'ailleurs possible de relier la proposition 1 de Modigliani-Miller au théorème de séparation (voir chapitre 3) : si les titres sont évalués à leur juste prix, acheter ou vendre un actif financier est une stratégie à VAN nulle. Par conséquent, cet achat ou cette vente ne modifie pas la valeur de l'entreprise. Les flux de trésorerie futurs que l'entreprise devra verser à ses créanciers sont par définition égaux (en valeur actualisée) au montant prêté par ces mêmes créanciers. Il n'y a donc aucun bénéfice net, ni aucun coût net, à s'endetter. La valeur d'une entreprise est exclusivement déterminée par la valeur actuelle des flux de trésorerie provenant de ses investissements passés, présents et futurs.

Zoom sur…	**Modigliani-Miller, les marchés parfaits et la pratique…**

En quoi les résultats de Modigliani et Miller sont-ils si importants ? Après tout, les marchés de capitaux sont loin d'être parfaits…

C'est une démarche scientifique standard que de poser des hypothèses simplificatrices afin d'analyser un phénomène complexe. Lorsqu'on utilise une théorie pour décrire ou comprendre le réel, il convient de s'interroger en permanence sur la distance qui existe entre les hypothèses du modèle et la réalité et, lorsque la distance est trop grande, d'en examiner les conséquences.

Ainsi, la Loi de la chute des corps, formulée par Galilée en 1602, repose sur des hypothèses simplificatrices : en l'absence de frottements, des corps devraient chuter au même rythme, quelle que soit leur masse. Empiriquement, cette loi est fausse : sur Terre, il y a des frottements, et ceux-ci influencent différemment des corps de masses différentes. Cela n'enlève pourtant pas tout intérêt aux travaux de Galilée !

Le même raisonnement s'applique aux résultats de Modigliani et Miller. Tout comme la Loi de la chute des corps, la proposition 1 de Modigliani-Miller révèle, implicitement, les conditions qui seraient nécessaires pour que la théorie soit vérifiée empiriquement. Puisque ces conditions ne sont pas remplies dans la réalité et qu'il existe des imperfections de marché, la structure financière a des effets sur la valeur de l'entreprise. Modigliani et Miller fournissent donc les pistes à suivre pour comprendre en quoi les choix financiers d'une entreprise influencent sa valeur : l'étude des différentes imperfections de marché et de leurs conséquences sur la valeur de l'entreprise sera l'objet des prochains chapitres.

Le levier synthétique

Modigliani et Miller ont montré que la valeur de l'entreprise n'est pas influencée par sa structure financière. Qu'en est-il si les investisseurs préfèrent une structure financière différente de celle choisie par l'entreprise ? On s'attend alors à ce qu'ils « sanctionnent » l'entreprise en n'achetant pas ses titres. Mais Modigliani et Miller montrent que les investisseurs peuvent modifier au niveau de leur portefeuille les effets d'une structure financière qui ne leur convient pas. Pour cela, il leur suffit d'emprunter ou de prêter des capitaux. Ainsi, un investisseur qui préférerait une entreprise plus endettée qu'elle ne l'est en réalité n'aurait qu'à emprunter lui-même des capitaux : on parle dans ce cas d'un **levier synthétique**. Autrement dit, un investisseur peut reproduire les effets de l'endettement de l'entreprise au niveau de son portefeuille personnel, en s'endettant lui-même. Si les investisseurs sont en mesure d'emprunter et de prêter au même taux d'intérêt que l'entreprise[4], le levier synthétique est un parfait substitut au levier de l'entreprise : l'endettement de l'investisseur a le même rôle que l'endettement de l'entreprise. Deux cas sont possibles.

Premier cas. Si l'entrepreneur n'a pas recours à l'endettement, n'importe quel investisseur qui préférerait détenir des actions d'une entreprise endettée peut « créer » lui-même cet endettement, en achetant les actions de l'entreprise non endettée à crédit

---

4. Cette hypothèse découle de la perfection des marchés de capitaux, puisque le taux d'intérêt sur un prêt dépend exclusivement de son risque.

(voir tableau 14.6). Si les flux de trésorerie provenant de l'entreprise non endettée servent de collatéral à l'emprunt réalisé pour acheter les actions, le prêt sera accordé au taux sans risque et l'investisseur sera en mesure d'emprunter au taux de 5 %. En dépit du fait que l'entreprise n'est pas endettée, l'investisseur réplique, grâce au levier synthétique, les flux de trésorerie qu'une entreprise endettée verserait à ses actionnaires (voir tableau 14.3 pour comparer).

Tableau 14.6 Portefeuille répliquant les actions de l'entreprise endettée

		Année 0	Année 1	
			Croissance	Récession
1	Actions de l'entreprise non endettée	1 000 €	1 400 €	900 €
2	Emprunt de l'actionnaire pour financer l'achat des actions	– 500 €	– 525 €	– 525 €
3	**Portefeuille répliquant les actions de l'entreprise endettée** (1 + 2)	**500 €**	**875 €**	**375 €**

Second cas. De manière symétrique, si l'entreprise est endettée alors que l'investisseur souhaite détenir des actions d'une entreprise non endettée, l'investisseur peut « annuler » l'endettement de l'entreprise, en achetant des titres de dette et des actions de l'entreprise endettée. En combinant les flux de trésorerie des deux types de titres, l'investisseur obtient des flux de trésorerie identiques à ceux d'une entreprise non endettée, pour un coût de constitution de son portefeuille de 1 000 € (voir tableau 14.7).

Tableau 14.7 Portefeuille répliquant les actions de l'entreprise non endettée

		Année 0	Année 1	
			Croissance	Récession
1	Titres de dette de l'entreprise endettée	500 €	525 €	525 €
2	Actions de l'entreprise endettée	500 €	875 €	375 €
3	**Portefeuille répliquant les actions de l'entreprise non endettée** (1 + 2)	**1 000 €**	**1 400 €**	**900 €**

Dans tous les cas, la structure financière de l'entreprise n'a aucune influence sur le portefeuille des actionnaires et les flux de trésorerie qu'ils en tirent. Quel que soit le taux d'endettement de l'entreprise, l'investisseur peut toujours le modifier (fictivement) à sa guise, soit en achetant des actions à crédit (levier synthétique positif), soit en achetant des titres de dette (levier synthétique négatif). Avec des marchés de capitaux supposés parfaits, les modifications de structure financière des entreprises ne créent pas d'opportunités de revenus supplémentaires pour les investisseurs. *La structure financière de l'entreprise n'influence donc pas sa valeur.*

Levier synthétique et arbitrage

Deux entreprises auront des flux de trésorerie à l'année 1 de 1 400 € ou 900 € selon la conjoncture économique. Les deux entreprises sont identiques en tout point, à l'exception de leur structure financière. La première n'a aucune dette et ses capitaux propres ont une valeur de marché de 990 €. La seconde a emprunté 500 € et ses capitaux propres ont une valeur de marché de 510 €. La proposition 1 de Modigliani-Miller est-elle vérifiée pour ces deux entreprises ? Sinon, quelles sont les opportunités d'arbitrage ?

Solution

La proposition 1 de Modigliani-Miller établit que la valeur d'une entreprise est égale à la valeur de ses actifs. Les deux entreprises possèdent des actifs identiques ; elles devraient donc avoir la même valeur. Or, la valeur de marché de l'entreprise non endettée est de 990 € tandis que celle de l'entreprise endettée est de 510 € (capitaux propres) + 500 € (dette) = 1 010 €. La proposition 1 de Modigliani-Miller n'est donc pas vérifiée.

Comme la Loi du prix unique n'est pas vérifiée (les deux entreprises possèdent les mêmes actifs mais ont des valeurs différentes), une opportunité d'arbitrage existe. Il est en effet possible d'acheter pour 990 € les actions de l'entreprise non endettée et d'emprunter 500 €, ce qui permet de répliquer les flux de trésorerie des actions de l'entreprise endettée (levier synthétique), pour un coût de 990 € – 500 € = 490 €. L'investisseur peut ensuite vendre à découvert les actions de l'entreprise endettée à leur prix de marché (510 €) et enregistrer un gain d'arbitrage (sans risque) de 20 €.

Les opérations d'arbitrage vont faire disparaître l'opportunité d'arbitrage, car elles impliquent d'acheter les titres de l'entreprise non endettée et de vendre ceux de l'entreprise endettée. La valeur de l'entreprise non endettée augmente donc, tandis que celle de l'entreprise endettée diminue, jusqu'à ce que les deux valeurs redeviennent égales et que la proposition 1 de Modigliani-Miller soit vérifiée.

		Année 0	Année 1	
			Croissance	**Récession**
1	Emprunt	500 €	– 525 €	– 525 €
2	Achat des actions de l'entreprise non endettée	– 990 €	1 400 €	900 €
3	Vente à découvert des actions de l'entreprise endettée	510 €	– 875 €	– 375 €
4	**Total** (1 + 2 + 3)	**20 €**	**0 €**	**0 €**

Le bilan en valeur de marché

À la section 14.1, dans un souci de simplification, seules deux structures financières étaient possibles. En fait, la proposition 1 de Modigliani-Miller s'applique à toutes les combinaisons possibles de dette et de capitaux propres. Cette proposition s'applique même lorsque l'entreprise a émis d'autres types de titres financiers, comme des obligations convertibles. La logique est toujours la même : puisque les investisseurs peuvent librement acheter ou vendre les titres, aucune valeur n'est créée lorsqu'une entreprise procède à un achat ou une vente de titres à la place des investisseurs.

Grâce à la proposition 1 de Modigliani-Miller, il est possible de construire des bilans d'entreprises en valeur de marché. Un bilan en valeur de marché est analogue à un bilan en valeur comptable, à deux (importantes) différences près. La première différence est que, dans un bilan en valeur de marché, tous les actifs et passifs de l'entreprise, y compris certains actifs immatériels (tels que la réputation ou le capital humain), sont comptabilisés, ce qui n'est pas le cas dans un bilan comptable. La seconde différence est que tout est évalué en valeur de marché et non en valeur comptable[5]. Dans un bilan en valeur de marché (voir tableau 14.8), la valeur de marché des titres émis par l'entreprise est égale à la valeur de marché des actifs qu'elle possède.

Présenter un bilan en valeur de marché permet d'insister sur l'idée que la valeur est créée par les choix d'investissement de l'entreprise et les actifs qu'elle possède, et non par les titres qu'elle a émis. En choisissant des projets à VAN positive, l'entreprise crée de la valeur. Si les flux de trésorerie produits par les différents investissements de l'entreprise sont constants, la modification de la structure financière de l'entreprise ne change pas sa valeur. Il est donc possible d'exprimer la valeur de marché de ses actions (sa capitalisation boursière) comme :

$$\text{Valeur de marché des actions} = \text{Valeur de marché des actifs} - \text{Valeur de marché de la dette et des autres passifs} \quad (14.1)$$

Tableau 14.8	Un bilan en valeur de marché

Actif	**Passif**
Actif non courant	Capitaux propres
Immobilisations incorporelles (brevets, réputation, capital humain, etc.)	*Actions ordinaires, actions à dividende prioritaire…*
Immobilisations corporelles (usines, machines, etc.)	
Immobilisations financières	Passif non courant
	Dettes à plus d'un an
Actif courant	
Créances clients	Passif courant
Stocks	*Dettes à moins d'un an*
Trésorerie	*Dettes fournisseurs*
Valeur de marché des actifs	**Valeur de marché des titres émis par l'entreprise**

Exemple 14.3

Valeur des capitaux propres d'une entreprise ayant émis plusieurs classes de titres

L'entrepreneur décide de financer son investissement en émettant non plus deux, mais trois types de titres : actions, dette (d'une valeur de 500 €) et obligations convertibles. Les obligations convertibles vaudront 210 € en cas de croissance et 0 € en cas de récession. Le prix de marché actuel des obligations convertibles est de 60 €. Quelle est la valeur de marché des capitaux propres de l'entreprise, si les marchés sont supposés parfaits ?

...

5. Certaines valeurs comptables, mais pas toutes, sont des valeurs de marché.

Exemple 14.3

…

Solution

Selon la proposition 1 de Modigliani-Miller, la valeur totale des titres est égale à la valeur des actifs de l'entreprise, soit 1 000 €. La dette vaut 500 €, les obligations convertibles 60 €. Les capitaux propres sont donc évalués par le marché à 440 €. Et, à ce prix, on peut vérifier que les actions et les obligations convertibles offrent une prime de risque proportionnelle à leur risque.

Un exemple : le rachat d'actions par endettement

Jusqu'à présent, le raisonnement a porté sur la structure financière du point de vue d'un entrepreneur qui réfléchit à la meilleure façon de financer un investissement. Mais la proposition 1 de Modigliani-Miller s'applique à toutes les décisions financières de l'entreprise, comme l'illustre l'exemple suivant.

Harrison SA est exclusivement financée par capitaux propres. Elle a émis 50 millions d'actions, chacune valant 4 €. Les marchés de capitaux sont supposés parfaits. Harrison décide de s'endetter à hauteur de 80 millions d'euros pour racheter une partie de ses propres actions. Cette opération s'appelle un **rachat d'actions par endettement** et sert à modifier la structure financière d'une entreprise. Elle se déroule en deux étapes.

Étape 1. Harrison lève tout d'abord 80 millions d'euros en émettant des titres de dette. Puis l'entreprise utilise ces fonds pour procéder au rachat d'actions. Le bilan en valeur de marché de l'entreprise à chaque étape est détaillé au tableau 14.9. Avant le début de l'opération, Harrison n'a aucune dette. La valeur de marché de l'entreprise est donc de 50 millions d'actions × 4 € = 200 millions d'euros ; soit exactement la valeur de marché des actifs de l'entreprise. Après l'emprunt, la dette augmente de 80 millions d'euros, tout comme l'actif, puisque l'entreprise dispose de 80 millions supplémentaires de trésorerie. La valeur de marché des actions de l'entreprise n'est donc pas influencée par cette opération à VAN nulle, puisque la dette a augmenté du même montant que l'actif.

Étape 2. Pour racheter ses actions, Harrison dépense 80 millions d'euros et rachète 80 millions d'euros / 4 € par action = 20 millions d'actions. L'actif diminue donc de 80 millions d'euros ; le montant de la dette reste inchangé. La valeur de marché des actions baisse de 80 millions, à 120 millions d'euros. Le prix d'une action ne change pas : 30 millions d'actions sont en circulation, la capitalisation boursière de l'entreprise est de 120 millions d'euros, chaque action vaut donc 4 € après l'opération.

Le fait que le prix de l'action reste constant n'est pas surprenant. L'entreprise a vendu des titres de dette pour 80 millions d'euros et racheté des capitaux propres pour un montant équivalent. L'opération est donc neutre du point de vue de la VAN, et il n'y a aucune modification de valeur pour les actionnaires.

	Situation initiale	Situation après emprunt	Situation après rachat d'actions
Tableau 14.9 Bilan en valeur de marché de Harrison SA – Rachat d'actions par endettement (en millions d'euros)			
Actif			
1 Actifs	200	200	200
2 Trésorerie	0	80	0
3 **Total Actif** (1 + 2)	**200**	**280**	**200**
Passif			
4 Capitaux propres	200	200	120
5 Dette	0	80	80
6 **Total Passif** (4 + 5)	**200**	**280**	**200**
7 Nombre d'actions (en millions)	50	50	30
8 Prix d'une action (en euros)	4	4	4

14.3. Modigliani-Miller, acte 2 : dette, risque et coût du capital

Modigliani et Miller ont démontré que, en marchés parfaits, la structure financière d'une entreprise n'a pas d'influence sur sa valeur. Mais alors, pourquoi des titres financiers différents ont-ils des coûts du capital distincts ? Dans l'exemple de la section 14.1, les actionnaires exigent une rentabilité espérée de 15 % alors que l'entreprise peut s'endetter au taux sans risque (5 %). Dans ce cas, comment expliquer que la dette ne constitue pas une « meilleure » source de financement que les capitaux propres pour l'entreprise ?

La réponse réside dans la nécessité de considérer le coût de la dette en conjonction avec celui des autres sources de financement : la dette augmente le risque pris par les actionnaires, et donc leur exigence de rentabilité. Il convient donc de mesurer l'influence de la dette sur la rentabilité exigée par les actionnaires et le coût des capitaux propres. Il sera alors possible d'estimer le coût des actifs de l'entreprise, et de montrer que celui-ci ne dépend pas du taux d'endettement. En fait, les économies réalisées grâce à l'endettement sont exactement compensées par l'exigence accrue des actionnaires en termes de rentabilité. Au total, l'entreprise ne tire donc pas profit d'une augmentation de son endettement.

Dette et coût des capitaux propres

La proposition 1 de Modigliani-Miller permet de relier dette et coût des capitaux propres. Avec V_{CP} et V_D les valeurs de marché respectives des capitaux propres et de la dette de l'entreprise endettée, V^U la valeur de marché de l'entreprise non endettée, et V_A la valeur de marché de ses actifs, la proposition 1 de Modigliani-Miller peut se réécrire :

$$V_{CP} + V_D = V^U = V_A \qquad (14.2)$$

La valeur de marché des titres émis par une entreprise est égale à la valeur de marché de ses actifs, que l'entreprise soit endettée ou non. L'égalité de gauche peut s'interpréter en termes de levier synthétique : en détenant un portefeuille composé de dette et de capitaux propres de l'entreprise endettée, l'investisseur peut répliquer les flux de trésorerie dont bénéficie l'actionnaire d'une entreprise non endettée. Or, la rentabilité d'un portefeuille est égale à la moyenne pondérée des rentabilités des titres qui le composent. Il est donc possible d'établir une relation entre la rentabilité des capitaux propres d'une entreprise endettée (R_{CP}), la rentabilité de la dette (R_D) et la rentabilité des capitaux propres de l'entreprise non endettée (R_U) :

$$\frac{V_{CP}}{V_{CP}+V_D}R_{CP}+\frac{V_D}{V_{CP}+V_D}R_D = R_U \tag{14.3}$$

Partant de l'équation (14.3), il est possible d'exprimer la rentabilité des actions d'une entreprise endettée comme :

$$R_{CP} = \underbrace{R_U}_{\substack{\text{Risque de l'actif} \\ \text{de l'entreprise} \\ \text{(à endettement nul)}}} + \underbrace{\frac{V_D}{V_{CP}}\left(R_U - R_D\right)}_{\substack{\text{Risque additionnel} \\ \text{dû au levier}}} \tag{14.4}$$

Cette équation permet d'appréhender les conséquences de la dette sur la rentabilité des capitaux propres : la rentabilité des actions d'une entreprise endettée est égale à celle d'une entreprise non endettée, augmentée d'une prime liée au risque provoqué par l'endettement. Cette prime augmente la rentabilité des actions lorsque l'entreprise réalise une bonne performance ($R_U > R_D$) et la réduit en cas de performance médiocre ($R_U < R_D$). Le niveau de risque supplémentaire supporté par les actionnaires, et donc la prime de risque, dépend de l'endettement, mesuré par le levier en valeur de marché V_D / V_{CP}. L'équation (14.4) concerne les rentabilités effectives des titres. Mais une relation identique existe pour les rentabilités espérées (notées r et non R). Cette observation a permis à Modigliani et Miller d'énoncer leur seconde proposition :

Proposition 2 de Modigliani-Miller. *Le coût des capitaux propres d'une entreprise endettée augmente avec le levier de l'entreprise exprimé en valeur de marché :*

Coût des fonds propres d'une entreprise endettée

$$r_{CP} = r_U + \frac{V_D}{V_{CP}}\left(r_U - r_D\right) \tag{14.5}$$

Pour illustrer la proposition 2, il est possible de revenir à l'exemple de la section 14.1. Si l'entreprise est financée exclusivement par capitaux propres, la rentabilité espérée par les actionnaires est de 15 % (voir tableau 14.4). Si l'entreprise a 500 € de dette, la rentabilité espérée sur la dette est égale au taux sans risque, 5 %. D'après la proposition 2 de Modigliani-Miller, la rentabilité espérée par les actionnaires de l'entreprise endettée est alors de :

$$r_{CP} = 15\,\% + \frac{500}{500}\left(15\,\% - 5\,\%\right) = 25\,\%$$

ce qui correspond bien au résultat du tableau 14.4.

Comment calculer le coût des capitaux propres ?

Si l'entrepreneur de la section 14.1 avait emprunté seulement 200 €, quel aurait été le coût des capitaux propres de l'entreprise, d'après la proposition 2 de Modigliani-Miller ?

Solution

Les actifs de l'entreprise valent 1 000 €. La valeur de marché des capitaux propres est donc de 1 000 – 200 = 800 € (proposition 1 de Modigliani-Miller). D'après l'équation (14.5), le coût des capitaux propres est de :

$$r_{CP} = 15\ \% + \frac{200}{800}\left(15\ \% - 5\ \%\right) = 17,5\ \%$$

Cela correspond à la rentabilité espérée par les actionnaires de l'exemple 14.1.

Choix d'investissement et coût moyen pondéré du capital

Il est possible d'utiliser les résultats de Modigliani et Miller pour comprendre l'effet de la dette sur le coût du capital des nouveaux investissement. Si l'entreprise est financée à la fois par actions et par dette, le risque des actifs sous-jacents est égal à celui d'un portefeuille d'actions et de dette de l'entreprise. Le coût du capital pertinent pour les actifs de l'entreprise est donc le coût du capital de ce portefeuille, qui n'est rien d'autre que la moyenne pondérée du coût des fonds propres et de la dette. Cette moyenne pondérée est en fait le **coût du capital à endettement nul** de l'entreprise, ou **coût moyen pondéré du capital avant impôt** (voir chapitre 12) :

Coût moyen pondéré du capital avant impôt

$$r_U = \left(\begin{array}{l}\text{Part de la valeur de l'entreprise}\\ \text{financée par capitaux propres}\end{array}\right) \times \left(\begin{array}{l}\text{Coût des}\\ \text{capitaux propres}\end{array}\right)$$

$$+ \left(\begin{array}{l}\text{Part de valeur de l'entreprise}\\ \text{financée par dette}\end{array}\right) \times \left(\begin{array}{l}\text{Coût de la}\\ \text{dette}\end{array}\right)$$

$$= \frac{V_{CP}}{V_{CP} + V_D} r_{CP} + \frac{V_D}{V_{CP} + V_D} r_D \qquad (14.6)$$

Le chapitre 12 a introduit la notion de **coût moyen pondéré du capital après impôt** (ou effectif) ; le plus souvent, celui-ci est simplement appelé coût moyen pondéré du capital (CMPC), sans plus de précisions. Son calcul implique de tenir compte du coût de la dette après impôt. Dans le cadre de marchés parfaits, il n'y a pas d'impôts, ce qui signifie que les CMPC avant et après impôt sont identiques :

$$r_{CMPC} = r_U = r_A \qquad (14.7)$$

Cela signifie que *si les marchés sont supposés parfaits, le CMPC d'une entreprise est indépendant de sa structure financière. Dans le cas d'une entreprise non endettée, le CMPC est égal au coût des capitaux propres, qui est lui-même égal au coût du capital des actifs de l'entreprise.*

La figure 14.1 illustre l'effet de l'augmentation du taux d'endettement $V_D/(V_{CP} + V_D)$ sur le coût des capitaux propres de l'entreprise, sur son coût de la dette et son CMPC.

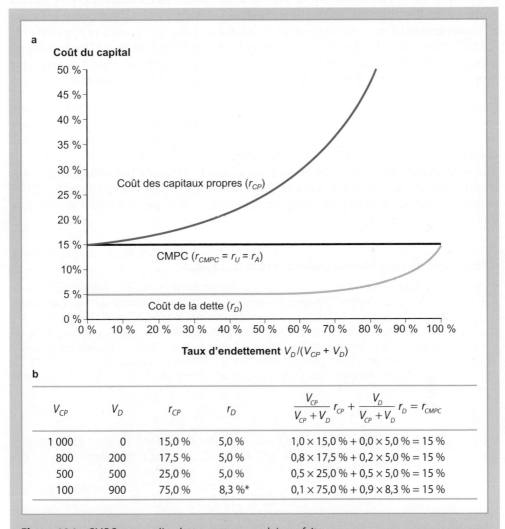

Figure 14.1 – CMPC et taux d'endettement en marchés parfaits

(a) Coût de la dette, des capitaux propres et coût moyen pondéré des capitaux en fonction du taux d'endettement. Les taux de croissance de r_D et r_{CP} dépendent des caractéristiques des flux de trésorerie de l'entreprise. Lorsque le taux d'endettement augmente, les capitaux propres et la dette deviennent plus risqués ; leur coût augmente. Toutefois, le coût de la dette est plus faible que celui des capitaux propres. En conséquence, le coût moyen pondéré du capital reste constant.

(b) Calcul du CMPC pour différentes structures financières (à partir des données de la section 14.1).

---

* À ce niveau d'endettement, la dette est risquée et offre une rentabilité théorique de 16,67 %. Le risque de faillite de l'entreprise étant de 50 %, la rentabilité anticipée de la dette est seulement de 8,33 %. Ce qui représente une prime de risque de 3,33 %. Cette prime correspond au tiers de la prime de risque sur les actions d'entreprise non-endettée, ce qui est cohérent avec la sensibilité au risque (16,67 % versus 50 %, voir tableau 14.5). Plus généralement, voir le chapitre 3 et l'exercice 14.20.

En l'absence de dette, le CMPC est égal au coût des capitaux propres de l'entreprise non endettée. Plus une entreprise emprunte, plus le coût de ses capitaux propres augmente, comme le montre l'équation (14.5). Mais la dette est moins coûteuse que les capitaux propres et les deux effets se compensent. Au final, le CMPC de l'entreprise reste le même. Si l'endettement dépasse un certain seuil, un risque pour les créanciers apparaît et le taux d'intérêt sur la dette augmente. Avec un taux d'endettement de 100 %, la dette est aussi risquée que les actifs de l'entreprise (cas symétrique à un financement par capitaux propres exclusivement). Toutefois, même dans ce cas, le CMPC reste constant.

Depuis le chapitre 8, on sait qu'il est possible d'évaluer une entreprise en actualisant ses flux de trésorerie disponibles futurs au CMPC. L'équation (14.7) permet donc une interprétation intuitive de la proposition 1 de Modigliani-Miller : bien que la dette soit moins coûteuse que les capitaux propres, elle ne permet pas de réduire le CMPC. La valeur des flux de trésorerie disponibles actualisés au CMPC n'est pas influencée par une modification de la structure financière. Par conséquent, en marchés parfaits, le CMPC et donc la VAN d'un projet ne changent pas lorsque l'entreprise modifie sa structure financière.

Exemple 14.5

Réduction du taux d'endettement et coût du capital

L'entreprise NRG a un levier de 2. Le taux d'intérêt est de 6 % ; le coût des capitaux propres est de 12 %. L'entreprise émet des actions pour réduire sa dette junior. L'objectif est de ramener le levier à 1. Cette dernière réduira ainsi le taux d'intérêt sur sa dette à 5,5 %. Les marchés des capitaux sont supposés parfaits. Quelles sont les conséquences d'une telle opération sur le coût des capitaux propres et le CMPC ? Qu'adviendrait-il si l'entreprise émettait encore plus d'actions pour rembourser complètement sa dette ? Comment ces différentes structures financières affecteraient-elles la valeur de l'entreprise Gego ?

Solution

Un levier de 2 signifie que la dette représente deux fois les capitaux propres. En utilisant les équations (14.6) et (14.7), on calcule le CMPC de Gego avant l'opération :

$$r_{CMPC} = r_U = \frac{V_{CP}}{V_{CP} + V_D} r_{CP} + \frac{V_D}{V_{CP} + V_D} r_D = \frac{1}{1+2} \times 12\ \% + \frac{2}{1+2} \times 6\ \% = 8\ \%$$

Le coût du capital de l'entreprise non endettée, égal par définition au CMPC, est $r_U = 8\ \%$. Le coût des capitaux propres après la réduction de l'endettement est donc, avec l'équation (14.5) :

$$r_{CP} = r_U + \frac{V_D}{V_{CP}}\left(r_U - r_D\right) = 8\ \% + \frac{1}{1}\left(8\ \% - 5,5\ \%\right) = 10,5\ \%$$

La baisse de l'endettement réduit le coût des capitaux propres à 10,5 %. Comme les marchés sont supposés parfaits, le CMPC est constant : $(1/2) \times 10,5\ \% + (1/2) \times 5,5\ \% = 8\ \%$. Le désendettement de l'entreprise n'est donc pas créateur de valeur.

Si NRG rembourse totalement sa dette, le coût des fonds propres deviendra égal au coût du capital à endettement nul (et au CMPC !), soit 8 %. Quelle que soit la structure financière de NRG, son coût du capital et ses flux de trésorerie demeurent inchangés. La valeur de l'entreprise ne change donc pas.

Erreur à éviter	La dette meilleure que les capitaux propres ?

Le taux d'intérêt sur la dette est plus faible que la rentabilité exigée par les actionnaires. Une erreur répandue consiste donc à conclure qu'une entreprise peut réduire son coût moyen pondéré du capital en augmentant sa dette. Suivant cette approche, les entreprises devraient donc s'endetter au maximum pour réduire autant que possible leur CMPC.

Ce raisonnement est erroné parce qu'il ignore un élément fondamental : même si la dette est sans risque et que l'entreprise soit en excellente santé (risque de faillite inexistant), l'augmentation du levier augmente le risque porté par les actionnaires. De ce fait, les actionnaires exigent une prime de risque (et donc une rentabilité anticipée) croissante avec le levier de l'entreprise. L'augmentation de la rentabilité exigée par les actionnaires annule exactement le bénéfice tiré de la modification de la structure financière de l'entreprise, et le coût moyen pondéré de l'entreprise demeure inchangé.

Calcul du CMPC avec plusieurs classes de titres

Les équations (14.6) et (14.7) permettent de calculer le CMPC sous l'hypothèse qu'il existe seulement deux classes de titres émis par l'entreprise (dette et capitaux propres). Si la structure financière de l'entreprise est plus complexe, le CMPC se calcule simplement comme la moyenne pondérée du coût du capital de chaque classe de titres.

Calcul du CMPC avec plusieurs classes de titres

Quel est le coût moyen pondéré du capital de l'entreprise de l'exemple 14.3 ?

Solution

Le CMPC d'une entreprise ayant émis des actions, de la dette et des obligations convertibles est égal à la moyenne pondérée du coût du capital de chaque classe de titres, c'est-à-dire la rentabilité moyenne devant être offerte à chaque type d'investisseur. Soit, en notant V_{OC} la valeur de marché des obligations convertibles et r_{OC} la rentabilité espérée par les détenteurs de celles-ci :

$$r_{CMPC} = r_U = \frac{V_{CP}}{V_{CP} + V_D + V_{OC}} r_{CP} + \frac{V_D}{V_{CP} + V_D + V_{OC}} r_D + \frac{V_{OC}}{V_{CP} + V_D + V_{OC}} r_{OC}$$

De l'exemple 14.3, on a $V_{CP} = 440$, $V_D = 500$ et $V_{OC} = 60$. Quelles sont les rentabilités espérées pour chaque classe de titres ? Compte tenu des flux de trésorerie de l'entreprise, la dette est sans risque, donc le taux d'intérêt est $r_D = 5$ %. L'espérance de gain pour un détenteur d'une obligation convertible est de $0,5 \times 210 + 0,5 \times 0 = 105$ € ; la rentabilité espérée est donc de $r_{OC} = 105/60 - 1 = 75$ %. Les actions donnent droit à un flux de trésorerie de $(1\,400 - 525 - 210) = 665$ € en période de croissance ou de $(900 - 525) = 375$ € en cas de récession ; l'espérance de gain pour un actionnaire est de $0,5 \times 665 + 0,5 \times 375 = 520$ € ; la rentabilité espérée est de $r_{CP} = 520/440 - 1 = 18,18$ %. Le CMPC est de :

$$r_{CMPC} = \frac{440}{1000} \times 18,18\,\% + \frac{500}{1000} \times 5\,\% + \frac{60}{1000} \times 75\,\% = 15\,\%$$

Le CMPC est égal au coût du capital de l'entreprise non endettée.

Exemple 14.6

Endettement et bêta

Les équations (14.6) et (14.7) concernent le coût moyen pondéré du capital ; elles sont identiques à celles du chapitre 12 pour le calcul du coût du capital à endettement nul. Et le chapitre 12 a montré que le bêta à endettement nul est égal à la moyenne pondérée des bêtas de ses actions et de sa dette :

$$\beta_U = \frac{V_{CP}}{V_{CP} + V_D} \beta_{CP} + \frac{V_D}{V_{CP} + V_D} \beta_D \qquad (14.8)$$

Le **bêta à endettement nul** β_U, ou bêta désendetté, mesure le risque de marché de l'actif de l'entreprise, c'est-à-dire de son activité économique, sans tenir compte de la façon dont l'entreprise est financée (on ignore l'effet de levier potentiel). Pour cette raison, on l'appelle parfois **bêta économique** ou **bêta des actifs** de l'entreprise.

Lorsqu'une entreprise modifie sa structure financière sans changer sa politique d'investissement, son bêta à endettement nul reste inchangé. Par contre, le bêta de ses actions change pour intégrer la variation de risque induite par la modification de l'endettement[6]. En partant de l'équation (14.8) :

$$\beta_{CP} = \beta_U + \frac{V_D}{V_{CP}} \left(\beta_U - \beta_D \right) \qquad (14.9)$$

L'équation (14.9) repose sur la même idée que l'équation (14.5) ; on a simplement remplacé les rentabilités par les bêtas ; elle montre que le bêta des actions d'une entreprise augmente avec son levier.

Exemple 14.7

Dette et bêta

Les actions CVS ont un bêta de 0,8 ; le levier de CVS est de 0,1. Sous l'hypothèse que le bêta de la dette de CVS est nul, quel est le bêta des actifs de CVS ? Que deviendrait le bêta des actions de CVS si l'entreprise décidait d'augmenter son levier à 0,5 (le bêta de la dette demeurant nul) ?

Solution

On estime le bêta des actifs de CVS à partir de l'équation (14.8) :

$$\beta_U = \frac{V_{CP}}{V_{CP} + V_D} \beta_{CP} + \frac{V_D}{V_{CP} + V_D} \beta_D = \frac{1}{1 + 0,1} \times 0,8 = 0,73$$

...

---

6. La relation entre la dette et le bêta des capitaux propres a été analysée par R. Hamada (1972), « The Effect of the Firm's Capital Structure on the Systematic Risk of Common Stocks », *Journal of Finance* 27(2), 435-452, et par M. Rubinstein (1973), « A Mean-Variance Synthesis of Corporate Financial Theory », *Journal of Finance* 28(1), 167-181.

Exemple 14.7

...

L'augmentation du bêta des actions consécutive à la hausse du levier de CVS est calculée grâce à l'équation (14.9) :

$$\beta_{CP} = \beta_U + \frac{V_D}{V_{CP}}\left(\beta_U - \beta_D\right) = 0,73 + 0,5 \times (0,73 - 0) = 1,09$$

Le bêta des actions CVS (et donc le coût de ses fonds propres) augmente avec le levier. Si le bêta de sa dette avait augmenté à l'occasion de la hausse du levier, l'augmentation du bêta de ses actions aurait été plus *faible* : si les créanciers assument une part du risque supplémentaire lié à la dette, les actionnaires n'en portent que le solde !

Trésorerie et dette nette

Parmi les actifs d'une entreprise, on trouve la trésorerie. Elle est composée de liquidités au sens strict (le solde des comptes bancaires) et d'actifs liquides sans risque (placements en titres du marché monétaire par exemple). La trésorerie réduit le risque de l'actif de l'entreprise et diminue donc la prime de risque et la rentabilité exigée par les actionnaires. En fait, elle peut être considérée comme de la dette *négative*. Cela signifie qu'il faut raisonner avec la dette nette d'une entreprise (c'est-à-dire la dette totale diminuée de la trésorerie) lorsqu'on souhaite calculer la valeur de l'actif économique d'une entreprise (voir chapitre 12).

Zoom sur...	Bêta, trésorerie et dividende de Microsoft

En 2004, la capitalisation boursière de Microsoft était de plus de 300 milliards de dollars ; les disponibilités et placements sans risque de court terme étaient d'environ 60 milliards de dollars ; l'entreprise n'avait aucune dette. En novembre de la même année, Microsoft a versé à ses actionnaires un dividende exceptionnel de 32 milliards de dollars, utilisant une partie de sa trésorerie. La dette nette de Microsoft est donc passée de – 60 à – 28 milliards de dollars. Verser un dividende a par conséquent le même effet qu'augmenter la dette : la baisse de la trésorerie de l'entreprise fait augmenter la dette nette et donc le bêta de l'action Microsoft.

Disponibilités et coût du capital

Exemple 14.8

En janvier 2018, Cisco avait une capitalisation boursière de 200 milliards de dollars et une dette de 40 milliards. L'entreprise détenait par ailleurs 75 milliards de dollars de trésorerie. Le bêta de ses actions était de 1,2 et celui de sa dette était nul. Quelle était la valeur de marché de l'actif économique de Cisco ? Avec un taux sans risque de 2,75 % et une prime de risque de marché de 5 %, quel était son coût du capital à endettement nul ?

...

Exemple 14.8

...

Solution

La dette nette de Cisco était de 40 – 75 – – 35 milliards de dollars. La valeur de l'actif économique était donc de 200 – 35 = 165 milliards. Avec un bêta nul pour la dette, le bêta de l'actif économique de Cisco est de :

$$\beta_U = \frac{V_{CP}}{V_{CP} + V_D} \beta_{CP} + \frac{V_D}{V_{CP} + V_D} \beta_D = \frac{200}{165} \times 1,2 + \frac{-35}{165} \times 0 \approx 1,45$$

Le coût du capital à endettement nul de l'entreprise était donc de r_U = 2,75 % + 1,45 × 5 % = 10 %. La trésorerie de Cisco réduit le risque porté par les actionnaires, ce qui explique que les actions Cisco soient moins risquées que ses actifs.

14.4. Structure financière : attention aux illusions

Les deux propositions de Modigliani-Miller permettent d'établir que, sous l'hypothèse de perfection des marchés de capitaux, l'endettement ne crée pas de valeur et ne modifie pas le coût du capital des entreprises. Des arguments (erronés) sont pourtant fréquemment avancés pour justifier le recours à la dette...

Endettement et bénéfice par action

L'endettement peut faire augmenter le bénéfice par action (BPA) espéré de l'entreprise. Certains pensent donc que l'endettement est susceptible de faire également augmenter le prix des actions. Un exemple suffit à démontrer que c'est faux.

Levitron Industries (LVI) est financé par capitaux propres exclusivement. Son résultat d'exploitation anticipé est de 10 millions d'euros. LVI a émis 10 millions d'actions, qui valent chacune 7,5 € ; l'entreprise n'a aucune dette et ne paie pas d'impôts. Son résultat d'exploitation est donc égal à son résultat net. Si les marchés sont « parfaits », le bénéfice espéré par action est de :

$$BPA = \frac{\text{Résultat net}}{\text{Nombre d'actions}} = \frac{10 \text{ millions d'euros}}{10 \text{ millions d'actions}} = 1 \text{ €}$$

LVI envisage de modifier sa structure financière, en empruntant 15 millions à 8 % pour racheter 2 millions de ses actions. LVI devra payer chaque année 15 × 8 % = 1,2 million d'euros d'intérêts. Le résultat net sera donc de 10 – 1,2 = 8,8 millions d'euros. Mais le nombre d'actions aura également diminué du fait du rachat d'actions. Le nouveau BPA de LVI sera de :

$$BPA = \frac{8,8 \text{ millions d'euros}}{8 \text{ millions d'actions}} = 1,10 \text{ €}$$

Le bénéfice par action a donc augmenté avec la dette[7], ce qui semble positif pour les actionnaires. Toutefois, les titres ont été évalués à leur juste prix et la proposition 1 de Modigliani-Miller établit que les opérations financières ont une VAN nulle et ne profitent pas aux actionnaires. Comment concilier ces éléments apparemment contradictoires ?

La réponse réside dans la modification du risque supporté par les actionnaires, qui n'a pas été prise en compte pour l'instant. Pour corriger cet oubli, il faut étudier l'effet de la dette sur le bénéfice par action. Si le résultat d'exploitation est de 4 millions d'euros, en l'absence d'endettement, le BPA est de 0,4 € (4 millions d'euros pour 10 millions d'actions). Avec l'endettement, un résultat d'exploitation de 4 millions signifie que le résultat net n'est que de 4 – 1,2 = 2,8 millions d'euros, soit un BPA de 0,35 € (2,8 millions d'euros pour 8 millions d'actions). Lorsque le résultat d'exploitation est faible, l'effet de la dette sur le BPA amplifie la baisse. Comme l'illustre la figure 14.2, si le résultat d'exploitation dépasse 6 millions d'euros, le BPA de l'entreprise endettée est supérieur à celui de l'entreprise non endettée. Inversement, quand le résultat d'exploitation est inférieur à 6 millions, le BPA est plus faible lorsque l'entreprise est endettée. Enfin, quand le résultat d'exploitation est inférieur à 1,2 million (le montant des intérêts annuels), le BPA est même négatif.

Le BPA de LVI s'accroît avec l'endettement, mais le risque augmente également : à la figure 14.2, la pente de la droite reliant le résultat d'exploitation au BPA est plus forte lorsque l'entreprise est endettée. Cela signifie que le BPA de l'entreprise endettée est plus sensible à une variation du résultat d'exploitation. Au final, la proposition 1 de Modigliani-Miller est vérifiée : le BPA augmente en moyenne avec l'endettement, mais cet accroissement est la conséquence du risque supplémentaire pris par les actionnaires. L'endettement produit donc une hausse du BPA sans hausse correspondante du cours de Bourse.

Puisque le bénéfice par action, et donc le PER, sont influencés par le taux d'endettement, il n'est pas possible de mener des comparaisons entre entreprises dès que leurs structures financières sont différentes. Le même problème se pose lorsqu'on utilise des mesures de performance comptables comme la rentabilité des capitaux propres (*Return On Equity*, ou ROE). C'est la raison pour laquelle la plupart des analystes financiers fondent leurs calculs sur des mesures de performance et des multiples de valorisation qui reposent sur le résultat avant déduction des charges d'intérêts. Ainsi, lorsqu'on cherche à comparer deux entreprises dont les structures financières sont différentes, utiliser le rapport de la valeur de l'entreprise à son résultat d'exploitation ou à son excédent brut d'exploitation est plus fiable que de simplement comparer le PER ou la marge nette.

---

7. Plus généralement, le levier accroît le BPA anticipé lorsque le coût de la dette après impôt est plus faible que le BPA anticipé divisé par le prix de l'action (soit l'inverse du PER anticipé). C'est le cas ici, puisque $BPA/P = 1/7,5 = 13,3\%$ et $r_D = 8\%$.

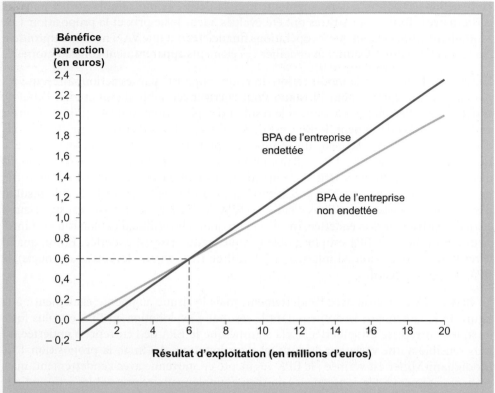

Figure 14.2 – BPA et endettement

La sensibilité du BPA au résultat d'exploitation est plus forte pour les entreprises endettées que pour les entreprises non endettées. Si le risque économique de l'actif est identique, le BPA d'une entreprise endettée est plus volatil.

Exemple 14.9

Modigliani-Miller et le BPA

Le résultat d'exploitation de LVI sera stable pendant les prochaines années ; le résultat net est intégralement distribué aux actionnaires. Quelle sera la réaction du cours de Bourse de LVI à l'annonce d'une augmentation anticipée de son BPA ?

Solution

En l'absence de dette, le BPA espéré, et donc le dividende, est de 1 € par an. Le prix d'une action est de 7,5 €. Il est possible de calculer le coût du capital à endettement nul r_U de LVI grâce à la formule de la rente perpétuelle :

$$P = 7,5 = \frac{Div}{r_U} = \frac{BPA}{r_U} = \frac{1}{r_U}$$

...

Exemple 14.9

...

On obtient $r_U = 1 / 7,5 = 13,33$ %. La valeur de marché à endettement nul de LVI est de 7,5 € × 10 = 75 millions d'euros. Si LVI s'endette pour racheter 2 millions d'actions (15 millions d'euros), alors, d'après la proposition 1 de Modigliani-Miller, la valeur résiduelle des capitaux propres est de 75 – 15 = 60 millions d'euros. Si on utilise la proposition 2 de Modigliani-Miller, le coût des capitaux propres de l'entreprise endettée est :

$$r_{CP} = r_U + \frac{V_D}{V_{CP}}(r_U - r_D) = 13,33\,\% + \frac{15}{60}(13,33\,\% - 8\,\%) = 14,66\,\%$$

Avec un BPA maintenant égal à 1,1 €, le prix de l'action devient :

$$P = \frac{BPA}{r_{CP}} = \frac{1,1}{14,66\,\%} = 7,5\,€$$

Même si le BPA a augmenté, les actionnaires exigent une rémunération plus élevée, car les actions sont plus risquées à cause de l'augmentation de la dette. Ces effets se compensent et le prix de l'action ne change pas.

Crise financière **Bâle 3 et le mythe du ROE**

À la suite de la crise bancaire provoquée par l'explosion de la bulle des crédits *subprime*, le G20 a décidé d'un durcissement des contraintes imposées aux banques en termes de fonds propres. Cette réglementation, dite de Bâle 3 (du nom du Comité de stabilité financière, installé à Bâle), impose aux banques un renforcement du niveau et de la qualité de leurs fonds propres. Ces fonds propres doivent représenter, au minimum, 3 % du financement des banques – alors que le passif des entreprises non financières est généralement composé pour moitié d'actions*. Cela permet aux banques de bénéficier d'un levier considérable, ce qui n'est évidemment pas sans risque : une faible baisse de la valeur des actifs peut assez facilement conduire à la faillite.

L'industrie bancaire s'est fermement opposée à ces mesures, affirmant que les normes prudentielles Bâle 3 réduiraient la rentabilité des capitaux propres des banques. J. Ackermann, le P-DG de Deutsche Bank, a ainsi affirmé que ces règles « réduiront la rentabilité des capitaux propres [le ROE] des banques à un niveau qui empêchera le secteur bancaire d'être attractif en comparaison d'autres secteurs économiques ». Effectivement, la rentabilité des capitaux propres est fonction du taux d'endettement de l'entreprise. Une réduction de l'endettement des banques fera donc chuter leur ROE en moyenne. Mais la baisse du ROE sera compensée par une baisse du risque associé à la détention d'actions de banques, et donc de la prime de risque exigée par les investisseurs. Comme Modigliani et Miller l'ont démontré il y a plus de 50 ans, une baisse du ROE ne réduit pas l'attractivité d'une entreprise ou d'un secteur si les marchés financiers sont parfaits.

...

...

Seule la présence d'imperfections de marché pourrait expliquer que la structure financière d'une banque puisse modifier son attractivité ou sa compétitivité par rapport à d'autres entreprises. Mais la principale imperfection de marché qui concerne les banques réside dans les subventions publiques massives qu'elles reçoivent lorsqu'elles rencontrent des difficultés. Les gains que réalisent les banques grâce à un endettement élevé se font donc largement au détriment des contribuables.**

---

*   Avant la crise, les exigences en capital étaient de 2 %. Avec les accords de Bâle 3, le seuil minimal a été fixé à 3 % de l'actif total (et à 4,5 % des actifs pondérés par le risque). Pour les plus grandes banques, dites systémiques (*Systemically Important Financial Institutions*, SIFI), le seuil a été élevé à 6 %.

**   Voir A. Admati, P. DeMarzo, M. Hellwig et P. Pfleiderer (2010), « Fallacies, Irrelevant Facts, and Myths in the Discussion of Capital Regulation: Why Bank Equity Is Not Expensive », *Rock Center for Corporate Governance Research Paper*, n°86 ; A. Admati et M. Hellwig (2013), *The Bankers' New Clothes: What's Wrong with Banking and What to Do about It*, Princeton University Press. Ch. Moussu et A. Petit-Romec (2017), « ROE in Banks: Performance or Risk Measure? Evidence from Financial Crises », *Finance*, 38, 95-133.

Augmentation de capital et dilution

On pourrait penser que l'émission d'actions dilue le capital de l'entreprise et qu'il convient donc de lui préférer l'endettement. Certes, une entreprise émettant des actions répartit ses flux de trésorerie entre un plus grand nombre d'actions. Mais cela ne réduit pas la valeur d'une action. En effet, les capitaux levés à l'occasion de l'émission des actions augmentent les actifs de l'entreprise. Considérons un exemple.

Air Sud est une compagnie aérienne qui n'a aucune dette ; ses capitaux propres sont composés de 500 millions d'actions, chacune valant 16 €. Il y a un mois, l'entreprise a annoncé qu'elle voulait acheter de nouveaux avions. Leur coût est de 1 milliard d'euros ; ils seront financés par émission d'actions. Quelle est la réaction du cours de Bourse à cette augmentation de capital ?

Avant l'opération, la capitalisation boursière, et donc la valeur des actifs de l'entreprise, est de 500 millions × 16 € = 8 milliards d'euros. La décision d'acheter des avions ayant été préalablement annoncée, cette valeur intègre déjà la VAN supplémentaire du projet. Si Air Sud émet 62,5 millions d'actions nouvelles, au prix de 16 €, pour lever 1 milliard d'euros, deux choses se produisent. Premièrement, la valeur de marché des actifs augmente de 1 milliard d'euros. Deuxièmement, le nombre d'actions augmente, à 562,5 millions. Le prix des actions ne change pas : 9 milliards d'euros divisés par 562,5 millions d'actions donnent toujours 16 € par action.

		Avant l'émission d'actions	Après l'émission d'actions
1	Actif net de l'entreprise	8 000	8 000
2	Trésorerie	0	1 000
3	**Total de l'actif** (1 + 2)	**8 000**	**9 000**
4	Nombre d'actions (en millions)	500	562,5
5	Prix d'une action (en euros)	16	16

En généralisant, si l'entreprise vend les actions nouvelles à leur juste prix, il n'y a aucune création de valeur pour les actionnaires : les capitaux levés par l'entreprise compensent exactement la dilution subie par les actionnaires. Les gains ou les pertes liés à l'augmentation de capital ne viennent donc que de la VAN des projets financés par les capitaux levés.[8]

14.5. Au-delà des propositions de Modigliani-Miller

Avec la publication de leur article de 1958, Modigliani et Miller ont révolutionné la finance d'entreprise. C'est en effet la première fois qu'un argument d'arbitrage et la Loi du prix unique sont utilisés pour analyser le prix des actifs et la valeur de marché des entreprises ; en cela, l'article de Modigliani et Miller formalise une idée déjà présente chez John Burr Williams, qui écrivait dans *The Theory of Investment Value* (1938) :

« Si la valeur des investissements réalisés par une entreprise est, par définition, la valeur actuelle de l'ensemble des distributions futures de revenus aux investisseurs (intérêts et dividendes), alors cette valeur ne dépend pas de la capitalisation de l'entreprise. C'est évident lorsqu'on imagine qu'un investisseur unique pourrait acheter l'intégralité des titres de l'entreprise (obligations et actions) ; il serait alors parfaitement indifférent à la capitalisation boursière de celle-ci (sauf à considérer la fiscalité). Tout ce que l'investisseur toucherait en intérêts viendrait en déduction de ses dividendes. Pour un tel investisseur, il est tout à fait évident que la somme des intérêts et des dividendes ne dépend pas de la structure financière de l'entreprise. De plus, aucune modification de la valeur de l'entreprise ne pourrait provenir d'une modification de sa structure financière. Il serait possible de racheter toutes les obligations, simplement en émettant des actions ; deux classes d'obligations pourraient être remplacées par une seule. Aucune de ces politiques financières ne modifierait la valeur de l'entreprise. Cette constance de la valeur de l'investissement est analogue à l'indestructibilité de la matière ou de l'énergie : c'est pourquoi nous parlerons de la Loi de la conservation de la valeur de l'investissement, au même titre que les physiciens parlent de la Loi de la conservation de la matière ou de la Loi de la conservation de l'énergie. »

On peut donc voir les résultats présentés dans ce chapitre comme le **principe de conservation de la valeur** sur les marchés financiers. *Avec des marchés supposés parfaits, les opérations financières ne créent pas et ne détruisent pas de valeur, mais permettent de modifier le risque (et donc la rentabilité) de l'entreprise.*

Le principe de la conservation de la valeur s'étend bien au-delà de l'arbitrage entre dette et capitaux propres. Ce principe établit que toute opération financière apparemment créatrice de valeur est soit trop belle pour être vraie, soit la conséquence d'une imperfection de marché. L'analyse des imperfections de marché susceptibles de créer de la valeur est donc l'étape suivante : fort logiquement, c'est l'objet des prochains chapitres !

---

8.   Si l'entreprise est très endettée, l'augmentation de capital peut réduire les risques, ce qui profite aux créanciers mais aux dépens des actionnaires. La question du surendettement sera examiné au chapitre 16.

| **Prix Nobel & Co.** | **Modigliani et Miller : la valeur d'une entreprise** |

Franco Modigliani et Merton Miller ont tous les deux obtenu le prix Nobel d'économie (Modigliani en 1985 pour ses travaux sur l'épargne et le cycle de vie et ceux relatifs à la structure financière des entreprises ; Miller en 1990 pour son analyse de la théorie du portefeuille et ses travaux sur la structure financière). Miller a une façon amusante de résumer les deux propositions qui leur ont valu le Nobel* :

« […] Vous comprenez vraiment le théorème de Modigliani et Miller si vous savez pourquoi cette histoire est drôle. Le livreur de pizza arrive chez Yogi Berra** après un match et lui demande : "Yogi, préférez-vous que je coupe votre pizza en quatre ou en huit ?" Et Yogi répond : "En huit, je suis affamé ce soir." Tout le monde comprend qu'il s'agit d'une blague parce qu'il est évident que le nombre et la forme des morceaux ne modifient pas la taille de la pizza. De la même manière, la structure financière n'influence pas la valeur totale de l'entreprise, elle modifie seulement la façon dont les flux de trésorerie se partagent entre actionnaires et créanciers. »

---

*   Peter J. Tanous, *Investment Gurus*, Institute of Finance, New York, 1997.

**   Joueur américain de base-ball des années 1950, aussi célèbre pour son talent sur le terrain que pour certaines de ses affirmations particulièrement pertinentes : « *It ain't over till it's over* », ou « *You can observe a lot by watching* ».

Résumé

14.1.   Capitaux propres ou dette ?

- Les différents titres émis par une entreprise pour lever des capitaux constituent sa structure financière.

- En marchés « parfaits », le choix entre un financement exclusivement par actions et un financement mixte actions/dette est indifférent car cela ne modifie pas la valeur de l'entreprise.

14.2.   Modigliani-Miller, acte 1 : dette, arbitrage et valeur de l'entreprise

- Les marchés de capitaux sont dits parfaits s'ils satisfont trois à conditions :

  a. Les agents économiques (investisseurs et entreprises) peuvent acheter ou vendre les mêmes titres, à des prix égaux à la valeur présente de leurs flux de trésorerie futurs espérés.

  b. Il n'y a ni impôts, ni coûts de transaction, ni frais associés à l'émission de titres.

  c. Les décisions de financement de l'entreprise ne modifient pas les flux de trésorerie provenant des investissements de l'entreprise et ne révèlent aucune information à leur propos.

- La proposition 1 de Modigliani-Miller établit que, sous l'hypothèse de perfection des marchés de capitaux, la valeur de l'entreprise est indépendante de sa structure financière. Autrement dit, il n'existe pas de structure financière optimale.

  a. Le levier synthétique est un parfait substitut à l'endettement de l'entreprise.

b. Si deux entreprises identiques en tout point ont des structures financières différentes et des valeurs différentes, la Loi du prix unique n'est pas vérifiée et une opportunité d'arbitrage existe.

- Une modification de la structure financière de l'entreprise influence la répartition de la valeur entre investisseurs, mais pas sa valeur totale.

- Une entreprise peut modifier sa structure financière n'importe quand, il lui suffit d'émettre de nouveaux titres et d'utiliser les capitaux obtenus pour racheter d'anciens titres. La proposition 1 de Modigliani-Miller établit que ces opérations ne sont pas créatrices de valeur.

14.3. Modigliani-Miller, acte 2 : dette, risque et coût du capital

- D'après la proposition 2 de Modigliani-Miller, le coût des capitaux propres d'une entreprise endettée est :

$$r_{CP} = r_U + \frac{V_D}{V_{CP}}\left(r_U - r_D\right) \tag{14.5}$$

- La dette est moins risquée que les actions ; le coût de la dette est donc plus faible que celui des capitaux propres. Mais l'endettement augmente les risques pris par les actionnaires, ce qui a pour effet d'accroître la rentabilité qu'ils exigent, et donc le coût des capitaux propres. Sous l'hypothèse de marchés parfaits, ces deux phénomènes se compensent et le CMPC est insensible à la structure financière de l'entreprise :

$$r_{CMPC} = r_U = r_A = \frac{V_{CP}}{V_{CP}+V_D}r_{CP} + \frac{V_D}{V_{CP}+V_D}r_D \tag{14.6}, \tag{14.7}$$

- Le risque systématique des actifs de l'entreprise peut être estimé à l'aide du bêta à endettement nul, ou bêta désendetté :

$$\beta_U = \frac{V_{CP}}{V_{CP}+V_D}\beta_{CP} + \frac{V_D}{V_{CP}+V_D}\beta_D \tag{14.8}$$

- L'endettement accroît le bêta des actions de l'entreprise :

$$\beta_{CP} = \beta_U + \frac{V_D}{V_{CP}}\left(\beta_U - \beta_D\right) \tag{14.9}$$

- La dette nette de l'entreprise est égale à sa dette totale moins sa trésorerie. Le coût du capital et le bêta de l'actif de l'entreprise peuvent être calculés hors trésorerie grâce au CMPC et au bêta désendettés calculés à partir de la dette nette.

14.4. Structure financière : attention aux illusions

- L'endettement peut augmenter à la fois le BPA d'une entreprise et la rentabilité de ses capitaux propres, mais cela augmente également la volatilité du bénéfice par action et le risque des actions. À cause de l'augmentation du risque, la situation des actionnaires ne s'améliore pas et la valeur des actions ne change pas.

- Si les actions sont émises à leur juste prix, la dilution n'impose aucun coût aux actionnaires en place : les actifs de l'entreprise augmentent parallèlement au nombre d'actions. Le prix d'une action demeure inchangé.

14.5. Au-delà des propositions de Modigliani-Miller

- Si les marchés sont supposés parfaits, les décisions financières sont à VAN nulle. Elles ne créent ni ne détruisent de la valeur. Elles permettent en revanche de modifier le risque, et donc la rentabilité, de l'entreprise. S'il y a des imperfections de marché, certaines opérations financières, par exemple une modification de la structure financière de l'entreprise, peuvent modifier la valeur de l'entreprise.

Exercices

L'astérisque désigne les exercices les plus difficiles.

1. Le projet Minac peut produire la première année un flux de trésorerie disponible de 130 000 € ou de 180 000 €, selon la conjoncture économique (les deux hypothèses sont équiprobables). L'investissement initial est de 100 000 €, le coût du capital de 20 %. Le taux d'intérêt sans risque est de 10 %.

   a. Quelle est la VAN du projet ?

   b. Pour obtenir les capitaux nécessaires, on vend le projet à des investisseurs sous la forme d'une entreprise non endettée. Les actionnaires recevront l'intégralité des flux de trésorerie du projet. Quel est le montant maximal de capitaux qui peut être levé ou, pour le dire autrement, quelle est la valeur de marché initiale des actions de l'entreprise non endettée ?

   c. Si le projet est financé par un emprunt de 100 000 € pendant un an au taux d'intérêt sans risque, quels sont les flux de trésorerie que recevront les actionnaires ? Quelle est la valeur initiale de l'entreprise selon Modigliani et Miller ?

2. Une *start-up*, fondée par Jean et détenue à 100 % par lui, veut lancer un programme de R&D qui coûte 2 millions d'euros. Si elle parvient à déposer un brevet, elle pourra le vendre 30 millions d'euros. Sinon, l'entreprise ne vaudra rien. Des investisseurs sont prêts à investir 2 millions d'euros en échange de 50 % des actions de l'entreprise non endettée.

   a. Quelle est la valeur de marché de l'entreprise ?

   b. Si l'entreprise emprunte 1 million d'euros, quel pourcentage des capitaux propres faudra-t-il vendre pour compléter le financement du projet ?

   c. Combien valent les actions détenues par Jean dans les deux situations précédentes ?

3. Acort possède des actifs dont la valeur de marché sera de 50 millions d'euros dans un an avec une probabilité de 80 % ou de 20 millions avec une probabilité de 20 %. Le taux sans risque est de 5 % et le coût du capital de 10 %.

   a. Quelle est la valeur de marché des actions si l'entreprise n'a pas de dette ?

   b. Si Acort a 20 millions d'euros de dette, à rembourser dans un an, quelle est la valeur des actions de l'entreprise d'après Modigliani-Miller ?

   c. Quelle est la rentabilité espérée par les actionnaires ? Quelle est la rentabilité minimale que peuvent réaliser les actionnaires si l'entreprise est endettée ? Si elle ne l'est pas ?

4. Volfun n'a pas de dettes. Ses actifs vaudront dans un an 450 millions ou 200 millions d'euros en fonction de la conjoncture (scénarios équiprobables). La valeur de marché des actifs est aujourd'hui de 250 millions d'euros

   a. Quelle est la rentabilité anticipée par les actionnaires de Volfun ?

b. Le taux d'intérêt sans risque est de 5 %. Si Volfun emprunte 100 millions d'euros aujourd'hui à ce taux et verse immédiatement un dividende du même montant à ses actionnaires, quelle sera la valeur de marché des actions de l'entreprise juste après le paiement du dividende (d'après Modigliani-Miller) ?

c. Quelle est la rentabilité anticipée par les actionnaires après versement du dividende ?

5. L'entreprise ABC n'a pas de dettes, tandis que XYZ est endettée à hauteur de 5 000 € (taux d'intérêt annuel : 10 %). Les deux entreprises ont des flux de trésorerie disponibles égaux, de 800 € ou 1 000 € par an en fonction de la conjoncture. L'intégralité des flux de trésorerie disponibles (le cas échéant après paiement des créanciers) est utilisée pour verser des dividendes. Il n'y a pas de fiscalité.

a. Remplissez le tableau ci-dessous.

Flux de trésorerie disponibles	ABC		XYZ	
	Intérêts	Dividendes	Intérêts	Dividendes
800 €				
1 000 €				

b. Julie possède 10 % des actions d'ABC. Quel autre portefeuille lui procurant les mêmes flux de trésorerie pourrait-elle détenir ?

c. Délia possède 10 % des actions de XYZ. Quel autre portefeuille lui procurant les mêmes flux de trésorerie pourrait-elle détenir (en supposant qu'il est possible d'emprunter au taux de 10 %) ?

6. Alpha et Omega ont un actif et des flux de trésorerie identiques. Alpha n'a aucune dette et a émis 10 millions d'actions valant chacune 22 €. Omega a émis 20 millions d'actions et a 60 millions d'euros de dette.

a. Quelle est, d'après la proposition 1 de Modigliani-Miller, le prix d'une action Omega ?

b. Si le prix d'une action Omega est de 11 €, existe-t-il une opportunité d'arbitrage ? Laquelle ? Quelles sont les hypothèses nécessaires pour qu'il soit possible d'en tirer profit ?

7. Cisoft est une entreprise à fort potentiel de croissance. Sa trésorerie est de 5 milliards d'euros. Elle a décidé de l'utiliser pour racheter des actions, et l'a annoncé à ses actionnaires. Cisoft n'a aucune dette, a émis 5 milliards d'actions, d'une valeur unitaire de 12 €. L'entreprise a également émis des stock-options, offertes aux salariés. Ces stock-options ont une valeur de marché de 8 milliards d'euros.

a. Quelle est la valeur de marché de l'actif économique de Cisoft (c'est-à-dire hors trésorerie) ?

b. Sur un marché des capitaux supposé parfait, quelle est la valeur de marché des actions après le rachat d'actions ? Quel est le prix d'une action ?

8. Varde a émis 100 millions d'actions et a une capitalisation boursière de 4 milliards d'euros. Sa dette est de 2 milliards d'euros. Le P-DG décide de réduire à zéro la dette de l'entreprise en émettant de nouvelles actions.

a. Combien d'actions nouvelles l'entreprise doit-elle émettre ?

    b. Vous détenez 100 actions et vous n'êtes pas d'accord avec la décision prise. Sous l'hypothèse de perfection des marchés financiers, que pouvez-vous faire ?

9. Zetatron n'a pas de dette ; son capital est constitué de 100 millions d'actions de prix unitaire 7,5 €. Il y a un mois, l'entreprise a annoncé une modification de sa structure financière : emprunt à court terme de 100 millions d'euros, emprunt à long terme de 100 millions d'euros et émission d'actions préférentielles pour une valeur de 100 millions d'euros. Ces 300 millions, plus 50 millions d'euros de trésorerie que l'entreprise possède, vont être utilisés aujourd'hui même pour racheter des actions existantes. Les marchés sont supposés parfaits.

    a. Quelle est la taille (en valeur de marché) du bilan de l'entreprise avant l'opération ? Après endettement et avant rachat des actions ? Après le rachat ?

    b. Après l'opération, combien d'actions seront en circulation ? À quel prix ?

10. Pourquoi cette affirmation est-elle fausse : « Si une entreprise émet des titres de dette sans risque, les créanciers ne courent aucun risque. Le risque des actions ne change donc pas. Ainsi, le coût moyen pondéré du capital de l'entreprise baisse, car le coût de la dette est inférieur au coût des capitaux propres » ?

11. Considérons l'entrepreneur de la section 14.1 (voir tableaux 14.1 à 14.3). S'il emprunte 750 et non 500 € :

    a. Combien valent les actions de l'entreprise (proposition 1 de Modigliani-Miller) ? Quels sont les flux de trésorerie dont bénéficient les actionnaires dans les différents états de la nature ? Quelles sont les rentabilités, effective et espérée, des capitaux propres ?

    b. Quelle est la prime de risque des actions ? Quelle est la sensibilité de la rentabilité des actions de l'entreprise endettée au risque systématique ? Comparez ces deux résultats à ceux obtenus pour une entreprise non endettée.

    c. Quel est le levier de l'entreprise ? Calculez le CMPC de l'entreprise.

12. Hardemon n'a aucune dette et une espérance de rentabilité de 12 %. Hardemon prévoit de s'endetter pour racheter des actions.

    a. Si l'endettement permet d'atteindre un levier de 0,5, le taux d'intérêt est de 6 %. Quelle sera la rentabilité espérée des capitaux propres après la transaction ?

    b. Si Hardemon vise un levier de 1,5, le risque augmente et le taux d'intérêt sur la dette également, à 8 %. Quelle sera la rentabilité espérée des capitaux propres ?

    c. Un administrateur affirme que l'intérêt des actionnaires est de choisir la structure financière qui maximise la rentabilité espérée des actions. Qu'en penser ?

13. Supposons que Paypal n'a pas de dette et que son coût du capital est de 9,2 %. Le taux d'endettement moyen des entreprises du secteur est de 0,13 ; le taux d'intérêt est de 6 %. Quelle serait la rentabilité exigée par les actionnaires si l'entreprise avait la même structure financière que la moyenne du secteur ?

14. Global Pistons (GP) a émis des actions dont la valeur de marché est de 200 millions d'euros et s'est endettée à hauteur de 100 millions d'euros. Le coût des capitaux propres est de 15 %, le taux d'intérêt sur la dette de 6 %. Les marchés de capitaux sont supposés parfaits.

    a. Si GP émet 100 millions d'euros d'actions pour rembourser sa dette, quelle est la rentabilité espérée des actions après l'opération ?

    b. Si GP augmente son endettement de 50 millions d'euros pour racheter ses actions, quelle est la rentabilité espérée des actions après l'opération, si le risque de la dette ne change pas ? Et si le risque de la dette augmente ?

15. Hubbard n'a aucune dette et la rentabilité espérée par ses actionnaires est de 10 %. L'entreprise veut racheter des actions en s'endettant jusqu'à ce que son levier atteigne 0,6. Si cette augmentation du risque de l'entreprise pousse les actionnaires à espérer une rentabilité de 13 %, dans un monde sans impôts et avec une dette sans risque, à quel taux d'intérêt l'entreprise s'endette-t-elle ?

16. Hartford a émis 50 millions d'actions valant chacune 4 €. L'entreprise a également 200 millions d'euros de dette sans risque au taux de 5 %. Les actionnaires espèrent une rentabilité de 11 %. En raison de sombres perspectives économiques, la capitalisation boursière baisse de 25 %, alors que la valeur de la dette ne change pas. Sans impôts, et à bêta à endettement nul inchangé, quel est le nouveau coût des capitaux propres de Hartford ?

17. Mersé est une entreprise financée exclusivement par actions. Elle a émis 10 millions d'actions, qui valent chacune 75 €. Sa dette (sans risque) est de 100 millions d'euros. La rentabilité exigée par les actionnaires est de 8,5 %. Mersé vient d'annoncer qu'elle compte emprunter 350 millions d'euros pour rembourser sa dette existante et verser un dividende exceptionnel à ses actionnaires. On suppose les marchés financiers parfaits.

    a. Quel est le prix de l'action Mersé juste après l'annonce (avant que l'opération ne soit réalisée) ?

    b. Quel est le prix de l'action Mersé après la conclusion de l'opération ?

    c. Si le taux d'intérêt sur la dette initiale de Mersé est de 4,25 % et que le taux d'intérêt sur la dette nouvelle (risquée) est de 5 %, quelle est la rentabilité exigée par les actionnaires après l'opération ?

18. En 2018, Qualcom avait une dette de 21 milliards de dollars, sa capitalisation boursière était de 78 milliards et le bêta de ses actions était de 1,49. Qualcom détenait 37 milliards de dollars de trésorerie. En supposant un taux d'intérêt sans risque de 3 % et une prime de risque du marché de 4 %, quelle était la valeur de son actif économique ? Quel était le bêta de l'actif économique ? Quel était le CMPC ?

*19. Indell a une capitalisation boursière de 120 millions d'euros ; le bêta de ses actions est de 1,5. Indell est endettée, et sa dette ne présente aucun risque. L'entreprise décide de modifier sa structure financière ; elle augmente son endettement de 30 millions d'euros. L'emprunt ainsi que des liquidités à hauteur de 10 millions d'euros servent à racheter des actions. Si les marchés de capitaux sont supposés parfaits, quel sera le bêta d'Indell après l'opération ?

20. OpenStart est une entreprise de logiciels, entièrement financée par capitaux propres, avec 100 millions d'actions en circulation qui se négocient au prix de 1 €. Son fondateur, Jim, possède actuellement 20 millions d'actions. Il y a deux états possibles et équiprobables dans un an. Soit la nouvelle version du logiciel que l'entreprise prépare est un succès, et la société vaudra 160 millions d'euros, soit c'est un échec et la valeur de la société va chuter à 75 millions d'euros. Le taux sans risque est de 2 %. Jim envisage de racheter toutes les actions en circulation en s'endettant par l'émission d'obligations zéro-coupon payables à leur valeur nominale dans un an.

a. Quelle est la valeur de marché de la dette qui doit être émise ?

b. Supposons qu'OpenStart émette des obligations sans risque d'une valeur nominale totale de 75 millions d'euros. Quelle part des capitaux propres pourrait être rachetée ? Quelle serait la part du capital encore en circulation ?

c. Combinons les actions librement en circulation et la dette sans risque. Quel est le profil de gains de ce portefeuille ? Quelle est sa valeur ?

d. Quelle serait la valeur nominale d'une dette risquée dont les flux seraient les mêmes que ceux du portefeuille précédent ?

e. Quelle serait la rentabilité maximale à offrir sur la dette risquée pour permettre à Jim de racheter toutes les actions qu'il ne possède pas ?

f. Quel est le CMPC d'OpenStart avant la transaction ?

g. Quel est le coût de la dette et le coût du capital d'OpenStart après la transaction ? Montrez que le CMPC reste inchangé malgré la hausse du levier.

21. Yerba n'a aucune dette. Le bêta de ses actions est de 1,2 et sa rentabilité espérée est de 12,5 %. L'entreprise décide de s'endetter au taux sans risque de 5 % pour racheter 40 % de ses actions. Les marchés de capitaux sont supposés parfaits.

a. Quel est le bêta des actions après l'opération ?

b. Quelle est la rentabilité espérée par les actionnaires après l'opération ?

Le bénéfice par action (BPA) espéré était, avant l'opération, de 1,5 €. Le PER anticipé (le rapport entre le prix de l'action et le BPA anticipé) est de 14.

c. Quel est le BPA espéré de l'entreprise après l'opération ? Ce changement est-il profitable aux actionnaires ?

d. Quel est le PER anticipé après l'opération ? Cela semble-t-il raisonnable ?

22. Simon est P.-D.G. d'une entreprise à fort potentiel de croissance. Il souhaite lever 180 millions d'euros pour investir. Il peut choisir d'émettre des actions ou de s'endetter. Ces investissements devraient produire 24 millions d'euros de bénéfices l'année prochaine. L'entreprise a émis 10 millions d'actions qui valent chacune 90 €.

a. En procédant à une augmentation de capital, quel est le BPA anticipé pour l'année prochaine ?

b. Même question si le financement du projet repose exclusivement sur un endettement au taux de 5 %.

c. Quel est le PER anticipé dans les deux cas ? D'où provient la différence ?

23. Zelnor est financée exclusivement par capitaux propres. Elle a émis 100 millions d'actions qui s'échangent actuellement à 8,5 €. Zelnor décide de distribuer gratuitement à ses salariés 10 millions d'actions nouvelles. Le P-DG pense que cela contribuera à inciter les salariés à être plus efficaces, et que c'est une forme de rémunération optimale du point de vue de l'entreprise, car, à la différence de primes, cela ne coûte rien à l'entreprise.

    a. Si le plan de distribution d'actions gratuites n'a aucun effet sur la valeur des actifs de l'entreprise, quel sera le prix des actions de l'entreprise après qu'il aura eu lieu ?

    b. Quel est le coût de ce plan pour les actionnaires de l'entreprise ? Pourquoi l'émission d'actions impose-t-elle un coût aux actionnaires ?

24. La banque TBTF a un passif constitué de 2 % de capitaux propres et de 98 % de dettes. Sa capitalisation boursière est de 10 milliards d'euros ; la valeur comptable de ses capitaux propres est identique. La banque TBTF prête à ses clients au taux de 4,22 % et emprunte au taux de 4 %. Une nouvelle règle prudentielle impose à toutes les banques de disposer de capitaux propres au moins égaux à 4 % de leur passif. Pour se conformer à cette règle, la banque TBTF va émettre des actions nouvelles et utiliser les capitaux levés pour rembourser une partie de sa dette.

    a. Avant application de la règle prudentielle, quelle est la rentabilité financière (*return on equity*) de TBTF ?

    b. Sous l'hypothèse de marchés parfaits, quelle est la rentabilité financière de TBTF après application de la nouvelle règle ?

    c. Comment l'écart entre la rentabilité financière de TBTF et son coût de la dette évolue-t-il suite au changement ?

    d. Supposons que la volatilité de la rentabilité des actifs de TBTF soit de 0,25 %. Quelle est la volatilité de la rentabilité financière de TBTF avant et après la mise en œuvre de la nouvelle règle ?

    e. La réduction de la rentabilité financière de TBTF suite à son augmentation de capital réduit-elle l'attractivité de TBTF pour les investisseurs ?

Étude de cas – La structure financière de Renault (1)

Travaillant à la direction financière de Renault, vous êtes chargé(e) d'analyser la structure financière de l'entreprise. En particulier, votre supérieur pense qu'une modification du taux d'endettement de Renault serait créatrice de valeur pour les actionnaires. Vous raisonnez comme si les marchés étaient parfaits. Votre objectif est de calculer le coût moyen pondéré de l'entreprise pour différentes structures financières. Vous analyserez en particulier deux scénarios : (i) Renault accroît son endettement de 1 milliard d'euros pour racheter des actions. (ii) Renault émet des actions à hauteur de 1 milliard d'euros pour réduire son endettement. On suppose que le coût du capital à endettement nul r_U de Renault est de 8 %.

    1. La première étape est d'obtenir les états financiers (bilan et compte de résultat simplifiés) du dernier exercice de Renault, disponibles sur le site web de l'entreprise.

    2. Il est nécessaire de disposer du cours de Bourse des actions Renault ainsi que du nombre d'actions en circulation. Les données se trouvent sur Yahoo! Finance ou sur Boursorama.

    3. Il faut disposer du coût de la dette de l'entreprise r_D. Renault fait coter certaines de ses obligations sur Euronext. On peut donc trouver leur taux actuariel, ou rentabilité à l'échéance, sur le site **www.boursorama.com** (section Bourse > Actions de A à Z > Cours de A à Z, puis sélectionner la sous-catégorie « Obligations »). Il faut ensuite trouver les obligations émises par Renault et sélectionner une obligation à taux fixe d'échéance aussi proche que possible de 10 ans pour accéder aux informations qui la concernent.

4. Calculez le levier en valeur de marché de Renault. Pour simplifier, on suppose que la valeur de marché de la dette est égale à sa valeur comptable (attention, il s'agit de la dette nette).

5. Calculez le coût des capitaux propres de l'entreprise endettée r_{CP}. Quelle est la valeur de marché de l'entreprise ?

6. Calculez le CMPC de Renault.

7. Répondez aux questions 5 et 6 pour chacun des deux scénarios envisagés (pour simplifier, on fera l'hypothèse que le coût de la dette ne change pas car les modifications apportées à la structure financière sont mineures ; pour plus de détails sur le lien entre taux d'endettement et coût de la dette, voir chapitre 24). Quel est le levier de Renault dans chacun des scénarios ?

8. Rédigez une courte note expliquant, d'après vos calculs, la relation entre la structure financière et le coût du capital de Renault.

9. Quelles sont les hypothèses sous-jacentes qui expliquent les résultats de la question 7 ? Quels seraient vos résultats dans « le monde réel » ?

Chapitre 15
Structure financière et fiscalité

Sous l'hypothèse de marchés financiers « parfaits », la Loi du prix unique établit que les décisions financières ont une VAN nulle ; elles ne créent ni ne détruisent de valeur. Le chapitre 14 a montré que la valeur d'une entreprise ne dépend pas de sa structure financière : les capitaux empruntés sont égaux, en valeur actuelle, à ce que recevront les créanciers (intérêts et principal). L'endettement modifie le risque et le coût des capitaux propres de l'entreprise, mais il n'exerce aucune influence sur son coût moyen pondéré du capital ou sa valeur. En résumé, si les marchés financiers sont parfaits, la structure financière des entreprises n'a aucune importance : qu'elle soit endettée ou non, une entreprise aura la même valeur.

Pourtant, tous les directeurs financiers consacrent du temps et de l'argent[1] à l'optimisation de la structure financière de leurs entreprises. Dans de nombreuses situations, la décision de s'endetter, ou non, est au cœur de la stratégie de l'entreprise. Elle conditionne largement ses succès ou échecs futurs. En outre, d'un secteur à l'autre, les différences de structures financières sont suffisamment systématiques pour suggérer que la structure financière des entreprises a de l'importance : comment expliquer, sinon, que la quasi-totalité des laboratoires pharmaceutiques et entreprises de biotechnologies ait des taux d'endettement très faibles (souvent inférieurs à 10 %), alors que ceux des constructeurs automobiles peuvent dépasser les 50 % ? Il ressort des travaux de Modigliani et Miller que la structure financière n'a aucune importance, *tant que l'on raisonne en marchés parfaits*[2], c'est-à-dire tant que les hypothèses suivantes sont vérifiées :

- Les agents économiques (investisseurs et entreprises) peuvent acheter ou vendre les mêmes actifs financiers, à un prix de marché égal à la valeur actuelle des flux futurs.

- Il n'existe ni impôts ni coûts de transaction sur les marchés financiers.

- Les décisions de financement d'une entreprise ne modifient pas les flux de trésorerie de ses investissements et ne sont porteuses d'aucune information à leur propos.

Les résultats de Modigliani et Miller signifient, réciproquement, que la structure financière d'une entreprise influence sa valeur *si les marchés financiers ne sont pas parfaits*. Ce chapitre est consacré à l'une des principales imperfections de marché : la fiscalité. Les agents économiques, investisseurs et entreprises, doivent payer des impôts sur les revenus qu'ils tirent de leurs activités et de leurs placements (section 15.1). La fiscalité

---

1. Il faut bien payer les honoraires, nécessairement élevés, des banquiers d'affaires et des consultants…

2. F. Modigliani et M. Miller (1950), « The Cost of Capital, Corporation Finance and the Theory of Investment », *American Economic Review*, 48(3), 261-297. En 1963, les deux auteurs complètent leur analyse pour tenir compte des impôts ; F. Modigliani et M. Miller (1963), « Corporate Income Taxes and the Cost of Capital: A Correction », *American Economic Review*, 53(3), 433-443.

donne de l'importance à la structure financière des entreprises, car certaines structures financières permettent de réduire les impôts que l'entreprise ou les investisseurs doivent payer (sections 15.2 à 15.5).

15.1. La déductibilité des intérêts d'emprunt

Dans la grande majorité des pays (hormis quelques paradis fiscaux), les entreprises sont assujetties à l'impôt. En France, cet impôt est l'impôt sur les sociétés (IS). Il a comme assiette les bénéfices réalisés en France par les sociétés.

Depuis plusieurs décennies, les taux d'imposition des entreprises ont tendance à baisser dans la plupart des pays du monde : c'est également le cas en France, puisque le taux normal de l'IS est passé de 33 1/3 % en 2017 à 25 % à partir de 2022 (31 % en 2019, 28 % en 2020, 26,5 % en 2021)[3]. Le taux d'imposition français se situe aujourd'hui dans la moyenne européenne[4], exception faite de l'Irlande (12,5 %), même si on note que les taux d'impôt dans les pays d'Europe centrale et orientale sont plutôt entre 15 et 20 %. Aux États-Unis, le taux d'impôt a lui aussi diminué récemment, de 35 % à 21 %, avec en outre des possibilités de réductions ou d'exonérations qui réduisent la charge fiscale effective des entreprises.

Quelle influence a la structure financière d'une entreprise sur ses impôts ? Dans la plupart des pays, l'assiette de l'impôt est le résultat courant ; cela signifie que l'impôt est calculé sur le bénéfice de l'entreprise *après paiement des intérêts d'emprunt*. Le recours à l'endettement réduit donc l'assiette imposable et l'impôt à payer[5]. La définition de l'assiette fiscale crée par conséquent une incitation pour les entreprises à s'endetter.

Prenons l'exemple de Michelin dont le compte de résultat (simplifié) est présenté au tableau 15.1. Fin 2019, le résultat d'exploitation de l'entreprise s'élevait à 2,6 milliards d'euros ; Michelin a payé 400 millions d'euros à ses créanciers au titre des charges d'intérêts. Son taux d'imposition effectif était de 23 %. Le tableau 15.1 compare la situation de Michelin avec celle, hypothétique, dans laquelle l'entreprise n'aurait aucune dette : on constate que le résultat net est plus faible lorsque l'entreprise est endettée.

Tableau 15.1 Compte de résultat simplifié 2019 de Michelin, avec et sans dette (en millions d'euros)

		Avec dette	Sans dette
1	Résultat d'exploitation	2 600	2 600
2	*Charges d'intérêts (nettes)*	*– 400*	*0*
3	Résultat courant avant impôts $(1 + 2)$	2 200	2 600
4	Impôt sur les sociétés (taux de 23 %)	– 506	598
5	**Résultat net** $(5 + 6)$	**1 694**	**2 002**

---

3. Il existe un taux réduit à 15 % sur la tranche inférieure à 38 120 € de bénéfices pour les petites entreprises dont le chiffre d'affaires ne dépasse pas 7,63 millions d'euros. Par ailleurs entre 38 120 € et 500 000 €, le taux est de 28 % jusqu'en 2022. Enfin, il existe des contributions additionnelles, notamment une contribution sociale de 3,3 % pour les entreprises dont le chiffre d'affaires est supérieur à 7,63 millions d'euros et dont l'IS dépasse 763 000 €.

4. Royaume-Uni : 19 %, Allemagne : 30 %, Espagne : 25 %, Italie : 24 %, etc.

5. Dans certains pays, la déductibilité des intérêts n'est que partielle. Voir section 15.5 pour plus de détails.

L'endettement réduit certes les flux dont peuvent bénéficier les actionnaires, mais il permet dans le même temps d'accroître les capitaux disponibles pour *l'ensemble* des investisseurs (actionnaires et créanciers) : endettée, Michelin peut verser à ses investisseurs 2 094 millions d'euros, contre seulement 2 002 en l'absence d'endettement :

1	Revenu des actionnaires*	1 694	2 002
2	Revenu des créanciers	400	0
3	**Total** (1 + 2)	**2 094**	**2 002**

* Pour simplifier, on suppose que l'intégralité du résultat net est versée aux actionnaires en dividendes.

Pourquoi la situation des investisseurs est-elle meilleure lorsque l'entreprise est endettée, alors que son résultat net est plus faible ? D'où viennent les 92 millions d'euros supplémentaires distribués aux investisseurs lorsque l'entreprise est endettée ?

D'après le tableau 15.1, ils proviennent d'une économie d'impôt : les impôts passent de 598 à 506 millions d'euros lorsque Michelin est endettée, soit une baisse de 92 millions. Pourquoi observe-t-on une telle baisse ? Tout simplement parce que les charges d'intérêts sont déductibles du revenu courant avant impôt, et donc de l'assiette fiscale. Michelin n'est donc pas imposée sur les 400 millions versés à ses créanciers, ce qui fait apparaître une économie d'impôt de 23 % × 400 = 92 millions d'euros. La **déductibilité des charges d'intérêts** est donc source de gains pour les actionnaires et les créanciers, car elle permet à l'entreprise une économie d'impôt, dont la valeur est :

$$\text{Économies d'impôt liées à la déductibilité fiscale des intérêts} = \text{Taux d'imposition} \times \text{Charges d'intérêts} \quad (15.1)$$

Économie d'impôt liée à la déductibilité des intérêts

L'entreprise DFB est imposée à 25 %. Quelles économies d'impôt réalise-t-elle grâce à l'endettement ?

		N	N + 1	N + 2	N + 3
1	Résultat d'exploitation	769	857	917	1 000
2	– Charges d'intérêts	– 50	– 80	– 100	– 100
3	= Résultat courant avant impôt	719	777	817	900
4	– Impôt sur les sociétés (25 %)	– 180	– 194	– 204	– 225
5	**= Résultat net**	**539**	**583**	**613**	**675**

Solution

Grâce à l'équation (15.1), on obtient :

		N	N + 1	N + 2	N + 3
1	Charges d'intérêts	– 50	– 80	– 100	– 100
2	**Économies d'impôt**	**12,5**	**20**	**25**	**25**

Exemple 15.1

15.2. Valeur des économies d'impôt permises par la dette

Lorsqu'une entreprise s'endette, la déductibilité des intérêts lui permet de profiter d'économies d'impôt. Pour apprécier l'influence de l'endettement sur la valeur de l'entreprise, il convient de calculer la valeur actuelle de ces économies d'impôt.

Déductibilité des intérêts et valeur de l'entreprise

Chaque fois que l'entreprise verse des intérêts à ses créanciers, les flux de trésorerie dont profitent les investisseurs (actionnaires et créanciers) augmentent grâce aux économies d'impôt permises par la déductibilité des intérêts :

Flux de trésorerie versés aux actionnaires et créanciers d'une entreprise *endettée*
= Flux de trésorerie versés aux actionnaires d'une entreprise *non endettée*
+ Économies d'impôt liées à la déductibilité des intérêts

La figure 15.1 illustre cette relation en montrant comment 1 € de flux de trésorerie (avant impôt) se répartit entre actionnaires, créanciers et l'État. Si l'on augmente la part versée aux créanciers sous forme d'intérêts, la part du flux de trésorerie utilisée pour payer l'impôt diminue. Il est ainsi possible de distribuer aux investisseurs des flux de trésorerie plus élevés au total.

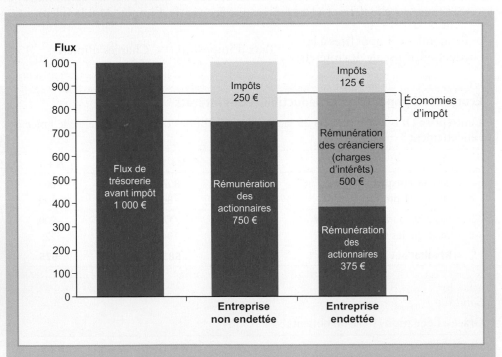

Figure 15.1 – Répartition des flux de trésorerie en fonction de la structure financière d'une entreprise

En augmentant les charges d'intérêts, et donc les flux de trésorerie versés aux créanciers, l'entreprise réduit ses impôts ; on peut ainsi augmenter les flux de trésorerie totaux versés aux investisseurs (créanciers et actionnaires). La figure est construite sur l'hypothèse d'un taux d'imposition de 25 % et de charges d'intérêts égales à 500 €.

Les flux de trésorerie d'une entreprise endettée sont donc égaux à ceux d'une entreprise non endettée plus les économies d'impôt permises par la dette. D'après la Loi du prix unique, cette égalité doit être vérifiée pour les valeurs actuelles de ces flux. En notant V^D (resp. V^U) la valeur de l'entreprise endettée (resp. non endettée), et $VA(EcoIS)$ la valeur actuelle des économies d'impôt, on peut réécrire la proposition 1 de Modigliani-Miller en présence d'impôts :

Proposition 1 de Modigliani-Miller en présence d'impôts. *La valeur d'une entreprise endettée dépasse celle d'une entreprise non endettée du montant de la valeur actuelle des économies d'impôt permises par la déductibilité des intérêts :*

$$V^D = V^U + VA(EcoIS) \qquad (15.2)$$

La possibilité de déduire les charges d'intérêts de l'assiette fiscale crée une incitation à se financer par dette. Il reste à quantifier l'importance de cette incitation. Pour ce faire, il faut mesurer l'augmentation de la valeur de l'entreprise permise par la dette. Cela nécessite de prévoir l'évolution de l'endettement, et donc des charges d'intérêts, afin de déterminer les économies annuelles d'impôt, puis de calculer la valeur actuelle des économies d'impôt futures. Le taux d'actualisation doit tenir compte du risque inhérent à ces économies d'impôt.

Exemple 15.2

Valeur des économies d'impôt permises par la déductibilité des intérêts en l'absence de risque

L'entreprise DFB souhaite restructurer sa dette en vue de payer 80 millions d'euros d'intérêts par an pendant 10 ans puis rembourser le principal de l'emprunt, 1,6 milliard d'euros. La dette est sans risque. Le taux d'intérêt sans risque est de 5 %. Le taux d'imposition est de 25 %, stable sur la période. Quelle est l'augmentation de la valeur de DFB permise par la dette ?

Solution

L'économie d'impôt est de 25 % $\times$ 80 = 20 millions d'euros par an pendant 10 ans. Cette suite de flux de trésorerie peut se valoriser comme une annuité. Les économies d'impôt sont sans risque, il faut les actualiser au taux de 5 % :

$$VA\left(EcoIS\right) = 25 \text{ millions} \times \frac{1}{5\,\%} \left(1 - \frac{1}{1{,}05^{10}}\right)$$

$$= 154 \text{ millions d'euros}$$

Contrairement aux intérêts, le remboursement du principal à l'échéance n'est pas déductible des impôts. Il ne contribue donc pas à l'augmentation de la valeur de l'entreprise.

Économies d'impôt avec dette stable

Dans l'exemple 15.2, les économies d'impôt futures sont connues avec certitude. En pratique, c'est rarement le cas : les charges d'intérêts futures sont fonction de l'évolution de la dette de l'entreprise, de son risque de faillite et du taux d'intérêt. De plus, le taux d'imposition peut être modifié par la loi.

Pour simplifier, on analyse dans cette section le cas d'une entreprise dont la dette est stable[6]. C'est le cas par exemple d'une entreprise qui émet des obligations perpétuelles, donnant droit à des intérêts annuels sans que jamais le principal ne soit remboursé. C'est également le cas d'une entreprise qui émet des titres de dette de court terme, remboursant les titres arrivés à échéance par l'émission de nouveaux titres de valeur nominale identique, empruntant à de nouveaux créanciers pour rembourser les anciens.

Supposons qu'une entreprise emprunte V_D € de manière permanente. Si le taux d'imposition de l'entreprise est τ_{IS} et que la dette soit sans risque (taux r_f), l'économie d'impôt annuelle liée à la déductibilité des intérêts est : $EcoIS = \tau_{IS} \times r_f \times V_D$. Il est possible de calculer la valeur actuelle de la suite des économies d'impôt annuelles comme une rente perpétuelle :

$$VA\left(EcoIS\right) = \frac{EcoIs}{r_f} = \frac{\tau_{IS} \times V_D \times r_f}{r_f} = \tau_{IS} \times V_D$$

Ce calcul repose sur les hypothèses de dette sans risque et de stabilité du taux d'intérêt sans risque. Ces hypothèses peuvent être levées sans modifier le raisonnement. Si la dette est évaluée à son juste prix, en absence d'opportunités d'arbitrage, la valeur de marché de la dette est égale à la valeur actuelle des charges d'intérêts[7] :

$$\text{Valeur de marché de la dette} = V_D = VA \text{ (Charges d'intérêts futures)} \quad (15.3)$$

Si le taux d'imposition est constant, on parvient donc au résultat suivant :

Valeur actuelle des économies d'impôt lorsque la dette est stable

$$VA\left(EcoIS\right) = VA\left(\tau_{IS} \times \text{Charges d'intérêts futures}\right)$$

$$= \tau_{IS} \times VA\left(\text{Charges d'intérêts futures}\right) = \tau_{IS} \times V_D \quad (15.4)$$

L'équation (15.4) permet de calculer les économies d'impôt réalisées par les entreprises endettées : pour un taux d'imposition de 25 %, lorsqu'une entreprise augmente de manière permanente son endettement de 1 €, sa valeur augmente de 25 centimes d'euros.

Zoom sur...	**Pizzas et impôts**

Au chapitre 14, il est fait allusion à la façon dont Miller résume les propositions de Modigliani-Miller en marchés parfaits : peu importe la façon de couper la pizza, elle sera toujours de la même taille.

Il est possible d'adapter cette analogie en intégrant la fiscalité : chaque fois que le vendeur de pizzas vend une part à un actionnaire, il doit en donner une part à l'État : une forme d'impôt en nature. Si une part est vendue à un créancier, il n'y a pas d'impôt à payer. En vendant ses parts de pizza à des créanciers plutôt qu'à des actionnaires, le vendeur de pizzas augmente ses revenus. La taille de la pizza ne change pas, mais en réduisant le nombre de parts données à l'État, le vendeur peut en vendre plus.

---

6. Le calcul de la valeur actuelle des économies d'impôt lorsque les politiques financières sont plus complexes sera traité au chapitre 18.

7. L'équation (15.3) est vérifiée même si le taux d'intérêt change et que la dette est risquée. Il suffit en effet que l'entreprise ne rembourse jamais le principal de sa dette (c'est-à-dire qu'elle le refinance indéfiniment) pour que la relation soit vérifiée. On parvient à ce résultat en suivant le même raisonnement qu'au chapitre 9 (le prix d'une action est égal à la valeur actuelle de ses dividendes futurs).

Le coût moyen pondéré du capital en présence d'impôts

Il est également possible de mesurer les économies d'impôt permises par la déductibilité des charges d'intérêts à partir du coût moyen pondéré du capital. Lorsqu'une entreprise est endettée, les intérêts qu'elle verse sont partiellement compensés par des économies d'impôt. Si une entreprise est imposée au taux de 25 % et qu'elle emprunte 100 000 € au taux $r = 10$ %, le coût net de la dette à la fin de l'année est :

Charges d'intérêts	$r_D \times 100\ 000 = 10\ 000$ €
Économies d'impôt	$-\tau_{IS} \times r_D \times 100\ 000 = -2\ 500$ €
Coût effectif (après impôt) de la dette	$r_D \times (1 - \tau_{IS}) \times 100\ 000 = 7\ 500$ €

Le *taux d'intérêt effectif* (après prise en compte des économies d'impôt) est de 7 500 € /10 000 € = 7,5 %, et non de 10 %. Ainsi, la déductibilité des intérêts réduit le taux d'intérêt effectif. D'une manière générale, *si les intérêts de la dette sont déductibles des impôts, le taux d'intérêt effectif est* $r_D \times (1 - \tau_{IS})$.

Le chapitre 14 a permis de montrer que, en l'absence d'impôts, le CMPC d'une entreprise, qui représente la rentabilité moyenne requise par les investisseurs (actionnaires et créanciers), est égal à son coût du capital à endettement nul. Toutefois, la déductibilité des intérêts réduit le coût de la dette *pour l'entreprise*. Comme discuté au chapitre 12, il faut donc tenir compte des économies d'impôt permises par la dette dans le calcul du CMPC. Cela revient à calculer le CMPC après impôt, c'est-à-dire en utilisant le coût *effectif* de la dette (après impôt) :

Coût moyen pondéré du capital après impôts[8]

$$r_{CMPC} = \frac{V_{CP}}{V_{CP} + V_D} r_{CP} + \frac{V_D}{V_{CP} + V_D} r_D \left(1 - \tau_{IS}\right) \tag{15.5}$$

Ce CMPC après impôt représente le coût effectif du capital de l'entreprise et tient compte des conséquences fiscales de l'endettement. Il est nécessairement plus faible que le CMPC à endettement nul (avant impôt), et la relation qui lie les deux CMPC s'obtient en réécrivant l'équation (15.5) :

$$r_{CMPC} = \underbrace{\frac{V_{CP}}{V_{CP} + V_D} r_{CP} + \frac{V_D}{V_{CP} + V_D} r_D}_{\text{CMPC avant impôt}} - \underbrace{\frac{V_D}{V_{CP} + V_D} r_D \tau_{IS}}_{\substack{\text{Réduction du CMPC lié} \\ \text{aux économies d'impôts}}} \tag{15.6}$$

La baisse du CMPC permise par la dette est donc proportionnelle au taux d'endettement : plus il est élevé, plus les économies d'impôt sont importantes et plus le CMPC après impôt est faible. La figure 15.2 illustre la baisse du CMPC après impôt au fur et à mesure que la dette augmente, alors que le CMPC avant impôt reste stable.

---

8. Voir le chapitre 18 pour la démonstration et le chapitre 12 pour l'estimation du coût de la dette.

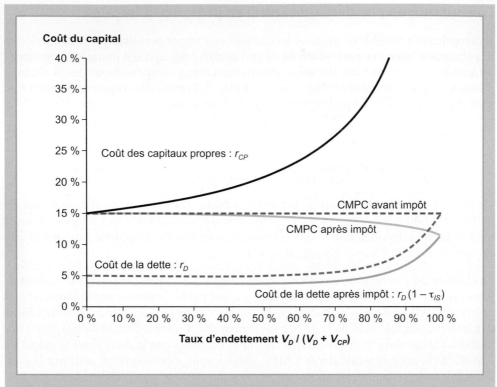

Figure 15.2 – Impôts, coût de la dette et CMPC

Le CMPC après impôt est fonction de l'endettement, comme le montre l'équation (15.5). Le CMPC après impôt baisse au fur et à mesure que l'entreprise augmente son taux d'endettement et qu'elle bénéficie d'économies d'impôt croissantes. Au contraire, le CMPC avant impôt reste constant, car il reflète l'exigence de rentabilité des investisseurs fondée sur le risque des actifs de l'entreprise. Le taux marginal d'imposition est supposé égal à 25 %.

Économies d'impôt avec un taux d'endettement cible

Lorsqu'une entreprise a pour objectif de conserver son taux d'endettement stable (plutôt que d'avoir une dette stable en valeur), il est possible de calculer la valeur totale de l'entreprise endettée V^D en actualisant ses flux de trésorerie disponibles au CMPC (voir chapitre 18). On peut donc calculer la valeur actuelle des économies d'impôt en soustrayant à V^D la valeur de l'entreprise non endettée V^U. Or, V^U représente simplement la valeur des flux de trésorerie disponibles actualisés au coût du capital à endettement nul, autrement dit au CMPC avant impôt[9].

---

9. Si l'entreprise maintient son taux d'endettement constant ou décide de stabiliser son ratio de couverture des frais financiers, le CMPC avant impôt est constant, égal au coût du capital de l'entreprise non endettée. Pour plus de détails sur les liens entre coût du capital et endettement, voir chapitre 18.

Valeur actuelle des économies d'impôt si l'entreprise a un taux d'endettement cible

L'entreprise Lumber espère bénéficier de flux de trésorerie disponibles de 4,25 millions d'euros l'an prochain ; la croissance prévisionnelle de ces derniers est de 4 % par an. Le coût des capitaux propres est de 10 % ; le coût de sa dette est de 6 %. Le taux d'imposition est de 25 %. Si Lumber a pour objectif de stabiliser son levier à 50 %, quelle est la valeur actuelle des économies d'impôt liées à la déductibilité des intérêts ?

Solution

Pour valoriser ces économies d'impôt, il convient de comparer la valeur de Lumber avec et sans dette. La valeur de l'entreprise non endettée est égale à la valeur actuelle de ses flux de trésorerie disponibles actualisés au CMPC avant impôt :

$$r_{CMPC} = \frac{V_{CP}}{V_{CP} + V_D} r_{CP} + \frac{V_D}{V_{CP} + V_D} r_D = \frac{1}{1+0,5} \times 10\% + \frac{0,5}{1+0,5} \times 6\% = 8,67\%$$

Les flux de trésorerie disponibles de Lumber augmentent à taux constant à l'infini. On peut donc utiliser la formule de la rente croissante perpétuelle pour déterminer la valeur de l'entreprise non endettée :

$$V^U = \frac{4,25}{8,67\% - 4\%} = 91 \text{ millions d'euros}$$

Le CMPC après impôt de Lumber est de :

$$r_{CMPC} = \frac{V_{CP}}{V_{CP} + V_D} r_{CP} + \frac{V_D}{V_{CP} + V_D} r_D \left(1 - \tau_{IS}\right)$$

$$= \frac{1}{1+0,5} \times 10\% + \frac{0,5}{1+0,5} \times 6\% \left(1 - 0,25\right) = 8,17\%$$

La valeur de Lumber en tenant compte des économies d'impôt est donc :

$$V^D = \frac{4,25}{8,17\% - 4\%} = 102 \text{ millions d'euros}$$

La valeur actuelle des économies d'impôt liées à la déductibilité des intérêts est donc de :

$$VA(EcoIS) = V^D - V^U = 102 - 91 = 11 \text{ millions d'euros}$$

Zoom sur...	**L'optimisation fiscale, ou pourquoi emprunter quand on dispose de liquidités ?**

En avril 2013, Apple Inc. a emprunté 17 milliards de dollars, ce qui représentait alors pour une société américaine la plus importante émission obligataire de tous les temps. Mais pourquoi une entreprise avec plus de 100 milliards de dollars de liquidités avait-elle besoin d'emprunter ? La réponse est que ces liquidités étaient pour l'essentiel à l'étranger, et les rapatrier aux États-Unis obligeait Apple à s'acquitter de milliards d'impôts.

...

...

Le cas d'Apple n'est pas unique. Les profits réalisés à l'étranger par les entreprises américaines sont assujettis à l'impôt sur les sociétés dans le pays où ces profits ont été enregistrés. Avant 2018, si ces derniers étaient rapatriés aux États-Unis, l'entreprise devait payer la différence entre l'impôt payé à l'étranger et ce qui aurait été payé aux États-Unis. Étant donné que le taux d'imposition des sociétés est très faible dans certains pays – par exemple, 12,5 % en Irlande contre 35 % aux États-Unis à l'époque –, cette taxe dite de rapatriement peut représenter un coût important. Plutôt que de supporter ce coût, de nombreuses entreprises choisissaient de détenir les fonds à l'étranger sous forme d'obligations, ou d'autres titres négociables, et d'emprunter les fonds dont elles avaient éventuellement besoin aux États-Unis en émettant des obligations. Dans le cas d'Apple, les 17 milliards de dollars empruntés ont été utilisés pour effectuer des rachats d'actions.

De nombreuses entreprises ont adopté cette stratégie pour retarder le paiement d'impôts sur leurs revenus à l'étranger. La figure ci-dessous montre l'augmentation des liquidités détenues à l'étranger par les sociétés américaines, ainsi que les encours de plusieurs grandes entreprises. Le montant total détenu à l'étranger par les sociétés américaines dépassait les 2 800 milliards de dollars fin 2017.

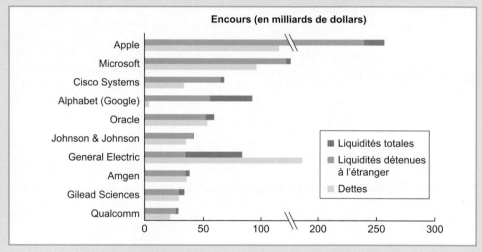

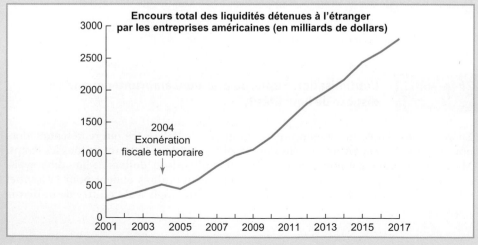

...

Pour encourager les entreprises à rapatrier leurs fonds, le Congrès américain a promulgué en 2004 une exonération fiscale temporaire (*repatriation tax holiday*). Cette politique n'a guère eu d'effet. Le Congrès a donc adopté en 2017 une mesure permanente (*Tax Cuts and Jobs Act*) : on peut rapatrier les fonds à l'étranger en payant un taux d'imposition dérogatoire de 15,5 % au maximum et, à l'avenir, on pourra même rapatrier les revenus étrangers aux États-Unis sans payer d'impôt ; l'incitation des entreprises américaines à conserver à l'étranger leurs liquidités devrait donc disparaître.

15.3. Endettement et optimisation fiscale

La dette permet de réaliser des économies d'impôt. Certaines entreprises souhaitent donc adapter leur structure financière pour en profiter. Un moyen pour cela consiste à financer un **rachat d'actions** par émission de dette (voir chapitre 14). Quel est le gain pour les actionnaires d'une telle modification de la structure financière de l'entreprise ?

Prenons un exemple. Midco est une entreprise qui n'a aucune dette et dispose de capitaux propres constitués de 20 millions d'actions dont le prix unitaire est de 15 €. Midco a un résultat net constant et est imposée au taux de 25 %. Le P-DG de Midco envisage d'emprunter 100 millions d'euros de manière permanente pour racheter des actions. Il pense que les économies d'impôt réalisées grâce à l'endettement devraient faire augmenter le prix des actions Midco et donc bénéficier aux actionnaires actuels de l'entreprise. A-t-il raison ?

Étape 1 : endettement

En l'absence de dette, la valeur de marché de l'entreprise est égale à la valeur de ses capitaux propres. Si l'action est valorisée à son juste prix, la capitalisation boursière de l'entreprise est :

$$V^U = 20 \text{ millions d'actions} \times 15 \text{ €} = 300 \text{ millions d'euros}$$

En s'endettant, Midco paiera moins d'impôts. Avec 100 millions d'euros de dette, la valeur actuelle des économies d'impôts futures est :

$$VA(EcoIS) = \tau_{IS} \times V_D = 25 \text{ %} \times 100 = 25 \text{ millions d'euros}$$

La valeur totale de l'entreprise endettée est :

$$V^D = V^U + \tau_{IS}V_D = 300 + 25 = 325 \text{ millions d'euros}$$

Cette valeur totale se partage entre la valeur de la dette et celle des capitaux propres. La dette étant de 100 millions, la valeur des capitaux propres est de :

$$V_{CP} = V^D - V_D = 325 - 100 = 225 \text{ millions d'euros}$$

Suite au rachat d'actions financé par endettement, la valeur totale de l'entreprise a augmenté et la valeur des capitaux propres a baissé. Toutefois, il convient de ne pas oublier que, même si la valeur des actions de Midco chute à 225 millions, les actionnaires vont également recevoir 100 millions d'euros grâce au rachat d'actions. Les actionnaires ont donc au total une richesse de 325 millions d'euros, soit un gain de 25 millions par rapport à leur situation initiale. Comment ? C'est la deuxième étape du raisonnement.

Étape 2 : rachat d'actions

En supposant que Midco rachète ses propres actions à leur prix actuel de marché (15 €), elle pourra racheter 100 millions d'euros / 15 € = 6,67 millions d'actions. Après le rachat, il ne restera donc sur le marché que 20 – 6,67 = 13,33 millions d'actions. Puisque la capitalisation boursière de l'entreprise sera à ce moment-là de 225 millions d'actions, chaque action vaudra :

$$225 \text{ millions d'euros} / 13,33 \text{ millions d'actions} = 16,875 \text{ €}$$

Les actionnaires qui conserveront leurs titres réaliseront donc une plus-value en capital de 16,875 – 15 = 1,875 € par action. Collectivement, leur gain sera bien de :

$$1,875 \text{ € par action} \times 13,33 \text{ millions d'actions} = 25 \text{ millions d'euros}$$

Les actionnaires qui ne vendent pas leurs actions à Midco reçoivent donc l'intégralité des économies d'impôt permises par la déductibilité des intérêts. Ce raisonnement néglige toutefois un élément important : pourquoi certains actionnaires accepteraient-ils de vendre leurs actions à Midco au prix de 15 €, alors que, s'ils les conservaient, elles vaudraient 16,875 € après l'opération ?

Étape 3 : évaluation en l'absence d'opportunités d'arbitrage

Il existe donc une opportunité d'arbitrage dans le raisonnement précédent : les actionnaires pourraient acheter des actions à 15 € juste avant le rachat d'actions pour les revendre à 16,875 € juste après. Les agents étant rationnels, ils cherchent à profiter de cette opportunité. Il en résulte une augmentation du cours de l'action au-dessus de 15 € avant même que le rachat des actions n'ait commencé. En fait, dès que les actionnaires sont informés de l'opération, le prix de l'action s'ajuste immédiatement pour intégrer les 25 millions d'euros d'économies d'impôt permis par l'opération. La valeur des capitaux propres de Midco passe donc immédiatement de 300 à 325 millions. Avec 20 millions d'actions en circulation, le prix d'une action s'établit en fait à :

$$325 \text{ millions d'euros} / 20 \text{ millions d'actions} = 16,25 \text{ €}$$

C'est le prix que Midco doit offrir aux actionnaires pour que ces derniers acceptent de vendre leurs actions. À ce prix, les actionnaires, qu'ils vendent ou non leurs actions, obtiennent un gain par action de 16,25 – 15 = 1,25 € : les actionnaires se partagent de manière équitable la valeur créée. Le gain se répartit sur 20 millions d'actions, soit un gain total de 20 millions × 1,25 € = 25 millions d'euros.

En résumé, lorsque les titres sont évalués à leur juste prix, tous les actionnaires de l'entreprise profitent à égalité d'un rachat d'actions par endettement. Ils bénéficient de la totalité de la valeur créée à cette occasion.

Rachat d'actions et prix d'équilibre

Midco réfléchit à racheter des actions et envisage différents prix possibles. Que se passera-t-il si le prix proposé est inférieur à 16,25 € ? Comment les bénéfices de l'opération se répartiront-ils si Midco propose un prix supérieur à 16,25 € ?

Solution

En fonction du prix proposé, il est possible de calculer le nombre d'actions que Midco pourra racheter, le nombre d'actions restantes et donc leur prix après l'opération. Aucun actionnaire n'accepte de vendre ses actions si le prix proposé par Midco est inférieur à ce que vaudront les actions après l'opération : il serait alors plus rentable de conserver ses actions et d'attendre ! Le tableau montre que le prix de rachat minimal que doit proposer Midco est de 16,25 €. Si Midco rachète les actions à un prix supérieur à 16,25 €, tous les actionnaires devraient s'empresser de vendre pour profiter de l'aubaine (leurs actions vaudront en effet moins après l'opération). L'offre d'actions excède donc la quantité que rachète Midco, ce qui oblige l'entreprise à ne racheter qu'une fraction des actions proposées. L'essentiel des gains tirés des économies d'impôt permises par la dette va dans ce cas aux actionnaires dont les actions sont rachetées à un prix trop élevé.

Prix de rachat (en euros par action)	Actions rachetées (en millions)	Actions restantes (en millions)	Prix de l'action après l'opération (en euros par action)
P_R	$R = 100/P_R$	$N = 20 - R$	$P_N = 225/N$
15,75	6,35	13,65	16,48
16,00	6,25	13,75	16,36
16,25	6,15	13,85	16,25
16,50	6,06	13,94	16,14
16,75	5,97	14,03	16,04

Synthèse : une approche par le bilan en valeur de marché

Il est possible d'étudier le rachat d'actions par endettement grâce à un bilan établi en valeur de marché (comme au chapitre 14), qui repose sur l'idée que la valeur de marché des titres émis par l'entreprise est égale à la valeur de marché de ses actifs. Les économies d'impôt permises par la déductibilité des intérêts doivent être traitées comme un actif de l'entreprise. Le tableau 15.2 décompose l'opération. La première étape est l'annonce de l'opération ; les investisseurs anticipent les économies d'impôt, ce qui fait augmenter la valeur des actifs de Midco de 25 millions. La deuxième étape consiste à faire s'endetter l'entreprise, à hauteur de 100 millions d'euros, ce qui accroît sa trésorerie et son passif. La troisième étape est le rachat d'actions grâce à la trésorerie. Les actions sont rachetées au prix d'équilibre de 16,25 €. Les disponibilités de Midco, de même que le nombre de ses actions, diminuent.

		Étape 1 :	Étape 2 :	Étape 3 :
Tableau 15.2	Bilan en valeur de marché de Midco (en millions d'euros)			
	Situation initiale	annonce de l'opération	augmentation de la dette	rachat d'actions
Actif				
1 Valeur de l'entreprise non endettée (V^U)	300	300	300	300
2 Économies d'impôt	0	25	25	25
3 Trésorerie	0	0	100	0
4 **Total Actif** (1 + 2 + 3)	**300**	**325**	**425**	**325**
Passif				
5 Capitaux propres = Total Actif – Dette	300	325	325	225
6 Dette	0	0	100	100
7 **Total Passif** (5 + 6)	**300**	**325**	**425**	**325**
8 Nombre d'actions (en millions)	20	20	20	13,85
9 **Prix d'une action (en euros)**	**15**	**16,25**	**16,25**	**16,25**

On constate que le prix de l'action augmente dès l'annonce de l'opération, uniquement en raison de la valeur actuelle des économies d'impôt liées à la déductibilité des intérêts. Même si le recours à l'endettement réduit au final la valeur de marché des capitaux propres (c'est-à-dire la capitalisation boursière de l'entreprise), les actionnaires bénéficient immédiatement de l'opération[10].

15.4.   La fiscalité des investisseurs

Lorsque les entreprises paient des impôts, la dette bénéficie donc d'un avantage sur le financement par capitaux propres. Cependant, un autre phénomène doit être pris en compte : les investisseurs sont également imposés sur les revenus qu'ils reçoivent, et différemment selon qu'il s'agit de plus-values, de dividendes ou d'intérêts. Il convient donc d'intégrer à l'analyse l'effet de cette imposition : a-t-elle une influence sur la valeur de l'entreprise ?

Impôts sur les dividendes, les plus-values et les intérêts

Les investisseurs évaluent les titres qu'ils achètent sur la base des revenus futurs espérés, en tenant compte toutefois de tous les impôts dont ils auront à s'acquitter. Ainsi, tout comme l'impôt sur les sociétés, les impôts sur les revenus du capital payés par les investisseurs réduisent la valeur de l'entreprise. La valeur actuelle des économies d'impôt liées à la déductibilité des intérêts dépend des impôts payés à la fois par l'entreprise *et les investisseurs*[11].

---

10. Ce raisonnement ignore les autres effets de la dette sur l'entreprise, par exemple la possibilité de difficultés financières, qui seront abordés au chapitre 16.

11. M. Miller (1977), « Debt and Taxes », *Journal of Finance*, 32, 261-275 ; M. Miller et M. Scholes (1978), « Dividends and Taxes », *Journal of Financial Economics*, 333-364.

Afin de déterminer les économies d'impôt réalisées grâce à la dette, il est nécessaire d'évaluer les effets combinés de l'imposition des entreprises et des investisseurs. On considère une entreprise dont le résultat d'exploitation est de 1 €. Selon que l'entreprise verse cette somme à ses créanciers (charges d'intérêts) ou à ses actionnaires (dividendes ou plus-values), la fiscalité n'est pas la même (voir figure 15.3).

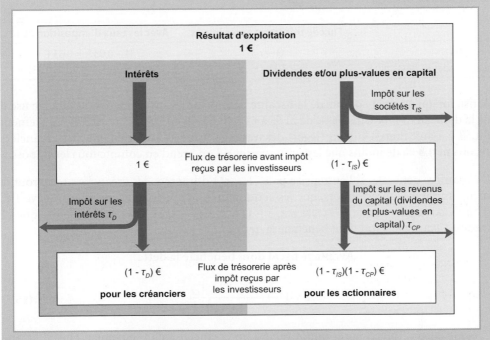

Figure 15.3 – Flux de trésorerie après impôt pour 1 € de résultat d'exploitation distribué aux investisseurs

Les intérêts versés aux créanciers sont imposés au taux τ_D. Les dividendes et les plus-values en capital sont imposés au taux τ_{IS} au niveau de l'entreprise et au taux τ_{CP} au niveau des actionnaires.

En ce qui concerne l'impôt sur les sociétés, la dette dispose d'un avantage évident sur les capitaux propres : lorsque les créanciers reçoivent 1 € à partir du résultat d'exploitation de l'entreprise, les actionnaires ne reçoivent que 75 centimes d'euros du fait de l'impôt sur les sociétés (avec τ_{IS} = 25 %).

Mais les investisseurs sont ensuite imposés personnellement. Cela modifie-t-il l'avantage de l'endettement ? En France, la fiscalité sur les dividendes et les intérêts est identique[12] et n'a donc pas d'effet sur la structure financière des entreprises. Précisément, depuis 2018, tous les revenus du capital (livrets épargne fiscalisés, revenus des comptes à terme, coupons obligataires, dividendes, plus-values sur valeurs mobilières, etc.) sont soumis à un prélèvement forfaitaire unique (PFU, appelé aussi « *flat tax* ») : $\tau_D = \tau_{CP}$ = 30 %. Il est également possible pour les contribuables d'opter pour l'imposition au barème

---

12. Cela n'a pas toujours été le cas : avant 2018, les dividendes bénéficiaient d'un avantage fiscal relativement aux intérêts pour les investisseurs.

de l'impôt sur le revenu (IR) : ce choix est intéressant pour les ménages dont le taux marginal d'imposition est faible.

Aux États-Unis, pour les investisseurs, la fiscalité est plus favorable aux actions (τ_{CP} = 20 %) qu'à la dette (τ_D = 37 %). Ainsi, avec un taux d'imposition sur les bénéfices de 21 %, pour 1 € de résultat d'exploitation distribué par l'entreprise, le revenu après impôt des investisseurs américains est égal à :

	Flux de trésorerie après impôt	Avec les taux d'imposition 2018
Intérêts	$(1 - \tau_D)$	$(1 - 0{,}037) = 0{,}63$ €
Dividendes et plus-values	$(1 - \tau_{IS}) \times (1 - \tau_{CP})$	$(1 - 0{,}21) \times (1 - 0{,}20) = 0{,}632$ €

Ainsi, lorsqu'on tient compte de la fiscalité pesant sur les investisseurs, l'avantage fiscal de la dette aux États-Unis passe de 21 % à $\tau^* = (0{,}63 - 0{,}632)/0{,}63 = -0{,}3$ %. Autrement dit, il y a aux États-Unis un (léger) désavantage fiscal à l'endettement : les créanciers reçoivent 0,3 % de moins que les actionnaires si l'on prend en compte tous les impôts.

De manière générale, si l'entreprise paie $(1 - \tau^*)$ d'intérêts, les créanciers recevront le même montant, après impôts, que les actionnaires auxquels l'entreprise avait payé 1 €, d'où l'égalité suivante : $(1 - \tau^*)(1 - \tau_D) = (1 - \tau_{IS})(1 - \tau_{CP})$. On peut donc dire que τ^* traduit l'avantage fiscal dont bénéficie la dette :

Avantage fiscal dont bénéficie la dette

$$\tau^* = 1 - \frac{(1 - \tau_{IS})(1 - \tau_{CP})}{(1 - \tau_D)} \tag{15.7}$$

Chaque euro d'intérêt après impôt versé à un créancier coûte seulement $(1 - \tau^*)$ € aux actionnaires. Ainsi, lorsqu'il n'y a pas d'impôt sur les intérêts et les revenus d'actions ou lorsque les taux d'imposition sur les intérêts et les revenus d'actions sont égaux ($\tau_D = \tau_{CP}$), l'équation (15.7) se réduit à $\tau^* = \tau_{IS}$, ce qui est le cas en France. Lorsque le taux d'imposition des revenus d'actions est inférieur à celui des intérêts ($\tau_D > \tau_{CP}$), τ^* est inférieur à τ_{IS} (et peut même être négatif, comme c'est le cas aux États-Unis).

Exemple 15.5

L'avantage fiscal dont bénéficiait la dette aux États-Unis dans les années 1980 et 1990

Ces dernières décennies, le taux d'imposition sur les bénéfices et sur les revenus du capital ont baissé dans la plupart des pays développés. Aux États-Unis, en 1980, le taux d'imposition sur les sociétés était de 46 %, celui sur les revenus d'intérêts de 70 % en moyenne et de 49 % sur les revenus tirés de la détention d'actions (moyenne du taux d'imposition sur les dividendes et du taux d'imposition sur les plus-values). En 1990, le taux de l'impôt sur les sociétés était de 34 %, tandis que celui sur les revenus du capital, qu'il s'agisse de titres de dette ou d'actions, de 28 %. Quel était l'avantage fiscal dont bénéficiait la dette aux États-Unis en 1980 et en 1990 ?

...

...

Solution

D'après l'équation (15.7), l'avantage fiscal de la dette aux États-Unis était de :

$$\tau^*_{USA} = 1 - \frac{(1-0,46)(1-0,49)}{(1-0,70)} = 8,2\% \text{ en 1980}$$

$$\text{et de } \tau^*_{USA} = 1 - \frac{(1-0,34)(1-0,28)}{(1-0,28)} = 34\% \text{ en 1990.}$$

Aux États-Unis, l'avantage fiscal dont bénéficiait la dette était donc plus faible dans les années 1980 que dans les années 1990.

Les économies d'impôt avec fiscalité des investisseurs

Comment la prise en compte de la fiscalité des investisseurs influence-t-elle la valeur actuelle des économies d'impôt liées à la dette ? La réponse détaillée à cette question est l'objet du chapitre 18 ; seules sont présentées ici quelques observations importantes. Tout d'abord, si $\tau^* > 0$, malgré une fiscalité potentiellement plus lourde des intérêts par rapport aux revenus d'actions au niveau des investisseurs, la dette reste avantageuse. Avec une dette stable en valeur, la valeur de l'entreprise endettée est :

$$V^D = V^U + \tau^* V_D \qquad (15.8)$$

Économies d'impôt avec fiscalité des investisseurs

MoreLev est une entreprise américaine avec 40 millions d'actions en circulation pour une capitalisation de 500 millions de dollars. Son taux d'imposition est de 21 %. Les investisseurs paient, en moyenne, 20 % d'impôts sur les intérêts qu'ils reçoivent et 10 % sur les dividendes et les plus-values en capital. L'entreprise prévoit d'avoir une dette constante. Quel serait le prix des actions si l'entreprise décide de s'endetter pour racheter 220 millions de dollars d'actions ?

Solution

Il faut tout d'abord calculer l'avantage fiscal dont bénéficie la dette. Il est pour l'entreprise égal à $\tau^* = 1 - (1 - 0,21)(1 - 0,10) / (1 - 0,20) = 11,1\%$. Le prix des actions avant le rachat est de 500 / 40 = 12,5 \$. Le rachat d'actions va permettre une augmentation de la valeur des capitaux propres égale à $\tau^* V^D$ et la valeur de l'entreprise endettée, suivant l'équation (15.8), sera alors : $V^D = V^U + \tau^* V^D = 500 + (0,111 \times 220) = 524,4$ millions d'euros. Avec 40 millions d'actions sur le marché, le prix de chaque action devrait augmenter de 24,4 / 40 = 0,61 \$, soit un nouveau prix de 13,11 \$.

Les impôts payés par les investisseurs ont donc le même effet que l'impôt sur les sociétés sur le CMPC de l'entreprise. Mais l'effet est ici indirect : le calcul du CMPC n'est pas modifié et demeure calculé avec l'équation (15.5) à l'aide du taux d'impôt sur les sociétés τ_{IS}. Lorsqu'on intègre la fiscalité des investisseurs au raisonnement, c'est le coût du capital de chaque source de financement (dette et actions) qui s'ajuste pour compenser le différentiel éventuel d'imposition entre elles. Si les revenus tirés de titres de dette sont plus lourdement imposés que les revenus des actions, le taux d'intérêt exigé par les prêteurs sera plus élevé toutes choses égales par ailleurs, et donc la baisse du CMPC permise par la dette sera plus faible qu'en négligeant la fiscalité des investisseurs.

Mesurer l'avantage fiscal dont bénéficie la dette est complexe

Trois simplifications ont été nécessaires pour estimer l'avantage fiscal dont bénéficie la dette. En pratique, les choses sont plus compliquées.

1. On a fait jusque-là comme si les plus-values en capital étaient imposées tous les ans, ce qui suppose implicitement que les plus-values latentes étaient imposées au même titre que les plus-values réalisées. En pratique, l'impôt sur les plus-values en capital n'est payé qu'après matérialisation de la plus-value, c'est-à-dire après que l'investisseur a effectivement vendu les titres. Or ceux-ci peuvent être détenus pendant plusieurs années, ce qui repousse d'autant le paiement de l'impôt et réduit sa valeur actuelle. Si le taux d'imposition sur les plus-values est de 30 % et le taux d'intérêt est de 6 %, un investisseur qui détient des titres pendant 10 ans n'est imposé qu'au taux effectif de $30\ \%/1,06^{10} = 16,8\ \%$. Il est également possible d'annuler les plus-values, en matérialisant chaque année des moins-values[13] pour compenser les plus-values réalisées et ainsi afficher un gain en capital nul sur l'année. Les investisseurs qui détiennent pendant longtemps les valeurs mobilières ou ceux qui ont des moins-values latentes sur certains titres peuvent donc bénéficier d'un taux d'imposition sur les gains en capital plus faible que le taux facial. Pour ces investisseurs, l'avantage fiscal dont bénéficie la dette est plus faible que pour les autres.

2. On a supposé que tous les ménages étaient imposés de la même manière sur leurs revenus, ce qui n'est pas le cas. Selon la nationalité des investisseurs, leur revenu, le taux d'imposition diffère très largement. Il existe également des dispositifs fiscaux spécifiques à la disposition des ménages pour réduire l'impôt : ainsi, en France par exemple, une épargne investie en actions pendant cinq ans sur un Plan d'épargne en actions ou pendant huit ans sur un contrat d'assurance vie permet d'éviter totalement l'impôt sur les dividendes et les plus-values.

3. Pour calculer le taux d'imposition sur les revenus d'actions τ_{CP}, il convient de combiner le taux d'imposition sur les dividendes et le taux d'imposition sur les plus-values : tout ce qui ne sera pas versé (et imposé) aux actionnaires en dividendes leur profitera sous forme de plus-values (et sera donc imposé au taux d'imposition des plus-values lors de la revente des actions). Aujourd'hui, dans la plupart des pays (dont la France et les États-Unis), ce calcul du taux d'imposition moyen sur les revenus d'actions est simple, puisque les taux d'imposition sur les dividendes et sur les plus-values sont identiques.

---

13. Pour cela, il convient de vendre les actions dont la valeur a baissé pour les racheter immédiatement à ce prix plus faible ; on appelle cette stratégie un « vendu-acheté ».

Pour ces trois raisons, le calcul de l'avantage fiscal dont bénéficie une entreprise donnée est complexe, car cela implique de connaître les taux d'imposition des actionnaires et des créanciers, la durée de détention moyenne des titres par les investisseurs, etc.[14].

15.5. Structure financière optimale en présence d'impôts

Dans la version de base du modèle de Modigliani-Miller, il n'y a pas d'effet de la structure financière d'une entreprise sur sa valeur et donc pas de structure financière optimale. Ces propositions ne tiennent plus lorsqu'on intègre la fiscalité : l'endettement s'accompagne de charges d'intérêts qui permettent à l'entreprise de réduire ses impôts. Et cette économie d'impôt a une valeur. Même après la prise en compte des impôts payés par les investisseurs, la déductibilité des intérêts peut permettre aux entreprises endettées d'avoir une valeur supérieure à celle qu'elles auraient en l'absence d'endettement.

Les entreprises préfèrent-elles la dette ?

La figure 15.4 illustre l'évolution depuis 1996 des modalités de financement des sociétés non financières françaises. La figure représente des flux nets : le montant du financement par émission d'actions est égal à la valeur des actions émises par les entreprises moins la valeur des actions qu'elles ont achetées (au titre de rachats d'actions ou d'actions d'autres entreprises détenues). De même, le financement par dette est net (souscription d'emprunts nouveaux moins remboursement d'emprunts anciens).

On constate que la principale source de financement externe des entreprises françaises est la dette. Par ailleurs, au niveau agrégé, le crédit bancaire pèse beaucoup plus que l'émission d'obligations. Le financement par capitaux propres occupe une place réduite ; il est même négatif au niveau agrégé certaines années lorsque les sociétés non financières ont acheté plus d'actions qu'elles n'en ont émis. Les entreprises affichent donc une préférence claire pour un financement par endettement, lorsqu'il s'agit de trouver des capitaux externes.

La figure 15.4 montre également que les investissements des entreprises excèdent de très loin le montant des capitaux externes qu'elles lèvent. La différence entre les deux indique l'importance de l'autofinancement pour les entreprises françaises. Ces dernières financent donc une large part de leurs investissements grâce à leurs bénéfices passés non distribués.

Même si les entreprises n'émettent pas beaucoup d'actions pour se financer, la valeur des capitaux propres des entreprises a augmenté sur cette longue période, car la croissance des entreprises est largement autofinancée. Ainsi, comme l'indique la figure 15.5, le poids de la dette dans la structure financière des entreprises françaises a baissé, passant de plus de 50 % au début des années 1980 à environ 30 % aujourd'hui. La même évolution est visible chez les grandes entreprises (ici, les entreprises appartenant à l'indice boursier SBF 250). Seules les baisses des cours boursiers en période de krach et de récession ont contrebalancé temporairement l'augmentation du poids des capitaux propres dans le bilan des entreprises.

---

14. J. Graham (1999), « Do Personal Taxes Affect Corporate Financing Decisions? », *Journal of Public Economics*, 73, 147-185.

La dette pèse en moyenne un tiers du passif de l'ensemble des entreprises françaises, avec toutefois d'importantes disparités sectorielles. Les secteurs économiques en croissance affichent des taux d'endettement parfois très faibles, alors que l'industrie lourde, la banque ou le transport sont nettement plus endettés. Le choix du taux d'endettement d'une entreprise semble donc répondre, au moins partiellement, à des facteurs exogènes à l'entreprise. Ce constat fait naître deux interrogations :

- Puisque la dette permet de réduire l'impôt sur les sociétés et le coût moyen pondéré du capital, pourquoi les entreprises ne sont-elles pas plus endettées ?

- Pourquoi observe-t-on des différences de taux d'endettement significatives d'un secteur économique à l'autre ?

Pour répondre à ces questions, il faut étudier avec plus de précision la structure financière optimale en présence d'impôts.

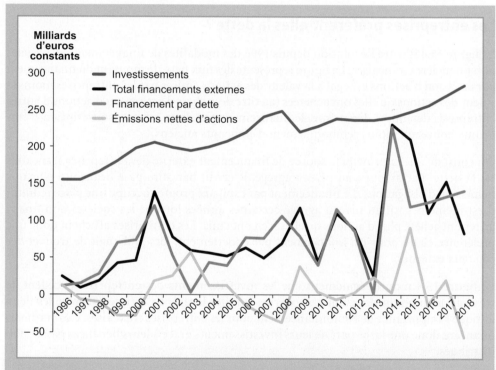

Figure 15.4 – Financements externes et investissement des entreprises françaises

Au niveau agrégé, les entreprises françaises ont davantage recours à l'endettement qu'à l'émission d'actions pour se financer. Une part significative des investissements des sociétés non financières françaises est autofinancée.

Source : INSEE (Comptes de la nation).

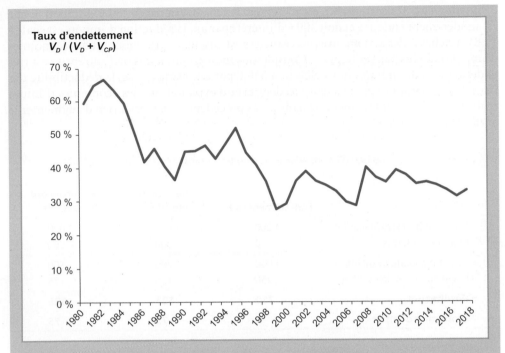

Taux d'endettement
$V_D / (V_D + V_{CP})$

Figure 15.5 – Taux d'endettement des entreprises françaises, 1980-2014

Bien que les entreprises s'endettent plutôt que d'émettre des actions, le taux d'endettement moyen des entreprises françaises a baissé depuis 1980, car les actions existantes ont vu leur valeur augmenter sur la période.

Sources : INSEE (Comptes de la nation).

Quelles sont les limites à l'endettement ?

Compte tenu de l'avantage fiscal dont bénéficie la dette, on pourrait penser que les entreprises ont intérêt à se financer exclusivement par endettement pour maximiser leurs économies d'impôt. Il n'en est rien car, en pratique, il existe de nombreuses limites aux économies d'impôt. La première est souvent d'ordre réglementaire. Dans de nombreux pays, la déductibilité des intérêts est limitée. C'est le cas par exemple en France, où elle ne peut excéder 30 % de l'excédent brut d'exploitation de l'entreprise (c'est-à-dire avant charges d'intérêts, amortissements et taxes) ou 3 millions d'euros (la limite la plus favorable à l'entreprise étant retenue)[15]. Un dispositif similaire existe aux États-Unis.

Pour mieux comprendre l'impact de ce plafond sur l'endettement optimal d'une entreprise, prenons l'exemple d'une entreprise avec un résultat d'exploitation de 1 000 €, imposée au taux $\tau_{IS} = 25$ %. Le tableau 15.3 compare la situation pour différents niveaux

---

15. Ce dispositif est en vigueur en France depuis 2019 suite à la transposition de la directive ATAD (*Anti Tax Avoidance Directive*). Le plafonnement est lié, précisément, à l'excédent brut d'exploitation fiscal de l'entreprise, qui est légèrement différent de l'EBE comptable et s'applique aux entreprises considérées par le fisc comme correctement capitalisées (les règles sont plus strictes dans le cas contraire). Ce dispositif remplace le « rabot fiscal », en vigueur jusque-là et pour lequel seules 75 % des charges financières nettes étaient déductibles.

d'endettement. Si l'entreprise n'est pas endettée, elle devra payer 250 € d'impôt. Si elle est modérément endettée et doit 300 € d'intérêts par an, la réduction d'impôts est égale à 75 € : la richesse des actionnaires et créanciers est augmentée du montant des économies d'impôt réalisées par l'entreprise. Considérons maintenant le cas où l'entreprise est très endettée avec des intérêts qui s'élèvent à 500 € par an. Dans ce cas, la déductibilité des intérêts est plafonnée à 30 % de l'excédent brut d'exploitation : les économies d'impôt réalisées sont donc les mêmes que dans le cas précédent : il ne sert à rien d'augmenter la dette au-delà de 300 €.

Tableau 15.3	Économies d'impôt et niveaux d'endettement		
	Endettement nul	**Endettement modéré**	**Endettement excessif**
1 Excédent brut d'exploitation	1 000	1 000	1 000
2 – Charges d'intérêts	0	– 300	– 500
3 = Résultat courant avant impôt	1 000	700	500
4 – Impôt sur les sociétés (25 %)	– 250	175	175
5 **= Résultat net**	**750**	**525**	**325**
6 **Économies d'impôt**	**0**	**75**	**75**

À noter que même en l'absence d'un tel plafond réglementaire, les entreprises n'ont aucun intérêt à s'endetter au point que les charges d'intérêts excèdent leur résultat d'exploitation[16].

Il est possible de mesurer le coût fiscal d'un endettement excessif τ^*_{EX} en fixant $\tau_{IS} = 0$ dans l'équation (15.7)[17] :

Coût fiscal d'un endettement excessif

$$\tau^*_{EX} = 1 - \frac{(1 - \tau_{CP})}{(1 - \tau_D)} = \frac{(\tau_{CP} - \tau_D)}{(1 - \tau_D)} \qquad (15.9)$$

En France, comme les dividendes et les intérêts sont imposés aux mêmes taux pour les investisseurs ($\tau_D = \tau_{CP}$), $\tau^*_{EX} = 0$. Mais dans de nombreux pays, en particulier aux États-Unis, $\tau_D \geq \tau_{CP}$ et donc τ^*_{EX} est négatif.

---

16. Ce raisonnement néglige le report en avant des déficits : en France, une entreprise affichant un déficit à l'année N peut l'imputer comme charge sur l'exercice suivant, réduisant ainsi son résultat courant et donc l'impôt de l'exercice $N + 1$, dans la limite de 1 million d'euros plus 50 % du résultat courant de l'année $N + 1$. Si en $N + 1$ le résultat courant n'est pas suffisant pour que la déduction puisse être intégralement effectuée, la déduction sera reportée en $N + 2$, etc., et cela sans limite dans le temps. Les entreprises peuvent également choisir de procéder à un report en arrière de leur déficit, mais cette faculté est limitée à l'exercice précédent et à un montant de 1 million d'euros. Ces deux mécanismes permettent à une entreprise de tirer profit de charges d'intérêts supérieures au plafond, lorsque c'est temporaire.

17. On fait l'hypothèse qu'il n'y a aucune possibilité de reports des déficits.

L'endettement optimal, qui maximise les économies d'impôt, correspond au niveau pour lequel les charges d'intérêts sont égales au plafond relatif au résultat d'exploitation (voir figure 15.6)[18].

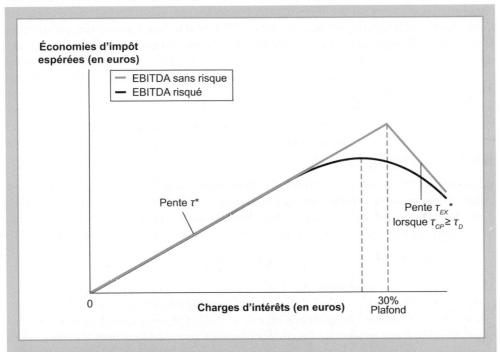

Figure 15.6 – Économies d'impôt et niveau d'endettement

Lorsque le résultat d'exploitation futur est connu avec certitude, les économies d'impôt sont maximales quand les charges d'intérêts sont égales à 30 % de l'excédent brut d'exploitation fiscal (on suppose ici un excédent brut d'exploitation de 3 000 €). Dépasser ce niveau d'endettement ne procure aucun gain supplémentaire en France mais ne détruit pas non plus de valeur (car les revenus de la dette sont imposés comme ceux des actions : $\tau^*_{EX} = 0$). Aux États-Unis en revanche, $\tau^*_{EX} < 0$: un endettement excessif réduit la valeur des économies d'impôt permises par la dette. Lorsque le résultat d'exploitation est incertain, et sachant qu'il est coûteux pour une entreprise d'être trop endettée, les entreprises sont incitées à ne pas atteindre le niveau d'endettement théorique maximal, afin de réduire le risque que les charges d'intérêts dépassent le plafond.

En pratique, il est peu probable qu'une entreprise parvienne à prédire parfaitement son résultat d'exploitation futur. Du fait de cette incertitude, plus les intérêts de la dette sont élevés, plus la probabilité qu'ils dépassent le plafond est grande. Les économies d'impôt réalisées grâce à la dette sont alors aléatoires, ce qui réduit leur valeur espérée. En conséquence, le niveau optimal d'endettement est réduit, en proportion du risque entourant le résultat d'exploitation (voir figure 15.6). En résumé, lorsque les intérêts à payer sont proches du plafond, l'avantage fiscal marginal dont bénéficie la dette décroît, ce qui limite le niveau d'endettement optimal de l'entreprise.

---

18. Un autre problème existe lorsqu'une entreprise est trop endettée : les intérêts peuvent devenir trop lourds pour elle, la conduisant à faire défaut sur sa dette. Ce risque de faillite (et son coût potentiel) est analysé au chapitre 16.

Croissance et dette

La possibilité de réaliser des économies d'impôt n'existe évidemment que si les entreprises doivent effectivement payer des impôts : si le résultat courant avant impôt est nul ou négatif, il n'y a aucun avantage fiscal à l'endettement. C'est le cas par exemple des *start-up*, qui ont fréquemment des résultats avant impôt nuls, voire négatifs, puisqu'elles sont en phase de décollage et que leurs flux de trésorerie sont faibles. La valeur de ces entreprises est simplement fondée sur l'anticipation de flux de trésorerie *futurs* élevés. Ces entreprises n'ont donc aucune raison de s'endetter, puisqu'elles ne disposent pas de revenus imposables et ne bénéficient donc pas d'économies d'impôt permises par la déductibilité des intérêts. Il est par conséquent rationnel de leur part de se financer exclusivement par capitaux propres. Une fois la phase de maturité atteinte, ces entreprises auront des résultats d'exploitation justifiant le recours à la dette, qui leur permettra alors de profiter d'économies d'impôt.

Même si l'entreprise affiche un résultat d'exploitation positif, la croissance de l'entreprise influence son niveau d'endettement optimal, si l'objectif est de maximiser les économies d'impôt. Comme on l'a vu, les entreprises doivent veiller à ce que les charges d'intérêts ne dépassent pas un plafond dépendant de leur excédent brut d'exploitation espéré :

$$\text{Intérêts} = r_D \times V_D \leq k \times \text{EBE} \quad \text{ou} \quad V_D \leq k \times \text{EBE} / r_D$$

Ainsi, à chaque augmentation prévisible de leur excédent brut d'exploitation, les entreprises peuvent ajuster leur dette pour faire augmenter leurs charges d'intérêts, sans toutefois s'endetter de manière excessive. Cela signifie que le niveau d'endettement optimal d'une entreprise est proportionnel à son excédent brut d'exploitation. Cependant, la valeur des capitaux propres de l'entreprise est fonction du taux de croissance de ses bénéfices : plus ce taux est élevé et plus la valeur des capitaux propres est grande. Le taux d'endettement optimal $V_D / (V_D + V_{CP})$ est donc d'autant plus faible que le taux de croissance de l'entreprise est élevé[19].

Les autres possibilités pour réduire l'impôt sur les sociétés

La dette et les charges d'intérêts afférentes ne sont pas le seul moyen pour une entreprise de réduire sa charge fiscale. Le droit fiscal prévoit en effet de multiples dispositions permettant à une entreprise d'alléger ses impôts : provisions et amortissements, crédits d'impôt pour certains investissements ou pour des activités de R&D, possibilité de procéder à des reports en avant ou en arrière des déficits, etc. Lorsqu'une entreprise peut profiter de ces possibilités, elle est capable de réduire son revenu imposable sans s'endetter : plus ces dispositifs sont nombreux, moins les entreprises ont tendance à utiliser la dette pour réduire leurs impôts[20].

---

19. Ce lien entre potentiel de croissance de l'entreprise et taux d'endettement est analysé par J. Berens et C. Cuny (1995), « The Capital Structure Puzzle Revisited », *Review of Financial Studies*, 8(4), 1185-1208.

20. H. DeAngelo et R. Masulis (1980), « Optimal Capital Structure Under Corporate and Personal Taxation », *Journal of Financial Economics*, 8 (3), 3-27. Pour calculer le taux d'imposition de l'entreprise en intégrant ces éléments, voir J. Graham (1996), « Proxies for the Corporate Marginal Tax Rate », *Journal of Financial Economics*, 42 (4), 187-221.

L'énigme de la faiblesse du taux d'endettement

Les entreprises choisissent-elles une structure financière leur permettant de profiter de manière optimale de la déductibilité des intérêts ? Pour répondre à cette question, il faut comparer les charges d'intérêts au revenu imposable de l'entreprise. Les intérêts payés par les entreprises françaises représentent aujourd'hui une part plus faible de leur résultat d'exploitation qu'au milieu des années 1980. Cette évolution a suivi la réduction de l'avantage fiscal dont bénéficiait la dette au cours des dernières décennies. Si l'on regarde plus précisément l'évolution de la situation (voir figure 15.7), on s'aperçoit que les charges d'intérêts payées par les entreprises françaises diminuent en pourcentage de leurs résultats d'exploitation depuis 25 ans : aujourd'hui, les charges d'intérêts représentent à peine 20 % du résultat d'exploitation des grandes entreprises. Les entreprises américaines utilisent un peu plus la déductibilité des intérêts, puisque les charges d'intérêts représentent en moyenne sur longue période un tiers de leur résultat d'exploitation, mais cela ne modifie pas le constat général : les entreprises utilisent beaucoup moins la dette que ce que la déductibilité des intérêts ne le laisse présager[21].

Plusieurs études empiriques confirment ce constat, et le tableau 15.4 l'illustre : les taux d'endettement sont faibles, en particulier en Grande-Bretagne ; à l'exception des entreprises italiennes et canadiennes, l'utilisation de la déductibilité des intérêts permet en moyenne de réduire de moins de 50 % le revenu imposable des entreprises[22].

Tableau 15.4	Taux d'endettement et taux d'imposition en 1990 (en %)				
	$V_D/(V_D+V_{CP})$	$V_D/(V_D+V_{CP})$ hors trésorerie	Charges d'intérêts/Résultat d'exploitation	τ_{IS}	τ^*
États-Unis	28	23	41	34,0	34,0
Japon	29	17	41	37,5	31,5
Allemagne	23	15	31	50,0	3,3
France	41	28	38	37,0	7,8
Italie	46	36	55	36,0	18,6
Grande-Bretagne	19	11	21	35,0	24,2
Canada	35	32	65	38,0	28,9

Source : R. Rajan et L. Zingales (1995), « What Do We Know About Capital Structure? Some Evidence from International Data », *Journal of Finance*, 50(5). Les chiffres sont ceux d'une entreprise médiane imposée au taux marginal le plus élevé.

Pourquoi les entreprises sont-elles aussi peu endettées ? Une explication possible est qu'elles préfèrent payer des impôts plutôt que de créer de la valeur pour leurs actionnaires. Ce n'est pas très plausible, d'autant que l'on étudie ici le comportement moyen des entreprises : s'il est tout à fait possible que certaines d'entre elles choisissent

---

21. J. Graham (2000), « How Big Are the Tax Benefits of Debt? », *Journal of Finance*, 55(5), 1901-1941. L'auteur démontre que les entreprises tirent profit de moins de 50 % des économies d'impôt dont elles bénéficieraient avec un taux d'endettement optimal.

22. On retrouve dans tous les pays cités les mêmes dispositions fiscales concernant la déductibilité des intérêts. Par contre, l'imposition au niveau des investisseurs varie d'un pays à l'autre, ce qui explique que les écarts soient plus forts pour τ^* que pour τ_{IS}. Avec des données plus récentes, une étude parvient à la même conclusion : J. Fan, S. Titman et G. Twite (2012), « An International Comparison of Capital Structure and Debt Maturity Choices », *Journal of Financial and Quantitative Analysis*, 47(1), 23-56.

délibérément une structure financière sous-optimale, il est peu probable que la majorité des entreprises fasse un tel choix. Une autre explication envisageable est qu'un déterminant important de la structure financière des entreprises n'a pas été pris en compte dans l'analyse. Si autant d'entre elles choisissent un endettement faible, c'est que le recours à la dette induit d'autres coûts que ceux qui ont été analysés pour l'instant, ce qui conduit les entreprises à ne pas utiliser pleinement l'avantage procuré par la déductibilité des intérêts.

Ce coût supplémentaire absent de l'analyse est assez évident : l'augmentation du taux d'endettement augmente la probabilité de faillite ; autrement dit, au-delà des considérations fiscales, une différence fondamentale existe entre le financement par dette et le financement par actions : les intérêts et les remboursements d'emprunt doivent absolument être honorés par l'entreprise, faute de quoi cette dernière sera déclarée en faillite, alors les entreprises peuvent décider de ne verser aucun dividende à leurs actionnaires. Dès lors, si le risque de faillite impose des coûts à l'entreprise, ceux-ci peuvent compenser, au moins partiellement, les économies d'impôt réalisées grâce à la dette. L'intégration du risque de faillite à l'analyse est l'objet du chapitre 16.

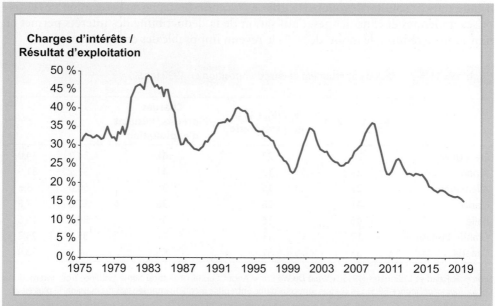

Figure 15.7 – Charges d'intérêts en pourcentage du résultat d'exploitation des entreprises françaises

Les entreprises françaises ont en moyenne réduit l'utilisation qu'elles font de la déductibilité des intérêts depuis le milieu des années 1980. Le recours à l'endettement permet aux entreprises françaises de réduire leur revenu imposable d'environ 15 %.

Sources : INSEE.

Résumé

15.1. La déductibilité des intérêts d'emprunt

■ Les charges d'intérêts sont déductibles de l'assiette de l'impôt sur les sociétés. Le recours à la dette permet donc d'augmenter les revenus disponibles pour l'ensemble des investisseurs (créanciers et actionnaires).

■ Les économies d'impôt liées à la déductibilité des charges d'intérêts sont égales au produit du taux d'imposition de l'entreprise et des charges d'intérêts.

15.2. Valeur des économies d'impôt permises par la dette

■ Lorsqu'on tient compte de la fiscalité, la valeur totale d'une entreprise endettée est égale à la valeur totale d'une entreprise non endettée augmentée de la valeur actuelle des économies d'impôt :

$$V^D = V^U + VA\left(EcoIS\right) \tag{15.2}$$

■ Lorsque le taux marginal d'imposition de l'entreprise est constant et que les investisseurs ne paient pas d'impôts, la valeur actuelle des économies d'impôt liées à la déductibilité des intérêts d'une dette stable en niveau est égale au taux d'imposition τ_{IS} multiplié par la valeur de marché de la dette V_D.

■ Le coût moyen pondéré du capital en présence d'impôts est :

$$r_{CMPC} = \frac{V_{CP}}{V_{CP}+V_D}r_{CP} + \frac{V_D}{V_{CP}+V_D}r_D\left(1-\tau_{IS}\right) \tag{15.5}$$

$$r_{CMPC} = \underbrace{\frac{V_{CP}}{V_{CP}+V_D}r_{CP} + \frac{V_D}{V_{CP}+V_D}r_D}_{\text{CMPC avant impôt}} - \underbrace{\frac{V_D}{V_{CP}+V_D}r_D\tau_{IS}}_{\substack{\text{Réduction du CMPC lié} \\ \text{aux économies d'impôts}}} \tag{15.6}$$

■ Toutes choses égales par ailleurs, le CMPC diminue lorsque l'endettement de l'entreprise augmente.

15.3. Endettement et optimisation fiscale

■ Lorsque les titres sont émis à leur juste valeur, les actionnaires bénéficient de l'intégralité des économies d'impôt permises par une augmentation de l'endettement.

15.4. La fiscalité des investisseurs

■ Le fait que les investisseurs paient des impôts sur leurs revenus peut compenser, au moins partiellement, l'avantage fiscal dont bénéficie la dette. En effet, chaque euro après impôt touché par un créancier (sous forme d'intérêts) a coûté $(1 - \tau^\star)$ € après impôt aux actionnaires. L'économie d'impôt effective permise par l'endettement, lorsqu'on considère à la fois les impôts sur les sociétés et sur les investisseurs, est :

$$\tau^* = 1 - \frac{\left(1 - \tau_{IS}\right)\left(1 - \tau_{CP}\right)}{\left(1 - \tau_D\right)} \tag{15.7}$$

15.5. Structure financière optimale en présence d'impôts

- Le niveau d'endettement optimal, du point de vue fiscal, est atteint lorsque les charges d'intérêts sont égales au plafond de déduction. En France et aux États-Unis, celui-ci est égal à 30 % de l'excédent brut d'exploitation. L'entreprise bénéficie alors pleinement de la déductibilité des intérêts.

- Le taux optimal d'endettement est d'autant plus faible que le taux de croissance de l'entreprise est élevé.

- Les charges d'intérêts moyennes des entreprises sont nettement plus faibles que leur résultat imposable moyen. Les entreprises n'exploitent donc pas pleinement la déductibilité des intérêts pour alléger leurs impôts.

Exercices

L'astérisque désigne les exercices les plus difficiles.

1. Pelam Pharma a un résultat d'exploitation de 325 millions d'euros. L'entreprise doit payer 125 millions d'euros d'intérêts et est assujettie à l'IS, au taux de 25 %. Quel est son résultat net ? À combien s'élève le total du résultat net et des charges d'intérêts ? Quel aurait été le résultat net en l'absence de charges d'intérêts ? De combien les impôts de l'entreprise sont-ils réduits grâce à la déductibilité des intérêts ?

2. Grom prévoit pour l'an prochain un résultat net de 20,75 millions d'euros et des flux de trésorerie disponibles de 22,15 millions. Son taux d'imposition est de 25 %. Si Grom augmente son endettement de façon à accroître ses charges d'intérêts de 1 million d'euros, quel sera son nouveau résultat net ? Quels seront alors ses flux de trésorerie disponibles ?

3. L'entreprise Dupond est imposée au taux de 25 %. Le résultat d'exploitation de l'entreprise (sans risque) est de 1 000 €. L'entreprise investit tous les ans un montant égal à ses dotations aux amortissements. Son BFR est constant. Le taux d'intérêt sans risque est de 5 %.

   a. Quelle est la valeur de l'entreprise si elle n'a aucune dette et qu'elle distribue tout son résultat net en dividendes ?

   b. Quelle est la valeur des capitaux propres de l'entreprise si elle paie 500 € de charges d'intérêts annuelles ? Quelle est la valeur de sa dette ?

   c. Quelle est la différence de valeur selon que l'entreprise est endettée ou non ?

   d. Quel pourcentage de la valeur de la dette cette différence représente-t-elle ?

4. Brasseton est endettée à hauteur de 35 millions d'euros au taux de 8 %. L'entreprise veut réduire sa dette de 7 millions d'euros par an pendant les cinq prochaines années. Le taux d'imposition est de 25 %. Quelle est l'économie d'impôt annuelle réalisée par l'entreprise au cours des cinq prochaines années ?

5. Arcelargent a une dette de 100 millions d'euros. Le taux d'intérêt est de 10 %. L'entreprise doit rembourser 25 millions d'euros par an au titre du principal. Son taux d'imposition est de 25 %. Les économies d'impôt ont le même risque que les flux relatifs à la dette. Quelle est la valeur actuelle des économies d'impôt ?

6. Arnell a une dette permanente de 10 millions d'euros. Son taux d'imposition est de 25 %.

   a. Si le taux d'intérêt est de 6 %, quelle est l'économie d'impôt annuelle permise par la déductibilité des intérêts ?

   b. Si le risque de ces économies d'impôt est identique à celui de l'emprunt, quelle est la valeur actuelle des économies d'impôt ?

   c. Si le taux d'intérêt n'est que de 5 %, quelle est la variation de la valeur actuelle des économies d'impôt ?

7. (Suite de l'exercice précédent.) Arnell a émis une dette perpétuelle de 10 millions d'euros il y a 10 ans, au taux de 6 %. Le taux d'imposition n'a pas varié, mais les taux d'intérêt sont aujourd'hui plus faibles, et le coût de la dette est actuellement de 4 % pour Arnell.

   a. Quelle est l'économie d'impôt annuelle réalisée par Arnell ?

   b. Quelle est la valeur actuelle de ces économies d'impôt ?

8. Les Ferries Corses ont une dette de 30 millions d'euros. Le taux d'intérêt est de 6,5 %. L'entreprise rembourse chaque année 5 % du capital restant dû. Le taux d'imposition est de 25 %. Les économies d'impôt ont le même risque que les flux relatifs à la dette. Quelle est la valeur actuelle des économies d'impôt ?

9. Saféco n'a aucune dette et détient en permanence 10 millions d'euros de trésorerie. Le taux d'imposition sur les sociétés est de 25 %. Quel est le coût supporté par Saféco du fait de la détention de ces 10 millions d'euros de trésorerie ?

10. Rogot a une dette de 1 million d'euros. Sa capitalisation boursière est de 2 millions d'euros. Le taux d'impôt est de 25 %. La rentabilité exigée par les actionnaires est de 12 % et le taux d'intérêt sur la dette est de 7 %. Quels sont les CMPC avant et après impôt de Rogot ?

11. Rumolt a émis 30 millions d'actions valant chacune 15 €. Par ailleurs, elle a émis des obligations pour 150 millions d'euros. Le coût des capitaux propres est de 10 % et le coût de la dette est de 5 %. Le taux d'imposition est de 25 %. Quels sont les coûts moyens pondérés du capital avant et après impôt ?

12. Sommet a un levier de 65 % ; elle est imposée au taux de 25 %. Le taux d'intérêt sur sa dette est de 7 %. Quelle est la réduction de son CMPC permise par la déductibilité des intérêts ?

13. Natnah est une entreprise qui n'a aucune dette ; ses actionnaires exigent une rentabilité de 15 %. Natnah décide d'augmenter sa dette pour atteindre un taux d'endettement de 50 % (en valeur de marché). Le taux d'intérêt est de 9 % et le taux d'imposition est de 25 %. Si le CMPC avant impôt de Natnah demeure constant, quel sera son CMPC après impôt suite à la modification de la structure financière ?

14. Restex souhaite maintenir son levier à 85 %. Le coût de ses capitaux propres est de 12 % ; le coût de sa dette est de 7 %. Son taux d'imposition est de 25 % et sa capitalisation boursière de 220 millions d'euros. Les flux de trésorerie disponibles espérés sont de 10 millions d'euros l'an prochain. Quel est le taux de croissance constant cohérent avec la valeur de marché actuelle de l'entreprise ? Quelle est la valeur actuelle des économies d'impôt réalisées grâce à la déductibilité des intérêts ?

15. Acme a une capitalisation boursière de 100 millions d'euros et une dette de 40 millions. Acme souhaite conserver le même levier à l'avenir. Le taux d'intérêt est de 7,5 %. Le taux d'imposition est de 25 %.

   a. Si les flux de trésorerie disponibles anticipés par Acme pour l'an prochain sont de 7 millions d'euros et que leur croissance anticipée soit de 3 % par an à l'infini, quel est le CMPC de l'entreprise ?

   b. Quelle est la valeur des économies d'impôt réalisées par Acme ?

16. Milton prévoit des flux de trésorerie disponibles annuels de 6 millions d'euros. Son taux d'imposition est de 25 % ; son coût du capital à endettement nul est de 15 %. Milton est endettée à hauteur de 20 millions d'euros et veut maintenir son endettement constant. Quelle est la valeur de Milton en l'absence d'endettement ? Même question en présence d'endettement.

17. Supposons qu'il y ait 8,75 milliards d'actions Microsoft en circulation. Le taux d'imposition aux États-Unis est de 21 %. Si Microsoft annonce le versement de 50 milliards de dollars à ses actionnaires sous forme de dividende exceptionnel, en supposant que les actionnaires aient auparavant été persuadés que l'entreprise conserverait de manière permanente ces fonds sous forme de disponibilités, de combien évoluera le cours d'une action Microsoft au moment de l'annonce ?

18. Kurz est actuellement financée par capitaux propres (20 millions d'actions à un prix unitaire de 7,5 €). Kurz envisage d'emprunter de manière permanente 50 millions d'euros pour racheter une partie de ses actions (les actionnaires ne sont pas encore au courant du projet). Le taux de l'impôt sur les sociétés est de 25 %.

   a. Quelle est la valeur de l'entreprise avant annonce de l'opération ?

   b. Quelle est la valeur de marché des actifs de l'entreprise (y compris les économies d'impôt potentielles) après l'émission des titres de dette et avant le rachat d'actions ?

   c. Combien vaut une action avant le rachat d'actions ? Combien d'actions pourront-être rachetées ?

   d. Quel est le bilan de l'entreprise après l'opération (en valeur de marché) ? Combien vaudra une action ?

19. Rally est financée exclusivement par capitaux propres. La valeur de marché de ses actifs est de 25 milliards d'euros, avec 10 milliards d'actions. Les dirigeants veulent emprunter 10 milliards d'euros pour effectuer un rachat d'actions. Le taux d'imposition est de 25 %.

   a. Quel serait le prix unitaire de l'action sans endettement ?

   b. Supposons que l'entreprise offre 2,60 € par action lors du rachat. Les actionnaires doivent-ils vendre leurs actions à ce prix ?

   c. Si l'entreprise paie 3 € par action (et qu'un nombre suffisant d'actionnaires accepte de vendre), quel sera le prix d'une action après l'opération de rachat ?

   d. Quel est le prix le plus faible que l'entreprise peut proposer à ses actionnaires tout en s'assurant du succès de l'opération ? Quel sera, dans ce cas, le prix d'une action après le rachat ?

20. Le taux de l'impôt sur les sociétés est de 25 %, les investisseurs paient 20 % d'impôts sur les dividendes et les plus-values en capital et 30 % d'impôt sur les intérêts. Une entreprise décide d'augmenter sa dette pour verser chaque année 15 millions d'euros d'intérêts supplémentaires, ce qui réduira les dividendes.

   a. Combien reste-t-il aux créanciers après impôt ?

   b. De combien l'entreprise doit-elle réduire ses dividendes pour être capable de payer 15 millions d'euros d'intérêts supplémentaires ? Quelle est la réduction du revenu après impôt des actionnaires ?

   c. Quelle est la réduction des recettes fiscales pour l'État ?

   d. Quel est l'avantage fiscal dont bénéficie la dette $\tau^\star$?

21. Facebook n'avait en 2014 aucune dette et a payé 2 milliards de dollars d'impôt sur les sociétés (le taux d'imposition aux États-Unis était alors de 35 %). Supposons que Facebook s'endette suffisamment pour réduire ses impôts de 250 millions de dollars par an, à l'infini. Le taux d'intérêt est supposé égal à 5 %.

   a. Quel est le montant de la dette à émettre ?

   b. Si les actionnaires et créanciers de Facebook ne paient pas d'impôts sur les dividendes et les intérêts, quelle sera la valeur créée pour les actionnaires (autrement dit, la valeur des économies d'impôt) par cette modification de structure financière ?

   c. Que cela change-t-il si le taux d'imposition est de 20 % sur les dividendes et de 40 % sur les intérêts ?

22. Markum désire augmenter de manière permanente sa dette de 100 millions d'euros. Son taux d'imposition est de 25 %.

   a. En l'absence d'impôts sur les revenus des investisseurs, quelle est la valeur de la déductibilité des intérêts liée à la variation de l'endettement ?

   b. Les investisseurs sont assujettis à un taux d'imposition de 35 % sur les intérêts et à un taux d'imposition de 20 % sur les dividendes et les plus-values en capital. Quelle est la valeur des économies d'impôt liées à la variation de la dette ?

*23. Garnemet souhaite lever des capitaux. L'entreprise hésite entre l'émission d'obligations et d'actions. En tout état de cause, les titres seront sans risque. Le taux d'imposition sur les intérêts est de 35 %. Les taux d'imposition sur les dividendes et les plus-values sont de 15 %. Le taux d'imposition sur les sociétés est de 25 %.

   a. Si le taux d'intérêt sans risque est de 6 %, quel est le coût des capitaux propres ?

   b. Quel est le coût de la dette (après impôt) ? Que doit choisir l'entreprise ?

   c. Montrez que le coût de la dette après impôt est égal au coût des capitaux propres multiplié par $(1 - \tau^\star)$.

*24. Le taux d'imposition sur les intérêts est de 35 %. Les taux d'imposition sur les dividendes et les plus-values sont de 10 %. Quel est le taux minimal de l'impôt sur les sociétés pour qu'il existe un avantage fiscal dont bénéficie la dette ?

25. Avec sa dette actuelle, Impi devrait afficher l'an prochain un résultat net de 4,5 millions d'euros. Le taux d'imposition est de 25 % et le coût de la dette est de 8 %. Quelle est la variation de l'endettement nécessaire pour optimiser les économies d'impôt permises par la déductibilité des intérêts ? On néglige l'effet du mécanisme de plafonnement de la déductibilité des intérêts.

*26. Colt devrait afficher l'an prochain un résultat d'exploitation de 15 millions d'euros. L'entreprise investira 6 millions d'euros et ses dotations aux amortissements seront de 3 millions d'euros. L'entreprise est financée exclusivement par capitaux propres, son taux d'imposition est de 25 % et son coût du capital est de 10 %.

   a. Si le taux de croissance anticipé des flux de trésorerie de l'entreprise est de 8,5 % par an à l'infini, quelle est la valeur de marché actuelle de l'entreprise ?

b. Si le taux d'intérêt est de 8 %, quel montant l'entreprise peut-elle emprunter aujourd'hui tout en évitant d'afficher un résultat net négatif l'an prochain ?

c. Existe-t-il une incitation fiscale à ce que l'entreprise décide d'avoir un taux d'endettement supérieur à 50 % ? Pourquoi ?

*27. PMF aura l'an prochain un résultat d'exploitation de 10, 15 ou 20 millions d'euros (avec des probabilités égales). Son taux d'imposition est de 25 %. Les taux d'imposition sur les revenus du capital et les intérêts sont de 30 %. On néglige la possibilité de reports en avant ou en arrière des déficits et l'effet du mécanisme de plafonnement de la déductibilité des intérêts. Quel est l'avantage fiscal dont bénéficie la dette si, l'an prochain, les charges d'intérêts payées par PMF sont de 8 millions d'euros ? Et si elles dépassent 20 millions d'euros ? Et si elles sont comprises entre 10 et 15 millions d'euros ? Quel est le niveau optimal de charges d'intérêts, s'il existe, du point de vue fiscal ?

Étude de cas – La structure financière de Renault (2)

Comme au chapitre 14, vous travaillez à la direction financière de Renault. Votre supérieur vous invite à reprendre votre travail en tenant compte de la fiscalité. Puisque les intérêts sont déductibles de l'impôt sur les sociétés, le directeur financier a décidé d'augmenter l'endettement de Renault pour racheter des actions de l'entreprise, car il pense qu'il en résultera une augmentation du cours des actions. Il vous demande d'examiner deux scénarios différents. Le premier consiste en une augmentation de l'endettement faible (1 milliard d'euros), le second en une augmentation plus substantielle (5 milliards). Dans les deux cas, la dette nouvelle est intégralement utilisée pour racheter des actions Renault.

1. Déterminez, grâce aux états financiers de Renault (chapitre 14), le taux moyen d'imposition de l'entreprise.

2. Analysez tout d'abord l'influence de 1 milliard supplémentaire de dette (permanente). Quelle est la valeur actuelle des économies d'impôt liées à la déductibilité des intérêts ? Quelles sont les hypothèses nécessaires pour effectuer ce calcul ?

3. Utilisez la valeur de marché des capitaux propres de Renault (calculée au chapitre 14) pour déterminer la valeur de marché des capitaux propres après l'annonce du rachat d'actions. Quel sera le nombre d'actions rachetées ? À quel prix ? Quel sera le prix d'une action Renault après le rachat d'actions ?

4. Quel sera le levier (en valeur comptable) après l'augmentation de l'endettement et le rachat des actions ? Même question en valeur de marché.

5. Répétez les étapes 2 à 4 pour le second scénario (augmentation de la dette de 5 milliards d'euros).

6. En se fondant sur l'évolution anticipée du prix d'une action Renault, faut-il procéder à l'opération ? Pourquoi ? Quelles sont les objections que le P-DG pourrait adresser à votre supérieur hiérarchique pour refuser cette stratégie ?

Chapitre 16
Faillite, incitations et information

Modigliani et Miller ont montré que, sous l'hypothèse de marchés « parfaits », la structure financière d'une entreprise n'a pas d'effet sur sa valeur. Mais lorsqu'on tient compte de la possibilité de déduire les charges d'intérêts de l'assiette de l'impôt sur les sociétés, il est avantageux de s'endetter pour les entreprises. Pourtant, elles s'endettent trop peu pour bénéficier de toutes les économies d'impôt auxquelles elles pourraient prétendre. Pourquoi les entreprises adoptent-elles ce comportement apparemment sous-optimal ?

Le cas d'Air Lib, compagnie aérienne française, permet de comprendre les risques inhérents à un endettement excessif. Reprise en 2001 après un premier dépôt de bilan, Air Lib affronte une concurrence de plus en plus forte des compagnies *low cost* alors que tout le secteur souffre d'une baisse de la demande suite aux événements du 11 septembre 2001. Les pertes étant très importantes (130 millions d'euros en 2001, 65 en 2002 pour un chiffre d'affaires d'environ 700 millions d'euros), l'entreprise s'endette de plus en plus. En 2003, face à des charges d'intérêts croissantes, l'entreprise se trouve contrainte de déposer le bilan. Compte tenu du montant de sa dette, l'entreprise est liquidée immédiatement. La faillite d'Air Lib montre que les entreprises dont les flux de trésorerie sont sensibles au cycle économique courent un risque de faillite[1] élevé lorsqu'elles ont massivement recours à l'endettement. Cela peut compenser, au moins partiellement, le gain tiré de la déductibilité des intérêts et inciter les entreprises à limiter leur endettement.

Ce chapitre détaille les mécanismes par lesquels l'endettement excessif d'une entreprise risque de l'amener à rencontrer des difficultés financières, qui peuvent lui imposer des coûts significatifs dès que l'on sort du cadre simplificateur des marchés parfaits (sections 16.1 à 16.4). Cela peut également modifier défavorablement les incitations des parties prenantes, en particulier celles des dirigeants, ou la façon dont les décisions financières de l'entreprise sont interprétées par les investisseurs. Lorsqu'ils existent, ces coûts subis par les entreprises endettées peuvent réduire, voire annuler, les bénéfices liés à la déductibilité des intérêts. Pour choisir leur structure financière, les entreprises doivent donc peser coûts et bénéfices associés à la dette, ce qui explique qu'elles

---

1. Le terme de faillite est utilisé dans ce chapitre dans son acception économique, et non *juridique* . la faillite d'une entreprise qualifie donc ici l'ouverture d'une procédure collective (redressement et/ou liquidation judiciaires), et non pas la faillite personnelle, qui est une sanction prononcée contre un dirigeant d'entreprise pour lui interdire de diriger, gérer, administrer ou contrôler, directement ou indirectement, n'importe quelle entreprise. Cette sanction est prononcée à l'encontre de chefs d'entreprise coupables de faits répréhensibles (non-tenue de comptabilité, fraude, etc.). Il convient par ailleurs de ne pas confondre faillite et banqueroute (qui est à peu près, en droit français, la version pénale de la faillite personnelle). Attention donc au faux ami : *bankruptcy* se traduit par « faillite », et non par « banqueroute ».

choisissent en définitive un taux d'endettement plus faible que celui auquel on pourrait s'attendre simplement en regardant la déductibilité des intérêts (sections 16.5 à 16.8).

16.1. La faillite « en marchés parfaits »

En s'endettant, une entreprise s'engage à payer des intérêts et à rembourser le capital emprunté. En cas d'incapacité à honorer ses engagements, elle fait faillite. En ce sens, un financement par dette fait courir à l'entreprise plus de risques qu'un financement par capitaux propres, car le versement de dividendes ne constitue pas un engagement ferme de l'entreprise. Le recours à la dette est donc porteur d'un risque de difficultés financières. Ce risque est-il suffisant *pour limiter* à lui seul le recours à la dette ? Contrairement à l'intuition, pas nécessairement : tant que les marchés sont « parfaits », les résultats du modèle de Modigliani-Miller restent valables, *même si la dette est risquée et que la probabilité de faillite de l'entreprise n'est pas nulle*. Un exemple permet de comprendre cela.

Dette et risque de faillite

MorsoDotto, équipementier automobile, doit faire face à une pression croissante de la part de ses clients et à une concurrence internationale toujours plus agressive. Ces deux facteurs ont provoqué une forte baisse du chiffre d'affaires de l'entreprise l'an dernier. Pour rétablir la situation, le P-DG de MorsoDotto parie sur une nouvelle gamme de produits, dont la commercialisation devrait procurer un avantage concurrentiel significatif à l'entreprise. Le succès commercial sera-t-il au rendez-vous ? Dans l'affirmative, le chiffre d'affaires et le résultat net de l'entreprise augmenteront ; la valeur de l'entreprise sera de 150 millions d'euros dans un an. Sinon, la valeur de l'entreprise ne sera que de 80 millions d'euros. MorsoDotto doit choisir entre deux structures financières :

- un financement exclusivement par capitaux propres ;
- un financement mixte, avec une dette de 100 millions d'euros arrivant à échéance dans un an.

Compte tenu de l'aléa existant sur le succès commercial, quelles sont les conséquences de ce choix de structure financière ?

Scénario 1 : succès commercial. Si l'entreprise n'est financée que par capitaux propres, l'intégralité des bénéfices revient aux actionnaires.

Si l'entreprise est endettée, elle doit d'abord rembourser les 100 millions empruntés et les actionnaires ne reçoivent que le solde, soit 50 millions d'euros. Que se passe-t-il si MorsoDotto ne dispose pas, à la fin de l'année, de 100 millions d'euros de disponibilités ? En effet, l'entreprise peut très bien valoir 150 millions d'euros sans que les flux de trésorerie de l'entreprise ne soient aussi élevés : la valeur de l'entreprise peut provenir de l'anticipation de flux de trésorerie *futurs* plus élevés, et non de flux de trésorerie *immédiats*. Dans ce cas, l'entreprise ne pourra pas rembourser le principal de sa dette, malgré le succès commercial. Devra-t-elle déposer son bilan pour autant ?

Si les marchés sont supposés parfaits, certainement pas : tant que la valeur de marché des actifs d'une entreprise reste supérieure à ses dettes, elle est en mesure de faire face à ses obligations financières. Même si MorsoDotto n'a pas les disponibilités nécessaires, l'entreprise peut trouver des capitaux, grâce à une émission d'actions ou grâce à un nouvel emprunt. Si le capital de MorsoDotto est constitué de 10 millions d'actions, le prix d'une action est de 5 € car la valeur des capitaux propres de l'entreprise est de 50 millions d'euros. L'entreprise peut dans ces conditions obtenir 100 millions d'euros de capitaux propres supplémentaires grâce à l'émission de 20 millions d'actions nouvelles. Les capitaux levés à cette occasion seront utilisés pour rembourser la dette de l'entreprise. La valeur des capitaux propres après remboursement de la dette sera donc de 150 millions d'euros (la valeur de l'entreprise), et le prix d'une action restera inchangé (30 millions d'actions à 5 € et une valeur des capitaux propres de 150 millions d'euros).

Lorsqu'une entreprise peut émettre des titres financiers à leur juste prix, elle ne fait pas faillite aussi longtemps que la valeur de marché de son actif dépasse celle de ses dettes. Ainsi, si les marchés sont supposés parfaits le dépôt de bilan dépend uniquement des valeurs relatives de l'actif et de la dette ; il ne dépend pas des flux de trésorerie. Beaucoup d'entreprises ont, au cours de leur vie, traversé des périodes pendant lesquelles leurs flux de trésorerie étaient négatifs ; elles sont pourtant restées solvables et sont toujours en activité.

Scénario 2 : échec commercial. Si la nouvelle gamme est un échec, MorsoDotto ne vaudra que 80 millions d'euros. Un financement reposant exclusivement sur des capitaux propres n'engendre aucune conséquence dramatique pour l'entreprise.

Il n'en est pas de même si l'entreprise a une dette de 100 millions d'euros. Dans ce cas, elle est incapable d'honorer ses engagements et se voit contrainte de se déclarer en cessation de paiement. À l'issue de la procédure de liquidation judiciaire, les créanciers recevront la propriété de tous les actifs de l'entreprise, ce qui leur permettra de récupérer 80 millions d'euros (la valeur de ces actifs). Les créanciers enregistreront donc une perte de 20 millions d'euros, qu'ils ne peuvent récupérer sur les actifs personnels des actionnaires, car ceux-ci sont protégés par la clause de responsabilité limitée inhérente à leur statut. Les créanciers doivent donc supporter cette perte ; ils perdent cependant moins que les actionnaires, puisque ces derniers voient tous leurs droits sur les actifs de l'entreprise transférés aux créanciers.

Synthèse. Le tableau 16.1 résume les deux scénarios. En cas d'échec commercial, les créanciers aussi bien que les actionnaires y perdent.

Tableau 16.1	Valeur de la dette et des capitaux propres en fonction de la structure financière (en millions d'euros)			
	Sans endettement		**Avec endettement**	
	Succès commercial	**Échec commercial**	**Succès commercial**	**Échec commercial**
1 Valeur de marché de la dette	0	0	100	80
2 Valeur de marché des capitaux propres	150	80	50	0
3 **Valeur de marché totale de l'entreprise** (1 + 2)	**150**	**80**	**150**	**80**

Si l'entreprise n'est pas endettée, les actionnaires perdent 150 – 80 = 70 millions d'euros. Avec une entreprise endettée, ils ne perdent « que » 50 millions d'euros, mais les créanciers perdent 20 millions d'euros. On constate que, indépendamment de la structure financière de l'entreprise, le montant total des pertes des investisseurs est toujours de 70 millions d'euros. La seule différence entre les deux situations réside donc dans la répartition des pertes : si l'entreprise n'est pas endettée, les pertes sont intégralement supportées par les actionnaires qui voient le cours de leurs actions chuter ; si elle est endettée, l'entreprise dépose son bilan et les pertes se répartissent entre actionnaires et créanciers[2].

Ainsi, qu'il y ait faillite ou non, cela ne modifie pas le montant des pertes totales réalisées par les investisseurs. Cela signifie qu'elles ne sont pas provoquées par la faillite et qu'elles sont indépendantes de la structure financière de l'entreprise. Les pertes sont la conséquence des difficultés économiques (et non des difficultés financières), qui se traduisent par la diminution de la valeur des actifs de l'entreprise. En d'autres termes, une entreprise ne fait pas faillite parce qu'elle est trop endettée, mais parce que ses produits ne se vendent pas assez.

Structure financière et valeur de l'entreprise

Si les marchés sont supposés parfaits, la proposition 1 de Modigliani-Miller est donc vérifiée : la valeur de l'entreprise – et donc la valeur de tous les titres qu'elle a émis – ne dépend pas de sa structure financière. La situation des investisseurs, considérés globalement, n'est pas liée au taux d'endettement de l'entreprise. S'il est vrai que la faillite est la conséquence de l'endettement de l'entreprise, *cela ne signifie pas pour autant que la faillite soit destructrice de valeur* du point de vue des investisseurs. Autrement dit, l'existence d'un risque de faillite ne suffit pas à disqualifier la dette comme moyen de financement ; une entreprise a la même valeur totale et est en mesure de lever un montant identique de capitaux auprès des investisseurs, quelle que soit sa structure financière.

Exemple 16.1

Risque de faillite et valeur de marché de l'entreprise

Le taux d'intérêt sans risque est de 5 %. La probabilité de succès du nouveau produit de MorsoDotto est égale à sa probabilité d'échec. Les flux de trésorerie de l'entreprise ne sont pas corrélés à l'état de l'économie (le risque est diversifiable). Le projet a donc un bêta nul et un coût du capital égal au taux sans risque. Quelle est la valeur des titres de MorsoDotto au début de l'année, selon que l'entreprise est, ou non, endettée ? La proposition 1 de Modigliani-Miller est-elle vérifiée ?

...

---

2. Les actionnaires perdent tout droit sur l'actif de l'entreprise lorsqu'elle fait faillite. Mais la faillite ne leur impose pas pour autant des pertes supérieures à celles qu'ils subissent en l'absence de faillite : ainsi, avec une entreprise endettée faisant faillite, les actionnaires perdent 50 millions d'euros en cas d'échec commercial, alors qu'ils perdent 150 – 80 = 70 millions d'euros en cas d'échec commercial de l'entreprise non endettée.

Solution

Sans dette, la valeur des actions sera dans un an de 150 millions d'euros en cas de succès et de 80 millions d'euros sinon. Le risque étant diversifiable, le taux de rentabilité exigé par les actionnaires ne comprend pas de prime de risque. Il est donc possible d'actualiser la valeur espérée de l'entreprise au taux d'intérêt sans risque. La valeur de marché de l'entreprise non endettée est donc :

$$V^U = \frac{0,5 \times 150 + 0,5 \times 80}{1,05} = 109,52 \text{ millions d'euros}$$

Si l'entreprise est endettée, les actionnaires possèdent des titres qui vaudront 50 millions d'euros en cas de succès et rien sinon. Les créanciers recevront, eux, 100 millions d'euros dans le meilleur des cas et 80 millions sinon. Les valeurs de marché des actions V_{CP} et de la dette V_D sont donc :

$$V_{CP} = \frac{0,5 \times 50 + 0,5 \times 0}{1,05} = 23,81 \text{ millions d'euros}$$

$$V_D = \frac{0,5 \times 100 + 0,5 \times 80}{1,05} = 85,71 \text{ millions d'euros}$$

La valeur de marché de l'entreprise endettée est égale à $V^D = V_{CP} + V_D = 23{,}81 + 85{,}71 = 109{,}52$ millions d'euros. La valeur totale des titres émis par l'entreprise n'est donc pas influencée par le taux d'endettement de l'entreprise : $V^U = V^D$. La proposition 1 de Modigliani-Miller est vérifiée.

Exemple 16.1

16.2. Le coût des difficultés financières

Si les marchés sont supposés parfaits, l'existence d'un risque de faillite ne constitue donc pas en soi un motif pour limiter la dette. La faillite consiste simplement en un transfert de propriété des actionnaires vers les créanciers : la valeur de marché de l'entreprise n'est pas modifiée, seule la répartition de celle-ci entre actionnaires et créanciers l'est.

Cette approche de la faillite omet évidemment toutes les complications liées à la faillite d'une entreprise ; les actionnaires ne peuvent pas simplement « quitter le navire » en laissant les clés de l'entreprise aux créanciers dès l'instant où cette dernière ne peut plus faire face à ses obligations financières. Il faut donc comprendre ce processus et les coûts qu'il implique.

Le processus de faillite

La problématique centrale du droit de la faillite réside dans la décision de cessation d'activité de l'entreprise : face à une entreprise incapable de régler ses dettes, est-il préférable de lui laisser du temps pour rétablir sa situation, ou d'exiger la cessation immédiate de ses activités ? La réponse juridique est complexe ; elle est le résultat d'un arbitrage entre plusieurs objectifs souvent contradictoires :

• Au niveau microéconomique, le droit de la faillite est conçu pour protéger les créanciers qui doivent être défendus en cas de non-respect par une entreprise de ses engagements financiers. L'objectif des créanciers est de contraindre l'entreprise à respecter ses engagements ou, en cas d'impossibilité manifeste, de récupérer directement sur les actifs de l'entreprise les sommes dues. Néanmoins, il est difficile d'être certain que tous les créanciers sont traités de manière équitable. Il est également compliqué de s'assurer que l'entreprise est effectivement dans l'impossibilité d'honorer ses engagements. Enfin, il se peut que les actifs de l'entreprise soient difficiles ou impossibles à revendre, compte tenu de leurs spécificités. En d'autres termes, une liquidation pure et simple de l'entreprise peut très bien aller à l'encontre des intérêts mêmes des créanciers, ceux-ci ayant parfois intérêt à ce que l'entreprise poursuive ses activités après une restructuration.

- Au niveau macroéconomique, les procédures de faillite doivent permettre la réallocation la plus rapide et la plus efficace possible des moyens de production (capital et travail) d'entreprises ou de secteurs en difficulté vers des entreprises ou des secteurs rentables et en croissance. En ce sens, le droit de la faillite doit contribuer à l'utilisation optimale des ressources et à la croissance économique. Un droit de la faillite inefficace car trop laxiste pourrait provoquer, amplifier ou allonger les crises économiques, empêchant cette réallocation des ressources vers les entreprises en croissance. Mais il faut également, ce qui est contradictoire, essayer de sauver des entreprises qui traversent des difficultés ponctuelles pour protéger l'emploi et l'activité, surtout en période de crise, lorsque le taux de chômage est déjà élevé.

En fonction des pays, le droit de la faillite met l'accent principalement sur la défense des droits des créanciers (Angleterre, Canada, Espagne…) ou sur la sauvegarde de l'emploi et de l'activité (France, États-Unis, Italie…). En France, le droit de la faillite prévoit plusieurs procédures pour permettre de sauver les entreprises dont le rétablissement est envisageable tout en arrêtant aussi rapidement que possible l'exploitation des entreprises dont la survie est improbable. Malgré cette orientation en faveur de la sauvegarde de l'emploi et de l'activité, les faillites ne sont pas rares en France : en 2019, environ 50 000 entreprises ont fait faillite (voir figure 16.1). Heureusement pour l'économie nationale, la même année, 500 000 entreprises ont été créées[3].

Lorsqu'une entreprise rencontre des difficultés pour honorer les engagements qu'elle a contractés auprès de créanciers, on dit qu'elle rencontre des difficultés financières. Ces dernières se transforment en **défaut de paiement** lorsque l'entreprise ne respecte pas une échéance de dette, volontairement ou non. Il y a alors rupture de contrat du fait de l'entreprise.

Les difficultés financières se transforment en détresse financière lorsque l'entreprise est en état de **cessation de paiement**. Cet état est plus grave qu'un simple défaut de paiement, puisqu'il qualifie un état dans lequel l'entreprise ne peut pas faire face à son passif exigible (dettes non réglées dont les créanciers peuvent exiger le paiement immédiat) grâce à ses actifs disponibles (liquidités, effets de commerce escomptables…). La loi impose alors au dirigeant de l'entreprise de déposer une déclaration de cessation de paiement auprès du tribunal de commerce (ce que l'on appelle en langage commun le dépôt de bilan, car le dirigeant dépose, outre la déclaration en question, les états financiers de l'entreprise).

---

3. Ce chiffre, très élevé, est dopé par la création d'entreprises individuelles, notamment dans le secteur du transport de voyageur : c'est l'effet « Uber ».

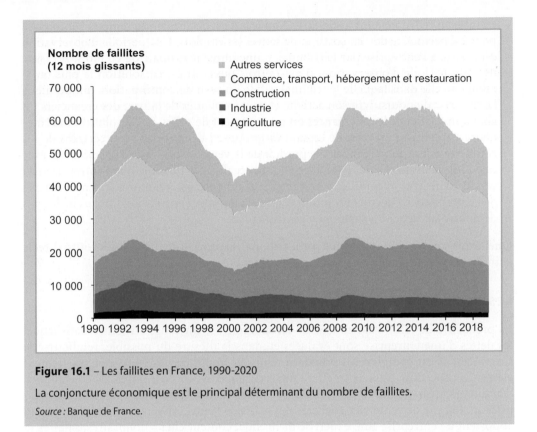

Figure 16.1 – Les faillites en France, 1990-2020

La conjoncture économique est le principal déterminant du nombre de faillites.

Source : Banque de France.

Lorsqu'une déclaration de cessation de paiement a été déposée au tribunal, une **procédure collective** s'ouvre et les créanciers se voient reconnaître certains droits sur les actifs de l'entreprise, afin de protéger leurs intérêts et maximiser leurs chances d'être remboursés. Le tribunal évalue, dans un délai en général très court (souvent quelques jours), la situation financière de l'entreprise, en s'appuyant principalement sur les états financiers de cette dernière et les déclarations du dirigeant. Le tribunal rend un jugement d'ouverture, qui peut décider de :

- La **liquidation judiciaire de l'entreprise**, lorsqu'il est évident qu'elle ne pourra pas surmonter ses difficultés. Cette solution, expéditive, est retenue par le tribunal dans 75 % des cas. L'entreprise disparaît ; ses actifs sont vendus aux enchères. Le passif est apuré à hauteur du produit de la vente des actifs de l'entreprise. Lors de la liquidation, les créanciers sont remboursés par ordre de privilège : les salariés tout d'abord (créanciers dits superprivilégiés), puis les créanciers ayant prêté à l'entreprise après l'ouverture de la procédure collective (privilège de « l'argent frais »), puis les créanciers privilégiés (Trésor, organismes sociaux puis créanciers bénéficiant de garanties particulières), les créanciers chirographaires (ceux qui ne disposent d'aucune garantie, les banques ou les fournisseurs, par exemple) et enfin les actionnaires, titulaires du droit à l'actif net résiduel. En général, les créanciers privilégiés ne parviennent pas à récupérer l'intégralité de leurs créances. Autant dire que la perte réalisée par les créanciers chirographaires est souvent totale, et que le droit à l'actif net résiduel des actionnaires est largement théorique en cas de liquidation judiciaire…

- La mise en **redressement judiciaire**, dont le but est de donner du temps à l'entreprise pour lui permettre de s'en sortir et de sauver les emplois. Une période d'observation est offerte à l'entreprise par le tribunal, d'une durée maximale de 20 mois. À l'issue de cette période d'observation, il existe trois possibilités. La solution la plus favorable est celle dans laquelle le tribunal valide un plan de continuation, qui permet à l'entreprise de poursuivre son activité et peut impliquer de la part des créanciers un abandon partiel de leurs créances ou un étalement de celles-ci. La solution intermédiaire est celle où un plan de cession est proposé : l'entreprise vend certains de ses actifs, transfère aux créanciers le produit de la vente et continue à fonctionner avec une taille réduite et une dette allégée. Il est également possible que l'entreprise soit vendue dans son intégralité, à un repreneur qui s'engage à honorer les engagements de l'entreprise. La dernière solution consiste à liquider l'entreprise, lorsqu'elle n'a pas démontré sa capacité à surmonter ses difficultés.

Quelle que soit la solution retenue par le tribunal, la procédure impose des coûts, directs et indirects, à l'entreprise, ses actionnaires et ses créanciers.

Les coûts directs

La procédure de faillite est conçue de façon à fournir un cadre structuré dans lequel les dettes d'une entreprise sont évaluées et, dans la mesure du possible, remboursées. Ce processus est complexe, il prend du temps et implique des coûts potentiellement élevés. La procédure impose en effet l'intervention d'avocats d'affaires, de consultants, d'auditeurs, de banquiers d'affaires (lors de la restructuration), voire de commissaires-priseurs (en cas de vente aux enchères des actifs de l'entreprise). Ces intervenants, qui apportent à l'entreprise une expertise bienvenue, coûtent cher : honoraires, salaires et frais administratifs sont à la charge de l'entreprise. Enron, le courtier américain en énergie qui a fait faillite en 2001, dépensait ainsi 30 millions de dollars tous les mois pour payer ses avocats et ses experts-comptables. Au total, le coût de la procédure a dépassé les 750 millions de dollars. Ce record n'a été battu qu'à l'occasion de la faillite de la banque d'affaires Lehman Brothers : le coût total de la procédure a atteint 1,6 milliard de dollars, et la procédure n'est pas terminée !

De leur côté, les créanciers doivent également supporter des coûts significatifs. En cas de redressement judiciaire, l'entreprise bénéficie d'une période d'observation. Cela signifie que les créanciers peuvent attendre plusieurs mois, voire plusieurs années, avant que le tribunal ne valide le plan de réorganisation de l'entreprise et que cette dernière ne rembourse effectivement ses dettes, d'autant que le tribunal peut décider de leur rééchelonnement. Pour défendre leurs droits et leurs intérêts, et parfois même pour aider à l'estimation de la valeur de leurs créances, les créanciers doivent donc engager eux aussi des experts et des avocats.

Que ces coûts directs soient au final supportés par l'entreprise ou par ses créanciers, ils réduisent la valeur des actifs de l'entreprise et donc les sommes que recevront au final les créanciers. En moyenne, les coûts directs associés à une procédure de faillite sont de 3 à

4 % de la valeur de marché des actifs avant le dépôt de bilan[4], mais certaines procédures sont beaucoup plus coûteuses : pour Enron, les coûts directs représentaient 10 % environ de la valeur des actifs. Ces coûts sont d'autant plus élevés que l'entreprise est complexe et que les créanciers sont nombreux, ce qui allonge et augmente le coût de la procédure. Ces coûts directs sont principalement des coûts fixes ; ils pèsent donc d'un poids plus grand sur les petites entreprises : jusqu'à 10 % de la valeur totale des actifs[5].

Les coûts directs liés à l'ouverture d'une procédure collective sont donc élevés. Les entreprises en difficulté financière peuvent être tentées de négocier directement avec leurs créanciers, avant même la cessation de paiement. En cas d'accord, elles évitent alors une partie des coûts directs : l'entreprise peut se réorganiser sans entrer dans le régime de la faillite. Le droit français prévoit ainsi la possibilité d'une restructuration à l'amiable de l'entreprise et de son passif. Les entreprises disposent de trois **procédures préventives** (car conçues pour permettre à l'entreprise d'éviter la cessation de paiement) :

- Le **mandat *ad hoc***. Lorsqu'une entreprise fait face à une difficulté ponctuelle ou plus sérieuse, elle peut demander au tribunal de désigner un mandataire *ad hoc*, qui sera chargé de conseiller l'entreprise et de l'aider à sortir de la mauvaise passe qu'elle traverse.

- La **procédure de sauvegarde** a été créée sur le modèle de la procédure américaine du chapter eleven. Une entreprise risquant la cessation de paiement peut demander l'ouverture préventive d'une procédure de sauvegarde au tribunal. Le chef d'entreprise continue de gérer l'entreprise et dispose de temps pour élaborer un plan de sauvegarde de l'entreprise, en proposant aux créanciers une réorganisation de celle-ci.

- La **conciliation**. Cette procédure s'adresse aux entreprises dont la cessation de paiement est proche ou qui sont déjà en cessation de paiement (depuis moins de 45 jours). Lorsque les créanciers et l'entreprise parviennent à un accord susceptible de permettre à l'entreprise de survivre, le tribunal de commerce peut se dispenser de proposer une solution et se contenter de valider l'accord établi. L'accord de restructuration implique fréquemment un rééchelonnement des dettes, un moratoire sur les intérêts et une recapitalisation de l'entreprise par ses actionnaires. En général, les créanciers exigent en échange de leur accord une association aux bénéfices de la restructuration, s'il y en a, sous la forme d'une part du capital ou d'une clause de retour à meilleure fortune (l'entreprise devra tout de même rembourser les dettes abandonnées si le plan réussit).

On peut malgré tout souligner que la majorité des entreprises qui traversent des difficultés financières n'a pas recours à ces procédures juridiques et se contente d'une négociation privée avec ses créanciers, ou seulement certains d'entre eux, afin d'empêcher que des difficultés n'empirent au fil du temps : toutes les entreprises, ou presque, ont eu au moins une fois au cours de leur vie des difficultés financières ponctuelles qu'elles ont surmontées simplement en discutant avec leur banquier.

---

4. J. Warner (1977), « Bankruptcy Costs: Some Evidence », *Journal of Finance*, 32, 337-347 ; L. Weiss (1990), « Bankruptcy Resolution: Direct Costs and Violation of Priority Claims », *Journal of Financial Economics*, 27, 285-314 ; E. Altman (1984), « A Further Empirical Investigation of the Bankruptcy Cost Question », *Journal of Finance*, 39, 1067-1089 ; B. Becker (1997), « The Administrative Costs of Debt Restructurings: Some Recent Evidence », *Financial Management*, 26, 56-68 ; L. LoPucki et J. Doherty (2004), « The Determinants of Professional Fees in Large Bankruptcy Reorganization Cases », *Journal of Empirical Legal Studies*, 1, 111-141. Cette dernière étude estime à 1,5 % de la valeur de l'entreprise les coûts directs de la faillite.

5. R. Lawless et S. Ferris (1997), « Professionnal Fees and Other Direct Costs in « *Chapter 7* » Business Liquidations »,*Washington University Law Quaterly*, automne, 1207-1236.

Les coûts indirects

Avant même l'ouverture d'une procédure collective, une entreprise très endettée subit des coûts indirects liés à la fragilité de sa situation financière. En effet, une entreprise ayant des difficultés financières ne peut pas le cacher très longtemps à ses créanciers : les plus grandes entreprises sont notées par les agences de notation telles que Moody's, Standard & Poor's ou Fitch, et les notes octroyées sont publiques. Même si une entreprise n'est pas notée, sa situation financière est connue des créanciers : ces derniers disposent d'informations financières qui leur permettent de procéder à une analyse financière et à une évaluation de la probabilité de faillite de l'entreprise. Cette évaluation probabiliste repose sur le calcul d'un « score » d'emprunteur, à l'aide d'un modèle mathématique fondé sur l'observation des comportements des entreprises au cours des dernières années.

En d'autres termes, une entreprise trop endettée supporte des coûts financiers et extra-financiers bien avant d'être en cessation de paiement. Ces coûts indirects sont difficilement mesurables, mais ils pèsent lourd, d'autant qu'ils sont par définition supportés par des entreprises déjà fragiles.

Perte de clients. La crainte que l'entreprise ne cesse ses activités est susceptible de faire fuir une partie de ses clients, si la valeur des produits vendus par l'entreprise dépend de la capacité de l'entreprise à assurer un service futur : en cas de cessation d'activité, les clients ne pourront pas faire appel au service après-vente, la garantie offerte sur les produits n'aura plus aucune valeur, il sera impossible de trouver des pièces de rechange en cas de panne, etc. Cette fuite de la clientèle est particulièrement à craindre dans le cas d'entreprises informatiques : les clients se détourneront d'un fournisseur dont les produits risquent de n'être plus mis à jour ou améliorés. De même, aux premiers signes de difficultés financières, une compagnie aérienne verra la majorité de ses clients disparaître pour ne pas risquer d'acheter un billet qui n'aura plus aucune valeur le jour du voyage si la compagnie a disparu entre-temps[6].

Rupture de contrats avec les fournisseurs. Les fournisseurs d'une entreprise peuvent également décider de ne pas renouveler un contrat, par crainte de n'être pas payés. Cela peut suffire à provoquer la faillite effective de l'entreprise : elle risque la rupture d'approvisionnement et doit supporter un coût de recherche de nouveaux fournisseurs. Ces derniers risquent par ailleurs d'être moins compétitifs que les précédents. Ainsi, la compagnie aérienne Swissair a été contrainte de stopper totalement son activité car plus aucun fournisseur n'acceptait de lui livrer du kérosène ! Une conséquence moins extrême, mais tout aussi désagréable, pour une entreprise ayant des difficultés financières réside dans l'exigence des fournisseurs d'être payés comptant ou sous des délais très courts, ce qui est susceptible de contribuer à la dégradation de la situation financière de l'entreprise.

Démissions et démotivation des salariés. Lorsqu'une entreprise rencontre d'importantes difficultés financières, les salariés savent que la pérennité de leurs emplois n'est plus garantie. Il devient donc très difficile à l'entreprise de recruter de nouveaux salariés, voire de conserver les anciens, incités à aller chercher ailleurs un emploi plus sûr. Ce

---

6. S. Titman (1984), « The Effect of Capital Structure on a Firm's Liquidation Decision », *Journal of Financial Economics*, 13, 137-151 ; T. Opler et S. Titman (1994), « Financial Distress and Corporate Performance », *Journal of Finance*, 49, 1015-1040. Ces derniers montrent que la croissance des ventes des entreprises très endettées est 17 % plus faible que celle des entreprises moins endettées dans les secteurs intensifs en R&D, durant les périodes de récession.

sont évidemment les salariés les plus expérimentés et les plus qualifiés qui ont tendance à partir le plus rapidement, car ils trouvent facilement de nouveaux emplois. Dans les entreprises dont l'activité dépend du capital humain de certains salariés, le départ de ceux-ci peut suffire à rendre inéluctable le dépôt de bilan.

Hausse des impayés sur les créances clients. Paradoxalement, les entreprises traversant des difficultés financières ont plus de mal que les autres à se faire payer par leurs clients, surtout s'il s'agit de montants relativement faibles. En effet, ces clients (rationnels…) peuvent penser que les difficultés financières de l'entreprise sont telles qu'ils ne seront pas relancés ou poursuivis pour de petites sommes, car les ressources de l'entreprise sont mobilisées pour trouver une solution aux difficultés financières et non pour recouvrer des créances clients de faible montant. Les difficultés financières d'une entreprise donnent donc à ses débiteurs l'espoir qu'ils pourront éviter de payer leurs dettes…

Pertes liées à des ventes forcées d'actifs. Lorsque les difficultés financières se font pressantes, l'entreprise peut se voir contrainte à des cessions d'actifs, afin d'obtenir les liquidités nécessaires au remboursement d'un ou de plusieurs créanciers. Il est fréquent que les ventes forcées d'actifs conduisent l'entreprise à vendre ses actifs en dessous de leur prix de marché. Une étude a ainsi montré que les compagnies aériennes en situation de cessation de paiement qui vendaient des avions les cédaient à un prix inférieur de 15 à 40 % au prix qu'aurait obtenu une entreprise en bonne santé[7]. On observe le même phénomène lorsqu'une entreprise est contrainte de vendre une filiale pour obtenir des liquidités. Les pertes liées aux ventes forcées d'actifs sont d'autant plus importantes que les actifs en question sont spécifiques, et donc peu susceptibles de trouver preneur sur le marché en un laps de temps court.

Allongement inutile de la période de redressement judiciaire. Les dirigeants de l'entreprise peuvent utiliser la procédure de redressement judiciaire pour faire survivre l'entreprise pendant plusieurs mois, alors que cette survie n'est pas justifiée économiquement. La période de sursis accordée à l'entreprise peut coûter cher aux créanciers : une compagnie aérienne a ainsi perdu plus de 50 % de sa valeur au cours de la période de redressement judiciaire, car les dirigeants ont multiplié les investissements risqués à VAN négative[8]… Mais le cas contraire est également envisageable : une liquidation trop rapide peut forcer une entreprise à vendre des actifs alors que ceux-ci auraient eu plus de valeur si l'entreprise les avait conservés : suite à sa faillite, Lehman a débouclé 80 % de ses positions sur produits dérivés, le plus souvent dans des conditions défavorables.

Coûts indirects supportés par les créanciers. En plus des coûts directs supportés par les créanciers en cas de faillite, ces derniers sont également exposés à des coûts indirects. Si un créancier a accordé un crédit très important à une entreprise, la faillite de cette dernière peut entraîner des difficultés financières pour le créancier lui-même[9]. Ainsi, en 1998, l'incapacité de l'État russe à honorer sa dette obligataire a provoqué la faillite

---

7. T. Pulvino (1998), « Do Asset Fire-Sales Exist? An Empirical Investigation of Commercial Aircraft Transactions », *Journal of Finance*, 53, 939-978 ; T. Pulvino (1999), « Effects of Bankruptcy Court Protection on Asset Sales », *Journal of Financial Economics*, 52, 151-186 ; T. Kruse (2002), « Asset Liquidity and the Determinants of Asset Sales by Poorly Performing Firms », *Financial Management*, 31, 107-129.

8. L. Weiss et K. Wruck (1998), « Information Problems, Conflicts of Interest, and Asset Stripping: Chapter 11's Failure in the Case of Eastern Airlines », *Journal of Financial Economics*, 48, 55-97.

9. Ce coût est supporté par les créanciers, et non par l'entreprise emprunteuse, même si les créanciers ont fixé le taux d'intérêt sur l'emprunt de manière à tenir compte de ce risque.

d'un de ses principaux créanciers, le fonds LTCM (*Long-Term Capital Management*), ce qui notamment a fait craindre une contagion des difficultés financières aux créanciers de LTCM. De même, en 2008, la faillite de Lehman Brothers a mis de nombreux créditeurs de la banque en difficulté, faisant craindre une crise systémique et obligeant les pouvoirs publics à intervenir. Bien que ces coûts ne soient pas supportés par l'entreprise elle-même mais par les créanciers, ces derniers intègrent cette éventualité lorsqu'ils fixent le taux d'intérêt auquel ils prêtent.

Quelle est l'importance de ces coûts ? Il y a une limite aux coûts directs : s'ils étaient trop élevés, les actionnaires feraient le nécessaire pour éviter le dépôt de bilan, par exemple en recapitalisant l'entreprise. En fait, dès que les coûts directs des difficultés financières excèdent le coût que les actionnaires devraient accepter pour renégocier avec les créanciers de l'entreprise, on peut imaginer que la renégociation ait lieu.

En ce qui concerne les coûts indirects, les choses sont un peu plus compliquées, car ceux-ci sont diffus et supportés par de multiples parties prenantes : clients, salariés, fournisseurs… Une part significative de ces coûts apparaît même avant la faillite, puisqu'ils sont fonction de l'*anticipation* de difficultés financières qui pourraient conduire l'entreprise à ne pas respecter certains contrats et engagements (une entreprise peut utiliser la faillite pour cesser d'honorer la garantie de ses produits, pour réévaluer à la baisse la rémunération de ses salariés, etc.). La crainte des parties prenantes qu'une entreprise en difficulté n'honore pas ses engagements de long terme lui impose évidemment un coût, puisqu'elle doit « compenser » cette crainte : en payant plus ses salariés, en vendant ses produits moins cher, en offrant de meilleures conditions à ses sous-traitants, etc. Au total, les coûts indirects pèsent souvent plus lourd que les coûts directs, car ils ne sont que partiellement supportés par les actionnaires et donc ne sont pas limités par le coût de la renégociation avec les créanciers.

Leur mesure précise est toutefois difficile, car il faut évaluer les conséquences de ces coûts sur la valeur totale de l'entreprise (et pas uniquement sur la valeur de la dette) tout en excluant de l'analyse les coûts inhérents aux difficultés économiques (et non financières) de l'entreprise[10]. Une étude consacrée aux entreprises fortement endettées établit que celles-ci affichent une valeur inférieure de 10 à 20 % à celle d'entreprises comparables mais moins endettées[11]. Malgré l'imprécision de l'estimation, la perte de valeur est substantielle. Quelles sont les conséquences de ces coûts sur le choix de la structure financière de l'entreprise ? La réponse à cette question est l'objet de la section suivante.

16.3. Coûts des difficultés financières et valeur de l'entreprise

Les coûts des difficultés financières ne sont pas pris en compte dans le modèle Modigliani-Miller, qui repose sur l'hypothèse de perfection des marchés de capitaux. En pratique, ces coûts existent bel et bien et sont supportés par toutes les entreprises dont le taux d'endettement est excessif. Du fait de ces coûts, les flux de trésorerie des

---

10. R. Haugen. et L. Senbet (1988), « Bankruptcy and Agency Costs: Their Significance to the Theory of Optimal Capital Structure », *Journal of Financial and Quantitative Analysis*, 23, 27-38.

11. G. Andrade et S. Kaplan (1998), « How Costly Is Financial (Not Economic) Distress? Evidence from Highly Leveraged Transactions That Became Distressed », *Journal of Finance*, 53, 1443-1493.

entreprises sont susceptibles d'être influencés par leur structure financière : un endettement excessif impose des coûts aux entreprises et réduit de ce fait les flux de trésorerie disponibles pour les actionnaires et les créanciers.

| Crise financière | **La faillite de Chrysler** |

En novembre 2008, le P-DG de Chrysler (à bord de son jet privé) s'est rendu à Washington pour solliciter une aide publique sans laquelle la faillite de Chrysler était inévitable. Le Congrès américain n'a pas été convaincu : même avec une aide publique, Chrysler aurait de toute façon fait faillite et que l'entreprise devait présenter un plan de réorganisation crédible pour mériter l'aide du gouvernement. Le Président Bush n'a pas tenu compte de l'avis du Congrès et a sauvé Chrysler en utilisant des fonds provenant du *Troubled Asset Relief Program*, un fonds mis en place pour lutter contre la crise économique. Au total, le TARP a prêté à Chrysler 8 milliards de dollars.

Une faillite de l'entreprise aurait imposé à l'ensemble des parties prenantes des coûts élevés : en fait, les ventes de l'entreprise souffraient déjà de cette perspective, les clients se détournant d'un fabricant automobile au futur incertain. Pour stopper l'hémorragie de clients, le président Obama a pris en mars 2009 une mesure sans précédent, en décidant que l'État se substituerait à Chrysler si besoin était pour assurer la garantie des nouvelles voitures vendues par l'entreprise. Malgré les aides du gouvernement, Chrysler a tout de même déposé son bilan le 30 avril 2009, dans le cadre d'une faillite préarrangée par le gouvernement. À peine 41 jours plus tard, Chrysler sortait du régime de faillite, avec comme nouveaux actionnaires ses salariés (55 % des actions détenues par le plan d'épargne retraite de l'entreprise), Fiat (20 %), le Trésor américain (8 %) et l'État canadien (2 %).

La plupart des coûts liés aux difficultés financières de Chrysler ont été évités grâce à la rapidité du processus. Mais cela n'a pu être obtenu que grâce à une pression politique très forte sur les créanciers pour qu'ils acceptent les conditions de l'accord. En fait, la plupart des créanciers de Chrysler étaient des banques, elles-mêmes sous perfusion du TARP ; elles n'étaient donc pas vraiment en position de force pour négocier avec le gouvernement, et ont finalement accepté un accord qui faisait passer les dettes *junior* de certains créanciers (le fonds de pension des salariés en particulier) avant les dettes *senior* qu'elles possédaient.

La coopération sans précédent entre investisseurs et créanciers d'une part et l'intervention de l'État d'autre part ont permis à Chrysler d'éviter une longue et douloureuse période de faillite qui aurait pu être fatale à l'entreprise.

Les conséquences du coût des difficultés financières

Pour en revenir à MorsoDotto, il a été établi que la valeur de marché de l'entreprise, lorsqu'elle était intégralement financée par capitaux propres, était de 150 millions d'euros en cas de succès du nouveau produit et de seulement 80 millions en cas d'échec. Si l'entreprise a une dette de 100 millions d'euros, elle sera contrainte à la faillite en cas d'échec commercial. Intégrons maintenant au raisonnement les coûts liés aux difficultés financières : en cas de faillite, l'entreprise devra dépenser 25 % de son actif résiduel au titre des coûts inhérents à la faillite. Ainsi, au lieu de recevoir 80 millions d'euros (comme dans le tableau 16.1), les créanciers ne recevront que $(1 - 0,25) \times 80 = 60$ millions d'euros si l'entreprise fait faillite.

En cas d'échec commercial, la valeur totale revenant aux investisseurs (actionnaires et créanciers) est donc plus faible si l'entreprise est endettée. La perte de valeur pour les investisseurs est égale au coût des difficultés financières. Ces coûts réduisent donc la valeur totale de l'entreprise endettée, ce qui signifie que la structure financière de l'entreprise est maintenant susceptible d'influencer sa valeur (voir tableau 16.2) : la proposition 1 de Modigliani-Miller n'est plus vérifiée.

Tableau 16.2	Valeur de la dette et des capitaux propres en fonction de la structure financière (en millions d'euros)			
	Sans endettement		**Avec endettement**	
	Succès commercial	**Échec commercial**	**Succès commercial**	**Échec commercial**
1 Valeur de marché de la dette	0	0	100	60
2 Valeur de marché des capitaux propres	150	80	50	0
3 **Valeur de marché totale de l'entreprise** (1 + 2)	**150**	**80**	**150**	**60**

Exemple 16.2

Valeur de l'entreprise et coûts des difficultés financières

Quelle est la valeur de MorsoDotto selon que l'entreprise est, ou non, endettée ? Les hypothèses sont : taux d'intérêt sans risque 5 %, risque de MorsoDotto diversifiable, probabilité de succès commercial 50 %.

Solution

Quelle que soit la structure financière de l'entreprise, les flux de trésorerie dont bénéficient les actionnaires sont égaux à ceux de l'exemple 16.1. La valeur de l'entreprise non endettée était de 109,52 millions d'euros et la valeur des actions si l'entreprise est endettée était de 23,81 millions. La valeur de marché de la dette, par contre, est modifiée par la prise en compte des coûts des difficultés financières :

$$V_D = \frac{0,5 \times 100 + 0,5 \times 60}{1,05} = 76,19 \text{ millions d'euros}$$

La valeur de marché de l'entreprise endettée devient donc :

$$V^D = V_{CP} + V_D = 23,81 + 76,19 = 100 \text{ millions d'euros}$$

La valeur de l'entreprise endettée est par conséquent inférieure de 9,52 millions à la valeur de l'entreprise non endettée (109,52 millions). Cette différence est égale à la valeur actualisée du coût des difficultés financières :

$$VA \text{ (Coûts des difficultés financières)} = \frac{0,5 \times 0 + 0,5 \times 20}{1,05} = 9,52 \text{ millions d'euros}$$

Qui supporte effectivement le coût des difficultés financières ?

Le coût lié aux difficultés financières de MorsoDotto réduit les flux de trésorerie revenant aux créanciers. Ce coût n'apparaît qu'en situation d'échec commercial (sinon la faillite n'a pas lieu), c'est-à-dire après que les actionnaires ont perdu tout droit sur la valeur résiduelle de l'entreprise. On pourrait donc imaginer que les actionnaires sont indifférents à ce coût, puisqu'il concerne exclusivement les créanciers. En effet, pourquoi les actionnaires s'en préoccuperaient-ils ?

Il est évident que, une fois la faillite de l'entreprise constatée, les actionnaires se désintéressent complètement des coûts inhérents à la faillite. Mais, lorsque les créanciers prêtent à une entreprise, ils savent dès le départ qu'en cas de faillite il leur sera impossible de récupérer l'intégralité des capitaux prêtés et qu'ils supporteront les coûts des difficultés financières. Les créanciers exigent donc des conditions plus avantageuses pour prêter à l'entreprise. À droit sur les flux de trésorerie futurs égal, cela se traduira par un montant prêté par les créanciers plus faible : la réduction du montant prêté est égale en valeur actuelle au coût anticipé des difficultés financières. En échange des flux promis aux créanciers, l'entreprise disposera donc de moins de capitaux pour payer des dividendes, racheter des actions ou investir qu'en l'absence de coût des difficultés financières. Au final, ce sont bien les actionnaires qui se retrouvent pénalisés par le coût des difficultés financières. En d'autres termes, *lorsque les titres financiers sont émis à leur juste prix, les actionnaires d'une entreprise supportent la valeur actuelle du coût des difficultés financières que pourrait rencontrer l'entreprise.*

Coûts des difficultés financières et prix des actions

MorsoDotto a un capital constitué de 10 millions d'actions et n'a aucune dette. Elle veut s'endetter à hauteur de 100 millions d'euros pour racheter des actions. La dette a une échéance d'un an. Selon les données du tableau 16.2, quel sera le prix des actions après l'annonce de cette opération ? Le taux d'intérêt sans risque est de 5 %, le risque est diversifiable et la probabilité d'échec commercial est de 50 %.

Solution

D'après l'exemple 16.1, on sait que la valeur de l'entreprise non endettée est de 109,52 millions d'euros. MorsoDotto a émis 10 millions d'actions ; le prix initial d'une action est donc de 10,952 €. Lorsque l'entreprise est endettée (exemple 16.2), sa valeur n'est plus que de 100 millions d'euros. Lors de l'annonce de l'opération, le cours de Bourse de l'action s'ajuste immédiatement et n'est plus que de 10 €.

En effet, la valeur actuelle de la dette, en tenant compte du coût des difficultés financières, est de 76,19 millions d'euros (exemple 16.2). Au prix de 10 € par action, MorsoDotto pourra donc racheter 7,619 millions d'actions, ce qui laissera sur le marché 2,381 millions d'actions. La valeur des actions si l'entreprise s'endette est de 23,81 millions d'euros (exemple 16.1) ; par conséquent, le prix par action est bien de 10 €.

S'endetter pour racheter des actions coûte donc aux actionnaires 0,952 € par action, soit une perte totale subie pour les actionnaires de 9,52 millions d'euros, égale à la valeur actuelle des coûts des difficultés financières (exemple 16.2). En apparence, les créanciers subissent les coûts liés aux difficultés financières d'une entreprise. En réalité, ces coûts (ou plus précisément leur valeur actuelle) sont supportés par les actionnaires dès le moment où l'entreprise s'endette, car les créanciers anticipent ce risque et le transfèrent aux actionnaires.

Exemple 16.3

> ## 16.4. Structure financière optimale : la théorie du compromis

Il est possible de comparer les avantages de la dette – principalement la déductibilité des intérêts (voir chapitre 15) – à ses inconvénients – à savoir le coût des difficultés financières. Cette comparaison permet de déterminer le niveau de dette qu'une entreprise doit avoir pour maximiser sa valeur. Compte tenu de la démarche, qui consiste à comparer coûts et bénéfices de l'endettement, ce type d'analyse est souvent qualifié de **théorie du compromis** (*trade-off theory*).

Suivant la théorie du compromis, la valeur d'une entreprise endettée est égale à la valeur d'une entreprise non endettée, augmentée de la valeur actuelle des économies d'impôt et diminuée de la valeur actuelle du coût des difficultés financières potentielles :

$$V^D = V^U + VA(EcoIS) - VA(\text{Coûts des difficultés financières}) \qquad (16.1)$$

L'équation (16.1) met en exergue le compromis entre coûts et bénéfices de la dette : toute entreprise est incitée à augmenter son endettement pour bénéficier d'économies d'impôt, mais l'augmentation de la dette accroît le risque que l'entreprise rencontre des difficultés financières, ce qui peut lui faire supporter des coûts potentiellement élevés.

La valeur actuelle du coût des difficultés financières

En pratique, il est compliqué de calculer précisément la valeur actuelle des coûts des difficultés financières. Celle-ci dépend principalement de trois facteurs :

- la probabilité d'occurrence des difficultés financières ;
- leur coût si elles se produisent ;
- le taux d'actualisation à appliquer aux coûts des difficultés financières.

Ainsi, dans l'exemple 16.2, la valeur actuelle des coûts liés aux difficultés financières de MorsoDotto dépend de la probabilité d'échec commercial du nouveau produit (50 %), du coût supporté par les créanciers en cas de difficultés financières (20 millions d'euros) et du taux d'actualisation (5 %). Quels sont les déterminants de ces trois facteurs ?

La probabilité qu'une entreprise ne soit plus en mesure d'honorer ses dettes augmente avec le poids de la dette ainsi qu'avec la volatilité de ses flux de trésorerie et de la valeur de ses actifs. Les entreprises dont le cycle d'exploitation leur permet de bénéficier de flux de trésorerie stables et réguliers sont donc *a priori* des entreprises dont le risque de faillite est faible. En ce sens, elles peuvent s'endetter assez lourdement sans que leur risque de faillite n'augmente significativement. Ce n'est évidemment pas le cas d'entreprises opérant dans des secteurs beaucoup plus cycliques.

En ce qui concerne les coûts, directs et indirects, que supporte une entreprise faisant faillite (section 16.2), ils sont susceptibles de varier significativement d'un secteur d'activité à l'autre. Les entreprises de haute technologie sont par exemple exposées à des coûts très élevés lorsqu'elles rencontrent des difficultés financières : les clients évitent autant que possible d'acheter du matériel très spécifique à une entreprise dont la survie est compromise. Par ailleurs, certains salariés essentiels au bon fonctionnement de l'entreprise risquent de la quitter très rapidement. Enfin, ces entreprises disposent en général d'assez peu d'actifs physiques susceptibles d'être revendus rapidement et à bon prix. À l'opposé, un restaurant ne subit pas de coûts prohibitifs lorsqu'il rencontre des difficultés financières, l'essentiel de ses actifs pouvant être facilement revendu et les clients étant insensibles à sa situation financière.

Enfin, le taux d'actualisation à appliquer au coût des difficultés financières dépend du risque de marché de l'entreprise. Puisque ce coût augmente en cas de mauvaises performances de l'entreprise, son bêta est de signe opposé à celui de l'entreprise[12]. Par ailleurs, plus le bêta de l'entreprise est élevé, plus la probabilité d'occurrence de difficultés financières en période de récession est élevée, ce qui implique un bêta du coût des difficultés financières d'autant plus négatif. Or, un bêta négatif permet d'obtenir un coût du capital inférieur au taux sans risque. Toutes choses égales par ailleurs, on peut donc conclure que la valeur actuelle des coûts des difficultés financières est d'autant plus élevée que le bêta de l'entreprise est élevé.

L'endettement optimal

La figure 16.2 illustre le lien décrit par l'équation (16.1) entre la valeur de l'entreprise endettée V^D et la valeur de la dette de long terme V_D. En l'absence de dette, la valeur de l'entreprise est par définition V^U. Lorsque l'endettement est modéré, le risque de difficultés financières demeure très faible ; le principal effet de l'augmentation de la dette est de profiter d'économies d'impôt plus importantes. Leur valeur actuelle est égale à $\tau^\star V_D$, avec $\tau^\star$ l'avantage fiscal dont bénéficie la dette, tel que calculé au chapitre 15. En l'absence de coûts liés aux difficultés financières, la valeur de l'entreprise augmente linéairement jusqu'au point où les intérêts sur la dette dépassent le résultat d'exploitation de l'entreprise, point à partir duquel plus aucun gain lié à l'endettement n'est possible.

Par ailleurs, le coût des difficultés financières réduit la valeur de l'entreprise endettée V^D. Cette réduction augmente avec la probabilité de faillite, c'est-à-dire avec l'augmentation de l'endettement, V_D. La théorie du compromis établit que les entreprises devraient augmenter leur dette jusqu'au point optimal $V^\star{}_D$ correspondant à la valeur maximale de l'entreprise V^D. En ce point, les économies d'impôt résultant d'une augmentation de l'endettement se trouvent exactement compensées par l'augmentation des coûts des difficultés financières potentielles.

Le choix du niveau optimal d'endettement est fonction de l'intensité du coût des difficultés financières. Lorsqu'une entreprise est exposée à des coûts élevés en cas de difficultés financières, son niveau d'endettement optimal $V^\star{}_D$ est plus faible que lorsque l'entreprise est exposée à des coûts modérés. Le niveau optimal d'endettement d'une entreprise est donc inversement proportionnel au coût des difficultés financières.

---

12. Pour bien comprendre, considérons un cabinet d'avocats spécialistes du droit de la faillite. Les profits du cabinet seront évidemment plus élevés en période de récession et le bêta du cabinet sera négatif. Le bêta des difficultés financières n'est rien d'autre, formellement, qu'une option de vente sur le cabinet d'avocat (voir chapitre 21, ainsi que H. Almeida et T. Philippon (2007), « The Risk-Adjusted Cost of Financial Distress », *Journal of Finance*, 62, 2557-2586.

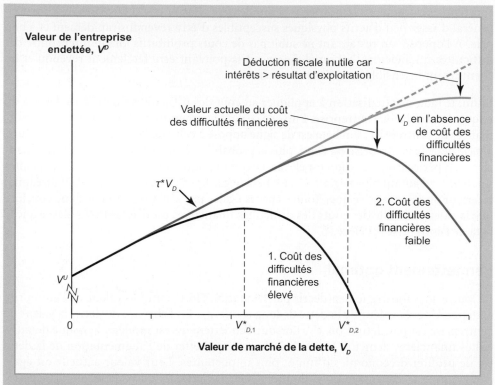

Figure 16.2 – Endettement optimal en présence d'impôts et de difficultés financières coûteuses

Les économies d'impôt τ^*V_D augmentent à mesure que V_D augmente, jusqu'au point où les charges d'intérêts dépassent le résultat d'exploitation de l'entreprise. La probabilité de faillite, et donc la valeur actuelle des coûts liés à celle-ci, augmente avec l'endettement. Le niveau d'endettement optimal, V^*_D, est atteint lorsque le bénéfice d'une augmentation de l'endettement est égal au coût de cette augmentation. La valeur de l'entreprise endettée V^D est alors maximale. Le niveau d'endettement optimal V^*_D est d'autant plus faible que l'entreprise subit des coûts des difficultés financières élevés ($V^*_{D,1} < V^*_{D,2}$).

La théorie du compromis permet donc de comprendre les deux énigmes relatives au choix du niveau d'endettement des entreprises présentées au chapitre 15. Le coût des difficultés financières explique que les entreprises affichent un taux d'endettement insuffisant pour leur permettre de bénéficier pleinement de la déductibilité des intérêts. Par ailleurs, il est logique que certaines entreprises ou certains secteurs économiques soient plus friands de dette que d'autres, car ceux-ci bénéficient de flux de trésorerie moins volatils et d'un coût des difficultés financières plus faible.

Il est possible d'étendre la théorie du compromis pour qu'elle intègre les autres effets de l'endettement, présentés dans la section suivante et qui peuvent peser aussi lourdement dans la décision de s'endetter que les coûts des difficultés financières.

Détermination du niveau d'endettement optimal

Leblanc Industries souhaite augmenter son endettement. Le directeur financier estime qu'il est possible de l'augmenter de 35 millions d'euros au maximum. L'avantage fiscal dont bénéficie la dette, τ^*, est estimé à 15 %. Toutefois, cette augmentation de la dette accroît le risque de difficultés financières. Le directeur financier a réalisé des simulations sur les flux de trésorerie futurs de l'entreprise (en millions d'euros)* :

Dette		0,00	10,00	20,00	25,00	30,00	35,00
1	Valeur actuelle des économies d'impôt	0,00	1,50	3,00	3,75	4,50	5,25
2	Valeur actuelle du coût des difficultés financières	0,00	0,00	0,38	1,62	4,00	6,38

Quel est le niveau d'endettement optimal de Leblanc ?

Solution

Lorsqu'on utilise l'équation (16.1), le gain permis par l'endettement est égal à la différence entre la valeur actuelle des économies d'impôt et la valeur actuelle du coût des difficultés financières. Le gain net permis par chaque niveau d'endettement est :

Dette	0,00	10,00	20,00	25,00	30,00	35,00
Gain net associé à l'endettement	0,00	1,50	2,62	2,13	0,50	– 1,13

Le niveau d'endettement optimal est donc de 20 millions d'euros. À ce niveau d'endettement, Leblanc économise 3 millions d'euros d'impôt et la valeur actuelle du coût des difficultés financières n'est que de 0,38 million d'euros, soit un gain net de 2,62 millions d'euros.

---

* La valeur actuelle des économies d'impôt est $\tau^* V_D$. Il est généralement difficile d'estimer la valeur actuelle des coûts des difficultés financières ; à cet effet, il faut recourir à des techniques de valorisation optionnelle (partie VII).

16.5. Tirer profit des créanciers : les coûts d'agence de la dette

Cette section est consacrée à la présentation d'un autre canal par lequel la structure financière peut influencer les flux de trésorerie futurs d'une entreprise : la modification des incitations des dirigeants de l'entreprise, et donc leurs décisions d'investissement. La **théorie de l'agence** étudie les conflits d'intérêt entre les différentes parties prenantes d'une entreprise ; ceux-ci font peser sur l'entreprise des coûts – qualifiés de **coûts d'agence**.

Lorsqu'une entreprise est endettée, un conflit d'intérêt peut apparaître lorsqu'une décision d'investissement a des conséquences différentes pour les actionnaires et les créanciers. Ce genre de situation se produit en général lorsque l'entreprise est dans une situation financière tendue, faisant craindre de prochaines difficultés financières. Dans cette situation, il est possible que le dirigeant décide de favoriser les actionnaires au détriment des créanciers ; de telles décisions sont susceptibles de réduire la valeur totale de l'entreprise.

Prenons un exemple. Lacour est une entreprise qui fait face à de sérieuses difficultés financières, puisqu'elle doit rembourser un prêt de 1 million d'euros à la fin de l'année. En l'état actuel des choses, et sans modification de sa stratégie, la valeur de marché de ses actifs ne sera que de 900 000 € à ce moment-là, ce qui contraindra l'entreprise au dépôt de bilan. Quels sont les coûts d'agence qui apparaissent dans une telle situation ?

Prise de risque excessive et substitution d'actifs

Les dirigeants de Lacour réfléchissent à une nouvelle stratégie très risquée. Celle-ci n'impose à l'entreprise aucun investissement supplémentaire ; elle a 50 % de chances de réussite. Si c'est le cas, la valeur des actifs de l'entreprise passera à 1,3 million d'euros. Si la stratégie échoue, la valeur des actifs sera de 300 000 € seulement. Sous ces hypothèses, la valeur moyenne espérée des actifs de Lacour est de 50 % × 1,3 + 50 % × 0,3 = 0,8 million d'euros. Cela signifie que la valeur moyenne des actifs de Lacour est réduite de 100 000 € par rapport à la situation initiale. La nouvelle stratégie possède donc clairement une VAN *négative*. Pourtant, les dirigeants de Lacour sont favorables à celle-ci, car elle est dans l'intérêt des actionnaires.

En effet, sans changement de stratégie, Lacour sera contrainte au dépôt de bilan et les actionnaires perdront tout (voir tableau 16.3). Les actionnaires n'ont donc rien à perdre à la mise en œuvre de la nouvelle stratégie. Si celle-ci est un succès, l'entreprise évitera le dépôt de bilan ; la richesse des actionnaires sera de 300 000 € après remboursement de la dette. Puisque la probabilité de succès de la nouvelle stratégie est de 50 %, cela signifie que l'espérance de gain des actionnaires est de 150 000 €.

Tableau 16.3	Valeur de marché de la dette et des capitaux propres de Lacour (en milliers d'euros)			
	Stratégie initiale	**Nouvelle stratégie**		
		Succès	**Échec**	**Espérance**
1 Valeur de marché des actifs	900	1 300	300	800
2 Valeur de marché de la dette	900	1 000	300	650
3 **Valeur de marché des capitaux propres** (1 – 2)	**0**	**300**	**0**	**150**

Les actionnaires tirent donc profit d'une stratégie à espérance de gain négative. Le jeu étant à somme nulle, cela signifie que les créanciers y perdent ; en cas d'échec de la nouvelle stratégie, ils recevront seulement 300 000 €. Avec la nouvelle stratégie, leur espérance de gain n'est que de 650 000 €, soit 250 000 € de moins que leur gain certain avec l'ancienne stratégie (900 000 €). Ces 250 000 € proviennent d'une part de la valeur détruite par la nouvelle stratégie (en espérance, 100 000 €) et d'autre part des gains réalisés par les actionnaires (150 000 € en espérance). Tout se passe comme si les actionnaires prenaient des risques avec l'argent prêté par les créanciers.

Plus généralement, *lorsqu'une entreprise fait face à des difficultés financières, les actionnaires peuvent tirer des bénéfices de décisions qui accroissent le risque de l'entreprise, même si la VAN de ces décisions est négative.* L'endettement donne donc aux actionnaires une incitation à remplacer des actifs peu risqués par des actifs plus risqués : on parle d'un problème de **substitution d'actifs**[13]. Il peut également exister un problème de **surinvestissement**, puisque les actionnaires sont incités à financer des projets risqués, même s'ils réduisent la valeur totale de l'entreprise. Anticipant ce comportement, les créanciers de l'entreprise exigent une rentabilité plus élevée pour accepter de financer l'entreprise. Ce surcoût est d'autant plus élevé que les entreprises peuvent facilement augmenter le risque de leurs projets d'investissement.

Surendettement et sous-investissement

Si Lacour ne met pas en place la stratégie précédente, elle peut profiter d'une autre opportunité d'investissement. Il s'agit d'investir aujourd'hui 100 000 € pour obtenir dans un an 150 000 €. La rentabilité (sans risque) de ce projet est donc de 50 %. Si le taux d'intérêt sans risque est de 5 %, la VAN de l'investissement est clairement positive. Le projet semble attractif, mais Lacour ne peut pas autofinancer le projet vu sa santé financière. Et le recours à la dette est impossible, puisque l'entreprise est trop endettée.

Qu'en est-il d'un financement par émission d'actions ? Si les actionnaires acceptent de financer les 100 000 € d'investissement, ils n'en retirent que 50 000 € (voir tableau 16.4). En effet, 100 000 € vont aux créanciers, qui reçoivent alors 1 million d'euros au lieu de 900 000 € dans la situation initiale. Ainsi, les créanciers reçoivent une grande partie de la valeur créée par le projet ; bien que ce dernier ait une VAN positive au total, elle est négative *du point de vue des actionnaires*, qui refusent donc de le financer.

Tableau 16.4	Valeur de marché de la dette et des capitaux propres de Lacour (en milliers d'euros)	
	Sans le nouveau projet	**Avec le nouveau projet**
1 Valeur des actifs de l'entreprise	900	900
2 VAN du nouveau projet	0	150
3 **Valeur de marché totale de l'entreprise** (1 + 2)	**900**	**1 050**
4 Valeur de marché de la dette	900	1 000
5 **Valeur de marché des capitaux propres** (3 – 4)	**0**	**50**

En d'autres termes, lorsqu'une entreprise fait face à des difficultés financières, elle peut décider de ne pas financer des projets d'investissement à VAN positive[14]. On dit que l'entreprise affronte un problème de **surendettement** ou de **sous-investissement**. Ce refus d'investir dans des projets créateurs de valeur est évidemment coûteux pour l'entreprise ; sa valeur totale aurait pu augmenter du montant de la VAN des projets envisagés. Les créanciers en paient le prix, sous la forme d'une non-augmentation de la valeur de leurs titres. Ce problème de sous-investissement est d'autant plus probable que les entreprises disposent d'opportunités de croissance rentables qui ne peuvent être autofinancées.

---

13. M. Jensen et W. Meckling (1976), « The Theory of the Firm: Managerial Behavior, Agency Costs and Ownership Structure », *Journal of Financial Economics*, 3, 305-360.

14. S. Myers (1977), « Determinants of Corporate Borrowing », *Journal of Financial Economics*, 5, 147-175.

L'extraction de liquidités. Lorsqu'une entreprise fait face à des difficultés financières, les actionnaires sont incités à ne pas financer de nouveaux projets d'investissement, même si leur VAN est positive. Mais cela va plus loin : ils ont intérêt, lorsque c'est possible, à retirer des liquidités de l'entreprise. Lacour détient une machine pouvant être revendue immédiatement 25 000 €. En cas de revente effective, la production de l'entreprise et donc sa valeur future sont réduites de 100 000 € ; l'entreprise ne vaudra donc que 800 000 € dans un an. Le dépôt de bilan de l'entreprise étant probable à horizon d'un an, ce coût sera supporté par les créanciers. Les actionnaires de Lacour, eux, pourront recevoir le produit de la vente (25 000 €) sous forme de dividende exceptionnel. L'incitation à vendre des actifs de l'entreprise, *même à un prix inférieur à leur valeur actuelle*, est une forme extrême (et parfois illégale) de sous-investissement provoqué par un endettement excessif.

Crise financière	**Sauvetages, coûts des difficultés financières et surendettement**

Pendant la crise financière de 2008, les entreprises et institutions financières en situation de détresse financière ont pu constater par elles-mêmes la réalité de certains coûts liés aux difficultés financières.

Le plus visible a été la brusque contraction des crédits accordés par les banques. Au plus fort de la crise, les conditions sur les prêts exigées par les banques étaient excessivement restrictives. Une explication possible est que les emprunteurs présentaient un profil de risque très élevé. Mais il existe une autre explication, mise en avant par de nombreux analystes et même certaines banques : ces dernières se trouvaient elles-mêmes dans une situation de surendettement, et avaient donc beaucoup de mal à lever des fonds, même pour octroyer des prêts « rentables » (c'est-à-dire à des emprunteurs capables de rembourser).

Une des principales justifications au sauvetage des banques par les gouvernements est qu'il a permis de fournir des capitaux supplémentaires aux banques, de réduire leur problème de surendettement et de faciliter l'octroi de prêts aux entreprises et aux ménages.

Mesure du surendettement. À partir de quel niveau la dette d'une entreprise devient-elle problématique ? Existe-t-il un seuil à ne pas franchir ? Un raisonnement simple permet de répondre de manière approchée à ces questions : supposons que les actionnaires d'une entreprise donnée décident d'investir un montant I dans un projet de même risque que l'entreprise. L'entreprise est financée par dette (de valeur V_D et de bêta β_D) et capitaux propres (de valeur V_{CP} et de bêta β_{CP}). De manière approchée, on peut écrire que les actionnaires ne tirent profit du projet que si[15] :

$$\frac{VAN(I)}{I} > \frac{\beta_D \, V_D}{\beta_{CP} \, V_{CP}} \tag{16.2}$$

---

15. Pour comprendre cette équation, il suffit de raisonner en différence : dD est la variation de la dette et dCP la variation des capitaux propres provoquées par un investissement de valeur $dD + dCP = I + VAN(I)$. Les actionnaires tirent profit du projet s'ils retirent du projet plus qu'ils n'y investissent : $I < dCP$. Cela revient à dire que les créanciers obtiennent un profit inférieur à sa VAN : $VAN(I) > dD$. En divisant la seconde inégalité par la première, on obtient : $VAN(I)/I > dD/dCP$. Pour parvenir à l'équation (16.2), il suffit de poser l'approximation $dD/dCP \approx \beta_D V_D / \beta_{CP} V_{CP}$: on suppose que les sensibilités de V_D et V_{CP} à une variation de la valeur des actifs sont les mêmes, que cette évolution soit provoquée par un investissement ou par une modification des conditions de marché (voir chapitre 21).

Cela signifie que l'indice de profitabilité du projet $VAN(I)/I$ doit dépasser un seuil fonction du ratio entre le risque de la dette et celui des capitaux propres (β_D/β_{CP}) et de son levier (V_D/V_{CP}). On remarque d'ailleurs que si l'entreprise n'a aucune dette ($V_D = 0$) ou que cette dette soit sans risque ($\beta_D = 0$), l'équation (16.2) se réécrit simplement $VAN(I) > 0$. Si la dette de l'entreprise est risquée, par contre, le seuil est positif et augmente avec le levier. Les actionnaires refuseront donc les projets qui affichent des indices de profitabilité inférieurs au seuil, ce qui conduira l'entreprise à sous-investir et donc à réduire sa valeur.

Mesurer le surendettement d'une entreprise

Le bêta des actions de l'entreprise ABC (resp. DEF) est de 1,36 (resp. 1,85). Le bêta de sa dette est de 0,17 (resp. 0,31). Son levier est de 0,30 (resp. 1,0). Calculez la VAN minimale que doit dégager un investissement de 100 000 € de même risque que l'entreprise pour qu'il soit profitable pour les actionnaires de ABC (resp. DEF). Quelle est l'entreprise qui souffre le plus du surendettement ?

Solution

L'indice de profitabilité minimal pour ABC est, d'après l'équation (16.2), de $(0,17 / 1,36) \times 0,30 = 0,0375$. La VAN minimale du projet pour qu'il soit profitable pour les actionnaires d'ABC est donc de $100\ 000 \times 0,0375 = 3\ 750$ €. Pour DEF, on trouve : $(0,31 / 1,85) \times 1,0 = 0,1675$, soit une VAN minimale de 16 750 € exigée du projet. DEF souffre donc plus qu'ABC de surendettement, et ses actionnaires exigent un indice de profitabilité plus élevé que les actionnaires d'ABC pour entreprendre un projet.

Exemple 16.5

Qui supporte les coûts d'agence ?

Un endettement excessif peut inciter les dirigeants ou les actionnaires à prendre des décisions qui réduisent la valeur de l'entreprise. Dans tous les cas, les profits que retirent les actionnaires de ce type de décisions s'accompagnent de pertes *apparemment* supportées par les créanciers. Évidemment, le droit de la faillite prévoit des dispositions pour éviter que les actionnaires ne cèdent à la tentation et ne profitent des difficultés financières de l'entreprise au détriment des créanciers. Ainsi, en France, lorsqu'une entreprise se déclare en cessation de paiement, le tribunal examinera avec attention toutes les décisions importantes prises par l'entreprise au cours de ce que l'on appelle la « période suspecte », qui précède la cessation de paiement, afin de vérifier que les actionnaires n'ont pas favorisé leurs intérêts au détriment de ceux des créanciers et de l'entreprise. Mais un autre mécanisme de protection des créanciers existe.

En effet, le coût des difficultés financières, s'il est apparemment supporté par les créanciers, est en réalité transféré aux actionnaires : les créanciers anticipent la possibilité que les actionnaires abusent de leur position. De ce fait, les créanciers n'acceptent de payer les titres de dette qu'à un prix qui intègre le coût anticipé de ces abus. Cela réduit les capitaux à la disposition des actionnaires pour investir ou verser des dividendes et fait donc baisser la valeur des actions de l'entreprise. Cette baisse reflète l'espérance des VAN négatives des projets non optimaux qui pourraient être mis en œuvre par l'entreprise surendettée.

Ces coûts d'agence n'apparaissent que lorsqu'il existe une probabilité que l'entreprise rencontre des difficultés financières. Ils augmentent donc avec le risque – et l'endettement – de l'entreprise, ce qui influence le choix de la structure financière.

Coûts d'agence et dette

En quoi l'analyse précédente est-elle modifiée si Lacour n'a emprunté que 0,4 et non 1 million d'euros ?

Solution

Si rien ne change, Lacour vaudra 900 000 € dans un an. L'entreprise sera solvable, avec une valeur de marché de ses capitaux propres de 900 000 – 400 000 = 500 000 €.

Si l'on met en œuvre la stratégie risquée, la valeur des actifs de Lacour sera égale à 1,3 million d'euros en cas de succès et à 300 000 € en cas d'échec. La dette étant de 400 000 €, les actionnaires recevront donc 900 000 € ou 0 € selon que la stratégie est un succès ou un échec. L'espérance de gain des actionnaires sera de 450 000 €. Les actionnaires rejettent donc la stratégie risquée.

La seconde possibilité consiste à réaliser l'investissement sans risque. Si Lacour émet des actions pour lever 100 000 € et financer le projet, la valeur des actifs de l'entreprise augmente de 150 000 €, et la valeur des capitaux propres passe à 900 000 + 150 000 – 400 000 = 650 000 €. Cela représente pour les actionnaires un gain de 150 000 € par rapport à ce qu'ils auraient reçu en l'absence de ce projet, pour un investissement initial de leur part de 100 000 €. Ce projet est évidement mis en œuvre.

Enfin, Lacour n'a aucune incitation à vendre à perte une machine pour verser aux actionnaires un dividende exceptionnel : en échange d'un dividende immédiat de 25 000 €, la richesse future des actionnaires est réduite de 100 000 €, car leur richesse future passe à 800 000 – 400 000 = 400 000 €.

L'effet de cliquet de la dette

Lorsqu'une entreprise non endettée décide de s'endetter, ce sont donc les actionnaires qui supportent le coût anticipé des difficultés financières et les coûts d'agence car, pour une valeur nominale de l'emprunt donnée, l'entreprise reçoit moins de capitaux que s'il n'y avait pas eu de coût des difficultés financières. Cela incite l'entreprise à éviter de s'endetter de manière excessive, car sa valeur totale en serait réduite.

Les choses peuvent être différentes lorsqu'une entreprise est déjà endettée : certains coûts liés à une augmentation de l'endettement sont supportés par les créanciers existants, et non par les actionnaires. Dans une telle situation, s'endetter de manière excessive peut être profitable pour les actionnaires, *même si cela réduit la valeur totale de l'entreprise*. Ce phénomène est une autre manifestation du phénomène d'extraction de liquidités.

De manière symétrique, une entreprise très endettée n'a pas nécessairement intérêt à réduire son endettement. En effet, tout remboursement d'une partie de la dette de l'entreprise bénéficie en premier lieu aux créanciers, car la valeur de leurs créances augmente avec la réduction du risque, des coûts d'agence et du coût des difficultés financières.

Cet **effet de cliquet de la dette** permet d'expliquer pourquoi les actionnaires d'une entreprise endettée peuvent avoir intérêt (1) à augmenter l'endettement, même si cela réduit la valeur totale de l'entreprise[16] ou (2) à ne pas réduire l'endettement, même si cela augmen-

---

16. D. Bizer et P. DeMarzo (1992), « Sequential Banking », *Journal of Political Economy*, 100, 41-61.

terait la valeur totale de l'entreprise[17]. L'effet de cliquet représente un coût d'agence additionnel qui affecte les décisions de financement futures de l'entreprise (plutôt que ces décisions d'investissement). Bien que cela incite les entreprises initialement à moins s'endetter, afin de limiter ces coûts, à la longue cela conduit à un levier excessif dans la mesure où les actionnaires préfèrent augmenter plutôt que de réduire l'endettement.

Excès d'endettement et effet de cliquet

Une réduction de l'endettement de Lacour de 1 million d'euros à seulement 400 000 € ferait augmenter la valeur de l'entreprise en faisant disparaître le problème de sous-investissement. Les actionnaires y gagneraient-ils pour autant ?

Solution

Avec une dette de 1 million d'euros, Lacour refuse le projet d'investissement sans risque pourtant créateur de valeur (voir tableau 16.4). De ce fait, la dette vaut 900 000 € et les capitaux propres 0. Si la dette n'avait été que de 400 000 €, comme dans l'exemple 16.6, le projet aurait été accepté et la valeur de Lacour aurait augmenté du montant de la VAN du projet (50 000 €).

Les actionnaires de Lacour ont-ils pour autant intérêt à cette réduction de l'endettement ? Pour rembourser immédiatement des créances ayant une valeur nominale de 600 000 € et d'échéance un an, les actionnaires doivent débourser aujourd'hui 600 000 / 1,05 = 571 429 € (l'actualisation se fait au taux sans risque car, après l'opération, la dette restante sera sans risque). Il faut également que les actionnaires financent l'investissement dans le projet, soit 100 000 €.

Au final, la valeur de Lacour est de 1,05 million d'euros ; la valeur des capitaux propres est de 650 000 € après remboursement des créanciers, soit moins que ce que les actionnaires ont investi pour réduire la dette et financer le projet. Les actionnaires n'acceptent donc pas de financer la réduction de la dette de Lacour, même si cela permettrait à l'entreprise de réaliser un projet d'investissement rentable.

Exemple 16.7

Comment limiter les coûts d'agence de la dette ?

Plusieurs stratégies sont possibles. Tout d'abord, l'ampleur des coûts d'agence est fonction de l'échéance de la dette : plus celle-ci est lointaine, plus les actionnaires disposent de temps pour profiter de la situation au détriment des créanciers[18]. Si la dette de Lacour arrivait à échéance aujourd'hui même, l'entreprise serait contrainte de déposer son bilan ou de renégocier les conditions d'emprunt avec ses créanciers, avant même qu'elle ne puisse augmenter le risque de ses investissements ou rater des opportunités de croissance rentable. Néanmoins, le recours à une dette de court terme impose à l'entreprise de se refinancer fréquemment ; cela lui fait courir un risque de refinancement et peut augmenter la probabilité de difficultés financières ainsi que les coûts associés.

---

17. A. Admati, P. DeMarzo, M. Hellwig et P. Pfleiderer (2013), « The Leverage Ratchet Effect », *Document de travail*.

18. S. Johnson (2003), « Debt Maturity and the Effects of Growth Opportunities and Liquidity on Leverage », *Review of Financial Studies*, 16(3), 209-236.

Les créanciers peuvent également exiger l'inclusion de clauses protectrices dans les contrats de prêt ; ces clauses, très fréquentes, sont appelées des **clauses de sauvegarde** (*debtcovenants*). Ces clauses peuvent limiter la capacité de l'entreprise à payer des dividendes élevés ou lui interdire certains types d'investissements. En limitant l'autonomie des dirigeants et des actionnaires, les créanciers se protègent, ce qui réduit les coûts d'agence. À l'inverse, parce qu'elles limitent la flexibilité de l'entreprise, ces clauses peuvent également la contraindre à rater des opportunités d'investissement rentables[19]…

Crise financière — Aléa moral et sauvetage des banques

Le concept d'**aléa moral** renvoie à l'idée que les agents modifient leur comportement lorsqu'ils sont protégés de ses possibles conséquences. Le débat sur l'aléa moral dans la crise financière a porté sur les « vendeurs » de prêts *subprime*, les salariés des banques d'investissement et les dirigeants d'entreprise : tous touchaient de substantiels bonus tant que tout allait bien, mais n'étaient pas tenus de les rembourser lorsque la situation s'est dégradée. Les coûts d'agence représentent une autre forme d'aléa moral, puisque les actionnaires peuvent être incités à prendre trop de risques ou à se verser des dividendes trop élevés si les conséquences négatives de ces décisions sont supportées par les créanciers.

Dans ces conditions, comment être certain que les actionnaires n'abuseront pas de leur pouvoir et pourquoi les créanciers acceptent-ils de prêter ? Tout d'abord, il est possible que les créanciers intègrent ce risque dans le taux d'intérêt qu'ils exigent et qu'ils soient rémunérés pour ce risque. Il est également possible (et plus plausible) que les actionnaires s'engagent à ne pas dépasser un certain niveau de risque, défini par les clauses de sauvegarde prévues par le contrat de prêt.

Il y a donc un paradoxe : l'intervention des pouvoirs publics pour juguler la crise financière de 2008 a eu des bénéfices immédiats très élevés en protégeant les créanciers, mais a également affaibli le mécanisme de discipline des actionnaires ; en effet, les interventions des pouvoirs publics ont conforté l'idée que toutes les banques, voire toutes les entreprises « *too big too fail* » (trop importantes pour faire faillite), bénéficiaient de la garantie implicite du gouvernement… En conséquence, les créanciers seront à l'avenir moins exigeants sur les clauses de sauvegarde et moins attentifs à leur respect. Cela risque de favoriser l'adoption de comportements risqués de la part de certains actionnaires ou dirigeants. En d'autres termes, l'action contre la crise de 2008 a augmenté la probabilité que de nouvelles crises se produisent à l'avenir…

Zoom sur… — Pourquoi les entreprises font-elles faillite ?

Dans la mesure où un effet de levier excessif peut s'avérer très coûteux, les entreprises ne devraient-elles pas ajuster leur structure financière pour éviter la faillite ? Elles pourraient, en effet, choisir un levier élevé lorsqu'elles sont très rentables – et bénéficier de la déductibilité des intérêts – puis, lorsque les bénéfices diminuent, émettre de nouveaux titres pour réduire l'effet de levier et éviter la faillite. Ce faisant, les entreprises éviteraient les coûts d'agence, de détresse et de défaillance décrits dans ce chapitre, préservant ainsi les avantages de la dette tout en évitant les coûts éventuels.

…

---

19. Voir chapitre 24 et C. W. Smith et J. B. Warner (1979), « On Financial Contracting: An Analysis of Bond Covenants », *Journal of Financial Economics*, juin, 117-161.

...

En réalité, il est rare que les entreprises se comportent ainsi. Au lieu de cela, généralement, lorsque les bénéfices baissent, l'effet de levier augmente, souvent d'ailleurs de manière substantielle (principalement en raison de la diminution de la valeur des capitaux propres). Pourquoi alors l'entreprise n'émet-elle pas de nouvelles actions pour compenser ?

L'effet de cliquet aide à expliquer ce comportement. Émettre de nouvelles actions afin de rembourser une partie de la dette en cas de difficultés financières augmenterait la valeur de l'entreprise parce qu'elle abaisserait la probabilité de faillite. Toutefois, les actionnaires n'en profitent pas ; ce sont les créanciers obligataires uniquement qui économisent les coûts de faillite. Si l'entreprise rembourse la dette existante au moyen de la trésorerie générée par l'émission de nouvelles actions, ou en réduisant les dividendes ou les rachats d'actions, son prix baissera car les actionnaires devront payer le coût de la réduction de l'effet de levier. Les actionnaires ne choisiront pas une telle stratégie.

16.6. Inciter les dirigeants : les gains d'agence de la dette

Dans la section précédente, on a supposé que les dirigeants agissent toujours dans l'intérêt des actionnaires, et que les conflits d'intérêt apparaissent entre créanciers et actionnaires. En fait, le dirigeant de l'entreprise défend aussi ses propres intérêts, qui peuvent être différents de ceux des actionnaires et des créanciers. Même si le dirigeant de l'entreprise possède des actions ou des stock-options de l'entreprise qu'il dirige, ces titres ne font de lui, sauf exception, qu'un actionnaire très minoritaire de l'entreprise, surtout lorsque l'entreprise est grande. Et la menace du licenciement du dirigeant par le Conseil d'administration reste largement théorique, puisque les dirigeants sont rarement démis de leurs fonctions, particulièrement en France, sauf si les performances de l'entreprise sont catastrophiques[20].

La séparation entre la propriété et la gestion de l'entreprise, de règle dans les sociétés anonymes, laisse donc la possibilité au dirigeant de chercher à s'enraciner dans l'entreprise pour en tirer un profit personnel. Du fait d'une menace de licenciement peu crédible et d'incitations insuffisantes, le dirigeant peut préférer gérer l'entreprise de façon à défendre ses intérêts propres plutôt que ceux de ses actionnaires.

Dans cette optique, endetter une entreprise est susceptible d'inciter ses dirigeants à agir plus efficacement dans l'intérêt des actionnaires. En ce sens, la dette offre aux actionnaires des gains d'agence. Ceux-ci constituent une bonne raison pour que l'entreprise ait recours à un financement mixte (dette et capitaux propres) plutôt qu'à un financement exclusivement par capitaux propres. Plusieurs facteurs peuvent expliquer les gains d'agence permis par la dette.

---

20. J. Warner, R. Watts et K. Wruck (1988), « Stock Prices and Top Management Changes », *Journal of Financial Economics*, 20, 461-492 ; D. Jenter et K. Lewellen (2012), « Performance-Induced CEO Turnover », *Document de travail*.

Éviter la dilution de l'actionnariat

Le recours à la dette évite l'émission d'actions et donc la dilution des actionnaires. Ces derniers peuvent de ce fait conserver un niveau de contrôle élevé et inchangé sur l'entreprise.

Prenons un exemple. Jacques Hadi est propriétaire d'un magasin d'ameublement. Le succès est au rendez-vous et l'ouverture de nouveaux magasins est à l'ordre du jour. Cette stratégie est coûteuse et il faut faire un choix : s'endetter ou émettre des actions. Si Jacques Hadi choisit l'émission d'actions, il doit vendre 40 % des actions de son entreprise ; s'il choisit la dette, il reste seul actionnaire de son entreprise. Si l'on néglige le cas particulier dans lequel l'entreprise rencontre des difficultés financières, chaque fois que Jacques Hadi parviendra à faire augmenter la valeur des capitaux propres de l'entreprise de 1 €, les actions qu'il détient augmenteront de 1 € si l'entreprise est endettée, mais seulement de 60 % × 1 € = 60 centimes si l'entreprise a ouvert son capital à d'autres actionnaires.

La modification de l'actionnariat de l'entreprise modifie donc les incitations de Jacques Hadi. On peut supposer qu'il sera plus incité à travailler dur et à prendre les bonnes décisions s'il reçoit à la fin 100 % des bénéfices plutôt que seulement 60 % (sous l'hypothèse que la valeur de l'entreprise est influencée par son travail et ses décisions).

Et Jacques Hadi pourrait même, si l'ouverture du capital était décidée, modifier ses priorités en s'autorisant à bénéficier d'avantages en nature payés par l'entreprise (bureau luxueux, chauffeur, jet privé de fonction…). L'augmentation du capital de l'entreprise permet en effet à M. Hadi de ne supporter que 60 % de leur coût, le reste étant payé par les autres actionnaires. Ainsi, plus la part du dirigeant dans le capital de l'entreprise est faible, plus la probabilité de dépenses somptuaires est élevée. En revanche, si l'entreprise s'était endettée, Jacques Hadi serait resté seul propriétaire de l'entreprise et donc aurait au final supporté seul le coût de ces avantages en nature.

Le coût des dépenses somptuaires et la réduction de l'effort consenti par le dirigeant sont des coûts d'agence qui apparaissent dans les entreprises dont l'actionnariat est dilué. Qui en paie le prix ? Comme d'habitude, si les titres sont vendus à leur juste prix, les propriétaires initiaux de l'entreprise. Les nouveaux actionnaires exigent en effet de payer un prix pour leurs actions plus faible que celui qu'ils auraient payé en l'absence de coûts d'agence, afin de tenir compte de la diminution anticipée de l'effort du dirigeant et de l'augmentation future de ses dépenses somptuaires. Le recours à la dette peut donc profiter à l'entreprise puisque, en évitant la dilution de l'actionnariat, l'entreprise évite ces coûts d'agence[21].

Éviter les investissements destructeurs de valeur

L'actionnariat est en général concentré dans les entreprises jeunes et il se disperse au gré de la croissance de l'entreprise : lorsque les fondateurs quittent l'entreprise, les dirigeants qui les remplacent ne sont en général plus des actionnaires importants de l'entreprise.

---

21. M. Jensen et W. Meckling (1976), « Theory of the Firm: Managerial Behavior, Agency Costs and Ownership Structure », *Journal of Financial Economics*, 3, 305-360. Les dirigeants possédant une part importante du capital de l'entreprise qu'ils dirigent sont toutefois plus difficiles à remplacer que les autres. Une augmentation de la concentration de l'actionnariat peut donc favoriser l'enracinement des dirigeants et réduire leurs incitations : R. Morck, A. Shleifer et R. W. Vishny (1988), « Management Ownership and Market Valuation », *Journal of Financial Economics*, 20, 293-315.

De plus, la croissance de l'entreprise s'accompagne de besoins de capitaux nouveaux qui imposent des augmentations de capital (la croissance ne pouvant être financée exclusivement par endettement ; voir chapitre 15). Enfin, les actionnaires veulent détenir un portefeuille diversifié, afin de réduire son risque systématique, ce qui les conduit à vendre des actions des entreprises qui grossissent. En conséquence, il est rare qu'un dirigeant d'une grande entreprise en détienne une part importante, à l'exception des entreprises restées dans le giron familial et dirigées aujourd'hui par un des héritiers du fondateur (Lagardère, LVMH, Wendel…).

Puisque les dirigeants de grandes entreprises détiennent une part très faible de l'entreprise qu'ils dirigent, les conflits d'agence entre actionnaires et dirigeants sont probables et appellent à la mise en place de mécanismes permettant de les éviter ou de les résoudre, protégeant ainsi les actionnaires du pouvoir discrétionnaire du dirigeant : la **gouvernance d'entreprise** (voir chapitre 29). Malgré ces mécanismes, il arrive qu'un dirigeant agisse à l'encontre des intérêts de ses actionnaires, ce qui provoque en général un scandale lorsque l'information est publiée (nous ne citerons aucun nom…). S'il est évidemment choquant qu'un dirigeant profite de dépenses somptuaires, celles-ci ne pèsent pourtant pas lourd par rapport à la valeur d'une grande entreprise. Il n'en est pas de même si le dirigeant enraciné commence à sélectionner des projets d'investissement à VAN négative, c'est-à-dire destructeurs de valeur. Pourquoi le dirigeant prendrait-il de telles décisions ?

Une des hypothèses avancées est que les dirigeants aiment se construire des **empires**, car ils préfèrent diriger des grandes entreprises plutôt que des petites : leur rémunération est plus élevée, leur prestige également. Les dirigeants sélectionneraient donc les opportunités d'investissement visant à accroître la taille de l'entreprise plutôt que sa rentabilité. Dans cette optique, il serait rationnel du point de vue d'un dirigeant de réaliser des investissements sans trop se soucier de leur VAN, de négliger de fermer des filiales peu rentables ou de surpayer des acquisitions.

Une autre hypothèse pour expliquer la réalisation d'investissements destructeurs de valeur par les dirigeants fait appel à leur ego (**hypothèse de « l'hubris »**) : poussés par un excès de confiance en eux, ils auraient tendance à se croire meilleurs que les autres et donc à surestimer la probabilité de succès d'un projet ou ses perspectives de croissance, investissant dans des projets trop risqués ou de trop grande taille compte tenu des profits raisonnablement anticipés[22].

Pour que ces projets destructeurs de valeur puissent être financés, il est nécessaire que l'entreprise dispose des capitaux nécessaires. Ce constat d'évidence fonde ce que l'on appelle **l'hypothèse des flux de trésorerie disponibles** (*free cash flow hypothesis*) : ces investissements à VAN négative sont plus probables dans les entreprises disposant de flux de trésorerie supérieurs à ce dont l'entreprise a besoin pour financer ses projets rentables et rembourser ses créanciers[23]. Au contraire, lorsque les flux de trésorerie sont faibles, les dirigeants doivent gérer l'entreprise de la manière la plus efficace possible. D'après l'hypothèse des flux de trésorerie disponibles, l'endettement augmente donc

---

22. U. Malmendier et G. Tate (2005), « CEO Overconfidence and Corporate Investment », *Journal of Finance*, 60, 2661-2700 ; J. B. Heaton (2002), « Managerial Optimism and Corporate Finance », *Financial Management*, 31, 33-45 ; R. Roll (1986), « The Hubris Hypothesis of Corporate Takeover », *Journal of Business*, 59, 197-216.

23. M. Jensen (1986), « Agency Costs of Free Cash Flows, Corporate Finance, and Takeovers », *American Economic Review*, 76, 323-329.

la valeur de l'entreprise car la dette crée des obligations futures qui réduisent les flux de trésorerie disponibles et en conséquence les possibilités d'investissements contre-productifs des dirigeants[24].

Une autre raison pour laquelle la dette est susceptible de réduire l'**enracinement du dirigeant** est qu'elle augmente la probabilité que l'entreprise rencontre des difficultés financières, ce qui augmente la probabilité que le dirigeant se fasse licencier. Des diri-geants moins enracinés, plus inquiets pour leur longévité à la tête de l'entreprise, sont des dirigeants qui, toutes choses égales par ailleurs, évitent généralement les dépenses somptuaires et gèrent l'entreprise dans l'intérêt des actionnaires.

La dernière raison est que les entreprises très endettées sont également sous la surveil-lance attentive des créanciers, qui veillent à défendre leurs propres intérêts. Cela limite un peu plus l'autonomie du dirigeant et sa capacité à œuvrer en faveur de ses propres intérêts[25].

Accroître le pouvoir de négociation de l'entreprise

La peur de difficultés financières peut par ailleurs donner à l'entreprise un pouvoir de négociation important. Les entreprises faisant face à des difficultés financières parviennent ainsi fréquemment à des accords avec les syndicats de salariés qu'elles n'au-raient pu obtenir autrement : gel des salaires ou augmentation du temps de travail, en échange du maintien de l'emploi[26].

Un taux d'endettement élevé peut également constituer un aiguillon poussant l'entre-prise à mettre en œuvre une politique commerciale plus agressive, visant à éviter toute baisse du chiffre d'affaires synonyme de difficultés financières. Cela est susceptible de tenir à distance certains concurrents potentiels, qui ne se risqueront pas à lutter sur le terrain des prix. Évidemment, l'argument peut être retourné, une entreprise trop endettée risquant de devenir la cible de politiques commerciales agressives de la part de ses concurrents cherchant à l'affaiblir pour récupérer ses parts de marché[27].

---

24. Si les flux de trésorerie disponibles sont insuffisants, le dirigeant peut décider de lever de nouveaux capi-taux pour financer des projets destructeurs de valeur. Les investisseurs hésiteraient cependant à participer à une telle augmentation de capital, d'autant que ces opérations sont en général suivies avec attention par les analystes financiers et la presse spécialisée.

25. M. Harris et A. Raviv (1990), « Capital Structure and the Informational Role of Debt », *Journal of Finance*, 45(2), 321-349.

26. E. C. Perotti et K. E. Spier (1993), « Capital Structure as a Bargaining Tool: The Role of Leverage in Contract Renegociation », *American Economic Review*, 83(5), 1131-1141. La dette peut également influencer le rapport de force entre l'entreprise et ses fournisseurs ; S. Dasgupta et K. Sengupta (1993), « Sunk Investment, Bargaining and Choice of Capital Structure », *International Economic Review*, 34(1), 203-220 et O. H. Sarig (1998), « The Effect of Leverage on Bargaining with a Corporation », *Financial Review*, 33 (2), 1-16. La dette peut modifier le pouvoir des différents actionnaires ; M. Harris et A. Raviv (1988), « Corporate Control Contests and Capital Structure », *Journal of Financial Economics*, 20(3), 55-86 et R. Israel (1991), « Capital Structure and the Market for Corporate Control: The Defensive Role of Debt Financing », *Journal of Finance*, 46(4), 1391-1409.

27. J. Brander et T. Lewis (1986), « Oligopoly and Financial Structure: The Limited Liability Effect », *American Economic Review*, 76, 956-970 ; P. Bolton et D. Scharfstein (1990), « A Theory of Predation Based on Agency Problems in Financial Contracting », *American Economic Review*, 80, 93-106 ; J. Chevalier (1995), « Capital Structure and Product-Market Competition: Empirical Evidence from the Supermarket Industry », *American Economic Review*, 85, 415-435. Cette étude empirique montre que l'endettement réduit la compétitivité des entreprises de la grande distribution.

16.7. Coûts d'agence et théorie du compromis

Il faut donc ajouter deux termes à l'équation (16.1) pour intégrer les coûts et les gains des incitations liées à la dette :

$$V^D = V^U + VA(EcoIS) - VA(\text{Coûts des difficultés financières})$$
$$- VA(\text{Coûts d'agence de la dette}) + VA(\text{Gains d'agence de la dette}) \quad (16.3)$$

L'effet net des coûts et gains d'agence est représenté à la figure 16.3. En l'absence de dette, la valeur de l'entreprise est V^U. Lorsque la dette augmente, l'entreprise profite de la déductibilité des charges d'intérêts, dont la valeur actuelle est $\tau^* V_D$.

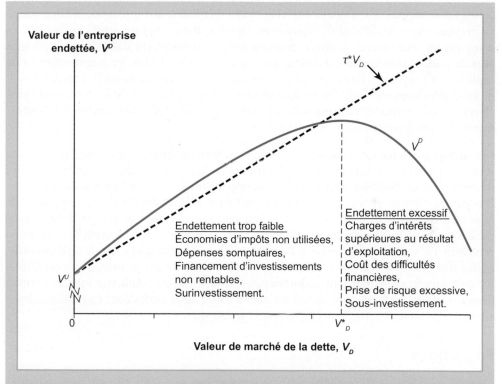

Figure 16.3 – Endettement optimal en présence d'impôts, de difficultés financières coûteuses et de coûts d'agence

La valeur de l'entreprise V^D augmente avec l'endettement V_D car elle réalise des économies d'impôt et profite des bénéfices d'agence de la dette. Au-delà de V^*_D, le coût des difficultés financières et les coûts d'agence réduisent la valeur de l'entreprise. L'endettement optimal V^*_D correspond à la situation dans laquelle les coûts marginaux et les gains marginaux de la dette sont égaux. La valeur de l'entreprise est alors maximale.

Elle profite également des bénéfices d'agence de la dette : les projets à VAN négative ne sont pas financés et la gestion de l'entreprise est efficace. Au-delà du niveau d'endettement optimal V^*_D, la valeur de l'entreprise commence à baisser, car l'endettement ne réduit plus l'impôt sur les sociétés (les charges d'intérêts sont supérieures au résultat d'exploitation), les coûts des difficultés financières apparaissent et les coûts d'agence l'emportent sur les bénéfices d'agence.

L'endettement optimal varie d'une entreprise à l'autre

Les coûts et les bénéfices liés à la dette varient en fonction des caractéristiques des entreprises et des secteurs d'activité[28].

Les entreprises à taux de croissance élevé. Les entreprises de haute technologie affichent en général des taux de croissance élevés ; elles supportent par ailleurs d'importants coûts de R&D. Leurs flux de trésorerie disponibles sont faibles ; la dette n'est donc pas utile pour profiter d'économies d'impôt. Par ailleurs, les coûts associés aux difficultés financières sont élevés, car le facteur de production principal de ces entreprises est le capital humain des chercheurs et ingénieurs, qui quitteraient l'entreprise au premier signe de difficultés financières. De plus, il est très aisé pour ces entreprises d'augmenter leur niveau de risque économique (en investissant dans des technologies plus risquées) : inutile donc d'ajouter un risque financier. Enfin, les augmentations de capital sont fréquentes dans ces entreprises, afin de financer de nouvelles recherches et de nouvelles opportunités d'investissement ; les coûts d'agence de la dette sont donc élevés. Logiquement, ces entreprises sont très peu endettées ; elles affichent fréquemment des taux d'endettement inférieurs à 10 %.

Les entreprises à taux de croissance faible. Pour les entreprises à maturité, les bénéfices sont récurrents et stables, les actifs sont principalement corporels. En général, les flux de trésorerie disponibles sont élevés et les opportunités de croissance sont rares. Les économies d'impôt permises par la dette sont donc attractives. Le rôle disciplinaire de la dette est également très utile dans ces entreprises, car elles disposent d'une trésorerie abondante qui pourrait être utilisée pour financer des investissements pas ou peu rentables. Puisque l'actif est principalement composé d'actifs corporels, le coût des difficultés financières est faible : les actifs peuvent être cédés sur le marché secondaire à un prix proche de leur valeur économique. Ces entreprises (industrie lourde, chimie, grande distribution, etc.) ont donc tout intérêt à être assez endettées ; en pratique, leurs taux d'endettement dépassent fréquemment les 30 %.

En pratique

L'équation (16.3) explique comment les entreprises *devraient* choisir leur structure financière, si elles voulaient maximiser la création de valeur pour leurs actionnaires. Il est plus compliqué qu'il n'y paraît de confronter cette prédiction théorique à la réalité, car de nombreux coûts liés à l'endettement sont difficiles à mesurer.

De plus, le choix d'une structure financière, comme celui d'un investissement, est réalisé en pratique par des dirigeants qui ont leurs propres fonctions d'utilité et leurs propres incitations : on peut imaginer que la défense de leurs propres intérêts compte autant à leurs yeux que celle des intérêts des actionnaires ! Si l'on en croit la **théorie de l'enracinement des dirigeants**, ces derniers choisiront précisément une structure financière

---

28. Pour une estimation des bénéfices de la dette dans différents secteurs économiques, voir A. Korteweg (2010), « The Net Benefits to Leverage », *Journal of Finance*, 65, 2137-2170 ; J. van Binsbergen, J. Graham et J. Yang (2010), « The Cost of Debt », *Journal of Finance*, 65, 2089-2136.

qui leur permettra de s'affranchir de la discipline qu'impose la dette et de conserver leur poste aussi longtemps que possible. Un dirigeant rationnel choisira un taux d'endettement *faible* afin d'éviter autant que possible les difficultés financières synonymes de licenciement. Mais le dirigeant ne peut pas diminuer le taux d'endettement autant qu'il le souhaiterait, sauf à risquer de mécontenter les actionnaires, qui s'appauvrissent du fait d'économies d'impôt perdues.

En d'autres termes, les dirigeants choisissent une structure financière qui maximise leur satisfaction, sous la contrainte de ne pas éloigner trop la valeur de l'entreprise de sa valeur optimale, ce qui leur ferait risquer le licenciement ou prêterait le flanc de l'entreprise à une offre de rachat. En pratique, les entreprises affichent donc un taux d'endettement plus faible que le niveau optimal V^*_D prédit par la théorie du compromis, celui-ci augmentant en cas de menace d'offre publique d'achat ou de changement de dirigeant[29].

16.8. Asymétries d'information et structure financière

Dans les développements précédents, l'hypothèse de perfection de l'information prévaut : les dirigeants, les créanciers et les actionnaires détiennent tous la même information sur la valeur de l'entreprise, ses risques et ses perspectives. De ce fait, les titres émis par une entreprise sont correctement évalués par le marché. L'hypothèse de perfection de l'information n'est pas vérifiée dans la pratique : l'information dont disposent les dirigeants sur la situation et les perspectives de l'entreprise est meilleure que celle des investisseurs externes. Autrement dit, il existe une **asymétrie d'information,** au bénéfice des dirigeants. Quelle est la conséquence de cette asymétrie sur la structure financière de l'entreprise ? Pour répondre à cette question, prenons un exemple.

La dette : un signal crédible ?

Rono est un fabricant d'automobiles. Les analystes financiers et les investisseurs jugent que l'entreprise dispose de perspectives de croissance plutôt inférieures à celles du secteur : plusieurs modèles de voitures de Rono arrivent en fin de vie et le développement de nouveaux modèles coûte cher. Le P-DG de l'entreprise, au contraire, est convaincu qu'une réorganisation de l'entreprise serait productrice de gains de productivité et que l'entreprise est à la veille d'une avancée révolutionnaire dans le domaine de la voiture électrique, ce qui lui permettrait sans nul doute de maintenir sa rentabilité à l'avenir. Comment le dirigeant de Rono peut-il transmettre aux actionnaires sa conviction et faire augmenter le cours de l'action ?

La première possibilité est de lancer une campagne de communication à destination des investisseurs : rencontres avec la presse et les analystes financiers, *road shows*, etc. L'efficacité de cette campagne risque pourtant d'être limitée : les actionnaires sont conscients du fait que la campagne est financée et orchestrée par l'entreprise ; le dirigeant a tout intérêt à afficher optimisme et confiance quant aux perspectives de l'entreprise

29. J. Zwiebel (1996), « Dynamic Capital Structure Under Managerial Entrenchment », *American Economic Review*, 86, 1197-1215 ; L. Zingales et W. Novaes (2002), « Capital Structure Choice When Managers are in Control: Entrenchment versus Efficiency », *Journal of Business*, 76, 49-82 ; E. Morellec (2004), « Can Managerial Discretion Explain Observed Leverage Ratios », *Review of Financial Studies*, 17, 257-294.

qu'il dirige, sauf à vouloir accélérer son licenciement. Le signal envoyé par le dirigeant aux actionnaires est donc biaisé. En d'autres termes, cette stratégie de communication souffre d'un déficit de **crédibilité**. Comment envoyer aux actionnaires un signal crédible ? La réponse ne se limite pas aux relations entre actionnaires et dirigeants, mais est au fondement de toute stratégie de communication efficace : *si l'information est imparfaite, un agent souhaitant faire passer un message doit l'accompagner pour être crédible de décisions et d'actions qui iraient à l'encontre de ses propres intérêts si le message était mensonger ou biaisé.* Sinon, l'agent sera toujours suspecté d'envoyer des signaux à son propre avantage. La clause « satisfait ou remboursé » est l'exemple parfait de ce principe de communication : le message à propos de la qualité d'un produit est crédibilisé par l'engagement de l'entreprise de rembourser les consommateurs insatisfaits.

Évidemment, un dirigeant ne peut promettre le remboursement des titres détenus par des actionnaires insatisfaits. Mais l'entreprise peut publier des prévisions chiffrées. Les actionnaires et analystes pourront vérifier *ex-post* le bien-fondé de ces prévisions. Si le dirigeant a envoyé au marché un signal biaisé par excès d'optimisme, il en paiera le prix : il risque le licenciement, des sanctions des autorités de contrôle, voire des poursuites judiciaires, puisque « l'information donnée au public par l'émetteur doit être exacte, précise et sincère », ce qui implique que « toute personne doit s'abstenir de communiquer, ou de diffuser sciemment, des informations, quel que soit le support utilisé, qui donnent ou sont susceptibles de donner des indications inexactes, imprécises ou trompeuses [sur un instrument financier...], y compris en répandant des rumeurs ou en diffusant des informations inexactes ou trompeuses, alors que cette personne savait ou aurait dû savoir que les informations étaient inexactes ou trompeuses »[30]. Un P-DG est donc crédible lorsqu'il annonce la prochaine signature de contrats rentables : en cas d'information fausse ou de présentation exagérément optimiste de la situation, il en supportera personnellement les conséquences.

Un problème existe lorsque le dirigeant ne dispose d'aucune information explicite, vérifiable et certaine : lorsque, par exemple, des contrats sont en négociation très avancée, mais doivent encore être tenus confidentiels. Comment transmettre alors aux actionnaires un signal qu'ils jugeront crédible sans révéler l'information ?

Une solution possible est d'augmenter la dette de l'entreprise. Lorsque les contrats seront signés, l'entreprise sera en mesure de rembourser sa dette. Si le dirigeant a induit en erreur les actionnaires, l'entreprise rencontrera des difficultés financières (coûteuses), qui accroissent la probabilité de licenciement du dirigeant. Ainsi, en augmentant l'endettement, le dirigeant de l'entreprise peut envoyer au marché un signal sur les bonnes perspectives de l'entreprise, sans pour autant révéler les informations qu'il détient. Le signal est crédible, car le dirigeant supporte un coût personnel s'il augmente l'endettement de l'entreprise sans que l'entreprise n'ait des perspectives favorables. La dette peut donc être utilisée pour crédibiliser un signal transmis au marché. Ce rôle de la dette est décrit par la **théorie du signal**[31].

---

30. Articles 223-1 et 632-1 du règlement général de l'Autorité des marchés financiers.

31. S. Ross (1977), « The Determination of Financial Structure: The Incentive-Signaling Approach », *Bell Journal of Economics*, 8, 23-40.

La dette comme signal

Rono est intégralement autofinancée. La valeur de marché de son actif net sera de 100 millions d'euros dans un an, si les nouveaux modèles électriques rencontrent le succès ; sinon Rono ne vaudra que 50 millions d'euros. Si l'on en croit les analystes, le succès est aussi probable que l'échec. Mais le P-DG dispose d'informations encore confidentielles faisant état d'une probabilité de succès presque égale à 100 %. Le P-DG peut-il envoyer un signal crédible au marché grâce à un endettement de 25 millions d'euros ? Et si l'endettement est de 55 millions d'euros ?

Solution

Si l'endettement est inférieur à 50 millions d'euros, Rono ne fera pas face à des difficultés financières en cas d'échec commercial des nouveaux modèles. L'endettement ne produit donc aucun coût pour l'entreprise, quel que soit le succès des nouveaux modèles. Une dette de 25 millions d'euros ne constitue pas par conséquent un moyen de crédibiliser l'information transmise par le dirigeant au marché.

Par contre, une dette de 55 millions d'euros rend crédible l'information. En effet, si le dirigeant se trompe ou transmet au marché une information erronée, la probabilité est grande pour que l'entreprise rencontre des difficultés financières à cause de son endettement excessif. Il semble donc peu vraisemblable que le P-DG accepte de s'endetter à hauteur de 55 millions d'euros s'il n'est pas certain du succès de ses nouveaux modèles.

Émission d'actions et sélection adverse

Quand un marchand de voitures d'occasion affirme être prêt à vendre une superbe Rono Lagon pour 500 € de moins que sa vraie valeur d'occasion, il convient d'être méfiant. De quelle information dispose le vendeur, qui explique cet accès soudain de générosité ? Il est probable que la voiture a un défaut caché, connu seulement du vendeur… Dans l'argot américain, ces voitures d'occasion de qualité douteuse sont appelées des *lemons*.

George Akerlof a étudié le fonctionnement des marchés sur lequel des *lemons* s'échangent[32]. Il a démontré que, lorsqu'un vendeur détient une information privée sur la qualité d'un bien, le fait même que ce bien soit mis en vente peut signifier qu'il est d'une qualité inférieure à la moyenne : pourquoi le propriétaire d'une voiture qu'il sait être en meilleur état que la moyenne voudrait-il la vendre ? Bien entendu, les acheteurs sont rationnels et anticipent ce comportement des vendeurs. Les acheteurs exigent donc, pour éviter de se faire avoir, un rabais par rapport au prix demandé. Ce faisant, ils empêchent involontairement les propriétaires de voitures de bonne qualité de vendre leurs voitures, puisque ces derniers refusent d'octroyer ce rabais – à juste titre puisque leurs voitures sont de bonne qualité. Les vendeurs de voitures de bonne qualité ne trouvent donc personne pour acheter leurs voitures, et le marché des voitures de bonne qualité disparaît, à cause de l'asymétrie d'information entre acheteurs et vendeurs.

L'équilibre du marché converge donc vers des rabais systématiques et des échanges portant exclusivement sur des voitures de mauvaise qualité. Ce mécanisme est appelé

---

32. G. Akerlof (1970), « The Market for Lemons: Quality, Uncertainty, and the Market Mechanism », *Quaterly Journal of Economics*, 84, 488-500.

sélection adverse, ou **antisélection** : le comportement rationnel des acheteurs et des vendeurs conduit à un équilibre non optimal.

Bien loin de se limiter aux lemons, cet équilibre non optimal apparaît dès que les vendeurs possèdent des informations privées sur la qualité des biens qu'ils mettent en vente. Dans ce cas, les acheteurs exigent systématiquement de payer un prix plus faible que le prix qui prévaudrait en l'absence d'asymétrie d'information du fait de la sélection adverse. Et, bien entendu, cet équilibre peut apparaître sur les marchés de capitaux[33], puisque les actionnaires d'une entreprise, ou le dirigeant qui les représente, ont tout intérêt, avant une augmentation de capital, à annoncer des perspectives tout à fait excellentes.

Ainsi, le fondateur et actionnaire unique d'une *start-up* affirme évidemment aux investisseurs en capital-risque que son entreprise est une fantastique opportunité d'investissement, lorsqu'il souhaite céder 70 % de ses parts. Mais, s'il le pensait vraiment, pourquoi diable vendrait-il ses actions ? La raison souvent avancée par le vendeur est qu'il souhaite une meilleure diversification de son portefeuille, mais le doute est permis. Il est possible que le fondateur détienne des informations privées pessimistes sur l'entreprise, justifiant une vente rapide de ses actions, de préférence avant que l'information ne soit connue de tous[34].

Prix Nobel & Co.	Akerlof, Spence et Stiglitz : les asymétries d'information

En 2001, George Akerlof, Michael Spence et Joseph Stiglitz ont partagé le prix Nobel d'économie pour leurs travaux sur les asymétries d'information. Ces travaux ont été appliqués à la structure financière des entreprises, mais leur portée est beaucoup plus générale. Comme le résume le comité Nobel :

« Beaucoup de marchés sont caractérisés par des asymétries d'information. Sur ces marchés, certains agents disposent d'une information plus complète que les autres. Les emprunteurs connaissent mieux que les prêteurs leurs capacités futures de remboursement ; le dirigeant d'une entreprise en sait plus sur l'entreprise que les actionnaires ; les assurés savent mieux que leurs assureurs quel est leur risque d'accident. Au cours des années 1970, Akerlof, Spence et Stiglitz ont posé les bases d'une théorie générale des marchés avec asymétries d'information. Les perspectives ouvertes par cette théorie sont nombreuses, des marchés agricoles traditionnels aux marchés financiers modernes. Ils ont fondé l'analyse économique moderne de l'information. »

Source : The Nobel Foundation, **www.nobelprize.org**, traduction des auteurs.

Face au propriétaire d'une entreprise souhaitant vendre ses actions, la prudence s'impose donc, de la même manière qu'avec un vendeur de voitures d'occasion. Suivant la même logique que les acheteurs de voitures, les acheteurs d'actions exigent de payer un prix inférieur au prix demandé. Cette pression à la baisse sur le prix, conséquence du

---

33. H. Leland et D. Pyle (1977), « Information Asymmetries, Financial Structure and Financial Intermediation », *Journal of Finance*, 32, 371-387.

34. Si l'information en question est très spécifique et susceptible de faire l'objet d'une vérification *ex-post* objective, le propriétaire de l'entreprise (ou de la voiture) court un risque économique et juridique à ne pas révéler l'information (garantie dite de vice caché pour les voitures et obligation de loyauté pour le dirigeant). Il est bien évident que le risque est fortement réduit lorsque l'information est générale, complexe et ne peut faire l'objet d'une vérification *ex-post*.

risque de sélection adverse, est évidemment un coût pour les actionnaires qui veulent vendre leurs titres. Cela peut conduire ceux-ci, si les perspectives futures sont bonnes, à refuser de vendre leurs actions.

Qu'en est-il si le dirigeant d'une entreprise décide de ne plus vendre ses propres actions, mais d'en faire émettre de nouvelles par l'entreprise ? Si, à cause de l'asymétrie d'information, les actions doivent être vendues à un prix inférieur à leur vraie valeur, les acheteurs de ces titres réalisent un gain d'aubaine ; les actionnaires en place de l'entreprise subissent une perte. Si le dirigeant de l'entreprise agit dans l'intérêt des actionnaires de l'entreprise, il refusera que celle-ci vende des actions à un prix inférieur à leur valeur[35].

Sélection adverse et prix des actions

Une action Zycor vaut 60, 80 ou 100 €. Du point de vue des actionnaires, ces trois valeurs sont équiprobables. Le prix actuel d'un titre Zycor est donc égal à la moyenne des prix possibles, 80 €. Le P-DG annonce qu'il souhaite vendre la quasi-totalité de ses actions, afin de bénéficier d'une meilleure diversification de son portefeuille. Le P-DG accepte de vendre ses actions 10 % en dessous de leur « vrai » prix. Si les actionnaires pensent que le dirigeant connaît la vraie valeur des actions, quelle sera la réaction du cours de Bourse à l'annonce du dirigeant ? Ce dernier acceptera-t-il de vendre ses titres ?

Exemple 16.9

Solution

Si le P-DG pensait que les actions valaient 100 €, il n'annoncerait pas qu'il souhaite vendre ses actions au cours actuel de 80 €, car cela le conduirait à vendre ses titres avec une décote de 20 %. L'annonce du dirigeant permet donc aux actionnaires de savoir que prix de l'action est de 60 ou 80 €. Le prix actuel de l'action chute par conséquent à 70 € (la moyenne entre les deux prix possibles).

Mais si les actions valaient en réalité 80 €, le P-DG refuserait également de vendre ses titres, puisque la perte maximale qu'il accepte est de 10 %, ce qui correspond à un prix limite de 72 €, supérieur au nouveau prix de marché de 70 €. Si le dirigeant persiste à vouloir vendre ses titres alors qu'ils cotent 70 €, les actionnaires comprennent que la vraie valeur des actions est de 60 €, et le cours s'ajuste. En d'autres termes, le dirigeant ne vend ses titres que s'il sait que leur valeur est la plus faible des valeurs envisagées par les actionnaires, même s'il préférerait détenir un portefeuille diversifié.

Prenons un exemple. Gentech est une entreprise de biotechnologie, financée entièrement par capitaux propres. Chacune des 20 millions d'actions Gentech vaut 10 €. La capitalisation boursière est donc de 200 millions d'euros. Le P-DG de Gentech est convaincu que la vraie valeur de l'entreprise est de 300 millions, compte tenu de ce qu'il sait des recherches en cours dans les laboratoires de l'entreprise. Le P-DG pense que, dans un an, la valeur boursière de Gentech sera égale à sa vraie valeur, l'information ayant été transmise de manière crédible au marché. En attendant, Gentech a besoin de 60 millions d'euros pour financer un nouveau laboratoire.

Gentech pourrait lever les capitaux nécessaires dès aujourd'hui, en émettant 6 millions d'actions au prix unitaire de 10 €. Si c'est la solution retenue par le P-DG, dans un an,

---

35. S. Myers et N. Majluf (1984), « Corporate Financing and Investment Decisions When Firms Have Information that Investors Do Not Have », *Journal of Financial Economics*, 13, 187-221.

l'entreprise vaudra 300 millions d'euros, plus un laboratoire à 60 millions d'euros, soit une valeur totale de 360 millions d'euros. Gentech ayant maintenant 26 millions d'actions en circulation, chacune vaudra $360/26 = 13,85$ €.

Si Gentech attend que le marché apprenne sa vraie valeur pour émettre des actions, il sera possible d'émettre ces actions au prix unitaire de 15 €, et non plus de 10 €. Cela permettra à Gentech de lever les capitaux souhaités en n'émettant que 4 millions d'actions, au lieu de 6. Puisque les actifs de la société auront une valeur inchangée de 360 millions d'euros, chacune des 24 millions d'actions vaudra 15 €.

En d'autres termes, l'émission d'actions lorsque les dirigeants savent que l'entreprise est sous-évaluée par le marché est coûteuse pour les anciens actionnaires : chaque action ne vaudra après l'émission que 13,85 € et non 15 €. Si le P-DG de Gentech veut maximiser la richesse de ses actionnaires, il refuse l'émission d'actions à un prix plus faible que leur vraie valeur et attend que le prix des actions augmente.

Ce raisonnement met en évidence un problème de sélection adverse, comme précédemment : les dirigeants qui pensent que le cours de l'action doit augmenter dans un futur proche n'émettent pas d'actions. Cela signifie que seuls les dirigeants qui anticipent une baisse du cours de l'action acceptent d'émettre des actions… Les investisseurs n'acceptent donc de participer à une augmentation de capital que si le prix proposé pour les actions est attractif, c'est-à-dire inférieur au prix de marché actuel, ou qu'un mécanisme particulier est prévu pour les protéger contre ce risque (tel que l'attribution de droits préférentiels de souscription ; voir chapitre 23).

Conséquences sur les émissions d'actions

Le phénomène de sélection adverse a plusieurs conséquences sur les augmentations de capital :

- **Le prix des actions baisse immédiatement après l'annonce d'une émission d'actions.** Une telle annonce transmet l'information au marché que le dirigeant pense que les actions sont surévaluées. Dès réception de ce signal, les investisseurs exigent de payer un prix plus faible pour une action. Empiriquement, cet effet est clair : le cours des actions diminue en moyenne de 3 % à 5 % lors de l'annonce d'une émission d'actions, en France comme aux États-Unis[36].

- **Le prix de l'action a tendance à augmenter avant une annonce d'émission d'actions.** En effet, les dirigeants d'une entreprise qui souhaitent annoncer une augmentation de capital ont intérêt à attendre que des informations positives sur l'entreprise soient révélées au public. Inversement, ils n'ont aucune raison d'attendre s'ils anticipent la publication de mauvaises nouvelles. Empiriquement, cet effet est très clair : la figure 16.4 montre qu'aux États-Unis, le cours des actions d'entreprises ayant procédé à des augmentations de capital affiche une surperformance par rapport au marché d'environ 50 % au cours de l'année et demie précédant l'émission d'actions.

---

36. Pour la France : I. Ducassy (2003), « Déterminants de la réaction du marché français aux émissions de titres à caractère action », *Banque et Marchés*, mai-juin, 64, 46-58. Pour les États-Unis : P. Asquith et D. Mullins (1986), « Equity Issues and Offering Dilution », *Journal of Financial Economics*, 15, 61-89 ; R. Masulis et A. Korwar (1986), « Seasoned Equity Offerings: An Empirical Investigation », *Journal of Financial Economics*, 15, 91-118 ; W. Mikkelson et M. Partch (1986), « Valuation Effects of Security Offerings and the Issuance Process », *Journal of Financial Economics*, 15, 31-60.

- **Les entreprises ont tendance à émettre des actions au moment où les asymétries d'information sont les plus faibles (par exemple juste après une annonce de résultats).** Le fait que les asymétries d'informations soient plus faibles limite la baisse de prix des actions provoquée par la sélection adverse. Des études empiriques confirment à la fois que les émissions d'actions sont plus fréquentes juste après la publication de résultats et que la baisse des cours est plus faible que dans les autres cas[37].

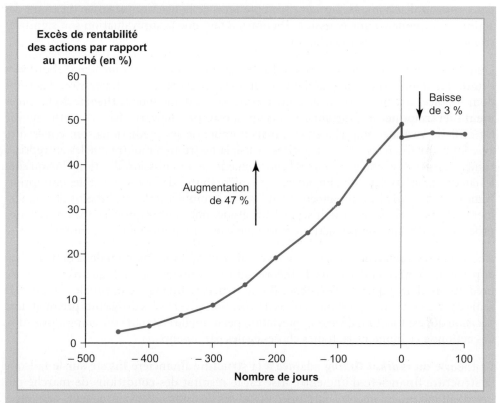

Figure 16.4 – Performance des actions autour de l'annonce d'une émission d'actions

Les actions des entreprises ayant procédé à une augmentation de capital ont réalisé de meilleures performances que le marché boursier au cours des 18 mois précédant l'annonce. En moyenne, le cours des actions baisse de 3 à 5 % à l'annonce de l'émission d'actions.

Source : D. Lucas et R. MacDonald (1990), « Equity Issues and Stock Price Dynamics », *Journal of Finance*, 45, 1019-1043.

Conséquences sur la structure financière

Émettre des actions est donc coûteux pour les actionnaires en présence d'asymétries d'information. Les dirigeants peuvent chercher d'autres sources de financement pour éviter ce coût. La dette peut également pâtir de sélection adverse, mais moins que les actions : si l'entreprise n'atteint pas un taux d'endettement excessif, la valeur de la dette est peu sensible aux informations détenues par les dirigeants. Le principal

---

37. R. Korajczyk, D. Lucas et R. MacDonald (1991), « The Effect of Information Releases on the Pricing and Timing of Equity Issues », *Review of Financial Studies*, 4, 685-708.

déterminant de la valeur de la dette est exogène à l'entreprise : il s'agit du taux d'intérêt. L'autofinancement est encore plus efficace pour éviter la sélection adverse, puisque aucun investisseur externe n'intervient.

Un dirigeant convaincu que les actions de son entreprise sont sous-évaluées par le marché préfère donc financer un investissement par dette ou par autofinancement. Inversement, un dirigeant estimant que les actions sont surévaluées finance plutôt ses investissements par émission d'actions. Néanmoins, compte tenu de la réaction négative du cours des actions à l'annonce d'une émission d'actions, il faut que la surévaluation soit significative pour justifier l'émission d'actions.

On peut résumer ce raisonnement par l'idée que les dirigeants se tournent d'abord vers l'autofinancement, puis vers la dette, et en dernier recours vers l'émission d'actions pour financer un investissement. Cette idée est au fondement de la **théorie du financement hiérarchique** (*pecking order theory*) proposée par Stewart Myers[38]. Cette théorie est difficile à valider empiriquement, mais nombre de ses prédictions sont cohérentes avec les choix financiers des entreprises. Ainsi, la figure 16.5 montre que les entreprises françaises ont davantage recours à l'endettement qu'à l'émission d'actions lorsqu'elles lèvent des capitaux externes. En outre, la première source de financement des entreprises françaises demeure l'autofinancement, qui suffit à combler 60 % des besoins de financement des entreprises. Néanmoins, plusieurs études ont montré que certaines entreprises procèdent à des émissions d'actions alors même qu'elles pourraient emprunter[39].

Au-delà d'une préférence générale en faveur de l'autofinancement ou de la dette en lieu et place de l'émission d'actions, la théorie du financement hiérarchique n'offre pas de prédictions claires quant à l'existence d'une structure financière optimale. En effet, la seule conclusion possible est que, en cas de sélection adverse, les dirigeants prennent une décision qui est fonction de leur appréciation personnelle de la sur- ou sous-valorisation des actions à ce moment-là, toutes choses égales par ailleurs.

La théorie du *market timing* adaptée à la structure financière insiste sur le fait que la structure financière d'une entreprise est le résultat des conditions de marché qui prévalent aux moments où l'entreprise prend ses décisions. Par conséquent, des entreprises appartenant au même secteur d'activité peuvent très bien avoir des structures financières différentes et néanmoins optimales si les entreprises ne se sont pas financées au même moment[40].

---

38. S. Myers (1984), « The Capital Structure Puzzle », *Journal of Finance*, 39, 575-592.

39. M. Leary et M. Roberts (2010), « The Pecking Order, Debt Capacity and Information Asymmetry », *Journal of Financial Economics*, 95, 332-355.

40. J. A. Wurgler et M. P. Baker (2002), « Market Timing and Capital Structure », *Journal of Finance*, 57, 1-32.

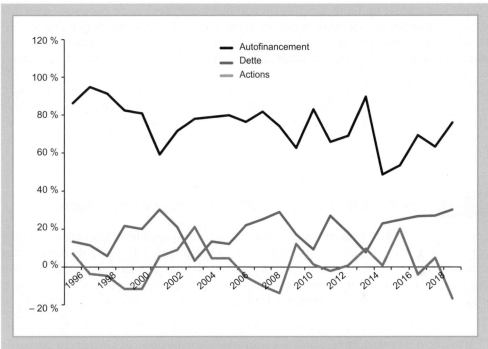

Figure 16.5 – Sources de financement des entreprises françaises depuis 1996

L'autofinancement est la première source de financement pour les entreprises françaises ; il couvre environ 60 % de leurs besoins. En termes de financements externes, la dette pèse plus lourd que les actions.

Source : INSEE (Comptes de la nation).

La théorie du financement hiérarchique

Axon veut financer un investissement de 10 millions d'euros. Si Axon s'endette sur une période d'un an, le taux d'intérêt est de 7 %. Pourtant, le P-DG d'Axon pense que le taux d'intérêt que devrait payer l'entreprise en l'absence d'asymétrie d'information est de 6 %. Si Axon émet des actions, le P-DG anticipe qu'il faudra vendre les actions 5 % en dessous de leur vraie valeur. Enfin, Axon peut autofinancer l'investissement. Quel est le coût supporté par les actionnaires dans chaque situation ?

Solution

Pour autofinancer le projet, Axon doit s'abstenir de distribuer 10 millions d'euros de dividendes aux actionnaires. Le coût pour les actionnaires est donc de 10 millions. Avec le financement par dette, Axon devra payer dans un an $10 \times 1,07 = 10,7$ millions d'euros. En valeur actuelle, cela représente $10,7 / 1,06 = 10,094$ millions d'euros. Avec le financement par actions, l'entreprise devra émettre 5 % d'actions de plus qu'en l'absence d'asymétrie d'information. En d'autres termes, la vraie valeur des actions émises sera de 10,5 millions, mais Axon n'en retirera que 10 millions. Évidemment, le coût pour les actionnaires existants est bien de 10,5 millions d'euros. Pour Axon, l'autofinancement est la source de fonds la moins coûteuse, suivie par la dette et enfin par les actions.

Exemple 16.10

De plus, la théorie du financement hiérarchique ne permet pas de conclure quant à la structure financière : elle établit que les entreprises devraient privilégier l'autofinancement, puis l'endettement et enfin l'émission d'actions. Pourtant, l'autofinancement n'est qu'une forme déguisée de financement par capitaux propres : lorsqu'une entreprise ne distribue pas de dividendes pour autofinancer un investissement, la valeur de la dette reste inchangée, alors que la valeur des capitaux propres augmente. Dès lors, les entreprises peuvent afficher un taux d'endettement faible parce qu'elles n'ont pas pu emprunter et qu'elles sont contraintes de se financer par émission d'actions ou, au contraire, parce qu'elles sont tellement rentables qu'elles peuvent autofinancer l'intégralité de leurs investissements.

16.9. Le choix d'une structure financière : synthèse

Les chapitres 14 à 16 présentent plusieurs facteurs susceptibles d'influencer le choix par une entreprise de sa structure financière. Qu'en retenir ? Le point de départ dans le modèle de Modigliani-Miller, sous l'hypothèse de marchés parfaits, est de montrer que la structure financière influence le risque pris par les actionnaires et les créanciers, mais pas le montant des capitaux que l'entreprise peut lever auprès d'investisseurs, ni sa valeur.

L'existence d'une structure financière optimale dépend donc des « imperfections de marché » : fiscalité, coûts d'agence, coûts des difficultés financières et asymétries informationnelles. Le facteur le plus important est la fiscalité : les charges d'intérêts sont partiellement déductibles de l'assiette de l'impôt sur les sociétés, au contraire des dividendes : chaque euro de dette permanente fait économiser à l'entreprise τ^* euro d'impôts. Mais le recours à la dette augmente les risques pris par l'entreprise, car cela l'expose à un risque de faillite. La faillite n'est pas un problème en soi, mais les coûts qui y sont associés diminuent la valeur de l'entreprise. L'entreprise doit donc arbitrer entre les économies d'impôt et le coût des difficultés financières.

Les coûts et bénéfices d'agence constituent également un déterminant fondamental de la structure financière des entreprises : une dette trop élevée peut encourager les dirigeants et les actionnaires à prendre des risques excessifs ou à sous-investir. Lorsque les flux de trésorerie disponibles sont élevés, une dette trop faible peut réduire l'incitation des dirigeants à créer de la valeur pour les actionnaires. Ce problème est d'autant plus important que les règles juridiques protègent peu les actionnaires d'un pouvoir excessif des dirigeants[41]. Lorsque les coûts d'agence sont élevés, l'endettement à court terme peut devenir la source privilégiée de financement externe.

L'entreprise doit également prendre en compte le rôle potentiel de sa structure financière comme vecteur d'information pour les investisseurs et les conséquences de celle-ci en termes d'antisélection. Un dépôt de bilan est coûteux pour le dirigeant. Toute politique financière augmentant l'endettement peut donc traduire la confiance du dirigeant quant à la capacité future de l'entreprise à faire face à ses engagements. Lorsque les dirigeants pensent que les actions de l'entreprise sont surévaluées, ils peuvent faire bénéficier les actionnaires en place de cette information en procédant à une émission d'actions.

---

41. J. Fan, S. Titman et G. Twite (2012), « An International Comparison of Capital Structure and Debt Maturity Choices », *Journal of Financial and Quantitative Analysis*, 47(1), 23-56.

Les investisseurs réagissent à cette politique financière en exigeant de payer les titres à un prix plus faible que précédemment. Au final, le cours des actions chute lors de l'annonce d'une émission d'actions. Afin d'éviter ce coût lié à l'antisélection, les entreprises peuvent se financer tout d'abord grâce à leurs ressources propres (autofinancement), puis à la dette, et en dernier recours aux capitaux propres. Cette hiérarchie des sources de financement est d'autant plus marquée que les dirigeants possèdent beaucoup d'informations privées sur la valeur future de l'entreprise.

Au final, toute modification de la structure financière impose des coûts de transaction. L'entreprise ne la modifie que si elle diverge significativement de la structure optimale. Lorsque le taux d'endettement d'une entreprise évolue, c'est donc plus souvent la conséquence d'une modification de la capitalisation boursière de l'entreprise que d'une décision consciente de l'entreprise[42] !

Résumé

16.1. La faillite « en marchés parfaits »

- Dans le cadre du modèle de Modigliani-Miller, rien n'empêche une entreprise de s'endetter au point de faire faillite ; la faillite d'une entreprise ne détruit pas de valeur. Si les marchés sont supposés parfaits, elle transfère simplement les actifs de l'entreprise des actionnaires vers les créanciers sans modifier leur valeur totale.

16.2. Le coût des difficultés financières

- Le fait de rencontrer des difficultés financières impose à l'entreprise des coûts directs (honoraires d'avocats, de banquiers d'affaires, etc.) et indirects (perte de clients, de salariés, de fournisseurs, etc.). Ces coûts sont apparemment supportés par l'entreprise et ses créanciers.

16.3. Coûts des difficultés financières et valeur de l'entreprise

- Lorsque les titres financiers sont émis à leur juste valeur, le coût des difficultés financières est transféré des créanciers aux actionnaires.

16.4. Structure financière optimale : la théorie du compromis

- Selon la théorie du compromis, la valeur totale d'une entreprise endettée est égale à la valeur d'une entreprise non endettée plus la valeur actuelle des économies d'impôt moins la valeur actuelle des coûts des difficultés financières :

$$V^D = V^U + VA(EcoIS) - VA(\text{Coûts des difficultés financières}) \qquad (16.1)$$

- L'endettement optimal maximise V^D.

---

42. A. Strebulaev (2007), « Do Tests of Capital Structure Theory Mean What They Say? », *Journal of Finance*, 62, 1747-1787.

16.5. Tirer profit des créanciers : les coûts d'agence de la dette

- Des coûts d'agence apparaissent lorsque des conflits d'intérêt sont possibles entre les différentes parties prenantes. Une entreprise dont la dette est risquée fait face à des coûts d'agence de plusieurs types :

  a. Substitution d'actifs : les actionnaires peuvent tirer profit d'investissements ou de décisions à VAN négatives au détriment des créanciers, si ces décisions font suffisamment augmenter le risque de l'entreprise.

  b. Sous-investissement : les actionnaires peuvent refuser de financer certains projets à VAN positive voire être incités à brader des actifs de l'entreprise pour récupérer le produit de la vente sous forme de dividendes.

  c. Lorsqu'une entreprise est déjà très endettée, un effet de cliquet peut apparaître, avec pour conséquence d'inciter les actionnaires à accroître l'endettement même si cela réduit la valeur totale de l'entreprise ou à ne pas le réduire même si cela augmenterait la valeur totale de l'entreprise.

16.6. Inciter les dirigeants : les gains d'agence de la dette

- La dette fait apparaître des bénéfices d'agence, qui peuvent améliorer les incitations des dirigeants à gérer l'entreprise dans l'intérêt des actionnaires, grâce à :

  a. La limitation de la dilution de l'actionnariat : le recours à la dette peut éviter la dispersion de l'actionnariat, ce qui favorise le contrôle des dirigeants par les actionnaires.

  b. Des flux de trésorerie disponibles plus faibles : cela réduit la probabilité qu'une entreprise réalise des investissements à VAN négative.

  c. Une pression plus forte sur les dirigeants et un enracinement plus faible : la crainte des difficultés financières peut conduire les dirigeants à gérer l'entreprise de manière plus efficace.

16.7. Coûts d'agence et théorie du compromis

- Si l'on tient compte des conflits d'agence, la valeur de l'entreprise endettée est :

$$V^D = V^U + VA\,(EcoIS) - VA\,(\text{Coûts des difficultés financières})$$

$$- VA\,(\text{Coûts d'agence de la dette}) + VA\,(\text{Gains d'agence de la dette}) \quad (16.3)$$

- L'endettement optimal maximise V^D.

16.8. Asymétries d'information et structure financière

- Lorsque les dirigeants sont mieux informés que les investisseurs, ils peuvent utiliser la dette pour envoyer un signal crédible aux actionnaires quant à leur confiance dans l'avenir de l'entreprise.

- Du fait des asymétries d'information en faveur des dirigeants, les investisseurs exigent un rabais pour acquérir de nouvelles actions. C'est la conséquence du mécanisme de sélection adverse.

■ Les dirigeants, s'ils agissent dans l'intérêt des actionnaires, auront tendance à émettre ou à vendre des actions lorsqu'ils pensent que l'entreprise est surévaluée. Par conséquent :

    a. Le prix des actions baisse à la suite de l'annonce d'une émission d'actions.

    b. Le prix des actions augmente avant l'annonce d'une émission d'actions, car les dirigeants ont tendance à retarder l'annonce jusqu'à ce que les informations favorables aient été révélées.

    c. Les entreprises émettent plus facilement des actions lorsque l'asymétrie d'information est minimale.

    d. Les dirigeants convaincus que les actions de l'entreprise sont sous-évaluées favorisent l'autofinancement et l'endettement comme sources de financement plutôt que l'émission d'actions : c'est la théorie du financement hiérarchique (*pecking order theory*).

16.9. Le choix d'une structure financière : synthèse

■ Il existe de nombreuses imperfections de marché qui influencent le choix d'une structure financière. Mais s'il existe également des coûts de transaction significatifs lorsqu'une entreprise modifie la sienne, il est probable que la plupart des ajustements seront réalisés de manière passive, au fur et à mesure de l'évolution de la capitalisation boursière de l'entreprise.

Exercices

L'astérisque désigne les exercices les plus difficiles.

1. Gladstone va commercialiser un nouveau produit. La valeur de l'entreprise sera de 80, 95, 135 ou 150 millions d'euros dans un an, en fonction du succès du produit (scénarios équiprobables). Le risque est diversifiable. Gladstone est endettée à hauteur de 100 millions d'euros (obligations zéro-coupon d'échéance un an). Le taux d'intérêt sans risque est de 5 %. Les marchés de capitaux sont supposés parfaits.

   a. Quelle serait la valeur actuelle des capitaux propres de Gladstone si l'entreprise n'avait pas de dette ?

   b. Quelle est la valeur actuelle de la dette de Gladstone ?

   c. Quelle est la rentabilité à l'échéance de la dette ? Quelle est sa rentabilité espérée ?

   d. Quelle est la valeur actuelle des capitaux propres ? Quelle est la valeur totale de Gladstone ?

2. Baruk n'a pas de liquidités et a une dette de 36 millions d'euros à rembourser immédiatement. L'entreprise n'a aucune autre dette et la valeur de marché de ses actifs est de 81 millions d'euros. Les marchés de capitaux sont supposés parfaits.

   a. Baruk a émis 10 millions d'actions. Quel est le prix de marché d'une action ?

   b. Combien Baruk doit-il émettre d'actions pour rembourser sa dette ?

   c. Quel sera, après remboursement de la dette, le prix d'une action ?

3. Lorsqu'une entreprise se déclare en cessation de paiement, il est rare que les créanciers reçoivent au final plus de 50 % du montant de leurs créances. La différence entre la valeur faciale des créances et ce que reçoivent effectivement les créanciers est-elle égale au coût direct des difficultés financières ?

4. Quelle est l'entreprise qui souffrirait le plus de la désaffection de ses clients si elle rencontrait des difficultés financières : Picard Surgelés ou SAP (fabricant de progiciels de gestion) ? Axa ou Adidas ?

5. Face à des difficultés financières, l'entreprise Fak doit vendre un actif. Elle veut limiter le coût de cette vente forcée. Faut-il vendre en priorité : son siège social ou le nom d'une marque commerciale ? Des stocks de produits finis ou des stocks de matières premières ? Un brevet ou un savoir-faire industriel ?

6. Les actifs de Telcaux ont une valeur de marché de 100 millions d'euros. La dette est de 120 millions d'euros. Si l'entreprise est liquidée, les coûts de la procédure seront de 20 millions d'euros. Les 80 millions d'euros restants iront aux créanciers. Pour éviter la faillite, le dirigeant de Telcaux propose aux créanciers d'échanger leurs titres de dette contre des actions. Quelle est la part minimale du capital de l'entreprise que le dirigeant doit proposer aux créanciers pour qu'ils acceptent l'échange ?

7. Corentin hésite entre deux offres d'emploi. Les emplois sont identiques. L'entreprise A propose 85 000 € par an pendant deux ans et l'entreprise B 90 000 €

par an pendant deux ans. La probabilité de faillite de A est nulle, mais B a 50 % de risques de faire faillite à la fin de la première année. Si B fait faillite, le contrat de Corentin sera résilié et B lui proposera la somme d'argent la plus faible possible pour qu'il reste. Si Corentin décide de quitter l'entreprise, on suppose qu'il retrouvera un emploi payé 85 000 € par an au bout de trois mois.

a. Supposons que Corentin accepte l'offre de B. S'il y a faillite, combien l'entreprise B doit-elle proposer pour qu'il soit indifférent entre quitter l'entreprise ou rester ?

b. Le coût du capital est de 5 %. Quelle est l'offre qui a la plus grande valeur actuelle ?

c. Pourquoi les entreprises avec une probabilité de faillite plus élevée doivent-elles offrir des salaires plus élevés ?

8. (Suite de l'exercice 1.) Les hypothèses demeurent identiques à celles de l'exercice 1, à une différence près : le coût de la faillite, si elle a lieu, est estimé à 25 % de la valeur des actifs de Gladstone. Comment cela modifie-t-il les réponses des questions de l'exercice 1 ? De plus, on suppose que Gladstone a 10 millions d'actions en circulation et n'a aucune dette au début de l'année.

a. Quel est le prix d'une action Gladstone si l'entreprise ne s'endette pas ?

b. Si Gladstone émet des obligations d'une valeur totale de 100 millions d'euros d'échéance un an et que ces fonds soient utilisés pour racheter des actions, quel sera le prix d'une action ? Pourquoi ce prix diffère-t-il du prix donné à la question précédente ?

9. Koka doit financer un investissement de 50 millions d'euros. Pour cela, l'entreprise veut émettre des actions. L'investissement produira des flux de trésorerie disponibles annuels de 10 millions d'euros à l'infini. Koka a 5 millions d'actions en circulation. L'entreprise n'a pas d'autres actifs et pas d'autres projets. Le taux d'actualisation est de 8 %.

a. Quelle est la VAN du projet ?

b. Quel est le prix actuel d'une action Koka ?

Finalement, Koka décide d'emprunter les capitaux nécessaires. L'emprunt sera renouvelé en permanence de sorte que seuls les intérêts sont payés tous les ans. Le taux d'imposition de Koka est de 25 %.

c. Quel est le prix d'une action ?

d. En fait, il s'avère que les flux de trésorerie disponibles annuels ne seront que de 9 millions d'euros, à cause de coûts indirects liés aux difficultés financières potentielles de l'entreprise. Le taux d'actualisation n'a pas changé. Quel est le prix d'une action en tenant compte du coût des difficultés financières ?

10. Clovis est directeur financier d'un fabricant automobile en bonne santé et il réfléchit à accroître la dette de son entreprise. Son argument est le suivant : « Si notre entreprise fait faillite, elle n'aura pas à honorer les garanties offertes aux clients ; le coût des difficultés financières est donc plus faible pour notre entreprise que pour beaucoup d'autres. Nous devrions donc augmenter notre dette. » A-t-il raison ?

11. L'exercice 21 du chapitre 15 a montré qu'en s'endettant, Facebook pourrait profiter d'économies d'impôt valorisées à 2 milliards de dollars. Pourtant, Facebook n'a aucune dette. Une explication possible est que la dette imposerait à Facebook des coûts élevés : lesquels et pourquoi ?

12. Hanvar a émis 10 millions d'actions. Chacune de ces actions vaut aujourd'hui 5,5 €. Hanvar veut réduire ses impôts en empruntant 20 millions d'euros et en rachetant des actions. La dette sera permanente.

    a. En supposant les marchés de capitaux parfaits, quel serait le prix d'une action après l'annonce de l'opération ?

    b. Qu'en serait-il si le taux d'imposition de Hanvar est de 25 % ?

    c. On intègre désormais à l'analyse le coût des difficultés financières. Si le prix de l'action Hanvar augmente à 5,75 € après l'annonce, quelle est la valeur actuelle du coût des difficultés financières que supportera Hanvar à la suite de l'augmentation de sa dette ?

13. L'entreprise Blanche réfléchit à s'endetter pour une durée d'un an. Le tableau ci-dessous récapitule les économies d'impôt (en millions d'euros) et la probabilité de difficultés financières pour l'entreprise.

Dette (en millions d'euros)	0	40	50	60	70	80	90
VA (*EcoIS*)	0,00	0,76	0,95	1,14	1,33	1,52	1,71
Prob (Difficultés financières)	0 %	0 %	1 %	2 %	7 %	16 %	31 %

Le bêta de l'entreprise est nul ; le taux d'actualisation pour le coût des difficultés financières est donc le taux sans risque (5 %). Quel est le niveau optimal d'endettement si le coût des difficultés financières est de 2 millions d'euros ? Et si le coût est de 5 millions ? Et si le coût est de 10 millions ?

14. Major est intégralement financée par capitaux propres. Ses flux de trésorerie disponibles annuels sont de 16 millions d'euros. En s'endettant de manière permanente à hauteur de 40 millions d'euros, l'entreprise pense que ses flux de trésorerie baisseraient à 15 millions d'euros, du fait de coûts indirects liés aux difficultés financières. Le taux d'imposition est de 25 % ; le taux d'intérêt sans risque est de 5 %. La prime de risque du marché est de 10 %. Le bêta des flux de trésorerie de l'entreprise est de 1,1 que l'entreprise soit endettée ou non. Quelle est la valeur de l'entreprise sans dette ? Et si elle est endettée ?

15. La plupart des ménages achètent leur logement à crédit. La dette compte souvent pour 70 ou 80 % de la valeur totale du bien. Les entreprises, elles, ont des taux d'endettement beaucoup plus faibles, autour de 30 % en moyenne. Cette différence peut-elle être expliquée par la théorie du compromis ?

16. En mai 2008, General Motors a versé à ses actionnaires un dividende de 0,25 $ par action. Le même trimestre, GM a perdu 15,5 milliards de dollars, soit 27,33 $ par action. Sept mois plus tard, GM demandait le secours du gouvernement américain et finissait par faire faillite en juin 2009.

    a. Si l'on ignore la possibilité que GM soit sauvée par le gouvernement, de quel coût la décision de payer un dividende alors que l'entreprise est proche de la faillite est-elle une illustration ?

b. Si les dirigeants de GM anticipaient la possibilité d'un sauvetage sur fonds publics, cela modifie-t-il votre réponse à la question précédente ?

17. La valeur de marché des actifs de Dinrond est de 150 millions d'euros. L'entreprise envisage la vente d'un tiers de ses actifs pour financer un projet d'investissement. La rentabilité anticipée du projet est supérieure à la rentabilité des actifs qui seraient cédés. Toutefois, le risque du nouveau projet est également supérieur au risque des actifs cédés. L'intérêt de l'opération du point de vue des actionnaires dépend-il du taux d'endettement de Dinrond ?

18. Le seul actif que possède Ivendi est un terrain nu qui vaut 10 millions d'euros (son prix sera identique dans un an). Ivendi doit rembourser une dette de 15 millions d'euros arrivant à échéance dans un an. L'entreprise peut également transformer son terrain en parc d'attraction, ce qui lui coûtera 20 millions d'euros et lui permettra de revendre le terrain dans un an pour 35 millions d'euros. Le taux d'intérêt sans risque est de 10 %. Les flux de trésorerie du parc d'attraction sont sans risque. Il n'y a pas d'impôts.

    a. Quelle est la valeur actuelle des capitaux propres d'Ivendi si l'entreprise décide de conserver le terrain nu ? Quelle est la valeur actuelle de la dette ?

    b. Quelle est la VAN du projet ?

    c. Ivendi parvient à émettre des actions pour réunir les 20 millions d'euros et à financer le projet. Quelles sont, dans ce cas, les valeurs actuelles des capitaux propres et de la dette d'Ivendi ?

    d. Est-ce plausible qu'Ivendi parvienne à émettre des actions pour réunir les 20 millions d'euros ?

19. Sarvone a un levier de 1,2. Le bêta de ses actions est de 2 ; le bêta de sa dette est de 0,3. Cinq projets d'investissement, de même risque que l'entreprise, sont actuellement examinés (en millions d'euros).

Projet	A	B	C	D	E
Investissement	100	50	85	30	75
VAN	20	6	10	15	18

Quels projets seront acceptés par les actionnaires ? Quel est le coût pour l'entreprise de son surendettement ?

20. Zimase est une start-up. L'équipe de R&D a le choix entre trois projets de recherche. Les gains après impôt et les probabilités associées à chaque projet sont détaillés dans le tableau ci-dessous. Les risques des projets sont diversifiables.

Stratégie	Probabilité	Gain (en millions d'euros)
A	100 %	75
B	50 %	140
	50 %	0
C	10 %	300
	90 %	40

a. Quel est le projet dont l'espérance de gain est la plus élevée ?

   b. Si Zimase a une dette de 40 millions d'euros et n'a aucun autre actif, quel est le projet dont l'espérance de gain pour les actionnaires est la plus élevée ? Et si la dette est de 110 millions d'euros ?

   c. Si le P-DG de Zimase choisit sa stratégie de manière à maximiser la richesse des actionnaires, quelle est l'espérance des coûts d'agence supportés par l'entreprise avec une dette de 40 millions d'euros ? Et si la dette est de 110 millions d'euros ?

21. Le P-DG de l'entreprise Pétros hésite entre quatre stratégies, caractérisées par des probabilités de succès et des valeurs de l'entreprise en cas de succès différentes :

Stratégie	A	B	C	D
Probabilité de succès	100 %	80 %	60 %	40 %
Valeur de Pétros (en M€)	50	60	70	80

En cas d'échec de la stratégie choisie, la valeur de l'entreprise sera nulle.

   a. Quelle stratégie présente l'espérance de gain la plus forte ?

   b. Le P-DG de Pétros souhaite choisir la stratégie qui maximise la valeur créée pour les actionnaires. Quelle stratégie choisit-il si l'entreprise n'a aucune dette ? Si elle a une dette de valeur nominale de 20 millions d'euros ? 40 millions d'euros ?

   c. Comment s'appelle le coût d'agence de la dette mis en évidence à la question *b* ?

22. (Suite de l'exercice précédent.) Pétros a une dette de valeur nominale 40 millions d'euros. Pour simplifier, on suppose que le risque de Pétros est intégralement spécifique, que le taux d'intérêt sans risque est nul et qu'il n'y a pas de fiscalité.

   a. Quelle est la valeur espérée des actions Pétros, si le P-DG de l'entreprise choisit la stratégie qui maximise la valeur des actions ? Quelle est la valeur espérée de l'entreprise ?

   b. Pétros émet de nouvelles actions pour rembourser 35 millions de dette (valeur nominale). Après l'opération, quelle sera la stratégie choisie par le P-DG ? La valeur de l'entreprise augmentera-t-elle ?

   c. Jean détient des obligations émises par Pétros. Quel prix demande-t-il pour ses obligations si Pétros décide de rembourser 35 millions de dette (valeur nominale) ?

   d. Combien les actionnaires de Pétros devront-ils dépenser pour réduire la dette ?

   e. Comment la situation des actionnaires sera-t-elle modifiée par cette opération ? Et celle des créanciers ? Est-il probable que le P-DG de Pétros décide de réduire l'endettement de l'entreprise ?

23. (Suite de l'exercice précédent.) Pétros doit maintenant payer un impôt de 25 % sur les flux versés aux actionnaires, mais ne paie pas d'impôt sur les flux bénéficiant aux créanciers.

   a. Quelle est la stratégie mise en œuvre par Pétros si l'entreprise n'a aucune dette ? Si la dette est de 10 millions d'euros en valeur nominale ? De 30 millions d'euros ? De 50 millions d'euros ? On suppose que Pétros privilégie toujours la stratégie la plus profitable pour les actionnaires (en cas d'égalité entre stratégies, la moins risquée est retenue).

b. Montrez que la valeur totale de Pétros est maximale pour une dette de 30 millions d'euros en valeur nominale.

c. Montrez que si Pétros a une dette de 30 millions d'euros en valeur nominale, les actionnaires bénéficient d'une augmentation de l'endettement à 50 millions d'euros, même si cela réduit la valeur totale de l'entreprise.

d. Montrez que si Pétros a une dette de 50 millions d'euros en valeur nominale, les actionnaires sont perdants lorsque la dette est réduite à 30 millions d'euros, même si cela accroît la valeur totale de l'entreprise.

24. Betsy est actionnaire à 100 % de Zuma. L'entreprise a besoin de 30 millions d'euros pour financer sa croissance. Zuma n'a aucune dette. Si les 30 millions sont obtenus par émission d'actions, elle devra céder deux tiers de l'entreprise. Son objectif est de conserver au moins 50 % des actions. Les marchés de capitaux sont supposés parfaits.

a. Si Betsy décide d'emprunter 20 millions d'euros, quelle sera la fraction du capital de l'entreprise à céder pour obtenir 10 millions d'euros ?

b. Quel est le montant minimal à emprunter pour que Betsy ne perde pas le contrôle de l'entreprise, tout en obtenant effectivement les 30 millions nécessaires ?

25. Les prévisions de Sofec pour le prochain exercice sont :

1	Résultat d'exploitation	1 000 000
2	– Charges d'intérêts	0
3	= Revenu courant avant impôt	1 000 000
4	– Impôt sur les sociétés	– 330 000
5	**= Résultat net**	**750 000**

À partir de ce résultat net, Sofec aura besoin de 200 000 € pour financer un nouveau projet d'investissement à VAN positive ; 10 % du résultat net seront utilisés par le P-DG pour des dépenses inutiles du point de vue des actionnaires. Le reste sera versé aux actionnaires au titre du dividende annuel.

a. Quels sont les deux avantages de l'endettement pour une entreprise comme Sofec ?

b. Quelle est la baisse du dividende provoquée par 1 € supplémentaire de charges d'intérêts ?

c. Quelle est l'augmentation des versements totaux aux investisseurs (créanciers et actionnaires) permise par 1 € supplémentaire de charges d'intérêts ?

26. La valeur de marché des actifs de Ralon sera dans un an de :

Probabilité	1 %	6 %	24 %	38 %	24 %	6 %	1 %
Valeur (en millions d'euros)	70	80	90	100	110	120	130

Le P-DG doit prendre une décision quant à l'utilisation des actifs de l'entreprise. S'il décide de suivre son propre intérêt (ce qui est son objectif prioritaire), la valeur des actifs sera réduite de 10 millions d'euros. Le P-DG souhaite toutefois ne pas augmenter significativement le risque de faillite de l'entreprise, afin de ne pas risquer le licenciement.

   a. Si l'entreprise a une dette de 75 millions d'euros à rembourser dans un an, quelle sera l'augmentation de la probabilité de faillite si le P-DG suit son intérêt propre ?

   b. Quel niveau d'endettement fournit au P-DG la meilleure incitation à ne pas suivre son intérêt personnel ?

27. L'avantage de la dette est bien visible : des économies d'impôt. Au contraire, de nombreux coûts associés à la dette sont difficiles à observer. Décrivez-les.

28. Si la gestion de Relax est efficace, ses actifs auront une valeur de marché de 50, 100 ou 150 millions d'euros dans un an (scénarios équiprobables). Le dirigeant peut s'engager dans une stratégie de construction d'empire, ce qui réduira la valeur de marché de l'entreprise de 5 millions d'euros. Le dirigeant peut également modifier par son action les probabilités associées aux différents scénarios pour les faire passer à respectivement 50, 10 et 40 %.

   a. Si l'entreprise est gérée efficacement, quelle est la valeur de marché espérée des actifs de Relax ?

Le dirigeant s'engagera dans la construction d'un empire sauf si cela fait augmenter le risque de faillite. Il choisira le niveau de risque qui maximise l'espérance de gain pour les actionnaires.

   b. Quatre niveaux de dette sont possibles : 44, 49, 90 ou 99 millions d'euros. Dans tous les cas, il s'agit d'une dette à un an. Pour chaque niveau de dette, le dirigeant décidera-t-il de construire un empire ? Décidera-t-il d'augmenter le risque de l'entreprise ? Quelle sera, dans chaque cas, la valeur espérée des actifs de Relax ?

   c. Les économies d'impôt réalisées grâce à la dette sont égales à 10 % des paiements revenant aux créanciers. Les capitaux empruntés et les économies d'impôt sont immédiatement versés aux actionnaires en dividendes. Quel est le niveau optimal d'endettement ?

29. Parmi les entreprises suivantes, lesquelles auront, d'après la théorie du compromis, un niveau d'endettement optimal élevé : un fabricant de cigarettes, un cabinet d'audit, une chaîne de fast foods, un fabricant de téléphones portables ?

30. Selon la théorie de l'enracinement des dirigeants, ces derniers choisissent la structure financière de l'entreprise de manière à préserver leur contrôle sur l'entreprise. Leur arbitrage est le suivant : la dette est coûteuse pour eux car ils risquent le licenciement en cas de difficultés financières ; s'ils refusent de profiter des économies d'impôt permises par l'endettement, ils ne créent pas toute la valeur possible pour leurs actionnaires et risquent une OPA hostile qui leur ferait également perdre leur poste.

AZE aura des flux de trésorerie disponibles annuels de 90 millions ; le taux d'actualisation est de 10 %. Le taux d'imposition est de 25 %. Si un raider souhaite lancer une OPA hostile, il utilisera une dette (permanente) égale à 900 millions d'euros. L'OPA hostile ne change pas les flux de trésorerie disponibles de AZE et ne réussit que si elle offre aux actionnaires une prime de 20 % par rapport à la valeur de marché de AZE. D'après la théorie de l'enracinement, quel est le niveau de dette (permanente) que le dirigeant choisira ?

31. MicroProc est entièrement financée par capitaux propres et a émis 100 millions d'actions. Chaque action devrait valoir 12,5 ou 14,5 € ; les probabilités sont égales, donc le prix actuel de l'action est de 13,5 €. MicroProc doit investir 500 millions d'euros dans une usine. Si l'entreprise s'endette, la valeur actuelle des coûts des difficultés financières est estimée à 20 millions d'euros de plus que les économies d'impôt permises par l'endettement. Par ailleurs, les actionnaires sont convaincus que le P-DG connaît la vraie valeur de l'action MicroProc ; l'entreprise affronte donc un problème de sélection adverse si elle décide d'émettre des actions.

    a. On suppose tout d'abord que, en cas d'émission d'actions, le prix de l'action reste à 13,5 €. Le dirigeant veut maximiser la richesse des actionnaires à long terme. Le P-DG choisit-il l'emprunt ou l'émission d'actions s'il sait que l'action vaut en fait 12,5 € ? Et si sa vraie valeur est de 14,5 € ?

    b. Quelle sera la réaction des actionnaires en cas d'émission d'actions ? Et en cas de financement par emprunt ? Quel sera le prix de l'action dans les deux cas ?

    c. S'il n'y avait aucun coût lié aux difficultés financières, en quoi cela changerait-il la réaction des actionnaires et créanciers ?

32. Durant la bulle Internet des années 1998-2000, le prix des actions des entreprises du secteur informatique n'arrêtait pas d'augmenter. À cette époque, le P-DG de Start-up.com pense que le marché surévalue son entreprise. Doit-il vendre les actions de Start-Up.com qu'il possède pour acheter des actions d'entreprises traditionnelles (pour ce faire, le P-DG devra payer les actions en question légèrement plus que leur valeur fondamentale) ?

*33. AuxChamps veut ouvrir une filiale en Argentine. Ce projet est aussi risqué que l'activité de l'entreprise en France. Cela nécessite un investissement de 50 millions d'euros ; le résultat d'exploitation sera de 20 millions d'euros par an à l'infini. Après l'investissement initial, les investissements seront égaux aux amortissements. Le BFR ne varie pas. Avant le projet, AuxChamps a un passif en valeur de marché constitué de 500 millions d'euros de capitaux propres (10 millions d'actions) et de 300 millions d'euros de dette. Le coût du capital de l'entreprise non endettée est de 10 % ; la dette est sans risque et le taux d'intérêt de 4 %. Le taux d'impôt sur les sociétés est de 25 %.

    a. AuxChamps propose de financer le projet par émission d'actions. Les actionnaires ne s'attendaient pas à cette annonce, mais ils partagent l'analyse d'AuxChamps sur les perspectives du projet. Quel sera le prix d'une action suite à l'annonce ?

    b. Si les actionnaires pensent que le résultat d'exploitation du projet ne sera que de 4 millions d'euros, quel sera le prix de l'action après l'annonce ? Combien d'actions l'entreprise devra-t-elle émettre ? Peu de temps après, les actionnaires apprennent que les prévisions des dirigeants étaient en fait correctes : le résultat d'exploitation de la filiale sera bien de 20 millions. Quel sera alors le prix de l'action ? Pourquoi est-il différent du prix obtenu à la première question ?

    c. AuxChamps décide finalement de s'endetter (de manière permanente) pour financer le projet. Quel est le prix d'une action après l'annonce ? En comparant le prix de l'action avec celui de la question précédente, quels sont les deux avantages de la dette vis-à-vis de l'émission d'actions ?

Chapitre 17
La politique de distribution

Certaines entreprises distribuent à leurs actionnaires des dividendes réguliers : Orange ou EDF par exemple. D'autres entreprises rachètent leurs propres actions ou doublent ces rachats d'actions de dividendes : c'est le cas d'Air Liquide ou de Total. Certaines entreprises, enfin, ne distribuent rien à leurs actionnaires, comme Vallourec ou Air France-KLM.

Lorsqu'une entreprise à des flux de trésorerie disponibles élevés, celle-ci doit décider de leur affectation. Si l'entreprise dispose d'opportunités d'investissement rentables, les flux peuvent servir à financer de nouveaux projets et accroître la valeur de l'entreprise. C'est souvent la solution retenue par les entreprises jeunes et en forte croissance, qui réinvestissent une large part de leurs bénéfices. En revanche, en l'absence d'investissements à financer, ou lorsque les flux de trésorerie disponibles dépassent le montant des investissements, ce qui est le cas de la plupart des entreprises matures et rentables, ces flux de trésorerie peuvent être utilisés pour augmenter la trésorerie de l'entreprise ou être distribués aux actionnaires. Cette décision constitue la **politique de distribution** de l'entreprise, qui est l'objet de ce chapitre. Les deux questions relatives à la politique de distribution sont :

- Pourquoi certaines entreprises conservent-elles leurs flux de trésorerie disponibles, accumulant ainsi une trésorerie abondante, alors que d'autres les distribuent à leurs actionnaires (section 17.1) ?

- Pourquoi certaines entreprises préfèrent-elles verser des dividendes tandis que d'autres procèdent plutôt à des rachats d'actions (section 17.2) ?

- Les différences dans la politique de distribution tiennent à la fiscalité des investisseurs (section 17.3), à la composition de l'actionnariat (section 17.4) et à la fiscalité des entreprises (section 17.5). Cette politique peut être également utilisée par l'entreprise pour signaler ces ambitions (sections 17.6) ou pour gérer ses actions en circulation (section 17.7).

17.1. La rémunération des actionnaires

La figure 17.1 résume les affectations possibles des flux de trésorerie disponibles d'une entreprise[1]. Le choix entre ces différentes possibilités constitue la politique de distribution. La première décision étudiée est relative au choix entre **dividendes** et **rachat d'actions**.

---

[1] À proprement parler, la figure 17.1 concerne une entreprise financée uniquement par capitaux propres. La politique de distribution d'une entreprise endettée aurait pour point de départ les flux de trésorerie disponibles pour les actionnaires (*free cash flow to equity*), c'est-à-dire les flux de trésorerie disponibles après déduction des flux de trésorerie après impôt versés aux créanciers (voir chapitre 18).

Les dividendes

Les dividendes constituent une affectation possible des flux de trésorerie disponibles de l'entreprise. Ils se traduisent par un transfert de capitaux de l'entreprise vers les actionnaires. Les dividendes ne peuvent pas dépasser le bénéfice distribuable de l'entreprise, c'est-à-dire le résultat net de l'exercice diminué des pertes antérieures et des réserves éventuelles à constituer et augmenté, le cas échéant, du report à nouveau bénéficiaire (à savoir le résultat des années précédentes non distribué).

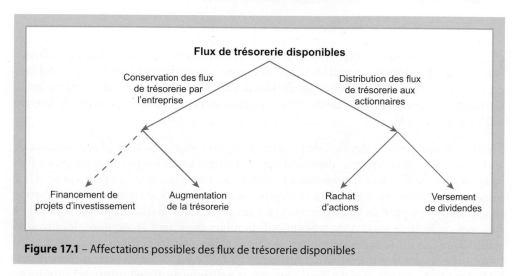

Figure 17.1 – Affectations possibles des flux de trésorerie disponibles

Chaque année, le Conseil d'administration propose à l'assemblée générale des actionnaires une affectation du résultat distribuable de l'exercice. Cette proposition peut, ou non, prévoir le versement d'un dividende. Si c'est le cas, la date de l'assemblée générale est également la **date de déclaration** du dividende (le tableau 17.1 présente un exemple). Si l'assemblée générale approuve la proposition du Conseil d'administration, quelques semaines plus tard, le dividende est détaché de l'action, qui cote donc *ex-dividende*[2] à partir de ce moment-là. À compter de cette **date de détachement** du dividende, ceux qui achètent l'action ne toucheront pas le dividende. De manière presque simultanée, les positions des actionnaires sont arrêtées et enregistrées (**date d'enregistrement**). Enfin, à la **date de distribution** prévue par l'assemblée générale, et au plus tard neuf mois après la fin de l'exercice comptable, le dividende est effectivement mis en paiement. En France, la date de distribution suit de près la date d'enregistrement (avec en général un ou deux jours de décalage). Dans d'autres pays, comme les États-Unis, le processus est plus long, puisque la date de distribution peut être postérieure à la date d'enregistrement de plus d'un mois.

---

2. Par analogie, on parle d'**action *cum-dividende*** avant le détachement du dividende.

Tableau 17.1	Procédure de versement du dividende 2016 de Sodexo		
Date de déclaration	**Date de détachement**	**Date d'enregistrement**	**Date de distribution**
L'assemblée générale des actionnaires décide de verser un dividende de 1 €	Les acheteurs de l'action après cette date ne toucheront par le dividende	Les actionnaires enregistrés à cette date toucheront effectivement le dividende	Les actionnaires enregistrés reçoivent un virement de 1 € par action détenue
24 janvier 2017	6 février 2017	7 février 2017	8 février 2017

La majorité des entreprises qui versent des dividendes le fait à intervalles réguliers, tous les trimestres (aux États-Unis) ou tous les ans (en France). En général, les dividendes sont stables ou en hausse régulière d'année en année. Certaines entreprises (Total, par exemple) versent par ailleurs des acomptes sur dividende, avant même la fin de l'exercice comptable concerné. Enfin, il arrive qu'une entreprise décide de verser, en plus ou à la place du dividende annuel, un **dividende exceptionnel**, de montant fréquemment supérieur à celui du dividende normal. Microsoft a ainsi décidé en 2004 de verser 3 $ par action à titre exceptionnel, alors que son dividende annuel était de 8 centimes ! La figure 17.2 illustre les dividendes versés par Vivendi au cours de la période 1987-2019.

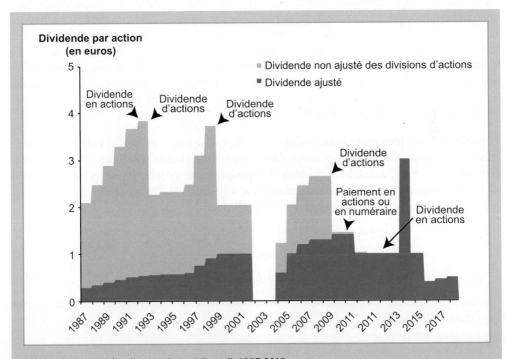

Figure 17.2 – Dividendes versés par Vivendi, 1987-2019

Vivendi a versé un dividende annuel en croissance régulière entre 1987 et 2001. En 2002 et 2003, aucun dividende n'a été versé, l'entreprise rencontrant de sérieuses difficultés financières. Depuis, l'entreprise verse de nouveau des dividendes. Pendant toute la période, l'entreprise a procédé à trois divisions d'actions, ainsi qu'au versement de deux dividendes en actions.

Sur la figure, on constate que Vivendi a procédé à trois **divisions du nominal** de ses actions (*stock split*) au cours de la période. Ainsi, en mai 2009, Vivendi a décidé de multiplier par deux le nombre de ses actions. Chacun de ses actionnaires a donc reçu une action gratuite pour chaque action détenue. La même opération a été réalisée par Vivendi en 1993 (trois actions gratuites par action détenue) et en 1999 (deux actions gratuites par action détenue). Par ailleurs, Vivendi a procédé en 1991 au versement d'un **dividende en actions**, octroyant à chaque actionnaire un dividende égal à 10 % des actions détenues ; la même opération a eu lieu en 2012, le dividende étant cette fois-ci de 3,33 % des actions détenues. Le versement de dividendes en actions ou la division d'actions consiste pour une entreprise à émettre des actions qui sont offertes aux actionnaires. Évidemment, lorsque le nombre d'actions Vivendi double, comme en 2009, le prix des actions est divisé par deux, de sorte que la capitalisation boursière de l'entreprise, c'est-à-dire la valeur de marché de ses capitaux propres, est inchangée : il n'y a donc pas d'**effet dilutif** associé au versement d'un dividende en actions. De même, le dividende par action est divisé par deux (de 2,6 € à 1,3 €) ; le montant total des dividendes versés par Vivendi demeure donc inchangé[3].

Les rachats d'actions

Pour rendre à ses actionnaires tout ou partie des flux de trésorerie disponibles, une entreprise peut également racheter une partie de ses propres actions. Aux États-Unis, les rachats d'actions sont monnaie courante depuis plusieurs décennies. En France, cette pratique est récente : apparue au milieu des années 1990, elle s'est popularisée à la suite d'une réforme législative en 1998[4]. Ces 15 dernières années, les dividendes versés par les groupes du CAC 40 ont été en moyenne de 35 milliards d'euros environ chaque année, contre 10 milliards environ pour les rachats d'action. Comment une entreprise procède-t-elle pour racheter ses propres actions ?

Les rachats d'actions en France. Lorsqu'une entreprise souhaite modifier la structure de son actionnariat, elle peut mettre en place un **plan de rachat d'actions** (PRA) qui doit être approuvé par l'assemblée générale. Ce programme précise les objectifs du rachat d'actions (souvent les mêmes d'une entreprise à l'autre[5]). Le programme précise également les modalités et les conséquences de l'opération :

- pourcentage de capital visé (plafonné à 10 %) ;
- durée de l'opération (maximum 18 mois) ;
- financement du rachat des actions (utilisation de la trésorerie disponible ou dette) ;
- conséquences du programme, en termes de structure financière, de bénéfice par action et de fiscalité.

---

3. Voir la section 17.7 pour plus de détails à ce sujet.
4. Avant 1998, les rachats d'actions étaient interdits en France, malgré une directive européenne qui en prévoyait la possibilité. La loi envisageait tout de même des exceptions, pour les rachats d'actions motivés par un souci de stabilisation du cours de Bourse, de réduction du capital ou d'attribution de stock-options aux salariés. La réforme législative de 1998 a inversé la position relative aux rachats d'actions, en les autorisant (sous conditions), sauf cas particuliers.
5. Intervention en fonction de la situation de marché, stabilisation des cours en intervenant à contre-tendance, attribution d'options d'achat d'actions, annulation ultérieure des actions à des fins d'optimisation du résultat net par action, conservation des actions acquises, remise d'actions en échange, notamment dans le cadre d'opérations de croissance externe.

L'entreprise n'est pas obligée de racheter le nombre maximal d'actions prévu par le programme. Les actions rachetées par l'entreprise peuvent être annulées[6] ou conservées pour une revente future (actions autodétenues). Plus de 350 entreprises cotées françaises mettent aujourd'hui en œuvre un PRA : Air France-KLM, Sanofi, Eurotunnel, et certaines entreprises sont particulièrement actives sur ce type d'opérations, comme Total.

Une fois l'accord des actionnaires obtenu, l'entreprise peut lancer une **offre publique de rachat d'actions** (OPRA) : cela revient à proposer de racheter à un prix déterminé une quantité définie d'actions, pendant une période courte (10 jours). Le prix proposé intègre en général une prime de 10 à 20 % par rapport au prix de marché. Si les actionnaires apportent à l'offre un nombre de titres inférieur à la quantité visée par l'entreprise, tous les titres présentés à l'OPRA sont rachetés. Au contraire, si le nombre de titres dépasse la quantité fixée par l'entreprise, une réduction proportionnelle est appliquée aux ordres de tous les actionnaires.

L'entreprise peut également procéder à un **rachat d'actions « au fil de l'eau »**, également appelé ramassage en Bourse (*open market repurchase*)[7]. Grâce à cette méthode, l'entreprise peut racheter progressivement ses actions sur le marché, au prix du marché, comme n'importe quel autre investisseur pourrait le faire. Cette méthode est principalement utilisée lorsque l'entreprise procède à ces rachats dans une optique de stabilisation de son cours de Bourse.

En France, le cadre réglementaire ne prévoit pas d'autre possibilité pour qu'une entreprise rachète ses propres actions.

Les rachats d'actions à l'étranger. Tous les pays industrialisés disposent des mécanismes qui existent en France, et ce sont les plus fréquents lors des rachats d'actions : dans 95 % des cas aux États-Unis[8], par exemple. Mais certains pays en prévoient d'autres.

Ainsi, aux États-Unis, une entreprise peut effectuer une **enchère à la hollandaise** pour racheter ses actions, c'est-à-dire proposer différents prix de rachat et laisser les actionnaires indiquer les quantités qu'ils sont prêts à vendre à chaque prix, l'entreprise déterminant ensuite le prix le plus faible lui permettant d'acheter la quantité souhaitée d'actions.

Une entreprise peut également acheter directement les actions détenues par un actionnaire spécifique (et important) : on parle alors de **rachat de bloc**. Dans ce cas, le prix d'achat est négocié directement avec l'actionnaire en question. Les rachats de bloc sont interdits en France, car créateurs d'une inégalité de traitement entre actionnaires. Pourquoi l'entreprise rachèterait-elle les actions d'un actionnaire particulier ? La première situation est celle d'un actionnaire désirant vendre une grande quantité de titres dont la liquidité est faible. Un afflux brutal de titres serait susceptible d'exercer une pression à la baisse sur le cours des actions. L'actionnaire sera alors prêt à vendre ses titres directement à l'entreprise avec une décote par rapport à leur prix de marché. La deuxième situation dans laquelle une entreprise peut décider de racheter les actions d'un actionnaire important est celle où l'actionnaire en question menace de lancer une OPA

---

6. On parle alors de réduction du capital.

7. Cette possibilité n'est évidemment ouverte qu'aux entreprises cotées en Bourse.

8. G. Grullon et D. Ikenberry (2000), « What Do We Know About Stock Repurchases? », *Journal of Applied Corporate Finance*, 13(1), 31-51.

sur l'entreprise. Dans cette situation, les dirigeants de l'entreprise décideront peut-être de racheter les actions de l'actionnaire pour l'empêcher de mettre sa menace à exécution. Évidemment, il faudra pour ce faire offrir à l'actionnaire une prime par rapport au prix du marché pour qu'il accepte de renoncer à son projet. On appelle cette situation un **chantage à l'OPA** ou *greenmail*.

Enfin, en Allemagne par exemple, une entreprise peut attribuer gratuitement à chaque actionnaire un bon de rachat d'action, qui permet à l'actionnaire de vendre, s'il le désire, ses actions à l'entreprise à un prix déterminé à l'avance (il s'agit d'une distribution gratuite d'options de vente aux actionnaires ; voir chapitre 20).

17.2. Dividendes ou rachat d'actions ?

Lorsqu'une entreprise décide de rendre à ses actionnaires tout ou partie de ses flux de trésorerie disponibles, elle peut le faire en versant des dividendes ou en rachetant des actions. Comment les entreprises choisissent-elles entre ces deux possibilités ? Si les marchés de capitaux sont supposés parfaits (cadre d'hypothèses de Modigliani-Miller), ce choix n'a en fait aucune importance.

Prenons un exemple. Frantex est une entreprise uniquement financée par capitaux propres. 10 millions d'actions sont en circulation. Sa trésorerie est de 20 millions d'euros. Les flux de trésorerie disponibles (*FTD*) anticipés sont de 48 millions d'euros par an, stables à l'infini. Le coût du capital de l'entreprise est de 12 %. La valeur des flux de trésorerie futurs de Frantex est donc de :

$$VA(FTD) = \frac{48}{12\ \%} = 400 \text{ millions d'euros}$$

Si l'on ajoute à cela la trésorerie de l'entreprise, la valeur totale de Frantex est de 420 millions d'euros. Le Conseil d'administration de Frantex est actuellement réuni pour décider de la méthode à utiliser pour rendre aux actionnaires la trésorerie inutile : dividende, rachat d'actions, voire émission d'actions pour verser un dividende supérieur à la trésorerie disponible (anticipant ainsi les flux de trésorerie disponibles futurs). Comment évolue le prix de l'action Frantex en fonction de la décision du Conseil d'administration ? Quelle politique de distribution les actionnaires préfèrent-ils ?

Première possibilité : le versement d'un dividende

Avec 10 millions d'actions, Frantex est en mesure de verser immédiatement un dividende de 2 € par action. Les années suivantes, les flux de trésorerie disponibles annuels seront de 48 millions d'euros, le dividende par action pourra donc augmenter à 4,8 €.

Quelle est l'évolution du prix de l'action autour de la date de détachement du dividende annuel ? La valeur d'une action est égale à la valeur actuelle des dividendes actualisés au coût des capitaux propres (puisque l'entreprise n'a aucune dette, 12 %). Par définition, jusqu'à la date *ex-dividende*, l'action s'échange avec son dividende, c'est-à-dire que le détenteur de l'action recevra le dividende : on parle de **prix *cum-dividende***. Donc :

$$P_{cum} = Dividende\ actuel + VA(Dividendes\ futurs) = 2 + \frac{4,8}{0,12} = 42 \text{ €}$$

Après cette date, l'acheteur de l'action ne recevra que les dividendes futurs. Donc :

$$P_{ex} = VA(Dividendes\ futurs) = \frac{4,8}{0,12} = 40\ €$$

En date de détachement du dividende, le prix de l'action chute, d'un montant égal au dividende détaché (ici 2 €). Il est possible de parvenir à la même conclusion à partir du bilan de l'entreprise en valeur de marché :

		Avant détachement du dividende	Après détachement du dividende
1	Actif net	400	400
2	Trésorerie	20	0
3	**Valeur de marché de l'actif** (1 + 2)	**420**	**400**
4	Nombre d'actions (en millions)	10	10
5	Prix d'une action (en euros)	42	40

Le prix des actions chute suite au détachement d'un dividende, car les dividendes réduisent les disponibilités de l'entreprise et donc la valeur de marché de son actif. En conséquence, la richesse des actionnaires de Frantex n'est pas modifiée par le dividende : ils détiennent initialement une action valant 42 € ; après détachement du dividende, ils ont 2 € de dividendes et une action valant 40 €, soit une richesse inchangée de 42 €.

La chute du prix des actions lors d'un versement de dividende est cohérente avec l'absence d'opportunité d'arbitrage. Si la baisse était plus faible que la valeur du dividende, un investisseur pourrait réaliser un gain sans risque en achetant des actions juste avant le détachement de dividende et en les revendant juste après. Si la chute du cours de l'action était plus forte que la valeur du dividende, il suffirait à l'investisseur de vendre à découvert puis de racheter des actions pour profiter d'un gain. *La Loi du prix unique implique, si les marchés sont supposés parfaits, que le prix d'une action baisse du montant du dividende au moment de son détachement.*

Deuxième possibilité : le rachat d'actions

Si Frantex décide de ne pas verser de dividendes cette année, mais plutôt de racheter des actions, quelle est la réaction du cours de Bourse ? Les actions valent initialement 42 €. Frantex peut donc racheter $20/42 = 0,476$ million d'actions. Il reste par conséquent $10 - 0,476 = 9,524$ millions d'actions en circulation. Le bilan de Frantex en valeur de marché est donc :

		Avant détachement du dividende	Après détachement du dividende
1	Actif net	400	400
2	Trésorerie	20	0
3	**Valeur de marché de l'actif** (1 + 2)	**420**	**400**
4	Nombre d'actions (en millions)	10	9,524
5	Prix d'une action (en euros)	42	42

En rachetant des actions, Frantex réduit ses disponibilités en même temps que le nombre d'actions. Les deux effets se compensent exactement, le prix de l'action demeure inchangé.

Les dividendes futurs de Frantex. Il est également possible de raisonner à partir de la valeur actualisée des dividendes. À l'avenir, Frantex aura des flux de trésorerie disponibles annuels de 48 millions d'euros, ce qui, compte tenu de la réduction du nombre d'actions en circulation, correspond à un dividende par action de 48 / 9,524 = 5,04 €.

Suite au rachat d'actions, le prix d'une action Frantex est donc de :

$$P_{rachat} = \frac{5,04}{0,12} = 42 \text{ €}$$

En d'autres termes, en ne versant aucun dividende cette année et en rachetant des actions, Frantex sera capable à l'avenir de verser des dividendes plus élevés. Cette augmentation future du dividende par action compense, du point de vue des actionnaires, la renonciation au dividende courant.

En conclusion, *si les marchés de capitaux sont supposés parfaits, un rachat d'actions par l'entreprise n'a aucun effet sur le prix de l'action. Ce prix est identique au prix cum-dividende de l'action.*

Que préfèrent les actionnaires ? Que les investisseurs anticipent le versement d'un dividende ou un rachat d'actions, le prix *cum-dividende* est le même (42 €). La richesse des actionnaires après l'opération (dividende ou rachat d'actions) est-elle modifiée par le choix de l'entreprise ? Si un actionnaire détient 2 000 actions Frantex, et qu'il décide de les conserver, sa situation après l'opération sera :

Versement d'un dividende	Rachat d'actions
40 € × 2 000 = 80 000 € en actions	42 € × 2 000 = 84 000 € en actions
2 € × 2 000 = 4 000 € en liquidités	

Sa richesse totale est donc de 84 000 € après l'opération, quelle que soit la solution retenue par l'entreprise. Seule la composition de sa richesse est modifiée par le choix de l'entreprise. Si cette dernière décide de verser un dividende, l'actionnaire recevra des liquidités, alors qu'en cas de rachat d'actions, sa richesse restera intégralement investie en actions.

Que se passe-t-il si un actionnaire préfère recevoir 4 000 € alors que Frantex a décidé de racheter des actions ? Il lui suffit de vendre une partie de ses actions : en vendant 95 actions (4 000 € / 42 € par action), un actionnaire disposant au départ de 2 000 actions recevra 4 000 € et détiendra 1 905 actions × 42 € = 80 000 € en actions. L'actionnaire a agi de manière à bénéficier d'un revenu à partir d'une action ne distribuant pas de dividendes ; on parle dans ce cas de *dividende « synthétique »*.

Inversement, si Frantex verse un dividende et qu'un actionnaire ne désire pas en bénéficier, il peut utiliser les 4 000 € reçus pour acheter 100 actions supplémentaires Frantex, au prix *ex-dividende* de 40 €. Il détiendra au final 2 100 actions pour une valeur de 84 000 € :

Versement d'un dividende et achat de 100 actions	Rachat d'actions et vente de 95 actions
40 € × 2 100 = 84 000 € en actions	42 € × 1 905 = 80 000 € en actions
	42 € × 95 = 4 000 € en liquidités

Ainsi, grâce à la vente ou l'achat d'actions, un investisseur peut librement modifier la composition de son portefeuille entre liquidités et actions. Par conséquent, *si les marchés sont supposés parfaits, les investisseurs sont indifférents au choix de l'entreprise entre dividendes et rachat d'actions.*

Erreur à éviter	**Offre, demande et rachat d'actions**

Lorsqu'une entreprise rachète ses propres actions, certains pensent que le prix des actions restantes doit monter car l'offre d'actions baisse, par analogie avec le raisonnement microéconomique d'équilibre entre offre et demande. Cela ne fonctionne pas ainsi, car le rachat d'actions par l'entreprise réduit sa trésorerie. La valeur de son actif baisse. Les deux effets (réduction du nombre d'actions et baisse de la trésorerie) se compensent exactement si les marchés sont supposés parfaits et le prix de l'action ne change pas lorsqu'une entreprise rachète ses propres actions.

Dividende synthétique

Frantex verse aujourd'hui un dividende de 2 € par action. Comment un investisseur détenant 2 000 actions peut-il recevoir un dividende « synthétique » de 9 000 €, tous les ans à partir de cette année ?

Solution

L'investisseur reçoit 4 000 € au titre du dividende de cette année. Pour obtenir les 5 000 € qui lui manquent, il doit vendre 125 actions après que le dividende a été versé, à 40 €. À partir de l'année prochaine, Frantex versera un dividende de 4,8 € par action. L'actionnaire recevra donc tous les ans des dividendes à hauteur de : (2 000 – 125) × 4,8 € = 9 000 €.

Exemple 17.1

Troisième possibilité : l'émission d'actions pour verser un dividende plus élevé

L'assemblée générale pourrait décider de verser un dividende supérieur à 2 € par action. Frantex sait que les dividendes futurs seront de 48 millions d'euros. Si l'objectif de Frantex est de verser dès cette année des dividendes de ce montant, il lui faut trouver 28 millions d'euros puisque l'entreprise dispose déjà de 20 millions d'euros de disponibilités. Si Frantex ne vend pas d'actifs (ce qui réduirait la valeur de l'entreprise, puisque les actifs ne sont composés que de projets à VAN positive), les deux seules solutions sont le recours à la dette ou l'émission d'actions. Si l'entreprise décide d'émettre des actions à 42 € pièce, il faut que Frantex en émette 0,67 million pour obtenir 28 millions d'euros. Après émission des actions, le dividende par action (constant à l'infini) sera donc de :

$$\frac{48 \text{ millions d'euros}}{10,67 \text{ millions d'actions}} = 4,5 \text{ € par action}$$

Le prix de l'action Frantex (*cum-dividende*) est donc :

$$P_{cum} = 4,5 + \frac{4,5}{0,12} = 42 \text{ €}$$

La valeur d'une action et la richesse des actionnaires sont donc inchangées.

Modigliani-Miller et la politique de distribution

Trois politiques de distribution ont été étudiées. Elles sont résumées dans le tableau 17.2 et font apparaître un arbitrage. Si Frantex verse cette année un dividende par action élevé, cela réduit les dividendes *futurs*. Au contraire, un dividende actuel faible permet de verser des dividendes futurs plus élevés. Toutefois, la valeur actuelle des dividendes reste inchangée, donc le prix de l'action n'est pas fonction de la politique de distribution choisie par l'entreprise.

Tableau 17.2	Politique de distribution et dividende par action				
		Dividende par action			
	Prix de l'action	Année 0	Année 1	Année 2	...
1 Versement d'un dividende	42 €	2,00 €	4,80 €	4,80 €	...
2 Rachat d'actions	42 €	0,00 €	5,04 €	5,04 €	...
3 Émission d'actions pour verser un dividende plus élevé	42 €	4,50 €	4,50 €	4,50 €	...

On retrouve ici les conclusions sur la structure financière du chapitre 14 : si les marchés sont supposés parfaits, l'achat ou la vente de titres sont des opérations à VAN nulle qui ne modifient pas la valeur de l'entreprise. La structure financière choisie par une entreprise n'influence pas la richesse des actionnaires, qui y sont donc indifférents.

La même conclusion s'applique à la politique de distribution adoptée par l'entreprise. En effet, indépendamment des liquidités qu'elle possède, elle peut verser un dividende faible (et racheter des actions) ou verser un dividende élevé (quitte à émettre des actions), sans modifier la VAN de l'entreprise, ni le prix des actions. En outre, les actionnaires peuvent créer, s'ils le désirent, des dividendes synthétiques en achetant ou en vendant eux-mêmes des titres.

Modigliani-Miller et la politique de dividendes[9]. *Si les marchés financiers sont supposés parfaits et que la politique d'investissement de l'entreprise n'est pas influencée par la politique de distribution, le choix entre dividendes et rachat d'actions ne modifie pas la valeur de l'entreprise.*

---

9. F. Modigliani et M. Miller (1961), « Dividend Policy, Growth, and the Valuation of Shares », *Journal of Business*, 34(4), 411-433 ; J. B. Williams (1938), *The Theory of Investment Value*, Harvard University Press.

| **Erreur à éviter** | **Un tiens vaut mieux que deux tu l'auras** |

L'idée selon laquelle les entreprises qui versent des dividendes élevés ont une valeur supérieure aux autres est largement répandue. À valeur actuelle égale, les actionnaires préféreraient des dividendes actuels à des dividendes futurs, car « un tiens vaut mieux que deux tu l'auras ». En suivant cette logique, une politique de distribution qui offre un dividende élevé financé par émission d'actions devrait faire augmenter la valeur de l'action.

La réponse de Modigliani-Miller est que, en « marchés parfaits », les actionnaires peuvent décider du montant de liquidités qu'ils souhaitent recevoir grâce à la technique du dividende synthétique. La politique de distribution choisie par l'entreprise n'a donc aucune importance.

La politique de distribution en « marchés parfaits »

Une entreprise peut facilement modifier le montant des dividendes qu'elle verse, en rachetant des actions ou en en émettant des nouvelles. Ces opérations ne modifient pas la valeur de l'entreprise, et n'ont par conséquent aucune influence sur la richesse des actionnaires si les marchés sont supposés parfaits. Comment concilier ce résultat avec l'idée selon laquelle le prix de l'action est égal à la valeur actuelle des dividendes futurs ?

En fait, lorsqu'une entreprise décide de sa politique de distribution, elle décide de la répartition intertemporelle de ses dividendes, mais pas de leur valeur actuelle. La valeur d'une entreprise étant égale à la valeur actualisée de ses flux de trésorerie disponibles, peu importe que ces versements soient effectués grâce à des dividendes ou à des rachats d'actions.

En revanche, si les marchés sont « imparfaits », il convient de modifier le cadre d'analyse, ce qui peut conduire l'entreprise à choisir une politique de distribution plutôt qu'une autre.

17.3. Fiscalité et politique de distribution

Comme pour la structure financière, la fiscalité constitue une imperfection de marché susceptible d'influencer le choix de la politique de distribution.

La fiscalité sur les dividendes et les plus-values en capital

Les actionnaires sont imposés sur les dividendes et les plus-values en capital. Cela influence-t-il leurs préférences ? Lorsqu'une entreprise décide de verser des dividendes, les actionnaires sont imposés au taux d'imposition sur les dividendes. Si l'entreprise opère un rachat d'actions, les actionnaires qui vendent leurs titres (pour profiter d'un dividende synthétique) sont imposés au taux d'imposition sur les plus-values. Si le taux d'imposition sur les dividendes est supérieur à celui en vigueur sur les plus-values, les actionnaires auront tendance à préférer les rachats d'actions.

Depuis 2018 en France tous les revenus du capital, y compris donc les dividendes perçus et les plus-values réalisées par les ménages, sont soumis à un **prélèvement forfaitaire unique** (PFU) de 30 % (12,80 % d'impôts auxquels s'ajoutent 17,20 % de prélèvements sociaux) ou intégrés à leur revenu imposable et soumis à l'impôt sur le revenu (IR) avec un taux compris entre 0 et 45 % suivant la tranche de revenu dans laquelle se situe le ménage, auxquels s'ajoutent 15,5 % de cotisations sociales[10].

Les actionnaires sont-ils pour autant indifférents au choix de l'entreprise ? Même si le taux d'imposition est identique, le moment où l'impôt est payé est différent. En effet, les dividendes sont imposés immédiatement, même s'ils sont réinvestis. Les plus-values en capital ne sont imposées qu'au moment de leur matérialisation (c'est-à-dire lorsque les titres sont vendus) : les plus-values latentes ne sont pas imposées. De ce fait, un actionnaire n'ayant pas de besoins immédiats de liquidités a intérêt à ce que l'entreprise rachète des actions plutôt qu'elle ne verse un dividende, car cela reporte l'impôt à payer dans le futur et en réduit donc la valeur actuelle. C'est pourquoi les actionnaires préfèrent les rachats d'actions aux dividendes, même si le taux d'imposition sur les rachats d'actions est identique au taux d'imposition sur les dividendes.

La fiscalité des investisseurs est également susceptible de modifier la politique de distribution des entreprises qui ont besoin de lever des capitaux. Lorsque le taux d'imposition sur les dividendes est supérieur au taux d'imposition sur les plus-values, les entreprises qui émettent des actions sont incitées à ne pas verser de dividendes, car cela impose un coût fiscal à leurs actionnaires (voir exemple 17.2). Au contraire, en l'absence de fiscalité, une entreprise peut émettre des actions et en même temps verser des dividendes à ses actionnaires sans que cela ne modifie en rien leur situation.

Exemple 17.2

Émissions d'actions et dividendes

Il n'y a pas d'impôt sur les sociétés. Une entreprise lève en actions 10 millions d'euros qu'elle utilise pour verser des dividendes. Le taux d'imposition sur les dividendes est de 40 % et le taux d'imposition sur les plus-values est de 15 %. Combien recevront les actionnaires après prise en compte des impôts ? Et si les taux d'imposition sur les dividendes et les plus-values sont identiques, comme c'est le cas en France ?

Solution

Les actionnaires devront payer au titre de l'impôt sur les dividendes 40 % des 10 millions d'euros de dividendes, soit 4 millions d'euros. Par ailleurs, la valeur de l'entreprise diminue après le versement des dividendes. Les plus-values en capital des actionnaires baissent donc de 10 millions d'euros, ce qui leur permet d'économiser 15 % de 10 millions d'euros en impôts sur les plus-values futures, soit 1,5 million. Au total, les actionnaires paient des impôts supplémentaires de 4 – 1,5 = 2,5 millions d'euros. Pour un investissement initial de 10 millions d'euros (achat des actions nouvelles), ils reçoivent 7,5 millions d'euros après impôt.

...

---

10. Il existe des cas particuliers : des actions logées dans un Plan d'épargne en actions ou un contrat d'assurance vie échappent largement, voire totalement, à l'imposition sur les dividendes ou les plus-values.

Exemple 17.2

…

Si les taux d'imposition sont identiques, la perte apparente des actionnaires est nulle, car ils paient autant d'impôt sur les dividendes qu'ils en économisent sur les plus-values futures, ce qui leur permet de recevoir 10 millions d'euros pour un investissement initial de 10 millions d'euros. Un élément n'a toutefois pas été pris en compte : l'impôt sur les plus-values est payé au moment de la vente des titres par les actionnaires, parfois après plusieurs années, ce qui réduit la valeur actuelle de cet impôt et fait tout de même apparaître un coût pour les actionnaires lorsqu'une entreprise lève des capitaux et verse en même temps des dividendes.

Politique de distribution optimale en présence d'impôts

Lorsque le taux d'imposition sur les dividendes est supérieur au taux sur les plus-values, les actionnaires réalisent des économies d'impôt si l'entreprise rachète des actions plutôt que de verser des dividendes. Celles-ci contribuent à augmenter la valeur de l'entreprise. Autrement dit, le coût du capital des entreprises qui versent des dividendes est supérieur au coût du capital des entreprises qui rachètent des actions, car les premières doivent offrir à leurs actionnaires une meilleure rentabilité avant impôt pour compenser les impôts supplémentaires payés par les actionnaires recevant des dividendes[11]. *La politique de distribution optimale, lorsque le taux d'imposition sur les dividendes est supérieur au taux d'imposition sur les plus-values, consiste donc à ne verser aucun dividende et à racheter des actions.*

C'était le cas en France jusqu'en 2007. Les entreprises françaises, si elles avaient adopté la politique de distribution optimale, n'auraient versé aucun dividende : en pratique, la réalité a été bien différente puisque cette année-là, plus de 200 entreprises sur les 250 de l'indice SBF 250 ont versé des dividendes à leurs actionnaires. Il n'en demeure pas moins que les entreprises étaient conscientes du surcoût fiscal des dividendes par rapport aux plus-values, puisqu'elles étaient de plus en plus nombreuses à privilégier les rachats d'actions au détriment du versement de dividendes. Ainsi, en 2000, seule une dizaine d'entreprises du SBF 250 procédaient à des rachats d'actions, contre une centaine en 2007. À cette date, les rachats d'actions comptaient pour plus de 20 % des flux de trésorerie destinés aux actionnaires des entreprises du SBF 250. L'Oréal dépensait par exemple en 2007 deux fois plus pour racheter des actions que pour verser des dividendes, alors qu'en 2003 elle ne rachetait pas d'actions. Ce remplacement progressif des dividendes par des rachats d'actions restait toutefois beaucoup plus timide en France qu'aux États-Unis, où moins de 20 % des entreprises se contentaient de verser des dividendes à leurs actionnaires et où les rachats d'actions, moins imposés, portaient sur des montants supérieurs aux dividendes distribués par les entreprises[12].

Lorsque la fiscalité, tant française qu'américaine, était plus favorable aux rachats d'actions qu'aux dividendes, les entreprises ont donc ajusté dans le sens attendu leurs politiques de distribution. Mais cet ajustement n'a été que partiel. La place importante

---

11. M. Brennan (1970), « Taxes, Market Valuation and Corporation Financial Policy », *National Tax Journal*, 23(4), 417-427.

12. A. Dittmar et R. Dittmar (2006), « Stock Repurchase Waves: An Examination of the Trends in Aggregate Corporate Payout Policy », *Document de travail université du Michigan*.

conservée par les dividendes alors même qu'ils étaient plus imposés que les rachats d'actions constitue une énigme, que l'on appelle le ***dividend puzzle***[13]. Certes, depuis l'alignement de la fiscalité des plus-values sur celle des dividendes, l'incitation pour les entreprises à procéder à des rachats d'actions plutôt qu'à verser des dividendes a disparu. Le *dividend puzzle* n'existe donc plus en France, et un retour en grâce des dividendes est même perceptible depuis quelques années[14].

Il n'en reste pas moins à résoudre cette énigme. Deux pistes peuvent être explorées : la première est que ce raisonnement oublie certains éléments fiscaux qui réduisent le désavantage fiscal apparent des dividendes (voir section 17.4). La seconde piste consiste à tenir compte des asymétries d'information (voir section 17.6).

17.4. Politique de distribution et effets de clientèle

La plupart des actionnaires préfèrent bénéficier de plus-values plutôt que de dividendes car même lorsque les taux d'imposition sont égaux, ce qui est le cas en France, bénéficier de plus-values plutôt que de dividendes permet de reporter à plus tard le paiement de l'impôt, et donc d'en réduire la valeur actuelle.

Mais ce raisonnement repose sur des taux d'imposition moyens. Or les taux d'imposition varient en fonction des revenus, du type de compte sur lequel les actions sont placées (Plan d'épargne en actions, contrat d'assurance vie ou compte-titres, en France) et même de la durée de détention. Du fait de ces différences, les actionnaires n'ont pas tous la même préférence pour les rachats d'actions. Les entreprises, en adoptant une politique de distribution particulière, peuvent donc attirer certains types d'actionnaires plutôt que d'autres. C'est ce que l'on appelle un **effet de clientèle**.

Le taux d'imposition additionnel sur les dividendes

Pour mesurer les préférences réelles des investisseurs, il faut calculer le taux d'imposition additionnel sur les dividendes, qui combine les effets de l'imposition sur les dividendes et les plus-values. Pour simplifier, on considère un investisseur qui achète une action juste avant la date de détachement du dividende et qui la revend juste après (pour qualifier cette stratégie, on parle en général de **capture du dividende**)[15]. L'investisseur touche donc le dividende *Div*. Le taux d'imposition sur les dividendes est τ_{div} ; ce que reçoit l'actionnaire après impôt est donc $Div \times (1 - \tau_{div})$.

Ce faisant, l'actionnaire réalise une moins-value : il achète une action plus cher qu'il ne la revend puisque le prix de l'action baisse lors du détachement du dividende (le prix *cum-dividende* P_{cum} est supérieur au prix *ex-dividende* P_{ex}). Avec un taux d'imposition sur les plus-values de τ_{pv}, la moins-value après impôt est égale à : $(P_{cum} - P_{ex}) \times (1 - \tau_{pv})$.

---

13. F. Black (1976), « The Dividend Puzzle », *Journal of Portfolio Management*, 2, 5-8.

14. G. Grullon et R. Michaely (2002), « Dividends, Share Repurchases, and the Substitution Hypothesis », *Journal of Finance*, 57(4), 1649-1684 ; E. Fama et K. French (2001), « Disappearing Dividends: Changing Firm Characteristics or Lower Propensity to Pay? », *Journal of Financial Economics*, 60(3), 3-43 ; B. Julio et D. Ikenberry (2004), « Reappearing Dividends », *Journal of Applied Corporate Finance*, 16(4), 89-100.

15. On peut également considérer un actionnaire hésitant à vendre ses actions juste avant ou juste après le détachement d'un dividende sans modifier le raisonnement.

L'investisseur réalise un profit lors de la capture du dividende si le dividende après impôt qu'il reçoit est supérieur à la moins-value après impôt qu'il subit. Dans le cas contraire, l'investisseur doit, pour réaliser un profit, vendre l'action juste avant le détachement du dividende et la racheter juste après, afin d'éviter de toucher le dividende. En d'autres termes, il n'existe pas d'opportunité d'arbitrage si et seulement si le dividende après impôt est égal à la moins-value après impôt :

$$(P_{cum} - P_{ex}) \times (1 - \tau_{pv}) = Div \times (1 - \tau_{div}) \tag{17.1}$$

Ce qui peut se réécrire :

$$\left(P_{cum} - P_{ex}\right) = Div \times \left(\frac{1 - \tau_{div}}{1 - \tau_{pv}}\right) = Div \times \left(1 - \frac{\tau_{div} - \tau_{pv}}{1 - \tau_{pv}}\right) = Div \times \left(1 - \tau_{div}^{*}\right) \tag{17.2}$$

avec τ_{div}^{*} l'impôt supplémentaire que paie un investisseur pour avoir reçu 1 € sous forme de dividende plutôt qu'en plus-value[16]. C'est donc le **taux d'imposition additionnel sur les dividendes** (sous-entendu par rapport aux plus-values) :

$$\tau_{div}^{*} = \left(\frac{\tau_{div} - \tau_{pv}}{1 - \tau_{pv}}\right) \tag{17.3}$$

Taux d'imposition additionnel sur les dividendes

En 2007, en France, le taux d'imposition sur les plus-values était de 27 % et les dividendes étaient imposés au taux marginal de l'IR, soit 40 % en ce qui concerne Jacques. En 2020, les plus-values et les dividendes étaient imposés à 30 %. Si Jacques achète une action pour la détenir pendant un an, quel est son taux d'imposition additionnel sur les dividendes en 2007 ? Et en 2020 ?

Solution

Pour 2007, le taux d'imposition additionnel sur les dividendes se calcule à partir de l'équation (17.3), avec τ_{div} = 40 % et τ_{pv} = 27 % :

$$\tau_{div}^{*} = \frac{0,40 - 0,27}{1 - 0,27} = 17,8\ \%$$

Il existe donc pour Jacques un coût fiscal à toucher des dividendes : 1 € en dividende est de son point de vue équivalent à (1 – 0,178) × 1 € = 0,822 € de plus-values.

En 2020, $\tau_{div} = \tau_{pv}$ = 30 %. Donc :

$$\tau_{div}^{*} = \frac{30\ \% - 30\ \%}{1 - 30\ \%} = 0\ \%$$

Le taux d'imposition additionnel sur les dividendes est nul : il n'existe plus de désavantage fiscal au versement de dividendes.

---

16. E. Elton et M. Gruber (1970), « Marginal Stockholder Tax Rates and the Clientele Effect », *Review of Economics and Statistics*, 52(1), 68-74 ; J. L. Koski (1996), « A Microstructure Analysis of Ex-Dividend Stock price Behavior Before and After the 1984 and 1986 Tax Reform Acts », *Journal of Business*, 69, 313-338.

Taux d'imposition additionnel sur les dividendes et hétérogénéité des investisseurs

Le taux d'imposition additionnel sur les dividendes $\tau^\star_{div}$ dépend du taux d'imposition sur les dividendes et les plus-values de chaque investisseur. Les taux d'imposition sont susceptibles de changer d'un investisseur à l'autre pour quatre raisons :

- *Le revenus.* Les investisseurs, en fonction de leur revenu total, sont soumis à des taux d'imposition différents. Ainsi, un ménage français dont les revenus imposables sont inférieurs à 10 064 € ne paie pas d'impôt sur les plus-values et sur les dividendes.

- *Le statut fiscal.* Tous les investisseurs ne sont pas des particuliers. Des entreprises, des banques, des sociétés d'assurances peuvent également détenir des actions. Les impôts payés par ces investisseurs ne sont pas les mêmes que ceux des ménages, et ils dépendent de la forme juridique de l'entreprise, de la quantité d'actions détenues, des bénéfices réalisés par ailleurs, etc. Ainsi, sous le régime dit « mère-fille »[17], les dividendes versés par une filiale à sa maison mère sont exonérés d'impôt sur les sociétés ; seule une « quote-part de frais et charges » (égale à 5 % des dividendes reçus) est due. Ce régime évite une double imposition consistant à imposer le bénéfice d'une filiale puis à imposer la maison mère sur les dividendes provenant de la filiale. De même, les actions françaises peuvent être détenues par des investisseurs étrangers (c'est le cas de plus de 40 % des actions d'entreprises du CAC 40). Le traitement fiscal de ces investisseurs n'est pas identique à celui des résidents français (retenue à la source, taux d'imposition fonction de la convention fiscale bilatérale entre la France et le pays étranger).

- *L'horizon de placement.* Les plus-values en capital sont imposées au moment où elles sont réalisées avec un abattement croissant en fonction de la durée de détention. Plus la période de détention des actions est longue, plus l'impôt est repoussé dans le temps, ce qui réduit la valeur actuelle de celui-ci et donc le taux d'imposition *effectif* sur les plus-values. Le cas extrême est celui d'un investisseur détenant des actions jusqu'à sa mort : il ne paiera jamais l'impôt sur les plus-values.

- *Les modalités de détention des titres.* En France, les dividendes et plus-values sont imposés différemment selon qu'ils apparaissent sur un compte-titres « normal », sur un Plan d'épargne en actions (PEA) ou sur un contrat d'assurance vie.

Ainsi, des investisseurs peuvent avoir des taux d'imposition très différents, même s'ils bénéficient de dividendes et de plus-values identiques. Pour apprécier ces différences, on peut comparer le taux d'imposition additionnel sur les dividendes de trois investisseurs « typiques » :

- un investisseur individuel qui achète des actions, sans avoir l'intention de les revendre (*buy and hold strategy*), qui dispose d'un compte-titres « normal » et de revenus élevés : $\tau_{div} = 30\ \%$, $\tau_{pv} = 0$ et $\tau^\star_{div} = 30\ \%$;

- un investisseur individuel, détenant des actions sur un compte-titres « normal » pendant un an avant de les revendre : $\tau_{div} = \tau_{pv}$ et $\tau^\star_{div} = 0$;

- une entreprise qui possède des actions d'une filiale et reçoit de cette dernière des dividendes sous le régime « mère-fille » : $\tau_{div} = 5\ \%$, $\tau_{pv} = 25\ \%$ et $\tau^\star_{div} = -26,7\ \%$.

---

17. Pour bénéficier de ce régime, la maison mère doit détenir au moins 5 % des actions de sa filiale, avec une optique de long terme. Si une entreprise reçoit des dividendes en dehors de ce régime, ils sont imposés au taux normal de l'impôt sur les sociétés.

Le taux d'imposition additionnel sur les dividendes varie donc d'un investisseur à l'autre. Par conséquent, les préférences de ces investisseurs sont différentes. Globalement, plus les actionnaires détiennent les titres avec une perspective de long terme, plus ils sont imposés sur les dividendes qu'ils perçoivent, et plus ils sont favorables aux rachats d'actions. Les actionnaires dont l'horizon de placement est court (un an) sont fiscalement indifférents à la politique de distribution ; leurs préférences ne dépendent que de leurs besoins de liquidités. Enfin, dans la mesure où le taux d'imposition additionnel sur les dividendes est négatif pour les entreprises sous le régime « mère-fille », les entreprises détenant des actions de filiales préfèrent que ces dernières versent des dividendes plutôt qu'elles ne rachètent des actions.

Les effets de clientèle

Les préférences des actionnaires sont hétérogènes, car elles sont la conséquence de taux d'imposition différents. Cette hétérogénéité fait apparaître des **effets de clientèle** : selon qu'une entreprise décidera de verser des dividendes ou de racheter des actions, elle satisfera un certain type d'actionnaires au détriment des autres. Une politique de distribution ne sera donc jamais optimale pour tous les actionnaires.

Il est même possible que les différents actionnaires choisissent de détenir des actions différentes, en fonction des politiques de distribution adoptées par les entreprises, voire que les entreprises choisissent une politique de distribution pour favoriser un type d'actionnariat plutôt qu'un autre. Ce type de comportements (rationnels) de la part des agents est attesté par plusieurs études empiriques. Aux États-Unis, en 1996, les investisseurs individuels détenaient 54 % des actions cotées, mais ne recevaient que 35 % des dividendes versés[18] : ces actionnaires ont donc tendance à détenir des titres offrant des dividendes plus faibles que la moyenne, ce qui est cohérent avec le fait que le taux d'imposition additionnel sur les dividendes de ces actionnaires est élevé. Les effets de clientèle ne sont pas parfaits (puisque des actionnaires lourdement imposés touchent tout de même des dividendes), mais ils existent. Cela signifie que d'autres déterminants que la fiscalité influencent la composition des portefnon défini. Il existe également une version dynamique des effets de clientèle, que l'on qualifie de **théorie de la capture du dividende**[19]. D'après cette théorie, en l'absence de coûts de transaction, les investisseurs peuvent s'échanger les actions lors du détachement du dividende pour que les dividendes soient perçus par les investisseurs les moins imposés. D'après cette théorie, on devrait donc observer des volumes importants d'échange à l'approche de la date de détachement du dividende, les investisseurs lourdement imposés vendant massivement leurs actions au profit des investisseurs moins imposés[20]. La figure 17.3 montre qu'il est possible de trouver des éléments empiriques attestant de cet effet de clientèle dynamique : Value Line, une entreprise américaine, a annoncé le 2 avril 2004 qu'elle allait verser un dividende exceptionnel de 17,5 $ par action, la date de détachement étant fixée

---

18. F. Allen et R. Michaely (2003), « Payout Policy », dans G. M. Constantinides, M. Harris et R. M. Stulz (éd.), *Handbook of the Economics of Finance: Corporate Finance*, vol. 1A, chap. 7, Elsevier.

19. A. Kalay (1982), « The Ex-Dividend Day Behavior Of Stock Prices: A Reexamination of the Clientele Effect », *Journal of Finance*, 37(4), 1059-1070 ; J. Boyd et R. Jagannathan (1994), « Ex-Dividend Price Bahavior of Common Stocks », *Review of Financial Studies*, 7(4), 711-741.

20. Certaines banques proposent à leurs clients des *swaps* de dividendes, dont c'est justement l'une des fonctions possibles.

au 20 mai. Les volumes échangés ont significativement augmenté : au cours du mois suivant l'annonce, le volume a été 25 fois supérieur à celui du mois précédent !

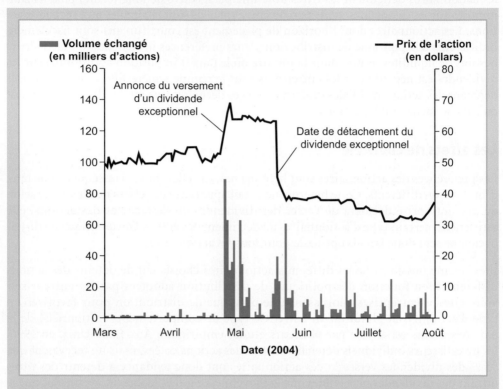

Figure 17.3 – Prix des actions et volume échangé autour du détachement d'un dividende exceptionnel

Le prix des actions de Value Line et les volumes échangés augmentent à l'annonce du dividende exceptionnel. Le prix de l'action baisse de 17,91 $ lors du détachement du dividende, alors que les volumes d'échange se réduisent progressivement au cours des semaines suivantes. L'augmentation significative des volumes avant et après le détachement du dividende est cohérente avec l'existence d'un effet de clientèle dynamique : les actionnaires peu imposés achètent l'action avant le détachement du dividende et la revendent ensuite. Les explications possibles de la hausse du prix de l'action lors de l'annonce du dividende sont détaillées dans la suite du chapitre.

La théorie de capture du dividende est cohérente avec l'idée d'investisseurs rationnels cherchant à éviter autant que possible de payer des impôts. Néanmoins, de nombreux investisseurs, lourdement imposés, touchent tout de même des dividendes. Lorsque ceux-ci sont d'un montant faible, comme souvent, cela peut s'expliquer par la présence de coûts de transaction liés à la vente des actions juste avant le détachement du dividende puis à leur rachat ou au risque inhérent à ce type d'opérations[21]. Ces deux facteurs peuvent suffire à annuler l'économie d'impôt liée au fait de ne pas toucher de dividende.

---

21. Le cours de l'action peut augmenter (pour des raisons indépendantes du dividende) entre la vente et le rachat de l'action. Il est néanmoins parfois possible de se couvrir contre ce risque, en procédant à un achat-vente simultané mais avec des dates d'exécution différentes. Dans ce cas, le volume des achats-ventes autour de la date de détachement du dividende est plus élevé que dans les autres cas : J. Koski et R. Michaely (2000), « Price, Liquidity, and the Information Content of Trades », *Review of Financial Studies*, 13, 659-696.

On constate effectivement que l'augmentation des volumes est corrélée au montant du dividende : ainsi, les volumes augmentent beaucoup pour le dividende exceptionnel (d'un montant élevé) de Value Line, alors qu'ils varient peu à l'approche du dividende annuel, d'un montant beaucoup plus faible. Au total, les effets de clientèle et les stratégies de capture du dividende réduisent le taux d'imposition additionnel sur les dividendes, sans pour autant l'annuler[22].

17.5. Conservation versus distribution des liquidités des entreprises

Jusqu'à présent, seul un aspect de la politique de distribution de l'entreprise a été pris en compte : le choix entre dividendes et rachat d'actions. Il a été implicitement supposé que l'entreprise avait décidé de rendre des capitaux à ses actionnaires.

Il est temps de remonter d'une étape dans le raisonnement (voir figure 17.1), en s'interrogeant sur les raisons qui poussent une entreprise à rendre des capitaux à ses actionnaires. L'entreprise pourrait en effet décider de ne rien distribuer à ses actionnaires, s'assurant ainsi une capacité d'autofinancement maximale et des disponibilités abondantes.

Si les marchés financiers sont supposés parfaits, il est équivalent pour une entreprise ayant financé tous les projets à VAN positive de rendre à ses actionnaires les capitaux inutilisés ou de les conserver pour les placer. Toutefois, si l'on prend en compte les « imperfections de marché », un arbitrage apparaît : conserver des capitaux peut éviter les coûts associés à l'obtention de nouveaux capitaux, mais cela peut également accroître les impôts et les coûts d'agence.

Le cas des « marchés parfaits »

Si une entreprise ne distribue rien à ses actionnaires, elle dispose de plus de capitaux pour ses investissements. Si des projets à VAN positive sont disponibles, la décision de conserver les fonds est optimale : les nouveaux projets créent de la valeur pour les investisseurs, au contraire de dividendes ou de placements financiers. En revanche, lorsque toutes les opportunités de croissance rentables sont financées, il convient de ne pas procéder à de nouveaux investissements, même s'il reste des capitaux inutilisés dans l'entreprise : cela réduirait la richesse des actionnaires. L'entreprise peut malgré tout réaliser des placements financiers avec cet excédent de trésorerie afin d'obtenir une rémunération. Ces placements financiers permettent à l'entreprise de disposer d'une trésorerie abondante, de sorte qu'elle peut profiter d'éventuelles opportunités futures à VAN positive ou distribuer ultérieurement aux actionnaires une somme plus

---

22. Il est difficile de prouver empiriquement que le coût des capitaux propres augmente avec le taux de dividende (ce qui doit théoriquement être le cas si les investisseurs sont nombreux à avoir une perspective de long terme). L'existence d'effets de clientèle et de stratégies de capture du dividende est une des raisons de cette difficulté. R. Litzenberger et K. Ramaswamy (1979), « The Effects of Personal Taxes and Dividends on Capital Asset Prices: Theory and Empirical Evidence », *Journal of Financial Economics*, 7(2), 163-195, trouvent des éléments en faveur de cette relation, au contraire de F. Black et M. Scholes (1974), « The Effects of Dividend Yield and Dividend Policy on Common Stock Prices and Returns », *Journal of Financial Economics*, 1(2), 1-22. A. Kalay et R. Michaely (2000), « Dividends and Taxes: A Reexamination », *Financial Management*, 29(2), 55-75, fournissent une explication aux résultats divergents de ces deux études et ne parviennent pas à détecter de relation significative entre taux de dividende et espérance de rentabilité des actions.

importante qu'aujourd'hui. Quels sont les avantages et les inconvénients de cette conservation de liquidités par l'entreprise ?

Si les marchés financiers sont supposés parfaits, les placements financiers de l'entreprise offrent à celle-ci une rémunération égale à celle que les actionnaires auraient pu obtenir s'ils avaient eux-mêmes réalisé ces placements : l'achat et la vente de titres financiers sont des opérations à VAN nulle, et n'influencent donc pas la valeur de l'entreprise. En conséquence, si les marchés sont supposés parfaits, le choix relatif à la conservation ou la distribution de liquidités aux actionnaires ne modifie pas la valeur totale de l'entreprise. Du point de vue des actionnaires, il n'y a aucune différence entre la distribution immédiate de liquidités par l'entreprise et leur conservation à des fins de placement sur les marchés financiers. Ce résultat est une autre conséquence du modèle de Modigliat non défini.

Modigliani-Miller et la politique de distribution. *En « marchés parfaits », le choix de l'entreprise entre distribution et conservation de sa trésorerie excédentaire n'influence pas sa valeur.*

La décision de distribuer ou de conserver des liquidités dépend donc d'imperfections de marché.

Exemple 17.4

La politique de distribution en « marchés parfaits »

Barton possède 100 000 € de trésorerie excédentaire. Barton envisage de placer cette somme en bons du Trésor de maturité un an. Ces titres offrent une rémunération de 6 %. À l'échéance de ces titres, Barton versera en dividendes à ses actionnaires le capital et les intérêts perçus sur les bons du Trésor. Une solution alternative pour l'entreprise consiste à verser immédiatement à ses actionnaires sa trésorerie excédentaire, les actionnaires achetant alors eux-mêmes les bons du Trésor. Dans le cadre d'un marché supposé parfait, quelle possibilité a la préférence des actionnaires ?

Solution

Si Barton verse immédiatement des dividendes, les actionnaires reçoivent immédiatement 100 000 €. Au contraire, si Barton achète les bons du Trésor, le dividende (payé dans un an) sera de 100 000 × 1,06 = 106 000 €. Évidemment, la valeur actuelle du dividende futur est de 106 000 € / (1,06) = 100 000 €, ce qui signifie que les actionnaires sont indifférents entre les deux possibilités.

Prise en compte de la fiscalité des entreprises

De quelle manière les résultats précédents sont-ils modifiés par la fiscalité ? Si Barton (voir exemple 17.4) est imposée sur les intérêts reçus au taux de 25 %, les actionnaires préfèrent-ils recevoir un dividende immédiat ou que l'entreprise place ses disponibilités excédentaires pendant un an (pour l'instant, on néglige la fiscalité des actionnaires) ?

Si Barton verse un dividende immédiat, les actionnaires reçoivent immédiatement 100 000 €. Si Barton conserve et place ses liquidités, l'entreprise bénéficie d'une rentabilité après impôt de : 6 % × (1 – 0,25) = 4,5 % sur les bons du Trésor. Dans un an, Barton pourra donc verser à ses actionnaires un dividende de 100 000 € × (1 + 4,5 %) =

104 500 €. Ce montant est inférieur aux 106 000 € que les investisseurs auraient obtenus s'ils avaient eux-mêmes placé 100 000 € en bons du Trésor.

Si les actionnaires ne sont pas imposés alors que les entreprises paient des impôts, ils supportent un surcoût fiscal lorsque les entreprises décident de conserver et de placer leur trésorerie excédentaire. Les actionnaires préfèrent donc une distribution immédiate de ces liquidités excédentaires.

On retrouve ici le résultat du chapitre 15 : en présence de fiscalité, une entreprise a avantage à s'endetter, car elle peut ainsi profiter d'une réduction de ses impôts. Des liquidités excédentaires ne sont rien d'autre qu'une dette *négative* : en présence de fiscalité, la détention d'une trésorerie excédentaire alourdit donc la charge fiscale de l'entreprise.

Il y a un cas où détenir des liquidités permet de réduire les impôts à payer : c'est lorsque ces liquidités sont détenues à l'étranger et ne sont imposées que lorsqu'elles sont rapatriées (voir encadré du chapitre 15 à ce sujet).

Un dividende réellement exceptionnel

Microsoft a pendant longtemps conservé ses liquidités. En 2004, l'entreprise disposait d'un « trésor de guerre » de plusieurs dizaines de milliards de trésorerie et a décidé de verser un dividende exceptionnel à ses actionnaires, d'un montant de… 32 milliards de dollars. Si Microsoft avait décidé de conserver ces liquidités de manière permanente sous forme de bons du Trésor, par exemple, quelle aurait été la valeur actuelle des impôts supplémentaires payés par Microsoft en supposant que le taux d'imposition, de 35 % à l'époque, reste constant ?

Solution

Les bons du Trésor sont sans risque ; il est donc possible d'actualiser les impôts futurs au taux sans risque (sous l'hypothèse que le taux d'imposition reste constant ou qu'une variation de celui-ci a un bêta nul). La valeur actuelle des impôts payés par Microsoft du fait de ses liquidités excédentaires est égale à :

$$\frac{32 \times r_f \times 35\ \%}{r_f} = 32 \times 35\ \% = 11{,}2 \text{ milliards de dollars}$$

Exemple 17.5

Prise en compte de la fiscalité des actionnaires

Lorsqu'une entreprise décide de distribuer à ses actionnaires une partie de ses disponibilités plutôt que de les conserver, cela peut avoir des conséquences fiscales pour les actionnaires. Ces conséquences sont susceptibles d'influencer la décision de l'entreprise.

On considère une entreprise dont l'actif est intégralement composé de disponibilités (pour un montant de 100 €). Tous les actionnaires sont soumis au même taux d'imposition. L'entreprise doit-elle verser immédiatement 100 € aux actionnaires ou conserver indéfiniment cette somme, ne versant en dividendes que les intérêts issus du placement des 100 € ?

Si l'entreprise verse immédiatement 100 € aux actionnaires en dividende, elle disparaît, n'ayant plus aucun actif à son bilan. Suite au versement du dividende, la valeur de l'entreprise est nulle (prix *ex-dividende* égal à 0). Lorsqu'on utilise l'équation (17.2), le prix de l'action avant distribution des disponibilités P_{dist} est :

$$P_{dist} = P_{ex} + Div \times \left(\frac{1 - \tau_{div}}{1 - \tau_{pv}} \right) = 0 + 100 \times \left(\frac{1 - \tau_{div}}{1 - \tau_{pv}} \right) \tag{17.4}$$

Le prix de l'action intègre le fait que l'investisseur paiera des impôts sur les dividendes au taux τ_{div} et bénéficiera d'une réduction d'impôt grâce à la matérialisation de moins-values en capital à la suite du dépôt de bilan de l'entreprise (au taux d'imposition des plus-values en capital τ_{pv}).

A contrario, si l'entreprise décide de conserver ses disponibilités et de les placer en bons du Trésor, rémunérés au taux sans risque r_f, elle peut verser à l'infini un dividende annuel (après paiement de l'impôt sur les sociétés au taux τ_{IS}) de :

$$Div = 100 \times r_f \times (1 - \tau_{IS})$$

Quelle est la valeur de l'entreprise dans ce cas ? Le coût du capital, du point de vue de l'actionnaire, est égal à la rentabilité après impôt qu'il obtiendrait d'un placement en bons du Trésor qu'il réaliserait lui-même : $r_f \times (1 - \tau_D)$, avec τ_D le taux d'imposition sur les intérêts reçus par les investisseurs. Une action de l'entreprise qui conserve ses disponibilités vaut[23] :

$$P_{cons} = \frac{Div \times (1 - \tau_{div})}{r_f \times (1 - \tau_D)} = \frac{100 \times r_f \times (1 - \tau_{IS}) \times (1 - \tau_{div})}{r_f \times (1 - \tau_D)} = 100 \times \frac{(1 - \tau_{IS}) \times (1 - \tau_{div})}{(1 - \tau_D)} \tag{17.5}$$

En comparant les équations (17.5) et (17.4), on peut écrire :

$$P_{cons} = P_{dist} \times (1 - \tau_{pv}) \times \frac{(1 - \tau_{IS})}{(1 - \tau_D)} = P_{dist} \times (1 - \tau_{cons}^{*}) \tag{17.6}$$

avec τ_{cons}^{*} le coût fiscal additionnel lié à la conservation de liquidités excédentaires :

$$\tau_{cons}^{*} = \left[1 - \frac{(1 - \tau_{IS})(1 - \tau_{pv})}{(1 - \tau_D)} \right] \tag{17.7}$$

L'impôt sur les dividendes sera payé de toute façon par l'actionnaire, que l'entreprise verse un dividende immédiatement ou se contente de verser les intérêts au fil du temps.

---

23. Dans ce cas, il n'y a pas d'impôts sur les plus-values en capital : le prix de l'action demeure inchangé.

Le taux d'imposition sur les dividendes n'apparaît donc pas dans l'équation (17.7)[24]. L'intuition sous-jacente à cette équation est que, lorsque l'entreprise conserve ses liquidités, elle paie l'impôt sur les sociétés sur les intérêts qu'elle reçoit. Les actionnaires paieront ensuite l'impôt sur les plus-values en capital qu'ils réalisent parce que l'entreprise a conservé des liquidités. Les intérêts que reçoit une entreprise sur ses liquidités sont donc soumis à une double imposition.

Au lieu de cela, l'entreprise aurait pu distribuer ces liquidités aux actionnaires, leur permettant de les placer ; cela aurait conduit les actionnaires à payer l'impôt sur les intérêts reçus, à l'exclusion de tout autre impôt. Le coût fiscal inhérent à la non-distribution des liquidités d'une entreprise est donc fonction de la comparaison entre l'impôt sur les sociétés et l'impôt sur les plus-values en capital d'une part et l'impôt sur les intérêts d'autre part. En France, $\tau_{IS} = 25$ % et $\tau_{pv} = \tau_D$. Le coût fiscal additionnel lié à la conservation de liquidités par les entreprises françaises est donc de : $\tau^*_{cons} = 25$ %. Une fois prise en compte la fiscalité des actionnaires, la conservation de liquidités excédentaires par l'entreprise a donc un coût pour les actionnaires.

Les coûts de transaction et les coûts des difficultés

Il existe donc, en général, un coût fiscal additionnel à la conservation de liquidités par les entreprises. Pourquoi ces dernières accumulent-elles alors des liquidités excédentaires ? La principale raison avancée par les trésoriers d'entreprise est que cela permet aux entreprises de réduire la probabilité d'une insuffisance future de liquidités. Ainsi, sachant qu'il existe une probabilité non nulle pour qu'elle ne puisse pas trouver les financements externes nécessaires à ses investissements futurs, une entreprise a intérêt à accumuler des liquidités excédentaires. Ce comportement est particulièrement probable pour des entreprises ayant à financer d'ambitieux projets de R&D, qui veulent adopter une stratégie de croissance externe agressive (rachat d'entreprises concurrentes) ou qui souhaitent se protéger contre une crise de liquidité.

---

24. L'équation (17.7) est également vérifiée lorsque l'entreprise procède à des rachats d'actions au lieu de verser des dividendes. Si l'entreprise décide de conserver ses liquidités (en stoppant ses rachats d'actions) pour ultérieurement racheter des actions et verser des dividendes, il faut remplacer τ_{pv} dans l'équation (17.7) par le taux d'imposition moyen sur les dividendes et les plus-values en capital : $\tau_{CP} = \alpha\tau_{div} + (1-\alpha)\,\tau_{pv}$, avec α la part des liquidités distribuées par l'entreprise sous forme de dividendes. τ^*_{cons} est alors égal à l'avantage fiscal effectif de la dette τ^* [voir l'équation (15.7), établie sous l'hypothèse que l'entreprise s'endette pour racheter ses actions]. L'utilisation de τ_{pv} dans ce contexte relève de ce qu'on appelle en général la « nouvelle conception » de la conservation de liquidités par l'entreprise : A. J. Auerbach (1981), « Tax Integration and the New View of the Corporate Tax: A 1980s Perspective », *Proceedings of the National Tax Association – Tax Institute of America*, 21-27. L'utilisation de τ_{CP} relève de la « vision traditionnelle » : J. M. Poterba et L. H. Summers (1983), « Dividend Taxes, Corporate Investment, and 'Q' », *Journal of Public Economics*, 22, 135-167.

Crise financière	Covid-19 et politique de distribution

Face à la pandémie mondiale de Covid-19 qui a débuté en mars 2020, de nombreuses entreprises ont très rapidement annoncé la suspension, la réduction, voire l'annulation des dividendes relatifs à l'exercice 2019 qu'elles envisageaient de verser à leurs actionnaires au printemps 2020. En France, Airbus, Lagardère, JCDecaux, Safran et beaucoup d'autres entreprises ont ainsi annoncé dès les premiers jours de la crise qu'elles ne verseraient pas de dividendes en 2020. Face à cette crise inédite, dont la durée et les conséquences étaient difficiles à estimer a priori, ces entreprises ont donc décidé de conserver le maximum de liquidités pour réduire la probabilité d'une insuffisance future de liquidités, ce qui les aurait obligées à lever des capitaux dans un moment où l'aversion au risque des investisseurs était maximale.

En conservant des disponibilités pour couvrir leurs besoins futurs, les entreprises évitent les coûts de transaction associés à l'obtention de capitaux nouveaux (émission d'actions ou d'obligations). On estime en général que les coûts de transaction directs associés à une émission de titres sont compris entre 1 et 3 % pour les obligations et 3,5 et 7 % pour les actions. Des coûts de transaction implicites peuvent également exister, compte tenu du phénomène d'antisélection et de coûts d'agence (voir chapitre 16). Au final, une entreprise doit arbitrer entre le coût fiscal additionnel associé à la conservation de liquidités excédentaires et les économies associées au fait de ne pas avoir à lever des capitaux dans le futur.

Les entreprises présentant une cyclicité prononcée de leur activité peuvent par ailleurs être incitées à conserver des disponibilités pour traverser les périodes pendant lesquelles le résultat d'exploitation est négatif ; cela peut leur éviter de supporter des difficultés financières récurrentes et leurs coûts afférents.

Les coûts d'agence

La détention de disponibilités par les entreprises au-delà de leurs besoins prévisibles en termes d'épargne de précaution et de financement d'investissements n'a toutefois aucun intérêt du point de vue des actionnaires. Une détention excessive de liquidités par les entreprises n'est donc pas souhaitée par les actionnaires, d'autant que, en plus du coût fiscal additionnel, des coûts d'agence peuvent apparaître : comme on l'a évoqué au chapitre 16, le dirigeant d'une entreprise disposant de liquidités excessives peut décider de leur affectation sans l'aval des actionnaires, ce qui lui ouvre la possibilité d'investissements dans des projets à VAN négative, de dépenses somptuaires ou d'acquisitions réalisées à des prix prohibitifs. De plus, la détention de liquidités abondantes expose l'entreprise au risque que les autres parties prenantes (fournisseurs, entreprises partenaires, salariés, État…) tentent d'en tirer parti[25]. La dette est l'un des moyens permettant de réduire ces coûts d'agence, au même titre que le versement de dividende ou les rachats d'actions.

Les actionnaires d'une entreprise endettée ont d'ailleurs un autre motif d'exiger la distribution des liquidités excessives : en situation de surendettement, une partie des bénéfices

---

25. Ford, qui disposait d'importantes liquidités, n'a ainsi pas eu droit au même soutien de la part du gouvernement que ses concurrents moins argentés pendant la crise financière de 2008.

liés à la conservation de liquidités abondantes va aux créanciers (voir chapitre 16). Les actionnaires peuvent donc préférer récupérer les liquidités ; c'est pour se protéger contre ce risque que les créanciers imposent le plus souvent des clauses de sauvegarde relatives à la politique de distribution de l'entreprise.

Empêcher des investissements à VAN négative

Une entreprise est entièrement financée par des capitaux propres constitués de 100 millions d'actions. Cette entreprise dispose de 150 millions d'euros de trésorerie. Elle anticipe des flux de trésorerie disponibles annuels de 65 millions d'euros à l'infini. Le dirigeant hésite à utiliser les disponibilités de l'entreprise pour financer de nouveaux projets d'investissement. Ceux-ci permettraient d'augmenter les flux de trésorerie disponibles futurs de l'entreprise de 12 %. Le coût du capital de l'entreprise est de 10 %. Quelle sera la réaction du prix de l'action si l'entreprise annonce finalement que les disponibilités vont être distribuées aux actionnaires grâce à un plan de rachat d'actions ?

Solution

Si l'entreprise finance les nouveaux investissements, ses flux de trésorerie disponibles futurs seront de 65 × 1,12 = 72,8 millions d'euros par an. Par application de la formule de la rente perpétuelle, la valeur de marché de l'entreprise est donc de 72,8 / 10 % = 728 millions d'euros, soit 7,28 € par action.

Si l'entreprise ne réalise pas les nouveaux investissements, la valeur actuelle de ses flux de trésorerie disponibles est de 65 / 10 % = 650 millions d'euros. Si on ajoute à cette valeur actuelle les disponibilités détenues, la valeur de l'entreprise s'établit à 800 millions d'euros, soit 8 € par action. Si l'entreprise décide de racheter des actions, le prix de l'action ne changera pas. Elle peut donc racheter 150 / 8 € = 18,75 millions d'actions. Suite à cette opération, la valeur de ses actifs sera de 650 millions d'euros et le capital sera composé de 81,25 millions d'actions, soit un prix d'action de 650 / 81,25 = 8 € par action.

L'annonce de l'abandon des investissements pour distribuer les disponibilités aux actionnaires fait donc augmenter le prix de chaque action de 0,72 €. Les projets d'investissement coûtent 150 millions d'euros et permettent une hausse permanente des flux de trésorerie disponibles futurs de 7,8 millions d'euros ; cela correspond à une VAN de – 150 millions d'euros + 7,8 millions d'euros / 10 % = – 72 millions d'euros, soit une perte de 0,72 € par action.

Exemple 17.6

Rendre les liquidités excessives aux actionnaires, sous forme de dividendes ou de rachats d'actions, peut donc faire augmenter le prix de l'action, car cela réduit le risque que d'autres parties prenantes n'en récupèrent une partie et accentue la discipline imposée au dirigeant, en limitant sa marge discrétionnaire et sa tentation d'allouer ces liquidités de manière inefficiente. La hausse brutale du prix de l'action Value Line, d'environ 10 $, au moment de l'annonce du versement du dividende exceptionnel (voir figure 17.3) correspond à l'appréciation par le marché de la valeur des économies d'impôt et de la réduction des coûts d'agence permises par le versement de ce dividende.

En fin de compte, les entreprises devraient décider de conserver des disponibilités pour les mêmes raisons qui les poussent à privilégier un faible taux d'endettement[26] ·

---

26. On peut considérer les liquidités excédentaires comme de la dette négative. Le choix de conserver des liquidités s'analyse donc de manière opposée à celui de l'endettement étudié au chapitre 14.

pour garder une marge de manœuvre financière leur permettant de saisir des opportunités futures de croissance rentable et éviter de supporter des coûts liés à des difficultés financières.

Ces avantages doivent être comparés aux coûts d'agence et coûts fiscaux inhérents à la détention de disponibilités. Il n'est donc pas étonnant que des entreprises de haute technologie et de biotechnologie, ou plus généralement celles dont les coûts de R&D sont élevés, affichent un taux d'endettement réduit et disposent de liquidités abondantes. Le tableau 17.3 présente des entreprises françaises et américaines détenant des liquidités très abondantes.

Tout comme la structure financière, le choix d'une politique de distribution est du ressort des dirigeants de l'entreprise. Leurs incitations sont fréquemment différentes de celles des actionnaires. Les dirigeants préfèrent naturellement que l'entreprise conserve le maximum de liquidités, car il en résulte une augmentation des ressources qu'ils contrôlent. En outre, cela facilite la mise en œuvre de stratégies de croissance et réduit le taux d'endettement de l'entreprise, ce qui fait baisser son risque de faillite et la probabilité de licenciement du dirigeant. Selon la théorie de l'enracinement appliquée à la politique de distribution, les dirigeants n'acceptent donc de rendre aux actionnaires les liquidités excédentaires de l'entreprise que sous la contrainte[27].

Tableau 17.3	Entreprises disposant d'une trésorerie abondante (2018)	
	Trésorerie	**Pourcentage de la capitalisation boursière**
France (en milliards d'euros)		
1 Total	24,9	30 %
2 PSA (Peugeot)	16,4	94 %
3 Renault	14,8	93 %
4 Airbus	12,5	19 %
États-Unis (en milliards de dollars)		
1 Apple	243,7	22 %
2 Oracle	67,3	35 %
3 AT&T	50,5	22 %
4 Cisco Systems	46,5	21 %

17.6. Politique de distribution et théorie du signal

L'existence d'asymétries d'information est une imperfection de marché qui n'a pas encore été intégrée au raisonnement : lorsque les dirigeants détiennent des informations de meilleure qualité que les investisseurs sur les perspectives de l'entreprise, la politique de distribution est susceptible d'envoyer un signal au marché.

---

27. La section 16.7 a présenté la théorie de l'enracinement appliquée à la structure financière : les dirigeants choisissent un taux d'endettement faible pour éviter la discipline qu'impose la dette. Ils minimisent ainsi la probabilité de perdre leur poste. Appliquée à la politique de distribution, la théorie de l'enracinement postule que les dirigeants utilisent les liquidités pour réduire autant que possible la dette nette de l'entreprise.

Le lissage des dividendes

En théorie, les entreprises peuvent ajuster au fil du temps le montant des dividendes qu'elles versent à leurs actionnaires. En pratique, elles s'arrangent pour augmenter de manière lente et régulière leurs dividendes, sauf circonstances exceptionnelles. C'est par exemple le cas de Vivendi (voir figure 17.2), si l'on met de côté la période de difficultés financières rencontrées par l'entreprise au début des années 2000, provoquées une politique de rachats d'entreprises de nouvelles technologies survalorisées, au plus haut de la bulle Internet. Au cours des 30 ans représentés par la figure, la variation du résultat net de l'entreprise a été beaucoup plus prononcée que celle des dividendes ! C'est également le cas pour Général Motors, comme l'illustre la figure 17.4.

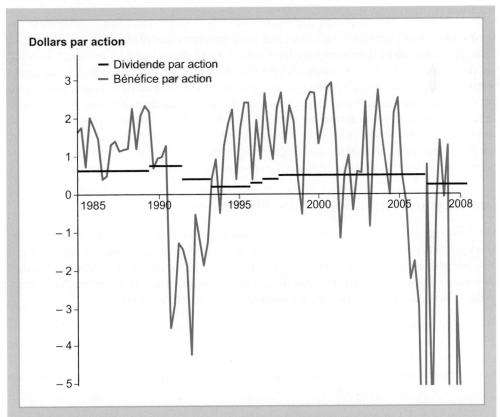

Figure 17.4 – Bénéfice et dividende par action de General Motors, 1985-2008

Le dividende par action de General Motors est beaucoup plus stable que le bénéfice par action (les données sont ajustées des divisions d'actions ; les bénéfices sont ajustés des résultats exceptionnels).

Sources : Compustat et CapitalIQ.

Le comportement de Vivendi ou de General Motors est caractéristique des entreprises qui versent des dividendes : ces derniers présentent toujours un aspect beaucoup plus stable que les bénéfices des entreprises. Cette pratique des entreprises, que l'on retrouve dans tous les pays, s'appelle le **lissage des dividendes** (« *dividend smoothing* »). Par ailleurs, on constate que les entreprises ne réduisent que très rarement leurs dividendes.

Aux États-Unis, entre 1971 et 2001, seulement 5,4 % des modifications de dividendes ont consisté en une baisse de ces derniers[28]. En France, de nombreuses entreprises n'ont procédé à aucune réduction de dividende au cours des 10 ou 15 dernières années (le dividende d'Air Liquide a baissé une seule fois en 30 ans…). John Lintner[29] a montré que cet aspect caractéristique de l'évolution des dividendes est la conséquence : (i) de croyances des dirigeants quant aux préférences des investisseurs (supposés avoir une préférence pour la stabilité des dividendes) ; (ii) de l'existence d'un objectif implicite des dirigeants de stabilisation du taux de distribution.

De ce fait, les dirigeants n'acceptent d'augmenter les dividendes que lorsqu'ils sont convaincus que cette hausse pourra être pérenne. En d'autres termes, les dividendes augmentent lorsque les dirigeants anticipent une augmentation *permanente* des bénéfices de l'entreprise[30].

Comment les entreprises procèdent-elles pour présenter un profil de dividendes relativement stable alors que leurs bénéfices varient au fil du temps ? La première solution est de considérer les rachats ou émissions d'actions comme une variable d'ajustement : il est possible de maintenir à peu près n'importe quel niveau de dividende en émettant ou en rachetant des actions. La seconde est de choisir un taux de distribution assez faible. Financer le versement d'un dividende à l'aide d'une émission d'actions impose des coûts de transaction et un coût fiscal additionnel aux entreprises. Pour cette raison, les dirigeants évitent en général d'augmenter les dividendes à des niveaux risquant de contraindre l'entreprise à émettre ultérieurement des actions pour les verser.

Le contenu informationnel des dividendes

Si les entreprises adoptent le lissage des dividendes, toute modification de ceux-ci est alors porteuse d'informations : une augmentation du dividende envoie un signal positif aux investisseurs tandis qu'une réduction, voire une suppression, du dividende traduit une anticipation très pessimiste des dirigeants par rapport aux perspectives de l'entreprise. C'est l'idée de la **théorie du signal appliquée aux dividendes**.

De nombreuses études empiriques corroborent cette théorie : au cours de la période 1967-1993, les entreprises ayant annoncé une hausse de dividende égale ou supérieure à 10 % ont vu leurs actions s'apprécier de 1,34 %, tandis que celles ayant annoncé une baisse équivalente ont vu leurs actions chuter de 3,71 %[31]. En outre, la variation du prix

---

28. F. Allen et R. Michaely (2003), « Payout Policy », *in* G. Constantinides, M. Harris et R. Stulz (éd.), *Handbook of the Economics of Finance*, Elsevier.

29. J. Lintner (1956), « Distribution of Incomes of Corporations Among Dividends, Retained Earnings and Taxes », *American Economic Review*, 46, 97-113.

30. Les raisons pour lesquelles les dirigeants croient qu'ils ont intérêt à adopter ce comportement sont peu claires. Il n'existe aucun élément permettant d'affirmer que les actionnaires préfèrent réellement des dividendes stables.

31. G. Grullon, R. Michaely et B. Swaminathan (2002), « Are Dividend Changes a Sign of Firm Maturity? », *Journal of Business*, 75(3), 387-424. L'effet est encore plus significatif lorsqu'une entreprise annonce le versement de son premier dividende (+3,4 %) ou sa suspension (−7 %) : R. Michaely, R. Thaler et K. Womack (1995), « Price Reactions to Dividend Initiations and Omissions: Overreaction or Drift? », *Journal of Finance*, 50(2), 573-608 ; P. Healy et K. Palepu (1988), « Earnings Information Conveyed by Dividend Initiations and Omissions », *Journal of Financial Economics*, 21(2), 149-176.

des actions est proportionnelle à la variation du dividende et elle est plus forte en cas de réduction des dividendes qu'en cas de hausse[32].

L'utilisation de la politique de distribution à des fins de transmission d'information repose sur les mêmes fondements que le recours à une hausse de la dette (voir chapitre 16). L'augmentation de la dette signale aux investisseurs la croyance des dirigeants en la capacité de l'entreprise à honorer ses engagements auprès des créanciers. De la même manière, une augmentation du dividende signale que le dirigeant est convaincu que l'entreprise pourra verser durablement des dividendes plus élevés. Le signal est d'autant plus crédible que l'annonce ultérieure d'une baisse des dividendes peut entamer la réputation et la crédibilité d'un dirigeant et ainsi provoquer une baisse du cours des actions de l'entreprise. Cela dit, le risque d'avoir à annoncer une baisse future des dividendes est beaucoup plus supportable pour le dirigeant que de risquer le défaut de paiement sur la dette. Le signal envoyé grâce à la politique de distribution doit donc théoriquement être moins fort (car moins crédible) qu'un signal envoyé à l'aide de la modification de la structure financière. Les éléments empiriques confirment ce raisonnement : en moyenne, le prix des actions augmente de plus de 10 % à la suite de l'annonce d'un rachat d'actions financé par endettement et baisse de 4 à 10 % lorsqu'une émission d'actions afin de rembourser la dette est annoncée[33].

Bien que l'annonce d'une augmentation des dividendes envoie un signal favorable à propos des perspectives futures de l'entreprise telles qu'anticipées par le dirigeant, ce type d'annonce peut également signaler l'absence ou la diminution des opportunités d'investissement rentables. La décision de Microsoft de verser le premier dividende de son histoire, en 2003, a ainsi été perçue par le marché comme le signe d'une réduction des perspectives de croissance de l'entreprise plutôt que comme le signe d'une augmentation future de ses flux de trésorerie disponibles[34]. À l'inverse, une entreprise peut décider de réduire son dividende pour conserver ses liquidités et autofinancer un plus grand nombre de projets à VAN positive. Dans cette optique, une annonce de baisse du dividende devrait conduire à une réaction positive, et non négative, du marché boursier. Au total, comme chaque fois qu'une information est envoyée au marché, le signal doit être interprété à la lumière du contexte dans lequel il est envoyé et des informations que les dirigeants sont susceptibles de détenir.

| Zoom sur... | **La réduction du dividende de Royal & SunAlliance** |

Le 8 novembre 2001, le directeur financier de Royal & SunAlliance, une société d'assurances anglaise, a annoncé une réduction du dividende de son entreprise. Plusieurs analystes ont interprété cette annonce comme le signe de difficultés financières de l'entreprise : les entreprises n'évitent-elles pas autant que possible de réduire leurs dividendes ?

...

---

32. Toutes les études empiriques ne corroborent pas la théorie du signal appliquée aux dividendes. Il est ainsi difficile d'identifier une relation significative entre l'annonce d'une modification du dividende et les bénéfices futurs effectifs de l'entreprise : S. Benartzi, R. Michaely et R. Thaler (1997), « Do Changes in Dividend Signal the Future or the Past? », *Journal of Finance*, 52(3), 1007-1034.

33. C. Smith (1993), « Raising Capital: Theory and Evidence », *in* D. Chew (éd.), *The New Corporate Finance*, McGraw-Hill.

34. « An End to Growth? », *The Economist*, 22 juillet 2004, page 61.

...

Le directeur financier de l'entreprise a avancé d'autres **arguments** : les primes d'assurance augmentent partout dans le monde. Il existe d'excellentes opportunités de croissance dans le secteur. Dans ce contexte, l'entreprise a intérêt à conserver ses liquidités pour les réinvestir plutôt que de les rendre aux actionnaires.

Les marchés financiers ont trouvé les arguments du directeur financier convaincants, puisque le cours des actions Royal & SunAlliance a augmenté de 5 % à la suite de cette annonce. Ainsi, la réduction du dividende peut être une bonne nouvelle pour les actionnaires ! Elle peut signaler au marché que l'entreprise attend une rentabilité future plus élevée qu'aujourd'hui.

Source : d'après CFO Europe.com, décembre 2001.

Le contenu informationnel des rachats d'actions

L'annonce d'un rachat d'actions peut, tout comme celle du versement d'un dividende, envoyer un signal au marché. Le contenu informationnel des annonces de rachats d'actions est toutefois différent de celui des annonces de dividendes.

Premièrement, les entreprises désirant procéder à des rachats d'actions doivent en demander l'autorisation à leurs actionnaires. Cette autorisation porte sur un nombre maximal d'actions qui pourront être rachetées, mais ce maximum n'est pas contraignant pour l'entreprise. Cette dernière peut décider d'en acheter beaucoup moins ou d'étaler dans le temps ce rachat[35].

Deuxièmement, les rachats d'actions ne présentent pas l'aspect lissé qui caractérise les dividendes. L'annonce d'un rachat d'actions n'est donc pas porteuse d'un engagement de long terme de l'entreprise quant à sa politique de distribution. En conséquence, une annonce de rachat d'actions ne contient pas autant d'informations sur les perspectives futures de l'entreprise qu'une annonce de hausse du dividende.

Troisièmement, le coût du rachat d'actions pour l'entreprise dépend du prix de marché des actions, alors que le coût d'un dividende n'y est pas sensible. Si les dirigeants estiment les actions de l'entreprise surévaluées et qu'ils agissent dans l'intérêt des actionnaires de long terme (qui conserveront leurs actions), ils n'annonceront pas de plan de rachat d'actions, car cela constituerait une opération à VAN négative pour ces actionnaires ! Autrement dit, les annonces de rachats d'actions sont plus probables lorsque les dirigeants estiment les actions de l'entreprise sous-évaluées (ce rachat étant alors une opération à VAN positive pour les actionnaires qui conservent leurs actions). L'annonce d'un rachat d'actions par l'entreprise est donc un signal que le dirigeant estime les actions sous-évaluées par le marché (ou à tout le moins pas trop surévaluées), s'il agit dans l'intérêt des actionnaires de long terme et qu'il cherche à maximiser la valeur future des actions de l'entreprise. Au contraire, si le dirigeant agit dans l'intérêt de *tous* les actionnaires, le signal n'existe pas, car les rachats d'actions peuvent être effectués n'importe quand :

---

35. C. Stephens et M. Weisbach (1998), « Actual Share Reacquisitions in Open-Market Repurchase Programs », *Journal of Finance*, 53(1), 313-333 ; D. Cook, L. Krigman et J. Leach (2004), « On the Timing and Execution of Open Market Repurchases », *Review of Financial Studies*, 17(2), 463-498.

si certains actionnaires gagnent, c'est au détriment d'autres (jeu à somme nulle), et il n'y a donc pas de « bon » moment pour annoncer un rachat d'actions.

Un sondage réalisé en 2004 a confirmé que 87 % des directeurs financiers pensent que les entreprises doivent racheter leurs propres actions lorsque celles-ci sont à un prix plus faible que leur vraie valeur[36], ce qui signifie implicitement que les directeurs financiers pensent qu'ils doivent agir dans l'intérêt de leurs actionnaires de long terme. L'annonce d'un rachat d'actions est donc un signal crédible que les dirigeants de l'entreprise pensent que l'action est sous-valorisée, ce qui devrait conduire les investisseurs à réagir favorablement (sous l'hypothèse qu'ils pensent que les dirigeants ont plus d'informations qu'eux-mêmes sur les perspectives de l'entreprise). Effectivement, c'est bien ce que l'on constate dans la réalité, puisque la réaction moyenne du prix des actions à l'annonce d'un rachat est une hausse de 3 %. Plus le plan est ambitieux, plus la hausse est marquée[37].

Quand faut-il procéder à un rachat d'actions ?

Clark a émis 200 millions d'actions. Leur prix de marché actuel est de 30 €. Clark n'a aucune dette. Le dirigeant estime que son entreprise est sous-évaluée par le marché et que la vraie valeur d'une action est de 35 €. Clark projette de consacrer 600 millions d'euros à un programme de rachat d'actions. Les actions seront rachetées directement sur le marché. Peu de temps après ce rachat, les actionnaires reçoivent des informations qui modifient leur évaluation de l'entreprise. Leur nouvelle évaluation est identique à celle du dirigeant. Quel est le prix d'une action Clark après que les actionnaires ont reçu les informations ? Quel aurait été le prix d'une action si l'entreprise avait attendu la publication de ces informations pour procéder au rachat d'actions ?

Solution

La capitalisation boursière initiale de Clark est de 30 € × 200 millions d'actions = 6 milliards d'euros. L'actif de l'entreprise est composé de 600 millions d'euros de disponibilités et de 5,4 milliards d'euros d'actifs divers. Au prix actuel de ses actions, Clark peut racheter 600 millions d'euros / 30 € = 20 millions d'actions. Le bilan en valeur de marché de l'entreprise est :

Exemple 17.7

		Avant le rachat d'actions	Après le rachat d'actions	Après la publication des informations
1	Actif net	5 400	5 400	6 400
2	Trésorerie	600	0	0
3	**Valeur de marché de l'actif** (1 + 2)	**6 000**	**5 400**	**6 400**
4	Nombre d'actions (en millions)	200	180	180
5	Prix d'une action (en euros)	30	30	35,56

...

---

36. A. Brav, J. Graham, C. Harvey et R. Michaely (2005), « Payout Policy in the 21st Century », *Journal of Financial Economics*, 77(3), 483-527.

37. D. Ikenberry, J. Lakonishok et T. Vermaelen (1995), « Market Underreaction to Open Market Share Repurchases », *Journal of Financial Economics*, 39(2), 181-208 ; G. Grullon et R. Michaely (2002), « Dividends, Share Repurchases, and the Substitution Hypothesis », *Journal of Finance*, 57(4), 1649-1684. Pour une explication orientée « théorie du signal » de la hausse des cours boursiers à l'annonce d'un programme (pourtant non contraignant) de rachat d'actions, voir J. Oded (2005), « Why Do Firms Announce Open-Market Repurchase Programs? », *Review of Financial Studies*, 18, 271-300.

Exemple 17.7

...

Dans l'esprit du dirigeant, la capitalisation boursière de l'entreprise devrait être de 35 € × 200 millions d'actions = 7 milliards d'euros, ce qui correspond à une valeur de 6,4 milliards pour les actifs hors disponibilités. Après que les informations ont été rendues publiques, les actifs de l'entreprise ont cette valeur (il n'y a plus de liquidités), ce qui correspond à un prix par action (leur nombre ayant diminué) de 35,56 €.

Si Clark avait attendu que les informations connues du dirigeant soient communiquées aux actionnaires avant de racheter des actions, elle aurait racheté ses actions au prix de 35 €. Elle n'aurait donc pu racheter que 17,1 millions d'actions. La valeur d'une action après le rachat aurait été de 6,4 milliards d'euros / 182,9 millions d'actions = 35 €.

En rachetant les actions alors qu'elles sont sous-évaluées, Clark fait augmenter le prix final des actions de 0,56 € par action, soit un gain total pour les actionnaires de long terme de 0,56 € × 180 millions d'actions = 100 millions d'euros. Le gain réalisé par les actionnaires de long terme a lieu au détriment de ceux qui ont vendu 20 millions d'actions à un prix 5 € plus faible que leur vraie valeur.

Le rachat d'actions sous-évaluées par l'entreprise provoque donc une hausse permanente du prix des actions restantes. Symétriquement, l'achat de titres surévalués réduit durablement le prix des actions. Les entreprises qui décident de racheter des actions doivent par conséquent choisir un moment opportun (stratégie de *market timing*). Les actionnaires anticipent que les entreprises adopteront ce comportement, et interprètent donc une annonce de rachat d'actions comme un signal de sous-évaluation des actions.

17.7. Dividendes en actions et division d'actions

La politique de distribution traite de la décision de l'entreprise de rendre des capitaux à ses actionnaires. Une entreprise peut pourtant décider de verser un dividende en actions, et non en numéraire : elle peut distribuer gratuitement une ou plusieurs actions à chacun de ses actionnaires : on parle alors de dividende en actions, de division d'actions ou de *stock split*. L'entreprise peut également décider de donner à ses actionnaires des actions de l'une de ses filiales ; il s'agit alors d'une scission de l'entreprise, ou *spin-off*.

Les divisions et regroupements d'actions

Lorsque Vivendi annonce en 1990 une distribution de **dividendes en actions** de 10 % (voir figure 17.2), chaque actionnaire reçoit une action nouvelle pour 10 actions anciennes détenues à la date de détachement du dividende. Lorsque le dividende en actions est supérieur à 50 %, on parle plus volontiers de **division d'actions** (*stock split*) que de dividende en actions, mais ce n'est qu'une différence de terminologie. Ainsi, en 2009, Vivendi a annoncé une division d'actions par deux (un *stock split* 2/1), une action ancienne étant remplacée par deux actions nouvelles. Cela correspond à un dividende par action de 100 % : pour une action ancienne détenue, l'actionnaire en reçoit une gratuite[38].

---

38. La logique anglaise n'est pas la même qu'ailleurs. Un *stock split* 2/1 en France ou aux États-Unis signifie qu'à la place d'une action ancienne l'actionnaire en recevra deux nouvelles. Le nombre d'actions double donc. Les Anglais parleront dans ce cas d'un *stock split* 1/1, car l'actionnaire reçoit une action *en plus* de celle qu'il détient déjà.

Lorsqu'une entreprise verse un dividende en actions (ou procède à une division d'actions, puisque la différence n'est que sémantique), elle n'a pas à décaisser de liquidités. La valeur de marché de ses actifs reste inchangée. La valeur de marché de sa dette n'est pas modifiée non plus. Cela signifie donc que la valeur de marché de ses capitaux propres demeure identique. La seule variable affectée par le versement d'un dividende en actions est le nombre d'actions émises par l'entreprise, qui augmente. De ce fait, le cours des actions baisse, sous l'effet mécanique de la dilution entraînée par l'augmentation du nombre d'actions. Prenons un exemple. L'entreprise Frantex désire verser un dividende par action, à hauteur de 50 % (trois nouvelles actions à la place de deux anciennes). L'évolution du bilan en valeur de marché de Frantex et du prix de ses actions est détaillée dans le tableau 17.4.

Tableau 17.4	Prix des actions de Frantex en cas de dividende en actions de 50 %	
	Avant le dividende en actions	**Après le dividende en actions**
1 Actif net	400	400
2 Trésorerie	20	20
3 **Valeur de marché de l'actif** (1 + 2)	**420**	**420**
4 Nombre d'actions (en millions)	10	15
5 Prix d'une action (en euros)	42	28

Un actionnaire détenant initialement 100 actions Frantex possède un portefeuille valant 42 € × 100 = 4 200 €. Après le détachement du dividende en actions, cet actionnaire détient 150 titres valant 28 €, soit une richesse inchangée de 4 200 €. Une différence fondamentale sépare une division d'actions d'une émission d'actions : lors d'une émission d'actions, ces dernières sont *vendues* par l'entreprise, ce qui augmente la valeur de son actif ; si les actions émises sont vendues à leur juste prix, le prix des actions ne change pas. Au contraire, quand l'entreprise octroie un dividende en actions, elle *donne* les actions nouvelles, la valeur de son actif restant inchangée ; le prix des actions diminue donc mécaniquement.

Contrairement aux dividendes en numéraire, les dividendes en actions ne sont pas soumis à l'impôt. Pour les actionnaires comme pour les entreprises, la distribution d'actions gratuites n'a donc aucune conséquence financière. Le nombre d'actions augmente en proportion du dividende octroyé, tandis que le prix des actions baisse pour compenser exactement cet accroissement du volume des titres.

Pour quelles raisons les entreprises décident-elles alors de distribuer des dividendes en actions, puisque cela ne crée pas de valeur et n'a aucune conséquence financière pour personne ? L'objectif d'une telle opération est tout simplement de modifier la valeur nominale d'une action (d'où le fait qu'une division d'actions est fréquemment appelée une **division du nominal**). Cela permet de faire baisser le prix des actions et donc de les rendre plus accessibles aux petits porteurs : ils préfèrent acheter 10 actions différentes à 50 € plutôt qu'une seule à 500 €, afin de diversifier leur portefeuille. Faciliter les achats d'actions par les petits porteurs peut faire augmenter la demande pour les actions et améliorer la liquidité du titre. Ces deux éléments peuvent concourir à une augmentation du prix des actions. En moyenne, les annonces de dividendes par action sont suivies d'une augmentation de 2 % du prix de l'action concernée[39].

Inversement, les entreprises ne veulent pas non plus que le prix de leurs actions soit trop faible : ce n'est pas très attractif en termes d'image ; les actions affichant des prix très faibles (moins de 1 £ au Royaume-Uni, moins de 1 € en France, moins de 5 $ aux États-Unis[40]) sont appelées des *penny stocks*, et ce qualificatif n'est pas très élogieux. De plus, un prix trop faible accroît les coûts de transaction supportés par les investisseurs : l'écart minimal entre le prix à l'achat et le prix à la vente sur Euronext par exemple est d'un centime d'euro. Cet écart minimal représente une fraction (en pourcentage) de la valeur du titre d'autant plus importante que la valeur du titre est faible.

Face à un cours de Bourse qui baisse continûment, une entreprise peut donc procéder à un **regroupement d'actions** (ou *reverse stock split*), opération qui consiste à fusionner plusieurs actions en une seule, diminuant ainsi le nombre d'actions en circulation et augmentant mécaniquement leur prix. Si le regroupement est de 1 pour 10, cela signifie qu'une action nouvelle sera attribuée à la place de 10 actions anciennes. Alstom a ainsi réalisé un regroupement d'actions en 2005, remplaçant 40 actions anciennes par une action nouvelle. À la suite de cette opération, le cours de Bourse est passé de 80 centimes à 32 € et la valeur nominale des actions de 35 centimes à 14 €.

Grâce aux divisions et aux regroupements d'actions, une entreprise peut donc à volonté modifier son cours de Bourse. En pratique, la majorité des entreprises affiche un cours de Bourse compris entre 5 € et 75 € (voir figure 17.5).

---

39. S. Nayak et N. Prabhala (2001), « Disentangling the Dividend Information in Splits: A Decomposition Using Conditional Event-Study Methods », *Review of Financial Studies*, 14(4), 1083-1116. Les divisions d'actions parviennent effectivement à attirer les petits porteurs : R. Dhar, W. Goetzmann et N. Zhu (2004), « The Impact of Clientele Changes: Evidence for Stock Splits », *Document de travail Yale ICF 03-14*. Les divisions d'actions augmentent le nombre d'actionnaires, mais l'effet de celles-ci sur la liquidité des actions n'est pas clair : T. Copeland (1979), « Liquidity Changes Following Stock Splits », *Journal of Finance*, 34(1), 115-141 ; J. Lakonishok et B. Lev (1987), « Stock Splits and Stock Dividends: Why, Who and When », *Journal of Finance*, 42(4), 913-932.

40. Une action ne peut valoir durablement moins de 1 $ sur le NYSE ou le Nasdaq, car c'est un motif de radiation de la cote.

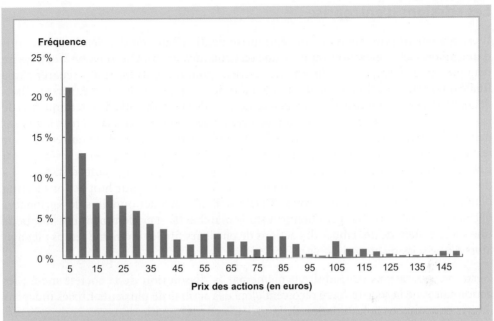

Figure 17.5 – Distribution du prix des actions cotées à Paris (janvier 2017)

Grâce aux divisions et aux regroupements d'actions, la plupart des entreprises appartenant à l'indice CAC All-Tradable parviennent à cantonner le prix de leurs actions dans une fourchette de 5 à 75 €. Cela réduit les coûts de transaction supportés par les investisseurs. Le prix médian est de 21 € et moins de 10 % des entreprises ont un cours de bourse supérieur à 100 €.

Zoom sur... L'action la plus chère du monde ?

Warren Buffet, fondateur et dirigeant de Berkshire Hathaway, n'est pas convaincu de l'utilité des divisions d'actions. Il ne faut pas confondre, selon lui, le prix des actions de Berkshire Hathaway avec les résultats de l'entreprise. En 40 ans, jamais celle-ci n'a procédé à une division d'actions, car Buffet veut avoir des actionnaires « avec une perspective de long terme, qui ne sont pas focalisés sur le prix de marché de leurs actions, mais sur la qualité de l'entreprise ».

Le fonds d'investissement géré par « l'oracle d'Omaha » a affiché des performances exceptionnelles depuis sa création. L'action de Berkshire Hathaway augmente donc régulièrement, depuis 40 ans. En 1996, elle a franchi la barre des 30 000 $! Sous la pression des actionnaires et des intermédiaires financiers, Buffet a accepté cette année-là de créer des actions de classe B (par opposition aux anciennes, de classe A), avec une conversion possible des actions de classe A en actions de classe B au taux de 1 pour 30. Les actionnaires le souhaitant peuvent ainsi procéder eux-mêmes à une division de leurs actions. Depuis, le cours de l'action A de Berkshire Hathaway a continué à augmenter, avec un pic à 325 000 $ en février 2018, pour redescendre à 250 000 $ en mars 2020.

La logique de Buffet est toutefois étonnante pour un financier : en quoi un prix d'action élevé est-il susceptible d'attirer de « meilleurs » actionnaires ? Et puis, si tel était le cas, Buffet aurait pu obtenir depuis longtemps un tel prix, grâce à un regroupement d'actions.

Les scissions d'entreprise

Il est également possible pour une entreprise de distribuer en dividende des actions d'une filiale. Cette opération s'appelle une **scission** (*demerger*). Une scission d'entreprise peut prendre la forme d'un *spin-off* : cela consiste pour une entreprise à se séparer d'une filiale ou d'actifs spécifiques en distribuant aux actionnaires de la société mère un dividende en actions composé exclusivement d'actions de la société fille. Les actionnaires de la société mère se retrouvent donc actionnaires de deux entreprises, la mère et la fille, et peuvent échanger librement et indépendamment les actions de ces deux entreprises sur le marché. En 2013, Kering a procédé à un *spin-off* de sa filiale Groupe Fnac, créant ainsi une entreprise séparée spécialisée dans la distribution de produits culturels. Kering a distribué à ses actionnaires une action gratuite Groupe Fnac pour huit actions Kering détenues. Une fois les actions Groupe Fnac distribuées aux actionnaires de Kering, ces derniers peuvent les échanger librement sur le marché. Il est évidemment possible pour une société mère de distribuer des actions de plusieurs filiales en même temps ; il s'agit alors d'une scission en trois, quatre, voire plus.

Certaines opérations se traduisent même par la dissolution de la société mère ; les actionnaires de la société mère reçoivent alors des actions de plusieurs filiales indépendantes et acceptent la liquidation de la société mère. On parle dans ce cas de **split-up**, ou scission-dissolution. L'exemple le plus célèbre en France est la scission en 2001 d'Eridania-Béghin-Say en quatre entités spécialisées et juridiquement distinctes : Béghin-Say (sucre), Cerestar (amidon), Cereol (huile) et Provimi (nutrition animale).

Une autre possibilité offerte aux entreprises souhaitant modifier leur périmètre est de procéder à un *split-off* : il s'agit alors d'un plan de rachat d'actions, les actions rachetées par l'entreprise étant payées non pas en numéraire, mais en actions d'une filiale.

Au lieu de procéder à une telle opération, une société mère peut se séparer d'une filiale en la vendant (ou en offrant les actions de la filiale sur le marché), puis verser aux actionnaires le montant de la vente sous forme de dividende en numéraire. Néanmoins, une scission réalisée à l'aide d'un dividende en actions présente un double intérêt. L'entreprise évite les coûts de transaction inhérents à la vente d'une filiale et offre à ses actionnaires une économie d'impôt. En effet, le dividende en actions d'une filiale bénéficie d'un traitement fiscal plus avantageux qu'un dividende en numéraire : les actionnaires ne sont imposés sur leur plus-value en capital qu'au moment de la revente de leurs titres.

Il est donc possible pour une entreprise de se séparer d'une filiale, en offrant à ses actionnaires un dividende en actions de la filiale ou tout simplement en vendant la filiale. Une question importante n'a pas été posée jusqu'ici : pourquoi une entreprise aurait-elle intérêt à se scinder en deux ? Quel est l'intérêt d'une telle décision ? Ces questions sont en fait les mêmes que celles relatives aux raisons d'une fusion entre deux entreprises et seront traitées au chapitre 28.

Résumé

17.1. La rémunération des actionnaires

- Lorsqu'une entreprise désire distribuer des liquidités à ses actionnaires, elle peut verser des dividendes ou racheter ses propres actions. La plupart des entreprises versent un dividende annuel. Il arrive que ce dividende soit accompagné d'un dividende exceptionnel. Pour racheter leurs actions, les entreprises peuvent effectuer une offre publique de rachat d'actions (OPRA) ou procéder à un rachat « au fil de l'eau », également qualifié de ramassage en Bourse.

- En date de déclaration, les actionnaires décident en assemblée générale du montant du dividende qui leur sera versé, sur proposition du Conseil d'administration. La date de détachement du dividende ou date ex-dividende est le jour à partir duquel un acheteur de l'action n'aura pas droit au dividende. La date de distribution (ou date de paiement du dividende) suit la date de détachement du dividende.

17.2. Dividendes ou rachat d'actions ?

- Dans le cadre de marchés supposés parfaits, le prix de l'action baisse du montant du dividende lorsque celui-ci est détaché. Un rachat d'actions n'a aucune influence sur le prix de l'action, qui reste égal à ce qu'aurait été le prix de l'action cum-dividende si un dividende avait été versé.

- Dans le cadre d'hypothèses de Modigliani-Miller, le choix entre dividendes et rachat d'actions n'a aucune conséquence sur la valeur de l'entreprise ou la richesse des actionnaires.

17.3. Fiscalité et politique de distribution

- L'existence d'« imperfections » de marché rend important le choix entre dividendes et rachat d'actions.

- La fiscalité influence le choix d'une politique de distribution :

  a. Lorsque l'imposition sur les dividendes est supérieure à l'imposition sur les plus-values, la politique de distribution optimale consiste à ne verser aucun dividende. Les entreprises ne doivent procéder qu'à des rachats d'actions.

  b. Le taux d'imposition additionnel sur les dividendes τ^*div mesure le coût fiscal additionnel par euro reçu en dividende plutôt qu'en plus-value par les actionnaires :

$$\tau_{div}^{*} = \left(\frac{\tau_{div} - \tau_{pv}}{1 - \tau_{pv}} \right) \tag{17.3}$$

17.4. Politique de distribution et effets de clientèle

- Le taux d'imposition additionnel sur les dividendes varie d'un investisseur à l'autre, en fonction de ses revenus, de son statut fiscal, de son horizon de placement et de la fiscalité elle-même.

■ Les différences de taux d'imposition additionnel des dividendes entre investisseurs créent des effets de clientèle ; la politique de distribution ne peut pas s'adapter aux préférences fiscales hétérogènes des investisseurs composant l'actionnariat de l'entreprise. Elle privilégie nécessairement un type d'actionnaires aux dépens des autres.

17.5 Conservation versus distribution des liquidités des entreprises

■ Dans le cadre d'hypothèses de Modigliani-Miller, le choix entre distribution et conservation des liquidités n'a aucune influence sur la valeur de l'entreprise, si celle-ci place ses liquidités excédentaires pour qu'elles rapportent des intérêts.

■ Les revenus que les entreprises tirent du placement de leurs liquidités excédentaires étant soumis à l'impôt sur les sociétés, conserver des liquidités excédentaires leur impose un coût. Ce coût demeure même si l'on prend en compte les impôts que paient les investisseurs. Le coût fiscal additionnel lié à la conservation de liquidités est :

$$\tau^*_{cons} = \left[1 - \frac{\left(1 - \tau_{IS}\right)\left(1 - \tau_{pv}\right)}{\left(1 - \tau_D\right)} \right] \qquad (17.7)$$

■ Malgré le coût fiscal additionnel associé à la détention de liquidités excédentaires, certaines entreprises en détiennent beaucoup. Cette détention peut être justifiée par la volonté de minimiser les coûts de transaction associés à l'obtention de nouveaux capitaux. Mais il n'y a aucun avantage pour une entreprise à détenir plus de liquidités que ce qui est nécessaire au financement de ses opportunités d'investissement futures.

■ En plus d'un surcoût fiscal, la détention de liquidités excessives impose à l'entreprise des coûts d'agence, car le dirigeant peut être tenté d'investir dans des projets peu rentables ou des dépenses somptuaires. Sans contrôle efficace des actionnaires ou des créanciers de l'utilisation de ces fonds, le dirigeant pourrait les utiliser pour favoriser son enracinement dans l'entreprise ou atteindre ses propres objectifs.

■ Les dividendes et les rachats d'actions contribuent à réduire les conflits d'agence entre actionnaires et dirigeants qui apparaissent lorsque l'entreprise dispose de liquidités excédentaires.

■ Les entreprises ont pour habitude d'éviter les modifications brutales de leur niveau de dividende. Ce comportement de lissage (*dividend smoothing*) améliore la prévisibilité des dividendes.

17.6. Politique de distribution et théorie du signal

■ La théorie du signal appliquée aux dividendes postule qu'une modification du dividende est un signal envoyé au marché. Ce signal contient de l'information relative aux anticipations du dirigeant quant aux perspectives de croissance future de l'entreprise.

    a. Les dirigeants augmentent le dividende lorsqu'ils sont convaincus que les flux de trésorerie futurs de l'entreprise permettront de maintenir les dividendes à ce niveau.

b. Lorsqu'un dirigeant annonce une réduction du dividende, cela signifie en général que ses anticipations sont pessimistes vis-à-vis des flux de trésorerie futurs de l'entreprise.

■ L'annonce d'un rachat d'actions envoie un signal positif au marché, car les rachats d'actions sont plus probables lorsque le dirigeant estime les actions de l'entreprise sous-évaluées.

17.7.   Dividendes en actions et divisions d'actions

■ Lorsqu'une entreprise procède au versement d'un dividende en actions ou à une division d'actions, elle distribue à ses actionnaires des actions gratuites plutôt que du numéraire. Le cours de l'action baisse proportionnellement à la variation du nombre de titres : la distribution d'actions gratuites n'a donc aucune conséquence financière.

■ Un regroupement d'actions a l'effet inverse d'une division d'actions : le nombre d'actions en circulation baisse, ce qui provoque une augmentation mécanique de leur valeur.

Exercices

L'astérisque désigne les exercices les plus difficiles.

1. Quelles sont les affectations possibles d'un flux de trésorerie disponible ?

2. ABC a annoncé qu'à partir du 3 avril prochain ses actions coteraient *ex-dividende*. Quel est le dernier moment pour passer un ordre d'achat tout en ayant droit au dividende ? Quand le dividende sera-t-il effectivement payé aux actionnaires, approximativement ?

3. Par quels mécanismes une entreprise peut-elle procéder à un rachat d'actions ?

4. RFC annonce qu'elle versera un dividende de 1 € par action. Juste avant le détachement du coupon, le prix *cum-dividende* d'une action est de 50 €. Quel sera le prix *ex-dividende* ?

5. EJH a une capitalisation boursière de 1 milliard d'euros ; 20 millions d'actions sont en circulation. EJH souhaite racheter pour 100 millions d'euros d'actions. Sous l'hypothèse de marchés parfaits, quel sera le prix d'une action avant le rachat ? Combien d'actions pourront être rachetées ? Quel sera le prix d'une action après le rachat ?

6. KMS détient des actifs d'une valeur totale de 500 millions d'euros, dont 50 millions de disponibilités. KMS a 200 millions d'euros de dette ; il y a 10 millions d'actions en circulation. Sous l'hypothèse de perfection des marchés :

   a. Quel est le prix actuel d'une action KMS ?

   b. Si KMS décide de distribuer 50 millions d'euros en dividendes, quel sera le prix d'une action juste après ?

   c. Si les 50 millions sont distribués sous la forme d'un rachat d'actions, quel sera le prix d'une action juste après ?

   d. Dans chaque cas, quel sera le levier de KMS (en valeur de marché) ?

7. Natal a une trésorerie excédentaire de 250 millions d'euros. Natal est entièrement financée par capitaux propres, d'une valeur de 500 millions d'euros. Le prix actuel d'une action est de 15 €. Le Conseil d'administration a décidé de verser un dividende exceptionnel pour rendre aux actionnaires l'intégralité des disponibilités de l'entreprise.

   a. Quel est le prix ex-dividende d'une action, sous l'hypothèse de perfection des marchés financiers ?

   b. Si le Conseil d'administration décide de racheter des actions plutôt que de verser un dividende, quel est le prix d'une action après le rachat ?

   c. Des deux possibilités, laquelle a la préférence des actionnaires ?

8. (Suite de l'exercice précédent.) Natal a décidé de racheter ses actions au lieu de verser un dividende. En tant qu'actionnaire, David aurait préféré recevoir des dividendes. Que doit-il faire pour obtenir les liquidités qu'il désire ?

9. Émilien travaille pour la société Delphes. En tant que cadre, il a reçu des stock-options. Celles-ci lui donnent le droit d'acheter une action Delphes au prix de 10 €. En tant que détenteur de stock-options, Émilien préfère-t-il que l'entreprise verse des dividendes ou rachète des actions ? Pourquoi ?

10. Les marchés de capitaux sont supposés parfaits. L'entreprise Bose a versé à la fin des cinq dernières années un dividende à ses actionnaires ; elle a également racheté, à la fin de chaque année, cinq millions d'actions au prix ex-dividende.

	2016	**2017**	**2018**	**2019**	**2020**
Prix des actions *ex-dividende*	10,0	12,0	8,0	11,0	15,0
Dividende	0,5	0,5	0,5	0,5	0,5
Nombre d'actions (en millions)	100,0	95,0	90,0	85,0	80,0

a. Quelle est la capitalisation boursière de Bose et quel est le montant annuel versé aux actionnaires ?

b. Si Bose avait versé à ses actionnaires le même montant, mais uniquement en dividendes, quel aurait été, chaque année, le montant de ce dividende et le prix de l'action ex-dividende ?

c. Si Bose avait versé à ses actionnaires le même montant, mais uniquement en rachetant des actions, quels auraient été, chaque année, le nombre d'actions en circulation et leur prix ?

d. Daniel est un actionnaire de Bose qui détient 10 actions, n'en revend aucune et réinvestit tous ses dividendes (il achète les actions au prix ex-dividende). Quelle est la politique de distribution préférée de Daniel : a, b ou c ?

11. HNH versera à ses actionnaires un dividende annuel de 2 € par action, à l'infini. Le taux d'imposition sur les dividendes est de 20 %. Il n'y a pas d'impôt sur les plus-values. Lorsqu'ils achètent des actions HNH, les actionnaires considèrent que le coût du capital est de 12 %. Quel est le prix d'une action HNH ? L'entreprise crée la surprise en annonçant qu'elle ne versera plus aucun dividende, mais qu'elle rachètera des actions à la place. Quelle devrait être la réaction du cours de Bourse à cette annonce ?

12. Supposons que les plus-values soient imposées au taux de 25 % et que les dividendes soient imposés à 50 %. Une action Harbucle vaut actuellement 30 €, et l'entreprise s'apprête à verser un dividende exceptionnel de 6 €.

a. En l'absence d'autres informations concernant l'entreprise et sous l'hypothèse que la fiscalité est la seule imperfection de marché, quel sera le prix d'une action Harbucle après détachement du dividende ?

En fait, Harbucle surprend le marché en annonçant qu'un rachat d'actions est préféré au versement du dividende exceptionnel.

b. Quelle économie d'impôt réalisera un investisseur détenant une action ?

c. Que devrait-il arriver à l'action Harbucle juste après l'annonce du rachat d'actions ?

13. Jérémy a acheté une action CSH il y a un an, au prix de 10 €. Elle vaut aujourd'hui 50 €. L'entreprise prévoit de verser un dividende exceptionnel de 10 €. Jérémy

hésite entre conserver l'action jusqu'au versement du dividende ou la vendre immédiatement.

   a. En supposant un taux d'imposition de 15 % sur les plus-values et les dividendes, quelle stratégie doit adopter Jérémy ?

   b. Et avec un taux d'imposition de 20 % sur les plus-values et de 40 % sur les dividendes ?

14. Le 15 novembre 2004, un journaliste écrivait : « Le détachement du dividende versé par Microsoft à ses actionnaires constitue un test de l'efficience des marchés financiers […]. En effet, l'action cote *ex-dividende* depuis ce matin. Ceux qui achètent l'action aujourd'hui n'auront droit ni au dividende normal de 8 cents ni au dividende exceptionnel de 3 \$. » Ce jour-là, l'action Microsoft cotait à l'ouverture 27,34 \$, soit 2,63 \$ de moins qu'à la clôture de la veille.

   a. Sous l'hypothèse que le seul facteur ayant influencé le cours de l'action Microsoft est relatif au dividende, que peut-on dire du taux d'imposition additionnel moyen sur les dividendes des actionnaires de Microsoft ?

   b. Compte tenu de ce taux d'imposition moyen, que peut-on dire de l'actionnaire marginal de Microsoft (c'est-à-dire de l'actionnaire dont l'achat ou la vente détermine le prix de l'action) : est-ce plutôt un investisseur particulier qui détient l'action avec un horizon de long terme, un investisseur particulier avec un horizon de court terme ou une entreprise ?

15. Cabosse verse un dividende annuel de 1 €. L'action baisse de 80 centimes lors du détachement du dividende. Le taux d'imposition sur les plus-values est de 20 % ; les investisseurs sont imposés sur les dividendes en fonction de leur revenu annuel, et le taux d'imposition est donc hétérogène. En l'absence de coûts de transaction, quel est le taux limite d'imposition sur les dividendes pour qu'un investisseur ait intérêt à mettre en place une stratégie de capture du dividende ?

16. Tanguy sait qu'une fraction importante des actions de Spitfire est détenue par des investisseurs lourdement imposés sur les dividendes. Spitfire annonce le versement d'un dividende exceptionnel. Lors du détachement du dividende, Tanguy remarque que le prix de l'action baisse du montant exact du dividende versé, ce qui semble étonnant compte tenu du taux d'imposition additionnel sur les dividendes. Dans quelle mesure la théorie de capture du dividende peut-elle expliquer ce phénomène ?

17. L'entreprise Clovisse détient 50 millions d'euros de disponibilités. Il y a 10 millions d'actions en circulation, au prix unitaire de 30 €. Clovisse hésite entre le versement d'un dividende exceptionnel de 5 € par action ou le placement (sans risque) de sa trésorerie au taux de 10 % par an ; cette solution permettrait d'augmenter le dividende annuel de 50 centimes par action, à l'infini.

   a. Clovisse verse le dividende exceptionnel. Si un investisseur préfère l'autre solution, que peut-il faire ?

   b. Clovisse décide de placer sa trésorerie et d'augmenter son dividende annuel à l'infini. Si un investisseur préfère l'autre solution, que peut-il faire ?

18. La société Kay possède actuellement 100 millions d'euros en bons du Trésor qui offrent 7 % d'intérêts. Kay verse en dividendes à ses actionnaires les intérêts qu'elle

reçoit. Kay s'intéresse à la possibilité de vendre les bons du Trésor et de verser à ses actionnaires les liquidités ainsi récupérées. Les marchés sont supposés parfaits.

a. Si Kay décide de procéder à cette opération et l'annonce aux actionnaires, quelle est la réaction immédiate du cours de Bourse ?

b. Quelle est la variation de la valeur de Kay en date de détachement du dividende exceptionnel ?

c. Cette décision est-elle optimale du point de vue des actionnaires ?

19. (Suite de l'exercice précédent.) Refaites l'exercice avec un taux d'imposition sur les sociétés de 25 % et un taux d'imposition sur les dividendes et les plus-values nul.

20. L'entreprise Harris a 100 millions d'actions en circulation. Le taux d'impôt sur les sociétés est de 25 %. Il n'y a pas d'imposition au niveau des investisseurs. Le marché s'attend à ce que l'entreprise rachète des actions à hauteur de 250 millions d'euros. L'entreprise annonce finalement qu'elle va conserver les 250 millions en trésorerie, les placer et utiliser les intérêts perçus pour augmenter ses dividendes futurs. Quelle devrait être la réaction du cours de Bourse à cette annonce ?

21. (Suite de l'exercice 18.) Refaites l'exercice avec :

a. un taux d'imposition sur les sociétés nul, un taux d'imposition sur les dividendes de 15 % et un taux d'imposition sur les plus-values nul ;

b. un taux d'imposition sur les sociétés de 35 %, un taux d'imposition sur les dividendes et sur les plus-values de 15 % et un taux d'imposition sur les intérêts de 35 %.

22. Ravive détient 100 millions d'euros de trésorerie qu'elle peut utiliser pour racheter des actions. Mais l'entreprise décide plutôt de placer l'argent au taux de 10 % par an.

a. Si le taux d'impôt sur les sociétés est de 25 %, à combien se monteront les intérêts après impôt perçus par l'entreprise ?

b. Si le taux d'imposition sur les plus-values est de 20 %, de combien le prix d'une action augmentera-t-il, une fois prise en compte la fiscalité ?

c. Si le taux d'imposition sur les intérêts est de 15 %, de combien les actionnaires auraient-ils disposé s'ils avaient eux-mêmes placé les 100 millions d'euros ?

d. En fait, Ravive a conservé ces fonds pour éviter d'avoir à lever prochainement des capitaux, ce qui l'aurait contrainte à payer des frais d'émission de titres. Quel est le niveau minimal des frais pour que la décision de Ravive de conserver les fonds soit rationnelle ?

23. Dans quelles conditions l'annonce d'une augmentation du dividende sera-t-elle interprétée par le marché comme une bonne nouvelle ? Une mauvaise nouvelle ?

24. Pourquoi l'annonce d'un rachat d'actions est-elle un signal positif ?

*25. L'actif économique (en valeur de marché) d'AMC est de 400 millions d'euros. En outre, l'entreprise dispose de 100 millions d'euros de liquidités excédentaires. L'entreprise n'a aucune dette et a émis 10 millions d'actions. AMC envisage d'affecter ses liquidités à un rachat d'actions. Après ce rachat d'actions, des informations relatives à l'entreprise seront publiées ; elles augmenteront l'incertitude entourant la valeur de marché de l'actif économique, qui sera égale à 600 ou 200 millions d'euros (avec des probabilités égales).

a. Quelle est la valeur d'une action AMC avant le rachat d'actions ?

b. Quelle sera la valeur d'une action AMC après le rachat d'actions, si la valeur de l'actif économique de l'entreprise augmente ? Si la valeur de l'actif chute ?

c. Finalement, AMC décide d'attendre la publication des informations avant de procéder au rachat d'actions. Quelle sera la valeur d'une action AMC après le rachat d'actions, si la valeur de l'actif économique de l'entreprise a augmenté ? Si la valeur de l'actif a chuté ?

d. Le dirigeant d'AMC est convaincu que les informations à venir feront augmenter la valeur de marché de l'actif économique. Il souhaite maximiser la valeur des actions AMC. Compte tenu des réponses précédentes, doit-il procéder au rachat d'actions avant ou après la publication des informations ? Quand devrait-il procéder à ce rachat s'il s'attendait à de mauvaises nouvelles ?

e. Compte tenu des questions précédentes, quelle sera la réaction du cours boursier d'AMC à l'annonce d'un rachat d'actions ? Pourquoi ?

26. Une action de classe A de Berkshire Hathaway vaut 250 000 $. Quel *stock split* fallait-il réaliser pour ramener le prix d'une action à 50 $?

27. Une action de la société Hoste cote actuellement 20 €. Comment évoluera ce cours si Hoste verse un dividende en actions de 20 % ? Si Hoste procède à une division d'actions « 3 pour 2 » ? Si Hoste procède à un regroupement d'actions « 1 pour 3 » ?

28. Quelle est la principale raison justifiant aux yeux des entreprises les divisions d'actions ?

29. Quel moment est le plus approprié pour procéder à un regroupement d'actions ?

30. Le 11 mai 2001, après la clôture du marché, Adaptech a distribué un dividende en actions d'une de ses filiales, Roxio, spécialisée dans les logiciels. Pour chaque action détenue, les actionnaires d'Adaptech ont reçu 0,1646 action Roxio. Une action Adaptech valait à ce moment-là (dividende attaché) 10,55 $. Le prix d'une action Roxio était de 14,23 $. Sous l'hypothèse de perfection des marchés, quel était le prix d'une action Adaptech après détachement du dividende ?

Étude de cas – La politique de distribution de Cisco

En tant que chargé de clientèle dans une société de gestion de patrimoine, un gros client vous demande votre avis. Il détient 1 million d'actions Cisco Systems, achetées le 28 février 2003. En analysant les comptes de l'entreprise, il s'est aperçu que l'entreprise détenait d'importantes liquidités. Il est agacé par la faible progression du cours de Bourse de l'entreprise. Votre client hésite à proposer au Conseil d'administration une mesure consistant à distribuer aux actionnaires la moitié des liquidités excédentaires de l'entreprise sous forme de dividende exceptionnel ou de rachat d'actions. Les dividendes et les plus-values sont imposés au même taux (20 %). Votre client vous charge de trancher entre ces deux possibilités de manière à maximiser sa richesse après impôt. On suppose que, en cas de rachat d'actions, le pourcentage du capital qu'il détient reste constant.

1. Téléchargez le bilan annuel, le cours actuel de l'action Cisco Systems et le nombre d'actions en circulation, par exemple en vous rendant sur le site web de l'entreprise ou en consultant Yahoo! Finance (**fr.finance.yahoo.com**). Cisco est coté sur le Nasdaq, aux États-Unis. Son *ticker* est CSCO.

2. En utilisant les données du bilan, évaluez le montant de la distribution de liquidités envisagée par votre client (la moitié des liquidités de l'entreprise, comprises comme la somme de la trésorerie et des valeurs mobilières de placement). À partir de là, évaluez le nombre d'actions qui pourraient être rachetées ou le dividende par action qui pourrait être versé.

3. Toujours sur Yahoo! Finance, consultez le prix auquel votre client a acheté ses actions le 28 février 2003 (Onglet « Prix historiques »).

4. Combien recevra votre client si Cisco rachète des actions ? Et si Cisco décide de verser un dividende exceptionnel ?

5. Les réponses à la question précédente permettent de mesurer ce que recevra votre client et l'assiette fiscale qui servira au calcul de ses impôts. Elles ne prennent cependant pas en compte la variation de prix des actions et les plus ou moins-values éventuelles qu'il réalisera. Pour en tenir compte, vous décidez tout d'abord de prendre comme hypothèse que votre client vendra toutes les actions qu'il possède juste après le versement du dividende ou le rachat d'actions. Vous supposez également que le prix de l'action baisse du montant du dividende, s'il y en a un. Combien recevra votre client au total (dividendes et plus-values) et après impôt, si l'entreprise verse un dividende ? Et si l'entreprise rachète ses actions ?

6. Quelle est la meilleure solution pour votre client si l'on raisonne avant impôt ? Et si l'on raisonne en tenant compte des impôts ?

7. Votre client n'a pas envie de vendre toutes ses actions dès le dividende ou le rachat d'actions. Vous modifiez donc votre hypothèse de travail, en considérant deux horizons de placement différents, cinq et dix ans. Le titre offrira à l'avenir une rentabilité annuelle de 10 %. Cisco ne versera aucun autre dividende au cours des dix prochaines années.

   a. Quel devrait être le prix d'une action dans cinq ans (dans dix ans), si le dividende est versé aujourd'hui ?

   b. Quel devrait être le prix d'une action dans cinq ans (dans dix ans), si le rachat d'actions a lieu aujourd'hui ?

   c. Quels sont les flux de trésorerie après impôt perçus par votre client, au moment du versement du dividende et au moment de la vente des actions, si celles-ci sont vendues au bout de cinq ans (au bout de dix ans) ? Même question en cas de rachat d'actions. Comparez les flux inhérents aux deux politiques de distribution.

8. Répondez à la question précédente sous l'hypothèse d'une espérance de rentabilité annuelle des actions Cisco de 20 %. Que remarque-t-on ?

9. Quelle est la VAN de la différence entre les flux bénéficiant à votre client pour une période de détention de cinq ans et ceux lui revenant pour une période de dix ans ? Compte tenu de votre réponse à la question précédente, quel est le taux d'actualisation à retenir ?

Chapitre 18
L'évaluation des projets en présence de dette

En décembre 2019, Orange avait une capitalisation boursière de 40 milliards d'euros pour une dette nette de 30 milliards, soit un taux d'endettement de 43 % : impossible de négliger l'effet d'un tel endettement lorsqu'Orange envisage un projet d'investissement ! Cela complique l'analyse puisqu'on ne peut plus considérer, comme on le faisait au chapitre 8, que les décisions d'investissement sont indépendantes des décisions de financement. Pourtant, la méthode du chapitre 8 reste valable dans son principe : pour évaluer un projet, l'objectif reste d'estimer ses flux de trésorerie disponibles, puis de les actualiser à un taux égal au coût du capital du projet pour en calculer la VAN. Néanmoins, si le financement du projet repose, au moins en partie, sur de la dette, il faut adapter cette méthode pour prendre en compte l'influence de la dette sur le coût du capital du projet, voire sur ses flux de trésorerie. Il existe trois méthodes pour cela :

1. **La méthode du coût moyen pondéré du capital** (CMPC), qui repose sur l'actualisation des flux de trésorerie disponibles du projet à l'aide du CMPC après impôt ; l'effet de la fiscalité sur le coût de la dette et la valeur du projet est pris en compte au niveau du taux d'actualisation.

2. **La méthode de la VAN ajustée**, qui suppose au contraire que l'on actualise les flux de trésorerie disponibles au coût du capital à endettement nul, puis qu'on ajoute la valeur des économies d'impôt qui ont été valorisées séparément.

3. **La méthode des flux de trésorerie disponibles pour les actionnaires**, également connue sous son nom anglo-saxon de méthode *free cash flow to equity* (FCFE), qui consiste à actualiser les flux reçus par les actionnaires à un taux qui reflète leur exigence de rentabilité (le coût des capitaux propres).

Pour illustrer ces méthodes, chacune est appliquée à un même exemple (sections 18.1 à 18.3), ce qui permet d'en présenter les points communs et les différences et de vérifier qu'elles aboutissent au même résultat. Ces sections reposent sur trois hypothèses simplificatrices :

- Le projet à évaluer est exposé au même risque systématique que l'entreprise : le coût du capital du projet peut donc être déterminé à partir de celui de l'entreprise.

- Le taux d'endettement de l'entreprise est constant : l'entreprise ajuste sa dette en permanence pour conserver inchangé son taux d'endettement en valeur de marché. La quantité de dette à lever est donc déterminée par la valeur des projets. Avec une telle politique financière, les risques portés par les capitaux propres et la dette sont constants, et donc le coût moyen pondéré du capital aussi.

- La fiscalité sur les entreprises est la seule imperfection de marché significative : on tient compte des économies d'impôt permises par la déductibilité des intérêts, mais les impôts payés par les investisseurs, les coûts d'agence, le coût des difficultés financières et les autres imperfections sont négligés.

Bien que restrictives, ces hypothèses sont souvent vérifiées en pratique. La première hypothèse est vérifiée pour les entreprises qui opèrent dans un seul secteur d'activité et y concentrent leurs investissements : le risque de marché d'un projet dépend de la sensibilité du secteur d'activité aux variations du cycle économique. La deuxième hypothèse traduit le fait que beaucoup d'entreprises ajustent à la hausse leur dette au fur et à mesure de leur croissance, même s'il y a très peu d'entreprises qui ont un objectif explicite de stabilité de leur taux d'endettement. Quant à la troisième hypothèse, elle n'est pas vérifiée pour les entreprises très endettées ; pour toutes les autres, l'économie d'impôts permise par l'endettement est la principale imperfection de marché (même si ce n'est pas la seule) susceptible d'influencer leurs décisions d'investissement.

Reconnaissons néanmoins que ces hypothèses simplificatrices ne sont pas adaptées pour valoriser certains projets. Les sections 18.4 à 18.6 étudient donc les conséquences du relâchement de l'une de ces trois hypothèses : la section 18.4 est consacrée au cas où un projet a un risque ou un financement différent du reste de l'entreprise, la section 18.5 au cas où le taux d'endettement évolue au fil du temps et la section 18.6 à celui dans lequel il existe d'autres imperfections de marché que la fiscalité. Enfin, la section 18.7 conclut le chapitre en montrant comment ces trois méthodes peuvent être généralisées pour être appliquées à n'importe quelle politique financière.

18.1. La méthode du coût moyen pondéré du capital

La **méthode du coût moyen pondéré du capital** (CMPC) prend en compte la déductibilité des intérêts grâce à l'utilisation du coût du capital *après impôt* pour actualiser les flux de trésorerie disponibles. Lorsque le risque de marché d'un projet est égal à celui de l'entreprise, son coût du capital est égal au coût moyen pondéré du capital (CMPC) de l'entreprise ; il suffit donc d'ajuster le CMPC pour tenir compte de la déductibilité des intérêts (voir chapitre 15), ce qui revient à calculer le CMPC à l'aide du coût de la dette après impôt :

$$r_{CMPC} = \frac{V_{CP}}{V_{CP} + V_D} r_{CP} + \frac{V_D}{V_{CP} + V_D} r_D \left(1 - \tau_{IS}\right) \qquad (18.1)$$

avec V_{CP} la valeur de marché des capitaux propres, V_D la valeur de marché de la dette nette, τ_{IS} le taux d'imposition des entreprises, r_{CP} le coût des capitaux propres et r_D le coût de la dette. Si le taux d'endettement est stable, le CMPC est constant et il tient compte des économies d'impôt réalisées grâce à la dette. L'utilisation de ce CMPC pour actualiser les flux de trésorerie disponibles d'un projet partiellement financé par de la dette permet donc d'en calculer la valeur. En notant FTD_t l'espérance des flux de trésorerie disponibles en année t, la valeur V^D du projet compte tenu des économies d'impôt est[1] :

$$V^D = \frac{FTD_1}{\left(1 + r_{CMPC}\right)} + \frac{FTD_2}{\left(1 + r_{CMPC}\right)^2} + \frac{FTD_3}{\left(1 + r_{CMPC}\right)^3} + \dots \qquad (18.2)$$

---

1. L'annexe de ce chapitre propose une démonstration de ce résultat.

L'évaluation d'un projet avec la méthode du CMPC

Prenons un exemple : Valexan est une entreprise spécialisée dans la fabrication d'emballages. Toujours à l'affût d'innovations, l'entreprise envisage d'intégrer une puce RFID dans ses cartons pour permettre la radio-identification de leur contenu, faciliter l'acheminement des colis et limiter les erreurs de livraison. Pour développer cette technologie, Valexan doit mobiliser une équipe d'ingénieurs pendant un an, pour un coût de 8 millions d'euros et investir dans une nouvelle ligne de production, pour un coût de 24 millions d'euros (amortis linéairement sur quatre ans). On pense que la technologie sera obsolète quatre ans après son lancement, mais le département marketing évalue à 60 millions d'euros le chiffre d'affaires annuel supplémentaire qu'elle permettra de réaliser pendant cette période. Le coût des matières premières est de 20 millions d'euros par an, les autres consommations externes et les charges de personnel sont respectivement de 5 et 9 millions d'euros par an. Valexan a la chance d'être payée comptant par ses clients, paie comptant ses fournisseurs et produit ses emballages en flux tendus (zéro stocks) : son besoin en fonds de roulement est donc nul. Le taux d'imposition sur les sociétés est de 25 %. Sur la base de ces informations, on peut construire le **compte de résultat prévisionnel** du projet et calculer ses flux de trésorerie disponibles (tableau 18.1).

Tableau 18.1	Flux de trésorerie disponibles du projet					
	Année	**0**	**1**	**2**	**3**	**4**
Compte de résultat (en millions d'euros)						
1	Chiffre d'affaires	–	60,00	60,00	60,00	60,00
2 –	Consommation de matières premières	–	– 20,00	– 20,00	– 20,00	– 20,00
3 –	Autres consommations externes	–	– 5,00	– 5,00	– 5,00	– 5,00
4 –	Charges de personnel	– 8,00	– 9,00	– 9,00	– 9,00	– 9,00
5 –	Dotations aux amortissements et provisions	–	– 6,00	– 6,00	– 6,00	– 6,00
6 =	**Résultat d'exploitation**	**– 8,00**	**20,00**	**20,00**	**20,00**	**20,00**
7 –	Impôt sur les sociétés (τ_{IS} = 25 %)	2,00	– 5,00	– 5,00	– 5,00	– 5,00
8 =	**Résultat net à endettement nul**	**– 6,00**	**15,00**	**15,00**	**15,00**	**15,00**
Flux de trésorerie disponibles (en millions d'euros)						
9 +	Amortissements et provisions	–	6,00	6,00	6,00	6,00
10 –	Acquisition d'immobilisations	– 24,00	–	–	–	–
11 –	Augmentation du BFR	–	–	–	–	–
12 =	**Flux de trésorerie disponibles**	**– 30,00**	**21,00**	**21,00**	**21,00**	**21,00**

Le risque systématique du projet est égal à celui de Valexan. On peut donc actualiser les flux de trésorerie disponibles du projet à l'aide du coût moyen pondéré du capital de Valexan. Grâce au bilan en valeur de marché de l'entreprise (tableau 18.2), on voit qu'il y a 20 millions d'euros de trésorerie ; la dette nette est donc de $V_D = 320 - 20 = 300$ millions d'euros. La valeur de marché de l'actif économique est de : $V_D + V_{CP} = 600$ millions d'euros. Valexan souhaitant maintenir constant son taux d'endettement pour les prochaines années, son coût moyen pondéré du capital est de :

$$r_{CMPC} = \frac{V_{CP}}{V_{CP} + V_D} r_{CP} + \frac{V_D}{V_{CP} + V_D} r_D (1 - \tau_{IS}) = \frac{300}{600} 8 \% + \frac{300}{600} 4 \% (1 - 25 \%) = 5,5 \%$$

Tableau 18.2	Bilan en valeur de marché de Valexan avant le projet (en millions d'euros)

Actif		Passif		Coût du capital	
1 Actifs non courants et courants	600	Capitaux propres	300	r_{CP}	8,0 %
2 Trésorerie	20	Dette	320	r_D	4,0 %
3 **Total**	**620**	**Total**	**620**		

La valeur V^D du projet, en tenant compte des économies d'impôt permises par la dette, est donc :

$$V^D = \frac{21}{1 + 5,5\ \%} + \frac{21}{(1 + 5,5\ \%)^2} + \frac{21}{(1 + 5,5\ \%)^3} + \frac{21}{(1 + 5,5\ \%)^4} = 73,61 \text{ millions d'euros}$$

Le flux de trésorerie disponible en année 0 est de − 30 millions d'euros. La VAN du projet est donc de : − 30 + 73,61 = 43,61 millions d'euros.

Résumé : la méthode du coût moyen pondéré du capital

Les principales étapes de la méthode du CMPC consistent à :

1. Déterminer les flux de trésorerie disponibles du projet ;

2. Calculer le coût moyen pondéré du capital *après impôt* de l'entreprise grâce à l'équation (18.1) ;

3. Calculer la VAN du projet en actualisant les flux de trésorerie disponibles au CMPC. Cette valeur tient compte des économies d'impôt permises par la déductibilité des intérêts.

On peut utiliser cette méthode pour tous les projets qui ont le même risque et le même taux d'endettement que l'entreprise qui les entreprend. Sous ces conditions, difficile de faire plus simple que la méthode du CMPC ; c'est ce qui explique qu'elle soit la plus utilisée en pratique.

Exemple 18.1

Méthode du CMPC et croissance externe

Valexan veut racheter un concurrent qui opère dans le même secteur d'activité. Grâce à ce rachat, les flux de trésorerie disponibles de Valexan devraient augmenter de 3,8 millions d'euros dès la première année, ce chiffre augmentant ensuite de 3 % par an à l'infini. Le prix de rachat est de 100 millions d'euros. L'opération est structurée de manière à ce que le taux d'endettement de Valexan ne soit pas modifié. Quelle est la VAN de l'opération ?

Solution

On peut évaluer les flux de trésorerie disponibles avec la formule de la rente perpétuelle croissante. Le risque du projet est identique à celui de Valexan ; la structure financière de l'entreprise n'est pas modifiée par le projet. Il est donc possible d'actualiser les flux de trésorerie disponibles au CMPC après impôt de l'entreprise, 5,5 %. La VAN de l'opération est de :

$$VAN = -100 + \frac{3,8}{5,5\ \% - 3\ \%} = 52 \text{ millions d'euros.}$$

Comment conserver un taux d'endettement constant ?

Les calculs précédents reposent sur l'hypothèse que le taux d'endettement de Valexan est constant. Avec la méthode du CMPC, il n'est pas nécessaire de se préoccuper de la façon dont Valexan procède pour atteindre cet objectif : seule compte la rentabilité du projet d'investissement. Il n'en reste pas moins que cette politique financière impose d'ajuster la dette de l'entreprise dès qu'un nouveau projet est lancé. Comment faire ?

Avant de lancer son projet, Valexan a un taux d'endettement de 50 %. Pour que la structure financière ne change pas, tout nouvel investissement doit logiquement être financé avec 50 % de dette. La valeur de marché V^D des nouveaux actifs que Valexan ajoute à son bilan en réalisant le projet est de 73,61 millions d'euros. Pour que son taux d'endettement reste stable, sa dette nette doit donc augmenter de 50 % × 73,61 = 36,805 millions d'euros[2]. Pour cela, l'entreprise peut réduire sa trésorerie ou augmenter sa dette. Si Valexan décide d'utiliser les 20 millions d'euros de trésorerie dont elle dispose, elle doit emprunter le solde, soit 16,805 millions d'euros (tableau 18.3).

Valexan augmente donc sa dette nette de 36,805 millions d'euros pour conserver inchangée sa structure financière. Mais le projet ne coûte que 30 millions d'euros : il y a donc un excès de ressources par rapport aux emplois, d'un montant de 36,805 − 30 = 6,805 millions d'euros. Pour ne pas conserver cet excès de ressources (ce qui modifierait le taux d'endettement !), la seule possibilité pour Valexan est de rendre à ses actionnaires les ressources inutilisées, en leur versant des dividendes ou en rachetant des actions. Grâce à cela, le bilan de Valexan passe à 673,61 millions d'euros, dont 50 % de dette. La valeur de marché des capitaux propres est donc de 336,805 millions d'euros. On vérifie que les actionnaires enregistrent bien un gain de 36,805 + 6,805 = 43,61 millions d'euros, ce qui correspond à la VAN du projet.

Tableau 18.3	Bilan en valeur de marché de Valexan après le projet (en millions d'euros)		
Actif		**Passif**	
1 Actifs non courants et courants	600,00	Capitaux propres	336,805
2 Trésorerie	0,00	Dette	336,805
3 Valeur du projet	73,61		
4 **Total**	**673,61**	**Total**	**673,61**

Que se passe-t-il au cours de la vie du projet ? Pour le comprendre, il faut regarder la **capacité d'endettement permise par un projet** $V_{D,t}$: c'est la dette supplémentaire nécessaire à la date t pour que le taux d'endettement d ne change pas. Avec V_t^D la valeur du projet à la date t[3] :

$$V_{D,t} = d \times V_t^D \tag{18.3}$$

---

2. On peut raisonner autrement : le coût du projet est de 30 millions d'euros ; 50 % de son coût doit être financé par dette, soit 15 millions. Par ailleurs, le projet a une VAN de 43,61 millions d'euros : la valeur de marché de l'entreprise augmentera donc d'autant. Pour compenser cela, Valexan doit s'endetter de 50 % × 43,61 = 21,805 millions d'euros. La dette de Valexan doit donc augmenter de 15 + 21,805 = 36,805 millions pour que son taux d'endettement ne soit pas modifié.

3. C'est-à-dire la valeur actualisée des flux de trésorerie disponibles postérieurs à la date t (y compris les économies d'impôt permises par la dette).

Pour la calculer (tableau 18.4), le plus simple est de partir de la dernière période, puis de remonter le temps. On connaît les flux de trésorerie disponibles du projet ; on peut donc estimer sa valeur V_t^D à chaque date (ligne 2) en actualisant les flux *postérieurs* à cette date au CMPC grâce à l'équation (18.2) :

$$V_t^D = \frac{FTD_{t+1} + V_{t+1}^D}{1 + r_{CMPC}} \tag{18.4}$$

Une fois connue la valeur du projet, l'équation (18.3) permet de calculer la capacité d'endettement permise par le projet (ligne 3). On constate qu'elle baisse au fil du temps, en lien avec la valeur du projet, pour devenir nulle en fin de période.

Tableau 18.4   Capacité d'endettement permise par le projet (en millions d'euros)

	Année	0	1	2	3	4
1 Flux de trésorerie disponibles		− 30,00	21,00	21,00	21,00	21,00
2 Valeur du projet, V_t^D		73,61	56,66	38,77	19,91	–
3 **Capacité d'endettement $V_{D,t}$ ($d = 50\%$)**		36,80	28,33	19,39	9,95	–

Exemple 18.2

Capacité d'endettement et croissance externe

(Suite de l'exemple 18.1.) Quelle dette Valexan doit-elle lever pour maintenir inchangé son taux d'endettement ? Quelle part du rachat doit être financée par capitaux propres ?

Solution

La valeur de marché des actifs du concurrent est de 152 millions d'euros. La dette de Valexan doit donc augmenter de 76 millions pour que son taux d'endettement reste stable. Le prix d'achat du concurrent étant de 100 millions d'euros, il manque 24 millions pour financer l'opération. Ils doivent être financés sur fonds propres, par exemple grâce à l'émission d'actions nouvelles. Les capitaux propres en valeur de marché augmentent donc de 24 millions auxquels s'ajoute la VAN de l'opération (52 millions), soit une augmentation de 52 + 24 = 76 millions d'euros, égale à celle de la dette.

18.2. La méthode de la VAN ajustée

La **méthode de la valeur actuelle nette ajustée** est une méthode d'évaluation alternative à la méthode du CMPC. Elle consiste à déterminer la valeur d'un projet V^D en calculant d'abord sa valeur à endettement nul V^U, c'est-à-dire *sans tenir compte des économies d'impôt EcoIS permises par la déductibilité des intérêts*, puis en ajoutant celles-ci dans un second temps (voir chapitre 15)[4] :

Formule de la VAN ajustée

$$V^D = V^U + VA(EcoIS) \tag{18.5}$$

---

4. S. C. Myers (1974), « Interactions of Corporate Financing and Investment Decisions – Implications for Capital Budgeting », *Journal of Finance*, 29(1), 1-25.

Avec la méthode de la VAN ajustée, les économies d'impôt permises par la dette sont donc considérées comme des flux à part, valorisés en tant que tels. Il n'est donc pas utile d'ajuster le taux d'actualisation, comme c'était le cas avec la méthode du CMPC.

La valeur à endettement nul d'un projet

Revenons à Valexan. D'après le tableau 18.1, les flux de trésorerie disponibles du projet sont de − 30 millions d'euros l'année du lancement puis de 21 millions par an pendant quatre ans. Pour appliquer la méthode de la VAN ajustée, il faut d'abord calculer la valeur actuelle de ces flux de trésorerie disponibles en les actualisant à un coût du capital qui ne tient pas compte des économies d'impôt, c'est-à-dire au coût du capital à endettement nul. Le risque du projet étant égal à celui de l'entreprise, le coût du capital à endettement nul du projet est égal au coût moyen pondéré des capitaux propres et de la dette *avant impôt* de l'entreprise (voir chapitre 12) :

Coût du capital à endettement nul lorsque l'entreprise a un taux d'endettement cible

$$r_U = \frac{V_{CP}}{V_{CP}+V_D}r_{CP} + \frac{V_D}{V_{CP}+V_D}r_D = \text{CMPC avant impôt} \tag{18.6}$$

Le coût du capital à endettement nul est égal au CMPC avant impôt, car ce dernier est le taux de rentabilité qu'exigerait un investisseur qui détiendrait l'ensemble des titres émis par l'entreprise (actions et dette) ; il est donc simplement fonction du risque systématique de l'entreprise. En conséquence, aussi longtemps que la dette de l'entreprise ne modifie pas son risque, le CMPC avant impôt est le même, que l'entreprise soit ou non endettée (voir figure 15.2). Ce raisonnement repose sur l'hypothèse d'indépendance du risque de l'entreprise par rapport à sa structure financière. Cette hypothèse est vérifiée lorsque les marchés sont parfaits. Lorsqu'il y a des impôts, c'est le cas uniquement si le risque des économies d'impôt est identique à celui de l'entreprise : elles ne modifient alors pas le risque total de l'entreprise. L'annexe de ce chapitre démontre que cette condition est respectée lorsque l'entreprise a un **taux d'endettement cible**[5]. L'équation (18.6) permet donc de calculer le coût du capital à endettement nul de Valexan :

$$r_U = 0,50 \times 8\ \% + 0,50 \times 4\ \% = 6\ \%$$

Il est supérieur au CMPC après impôt de Valexan, ce qui est logique puisqu'on ne prend pas en compte les économies d'impôt liées à la dette. La valeur à endettement nul du projet s'obtient en actualisant les flux de trésorerie disponibles au taux r_U :

$$V^U = \frac{21}{(1+6\ \%)} + \frac{21}{(1+6\ \%)^2} + \frac{21}{(1+6\ \%)^3} + \frac{21}{(1+6\ \%)^4} = 72,77 \text{ millions d'euros.}$$

---

5. Elle ajuste alors sa dette proportionnellement à la valeur de ses projets d'investissement ou, plus précisément, à la valeur des flux de trésorerie futurs actualisés de ces projets. Viser un taux d'endettement constant est un cas particulier de cette politique financière.

La valeur des économies d'impôt

La valeur à endettement nul V^U du projet n'inclut pas, par définition, la valeur des économies d'impôt. Pour la calculer, il faut partir de la capacité d'endettement permise par le projet (voir tableau 18.4) pour estimer les charges d'intérêts et donc les économies d'impôt. C'est l'objet du tableau 18.5. Les charges d'intérêts de l'année t sont calculées à partir de la dette en fin d'année précédente multipliée par le taux d'intérêt :

$$Int_t = r_D \times V_{D,\,t-1} \tag{18.7}$$

Les économies d'impôt sont égales aux charges d'intérêts multipliées par le taux d'imposition τ_{IS}. Pour calculer leur valeur actuelle, il faut disposer du coût du capital approprié. Les flux du tableau 18.5 sont des estimations, puisque le montant réel des économies d'impôt est pour l'instant inconnu : il dépendra des flux de trésorerie effectifs du projet. Si le projet est plus profitable que prévu, sa valeur sera plus élevée ; Valexan devra alors s'endetter plus pour conserver son taux d'endettement constant et elle réalisera des économies d'impôt plus importantes – et inversement si le projet est un échec. Les économies d'impôt varient donc en fonction des flux de trésorerie disponibles du projet :

Lorsqu'une entreprise dispose d'un taux d'endettement cible, les économies d'impôt permises par la dette présentent un risque identique à celui des flux de trésorerie du projet. Il convient donc de les actualiser au coût du capital à endettement nul du projet.

Tableau 18.5	Économies d'impôt (en millions d'euros)					
Année		**0**	**1**	**2**	**3**	**4**
1 Capacité d'endettement, $V_{D,t}$		36,80	28,33	19,39	9,95	–
2 Charges d'intérêts ($r_D = 4$ %)		–	1,47	1,13	0,78	0,40
3 **Économies d'impôt ($\tau_{IS} = 25$ %)**		–	**0,37**	**0,28**	**0,19**	**0,10**

On trouve donc :

$$VA(EcoIS) = \frac{0,37}{1 + 6\ \%} + \frac{0,28}{(1 + 6\ \%)^2} + \frac{0,19}{(1 + 6\ \%)^3} + \frac{0,10}{(1 + 6\ \%)^4} = 0,84 \text{ million d'euros}$$

La valeur du projet est la somme de la valeur à endettement nul du projet et de celle des économies d'impôt[6] :

$$V^D = V^U + VA(EcoIS) = 72,77 + 0,84 = 73,61 \text{ millions d'euros}$$

Avec un coût de 30 millions d'euros, la VAN du projet est de $73,61 - 30 = 43,61$ millions d'euros. On retrouve le même résultat qu'avec la méthode du CMPC (section 18.1).

---

6. Puisque les flux de trésorerie disponibles et les économies d'impôt sont actualisés au même taux, il est possible d'additionner ces flux avant de les actualiser au taux r_U. Cette approche est dénommée VAN ajustée « condensée ». Voir S. Kaplan et R. Ruback (1995), « The Valuation of Cash Flow Forecasts: An Empirical Analysis », *Journal of Finance*, 50(4), 1059-1093 ; R. Ruback (2002), « Capital Cash Flows: A Simple Approach to Valuing Risky Cash Flows », *Financial Management*, 31(2), 85-103.

Exemple 18.3

Le risque lié aux économies d'impôt avec un taux d'endettement constant

L'entreprise ABC veut avoir un taux d'endettement constant de 0,5. ABC vaut 100 millions d'euros et sa dette est sans risque. ABC doit lancer prochainement un nouveau projet. Selon la réaction des marchés, il est possible que la valeur d'ABC augmente ou baisse de 20 %. Comment l'entreprise ajustera-t-elle sa dette ? Que peut-on conclure sur le risque lié aux économies d'impôt permises par la dette ?

Solution

Initialement, ABC a 50 millions d'euros de capitaux propres et 50 millions de dette. Une fois le projet annoncé, la valeur d'ABC passera à 120 ou à 80 millions d'euros. Pour maintenir inchangée sa structure financière, ABC devra augmenter ou réduire sa dette de 10 millions d'euros. Les charges d'intérêts et les économies d'impôt associées varient donc proportionnellement à la valeur de l'entreprise : ils ont le même risque.

Résumé : la méthode de la VAN ajustée

La méthode de la VAN ajustée consiste à :

1. Déterminer la valeur du projet à endettement nul V^U grâce à l'actualisation des flux de trésorerie disponibles au coût du capital à endettement nul r_U. Si le taux d'endettement de l'entreprise est constant, il est possible d'utiliser l'équation (18.6).

2. Déterminer la valeur actuelle des économies d'impôt permises par la dette. Les économies d'impôt sont le produit des intérêts payés (équation 18.7) et du taux d'imposition ; elles doivent être actualisées, si l'entreprise a un taux d'endettement constant, au taux r_U.

3. Faire la somme de la valeur à endettement nul du projet V^U et de la valeur actuelle des économies d'impôt pour obtenir la valeur du projet V^D.

La méthode de la VAN ajustée est plus complexe que celle du CMPC car elle impose deux évaluations indépendantes : celle de la valeur à endettement nul du projet et celle des économies d'impôt. De plus, cette méthode pose un problème logique : il est nécessaire de connaître la capacité d'endettement permise par le projet pour calculer la valeur du projet, mais si l'entreprise souhaite avoir un taux d'endettement stable, elle doit connaître la valeur du projet pour calculer sa capacité d'endettement. La méthode de la VAN ajustée impose donc d'évaluer *simultanément* les deux variables si l'entreprise souhaite conserver inchangé son taux d'endettement[7].

En dépit de ces limites, la méthode de la VAN ajustée présente quelques avantages notables : elle est plus simple d'utilisation que la méthode du CMPC lorsque l'entreprise accepte que son taux d'endettement varie (section 18.5). Ensuite, elle permet de valoriser explicitement les économies d'impôt et de mesurer leur contribution à la valeur du projet. Dans l'exemple Valexan, la valeur du projet dépend assez peu des économies d'impôt : même si le taux d'imposition évoluait, ou si le projet était financé

---

7   Dans l'exemple Valexan, on a contourné cette difficulté en tirant la capacité permise d'endettement du tableau 18.4, qui avait été construit avec la méthode du CMPC. Pour comprendre comment évaluer en même temps ces deux variables, voir l'annexe de ce chapitre.

exclusivement par capitaux propres, il n'en demeurerait pas moins rentable. Ce n'est pas toujours le cas. Enfin, cette méthode permet assez aisément de prendre en compte des imperfections de marché autres que la fiscalité (section 18.6).

Exemple 18.4

Méthode de la VAN ajustée et croissance externe

Valexan veut racheter un concurrent qui opère dans le même secteur d'activité. Grâce à ce rachat, les flux de trésorerie disponibles de Valexan devraient augmenter de 3,8 millions d'euros dès la première année, ce chiffre augmentant ensuite de 3 % par an à l'infini. Le prix de rachat est de 100 millions d'euros ; Valexan emprunte 76 millions pour financer l'opération. Avec la méthode de la VAN ajustée, quelle est la VAN de l'opération ?

Solution

La valeur à endettement nul du projet est obtenue grâce à la formule de la rente perpétuelle croissante dans laquelle on utilise le coût du capital à endettement nul de Valexan comme taux d'actualisation ($r_U = 6$ %) :

$$V^U = \frac{3,8}{6\ \% - 3\ \%} = 126,67 \text{ millions d'euros}$$

Valexan emprunte 76 millions d'euros pour financer l'opération. La première année, avec un taux d'intérêt de 4 %, les intérêts sont de $4\ \% \times 76 = 3,04$ millions d'euros et les économies d'impôt de $25\ \% \times 3,04 = 0,76$ million. Dette et économies d'impôt augmentent ensuite au même rythme que les flux de trésorerie du projet, puisque le taux d'endettement reste stable. La valeur actuelle des économies d'impôt (aussi risquées que le projet) est donc de :

$$VA(EcoIS) = \frac{0,76}{6\ \% - 3\ \%} = 25,33 \text{ millions d'euros}$$

La valeur de cette acquisition est de : $V^D = V^U + VA(EcoIS) = 126,67 + 25,33 = 152$ millions d'euros. On retrouve le résultat de l'exemple 18.1. La VAN est de $152 - 100 = 52$ millions d'euros. Sans les économies d'impôt, elle aurait été de $126,67 - 100 = 26,67$ millions.

18.3. La méthode des flux de trésorerie disponibles pour les actionnaires

Les méthodes du CMPC et de la VAN ajustée permettent d'évaluer un projet sur la base de ses flux de trésorerie disponibles totaux. Une autre approche est possible : elle consiste à se focaliser exclusivement sur les flux que recevront les actionnaires, *après déduction de tous les flux qui seront versés aux créanciers*. Il faut actualiser ces flux au coût des capitaux propres pour que la démarche soit cohérente. C'est ce que fait la **méthode des flux de trésorerie disponibles pour les actionnaires**[8]. Malgré la différence d'approche, cette méthode permet d'obtenir les mêmes résultats que les deux méthodes précédentes.

---

8. Cette méthode est proche dans son principe du modèle d'actualisation des dividendes augmenté (voir chapitre 9), qui consiste à actualiser tous les flux que reçoivent les actionnaires (dividendes et plus-values). Elle ressemble également à la méthode de valorisation du bénéfice résiduel utilisée en comptabilité.

Les flux de trésorerie disponibles pour les actionnaires

La première étape consiste à calculer les flux de trésorerie disponibles pour les action-naires en déduisant des flux de trésorerie disponibles les flux relatifs aux créanciers (tableau 18.6) :

- Les charges d'intérêts. Celles-ci ont été calculées dans le tableau 18.5. Il faut les déduire du résultat d'exploitation (ligne 7 du tableau 18.6). Le résultat net du tableau 18.6 est donc un « vrai » résultat net, et non un résultat net à endettement nul comme dans le tableau 18.1.

- La variation de la dette. Lorsque la dette augmente, le flux de trésorerie est positif pour l'entreprise, et négatif dans le cas contraire. Valexan s'endette à hauteur de 36,80 millions d'euros en année 0 et rembourse ensuite progressivement sa dette, car la capacité d'endettement permise par le projet diminue : 28,33 millions en année 1, etc. (tableau 18.4). Entre l'année 0 et l'année 1, Valexan rembourse donc 36,80 – 28,33 = 8,48 millions d'euros. Plus généralement, à partir de la capacité d'endettement permise par le projet $V_{D,t}$, il est possible de calculer la variation de la dette :

$$\Delta V_{D,t} = V_{D,t} - V_{D,t-1} \tag{18.8}$$

| **Tableau 18.6** | Flux de trésorerie disponibles pour les actionnaires (méthode directe) |

	Année	0	1	2	3	4
Compte de résultat (en millions d'euros)						
1	Chiffre d'affaires	–	60,00	60,00	60,00	60,00
2 –	Consommation de matières premières	–	– 20,00	– 20,00	– 20,00	– 20,00
3 –	Autres consommations externes	–	– 5,00	– 5,00	– 5,00	– 5,00
4 –	Charges de personnel	– 8,00	– 9,00	– 9,00	– 9,00	– 9,00
5 –	Dotations aux amortissements et provisions	–	– 6,00	– 6,00	– 6,00	– 6,00
6 =	**Résultat d'exploitation**	**– 8,00**	**20,00**	**20,00**	**20,00**	**20,00**
7 –	Charges d'intérêts	–	– 1,47	– 1,13	– 0,78	– 0,40
8 =	**Résultat courant avant impôt**	**– 8,00**	**18,53**	**18,87**	**19,22**	**19,60**
9 –	Impôt sur les sociétés (τ_{IS} = 25 %)	2,00	– 4,63	– 4,72	– 4,81	– 4,90
10 =	**Résultat net**	**– 6,00**	**13,90**	**14,15**	**14,42**	**14,70**
Flux de trésorerie disponibles pour les actionnaires (en millions d'euros)						
11 +	Amortissements et provisions	–	6,00	6,00	6,00	6,00
12 –	Acquisition d'immobilisations	– 24,00	–	–	–	–
13 –	Augmentation du BFR	–	–	–	–	–
14 +	Augmentation de la dette ΔV_D	36,80	– 8,48	– 8,94	– 9,43	– 9,95
15 =	**Flux de trésorerie disponibles pour les actionnaires**	**6,80**	**11,42**	**11,21**	**10,98**	**10,75**

Pour calculer les flux de trésorerie disponibles pour les actionnaires, il est également possible de partir des flux de trésorerie disponibles (tableau 18.7), puis de déduire les intérêts après impôt (puisque les flux de trésorerie disponibles sont également après impôt) et d'ajouter la variation de la dette :

Flux de trésorerie disponibles pour les actionnaires

$$FTDA_t = FTD_t - \underbrace{(1 - \tau_{IS}) \times \text{Int}_t}_{\text{Charges d'intérêt après impôt}} + V_{D,t}$$

(18.9)

Tableau 18.7	Flux de trésorerie disponibles pour les actionnaires (méthode indirecte)

	Année	0	1	2	3	4
1	Flux de trésorerie disponibles	– 30,00	21,00	21,00	21,00	21,00
2 +	Charges d'intérêts après impôt	–	– 1,10	– 0,85	– 0,58	– 0,30
3 +	Augmentation de la dette ΔV_D	36,80	– 8,48	– 8,94	– 9,43	– 9,95
4 =	**Flux de trésorerie disponibles pour les actionnaires**	**6,80**	**11,42**	**11,21**	**10,98**	**10,75**

Sur les 4 années du projet, les actionnaires bénéficient de flux de trésorerie disponibles plus faibles que l'entreprise, du fait des charges d'intérêts et du remboursement progressif de la dette. En année 0, c'est le contraire, car la dette augmente d'un montant supérieur à l'investissement nécessaire pour le projet.

L'actualisation des flux pour les actionnaires

Les flux de trésorerie disponibles pour les actionnaires (FTDA) doivent logiquement être actualisés au coût des capitaux propres du projet. Le risque du projet étant identique à celui de l'entreprise, on peut actualiser les flux pour les actionnaires au coût des capitaux propres de Valexan, soit $r_{CP} = 8\%$:

$$VAN(FTDA) = 6,80 + \frac{11,42}{1+8\%} + \frac{11,21}{(1+8\%)^2} + \frac{10,98}{(1+8\%)^3} + \frac{10,75}{(1+8\%)^4}$$
$$= 43,61 \text{ millions d'euros.}$$

Cette VAN est la valeur créée par le projet pour les actionnaires. On retrouve le résultat des méthodes du CMPC et de la VAN ajustée. Pourtant, le calcul s'est ici fondé sur les seuls flux de trésorerie dont bénéficient les actionnaires ; on aurait donc pu penser que la VAN serait plus faible que celle calculée sur les flux revenant à la fois aux actionnaires et aux créanciers. En fait, les créanciers ne sont remboursés que de la valeur capitalisée de la dette ; en d'autres termes, dans le tableau 18.6, les flux de trésorerie dont bénéficient les créanciers ont une VAN nulle – c'est toujours le cas si la dette est correctement valorisée[9]. Le seul effet de la dette sur la valeur du projet est lié à la possibilité de déduire

---

9. Les charges d'intérêts et la variation de la dette nette relatives au projet sont :

	Année	0	1	2	3	4
1	Variation de l'endettement ΔV_D	36,80	– 8,48	– 8,94	– 9,43	– 9,95
2 +	Charges d'intérêts	–	– 1,47	– 1,13	– 0,78	– 0,40
3 =	**Flux de trésorerie provenant des créanciers**	**36,80**	**– 9,95**	**– 10,08**	**– 10,21**	**– 10,35**

Ces flux sont exposés au risque inhérent à la dette de Valexan. On doit donc les actualiser au taux $r_D = 4\%$.

Leur VAN est de : $36,80 - \dfrac{9,95}{1,04} - \dfrac{10,08}{1,04^2} - \dfrac{10,21}{1,04^3} - \dfrac{10,35}{1,04^4} = 0$

les charges d'intérêts de l'assiette fiscale. Il est donc logique que cette méthode parvienne au même résultat que les méthodes du CMPC et de la VAN ajustée.

Résumé : la méthode des flux de trésorerie disponibles pour les actionnaires

La méthode des flux de trésorerie disponibles pour les actionnaires consiste à :

1. Déterminer les flux de trésorerie disponibles pour les actionnaires grâce à l'équation (18.9) ;

2. Déterminer le coût des capitaux propres du projet, r_{CP} ;

3. Actualiser les flux de trésorerie disponibles pour les actionnaires au coût des capitaux propres.

Lorsqu'on suppose, comme avec Valexan, que le risque du projet est identique à celui de l'entreprise et que l'entreprise conserve un taux d'endettement stable, cette méthode est simple car on peut supposer que le risque des capitaux propres, et donc leur coût, est constant. Si ce n'est pas le cas, il n'est pas possible d'utiliser cette méthode. De plus, lorsque le taux d'endettement change, cette méthode souffre du même problème que celle de la VAN ajustée : il faut connaître la capacité d'endettement permise par le projet pour calculer les charges d'intérêts et la variation de la dette, ce qui nécessite de connaître la valeur du projet, qui dépend de son financement : on tourne en rond ! Il faut donc privilégier la méthode du CMPC dans ces circonstances.

Cette méthode est néanmoins utile dans certains cas. Lorsque la structure financière de l'entreprise est complexe ou que certains passifs sont difficiles à valoriser, elle permet de ne se préoccuper que de la valeur des capitaux propres, sans imposer comme les méthodes du CMPC et de la VAN ajustée d'évaluer la valeur de marché de l'actif net de l'entreprise, qui nécessite de connaître la valeur de marché de tous les passifs de l'entreprise. Le second avantage de cette méthode est qu'elle est explicitement centrée sur les gains des actionnaires ; du point de vue d'un dirigeant, elle est donc directement liée à son objectif de gestion.

Zoom sur...   **Qu'est-ce que la dette ?**

Les entreprises ont différents types de dettes : des dettes à court, moyen et long terme, des crédits fournisseurs, des impôts différés, etc. Quelle définition de la dette utiliser pour calculer le CMPC ? En d'autres termes, quels sont les éléments du passif qui doivent être comptabilisés comme dettes ?

En fait, le seul impératif est d'être cohérent. Les méthodes du CMPC et des flux de trésorerie pour les actionnaires peuvent être considérées comme des cas particuliers d'une approche générale consistant à évaluer les flux de trésorerie après impôt produits par *certains* actifs et passifs de l'entreprise en les actualisant au coût moyen pondéré après impôt des *autres* actifs et passifs de l'entreprise. Dans la méthode du CMPC, les flux de trésorerie disponibles sont calculés sans tenir compte les flux relatifs aux créanciers. La dette et ses flux associés sont donc partie prenante du calcul du CMPC.

...

...

Dans la méthode des flux de trésorerie pour les actionnaires, au contraire, les flux de trésorerie tiennent compte des flux relatifs aux créanciers. On ne tient pas compte de la dette pour calculer le taux d'actualisation, qui se réduit donc au coût des capitaux propres.

Toutes les combinaisons sont envisageables : la dette financière de long terme peut ainsi être incluse dans le calcul du CMPC, tandis que la dette de court terme sera considérée comme un flux de trésorerie, ou inversement. De la même manière, il est possible de tenir compte de certains actifs (la trésorerie) ou de certains passifs (les engagements relatifs aux opérations de crédit-bail, par exemple) dans les flux de trésorerie ou dans le calcul du taux d'actualisation. Peu importe le choix effectué : s'il est cohérent et qu'il ne néglige aucun actif ni aucun passif de l'entreprise, la VAN obtenue sera toujours identique. Il est donc recommandé de se simplifier la vie en choisissant l'approche qui rapproche le plus de l'hypothèse de stabilité du taux d'endettement.

Exemple 18.5

Méthode des flux de trésorerie pour les actionnaires et croissance externe

Valexan veut racheter un concurrent qui opère dans le même secteur d'activité. Grâce à ce rachat, les flux de trésorerie disponibles de Valexan devraient augmenter de 3,8 millions d'euros dès la première année, ce chiffre augmentant ensuite de 3 % par an à l'infini. Le prix de rachat est de 100 millions d'euros ; Valexan emprunte 76 millions pour financer l'opération. Avec la méthode des flux de trésorerie disponibles pour les actionnaires, quelle est la VAN de l'opération ?

Solution

Cette acquisition est financée par 76 millions d'euros de dette. Le flux de trésorerie disponible pour les actionnaires en année 0 est donc de : $FTDA_0 = -100 + 76 = -24$ millions d'euros. À la fin de la première année, les intérêts sur la dette sont de 4 % × 76 = 3,04 millions d'euros. Pour conserver inchangé le taux d'endettement, la dette doit augmenter au rythme des flux de trésorerie, soit 3 % par an. La deuxième année, la dette augmente donc à 76 × 1,03 = 78,28 millions d'euros, soit une augmentation en un an de 78,28 − 76 = 2,28 million d'euros. Le flux de trésorerie disponible pour les actionnaires en année 1 est donc de $FTDA_1 = 3,8 - (1 - 25\%) \times 3,04 + 2,28 = 3,8$ millions d'euros. Les flux de trésorerie des années suivantes augmentent de 3 % par an. Si on les actualise au coût des capitaux propres $r_{CP} = 8\%$, la VAN pour les actionnaires est :

$$VAN(FTDA) = -24 + \frac{3,8}{8\% - 3\%} = 52 \text{ millions d'euros.}$$

La VAN est identique à celle trouvée à l'aide des méthodes du CMPC et de la VAN ajustée.

18.4. Comment faire quand le risque du projet n'est pas celui de l'entreprise ?

Les trois méthodes ont été présentées sous l'hypothèse que l'entreprise et le projet considéré ont le même risque et la même structure financière. Sous ces hypothèses, le coût du capital relatif au projet est identique à celui de l'entreprise. En réalité, il est fréquent qu'un projet envisagé par une entreprise ne présente pas les mêmes caractéristiques que les projets déjà entrepris par celle-ci, et donc que leurs risques ne soient pas identiques. De plus, le risque d'un projet est influencé par la façon dont il est financé. Comment calculer le coût du capital relatif à un projet qui a un risque ou un financement différent de celui de l'entreprise ?

Le coût du capital à endettement nul d'un projet

On suppose que Valexan désire maintenant créer une filiale qui fabriquera des boîtes en plastique à destination de l'industrie cosmétique. Le risque de la filiale est clairement différent de celui de la maison mère, qui fabrique des emballages. Quel est le coût du capital à endettement nul r_U à utiliser pour valoriser cette filiale ? Le chapitre 12 a présenté la méthode pour l'estimer à partir du coût du capital d'**entreprises comparables**, spécialisées dans la plasturgie (et ne faisant que cela) et dont les risques sont proches de ceux de la filiale de Valexan. On suppose qu'il existe sur le marché deux concurrents de la future filiale de Valexan :

	Coût des capitaux propres	Coût de la dette	Taux d'endettement $V_D / (V_D + V_{CP})$
Comparable 1	8,90 %	4,20 %	40,00 %
Comparable 2	9,70 %	3,10 %	35,00 %

Sous l'hypothèse que ces deux entreprises visent un taux d'endettement constant, leur coût du capital à endettement nul peut être calculé grâce à l'équation (18.6) :

$$\text{Comparable 1 : } r_U = 0,60 \times 8,9\,\% + 0,40 \times 4,2\,\% = 7,0\,\%$$

$$\text{Comparable 2 : } r_U = 0,65 \times 9,7\,\% + 0,35 \times 3,1\,\% = 7,4\,\%$$

Grâce à ces calculs, il est possible de retenir un coût du capital à endettement nul de la filiale de Valexan égal à 7,2 %[10]. Pour appliquer la méthode des flux de trésorerie disponibles pour les actionnaires, il faut maintenant s'intéresser au coût des capitaux propres du projet, lequel dépend de ses modalités de financement.

---

10. Si l'on utilise le MEDAF pour estimer les rentabilités espérées, cela revient à calculer le bêta désendetté des entreprises comparables :

$$\beta_U = \frac{V_{CP}}{V_{CP} + V_D} \beta_{CP} + \frac{V_D}{V_{CP} + V_D} \beta_D$$

Modalités de financement et coût des capitaux propres du projet

Valexan décide de financer sa filiale en lui fixant un taux d'endettement cible. Celui-ci peut être différent du taux moyen de Valexan : comme l'activité est différente, les risques sont également différents, ce qui peut justifier un taux d'endettement plus ou moins élevé que le reste de l'entreprise. À partir de l'équation (18.6), il est possible d'exprimer le coût des capitaux propres[11] :

$$r_{CP} = r_U + \frac{V_D}{V_{CP}}\left(r_U - r_D\right) \tag{18.10}$$

Cette équation montre que le coût des capitaux propres du projet est fonction de son coût du capital à endettement nul r_U et de sa structure financière. Si Valexan souhaite que son projet ait un taux d'endettement de 50 %, le coût des capitaux propres du projet est de :

$$r_{CP} = 7,2\ \% + \frac{0,5}{0,5}(7,2\ \% - 4\ \%) = 10,4\ \%$$

Avec l'équation (18.1), on trouve le coût moyen pondéré du capital du projet :

$$r_{CMPC} = 0,5 \times 10,4\ \% + 0,5 \times 4\ \% \times (1 - 25\ \%) = 6,7\ \%$$

Valexan doit donc utiliser un CMPC de 6,7 % pour sa branche plastique, contre 5,5 % pour ses activités d'emballage (section 18.1). En combinant les équations (18.1) et (18.10), on obtient une équation qui permet de calculer directement le CMPC d'un projet lorsqu'il est financé avec un taux d'endettement cible. Avec d le taux d'endettement $V_D / (V_D + V_{CP})$ du projet, on obtient[12] :

CMPC spécifique à un projet

$$r_{CMPC} = r_U - d\,\tau_{IS}\,r_D \tag{18.11}$$

Exemple 18.6

Évaluer le coût du capital pour différentes branches d'activité

Hascouet est une multinationale dont l'activité principale est la fabrication d'équipements pour bûcherons. Son coût des capitaux propres est de 12,7 %. Elle emprunte au taux de 6 %. Hascouet a un taux d'endettement de 40 %. L'entreprise a développé un système GPS qu'elle souhaite commercialiser. Le risque de ce projet est égal à celui d'entreprises de hautes technologies, qui ont un coût du capital à endettement nul de 15 %. Hascouet souhaite financer 10 % du projet par dette. Le taux d'imposition est de 25 %. Quel est le coût du capital à endettement nul des deux branches d'activité de l'entreprise ? Quels sont leurs coûts des capitaux propres et leurs coûts moyens pondérés du capital respectifs ?

...

---

11. Dans le cadre de marchés parfaits, l'équation (18.10) est équivalente à l'équation (14.5).

12. L'équation (18.11) peut être obtenue plus simplement en comparant le CMPC avant et après impôt des équations (18.1) et (18.6) : R. Harris et J. Pringle (1985), « Risk Adjusted Discount Rates: Transition from the Average Risk Case », *Journal of Financial Research*, 8(3), 237-244.

...

Solution

La branche équipement pour bûcherons a un coût des capitaux propres de 12,7 %. Son taux d'endettement est de 40 %. Donc :

$$r_{CMPC} = 0,61 \times 2,7\ \% + 0,4 \times (1 - 25\ \%) \times 6\ \% = 9,4\ \%$$

$$r_U = 0,6 \times 12,7\ \% + 0,4 \times 6\ \% = 10,0\ \%$$

La branche GPS a un coût du capital à endettement nul de 15 %. Le financement de ce projet implique 10 % de dette, donc :

$$r_{CP} = 15\ \% + \frac{0,10}{0,90}(15\ \% - 6\ \%) = 16\ \%$$

$$r_{CMPC} = 15\ \% - 0,1 \times 25\ \% \times 6\ \% = 14,85\ \%$$

Le CMPC est très différent d'une activité à l'autre.

Erreur à éviter   **« Réendetter » le CMPC**

En calculant le CMPC à partir de l'équation (18.1), il ne faut pas oublier que les coûts des capitaux propres et de la dette varient avec le taux d'endettement. Ainsi, le CMPC d'une entreprise ayant un taux d'endettement de 30 %, un coût de la dette de 4 %, un coût des capitaux propres de 12 % et un taux d'imposition de 25 % est :

$$r_{CMPC} = 0,7 \times 12\ \% + 0,3 \times 4\ \% \times (1 - 25\ \%) = 9,3\ \%$$

Si l'entreprise augmente son taux d'endettement à 50 %, il n'est plus possible d'utiliser cette équation pour calculer le CMPC, car cela modifie le coût des capitaux propres et de la dette. Il faut recalculer le coût du capital à endettement nul à partir de l'équation (18.6) :

$$r_U = 0,5 \times 12\ \% + 0,5 \times 4\ \% = 8\ \%$$

Si le coût de la dette augmente à 5 % du fait de la hausse de l'endettement, le coût des capitaux propres augmente également [équation (18.10)] :

$$r_{CP} = 8\ \% + \frac{0,5}{0,5}(8\ \% - 5\ \%) = 11\ \%$$

L'équation (18.1) permet de calculer le nouveau CMPC :

$$r_{CMPC} = 8\ \% - 0,50 \times 25\ \% \times 5\ \% = 7,38\ \%$$

La dette additionnelle liée à un projet

Pour déterminer le coût des capitaux propres et le coût moyen pondéré du capital d'un projet, il faut connaître sa structure financière. Il convient pour cela d'adopter un raisonnement « à la marge » : quelle dette *additionnelle* est nécessaire pour financer le projet ? C'est bien la variation de la dette nette totale qui compte selon que le projet est, ou non, réalisé. Quelques règles permettent d'éviter les erreurs les plus courantes lorsqu'on cherche à mesurer celle-ci.

La trésorerie est de la dette négative. Le raisonnement doit être mené sur la dette nette, égale à la dette brute moins la trésorerie. Un projet financé avec la trésorerie de l'entreprise est donc un projet financé par endettement ! De même, si les flux de trésorerie disponibles d'un projet font augmenter la trésorerie, c'est équivalent à une réduction de la dette de l'entreprise.

Lorsque la politique de distribution est fixée à l'avance, la seule source de financement possible est la dette nette. Si une entreprise a fixé à l'avance sa politique de dividendes et de rachats d'actions et que celle-ci est indépendante des flux de trésorerie du projet, la *seule* source de financement disponible est la dette nette. Tous les flux du projet font donc varier la dette nette de l'entreprise, ce qui revient à dire que le projet en question est *exclusivement* financé par dette. Si l'entreprise a fixé sa politique de distribution pour toute la durée du projet, son CMPC est $r_U - \tau_{IS} r_D$.

L'endettement optimal d'un projet dépend de ses caractéristiques et de celles de l'entreprise. Des projets qui offrent des flux de trésorerie élevés et stables peuvent être largement financés par dette sans qu'ils augmentent la probabilité que l'entreprise rencontre des difficultés financières. Mais, comme la partie V l'a montré, cette probabilité dépend des coûts des difficultés financières, des coûts d'agence et des asymétries d'information que supporte l'entreprise dans son ensemble (et pas uniquement le projet). Il n'est donc pas possible de déterminer l'endettement optimal d'un projet sans prendre en considération la situation de l'entreprise dans sa globalité.

Un projet dont les flux de trésorerie sont sans risque peut être financé intégralement par dette. Ce mode de financement n'augmente pas le risque de l'entreprise si les flux de trésorerie sont sans risque. Le taux d'actualisation approprié dans ce cas est $r_D (1 - \tau_{IS})$.

Exemple 18.7

Apple : de la dette… sans dette

En 2019, Apple a une dette nette *négative* de 137 milliards de dollars. L'entreprise envisage de financer un projet dont le coût du capital à endettement nul est $r_U = 12\ \%$. La politique de distribution d'Apple est fixée pour toute la durée du projet. Les flux de trésorerie disponibles du projet influencent donc uniquement la trésorerie de l'entreprise, rémunérée 4 % par an. Apple est imposé au taux de 35 %. Quel est le coût du capital pertinent pour évaluer le projet ?

Solution

Les flux de trésorerie du projet modifient uniquement la trésorerie d'Apple. Cela revient à supposer que le projet est entièrement financé par dette, donc $d = 1$. Le coût du capital approprié est de :

$$r_{CMPC} = r_U - d\tau_{IS} r_D = 12\ \% - 0,35 \times 4\ \% = 10,6\ \%$$

Même si Apple a une dette nette négative, tout se passe comme si le projet était financé par dette, car si la trésorerie n'avait pas été utilisée pour financer le projet, Apple aurait dû payer des impôts sur les intérêts de la trésorerie placée…

18.5. Comment faire quand le taux d'endettement n'est pas constant ?

Jusqu'à maintenant, pour simplifier les choses, on a supposé que le taux d'endettement était constant. Mais beaucoup d'autres politiques financières sont possibles ! Pour illustrer cela, cette section traite de deux politiques financières alternatives. Cela permet de montrer que, si le taux d'endettement n'est pas constant, le coût des capitaux propres et le CMPC d'un projet changent au fil du temps, puisque la structure financière change elle aussi. Dans une telle situation, la méthode de la VAN ajustée est beaucoup plus simple à utiliser que les méthodes du CMPC ou des flux de trésorerie disponibles pour les actionnaires[13].

Politique 1 : stabilité du ratio de couverture des frais financiers

Le chapitre 15 a montré qu'une entreprise, pour maximiser ses économies d'impôt, doit ajuster sa dette de manière à ce que les charges d'intérêts augmentent avec son résultat imposable. On peut alors considérer les charges d'intérêts Int_t comme une fraction λ des flux de trésorerie disponibles[14] :

$$Int_t = \lambda \times FTD_t \tag{18.12}$$

Quand l'entreprise ajuste sa dette pour que ses charges d'intérêts représentent une fraction constante de ses flux de trésorerie disponibles, elle vise à stabiliser son **ratio de couverture des frais financiers**.

Avec la méthode de la VAN ajustée, il faut calculer la valeur actuelle des économies d'impôt. Ces économies étant proportionnelles aux flux de trésorerie disponibles du projet, elles présentent le même risque que ce dernier et doivent donc être actualisées au même taux : le coût du capital à endettement nul r_U du projet. Or, la valeur actuelle des flux de trésorerie du projet actualisés au coût du capital à endettement nul n'est rien d'autre que la valeur à endettement nul du projet. Donc :

$$VA(EcoIS) = VA(\tau_{IS}\lambda \times FTD) = \tau_{IS}\lambda \times VA(FTD) = \tau_{IS}\lambda \times V^U \tag{18.13}$$

Lorsqu'une entreprise veut stabiliser son ratio de couverture des frais financiers, la valeur des économies d'impôt est proportionnelle à la valeur à endettement nul du projet. La valeur totale du projet intégrant les économies d'impôt est donc :

Valeur du projet avec un ratio de couverture des frais financiers stable

$$V^D = V^U + VA(EcoIS) = V^U + \tau_{IS}\lambda \times V^U = (1 + \tau_{IS}\lambda)V^U \tag{18.14}$$

Si l'on en revient à Valexan, la valeur à endettement nul du projet est $V^U = 72{,}77$ millions d'euros (section 18.2). Si Valexan souhaite que les charges d'intérêts représentent 20 % des flux de trésorerie disponibles du projet, la valeur endettée du projet est

---

13. Voir également section 18.7.

14. Il serait plus rigoureux de supposer que les intérêts sont une fraction du revenu imposable. Mais comme il est proportionnel aux flux de trésorerie disponibles, les deux démarches sont proches. L'équation (18.12) est vérifiée lorsque l'entreprise ajuste sa dette de manière continue. Cette hypothèse restrictive sera levée à la section 18.7.

$V^D = (1 + 25\ \% \times 20\ \%) \times 72,77 = 76,41$ millions d'euros[15]. L'équation (18.14) fournit un moyen simple de déterminer la valeur d'un projet lorsque la politique financière de l'entreprise consiste à stabiliser son ratio de couverture des frais financiers, ce qui est une politique financière très fréquente[16]. On remarque que, si les flux de trésorerie disponibles du projet croissent à taux constant, cette politique est en fait la même que celle consistant à afficher un taux d'endettement constant, comme le montre l'exemple 18.8.

Exemple 18.8

Évaluation d'une acquisition et ratio de couverture des frais financiers

Valexan veut racheter un concurrent qui opère dans le même secteur d'activité. Grâce à ce rachat, les flux de trésorerie disponibles de Valexan devraient augmenter de 3,8 millions d'euros dès la première année, ce chiffre augmentant ensuite de 3 % par an à l'infini. Le prix de rachat est de 100 millions d'euros ; Valexan emprunte 76 millions pour financer l'opération. Si Valexan conserve un ratio de couverture des frais financiers constant, quelle est la VAN de l'opération ?

Solution

Le coût du capital à endettement nul est $r_U = 6\ \%$. La valeur à endettement nul du projet est donc :

$$V^U = \frac{3,8}{6\ \% - 3\ \%} = 126,67 \text{ millions d'euros}$$

Avec 76 millions d'euros de dette et un taux d'intérêt de 4 %, les charges d'intérêts sont de 4 % × 76 = 3,04 millions la première année. Donc $\lambda = Int\,/\,FTD = 3,04\,/\,3,8 = 80\ \%$. Valexan souhaite maintenir constant son ratio de couverture des frais financiers. D'après l'équation (18.14), la valeur du projet est donc :

$$V^D = (1 + \tau_{IS}\lambda) \times V^U = (1 + 25\ \% \times 80\ \%) \times 126,67 = 152 \text{ millions d'euros}$$

Cette valeur, obtenue sous l'hypothèse d'un ratio stable des frais financiers, est égale à celle obtenue grâce à la méthode du CMPC (exemple 18.1) sous l'hypothèse d'un taux d'endettement constant, car les flux de trésorerie augmentent à taux constant.

Politique 2 : dette déterminée à l'avance

Une entreprise peut également décider à l'avance la manière dont sa dette évoluera. Ainsi, Valexan peut par exemple décider d'emprunter 30 millions d'euros au début du projet puis de réduire sa dette de 10 millions d'euros par an jusqu'à 0. Les flux de trésorerie du projet n'ont ici aucune influence sur l'évolution de la dette. Comment évaluer un projet lorsqu'une entreprise adopte cette politique financière ?

La dette, et non le taux d'endettement, est déterminée à l'avance. Il est donc facile de calculer les charges d'intérêts et les économies d'impôt (tableau 18.8). À quel taux doit-on actualiser ces économies d'impôt ? À la section 18.2, le taux d'actualisation était

---

15. Ce résultat est différent de celui de la section 18.2 puisque la politique financière n'est plus la même.

16. La majorité des entreprises cherche à stabiliser la note reçue des agences de notation : J. Graham et C. Harvey (2001), « The Theory and Practice of Corporate Finance: Evidence from the Field », *Journal of Financial Economics*, 60, 187-243. Or le ratio de couverture des frais financiers joue un grand rôle dans la notation des entreprises.

le coût du capital à endettement nul de l'entreprise, car la dette, et par conséquent les économies d'impôt, dépendaient de la valeur du projet et donc de son risque. Ici, la dette est déterminée à l'avance : elle ne dépend pas du projet ni de son risque. Les économies d'impôt sont donc moins risquées que le projet et doivent être actualisées à un taux plus faible. En fait, le risque lié aux économies d'impôt est identique à celui des intérêts. Donc[17] : *lorsque la dette est déterminée à l'avance, il faut actualiser les économies d'impôt qu'elle permet au coût de la dette r_D.* Pour Valexan, $r_D = 4$ % :

$$VA(EcoIS) = \frac{0,3}{(1 + 4 \text{ %})} + \frac{0,2}{(1 + 4 \text{ %})^2} + \frac{0,1}{(1 + 4 \text{ %})^3} = 0,56 \text{ million d'euros}$$

Tableau 18.8	Économies d'impôt avec dette déterminée à l'avance					
Année		0	1	2	3	4
1 Dette, V_D		30,00	20,00	10,00	–	–
2 Charges d'intérêts ($r_D = 4$ %)			1,24	0,80	0,40	–
3 **Économies d'impôt** ($\tau_{IS} = 25$ %)			**0,30**	**0,20**	**0,10**	–

Il faut ensuite ajouter à cela la valeur à endettement nul du projet, déjà calculée à la section 18.2, afin de déterminer la VAN ajustée : $V^D = V^U + VA(EcoIS) = 72,77 + 0,56 = 73,33$ millions d'euros. La valeur actuelle des économies d'impôt diffère de celle de la section 18.2, puisque la politique financière est différente. En comparant les deux politiques, on constate que le remboursement de la dette est plus rapide désormais : les économies d'impôt sont donc plus faibles[18].

Il existe une politique financière particulière, consistant à conserver la dette V_D constante sur toute la période. Dans ce cas, la valeur des économies d'impôt est[19] de $\tau_{IS} \times V_D$. La valeur du projet est alors :

Valeur du projet avec une dette constante

$$V^D = V^U + \tau_{IS} \times V_D \tag{18.15}$$

Attention : lorsque la dette est déterminée à l'avance, l'entreprise ne l'ajuste plus en fonction des variations de ses flux de trésorerie ou de sa valeur. Le risque lié aux économies d'impôt n'est donc plus identique à celui des flux de trésorerie du projet. Les équations (18.6), (18.10) et (18.11) ne sont donc plus vérifiées, et le CMPC avant impôt de l'entreprise n'est plus égal au coût du capital à endettement nul. Il convient de remplacer ces équations par des formules plus générales, telles que les équations (18.20) et (18.21).

---

17. Le risque des économies d'impôt n'est pas strictement égal à celui des flux de l'entreprise vers les créanciers, car il dépend uniquement des intérêts et il intègre un risque de modification du taux d'imposition. Cette approximation est néanmoins réaliste dans la plupart des cas.

18. Le taux d'endettement évolue durant la vie du projet. La méthode du CMPC serait donc complexe à mettre en œuvre, mais cela reste possible et cela donne les mêmes résultats (section 18.7).

19. Les économies d'impôt sont calculées sous l'hypothèse d'un horizon temporel infini, $\tau_{IS} \times r_D \times V_D$. En actualisant au taux r_D, on obtient : $VA(EcoIS) = \tau_{IS} \times r_D \times V_D / r_D = \tau_{IS} \times V_D$.

Comparaison entre les trois méthodes

Les trois méthodes permettent d'évaluer un projet et elles donnent le même résultat. La méthode du CMPC est la plus simple lorsque l'entreprise a un taux d'endettement constant. Avec d'autres politiques financières, la méthode de la VAN ajustée s'impose. La méthode des flux de trésorerie disponibles pour les actionnaires est à privilégier lorsque la structure financière de l'entreprise est complexe ou que les économies d'impôt associées au projet sont difficiles à valoriser.

18.6. Comment prendre en compte d'autres imperfections de marché ?

Les trois méthodes présentées permettent d'évaluer un projet en tenant compte des économies d'impôt réalisées lorsqu'il est financé, au moins partiellement, par dette. Mais d'autres imperfections de marché existent et ont été jusque-là ignorées. Cette section montre comment en tenir compte dans un modèle d'évaluation.

Coûts de transaction liés à l'émission de titres financiers

Lorsqu'une entreprise lève des capitaux, elle supporte des coûts de transaction. En moyenne, les frais bancaires représentent 1 % du montant emprunté, les coûts d'une émission obligataire sont de 1 à 4 %, et ceux d'une augmentation de capital, et plus encore d'une introduction en Bourse, peuvent dépasser 5 %. Ces coûts sont inhérents au financement du projet considéré et en réduisent donc la VAN ; il faut en tenir compte.

Considérons un projet de valeur V^D = 20 millions d'euros (y compris les économies d'impôt) nécessitant un investissement de 15 millions. Le projet est financé à l'aide d'une émission obligataire, le coût d'émission des obligations étant de 200 000 €. La VAN du projet est donc de :

$$VAN = V^D - \text{Investissement} - \text{Coût d'émission} = 20 - 15 - 0,2 = 4,8 \text{ millions d'euros.}$$

Mauvaise évaluation des titres par le marché

Sous l'hypothèse de marché parfait, tous les titres financiers s'échangent à leur juste valeur sur le marché et l'émission de titres a une VAN nulle. Cependant, le chapitre 16 a montré qu'il était possible que le dirigeant d'une entreprise soit persuadé que les titres de son entreprise sont sur- ou sous-évalués. Dans ce cas, émettre des titres a une VAN égale à la différence entre le montant des capitaux effectivement levés et celui qui aurait été levé si les titres avaient été vendus à leur juste valeur. Si les actions sont sous-évaluées, l'émission d'actions nouvelles est une opération à VAN négative[20], et inversement si les actions sont surévaluées. Il convient d'en tenir compte lorsqu'on calcule la VAN du projet.

De même, lorsqu'une entreprise emprunte des capitaux, si le taux d'intérêt ne correspond pas au risque pris par les créanciers, les titres sont mal évalués par le marché. Ainsi,

---

20. Les nouveaux actionnaires, eux, ont acheté des actions à un prix inférieur à leur juste valeur.

une entreprise dont la situation financière s'est récemment améliorée mais dont la note n'a pas encore été mise à jour par les agences de notation peut être contrainte d'accepter un taux d'intérêt plus élevé que celui auquel elle devrait avoir droit. Avec la méthode du CMPC, la prise en compte de cette imperfection de marché est directe : le taux d'intérêt influence directement le coût moyen pondéré du capital et par conséquent la valeur du projet. Il n'en est pas de même avec la méthode de la VAN ajustée, dans laquelle il faut ajouter à la valeur du projet la VAN de l'emprunt évalué au « bon » taux d'intérêt[21].

Évaluation d'un emprunt

OrdiFrance envisage d'emprunter 100 millions d'euros à 6 % pour ouvrir une filiale en Allemagne. Sa directrice générale estime que le taux d'intérêt devrait être seulement de 5 %, compte tenu du faible risque du projet. Le prêt, à remboursement *in fine,* a une maturité de cinq ans. Le taux d'imposition est de 25 %. Quel est l'effet de l'emprunt sur la valeur du projet ?

Solution

Le tableau détaille les flux de trésorerie disponibles du projet et les économies d'impôt, selon que l'emprunt est souscrit au taux de 5 ou de 6 %. Pour chaque cas, la VAN des flux de trésorerie et la valeur actuelle des économies d'impôt sont calculés en actualisant les flux au « bon » coût de la dette $r_D = 5$ %. La VAN des flux du prêt au taux qui reflète le risque effectif du projet (5 %) est par définition nulle. Les économies d'impôt que permet cet emprunt font augmenter la valeur du projet de 5,41 millions d'euros.

	Année	0	1	2	3	4	5
1	Emprunt au taux de 5 %	100,00	– 5,00	– 5,00	– 5,00	– 5,00	– 105,00
2	Économies d'impôt		1,25	1,25	1,25	1,25	1,25
Avec $r_D = 5$ % :							
3	*VAN (Emprunt)*	–					
4	*VA (EcoIS)*	5,41					
5	Emprunt au taux de 6 %	100,00	– 6,00	– 6,00	– 6,00	– 6,00	– 106,00
6	Économies d'impôt		1,50	1,50	1,50	1,50	1,50
Avec $r_D = 5$ % :							
7	*VAN (Emprunt)*	– 4,33					
8	*VA (EcoIS)*	6,49					

La VAN du prêt au « mauvais » taux (6 %) est négative, car le taux d'intérêt est supérieur à celui qui reflète le risque du projet. En sens inverse, les charges d'intérêts sont plus élevées, ce qui accroît les économies d'impôt. Au total, ce prêt modifie la valeur du projet de :

$$VAN(\text{Emprunt}) + VA(EcoIS) = -4,33 + 6,49 = 2,16 \text{ millions d'euros}$$

Ce prêt reste créateur de valeur pour Ordi France, mais moins qu'un prêt octroyé au « vrai » taux (2,16 contre 5,41 millions).

Exemple 18.9

---

21. Il faut également utiliser ce « vrai » coût de la dette r_D lorsqu'on endette ou désendette le coût du capital.

Coûts des difficultés financières

Un endettement excessif peut amener une entreprise à rencontrer des difficultés financières, ce qui lui impose des coûts et réduit ses flux de trésorerie disponibles (voir chapitre 16). Il faut donc en tenir compte lorsqu'on évalue un projet. À noter, une dette élevée peut également avoir un effet contraire, en améliorant les incitations des dirigeants à bien gérer l'entreprise, ce qui devrait faire augmenter les flux de trésorerie disponibles.

Pour une entreprise, de telles difficultés financières sont d'autant plus probables que l'économie est en récession. Les coûts associés ont donc une probabilité élevée d'apparaître au moment où l'entreprise aura le plus de mal à les supporter ; ils augmentent donc la sensibilité de la valeur des entreprises très endettées au risque de marché, ce qui fait augmenter le coût du capital à endettement nul de ces entreprises[22].

Pour tenir compte de ces effets lors de l'évaluation d'un projet, une première méthode consiste à ajuster les flux de trésorerie disponibles pour qu'ils intègrent le coût des difficultés financières. Une approche alternative est d'estimer la valeur du projet sans eux, puis de les ajouter dans un second temps. Notons néanmoins que ces coûts sont complexes à estimer et qu'ils sont particulièrement élevés lorsque les entreprises sont proches de la faillite ; le recours à des méthodes optionnelles est souvent utile (voir partie VII). Dans certains cas, il est possible de valoriser simplement ces coûts à partir des titres émis par l'entreprise, comme l'illustre l'exemple 18.10.

Exemple 18.10

Le coût des difficultés financières

Solentis a émis des obligations zéro-coupon de valeur nominale 100 millions d'euros et d'échéance cinq ans. Le taux sans risque est de 5 %. Compte tenu du risque de défaut de Solentis, les obligations affichent une rentabilité à l'échéance de 12 %. Si Solentis fait faillite, 10 % des pertes subies par les créanciers seront dues au coût des difficultés financières. Quelle est la valeur actuelle du coût des difficultés financières ?

Solution

La valeur de marché actuelle des obligations est de : $100 / (1 + 12\%)^5 = 56{,}74$ millions d'euros. Si la dette était sans risque, elle vaudrait : $100 / (1 + 5\%)^5 = 78{,}35$ millions. La différence, 21,61 millions d'euros, est la valeur actuelle des pertes anticipées par les créanciers en cas de faillite. La valeur actuelle du coût des difficultés financières est donc de : $21{,}61 \times 10\% = 2{,}161$ millions d'euros.

---

22. Cela signifie que le coût des difficultés financières a un bêta négatif ; puisqu'il s'agit d'un *coût*, en tenir compte lors du calcul des flux de trésorerie disponibles *augmente* le bêta de l'entreprise.

| **Crise financière** | **Les garanties publiques sur les prêts** |

Lors des crises bancaires, les banques appellent souvent à l'aide les gouvernements. En général, les aides publiques prennent la forme de garanties de prêts (si l'emprunteur ne rembourse pas, l'État se substituera à lui pour rembourser la banque), de subventions (une partie du coût des prêts est pris en charge par l'État), ou de recapitalisation des banques en difficulté. L'avantage de la première méthode sur les deux autres est que, si l'emprunteur rembourse effectivement ce qu'il a emprunté, le coût pour les finances publiques est nul.

Ces trois mécanismes ont été utilisés de manière intensive pendant la crise financière de 2008 : le gouvernement américain a ainsi garanti 1 000 milliards de crédits octroyés par des banques et d'actifs détenus par des institutions financières, et a prêté dans le même temps 500 milliards aux entreprises en difficulté. En France, le plan de sauvetage du système financier prévoyait une enveloppe de 40 milliards d'euros destinée à d'éventuelles recapitalisations de banques et des garanties de prêts pour 320 milliards d'euros. Des mesures similaires ont été prises dans tous les autres pays développés. Ces plans de sauvetage ont permis de redonner des marges de manœuvre aux banques et d'empêcher une contraction trop forte des crédits octroyés à l'économie par les banques, ce qui aurait provoqué une récession encore plus grave.

18.7. Généralisation à d'autres politiques financières

Les sections 18.1 à 18.3 présentent les trois méthodes les plus couramment utilisées pour valoriser des projets financés au moins en partie par endettement. Cette section conclut le chapitre en montrant comment ces méthodes peuvent être généralisées pour être appliquées à n'importe quelle politique financière et comment il est possible d'intégrer à l'analyse la fiscalité pesant sur les investisseurs.

Ajustements périodiques de la dette

Les politiques financières considérées jusqu'ici reposaient soit sur un taux d'endettement stable tout au long du projet, soit sur une dette déterminée à l'avance et indépendante du succès ou de l'échec du projet. En fait, beaucoup d'entreprises pratiquent plutôt des ajustements périodiques de leur dette, lorsque leur taux d'endettement s'écarte trop de la cible qu'elles visent[23] : moins de 10 % des entreprises mettent en œuvre un ciblage strict de leur taux d'endettement, mais la majorité des entreprises définit une fourchette dans lequel il peut fluctuer. C'est le cas de 70 % des entreprises allemandes, 60 % des entreprises anglaises, 75 % des entreprises américaines et 40 % des entreprises françaises. Comment adapter les méthodes des sections précédentes à cette politique financière ?

Supposons qu'une entreprise a une politique financière qui consiste à ajuster sa dette toutes les s périodes (figure 18.1). Les économies d'impôt qui se produisent avant la date s sont donc connues avec certitude et doivent être actualisées au taux r_D. Au

---

23. D. Brounen, A. de Jong, K. Koedijk (2004), « Corporate Finance in Europe: Confronting Theory with Practice », *Financial Management*, 33(1). J. Graham et C. Harvey (2001), « The Theory and Practice of Corporate Finance: Evidence from the Field », *Journal of Financial Economics*, 60, 187-243.

contraire, les économies d'impôt postérieures à la date s dépendent de la variation future de la dette de l'entreprise, aujourd'hui inconnue. Cette incertitude disparaîtra à la date s. Si l'entreprise ajuste sa dette en fonction d'un taux d'endettement cible ou d'un ratio de couverture des frais financiers, ces économies d'impôt doivent donc être actualisées au taux r_D sur la période pendant laquelle elles seront certaines, mais au taux r_U tant qu'elles sont encore incertaines.

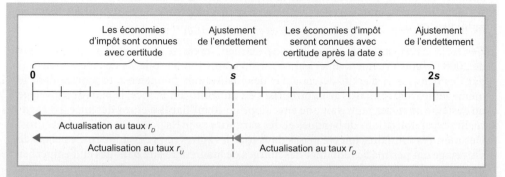

Figure 18.1 – Actualisation des économies d'impôt en présence d'ajustements périodiques de la dette

Si l'entreprise ajuste sa dette toutes les s périodes, les économies d'impôt relatives aux premières périodes sont connues. Elles doivent être actualisées au taux r_D. Les économies d'impôt postérieures à la date s doivent être actualisées au taux r_D sur la période postérieure à s (car elles seront connues avec certitude en s, la dette ayant été ajustée à ce moment-là) et au taux r_U avant la date s, car elles ne sont alors pas connues avec certitude (elles dépendent d'un choix qui sera effectué seulement en s).

Un cas particulier survient lorsque la dette est ajustée à intervalle *annuel*. Les intérêts prévus à la date t, Int_t, sont connus avec certitude en $t - 1$. Il convient donc d'actualiser les économies d'impôt au taux r_D pendant un an, entre t et $t - 1$, parce qu'elles sont connues avec certitude, et au taux r_U sur la période précédente, c'est-à-dire entre $t - 1$ et 0 :

$$VA\left(\tau_{IS} \times Int_t\right) = \frac{\tau_{IS} \times Int_t}{\left(1+r_U\right)^{t-1}\left(1+r_D\right)} = \frac{\tau_{IS} \times Int_t}{\left(1+r_U\right)^t} \times \left(\frac{1+r_U}{1+r_D}\right) \qquad (18.16)$$

L'équation (18.16) permet d'estimer la valeur actuelle des économies d'impôt d'une entreprise ajustant sa dette une fois par an : il faut actualiser les économies futures d'impôt au taux r_U et appliquer un terme de correction $(1 + r_U) / (1 + r_D)$ pour prendre en compte le fait que les économies d'impôt sont connues avec certitude un an avant qu'elles ne se produisent.

On peut appliquer ce raisonnement aux autres méthodes d'évaluation ; ainsi, lorsque la dette est ajustée une fois par an plutôt qu'en permanence pour revenir au taux d'endettement cible d de l'entreprise, le CMPC de l'équation (18.11) devient[24] :

$$r_{CMPC} = r_U - d\tau_{IS}r_D\frac{1+r_U}{1+r_D} \qquad (18.17)$$

---

24. J. A. Miles et J. R. Ezzell (1980), « The Weighted Average Cost of Capital, Perfect Capital Markets and Project Life: A Clarification », *Journal of Financial and Quantitative Analysis*, 15(3), 719-730.

De la même manière, lorsque l'entreprise ajuste sa dette une fois par an en fonction de ses flux de trésorerie disponibles futurs pour stabiliser son ratio de couverture des frais financiers, l'équation (18.14) devient :

$$V^D = \left(1 + \tau_{IS}\lambda\frac{1+r_U}{1+r_D} \right)V^U \qquad (18.18)$$

Taux d'endettement constant et ajustement annuel de la dette

Exemple 18.11

Coolmax espère bénéficier cette année de flux de trésorerie disponibles de 8 millions d'euros. L'entreprise estime à 4 % par an le taux de croissance futur de ces flux, à l'infini. L'entreprise a 40 millions d'euros de dette. Coolmax ajustera une fois par an sa dette pour maintenir constant son taux d'endettement. Le taux d'intérêt est de 5 %, le coût du capital à endettement nul est de 12 %. Le taux d'imposition est de 25 %. Quelle est la valeur de Coolmax ?

Solution

En utilisant la méthode de la VAN ajustée, on obtient la valeur à endettement nul de l'entreprise : $V^U = 8 / (12 \% - 4 \%) = 100$ millions d'euros. La première année, Coolmax bénéficie de $\tau_{IS}r_D \times V_D = 25 \% \times 5 \% \times 40 = 0,5$ million d'euros d'économies d'impôt. Coolmax ajuste sa dette une fois par an pour avoir un taux d'endettement stable ; les économies d'impôt augmenteront de 4 % par an. Leur valeur actuelle est donc de :

$$VA(EcoIS) = \frac{0,5}{(12 \% - 4 \%)} \times \frac{(1 + 12 \%)}{(1 + 5 \%)} = 6,67 \text{ millions d'euros}$$

On obtient : $V^D = V^U + VA(EcoIS) = 100 + 6,67 = 106,67$ millions d'euros. Il est possible de vérifier ce résultat à l'aide de l'équation (18.17) :

$$r_{CMPC} = r_U - d\tau_{IS}r_D \times \frac{1+r_U}{1+r_D} = 12 \% - \frac{40}{106,67} \times 25 \% \times 5 \% \times \frac{1+12 \%}{1+5 \%} = 11,5 \%$$

Donc $V^D = 8 / (11,5 \% - 4 \%) = 106,67$ millions d'euros.

Il est également possible d'utiliser l'équation (18.8), car Coolmax bénéficie de flux de trésorerie disponibles croissant à taux constant. De ce fait, il est équivalent de dire que Coolmax a une politique de taux d'endettement constant et que Coolmax cherche à stabiliser son ratio de couverture des frais financiers. Avec un taux d'intérêt de 5 % et des intérêts de 5 % × 40 = 2 millions d'euros la première année :

$$V^D = \left(1 + \tau_{IS}\lambda\frac{1+r_U}{1+r_D} \right) \times V^U = \left(1 + 25 \% \times \frac{2}{8} \times \frac{1,12}{1,05} \right) \times 100 = 106,67 \text{ millions d'euros}$$

Taux d'endettement et coût du capital

Sous l'hypothèse de stabilité du taux d'endettement, la relation entre dette et coût du capital d'un projet est décrite par les équations (18.6), (18.10) et (18.11), car les économies d'impôt présentent un risque identique aux flux de trésorerie du projet. Au contraire, lorsque la dette est déterminée à l'avance, les économies d'impôt sont connues à l'avance et peu risquées, ce qui réduit l'effet de la dette sur le risque des capitaux propres de l'entreprise. Il faut donc déduire la valeur actuelle de ces économies d'impôt « sans risque » $VA(EcoIS_{Sans\ risque})$ de la dette[25] lorsqu'on cherche à mesurer l'influence de la dette sur le risque des capitaux propres :

$$V_{D,\ ajustée} = V_D - VA\left(EcoIS_{Sans\ risque}\right) \qquad (18.19)$$

Comme le démontre l'annexe de ce chapitre, il demeure possible d'utiliser les équations (18.6) et (18.10), en remplaçant V_D par $V_{D,\ ajustée}$. Une version plus générale de ces équations reliant coût du capital à endettement nul et coût des capitaux propres est donc :

Coût du capital à endettement nul si la dette est déterminée à l'avance

$$r_U = \frac{V_{CP}}{V_{CP} + V_{D,\ ajustée}}r_{CP} + \frac{V_{D,\ ajustée}}{V_{CP} + V_{D,\ ajustée}}r_D,\ \text{soit}: r_{CP} = r_U + \frac{V_{D,\ ajustée}}{V_{CP}}(r_U - r_D) \quad (18.20)$$

Il est possible de combiner l'équation (18.20) avec le CMPC défini par l'équation (18.1) afin de généraliser l'équation (18.11) :

CMPC d'un projet si la dette est déterminée à l'avance

$$r_{CMPC} = r_U - d\,\tau_{IS}\left[r_D + \phi\left(r_U - r_D\right)\right] \qquad (18.21)$$

avec $d = V_D / (V_D + V_{CP})$ et $\phi = VA(EcoIS_{Sans\ risque}) / \tau_{IS}\,V_D$ une mesure de stabilité de la dette V_D. Trois cas permettent d'illustrer l'utilité de ce paramètre, en fonction de la fréquence d'ajustement de la dette[26] :

1. La dette est ajustée en permanence :

$$VA\left(EcoIS_{Sans\ risque}\right) = 0,\ V_{D,\ ajustée} = V_D\ \text{et}\ \phi = 0$$

2. La dette est ajustée une fois par an :

$$VA\left(EcoIS_{Sans\ risque}\right) = \frac{\tau_{IS}r_D V_D}{1 + r_D},\ V_{D,\ ajustée} = \left[1 - \tau_{IS}\frac{r_D}{1 + r_D}\right]V_D\ \text{et}\ \phi = \frac{r_D}{1 + r_D}$$

3. La dette n'est jamais ajustée (elle est constante) :

$$VA\left(EcoIS_{Sans\ risque}\right) = 0,\ V_{D,\ ajustée} = (1 - \tau_{IS})V_D\ \text{et}\ \phi = 1$$

Dans tous les cas, sauf si d et ϕ sont constants, le CMPC et le coût des capitaux propres doivent être calculés à chaque période.

---

25. De même que la trésorerie est déduite de la dette totale pour calculer la dette nette.

26. Le premier cas revient à la formule de Harris-Pringle, le deuxième à celle de Miles-Ezzell et le dernier à celle de Modigliani-Miller-Hamada en présence de dette constante : F. Modigliani et M. Miller (1963), « Corporate Income Taxes and the Cost of Capital: A Correction », *American Economic Review*, 53(3), 433-443 ; R. Hamada (1972), « The Effect of a Firm's Capital Structure on the Systematic Risks of Common Stocks », *Journal of Finance*, 27(2), 435-452.

Exemple 18.12

Méthodes de la VAN ajustée et du CMPC si la dette est permanente

PapierCarton souhaite acheter une forêt, qui produira des flux de trésorerie disponibles de 4 millions d'euros par an à l'infini. Le coût du capital à endettement nul du projet est de 8 %. Pour financer le projet, PapierCarton doit augmenter sa dette de manière permanente de 20 millions d'euros. Le taux d'imposition est de 25 %. Quelle est la valeur de cette acquisition d'après la méthode de la VAN ajustée ? Et d'après la méthode du CMPC ?

Solution

En utilisant la méthode de la VAN ajustée, la valeur à endettement nul du projet est de : $V^U = FTD / r_U = 4 / 8\,\% = 50$ millions d'euros. La dette étant permanente, la valeur actuelle des économies d'impôt est de $VA(EcoIS) = \tau_{IS}V_D = 0,25 \times 20 = 5$ millions d'euros. Donc $V^D = 50 + 5 = 55$ millions d'euros.

Avec la méthode du CMPC, pour appliquer l'équation (18.21), il faut calculer le taux d'endettement : $d = 20 / 55 = 36,4\,\%$. La dette étant constante, on a $\phi = 1$. Le CMPC est par conséquent :

$$r_{CMPC} = r_U - d\tau_{IS}r_U = (1 - d\tau_{IS})r_U = (1 - 25\,\% \times 36,4\%) \times 8\,\% = 7,27\,\%$$

On vérifie que $V^D = 4 / 7,27\,\% = 55$ millions d'euros.

Méthodes du CMPC et des flux de trésorerie pour les actionnaires si le taux d'endettement varie

Pour valoriser une entreprise qui n'a pas de taux d'endettement cible, la méthode de la VAN ajustée est généralement la plus simple : lorsque le taux d'endettement change au fil du temps, le coût des capitaux propres et le CMPC varient également, ce qui complique l'utilisation des méthodes du CMPC ou des flux de trésorerie disponibles pour les actionnaires. Il reste toutefois possible de les utiliser : le tableau 18.9 détaille le coût des capitaux propres et le CMPC du projet lancé par Valexan (lignes 11 et 12). Ils changent chaque année, puisque la dette varie (ligne 3). La valeur du projet est calculée à l'aide de la méthode de la VAN ajustée (ligne 7) : c'est la somme de la valeur à endettement nul du projet et des économies d'impôt.

La valeur des capitaux propres du projet est égale à la valeur du projet moins la dette ; la dette nette ajustée des économies d'impôt sans risque $V_{D,\ ajustée}$ s'obtient en soustrayant de la dette la valeur actuelle des économies d'impôt sans risque. Ces deux variables permettent de calculer le levier effectif (ligne 10) puis le coût des capitaux propres (ligne 11) grâce à l'équation (18.20). Ce coût baisse au fil des années avec le taux d'endettement. En fin d'année 3, Valexan n'a plus de dette ; le coût des capitaux propres est alors égal au coût du capital à endettement nul, 6 %.

Tableau 18.9	VAN ajustée et coût du capital avec dette déterminée à l'avance

Année	0	1	2	3	4
Valeur à endettement nul (en millions d'euros)					
1 Flux de trésorerie disponibles	−30,00	21,00	21,00	21,00	21,00
2 **Valeur à endettement nul, V^U (r_U = 6 %)**	**72,77**	**56,13**	**38,50**	**19,81**	–
Économies d'impôt (en millions d'euros)					
3 Dette déterminée à l'avance, $V_{D,t}$	30,00	20,00	10,00	–	–
4 Charges d'intérêts (r_D = 4 %)	–	1,20	0,80	0,40	–
5 Économies d'impôt *EcoIS*	–	0,30	0,20	0,10	–
6 **VA(EcoIS) [au taux r_D]**	**0,56**	**0,28**	**0,10**	–	–
VAN ajustée (en millions d'euros)					
7 $V^D = V^U + VA(EcoIS)$ (2 + 6)	73,33	56,42	38,69	19,81	–
Dette nette ajustée et coût du capital					
8 $V_{CP} = V^D − V_D$	43,33	36,42	28,60	19,81	–
9 $V_{D,ajustée} = V_D − VA(EcoIS_{sans\,risque})$	29,44	19,72	9,90	–	–
10 Levier effectif $V_{D,ajustée} / V_{CP}$	67,94 %	54,14 %	34,63 %	0,00 %	–
11 r_{CP}	7,36 %	7,08 %	6,69 %	6,00 %	
12 r_{CMPC}	**5,58 %**	**5,64 %**	**5,74 %**	**6,00 %**	

Une fois le coût des capitaux propres connu, le CMPC (ligne 12) est calculé avec l'équation (18.1). Pour la première année du projet :

$$r_{CMPC} = \frac{V_{CP}}{V_{CP} + V_D} r_{CP} + \frac{V_D}{V_{CP} + V_D} r_D (1 - \tau_{IS})$$

$$= \frac{43,33}{73,33} \times 7,36 \% + \frac{30}{73,33} \times 4 \% \times (1 - 25 \%) = 5,58 \%$$

Il est maintenant possible d'utiliser les méthodes du CMPC ou des flux de trésorerie disponibles pour les actionnaires. Puisque le coût des capitaux propres change chaque année, un taux d'actualisation différent est nécessaire pour chaque flux. Ainsi, avec la méthode du CMPC, la valeur du projet pour une année donnée est :

$$V_t^D = \frac{FTD_{t+1} + V_{t+1}^D}{1 + r_{CMPC}(t)} \tag{18.22}$$

avec $r_{CMPC}(t)$ le CMPC pour l'année t. Les calculs pour le projet sont détaillés dans le tableau 18.10. On constate que la valeur endettée du projet est égale à celle obtenue par la méthode de la VAN ajustée (ligne 7 du tableau 18.9)[27].

---

27. Cette approche impose d'évaluer au préalable le projet avec la méthode de la VAN ajustée pour pouvoir calculer r_{CP} et r_{CMPC}. Cela ne semble donc pas très utile ; en fait, il est possible de déterminer *simultanément* la valeur du projet et son CMPC et donc d'appliquer *directement* la méthode du CMPC ou des flux de trésorerie disponibles pour les actionnaires (voir annexe de ce chapitre).

Tableau 18.10	Méthode du CMPC avec une dette déterminée à l'avance					
Année	**0**	**1**	**2**	**3**	**4**
1 Flux de trésorerie disponibles	−30,00	21,00	21,00	21,00	21,00
2 r_{CMPC}		5,58 %	5,64 %	5,74 %	6,00 %	–
3 **Valeur du projet V^D (au r_{CMPC})**	73,33	56,42	38,60	19,81	–

Prise en compte de la fiscalité des investisseurs

Le chapitre 15 a montré que la dette modifie les impôts payés par les entreprises, mais également par les investisseurs. Comment les méthodes d'évaluation présentées dans ce chapitre peuvent-elles être adaptées pour prendre en compte la fiscalité des investisseurs ?

S'ils doivent payer des impôts, les investisseurs exigent une rentabilité plus élevée pour détenir des titres. Mais le coût des capitaux propres et le taux d'intérêt intègrent déjà les effets de la fiscalité relative aux investisseurs : la méthode du CMPC n'est donc pas modifiée par la prise en compte de la fiscalité des investisseurs ; on peut continuer à l'appliquer à l'identique. La méthode de la VAN ajustée requiert, elle, des adaptations : elle impose le calcul du coût du capital à endettement nul, qui est influencé par la fiscalité des investisseurs. Avec τ_{CP} le taux d'imposition sur les dividendes et les plus-values en capital, τ_D le taux d'imposition sur les intérêts perçus par les investisseurs et r_D la rentabilité espérée par les créanciers, il est possible de définir la rentabilité espérée des *capitaux propres* r_D^* qui permet aux *actionnaires* de bénéficier d'une rentabilité après impôt égale à celle dont bénéficient les créanciers : $r_D^*(1-\tau_{CP})=r_D(1-\tau_D)$. Cela peut se réécrire :

$$r_D^* = r_D \frac{(1-\tau_D)}{(1-\tau_{CP})} \qquad (18.23)$$

Le coût du capital à endettement nul concerne par construction une entreprise financée exclusivement par capitaux propres ; les taux d'imposition pertinents sont donc relatifs aux actions. Il faut ainsi utiliser r_D^* pour évaluer le coût du capital à endettement nul. L'équation (18.20) devient :

Coût du capital à endettement nul avec fiscalité des investisseurs

$$r_U = \frac{V_{CP}}{V_{CP} + V_{D,\,ajustée}} r_{CP} + \frac{V_{D,\,ajustée}}{V_{CP} + V_{D,\,ajustée}} r_D^* \qquad (18.24)$$

Il faut ensuite calculer les économies d'impôt permises par la dette, en utilisant l'avantage fiscal effectif de la dette τ^* et non du taux d'imposition τ_{IS} (voir chapitre 15), afin de tenir compte à la fois de l'imposition des entreprises et des investisseurs :

$$\tau^* = 1 - \frac{(1-\tau_{IS})(1-\tau_{CP})}{(1-\tau_D)} \qquad (18.25)$$

Les économies d'impôt réalisées à l'année t sont donc : $EcoIS_t = \tau^* \times r_D^* \times V_{t-1}^D$. Il convient de les actualiser au taux r_U si l'entreprise a un taux d'endettement cible ou au taux r_D^* si la dette est déterminée à l'avance[28].

L'exemple 18.13 montre qu'il est plus simple d'utiliser la méthode du CMPC que celle de la VAN ajustée lorsqu'on prend en compte la fiscalité des investisseurs. De plus, cette méthode n'impose pas de connaître les taux marginaux d'imposition des investisseurs, ce qui est appréciable compte tenu de la complexité du sujet. Notons néanmoins que cet attrait de la méthode du CMPC disparaît si le projet n'a pas le même risque ou le même financement que l'entreprise : impossible alors de ne pas se préoccuper des taux d'imposition des investisseurs, indispensables pour l'équation (18.24).

Exemple 18.13

La méthode de la VAN ajustée avec fiscalité des investisseurs

Alphex a un coût des capitaux propres de 13,5 % et un coût de la dette de 6 %. L'entreprise vise un taux d'endettement constant de 50 %. Alphex envisage de construire une usine qui produira des flux de trésorerie disponibles de 4 millions d'euros la première année, qui augmenteront ensuite de 4 % par an à l'infini. L'investissement est de 60 millions d'euros, financé avec 40 millions de dette (constante). Le taux d'imposition sur les bénéfices des entreprises est de 25 %. Le taux d'imposition sur les intérêts perçus par les investisseurs est de 37 %, et celui relatif aux dividendes est de 24,4 %. À l'aide de la méthode de la VAN ajustée, quelle est la valeur actuelle du projet ?

Solution

Il faut tout d'abord calculer la valeur du projet à endettement nul. Si on utilise l'équation (18.23), un coût de la dette de 6 % est égal, une fois la différence de taux d'imposition neutralisée, à un coût des capitaux propres de :

$$r_D^* = r_D \frac{(1 - \tau_D)}{(1 - \tau_{CP})} = 6\ \% \times \frac{(1 - 37\ \%)}{(1 - 24,4\ \%)} = 5\ \%$$

Alphex maintient constant son taux d'endettement, d'où $V_{D,\ ajustée} = V_D$ et le capital à endettement nul est calculé avec l'équation (18.24) :

$$r_U = \frac{V_{CP}}{V_{CP} + V_{D,\ ajustée}} r_{CP} + \frac{V_{D,\ ajustée}}{V_{CP} + V_{D,\ ajustée}} r_D^* = 50\ \% \times 14\ \% + 50\ \% \times 5\ \% = 9,25\ \%$$

Par conséquent, $V^U = 4 / (9,25\ \% - 4\ \%) = 76,2$ millions d'euros. L'avantage fiscal effectif de la dette est calculé avec l'équation (18.25) :

$$\tau^* = 1 - \frac{(1 - \tau_{IS})(1 - \tau_{CP})}{(1 - \tau_D)} = 1 - \frac{(1 - 25\ \%)(1 - 24,4\ \%)}{(1 - 37\ \%)} = 10\ \%$$

Alphex augmente sa dette de 40 millions d'euros au début du projet. Les économies d'impôt sont de 10 % × 5 % × 40 = 0,2 million d'euros la première année, en utilisant r_D^*. Avec un taux de croissance de 4 %, la valeur actuelle des économies d'impôt est de :

$$VA(EcoIS) = 0,2 / (9,25\ \% - 4\ \%) = 3,8\ \text{millions d'euros}$$

...

---

28. Si la dette est permanente, la valeur des économies d'impôt permises par la dette est $\tau^* r_D^* V_D / r_D^* = \tau^* V_D$, comme le montre le chapitre 15.

Exemple 18.13

…

Grâce à la méthode de la VAN ajustée, on calcule la valeur du projet :

$$V^D = V^U + VA(EcoIS) = 76,2 + 3,8 = 80 \text{ millions d'euros}$$

Il est possible de vérifier ce résultat grâce à la méthode du CMPC. Le taux d'endettement est de 40 / 80 = 50 %, donc :

$$r_{CMPC} = \frac{V_{CP}}{V_{CP} + V_D} r_{CP} + \frac{V_D}{V_{CP} + V_D} r_D (1 - \tau_{IS})$$

$$= 50 \text{ %} \times 13,5 \text{ %} + 50 \text{ %} \times 6 \text{ %} \times (1 - 25 \text{ %}) = 9 \text{ %}$$

Et $V^D = 4 / (9 \text{ %} - 4 \text{ %}) = 80$ millions d'euros.

Résumé

18.1. La méthode du coût moyen pondéré du capital

■ La méthode du CMPC consiste à :

   a. Déterminer les flux de trésorerie disponibles du projet ;

   b. Calculer le coût moyen pondéré du capital *après impôt* grâce à l'équation :

$$r_{CMPC} = \frac{V_{CP}}{V_{CP} + V_D} r_{CP} + \frac{V_D}{V_{CP} + V_D} r_D \left(1 - \tau_{IS}\right) \tag{18.1}$$

   c. Calculer la VAN du projet en actualisant les flux de trésorerie disponibles au CMPC. Cette valeur tient compte des économies d'impôt permises par la dette.

18.2. La méthode de la VAN ajustée

■ La méthode de la VAN ajustée consiste à :

   a. Déterminer la valeur du projet à endettement nul V^U grâce à l'actualisation des flux de trésorerie disponibles au coût du capital à endettement nul r_U.

   b. Déterminer la valeur actuelle des économies d'impôt permises par la dette. Les économies d'impôt sont le produit des intérêts payés et du taux d'imposition ; elles doivent être actualisées, si l'entreprise a un taux d'endettement constant, au taux r_U.

   c. Faire la somme de la valeur du projet à endettement nul V^U et de la valeur actuelle des économies d'impôt pour obtenir la valeur du projet V^D.

18.3. La méthode des flux de trésorerie disponibles pour les actionnaires

■ La méthode des flux de trésorerie disponibles pour les actionnaires consiste à :

   a. Déterminer les flux de trésorerie disponibles pour les actionnaires :

$$FTDA_t = FTD_t - \underbrace{\left(1 - \tau_{IS}\right)Int_t}_{\text{Charges d'intérêts après impôt}} + V_{D,\, t} \tag{18.9}$$

b. Déterminer le coût des capitaux propres r_{CP} ;

c. Actualiser les flux de trésorerie disponibles pour les actionnaires au coût des capitaux propres pour obtenir la valeur des capitaux propres V_{CP}.

8.4. Comment faire quand le risque du projet n'est pas celui de l'entreprise ?

- Si un projet présente un risque différent de celui de l'entreprise qui l'entreprend, il faut calculer le coût du capital du projet, par exemple à partir de celui d'entreprises du même secteur et de même risque que celui du projet (méthode des comparables).

- Lorsque l'entreprise a un taux d'endettement cible, les relations entre le CMPC, le coût des capitaux propres et le coût du capital à endettement nul sont :

$$r_U = \frac{V_{CP}}{V_{CP}+V_D}r_{CP} + \frac{V_D}{V_{CP}+V_D}r_D = \text{CMPC avant impôt} \qquad (18.6)$$

$$r_{CP} = r_U + \frac{V_D}{V_{CP}}\left(r_U - r_D\right) \qquad (18.10)$$

$$r_{CMPC} = r_U - d\tau_{IS}r_D, \qquad (18.11)$$

avec $d = V_D/(V_D + V_{CP})$ le taux d'endettement relatif au projet.

8.5. Comment faire quand le taux d'endettement n'est pas constant ?

- Une entreprise qui vise un ratio de couverture des frais financiers stable ajuste sa dette pour que les charges d'intérêts correspondent à une fraction λ constante de ses flux de trésorerie disponibles. Avec une telle politique financière, la valeur d'un projet, tenant compte des économies d'impôt, est $V^D = (1 + \tau_{IS}\lambda)\,V^U$.

- Lorsque la dette est déterminée à l'avance, il faut actualiser les économies d'impôt au coût de la dette r_D ; il n'est pas possible de calculer le coût du capital à endettement nul à l'aide de la formule du CMPC avant impôt.

- Si une entreprise a une dette V_D constante, la valeur d'un projet, tenant compte des économies d'impôt, est : $V^D = V^U + \tau_{IS} \times V_D$.

- En général, la méthode du CMPC est la plus simple lorsque l'entreprise a un taux d'endettement constant pendant la vie du projet. Pour les autres politiques financières, la méthode de la VAN ajustée est à privilégier.

18.6. Comment prendre en compte d'autres imperfections de marché ?

- Les coûts de transaction liés à l'émission de titres, les potentielles erreurs de valorisation des titres et les coûts des difficultés financières doivent être inclus dans le calcul de la valeur d'un projet.

18.7. Généralisation à d'autres politiques financières

- Si une entreprise vise un taux d'endettement constant mais qu'elle n'ajuste sa dette qu'une fois par an, la valeur des économies d'impôt augmente d'un facteur $(1 + r_U)/(1 + r_D)$.

- Si une entreprise n'ajuste pas sa dette de manière continue, ce qui implique qu'une partie des économies d'impôt est déterminée à l'avance, les relations entre le CMPC, le coût des capitaux propres et le coût du capital à endettement nul sont :

$$r_U = \frac{V_{CP}}{V_{CP} + V_{D,\,ajustée}} r_{CP} + \frac{V_{D,\,ajustée}}{V_{CP} + V_{D,\,ajustée}} r_D, \qquad (18.20)$$

$$\text{soit} : r_{CP} = r_U + \frac{V_{D,\,ajustée}}{V_{CP}} (r_U - r_D)$$

$$r_{CMPC} = r_U - d\tau_{IS} \left[r_D + \phi(r_U - r_D) \right] \qquad (18.21)$$

avec $d = V_D / (V_D + V_{CP})$ et $\phi = VA(EcoIS_{Sans\,risque}) / \tau_{IS} V_D$ une mesure de stabilité de la dette V_D

- La prise en compte de la fiscalité des investisseurs ne modifie pas la méthode du CMPC, qui est donc d'application directe, contrairement aux deux autres méthodes.

Annexe – Fondements théoriques et approfondissements

Cette annexe présente les fondements théoriques de la méthode du CMPC, puis revient sur la relation entre coût du capital à endettement nul et coût moyen pondéré du capital, avant d'illustrer la manière de déterminer simultanément la dette et la valeur d'un projet.

Fondement théorique de la méthode du CMPC

On peut recourir à la méthode du CMPC pour valoriser un projet financé en tout ou partie par de la dette, grâce à l'équation (18.2). Pour établir la formule du CMPC, partons d'une entreprise financée par un mélange de dette et capitaux propres. Les actionnaires exigent une rentabilité r_{CP}, les créanciers une rentabilité r_D. Au total, l'entreprise devra verser à ses investisseurs l'an prochain :

$$V_{CP} (1 + r_{CP}) + V_D (1 + r_D) \qquad (18A.1)$$

Quelle sera la valeur de l'entreprise l'an prochain ? Elle produit des flux de trésorerie disponibles FTD_1 en fin de première année. De plus, étant endettée, elle bénéficie d'économies d'impôt, $\tau_{IS} \times Int_t = \tau_{IS} r_D V_D$. L'entreprise, si elle poursuit ses activités un an de plus, a une valeur terminale de V_1^D. Pour satisfaire les investisseurs, il est nécessaire que les flux de trésorerie disponibles soient tels que :

$$V_{CP} \left(1 + r_{CP}\right) + V_D \left(1 + r_D\right) = FTD_1 + \tau_{IS} r_D V_D + V_1^D \qquad (18A.2)$$

Or, $V_0^D = V_{CP} + V_D$. Il est donc possible de réécrire l'équation (18.1) :

$$r_{CMPC} = \frac{V_{CP}}{V_0^D} r_{CP} + \frac{V_D}{V_0^D} r_D \left(1 - \tau_{IS}\right) \qquad (18A.3)$$

Il est possible d'utiliser l'équation (18A.3) pour réécrire l'équation (18A.2) :

$$\underbrace{\frac{V_{CP}\left(1+r_{CP}\right)+V_D\left[1+r_D\left(1-\tau_{IS}\right)\right]}{V_0^D\left(1+r_{CMPC}\right)}} = FTD_1 + V_1^D \tag{18A.4}$$

En divisant cette équation par $(1 + r_{CMPC})$, il est possible d'exprimer la valeur de l'entreprise en fonction de la valeur actualisée des flux de trésorerie disponibles de la période suivante et de sa valeur terminale :

$$V_0^D = \frac{FTD_1 + V_1^D}{1+r_{CMPC}} \tag{18A.5}$$

De la même manière, il est possible de calculer la valeur dans un an, V_1^D, en faisant la somme de la valeur actualisée des flux de trésorerie disponibles de la période suivante et de la valeur terminale en année 2. Si le CMPC demeure inchangé :

$$V_0^D = \frac{FTD_1 + V_1^D}{1+r_{CMPC}} = \frac{FTD_1 + \dfrac{FTD_2 + V_2^D}{1+r_{CMPC}}}{1+r_{CMPC}} = \frac{FTD_1}{1+r_{CMPC}} + \frac{FTD_2 + V_2^D}{\left(1+r_{CMPC}\right)^2} \tag{18A.6}$$

Sous l'hypothèse que le CMPC est constant, et en remplaçant à l'infini la valeur terminale de la période n par le flux de la période n et la valeur terminale de la période $n + 1$, on parvient à l'équation (18.2)[29] :

$$V_0^D = \frac{FTD_1}{1+r_{CMPC}} + \frac{FTD_2}{\left(1+r_{CMPC}\right)^2} + \frac{FTD_3}{\left(1+r_{CMPC}\right)^3} + \ldots \tag{18A.7}$$

La valeur d'une entreprise financée en tout ou partie par dette est la valeur actuelle des flux de trésorerie disponibles futurs actualisés au coût moyen pondéré du capital.

Coût du capital à endettement nul et coût du capital

Quelle relation existe-t-il entre le coût du capital à endettement nul et le coût du capital ? Prenons le cas d'un investisseur qui détient un portefeuille constitué de l'ensemble des actions et des titres de dette émis par une entreprise. Cet investisseur reçoit l'intégralité des flux de trésorerie disponibles augmentés des économies d'impôt permises par la dette. Ces flux sont égaux à ceux qu'il recevrait s'il détenait toutes les actions d'une entreprise similaire non endettée, *augmentés des économies d'impôt*. D'après la Loi du prix unique, ces deux portefeuilles offrant les mêmes flux de trésorerie, ils doivent avoir la même valeur de marché :

$$V^D = V_{CP} + V_D = V^U + VA\left(EcoIS\right) \tag{18A.8}$$

---

29. Cette démarche est identique à celle du chapitre 9 pour démontrer la formule du modèle d'actualisation des dividendes.

avec $VA(EcoIS)$ la valeur actuelle des économies d'impôt. L'équation (18A.8) est au fondement de la méthode de la VAN ajustée : ces portefeuilles offrant des flux de trésorerie identiques, ils doivent avoir la même rentabilité espérée, donc :

$$V_{CP}r_{CP} + V_D r_D = V^U r_U + VA(EcoIS)r_{EcoIS} \qquad (18A.9)$$

avec r_{EcoIS} la rentabilité espérée des économies d'impôt. La relation entre r_{CP}, r_D et r_U est donc fonction de r_{EcoIS}, qui est déterminé par le risque associé aux économies d'impôt, ce dernier étant fonction de la politique financière de l'entreprise.

Taux d'endettement constant. Si l'entreprise ajuste sa dette en permanence pour conserver constant son taux d'endettement, le risque lié aux économies d'impôt est équivalent à celui des flux de trésorerie disponibles de l'entreprise : $r_{EcoIS} = r_U$. On peut réécrire l'équation (18A.9) :

$$V_{CP}r_{CP} + V_D r_D = V^U r_U + VA(EcoIS)r_U = \left(V^U + VA(EcoIS)\right)r_U = \left(V_{CP} + V_D\right)r_U \qquad (18A.10)$$

En divisant cette équation par $(V_{CP} + V_D)$, on obtient l'équation (18.6).

Dette déterminée à l'avance. Si l'entreprise détermine à l'avance l'évolution d'une partie de sa dette, indépendamment de ses flux de trésorerie futurs, la valeur des économies d'impôt relatives à cette partie prédéterminée de la dette est $VA(EcoIS_{Sans\ risque})$. Le solde des économies d'impôt, la différence entre $VA(EcoIS)$ et $VA(EcoIS_{Sans\ risque})$, dépend de l'évolution non prédéterminée de la dette, que l'on suppose dépendre d'un taux d'endettement cible. Le risque des économies d'impôt liées à la dette déterminée à l'avance est égal à celui de la dette elle-même. L'équation (18A.9) devient donc :

$$\begin{aligned}
V_{CP}r_{CP} + V_D r_D &= V^U r_U + VA(EcoIS)\, r_{EcoIS} \\
&= V^U r_U + \left(VA(EcoIS) - VA(EcoIS_{sans\ risque})\right)r_U + VA(EcoIS_{sans\ risque})r_D
\end{aligned}$$

En soustrayant $VA(EcoIS_{Sans\ risque})r_D$ de chaque côté de l'équation et en utilisant $V_{D,\ ajustée} = V_D - VA(EcoIS_{Sans\ risque})$:

$$\begin{aligned}
V_{CP}r_{CP} + V_{D,\ ajustée}\, r_D &= \left(V^U + VA(EcoIS) - VA(EcoIS_{sans\ risque})\right)r_U \\
&= \left(V^D - VA(EcoIS_{sans\ risque})\right)r_U = \left(V_{CP} + V_{D,\ ajustée}\right)r_U
\end{aligned}$$

En divisant cette équation par $(V_{CP} + V_{D,\ ajustée})$, on obtient l'équation (18.20).

Risque des économies d'impôt avec un taux d'endettement constant. Le raisonnement précédent repose sur l'hypothèse que $r_{EcoIS} = r_U$ si le taux d'endettement est constant. Pourquoi ? Viser un taux d'endettement constant consiste à avoir une dette égale à une fraction constante de la valeur de l'entreprise $d(t)$ ou de ses flux de trésorerie disponibles futurs $k(t)$. La valeur à la date t des économies d'impôt permises par les flux de trésorerie disponibles du projet à la date $s\ FTD_s$ est proportionnelle à $V_t(FTD_s)$. Elle doit donc être actualisée au même taux que les flux de trésorerie disponibles FTD_s. L'hypothèse $r_{EcoIS} = r_U$ est donc vérifiée tant que le coût du capital associé à tous les flux de trésorerie disponibles futurs est identique (ce qui est l'hypothèse habituelle lorsqu'on réfléchit à un choix d'investissement)[30].

Évaluation simultanée de la dette et de la valeur d'un projet

Lorsqu'on utilise la méthode de la VAN ajustée, il faut connaître la dette de l'entreprise pour calculer les économies d'impôt et déterminer la valeur du projet. Si l'entreprise vise un taux d'endettement constant, il faut pourtant connaître au préalable la valeur du projet pour calculer l'évolution de la dette. Pour ne pas tourner en rond, il faut calculer *simultanément* la dette et la valeur du projet. Pour cela, le recours à un tableur s'impose.

Le tableau 18A.1 reprend le calcul de la VAN ajustée de la section 18.2. Pour l'instant, on travaille avec une dette arbitraire (ligne 3). Elle n'est donc pas cohérente avec le taux d'endettement de 50 % que Valexan souhaite avoir. Mais on connaît maintenant la valeur du projet en année 0 : 73,56 millions d'euros. On peut donc recalculer la dette pour qu'elle atteigne 50 % de la valeur du projet : 50 % × 73,56 = 36,78 millions d'euros. Cependant cela ne fonctionne toujours pas car, lorsqu'on modifie la dette dans le tableau[31], cela modifie les économies d'impôt, et donc la valeur du projet...

Tableau 18A.1	VAN ajustée du projet avec une dette arbitraire				
Année	**0**	**1**	**2**	**3**	**4**
Valeur à endettement nul (en millions d'euros)					
1 Flux de trésorerie disponibles	−30,00	21,00	21,00	21,00	21,00
2 **Valeur à endettement nul V^U (avec r_U = 6 %)**	72,77	56,13	38,50	19,81	–
Économies d'impôt (en millions d'euros)					
3 Dette (arbitraire)	30,00	30,00	20,00	10,00	–
4 Charges d'intérêts (r_D = 4 %)	–	1,20	1,20	0,80	0,40
5 Économies d'impôt (*EcoIS*)	–	0,30	0,30	0,20	0,10
6 **VA(*EcoIS*) [r_U = 6 %]**	0,80	0,54	0,28	0,09	–
VAN ajustée (en millions d'euros)					
7 **$V^D = V^U$ + VA(*EcoIS*)** (2 + 6)	73,56	56,88	38,78	19,81	–

Pour trouver la « bonne » dette, il faut calculer *en même temps* la dette et la valeur du projet. Mais dans le tableur, la ligne 7 dépend de la ligne 3 *et réciproquement*, il y a donc une référence circulaire qui provoque une erreur. Pour résoudre cela, il faut cocher l'option « Activer le calcul itératif », dans « Options Excel / Formules ». Le tableur procède alors par itération jusqu'à converger vers des valeurs cohérentes entre les lignes 3 et 7 (voir résultats dans le tableau 18A.2).

---

30. Si les flux de trésorerie ont des risques différents les uns des autres, r_{EcoIS} est égal à la moyenne pondérée des coûts du capital à endettement nul de chaque flux de trésorerie, les pondérations dépendant de *d* ou *k*. P. DeMarzo (2005), « Discounting Tax Shields and the Unlevered Cost of Capital », *document de travail*.

31. En fixant les données de la ligne 3 à 50 % de la valeur de la ligne 7 du tableau.

Il faut procéder de même lorsqu'on utilise la méthode du CMPC avec une dette déterminée à l'avance : il faut connaître la valeur du projet pour calculer le taux d'endettement et donc le CMPC, mais celui-ci est nécessaire pour calculer la valeur du projet !

Tableau 18A.2   VAN ajustée du projet après profilage de la dette (calcul par itération)

	Année	0	1	2	3	4
Valeur à endettement nul (en millions d'euros)						
1 Flux de trésorerie disponibles		−30,00	21,00	21,00	21,00	21,00
2 **Valeur à endettement nul V^U (avec $r_U = 6\,\%$)**		**72,77**	**56,13**	**38,50**	**19,81**	–
Économies d'impôt (en millions d'euros)						
3 Dette profilée pour avoir $d = 50\,\%$		36,80	28,33	19,39	9,95	–
4 Charges d'intérêts ($r_D = 4\,\%$)		–	1,47	1,13	0,78	0,40
5 Économies d'impôt (*EcoIS*)		–	0,37	0,28	0,19	0,10
6 **VA(*EcoIS*) [$r_U = 6\,\%$]**		**0,84**	**0,52**	**0,27**	**0,09**	–
VAN ajustée (en millions d'euros)						
7 $V^D = V^U + $ **VA(*EcoIS*)** (2 + 6)		**73,61**	**56,66**	**38,77**	**19,91**	–

Exercices

L'astérisque désigne les exercices les plus difficiles.

1. Les projets suivants présentent-ils le même risque que l'entreprise qui les initie ?

   a. Procter & Gamble veut commercialiser une lessive.

   b. Procter & Gamble veut acheter un nouvel immeuble pour agrandir son siège social.

   c. Auchan décide d'ouvrir 15 nouveaux magasins en France.

   d. Auchan décide d'ouvrir 15 nouveaux magasins au Vietnam.

2. L'entreprise Malta a émis 665 millions d'actions. Leur prix de marché est de 74,77 €. L'entreprise a une dette de 25 milliards d'euros. Dans trois ans, si Malta a 700 millions d'actions valant chacune 83 €, de combien l'entreprise aura-t-elle dû ajuster sa dette pour conserver un taux d'endettement inchangé ?

3. Intol a une capitalisation boursière de 121 milliards d'euros, 7,2 milliards de dette et 14,7 milliards de trésorerie. Son résultat d'exploitation est de 18 milliards d'euros. Si Intol décide d'augmenter sa dette de 1 milliard pour racheter des actions, quelles seront les principales imperfections de marché à prendre en compte pour analyser l'effet de l'opération sur la valeur d'Intol ? Pourquoi ?

4. Montmaur Aventures est une agence de tourisme des Hautes-Alpes. La valeur de l'entreprise est de 3,5 millions d'euros. Sa dette est sans risque et son levier est constant à 25 %. En fonction de l'enneigement qu'il y aura l'an prochain, la valeur de l'entreprise passera à 5 millions d'euros si la saison s'annonce bien et à 2,5 millions dans le cas contraire.

   a. Quel est le montant initial de la dette ?

   b. Calculez la variation en pourcentage de la valeur de l'entreprise, de ses capitaux propres et de sa dette une fois le niveau d'enneigement connu, mais avant que l'entreprise n'ajuste sa dette.

   c. Calculez la variation en pourcentage de la valeur de la dette une fois que l'entreprise a ajusté sa dette.

   d. Que peut-on dire du risque lié aux économies d'impôt permises par la dette ?

5. AquaSolAir, entreprise spécialisée dans les économies d'énergie, souhaite vendre une de ses usines. Cette usine produit des flux de trésorerie disponibles annuels de 1,5 million d'euros, en croissance de 2,5 % par an à l'infini. AquaSolAir a un coût des capitaux propres de 8,5 % et un coût de la dette de 7 %. Elle est imposée au taux de 25 %. Son levier est de 2,6. L'usine en question présente un risque identique à celui de l'entreprise. La politique financière d'AquaSolAir est de conserver un levier constant. Quel est le prix que l'entreprise doit exiger pour que la vente de son usine soit profitable ?

6. Framex a un coût des capitaux propres de 10 %. Sa capitalisation boursière est de 10,8 milliards d'euros. La valeur de marché de son actif net est de 14,4 milliards d'euros. Le coût de la dette est de 6,1 % et le taux d'imposition de 25 %.

   a. Quel est le CMPC de Framex ?

   b. Si l'entreprise désire maintenir constant son levier, quelle est la valeur d'un projet ayant le même risque que l'entreprise et des flux de trésorerie disponibles annuels de – 100, 50, 100 et enfin 70 ?

   c. En conservant un levier constant, quelle est la capacité d'endettement permise par le projet ?

7. Acort a émis 10 millions d'actions, valant chacune 40 €. L'entreprise a une dette de maturité quatre ans, sans risque, offrant un coupon annuel de 10 %. La valeur nominale de la dette est de 100 millions d'euros. Le prochain coupon sera détaché dans exactement un an. Le taux d'intérêt sans risque, pour n'importe quelle échéance, est de 6 %. Acort a un résultat d'exploitation de 94,7 millions d'euros, constant à l'infini. Les investissements sont égaux aux amortissements (13 millions d'euros par an). Le BFR est stable. Le taux d'imposition est de 25 %. Acort souhaite maintenir constant son levier. Quel est le CMPC d'Acort ? Quel est le coût des capitaux propres de l'entreprise ?

8. Sokgène a un coût des capitaux propres de 8,5 % et un coût de la dette de 7 %. Le taux d'imposition est de 25 %. Sokgène a un levier de 2,6, qu'elle souhaite conserver constant.

   a. Quel est le CMPC de Sokgène ?

   b. Quel est son coût du capital à endettement nul ?

   c. Pourquoi le coût du capital à endettement nul de Sokgène est-il plus faible que son coût des capitaux propres et plus élevé que son CMPC ?

9. L'entreprise Marquant lance un nouveau produit qui permettra à l'entreprise de disposer de flux de trésorerie disponibles supplémentaires de 750 000 € la première année, puis en augmentation de 4 % par an à l'infini. L'investissement est de 10 millions d'euros. Marquant a un coût des capitaux propres de 11,3 %, un coût de la dette de 4,33 % et un taux d'imposition de 25 %. L'entreprise souhaite maintenir son levier à 0,4.

   a. Quelle est la VAN du nouveau produit (en tenant compte des économies d'impôt) ?

   b. Quelle est la dette supplémentaire que doit contracter l'entreprise ?

   c. Quelle est la part de la valeur du projet provenant des économies d'impôt ?

10. (Suite de l'exercice 6).

   a. Quel est le coût du capital à endettement nul de Framex ?

   b. Quelle est la valeur à endettement nul du projet ?

   c. Quelle est la valeur actuelle des économies d'impôt associées au projet ?

   d. La VAN du projet calculée avec la méthode de la VAN ajustée est-elle identique à celle obtenue par la méthode du CMPC ?

11. (Suite de l'exercice 10).

   a. Quels sont les flux de trésorerie disponibles pour les actionnaires de Framex ?

   b. Quelle est la VAN du projet, d'après la méthode des flux de trésorerie disponibles pour les actionnaires ? Trouve-t-on le même résultat qu'avec la méthode du CMPC ?

12. AMC réalise cette année un profit avant intérêts et impôts de 2 000 €. Ce profit devrait augmenter à l'infini de 3 % par an. Les investissements sont égaux aux amortissements, le BFR est stable. Le taux d'imposition est de 25 %. AMC a une dette de 5 000 €, sans risque, au taux de 5 %. L'entreprise vise un levier constant. La rentabilité espérée du portefeuille de marché est de 11 %. Le bêta des actifs du secteur d'AMC est de 1,1.

   a. Si AMC était financée exclusivement par capitaux propres, quelle serait sa valeur de marché ?

   b. Si la dette est correctement évaluée par le marché, combien d'intérêts devra payer AMC l'an prochain ? Si la dette d'AMC augmente de 3 % par an, quel sera le taux d'augmentation de ses charges d'intérêts ?

   c. Même si la dette d'AMC est sans risque, le taux de croissance futur de l'endettement est incertain. En supposant que les charges d'intérêts futures ont le même bêta que les actifs de l'entreprise, quelle est la valeur actuelle des économies d'impôt ?

   d. Grâce à la méthode de la VAN ajustée, quelle est la valeur d'AMC V^D ? Quelle est la valeur de marché de ses capitaux propres ?

   e. Quel est le CMPC de l'entreprise ?

   f. Grâce à la méthode du CMPC, quelle est la rentabilité espérée des capitaux propres de l'entreprise ?

   g. L'équation $\beta_U = \dfrac{V_{CP}}{V_{CP}+V_D}\beta_{CP} + \dfrac{V_D}{V_{CP}+V_D}\beta_D$ est-elle vérifiée dans le cas d'AMC ?

   h. En supposant que toute augmentation de la dette sert à verser des dividendes, quel est le flux de trésorerie que les actionnaires recevront dans un an ? À quel taux augmentera ce flux de trésorerie ? Quelle est la valeur de marché des capitaux propres, d'après la méthode des flux de trésorerie disponibles pour les actionnaires ?

13. Prokter a toujours eu un levier de 0,2. Une action Prokter vaut aujourd'hui 50 € (il y en a 2,5 milliards). La demande adressée à l'entreprise est relativement stable. Son bêta est faible (0,50) et elle peut emprunter au taux de 4,20 %, à peine 20 points de base au-dessus du taux d'intérêt sans risque. La rentabilité espérée du portefeuille de marché est de 10 %. Le taux d'imposition est de 25 %.

   a. Prokter recevra cette année des flux de trésorerie disponibles de 6 milliards d'euros. Quel est le taux de croissance constant des flux de trésorerie disponibles cohérent avec le cours actuel de l'action ?

   b. Prokter pense pouvoir augmenter son taux d'endettement sans risquer des difficultés financières. Avec un levier de 0,50, Prokter pense pouvoir emprunter à 4,50 % et annonce donc une hausse à venir de sa dette. Quelle est la réaction de l'action à cette annonce, compte tenu des économies d'impôt anticipées ?

14. Amarindo vient d'entrer en Bourse. 10 millions d'actions sont en circulation. Ses flux de trésorerie disponibles seront l'an prochain de 15 millions d'euros, puis ils augmenteront de 4 % par an à l'infini. Amarindo a un levier de 0,3, qu'elle souhaite maintenir constant. Sa dette est sans risque (taux sans risque 5 %), son taux d'imposition est de 25 %, et la rentabilité espérée du portefeuille de marché est de 11 %. Sa cotation en Bourse étant trop récente, il est impossible de calculer le bêta de l'entreprise, mais Odnirama est une entreprise du même secteur cotée depuis longtemps. Le bêta des capitaux propres d'Odnirama est de 1,5, le bêta de sa dette est de 0,3 et son levier est de 1. Quel est le coût des capitaux propres d'Amarindo ? Quel est le prix d'une de ses actions ?

15. Remex est entièrement financée par capitaux propres. Le bêta de ses capitaux propres est de 1,5. Remex espère disposer de flux de trésorerie de 25 millions d'euros par an à l'infini. Remex souhaite s'endetter pour racheter des actions. L'objectif est d'atteindre un levier de 0,3. La rentabilité requise sur la dette est de 6,5 %. Le taux d'imposition est de 25 %. On néglige les autres imperfections de marché. Le taux d'intérêt sans risque est de 5 %, et la rentabilité espérée du portefeuille de marché est de 11 %.

    a. Remplissez le tableau ci-dessous :

	Levier	Coût de la dette	Coût des capitaux propres	Coût moyen pondéré du capital
Avant modification de la structure financière	0	–	?	?
Après modification de la structure financière	0,3	6,50 %	?	?

    b. Quelle est la valeur des économies d'impôt réalisées par Remex en s'endettant ?

16. Un projet sans risque nécessite un investissement de 90 € aujourd'hui et rapportera 115 € dans un an. Le projet est intégralement financé par dette. Le taux d'intérêt sans risque est de 5 % et le taux d'imposition sur les bénéfices de 25 %.

    a. En utilisant la méthode de la VAN ajustée, calculez la VAN du projet.

    b. Quel est le CMPC du projet ?

    c. Vérifiez que la méthode du CMPC donne le même résultat.

    d. Vérifiez que la méthode des flux de trésorerie disponibles pour les actionnaires donne le même résultat.

17. Tiébo ajuste en permanence sa dette pour que ses charges d'intérêts soient égales à 20 % de ses flux de trésorerie disponibles. L'entreprise hésite à lancer un projet qui produira cette année des flux de trésorerie disponibles de 2,5 millions d'euros, ceux-ci augmentant ensuite de 4 % par an à l'infini. Le taux d'imposition est de 25 %.

    a. Quelle est la valeur à endettement nul du projet, si son coût du capital à endettement nul est de 10 % ?

    b. Quelle est la valeur du projet tenant compte des économies d'impôt ?

    c. De combien la dette doit-elle augmenter lors du lancement du projet, si le taux d'intérêt est de 5 % ?

d. Quel est le levier de ce projet ? Quel est son CMPC ?

e. Quelle est la valeur du projet par la méthode du CMPC ?

18. Julie a fait l'évaluation d'un projet :

		0	1	2	3	4
1	Résultat d'exploitation	–	10,0	10,0	10,0	10,0
2	– Charges d'intérêts (r_D = 5 %)	–	– 4,0	– 4,0	– 3,0	– 2,0
3	= **Résultat courant avant impôt**	–	**6,0**	**6,0**	**7,0**	**8,0**
4	– Impôt sur les sociétés	–	– 1,5	– 1,5	– 1,8	– 2,0
5	– Amortissements et provsions	–	25,0	25,0	25,0	25,0
6	– Investissement	– 100,0	–	–	–	–
7	– Augmentation du BFR	– 20,0	–	–	–	20,0
8	+ Augmentation de la dette nette	80,0	–	– 20,0	– 20,0	– 40,0
9	= **Flux de trésorerie disponibles pour les actionnaires**	**– 40,0**	**29,5**	**9,5**	**10,3**	**11,0**
10	*VAN(r_{CP} = 11 %)*	**9,0**				

En vérifiant ses calculs, elle s'aperçoit qu'elle a actualisé les flux de trésorerie disponibles au coût des capitaux propres de l'entreprise (11 %). Mais le levier du projet est très différent de celui de l'entreprise, qui est de 0,2. L'entreprise envisage de financer ce projet grâce à un emprunt initial de 80 millions d'euros ; l'échéancier de remboursement est déjà fixé : 20 millions d'euros aux années 2 et 3 et 40 millions en année 4. Le coût des capitaux propres du projet est donc différent de celui de l'entreprise, et il varie au cours de la période. Il faut par conséquent refaire les calculs, avec une autre méthode.

a. Quelle est la valeur actuelle des économies d'impôt associées au projet ?

b. Quels sont les flux de trésorerie disponibles du projet ?

c. Quelle est la valeur du projet, compte tenu des informations fournies ?

19. Tévé envisage d'investir 600 millions d'euros pour construire une usine qui fabriquera des écrans plats et permettra de réaliser un excédent brut d'exploitation de 145 millions d'euros par an pendant 10 ans. L'usine sera amortie linéairement sur 10 ans. Au bout de la période, elle aura une valeur terminale de 80 millions d'euros (puisque l'intégralité de sa valeur comptable a été amortie, cette valeur terminale sera imposée au titre des plus-values de cession au taux normal de l'impôt sur les sociétés). Le projet nécessite un investissement initial de 50 millions d'euros en BFR, récupéré au terme du projet. Le taux d'imposition est de 25 %. Tous les flux de trésorerie se produisent en fin d'année.

a. Le taux d'intérêt sans risque est de 5 %, la rentabilité espérée du portefeuille de marché est de 11 %, et le bêta à endettement nul d'entreprises du secteur est de 1,67. Quelle est la VAN du projet ?

b. 400 millions d'euros peuvent être empruntés grâce à des obligations émises au pair, de maturité 10 ans et de taux de coupon 9 %. Cet endettement supplémentaire est lié au projet et n'influence pas le reste de la structure financière de l'entreprise. Quelle est la valeur du projet en tenant compte des économies d'impôt permises par la dette ?

20. Parnassus prévoit d'investir 150 millions d'euros dans une machine révolution-naire qui produira des flux de trésorerie disponibles de 20 millions d'euros par an à perpétuité. L'entreprise est financée exclusivement par capitaux propres, avec un coût du capital de 10 %.

    a. Quelle est la VAN du projet ?

    b. Supposons que l'entreprise émette des actions nouvelles pour lever les 150 millions d'euros, que les coûts d'émission s'élèvent à 8 % après impôt et que les flux de trésorerie soient intégralement distribués aux actionnaires. Quelle est la VAN du projet ?

    c. Supposons que tous les flux de trésorerie disponibles des 10 prochaines années soient conservés par Parnassus et investis dans d'autres projets, ce qui permet d'éviter les coûts liés à l'émission de titres. Au bout des 10 ans, Parnassus distri-buera à ses actionnaires l'intégralité des flux de trésorerie. Quelle est maintenant la VAN du projet ?

21. DFS est intégralement financée par capitaux propres. Ses actifs ont une valeur de marché de 100 millions d'euros. Elle a émis 4 millions d'actions. DFS envisage de s'endetter de manière permanente pour racheter des actions. Le taux d'imposition est de 25 %. Les frais d'émission des obligations sont de 5 % des capitaux levés. Un excès d'endettement risque de créer des difficultés financières pour DFS, dont les coûts sont les suivants :

Dette (en millions d'euros)	0	10	20	30	40	50
Valeur actuelle des coûts des difficultés financières	0,0	– 0,3	– 1,8	– 4,3	– 7,5	– 11,3

    a. Quel est le taux d'endettement optimal de DFS ?

    b. Quel est le prix d'une action DFS après l'annonce de l'opération ?

22. Somni envisage d'investir 150 millions d'euros pour lancer une nouvelle gamme de produits. Celle-ci devrait produire des flux de trésorerie disponibles annuels de 20 millions d'euros. Le coût du capital à endettement nul est de 10 %. L'entreprise emprunte 100 millions d'euros de manière permanente pour financer le projet. Le taux d'imposition est de 25 %.

    a. Quelle est la VAN du projet, en tenant compte des économies d'impôt ?

    b. Les frais de mise en place du crédit sont de 2 % des fonds empruntés. Le solde du capital nécessaire est levé grâce à l'émission d'actions, ce qui impose des frais d'émission de 5 % des capitaux levés. Les frais d'émission sont après impôt. Somni estime que le prix des actions (40 €) est inférieur de 5 € à leur « vraie » valeur. Quelle est la VAN du projet ?

23. Valexan, l'entreprise de la section 18.1, a pu emprunter au taux de 4 % grâce à une garantie octroyée par l'État. Sans cette garantie, Valexan aurait dû payer 5 %.

    a. Quel est le coût du capital à endettement nul du projet, sachant que son « vrai » coût de la dette est de 5 % ?

    b. Quelle est, dans ce cas, la valeur à endettement nul du projet ? Quelle est la valeur actuelle des économies d'impôt ?

c. Quelle est la VAN de la garantie octroyée par l'État ? (Le montant de dette varie avec la valeur du projet. Il faut donc actualiser les économies d'impôt au coût du capital à endettement nul).

d. Quelle est la valeur du projet en tenant compte des économies d'impôt et de la garantie ?

24. Ardeco envisage d'investir dans un projet. Son coût du capital à endettement nul est de 9 %, son taux d'imposition de 33 % et son coût de la dette de 5 %.

a. Si Ardeco ajuste en permanence sa dette pour conserver un levier constant de 0,5, quel est le CMPC approprié ?

b. Si Ardeco ajuste une fois par an sa dette pour conserver un levier constant de 0,5, quel est le CMPC approprié ?

c. Le projet offre des flux de trésorerie disponibles de 10 millions d'euros la première année, puis qui baissent de 2 % par an à l'infini. Quelle est la valeur du projet avec les deux politiques financières envisagées ?

25. BSport espère avoir des flux de trésorerie disponibles annuels de 10,9 millions d'euros à l'infini. L'entreprise a une dette constante de 40 millions. Le taux d'imposition est de 25 %. Le coût du capital à endettement nul est de 10 %.

a. Quelle est la valeur des capitaux propres de BSport par la méthode de la VAN ajustée ?

b. Quel est le CMPC de l'entreprise ? Quelle est la valeur des capitaux propres de BSport par la méthode du CMPC ?

c. Quel est le coût des capitaux propres de BSport, si le coût de la dette est de 5 % ?

d. Quelle est la valeur des capitaux propres de BSport par la méthode des flux de trésorerie disponibles pour les actionnaires ?

*26. Propel souhaite emprunter 50 millions d'euros pour investir dans un projet. Le coût de la dette est de 8 % et le coût du capital à endettement nul de 12 %. Le taux d'imposition est de 25 %. Les flux de trésorerie disponibles du projet et l'échéancier de remboursement de la dette sont :

	0	1	2	3
Flux de trésorerie disponibles	– 50	40	20	25
Dette	50	30	15	0

a. Quelle est la valeur du projet en tenant compte des économies d'impôt à chaque date, par la méthode de la VAN ajustée ? Quelle est la VAN du projet ?

b. Quel est le CMPC du projet à chaque date ? Comment évolue-t-il ? Pourquoi ?

c. Quelle est la VAN du projet, grâce à la méthode du CMPC ?

d. Quel est le coût des capitaux propres à chaque date ? Comment évolue-t-il ? Pourquoi ?

e. Quelle est la valeur des capitaux propres de l'entreprise, grâce à la méthode des flux de trésorerie pour les actionnaires ? Comparez les résultats des trois méthodes.

*27. Gartner est entièrement financée par capitaux propres. Leur coût est de 10 %. Sa capitalisation boursière est de 100 millions d'euros. Ses flux de trésorerie disponibles augmentent de 3 % par an. Le taux d'imposition est de 35 %. Les investisseurs sont imposés au taux de 40 % sur les intérêts et de 20 % sur les dividendes.

   a. Gartner souhaite augmenter sa dette de 50 millions d'euros de manière permanente pour racheter des actions. Quelle est la valeur de l'entreprise en tenant compte des économies d'impôt ?

   b. Gartner décide finalement de viser un levier de 0,5. Quelle est la valeur de l'entreprise en tenant compte des économies d'impôt si le coût de la dette est de 6,67 % ?

*28. RevTech a un coût des capitaux propres de 12 % et un coût de la dette de 6 %. L'entreprise maintient constant son levier à 0,5. Le taux d'imposition est de 25 %.

   a. Quel est le CMPC de RevTech ?

   b. Comment évolue le CMPC si le levier de RevTech passe à 2 ?

   c. Sous l'hypothèse d'une imposition à 36 % des intérêts perçus par les investisseurs et à 15 % des dividendes, comment évolue le CMPC si le levier de RevTech passe à 2 ?

   d. Pourquoi cette différence entre les réponses *b* et *c* ?

Étude de cas – Évaluation d'un projet d'investissement

Renault souhaite commercialiser des voitures électriques. Pour cela, l'entreprise doit investir 1,5 milliard d'euros dans une usine dont la durée de vie est de 10 ans. Les flux de trésorerie disponibles anticipés sont de 220 millions d'euros la première année d'exploitation, puis en croissance de 10 % par an les deux années suivantes puis 5 % par an sur les sept dernières années. Vous êtes chargé d'évaluer la pertinence de ce projet d'investissement. L'objectif est de calculer la valeur actuelle nette du projet par les méthodes du CMPC, de la VAN ajustée et des flux de trésorerie disponibles pour les actionnaires.

   1. La première étape est d'obtenir les états financiers (bilan et compte de résultat) de Renault pour les deux derniers exercices, disponibles sur le site web de l'entreprise (rubrique Finance > Documents & présentations).

   2. Il faut ensuite disposer de l'historique du cours de bourse de Renault (cours de clôture mensuel sur les deux dernières années) ainsi que de son bêta et du nombre d'actions en circulation. Les données sont disponibles sur Yahoo! Finance ou sur Boursorama.

   3. Calculez les flux de trésorerie disponibles du projet pour les 10 années à venir.

   4. Il faut trouver les paramètres nécessaires pour calculer le CMPC de l'entreprise :

   a. Le coût de la dette r_D. Renault fait coter certaines de ses obligations sur Euronext. On peut donc trouver leur rentabilité à l'échéance sur www.boursorama.com (Bourse > Actions de A à Z > Cours de A à Z, puis sélectionner la sous-catégorie « Obligations »). Il faut ensuite trouver les obligations émises par Renault et sélectionner une obligation à taux fixe d'échéance aussi proche que possible de 10 ans pour accéder aux informations qui la concernent.

b. Le coût des capitaux propres, r_{CP}. Il faut connaître la rentabilité à l'échéance d'une obligation assimilable du Trésor (OAT) de maturité 10 ans. Pour ce faire, il suffit d'aller sur **www.aft.gouv.fr**, de sélectionner Dette de l'État > Principaux Chiffres > Courbe des taux et de regarder l'échéance 10 ans. En prenant une prime de risque de 4,5 %, calculez r_{CP} à partir de l'équation du MEDAF.

c. Les capitaux propres V_{CP} et de la dette nette V_D. Pour calculer la dette nette de Renault, il faut ajouter les dettes courantes et non courantes et soustraire la trésorerie. La capitalisation boursière s'obtient en multipliant le cours de l'action par le nombre d'actions. Calculez la valeur de marché de l'actif net de Renault en fin de chaque exercice en ajoutant V_{CP} et V_D.

d. Le taux d'endettement de l'entreprise. Calculez le taux d'endettement en fin d'année de Renault en divisant la dette nette par la valeur de marché de l'actif net de l'entreprise. On suppose que Renault souhaite conserver constant son taux d'endettement à un niveau égal à la moyenne des taux d'endettement constatés sur la période considérée.

e. Le taux d'imposition effectif de Renault. Il s'obtient en divisant l'impôt sur les sociétés payé par l'entreprise par son résultat courant avant impôt (pour simplifier, on considère que ce taux est constant sur la période étudiée – prendre la moyenne des taux effectifs annuels).

5. Calculez le CMPC de Renault grâce à l'équation (18.1).

6. Calculez la VAN du projet grâce à la méthode du CMPC.

7. Calculez la VAN du projet grâce aux méthodes de la VAN ajustée et des FTDA. On suppose que Renault conserve constant son taux d'endettement (comme à la question **4.c**).

8. Comparez les résultats des trois méthodes.

L'objectif de ce chapitre est de mettre en pratique les outils présentés dans les chapitres précédents, en construisant un modèle complet de valorisation d'une entreprise (fictive), Sport 3000. Cette entreprise, non cotée, fabrique des vêtements sportifs à destination du grand public. Elle a été fondée il y a 28 ans par Jim Halaya. Arrivé à l'âge de la retraite, Jim veut vendre son entreprise à la fin de l'année en cours ; il s'était de toute façon déjà désengagé de la gestion, ayant pris du recul pendant les dernières années (son handicap au golf s'est nettement amélioré). Anna Purna, elle, est associée-gérante du fonds de *private equity* Eurozéa ; elle souhaite évaluer l'intérêt de racheter Sport 3000 grâce à un *Leveraged Buy-Out*, de conserver l'entreprise pendant cinq ans pour en améliorer le fonctionnement et la rentabilité, puis de la revendre. Jim Halaya exige 150 millions d'euros pour céder son entreprise, soit près du double de la valeur comptable des capitaux propres de Sport 3000. Du point de vue d'Eurozéa, l'opération vaut-elle la peine ?

Pour répondre à cette question, il faut évaluer Sport 3000. Une première estimation de la valeur de l'entreprise, approximative, est possible grâce à la méthode des comparables (section 19.1). Mais pour tenir compte de la valeur qui sera créée grâce à l'amélioration de la gestion de l'entreprise, il faut adopter une approche plus rigoureuse, telle que la méthode de la VAN ajustée introduite au chapitre 18. Cela impose de définir les hypothèses du *business plan* (section 19.2), puis de construire le *business plan* proprement dit (section 19.3), avant d'estimer le coût du capital approprié (section 19.4). Ces étapes préalables achevées, il sera possible de valoriser précisément Sport 3000 et de mesurer la rentabilité de l'opération envisagée par Eurozéa (section 19.5), puis de réaliser une analyse de sensibilité pour vérifier la robustesse des résultats obtenus (section 19.6).

19.1. Valorisation par la méthode des comparables

Le tableau 19.1 détaille le bilan et le compte de résultat de Sport 3000. Le chiffre d'affaires de Sport 3000 est de 75 millions d'euros, ses coûts de production de 58,75 millions. Le taux d'impôt sur les sociétés est de 25 %. L'entreprise est profitable, puisque son résultat net est de près de 8 millions d'euros, soit une marge nette de 10,6 %. Sa structure financière est saine puisque, pour un actif comptable de 87 millions d'euros, les dettes non courantes ne sont que de 4,5 millions d'euros et la trésorerie de 12,7 millions d'euros.

Tableau 19.1	Compte de résultat et bilan de Sport 3000

	Année	N			Année	N
Compte de résultat* (en milliers d'euros)			**Bilan (en milliers d'euros)**			
1 Chiffre d'affaires	75 000		**Actif**			
2 – Coût des ventes (3 + 4)	– 34 000		1 Actif non courant		49 500	
3 *dont : Matières premières*	– 16 000		2 Actif courant (2 + 3 + 4)		37 322	
4 *Main-d'œuvre*	– 18 000		3 *dont : Stocks et en-cours*		6 165	
5 – Coûts commerciaux	– 11 250		4 *Créances clients*		18 493	
6 – Coûts administratifs	– 13 500		5 *Trésorerie*		12 664	
7 = **Excédent brut d'exploitation**	**16 250**		6 **Total Actif** (1 + 2)		**86 822**	
8 – Amortissements et provisions	– 5 500					
9 = **Résultat d'exploitation**	**10 750**		**Passif**			
10 – Résultat financier	– 150		7 Capitaux propres		77 668	
11 = **Résultat courant**	**10 600**		8 Dettes non courantes		4 500	
12 – Impôt sur les sociétés	– 2 650		9 Dettes d'exploitation		4 654	
13 = **Résultat net**	**7 950**		10 **Total Passif** (7 + 8 + 9)		**86 822**	

* Le compte de résultat est présenté par fonction, mais conserve dans un poste unique les amortissements et provisions, au lieu de les éclater entre coûts des ventes, coûts commerciaux et coûts administratifs selon la nature de l'actif amorti.

Pour obtenir une première estimation de la valeur de Sport 3000, le plus simple est de trouver des entreprises cotées en Bourse dont l'activité est similaire pour en déduire par analogie la valeur de Sport 3000 : c'est la **méthode des comparables** (voir chapitre 9). Ainsi, avec une valeur de marché des capitaux propres estimée par Jim Halaya à 150 millions d'euros, le PER de Sport 3000 serait de 150 / 7,95 = 18,9. Un tel PER est-il raisonnable ? Il est supérieur au PER moyen des entreprises françaises (13 en moyenne entre 2000 et 2019 pour les entreprises de l'indice SBF 120). Toutefois, cette comparaison n'a pas grand sens, car peu d'entreprises sont directement comparables à Sport 3000. Sur le marché, on trouve trois entreprises cotées qui appartiennent au même secteur que Sport 3000 et fabriquent des produits concurrents : Rudidas, Stop Sport et Heptathlon. Le tableau 19.2 permet de comparer les PER de ces entreprises à celui de Sport 3000. On remarque que le prix demandé par Jim Halaya implique un PER plus élevé que le PER moyen des entreprises comparables.

Tableau 19.2	Ratios financiers de Sport 3000 et de ses comparables

Ratio	Sport 3000 (prix demandé)	Rudidas	Stop Sport	Heptathlon	Moyenne sectorielle
PER (Capitalisation boursière / Résultat net)	18,9	14,8	13,5	19,1	15,8
Multiple du CA (Actif net / Chiffre d'affaires)	2,0x	2,0x	1,5x	1,7x	1,7x
Multiple d'EBE (Actif net / EBE)	9,1x	8,7x	7,5x	9,7x	8,6x
Marge d'EBE (EBE / Chiffre d'affaires)	21,7 %	22,2 %	18,5 %	26,2 %	22,3 %

Il est possible de comparer d'autres ratios que le PER, par exemple le multiple du chiffre d'affaires ou d'excédent brut d'exploitation. Pour les calculer, il convient de partir de l'**actif net** de Sport 3000, autrement dit de la somme de sa capitalisation boursière et de sa dette nette (*i.e.* après déduction de la trésorerie *excédentaire*, c'est-à-dire inutilisée au cours d'un cycle complet d'exploitation). Ainsi, la dette non courante de Sport 3000 est de 4,5 millions d'euros et on suppose que sa trésorerie excédentaire s'élève à 6,5 millions. Le prix demandé par Jim Halaya valorise donc l'actif net de Sport 3000 à 150 + 4,5 − 6,5 = 148 millions d'euros. Cela correspond à un multiple du chiffre d'affaires de 2,0, supérieur à la moyenne des concurrents. Le multiple d'EBE de Sport 3000 se situe lui aussi dans la moyenne haute de celui des entreprises concurrentes, alors que sa marge d'EBE est plutôt inférieure à la moyenne de ses concurrents : 16 250 / 75 000 = 21,7 % pour Sport 3000 contre 22,3 % pour ses concurrents.

Évaluation par les comparables

Quelle fourchette de prix obtient-on pour Sport 3000 à partir des multiples de ses concurrents (tableau 19.2) ?

Solution

Pour chaque multiple, on sélectionne les valeurs extrêmes de ses concurrents et on les applique à Sport 3000. Ainsi, Heptathlon affiche le PER le plus élevé des entreprises comparables (19,1). Pour valoriser les actions Sport 3000 sur la base d'un tel PER, il faut multiplier ce ratio par le résultat net de Sport 3000 : 19,1 × 7,95 = 151,8 millions d'euros. De même, le multiple du chiffre d'affaires le plus faible est celui de Stop Sport ; il implique un actif net pour Sport 3000 de 1,5 × 75 = 112,5 millions d'euros. En tenant compte de la trésorerie excédentaire et de la dette, cela correspond à un prix des actions de Sport 3000 de 112,5 + 6,5 − 4,5 = 114,5 millions d'euros.

On obtient *in fine* une fourchette de valorisation des actions Sport 3000 comprise entre 107,3 et 159,6 millions d'euros. Avec une fourchette aussi large, il est hasardeux de se fier à la seule méthode des comparables pour faire une offre d'achat engageante.

	Multiple		Prix implicite de Sport 3000 (en millions d'euros)	
	Minimum	Maximum	Minimum	Maximum
PER	13,5	19,1	107,3	151,8
Multiple du CA	1,5×	2,0×	114,5	152,0
Multiple d'EBE	7,5×	9,7×	123,9	159,6

Exemple 19.1

On peut donc conclure en première approche que le prix demandé par Jim Halaya pour céder Sport 3000 est dans la fourchette haute de ce qu'il peut demander, sans que ce soit déraisonnable. Le banquier-conseil de Jim semble avoir bien fait son travail ! Pour Anna Purna, acheter les actions de Jim est-il pour autant une bonne idée ? Rien ne permet de l'affirmer à ce stade, car la méthode des comparables ignore des aspects essentiels à considérer avant d'acheter une entreprise : son efficacité productive, ses perspectives de croissance, etc. De plus, Eurozéa veut améliorer la gestion de l'entreprise et sa rentabilité, ce qui n'est évidemment pas pris en compte dans la comparaison statique des multiples. Pour aller plus loin, il faut construire le *business plan* de Sport 3000.

19.2. Les hypothèses du *business plan*

La méthode des comparables est utile, mais elle ne peut pas répondre à la question essentielle : l'achat de Sport 3000 est-il un investissement à VAN positive pour Eurozéa ? Pour y répondre, il faut faire des hypothèses sur l'évolution de l'activité, des investissements, du besoin en fonds de roulement et de la structure financière de Sport 3000.

Hypothèses sur l'évolution de l'activité

Eurozéa est optimiste quant aux perspectives de Sport 3000 : le marché des vêtements sportifs devrait connaître une croissance annuelle de 5 % ; Sport 3000 dispose de produits de qualité à prix compétitifs. Le compte de résultat de Sport 3000 (tableau 19.1) permet de comprendre pourquoi la croissance passée de Sport 3000 a été inférieure à celle du marché : Jim Halaya a limité les coûts commerciaux, alors que les dépenses administratives ont dérivé. À l'année N, les coûts administratifs représentaient 18 % du chiffre d'affaires, contre seulement 15 % pour les coûts commerciaux (tableau 19.3). Pour corriger cela, Eurozéa envisage de diminuer drastiquement les effectifs du siège social et d'embaucher à la place des commerciaux et des spécialistes en marketing sportif, ce qui devrait se traduire par une baisse de cinq points en cinq ans des dépenses administratives et une augmentation symétrique des dépenses commerciales. Grâce à ce virage stratégique, Eurozéa espère que la croissance de Sport 3000 accélérera jusqu'à dépasser celle du marché, ce qui permettra de faire passer la part de marché de Sport 3000 de 10 à 15 % en cinq ans. Avec une telle stratégie de croissance, l'augmentation du prix de vente des produits de Sport 3000 devra être limitée à l'inflation (2 % par an).

Tableau 19.3	Ventes et coûts d'exploitation de Sport 3000						
	Année	**N**	**N + 1**	**N + 2**	**N + 3**	**N + 4**	**N + 5**
Ventes	Croissance (% par an)						
1 Marché des équipements sportifs (en milliers d'unités)	5,0 %	10 000	10 500	11 025	11 576	12 155	12 763
2 Part de marché de Sport 3000 (en %)	1,0 %	10 %	11 %	12 %	13 %	14 %	15 %
3 Prix de vente moyen (euro par unité)	2,0 %	75,00	76,50	78,03	79,59	81,18	82,81
Coût des ventes							
4 Coût unitaire matières premières (euro par unité)	1,0 %	16,00	16,16	16,32	16,48	16,65	16,82
5 Coût unitaire main-d'œuvre (euro par unité)	4,0 %	18,00	18,72	19,47	20,25	21,06	21,90
Autres coûts et impôts							
6 Coûts commerciaux (% du CA)		15 %	16 %	17 %	18 %	19 %	20 %
7 Coûts administratifs (% du CA)		18 %	15 %	15 %	13 %	13 %	13 %
8 Taux d'impôt sur les sociétés		25 %	25 %	25 %	25 %	25 %	25 %

La croissance anticipée des ventes imposera d'optimiser l'utilisation des capacités de production existantes, avec la mise en place d'équipes de nuit et de week-end. Cette évolution de l'organisation du travail fera augmenter les coûts unitaires de main-d'œuvre plus vite que l'inflation, mais permettra de ne pas investir dans de nouvelles capacités de production jusqu'à une hausse de 50 % des ventes. Au-delà, il faudra investir pour créer une ligne de production supplémentaire dans l'usine.

Saturation des capacités de production de Sport 3000

À partir du tableau 19.3, quelles seront les ventes annuelles de Sport 3000 ? En quelle année faudra-t-il investir pour créer une nouvelle ligne de production dans l'usine ?

Solution

Les ventes annuelles de Sport 3000 sont égales à sa part de marché multipliée par la taille du marché :

	Année	N	$N+1$	$N+2$	$N+3$	$N+4$	$N+5$
1	Marché des équipements sportifs	10 000	10 500	11 025	11 576	12 155	12 763
2	Part de marché de Sport 3000 (en %)	10 %	11 %	12 %	13 %	14 %	15 %
3	**Production de Sport 3000** (1×2)	**1 000**	**1 155**	**1 323**	**1 505**	**1 702**	**1 914**

Il faudra agrandir l'usine en année $N + 3$, car les volumes auront augmenté de plus de 50 % par rapport à l'année N.

Exemple 19.2

Hypothèses sur les investissements

Le tableau 19.4 résume les investissements prévus par Sport 3000 au cours des cinq prochaines années ainsi que l'évolution de la valeur comptable de l'actif immobilisé. Les investissements seront stables jusqu'en $N + 2$, car l'utilisation plus efficace de l'outil productif existant permettra à Sport 3000 de faire face à la hausse de ses ventes (exemple 19.2). En $N + 3$, il faudra agrandir l'usine pour ajouter une ligne de production, ce qui nécessitera des investissements importants en $N + 3$ et $N + 4$. Les amortissements sont exogènes dans cet exemple, mais augmentent à la suite des investissements.

| **Tableau 19.4** | Actif immobilisé et investissements de Sport 3000 (en milliers d'euros) |

		Année	N	$N+1$	$N+2$	$N+3$	$N+4$	$N+5$
1		Actif immobilisé net (début d'année)	50 000	49 500	49 050	48 645	61 781	69 102
2	+	Investissements	5 000	5 000	5 000	20 000	15 000	8 000
3	–	Amortissements et provisions	– 5 500	– 5 450	– 5 405	– 6 865	– 7 678	– 7 710
4	=	**Actif immobilisé net (fin d'année)**	**49 500**	**49 050**	**48 645**	**61 781**	**69 102**	**69 392**

Hypothèses sur le besoin en fonds de roulement

Le besoin en fonds de roulement de Sport 3000 est élevé : l'entreprise compense une politique commerciale désastreuse par une politique de crédit commercial laxiste (voir chapitre 26), acceptant des délais de paiement croissants de la part de ses clients. Ainsi, le délai de rotation des créances clients de Sport 3000 est de :

$$\text{Délai de rotation des créances clients} = \frac{\text{Créances clients} \times 365}{\text{Chiffre d'affaires annuel}}$$

$$= \frac{18\,493 \times 365}{75\,000} = 90 \text{ jours} \qquad (19.1)$$

La moyenne du secteur est de 60 jours. L'objectif d'Eurozéa est de ramener le délai de rotation des créances clients de Sport 3000 au niveau de ses concurrents. Cela devrait être possible sans que les ventes ne souffrent, si la politique commerciale de Sport 3000 s'améliore comme prévu.

La gestion des stocks laisse également à désirer : ils représentent aujourd'hui 6,2 millions d'euros (2 millions en matières premières, le reste en produits finis). Les achats annuels de matières premières étant de 16 millions d'euros, Sport 3000 dispose en permanence de $(2 / 16) \times 365 = 45$ jours de stocks de matières premières. Sans risquer la rupture d'approvisionnement, il devrait être possible de réduire le stock de matières premières à 30 jours, grâce à une meilleure maîtrise du processus de production.

Le montage financier du LBO

Sport 3000 a actuellement une dette très faible, une trésorerie abondante et un résultat net positif. Sa structure financière n'est donc pas optimale, et, du point de vue d'Eurozéa, la situation est idéale pour mettre en place un *Leveraged Buy-Out* : Eurozéa réalisera l'acquisition de Sport 3000 au travers d'une société holding qui contractera un crédit bancaire de 100 millions d'euros pour financer l'opération, holding qui sera fusionnée avec Sport 3000 dès l'opération réalisée. Le paiement des intérêts et le remboursement de l'emprunt seront donc assurés par Sport 3000 ; la banque prêteuse est d'accord pour que seuls les intérêts soient payés pendant les cinq premières années, au taux annuel de 6,8 %.

Le LBO permettra à Eurozéa de limiter le montant de capitaux à mobiliser pour financer l'acquisition, ce qui laissera au fonds de *private equity* des capitaux disponibles pour d'autres opérations. Cela optimisera également la structure financière de Sport 3000, car l'augmentation de sa dette V_D permettra de réaliser des économies d'impôt. À partir de $N+3$, Sport 3000 devra contracter un nouvel emprunt pour financer les investissements prévus. La qualité de la signature de Sport 3000 devrait progressivement s'améliorer, en raison d'une augmentation de ses ventes et de sa profitabilité. Mais la pente de la courbe des taux préfigure une augmentation future des taux d'intérêt. Pour ne pas pécher par excès d'optimisme, Eurozéa retient l'hypothèse que les deux effets se compenseront et que le taux d'intérêt proposé à Sport 3000 restera de $r_D = 6,8$ %. Les charges d'intérêts annuelles Int_t de Sport 3000 sont de[1] :

$$Int_t = r_D \times V_{D,\,t-1} \qquad (19.2)$$

---

1. En supposant que la variation de l'endettement a lieu à la fin de l'année, pour simplifier. Sinon, il conviendrait de calculer les intérêts à partir du niveau moyen de dette au cours de l'année précédente.

| Tableau 19.5 | Dette et charges d'intérêts de Sport 3000 (en milliers d'euros) | | | | | | |

Année	N	N + 1	N + 2	N + 3	N + 4	N + 5
1 Dette financière à moyen et à long terme	100 000	100 000	100 000	115 000	120 000	120 000
2 Charges d'intérêts (r_D = 6,8 %)		–6 800	–6 800	–6 800	–7 820	–8 160

Le tableau 19.6 résume le montage financier de l'opération : en plus des 150 millions d'euros demandés par Jim Halaya, le fondateur de Sport 3000, il faudra rembourser la dette existante de l'entreprise (4,5 millions) et payer les frais associés à l'opération (banques d'affaires, conseils…), soit un total de 159,5 millions d'euros. Le recours à l'emprunt (100 millions) et la récupération par Eurozéa de la trésorerie excédentaire de Sport 3000 (6,5 millions) permettent de financer une partie de l'opération. Il ne reste donc à Eurozéa que 159,5 – 100 – 6,5 = 53 millions d'euros à financer sur fonds propres.

| Tableau 19.6 | Plan de financement de l'achat de Sport 3000 par Eurozéa (en millions d'euros) |

Ressources		Emplois	
1 Nouvel emprunt	100 000	1 Achat des actions de Jim Halaya	150 000
2 Trésorerie excédentaire	6 500	2 Remboursement des dettes	4 500
3 Investissement d'Eurozéa	53 000	3 Frais divers	5 000
4 **Total**	**159 500**	4 **Total**	**159 500**

19.3. La construction du *business plan*

La valeur d'un projet ou d'une entreprise est fonction de ses flux de trésorerie disponibles futurs. Pour les estimer, il faut tout d'abord prévoir l'évolution du résultat net de Sport 3000, de son besoin en fonds de roulement et de sa trésorerie.

Prévision du résultat net

Pour établir le **compte de résultat prévisionnel** de Sport 3000 pour les cinq prochaines années (tableau 19.7), il faut partir du chiffre d'affaires, que l'on calcule à partir des données du tableau 19.3 :

Chiffre d'affaires = Taille du marché × Part de marché × Prix de vente moyen   (19.3)

Ainsi, le chiffre d'affaires anticipé pour l'année $N + 1$ est de 10,5 × 11 % × 76,5 = 88,358 millions d'euros. Le coût des ventes est la somme des coûts des matières premières et de la main-d'œuvre nécessaire à la production :

Coût des matières premières = Taille du marché × Part de marché
× Coût unitaire des matières premières

Coût de la main-d'œuvre = Taille du marché × Part de marché
× Coût unitaire de la main-d'œuvre   (19.4)

Par exemple, le coût des matières premières est de $10,5 \times 11\% \times 16,16 = 18,665$ millions d'euros en année $N + 1$. Les coûts commerciaux et administratifs sont proportionnels au chiffre d'affaires. Une fois tous les coûts opérationnels soustraits du chiffre d'affaires, on obtient l'excédent brut d'exploitation. Pour passer au résultat courant avant impôt, il faut enlever les amortissements et provisions puis les charges financières liées à l'emprunt qu'envisage de souscrire Eurozéa[2]. Une fois défalqué l'impôt sur les sociétés, on parvient au résultat net. Avec les hypothèses retenues par Eurozéa, le résultat net de Sport 3000 devrait augmenter de 53 % en cinq ans, et ce malgré la baisse du résultat net en $N + 1$ provoquée par la forte augmentation des charges financières.

Tableau 19.7	Compte de résultat prévisionnel (en milliers d'euros)					
		N	**N + 1**	**N + 2**	**N + 3**	**N + 4**	**N + 5**
1	Chiffre d'affaires	75 000	88 358	103 234	119 777	138 149	158 526
2 –	Coût des ventes (3 + 4)	– 34 000	– 40 286	– 47 351	– 55 279	– 64 167	– 74 119
3	*dont : Matières premières*	*– 16 000*	*– 18 665*	*– 21 593*	*– 24 808*	*– 28 333*	*– 32 193*
4	*Main-d'œuvre*	*– 18 000*	*– 21 622*	*– 25 757*	*– 30 471*	*– 35 834*	*– 41 925*
5 –	Coûts commerciaux	– 11 250	– 14 137	– 17 550	– 21 560	– 26 248	– 31 705
6 –	Coûts administratifs	– 13 500	– 13 254	– 15 485	– 15 571	– 17 959	– 20 608
7 =	**Excédent brut d'exploitation**	**16 250**	**20 680**	**22 848**	**27 367**	**29 775**	**32 094**
8 –	Amortissements et provisions	– 5 500	– 5 450	– 5 405	– 6 865	– 7 678	– 7 710
9 =	**Résultat d'exploitation**	**10 750**	**15 230**	**17 443**	**20 503**	**22 097**	**24 383**
10 –	Résultat financier	– 150	– 6 800	– 6 800	– 6 800	– 7 820	– 8 160
11 =	**Résultat courant**	**10 600**	**8 430**	**10 643**	**13 703**	**14 277**	**16 223**
12 –	Impôt sur les sociétés	– 2 650	– 2 108	– 2 661	– 3 426	– 3 569	– 4 056
13 =	**Résultat net**	**7 950**	**6 323**	**7 982**	**10 277**	**10 707**	**12 168**

Prévision du besoin en fonds de roulement

Le **besoin en fonds de roulement d'exploitation** de Sport 3000 devrait également s'améliorer, grâce à la meilleure gestion des créances clients et du stock de matières premières. Pour calculer le BFR, il faut multiplier chaque poste du BFR exprimé en jours spécifiques (tableau 19.8) par le montant indiqué dans le compte de résultat (tableau 19.7). Ainsi, les créances clients à l'année $N + 1$ sont de :

$$\text{Créances clients} = \text{Délai de rotation des créances clients} \times \frac{\text{Ventes annuelles}}{365}$$

$$= 60 \text{ jours} \times \frac{88,358 \text{ millions}}{365} = 14,525 \text{ millions} \qquad (19.5)$$

---

2. La trésorerie excédentaire de Sport 3000 sera transférée à Eurozéa immédiatement après l'achat ; elle ne permettra donc pas à Sport 3000 de bénéficier de produits financiers.

Tableau 19.8	BFR d'exploitation prévisionnel (en jours spécifiques)

Poste	Base de calcul	N	N + 1 à N + 5
Actif			
1 Créances clients	Chiffre d'affaires	90 j.	60 j.
2 Stock de matières premières	Coût des matières premières	45 j.	30 j.
3 Stocks de produits finis	Coût des matières premières + coût de la main-d'œuvre	45 j.	45 j.
Passif			
4 Dettes fournisseurs	Coût des matières premières + coûts commerciaux	45 j.	45 j.
5 Autres dettes d'exploitation	Coût de la main-d'œuvre + coûts administratifs	15 j.	15 j.

Le besoin en fonds de roulement, qui n'est rien d'autre que la différence entre actifs et passifs courants, est permanent, car ses composantes sont reconstituées en permanence du fait de l'activité de l'entreprise. Toute augmentation du BFR constitue donc un investissement qui doit être financé : davantage de capitaux sont immobilisés pour financer le cycle d'exploitation. Au contraire, une réduction du BFR libère des capitaux. C'est donc bien la *variation* du BFR, et non son niveau absolu, qui modifie les flux de trésorerie disponibles de l'entreprise. En année $N + 1$, l'amélioration de la gestion des créances clients et des stocks permet ainsi de réduire le BFR de Sport 3000 de 4,5 millions d'euros, le mouvement s'inversant les années suivantes du fait de la croissance des ventes.

Tableau 19.9	BFR d'exploitation prévisionnel (en milliers d'euros)

	Année	N	N + 1	N + 2	N + 3	N + 4	N + 5
1	Créances clients	18 493	14 525	16 970	19 689	22 709	26 059
2 +	Stock de matières premières	1 973	1 534	1 775	2 039	2 329	2 646
3 +	Stock de produits finis	4 192	4 967	5 838	6 815	7 911	9 138
4 –	Dettes fournisseurs	– 3 360	– 4 044	– 4 826	– 5 717	– 6 729	– 7 878
5 –	Autres dettes d'exploitation	– 1 294	– 1 433	– 1 695	– 1 892	– 2 211	– 2 570
6 =	**BFR**	**20 004**	**15 548**	**18 062**	**20 935**	**24 009**	**27 395**
7	Variation du BFR		– 4 456	2 514	2 873	3 074	3 386

Prévision de trésorerie

Sport 3000 souhaite conserver une **trésorerie de précaution** égale à 30 jours de chiffre d'affaires, afin de faire face aux aléas de production et aux décalages imprévus entre dépenses et recettes. Cette trésorerie sera conservée sur un compte courant non rémunéré, pour être disponible immédiatement en cas de besoin. Elle impose donc à Sport 3000 un coût d'opportunité qui doit être pris en compte. En revanche, toute la trésorerie *excédentaire* sera reversée à Eurozéa sous forme de dividendes : Sport 3000 ne bénéficiera donc d'aucun produit financier[3]. La trésorerie de précaution augmente donc au rythme du chiffre d'affaires (tableau 19.10).

---

3. Et dans le cas contraire, la trésorerie excédentaire serait de toutes façons déduite de la dette nette.

Tableau 19.10	Trésorerie prévisionnelle (en milliers d'euros)						
Année		N	$N+1$	$N+2$	$N+3$	$N+4$	$N+5$
1 Chiffre d'affaires		75 000	88 358	103 234	119 777	138 149	158 526
2 Trésorerie de précaution		6 164	7 262	8 485	9 845	11 355	13 030
3 **Variation de la trésorerie**			**1 098**	**1 223**	**1 360**	**1 510**	**1 675**

Prévision des flux de trésorerie disponibles

On dispose donc du résultat net, des amortissements et provisions et des charges financières de Sport 3000 (tableau 19.7), des investissements (tableau 19.4) et des variations du BFR et de la trésorerie (tableaux 19.9 et 19.10). On peut donc estimer les **flux de trésorerie disponibles** de Sport 3000 (tableau 19.11). Pour cela, il faut calculer le résultat net à endettement nul, afin de neutraliser l'effet de la dette sur les flux de trésorerie. Cela implique d'ajouter au résultat net les charges d'intérêts après impôt :

$$\text{Charges d'intérêts nettes après impôt} = (1 - \tau_{IS}) \times (\text{Charges d'intérêts} - \text{Produits d'intérêts}) \quad (19.6)$$

Tableau 19.11	Prévision des flux de trésorerie disponibles (en milliers d'euros)					
Année		$N+1$	$N+2$	$N+3$	$N+4$	$N+5$
1	Résultat net	6 323	7 982	10 277	10 707	12 168
2 +	Charges d'intérêt nettes après impôt	5 100	5 100	5 100	5 865	6 120
3 =	**Résultat net à endettement nul**	**11 423**	**13 082**	**15 377**	**16 572**	**18 288**
4 +	Amortissements et provisions	5 450	5 405	6 865	7 678	7 710
5 –	Augmentation du BFR	4 456	– 2 514	– 2 873	– 3 074	– 3 386
6 –	Augmentation de la trésorerie	– 1 098	– 1 223	– 1 360	– 1 510	– 1 675
7 –	Investissement	– 5 000	– 5 000	– 20 000	– 15 000	– 8 000
8 =	**Flux de trésorerie disponibles**	**15 231**	**9 751**	**– 1 991**	**4 666**	**12 937**
9 +	Hausse de la dette	–	–	15 000	5 000	–
10 –	Charges d'intérêts nettes après impôt	– 5 100	– 5 100	– 5 100	– 5 865	– 6 120
11 =	**Flux de trésorerie disponibles pour les actionnaires**	**10 131**	**4 651**	**7 909**	**3 801**	**6 817**

Ainsi, les charges d'intérêts nettes après impôt en $N + 1$ sont de : $(1 - 25\ \%) \times 6{,}8 = 5{,}1$ millions d'euros. Le résultat net à endettement nul est par conséquent de $6{,}323 + 5{,}1 = 11{,}423$ millions d'euros. Il est également possible de raisonner à l'inverse en partant du résultat d'exploitation pour ensuite enlever les impôts théoriques (à endettement nul) : le résultat d'exploitation est de $15{,}230$ millions en $N + 1$, donc le résultat net à endettement nul est bien : $(1 - 25\ \%) \times 15{,}230 = 11{,}423$ millions d'euros.

Pour obtenir les flux de trésorerie disponibles, il faut ajouter au résultat net à endettement nul les amortissements et provisions (qui ne correspondent pas à des charges décaissables) et soustraire les variations du BFR et de la trésorerie ainsi que les investissements. On constate que les flux de trésorerie disponibles de Sport 3000 seront de

15,2 millions en $N + 1$ grâce à la réduction du BFR, mais de $- 2$ millions d'euros en $N + 3$ du fait des investissements.

Si l'on s'intéresse maintenant aux **flux de trésorerie disponibles pour les actionnaires**, il faut ajouter aux flux de trésorerie disponibles de Sport 3000 l'augmentation de la dette nette entre l'année t et l'année $t - 1$ et enlever les charges d'intérêts nettes après impôt. On conclut qu'avec les hypothèses retenues par Eurozéa, Sport 3000 devrait dégager des flux de trésorerie disponibles pour ses actionnaires élevés pendant les cinq prochaines années, ce qui lui permettra de verser de copieux dividendes à Eurozéa.

Dette et flux de trésorerie disponibles

Si Sport 3000 n'augmente pas sa dette en $N + 3$ et $N + 4$, quels seront les flux de trésorerie disponibles pour les actionnaires ?

Solution

Par définition, les flux de trésorerie disponibles de Sport 3000 sont indépendants de sa structure financière. On peut donc partir de ceux-ci pour répondre à la question. Si la dette nette reste stable au cours des cinq années, les charges d'intérêts nettes seront également constantes.

		$N + 1$	$N + 2$	$N + 3$	$N + 4$	$N + 5$
1	Flux de trésorerie disponibles	15 231	9 751	– 1 991	4 666	12 937
2	+ Hausse de la dette	–	–	–	–	–
3	– Charges d'intérêts nettes après impôt	– 5 100	– 5 100	– 5 100	– 5 100	– 5 100
4	= **Flux de trésorerie disponibles pour les actionnaires**	**10 131**	**4 651**	**– 7 091**	**– 434**	**7 837**

Sans nouvel emprunt en $N + 3$ et $N + 4$, les flux de trésorerie disponibles pour les actionnaires seraient négatifs ces années-là, ce qui obligerait Eurozéa à consentir des apports en capitaux supplémentaires pour financer les investissements de Sport 3000.

Exemple 19.3

Tableau des flux de trésorerie et bilan prévisionnels

Le tableau des flux de trésorerie et le bilan prévisionnels ne sont pas indispensables pour évaluer l'intérêt de l'opération, mais ils fournissent tout de même des informations utiles.

Le **tableau des flux de trésorerie** (tableau 19.12) est construit à partir du résultat net de Sport 3000, auquel on ajoute les amortissements et provisions et la hausse du BFR (tableaux 19.4 et 19.9). Les flux de trésorerie liés aux opérations d'investissement proviennent du tableau 19.4. Enfin, les flux de trésorerie liés aux opérations de financement prennent en compte la variation de la dette nette (tableau 19.5), les dividendes et les augmentations de capital (tableau 19.11). On vérifie que la dernière ligne du tableau, à savoir la variation de la trésorerie, est égale à la ligne 3 du tableau 19.10.

Tableau 19.12	Tableau des flux de trésorerie prévisionnel (en milliers d'euros)				

	Année	N + 1	N + 2	N + 3	N + 4	N + 5
1	Résultat net	6 323	7 982	10 277	10 707	12 168
2	Amortissements et provisions	5 450	5 405	6 865	7 678	7 710
3	Augmentation du BFR (4 + 5 − 6)	− 4 456	2 514	2 873	3 074	3 386
4	*Augmentation des créances clients*	− 3 968	2 445	2 719	3 020	3 350
5	*Augmentation des stocks*	336	1 112	1 242	1 385	1 544
6	*Augmentation des dettes fournisseurs*	823	1 043	1 088	1 331	1 508
7	**Flux de trésorerie liés à l'activité** (1 + 2 − 3)	**16 229**	**10 874**	**14 268**	**15 311**	**16 492**
8	Acquisition d'immobilisations	− 5 000	− 5 000	− 20 000	− 15 000	− 8 000
9	Cessions d'immobilisations	–	–	–	–	–
10	**Flux de trésorerie liés aux investissements** (8 + 9)	**− 5 000**	**− 5 000**	**− 20 000**	**− 15 000**	**− 8 000**
11	Dividendes	− 10 131	− 4 651	− 7 909	− 3 801	− 6 817
12	Augmentation de capital	–	–	–	–	–
13	Hausse de la dette	–	–	15 000	5 000	–
14	**Flux de trésorerie liés au financement** (11 + 12 + 13)	**− 10 131**	**− 4 651**	**7 091**	**1 199**	**− 6 817**
15	**Variation de la trésorerie** (7 + 10 + 14)	**1 098**	**1 223**	**1 360**	**1 510**	**1 675**

Pour construire les **bilans prévisionnels** de Sport 3000 (tableau 19.13), il faut disposer d'un bilan d'ouverture de l'année N tenant compte de la transaction : celle-ci modifie l'**écart d'acquisition** (*goodwill*), les capitaux propres, la trésorerie et la dette de l'entreprise. Il faut donc construire un **bilan *pro forma***. L'écart d'acquisition est la différence entre le prix d'achat de Sport 3000 et la valeur de l'actif net acheté :

Augmentation de l'écart d'acquisition = Prix d'achat − Valeur de l'actif net acheté (19.7)

Sport 3000 est achetée pour 150 millions d'euros ; l'actif net acheté est valorisé à la valeur comptable des capitaux propres (77,668 millions d'euros ; tableau 19.1) après déduction de tout écart d'acquisition existant (il n'y en a pas ici). Après le LBO, l'écart d'acquisition à inscrire dans les comptes est donc de 150 − (77,668 − 0) = 72,332 millions d'euros[4].

---

4. Les points techniques liés à l'évaluation de l'écart d'acquisition sont ici ignorés (réévaluation des actifs à leur juste valeur de marché, allocation du *goodwill* entre actifs immatériels et écart d'acquisition, etc.).

Tableau 19.13	Bilan prévisionnel (en milliers d'euros)					

Année	N	$N+1$	$N+2$	$N+3$	$N+4$	$N+5$
Actif						
1 Écart d'acquisition	72 332	72 332	72 332	72 332	72 332	72 332
2 Immobilisations nettes	49 500	49 050	48 645	61 781	69 102	69 392
3 **Actif non courant** (1 + 2)	**121 832**	**121 382**	**120 977**	**134 113**	**141 434**	**141 724**
4 Stocks et en-cours	6 165	6 501	7 613	8 854	10 240	11 784
5 Créances clients	18 493	14 525	16 970	19 689	22 709	26 059
6 Trésorerie	6 164	7 262	8 485	9 845	11 355	13 030
7 **Actif courant** (3 + 5 + 6)	**30 822**	**28 288**	**33 067**	**38 388**	**44 304**	**50 872**
8 **Total Actif** (3 + 7)	**152 654**	**149 670**	**154 044**	**172 501**	**185 738**	**192 597**
Passif						
9 Capitaux propres à l'ouverture	n.d.	48 000	44 192	47 523	49 892	56 798
10 Augmentation de capital	53 000	–	–	–	–	–
11 Résultat de l'exercice	– 5 000	6 323	7 982	10 277	10 707	12 168
12 Dividendes à payer	–	– 10 131	– 4 651	– 7 909	– 3 801	– 6 817
13 **Capitaux propres** (9 à 12)	**48 000**	**44 192**	**47 523**	**49 892**	**56 798**	**62 149**
14 Dettes non courantes	100 000	100 000	100 000	115 000	120 000	120 000
15 Dettes d'exploitation	4 654	5 477	6 521	7 609	8 940	10 448
16 **Dettes** (14 + 15)	**104 654**	**105 477**	**106 521**	**122 609**	**128 940**	**130 448**
17 **Total Passif** (13 + 16)	**152 654**	**149 670**	**154 044**	**172 501**	**185 738**	**192 597**

Les capitaux propres doivent également être modifiés : la valeur des actions est de 48 millions d'euros à l'année N (53 millions payés par Eurozéa moins 5 millions de frais divers). Enfin, il faut ajuster la trésorerie et la dette : la trésorerie excédentaire (6,5 millions d'euros) a été prise par Eurozéa, la dette préexistante a été remboursée (4,5 millions d'euros) et une nouvelle dette a été contractée (100 millions d'euros). Tout cela permet de construire le bilan *pro forma* de l'année N après la réalisation de la transaction.

Il faut ensuite construire le bilan prévisionnel des années suivantes. Pour cela, on suppose tout d'abord que l'écart d'acquisition est constant sur toute la période[5]. Pour l'actif, les immobilisations proviennent du tableau 19.4, l'actif courant du tableau 19.9 et la trésorerie du tableau 19.12. Pour le passif, les capitaux propres augmentent chaque année grâce au résultat de l'exercice et baissent du montant des dividendes, qui sont égaux à partir de $N+1$ aux flux de trésorerie disponibles pour les actionnaires lorsqu'ils sont positifs (tableau 19.11)[6]. Enfin, les dettes proviennent des tableaux 19.5 et 19.9. On remarque que la valeur comptable des capitaux propres de Sport 3000 baisse en $N+1$, car la réduction du BFR permet le versement d'un dividende exceptionnellement élevé.

---

5. Cela devrait faire l'objet d'un test annuel de dépréciation afin de vérifier que la valeur économique de l'écart d'acquisition est au minimum égale à sa valeur comptable. Si ce n'est pas le cas, cela donnera lieu à une dépréciation.

6. Si les flux de trésorerie pour les actionnaires avaient été négatifs, il y aurait eu au contraire augmentation de capital.

| Utiliser Excel | **Auditer un modèle financier** |

Construire les états financiers complets d'une entreprise ou d'un projet avec Excel est compliqué. Pour détecter la présence d'erreurs dans le tableur (même les banquiers d'affaires expérimentés peuvent en faire de temps en temps…), quelques bonnes pratiques s'imposent.

Utiliser les égalités comptables pour tester la cohérence du modèle

Dans un modèle financier bien construit, les égalités comptables permettent de détecter des erreurs. Ainsi, il faut calculer séparément les valeurs de l'actif et du passif, ce qui permet *in fine* de les comparer et de vérifier leur égalité. Un modèle qui utiliserait le montant du passif comme donnée d'entrée du montant de l'actif ne permettrait pas cette vérification. De même, il faut procéder au calcul direct de la valeur des capitaux propres, plutôt que de faire le raccourci consistant à calculer la valeur des capitaux propres par différence entre le total du passif et la valeur des dettes.

Vérifier l'évolution de la trésorerie et de la politique de distribution

L'évolution de la trésorerie doit correspondre à la politique de gestion souhaitée par l'entreprise : dans notre exemple, la variation de la trésorerie obtenue à la ligne 15 du tableau des flux de trésorerie (tableau 19.12) est conforme à la prévision de trésorerie du tableau 19.10, bien que ces deux variables aient été calculées par des moyens différents.

19.4. L'estimation du coût du capital

Les flux de trésorerie de Sport 3000 sont maintenant connus. Il faut les actualiser pour calculer la valeur actuelle nette de l'opération envisagée. Pour ce faire, il faut déterminer le coût du capital de Sport 3000 et donc déterminer la mesure appropriée du risque, ce qui impose de s'intéresser aux portefeuilles que détiennent les actionnaires de Sport 3000. Eurozéa est un fonds de capital-risque peu diversifié : le fonds détient une dizaine de participations dans des PME françaises. Heureusement, les actionnaires d'Eurozéa détiennent, eux, des portefeuilles diversifiés, puisque leur investissement dans Eurozéa représente une faible part de leur patrimoine ; ces investisseurs mesurent donc la performance de leur portefeuille par rapport à celle du marché, et il est possible d'utiliser le MEDAF pour mesurer le risque de marché de Sport 3000.

Hélas, Sport 3000 n'est pas cotée ; il est donc impossible de se fonder sur ses rentabilités boursières passées pour estimer son bêta. Il faut utiliser la **méthode des comparables**, qui consiste à estimer le bêta des actions d'entreprises cotées comparables à Sport 3000 puis leur bêta à endettement nul (voir partie IV). Cela permet ensuite de calculer le coût moyen pondéré du capital (ou le coût des capitaux propres, suivant la méthode d'évaluation choisie) de Sport 3000.

Le bêta à endettement nul des comparables

Grâce au MEDAF, on peut estimer le bêta des actions des entreprises comparables à Sport 3000. Celui-ci est estimé, comme au chapitre 12, à l'aide d'une régression linéaire de la prime de risque du portefeuille de marché sur la prime de risque de l'action considérée :

$$R_i - r_f = \alpha_i + \beta_i \left(R_M - r_f \right) + \varepsilon_i \qquad (19.8)$$

$\underbrace{R_i - r_f}_{\substack{\text{Prime de} \\ \text{risque de} \\ \text{l'actif } i}}$ $\underbrace{\left(R_M - r_f \right)}_{\substack{\text{Prime de risque} \\ \text{du portefeuille} \\ \text{de marché}}}$

La rentabilité du marché est mesurée par celle de l'indice SBF 120. Le taux sans risque est celui des bons du Trésor français d'échéance un mois. Deux régressions sont réalisées, avec des primes de risque calculées respectivement sur des périodes de 30 et 10 jours (tableau 19.14). Les bêtas estimés sont relativement différents d'une entreprise à l'autre et les intervalles de confiance à 95 % sont larges, particulièrement dans le cas des rentabilités mensuelles.

Tableau 19.14 Bêta des actions des comparables

| | Rentabilités 30 jours | | Rentabilités 10 jours | |
	β_{CP}	Intervalle de confiance à 95 %	β_{CP}	Intervalle de confiance à 95 %
Rudidas	1,70	1,2 à 2,2	1,37	0,9 à 1,9
Stop Sport	0,55	0,0 à 1,1	0,86	0,5 à 1,2
Heptathlon	0,48	− 0,1 à 1,0	0,69	0,4 à 1,0

L'étape suivante consiste à neutraliser les différences de structure financière entre entreprises, en calculant le **bêta à endettement nul** des comparables (ou bêta désendetté ou bêta de l'actif), grâce à l'équation (12.9) :

$$\beta_U = \left(\frac{\text{Valeur des capitaux propres}}{\text{Valeur de l'entreprise}} \right) \beta_{CP} + \left(\frac{\text{Valeur de la dette}}{\text{Valeur de l'entreprise}} \right) \beta_D \qquad (19.9)$$

$$= \frac{V_{CP}}{V_D + V_{CP}} \beta_{CP} + \frac{V_D}{V_D + V_{CP}} \beta_D$$

La valeur de marché de la dette s'entend ici nette de la trésorerie excédentaire. La valeur des entreprises est donc la somme de la valeur de marché de leurs capitaux propres et de leurs dettes nettes[7]. Rudidas n'a aucune dette, Stop Sport a un taux d'endettement de 17 % et Heptathlon a une dette nette négative (voir tableau 19.15). On retient pour chaque action, un peu arbitrairement, un bêta proche du milieu de la fourchette des estimations du tableau 19.14. Les bêtas des dettes des trois entreprises sont nuls, celles-ci étant peu ou pas endettées. On obtient des bêtas à endettement nul compris entre 0,62 et 1,5 pour les trois entreprises comparables.

Tableau 19.15 Bêta à endettement nul des comparables

	$\dfrac{V_{CP}}{V_D + V_{CP}}$	$\dfrac{V_D}{V_D + V_{CP}}$	β_{CP}	β_D	β_U
Rudidas	1,00	0,00	1,50	–	1,50
Stop Sport	0,83	0,17	0,75	0,00	0,62
Heptathlon	1,05	− 0,05	0,60	0,00	0,63

---

7. L'équation (19.9) repose implicitement sur l'hypothèse de stabilité du taux d'endettement (chapitre 18).

Le coût du capital à endettement nul de Sport 3000

L'activité de Sport 3000 n'est pas aussi exposée aux variations conjoncturelles que celle de Rudidas, dont le bêta à endettement nul est élevé par rapport aux autres entreprises. Pour autant, le positionnement plus spécialisé de Sport 3000 par rapport à Stop Sport et Heptathlon ne permettra pas à Sport 3000 de bénéficier d'un bêta aussi faible que le leur. D'après les banquiers d'affaires consultés par Eurozéa, le bêta de l'activité équipements sportifs est d'environ 1,2. Eurozéa retient donc un bêta à endettement nul de 1,2 pour Sport 3000.

Pour calculer le coût du capital à endettement nul de Sport 3000, il faut utiliser le MEDAF. Le taux sans risque, approché grâce au rendement des bons du Trésor d'échéance un an, est de 4 %. Historiquement, la rentabilité moyenne du marché boursier français est supérieure de cinq points au taux sans risque (voir chapitre 12). Le coût du capital à endettement nul de Sport 3000 est donc :

$$r_U = r_f + \beta_U \left(E\left[R_M \right] - r_f \right) = 4\ \% + 1{,}20 \times 5\ \% = 10\ \%$$

Ce coût du capital à endettement nul repose sur de nombreuses hypothèses. Il conviendra donc de réaliser une analyse de sensibilité pour évaluer les conséquences de l'incertitude autour de cette valeur.

Exemple 19.4

Estimer une fourchette pour le coût du capital à endettement nul de Sport 3000

En utilisant les rentabilités 30 jours du tableau 19.14, quel est le coût du capital minimum et maximum des entreprises comparables à Sport 3000 ?

Solution

Rudidas a le bêta des capitaux propres le plus élevé (1,7) et n'a aucune dette. Le bêta de ses actions est donc un bêta à endettement nul. Le coût du capital à endettement nul de Rudidas est par conséquent :

$$r_U = 4\ \% + 1{,}7 \times 5\ \% = 12{,}5\ \%$$

À l'autre extrême, les actions d'Heptathlon ont un bêta de 0,48. Le bêta à endettement nul de l'entreprise est donc : 0,48 × 1,05 = 0,50. Son coût du capital à endettement nul est de :

$$r_U = 4\ \% + 0{,}5 \times 5\ \% = 6{,}5\ \%$$

Entre le coût du capital à endettement nul d'Heptathlon et celui de Rudidas, l'écart est important. La détermination du coût du capital de Sport 3000 nécessite donc de l'expérience, la connaissance des normes du secteur et de la position de Sport 3000 par rapport aux autres entreprises du secteur : un modèle financier ne suffit pas !

19.5. La décision financière

Les flux de trésorerie futurs de Sport 3000 et son coût du capital à endettement nul sont maintenant connus. Anna Purna doit-elle acheter les actions de Jim Halaya, le fondateur de Sport 3000 ? Pour répondre à cette question, il faut tout d'abord estimer la valeur à laquelle Eurozéa pourra revendre Sport 3000 dans cinq ans. Il sera ensuite possible de calculer la valeur de Sport 3000 par la méthode de la VAN ajustée et donc la VAN de l'opération pour Eurozéa.

Estimation de la valeur terminale par la méthode des comparables

La **valeur terminale** d'une entreprise est la valeur de celle-ci à la fin de la période de prévision (ici, cinq ans). Pour l'estimer, on utilise généralement la méthode des comparables. En effet, il est vraisemblable qu'une entreprise connaisse des performances sensiblement différentes de ses concurrentes sur le court terme ; la prévision explicite de ses flux de trésorerie est donc très utile. Cependant, à plus long terme, toutes les entreprises d'un secteur affichent inévitablement des performances qui convergent vers la performance moyenne du secteur. La méthode des comparables est donc relativement fiable pour estimer la valeur terminale d'une entreprise à partir de flux de trésorerie qui se produiront dans plusieurs années.

Parmi tous les multiples possibles, le multiple d'excédent brut d'exploitation est le plus fréquemment utilisé : plus que le chiffre d'affaires ou le résultat net, l'excédent brut d'exploitation d'une entreprise traduit ses performances économiques et opérationnelles et il est indépendant de sa structure financière. On peut donc estimer la valeur terminale V_T d'une entreprise avec l'équation :

$$V_T = \text{EBE}_T \times \text{Multiple d'EBE} \qquad (19.10)$$

À l'année $N + 5$, l'EBE prévisionnel de Sport 3000 est de 32,09 millions d'euros (tableau 19.7). À l'année N, le multiple d'EBE de Sport 3000 est de 9,1. Sous l'hypothèse de stabilité du multiple d'EBE entre N et $N + 5$, la valeur terminale de Sport 3000 sera donc de $32,09 \times 9,1 = 292,3$ millions d'euros. Cela valorise les capitaux propres de l'entreprise à 172,3 millions d'euros, puisque la dette sera en $N + 5$ de 120 millions.

Tableau 19.16	Valeur terminale selon la méthode des multiples (en milliers d'euros)			
1	EBE_{N+5}	32 094	**Avec cette valeur terminale :**	
2	× Multiple d'EBE	9,1 x	Multiple du CA	1,8 x
3	= **Valeur terminale de Sport 3000**	**292 299**	PER	14,2 x
4	– Dette	– 120 000	PER à endettement nul	16,0 x
5	= **Valeur terminale des capitaux propres**	**172 299**		

Outre la valeur terminale de Sport 3000, le tableau 19.16 fournit les multiples de chiffre d'affaires et de PER induits par celle-ci. Le PER étant influencé par la structure financière de l'entreprise, on calcule également un PER à endettement nul en rapportant la valeur terminale au résultat net à endettement nul de l'entreprise. Ces valeurs sont dans la moyenne de celles des concurrents de Sport 3000 (tableau 19.2), ce qui signifie que l'estimation de la valeur terminale est raisonnable.

Estimation de la valeur terminale par la méthode des flux de trésorerie actualisés

Le défaut de la méthode des comparables est qu'elle suppose implicitement la stabilité du multiple considéré entre aujourd'hui et la date à laquelle la valeur terminale est calculée. C'est une hypothèse forte, particulièrement dans les secteurs en forte croissance. Il convient donc de vérifier le résultat obtenu à l'aide de la méthode des comparables par la méthode habituelle d'actualisation des flux de trésorerie disponibles (*FTD*) futurs. Pour cela, on suppose que le taux de croissance *g* que connaîtra l'entreprise après la fin de la période de prévision est constant, de même que son taux d'endettement. Sous ces hypothèses, le calcul de la valeur terminale à partir des flux de trésorerie actualisés est simple (voir chapitre 18) :

$$V_T = \frac{FTD_{T+1}}{r_{CMPC} - g} \qquad (19.11)$$

Les flux de trésorerie disponibles sont :

$$FTD_{T+1} = \text{Résultat net à endettement nul}_{T+1} + \text{Amortissements}_{T+1}$$
$$- \text{Augmentation du BFR}_{T+1} - \text{Investissements}_{T+1} \qquad (19.12)$$

Si le chiffre d'affaires augmente au taux *g* constant et que les charges d'exploitation représentent un pourcentage fixe de ce chiffre d'affaires, le résultat net croît également au taux *g*, de même que les différents postes du BFR. L'entreprise devra également investir à hauteur de ses amortissements afin de renouveler à l'identique son outil de production. Les capacités de production de l'entreprise devront également augmenter proportionnellement au chiffre d'affaires, au taux *g* :

$$\text{Investissements}_{T+1} = \text{Amortissements}_{T+1} + g \times \text{Immobilisations nettes}_T$$

On parvient donc à :

$$FTD_{T+1} = (1 + g) \times \text{Résultat à endettement nul}_T$$
$$- g \times \text{BFR}_T - g \times \text{Immobilisations nettes}_T \qquad (19.13)$$

Les deux méthodes de calcul de la valeur terminale, par les comparables et par les flux de trésorerie actualisés, sont complémentaires. Leur utilisation combinée permet de s'assurer que la valeur obtenue est réaliste. D'après le tableau 19.17, avec une valeur terminale de 292,3 millions d'euros, un multiple d'EBE de 9,1 implique un taux de croissance de long terme de l'entreprise de 4,46 %. Ce taux de croissance nominal revient à supposer que la croissance réelle de l'entreprise sera de 2,46 % à long terme, si le taux d'inflation est de 2 %. Il faut comparer ce taux de croissance réel à la croissance attendue du secteur : s'il est supérieur, l'estimation de la valeur terminale est probablement trop optimiste…

Tableau 19.17	Valeur terminale selon la méthode des flux de trésorerie actualisés (en K€)

Flux de trésorerie disponibles en N + 6

1	Résultat net à endettement nul	19 103	Taux de croissance à long terme (g)	4,46 %
2 –	Augmentation du BFR	– 1 222	Taux d'endettement cible $V_D/(V_{CP} + V_D)$	40,00 %
3 –	Augmentation de la trésorerie	– 581	CMPC anticipé**	9,32 %
4 –	Augmentation des immobilisations nettes*	– 3 095	**Valeur terminale en N + 5**	**292 299**
5 =	**Flux de trésorerie disponibles**	**14 205**	**Multiple d'EBE implicite**	**9,1×**

* Différence entre les investissements et les amortissements : la soustraire revient donc à ajouter les amortissements et à soustraire les investissements.

** Voir exemple 19.5 pour le calcul.

Estimation de la valeur terminale par la méthode des flux de trésorerie actualisés

Exemple 19.5

Estimez la valeur terminale de Sport 3000 avec la méthode des flux de trésorerie actualisés si le taux de croissance anticipé annuel est de 5 %, le taux d'endettement cible de 40 % et le coût de la dette de 6,8 %.

Solution

En $N + 5$, le résultat net à endettement nul de Sport 3000 est de 18,288 millions d'euros (tableau 19.11), le BFR anticipé de 27,395 millions d'euros (tableau 19.9) et les immobilisations nettes de 69,392 millions (tableau 19.4). Les flux de trésorerie disponibles de Sport 3000 en $N + 6$ sont donc :

$$FTD_{N+6} = 1,05 \times 18,288 - 0,05 \times 27,395 - 0,05 \times 69,392 = 14,363 \text{ millions d'euros}$$

Cela correspond à une augmentation de 11 % par rapport à $N + 5$, soit 6 points de plus que la croissance du chiffre d'affaires, car le BFR augmente moins vite que ce dernier. Avec un taux d'endettement de 40 %, le coût moyen pondéré du capital de Sport 3000 est (équation 18.11) :

$$r_{CMPC} = r_U - d \times \tau_{IS} \times r_D = 10 \% - 0,40 \times 0,25 \times 6,8 \% = 9,32 \%$$

La valeur terminale de Sport 3000 en $N + 5$ est donc :

$$V_T = \frac{14,363}{9,32 \% - 5 \%} = 332,5 \text{ millions d'euros}$$

Cette valeur terminale correspond à un multiple d'excédent brut d'exploitation de 332,5 / 32,09 = 10,4.

| **Erreur à éviter** | **Valeur terminale et taux de croissance à long terme** |

Lorsqu'on évalue la valeur terminale d'un projet, il faut se garder de choisir une valeur trop optimiste. En particulier, il convient de ne pas :

- Utiliser des multiples actuels fondés sur des taux de croissance élevés. Les multiples actuels d'une entreprise sont souvent fondés sur un taux de croissance qui baissera au fil du temps.

- Ignorer que la croissance doit être financée. Dans la méthode des flux de trésorerie actualisés, on ne peut pas supposer que : $FTD_{T+1} = (1 + g) \times FTD_T$ si le taux de croissance change entre T et $T + 1$. En effet, un changement de taux de croissance implique une variation des investissements et du besoin en fonds de roulement dont on doit tenir compte (à l'image de l'équation 19.13).

- Utiliser des taux de croissance de long terme irréalistes. À long terme, toutes les entreprises croîtront au rythme de l'économie. Le choix d'un taux de croissance supérieur à celui du PIB nécessite donc une bonne raison.

Valorisation de Sport 3000 par la méthode de la VAN ajustée

La valeur terminale de Sport 3000 en $N + 6$ résume ce que l'on sait des flux de trésorerie disponibles de l'entreprise après cette date. En combinant cette valeur terminale aux flux de trésorerie disponibles entre $N + 1$ et $N + 5$, il est possible d'obtenir la valeur actuelle de Sport 3000 (tableau 19.18). Puisque la dette sera remboursée à un rythme prédéterminé sur la période, la méthode de valorisation la plus simple à mettre en œuvre est la **méthode de la VAN ajustée** présentée au chapitre 18. Pour cela, il faut calculer la valeur actuelle de l'entreprise à endettement nul V^U, en actualisant au coût du capital à endettement nul r_U les flux de trésorerie disponibles à endettement nul du tableau 19.11 et la valeur terminale. Cela revient à supposer que l'entreprise n'a pas de dette pendant la période de prévision et qu'elle sera revendue à sa valeur terminale :

$$V^U = \sum_{t=1}^{T} \frac{FTD_t}{\left(1+r_U\right)^t} + \frac{V_T}{\left(1+r_U\right)^T} \qquad (19.14)$$

La seconde étape consiste à ajouter à V^U la valeur actuelle nette des économies d'impôt réalisées grâce à la déductibilité des charges d'intérêts sur la période de prévision. Celles-ci sont égales au taux de l'impôt sur les sociétés multiplié par les charges d'intérêts. La dette de Sport 3000 est connue, de même que le taux d'intérêt ($r_D = 6{,}80$ %), donc :

$$VA\left(EcoIS\right) = \sum_{t=1}^{T} \frac{EcoIS_t}{\left(1+r_D\right)^t} \qquad (19.15)$$

Tableau 19.18	Valorisation de Sport 3000 par la méthode de la VAN ajustée (en milliers d'euros)						
	Année	**N**	**N + 1**	**N + 2**	**N + 3**	**N + 4**	**N + 5**
1	Flux de trésorerie disponibles	–	15 231	9 751	– 1 991	4 666	12 937
2	Valeur de Sport 3000 à endettement nul V^U	213 123	219 205	231 374	256 503	277 487	292 299
3	Économies d'impôt	–	1 700	1 700	1 700	1 955	2 040
4	VA(EcoIS)	7 449	6 255	4 980	3 619	1 910	–
5	**Valeur totale V^D** (2 + 4)	**220 572**	**225 460**	**236 355**	**260 122**	**279 398**	**292 299**
6	– Valeur de la dette V_D	– 100 000	– 100 000	– 100 000	– 115 000	– 120 000	– 120 000
7	= **Valeur des capitaux propres V_{CP}**	**120 572**	**125 460**	**136 355**	**145 122**	**159 398**	**172 299**

La VAN ajustée de Sport 3000 est la somme de sa valeur à endettement nul et de la valeur actuelle des économies d'impôt. En enlevant enfin la valeur de marché de sa dette, on obtient la valeur de marché des capitaux propres de Sport 3000 : l'entreprise vaut aujourd'hui 220,6 millions d'euros et ses capitaux propres 120,6 millions. Puisque la mise de départ d'Eurozéa est de 53 millions (tableau 19.6), la VAN de l'investissement est de 120,6 – 53 = 67,6 millions d'euros. L'opération est rentable pour Eurozéa !

Test de vraisemblance

Valoriser Sport 3000 à 220,6 millions est-il vraisemblable ? Pour le savoir, il faut revenir à la méthode des comparables, en comparant les multiples de Sport 3000 implicitement contenus dans cette valorisation à ceux de ses concurrents (tableau 19.19). Il est évident que ces multiples sont plus élevés avec une valeur de l'entreprise de 220,6 millions[8] qu'avec le prix de 150 millions demandé par Jim Halaya. Ils sont maintenant significativement supérieurs aux multiples des comparables : cela signifie que les hypothèses retenues par Eurozéa à propos de l'amélioration à venir de la gestion de Sport 3000 sont plus optimistes que ce que le marché anticipe pour les concurrents de Sport 3000. En d'autres termes, la valorisation de Sport 3000 repose largement sur la capacité d'Eurozéa d'améliorer rapidement et significativement la gestion de Sport 3000. On vérifie par ailleurs que le multiple d'EBE est de 13,6, supérieur au multiple utilisé pour le calcul de la valeur terminale (9,1). C'est cohérent avec l'hypothèse d'une baisse du taux de croissance de l'entreprise à long terme.

Tableau 19.19	Ratios financiers pour Sport 3000 et ses comparables					
	Sport 3000 (Valeur estimée)	**Sport 3000 (Prix d'achat)**	**Rudidas**	**Stop Sport**	**Heptathlon**	**Moyenne du secteur**
PER	27,7	18,9	14,8	13,5	19,1	15,8
Multiple du CA	2,9 x	2,0 x	2,0 x	1,5 x	1,7 x	1,7 x
Multiple d'EBE	13,6 x	9,1 x	8,7 x	7,5 x	9,7 x	8,6 x

8. Ce qui correspond à un prix des actions de 222,6 millions compte tenu de la trésorerie excédentaire et de la dette de Sport 3000.

| **Erreur à éviter** | **Oublier certains actifs ou passifs** |

Lorsqu'on évalue une entreprise à partir de ses flux de trésorerie disponibles futurs, on évalue en fait la valeur des actifs et passifs dont les flux de trésorerie sont inclus dans le calcul. Tout actif ou tout passif dont les flux de trésorerie ne sont pas intégrés dans les prévisions de flux de trésorerie futurs doivent donc être ajoutés à la valeur de l'entreprise. C'est souvent le cas de la trésorerie excédentaire, de terrains inutilisés par l'entreprise qui ne produisent aucun revenu, de brevets sans application commerciale immédiate, etc. De même, les passifs sans flux de trésorerie associés doivent être retranchés de la VAN ajustée de l'entreprise : il peut s'agir de stock-options octroyées aux dirigeants, de risques juridiques, etc.

Le TRI de l'opération pour Eurozéa

Le **critère de la VAN** est le plus fiable pour évaluer l'opportunité d'une opération financière. Certains praticiens préfèrent pourtant utiliser le **critère du TRI**. Pour calculer le TRI de l'opération pour Eurozéa, il faut disposer de tous les flux de trésorerie reçus par Eurozéa. L'investissement initial d'Eurozéa est de 53 millions d'euros. Ensuite, Eurozéa reçoit des dividendes annuels fondés sur les flux de trésorerie disponibles pour les actionnaires (tableau 19.11). En fin de période $(N + 5)$, Eurozéa revendra Sport 3000 à un prix égal à sa valeur terminale. Il ne reste plus qu'à calculer le TRI de cette suite de flux (tableau 19.20) ; on obtient un TRI de 35,8 %. Ce TRI est élevé, mais il convient de le comparer au coût du capital approprié pour savoir si l'opération est rentable. Puisque Eurozéa détient des actions de Sport 3000, il semble logique de choisir comme coût du capital le coût des capitaux propres de Sport 3000. Mais le taux d'endettement de Sport 3000 change au cours de la période, ce qui modifie le risque de ses actions. Il est donc impossible de comparer ce TRI à un coût du capital unique[9].

Tableau 19.20	TRI de l'investissement d'Eurozéa dans Sport 3000					
Année	**N**	**N + 1**	**N + 2**	**N + 3**	**N + 4**	**N + 5**
1 Investissement d'Eurozéa	– 53 000	–	–	–	–	–
2 Flux de trésorerie disponibles pour les actionnaires	–	10 131	4 651	7 909	3 801	6 817
3 Valeur terminale des capitaux propres	–	–	–	–	–	172 299
4 **Flux de trésorerie reçus par Eurozéa** (1 + 2 + 3)	– 53 000	10 131	4 651	7 909	3 801	179 116
5 **TRI** (en %)	**35,8 %**					

---

9.   L'annexe à ce chapitre détaille le calcul du coût des capitaux propres de Sport 3000 sur la période.

| **Entretien** | **Pedro Arias, directeur des actifs réels et alternatifs chez Amundi** |

Pedro Arias est directeur des actifs réels et alternatifs et membre du comité exécutif d'Amundi. Il gère plus de 44 milliards d'euros investis en actifs non cotés européens.

Pourquoi investir dans des actifs non cotés ?

Pendant longtemps, la raison principale poussant les investisseurs à détenir des actifs non cotés résidait dans leur surperformance historique par rapport aux actifs cotés – leur rentabilité effective était supérieure à celle des actions ou obligations échangées sur les marchés, même en tenant compte de la différence de risque entre les classes d'actifs. L'objectif était donc de produire de l'alpha. La période de taux d'intérêt faibles que nous connaissons actuellement favorise d'ailleurs la croissance du segment non coté, car les rentabilités espérées sur l'immobilier ou le *private equity* demeurent élevées par rapport à celles offertes par les actifs cotés.

La recherche de rentabilité n'a pas disparu, mais nos clients expriment de manière croissante un second objectif : s'exposer à des classes d'actifs dont les performances sont décorrélées de celles des actifs cotés, pour améliorer la diversification de leurs portefeuilles. Le non coté permet de concilier les deux préoccupations : nos clients bénéficient d'un alpha positif et d'un bêta faible, voire quasi nul sur certaines classes d'actifs.

Quelle est l'évolution de ce segment en Europe depuis 10 ans ?

Les investissements dans le non coté sont en forte croissance depuis 10 ans en Europe. Mais le potentiel de croissance est loin d'être épuisé, puisque les assureurs européens, par exemple, détiennent en moyenne 7 % de non coté dans leur portefeuille, contre près de 25 % pour leurs homologues américains. Avec le temps, les investisseurs ont gagné en sophistication et en compréhension des actifs, ce qui les pousse à élargir leur univers d'investissement pour améliorer la diversification de leur portefeuille. Au départ concentrés dans l'immobilier et le *private equity*, les investissements que nous faisons aujourd'hui intègrent les gestions alternatives (*hedge funds*), la dette privée (*corporate syndicated loans*), voire des actifs réels (avions, centrales électriques, etc.).

Pourquoi le non coté affiche-t-il une performance plus élevée que ce qui est prédit par la théorie ?

La différence fondamentale entre coté et non coté réside dans la quantité d'information à la disposition des investisseurs : les marchés organisés sont efficients car l'information est transparente, abondante et de qualité. Dans ces conditions, impossible de « battre le marché ». Ce n'est pas le cas dans le non coté, où l'évaluation d'une opportunité impose de mobiliser des spécialistes du secteur considéré et d'investir du temps et des ressources pour collecter, trier et analyser l'information. Suivre la performance, l'actionnariat ou les risques pesant sur une entreprise de taille moyenne non cotée n'est pas à la portée de tous. De plus, un investissement dans le non coté expose à certains risques qui ne sont pas pris en compte dans les modèles qui reposent sur l'hypothèse d'efficience des marchés : le risque d'illiquidité, par exemple, peut être significatif.

19.6. L'analyse de sensibilité

La valorisation d'une entreprise dépend des hypothèses retenues. Il est donc indispensable, avant d'achever un tel exercice, de réaliser une **analyse de sensibilité** pour vérifier si la valeur obtenue n'est pas trop sensible à des changements mineurs d'hypothèses du modèle. Sans une telle analyse, impossible de savoir quelle confiance accorder aux résultats obtenus : quelle serait la valeur de Sport 3000 si le multiple d'EBE retenu pour calculer la valeur terminale n'était pas de 9,1, mais seulement de 8 ? Ou si le coût du capital à endettement nul était de 11 % au lieu de 10 % ? Si de petits changements d'hypothèses comme ceux-ci modifient substantiellement les résultats obtenus, cela doit inviter à la prudence…

Le tableau 19.21 permet de mesurer l'impact sur la valeur de Sport 3000 d'un changement d'hypothèse concernant le multiple d'EBE. Si on retient un multiple d'EBE pour le calcul de la valeur terminale de 8 au lieu de 9,1, cela réduit la valeur actuelle de Sport 3000 de 22 millions d'euros : l'opération reste largement profitable pour Eurozéa. Le point mort de l'opération pour Eurozéa serait atteint pour un multiple d'EBE de 5,7, cohérent avec un taux de croissance implicite de long terme de Sport 3000 négatif. Voilà qui donne confiance dans la valorisation réalisée, car il est peu probable qu'une erreur d'appréciation aussi importante ait été commise ! Pour le dire autrement, la VAN de l'opération demeurerait positive même en l'absence de croissance des ventes au-delà des cinq premières années.

Tableau 19.21	Analyse de sensibilité				
Multiple d'EBE utilisé pour la valeur terminale	**5,7x**	**8,0x**	**9,1x**	**10,0x**	**11,0x**
Taux de croissance implicite de long terme (g)	–1,29 %	3,41 %	**4,46 %**	5,07 %	5,59 %
Valeur actuelle de Sport 3000	153,0	198,5	**220,6**	238,4	258,3
Valeur actuelle des capitaux propres	53,0	98,5	**120,6**	138,4	158,3
TRI d'Eurozéa (en %)	15,9 %	30,7 %	**35,8 %**	39,4 %	43,1 %
Coût du capital à endettement nul	**8 %**	**9 %**	**10 %**	**11 %**	**12 %**
Taux de croissance implicite de long terme (g)	1,55 %	3,00 %	**4,46 %**	5,92 %	7,37 %
Valeur actuelle de Sport 3000	239,5	229,8	**220,6**	211,8	203,6
Valeur actuelle des capitaux propres	139,5	129,8	**120,6**	111,8	103,6

De la même manière, on vérifie que plus le coût du capital à endettement nul de Sport 3000 est élevé, plus sa valeur actuelle est faible. Mais même avec un coût du capital à endettement nul de 12 %, la valeur des capitaux propres de Sport 3000 demeure largement supérieure à l'investissement d'Eurozéa. Cependant, si le coût du capital de Sport 3000 était proche de ce chiffre, il faudrait probablement ajuster à la baisse le multiple d'EBE retenu pour le calcul de la valeur terminale ; en effet, le taux de croissance implicite à long terme semble irréaliste lorsqu'on dépasse un coût du capital à endettement nul de 11 %. Les exercices en fin de chapitre permettront d'approfondir cette analyse de sensibilité.

Résumé

19.1. Valorisation par la méthode des comparables

- La méthode des comparables permet d'estimer la valeur approximative d'une entreprise, en raisonnant par analogie à partir d'entreprises cotées comparables.

19.2. Les hypothèses du *business plan*

- La valeur d'une entreprise dépend de ses flux de trésorerie futurs. Pour les estimer, il est nécessaire de procéder à une analyse de son cycle d'exploitation, de ses investissements et de sa structure financière.

19.3. La construction du *business plan*

- Le recours à un modèle financier peut être d'une grande utilité pour prévoir les flux de trésorerie futurs. Il convient d'être rigoureux lors de la construction de ce modèle et de procéder à son audit avant toute utilisation.

19.4. L'estimation du coût du capital

- Pour déterminer le taux auquel il faut actualiser les flux futurs d'un projet, il faut déterminer son risque. Pour cela, le modèle le plus utilisé est le MEDAF.

19.5. La décision financière

- Le calcul de la valeur terminale d'un projet est indispensable à sa valorisation. Deux méthodes existent : la méthode des comparables et la méthode des flux de trésorerie actualisés.

- Une fois connus les flux de trésorerie futurs du projet et sa valeur terminale, il est possible d'en calculer la valeur actuelle nette en appliquant les méthodes d'évaluation présentées au chapitre 18.

19.6. L'analyse de sensibilité

- Une analyse de sensibilité est indispensable pour mesurer la fiabilité de la valorisation obtenue et la sensibilité des résultats à la modification d'une hypothèse du modèle.

Annexe – Offrir une rémunération incitative aux dirigeants

Le succès de l'opération envisagée par Eurozéa dépend largement de l'amélioration de la gestion de Sport 3000. Du point de vue d'Eurozéa, le plus simple est de confier cette tâche aux dirigeants de Sport 3000 en les incitant financièrement à œuvrer en ce sens. Il est courant que les fonds de *private equity* proposent aux dirigeants une rémunération incitative (pudiquement appelée un *management package*) à base d'**actions gratuites** ou de **stock-options**. Imaginons qu'Eurozéa s'engage à offrir dans cinq ans aux dirigeants de Sport 3000 des actions gratuites portant sur 10 % du capital de l'entreprise. Quel est le coût pour Eurozéa de ces actions gratuites ?

Ces actions gratuites seront distribuées dans cinq ans, donc les dirigeants de Sport 3000 ne bénéficient pas des dividendes des premières années. Ils recevront leurs actions en $N + 5$: la valeur des capitaux propres de Sport 3000 devrait être à ce moment-là de 172 millions d'euros (tableau 19.16). Leurs actions vaudront donc 10 % $\times$ 172 = 17,2 millions en $N + 5$ (tableau 19A.1). Pour actualiser cette valeur, il faut utiliser le coût des capitaux propres de l'entreprise, puisqu'il s'agit de droits futurs sur des actions de Sport 3000. L'évolution de la dette est connue à l'avance, on peut donc utiliser l'équation (18.20) pour calculer le coût des capitaux propres r_{CP} :

$$r_{CP} = r_U + \frac{V_D - VA\left(EcoIS_{fixé}\right)}{V_{CP}}\left(r_U - r_D\right)$$

La dette, les capitaux propres et les économies d'impôt ont déjà été calculées (tableau 19.18) : on peut donc calculer r_{CP} pour toutes les années de N à $N + 5$. Il suffit ensuite de calculer la valeur actuelle des actions octroyées aux dirigeants, et de la déduire de la valeur de Sport 3000 pour obtenir la valeur des actions d'Eurozéa. Sachant qu'Eurozéa a payé 53 millions d'euros l'achat de Sport 3000, la VAN de l'opération pour Eurozéa, compte tenu des actions gratuites offertes aux dirigeants, est de 111 − 53 = 58 millions d'euros. L'opération demeure intéressante.

Tableau 19.A1	Valorisation des actions octroyées aux dirigeants de Sport 3000 (en milliers d'euros)					
Année	**N**	**N + 1**	**N + 2**	**N + 3**	**N + 4**	**N + 5**
1 Actions gratuites						17 230
2 Levier effectif : $\left(\dfrac{V_D - VA\left(EcoIS\right)}{V_{CP}}\right)$	0,768	0,747	0,697	0,767	0,741	
3 Coût des capitaux propres r_{CP}	12,46 %	12,39 %	12,23 %	12,46 %	12,37 %	
4 **Valeur des actions gratuites**	**9 612**	**10 810**	**12 149**	**13 635**	**15 333**	**17 230**
5 Valeur des capitaux propres V_{CP}	120 572	125 460	136 355	145 122	159 398	172 299
6 **Valeur des actions Eurozéa** (5 − 4)	**110 960**	**114 650**	**124 206**	**131 488**	**144 064**	**155 069**

Exercices

L'astérisque désigne les exercices les plus difficiles.

1. Dans quel intervalle devrait se situer l'excédent brut d'exploitation de Sport 3000 d'après la méthode des comparables appliquée au ratio EBE / CA (tableau 19.2) ?

2. On souhaite réaliser une analyse de sensibilité : si la part de marché de Sport 3000 augmente de 0,5 % par an (et non de 1 %), à quelle date faudra-t-il augmenter les capacités de production de Sport 3000 ?

3. (Suite de l'exercice 2.) L'augmentation des capacités de production coûtera 15 millions d'euros. Quelles seront les charges d'intérêts et les économies d'impôt si cet investissement est financé à crédit ?

4. (Suite de l'exercice 3.) La chronique d'amortissements est la suivante :

	N	N+1	N+2	N+3	N+4	N+5
Investissements	5 000	5 000	5 000	5 000	5 000	20 000
Amortissements et provisions	– 5 500	– 5 450	– 5 405	– 5 365	– 5 328	– 6 795

Construire le tableau 19.7 avec ces hypothèses pour calculer le résultat net de Sport 3000 sur la période.

5. (Suite de l'exercice 4.) Construire les tableaux 19.9 et 19.10 avec ces hypothèses pour calculer le BFR et la trésorerie de précaution de Sport 3000 sur la période.

6. (Suite de l'exercice 5.) Construire le tableau 19.11 avec ces hypothèses pour calculer les flux de trésorerie disponibles de Sport 3000.

7. (Suite de l'exercice 6.) Construire les tableaux 19.12 et 19.13 avec ces hypothèses pour obtenir le tableau des flux de trésorerie et le bilan de Sport 3000.

8. (Suite de l'exercice 7.) Construire le tableau 19.16 avec ces hypothèses pour calculer la valeur terminale de Sport 3000, en supposant que le multiple d'EBE reste stable à 9,1 pendant toute la période.

9. (Suite de l'exercice 8.) Quel est le taux de croissance de long terme de Sport 3000 compatible avec le fait que le multiple d'EBE reste inchangé entre N et N + 5, à 9,1 ?

10. (Suite de l'exercice 9.) Appliquez la méthode de la VAN ajustée pour calculer la valeur actuelle de Sport 3000 et la VAN de l'opération pour Eurozéa.

*11. Repartez de l'exercice 4, et refaites les exercices 5 à 10 en supposant que l'amélioration espérée du BFR en N + 1 n'a pas lieu (tableau 19.8). Pourquoi trouve-t-on la même valeur terminale qu'à l'exercice 8 ?

*12. À partir des réponses aux exercices 10 et 11, quelle est la valeur créée par l'amélioration du BFR ?

Chapitre 20
Les options

Les options financières[1] sont des contrats qui permettent de fixer dès aujourd'hui les conditions d'un échange qui ne se réalisera que dans le futur. Ces contrats sont des instruments financiers appartenant à la catégorie des produits dérivés, dont la valeur fluctue en fonction de l'évolution du prix d'un autre produit, appelé actif sous-jacent. Même si les options existent dans leur principe depuis l'Antiquité, elles connaissent depuis 1973 un incroyable essor : cette année-là, le premier marché organisé d'options sur actions a vu le jour (le *Chicago Board Options Exchange*, ou CBOE). Les options font désormais partie des instruments financiers les plus répandus et les plus échangés[2].

Les options sont des outils de gestion des risques particulièrement utiles. À ce titre, la plupart des grandes entreprises y ont recours. Grâce aux options, ces entreprises peuvent, par exemple, se protéger efficacement contre le risque de change qu'elles courent du fait de leurs activités internationales. Les options peuvent également être utilisées pour couvrir un risque lié aux fluctuations des taux d'intérêt ou des cours boursiers. Elles permettent également de gérer efficacement le risque de crédit ou le risque climatique… Leur intérêt ne s'arrête pas là : il est même possible d'interpréter la dette et les capitaux propres d'une entreprise comme des positions optionnelles.

Avant d'étudier l'utilité des options pour la finance d'entreprise, il est nécessaire d'en présenter le fonctionnement et les caractéristiques. La compréhension des stratégies de base reposant sur l'utilisation des options est également requise, de même que celle des facteurs influençant leur valeur. Il sera ensuite possible de montrer comment la structure financière d'une entreprise peut être interprétée à l'aide des options ; il est ainsi possible non seulement de mieux appréhender les conflits d'intérêt potentiels entre actionnaires et créanciers, mais aussi de valoriser des titres de dette risqués.

20.1. Qu'est-ce qu'une option ?

Une option offre à son détenteur le droit, et non l'obligation, d'acheter ou de vendre à une date future spécifiée, un actif – qualifié d'actif sous-jacent – à un prix fixé au moment de la conclusion du contrat. Il existe deux types d'options selon que celle-ci permet d'acheter (on parle d'option d'achat ou de call) ou de vendre (on parle d'option de vente ou de put) l'actif sous-jacent.

---

1. Elles seront tout simplement appelées options dans la suite du chapitre. Elles sont cependant à distinguer des options réelles pour lesquelles l'actif sous-jacent est un projet d'investissement physique (voir chapitre 22).

2. Des statistiques sur les volumes échangés sur les marchés de produits dérivés sont disponibles sur le site de la Banque des règlements internationaux : www.bis.org/statistics/extderiv.htm.

Les options les plus répandues sont celles qui ont pour actif sous-jacent une action. Une option sur action donne le droit à son détenteur d'acheter ou de vendre cette action dans le futur à un prix fixé aujourd'hui. Les sous-jacents des options sont très variés : outre les actions, il existe des options sur indices boursiers, sur taux de change, sur titres à revenu fixe, sur matières premières, sur options…

Vocabulaire

Lorsque le détenteur d'une option décide de profiter de l'opportunité dont il dispose et qu'il achète ou vend le sous-jacent au prix fixé par le contrat d'option, il **exerce** l'option. Ce prix auquel il achète ou vend l'actif sous-jacent, lorsque l'option est exercée, est appelé **prix d'exercice** (*strike price*).

Il existe plusieurs types d'options : les **options américaines**, les plus fréquentes, sont exerçables à tout moment entre leur émission et leur **date d'échéance** (cette dernière est aussi appelée date de maturité ou date d'expiration). Les **options européennes** ne peuvent être exercées qu'au moment de leur échéance[3]. Ces appellations ne sont aucunement liées à la localisation géographique des marchés sur lesquels les options sont échangées : des options américaines peuvent être cotées à Paris et des options européennes à Chicago.

Une option est un contrat entre deux parties : l'acheteur de l'option a une position « longue » tandis que le vendeur de l'option (ou *option writer*) a une position « courte ». Contrairement aux autres actifs financiers, la position des deux parties est fondamentalement asymétrique : puisque l'acheteur de l'option a le choix d'exercer ou non l'option, le vendeur de l'option est contraint par la volonté de l'acheteur ; il a l'obligation de satisfaire aux termes du contrat en cas d'exercice. Afin de mieux comprendre ceci, on considère, à titre d'exemple, un call américain portant sur 100 actions Capgemini. Le prix d'exercice est de 70 € (pour une action). L'action Capgemini cote actuellement 80 €. L'acheteur de l'option décide de l'exercer. Le vendeur de l'option est alors obligé de lui vendre 100 actions Capgemini à 70 € pièce, alors que celles-ci valent 80 €. Le gain de l'acheteur est donc de 10 € par action ; c'est-à-dire la différence entre le prix auquel il achète l'action, suite à l'exercice de son option, et celui auquel il peut la revendre sur le marché au comptant. Son gain total est donc de $10 \times 100 = 1\ 000$ €. La perte du vendeur de l'option est égale au gain de l'acheteur : les contrats d'option correspondent à des jeux à somme nulle. Ce que gagne l'acheteur est perdu par le vendeur, et réciproquement.

Dans la mesure où les acheteurs n'exercent leurs options que lorsqu'elles leur procurent un gain, les vendeurs ressortent toujours perdants en cas d'exercice. Pour accepter de vendre des options, ils exigent donc une compensation. Celle-ci prend la forme d'une **prime** (ou *premium*) qu'ils reçoivent dès la vente de l'option et qu'ils conserveront que l'option soit exercée ou non : cette prime, qui n'est rien d'autre que le prix auquel se négocie le contrat d'option, compense donc le risque de perte que le vendeur encourt en cas d'exercice.

---

3. Il existe également des options bermudiennes, à mi-chemin entre les options américaines et les options européennes (tout comme les Bermudes sont entre les Amériques et l'Europe…) : elles sont exerçables à certaines dates entre leur émission et leur échéance.

| **Prix nobel & Co.** | **Aristote, Thalès et de la Vega : l'origine des marchés dérivés** |

Les produits dérivés sont le fruit d'une longue évolution des pratiques commerciales et financières. Ainsi, dès le IVe siècle avant J.-C., Aristote raconte-t-il, dans le « Livre I » de La *Politique*, comment le philosophe Thalès de Milet mit à profit sa science et son ingéniosité afin de bénéficier de l'effet de levier des options pour réaliser des opérations spéculatives :

« L'anecdote de Thalès de Milet. Il s'agit d'une opération financière qu'on lui attribue à cause de son renom de sagesse, mais qui inclut un principe d'application générale. Comme on lui reprochait, à cause de sa pauvreté, l'inutilité de son amour de la science on rapporte qu'ayant prévu, grâce à ses connaissances astronomiques, qu'il y aurait une abondante récolte d'olives, il employa dès l'hiver le peu d'argent dont il disposait à verser des arrhes pour louer tous les pressoirs d'huile de Milet et de Chios ; en l'absence de tout enchérisseur, il les afferma à bas prix. La saison venue, comme on recherchait en même temps et sans délais, beaucoup de pressoirs, il les loua au prix qu'il voulut ; grâce à la grande fortune qu'il amassa, il prouva qu'il est facile aux amants de la science de s'enrichir quand ils le veulent mais que ce n'est pas là l'objet de leur passion. » – Aristote, La Politique (Livre I)

Ce n'est toutefois qu'à partir des XVIe et XVIIe siècles, avec l'essor des premières Bourses, que de telles pratiques se généralisent. L'ouvrage de Joseph (Penso) de la Vega (1650-1692), *Confusión de Confusiones*, paru en 1688, contient une des premières analyses détaillées du fonctionnement des marchés financiers avec un inventaire précis des pratiques alors en vigueur. Y figurent notamment des remarques sur l'utilisation (parfois abusive) de stratégies financières sophistiquées et hautement spéculatives dans lesquelles interviennent des contrats d'options : on y explique par exemple comment « le hareng était vendu avant même qu'il n'ait été pêché, les blés et les autres marchandises avant qu'ils aient poussé » ! L'actualité des descriptions présentées est saisissante ; le *Financial Times* a d'ailleurs classé cet ouvrage parmi les 10 meilleurs ouvrages d'investissement jamais publiés.

La cotation des options

Les options peuvent être échangées sur des marchés de gré à gré (on parle alors de marchés OTC, pour *Over-The-Counter*) ou sur des marchés organisés. Les options sur actions – sur lesquelles cet ouvrage se concentre – sont en majorité traitées sur les marchés organisés. Le premier marché réglementé d'options sur actions ne date que de 1973 : il s'agit du *Chicago Board Options Exchange*, ou CBOE[4]. En Europe, les principaux marchés de produits dérivés sont l'Eurex, le Liffe et Euronext[5].

Le tableau 20.1 montre les cotations sur Euronext, au 27 février 2017, des options américaines écrites sur l'action Total pour les échéances de juin et décembre 2017. Les contrats arrivent à échéance le troisième vendredi des mois considérés. Les calls sont à gauche du tableau et les puts à droite. Chaque ligne correspond à une option de prix d'exercice

---

4. Les marchés organisés d'options les plus anciens sont d'ailleurs nés à Chicago. Il s'agit du *Chicago Board of Trade* (CBOT) créé en 1848 et du *Chicago Mercantile Exchange* (CME) créé en 1874 qui ont aujourd'hui fusionné.

5. En France, le premier marché organisé d'options a été créé en septembre 1987 : le Monep, pour Marché des options négociables de Paris.

différent. Dans la première ligne, on retrouve le code de référence du titre (*ticker*) : les deux premières lettres (TO) désignent le titre sous-jacent (ici l'action Total) ; le chiffre qui suit témoigne du caractère américain de l'option (1 pour une option américaine et 2 pour une option européenne). Le call de la première ligne du tableau a un prix d'exercice de 45 €. Le prix de vente le moins élevé pour ce call est de 3,11 € (*bid*), le prix d'achat le plus élevé de 3,20 € (*ask*). Aucun échange n'a eu lieu le 27 janvier 2017 sur ce call. La première et dernière colonnes renseignent le nombre total de contrats encore ouverts (*open interest*) à cette date (5 827). À la date de relevé des cotations, l'action Total a clôturé à 47,24 €.

Les options portent généralement sur des blocs de 10 ou 100 titres : c'est ce qu'on appelle la *quotité*. Le premier call permet en réalité d'acheter 100 actions Total à 45 €. Le prix des options est toutefois coté sur une base unitaire : un call coté 3,20 € coûte en fait à l'achat 100 × 3,20 = 320 €.

Tableau 20.1	Cotation au 27 février 2017 des options sur l'action Total

Total (TO1), cours : 47.24 € (moyenne *bid/ask*)

Échéance juin 2017

Position ouverte	Volume	Prix de vente (*bid*)	Prix d'achat (*ask*)		Prix d'exercice (*strike*)		Prix de vente (*bid*)	Prix d'achat (*ask*)	Volume	Position ouverte
1,753	-	3,11	3,20	C	45,00	P	1,76	1,83	8	1,684
941	-	2,47	2,56	C	46,00	P	2,18	2,25	3	4,126
4,637	19	1,91	2,00	C	47,00	P	2,68	2,75	-	1,319
14,564	408	1,45	1,53	C	48,00	P	3,26	3,33	-	2,192
2,633	-	0,76	0,84	C	50,00	P	4,64	4,72	-	197

Échéance décembre 2017

Position ouverte	Volume	Prix de vente (*bid*)	Prix d'achat (*ask*)		Prix d'exercice (*strike*)		Prix de vente (*bid*)	Prix d'achat (*ask*)	Volume	Position ouverte
9,107	-	4,63	4,79	C	44,00	P	3,03	3,17	2	10,647
2,2	-	3,45	3,60	C	46,00	P	4,03	4,10	863	2,62
5,084	611	2,56	2,63	C	48,00	P	5,07	5,22	-	7,542
482	-	1,76	1,89	C	50,00	P	6,33	6,52	-	-
670	-	1,20	1,31	C	52,00	P	7,79	8,00	-	5

Le prix des calls décroît avec leur prix d'exercice : plus ce dernier est faible, plus le prix du call est élevé. Il est en effet logique de payer d'autant plus cher que l'on aura le droit d'acheter une action à un prix faible dans le futur. Inversement, un put donne le droit à son détenteur de vendre le sous-jacent au prix d'exercice. De ce fait, le prix des puts est fonction croissante du prix d'exercice.

À prix d'exercice fixé, une option (call ou put) est d'autant plus chère que son échéance est éloignée : comme ces options sont de type américain, elles peuvent être exercées à tout moment et ce droit sur une période plus longue constitue un avantage pour leur détenteur.

La **valeur intrinsèque** d'une option correspond au gain que réaliserait son propriétaire en cas d'exercice immédiat. Lorsque la valeur intrinsèque d'une option est positive, elle est dite **dans la monnaie**. Les calls dont le prix d'exercice est inférieur au cours actuel du sous-jacent sont donc dans la monnaie, tout comme les puts de prix d'exercice supérieur au cours du sous-jacent. Inversement, lorsque le détenteur de l'option n'a aucun intérêt à l'exercer, car cela lui occasionnerait des pertes, l'option est dite **en dehors de la monnaie**. Les calls dont le prix d'exercice est supérieur au cours actuel du sous-jacent sont donc en dehors de la monnaie, tout comme les puts de prix d'exercice inférieur au cours actuel du sous-jacent. Lorsque la valeur intrinsèque d'une option est nulle, cela signifie que le prix d'exercice est égal au prix de marché de l'action. L'option est alors à la monnaie. La plupart des échanges se concentrent sur les options qui sont proches de la monnaie : pour Total, les calls et les puts dont les prix d'exercice sont proches de 47 € au 27 février 2017.

L'achat d'options

À partir du tableau 20.1, combien faut-il payer pour acheter 10 calls sur Total, expirant en juin 2017 et de prix d'exercice 48 € ? Ces options sont-elles dans la monnaie ou en dehors de la monnaie ?

Solution

Le prix de cette option est de 1,53 € par contrat. Chaque contrat est écrit sur 100 actions Total. Le montant de la transaction pour 10 contrats s'élève ainsi à 1,53 × 10 × 100 = 1 530 € (hors frais de transaction). Il s'agit d'un call ; le prix d'exercice se situe au-dessus du prix de l'action au comptant (47,24 €). Ces calls sont donc légèrement en dehors de la monnaie.

Exemple 20.1

Les options peuvent servir à des fins de **spéculation**. En effet, acheter une option sur l'action Total revient à parier sur l'évolution future du prix du sous-jacent. Une position longue en call, par exemple, témoigne d'une anticipation à la hausse pour l'action Total. Bien entendu, l'investisseur pourrait spéculer de la même façon en achetant directement une action Total. Toutefois, comme le tableau 20.1 l'indique, une position optionnelle coûte moins cher à constituer qu'une position équivalente dans l'actif sous-jacent : détenir 100 actions Total coûte 47,24 × 100 = 4 724 €, alors que la position équivalente sur le call de prix d'exercice 47 € ne coûte que 2,02 × 100 = 200 €.

Les options peuvent également être utilisées à des fins de **couverture**, afin de se protéger contre une évolution défavorable des cours du sous-jacent. Ainsi, une bonne part du succès des options sur indices boursiers est due au fait qu'elles permettent aux investisseurs de protéger la valeur de leurs portefeuilles des fluctuations du marché boursier : un put sur indice boursier peut être utilisé pour compenser les pertes subies par un portefeuille en cas de baisse du marché.

20.2. Le profil de gain à l'échéance d'une option

D'après la Loi du prix unique, le prix d'un actif financier est égal à la somme actualisée des flux futurs qu'il procure. Pour évaluer le prix d'une option, il faut donc estimer les flux qui surviendront à l'échéance de l'option pour son acheteur et son vendeur.

Les flux associés à une position longue sur option

Soit un call européen de prix d'exercice égal à 20 €. Si, à l'échéance, le prix du sous-jacent est égal à 30 €, l'acheteur réalisera un gain de 10 € grâce à l'exercice du call : il paiera le sous-jacent 20 € et pourra le revendre immédiatement sur le marché à 30 €. Le jour de son échéance, l'option vaudra donc 10 €. De manière générale, lorsque, à l'échéance, le prix du sous-jacent est supérieur au prix d'exercice, la valeur du call est égale à la différence entre le prix de l'action et le prix d'exercice. Au contraire, lorsque le prix du sous-jacent est inférieur au prix d'exercice, le détenteur de l'option n'exerce pas le call : la valeur de l'option est nulle. Le profil de gain à l'échéance[6] pour le détenteur d'un call est représenté par la figure 20.1. Lorsqu'on note S le prix du sous-jacent à l'échéance et K le prix d'exercice de l'option, la valeur du call C à l'échéance est :

Valeur d'un call à l'échéance

$$C = \max(S - K\,;\,0) \tag{20.1}$$

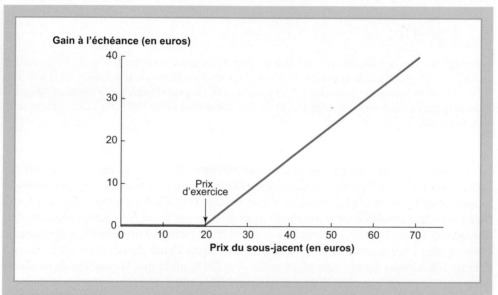

Figure 20.1 – Profil de gain à l'échéance d'un call acheté de prix d'exercice 20 €

À l'échéance de l'option, si le prix du sous-jacent est supérieur au prix d'exercice (20 €), le call sera exercé. Le gain que réalisera alors le détenteur du call est égal à la différence entre le prix du sous-jacent et le prix d'exercice. Si le prix du sous-jacent est inférieur au prix d'exercice, le call ne sera pas exercé ; le détenteur de l'option ne réalise aucun gain.

où max désigne l'opérateur maximum. La valeur du call correspond donc au maximum de la différence entre le prix du sous-jacent et le prix d'exercice d'une part et zéro d'autre part : en d'autres termes, le prix d'un call n'est jamais négatif.

---

6. La représentation graphique de ces profils de gains a été introduite par L. Bachelier (1900), *Théorie de la spéculation*, éd. Villars.

De manière symétrique, l'acheteur d'un put exercera l'option si le prix du sous-jacent S est inférieur au prix d'exercice K. Le put lui donne le droit de vendre un sous-jacent valant S au prix K. La valeur P du put à l'échéance est donc :

Valeur d'un put à l'échéance

$$P = \max(K - S\,;\,0) \tag{20.2}$$

Exemple 20.2

Profil de gain pour un acheteur de put à l'échéance

Un put arrivant à échéance aujourd'hui sur l'action AKL a un prix d'exercice de 20 €. Quel est le profil de gain en fonction du prix du sous-jacent de ce put ?

Solution

S est le prix du sous-jacent et P la valeur du put. Donc, $P = \max(20 - S\,;\,0)$. La représentation graphique de cette fonction est :

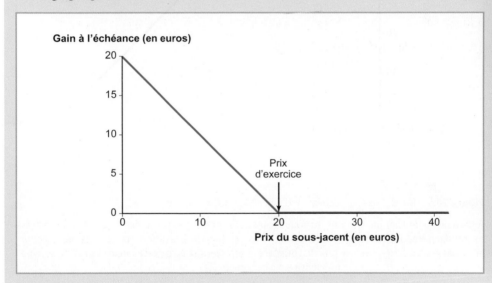

Les flux associés à une position courte sur option

Un vendeur d'option est dans l'obligation d'acheter (dans le cas d'un put) ou de vendre (dans le cas d'un call) le sous-jacent au prix d'exercice spécifié par l'option, si elle est exercée. Cet investisseur se trouve donc dans la situation symétrique de celle de l'acheteur de l'option. Les flux monétaires reçus ou payés par le vendeur d'une option sont par conséquent symétriques à ceux de l'acheteur.

Ainsi, si l'option est en dehors de la monnaie à l'échéance, l'acheteur d'une option ne l'exerce pas. Le vendeur ne recevra et ne paiera rien dans ce cas-là. Au contraire, si l'option est dans la monnaie, celui qui la détient l'exerce et le vendeur réalise alors une perte

Soit un call de prix d'exercice égal à 20 €. Si le prix du sous-jacent est à l'échéance de l'option de 25 €, l'option sera exercée. Le vendeur de l'option devra alors vendre le sous-jacent au prix de 20 €, alors que ce dernier vaut 25 € sur le marché. Il perd donc 5 € du fait de l'exercice de l'option. Au contraire, si le prix du sous-jacent est inférieur au prix d'exercice à l'échéance, le call ne sera pas exercé ; le vendeur ne perd rien. Le profil de gain pour un vendeur d'option est représenté à la figure 20.2 et fait apparaître que la perte réalisée par le vendeur d'un call est potentiellement illimitée.

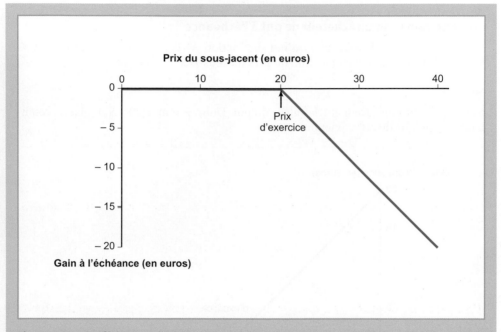

Figure 20.2 – Profil de gain à l'échéance d'un call vendu de prix d'exercice 20 €

À l'échéance de l'option, si le prix du sous-jacent est supérieur au prix d'exercice (20 €), le call sera exercé. La perte que réalisera alors le vendeur du call est égale à la différence entre le prix du sous-jacent et le prix d'exercice. Si le prix du sous-jacent est inférieur au prix d'exercice, le call ne sera pas exercé ; le vendeur de l'option ne réalise alors aucune perte.

Exemple 20.3

Profil de gain pour un vendeur de put arrivant à l'échéance

Un investisseur a vendu un put sur l'action AKL. Ce put expire aujourd'hui. Son prix d'exercice est de 20 €. Quel est le profil de gain de cet investisseur à l'échéance du put ?

Solution

S est le prix du sous-jacent. À l'échéance de l'option, le profil de gain du vendeur est donc :

$$-\max(20 - S\,;\,0) = \min(S - 20\,;\,0)$$

...

Exemple 20.3

...

La représentation graphique de cette fonction est :

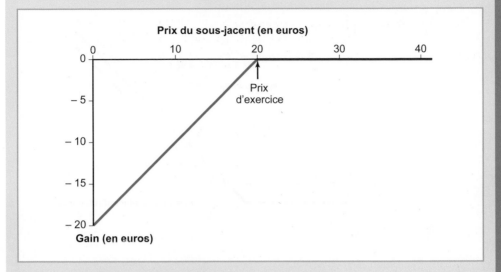

Comme le prix d'une action ne peut pas être négatif, la perte réalisée par un vendeur de put est limitée au prix d'exercice de l'option.

Prise en compte du coût d'achat des options

À l'échéance de l'option, son détenteur ne réalisera pas de pertes, car il a le choix d'exercer, ou non, son option. Mais un acheteur d'option qui conserve cette dernière jusqu'à échéance n'est pas pour autant protégé contre tout risque : le gain à l'expiration peut être inférieur au coût d'achat initial de l'option.

Pour comprendre cela, il est possible de partir du profil de gain associé à l'achat d'un call sur l'action Total expirant en juin 2017 et de prix d'exercice 47 € (voir tableau 20.1). Au 27 février, elle coûtait 2,00 €, alors qu'elle arrivait à échéance dans 6 mois. On suppose que l'achat de ce call est financé par un emprunt au taux d'intérêt annuel de 3 %. Avec un prix du sous-jacent à l'échéance de S, le gain réalisé par l'acheteur de cette option correspond à la valeur du call à l'échéance *moins* le remboursement de l'emprunt :

$$\max\,(S-47\,;\,0)-(2,00 \times 1,03^{0,5}) = \max\,(S-47\,;\,0)-2,03 = \max\,(S-49,03\,;\,-2,03)$$

Le profit réalisé par cet investisseur est représenté à la figure 20.3. Une fois le coût d'achat de l'option pris en compte, l'acheteur de l'option ne gagne de l'argent que si le prix du sous-jacent dépasse 49,03 € à l'échéance. Comme l'illustre le tableau 20.1, plus l'option est dans la monnaie, plus elle coûte cher à l'achat et plus les pertes potentielles pour l'acheteur sont élevées. Inversement, une option initialement en dehors de la monnaie a un coût d'achat faible : dans ce cas, le potentiel de pertes de l'acheteur se réduit, mais la probabilité d'obtenir un gain à l'échéance est également plus faible puisqu'une hausse plus forte du cours du sous-jacent est nécessaire pour qu'un profit apparaisse.

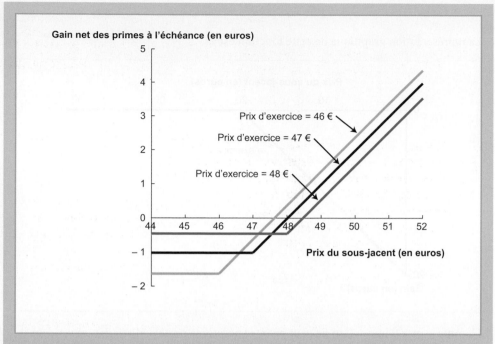

Figure 20.3 – Profit réalisé par le détenteur d'un call à l'échéance

Les différentes courbes montrent les profits réalisés par le détenteur d'un call sur l'action Total (voir tableau 20.1), acheté le 27 février 2017 grâce à un emprunt d'un montant égal au prix du call, au taux de 3 % et conservé jusqu'à échéance.

Par définition, ce que gagne l'acheteur d'une option est égal à ce que perd le vendeur, et réciproquement : il s'agit d'un jeu à somme nulle. Ainsi, vendre le call sur l'action Total expirant en juin 2017 de prix d'exercice 47 € engendre un gain, faible, si l'action Total cote en dessous de 47,24 € et cause des pertes, potentiellement élevées, si le cours de l'action Total passe au-dessus de ce seuil.

Exemple 20.4

Profit réalisé par le détenteur d'un put jusqu'à l'échéance

Le taux d'intérêt est de 3 %. Vous décidez d'acheter chacun des trois premiers puts d'échéance juin 2017 écrits sur Total (voir tableau 20.1). Quel est le profit réalisé à l'échéance de ces contrats ?

Solution

S est le prix du sous-jacent à l'échéance, K le prix d'exercice et P le prix de chaque put au 27 février 2017. Le profit réalisé à l'échéance du put est :

$$\max (K - S \, ; \, 0) - (P \times 1{,}03^{0{,}5}) = \max (K - S - P \times 1{,}15 \, ; \, - P \times 1{,}15)$$

...

Exemple 20.4

...

Les profits réalisés sur les différents puts du tableau 20.1 sont représentés sur la figure ci-dessous. À l'image des calls, plus le gain potentiel est élevé pour l'acheteur du put, plus la perte maximale qu'il peut subir est importante.

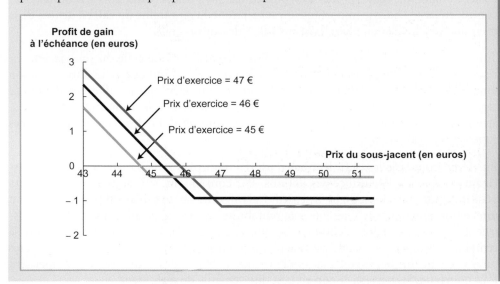

La rentabilité d'une position optionnelle détenue jusqu'à échéance

Il est également possible de comparer les options entre elles à partir de leurs rentabilités potentielles. La figure 20.4 représente la rentabilité à l'échéance des achats de calls et de puts sur l'action Total expirant en juin 2017 cotés dans le tableau 20.1, pour des prix d'exercice de 46 €, 47 € et 48 €.

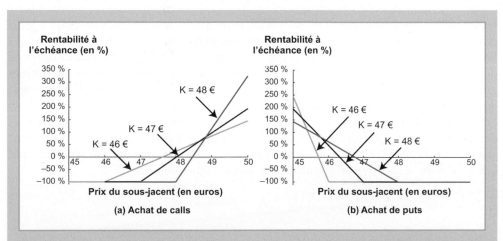

Figure 20.4 – Rentabilités de positions longues optionnelles à l'échéance des contrats

Les deux graphiques représentent les rentabilités associées à la détention jusqu'à l'échéance de calls (à gauche) et de puts (à droite) sur l'action Total de prix d'exercice 46 €, 47 € et 48 € (voir tableau 20.1).

En ce qui concerne les calls (figure de gauche), la perte maximale pour l'acheteur est de 100 %. La distribution des rentabilités dépend des prix d'exercice des calls. En particulier, la rentabilité du call en dehors de la monnaie est beaucoup plus « volatile » que celles des deux calls dans la monnaie. La probabilité que la rentabilité du call en dehors de la monnaie soit égale à – 100 % est plus élevée que pour les calls dans la monnaie. Par contre, en cas de hausse importante du sous-jacent, la rentabilité du call en dehors de la monnaie sera beaucoup plus élevée que celles des autres calls.

Tous les calls ont des rentabilités bien plus « volatiles » que celle du sous-jacent. Le risque associé à une position optionnelle est donc plus grand que celui d'une position longue en actif sous-jacent. Ce risque est d'autant plus élevé que le call est en dehors de la monnaie. Autrement dit, si un actif possède un bêta positif, les calls écrits sur ce sous-jacent auront des bêtas bien plus élevés que celui-ci (et donc des rentabilités espérées supérieures également)[7].

En ce qui concerne les puts, leur achat est d'autant plus rentable que le prix du sous-jacent est faible à l'échéance des options. Par conséquent, si le sous-jacent a un bêta positif, le put présentera un bêta négatif. Cela signifie qu'un put ayant pour sous-jacent une action à bêta positif présente une rentabilité espérée plus faible que celle du sous-jacent. Plus le put est en dehors de la monnaie, plus son bêta sera négatif et plus sa rentabilité espérée sera faible. Cela explique pourquoi les puts sont en général achetés pour protéger un portefeuille contre le risque de baisse des cours (car ils compensent tout ou partie des pertes), et non en tant que véhicule de placement.

Les stratégies optionnelles classiques

Grâce au profil de gain asymétrique des options, les investisseurs en combinent plusieurs dans un portefeuille pour profiter de stratégies d'investissement qu'il serait impossible de construire en n'utilisant que l'actif sous-jacent. Les stratégies les plus courantes sont les *straddles*, les *strangles* et les écarts papillon.

Le straddle. Quel est le profil de gain d'un investisseur qui détiendrait jusqu'à leurs échéances respectives un call et un put de mêmes prix d'exercice et dates d'expiration ? La figure 20.5 fournit la réponse : en combinant un call avec un put, l'acheteur des deux options peut en exercer au moins une avec profit, sauf si le prix d'exercice des options est exactement identique au prix du sous-jacent à l'échéance, auquel cas il n'en exerce aucune. Plus le prix du sous-jacent est éloigné du prix d'exercice (peu importe la direction), plus le gain de l'investisseur est élevé (lignes pleines). Il faut toutefois acheter les deux options : l'investisseur peut donc réaliser une perte nette lorsque le prix du sous-jacent est proche du prix d'exercice, mais il dégage un profit positif dans les autres cas, que le prix du sous-jacent ait augmenté ou baissé (lignes pointillées).

---

7. Voir le chapitre 21 pour le calcul de la rentabilité espérée et du risque d'une position optionnelle.

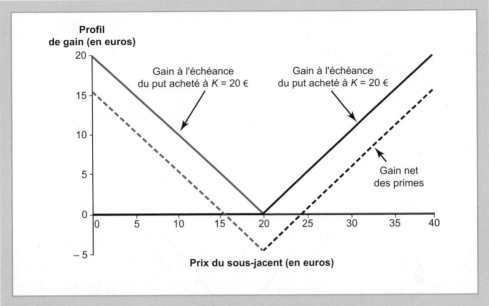

Figure 20.5 – Profil de gain et profit, à l'échéance, d'un *straddle* acheté

Cette stratégie d'achat d'un call et d'un put de mêmes prix d'exercice et échéances écrits sur le même sous-jacent s'appelle un *straddle*. Elle est souvent utilisée par des investisseurs qui anticipent une augmentation de la volatilité du sous-jacent, caractérisée par des larges mouvements de son prix, sans pour autant avoir d'anticipations quant au sens de ces mouvements. À l'inverse, les investisseurs anticipant une relative stabilité du prix du sous-jacent (autour du prix d'exercice des options) vendront très probablement un *straddle*.

Profil de gain et profit, à l'échéance, d'un *strangle* acheté

Un investisseur a acheté un call et un put sur le titre Atos ; ces deux options ont les mêmes dates d'échéance. Il a payé le call 2,62 € et le put 1,66 €. Le prix d'exercice du call est de 40 € alors que celui du put est de 30 €. Les options sont détenues jusqu'à leur échéance. Quels sont le profil de gain et le profit de cette stratégie ?

Solution

Le gain de l'investisseur (lignes pleines) est nul si, à l'échéance, le prix des actions Atos est compris entre les deux prix d'exercice. Cette stratégie est appelée un *strangle*. Si on intègre le coût d'achat des deux options, la courbe en pointillé représente le profit du détenteur de ce *strangle*.

...

Exemple 20.5

...

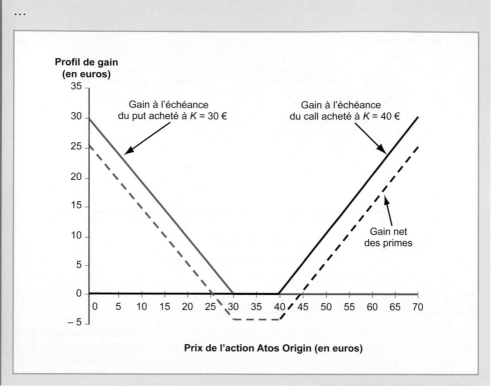

L'écart papillon (butterfly spread). Un écart papillon est une stratégie qui combine quatre options de même échéance écrites sur le même sous-jacent. Il est obtenu, par exemple, en achetant deux calls de prix d'exercice respectivement égaux à 20 et 40 € et en vendant deux calls de prix d'exercice 30 €. La figure 20.6 représente le profit de cette combinaison d'options à l'échéance.

La courbe en pointillé s'obtient en agrégeant les profils de gain, nets des primes payées et reçues, de ces quatre calls. Elle représente donc le profit à l'échéance de l'achat d'un écart papillon. Tant que l'action sous-jacente cote un prix inférieur à 20 €, toutes les options sont en dehors de la monnaie. La stratégie est donc à gain nul. Si son prix dépasse 40 €, les pertes réalisées à partir de la position courte sur les deux calls sont exactement compensées par les gains tirés des positions longues sur les deux autres calls. Dans ce cas de figure, la stratégie est également à gain nul[8]. Lorsque le prix du sous-jacent est compris entre 20 € et 40 €, la stratégie est gagnante, le gain étant maximal lorsque le sous-jacent cote 30 € à l'échéance des quatre options.

Comme le profil de gain de cette stratégie est toujours positif ou nul, la Loi du prix unique indique qu'elle a nécessairement un coût initial. Il existerait dans le cas contraire une opportunité d'arbitrage. Le prix d'achat des deux calls est donc supérieur aux primes reçues sur la vente des deux calls de prix d'exercice 30 €.

---

8. Car $(S - 20) + (S - 40) - 2(S - 30) = 0$.

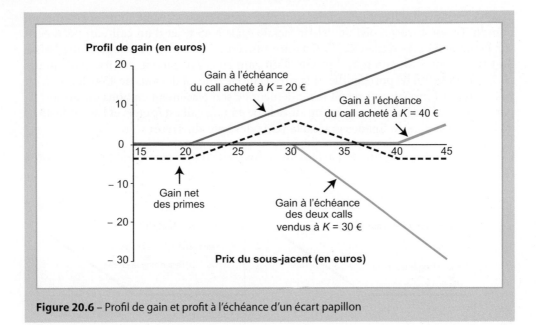

Figure 20.6 – Profil de gain et profit à l'échéance d'un écart papillon

Assurance de portefeuille. Il est possible d'utiliser les options pour protéger un portefeuille contre une baisse potentielle de sa valeur. Pour simplifier, supposons que le portefeuille en question soit constitué d'actions Danone exclusivement. Un investisseur anticipe une baisse du cours de cette action, mais ne souhaite pas vendre ses actions : il perdrait alors toute possibilité de réaliser des gains si son anticipation se révélait fausse et que le prix du titre venait à augmenter.

La figure 20.7 montre comment assurer ce portefeuille contre des pertes potentielles liées à la baisse du cours de Danone en dessous de 45 € dans les trois prochains mois, sans que l'investisseur ne renonce aux gains liés à une hausse du cours des actions. Il suffit pour ce faire d'acheter un put de prix d'exercice 45 € : le portefeuille constitué d'un put et de l'actif sous-jacent est appelé portefeuille assuré, ou portefeuille couvert, ou encore put protecteur (*protective put*).

Avec l'achat d'un put européen sur l'action Danone d'échéance trois mois et de prix d'exercice 45 €, le portefeuille de l'investisseur est protégé. Si le titre Danone vaut plus de 45 € dans trois mois, le put ne sera pas exercé et l'augmentation du prix du titre Danone permettra à l'investisseur de réaliser un gain. Si le titre baisse en dessous de 45 €, il exercera le put et vendra l'action Danone à 45 €. L'investisseur s'est donc assuré contre le risque de baisse du prix du titre sans renoncer pour autant au gain potentiel dû à la hausse de celui-ci.

Cette stratégie d'**assurance de portefeuille** peut également être utilisée pour assurer un portefeuille diversifié d'actions. Il suffit pour ce faire d'acheter des puts écrits sur l'ensemble des actions détenues dans le portefeuille.

Une méthode équivalente à la précédente consiste à acheter, à la fois, une obligation sans risque et un call écrit sur les titres composant le portefeuille. Si l'on reprend l'exemple précédent et que l'on suppose que Danone ne verse pas de dividendes au cours des trois prochains mois, l'achat d'une obligation zéro-coupon sans risque (autrement dit, un bon du Trésor à trois mois) de valeur faciale égale à 45 €[9] et d'un call européen écrit sur Danone de prix d'exercice 45 € assure l'investisseur contre le risque d'une baisse du titre Danone ; de surcroît, il profite d'un gain en cas de hausse du titre [voir figure 20.7 (b)]. Avec un tel portefeuille, si le titre Danone cote en dessous de 45 €, le call n'est pas exercé et l'investisseur reçoit le rendement de son placement en bons du Trésor. Si, par contre, le titre Danone augmente au-delà de 45 €, le call est exercé, et l'achat (à 45 €) de l'action Danone est financé grâce à la vente des bons du Trésor.

Ces deux stratégies sont donc parfaitement équivalentes en termes de profil de gain à l'échéance.

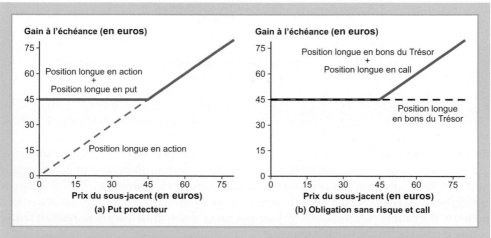

Figure 20.7 –Assurance de portefeuille

Deux stratégies sont possibles afin d'assurer un portefeuille contre la baisse potentielle du titre Danone en dessous de 45 €. La courbe de couleur de la figure (a) correspond au profil de gain à l'échéance d'une stratégie combinant une action Danone et un put européen de prix d'exercice 45 €. Le put permet de protéger le portefeuille contre une baisse du cours de l'action en dessous de 45 €. À la figure (b), la ligne noire pointillée représente le profil de gain associé à la détention d'un bon du Trésor (obligation zéro-coupon sans risque) de valeur faciale égale à 45 €. La courbe de couleur montre le profil de gain, à l'échéance de l'option, d'une stratégie combinant cette position en bons du Trésor et l'achat d'un call européen sur l'action Danone de prix d'exercice 45 €. Dans les deux cas, le portefeuille de l'investisseur est protégé contre une baisse de l'action Danone tout en profitant de sa hausse potentielle.

20.3. La parité call-put

La figure 20.7 illustre le fait que deux stratégies différentes peuvent protéger un portefeuille contre la baisse du cours d'un titre. D'après la Loi du prix unique, sachant que ces deux stratégies procurent des flux de trésorerie identiques à l'échéance, elles doivent avoir le même coût initial. De manière formelle, avec K le prix d'exercice de l'option, C,

---

9. En France, la valeur faciale d'un bon du Trésor est de 1 € ; il suffit donc d'en acheter 45.

P et S les prix respectifs du call, du put et du sous-jacent, les deux stratégies étant de coût identique, il faut que :

$$S + P = VA(K) + C \qquad (20.3)$$

Le membre de gauche de cette équation représente le coût de la position longue dans le sous-jacent et le put de prix d'exercice K. Le membre de droite correspond au coût de l'achat d'une obligation zéro-coupon de valeur faciale K et du call C de prix d'exercice K. Le prix d'une obligation zéro-coupon est, par définition, égal à la valeur actualisée au taux sans risque de sa valeur faciale. Cette obligation vaut donc $VA(K)$. Lorsqu'on réarrange les termes de cette équation, le prix d'un call européen écrit sur une action ne versant pas de dividendes est :

$$C = P + S - VA(K) \qquad (20.4)$$

Cette équation qui lie entre eux le prix du sous-jacent, de l'obligation sans risque, d'un call et d'un put écrits sur le même sous-jacent, avec les mêmes prix d'exercice et dates d'échéance, est connue sous le nom de **parité call-put.**

Cette relation explique pourquoi un call peut être vu comme une position longue sur le sous-jacent, financée par un emprunt, à laquelle on ajoute une assurance contre la baisse du prix du sous-jacent grâce au put.

La parité call-put en pratique

Le client d'un courtier veut acheter un call européen sur le titre Busin de prix d'exercice 40 € et d'échéance un an. Par ailleurs, un **teneur de marché** (***market maker***) accepte de vendre au courtier un put de caractéristiques équivalentes au prix de 4,50 € par action. L'action ne verse pas de dividendes et cote actuellement 42 €. Le taux d'intérêt sans risque est de 4,5 %. Quel prix le courtier proposera-t-il à son client pour le call, s'il désire se garantir un gain ?

Solution

En utilisant la parité call-put, il est possible de répliquer le profil de gain d'un call de prix d'exercice 40 € et d'échéance un an. À cet effet, il faut détenir un portefeuille composé d'un put de mêmes caractéristiques que le call, d'une action et d'une position courte sur une obligation zéro-coupon sans risque de maturité un an et de valeur faciale 40 €. À l'échéance, le profil de gain du courtier, en fonction du prix de l'action à cette date (S_1), est :

	Prix de l'action dans un an	
	S1 < 40 €	**S_1 > 40 €**
1 Valeur du put acheté	40 € – S_1	0 €
2 Valeur de l'action achetée	S_1	S_1
3 Valeur de l'obligation vendue	– 40 €	– 40 €
4 Portefeuille (1 + 2 + 3)	0 €	S_1 – 40 €
5 Valeur du call vendu	0 €	– (S_1 – 40 €)
6 Profil de gain (4 + 5)	0 €	0 €

...

Exemple 20.6

Exemple 20.6

...

	Prix de l'action dans un an	
	$S1 < 40$ €	**$S_1 > 40$ €**
1 Valeur du put acheté	40 € $- S_1$	0 €
2 Valeur de l'action achetée	S_1	S_1
3 Valeur de l'obligation vendue	$- 40$ €	$- 40$ €
4 Portefeuille (1 + 2 + 3)	0 €	$S_1 - 40$ €
5 Valeur du call vendu	0 €	$- (S_1 - 40$ €$)$
6 Profil de gain (4 + 5)	0 €	0 €

Le profil de gain du portefeuille (ligne 4) est par conséquent exactement symétrique de celui du call. Il est donc possible de vendre le call au client et d'obtenir un gain sans risque, et ce, quel que soit le cours futur de l'action : il suffit pour ce faire de vendre le call plus cher que le coût de constitution du portefeuille de couverture. Par conséquent, le call doit être vendu à un prix supérieur à :

$$P + S - VA(K) = 4{,}5 + 42 - \frac{40}{1{,}045} = 8{,}22 \text{ €}$$

Que se serait-il passé si l'action avait versé un dividende avant l'échéance des options ? Dans ce cas, la parité call-put de l'équation (20.3) n'aurait plus été vérifiée. En effet, la détention de l'action (membre de gauche de l'équation) donne droit au dividende, alors que la position longue dans le call (membre de droite) ne le permet pas. Par conséquent, les deux stratégies d'assurance de portefeuille conservent le même coût si et seulement si on ajoute la valeur actualisée des dividendes futurs dans le membre de droite pour compenser :

$$S + P = VA(K) + VA(Div) + C$$

Le membre de gauche représente le prix combiné des positions longues dans le put et le titre sous-jacent. Le membre de droite correspond à la somme des valeurs de l'obligation zéro-coupon, du call et des dividendes actualisés versés par l'action avant l'échéance des options. En réarrangeant les termes de cette équation, on obtient la formule donnant le prix d'un call selon la parité call-put :

Parité call-put pour les options européennes

$$C = P + S - VA(K) - VA(Div) \qquad (20.5)$$

Une position longue dans un call est donc équivalente à l'achat de l'actif sous-jacent financé par emprunt, auquel on enlève son droit aux dividendes ; le tout étant combiné à une assurance contre la baisse du prix du sous-jacent (achat du put).

Exemple 20.7

Utiliser les options pour évaluer les dividendes à court terme

En tant qu'analyste financier, on vous a demandé de comparer les dividendes anticipés de plusieurs indices boursiers européens. Les données de marché en décembre 2016 sont les suivantes :

Indice boursier	Valeur de l'indice au comptant décembre 2016	Options sur indice – Échéance décembre 2018		
		Prix d'exercice	Prix du call	Prix du put
AEX	483	500	28	73
CAC 40	4 845	4 800	439	708
DAX	11 472	11 400	1,364	1,269

Le taux sans risque est de 0,9 % pour une échéance de deux ans. Quel est le taux de dividende anticipé pour chacun de ces indices boursiers ?

Solution

La parité call-put peut se réécrire de la manière suivante : $VA(Div) = P - C + S - VA(K)$. Appliqué à l'indice AEX, on obtient : $VA(Div) = 73 - 28 + 483 - 500 / (1{,}009^2) = 36{,}9$. Le taux de dividende, compte tenu de la valeur courante de l'indice, est donc de $36{,}9 / 483 = 7{,}6$ %.

Un calcul similaire appliqué aux indices CAC 40 et DAX permet d'estimer le taux de dividende à 8,2 % et 1,6 % respectivement.

20.4. Les déterminants du prix d'une option

La parité call-put établit le prix d'un call européen en fonction des prix d'un put européen, du sous-jacent et d'une obligation zéro-coupon. Pour calculer le prix d'un call grâce à cette relation, il est donc nécessaire de connaître le prix du put. Le chapitre 21 montre comment calculer le prix d'un call sans connaître le prix du put correspondant. Avant d'en arriver là, il est utile d'étudier les différents facteurs qui influencent le prix des calls et des puts.

Prix d'exercice et prix du sous-jacent

Toutes choses égales par ailleurs, plus le prix d'exercice est grand, plus le prix du call est élevé et celui du put faible. Cette conclusion a déjà été tirée de l'observation des prix des options écrites sur actions Total (voir tableau 20.1).

De même, pour un prix d'exercice donné, un call est d'autant plus cher que le prix de marché du sous-jacent est élevé : la probabilité que l'option termine dans la monnaie est, en effet, d'autant plus grande que le prix du sous-jacent est élevé par rapport au prix d'exercice. Inversement, la valeur des puts augmente au fur et à mesure que le prix du sous-jacent diminue.

Arbitrage sur les options

Le prix d'une option ne peut pas être négatif. De plus, une option américaine offre à son détenteur une liberté plus grande, puisqu'elle peut être exercée avant l'échéance. *Une option américaine ne peut donc valoir moins qu'une option européenne de mêmes caractéristiques.* Si tel était le cas, une opportunité d'arbitrage existerait. Pour en profiter, il suffirait de vendre des calls européens pour acheter, avec le produit de ces ventes, des calls américains de mêmes caractéristiques.

Le gain maximum associé à une position longue en put est obtenu lorsque le prix du sous-jacent tombe à zéro. Le gain est alors égal au prix d'exercice du put. *Un put ne peut donc valoir plus que son prix d'exercice.*

Plus le prix d'exercice d'un call est faible, plus la valeur de celui-ci est grande. Si un call avait un prix d'exercice nul, son détenteur exercerait toujours l'option et recevrait gratuitement le sous-jacent. Par conséquent, *un call ne peut valoir plus que l'actif sous-jacent.*

La **valeur intrinsèque** d'une option correspond à sa valeur en cas d'exercice immédiat. La valeur intrinsèque est égale au gain que le détenteur de l'option réalise en l'exerçant si elle est dans la monnaie, ou à zéro si elle est en dehors de la monnaie. Si une option américaine cote à un prix inférieur à sa valeur intrinsèque, alors une opportunité d'arbitrage existe : dans ce cas, en achetant l'option et en l'exerçant immédiatement, on obtient un gain sans risque. *Une option américaine ne peut donc pas valoir moins que sa valeur intrinsèque.*

La **valeur temps** d'une option correspond à la différence entre son prix de marché et sa valeur intrinsèque. Comme une option américaine ne peut coûter moins que sa valeur intrinsèque, *une option américaine ne peut donc pas avoir une valeur temps négative*[10].

Date d'exercice

Plus l'échéance d'une option américaine est lointaine, plus elle a de la valeur. Pour s'en convaincre, on considère deux options identiques en tout point, excepté leurs dates d'expiration : l'échéance de la première est d'un an, alors que celle de la seconde est de six mois. Le détenteur de la première option peut la transformer, s'il le désire, en une option de maturité égale à six mois : il lui suffit pour cela de l'exercer au bout de six mois. L'option dont l'échéance est lointaine offre donc à son détenteur plus de possibilités d'exercice que celle dont l'échéance est rapprochée. Cette liberté de différer l'exercice d'une option a une valeur pour son détenteur. La Loi du prix unique indique ainsi qu'*une option américaine d'échéance donnée ne peut valoir moins qu'une option américaine de caractéristiques identiques mais de maturité plus courte.*

Ce raisonnement d'arbitrage ne tient pas pour les options européennes puisqu'elles ne peuvent être exercées avant leur échéance. Il n'en demeure pas moins que leur prix est

---

10. Pour une étude empirique des arbitrage sur les options sur indice CAC 40, voir G. Capelle-Blancard et M. Chaudhury (2005), « Arbitrage Relationships in the CAC 40 Index Options Market: Do Designs Matter? », *Mc-Gill Finance Research Centre working paper.*

en général une fonction croissante du temps restant jusqu'à leur échéance. Toutefois, il existe des situations où il en va différemment[11].

Volatilité

Un des déterminants majeurs du prix d'une option est la volatilité du sous-jacent.

Valeurs des options et volatilité

On considère deux calls européens de prix d'exercice 50 € et arrivant à échéance demain, avec pour sous-jacent deux actions différentes de mêmes prix de marché (50 €). La première action a une volatilité nulle : elle vaudra donc demain 50 €. La seconde, quant à elle, vaudra 60 € ou 40 € (scénarios équiprobables). Quelle option s'échange aujourd'hui au prix le plus élevé ?

Solution

La valeur espérée des actions à l'échéance des options est identique (50 €). Pour la première action, c'est une valeur certaine, alors que pour la seconde cela correspond au calcul d'une espérance (40 € × 0,5 + 60 € × 0,5 = 50 €). Les options ont pourtant des prix de marché très différents. L'option sur l'action sans risque ne vaut rien : en effet, elle n'a aucune chance de terminer dans la monnaie à son échéance, puisque l'action vaudra 50 €, soit son prix d'exercice. *A contrario*, l'option écrite sur l'action volatile a une chance sur deux de finir dans la monnaie à l'échéance. Dans ce cas, le call vaudra 60 € – 50 € = 10 €. Si l'action vaut 40 € à l'échéance, l'option ne sera pas exercée et sera sans valeur. La valeur actuelle de cette option est donc supérieure à zéro : son détenteur a une chance sur deux d'obtenir un gain de 10 € tout en étant certain de ne réaliser aucune perte (au pire il ne gagnera rien).

Exemple 20.8

La valeur d'une option augmente donc généralement avec la volatilité du sous-jacent. Ce résultat est assez intuitif : une augmentation de la volatilité du sous-jacent accroît la probabilité que l'option termine dans la monnaie. De plus, le profil de gain d'une option est asymétrique : le détenteur d'une option est protégé en cas d'évolution défavorable du cours du sous-jacent tout en profitant d'une évolution favorable de celui-ci. La Loi du prix unique impose donc qu'une volatilité plus grande du sous-jacent conduise à l'augmentation du prix des options écrites sur celui-ci.

Dans le cas d'un put, ce résultat peut être interprété différemment : un put peut être considéré comme une assurance contre la baisse du cours du sous-jacent. La protection offerte par le put est d'autant plus précieuse que le risque est important. Or, ce risque est d'autant plus élevé que la volatilité du sous-jacent est grande. Il est alors normal de payer plus cher un contrat d'assurance qui couvre un risque plus fort. Par conséquent, le prix d'un put doit logiquement être, lui aussi, une fonction croissante de la volatilité du sous-jacent.

---

11. Par exemple, un call européen d'échéance un an écrit sur une action d'une entreprise arrêtant ses activités dans six mois aurait une valeur nulle à son échéance, alors que celui arrivant à échéance avant six mois aura une valeur positive puisqu'il permet de capter le dividende exceptionnel de liquidation.

20.5. **Les options américaines : l'exercice anticipé**

Une option américaine, parce qu'elle procure à son détenteur plus de possibilités d'exercice, ne peut donc pas valoir moins qu'une option européenne équivalente. Mais elle ne vaut pas toujours plus : il existe des situations dans lesquelles ces deux options ont une valeur identique.

Options sur actions ne versant pas de dividendes

Pour les options sur des actions ne versant aucun dividende jusqu'à leur échéance, la parité call-put décrite par l'équation (20.4) permet d'écrire le prix du call ainsi :

$$C = P + S - VA(K)$$

Le prix d'une obligation zéro-coupon sans risque, $VA(K)$, peut se réécrire comme $K - act(K)$, où $act(K)$ correspond à l'écart entre la valeur faciale du zéro-coupon et son prix de marché ; soit la différence entre sa valeur future et sa valeur actuelle. On a donc :

$$C = \underbrace{S - K}_{\substack{\text{Valeur} \\ \text{intrinsèque}}} + \underbrace{P + act(K)}_{\text{Valeur temps}} \tag{20.6}$$

Dans l'équation (20.6), les termes relatifs à la valeur temps sont positifs avant l'échéance. En effet, tant que le taux d'intérêt est positif, l'écart entre la valeur faciale d'une obligation zéro-coupon et son prix est positif : on achète toujours une telle obligation à un prix inférieur à sa valeur de remboursement. De plus, la valeur d'un put avant son échéance est également toujours positive. Un call européen a donc toujours une valeur temps positive avant sa date d'échéance. Puisqu'une option américaine vaut au moins autant qu'une option européenne, un call américain a aussi une valeur temps positive avant son échéance. En définitive, *un call écrit sur une action ne versant pas de dividendes a un prix toujours supérieur à sa valeur intrinsèque, car sa valeur temps est nécessairement positive*[12].

La conséquence de ce résultat est qu'il n'est jamais optimal d'exercer avant son échéance un call écrit sur une action ne versant pas de dividendes : comme la valeur d'exercice immédiat d'un call est égale à sa valeur intrinsèque, il est toujours plus intéressant de vendre un tel call sur le marché plutôt que de l'exercer, afin de ne pas perdre la valeur temps du call.

Le droit d'exercer n'importe quand un call américain écrit sur une action ne versant pas de dividendes n'a donc, paradoxalement, aucune valeur : il n'est jamais rationnel d'exercer ce droit ! Par conséquent, *un call américain écrit sur une action ne versant pas de dividendes a toujours le même prix qu'un call européen de mêmes caractéristiques*.

Toujours en l'absence de dividendes, qu'en est-il des puts américains ? Pour ces options, il existe des situations pour lesquelles un exercice anticipé est optimal. On peut réécrire l'équation (20.6) pour isoler le prix d'un put européen :

$$P = \underbrace{K - S}_{\substack{\text{Valeur} \\ \text{intrinsèque}}} + \underbrace{C - act(K)}_{\text{Valeur temps}} \tag{20.7}$$

---

12. Ceci n'est valable que si le taux d'intérêt est positif (ce qui est toutefois le plus souvent le cas évidemment).

La valeur temps d'un put contient un terme négatif égal à l'écart entre la valeur faciale d'une obligation zéro-coupon et son prix de marché. Lorsqu'un put est profondément dans la monnaie, le call de mêmes caractéristiques se retrouve très en dehors de la monnaie. Le prix de ce dernier est donc très faible, car il a peu de chances de terminer dans la monnaie. De ce fait, il existe de fortes probabilités que $C - act(K)$ soit négatif. En d'autres termes, la valeur temps d'un put européen peut être négative. Dans ce cas, il vaut moins que sa valeur intrinsèque. Or, il a été établi précédemment que le prix d'un put américain ne peut être inférieur à sa valeur intrinsèque, sauf à faire apparaître une opportunité d'arbitrage. Un put américain vaudra par conséquent dans cette situation plus cher qu'un put européen de mêmes caractéristiques. Ainsi, contrairement aux calls américains, il est, dans certaines situations, optimal d'exercer un put américain avant son échéance, et ce droit d'exercice anticipé a une valeur.

C'est en particulier le cas lorsqu'une entreprise est proche de la faillite. Comme le prix de ses actions est proche de zéro, celui du put se situe non loin de sa borne supérieure (son prix d'exercice). Il est alors optimal d'exercer le put le plus tôt possible : en effet, son prix n'augmentera plus, et un exercice anticipé permet de récupérer tout de suite sa valeur intrinsèque qui pourra, ainsi, être placée contre intérêt. Une telle opération n'est pas envisageable avec un put européen ; ce dernier sera donc moins cher qu'un put américain.

L'exercice anticipé d'un put américain en l'absence de dividendes

Les options sur actions Alphabet (la société mère de Google) sont cotées sur le CBOE. Le tableau ci-dessous présente, au 20 juillet 2018, le prix des options d'échéance septembre 2018. Alphabet n'a pas versé de dividendes sur cette période. Dans quel(s) cas vaut-il mieux exercer l'option par anticipation plutôt que de la vendre ?

Exemple 20.9

GOOGL (ALPHABET INC (A))   1197.88 −1.22

Jul 20 2018 @ 17:59 ET   **Bid** 1197   **Ask** 1198.78   **Size** 1 × 1   **Vol** 1896554

Calls	Bid	Ask	Open Int	Puts	Bid	Ask	Open Int
2018 Sep 21 1000.00 (GOOGL1821I1000)	204.90	206.40	576	2018 Sep 21 1000.00 (GOOGL1821U1000)	3.20	3.60	834
2018 Sep 21 1040.00 (GOOGL1821I1040)	166.90	169.70	132	2018 Sep 21 1040.00 (GOOGL1821U1040)	5.30	6.00	141
2018 Sep 21 1080.00 (GOOGL1821I1080)	127.50	136.90	226	2018 Sep 21 1080.00 (GOOGL1821U1080)	9.30	9.90	342
2018 Sep 21 1120.00 (GOOGL1821I1120)	95.10	104.50	196	2018 Sep 21 1120.00 (GOOGL1821U1120)	16.10	16.90	277
2018 Sep 21 1160.00 (GOOGL1821I1160)	70.00	71.00	345	2018 Sep 21 1160.00 (GOOGL1821U1160)	27.20	28.10	176
2018 Sep 21 1200.00 (GOOGL1821I1200)	46.30	47.30	1295	2018 Sep 21 1200.00 (GOOGL1821U1200)	43.60	44.50	345
2018 Sep 21 1280.00 (GOOGL1821I1280)	16.10	16.60	202	2018 Sep 21 1280.00 (GOOGL1821U1280)	89.70	99.00	10
2018 Sep 21 1320.00 (GOOGL1821I1320)	8.40	8.90	150	2018 Sep 21 1320.00 (GOOGL1821U1320)	126.60	128.00	10
2018 Sep 21 1360.00 (GOOGL1821I1360)	4.10	4.60	109	2018 Sep 21 1360.00 (GOOGL1821U1360)	159.10	169.00	1
2018 Sep 21 1400.00 (GOOGL1821I1400)	2.10	2.35	265	2018 Sep 21 1400.00 (GOOGL1821U1400)	197.60	207.50	0

Source: Chicago Board Options Exchange at www.cboe.com

Solution

Puisque Alphabet ne paie aucun dividende pendant la durée de vie de ces options, il n'est jamais préférable d'exercer les calls par anticipation. On peut en effet vérifier que le prix d'achat pour chaque call est supérieur à sa valeur intrinsèque. Par exemple, si on exerce le premier call, de prix d'exercice 1 000, le gain sera de 1 197 − 1 000 = 197 $, alors que ce call peut être vendu 204,9 $.

...

Exemple 20.9

…

En revanche, un actionnaire d'Alphabet détenant un put de prix d'exercice de 1 360 $, ou plus, aurait intérêt à exercer son option par anticipation plutôt que de la vendre. Par exemple, pour un prix d'exercice de 1 400, l'actionnaire recevrait 1 400 $ dans le second cas, contre seulement 1 197 + 197,60 = 1 394,60 $ dans le premier. Cela n'est toutefois pas valable pour des puts avec un prix d'exercice inférieur à 1 360 $. En effet, par exemple, le détenteur d'un put de prix d'exercice 1 320 recevrait 1 320 $ en l'exerçant par anticipation, alors qu'il obtiendrait 1 197 + 126,60 = 1 323,60 $ en vendant son action. L'exercice anticipé n'est donc optimal que pour les puts en dehors de la monnaie*.

---

* Ce raisonnement ne tient pas compte des coûts de transaction et de la fiscalité qui peuvent être différents entre l'exercice et la vente d'une option.

Options sur actions versant des dividendes

Lorsqu'une action verse des dividendes avant l'échéance de l'option, les choses sont différentes. L'exercice anticipé d'un call ou d'un put peut être optimal. La parité call-put décrite par l'équation (20.5), en présence de dividendes et en utilisant une démarche comparable à l'équation (20.6), s'écrit :

$$C = \underbrace{S - K}_{\substack{\text{Valeur} \\ \text{intrinsèque}}} + \underbrace{P + act(K) - VA\left(Div\right)}_{\text{Valeur temps}} \tag{20.8}$$

Si la valeur actualisée des dividendes est suffisamment grande, cela peut suffire à ce que la valeur temps du call soit négative. Le prix d'un call européen sera donc inférieur à sa valeur intrinsèque. Puisqu'un call américain ne peut pas valoir moins que sa valeur intrinsèque, il vaudra par conséquent plus cher que le call européen correspondant. Pourquoi ?

Lorsqu'une entreprise verse un dividende, le prix de ses actions baisse sur le marché : le versement d'un dividende est un flux de trésorerie négatif pour l'entreprise[13]. Le détenteur d'un call écrit sur une action qui verse un dividende n'est pas dans une situation équivalente à celle d'un investisseur détenant l'action : du point de vue de l'actionnaire, la baisse du prix de l'action sur le marché est compensée par le dividende. Pour le détenteur du call, la valeur de son option baisse du fait de la diminution du prix du sous-jacent sans qu'il ne puisse obtenir une quelconque compensation ; le call ne donne, en effet, pas droit aux dividendes s'il n'est pas exercé avant la **date *ex-dividende***.

De ce fait, le détenteur d'un call peut avoir intérêt à exercer son option par anticipation afin de bénéficier du dividende. Il doit donc arbitrer entre le gain lié à l'obtention du dividende (grâce à l'exercice anticipé de l'option) et la perte de la valeur temps inhérente à cet exercice anticipé. Par conséquent, un call américain n'est exercé avant échéance que si cela permet de profiter d'un dividende. C'est pourquoi, afin de perdre le moins possible de valeur temps, il est optimal que l'exercice anticipé survienne juste avant la date *ex-dividende*.

---

13. Pour une explication de ce phénomène reposant sur la Loi du prix unique, voir le chapitre 17.

Les dividendes ont l'effet inverse sur la valeur temps des puts. On peut écrire la valeur d'un put, d'après la parité call-put, comme :

$$P = \underbrace{K - S}_{\substack{\text{Valeur} \\ \text{intrinsèque}}} + \underbrace{C + VA\left(Div\right) - act(K)}_{\text{Valeur temps}} \qquad (20.9)$$

Intuitivement, lorsqu'une action verse un dividende, le détenteur d'un put a intérêt à attendre que le dividende soit détaché, et que le prix de l'action chute, avant d'exercer son option. Un dividende à venir *réduit* donc l'intérêt d'un exercice anticipé d'un put américain.

L'exercice anticipé d'options américaines en présence de dividendes

Diamand a annoncé le 13 décembre 2017 le versement d'un dividende de 0,24 €, payable le 10 janvier 2018. Le titre cote *ex-dividende* à partir du 27 décembre 2017. Le tableau 20.2 détaille les prix au 26 décembre 2017 de calls et de puts américains sur cette action. Ces options arrivent à échéance le 19 janvier 2018. Quelles sont les options pour lesquelles un exercice anticipé est optimal ?

Solution

Tous les calls dans la monnaie sur l'action Diamand ont une valeur intrinsèque supérieure à leur prix de vente. Par exemple, le call de prix d'exercice 12,50 € rapporte 16,57 – 12,50 = 4,07 € en cas d'exercice immédiat, alors que la vente de cette option ne rapporterait que 3,7 €. Le détenteur de cette option gagne donc 0,37 € de plus s'il exerce son option plutôt que de la vendre.

Ce résultat se comprend lorsqu'on remarque que le taux d'intérêt annuel sans risque à cette période était de 3,25 %. Le taux de rendement d'un placement sur 24 jours (jusqu'à l'échéance de l'option) est donc d'environ 0,21 %. Un bon du Trésor de valeur faciale 12,50 € arrivant à échéance dans 24 jours s'achète par conséquent à (12,50 × 0,21 %) = 0,026 € de moins que sa valeur faciale. Par ailleurs, le put de mêmes caractéristiques que le call vaut 0,175 € (moyenne *bid/ask*). La somme de ces deux valeurs est ainsi d'environ 0,2 €, soit moins en valeur absolue que la valeur du dividende actualisé (0,239 €). D'après l'équation (20.8), la valeur temps de ce call est par conséquent négative. L'exercice anticipé du call est donc optimal : l'abandon de la valeur temps résiduelle est rentable compte tenu du dividende de 0,24 € à venir.

En ce qui concerne les puts, seul le put le plus profondément dans la monnaie a une valeur intrinsèque supérieure à son prix de marché : 3,43 € contre 3,20 €. Le gain réalisé grâce à un exercice anticipé est donc de 0,23 €.

Exemple 20.10

Tableau 20.2	Cotation au 26 décembre 2017 des options sur l'action Diamand

Diamand, cours : 16,57 € (moyenne *bid/ask*)

Calls d'échéance janvier 2018	Prix de vente (*bid*)	Prix d'achat (*ask*)	Volume	Positions ouvertes	**Puts d'échéance janvier 2018**	Prix de vente (*bid*)	Prix d'achat (*ask*)	Volume	Positions ouvertes
Janv. 18 12,50	3,70	4,50	0	5	Janv. 18 12,50	0,00	0,35	0	2
Janv. 18 15,00	1,50	1,85	2	10	Janv. 18 15,00	0,00	0,50	2	5
Janv. 18 17,50	0,10	0,50	4	58	Janv. 18 17,50	1,05	1,50	5	34
Janv. 18 20,00	0,00	0,35	1	4	Janv. 18 20,00	3,20	3,90	0	1

La plupart des options sur actions sont américaines, ce qui n'est toutefois pas le cas des options sur les indices boursiers, telles que les options sur le CAC 40 cotées à Paris ou sur le S&P 500 cotées à Chicago, qui sont généralement européennes : il est possible que leur prix soit inférieur à leur valeur intrinsèque, avec donc une valeur temps négative.

20.6. Options et finance d'entreprise

Un aspect essentiel des options pour la finance d'entreprise est qu'il est possible d'interpréter la structure financière d'une entreprise en termes d'options écrites sur les actifs de l'entreprise. Comment est-ce possible ?

Les capitaux propres vus comme un call

Une action peut être vue comme un call écrit sur les actifs de l'entreprise de prix d'exercice égal à la valeur de sa dette[14]. À titre d'illustration, il est possible de partir d'un modèle à une période, dans lequel l'entreprise est liquidée à la fin de la période. Si la valeur de l'entreprise à ce moment-là est inférieure à la valeur de sa dette, l'entreprise se déclare en faillite et ses actionnaires ne reçoivent rien. Inversement, si la valeur de l'entreprise est supérieure à celle de sa dette, les actionnaires reçoivent l'actif résiduel (ou actif net) : c'est ce qui reste après remboursement des dettes. La figure 20.8 illustre le profil de gain des actionnaires. Il est exactement identique à celui d'un call écrit sur l'actif de l'entreprise.

---

14. F. Black et M. Scholes (1973), « The Pricing of Options and Corporate Liabilities », *Journal of Political Economy*, 81(3), 637-654.

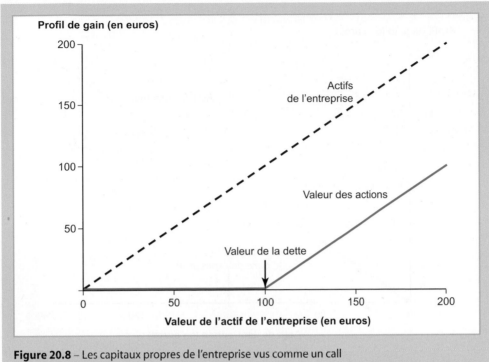

Figure 20.8 – Les capitaux propres de l'entreprise vus comme un call

La dette vue comme un portefeuille d'options

La dette d'une entreprise peut également être analysée à l'aide d'options. Les créanciers peuvent être vus comme les propriétaires d'une entreprise ayant vendu un call écrit sur ses actifs de prix d'exercice égal à la valeur de sa dette. Si, à l'échéance, la valeur de l'entreprise est supérieure à celle de la dette, le call sera exercé. Les créanciers recevront alors le prix d'exercice du call (égal par construction à la valeur de la dette) et abandonneront leur droit de propriété sur l'entreprise. Si, en revanche, la valeur de l'entreprise est inférieure à la valeur de la dette, le call ne vaudra rien, il ne sera pas exercé et l'entreprise se déclarera en faillite. Les créanciers seront alors propriétaires des actifs de l'entreprise. La figure 20.9 illustre le profil de gain des créanciers.

Il est également possible de considérer la dette d'une entreprise comme un portefeuille composé de dette sans risque et d'une position courte en put écrit sur les actifs de l'entreprise de prix d'exercice égal à la valeur de sa dette :

$$\text{Dette risquée} = \text{Dette sans risque} - \text{Put sur les actifs de l'entreprise} \qquad (20.10)$$

Si les actifs de l'entreprise valent moins que le montant de sa dette, le put sera dans la monnaie. Le détenteur du put exercera l'option et recevra la différence entre le montant de la dette et la valeur des actifs de l'entreprise (figure 20.9). Les créanciers qui ont vendu le put ne possèdent donc plus que les actifs de l'entreprise. Si la valeur de l'entreprise est supérieure à la valeur de sa dette, le put n'aura aucune valeur ; les détenteurs du portefeuille – les créanciers – récupèrent alors la valeur de la dette.

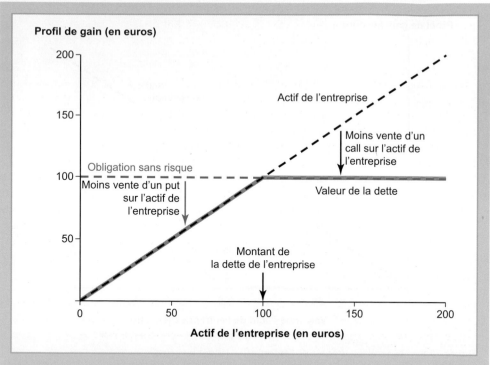

Profil de gain (en euros)

Figure 20.9 – La dette vue comme un portefeuille d'options

Le profil de gain des créanciers (courbe grise) peut être interprété de deux façons : une position longue sur les actifs de l'entreprise (ligne pointillée noire) combinée à un call vendu sur les capitaux propres, ou bien un portefeuille composé d'une dette sans risque (ligne pointillée de couleur) et d'un put vendu sur les actifs de l'entreprise de prix d'exercice égal au montant de sa dette.

Les *Credit Default Swaps*

En réarrangeant les termes de l'équation (20.10), on s'aperçoit qu'il est possible d'éliminer le risque de crédit d'une dette risquée en achetant un put écrit sur les actifs de l'entreprise pour reconstituer une dette sans risque :

Dette sans risque = Dette risquée + Put sur les actifs de l'entreprise

Un tel put permettant de s'assurer contre le risque de crédit d'une entreprise porte le nom de *Credit Default Swap* ou CDS. L'acheteur d'un CDS paie au vendeur une prime (sous la forme d'un versement périodique, en général tous les six mois) et est remboursé de ses pertes par le vendeur de CDS dans le cas où l'entreprise fait défaut et n'honore pas ses engagements envers ses créanciers.

Les banques d'investissement ont commencé à commercialiser des CDS à la fin des années 1990, afin de permettre aux détenteurs d'obligations de s'assurer contre le risque de crédit que ces titres engendrent. De nombreux fonds spéculatifs (*hedge funds*) ainsi que des investisseurs plus traditionnels ont dès lors commencé à utiliser ces contrats pour spéculer sur le risque de crédit des entreprises, et donc la valeur des CDS. Celle-ci dépend à la fois de la probabilité de défaillance de l'entreprise sur le remboursement de sa dette et du taux de recouvrement en cas de défaut. À la fin de l'année 2007, les montants notionnels des contrats CDS atteignaient 61 000 milliards de dollars ; soit un montant bien plus élevé que la taille du marché obligataire de l'époque (9 000 milliards de dollars).

Toutefois, comme les CDS se négocient de gré à gré, il convient de relativiser la différence de taille entre ces deux marchés. En effet, l'acheteur d'un CDS qui souhaite déboucler sa position ne peut le faire en procédant simplement à la vente de celui-ci, comme le lui permettrait, par exemple, un marché organisé d'options négociables. Aussi doit-il trouver une contrepartie acceptant de lui acheter exactement le même contrat sur sa durée résiduelle, ce qui lui permet d'obtenir une position nette nulle sur ce CDS. Par conséquent, un nouveau contrat est créé à chaque échange de CDS, même si l'exposition au risque de crédit de cet investisseur n'a pas varié, voire s'est réduite. Par exemple, lors de la faillite de Lehman Brothers à la mi-septembre 2008, les détenteurs de positions longues sur les CDS écrits sur les obligations de cette banque devaient théoriquement recevoir près de 400 milliards de dollars. En définitive, après déduction de toutes les opérations compensées par d'autres, seuls 7 milliards de dollars ont changé de main.

Suite à la crise financière, le marché des CDS s'est considérablement réduit. En 2017, le montant notionnel des CDS était inférieur à 10 000 milliards de dollars. Une fois les positions compensées, ce chiffre était de moins de 200 milliards de dollars[15].

Crise financière	**Les *Credit Default Swaps***

Paradoxalement, au cœur de la crise financière de 2008, le marché des CDS est devenu à son tour une *source* de risque de crédit. L'état fédéral américain a dû cautionner plus de 100 milliards de dollars d'engagements pris par l'assureur AIG, celui-ci ayant vendu massivement des CDS avant la crise et étant donc exposé à des pertes colossales. Le risque était qu'en cas d'incapacité d'AIG à honorer les contrats d'assurance vendus aux investisseurs, cela n'entraîne la faillite en cascade de nombreuses banques et entreprises qui avaient acheté ces contrats pour protéger leurs expositions au risque de défaut de contreparties (risque systémique).

Afin de limiter ce risque systémique à l'avenir, les régulateurs envisagent de standardiser les contrats CDS, afin qu'ils puissent s'échanger sur des marchés organisés dont les chambres de compensation joueraient le rôle de contrepartie lors des transactions. Cela améliorerait ainsi la transparence du marché, mais également imposerait aux acteurs le paiement d'appels de marge (demandés par les chambres de compensation pour s'assurer elles-mêmes contre le risque de défaut d'une contrepartie). Cela permettrait en outre que les contrats identiques achetés et vendus par un investisseur donné s'annulent plutôt qu'ils ne se compensent, ce qui devrait réduire le risque de crédit sur le marché qui a précisément été créé pour le maîtriser !

---

15. I. Aldasoro et T. Ehlers (2018), « The Credit Default Swap Market: What a Difference a Decade Makes », BIS Quarterly Review, juin.

L'évaluation de la dette risquée

Pouvoir interpréter la dette d'une entreprise comme un portefeuille d'options est particulièrement utile puisqu'on peut ainsi évaluer rapidement la prime de risque (*credit spread*) que doit offrir une dette risquée en plus du taux sans risque pour que cette dette attire des acheteurs.

Exemple 20.11

Calcul du taux de rentabilité d'une nouvelle dette

En septembre 2012, Google n'a aucune dette et dispose de 327 millions d'actions en circulation qui cotent 700,77 $. On suppose que le P-DG annonce qu'il souhaite émettre des obligations zéro-coupon d'une valeur nominale totale de 163,5 milliards de dollars et d'échéance janvier 2014. Ces fonds seront utilisés pour verser un dividende exceptionnel. Le taux d'intérêt sans risque de même maturité est de 0,25 %. En utilisant le prix des calls de la figure 20.10 et en supposant que les marchés de capitaux sont parfaits, estimez la prime de risque que devrait offrir Google sur sa dette.

Solution

La capitalisation boursière de Google est de 327 millions × 700,77 = 229,2 milliards de dollars. Si les marchés de capitaux sont parfaits, la valeur totale de Google (Dette + Capitaux propres) n'a aucune raison de changer à la suite de l'opération envisagée : la valeur de marché de l'actif net de Google ne sera donc pas modifiée.

L'émission des obligations revient à octroyer un droit aux créanciers sur l'actif de l'entreprise d'un montant équivalent à 163,5 milliards / 327 millions = 500 $ par action. Suite à l'émission des obligations, les actionnaires ne recevront de Google que la part des actifs excédant 500 $. La valeur des actions Google après l'opération est donc égale au prix de marché actuel d'un call sur les actifs de Google de prix d'exercice 500 $. Ce call vaut actuellement sur le marché 222 $ (en prenant le milieu de la fourchette de la figure 20.10). Si on multiplie sa valeur par le nombre d'actions, celle des capitaux propres de Google après l'opération sera de 222 $ × 327 millions = 72,6 milliards de dollars.

La valeur de la dette est donc de 229,2 − 72,6 = 156,6 milliards de dollars. Les obligations ayant une échéance de 16 mois à compter de leur émission, cela correspond à un taux de rentabilité *r* implicite de la dette de :

$$(163,5 / 156,6)^{12/16} - 1 = 3,3 \ \%$$

La prime de risque (ou écart de crédit) que doit offrir Google à ses créanciers en plus du taux sans risque est par conséquent de 3,3 % − 0,25 % = 3,05 %.

Avec la méthode de l'exemple 20.11, la figure 20.10 représente la rentabilité implicite de la dette de Google en fonction du montant emprunté. Cette courbe illustre, à la fois, la relation croissante qui existe entre ce taux et la valeur faciale de la dette émise et l'utilité des options pour évaluer le risque de crédit de cette dette. D'autres méthodes sont envisageables pour valoriser options et dettes risquées, à partir des fondamentaux des entreprises ; elles seront présentées dans le prochain chapitre.

GOOG (GOOGLE INC) — **700.77** - 5.38

Sep 10 2012 @ 21:39 ET — **Vol** 2560067

Calls	Bid	Ask	Open Int
14 Jan 300.00 (GOOG1418A300-E)	402.90	405.90	4
14 Jan 350.00 (GOOG1418A350-E)	355.30	358.00	34
14 Jan 400.00 (GOOG1418A400-E)	308.20	311.60	471
14 Jan 450.00 (GOOG1418A450-E)	263.00	266.50	25
14 Jan 500.00 (GOOG1418A500-E)	220.20	223.90	229
14 Jan 550.00 (GOOG1418A550-E)	181.00	184.70	122
14 Jan 600.00 (GOOG1418A600-E)	145.20	148.60	303
14 Jan 650.00 (GOOG1418A650-E)	114.30	117.30	292
14 Jan 660.00 (GOOG1418A660-E)	108.50	111.60	63
14 Jan 680.00 (GOOG1418A680-E)	97.80	101.70	91
14 Jan 700.00 (GOOG1418A700-E)	87.60	91.00	508
14 Jan 750.00 (GOOG1418A750-E)	66.20	68.10	534

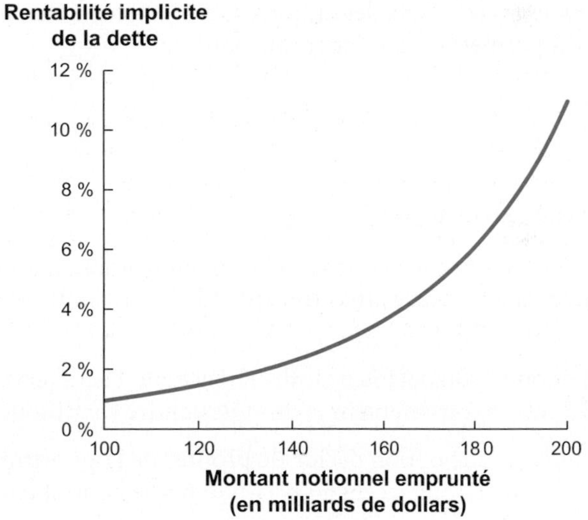

Figure 20.10 – Options sur actions Google et rentabilité implicite de la dette

À partir des prix de marché des calls Google, on peut calculer la rentabilité implicite que devrait offrir Google sur ses obligations si l'entreprise voulait emprunter sur 16 mois en émettant des obligations zéro-coupon et si les marchés étaient parfaits. On remarque que la prime de risque augmente avec le montant emprunté.

Les conflits d'agence

L'interprétation sous formes d'options des dettes et capitaux propres permet également de jeter un regard nouveau sur les conflits d'agence entre actionnaires et créanciers abordés au chapitre 16. Comme le prix d'une option augmente généralement avec la volatilité de l'actif sous-jacent, et que les capitaux propres d'une entreprise peuvent être vus comme une position longue sur un call, on peut conclure que les actionnaires tirent profit de projets qui accroissent la volatilité des actifs de l'entreprise (c'est-à-dire des projets très risqués). *A contrario*, les créanciers pouvant être vus comme détenteurs d'une position courte dans un put écrit sur ces mêmes actifs, ils seront lésés si ceux-ci deviennent plus risqués. Ce conflit d'intérêt correspond au problème de substitution d'actifs (section 16.5). Ce conflit peut désormais être quantifié en évaluant la sensibilité du prix d'une option à la volatilité des actifs de l'entreprise.

De manière similaire, lorsqu'une entreprise très endettée s'engage dans des projets d'investissement qui augmentent la valeur de ses actifs, la valeur du put diminue. Puisque les créanciers s'apparentent à des vendeurs de put, la valeur des dettes de l'entreprise s'accroît. Par conséquent, une fraction de l'augmentation de la valeur des actifs est transférée des actionnaires vers les créanciers, ce qui réduit d'autant l'incitation des premiers à investir. On retrouve le phénomène de surendettement de la section 16.5 et celui-ci peut également être quantifié en étudiant la sensibilité des prix du call et du put à la valeur des actifs de la firme.

L'utilité des options pour le financier d'entreprise ne se limite pas aux applications présentées dans cette section. Toutefois, avant d'aller plus avant, il est nécessaire d'approfondir les déterminants des prix des options. C'est l'objet du chapitre 21 qui présente par ailleurs les outils permettant d'évaluer une option.

Résumé

20.1. Qu'est-ce qu'une option ?

- Une option offre à son détenteur le droit, et non l'obligation, d'acheter ou de vendre, à une date prédéterminée future, un actif – qualifié d'actif sous-jacent – à un prix fixé aujourd'hui.

- Une option qui donne à son détenteur le droit d'acheter l'actif sous-jacent est un call. Une option qui donne à son détenteur le droit de vendre l'actif sous-jacent est un put.

- Lorsque le détenteur d'une option décide de profiter de l'opportunité dont il dispose et qu'il achète ou vend le sous-jacent au prix fixé par le contrat d'option, on dit qu'il exerce l'option.

- Le prix auquel le détenteur d'une option achète ou vend l'actif sous-jacent, lorsque l'option est exercée, est le prix d'exercice (*strike price*).

- La dernière date à laquelle le détenteur peut exercer son option est la date d'échéance du contrat.

- Une option américaine peut être exercée à n'importe quelle date jusqu'à la date d'échéance (incluse). Une option européenne ne peut être exercée qu'à l'échéance du contrat.

20.2. Le profil de gain à l'échéance d'une option

- La valeur d'un call à l'échéance est :

$$C = \max(S - K\,;\,0) \tag{20.1}$$

- La valeur d'un put à l'échéance est :

$$P = \max(K - S \,;\, 0) \tag{20.2}$$

- L'investisseur qui détient une option a une position longue ; le vendeur de l'option est lui dans une position courte. Ce dernier est contraint par le choix du détenteur de l'option.

- On appelle valeur intrinsèque la valeur d'exercice immédiat d'une option. La valeur temps d'une option correspond à la différence entre son prix de marché et sa valeur intrinsèque.

- Lorsque la valeur intrinsèque d'une option est positive, elle est dite dans la monnaie. Si son prix d'exercice est égal au prix de l'actif sous-jacent, elle est à la monnaie. Dans le cas où l'investisseur perdrait de l'argent en cas d'exercice, l'option est en dehors de la monnaie.

20.3. La parité call-put

- La parité call-put établit une relation entre la valeur d'un call européen, d'un put européen et du sous-jacent :

$$C = P + S - VA(K) - VA(Div) \tag{20.5}$$

20.4. Les déterminants du prix d'une option

- Les calls (resp. puts) valent d'autant plus cher que leur prix d'exercice est faible (resp. élevé).

- La valeur des calls (resp. puts) augmente (resp. diminue) avec le prix du sous-jacent.

- Relations d'arbitrage sur les options :

  a. Une option américaine ne peut pas valoir moins qu'une option européenne.

  b. Un put ne peut pas valoir plus que son prix d'exercice.

  c. Un call ne peut pas valoir plus que le sous-jacent.

  d. Une option américaine ne peut pas valoir moins que sa valeur intrinsèque.

  e. Une option américaine d'échéance lointaine ne peut pas valoir moins qu'une option américaine identique d'échéance plus rapprochée.

- La valeur d'une option augmente en général avec la volatilité de l'actif sous-jacent.

20.5. Les options américaines : l'exercice anticipé

- Il n'est jamais optimal d'exercer un call américain avant son échéance lorsque le sous-jacent est une action ne versant pas de dividendes. Un call américain a donc le même prix qu'un call européen de mêmes caractéristiques.

- Il peut être optimal d'exercer un put américain profondément dans la monnaie avant son échéance, lorsque le sous-jacent est une action versant des dividendes. Il peut également être optimal d'exercer un call américain juste avant la date de détachement du dividende.

20.6. Options et finance d'entreprise

- Les capitaux propres d'une entreprise peuvent être vus comme un call écrit sur ses actifs.

- Les créanciers peuvent être vus comme les propriétaires de l'entreprise ayant vendu un call de prix d'exercice égal à la valeur de sa dette. La dette d'une entreprise peut également être interprétée comme une dette sans risque et une position courte sur un put écrit sur les actifs de l'entreprise, de prix d'exercice égal à la valeur de cette dette.

- À partir du prix des options, il est possible d'estimer le taux de rentabilité appropriée pour émettre de la dette. Il est également possible de quantifier les coûts d'agence auxquels une entreprise fait face.

L'astérisque désigne les exercices les plus difficiles.

1. Donnez la définition des termes suivants : option, date d'expiration, prix d'exercice, call, put.

2. Quelle est la différence entre une option européenne et une option américaine ? Où trouve-t-on des options européennes ? Où trouve-t-on des options américaines ?

3. Le tableau suivant détaille les cotations sur l'Eurex des calls sur l'action Crédit Agricole pour une journée donnée.

   a. Quel contrat a été le plus échangé ce jour-là ?

   b. Quel contrat est le plus détenu à cette date ?

   c. Quel prix doit payer l'acheteur du contrat CR1 3 C23 (hors frais de transaction) ?

   d. Quel montant reçoit le vendeur du contrat CR1 3 C23 (hors frais de transaction) ?

   e. Quels sont les calls dans la monnaie ? Même question pour les puts.

   f. Quelle est la différence entre les contrats CR1 3 C28 et CR1 6 C28 ?

Crédit Agricole (CR), cours : 23,05 € (moyenne *bid/ask*)

Calls d'échéance mars	Prix de vente (*bid*)	Prix d'achat (*ask*)	Volume	Positions ouvertes	Puts d'échéance mars	Prix de vente (*bid*)	Prix d'achat (*ask*)	Volume	Positions ouvertes
CR1 3 C28	0,05 €	0,20 €	0	124	CR1 3 P28	4,73 €	5,18 €	0	244
CR1 3 C27	0,18 €	0,28 €	0	527	CR1 3 P27	3,83 €	4,20 €	0	844
CR1 3 C26	0,35 €	0,45 €	0	834	CR1 3 P26	3,07 €	3,20 €	0	1 242
CR1 3 C25	0,61 €	0,72 €	0	1 683	CR1 3 P25	2,33 €	2,46 €	0	2 668
CR1 3 C24	0,98 €	1,09 €	125	2 736	CR1 3 P24	1,68 €	1,81 €	136	5 265
CR1 3 C23	1,47 €	1,58 €	361	4 204	CR1 3 P23	1,20 €	1,31 €	679	8 108
CR1 3 C22	2,07 €	2,20 €	156	3 021	CR1 3 P22	0,81 €	0,91 €	260	3 203
CR1 3 C21	2,78 €	2,91 €	0	678	CR1 3 P21	0,52 €	0,62 €	0	754
CR1 3 C20	3,57 €	3,71 €	0	287	CR1 3 P20	0,32 €	0,42 €	0	475
CR1 3 C19,5	3,99 €	4,12 €	0	53	CR1 3 P19,5	0,25 €	0,35 €	0	97
CR1 6 C32	0,01 €	0,12 €	0	46	CR1 6 P30	7,57 €	7,82 €	0	63
CR1 6 C30	0,10 €	0,21 €	0	374	CR1 6 P28	5,75 €	6,00 €	0	716
CR1 6 C28	0,29 €	0,42 €	0	625	CR1 6 P26	4,09 €	4,31 €	0	659
CR1 6 C26	0,69 €	0,84 €	27	1 342	CR1 6 P24	2,69 €	2,86 €	43	1 648
CR1 6 C24	1,44 €	1,56 €	85	1 689	CR1 6 P22	1,64 €	1,75 €	102	2 731
CR1 6 C22	2,48 €	2,68 €	219	3 129	CR1 6 P20	0,91 €	1,02 €	342	6 163
CR1 6 C20	3,86 €	4,16 €	15	1 763	CR1 6 P19	0,65 €	0,79 €	19	3 456
CR1 6 C19	4,66 €	4,98 €	0	497	CR1 6 P18	0,46 €	0,59 €	0	946
CR1 6 C18	5,54 €	5,81 €	0	183	CR1 6 P17	0,31 €	0,43 €	0	310

4. Quelle est la différence entre une position longue sur un put et une position courte sur un call ?

5. Quelles positions s'apprécient en cas de hausse du prix de l'actif sous-jacent ?

   a. position longue sur un call ;

   b. position courte sur un call ;

   c. position longue sur un put ;

   d. position courte sur un put.

6. Un call sur l'action Dupont, de prix d'exercice 40 €, expire dans trois mois. Quel est le gain pour l'acheteur de l'option si l'action cote 55 € dans trois mois ? Même question pour le vendeur. Quel est le gain pour l'acheteur si l'action cote 35 € dans trois mois ? Pour le vendeur ? Représentez graphiquement les profils de gain à l'échéance de l'acheteur et du vendeur du call en fonction du prix de l'action.

7. Un put sur Sitroène, de prix d'exercice 100 €, expire dans six mois. Quel est le gain pour l'acheteur si l'action cote 90 € dans six mois ? Même question pour le vendeur. Quel est le gain pour l'acheteur si l'action cote 110 € dans six mois ? Pour le vendeur ? Représentez graphiquement les profils de gain à l'échéance de l'acheteur et du vendeur du put en fonction du prix l'action.

8. Quelle est la position la plus risquée : une position courte sur un call ou une position courte sur un put ? Si l'on prend la situation la plus défavorable, quelles seront les pertes des investisseurs dans chaque cas ?

9. (Suite de l'exercice 3.) En considérant un taux d'intérêt annuel de 2 % :

   a. Calculez le prix de l'action Crédit Agricole qui annule le profit de la stratégie consistant à acheter l'option (call ou put) puis à l'exercer.

   b. Quel call a la probabilité la plus grande de procurer une rentabilité de – 100 % ?

   c. Si l'action cote 26 € à l'échéance des contrats, quelle option aura eu la plus haute rentabilité ?

10. Aline détient une position longue à la fois dans un call et un put écrits sur le même sous-jacent et de même échéance. Le prix d'exercice du call est de 40 € et celui du put est de 45 €. Représentez graphiquement le profil de gain d'Aline à l'échéance des options en fonction du prix du sous-jacent.

11. Gabrielle détient une position longue à la fois sur deux calls écrits sur le même sous-jacent et de mêmes échéances. Le prix d'exercice du premier call est de 40 € ; celui du second est de 60 €. En outre, elle détient une position courte sur deux calls identiques de prix d'exercice 50 € et de mêmes échéances que précédemment. Représentez graphiquement le profil de gain de Gabrielle à l'échéance des options en fonction du prix du sous-jacent. Comment nomme-t-on cette combinaison d'options ?

12. Un contrat forward est un contrat qui donne à son détenteur l'obligation d'acheter un actif sous-jacent à un prix et à une date future déterminés. Ainsi, acheteur et vendeur d'un forward sont contraints de procéder à l'échange prévu. Comment construire un contrat forward sur une action à partir d'options ?

13. Vous détenez des actions Costo. Vous craignez une baisse de leur prix et souhaitez donc protéger votre portefeuille. Comment faire ?

*14. (Suite de l'exercice 3.) Au 27 décembre, vous détenez une action Crédit Agricole. Vous souhaitez vous assurer que la valeur de votre portefeuille ne baisse pas de manière significative. En exprimant vos résultats en pourcentage de la valeur liquidative actuelle de votre portefeuille :

   a. Calculez le coût de l'assurance pour que votre portefeuille ne baisse pas en deçà de 20 € entre le 27 décembre et le troisième vendredi du mois de mars suivant.

   b. Calculez le coût de l'assurance pour que votre portefeuille ne baisse pas en deçà de 20 € entre le 27 décembre et le troisième vendredi du mois de juin suivant.

   c. Calculez le coût de l'assurance pour que votre portefeuille ne baisse pas en deçà de 23 € entre le 27 décembre et le troisième vendredi du mois de juin suivant.

15. L'action Écolo cote aujourd'hui 33 € et ne verse pas de dividendes. Un put européen d'échéance un an sur Écolo et de prix d'exercice 35 € vaut actuellement 2,10 €. Le taux d'intérêt sans risque annuel est de 10 %. Quel est le prix d'un call européen de caractéristiques identiques ?

16. Le prix d'une action Vesta est de 20 €. Le taux d'intérêt sans risque est de 8 %. Un put écrit sur Vesta d'échéance un an et de prix d'exercice 18 € vaut 3,33 €. Un call de mêmes caractéristiques vaut 7 €. Quelles opérations faut-il effectuer pour profiter de l'opportunité d'arbitrage ?

17. (Suite de l'exercice 3.) En considérant les call et put de prix d'exercice 22 € expirant au mois de mars ainsi qu'un taux d'intérêt annuel de 2 %, montrez, à l'aide de la parité call-put, qu'il n'existe pas d'opportunité d'arbitrage.

18. En juillet 2018, les cotations pour les options européennes sur indice S&P 100 (OEX) d'échéance décembre 2019 étaient les suivantes :

Prix d'exercice	Call	Put
1 260	81,40	
1 280	70,50	99,10
1 300		108,85

   Le taux d'intérêt sans risque pour une maturité de 17 mois était de 2,8 %.

   a. Calculez le prix d'un put de prix d'exercice 1 260 d'échéance décembre 2019.

   b. Calculez le prix d'un call de prix d'exercice 1 300 d'échéance décembre 2019.

19. L'action STMicro cote 6,5 € et ne verse pas de dividendes.

   a. Quel est le prix maximum d'un call écrit sur STMicro ?

   b. Quel est le prix maximum d'un put de prix d'exercice 10 €, écrit sur STMicro ?

   c. Quel est le prix minimum d'un call de prix d'exercice 5 €, écrit sur STMicro ?

   d. Quel est le prix minimum d'un put américain de prix d'exercice 10 €, écrit sur STMicro ?

20. (Suite de l'exercice 3.) En supposant qu'une nouvelle option américaine, de prix d'exercice 26 € et d'échéance juin, sur l'action Crédit Agricole est émise, calculez les prix, minimum et maximum, de cette option.

21. S'agissant d'options sur une action donnée, quel type d'informations pourrait expliquer que :

a. les prix des calls augmentent alors que ceux des puts diminuent ?

b. les prix des calls diminuent alors que ceux des puts augmentent ?

c. les prix des puts et des calls augmentent simultanément ?

*22. Pourquoi un call américain sur une action ne versant pas de dividendes a-t-il toujours le même prix qu'une option européenne de mêmes caractéristiques ?

23. On considère le put américain de prix d'exercice 50 € et expirant dans un an, écrit sur l'action ASJ. ASJ ne verse pas de dividendes et s'échange à 13 € sur le marché. Sachant que le taux d'intérêt est de 10 %, et qu'il est optimal d'exercer cette option par anticipation :

a. Quel est le prix du put de mêmes caractéristiques mais de prix d'exercice 55 € ?

b. Quel est le prix maximum du call de prix d'exercice 50 € ?

24. L'entreprise Harf est sur le point de verser un dividende de 0,3 € et ne prévoit pas d'en distribuer le mois prochain. Le taux d'intérêt annuel (capitalisation mensuelle des intérêts) est de 6 %. On s'intéresse aux calls sur l'action Harf arrivant à échéance dans un mois. Quel est le prix d'exercice maximal qui rend l'exercice anticipé d'un tel call optimal ?

25. On suppose que l'indice CAC 40 vaut 3 900 points et qu'un call européen écrit sur cet indice, de prix d'exercice 3 400 et d'échéance un an, a une valeur temps négative. Si le taux d'intérêt est de 5 %, que peut-on en conclure sur le taux de dividende de l'indice boursier (on considère pour simplifier que tous les dividendes sont versés à la fin de l'année) ?

26. On suppose que l'indice CAC 40 vaut 3 900 points et qu'il permet de bénéficier d'un dividende de 130 € à la fin de l'année. Si le taux d'intérêt est de 2 % et que la valeur temps d'un put européen d'échéance un an est négative, quel est le prix d'exercice minimum de ce dernier ?

27. L'action WesCorp se négocie pour 25 € par action. Il existe 20 millions d'actions en circulation et son levier s'élève à 0,5. Sa dette de type zéro-coupon procure une rentabilité à l'échéance de 10 % et arrive à échéance dans cinq ans.

a. Si l'on voit les capitaux propres comme un call, quelle est sa date d'échéance ? Quelle est la valeur de marché des actifs « sous-jacents » du call ? Quel est le prix d'exercice de cette option ?

b. Interprétez la dette comme un call.

c. Interprétez la dette comme un put.

*28. Exprimez la position d'un actionnaire à l'aide de puts.

29. En utilisant les données du tableau ci-dessous, à la date du 13 juillet 2009, calculez la rentabilité à l'échéance minimale que devrait procurer Google sur une nouvelle émission de dette zéro-coupon d'un montant de 128 milliards de dollars et d'échéance janvier 2011. On supposera qu'il existe 320 millions d'actions Google pour une capitalisation boursière de 135,1 milliards de dollars et que les marchés de capitaux sont parfaits.

GOOG		**422.27** +7.87	
Jul 13 2009 @ 13:10 ET		**Vol** 2177516	

Calls	Bid	Ask	Open Int
11 Jan 150.0 (OZF AJ)	273,60	276,90	100
11 Jan 160.0 (OZF AL)	264,50	267,20	82
11 Jan 200.0 (OZF AA)	228,90	231,20	172
11 Jan 250.0 (OZF AU)	186,50	188,80	103
11 Jan 280.0 (OZF AX)	162,80	165,00	98
11 Jan 300.0 (OZF AT)	148,20	150,10	408
11 Jan 320.0 (OZF AD)	133,90	135,90	63
11 Jan 340.0 (OZF AI)	120,50	122,60	99
11 Jan 350.0 (OZF AK)	114,10	116,10	269
11 Jan 360.0 (OZF AM)	107,90	110,00	66
11 Jan 380.0 (OZF AZ)	95,80	98,00	88
11 Jan 400.0 (OZF AU)	85,10	87,00	2 577
11 Jan 420.0 (OUP AG)	74,60	76,90	66
11 Jan 450.0 (OUP AV)	61,80	63,30	379

*30. (Suite de l'exercice précédent.) Google est sur le point d'émettre une dette senior zéro-coupon d'une valeur faciale de 96 milliards de dollars, ainsi qu'une dette zéro-coupon junior de 32 milliards de dollars. Ces deux types de dettes ont pour maturité janvier 2011. En utilisant le tableau de l'exercice précédent, calculez la rentabilité à l'échéance minimale que devrait procurer Google sur sa dette junior.

Étude de cas – Stratégies optionnelles

Votre oncle Sam possède 10 000 actions Atos. Il s'inquiète de l'évolution à court terme du titre, car le P-DG doit tenir dans un mois une conférence de presse annoncée comme « stratégique ». Votre oncle s'attend à une réaction significative du marché. Mais il n'a aucune idée du contenu de la conférence de presse, et donc n'est pas certain du sens d'évolution du cours du titre. Il espère une hausse, mais ne veut pas subir de pertes en cas de baisse du titre.

Votre oncle vous demande de trouver un moyen lui permettant de tirer profit d'une hausse des cours tout en étant protégé en cas de baisse. Vous pensez qu'un put protecteur ou un *straddle* offriraient la protection souhaitée, tout en améliorant le gain potentiel de la position globale. Vous décidez de présenter à votre oncle les profits et les rendements de ces deux stratégies.

1. Téléchargez à partir du site du NYSE Euronext (**www.euronext.com**) les cotations des options Atos arrivant à échéance d'ici un mois environ.

2. Afin de déterminer le profit ainsi que la rentabilité de l'achat du « put protecteur » :

   a. Identifiez le put dont le prix d'exercice est le plus proche (tout en étant supérieur) du prix de marché de l'action Atos (**www.boursorama.com** ou **http://fr.finance. yahoo.com/**). Quel est le coût de l'achat des puts sachant que votre oncle détient 10 000 titres Atos ?

   b. Déterminez la valeur des puts à l'échéance pour une gamme de prix de l'action Atos comprise entre 20 et 80 € à l'échéance.

    c. Évaluez le gain (ou la perte) réalisé sur les puts en fonction du cours d'Atos à l'échéance (entre 20 et 80 €).

    d. Évaluez le gain (ou la perte) tiré de la détention des actions Atos en fonction du cours à l'échéance (entre 20 et 80 €). On suppose que les actions sont achetées à leur cours actuel.

    e. Quelle est la richesse finale de votre oncle, en fonction du prix de l'action Atos à l'échéance (entre 20 et 80 €) ?

    f. Quelle est la rentabilité globale du put protecteur ?

3. Afin de déterminer le profit ainsi que la rentabilité de l'achat d'un *straddle* :

    a. Quel est le coût d'achat des puts et des calls, sachant que votre oncle détient 10 000 titres Atos ? Les options doivent avoir des prix d'exercice et des dates d'expiration identiques à ceux des puts de la question précédente.

    b. Déterminez la valeur des calls et des puts à l'échéance pour une gamme de prix de l'action Atos comprise entre 20 et 80 € à l'échéance.

    c. Évaluez le gain (ou la perte) réalisé sur les options en fonction du cours d'Atos à l'échéance (entre 20 et 80 €).

    d. Évaluez le gain (ou la perte) tiré de la détention des actions Atos en fonction du cours d'Atos à l'échéance (entre 20 et 80 €). On suppose que les actions sont achetées à leur cours actuel.

    e. Quelle est la richesse finale de votre oncle, en fonction du prix de l'action Atos à l'échéance (entre 20 et 80 €) ?

    f. Quelle est la rentabilité globale de cette stratégie (*straddle* + Action sous-jacente) ?

4. Le put protecteur procure-t-il à votre oncle une couverture parfaite en cas de forte chute du titre ? Quelle est la perte maximale de votre oncle s'il achète un put protecteur ?

5. Quelle est la perte maximale de votre oncle s'il met en place un *straddle* ?

6. Quelle stratégie offre le meilleur potentiel de gain à votre oncle : put protecteur ou *straddle* ? Pourquoi ?

Chapitre 21
L'évaluation des options

E n 1997, le prix Nobel d'économie a été décerné à Robert C. Merton et Myron Scholes pour leur contribution décisive à la théorie de l'évaluation des produits dérivés. Ce prix récompense deux articles fondateurs parus en 1973[1] – l'année même de la création du *Chicago Board Options Exchange* (CBOE), le premier marché organisé d'options sur actions –, qui proposent une formule permettant de calculer le prix d'une option. Si la formule en elle-même représente une contribution majeure à la science économique, les techniques développées par Black, Scholes et Merton pour valoriser les options constituent une avancée encore plus fondamentale pour les professionnels des marchés financiers. Elles ont, d'ailleurs, donné naissance à un nouveau métier : celui d'ingénieur financier, ou *quant* (pour *quantitative analyst*).

De nos jours, les *quants* utilisent quotidiennement les outils mathématiques développés par Fisher Black, Myron Scholes et Robert C. Merton afin d'évaluer le prix d'actifs financiers. Ces outils ont également engendré de multiples innovations financières et l'essor de nouvelles techniques de gestion des risques (chapitre 30)[2]. L'idée révolutionnaire de ces chercheurs réside dans le fait que la valorisation d'options ne nécessite pas la connaissance ou la modélisation des préférences des agents. En effet, il est possible d'établir des formules reposant exclusivement sur la Loi du prix unique, sans recourir à des paramètres inobservables.

L'objectif de ce chapitre est de présenter les différentes techniques sur lesquelles s'appuient les économistes et les praticiens pour évaluer les options ; à savoir : le modèle binomial, la formule de Black-Scholes et l'évaluation risque-neutre. Les deux dernières sections du chapitre introduisent le concept de bêta d'une option et appliquent les techniques de valorisation optionnelle à l'estimation du bêta d'une dette risquée et des coûts d'agence de la dette.

---

1. F. Black et M. Scholes, (1973), « The Pricing of Options and Corporate Liabilities », *Journal of Political Economy*, 81, 637-654 ; R. C. Merton, (1973), « Theory of Rational Option Pricing », *Bell Journal of Economics*, 4(1), 141-183. Fisher Black étant décédé en 1995, il n'a pu être récompensé (le prix Nobel ne peut être décerné à titre posthume).
2. Sur l'article de Black et Scholes, voir G. Capelle-Blancard et T. Chauveau, (2002), « The Pricing of Options and Corporate Liabilities », *Dictionnaire des grandes œuvres économiques*, éd. X. Greffe, J. Lallement, M. de Vroey, Dalloz.

Le premier modèle d'évaluation des options présenté dans ce chapitre est le modèle binomial, développé par John Cox, Stephen Ross et Mark Rubinstein[3]. Ce modèle repose sur l'hypothèse que le prix du sous-jacent (ici, une action) ne peut prendre que deux valeurs à la période suivante. Cette hypothèse, certes simplificatrice, permet de se concentrer sur l'idée principale de Black-Scholes : le profil de gain d'une option peut être répliqué en construisant un portefeuille composé de titres de dette sans risque (des bons du Trésor) et d'actif sous-jacent. Il est facile de généraliser ce modèle pour le rendre plus réaliste, en augmentant le nombre de périodes et en diminuant leur durée.

Le modèle à une période et deux états de la nature

Quel est le prix d'une option sur action si l'option arrive à échéance dans une période et que l'action ne puisse prendre que deux valeurs au terme de celle-ci ? Pour répondre à cette question, et valoriser cette option, il faut construire un **portefeuille de réplication** ; c'est-à-dire un portefeuille dont la valeur à la fin de la période correspond exactement au profil de gain de l'option. Ce portefeuille est uniquement composé de titres primaires (par opposition aux produits dérivés) : bons du Trésor et actions sous-jacentes. Puisque le profil de gain du portefeuille est par construction identique à celui de l'option, par application de la Loi du prix unique, les valeurs du portefeuille de réplication et de l'option sont égales en début de période.

On considère un call européen ayant pour sous-jacent une action et expirant dans une période. Son prix d'exercice est de 50 €. On suppose ici, comme dans toute la suite (sauf mention contraire), que l'action ne verse pas de dividende. L'action vaut 50 € au départ et ne peut prendre que deux valeurs à la fin de la période : 40 € (état baissier) ou 60 € (état haussier). Le bon du Trésor a une valeur initiale de 1 € et offre un taux de rendement de 6 % sur la période. Il est possible de résumer ces informations grâce à un **arbre binomial**. C'est un diagramme temporel dont chaque branche exprime un état de la nature possible à la fin de la période :

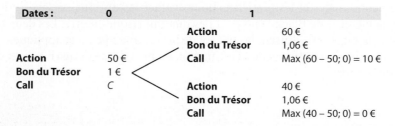

Dates :	0		1	
		Action	60 €	
		Bon du Trésor	1,06 €	
Action	50 €	Call	Max (60 − 50; 0) = 10 €	
Bon du Trésor	1 €			
Call	C	Action	40 €	
		Bon du Trésor	1,06 €	
		Call	Max (40 − 50; 0) = 0 €	

On définit Δ et B comme respectivement le nombre d'actions et le nombre[4] de bons du Trésor à acheter en début de période, afin de répliquer le profil de gain du call en fin

---

3. J. Cox, S. Ross et M. Rubinstein, (1979), « Option Pricing, a Simplified Approach », *Journal of Financial Economics*, 7(3), 229-263. Dans un article paru la même année, deux auteurs développent une technique similaire : J. R. Rendle-Man et B. J. Bartter, (1979), « Two-State Option Pricing », *Journal of Finance*, 34(5), 1093-1110.

4. Il s'agit en fait du montant de l'investissement en bons du Trésor. Toutefois, comme leur prix unitaire est de 1 €, ce montant correspond donc aussi à la quantité de bons du Trésor. Cette interprétation en termes de quantité sera conservée dans la suite du chapitre.

de période. L'objectif est donc de créer un portefeuille (qualifié de **call synthétique**) composé de Δ actions et B bons du Trésor, dont les profils de gain dans les deux états de la nature à la date 1 sont identiques à ceux du call à évaluer. Dans l'état haussier, la valeur du call est de 10 € ; on doit donc avoir :

$$60\Delta + 1,06B = 10 \text{ €} \tag{21.1}$$

Parallèlement, dans l'état baissier, la valeur du call est nulle ; par conséquent, le portefeuille doit également respecter :

$$40\Delta + 1,06B = 0 \tag{21.2}$$

La solution unique de ce système de deux équations à deux inconnues (Δ et B) est :

$$\begin{cases} \Delta = 0,5 \\ B = -18,8679 \end{cases}$$

Ainsi, un portefeuille composé d'une position longue de 0,5 action et d'une position courte d'environ 18,87 € en bons du Trésor (soit un emprunt de 18,87 € à un taux de 6 %) a une valeur, dans chacun des états futurs de la nature, égale à celle du call en fin de période. Il est aisé de le vérifier :

$$\begin{cases} 60 \times 0,5 - 1,06 \times 18,87 = 10 \\ 40 \times 0,5 - 1,06 \times 18,87 = 0 \end{cases}$$

D'après la Loi du prix unique, le prix en début de période du call doit être égal au prix du portefeuille de réplication. La valeur de ce dernier est donc égale à 0,5 action achetée au prix de 50 € moins 18,87 € empruntés :

$$50\Delta + B = 50 \times 0,5 - 18,87 = 6,13 \text{ €} \tag{21.3}$$

Le prix du call en début de période est donc de 6,13 €[5]. La figure 21.1 illustre la réplication du profil de gain du call dans les deux états de la nature à l'aide d'actions et de bons du Trésor. Le profil de gain du portefeuille dépend du prix futur de l'action. Il suit une droite de pente $\Delta = 0,5$ et d'ordonnée à l'origine $VF(B) = 1,06 \times B = 1,06 \times (-18,87) = -20$ €. Cette droite est significativement différente du profil de gain du call, composé d'un segment de droite de pente nulle jusqu'au prix d'exercice (50 €) et d'un segment de droite à 45° (pente = 1) ensuite. Il n'en demeure pas moins que les deux profils de gain sont identiques lorsque le prix futur de l'action est de 40 ou de 60 €. Puisque ces deux prix futurs sont par hypothèse les deux seuls possibles pour l'action en fin de période, le portefeuille réplique bien le profil de gain du call.

Le principal avantage de la formule précédente est qu'il n'est pas nécessaire de connaître les probabilités associées à la hausse et à la baisse du prix de l'action pour évaluer l'option. Ce résultat est tout à fait remarquable dans la mesure où ces probabilités dépendent des croyances de chaque investisseur quant à la vraisemblance des réalisations de chaque état de la nature ; ces croyances sont subjectives, et donc complexes à estimer. Dans le

---

5. Si le prix du call était différent, il existerait une opportunité d'arbitrage. Si le prix du call était de 6,5 €, on pourrait réaliser un profit en achetant le portefeuille de réplication à 6,13 € et en vendant le call à 6,5 €. Ces deux portefeuilles ayant les mêmes profils de gain, il n'y a aucun risque à procéder ainsi, et on réalise un profit immédiat de 6,5 – 6,13 = 0,37 € par option vendue.

cadre du modèle binomial, la connaissance de ces probabilités est inutile, de même que celle de l'espérance de rentabilité de l'action qui dépend de ces probabilités.

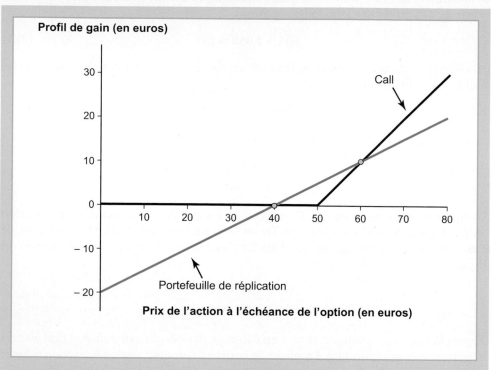

Figure 21.1 – Réplication d'un call dans le cadre du modèle binomial

La ligne de couleur correspond au profil de gain du portefeuille de réplication en fonction des prix de l'action en fin de période. La courbe noire représente celui de l'option à l'échéance. Les deux profils de gain se croisent aux points où les prix finals de l'action sont de 40 € et de 60 €, soit les deux seuls prix possibles de l'action à l'échéance de l'option.

La formule d'évaluation d'une option dans un modèle binomial

Le raisonnement sous-jacent au modèle binomial ayant été exposé, il est maintenant possible de généraliser cette analyse. On suppose que le prix de marché actuel de l'action est S. Il sera à la fin de la période S_h, si le marché est haussier, et S_b, si le marché est baissier. Le taux d'intérêt sans risque vaut r_f. L'objectif est d'évaluer le prix actuel C d'un call dont la valeur sera C_h si le prix de l'action monte et C_b si celui-ci baisse. L'arbre binomial de ce problème s'écrit donc :

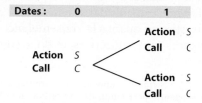

Le bon du Trésor n'est pas représenté sur l'arbre ; il rapporte le taux de rendement r_f dans chacun des deux états de la nature. Afin de calculer le prix du call, il est nécessaire de construire, comme précédemment, un portefeuille de réplication du profil de gain du call à l'échéance. Ce portefeuille est composé de Δ actions et d'une quantité B de bons du Trésor. Le système de deux équations à deux inconnues à résoudre est :

$$\begin{cases} S_h\Delta + \left(1 + r_f\right)B = C_h \\ S_b\Delta + \left(1 + r_f\right)B = C_b \end{cases}$$

La composition du portefeuille de réplication dans le modèle binomial est donc :

Composition du portefeuille de réplication

$$\begin{cases} \Delta = \dfrac{C_h - C_b}{S_h - S_b} \\ B = \dfrac{C_h - S_b\Delta}{1 + r_f} \end{cases} \tag{21.4}$$

La formule donnant Δ dans l'équation (21.4) peut s'interpréter comme la sensibilité du prix du call aux variations du prix de l'action. Cette sensibilité est égale à la pente de la droite représentant le profil de gain du portefeuille de réplication de la figure 21.1. Une fois connue la composition du portefeuille de réplication, il est aisé de calculer le prix du call en début de période : d'après la Loi du prix unique, il est égal au coût de constitution du portefeuille de réplication, soit :

Prix du call dans le modèle binomial

$$C = S\Delta + B \tag{21.5}$$

Les équations (21.4) et (21.5) résument à elles seules la démarche d'évaluation d'une option dans le cadre du modèle binomial. Malgré leur simplicité, elles sont très utiles puisqu'elles permettent de valoriser tout actif financier dont le profil de gain dépend de la valeur future d'une action, par exemple un put (exemple 21.1).

Grâce aux formules présentées dans cette section, il est possible d'évaluer des options dans le cadre d'un modèle simple à une période et deux états de la nature. Ce cadre est bien éloigné de la vie réelle… À quoi ces formules peuvent-elles donc servir en réalité ? Les sections suivantes montrent à quel point il est aisé de généraliser ce modèle au cadre multipériodique, beaucoup plus réaliste.

Valorisation d'un put avec un modèle binomial

L'action Azery vaut actuellement 60 €. À la fin de la période considérée, son prix aura augmenté de 20 % ou baissé de 10 %. Le taux sans risque est de 3 %. Quel est le prix d'un put européen de prix d'exercice 60 € écrit sur cette action et arrivant à échéance à la fin de la période ?

…

Exemple 21.1

...

Solution

L'arbre binomial est :

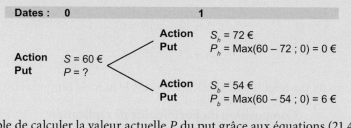

Il est possible de calculer la valeur actuelle P du put grâce aux équations (21.4) et (21.5), en remplaçant C_h par P_h (la valeur du put si le prix de l'action augmente) et C_b par P_b (la valeur du put si le prix de l'action diminue). D'après l'équation (21.4), le portefeuille de réplication s'écrit :

$$\begin{cases} \Delta = \dfrac{P_h - P_b}{S_h - S_b} = \dfrac{0 - 6}{72 - 54} = -0,3333 \\[3mm] B = \dfrac{P_h - S_h \Delta}{1 + r_f} = \dfrac{0 - 72 \times (-0,3333)}{1,03} = 23,30 \ \text{€} \end{cases}$$

Le portefeuille de réplication est donc composé d'une position courte de 0,3333 action et d'un prêt de 23,30 € au taux sans risque. Un tel portefeuille réplique parfaitement le profil de gain du put à la fin de la période puisque :

$$\begin{cases} 72 \times (-0,3333) + 1,03 \times 23,30 = 0 \ \text{€} \\ 54 \times (-0,3333) + 1,03 \times 23,30 = 6 \ \text{€} \end{cases}$$

Le prix actuel du put est obtenu à partir de l'équation (21.5) en remplaçant C par P :

$$P = S\Delta + B = 60 \times (-0,333) + 23,30 = 3,30 \ \text{€}$$

Le modèle à deux périodes

Pour rendre le modèle binomial plus réaliste, on peut l'étendre au cas multipériodique. Un exemple d'arbre binomial d'évolution du prix de l'action sur deux périodes est :

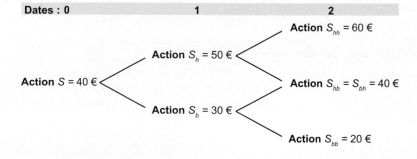

La propriété principale du modèle binomial est que, à chaque période, seuls deux prix de l'action sont possibles à partir d'un état de la nature donné. Toutefois, en ajoutant une période au modèle, il est possible de faire apparaître un troisième état de la nature pour le prix de l'action à la fin de la seconde période. À partir de l'arbre binomial précédent, quel est le prix actuel d'un call de prix d'exercice 50 € qui expire dans deux périodes, si le taux sans risque est de 6 % ? Pour répondre à cette question, il faut raisonner de manière récursive, en partant de la fin de la seconde période et en remontant jusqu'au début de la première période.

Date 2. L'option arrive à maturité, et son prix est égal à sa valeur intrinsèque. Le call vaut donc 10 € si l'action vaut 60 € et zéro dans les deux autres états de la nature. Quelle est la valeur du call dans chacun des deux états de la nature à la date 1 ? Deux cas sont possibles : le prix de l'action peut être de 50 € ou de 30 €.

Date 1, premier cas. On considère tout d'abord la situation dans laquelle le prix de l'action est de 50 € à la date 1. On s'intéresse donc à la partie haute de l'arbre binomial :

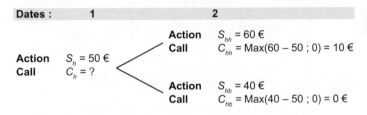

Cette partie de l'arbre binomial est la même que celle étudiée au début de ce chapitre. Le portefeuille de réplication était composé d'une position longue de $\Delta = 0,5$ action et d'un emprunt de 18,87 €. La valeur du call à la date 1, dans le cas où le prix de l'action atteint 50 €, est donc donnée par l'équation (21.3) : 6,13 €.

Date 1, second cas. Lorsque le prix de l'action est de 30 € à la date 1, il convient de s'intéresser à la partie basse de l'arbre :

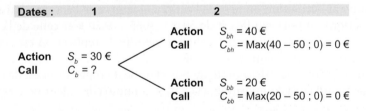

Comme le call est sans valeur quel que soit l'état de la nature qui prévaudra à la date 2, le call ne vaut rien à la date 1, et le portefeuille de réplication est simplement $\Delta = 0$ et $B = 0$.

Date 0. La valeur du call dans les deux états de la nature possibles de la date 1 est maintenant connue. Il est donc possible de déterminer la valeur du call à la date 0. L'arbre binomial correspondant à la première période s'écrit :

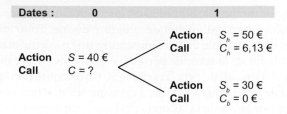

Dans cet arbre, les valeurs du call à la date 1 ne correspondent pas aux valeurs de l'option à son échéance mais bien à celles que le call aura une période avant son échéance. Il est toutefois possible d'utiliser les mêmes formules pour obtenir la composition du portefeuille de réplication à la date 0 car le raisonnement est identique. Le portefeuille répliquant la valeur du call dans les deux états de la nature de la date 1, obtenu grâce à l'équation (21.4), s'écrit :

$$\begin{cases} \Delta = \dfrac{C_h - C_b}{S_h - S_b} = \dfrac{6{,}13 - 0}{50 - 30} = 0{,}3065 \\[3mm] B = \dfrac{C_h - S_h \Delta}{1 + r_f} = \dfrac{6{,}13 - 50 \times 0{,}3065}{1{,}06} = -8{,}67 \ \text{€} \end{cases}$$

L'équation (21.5) permet de trouver le prix du call à la date 0 :

$$C = S\Delta + B = 40 \times 0{,}3065 - 8{,}67 = 3{,}59 \ \text{€}$$

À la date 0, le call vaut par conséquent 3,59 €. Le modèle binomial à deux périodes repose donc également sur la technique consistant à répliquer le profil de gain de l'option à partir d'un portefeuille composé d'actions et de bons du Trésor. La seule différence avec le modèle à une période réside dans la nécessité d'ajuster la composition du portefeuille de réplication au début de chaque période. Ainsi, le portefeuille de réplication est initialement composé d'une position longue de 0,3065 action et d'un emprunt de 8,67 € en bons du Trésor (coût : 3,59 €). À la fin de la première période, deux cas de figure sont possibles, suivant l'évolution du prix de l'action. Si le prix de l'action a baissé à 30 €, la valeur des actions du portefeuille est de 30 × 0,3065 = 9,20 € et celle de l'emprunt est de 8,67 × 1,06 = 9,20 €. La valeur nette du portefeuille de réplication est donc nulle, ce qui signifie qu'il peut être liquidé sans coût à la date 1. Dans le second cas (l'action a augmenté jusqu'à 50 €), la valeur nette du portefeuille de réplication est de 6,13 € ; il est nécessaire de modifier sa composition à la date 1. La nouvelle valeur de Δ est 0,5.

Il faut alors acheter 0,50 − 0,3065 = 0,1935 action supplémentaire. Cet achat est financé par un emprunt de 0,1935 × 50 = 9,67 € de telle sorte que l'emprunt total atteint 8,67 × 1,06 + 9,67 = 18,87 €, ce qui correspond exactement au montant B emprunté tel que calculé plus haut. À la fin de la seconde période (date 2), la valeur du portefeuille de réplication est de 10 € si le prix de l'action atteint 60 € et zéro dans les deux autres cas.

L'idée qu'il est possible de répliquer le profil de gain d'une option à chaque date en modifiant la composition du portefeuille de réplication à toutes les dates intermédiaires vient des travaux de Black et Scholes. Cette technique est connue sous le nom de **stratégie de réplication dynamique** (*dynamic trading strategy*).

Valorisation d'un put avec un modèle binomial à deux périodes

Les actions Prosper s'échangent actuellement à 50 € sur le marché. Le taux d'intérêt sans risque est de 3 % par an, stable pendant les deux prochaines années. Chaque année, le prix des actions peut augmenter de 20 % ou baisser de 10 %. Quel est le prix d'un put européen de prix d'exercice 60 € et d'échéance deux ans écrit sur une action Prosper ?

Solution

L'arbre binomial de ce problème est :

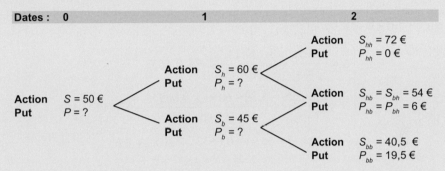

Il convient d'adopter une démarche récursive en partant des différents états de la nature possibles à la fin de la seconde période. Le problème comprenant deux périodes, il existe trois états de la nature possibles, que l'on peut décomposer en deux arbres distincts en fonction du prix de l'action à la fin de la première période. À la date 1, si l'action vaut 60 €, on retrouve l'arbre de l'exemple 21.1. Si le prix de l'action vaut 60 € à la date 1, le put vaut donc 3,30 € à cette même date.

Quel est le prix du put à la date 1 si l'action vaut 45 € ? Dans ce cas, la valeur du put à la date 2 est de 6 € si le prix de l'action monte, et de 19,5 € si le prix de l'action baisse. Si on utilise l'équation (21.4), la composition du portefeuille de réplication est :

$$\begin{cases} \Delta = \dfrac{P_{bh} - P_{bb}}{S_{bh} - S_{bb}} = \dfrac{6 - 19,5}{54 - 40,5} = -1 \\[2ex] B = \dfrac{P_{bh} - S_{bh}\Delta}{1 + r_f} = \dfrac{6 - 54 \times (-1)}{1,03} = 58,25 \text{ €} \end{cases}$$

Le portefeuille de réplication est composé d'une position courte d'une action et d'un prêt de 58,25 € au taux sans risque. La valeur de la position en bons du Trésor sera de $58,25 \times 1,03 = 60$ € à la date 2. La valeur nette du portefeuille à cette date sera par conséquent de 60 € moins la valeur finale de l'action, d'où une réplication parfaite du profil de gain du put. La valeur du put tirée de l'équation (21.5) correspond au coût de constitution du portefeuille à la date 1, soit :

$$P_b - S_b\Delta + B = 45 \times (-1) + 58,25 = 13,25 \text{ €}$$

...

Exemple 21.2

Il est maintenant possible de déterminer le prix du put à la date 0 :

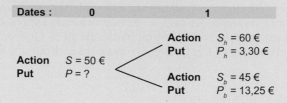

Grâce aux équations (21.4) et (21.5), la composition du portefeuille de réplication et la valeur du put à la date 0 sont :

$$\begin{cases} \Delta = \dfrac{P_h - P_b}{S_h - S_b} = \dfrac{3,30 - 13,25}{60 - 45} = -0,6633 \\[3mm] B = \dfrac{P_h - S_h \Delta}{1 + r_f} = \dfrac{3,30 - 60 \times (-0,6633)}{1,03} = 41,84 \text{ €} \end{cases}$$

et $P = S\Delta + B = 50 \times (-0,6633) + 41,84 = 8,68$ €

Améliorer le réalisme du modèle : le modèle multipériodique

L'approche par les arbres binomiaux peut facilement être généralisée en raccourcissant la durée des périodes et en augmentant le nombre de ces dernières. L'idée est de faire tendre la durée de chaque période vers zéro, ce qui permet d'améliorer le réalisme de la modélisation de l'évolution du prix de l'action : avec un modèle à n périodes, le nombre final d'états de la nature est égal à $n + 1$.

La figure 21.2 représente la trajectoire simulée du prix d'une action au cours d'une année en considérant 900 périodes au cours desquelles le prix varie de plus ou moins 1 % ; le cours initial de l'action est de 50 €. Si l'on considère des périodes de temps aussi courtes, la trajectoire suivie par le prix de l'action ressemble vraiment à ce que l'on peut effectivement observer. Les praticiens utilisent d'ailleurs couramment le modèle binomial pour évaluer des options ou d'autres produits dérivés. Grâce à un ordinateur, il est possible de calculer des prix d'options très rapidement, et ce, même si plusieurs milliers de périodes sont modélisées.

Les techniques de réplication présentées dans le cadre du modèle binomial ne servent pas uniquement à évaluer des calls et des puts européens. On peut également les utiliser pour valoriser n'importe quel actif financier dont le profil de gain dépend de l'évolution du prix d'un actif sous-jacent.

Dans certains cas particuliers, il existe une approche alternative d'évaluation reposant sur une solution analytique : la formule de Black-Scholes.

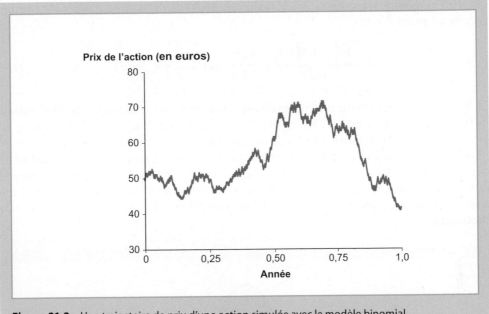

Figure 21.2 – Une trajectoire de prix d'une action simulée avec le modèle binomial

21.2. Le modèle d'évaluation d'options de Black-Scholes

Bien que Black et Scholes ne soient pas parvenus à leur formule par cette démarche[6], il est possible de montrer que leur modèle constitue un cas limite du modèle binomial dans lequel le nombre de périodes tend vers l'infini, ce qui implique que la longueur de chaque période tend vers zéro.

La formule de Black-Scholes

Calls sur actions ne versant pas de dividendes. Avant de présenter la formule, il convient de poser certaines notations[7]. S est le prix au comptant de l'action, T la durée exprimée en années jusqu'à la maturité de l'option, K le prix d'exercice de l'option, $VA(K)$ la valeur actuelle (le prix) d'une obligation sans risque qui versera un flux K à l'échéance de l'option et σ la volatilité annuelle de l'action (mesurée par l'écart-type des rendements). Le prix d'un call européen, à la date t, écrit sur une action qui ne verse aucun dividende jusqu'à l'expiration de l'option, est :

**Formule de Black-Scholes pour un call sur une action
ne versant pas de dividendes**

$$C_t = S_t \times N(d_1) - VA(K) \times N(d_2) \tag{21.6}$$

---

6. L'approche binomiale ayant été développée postérieurement à la modélisation en temps continu proposée par Black et Scholes.

7. La démonstration de cette formule nécessite l'utilisation d'outils mathématiques dépassant le cadre de cet ouvrage. Les lecteurs intéressés peuvent se reporter à : J. Hull *et al.* (2017), *Options, futures et autres actifs dérivés*, 10ᵉ éd., Pearson.

où $N(d)$ représente la valeur de la fonction de répartition d'une loi normale centrée réduite au point d avec :

$$d_1 = \frac{\ln\left[S/VA(K)\right]}{\sigma\sqrt{T}} + \frac{\sigma\sqrt{T}}{2} \quad \text{et} \quad d_2 = d_1 - \sigma\sqrt{T} \tag{21.7}$$

La fonction de densité d'une loi normale centrée réduite est symétrique, centrée autour de 0, et son écart-type est égal à 1 (figure 21.3). La fonction de répartition d'une telle loi évaluée au point d représente l'intégrale de la fonction de densité sur l'intervalle $\left]-\infty\,;\,d\right]$. En d'autres termes, elle rend compte de la surface jusqu'au point d sous la fonction de densité. Cette surface s'interprète comme une somme de probabilités. $N(d)$ correspond donc à la probabilité qu'une variable distribuée selon une loi normale centrée réduite soit inférieure ou égale à d. $N(d)$ est compris entre 0 et 1 puisque c'est une somme de probabilités.

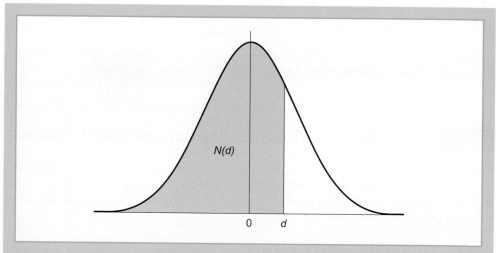

Figure 21.3 – Fonction de densité d'une loi normale centrée réduite

La valeur d'une fonction de densité d'une loi normale centrée réduite au point d correspond à la probabilité qu'une variable aléatoire distribuée normalement prenne une valeur égale à d. L'aire colorée sous cette courbe désigne donc la probabilité qu'une variable aléatoire prenne une valeur inférieure ou égale à d. Elle se calcule par conséquent en intégrant cette fonction de densité jusqu'au point d. Elle peut être calculée à l'aide de la fonction LOI.NORMALE.STANDARD(d) dans Excel.

Afin de déterminer le prix d'un call par la formule de Black-Scholes, il est nécessaire de connaître la valeur des cinq paramètres suivants : le prix au comptant de l'action, sa volatilité, la date d'expiration de l'option, son prix d'exercice et le taux d'intérêt sans risque (pour calculer la valeur actuelle du prix d'exercice). À l'instar du modèle binomial, il n'est pas utile d'estimer l'espérance de rentabilité de l'action. C'est heureux, car l'estimation d'une telle espérance est difficile et pourrait conduire à des erreurs d'estimation importantes (partie IV). Tous les paramètres de la formule de Black-Scholes, à l'exception de la volatilité de l'action, sont directement observables. Même si la prévision de la volatilité n'est pas chose aisée, cela reste plus simple que de prévoir la rentabilité future d'une action.

La formule de Black-Scholes constitue donc un moyen précis pour évaluer le prix d'une option, et pourtant elle n'impose pas la connaissance de la rentabilité anticipée du sous-jacent, alors que la valeur d'une option en dépend directement ! En fait, c'est tout simplement que cette rentabilité anticipée de l'action sous-jacente est intégrée dans le prix de marché actuel de l'action (égal à la valeur actualisée des flux futurs de l'action), qui, lui, est bien un paramètre de la formule de Black-Scholes.

La figure 21.4 exprime la valeur du call calculée dans l'exemple 21.3 en faisant varier les prix de marché de l'action d'Alcatel-Lucent. On remarque que le prix du call se situe toujours au-dessus de sa valeur intrinsèque.

La formule de Black-Scholes a été établie pour un call européen. Cependant, lorsque le sous-jacent est une action ne versant pas de dividendes, le chapitre 20 a montré que les calls européens et américains avaient toujours le même prix. *Dans ce cas particulier*, il est donc possible d'utiliser la formule de Black-Scholes également pour des calls américains.

Tableau 21.1	Cotation au 29 octobre 2010 des options sur l'action Alcatel-Lucent sur le CBOE

Alcatel-Lucent (ALU), cours : 3,48 $ (moyenne *bid/ask*)

Calls d'échéance novembre 2010	Prix de vente (*bid*)	Prix d'achat (*ask*)	Puts d'échéance novembre 2010	Prix de vente (*bid*)	Prix d'achat (*ask*)
ALU 10K20 3,0	0,45 $	0,60 $	ALU 10W20 3,0	0,05 $	0,10 $
ALU 10K20 3,5	0,10 $	0,20 $	ALU 10W20 3,5	0,15 $	0,20 $
ALU 10K20 4,0	0,05 $	0,05 $	ALU 10W20 4,0	0,45 $	0,60 $
Calls d'échéance mars 2011			**Puts d'échéance mars 2011**		
ALU 11C19 3,0	0,60 $	0,75 $	ALU 11O19 3,0	0,15 $	0,25 $
ALU 11C19 3,5	0,35 $	0,45 $	ALU 11O19 3,5	0,35 $	0,45 $
ALU 11C19 4,0	0,20 $	0,25 $	ALU 11O19 4,0	0,65 $	0,75 $
Calls d'échéance janvier 2012			**Puts d'échéance janvier 2012**		
ALU 12A21 2,5	1,25 $	1,40 $	ALU 12M21 2,5	0,20 $	0,35 $
ALU 12A21 5,0	0,30 $	0,45 $	ALU 12M21 5,0	1,70 $	2,00 $
ALU 12A21 7,5	0,10 $	0,25 $	ALU 12M21 7,5	3,90 $	4,40 $

*Source : Chicago Board Option Exchange (**www.cboe.com**). Tous les prix sont exprimés en dollars américains (USD).*

Valorisation d'un call avec la formule de Black-Scholes

Le tableau 21.1 reprend les informations concernant des options américaines écrites sur l'action Alcatel-Lucent. Elles sont cotées sur le CBOE. On suppose qu'Alcatel-Lucent ne verse pas de dividendes et que la volatilité annuelle de ses actions est de 50 %. Le taux d'intérêt sans risque annuel est de 1 % aux États-Unis. Que remarque-t-on en comparant le prix au 29 octobre 2010 du call américain de prix d'exercice 3,50 $ expirant en novembre 2010 et le prix tiré de la formule de Black-Scholes ?

...

Exemple 21.3

...

Solution

Le prix d'un call américain écrit sur une action ne versant pas de dividendes est identique à celui d'un call européen, car un call américain n'est jamais exercé avant son échéance du fait d'une valeur temps positive. La formule de Black-Scholes peut donc être utilisée pour valoriser ce call américain sur une action ne versant pas de dividendes.

Le prix d'une action Alcatel-Lucent au 29 octobre 2010 est $S = 3,48$ \$. Les contrats sur le CBOE arrivent à échéance par convention le samedi suivant le troisième vendredi du mois d'expiration. Par conséquent, le contrat de novembre 2010 expire le 20 novembre 2010, soit dans 21 jours exactement. La valeur actualisée du prix d'exercice est donc :

$$VA(K) = \frac{3,5}{1,01^{\frac{21}{365}}} = 3,498$$

D'après l'équation (21.7), d_1 et d_2 sont égaux à :

$$d_1 = \frac{\ln\left[S/VA\left(K\right)\right]}{\sigma\sqrt{T}} + \frac{\sigma\sqrt{T}}{2} = \frac{\ln\left[3,48/3,498\right]}{0,5\sqrt{21/365}} + \frac{0,5\sqrt{21/365}}{2} = 0,017$$

$$d_2 = d_1 - \sigma\sqrt{T} = 0,017 - 0,5\sqrt{21/365} = -0,103$$

Grâce à ces valeurs, lorsqu'on utilise l'équation (21.6), le prix du call par la formule de Black-Scholes est :

$$C = S \times N\left(d_1\right) - VA\left(K\right) \times N\left(d_2\right) = 3,48 \times 0,507 - 3,498 \times 0,459 = 0,159 \text{ \$}$$

Le tableau 21.1 indique que les cotations *bid/ask* pour ce call sont, respectivement, de 0,10 \$ et 0,20 \$. Le prix de Black-Scholes se situe donc dans cette fourchette.

Prix Nobel & Co. | **Black, Scholes et Merton : l'évaluation des options**

« Dans une économie de marché moderne, il est fondamental que les entreprises et les ménages puissent modifier à leur gré le niveau de risque auquel ils sont exposés. Les marchés d'options et de produits dérivés jouent un rôle majeur, car ils permettent de transférer des risques qu'un agent ne souhaite pas prendre. Pour que ce transfert de risque soit possible et efficace, il est nécessaire de valoriser précisément les produits dérivés. La méthode d'évaluation de ces produits développée par Robert C. Merton et Myron Scholes en étroite collaboration avec Fisher Black, décédé en 1995, représente donc une des contributions les plus importantes à la science économique de ces 25 dernières années. Leur méthode est à la base du développement extrêmement rapide des marchés de produits dérivés au cours des deux dernières décennies. Cette formule est à l'origine de nombreuses applications théoriques et empiriques, ouvrant de nouvelles voies à la recherche académique en économie financière et bien au-delà : une méthode comparable à celle de Black, Scholes et Merton peut en effet être utilisée pour valoriser des contrats d'assurance ou des investissements industriels. »

Source : © Nobel Prize Foundation, www.nobelprize.org, traduction des auteurs.

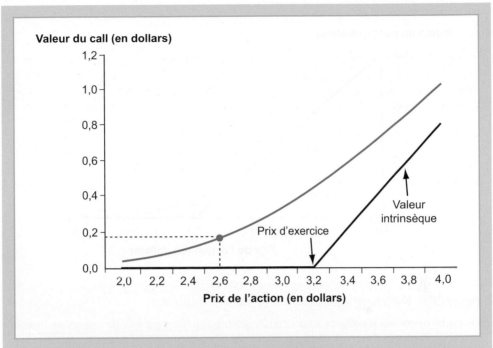

Valeur du call (en dollars)

Prix de l'action (en dollars)

Figure 21.4 – Valeur intrinsèque et prix d'un call sur Alcatel-Lucent

La courbe de couleur représente la valeur au 29 octobre 2010 d'un call écrit sur une action Alcatel-Lucent ayant un prix d'exercice de 3,2 € et expirant le 15 mars 2013. Cette valeur est estimée à l'aide du modèle de Black-Scholes. La courbe noire correspond à la valeur intrinsèque du call (valeur d'exercice immédiat). Par définition, le prix du call écrit sur une action ne versant pas de dividendes est toujours supérieur à sa valeur intrinsèque car sa valeur temps est toujours positive avant l'échéance (chapitre 20).

Puts de type européen sur actions ne versant pas de dividendes. Il est possible d'utiliser la formule de Black-Scholes pour calculer le prix d'un put écrit sur une action ne versant pas de dividendes : il suffit pour ce faire de recourir à la formule de parité call-put du chapitre précédent [équation (20.3)]. Le prix d'un put selon la parité call-put est :

$$P = C - S + VA(K)$$

En remplaçant, dans l'équation (21.6), C par son expression tirée de cette relation, on obtient la formule d'évaluation de Black-Scholes pour un put européen écrit sur une action ne versant pas de dividendes :

**Formule de Black-Scholes pour un put sur une action
ne versant pas de dividendes**

$$P = VA(K) \times \left(1 - N(d_2)\right) - S \times \left(1 - N(d_1)\right) \tag{21.8}$$

La figure 21.5 illustre la valeur du put de l'exemple 21.4 en faisant varier le prix de marché de l'action d'Alcatel-Lucent. Le prix du put peut se situer en dessous de sa valeur intrinsèque lorsqu'il est profondément dans la monnaie ; c'est le cas sur la figure, mais de manière limitée, du fait de la faiblesse actuelle des taux d'intérêt.

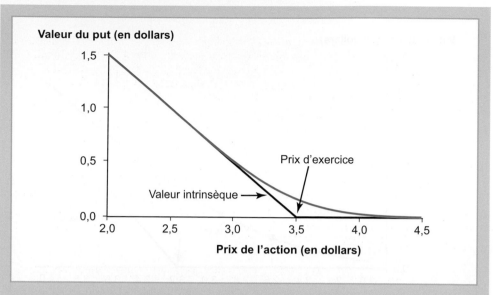

Figure 21.5 – Valeur intrinsèque et prix d'un put sur Alcatel-Lucent

La courbe de couleur représente la valeur au 29 octobre 2010 d'un put écrit sur une action Alcatel-Lucent ayant un prix d'exercice de 3,5 $ et expirant le 20 novembre 2010. Cette valeur est estimée à l'aide du modèle de Black-Scholes. La courbe noire correspond à la valeur intrinsèque du put.

Exemple 21.4

Valorisation d'un put avec la formule de Black-Scholes

D'après la formule de Black-Scholes et selon les données du tableau 21.1, quel est le prix au 29 octobre 2010 d'un put écrit sur Alcatel-Lucent, de prix d'exercice 4 $, expirant en novembre 2010 ? La volatilité annuelle de l'action Alcatel-Lucent est de 50 %. Le taux d'intérêt sans risque est de 1 % aux États-Unis. La formule de Black-Scholes constitue-t-elle une méthode adéquate pour valoriser cette option ?

Solution

Le prix d'une action Alcatel-Lucent au 29 octobre 2010 est $S = 3{,}48$ $. La valeur actualisée du prix d'exercice est :

$$VA(K) = \frac{4}{1{,}01^{\frac{21}{365}}} = 3{,}998$$

D'après l'équation (21.7), d_1 et d_2 sont égaux à :

$$d_1 = \frac{\ln\left[S/VA(K)\right]}{\sigma\sqrt{T}} + \frac{\sigma\sqrt{T}}{2} = \frac{\ln\left[3{,}48/3{,}998\right]}{0{,}5\sqrt{21/365}} + \frac{0{,}5\sqrt{21/365}}{2} = -1{,}096$$

$$d_2 = d_1 - \sigma\sqrt{T} = -1{,}096 - 0{,}5\sqrt{21/365} = -1{,}216$$

Avec l'équation (21.8), le prix du put par la formule de Black-Scholes est :

$$P_t = VA(K)\times\left(1-N(d_2)\right) - S_t\times\left(1-N(d_1)\right) = 3{,}998\times 0{,}888 - 3{,}48\times 0{,}864 = 0{,}544 \ \$$$

...

...

Le tableau 21.1 indique que les cotations *bid/ask* pour ce put sont, respectivement, de 0,45 $ et 0,60 $. Le prix de Black-Scholes est donc dans la fourchette, en dépit du fait que le put considéré soit américain et que la formule ne soit parfaitement valide que pour les puts européens. Le prix fourni par la formule de Black-Scholes n'est ici qu'une borne inférieure de la vraie valeur du put américain, car un tel put ne peut valoir moins qu'un put européen de mêmes caractéristiques.

Options sur actions versant des dividendes. La formule de Black-Scholes s'applique aux options sur actions ne versant pas de dividendes. Cependant, cette formule peut facilement être adaptée à la présence de dividendes. Le détenteur d'un call européen sur action ne reçoit aucun des dividendes versés par l'entreprise jusqu'à l'exercice de l'option. Puisque le détachement d'un dividende réduit le prix de l'action (chapitre 17), il réduit par conséquent le prix du call.

VA(Div) est la valeur actualisée de tout dividende versé avant l'expiration de l'option. Un actif financier identique à l'action sous-jacente en tout point, excepté qu'il ne verse aucun dividende, doit donc afficher un prix S^* tel que :

$$S^* = S - VA(Div)$$

Un call européen étant le droit d'acheter une action sans les dividendes versés jusqu'à son échéance, il est possible d'évaluer cette option par la formule de Black-Scholes en remplaçant S par S^*, qui est précisément le prix actuel d'une action sans droit aux dividendes jusqu'à l'expiration de l'option.

Un cas particulier se présente lorsque l'action détache un dividende représentant une fraction constante de son prix jusqu'à l'expiration de l'option (taux de dividende, ou *dividend yield*, constant). Si l'on note q ce taux de dividende constant (réinvesti), alors[8] :

$$S^* = \frac{S}{1+q}$$

Valorisation d'un call européen par la formule de Black-Scholes en présence de dividendes

Beaucet est une entreprise qui offre un taux de dividende annuel de 5 % à ses actionnaires. Le prix d'une action Beaucet est de 30 € sur le marché. La volatilité annuelle de l'action Beaucet est de 20 % et le taux d'intérêt sans risque est de 4 %. Quel est le prix d'un call européen écrit sur une action Beaucet expirant dans un an et de prix d'exercice 20 € ?

...

---

8. Dès que le dividende est versé, on suppose qu'il est immédiatement réinvesti en actions. De ce fait, en achetant une action aujourd'hui, un investisseur disposera de $(1 + q)$ actions à l'expiration de l'option. Symétriquement, en achetant aujourd'hui $1/(1 + q)$ action, il détiendra $(1 + q) \times (1/(1 + q)) = 1$ action à l'échéance de l'option. Par application de la Loi du prix unique, la valeur actuelle d'une action détenue le jour de l'échéance de l'option est donc $S/(1 + q)$.

…

Solution

Il faut utiliser l'équation (21.6) en remplaçant S par

$$S^\star = S/(1+q) = 30/1,05 = 28,57 \text{ € avec } VA(K) = 20/1,04 = 19,23 \text{ € :}$$

$$d_1 = \frac{\ln\left[S^\star / VA(K)\right]}{\sigma\sqrt{T}} + \frac{\sigma\sqrt{T}}{2} = \frac{\ln\left[28,57/19,23\right]}{0,2} + \frac{0,2}{2} = 2,08$$

$$d_2 = d_1 - \sigma\sqrt{T} = 2,08 - 0,2 = 1,88$$

Le prix du call est :

$$C = S^\star \times N\left(d_1\right) - VA(K) \times N\left(d_2\right) = 28,57 \times 0,981 - 19,23 \times 0,970 = 9,37 \text{ €}$$

Lorsqu'une action verse des dividendes, le prix du call peut être inférieur à sa valeur intrinsèque : ici la valeur intrinsèque du call est de 30 – 20 = 10 €.

La volatilité implicite

Des cinq paramètres nécessaires à l'évaluation d'une option dans le modèle de Black-Scholes, seule la volatilité σ de l'action n'est pas directement observable sur le marché. En effet, celle-ci représente la volatilité des rendements du titre sous-jacent *sur la durée de vie de l'option*.

Elle nécessite donc une estimation puisque les rendements à venir de l'actif sous-jacent sont inconnus au moment où l'option est évaluée. Les praticiens utilisent deux méthodes alternatives pour cela. La première, que l'on peut qualifier de directe, revient à utiliser les rendements quotidiens historiques de l'action sur les derniers mois : la volatilité historique est simplement l'écart-type des rendements historiques[9]. La volatilité étant plutôt stable dans le temps, l'utilisation de données historiques permet de disposer d'une prévision assez correcte de la volatilité des rendements de l'action dans le futur proche.

La seconde, indirecte, utilise le prix de marché de l'option et consiste à « inverser » la formule de Black-Scholes afin d'en extraire la volatilité telle qu'elle est « cotée » par le marché. Cette volatilité cotée par le marché porte le nom de **volatilité implicite**. Cette dernière peut alors être utilisée afin d'évaluer d'autres options portant sur le même sous-jacent, sous réserve que toutes les options étudiées aient la même date d'échéance, sauf à supposer que la volatilité de l'action soit constante dans le temps.

---

9. Si les données historiques sont de périodicité annuelle, l'écart-type calculé à partir des rendements est lui-même annuel et correspond donc bien à la valeur du paramètre de volatilité dans le modèle de Black-Scholes. Toutefois, les données de rendement utilisées sont souvent quotidiennes, hebdomadaires ou mensuelles. Il convient alors d'annualiser l'écart-type obtenu en le multipliant par la racine carrée du nombre de périodes contenues dans une année. Par exemple, si les observations de rendement sont quotidiennes, on multipliera l'écart-type par la racine carrée de 365.

Volatilité implicite et valorisation d'options

Si on utilise les données du tableau 21.1, quelle est, au 29 octobre 2010, la volatilité implicite du call sur Alcatel-Lucent de prix d'exercice 3 \$ expirant le 20 novembre 2010 ? Le taux d'intérêt sans risque aux États-Unis est de 1 %.

Solution

Le prix de marché du call, calculé comme la moyenne de la fourchette *bid/ask*, est de 0,525 \$. L'échéance de l'option se situe dans 21 jours. L'action cote sur le marché 3,48 \$. La valeur actualisée du prix d'exercice est $VA(K) = 3 / 1,01^{21/365} = 2,998$ \$. Le prix du call tel que donné par l'équation (21.6) s'exprime comme :

$$C = 3,48 \times N(d_1) - 2,998 \times N(d_2)$$

avec :

$$d_1 = \frac{\ln\left[3,48 / 2,998\right]}{\sigma\sqrt{21/365}} + \frac{\sigma\sqrt{21/365}}{2}$$

$$d_2 = d_1 - \sigma\sqrt{21/365}$$

Connaissant C, le prix de marché du call (0,525 \$), il est possible de déterminer la valeur de σ.

Le plus simple pour ce faire est d'utiliser le solveur d'un tableur (ou la fonction « valeur cible ») : on obtient $\sigma = 64$ %[*]. La volatilité implicite ainsi obtenue est proche de la volatilité utilisée dans les exemples 21.3 et 21.4.

[*] Une autre technique consiste à procéder par approximations successives en s'appuyant sur le fait que le prix d'un call est une fonction croissante de la volatilité.

| Crise financière | **Les indices de volatilité** |

L'utilisation de la formule de Black-Scholes afin d'extraire la volatilité implicite est une pratique usuelle pour les opérateurs de marché, au point que la plupart des marchés dérivés publient, depuis les années 1990, un indice qui représente l'évolution de cette volatilité implicite au cours du temps. Le *Chicago Board Options Exchange* a le premier introduit l'indice VIX, construit à partir des options d'échéance un mois sur l'indice S&P 500. NYSE Liffe calcule de même des indices de volatilité à partir des options sur indices boursiers AEX, BEL 20, CAC 40 et FTSE 100. Exprimés en pourcentage par an, ces indices sont devenus des références pour évaluer la volatilité des marchés. Ils reposent sur les prix de marché d'options dont la valeur dépend fondamentalement de la volatilité future anticipée de l'actif sous-jacent ; ces indices constituent donc une mesure de l'incertitude des investisseurs quant à l'évolution des marchés boursiers.

Les indices de volatilité sont souvent appelés « les indices de la peur », car la volatilité est en général corrélée négativement avec la tendance du marché : en période de marchés haussiers, la volatilité décroît alors qu'elle augmente lors des périodes de turbulences.

...

…

La figure ci-dessous représente l'indice VIX (l'indice VCAC est extrêmement corrélé au VIX). Avant la crise financière de 2008, cet indice évoluait dans une fourchette entre 10 % et 60 %, ce maximum étant atteint avec l'éclatement de la bulle internet en 2002. Sa valeur moyenne était d'environ 20 %. Avec la chute de la banque Lehman Brothers, le 15 septembre 2008, la volatilité anticipée par les opérateurs, que ce soit en France ou aux États-Unis, a bondi pour atteindre environ 80 %, avec des pics intrajournaliers à près de 95 %. Les marchés boursiers se sont ensuite calmés, avant que la volatilité ne reparte à la hausse au plus fort de la crise de la zone euro et les forts remous de la bourse en Chine. Le VIX a dépassé pour la première fois le seuil symbolique des 80 % le 16 mars 2020, signe de la panique qui s'est emparée des marchés financiers mondiaux à l'occasion de la crise sanitaire et économique provoquée par la pandémie du Covid-19.

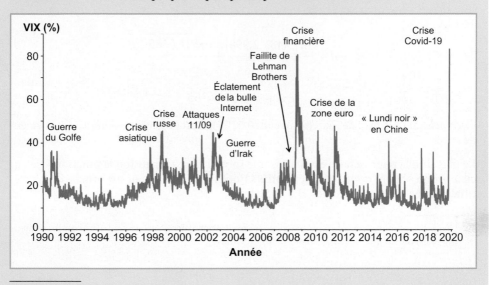

Source : Chicago Board Options Exchange.

Le portefeuille de réplication

Même si le modèle binomial a été présenté à partir du concept de portefeuille de réplication, ce concept a été introduit initialement par Black et Scholes. Comment la composition de ce portefeuille est-elle déterminée dans le modèle de Black-Scholes ? Il faut repartir de l'équation établissant le prix d'un call dans le modèle binomial [équation (21.5)] :

$$C = S\Delta + B$$

En comparant cette expression avec la formule de Black-Scholes pour un call [équation (21.6)], il est possible d'identifier les quantités d'actions et de bons du Trésor nécessaires à la construction du portefeuille de réplication :

Portefeuille de réplication d'un call dans le modèle de Black-Scholes

$$\Delta = N(d_1)$$
$$B = -VA(K)N(d_2) \tag{21.9}$$

$N(d)$ correspond à une valeur issue de la loi normale centrée réduite. La valeur de Δ est donc toujours comprise entre 0 et 1. En outre, la valeur de la position en bons du Trésor est toujours comprise entre $-K$ et 0. Le delta (Δ) d'une option peut être interprété très facilement : il mesure la variation du prix d'une option provoquée par une augmentation de 1 € du cours du sous-jacent. Pour un call, cette variation est toujours positive et inférieure ou égale à 1 : le prix d'un call n'augmente donc jamais plus que le prix de l'action.

Exemple 21.7

La composition du portefeuille de réplication

Majure est une entreprise qui ne verse pas de dividendes ; le prix de ses actions sur le marché est de 10 €. Leur volatilité est de 40 %. Le taux d'intérêt sans risque est de 5 %. Quelle doit être la composition du portefeuille de réplication d'un call à la monnaie qui expire dans un an ?

Solution

On a $S = 10$ €, $VA(K) = 10 / 1{,}05 = 9{,}524$ € et :

$$d_1 = \frac{\ln\left[S/VA(K)\right]}{\sigma\sqrt{T}} + \frac{\sigma\sqrt{T}}{2} = \frac{\ln\left[10/9{,}524\right]}{0{,}4} + \frac{0{,}4}{2} = 0{,}322$$

$$d_2 = d_1 - \sigma\sqrt{T} = 0{,}322 - 0{,}4 = -0{,}078$$

D'après l'équation (21.9), la composition du portefeuille de réplication du call est donc :

$$\Delta = N\left(d_1\right) = N\left(0{,}322\right) = 0{,}626$$

$$B = -VA(K) \times N\left(d_2\right) = -9{,}524 \times N\left(-0{,}078\right) = -4{,}47$$

Il faut par conséquent détenir 0,626 action de Majure et emprunter 4,47 € pour répliquer le profil de gain de l'option. Ce portefeuille coûte $10 \times 0{,}626 - 4{,}47 = 1{,}79$ € à constituer, soit le prix du call dans le modèle de Black-Scholes.

La figure 21.6 illustre graphiquement les résultats de l'exemple 21.7 et les modifications à apporter au portefeuille de réplication lorsque le prix de l'action sous-jacente change. La courbe de couleur claire représente l'évolution du prix du call en fonction du prix de l'action sous-jacente. La droite de couleur foncée, de pente Δ, représente l'évolution de la valeur du portefeuille de réplication. Cette dernière est tangente à la courbe claire au point où l'action cote 10 €. En ce point, le portefeuille de réplication a exactement la même valeur que le call : il réplique donc parfaitement son profil de gain. Toutefois, si le prix de l'action change, la valeur de ce portefeuille s'éloigne de celle du call. Si le prix de l'action augmente, il faut ajuster le portefeuille de réplication, qui aura une pente (un Δ) plus grande pour rester tangente à la courbe et continuer à répliquer le profil de gain de l'option. Lorsque le prix de l'action augmente, pour répliquer le profil de gain du call, il faut donc accroître Δ, c'est-à-dire la proportion d'actions dans le portefeuille de réplication. Symétriquement, si le prix de l'action baisse, le nouveau portefeuille qui réplique la valeur du call contiendra une part plus faible d'actions.

Cet ajustement du portefeuille de réplication doit être permanent (**stratégie de réplication dynamique**), car le prix de l'action change constamment. Si l'ajustement de la composition du portefeuille en bons du Trésor et en actions afin de faire correspondre sa valeur au prix du call est continu, celui-ci répliquera toujours parfaitement le profil de gain de l'option, quelles que soient les variations de prix de l'action.

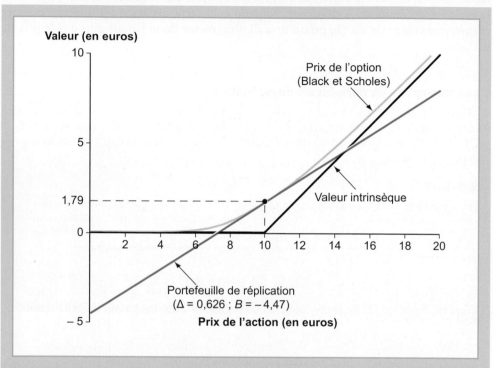

Figure 21.6 – Portefeuille de réplication d'un call (exemple 21.7)

Le portefeuille de réplication a la même valeur initiale que le call et la même sensibilité (Δ) aux variations du prix de l'action. La courbe de prix de l'option est tangente à la droite qui donne la valeur du portefeuille de réplication pour un prix de l'action de 10 €. La variation de la valeur du portefeuille de réplication est donc une bonne approximation de la variation de la valeur du call pour de petites variations de prix du sous-jacent. Afin que le portefeuille de réplication conserve cette propriété, il convient de l'ajuster lorsque le prix de l'action évolue.

Le portefeuille de réplication d'un call est toujours composé d'une position longue en actions et d'une position courte en bons du Trésor. En d'autres termes, il s'agit par construction d'une position à effet de levier, dans laquelle la position en actions est partiellement financée par un emprunt au taux d'intérêt sans risque. Ainsi, ce portefeuille est plus risqué qu'une simple position longue en actions. En d'autres termes, un call possède un bêta supérieur à celui de l'action sous-jacente (section 21.4).

En utilisant les équations (21.8) et (21.9), il est possible de déterminer la composition du portefeuille de réplication dans le cas d'un put :

Portefeuille de réplication d'un put dans le modèle de Black-Scholes

$$\Delta = -\left(1 - N\left(d_1\right)\right)$$
$$B = VA\left(K\right)\left(1 - N\left(d_2\right)\right) \tag{21.10}$$

D'après l'équation (21.10), le portefeuille qui réplique le profil de gain d'un put possède un delta toujours compris entre -1 et 0 et une position en bons du Trésor toujours comprise entre 0 et $+K$. Un put synthétique comprend donc à la fois une position longue en bons du Trésor et une position courte dans l'action sous-jacente. Une position longue en put sur une action à bêta positif s'apparente donc à une position à bêta négatif (section 21.4).

| **Entretien** | **Myron S. Scholes** |

Myron S. Scholes est le « co-inventeur » du fameux modèle d'évaluation des options de Black-Scholes, ce qui lui a valu le prix Nobel de sciences économiques en 1997. Il est professeur à la Stanford Graduate School of Business.

À l'époque où vous mettiez au point la formule de Black-Scholes, anticipiez-vous son influence dans le monde de la finance ?

Fischer Black et moi espérions bien que notre modèle d'évaluation des options serait utilisé pour évaluer les contrats existants tels que les options sur actions, les warrants, les dettes négociables ou les contrats hypothécaires. Mais nous n'avions pas prévu que cette approche serait utilisée plus largement pour développer et évaluer de nouveaux instruments. Nous n'étions d'ailleurs pas les seuls à douter : plusieurs revues académiques ont refusé notre article, et sa publication doit beaucoup à l'intervention de Merton Miller auprès des éditeurs du *Journal of Political Economy*. Nous avons ainsi réécrit le papier pour mettre en avant l'importance des options, comme concept, et comment celui-ci peut permettre d'apprécier les actions d'une entreprise endettée.

Quelle est la contribution la plus importante de la formule de Black-Scholes ?

L'article est composé de deux parties : la première propose une nouvelle approche pour l'évaluation des options et la seconde une illustration de cette technique dans un cadre stylisé où nous supposons que le taux sans risque et la volatilité sont constants. C'est ce modèle stylisé qui plus tard sera appelé la formule de Black-Scholes.

Mais c'est bien la première partie qui est la plus importante. Ce qui est remarquable dans cette approche, c'est que les investisseurs peuvent évaluer une option sans connaître la rentabilité future de l'actif sous-jacent ni la valeur terminale de l'option à l'échéance.

Comment en êtes-vous arrivé à l'idée qu'il était possible de créer un portefeuille sans risque seulement en échangeant des options et les actions sous-jacentes ?

Nous avions d'abord besoin de déterminer la quantité d'actions sous-jacentes à vendre pour couvrir une position longue sur l'option, de sorte que de petites variations du prix de l'action seraient compensées par des mouvements opposés du prix de l'option. Si la rentabilité de ce portefeuille n'est pas corrélée avec le portefeuille de marché ou si les investisseurs peuvent échanger en permanence (c'est-à-dire en temps continu) pour ajuster leur position, alors en l'absence d'opportunité d'arbitrage la rentabilité du portefeuille doit être égale au taux sans risque.

À la lumière de la crise financière de 2007-2009, quels conseils donneriez-vous aux futurs praticiens qui utiliseront la formule de Black-Scholes ?

Certains observateurs ont blâmé les modèles comme le nôtre, les tenants responsables de la crise financière. Pour autant, la plupart des difficultés liées à l'utilisation des modèles découlent de leur mauvaise utilisation et d'une mauvaise compréhension des hypothèses

21.3. Les probabilités risque-neutre

Pour appliquer le modèle binomial ou celui de Black-Scholes, il n'est pas nécessaire de connaître les probabilités des différents états de la nature futurs auxquels sont associés les différents prix possibles de l'action. Si ces probabilités pouvaient être estimées, il serait possible de valoriser une option comme n'importe quel autre actif financier : le prix d'une option serait égal à l'espérance, actualisée au taux approprié, de sa valeur dans les différents états de la nature à l'échéance. Encore faudrait-il être capable dans cette approche d'estimer le taux d'actualisation approprié, c'est-à-dire le coût du capital d'une position optionnelle. Or, celui-ci dépend notamment du degré d'aversion au risque des investisseurs. Toutefois, il existe un cas particulier dans lequel il est simple de calculer le coût du capital : lorsque tous les investisseurs sont neutres vis-à-vis du risque, il est égal au taux sans risque, et ce, quel que soit l'actif financier considéré. L'étude de ce cas particulier est d'un grand intérêt en ce qui concerne la valorisation des options.

Un modèle risque-neutre à deux états de la nature

Sous l'hypothèse de neutralité vis-à-vis du risque de tous les agents, que devient le modèle de la section 21.1 ? L'action cote aujourd'hui 50 €. Son prix est susceptible d'augmenter ou de baisser de 10 € à la fin de la période. Le taux sans risque est de 6 %. Une probabilité q est associée à l'état de la nature haussier, ce qui implique que la probabilité de l'état baissier est de $(1 - q)$. Dans ce cadre, le prix actuel de l'action est égal à la valeur actualisée au taux sans risque de l'espérance de son prix futur :

$$50 = \frac{60 \times q + 40 \times (1 - q)}{1,06} \qquad (21.11)$$

Il est possible de calculer la probabilité q qui satisfait à cette équation : $q = 65$ %. Une fois cette probabilité connue, on peut valoriser le call en calculant l'espérance actualisée au taux sans risque de son profil de gain à l'échéance. Sachant que le prix d'exercice est de 50 €, la valeur du call à l'échéance est de 10 € dans l'état haussier et de 0 € dans l'état baissier. L'espérance actualisée au taux sans risque de son profil de gain est donc :

$$\frac{10 \times 0,65 + 0 \times 0,35}{1,06} = 6,13 \; € \qquad (21.12)$$

On retrouve exactement le prix du call calculé à la section 21.1 avec le modèle binomial.

Conséquences d'un monde risque-neutre

En résumé, le modèle binomial tout comme celui de Black-Scholes ne nécessitent aucune hypothèse sur les préférences des agents, les probabilités d'occurrence des différents états de la nature futurs ou la rentabilité anticipée du sous-jacent. Le prix de l'option tel qu'évalué par ces modèles est indépendant de ces grandeurs : tout se passe comme si les agents étaient indifférents au risque. Comment est-ce possible ?

Dans le *monde réel*, il est probable que les investisseurs manifestent de l'aversion au risque. L'espérance de rendement de tout actif financier risqué doit donc être actualisée à un taux supérieur au taux sans risque pour tenir compte d'une prime de risque exigée par les investisseurs.

Dans le *monde (théorique) risque-neutre*, les investisseurs n'exigent par définition aucune rémunération particulière pour détenir des actifs risqués. Pour que les investisseurs soient indifférents entre la détention d'actifs risqués et d'actif sans risque, il est nécessaire d'ajuster les probabilités des différents états de la nature. Il faut que l'espérance de rendement des actifs risqués corresponde exactement au rendement de l'actif sans risque. Or, les actifs risqués présentent sur le marché (réel) une espérance de rendement supérieure à celle de l'actif sans risque.

La seule possibilité pour concilier ces deux visions consiste à considérer que les investisseurs du monde risque-neutre sont plus pessimistes quant aux perspectives futures que ceux du monde réel. Autrement dit, ils affectent une probabilité plus grande aux états de la nature défavorables (état baissier) et plus faible aux états favorables (état haussier).

Cela signifie que les probabilités q et $(1 - q)$ des équations (21.11) et (21.12) ne sont pas égales aux *vraies* probabilités des états de la nature haussier et baissier. Elles représentent la manière dont les probabilités réelles (pour l'instant inconnues) doivent être ajustées pour que le prix de l'action dans le monde risque-neutre soit exactement égal au prix de l'action dans le monde réel. Pour cette raison, on donne à q et $(1 - q)$ le nom de **probabilités risque-neutre**, de prix d'état ou encore de prix-martingale.

On peut revenir à l'exemple précédent pour illustrer ce propos : le prix initial de l'action est de 50 €. On suppose que dans le monde réel la (vraie) probabilité d'occurrence de l'état haussier est de 75 % :

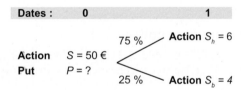

Le taux de rendement de cette action est donc (dans le monde réel) :

$$\frac{60 \times 0,75 + 40 \times 0,25}{50} - 1 = 10 \ \%$$

Sachant que le taux sans risque est de 6 %, la prime de risque sur cette action est de 4 %. Dans un monde risque-neutre [équation (21.11)], la probabilité de l'état haussier n'est que de 65 %, ce qui aboutit à un taux de rendement de l'action exactement égal au taux sans risque (6 %).

Évaluation des options dans un monde risque-neutre

Si la dynamique de prix d'une action est identique dans le monde réel (en présence d'aversion au risque) et dans le monde risque-neutre, le prix d'une option écrite sur l'action en question doit être le même. Cela ouvre la voie à une nouvelle technique d'évaluation des options. À titre d'illustration, on utilise de nouveau l'arbre binomial de la section 21.1 :

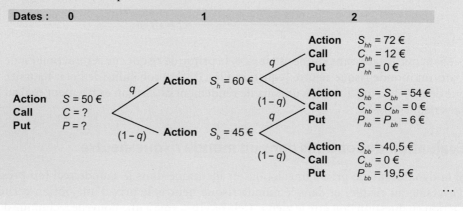

La première étape consiste à calculer les probabilités risque-neutre telles que le taux de rendement de l'action soit exactement égal au taux sans risque :

$$\frac{S_h \times q + S_b \times (1-q)}{S} - 1 = r_f$$

La solution en q de cette équation est :

$$q = \frac{S(1+r_f) - S_b}{S_h - S_b} \tag{21.13}$$

Il est dès lors possible de calculer le prix de l'option : il faut calculer l'espérance de son profil de gain sous la mesure risque-neutre (c'est-à-dire en utilisant les probabilités risque-neutre), puis actualiser celle-ci au taux sans risque :

$$C = \frac{C_h \times q + C_b \times (1-q)}{1+r_f} \tag{21.14}$$

Exemple 21.8

Évaluation risque-neutre d'une option

Si l'on reprend les données de l'exemple 21.2 concernant Prosper, quels sont les prix d'un call et d'un put de prix d'exercice 60 € d'échéance deux ans, écrits sur l'action Prosper ?

Solution

L'arbre binomial à deux périodes s'écrit :

...

Les probabilités risque-neutre sont déterminées à partir de l'équation (21.13). Même si l'arbre compte deux périodes, il est possible de se limiter à l'étude de la première période ; en effet, les probabilités ne se modifient pas au cours du temps puisque le taux de variation du prix de l'action ne change pas d'une période à l'autre (20 % de hausse ou 10 % de baisse). En $t = 0$:

$$q = \frac{S\left(1 + r_f\right) - S_b}{S_h - S_b} = \frac{50 \times 1,03 - 45}{60 - 45} = 0,4333$$

Il faut adapter l'équation (21.14) au cas multipériodique : la probabilité que le call ait une valeur finale de 12 € est q^2 (0,4333 × 0,4333). Le même raisonnement peut être mené pour les deux options dans chacun des états de la nature. Les prix du call et du put sont alors donnés par :

$$C = \frac{C_{hh} \times q^2 + C_{hb} \times q \times \left(1 - q\right) + C_{bh} \times \left(1 - q\right) \times q + C_{bb} \times \left(1 - q\right)^2}{\left(1 + r_f\right)^2} = \frac{12 \times 0,433^2}{1,03^2} = 2,12\ €$$

et

$$P = \frac{P_{hh} \times q^2 + P_{hb} \times q \times \left(1 - q\right) + P_{bh} \times \left(1 - q\right) \times q + P_{bb} \times \left(1 - q\right)^2}{\left(1 + r_f\right)^2}$$

$$= \frac{6 \times 0,433 \times 0,567 + 6 \times 0,567 \times 0,433 + 19,5 \times 0,567^2}{1,03^2} = 8,68\ €$$

Le put vaut donc 8,68 € (c'est le prix de l'exemple 21.2). Le call vaut, de son côté, 2,12 €.

Comme le montre l'exemple 21.8, la valorisation d'une option à l'aide des probabilités risque-neutre est très rapide. Une fois les probabilités risque-neutre calculées, n'importe quel actif financier dont la valeur dépend du prix d'un actif sous-jacent peut être valorisé, simplement en actualisant au taux sans risque l'espérance de son profil de gain calculée avec les probabilités risque-neutre.

Cette méthode d'évaluation est à la base d'une technique numérique couramment utilisée par les praticiens pour évaluer un produit dérivé lorsque le modèle de Black-Scholes ne peut s'appliquer : la **simulation de Monte-Carlo**. Selon cette approche, l'espérance du profil de gain de l'option est calculée sous la mesure risque-neutre en simulant plusieurs milliers de trajectoires de prix pour l'actif sous-jacent. Cette espérance est ensuite actualisée au taux sans risque afin de déterminer le prix de l'option.

21.4. Rendement et risque d'une option

Afin de mesurer le risque d'un actif, il faut calculer son bêta. Dans le cas d'une option, celui-ci peut être évalué indirectement, en calculant le bêta du portefeuille de réplication qui est égal par définition à la moyenne pondérée des bêtas des actifs qui le composent.

Le portefeuille de réplication est composé d'une position de $(S\Delta)$ € en actions et de B € en bons du Trésor. Le bêta du portefeuille, et donc de l'option, est alors :

$$\beta_{\text{Option}} = \frac{S\Delta}{S\Delta + B}\beta_S + \frac{B}{S\Delta + B}\beta_B$$

Le bêta des bons du Trésor est nul, puisque l'actif est sans risque ; le bêta d'une option est par conséquent :

Bêta d'une option

$$\beta_{\text{Option}} = \frac{S\Delta}{S\Delta + B}\beta_S \tag{21.15}$$

Dans le cas d'un call, le delta est toujours positif et la position en bons du Trésor est toujours courte. Le bêta d'un call est donc supérieur à celui de l'action sous-jacente (si cette dernière a un bêta positif, ce qui est presque toujours le cas). À l'inverse, le delta d'un put est négatif et la position en bons du Trésor longue, donc le bêta d'un put est négatif. Intuitivement, ce n'est pas surprenant : un put constitue une couverture contre la baisse du prix de l'action sous-jacente. Lorsque le prix de l'action baisse, la valeur du put augmente, ce qui correspond bien à l'intuition d'un bêta négatif.

$S\Delta / (S\Delta + B)$ est le rapport de la valeur des actions sur celle du portefeuille de réplication. En d'autres termes, ce rapport témoigne du levier utilisé pour former le portefeuille de réplication. Comme ce portefeuille reproduit synthétiquement la valeur de l'option, ce rapport peut s'interpréter comme le **levier financier de l'option**. La figure 21.7 montre comment évolue ce levier en fonction du caractère à la monnaie de l'option. Le levier d'une option peut être élevé, notamment lorsque les options sont profondément en dehors de la monnaie. Les calls (resp. les puts) écrits sur une action à bêta positif possèdent donc des bêtas très positifs (resp. très négatifs). De plus, au fur et à mesure des changements de prix de l'action sous-jacente, le bêta d'une option se modifie (à un rythme décroissant au fur et à mesure que l'option s'approche de la monnaie).

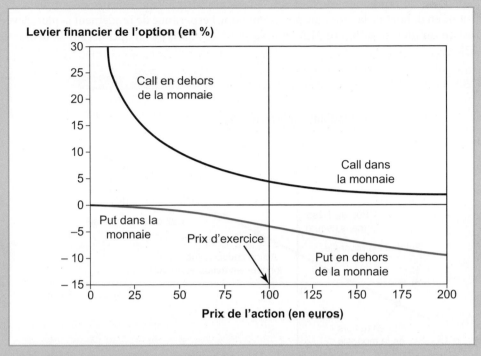

Figure 21.7 – Levier financier des options

Le levier financier d'un call est toujours supérieur à l'unité. Il augmente quand le prix du sous-jacent diminue. Le levier financier d'un put est toujours négatif. Il baisse en valeur absolue lorsque le prix du sous-jacent diminue. La figure est réalisée à partir d'une option à la monnaie expirant dans un an, avec une volatilité de 30 % et un taux d'intérêt sans risque de 5 %.

Le bêta d'une option

À partir des données des exemples 21.3 et 21.4, quels sont les bêtas du call et du put Alcatel-Lucent ? Le bêta de l'action Alcatel-Lucent est de 1,89 (estimation sur données quotidiennes de mai à fin octobre 2010).

Solution

Lorsqu'on utilise l'équation (21.15), le bêta du call de prix d'exercice 3,50 $ qui expire en novembre 2010 est de :

$$\beta_C = \frac{S\Delta}{S\Delta + \beta}\, \beta_S = \frac{S \times N(d_1)}{C}\, \beta_S = \frac{3,48 \times 0,507}{0,159} \times 1,89 = 20,97$$

Et le bêta du put de prix d'exercice 4 $ qui expire en novembre 2010 est de :

$$\beta_P = \frac{S\Delta}{S\Delta + \beta}\, \beta_S = \frac{-S \times (1 - N(d_1))}{P}\, \beta_S = \frac{-3,48 \times 0,864}{0,549} \times 1,89 = -10,35$$

Exemple 21.9

L'espérance de rendement de tout actif financier est fonction linéaire de son bêta. Les options en dehors de la monnaie possèdent donc l'espérance de rendement la plus élevée. C'est ce qu'illustre la figure 21.8, qui place différents types d'options sur la droite du MEDAF.

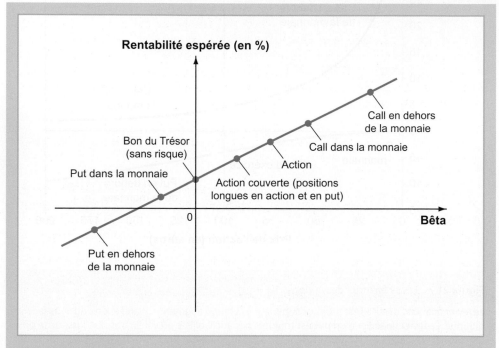

Figure 21.8 – Bêta et rentabilité espérée des options
La figure illustre la relation entre le bêta de différents actifs et leur rentabilité anticipée.

21.5. Évaluation des options et finance d'entreprise

La dernière section de ce chapitre est consacrée à deux applications fondamentales de l'évaluation des options pour la finance d'entreprise : d'une part, le calcul du bêta d'une dette risquée ou, en d'autres termes, la façon dont on peut s'affranchir de l'effet de levier dans le calcul du bêta des capitaux propres d'une entreprise ; d'autre part, l'évaluation des coûts d'agence liés au surendettement de l'entreprise (chapitre 16).

Le bêta d'une dette risquée

Le chapitre 14 a montré comment calculer le bêta des actifs d'une entreprise à partir du bêta de ses capitaux propres, compte tenu de l'effet de levier. Le bêta des capitaux propres (β_{CP}) est en effet lié à celui des actifs de l'entreprise (β_U) par la relation approchée, reposant sur l'hypothèse de nullité du bêta de la dette :

$$\beta_{CP} = \beta_U + \frac{V_D}{V_{CP}} \left(\beta_U - \beta_D \right) = \left(1 + \frac{V_D}{V_{CP}} \right) \beta_U \qquad (21.16)$$

Cependant, pour les entreprises dont le levier est élevé, cette approximation n'est pas réaliste. En effet, la probabilité de faillite n'est pas négligeable pour ces entreprises, et cette probabilité possède normalement une forte composante de risque systématique.

Afin de trouver le bêta des capitaux propres d'une entreprise dont le bêta de la dette n'est pas nul, il faut utiliser un résultat du chapitre 20 : les capitaux propres d'une entreprise peuvent être interprétés comme un call sur ses actifs[10]. En notant V_A la valeur des actifs de l'entreprise, soit la somme de la valeur des capitaux propres et de la dette de l'entreprise, on peut écrire $V_{CP} = V_A \Delta + B$, car les capitaux propres peuvent être vus comme un call sur les actifs de l'entreprise et ont la même valeur que le portefeuille de réplication constitué des actifs de l'entreprise et de l'actif sans risque. On peut exprimer le bêta des capitaux propres comme :

$$\beta_{CP} = \frac{V_A \Delta}{V_A \Delta + B} \beta_U = \frac{(V_{CP} + V_D)\Delta}{V_{CP}} \beta_U = \Delta \left(1 + \frac{V_D}{V_{CP}}\right)\beta_U \qquad (21.17)$$

Contrairement à l'équation (21.16), celle-ci ne suppose pas la nullité du bêta de la dette. La seule différence entre ces deux équations réside dans le terme en Δ. C'est logique, car si on suppose que la dette est sans risque, les capitaux propres de l'entreprise sont toujours dans la monnaie ; le delta est donc égal à 1 et on retrouve bien l'équation (21.16).

Il est possible de calculer le bêta de la dette suivant la même logique. La dette correspond à un portefeuille constitué d'une position longue sur les actifs de l'entreprise et d'une position courte sur ses capitaux propres. Le bêta de la dette est donc égal au bêta du portefeuille ainsi composé :

$$\beta_D = \frac{V_A}{V_D} \beta_U - \frac{V_{CP}}{V_D} \beta_{CP}$$

Lorsqu'on utilise l'équation (21.17) et cette dernière équation, la relation liant le bêta de la dette et le bêta des actifs d'une entreprise devient :

$$\beta_D = (1 - \Delta)\frac{V_A}{V_D} \beta_U = (1 - \Delta)\left(1 + \frac{V_{CP}}{V_D}\right)\beta_U \qquad (21.18)$$

Une nouvelle fois, si la dette est sans risque, le delta est égal à 1, et donc le bêta de la dette est nul, ce qui permet de retrouver la formule simplifiée du chapitre 14.

La figure 21.9 représente l'évolution des bêtas de la dette et des capitaux propres d'une entreprise en fonction de son levier. Pour des niveaux réduits d'endettement, l'approximation du chapitre 14 (bêta de la dette nul) est tout à fait acceptable. Il n'en est pas de même lorsque le levier s'élève : le bêta des capitaux propres n'évolue plus de manière linéaire. Par ailleurs, le bêta de la dette ne peut dépasser celui des actifs de l'entreprise (fixé arbitrairement à 1 sur la figure).

---

10. R. C. Merton, (1974), « On the Pricing of Corporate Debt: The Risk Structure of Interest Rates », *Journal of Finance*, 29, 449-470.

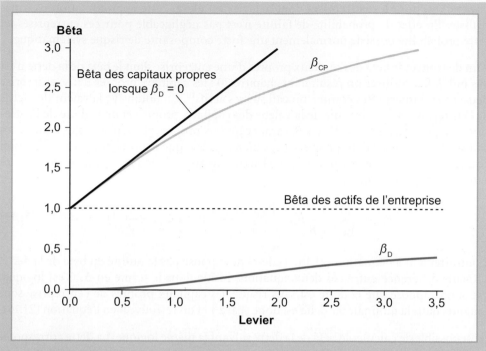

Figure 21.9 – Bêtas des capitaux propres et de la dette

La courbe de couleur claire représente le bêta des capitaux propres et la courbe de couleur foncée le bêta de la dette en fonction du levier. La droite noire correspond au bêta des capitaux propres sous l'hypothèse d'un bêta de la dette nul. Hypothèses : l'entreprise a émis des obligations zéro-coupon de maturité cinq ans ; elle ne verse pas de dividendes ; le bêta des actifs de l'entreprise est égal à 1 ; le taux sans risque est de 3 % ; la volatilité des actifs de l'entreprise est de 30 %.

Dans la plupart des cas, on peut estimer facilement le bêta des capitaux propres à l'aide du MEDAF. À partir de ce dernier, il est possible de déterminer le bêta des actifs de l'entreprise (c'est-à-dire le bêta de cette entreprise en l'absence d'endettement, autrement appelé bêta à endettement nul, ou bêta désendetté), puis le bêta de la dette car :

$$\beta_U = \frac{\beta_{CP}}{\Delta\left(1 + \dfrac{V_D}{V_{CP}}\right)} \qquad (21.19)$$

Exemple 21.10

Le bêta d'une dette risquée

On souhaite calculer le bêta de la dette de l'entreprise GNN. La valeur de marché des capitaux propres est de 40 millions d'euros ; leur bêta est de 1,2. GNN a émis des obligations zéro-coupon de maturité quatre ans. La valeur faciale des obligations est de 100 millions d'euros ; leur valeur de marché est de 75 millions d'euros. Le taux d'intérêt sans risque est de 5,13 %. GNN ne verse pas de dividendes. Par manque de données, l'estimation du bêta de la dette de GNN est impossible. Il faut donc utiliser le modèle de Black-Scholes. Quel est le bêta de sa dette ?

...

...

Exemple 21.10

Solution

Les capitaux propres de GNN peuvent s'analyser comme un call sur ses actifs, de prix d'exercice 100 millions et d'échéance quatre ans. La valeur actualisée du prix d'exercice de ce call est $100 / 1,0513^4 = 81,86$ millions d'euros. La valeur de marché des actifs de GNN est : $40 + 75 = 115$ millions d'euros. La volatilité des actifs de GNN correspond à la volatilité implicite d'un call d'échéance quatre ans, de prix de marché 40 et de prix d'exercice actualisé 81,86 lorsque le prix de marché de l'actif sous-jacent est de 115. À l'aide du solveur d'un tableur (fonction « valeur cible »), on obtient 24,69 % comme estimation de la volatilité implicite. Il est donc possible de calculer le delta du call :

$$\Delta = N(d_1) = N\left(\frac{\ln\left(\dfrac{115}{81,86} \right)}{2 \times 0,2469} + 0,2469 \right) = 0,825$$

L'équation (21.19) permet de calculer le bêta désendetté :

$$\beta_U = \frac{\beta_{CP}}{\Delta\left(1 + \dfrac{V_D}{V_{CP}} \right)} = \frac{1,2}{0,825\left(1 + \dfrac{75}{40} \right)} = 0,51$$

On obtient le bêta de la dette grâce à l'équation (21.19) :

$$\beta_D = \left(1 - \Delta \right)\left(1 + \frac{V_{CP}}{V_D} \right)\beta_U = \left(1 - 0,825 \right)\left(1 + \frac{40}{75} \right) \times 0,51 = 0,14$$

Erreur à éviter   **L'évaluation des stocks-options**

Certaines entreprises rémunèrent leurs dirigeants ou leurs salariés en leur accordant des options sur les actions qu'elles émettent, et que l'on appelle des stock-options. Ces dernières se présentent sous la forme de calls américains à long terme, avec une date d'exercice pouvant aller jusqu'à 10 ans. Il est tentant d'utiliser la formule Black-Scholes pour les évaluer, mais il y a plusieurs précautions à prendre :

– Il faut estimer la volatilité de l'action sur la durée de vie de l'option ; il est extrêmement difficile de prévoir la volatilité d'une action sur un horizon long.

– Les stock-options sont dilutives : lorsqu'elles sont exercées, elles augmentent le nombre d'actions en circulation.

– Les salariés peuvent perdre leurs stock-options s'ils démissionnent ou s'ils quittent l'entreprise pendant une période donnée (souvent dès quatre ans).

Les stock-options ne sont pas librement négociables sur le marché, il est seulement possible de les exercer. Or de nombreux salariés sont soumis à des restrictions pour acheter ou vendre des actions de leur entreprise (lutte contre les délits d'initiés) : il leur est donc difficile, voire impossible, de construire un portefeuille de réplication. Ils ne peuvent pas se couvrir contre le risque de baisse de leurs stock options ;

...

...

leurs préférences et croyances individuelles influencent donc la valeur qu'ils accordent à ces stock-options : plus ils ont d'aversion pour le risque, moins ils y attacheront de valeur. Comme les stock-options peuvent être exercées par anticipation (après la période initiale de blocage), il est fréquent que les salariés les exercent et vendent les actions reçues dès qu'ils en ont la possibilité[*], ce qui les conduit à perdre la valeur-temps résiduelle de leurs stock-options (souvent substantielle).

Des travaux empiriques ont démontré que la formule de Black-Scholes, qui suppose l'absence d'exercice anticipé et la possibilité de construire un portefeuille de réplication, surestime la valeur des stock-options d'un facteur pouvant aller jusqu'à 40 %[**].

---

[*] S. Huddart et M. Lang (1996), « Employee Stock Option Exercises: An Empirical Analysis », *Journal of Accounting and Economics*, 21, 5-43.

[**] A. Jain et A. Subramanian (2004), « The Intertemporal Exercise and Valuation of Employee Options », *Accounting Review*, 79, 705-743.

Coûts d'agence et dette

Au chapitre 16, on a vu que le levier financier peut modifier les incitations des actionnaires à investir. Tout d'abord, puisque les capitaux propres s'apparentent à un call sur les actifs de l'entreprise, le levier crée un problème de substitution d'actifs entre les créanciers et les actionnaires en incitant ces derniers à prendre des risques excessifs ; cela augmente la valeur du call qu'ils détiennent implicitement, car celle-ci est positivement reliée à la volatilité des actifs de l'entreprise. Mais un autre phénomène peut jouer : le delta d'un call est inférieur à 1 ; autrement dit, les actionnaires ne récupèrent pas l'intégralité de la valeur créée, ce qui peut réduire leurs incitations à investir et créer un problème de surendettement ou de sous-investissement. L'exemple 21.11 montre que l'on peut utiliser les méthodes de valorisation optionnelle pour mesurer le coût de ces deux effets sur la valeur de l'entreprise.

Dans cet exemple, l'existence d'options au profit des actionnaires ou des dirigeants impose des coûts implicites à l'entreprise. Il peut également exister des options dans les projets d'investissement qui sont sources de création de valeur pour l'entreprise ; ces options incluses dans les projets d'investissement sont l'objet du prochain chapitre.

Exemple 21.11

Évaluation des coûts d'agence potentiels

GNN, l'entreprise de l'exemple 21.10, a la possibilité de réaliser un investissement qui pourrait faire passer la volatilité de ses actifs de 25 % à 30 %. Montrez que les actionnaires ont intérêt à investir dans un tel projet même si celui-ci possède une valeur actuelle nette négative de 5 millions d'euros. Alternativement, GNN pourrait lever 100 000 € de capitaux propres pour financer un nouveau projet à VAN positive mais qui ne modifierait pas le risque de ses actifs. Quelle devrait être la VAN minimale requise par les actionnaires pour qu'ils aient intérêt à s'engager dans ce projet ?

...

...

Solution

Les capitaux propres de GNN s'apparentent à un call d'échéance quatre ans dont le prix d'exercice est égal à la valeur faciale de sa dette ; soit 100 millions d'euros. Sachant que le taux sans risque vaut 5,13 % et que les actifs de GNN valent 115 millions d'euros et ont une volatilité de 25 %, la valeur du call est de 40 millions d'euros avec un Δ de 0,824.

Si GNN réalise le premier investissement, la valeur de ses actifs baissera à $115 - 5 = 110$ millions d'euros avec une volatilité portée à 35 %. Lorsqu'on applique la formule de Black-Scholes avec ces nouveaux paramètres, le call sur ses actifs vaut désormais 42,5 millions d'euros. Les actionnaires voient donc leur richesse augmenter de 2,5 millions d'euros. Ainsi, le levier élevé de GNN peut conduire ses actionnaires à entreprendre un projet risqué à VAN négative.

Dans le second cas, GNN lève 100 000 € et les investit dans un projet de coût $I = 100\ 000$ € et de VAN V. Les actifs de l'entreprise vont donc augmenter de $(I + V)$. Les actionnaires, quant à eux, verront leur richesse augmenter de $\Delta \times (I + V)$, puisque Δ représente la sensibilité de la valeur du call à l'augmentation de 1 € de l'actif sous-jacent (ici, les actifs de l'entreprise). Ils ont intérêt à s'engager dans ce projet si celui-ci leur rapporte plus qu'il ne coûte ; c'est-à-dire si :

$$\Delta \times (I + V) > I$$

Grâce aux équations (21.17) et (21.18), cette condition peut se réécrire :

$$\frac{V}{I} > \frac{1 - \Delta}{\Delta} = \frac{\beta_D}{\beta_{CP}} \times \frac{V_D}{V_{CP}}$$

On retrouve l'équation (16.2) du chapitre 16. À l'aide des résultats de l'exemple 21.10, ce projet bénéficiera aux actionnaires si et seulement si son indice de profitabilité dépasse $(0,14 \times 75) / (1,2 \times 40) = 0,21875$; ce qui correspond à un projet de VAN supérieure à 21 875 €. Comme les actionnaires sont susceptibles de rejeter tous les projets à VAN positives inférieures à ce montant, on assiste bien à un phénomène de sous-investissement provoqué par un levier trop important (surendettement).

Résumé

21.1. Le modèle binomial d'évaluation des options

- Une option peut être évaluée grâce à un portefeuille qui réplique son profil de gain dans les différents états de la nature. Le modèle binomial suppose l'existence de seulement deux états de la nature possibles à la fin de la période courante.

- Le prix de l'option est égal à la valeur du portefeuille de réplication. Ce portefeuille est composé d'actif sous-jacent et d'actif sans risque. Pour que le portefeuille réplique parfaitement le profil de gain de l'option, il est nécessaire d'ajuster en permanence sa composition, en fonction des variations de prix de l'actif sous-jacent.

- Dans le modèle binomial, la composition du portefeuille de réplication est :

$$\Delta = \frac{C_h - C_b}{S_h - S_b} \quad \text{et} \quad B = \frac{C_h - S_h \Delta}{1 + r_f} \tag{21.4}$$

- Compte tenu de la composition de ce portefeuille de réplication, le prix de l'option est égal à :

$$C = S\Delta + B \tag{21.5}$$

21.2. Le modèle d'évaluation d'options de Black-Scholes

- La formule de Black-Scholes pour évaluer un call sur une action ne versant pas de dividendes est :

$$C = S \times N(d_1) - VA(K) \times N(d_2) \tag{21.6}$$

avec $N(d)$ la valeur de la fonction de répartition d'une loi normale centrée réduite au point d et :

$$d_1 = \frac{\ln\left[S/VA(K)\right]}{\sigma\sqrt{T}} + \frac{\sigma\sqrt{T}}{2} \quad \text{et} \quad d_2 = d_1 - \sigma\sqrt{T} \tag{21.7}$$

- Cinq paramètres sont nécessaires pour évaluer une option dans le modèle de Black-Scholes : le prix de l'actif sous-jacent, sa volatilité, le prix d'exercice de l'option, sa date d'expiration et le taux sans risque. Il n'est pas nécessaire de connaître l'espérance de rendement de l'actif sous-jacent.

- La formule de Black-Scholes pour évaluer un put européen sur une action ne versant pas de dividendes est :

$$P = VA(K) \times \left(1 - N(d_2)\right) - S \times \left(1 - N(d_1)\right) \tag{21.8}$$

- Il est possible d'évaluer une option européenne écrite sur une action versant des dividendes en remplaçant S par S^* dans la formule de Black-Scholes, avec :

$$S^* = S - VA(Div)$$

Si l'action offre un taux de dividende q constant jusqu'à l'expiration de l'option, on a :

$$S^* = \frac{S}{1+q}$$

- Le portefeuille de réplication dans le modèle de Black-Scholes s'écrit :

  a. Pour un call sur une action ne versant pas de dividendes :

  $$\Delta = N(d_1) \text{ et } B = -VA(K)N(d_2) \tag{21.9}$$

  b. Pour un put européen sur une action ne versant pas de dividendes :

  $$\Delta = -\left(1 - N\left(d_1\right)\right)$$
  $$B = VA\left(K\right)\left(1 - N\left(d_2\right)\right) \tag{21.10}$$

  c. Le portefeuille de réplication doit être ajusté en permanence afin de rester tangent à la valeur de l'option.

21.3. Les probabilités risque-neutre

- Les probabilités risque-neutre sont les probabilités qui permettent d'égaliser le prix observé de l'action avec l'espérance actualisée au taux sans risque des prix futurs de cette dernière. On peut utiliser ces probabilités pour valoriser tout actif dont le profil de gain est connu dans chacun des états futurs de la nature.

- Dans un arbre binomial, la probabilité risque-neutre q associée à l'état de la nature haussier de l'actif sous-jacent est donnée par :

  $$q = \frac{S\left(1 + r_f\right) - S_b}{S_h - S_b} \tag{21.13}$$

- Le prix de n'importe quel produit dérivé peut s'obtenir en actualisant au taux d'intérêt sans risque l'espérance (calculée à l'aide des probabilités risque-neutre) des flux monétaires futurs versés par cet actif.

21.4. Rendement et risque d'une option

- Le bêta d'une option peut être calculé à l'aide du bêta de son portefeuille de réplication. Si une action a un bêta positif, le bêta du call écrit sur celle-ci est supérieur et le bêta du put inférieur.

21.5. Évaluation des options et finance d'entreprise

- Lorsque le bêta d'une dette n'est pas nul, le bêta des capitaux propres ainsi que celui de la dette augmentent avec le levier :

  $$\beta_{CP} = \Delta \left(1 + \frac{V_D}{V_{CP}}\right) \beta_U \tag{21.17}$$

  $$\beta_D = \left(1 - \Delta\right) \left(1 + \frac{V_D}{V_{CP}}\right) \beta_U \tag{21.18}$$

- On peut utiliser les méthodes d'évaluation des options pour estimer le coût du surendettement de l'entreprise ainsi que les incitations à substituer des actifs au profit des actionnaires.

Exercices

L'astérisque désigne les services les plus difficiles.

1. Le prix de marché des actions de l'entreprise Estel est de 25 €. Chaque année, le prix des actions peut augmenter ou baisser de 20 %. L'entreprise ne verse pas de dividendes. Le taux d'intérêt sans risque (constant) est de 6 %. Si on utilise un modèle binomial, quel est le prix d'un call de prix d'exercice 25 € et arrivant à échéance dans un an ?

2. (Suite de l'exercice précédent.) Toujours avec le modèle binomial, quel est le prix du put de mêmes caractéristiques ? Quel est le prix du put à partir de la parité call-put ?

3. Le prix de marché des actions de l'entreprise Natasha est de 6 €. Chaque année, le prix des actions peut augmenter de 2,50 € ou baisser de 2 €. L'entreprise ne verse pas de dividendes. Le taux d'intérêt sans risque (constant) est de 3 %. Si on utilise le modèle binomial, quel est le prix d'un call de prix d'exercice 7 € et arrivant à échéance dans deux ans ?

4. (Suite de l'exercice précédent.) Toujours avec le modèle binomial, quel est le prix du put sur les actions de l'entreprise Natasha de mêmes caractéristiques ? Quel est le prix du put à partir de la parité call-put ?

5. L'option décrite dans l'exemple 21.1 s'échange actuellement sur le marché au prix de 8 €. Quelle stratégie d'arbitrage peut-on mettre en œuvre ?

*6. L'option décrite dans l'exemple 21.2 s'échange actuellement sur le marché au prix de 5 €. Son prix à la période suivante reste inconnu. Quelle stratégie d'arbitrage peut-on mettre en œuvre ?

7. L'action de l'entreprise Eagle s'échange à 10 € sur le marché. Son prix peut augmenter de 100 % ou baisser de 50 % d'ici un an, et le taux d'intérêt sans risque annuel est de 25 %.

   a. Quel est le prix, aujourd'hui, d'un put européen à la monnaie ?

   b. Quel est le prix d'un put identique mais de prix d'exercice 20 € ?

   c. En supposant que les puts des questions *a* et *b* puissent être exercés soit immédiatement soit dans un an, quelles devraient être leurs valeurs ?

8. Lorsqu'on se réfère à la figure 21.1, quelles sont les valeurs minimales et maximales que peut prendre le Δ d'un call ?

*9. Emma et Cie est une entreprise dont la structure financière n'est composée que de capitaux propres dont la valeur de marché est de 1 milliard d'euros. Cette dernière pourra s'établir à 900 millions ou 1 400 millions dans un an. Le taux sans risque est de 5 %. Emma et Cie souhaite émettre une dette zéro-coupon de maturité un an et de valeur faciale 1 050 millions d'euros, afin de pouvoir verser un dividende exceptionnel à ses actionnaires. On suppose que les marchés de capitaux sont parfaits et on utilise un modèle binomial :

   a. Que vaudra la dette d'Emma et Cie dans un an ?

b. Quelle est sa valeur aujourd'hui ?

c. Quelle est la rentabilité offerte par la dette d'Emma et Cie ?

d. En utilisant les propositions de Modigliani-Miller, déterminez la valeur des capitaux propres d'Emma et Cie juste avant que le dividende exceptionnel ne soit versé. Que valent-ils juste après le versement ?

e. Montrez que la valeur ex-dividende des capitaux propres d'Emma et Cie est cohérente avec celle issue d'un modèle binomial. En considérant ses capitaux propres comme un call écrit sur ses actifs, déterminez le Δ des capitaux propres d'Emma et Cie.

*10. (Suite de l'exercice précédent.) On suppose qu'un défaut sur sa dette coûtera 90 millions d'euros à Emma et Cie. En considérant qu'aucune autre imperfection de marché n'est présente :

a. Quelle est la valeur actuelle du coût des difficultés financières ? Quel est leur Δ par rapport aux actifs de l'entreprise ?

b. Quelle est désormais la rentabilité offerte par la dette ?

c. Déterminez, dans ce cadre, la valeur des capitaux propres d'Emma et Cie, juste avant et juste après le paiement du dividende exceptionnel.

11. L'action de Roslin Robotics a une volatilité de 30 % et son prix de marché s'établit à 60 €. Elle ne donne droit à aucun dividende. Avec un taux d'intérêt sans risque de 5 %, déterminez, à l'aide du modèle de Black-Scholes, la valeur d'un call européen à la monnaie.

12. Un call européen sur une action de l'entreprise Rebec a un prix d'exercice de 100 €. Il expire dans 90 jours. Une action Rebec vaut 120 € et sa volatilité est de 40 %. Le taux d'intérêt sans risque est de 6,18 %.

a. Si on utilise la formule de Black-Scholes, quel est le prix de ce call ?

b. À l'aide de la parité call-put, calculez le prix du put de mêmes caractéristiques.

13. En utilisant les données du tableau 21.1, comparez au 29 octobre 2010 les prix de marché des options d'Alcatel-Lucent avec ceux issus de la formule de Black-Scholes. La volatilité annuelle des actions d'Alcatel-Lucent s'établit à 50 % et le taux d'intérêt sans risque annuel vaut 1 %. Examinez les cas suivants :

a. le call de prix d'exercice 4 $ arrivant à échéance en novembre 2010 ;

b. le put de prix d'exercice 3,5 $ arrivant à échéance en novembre 2010 ;

c. le put de prix d'exercice 4 $ arrivant à échéance en mars 2011.

14. À l'aide des données de la figure 20.10, et en supposant un taux d'intérêt sans risque de 0,25 %, calculez la volatilité implicite des actions de Google en septembre 2012 en utilisant le call de prix d'exercice 700 $ expirant en janvier 2014.

15. (Suite de l'exercice précédent.) Calculez, avec la formule de Black-Scholes, le prix du call de prix d'exercice 750 $ arrivant à échéance en janvier 2014.

16. Le taux d'intérêt sans risque à deux ans vaut 4 %. En utilisant les données de l'exemple 21.5, représentez graphiquement la valeur d'un put européen, arrivant à échéance dans deux ans et de prix d'exercice 20 €, écrit sur une action de Beaucet

en fonction du prix de l'action. Expliquez pourquoi il existe une zone dans laquelle l'option s'échange à un prix inférieur à sa valeur intrinsèque.

17. (Suite de l'exercice 11.) On suppose que ce call ne peut pas s'échanger sur le marché (absence de liquidité). Vous souhaitez répliquer une position longue dans 1 000 calls.

    a. De quoi est constitué le portefeuille de réplication ?

    b. Vous décidez d'acheter le portefeuille ainsi constitué. Si l'action voit son prix de marché augmenter à 62 €, quelle est la valeur de votre portefeuille ? Si le call avait pu s'échanger sur le marché, quel aurait été, en pourcentage du prix du call, le différentiel de valeur entre celui-ci et le portefeuille de réplication ?

    c. Après le changement de prix de la question b, comment faut-il ajuster la composition du portefeuille de réplication pour qu'il continue à répliquer l'option ?

18. (Suite de l'exercice 11.) Quel est l'impact sur la valeur du call des modifications suivantes ?

    a. Le prix de l'action s'accroît de 1 €.

    b. La volatilité des actions augmente à 31 %.

    c. Le taux sans risque augmente à 6 %.

    d. Un mois s'est écoulé, toutes choses étant égales par ailleurs.

    e. L'entreprise annonce un dividende de 1 € payable immédiatement.

19. 10 millions d'actions de l'entreprise Harbin sont échangeables sur le marché au prix de 20 € par action. Dans un an, ce prix sera, de manière équiprobable, de 30 € ou 18 €. Le taux sans risque vaut 5 %.

    a. Quel est le taux de rentabilité espéré des actions ?

    b. Quelle est la probabilité risque-neutre de voir le prix de l'action augmenter à 30 € ?

20. (Suite de l'exercice précédent.)

    a. En s'appuyant sur une approche risque-neutre, que vaut le call arrivant à échéance dans un an et de prix d'exercice 25 € écrit sur une action Harbin ?

    b. Quelle est l'espérance de rentabilité de ce call ?

    c. En recourant à une approche risque-neutre, que vaut le put arrivant à échéance dans un an et de prix d'exercice 25 € écrit sur une action Harbin ?

    d. Quelle est l'espérance de rentabilité de ce put ?

21. (Suite de l'exercice 1.) Quelles sont les probabilités risque-neutre ? Quel est alors le prix de l'option ?

22. (Suite de l'exercice 3.) Quelles sont les probabilités risque-neutre ? Quel est alors le prix de l'option ?

23. Expliquez la différence entre la mesure de probabilité historique et celle risque-neutre. Dans quels états de la nature la première est-elle plus grande que la seconde ? Pourquoi ?

24. Pourquoi peut-on utiliser les probabilités risque-neutre pour valoriser des produits dérivés, alors que les investisseurs du monde réel ont une aversion au risque ?

25. Si on utilise le tableau 21.1, quel est le bêta du call écrit sur Alcatel-Lucent de prix d'exercice 4 $ et d'échéance novembre 2010 ? La volatilité de l'action Alcatel-Lucent est de 50 % par an. Le taux d'intérêt sans risque est de 1 %. Le bêta des actions est de 1,89. Quel est le levier de cette option ?

26. Si on utilise le tableau 21.1, quel est le bêta du put écrit sur Alcatel-Lucent de prix d'exercice 4 $ et d'échéance mars 2011 ? La volatilité de l'action Alcatel-Lucent est de 50 % par an. Le taux d'intérêt sans risque est de 1 %. Le bêta des actions est de 1,89. Quel est le levier de cette option ? La prime de risque du marché est de 6 %. Quelle est la rentabilité exigée par les investisseurs pour détenir le put, d'après le MEDAF ? Compte tenu de cette rentabilité, pourquoi un investisseur achèterait-il ce put ?

27. À partir des données de l'exemple 20.11 et de la figure 20.10 :

    a. Si, avant émission de la nouvelle dette, le bêta des capitaux propres de Google est de 1,2, que vaudra-t-il après l'émission ?

    b. Quel est le bêta de cette nouvelle dette ?

*28. Le bêta des actions de Schwartz est de 1,2 ; leur valeur de marché est de 400 millions d'euros. L'entreprise a émis des obligations zéro-coupon arrivant à échéance dans quatre ans. La valeur faciale de ces obligations est de 100 millions d'euros. Leur valeur de marché est de 75 millions d'euros. L'entreprise ne verse pas de dividendes. Le taux d'intérêt sans risque est de 5,13 %. Si on utilise la formule de Black-Scholes, quel est le bêta désendetté ?

*29. 25 millions d'actions Miles sont cotées sur le marché. Elles s'échangent au prix de 20 €. Miles a émis des obligations zéro-coupon arrivant à échéance dans cinq ans dont la valeur faciale est de 900 millions d'euros. Leur rentabilité à l'échéance est de 9 % alors que le taux d'intérêt sans risque est de 5 %.

    a. Quelle est la volatilité implicite des actifs de Miles ?

    b. Quel est l'indice de profitabilité minimal requis par les actionnaires pour accepter un nouveau projet d'investissement complètement autofinancé qui ne modifie pas la volatilité des actifs de l'entreprise ?

    c. Si l'entreprise utilise ses liquidités pour investir dans un projet qui accroît la volatilité de ses actifs de 10 %, quelle doit être sa valeur actuelle nette minimale afin de garantir qu'il augmentera la valeur des actions ?

Chapitre 22
Les options réelles

La théorie des options est d'un grand intérêt pour la finance d'entreprise, tout particulièrement pour l'étude des décisions d'investissement à long terme. Sanofi, la plus importante entreprise pharmaceutique française, est l'entreprise qui dépense le plus en recherche et développement (R&D), avec plusieurs milliards investis chaque année. Le quotidien d'une entreprise pharmaceutique est de financer beaucoup de projets de recherche sur des médicaments, dont seuls quelques-uns donneront des résultats et déboucheront sur la commercialisation d'un nouveau produit potentiellement très rentable. De quelle manière Sanofi doit-elle gérer ses dépenses de R&D afin de maximiser la valeur de l'entreprise ?

Il est possible de représenter les investissements en R&D de Sanofi comme un call. En effet, les investissements réalisés sur une molécule sont progressifs : en fonction des résultats de la phase préliminaire de R&D, Sanofi décide d'affecter, ou non, des ressources financières supplémentaires à la poursuite des recherches. Ceci permet à Sanofi de sélectionner à chaque étape les projets les plus prometteurs et de stopper les autres. Sanofi dispose ainsi d'une option d'achat sur le développement des médicaments, exerçable à sa guise : l'investissement additionnel nécessaire au financement d'une phase supplémentaire de développement peut s'interpréter comme le prix d'exercice de l'option. Ce prix doit être payé pour obtenir l'actif sous-jacent (le médicament) et les bénéfices futurs associés. Si Sanofi choisit d'abandonner un projet, cela revient à ne pas exercer l'option.

Une décision d'investissement peut donc être interprétée comme une option écrite sur un projet d'investissement « réel ». Pour cette raison, on parle à ce sujet d'options réelles (par opposition aux options financières qui s'échangent sur les marchés). L'interprétation des décisions d'investissement en termes d'options réelles se révèle particulièrement importante pour les entreprises engagées dans des dépenses d'investissement de long terme. Pourtant, il n'existe pas de théorie unifiée consacrée aux options réelles qui pourrait s'appliquer à tous les projets : chaque projet d'investissement possède des caractéristiques propres, ce qui nécessite une analyse et une modélisation spécifiques.

Ce chapitre détaille l'application des principes d'évaluation des options financières, présentés dans les chapitres précédents, au cadre particulier des options réelles contenues dans des projets d'investissement (sections 22.1 et 22.2). Les trois types d'options réelles les plus courants sont présentés à l'aide d'exemples simplifiés dans les sections 22.3 et 22.4 : l'option d'attente (du moment optimal pour investir), l'option de croissance et l'option d'abandon – sous-entendu d'un projet peu performant.

Les sections 22.5 et 22.6 montreront que les options réelles sont également très utiles dans deux occasions particulières : lorsqu'on doit choisir entre deux projets d'investissement mutuellement exclusifs et de durées de vie inégales et lorsqu'un projet d'investissement comprend plusieurs phases de développement (investissement échelonné).

22.1. Options réelles et options financières

Les options financières donnent droit à leur détenteur d'acheter ou de vendre un actif financier à un prix et une date définis à l'avance. L'option d'investir (ou non) dans un projet « physique » constitue une option réelle. De manière générale, une option réelle est le droit, ou la possibilité, dont dispose une entreprise de prendre une décision particulière relative à ses activités : investir dans une nouvelle usine par exemple. Ce qui distingue une option réelle d'une option financière réside dans le fait que le sous-jacent des options réelles n'est pas échangeable sur un quelconque marché : il n'existe pas de marché sur lequel Sanofi puisse vendre l'un de ses projets de nouveau médicament. Malgré cela, la plupart des principes relatifs aux options financières, développés dans les chapitres précédents, peuvent s'appliquer aux options réelles. Dans la mesure où les options réelles permettent aux entreprises de choisir la meilleure alternative en fonction de l'information dont elles disposent, ces options constituent une source de valeur pour les projets. Dans certains cas, la valeur des options réelles peut représenter une fraction significative de la valeur totale du projet, notamment si celui-ci est exposé à des aléas importants. Il convient donc de ne pas négliger la valeur de ces options dans le raisonnement.

L'analyse des opportunités d'investissement développée jusqu'ici s'est exclusivement focalisée sur l'influence des conditions initiales sur la valeur d'un projet d'investissement. Les décisions éventuelles à prendre au cours de la vie d'un projet n'ont pas été intégrées au raisonnement. Ainsi, on a systématiquement supposé que les flux monétaires futurs anticipés incorporaient les conséquences potentielles de toutes les décisions futures. Grâce aux options réelles, il est possible de calculer la VAN d'un projet dont les conditions d'exploitation sont susceptibles de changer au cours de sa réalisation. Pour ce faire, l'utilisation d'un nouvel outil d'analyse, l'arbre de décision, est indispensable.

22.2. Les arbres de décision

La plupart des projets offrent la possibilité de séquencer et de réévaluer les décisions d'investissement, comme l'illustre l'exemple suivant. United Studios a acquis les droits d'adaptation au cinéma d'un best-seller, ainsi que la possibilité de produire une suite. Tourner les deux films simultanément permettrait des économies significatives, avec un budget total de 525 millions de dollars. Si les films étaient produits séquentiellement, le coût total serait de 575 millions de dollars. La seconde possibilité est certes plus coûteuse, mais elle offre l'avantage de produire le second film en disposant de bien meilleures informations sur ses chances de succès. Voyons comment utiliser un arbre de décision pour analyser cette situation.

Considérons d'abord le cas où les films sont produits simultanément. Une fois les films produits, le studio anticipe un gain total de 650 millions de dollars, soit un bénéfice de

125 millions de dollars[1]. Ce scénario est illustré à la figure 22.1 à l'aide d'un **arbre de décision**. Un arbre de décision diffère des arbres binomiaux utilisés au chapitre 21 : dans un arbre binomial, les branches de l'arbre représentent un aléa sur lequel le décideur n'a aucune prise. Dans un arbre de décision, on inclut également des branches pour représenter les choix du décideur. L'arbre de décision de la figure 22.1 concerne un problème d'investissement standard sans options réelles. Le studio peut soit investir, et gagner la VAN du projet, soit ne pas investir et ne rien gagner. L'embranchement « carré » représente un **nœud de décision**, où le décideur doit choisir quelle branche suivre. La décision optimale apparaît en couleur. Ici, United Studios devrait investir et produire les deux films puisque le gain attendu dépasse le coût initial : 650 – 525 = 125 millions de dollars.

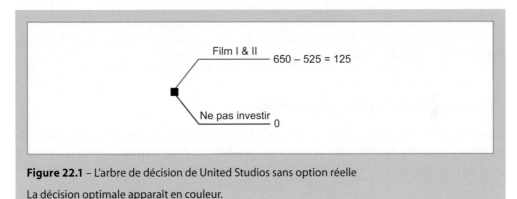

Figure 22.1 – L'arbre de décision de United Studios sans option réelle

La décision optimale apparaît en couleur.

Arbres de décision et aléas

Bien qu'il soit *a priori* rentable, compte tenu des informations disponibles, de produire les deux films, le résultat final est cependant risqué. Le revenu total espéré de 650 millions de dollars reflète, en réalité, deux cas de figure. Il y a une chance sur deux pour que le premier film soit un gros succès (un « blockbuster »), auquel cas le studio s'attend à gagner 500 millions de dollars pour ce premier volet et 400 millions de dollars pour le second. Mais il y a aussi une probabilité sur deux que le premier volet ne rapporte que 300 millions de dollars, et sa suite uniquement 100 millions de dollars. La figure 22.2 illustre cet aléa. L'arbre de décision contient maintenant deux types de nœuds : les nœuds de décision « carrés » (investir ou pas) et les **nœuds d'information** « ronds » pour lesquels l'aléa échappe au contrôle du décideur (le film est un succès ou non). La figure 22.2 indique également le moment auquel chaque flux de trésorerie est engagé ou réalisé. Les coûts de production sont payés initialement, c'est-à-dire avant que United Studios ne sache combien les films rapporteront vraiment.

---

1. Pour simplifier, on suppose ici que le taux d'actualisation est nul et que le risque est idiosyncratique (dit autrement, les montants sont tous interprétés comme des valeurs actuelles). Dans les exemples suivants, nous tiendrons compte de l'actualisation et du risque systématique.

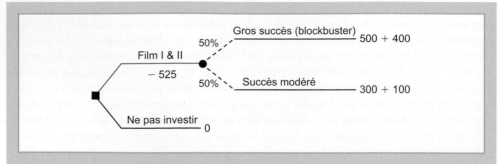

Figure 22.2 – L'arbre de décision de United Studios avec aléa

Les flux de trésorerie sont indiqués au moment où ils sont effectivement engagés ou réalisés. Les nœuds de décision sont représentés par des carrés, les nœuds d'information par des ronds. La décision optimale apparaît en couleur.

Arbres de décision et options réelles

L'arbre de décision de la figure 22.2 n'est pas une description complète des solutions possibles pour United Studios. Au lieu de produire les films simultanément, United Studios peut retarder le tournage du second film en attendant de savoir si le premier est un gros succès.

Le budget pour le premier film est de 300 millions de dollars. Si ce n'est qu'un succès modéré, le studio envisage de produire la suite pour un coût de 250 millions de dollars. Mais si le premier film est un gros succès au box-office, il est prévu de faire passer le budget du second film à 300 millions de dollars. En moyenne, le coût total espéré pour la production des deux films l'un après l'autre est de 575 millions de dollars, soit une augmentation de 50 millions de dollars par rapport au coût d'un tournage simultané. L'arbre de décision pour la production séquentielle est représenté à la figure 22.3. La principale différence entre cette figure et la précédente est qu'il apparaît maintenant que United Studios peut attendre avant de décider de produire le second film. Dans un arbre de décision, lorsqu'un nœud de décision se produit après un nœud d'information, alors il y a une option réelle. L'option de décider ultérieurement est précieuse en raison des nouvelles informations qui seront alors connues.

Comme le montre la figure 22.3, il n'est pas optimal pour United Studios de produire la suite à moins que le premier film ne soit un blockbuster. La production du second film après un succès modéré coûterait 250 millions de dollars pour un gain de seulement 100 millions de dollars. La production du second film, à ce moment-là, a une VAN négative de – 150 millions de dollars. Étant donné la stratégie optimale de United Studios (représentée en couleur), le gain escompté est le suivant :

$$- 300 + 5\,\% \times (500 - 300 + 400) + 5\,\% \times (300) = 150 \text{ millions de dollars}$$

$\underbrace{}$ $\underbrace{}$
Blockbuster Succès modéré
(suite) (pas de suite)

Si l'on compare ce gain à celui attendu si les films sont produits simultanément (125 millions de dollars), l'option d'attendre et de décider ultérieurement de produire le second film a une valeur de 25 millions de dollars pour United Studios. L'option est précieuse car United Studios va apprendre suffisamment pour éventuellement reconsidérer sa décision : elle annulera la production du second film si le premier n'est pas un blockbuster. La valeur de l'option est égale au bénéfice qu'il y a à éviter une perte de 150 millions de dollars avec une probabilité de 50 %, soit 75 millions de dollars, diminué de l'augmentation de 50 millions de dollars des coûts de production prévus.

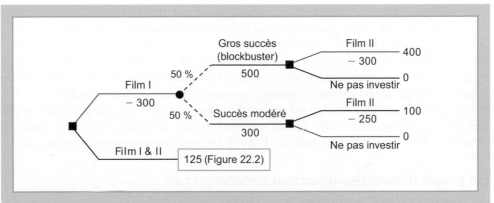

Figure 22.3 – L'arbre de décision de United Studios avec option réelle

Les flux de trésorerie sont indiqués au moment où ils sont effectivement engagés ou réalisés. Les nœuds de décision sont représentés par des carrés, les nœuds d'information par des ronds. La décision optimale apparaît en couleur. Si les films sont produits séquentiellement, United Studios peut prendre une décision en étant mieux informée.

Résolution des arbres de décision

Beaucoup de décisions d'investissement contiennent des options réelles, comme celle décrite dans l'exemple précédent. Bien que ces options soient spécifiques, elles peuvent être analysées en créant un arbre de décision qui permet d'identifier : les nœuds de décision indiquant les choix disponibles à chaque étape ; les nœuds d'information indiquant les informations pertinentes à acquérir ; les investissements effectués et les gains obtenus au fil du temps.

Une fois l'arbre de décision créé, il est possible d'évaluer l'opportunité d'investissement avec un raisonnement à rebours (*backward*), en partant des extrémités de l'arbre :

(i) À chaque nœud de décision, il faut déterminer le choix optimal en comparant la valeur actuelle des gains restants le long de chaque branche.

(ii) À chaque nœud d'information: il faut calculer la valeur actuelle anticipée des branches suivantes.

Comme toujours, que ce soit aux étapes (i) ou (ii), les valeurs actuelles sont calculées d'après la Loi du prix unique (en utilisant les méthodes développées dans les chapitres précédents).

L'exemple ici était très simple, avec seulement deux états et deux choix possibles. Mais la méthode est assez générale et permet d'évaluer des situations complexes, comme le montrent les exemples suivants du présent chapitre. Les options réelles ne sont toutefois pas toujours très apparentes. On en distingue généralement trois types : les options d'attente, de croissance et d'abandon.

22.3. Les options d'attente

L'exemple précédent montre, dans un cadre très simple, que la possibilité de reporter dans le temps une décision peut avoir de la valeur, car il est ainsi envisageable d'attendre le moment optimal pour prendre la meilleure décision possible. En pratique, l'opportunité d'attendre avant de décider d'un investissement est souvent coûteuse. Par exemple, en choisissant d'attendre des informations complémentaires avant de lancer un nouveau produit sur le marché, l'entreprise renonce aux ventes qu'elle aurait pu réaliser au cours de cette période. De plus, elle laisse le champ libre à ses concurrents, qui peuvent prendre une avance stratégique sur elle. La décision de retarder un projet d'investissement est donc le résultat d'un arbitrage entre les coûts et les bénéfices associés à cette attente.

Un projet d'investissement vu comme un call

Lola a négocié avec une chaîne de restauration rapide le droit d'ouvrir une nouvelle enseigne sous franchise à Toulouse. Le contrat prévoit que l'ouverture de ce restaurant doit être immédiate ou avoir lieu dans un an. Sinon, l'accord est caduc. La figure 22.4 présente l'arbre de décision de Lola.

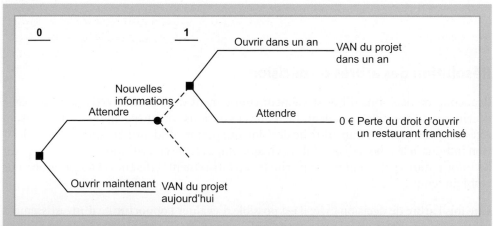

Figure 22.4 – Arbre de décision du projet d'ouverture d'un restaurant

Le restaurant doit ouvrir ses portes immédiatement ou dans un an. Si Lola décide d'attendre un an, c'est qu'elle espère recueillir d'ici là de nouvelles informations.

Combien Lola doit-elle payer pour cette opportunité d'investissement ? Le coût de l'ouverture du restaurant est de 5 millions d'euros, que le restaurant ouvre aujourd'hui ou dans un an. Si le restaurant ouvre aujourd'hui, le bénéfice sera de 600 000 € la première année. Les années suivantes, le bénéfice dépendra à la fois de la conjoncture économique et de l'évolution des goûts des consommateurs. On estime qu'il augmentera en moyenne de 2 % par an. Le coût du capital de ce projet est de 12 %. Par conséquent, la valeur actuelle de ce projet en cas d'ouverture immédiate est[2] :

$$V = \frac{600\,000}{12\,\% - 2\,\%} = 6 \text{ millions d'euros}$$

La VAN du projet en cas d'ouverture immédiate du restaurant est donc de 6 − 5 = 1 million d'euros. Par conséquent, le contrat offert à Lola par la chaîne de restaurant vaut 1 million d'euros, si l'on néglige l'option réelle qu'il contient. Sachant que Lola a la possibilité de retarder d'un an l'ouverture du restaurant, il est toutefois possible que ce contrat ait plus de valeur.

Dans un an, la décision d'ouvrir, ou non, le restaurant sera facile à prendre : il suffira de calculer la VAN du projet, compte tenu des informations collectées d'ici là à propos de la conjoncture économique et des goûts des consommateurs. Si, dans un an, à la lumière de ces nouvelles informations, la valeur actuelle du projet est supérieure à 5 millions d'euros, il sera optimal d'ouvrir le restaurant. Évidemment, la décision d'attendre doit être prise maintenant, alors que l'on ignore les informations qui seront révélées au cours de l'année à venir : la conjoncture économique est aléatoire et les goûts des consommateurs sont changeants.

Cet aléa peut être incorporé dans la valorisation de ce contrat en remarquant que le profil de gain de Lola, si elle diffère d'un an la décision d'investir, est assimilable à celui d'un call européen de maturité égale à un an, dont le sous-jacent est représenté par le restaurant et dont le prix d'exercice est de 5 millions d'euros. Les techniques de valorisation des options (voir chapitre 21) peuvent donc être utilisées. On suppose que le taux d'intérêt sans risque est de 5 % par an. Il est possible d'estimer la volatilité de la valeur du restaurant en calculant celle des rentabilités d'une entreprise comparable, cotée sur le marché : on trouve une volatilité de 40 %. En renonçant à l'ouverture immédiate du restaurant, Lola perd les 600 000 € de bénéfices liés à la première année d'exploitation. Dans le cadre optionnel, cette perte peut s'interpréter comme un dividende versé par le sous-jacent, puisque le détenteur du call ne reçoit pas de dividendes tant qu'il ne l'a pas exercé. On suppose qu'il n'y a pas d'autres coûts associés à l'attente d'un an avant l'ouverture du restaurant[3].

Le tableau 22.1 détaille l'adaptation des paramètres de la formule de Black-Scholes au cadre de cette option réelle. Pour appliquer cette formule (voir chapitre 21, section 21.2), il faut calculer la valeur courante de l'actif en déduisant la valeur actualisée, au coût du capital[4], du dividende, soit :

$$S^* = S - VA\left(Div\right) = 6\,000\,000 - \frac{600\,000}{1,12} = 5\,464\,286 \text{ €}$$

---

2. Une autre façon de calculer la valeur actuelle du projet en cas d'ouverture immédiate est d'utiliser la méthode des multiples. Une entreprise cotée sur le marché fonctionne sur le même principe de franchise et est valorisée par le marché 10 fois ses bénéfices. La valeur actuelle du projet en cas d'ouverture immédiate est donc : 600 000 € × 10 = 6 millions d'euros.

3. Par exemple, on suppose que l'attente n'a pas d'effets négatifs sur la croissance des bénéfices futurs. Ce point fait l'objet d'une discussion dans la suite de ce chapitre.

4. Ce flux monétaire est aléatoire et soumis au même risque que l'entreprise elle-même. Le taux d'actualisation est donc égal au coût du capital.

Il faut également calculer la valeur actuelle du coût de l'ouverture du restaurant si elle a lieu au bout d'un an. Celui-ci est connu avec certitude aujourd'hui (5 millions d'euros) ; il faut donc l'actualiser au taux d'intérêt sans risque :

$$VA(K) = \frac{5\,000\,000}{1,05} = 4\,761\,905 \text{ €}$$

Tableau 22.1 Paramètres de la formule de Black-Scholes pour évaluer une option réelle

Option financière		Option réelle	Exemple
Prix de l'action	S	Valeur de marché du projet	6 millions d'euros
Prix d'exercice	K	Investissement initial	5 millions d'euros
Date d'échéance	T	Date finale de décision concernant le projet	1 an
Taux d'intérêt sans risque	r_f	Taux d'intérêt sans risque	5 %
Volatilité de l'action	σ	Volatilité de la valeur du projet	40 %
Dividende	Div	Flux de trésorerie disponible perdu si report du projet	0,6 million d'euros

Il est maintenant possible de calculer la valeur du call grâce aux équations (21.6) et (21.7) :

$$d_1 = \frac{\ln\left[S^* / VA(K)\right]}{\sigma\sqrt{T}} + \frac{\sigma\sqrt{T}}{2} = \frac{\ln\left[5,46 / 4,76\right]}{0,40} + \frac{0,40}{2} = 0,543$$

$$d_2 = d_1 - \sigma\sqrt{T} = 0,543 - 0,40 = 0,143$$

Donc :

$$C = S^* \times N(d_1) - VA(K) \times N(d_2) = 5,46 \times 0,706 - 4,76 \times 0,557 = 1,20 \quad (22.1)$$

L'équation (22.1) indique que la valeur actuelle de l'option d'attente est de 1,2 million d'euros. Cette valeur est supérieure à la VAN d'une ouverture immédiate (1 million d'euros). Par conséquent, il est optimal du point de vue de Lola d'attendre un an. La valeur du contrat offert par le franchiseur est donc de 1,2 million d'euros.

Afin de comprendre ce résultat, il faut revenir à la signification de l'option réelle consistant à disposer de la possibilité de différer d'un an l'investissement. En attendant un an, Lola pourra obtenir des informations complémentaires sur la probabilité de réussite de son projet, grâce à l'observation des performances financières des autres restaurants de la chaîne. Puisqu'elle n'a pas d'engagement ferme à ouvrir le restaurant, elle pourra se rétracter si, au cours de l'année à venir, elle observe une baisse des bénéfices des autres restaurants de la chaîne. En ouvrant le restaurant immédiatement, elle renonce à cette option d'abandon du projet dans un an[5].

---

5. Un second avantage lié à la décision d'attendre est que le coût d'ouverture du restaurant est constant, que celle-ci ait lieu aujourd'hui ou dans un an. La valeur actuelle du coût d'ouverture dans un an est donc plus faible que celle de l'ouverture immédiate. Cette hypothèse ne modifie ni le raisonnement ni les résultats.

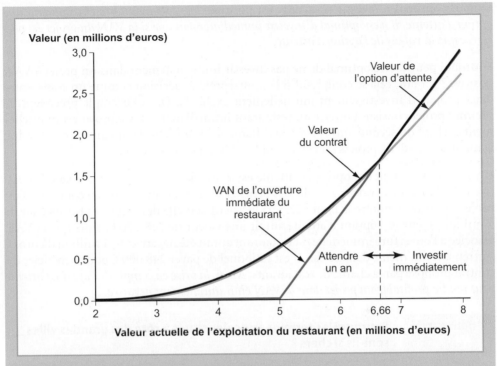

Figure 22.5 – Décision relative à la date d'ouverture du restaurant

La courbe de couleur correspond à la VAN liée à l'ouverture immédiate du restaurant et la courbe grise à celle de la valeur de l'option d'attente. La courbe noire représente la valeur du contrat. La stratégie optimale d'investissement consiste à ouvrir le restaurant immédiatement si la valeur actuelle du projet dépasse 6,66 millions d'euros.

Lola fait donc face à un arbitrage entre le revenu de la première année d'exploitation et le bénéfice qu'il y a à attendre. Dans notre exemple, Lola a intérêt à attendre : ce n'est bien évidemment pas toujours le cas (il suffirait de supposer que le bénéfice de la première année est de 700 000 € pour qu'il soit optimal du point de vue de Lola d'ouvrir immédiatement son restaurant[6]).

La figure 22.5 représente la VAN du restaurant en cas d'ouverture immédiate (courbe de couleur) ainsi que la valeur de l'option d'attente (courbe grise), en fonction de la valeur actuelle du projet. Comme l'illustre la figure, il faut ouvrir le restaurant aujourd'hui (et abandonner l'option) si la valeur actuelle des bénéfices futurs dépasse 6,66 millions d'euros. En d'autres termes, la stratégie optimale d'investissement consiste à ouvrir le restaurant immédiatement si sa VAN dépasse 6,66 – 5 = 1,66 million d'euros.

Les déterminants de la valeur de l'option d'attente

Cet exemple illustre la façon dont une option réelle incluse dans un projet peut influencer la décision d'investissement. Lorsqu'un projet ne dispose pas d'option d'attente, il est

---

6. La valeur actuelle du restaurant en cas d'ouverture immédiate est de 7 millions d'euros. La VAN est donc de 2 millions d'euros alors que le call ne vaut que 1,91 million d'euros.

toujours optimal d'investir si sa VAN est positive. *Dès lors qu'un projet comprend une option d'attente, il n'est optimal d'investir immédiatement que si la VAN du projet est plus élevée que la valeur de l'option d'attente.*

Pourquoi peut-il être optimal de ne pas investir immédiatement dans un projet à VAN positive ? En fait, cela se comprend si l'on interprète la décision comme un choix entre deux projets d'investissement mutuellement exclusifs. Dans l'exemple précédent, le premier projet consiste à ouvrir un restaurant immédiatement. Ce projet est mutuellement exclusif du second, qui consiste à différer cette ouverture d'un an. Dans ce cadre, le meilleur des deux projets est celui dont la VAN est la plus élevée.

Un aspect important des options d'attente est que celles-ci conservent une valeur positive même lorsque la valeur actuelle des bénéfices futurs est inférieure au coût initial du projet, comme le montre la figure 22.5. Si la valeur actuelle des bénéfices futurs était de 4 millions d'euros, l'option d'attente aurait une valeur de 248 000 €, alors que la VAN associée à l'ouverture immédiate du restaurant aurait été négative[7] (– 1 million d'euros). Autrement dit, même dans ce cas, il est rationnel de payer 248 000 € pour bénéficier du contrat proposé par la chaîne de restaurants. Ainsi, *la prise en compte de l'option d'attente peut rendre profitable un projet dont la VAN était initialement négative.*

Zoom sur…	**Pourquoi les terrains agricoles situés à côté des grandes villes sont-ils si chers ?**

En France, le prix des terrains agricoles varie beaucoup d'un endroit à l'autre, même au sein d'une région, sans que des différences de productivité à l'hectare ne puissent expliquer ce phénomène. Les terrains agricoles situés près de Paris ou de la Côte d'Azur atteignent des prix qui dépassent de loin ceux qui sont situés dans les zones rurales. Cette différence de prix reflète le fait qu'il existe une probabilité que ces terrains deviennent constructibles à mesure que les zones urbaines s'agrandissent, ce qui permettrait la transformation d'un terrain agricole en une zone résidentielle beaucoup plus rentable. Le prix actuel de ces terrains s'explique donc par la présence d'une option d'attente.

Outre la VAN du projet, les déterminants de la valeur des options réelles sont identiques à ceux des options financières (voir chapitres 20 et 21). Il s'agit en particulier :

- De la volatilité : en retardant la décision d'investissement, il est possible de tenir compte d'informations qui ne sont pas encore disponibles. L'option d'attente a donc d'autant plus de valeur que les revenus associés au projet sont aléatoires. À l'inverse, si les revenus sont peu risqués, l'option d'attente perd l'essentiel de sa valeur.

- Des dividendes : il n'est jamais optimal d'exercer avant son échéance un call écrit sur une action ne versant pas de dividendes (chapitre 20). Dans le contexte d'une option réelle, le dividende correspond aux bénéfices auxquels on renonce en attendant. Il est donc d'autant plus attractif de profiter de l'option d'attente que celle-ci est peu coûteuse.

---

7. Sur la figure, la VAN dans cette situation est nulle : lorsqu'un projet a une VAN négative, il doit être abandonné et sa VAN est donc nulle.

L'évaluation d'une option d'attente

Lola pense que la valeur actuelle du restaurant est de 6 millions d'euros. Quelle est la valeur du contrat proposé par la chaîne de restaurants si la volatilité des bénéfices futurs est de 25 % plutôt que de 40 % ? En fait, la volatilité des bénéfices futurs est bien de 40 % mais la décision d'attendre un an avant d'ouvrir le restaurant laisse le champ libre aux concurrents, ce qui réduit de 10 % la valeur actuelle des bénéfices futurs. Quelle est alors la valeur du contrat proposé par la chaîne de restaurants ?

Solution
La valeur du call si $\sigma = 25$ % est, d'après les équations (21.6) et (21.7) :

$$d_1 = \frac{\ln\left[S^* / VA\left(K\right)\right]}{\sigma\sqrt{T}} + \frac{\sigma\sqrt{T}}{2} = \frac{\ln\left[5,46 / 4,76\right]}{0,25} + \frac{0,25}{2} = 0,674$$

$$d_2 = d_1 - \sigma\sqrt{T} = 0,674 - 0,25 = 0,424$$

Donc :

$$C = S^* \times N\left(d_1\right) - VA\left(K\right) \times N\left(d_2\right) = 5\ 464\ 286\ \text{€} \times 0,750 - 4\ 761\ 905\ \text{€} \times 0,664$$
$$= 934\ 360\ \text{€}$$

Avec un investissement initial de 5 millions d'euros, la VAN associée à l'ouverture immédiate est de 1 million d'euros, alors que la valeur de l'option d'attente n'est que de 900 000 €. Il est donc préférable d'ouvrir tout de suite le restaurant. Si la volatilité est moins élevée, l'aléa sur les bénéfices futurs est plus faible, et la valeur de l'option ne compense pas la perte des revenus de la première année d'exploitation. Avec ces paramètres, Lola devrait ouvrir immédiatement le restaurant et ne pas payer plus de 1 million d'euros pour ce contrat.

Si la volatilité des bénéfices est de 40 % mais que l'arrivée de nouveaux concurrents en cas d'attente réduise de 10 % la valeur actuelle des bénéfices attendus, cela revient à considérer qu'un dividende supplémentaire est abandonné si Lola choisit d'attendre :

$$S^* = S - VA\left(\text{bénéfice la première année}\right)$$
$$- VA\left(\text{perte due à l'entrée de nouveaux concurrents}\right)$$
$$= \left(6\ 000\ 000 - \frac{600\ 000}{1,12}\right)\left(1 - 0,1\right) = 4\ 917\ 857\ \text{€}$$

La valeur du call est d'après les équations (21.6) et (21.7) :

$$d_1 = \frac{\ln\left[S^* / VA\left(K\right)\right]}{\sigma\sqrt{T}} + \frac{\sigma\sqrt{T}}{2} = \frac{\ln\left[4,92 / 4,76\right]}{0,40} + \frac{0,40}{2} = 0,283$$

$$d_2 = d_1 - \sigma\sqrt{T} = 0,283 - 0,40 = -0,117$$

...

Exemple 22.1

...

Donc :

$$C = S^* \times N(d_1) - VA(K) \times N(d_2) = 4\,917\,857\,€ \times 0{,}611 - 4\,761\,905\,€ \times 0{,}453$$
$$= 849\,840\,€$$

Il n'est pas optimal d'attendre un an avant d'ouvrir le restaurant : le gain provenant des informations supplémentaires relatives aux bénéfices futurs ne compense pas le coût lié à l'entrée de nouveaux concurrents. Il est préférable d'ouvrir immédiatement le restaurant. Avec ces paramètres, Lola ne devrait, de nouveau, pas payer plus de 1 million d'euros pour ce contrat.

| **Crise financière** | **Incertitude, investissement et option d'attente** |

À la mi-septembre 2008, en pleine crise financière, le Trésor américain a mis en place un programme de rachat d'actifs « toxiques » d'une ampleur sans précédent (750 milliards de dollars), afin d'aider les banques, dans le but de relancer le marché du crédit et favoriser l'investissement des entreprises. Pourtant, cela n'a pas empêché la récession ; l'investissement des entreprises américaines a chuté de presque 20 % au quatrième trimestre 2008, soit la baisse trimestrielle la plus forte depuis 1975. Comment expliquer cet échec ? Un des facteurs réside sans doute dans l'incertitude entourant les conditions d'application de ce programme et l'existence d'options d'attente incluses dans la plupart des projets d'investissement. Face à l'incertitude sur la conjoncture économique et la façon dont ce plan serait mis en œuvre, la valeur des options d'attente a augmenté, et les entreprises ont massivement reporté leurs investissements.

Option et risque de l'entreprise

Dans le cadre de son projet de franchise, Lola a fondé une entreprise qui ne détient aucun autre actif. Comment apprécier le risque de l'entreprise ? Nous avons déjà calculé la valeur de l'option réelle qui s'élève à 1,2 million d'euros. C'est aussi la valeur de l'entreprise. Pour mesurer le risque, il est nécessaire de connaître le bêta du projet. L'activité étant très sensible à la conjoncture économique, Lola suppose un bêta de 2. Toutefois, il est prévu d'attendre un an avant de décider d'ouvrir, ou pas, cette nouvelle enseigne. Le bêta de l'entreprise n'est donc pas le bêta du projet mais celui de l'option, qui peut être calculé à partir de la formule de Black-Scholes et de l'équation (21.17). La VAN du projet étant de 6 millions d'euros, compte tenu des valeurs de l'équation (22.2), le bêta de l'option, et donc celui de l'entreprise, est :

$$\beta_{Entreprise} = \frac{S^* \times N(d_1)}{C} \beta_{Resto} = \frac{(5{,}46\,M€) \times (0{,}706)}{1{,}2\,M€} \beta_{Resto} = 3{,}2 \times \beta_{Resto} = 6{,}4$$

On remarquera que le bêta de l'entreprise est bien supérieur à celui du projet. Ce bêta varie avec la valeur de l'option et il ne sera égal au bêta du projet que s'il est optimal d'ouvrir le restaurant immédiatement.

Comme l'illustre cet exemple, quand l'on compare les entreprises d'un même secteur, les bêtas peuvent varier selon les opportunités de croissance de chaque firme. Toutes choses égales par ailleurs, les entreprises pour lesquelles la valeur dépend le plus de leurs opportunités de croissance futures auront des bêtas plus élevés[8]. Le fait que le bêta de l'entreprise dépende du bêta de ses opportunités de croissance a des conséquences sur la planification financière. En effet, le bêta des options de croissance étant supérieur au bêta de l'entreprise, ce dernier surestime le bêta des actifs existants[9].

22.4. Les options de croissance et d'abandon

Lorsqu'une entreprise a la faculté d'investir dans le futur, elle dispose d'une option de croissance. *A contrario*, certaines entreprises ont la possibilité de stopper leurs investissements dans un projet. On parle alors d'option d'abandon. Ces options ont de la valeur et contribuent donc à augmenter la valeur des entreprises qui les détiennent.

Valoriser la croissance potentielle d'une entreprise

Les opportunités de croissance peuvent être vues comme un portefeuille de calls écrits sur les projets d'investissement potentiels. La plupart des options de croissance sont en dehors de la monnaie. Les calls en dehors de la monnaie étant beaucoup plus risqués que ceux dans la monnaie, la croissance potentielle d'une entreprise se révèle donc plus risquée que ses actifs existants. Cela explique la rentabilité élevée des entreprises récentes ou de petite taille, ainsi que le coût élevé du capital des entreprises qui investissent massivement en R&D, et ce, même si la majeure partie du risque des projets de R&D est spécifique[10].

Dans l'exemple précédent, la principale source d'incertitude porte sur les flux futurs du projet. Considérons un second exemple dans lequel l'incertitude porte sur le coût du capital. Cet exemple nous permettra par la même occasion d'illustrer comment utiliser l'approche risque-neutre pour valoriser les options de croissance[11].

Génética est une entreprise fondée il y a peu. Son actif est constitué d'un brevet sur un nouveau médicament. Si ce médicament arrive sur le marché, Génética réalisera un profit sans risque annuel de 1 million d'euros pendant 17 ans. Après cette période, le médicament tombera dans le domaine public et Génética ne fera plus aucun profit à cause de la concurrence des génériques. Le coût de mise sur le marché du médicament est de 10 millions d'euros. La rentabilité annuelle des obligations d'état de maturité

---

8. Voir Z. Da, R. J. Guo et R. Jagannathan (2012), « CAPM for Estimating the Cost of Equity Capital: Interpreting the Empirical Evidence », *Journal of Financial Economics*, 103, 204-220.

9. Ce biais est notamment étudié par A. Bernardo, B. Chowdhry et A. Goyal (2012), « Assessing Project Risk », *Journal of Applied Corporate Finance*, 24, 94-1.

10. La relation rendement-risque des projets de R&D est étudiée par J. Berk, R. C. Green et V. Naik (2004), « The Valuation and Return Dynamics of New Ventures », *Review of Financial Studies*, 17, 1-35.

11. L'approche risque-neutre est également bien utile lorsque l'option est exerçable à tout moment ou lorsque la valeur de l'actif sous-jacent ne suit pas une distribution log-normale.

égale à 17 ans est de 8 %. Quelle est la valeur du brevet ? La VAN du projet consistant à produire le médicament aujourd'hui est de :

$$VAN = 1 \times 10^6 \times \frac{\left(1 - 1{,}08^{-17}\right)}{0{,}08} - 10^7 = -878\,362\,€$$

D'après ce calcul, Génética doit renoncer à la production de ce médicament. Que se passe-t-il si les taux d'intérêt changent au fil du temps[12] ? Dans un an exactement, les taux d'intérêt évolueront et passeront à 5 % ou 10 %. Pendant les 16 années suivantes, les taux ne changeront plus. De manière évidente, toute augmentation du taux d'intérêt rendra ce projet encore moins attractif, et le médicament ne sera jamais commercialisé. L'option de croissance est nulle dans ce cas. En revanche, si l'année prochaine le taux d'intérêt passe à 5 %, la VAN du projet (qui n'a plus qu'une durée de vie de 16 ans) sera de :

$$VAN = 1 \times 10^6 \times \frac{\left(1 - 1{,}05^{-16}\right)}{0{,}05} - 10^7 = 837\,770\,€$$

Il sera alors intéressant d'investir. On peut représenter cette situation à l'aide d'un arbre de décision (figure 22.6). La première étape pour valoriser l'option consiste à calculer les probabilités risque-neutre (chapitre 21). Celles-ci sont telles que le prix de marché d'un actif financier aujourd'hui égalise l'espérance, calculée à l'aide de ces probabilités, de la valeur actuelle de ses flux monétaires futurs. L'adaptation des probabilités risque-neutre au cas de l'option réelle implique de considérer comme actif de référence une annuité de 1 000 € pendant 17 ans. Avec un taux d'intérêt de 8 %, la valeur actuelle de cette annuité est :

$$S = 1000 \times \frac{\left(1 - 1{,}08^{-17}\right)}{0{,}08} = 9\,122\,€$$

Dans un an, il restera donc 16 années à courir pour l'annuité de 1 000 €. Si les taux montent à 10 %, sa valeur sera :

$$S_h = 1000 \times \frac{\left(1 - 1{,}1^{-16}\right)}{0{,}1} = 8\,824\,€$$

Si les taux baissent à 5 %, sa valeur sera :

$$S_b = 1000 \times \frac{\left(1 - 1{,}05^{-16}\right)}{0{,}05} = 11\,838\,€$$

---

12. Il est peu vraisemblable que le taux d'intérêt varie sans que cela n'influence les flux futurs du projet, mais cela ne modifie pas le raisonnement.

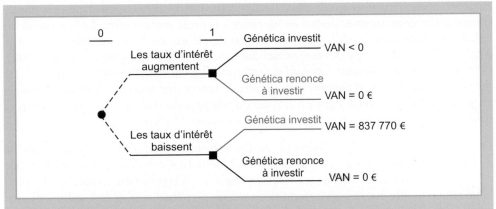

Figure 22.6 – La décision d'investir de Génética

Si les taux d'intérêt augmentent, la VAN du projet est négative et Génética renonce à commercialiser ce nouveau médicament. À l'inverse, si les taux d'intérêt baissent, il est optimal pour Génética de le produire.

Si le taux d'intérêt sans risque à un an est actuellement de 6 %[13], la probabilité risque-neutre, q, que le taux augmente à 10 % dans un an est telle que l'espérance de rentabilité de cette annuité dans un an, calculée sous cette mesure de probabilité, est égale au taux sans risque à un an d'aujourd'hui. Donc, d'après l'équation (21.13) :

$$q = \frac{S\left(1+r_f\right)-S_b}{S_h-S_b} = \frac{9\,122 \times 1,06 - 11\,838}{8\,824 - 11\,838} = 71,95\ \%$$

Une probabilité risque-neutre de 71,95 % que les taux d'intérêt augmentent est donc nécessaire pour que l'annuité ait une rentabilité espérée égale au taux sans risque. Il est maintenant possible d'utiliser cette mesure de probabilité pour calculer la valeur actuelle de l'opportunité d'investissement consistant à produire le médicament dans un an : c'est simplement la valeur espérée des VAN de ce projet dans les deux états de la nature, calculée sous la mesure de probabilité risque-neutre et actualisée au taux sans risque. D'après l'équation (21.14) :

$$VAN = \frac{VAN_h \times q + VAN_b \times \left(1-q\right)}{1+r_f} = \frac{0 \times 0,7195 + 837\,770 \times \left(1-0,7195\right)}{1,06} = 221\,693\ €$$

Cet exemple montre que, même si les flux monétaires sont connus avec certitude, l'aléa relatif à l'évolution future des taux d'intérêt suffit à créer une option de croissance pour Génética. La valeur de cette option est élevée, puisque l'opportunité dont dispose l'entreprise de profiter de son brevet en cas de baisse des taux vaut plus de 220 000 €.

Les options de croissance

Les options de croissance doivent être prises en compte pour valoriser correctement une entreprise ou un simple projet d'investissement. En lançant un nouveau projet, une

---

13. La courbe des taux est donc croissante, ce qui est le cas le plus fréquent.

entreprise crée fréquemment de nouvelles opportunités d'investissement, peu à la portée d'entreprises concurrentes du fait de barrières à l'entrée importantes. Le lancement du baladeur numérique iPod Touch en 2001 par Apple est un bon exemple : grâce à sa maîtrise de la technologie des écrans tactiles, l'entreprise peut commercialiser, en 2007, l'iPhone, téléphone portable reposant sur cette même technologie, puis l'iPad en 2010. De même, une marque de vêtements peut décider de lancer une nouvelle ligne de vêtements en prévoyant que, si cette ligne est un succès, elle sera déclinée en ligne d'accessoires : raisonner ainsi revient à créer des options de croissance future.

L'entreprise Abac dispose d'une opportunité d'investissement imposant une dépense initiale de 10 millions d'euros pour développer une machine-outil révolutionnaire. Ce projet recèle une option de croissance : dans un an, l'entreprise saura si le projet est un succès. La probabilité risque-neutre que le projet produise un revenu perpétuel annuel de 1 million d'euros est de 50 % ; dans le cas contraire, le projet sera abandonné et son revenu sera nul. À tout moment, l'entreprise peut décider de doubler la taille du projet tout en conservant ses caractéristiques originales. La figure 22.7 représente l'arbre de décision du projet d'investissement.

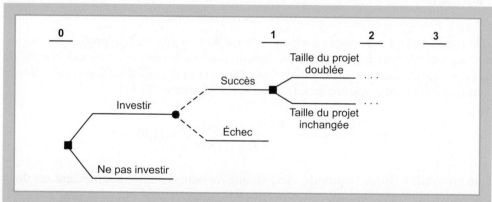

Figure 22.7 – Opportunité d'investissement échelonné

À tout moment, la taille du projet peut être doublée tout en conservant ses caractéristiques originales. Il sera optimal de doubler la taille du projet si et seulement si le succès est au rendez-vous. Cette option de croissance peut rendre profitable un investissement dont la VAN initiale est négative.

Le taux d'intérêt sans risque est de 6 % par an. Si l'on ignore l'option de croissance et qu'on lance le projet immédiatement, le revenu annuel espéré est de 1 million × 0,5 = 0,5 million d'euros. La VAN de ce projet vaut donc :

$$VAN_{sans\ option} = \frac{0,5}{0,06} - 10 = 1,667 \text{ millions d'euros}$$

Si l'on ignore l'option de croissance, le projet ne doit pas être lancé car sa VAN est négative. Mais, dans ce cas, Abac ne saura jamais s'il aurait pu être un succès (l'option de croissance aurait potentiellement pu être exercée avec profit). L'oubli de l'option de croissance dans le raisonnement pose donc problème. Si le projet se révèle être un succès, sachant que l'option sera exercée au bout d'un an, la VAN liée à son exercice est donc de :

$$VAN_{option\ exercée} = \frac{0,5 \times 2}{0,06} - 10 = 6,667 \text{ millions d'euros}$$

La probabilité risque-neutre que cet état se réalise est de 50 %. La valeur espérée de cette option de croissance est alors de $6,667 \times 0,5 = 3,333$ millions d'euros. La valeur actuelle de l'option est donc de :

$$VAN_{option\ de\ croissance} = \frac{3,333}{1,06} = 3,145 \text{ millions d'euros}$$

Cette option n'est disponible pour l'entreprise que si elle a décidé initialement de lancer le projet. La VAN du projet incluant l'option de croissance n'est donc rien d'autre que la somme de la VAN du projet sans l'option de croissance et de la valeur actuelle de l'option de croissance :

$$VAN_{projet} = VAN_{sans\ option} + VAN_{option\ de\ croissance}$$

$$= -1,667 + 3,144 = 1,477 \text{ millions d'euros}$$

Le projet doit donc être entrepris par Abac, bien que sa VAN initiale soit négative, car il offre à l'entreprise une option de croissance dont la valeur est élevée. S'il avait été possible à l'entreprise de déterminer à l'avance le succès ou l'échec de ce projet, il aurait été rationnel d'utiliser cette information pour décider en toute connaissance de cause. Cependant, dans de nombreux cas, cette information n'est pas disponible… Voilà pourquoi les entreprises lancent fréquemment leurs nouveaux produits à une petite échelle, avant d'exercer ou non l'option d'augmenter la production en passant à une production de masse. Cette stratégie est connue sous le nom d'investissements échelonnés, ou progressifs.

L'option d'abandon

Dans les deux exemples précédents, on a considéré le cas d'options de croissance exerçables lorsque le projet d'investissement se révèle fructueux. Symétriquement, si ce dernier se révèle être un échec, l'entreprise peut décider d'en réduire la taille, voire d'y renoncer. On parle alors d'option d'abandon. Cette dernière augmente la valeur d'un projet, car l'entreprise limite ainsi ses pertes lorsque le projet se révèle être un échec.

Prenons un exemple. Le directeur d'une entreprise envisage d'ouvrir un nouveau magasin. Si le bail n'est pas signé immédiatement, il est fort probable qu'un concurrent s'installera à l'emplacement souhaité. L'entreprise risque donc de perdre l'opportunité d'ouvrir un magasin dans ce secteur. Une clause dans le contrat de bail stipule que celui-ci peut être cassé, sans coût, au bout de deux ans. Si l'on tient compte des loyers, le coût d'exploitation de ce magasin s'établit à 10 000 € par mois. Le magasin est situé dans un quartier récemment rénové, il est donc difficile de prévoir sa fréquentation. Si le quartier attire peu de nouveaux habitants, la marge brute sera de 8 000 € mensuels (à l'infini). Si, en revanche, la zone voit sa population croître comme prévu, la marge brute sera de 16 000 €. La probabilité de cet état de la nature est de 50 %. Le coût d'implantation du magasin est de 400 000 €. Le taux d'intérêt sans risque est de 7 %.

L'aléa relatif à la fréquentation du magasin est un risque spécifique par rapport au reste de l'activité de l'entreprise ; ce risque peut être éliminé sans coût par les investisseurs grâce à la diversification de leurs portefeuilles. Le coût du capital est donc égal au taux d'intérêt sans risque, soit 7 % par an ou $1,07^{1/12} - 1 = 0,565$ % par mois. Si l'on néglige l'option d'abandon au bout de deux ans, la marge brute espérée est de

$8\,000 \times 0,5 + 16\,000 \times 0,5 = 12\,000$ €. La VAN de ce projet est égale à la valeur actuelle de la marge brute espérée moins les coûts :

$$VAN_{sans\ option} = \frac{12\,000}{0,00565} - \frac{10\,000}{0,00565} - 400\,000 = -46\,018\ €$$

La VAN est donc négative. Si on oublie l'option d'abandon, le bail ne doit pas être signé. Toutefois, cette option existe : après deux ans d'exploitation, on saura si la zone dans laquelle le commerce est installé a vu sa population résidente croître ou non. L'entreprise sera alors en mesure de décider si elle souhaite continuer à exploiter le magasin ou si elle préfère arrêter. L'arbre de décision est représenté à la figure 22.8.

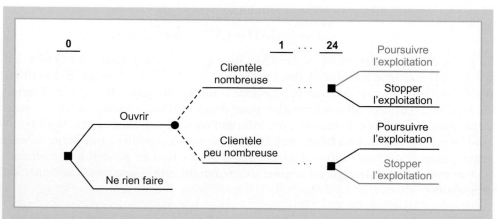

Figure 22.8 – Opportunité d'ouvrir un magasin

L'entreprise doit décider maintenant de signer un bail pour un magasin. Le bail pourra être cassé sans coûts dans deux ans, si la profitabilité du magasin n'est pas au rendez-vous. Cette profitabilité sera fonction de la fréquentation du commerce.

Dans le bon état de la nature (*b*), l'entreprise continue d'exploiter le magasin après deux ans et sa marge brute est de 16 000 € par mois. La VAN du projet d'investissement est alors :

$$VAN_b = \frac{16\,000}{0,00565} - \frac{10\,000}{0,00565} - 400\,000 = 661\,947\ €$$

Dans le mauvais état de la nature (*m*), le magasin est fermé au bout de deux ans. La VAN du projet correspond donc uniquement à celle des deux premières années d'exploitation :

$$VAN_m = 8\,000\ \frac{\left(1 - 1,00565^{-24}\right)}{0,00565} - 10\,000\ \frac{\left(1 - 1,00565^{-24}\right)}{0,00565} - 400\,000 = -444\,770\ €$$

Les deux états de la nature sont équiprobables. Puisque le risque est idiosyncratique, les probabilités historiques et risque-neutre sont identiques. La VAN du projet d'ouverture du magasin qui offre une option d'abandon est donc égale à la moyenne des VAN dans les deux états de la nature pondérées par leurs probabilités, soit 661 947 € × 0,5 − 444 770 € × 0,5 = 108 589 €.

En exerçant l'option d'abandon du projet au bout de deux ans, l'entreprise peut limiter ses pertes, ce qui rend la VAN du projet positive. La valeur de l'option d'abandon de ce projet est égale à la différence entre la VAN du projet avec l'option et celle sans l'option, soit 108 589 € – (– 46 018 €) = 154 607 €[14].

Il est fréquent de sous-évaluer, voire d'ignorer, les options d'abandon incluses dans les projets d'investissement. Dans bien des cas, renoncer à un projet non rentable crée plus de valeur pour l'entreprise que ce que rapporterait un nouvel investissement. Pourtant, les entreprises ont souvent tendance à se focaliser sur la création de valeur liée à de nouveaux investissements plutôt que sur la destruction de valeur évitée en abandonnant certains projets. Ce biais comportemental s'apparente à celui des investisseurs qui ont tendance à détenir au-delà de ce qui serait rationnel des titres sur lesquels ils ont réalisé des moins-values (voir chapitre 13). Ce phénomène est comparable à l'erreur couramment commise qui veut qu'un projet ne soit pas abandonné à cause des coûts irrécupérables qu'il imposerait à l'entreprise. Pourtant, le chapitre 7 a montré que les coûts irrécupérables ne doivent pas être pris en compte lors d'une décision d'investissement. Dès lors, arrêter en cours de route un projet à VAN négative crée de la valeur, quels que soient les coûts irrécupérables déjà payés !

| Zoom sur… | **L'option de remboursement anticipé** |

Une option d'abandon dont disposent beaucoup de particuliers est la possibilité de remboursement anticipé des crédits qu'ils ont souscrits, en particulier les crédits immobiliers. En France, la plupart des banques proposent par défaut à leurs clients des contrats prévoyant une clause de remboursement anticipé. La grande majorité des prêts immobiliers octroyés est à taux fixe et sur des périodes de 10 à 25 ans.

Cette option de remboursement anticipé a une grande valeur lorsque le crédit immobilier est souscrit à une période de taux d'intérêt élevé : au début des années 1990 par exemple, le taux des crédits immobiliers dépassait allègrement les 12 %, contre moins de 4 % en 2010. Une telle clause permet donc à un particulier ayant souscrit un crédit immobilier à taux élevé de le refinancer à un taux plus faible. Il peut ainsi rembourser par anticipation le crédit initial en en contractant un nouveau, auprès du même établissement ou d'un autre établissement de crédit. Cela réduit les mensualités de remboursement en conservant inchangée l'échéance du prêt ou réduit la durée de remboursement en gardant la mensualité constante. Cette option possède une valeur aux yeux de l'emprunteur. Elle a donc un coût pour la banque qui impose en général une pénalité au remboursement anticipé représentant, en moyenne, 2 % du capital restant dû et un taux d'intérêt à taux fixe plus élevé qu'en l'absence de la clause. Le calcul exact du coût pour la banque d'une telle clause est relativement complexe, car il dépend du niveau actuel des taux d'intérêt mais aussi des anticipations relatives à leur évolution.

Les entreprises également émettent des titres de dette contenant des clauses optionnelles d'abandon. Par exemple, de nombreuses obligations émises par les entreprises comprennent une clause de remboursement anticipé (**obligations *callables***) ou une clause de convertibilité des titres en actions de l'entreprise (**obligations convertibles**), voire les deux.

---

14. Il est également possible de calculer la valeur de l'option directement : avec une probabilité de 50 %, cette option d'abandon permet d'éviter, dans deux ans, une perte de 2 000 € par mois à l'infini. Elle vaut donc :

$$50\ \% \times \frac{1}{1{,}00565^{24}} \times \frac{2\ 000}{0{,}00565} = 154\ 607\ €$$

Les options réelles sont particulièrement utiles lorsqu'une entreprise doit choisir entre deux projets mutuellement exclusifs de durées différentes. Considérons l'exemple suivant. Tech Moteurs est une entreprise spécialisée dans la conception de moteurs. L'année dernière, Tech Moteurs a commandé à Ingéméca, une société de conseil, une étude pour la conception d'une machine fabriquant des injecteurs à haute performance. Ingéméca a fourni à Tech Moteurs deux solutions. La plus économique nécessite un investissement de 10 millions d'euros et la machine aura une durée de vie de cinq ans. L'autre solution impose un investissement de 16 millions d'euros et cette machine pourra être utilisée pendant 10 ans. Quelle que soit la machine construite, Tech Moteurs économisera 3 millions d'euros par an. Le coût du capital de Tech Moteurs est de 10 %. Quelle machine Tech Moteurs doit-elle choisir ?

La VAN de chacune des deux machines. La VAN de la machine dont la durée de vie est de cinq ans est :

$$VAN_{5\,ans} = \frac{3}{0,1} \times \left(1 - 1,1^{-5}\right) - 10 = 1,372 \text{ millions d'euros}$$

Celle de la machine de durée de vie de 10 ans est :

$$VAN_{10\,ans} = \frac{3}{0,1} \times \left(1 - 1,1^{-10}\right) - 16 = 2,434 \text{ millions d'euros}$$

D'après le critère de la VAN, Tech Moteurs devrait choisir la machine ayant une durée de vie de 10 ans. Cependant, le calcul de la VAN ignore la différence de durée de vie entre ces deux machines. La seconde implique une exploitation sur 10 ans, contre 5 pour la première. Pour comparer ces deux projets sur une base commune, il convient d'étudier les trois possibilités qui s'offrent à Tech Moteurs à la fin des cinq premières années : l'entreprise peut abandonner cette technologie ou renouveler le même investissement pour cinq années supplémentaires, ou encore remplacer la machine par une autre plus performante (nouveau projet d'investissement).

Cas 1. Arrêt du projet. Si, au bout de cinq ans, Tech Moteurs décide de ne pas remplacer la machine à l'identique, et revient à la technologie plus ancienne qu'elle utilisait auparavant, il n'y a pas de revenus supplémentaires à attendre du premier projet. Les VAN des deux projets peuvent, dès lors, être comparées directement ; l'entreprise devrait alors choisir la seconde solution (machine de durée de vie de 10 ans) puisque celle-ci apporte à l'entreprise un supplément de valeur de 2,434 – 1,372 = 1,062 millions d'euros.

Cette décision de non-renouvellement de la machine peut s'expliquer si Tech Moteurs s'attend à ce que le coût de la machine augmente au fil du temps et dépasse 11,372 millions d'euros au bout de cinq ans, ce qui rendrait la VAN du renouvellement de la machine négative.

Cas 2. Renouvellement du projet aux mêmes conditions. Dans le cas où la première machine peut être renouvelée au bout de cinq ans aux mêmes conditions, il est optimal pour Tech Moteurs de procéder à son remplacement puisque sa VAN est positive. La VAN de l'achat successif de deux machines, sur 10 ans, s'établit alors à :

$$VAN_{5\,ans\,avec\,renouvellement} = 1,372 + \frac{1,372}{1,1^5} = 2,224 \text{ millions d'euros}$$

Toutefois, cette VAN reste inférieure à celle de l'achat de la machine d'une durée de vie de 10 ans (2,434 millions d'euros) alors que les deux investissements sont, cette fois, de durée de vie égale (à 10 ans).

Cas 3. Renouvellement du projet à des conditions plus avantageuses. En réalité, le coût futur de la machine dans cinq ans est difficile à prévoir. Les progrès techniques sont susceptibles de la rendre moins onéreuse à l'instar de ce que l'on observe par exemple dans le secteur informatique où le prix des processeurs, à puissance égale, tend à baisser. On suppose que le coût de cette machine sera de 7 millions d'euros dans cinq ans. La VAN de ce projet dans cinq ans augmente donc de 3 millions d'euros pour s'établir à 3 + 1,372 = 4,372 millions d'euros. La VAN de l'achat de la première machine et de son renouvellement au bout de cinq ans en profitant de la baisse de prix s'établit alors à :

$$VAN_{5\,ans\,et\,renouvellement\,à\,prix\,plus\,faible} = 1,372 + \frac{4,372}{1,1^5} = 4,087 \text{ millions d'euros}$$

Par conséquent, si on prévoit une baisse du prix de la machine, Tech Moteurs devrait privilégier la première solution (machine à durée de vie courte), puisque celle-ci lui apporterait un supplément de valeur de 4,087 – 2,434 = 1,653 million d'euros par rapport à l'achat d'une machine de durée de vie de 10 ans.

Évaluation de l'option de renouvellement. En définitive, le choix de la machine à durée de vie courte fournit à Tech Moteurs une option de renouvellement dans cinq ans. Afin de pouvoir comparer ces deux projets de manière adéquate, il convient donc de valoriser cette option dont le prix dépend fondamentalement des probabilités d'évolution du prix de la machine dans les cinq prochaines années.

Évaluation d'une option de renouvellement

De manière équiprobable, le coût de la première machine peut, dans cinq ans, augmenter à 12 millions d'euros, demeurer constant ou baisser à 7 millions d'euros. On suppose que ce risque est idiosyncratique de telle sorte qu'il ne modifie pas le coût du capital du projet. Quelle machine Tech Moteurs doit-elle acheter aujourd'hui ?

Solution

Si le coût de la machine augmente à 12 millions d'euros dans cinq ans, la VAN du renouvellement au bout de cinq ans est négative et Tech Moteurs devrait renoncer au remplacement de la machine. Si, par contre, son coût demeure constant ou baisse à 7 millions d'euros, l'entreprise procédera au renouvellement de la machine puisque ce projet rapportera dans cinq ans une VAN de, respectivement, 1,372 ou 4,372 millions d'euros. Étant donné que ces trois états de la nature sont équiprobables, la VAN du projet sur 10 ans s'établit à :

$$VAN_{projet\,en\,présence\,d'incertitude} = 1,372 + \frac{\left(\frac{1}{3} \times 0 + \frac{1}{3} \times 1,372 + \frac{1}{3} \times 4,372\right)}{1,1^5}$$

$$= 2,561 \text{ millions d'euros}$$

...

Exemple 22.2

…

Il est possible de comparer cette VAN à celle de l'achat d'une machine de durée de vie de 10 ans, car les deux projets ont des durées de vie égales. L'achat d'une machine de durée de vie de cinq ans devrait être choisi au détriment de l'achat d'une machine de durée de vie de 10 ans, car sa VAN est supérieure (2,561 millions contre 2,434 millions d'euros). Privilégier la machine de durée de vie de 10 ans reviendrait à ne pas tenir compte de l'option de renouvellement incluse dans le premier projet. Cette option réelle est pourtant créatrice de valeur puisqu'elle permettra à Tech Moteurs de réagir de manière appropriée aux modifications de l'environnement technologique et des conditions de marché.

Zoom sur...	**La méthode des annuités équivalentes**

Les praticiens utilisent fréquemment la **méthode des annuités équivalentes** pour comparer des projets de durées de vie inégales. Cette approche prend en compte les écarts de durée de vie entre différents projets, grâce au calcul d'**annuités équivalentes**, c'est-à-dire de flux monétaires constants sur la durée de vie d'un projet de même VAN que celle du projet considéré. Entre les différents projets, il faut alors choisir celui dont l'annuité équivalente est la plus élevée. Cette méthode ignore la valeur de toutes les options réelles associées aux différents projets, puisqu'elle suppose que les projets sont reproduits à l'identique à l'infini. On peut recourir à cette méthode dans le cas de Tech Moteurs.

La VAN du premier projet est de 1,372 million d'euros. Soit x la valeur de l'annuité équivalente d'une durée de cinq ans. La valeur actuelle nette de cette annuité, équivalente à celle du projet en question, est telle que :

$$1,372 = x \times \frac{1 - 1,1^{-5}}{0,1} \Leftrightarrow x = \frac{1,372 \times 0,1}{1 - 1,1^{-5}} = 0,362 \text{ million d'euros}$$

Pour le second projet de durée de vie longue, l'annuité équivalente dure 10 ans :

$$2,434 = x \times \frac{1 - 1,1^{-10}}{0,1} \Leftrightarrow x = \frac{2,434 \times 0,1}{1 - 1,1^{-10}} = 0,396 \text{ million d'euros}$$

L'annuité équivalente (AE) relative au second projet est supérieure à celle du premier. Tech Moteurs doit donc, suivant cette méthode, choisir la machine dont la durée de vie est de 10 ans. Cette méthode suppose que chaque projet procure à l'entreprise la valeur de son annuité équivalente sur tout l'horizon prévisible. En ce qui concerne le premier projet, cette hypothèse implique que sa VAN à 10 ans vaut :

$$VAN_{AE \, de \, 5 \, ans} = \frac{0,362}{0,1} \times \left(1 - 1,1^{-10}\right) = 2,224 \text{ millions d'euros}$$

Cela revient à considérer en fait que l'entreprise peut renouveler ce projet aux mêmes conditions dans cinq ans. Bien que cette hypothèse puisse se révéler juste dans certains cas, il existe souvent une incertitude importante quant aux conditions de marché futures. L'approche en termes d'options réelles est alors indispensable afin de prendre la bonne décision.

22.6. L'échelonnement optimal des investissements

L'analyse d'un projet d'investissement contenant une option de croissance a mis en exergue l'intérêt de pouvoir échelonner un investissement dans le temps. Il est ainsi possible d'attendre que de nouvelles informations soient disponibles, par exemple sur la croissance économique future, avant de passer à l'étape suivante du projet.

Le plus souvent, les différentes phases d'un projet d'investissement sont bien définies : en général, on construit un prototype avant de le produire en petite série pour le tester auprès des clients, et enfin de passer à la production à grande échelle. Dans certains cas, on peut également choisir l'ordre dans lequel les étapes sont franchies : il est alors envisageable d'échelonner des investissements mutuellement dépendants. Comment peut-on valoriser un tel projet à l'aide des options réelles ?

L'exemple de la Zoé. Renault envisage de développer une voiture électrique. Il y a trois obstacles technologiques majeurs :

1. Étant donné le poids des batteries, l'entreprise doit développer des matériaux légers pour la carrosserie.

2. Elle doit mettre en place une technologie permettant la recharge des batteries en un temps très court.

3. Elle doit concevoir des batteries de poids réduits et de grande capacité.

Malgré les efforts de R&D consentis, les ingénieurs de Renault savent que des incertitudes existent sur leur capacité à franchir ces trois obstacles (voir tableau 22.2).

Tableau 22.2	Obstacles technologiques, coûts et risques		
Technologie	**Coût (en millions d'euros)**	**Durée du programme de R&D**	**Probabilité de succès**
Carrosserie allégée	100	1 an	50 %
Recharge rapide	400	1 an	50 %
Batterie	100	4 ans	25 %

Si on suppose, d'une part, que ces risques sont idiosyncratiques et, d'autre part, que Renault ne peut développer qu'une seule de ces technologies à la fois, dans quel ordre l'entreprise doit-elle procéder ? Ou, en d'autres termes, comment l'entreprise peut-elle maximiser sa valeur en échelonnant de manière appropriée ces trois projets ?

Renault fait face à des **investissements mutuellement dépendants**, dans le sens où la valeur de chacun des projets est fonction de celle des deux autres. En effet, si l'un des trois projets échoue, la Zoé sera un échec commercial. Par conséquent, le choix de Renault revient à chercher l'ordre optimal dans lequel chaque technologie doit être développée, afin de minimiser le coût espéré du projet.

Prise en compte de la taille des différents projets. On considère les deux premiers développements (allègement de la carrosserie et recharge rapide). Ils sont en tout point identiques à l'exception de leur coût. Il convient donc de comparer le coût espéré de leur développement conjoint en fonction de leur ordre. En d'autres termes, pour minimiser le coût total des deux projets, doit-on débuter par le travail sur la carrosserie ou la durée de recharge ? Si Renault débute avec la carrosserie, le coût espéré du développement des deux projets est (on suppose que le taux d'intérêt annuel est de 6 %) :

$$\underbrace{100}_{\substack{R\&D \\ Carrosserie}} + \underbrace{0,5}_{\substack{Proba.\ de \\ succès\ R\&D \\ Carrosserie}} \times \underbrace{\frac{1}{1,06}}_{\substack{VA\ de \\ l'attente}} \times \underbrace{400}_{\substack{R\&D \\ Recharge}} = 288,7 \text{ millions d'euros}$$

En effet, on n'investit dans la R&D du second projet que si le premier a abouti. Symétriquement, si Renault choisit de débuter avec la durée de recharge, le coût devient :

$$\underbrace{400}_{\substack{R\&D \\ Recharge}} + \underbrace{0,5}_{\substack{Proba.\ de \\ succès\ R\&D \\ Recharge}} \times \underbrace{\frac{1}{1,06}}_{\substack{VA\ de \\ l'attente}} \times \underbrace{100}_{\substack{R\&D \\ Carrosserie}} = 447,2 \text{ millions d'euros}$$

Renault devrait donc d'abord investir dans le développement de matériaux allégés avant de s'attaquer à la technologie de recharge rapide. En fait, il faut toujours développer d'abord le projet qui a le coût le plus faible car, s'il se révèle être un échec, ce coût étant irrécupérable, il aura au moins permis d'éviter une plus grosse perte.

Prise en compte de la durée et du risque des différents projets. On compare désormais le premier et le troisième projet. Ils ont le même coût, mais la R&D sur les batteries s'étale sur une plus longue période et implique un risque d'échec plus important. Si l'on considère uniquement ces deux projets, et si l'on commence par celui sur la carrosserie, le coût espéré de leur développement conjoint est :

$$\underbrace{100}_{\substack{R\&D \\ Carrosserie}} + \underbrace{0,5}_{\substack{Proba.\ de\ succès \\ de\ la\ R\&D \\ Carrosserie}} \times \underbrace{\frac{1}{1,06}}_{\substack{VA\ de \\ l'attente}} \times \underbrace{100}_{\substack{R\&D \\ Batteries}} = 147,2 \text{ millions d'euros}$$

Si Renault choisit de développer les batteries d'abord, le coût devient :

$$\underbrace{100}_{\substack{R\&D \\ Batteries}} + \underbrace{0,25}_{\substack{Proba.\ de\ succès \\ de\ la\ R\&D \\ Batteries}} \times \underbrace{\frac{1}{1,06^4}}_{\substack{VA\ de \\ l'attente}} \times \underbrace{100}_{\substack{R\&D \\ Carrosserie}} = 119,8 \text{ millions d'euros}$$

Renault devrait donc choisir de développer les batteries avant de s'attaquer à la carrosserie. En effet, la R&D sur les batteries est plus risquée et l'entreprise en saura plus sur la viabilité globale de son projet si cette phase de R&D est couronnée de succès. Elle nécessite également un temps de développement plus long, et Renault bénéficie de la valeur temps ainsi créée en repoussant à plus tard les dépenses de R&D sur la carrosserie. En règle générale, toutes choses étant égales par ailleurs, il est bénéfique pour toute entreprise d'investir dans les projets les plus risqués et les plus longs en premier, ce qui permet d'obtenir un maximum d'informations sur la viabilité globale du projet considéré.

Une règle générale. Comme cet exemple l'a montré, le coût, la durée et le risque de chaque projet influencent l'ordre optimal dans lequel les différents projets doivent être mis en œuvre. L'entreprise obtient un gain à entreprendre les projets les moins coûteux et les plus risqués en premier. Ainsi, Renault devrait choisir le projet de batteries en premier, avant de s'attaquer à celui de la carrosserie, pour terminer avec la question de la recharge. Il est possible d'établir une règle générale d'analyse des investissements échelonnés en classant les projets selon leur indice du coût de l'échec :

$$\text{Indice du coût de l'échec} = \frac{1 - VA(succès)}{VA(coût)}$$ (22.2)

avec $VA(succès)$ la valeur actuelle (au lancement du projet) de 1 € en cas de succès de l'investissement considéré (soit la valeur actuelle de la probabilité risque-neutre de succès de l'investissement) et $VA(coût)$ le coût de l'investissement exprimé en valeur actuelle au lancement du projet. L'indice du coût de l'échec mesure la valeur de l'incertitude qui est levée par euro investi ; en réalisant d'abord les investissements ayant l'indice le plus élevé, l'entreprise obtient le plus d'informations pour le coût le plus faible.

Ordre optimal des investissements

En utilisant l'indice de coût d'échec, quel devrait-être l'ordre optimal des trois projets dans l'exemple de Renault ?

Solution

En appliquant l'équation (22.2) à chaque investissement en R&D, on trouve :

Carrosserie : $[1 - (0,5 / 1,06)] / 100 = 0,00528$

Recharge : $[1 - (0,5 / 1,06)] / 400 = 0,00132$

Batteries : $[1 - (0,25 / 1,06^4)] / 100 = 0,00802$

Par conséquent, Renault devrait développer les batteries en premier, puis la carrosserie et enfin la technologie de recharge.

Exemple 22.3

L'analyse menée jusqu'ici n'a pas pris en compte la pertinence du projet dans son ensemble. Après avoir déterminé l'ordre optimal d'échelonnement des différents projets, il convient donc de calculer la VAN globale de l'investissement afin de vérifier que ce dernier crée de la valeur.

Décision d'investir dans un projet échelonné en plusieurs étapes

La direction financière de Renault estime que, une fois ces trois technologies développées, la valeur actuelle dans six ans des bénéfices futurs attendus de la vente de la Zoé atteindra 4 milliards d'euros. L'entreprise doit-elle investir dans ce projet ?

Solution

En prenant en compte l'ordre optimal d'échelonnement des trois projets (exemple 22.3), il est possible de calculer la VAN globale du projet :

$$VAN = -100 - 0,25\frac{100}{1,06^4} - 0,25 \times 0,5\frac{400}{1,06^5} + 0,25 \times 0,5 \times 0,5\frac{4\,000}{1,06^6}$$

$$= 19,1 \text{ millions d'euros}$$

Exemple 22.4

...

Exemple 22.4

...

Par conséquent, Renault doit investir dans ce projet puisque sa VAN est positive. Cette décision dépend de manière cruciale de l'ordre selon lequel les différentes étapes de R&D sont réalisées, puisque la VAN du projet aurait été négative avec un ordre différent...

22.7. Les options réelles en bref

Bien qu'il n'existe pas de démarche générale applicable à l'analyse des options réelles contenues dans tous les projets d'investissement, certains principes généraux peuvent être dégagés :

Les options réelles en dehors de la monnaie ont de la valeur. Même si un projet d'investissement possède une VAN négative, il est possible que celui-ci crée de la valeur grâce aux options réelles qu'il contient.

Les options réelles dans la monnaie ne doivent pas nécessairement être exercées immédiatement. Il n'est pas toujours optimal d'investir immédiatement dans un projet à VAN positive. Si l'option d'attente a une valeur supérieure à la VAN associée à la réalisation immédiate du projet, il convient de profiter de cette option et de repousser le projet à une date ultérieure.

Attendre peut créer de la valeur. Attendre permet de disposer de plus d'informations. La réduction de l'incertitude peut être bénéfique à un projet d'investissement. Si aucun coût n'est associé au report du projet, il n'est jamais optimal d'investir immédiatement. Si un tel coût existe, il convient de comparer celui-ci avec le bénéfice que procure l'attente.

Les dépenses d'investissement doivent être réalisées le plus tard possible. Puisque l'attente est créatrice de valeur, il est optimal de retarder au maximum les dépenses d'investissement. Ne pas le faire revient à perdre le bénéfice que peut procurer l'arrivée de nouvelles informations et donc détruire de la valeur.

L'utilisation des options réelles incluses dans un projet permet de créer de la valeur. Plus l'incertitude sur la réussite potentielle d'un projet est grande et plus les options réelles qu'il contient créent de la valeur. Pour en profiter pleinement, l'entreprise doit continuellement réévaluer ses opportunités d'investissement. La décision de repousser, voire d'abandonner, un projet est susceptible de créer autant de valeur que celle d'entreprendre un nouveau projet.

En combinant de manière optimale ces différents principes, il a été montré que l'échelonnement des investissements et l'utilisation de méthodes de valorisation prenant en compte les options d'abandon, d'attente, de poursuite et d'extension d'un projet peuvent augmenter de manière substantielle la valeur créée.

Résumé

22.1. Options réelles et options financières

■ Une option réelle est une option dont le sous-jacent est un actif physique, et non un actif financier.

22.2. Les arbres de décision

■ Un arbre de décision est un diagramme représentant l'ensemble des décisions potentielles d'un agent et les conséquences de celles-ci. Il contient des nœuds de décision et d'information.

22.3. Les options d'attente

■ En décidant d'attendre avant de lancer un projet d'investissement, une entreprise peut obtenir des informations complémentaires à propos des revenus et coûts futurs du projet.

■ Lorsque la VAN d'un projet est très élevée, il est généralement optimal de le lancer immédiatement.

■ Lorsqu'une option d'attente existe, un projet dont la VAN est aujourd'hui négative peut tout de même avoir de la valeur pour l'entreprise.

■ La valeur de l'option d'attente est d'autant plus grande que la valeur future du projet est aléatoire.

■ Dans le cadre des options réelles, les flux monétaires auxquels on renonce en décidant d'attendre avant d'investir peuvent être assimilés à des dividendes payés par une action qui servirait de sous-jacent à une option financière. En l'absence de dividendes, il n'est jamais rationnel d'exercer un call avant son échéance. En d'autres termes, si l'attente n'impose pas de renoncer à des recettes, il est toujours optimal d'attendre.

22.4. Les options de croissance et d'abandon

■ Réaliser un projet d'investissement peut faire apparaître de nouvelles opportunités d'investissement. Ces opportunités sont des options de croissance, dont la valeur est positive.

■ Lorsqu'un projet d'investissement se révèle destructeur de valeur et qu'il est peu probable que cela change dans le futur, une entreprise peut exercer son option d'abandon et cesser l'exploitation de celui-ci.

22.5. Projets d'investissement sur des durées différentes

■ Lorsqu'une entreprise doit choisir entre deux projets mutuellement exclusifs de durées de vie inégales, elle doit tenir compte de l'option de renouvellement ou d'extension incluse dans le projet à durée de vie courte.

■ Les praticiens utilisent souvent la méthode des annuités équivalentes pour comparer des projets de durées de vie inégales. Ils supposent implicitement que les projets peuvent être reproduits à l'identique à l'infini. L'utilisation de cette méthode peut conduire à des décisions contradictoires avec celles prises en tenant compte des options réelles, notamment lorsque les conditions futures de marché sont aléatoires.

22.6. Échelonnement optimal des investissements

■ Dans le cadre d'un projet qui comprend plusieurs phases, l'entreprise devrait toujours réaliser en premier celle qui est la plus risquée et de taille la plus petite afin de profiter à moindre coût de l'information qui sera révélée avant de décider de passer aux phases suivantes. Lorsque les investissements sont mutuellement dépendants, de telle sorte que le projet ne sera un succès que si toutes les phases en sont menées à bien, l'ordre optimal de leur réalisation devrait être ordonné selon l'indice du coût de l'échec, qui mesure la valeur de l'incertitude levée par euro investi :

$$\frac{1 - VA(succès)}{VA(coût)} \tag{22.2}$$

22.7. Les options réelles en bref

■ Les options réelles en dehors de la monnaie ont de la valeur.

■ Les options réelles dans la monnaie ne doivent pas nécessairement être exercées immédiatement.

■ Attendre peut créer de la valeur.

■ Les dépenses d'investissement doivent être réalisées le plus tard possible.

L'astérisque désigne les exercices les plus difficiles.

1. Une entreprise envisage l'ouverture d'une filiale au Japon. Les profits de celle-ci dépendront de la vitesse à laquelle la conjoncture économique de ce pays s'améliorera. Il existe une chance sur deux pour que celle-ci se rétablisse cette année. L'entreprise hésite entre une ouverture immédiate de la filiale et une ouverture différée d'un an. Construisez l'arbre de décision correspondant à ce problème.

2. Avec un investissement de 500 millions d'euros, BullGom produira un chewing-gum qui reste éternellement frais dans la bouche. Il y a 60 % de probabilités pour que les profits soient de 100 millions d'euros par an, 20 % pour qu'ils soient de 50 millions d'euros et 20 % pour qu'ils soient nuls. Des études marketing montrent que l'état du marché sera connu avec certitude dans un an. Le coût du capital du projet est actuellement de 11 %. Dans un an, il sera de 9 % (20 % de chances) ou de 11 % (80 % de chances) ; ensuite, il ne changera plus. L'évolution du coût du capital n'est pas corrélée avec le marché du chewing-gum. Construisez l'arbre de décision.

3. Reprenons l'exemple de la section 22.2. Supposons que United Studios ait obtenu les droits de production du premier film, mais pas du second.

   a. Combien valent les droits du second film pour United Studios ?

   b. Supposons que United Studios ait la possibilité d'acheter initialement les droits du second film pour 30 millions d'euros ou une option sur ces droits pour 10 millions d'euros. Quel est le meilleur choix ?

4. (Suite de l'exercice 2.) Construisez l'arbre de décision s'il n'est possible de connaître les conditions prévalant sur le marché du chewing-gum qu'en produisant effectivement des chewing-gums dès aujourd'hui.

5. Quels sont les coûts et les bénéfices associés au fait de différer un investissement ?

6. L'entreprise Kelski envisage d'entrer sur le marché de la chaussure de ski. Compte tenu du profil de la demande pour ce produit, il est préférable de lancer les nouveaux produits en décembre. Cela peut être décembre de cette année ou de l'an prochain. L'investissement est de 35 millions d'euros. Un concurrent de Kelski est coté en Bourse. La valeur de l'entreprise concurrente est de 40 millions d'euros. La demande de chaussures de ski est aléatoire. La volatilité annuelle de la valeur de l'entreprise comparable est de 25 %. Elle produit des flux de trésorerie disponibles annuels égaux à 15 % de sa valeur actuelle ; les flux monétaires se répartissent régulièrement au cours de l'année. Le taux sans risque annuel est de 4 %.

   a. Kelski devrait-elle se lancer sur le marché de la chaussure de ski ? Si oui, quand ?

   b. Qu'en est-il si la valeur moyenne de l'entreprise comparable n'est que de 36 millions d'euros ?

   c. Représentez graphiquement l'opportunité d'investissement en fonction de la valeur de l'entreprise concurrente.

d. Représentez graphiquement le bêta de l'opportunité d'investissement en fonction de la valeur de l'entreprise concurrente.

7. Alix vient de recevoir une offre pour aller faire de l'héliski en Suisse dans quatre mois. S'il choisit de partir la première semaine de janvier en payant son séjour dès aujourd'hui, cela lui coûtera 2 500 €. Cette offre ne prévoit pas de clause d'annulation. Il y a une probabilité de 40 % pour qu'Alix ne puisse pas profiter de son séjour. Si, en revanche, Alix attend la dernière minute, ce risque disparaît, mais le séjour coûte alors 4 000 €. Le plaisir qu'Alix retire d'un tel séjour a une valeur (pour lui) de 6 000 €. En d'autres termes, tout séjour dont le coût est supérieur à cette somme n'intéresse pas Alix. Si le coût du capital est de 8 % par an, doit-il réserver ce séjour à l'avance ou bien attendre la dernière minute ?

8. Un chercheur vient de breveter un algorithme de recherche sur Internet et souhaite le vendre à un capital-risqueur. Le brevet offre une protection de 17 ans. Cette technologie nécessite encore une année de R&D et un investissement initial de 100 millions d'euros. Grâce à cet algorithme, il sera possible de capter 1 % des recherches effectuées sur Internet. Les moteurs de recherche se partagent actuellement des profits de 1 milliard d'euros. Au cours des cinq prochaines années, la probabilité risque-neutre que les profits croissent à un taux de 10 % par an (respectivement 5 %) est de 20 % (respectivement 80 %). Dans un an, le taux de croissance sera connu avec certitude. Après la période de croissance initiale de cinq ans, les profits décroîtront au taux de 2 % par an. Une fois le brevet tombé dans le domaine public, l'algorithme n'engendrera plus aucun profit. Le taux d'intérêt sans risque est constant à 10 %.

a. Quelle est la VAN du projet en cas d'investissement immédiat ?

b. Quelle est la VAN du projet si l'on attend un an avant de prendre une décision définitive ?

c. Quelle est la stratégie d'investissement optimale ?

9. Considérons de nouveau l'exemple de Lola (voir section 22.3), en supposant désormais que la valeur actuelle des bénéfices liés à l'exploitation du restaurant n'est que de 5 millions d'euros. Quel serait alors le bêta de l'entreprise ? Même question si la valeur actuelle est de 7 millions d'euros.

10. Supposons que l'entreprise de Lola possède déjà un restaurant et a la possibilité d'en ouvrir cinq autres.

a. Quels sont la valeur et le bêta de l'entreprise si le bénéfice la première année, pour chaque enseigne, est estimé à 600 000 € ?

b. Même question pour un bénéfice anticipé la première année de 300 000 €.

c. Dans quel cas le bêta de l'option est-il le plus élevé ? Dans quel cas le bêta de l'entreprise est-il le plus élevé ? Pourquoi ?

*11. France Express étudie la possibilité d'investir 10 % de ses bénéfices pour assurer la croissance de l'entreprise. L'entreprise peut décider cela maintenant ou dans un an. Si elle investit maintenant, la rentabilité de la croissance future sera de 10 % ou de 14 % par an (états de la nature équiprobables). Dans un an, l'incertitude sur le taux de croissance aura disparu. Actuellement, l'entreprise consacre tous ses bénéfices (10 millions d'euros) au versement de dividendes. Si l'entreprise ne lance pas le projet, les bénéfices resteront constants *ad vitam æternam*. En revanche, si l'entreprise investit, les dividendes augmenteront au rythme des bénéfices, à l'infini. Le coût du capital est de 10,1 %. Quelle est la valeur de l'entreprise juste avant que le dividende soit détaché (valeur *cum-dividende*) ?

*12. (Suite de l'exercice 2.) Quelle est la bonne décision si le coût du capital est de 15,44 % et que les profits du projet durent à l'infini ?

13. L'entreprise Virpho envisage de mettre au point un nouveau supraconducteur pour le commercialiser. L'entreprise ne saura qu'au bout de cinq ans si le produit est commercialement viable. Actuellement, elle estime à 25 % la probabilité que ce soit le cas. Le développement du produit coûte 10 millions d'euros par an, payables au début de chaque année. Si le développement est un succès, l'usine nécessaire à sa production sera construite immédiatement. Elle coûtera 1 milliard d'euros ; le profit sera de 100 millions d'euros à la fin de chaque année, à l'infini. Le taux d'intérêt sans risque est de 10 %. Le taux de rentabilité d'une rente perpétuelle sans risque est incertain : il sera dans cinq ans de 12 %, 10 %, 8 % ou 5 % en considérant équiprobables les probabilités risque-neutre de ces différents états de la nature. Quelle est la VAN du projet de Virpho ?

*14. Jean-Paul est analyste financier chez BNB et cherche à évaluer le potentiel de croissance de l'entreprise Sogiac. Cette dernière dispose d'un département de R&D reconnu, dont les innovations ont toujours été couronnées de succès. Jean-Paul sait qu'en moyenne ce département lance deux nouveaux projets tous les trois ans. Par conséquent, il estime à 66 % la probabilité que Sogiac lance un nouveau produit chaque année. En général, une innovation de Sogiac nécessite un investissement de 10 millions d'euros et rapporte 1 million d'euros de profit annuel au départ, celui-ci variant ensuite à l'infini au taux annuel de 3 %, 0 % ou – 3 % (ces trois taux de croissance sont équiprobables pour chaque innovation). Toutes ces opportunités de croissance sont à saisir immédiatement ; sinon, elles disparaissent. Le coût du capital de Sogiac est de 12 %, constant à l'infini. Quelle est la VAN de toutes les futures opportunités de croissance de l'entreprise ?

*15. (Suite de l'exercice précédent.) Supposons maintenant que toutes les probabilités sont risque-neutre, ce qui signifie que le coût du capital est égal au taux sans risque. Le taux d'intérêt sans risque pour une rente perpétuelle est de 8 % ; dans un an, il y a une probabilité de 64,375 % qu'il soit de 10 % et reste ensuite à ce niveau et une probabilité de 35,625 % qu'il soit de 6 % et reste ensuite à ce niveau. En outre, le taux d'intérêt sans risque à un an vaut actuellement 7 %.

16. JCH est une start-up spécialisée dans les réseaux sociaux. Elle vient de recevoir une offre de rachat de la part d'une entreprise du secteur cotée sur le marché, GNN. Selon les termes de l'offre, le dirigeant et unique propriétaire de JCH recevra 1 million d'actions de GNN, qui cotent 25 € actuellement sur le marché. Ces actions pourront à tout moment être revendues. En outre, l'offre stipule que GNN rachètera, si le dirigeant de JCH l'exige, ses actions au cours de 25 € au cours de l'année à venir. Le taux sans risque à un an est de 6,18 % ; la volatilité des actions de GNN est de 30 %. JCH ne verse pas de dividendes.

   a. L'offre faite au dirigeant de JCH vaut-elle plus de 25 millions d'euros ? Pourquoi ?

   b. Quelle est la valeur de l'offre ?

17. Mario est grossiste en matériel de plomberie. Son entreprise dégage une marge brute de 1 million d'euros par an. L'année prochaine, celle-ci devrait augmenter de 5 % ou baisser de 10 % de manière équiprobable. Elle restera ensuite à ce niveau. Mario détient 100 % des actions de son entreprise. Les coûts s'élèvent à 900 000 € par an. Il n'existe aucun coût associé à la fermeture de l'entreprise et dans ce cas il est possible de revendre le stock de produits, ce qui permet à Mario de récupérer 500 000 €. Quelle est la valeur de l'entreprise si le coût du capital est de 10 % ?

*18. L'entreprise T-Cur gère une mine qui produit annuellement 500 tonnes de cuivre. Les coûts d'exploitation s'élèvent à 2 millions d'euros et la mine a une durée de vie d'un siècle. La fermeture de la mine nécessiterait de réhabiliter le site pour un coût estimé à 5 millions d'euros. De plus, toute fermeture est définitive. Le prix de la tonne de cuivre se négocie actuellement à 3 000 €. Le prix de la tonne de cuivre peut, de manière équiprobable, augmenter ou baisser de 25 % chaque année au cours des deux prochaines années ; ensuite son prix devrait rester stable. Le coût du capital est de 15 %. Quelle est la VAN de l'option « poursuivre l'exploitation de la mine » ? Est-il optimal d'abandonner l'exploitation de la mine ou de la garder ouverte ?

19. Une pièce de 1 $ en argent, émise au xviiie siècle, contient 24 grammes d'argent. Au prix de marché actuel de 19 cents par gramme, l'argent contenu dans la pièce de monnaie vaut 4,5 $. Si on néglige la valeur de la pièce pour les collectionneurs, le prix de cette pièce aujourd'hui doit-il être inférieur, égal ou supérieur à 4,5 $? Pourquoi ?

*20. Bruce possède un terrain au cœur de Gotham City. Le coût de construction d'un immeuble croît de manière quadratique avec sa surface : un immeuble de q mètres carrés coûte ainsi $10 \times q^2$. Une fois construit, l'immeuble a une durée de vie infinie. Les immeubles du quartier se louent 1 000 € le mètre carré par mois. Les loyers augmenteront probablement dans cinq ans : ils auront une chance sur deux de doubler (puis de rester stables *ad vitam æternam*). Dans le cas contraire, les loyers ne changeront pas. Le coût du capital est de 12 %.

  a. Si Bruce choisit de retarder la construction de l'immeuble, quelle sera dans cinq ans la surface optimale de l'immeuble dans chacun des deux états de la nature ?

  b. Bruce doit-il construire un immeuble sur ce terrain dès aujourd'hui ? Si oui, de quelle surface ?

21. Une banque propose à ses clients des prêts immobiliers innovants : les remboursements annuels ne comprennent que des intérêts. Le prêt a donc une durée infinie. Les emprunteurs disposent toutefois de la possibilité de s'affranchir, lorsqu'ils le souhaitent, de cette créance en remboursant le nominal. On suppose que les prêts sont sans risque de défaut. Aujourd'hui, le taux d'intérêt sans risque à un an est de 7 % tandis que le taux d'intérêt annuel offert par une rente perpétuelle sans risque (impossible à racheter) est de 8 %. Dans un an, tous les taux d'intérêt chuteront à 6 % ou augmenteront à 10 %, puis seront constants à l'infini. Quel taux d'intérêt la banque doit-elle demander à ses clients ?

22. Quelle hypothèse est implicitement posée par les praticiens qui utilisent la méthode des annuités équivalentes pour choisir entre deux projets d'investissement mutuellement exclusifs de durées de vie inégales ?

23. Robert possède G4, une compagnie de taxis. Il veut renouveler sa flotte de véhicules. Il peut louer de nouveaux véhicules pendant cinq ans en échange d'une mensualité de 500 € par taxi. À la fin de la période de location, les véhicules sont rendus à la société de crédit-bail. Il peut également les acheter au prix unitaire de 30 000 € ; les véhicules ont une durée de vie estimée de huit ans. En cas de location, la société de crédit-bail est responsable des coûts de maintenance. En cas d'achat, Robert dépensera 100 € par mois et par taxi pour la maintenance. Chaque taxi produit une marge brute de 1 000 € par mois. Le coût du capital est de 12 %.

    a. Quelle est la VAN par taxi de chaque stratégie (location ou achat) ?

    b. Quelle est l'annuité mensuelle équivalente de ces deux options ?

    c. Si Robert loue les taxis, il aura la possibilité de les acheter dans cinq ans. Le coût d'un taxi d'occasion après cinq années d'utilisation est de 10 000 € ou 16 000 € (de manière équiprobable). Le coût de maintenance sera alors de 500 € par taxi ; ces derniers pourront être utilisés pendant trois années supplémentaires. Quelle option doit-il retenir ?

24. Généto est en train de développer une molécule qui ralentit le vieillissement. La réussite de ce projet repose sur la résolution de deux défis technologiques : l'augmentation de la puissance du médicament ainsi que la limitation de ses effets secondaires. Les deux années de R&D nécessaires à la résolution du premier problème nécessitent un investissement de 10 millions d'euros ; il n'a que 5 % de chances d'être couronné de succès. En revanche, la solution du second problème impose quatre ans de recherches, un investissement de 30 millions d'euros et a 20 % de chances d'aboutir. Dans le cas où Généto réussirait à surmonter ces deux obstacles, elle pourrait revendre le brevet à une entreprise pharmaceutique pour 2 milliards d'euros. Tous les risques sont supposés idiosyncratiques et le taux d'intérêt sans risque est de 6 %.

    a. Quelle est la VAN du projet consistant à lancer les deux recherches en même temps ?

    b. Quel est l'ordre optimal dans lequel les deux projets devraient être entrepris ?

    c. Quelle est la VAN du projet si les deux projets de recherche sont lancés dans l'ordre optimal ?

25. Une SSII est en train de développer un produit dont le lancement est prévu l'an prochain, mais il nécessite encore des innovations logicielles et matérielles. Le développement du logiciel impose un investissement de 5 millions d'euros et a 80 % de chances de réussite. L'innovation matérielle, quant à elle, exige une dépense de 10 millions d'euros pour une probabilité de réussite estimée à 50 %. Chaque projet réclame six mois de R&D et le taux d'intérêt sans risque est de 4 % (taux annuel avec capitalisation semestrielle des intérêts).

    a. Quelle innovation devrait être développée en premier ?

    b. Avant qu'aucune recherche n'ait été lancée, l'équipe travaillant sur le développement du matériel révise, sur la base de nouvelles informations, son estimation de la probabilité de réussite de ses recherches, pour la porter à 75 %. Cela change-t-il la décision prise à la question précédente ?

Chapitre 23
Le financement par capitaux propres

La plupart des entreprises françaises a le statut d'entreprise individuelle ou de SARL. Comme le chapitre 1 l'a montré, ces formes juridiques présentent deux inconvénients : (1) il est difficile d'ouvrir le capital à de nouveaux actionnaires qui apporteraient des capitaux propres supplémentaires, ce qui limite la croissance de l'entreprise ; (2) les fondateurs de l'entreprise ont en général investi une part importante de leur patrimoine dans leur entreprise et disposent par conséquent d'un portefeuille d'actifs sous-diversifié. Adopter la forme d'une société par actions, que ce soit une société anonyme ou une société par actions simplifiée, permet aux entreprises d'accéder plus facilement à des capitaux propres externes et aux actionnaires de vendre tout ou partie de leurs actions s'ils le souhaitent.

Ce chapitre est consacré à la manière dont une entreprise peut financer sa croissance ou ses projets par capitaux propres. Il est structuré de manière à suivre l'évolution logique d'une entreprise en croissance. La section 23.1 traite du cas d'une société non cotée qui cherche de nouveaux capitaux propres. Les sections 23.2 et 23.3 traitent des introductions en Bourse et des énigmes qu'elles posent. Enfin, la section 23.4 s'intéresse aux augmentations de capital des entreprises cotées.

23.1. Le financement par capitaux propres des sociétés non cotées

Il faut des capitaux propres pour créer une entreprise. Au départ, ceux-ci proviennent généralement des entrepreneurs eux-mêmes ou de leurs proches : on parle de « *friends and family money* »[1]. Si l'entreprise opère dans un secteur peu capitalistique, ou que son activité lui donne la capacité d'autofinancer sa croissance, cela peut suffire et l'histoire s'arrête là : c'est le cas de la plupart des entreprises familiales.

Mais si le succès est au rendez-vous ou que l'activité réclame des investissements significatifs, il faut trouver d'autres sources de capitaux propres, car l'investissement familial atteint rapidement ses limites, à la différence du XIXe siècle où quelques grandes familles ont fondé seules des empires industriels[2] : on peut créer une start-up dans un garage, mais pour la faire grandir il faut des moyens financiers. Qui dit capitaux propres extérieurs dit nouveaux actionnaires. Qui sont ces investisseurs prêts à entrer au capital de

---

1. Divers dispositifs d'aides publiques existent également en France pour favoriser la création d'entreprises.
2. Les Wendel et les Schneider dans la sidérurgie, les Michelin dans le caoutchouc, les Hachette dans l'édition, les Peugeot dans l'outillage – les cycles et l'automobile ne viendront qu'après, etc.

sociétés non cotées ? Comment se déroule la levée de fonds ? Comment cela affecte-t-il les processus de décision et de gouvernance de l'entreprise ? Comment sortir du capital d'une société non cotée ? Autant de questions auxquelles va répondre cette section.

Les investisseurs en non coté

Il n'est pas simple pour une société non cotée de lever des capitaux propres : il lui faut trouver des investisseurs qui acceptent de risquer une partie de leurs fonds dans une petite entreprise, peu connue et souvent jeune. L'entreprise n'étant pas cotée, elle ne bénéficie pas d'un accès facile à une base large d'investisseurs potentiels. Elle doit donc chercher des investisseurs spécialisés dans l'investissement dans des entreprises non cotées : c'est le monde de l'**investissement en non coté**, ou ***private equity***. Il s'agit ici de réaliser un **placement privé** des actions auprès d'**investisseurs qualifiés** ou d'un **cercle restreint d'investisseurs** (au maximum 150). Le fait de lever des capitaux auprès de ce type d'investisseurs permet de s'exonérer des contraintes réglementaires qui s'imposent lorsqu'on **offre au public des titres financiers** : pas de prospectus d'émission à préparer, pas de visa de l'Autorité des marchés financiers à obtenir, etc. Parmi ces investisseurs en non coté, on trouve des *business angels*, des fonds de *private equity*, des investisseurs institutionnels, des entreprises et des incubateurs.

Les *business angels*. Les **business angels** sont souvent les premiers investisseurs externes à entrer au capital d'une entreprise en croissance rapide. Ceux-ci sont souvent d'anciens créateurs de start-up à succès ou des particuliers fortunés qui connaissent parfaitement le secteur d'activité dans lequel ils investissent. Ils ont déjà accompagné de multiples aventures entrepreneuriales et apportent, en plus de leurs capitaux, un réseau de contacts et une expérience qui peuvent se révéler précieux pour la croissance de l'entreprise. Si on compte 100 000 *business angels* aux États-Unis, ils sont moins de 5 000 en France, bien que leur nombre augmente rapidement.

Premiers investisseurs externes dans l'entreprise (on parle de financement *early stage*), les *business angels* peuvent obtenir une part significative du capital pour une valorisation modeste – mais c'est au prix d'un risque élevé. D'ailleurs, les *business angels* entrent parfois si tôt au capital d'une entreprise qu'il est difficile d'en faire une valorisation. Ils acceptent alors d'investir en échange d'obligations convertibles ou de titres de quasi-fonds propres[3] : le *business angel* reçoit des titres qui lui donneront accès au capital lors d'une *future* levée de fonds, à un prix et dans des conditions qui dépendront de la valorisation retenue à cette occasion – en général, avec une décote de 15 à 25 % par rapport au prix que paieront les investisseurs qui entreront au capital à ce moment-là. Un tel mécanisme permet de reporter à plus tard le débat sur la « juste » valorisation de l'entreprise.

---

3. Par exemple des bons de souscription d'actions dans le cadre d'un accord d'investissement rapide, ou « AIR » (adaptation des *simple agreement for future equity* anglo-saxons).

Zoom sur...	Le *crowdfunding*

Depuis 2010, un nouveau type de financement s'est développé : le *crowdfunding,* ou financement participatif. L'idée est simple : permettre à un grand nombre de particuliers d'investir de petites sommes (quelques dizaines ou centaines d'euros) *via* des sites internet spécialisés pour financer des projets ou des entreprises. Grâce à cela, il est aujourd'hui possible pour tout un chacun d'investir en capital (*equity crowdfunding* ou investissement participatif) ou de prêter des fonds (*crowdlending* ou prêt participatif) à des start-up ou des entreprises en croissance : ce n'est plus réservé aux investisseurs qualifiés. Le succès est au rendez-vous, puisque de nombreuses plateformes se sont lancées en France, comme KissKissBankBank, Enerfip, Ulule ou Unilend : le financement participatif représente déjà 500 millions d'euros par an en France.

Les fonds d'investissement en non coté, ou fonds de *private equity*. Lorsque les *business angels* ne suffisent plus à financer la croissance de l'entreprise, les **fonds d'investissement en non coté** entrent en jeu. Ce sont des fonds spécialisés, car cela nécessite une expertise pointue pour valoriser les entreprises, mesurer les risques et accompagner la croissance des entreprises dans lesquelles le fonds a investi. On distingue en général capital-risque, capital-développement et capital-transmission.

Les fonds de **capital-risque** (ou *venture capital*) collectent les capitaux d'un nombre limité d'associés (les investisseurs, que l'on appelle souvent les capitaux-risqueurs), particuliers ou entreprises, pour les investir dans des start-up et des entreprises à fort potentiel de croissance. Parmi les grands noms du capital-risque mondial, on trouve Sequoia Capital, YCombinator, Accel Partners ou, en France, Alven Capital, Omnès Capital, IdInvest ou encore Partech.

Les fonds de **capital-développement** prennent le relais du capital-risque après la première phase de croissance de l'entreprise ; les entreprises financées par ces fonds sont plus matures, et le montant des opérations est plus élevé. Certains de ces fonds se spécialisent sur les opérations dites de **capital-transmission,** qui visent à modifier l'actionnariat ou le contrôle des entreprises dans lesquelles ils investissent et qui mobilisent le plus souvent des quantités importantes de dette en plus de l'apport en capitaux propres que le fonds réalise. Entrent dans cette catégorie les *Leveraged Buy-Out* (LBO), rachats d'entreprises largement financés par dette, et les *Public to Private* (P2P), rachats des actions d'entreprises cotées dans l'optique de les retirer de la cote. Les principaux fonds de capital-développement sont américains (Blackstone, Carlyle, KKR, Apollo Global Management…), même s'il existe quelques acteurs français de premier plan, comme PAI Partners, Ardian ou Eurazéo.

Pour les particuliers et entreprises clients des fonds de non coté, investir par le biais d'un fonds présente des avantages pour investir dans des entreprises non cotées : un fonds investit simultanément dans plusieurs entreprises non cotées, ce qui leur offre une diversification dont ils ne pourraient pas bénéficier en étant individuellement *business angels*. De plus, la spécialisation du gérant et de ses équipes sur un secteur d'activité confère au fonds une expertise technique qu'ils ne possèdent pas nécessairement. En échange, le fonds prélève des frais importants : il conserve environ 20 % des profits (le *carried interest*), auxquels s'ajoutent des frais annuels, souvent de 2 % des actifs sous gestion (modèle de « 2 + 20 »).

Ces fonds se sont massivement développés au cours des 30 dernières années, et en particulier aux États-Unis : le financement de l'écosystèmes de start-up de la Silicon Valley – plus de 80 milliards de dollars investis par an dans plus de 5 000 start-up – repose presque intégralement sur le capital-risque. La France n'en est pas encore là, même si le développement de la *French tech* attire des investissements croissants et qu'on compte déjà quelques **licornes** – ces fameuses start-up dont la valorisation dépasse le milliard d'euros. En 2018, les fonds d'investissement en non coté ont ainsi investi dans plus de 2 200 entreprises françaises, pour presque 15 milliards d'euros et le capital-risque a représenté environ 10 % de ce montant (figure 23.1).

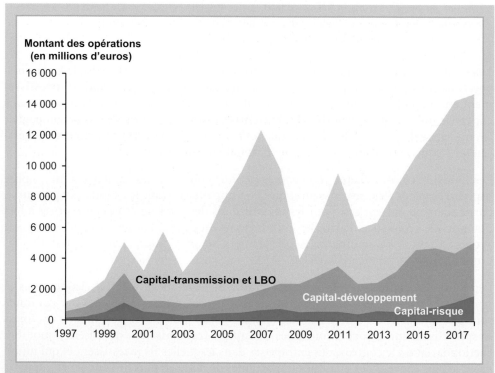

Figure 23.1 – L'investissement en non coté en France depuis 1997

Le volume annuel des investissements en non coté réalisés en France suit les cycles macroéconomiques.

Source : France Invest.

Les investisseurs institutionnels. Certains fonds de pension et sociétés d'assurances investissent directement dans des entreprises non cotées, pour diversifier leur portefeuille sur toutes les classes d'actifs. Pour certains, ces investissements directs s'ajoutent à des participations dans des fonds de capital-investissement. Ces acteurs pèsent lourd sur le marché du non coté : Calpers, un fonds de pension californien, ou la Caisse de dépôt et de placement du Québec, investissent 10 % de leurs actifs sous gestion dans des entreprises non cotées, soit… 30 milliards de dollars chacun !

Les entreprises. Certaines entreprises créent leur propre fonds d'investissement, pour détecter et investir dans les entreprises prometteuses de leur secteur d'activité. C'est le cas d'EDF, dont la filiale spécialisée EDF Pulse Croissance prend des participations dans des entreprises innovantes dans le secteur de l'énergie, ou de Google, qui fait de même avec Google Ventures dans le secteur des technologies de l'information. Les objectifs de rentabilité financière de ces investisseurs se doublent d'objectifs stratégiques : bénéficier de synergies, obtenir l'utilisation exclusive d'une nouvelle technologie, etc. Certaines entreprises utilisent aussi cela pour favoriser la création d'entreprises par leurs salariés intrapreneurs.

Les incubateurs. Des acteurs privés, des centres de recherche universitaires et des grandes écoles favorisent l'éclosion d'entreprises de nouvelles technologies en créant des pépinières d'entreprises ou des **incubateurs** et en prenant des participations dans les entreprises créées par leurs chercheurs ou leurs étudiants. Ces incubateurs ont permis en France la création, entre 2000 et 2018, de plusieurs centaines d'entreprises innovantes. Station F, le plus grand incubateur d'Europe, a été fondé en 2017 à Paris et accueille plus de 1 000 start-up !

Valoriser une participation dans une société non cotée

Les investisseurs en non coté acceptent un risque élevé et une liquidité réduite de leur investissement, donc une durée d'investissement moyenne de quatre à sept ans sans réelle possibilité de sortie anticipée. Pour attirer des investisseurs, il faut donc les convaincre du potentiel de succès de l'entreprise dans laquelle ils réfléchissent à investir. Pour cela, les fondateurs de l'entreprise doivent maîtriser parfaitement leur *pitch* (présentation résumant en quelques minutes le projet entrepreneurial de l'entreprise) et leur *business plan* (document confidentiel détaillant la stratégie, les produits et les avantages comparatifs de l'entreprise). Ces éléments financiers et stratégiques éveilleront l'intérêt des investisseurs, mais l'argument le plus convaincant pour ces derniers restera l'investissement financier que consentent les fondateurs.

Si un investisseur exprime son intérêt, une négociation s'engage à propos des conditions de son entrée au capital. Puisqu'il n'existe pas de prix de marché pour évaluer les actions nouvelles, c'est une négociation de gré-à-gré qui détermine leur prix, ainsi que le pourcentage du capital qu'il recevra, en échange de son investissement. Prenons un exemple. RealNetworks, éditrice des logiciels RealPlayer, a connu quatre **tours de table** (ou *rounds*) successifs qui lui ont permis de lever au total plus de 56 millions de dollars (tableau 23.1). À chaque tour de table est en général associée une **classe d'actions** particulière avec des clauses spécifiques ; pour s'y retrouver, on attribue une lettre à chaque classe d'actions (série A, série B, etc.). Ainsi, en 1993, à la création de l'entreprise, son fondateur a investi 1 million de dollars et a reçu en échange 13,71 millions d'actions (de « série A ») d'une valeur unitaire de 0,07 $. Deux ans plus tard, l'entreprise ayant besoin de capitaux, elle a ouvert son capital à un *business angel*, qui a apporté 1,8 million de dollars en échange de 2,69 millions d'actions (de « série B ») : une action était valorisée à ce moment-là 0,67 $. La valeur de l'entreprise *avant* ce tour de table, ou **valorisation pre-money**, était donc de $13{,}71 \times 0{,}67 = 9{,}2$ millions de dollars : c'est ce que valaient les actions du fondateur de l'entreprise. La valeur de l'entreprise après le tour de table, ou **valorisation *post-money***, était de $(13{,}71 + 2{,}69) \times 0{,}67 = 11$ millions de dollars. Ainsi, la différence entre la valorisation *pre-money* et la valorisation *post-money* est égale au montant des capitaux apporté par le nouvel actionnaire :

$$\text{Valorisation } post\text{-}money = \text{Valorisation } pre\text{-}money + \text{Capitaux investis} \quad (23.1)$$

Tableau 23.1	Tours de table et capitaux levés par RealNetworks

Tour de table	Investisseur	Date	Actions émises (en millions)	Prix d'une action (en dollars)	Fonds levés (en millions de dollars)	Valorisation post-money (en millions de dollars)	Part du fondateur
Série A	Fondateur de l'entreprise	1993	13,71	0,07	1,0	1,0	100 %
Série B	*Business angel*	Avril 1995	2,69	0,67	1,8	11,0	84 %
Série C	Fonds de capital-risque	Oct. 1995	2,90	1,96	5,7	37,8	71 %
Série D	Fonds de capital-risque	Nov. 1996	2,38	7,53	17,9	163,3	63 %
Série E	Entreprise (Microsoft)	Juill. 1997	3,34	8,99	30,0	224,9	55 %
	Après les 4 tours de table		**25,02**	**8,99**	**56,4**	**224,9**	**55 %**

Lors de ce premier tour de table, le fondateur a donc accepté d'être dilué et a vu son pourcentage de contrôle sur « son » entreprise descendre. En échange de 1,8 million de dollars, le *business angel* a reçu 16 % du total des (2,69 + 13,71) millions d'actions, car :

$$\frac{\text{Pourcentage du capital détenu}}{\text{par le nouvel investisseur}} = \frac{\text{Capitaux investis}}{\text{Valorisation } \textit{post-money}} \qquad (23.2)$$

En contrepartie, l'entreprise a reçu de l'argent frais, et le fondateur a vu la valeur de ses actions augmenter. Au fil des tours de table, la mécanique se répète et la valeur de l'entreprise augmente, ce qui permet de lever de plus en plus de capitaux tout en limitant la dilution subie par ses actionnaires historiques. Après quatre tours de table, le dernier en 1997 ayant permis l'entrée au capital de Microsoft, l'entreprise est valorisée à 225 millions de dollars, et son fondateur n'en détient plus que 55 %. Mais les actions qu'il détient valent désormais 124 millions de dollars… Compte tenu de sa taille, l'entreprise est maintenant prête à entrer en Bourse !

Exemple 23.1

Financement et propriété des entreprises non cotées

Il y a deux ans, Clara a créé une start-up. Elle a investi 100 000 € et reçu 1,5 million d'actions. L'an dernier, elle a procédé à une augmentation de capital de 500 000 actions nouvelles, achetées par un *business angel* qu'elle connaît depuis longtemps. La croissance de l'entreprise est forte et Clara souhaite passer à la vitesse supérieure en levant des capitaux auprès d'un fonds de capital-risque. Ce dernier est prêt à investir 6 millions d'euros en échange de 3 millions d'actions nouvelles. Quelle est la valeur de l'entreprise après cette augmentation de capital ? Quel pourcentage de l'entreprise le fonds de capital-risque détient-il ? Quelle est la valeur de la part de Clara dans l'entreprise ?

...

...

Solution

Après le tour de table, le capital de l'entreprise est composé de 5 millions de titres : 1,5 million de titres détenus par Clara, 0,5 million par le *business angel* et 3 millions par le fonds. Le fonds de capital-risque paie 6 millions d'euros / 3 millions d'actions = 2 € par action. La valeur de l'entreprise après l'augmentation de capital est donc de 5 millions d'actions × 2 € = 10 millions d'euros. Le fonds de capital-risque possède 3 millions d'actions sur 5 millions ; il détient 60 % du capital. Clara, elle, ne possède plus que 1,5 / 5 = 30 % de l'entreprise qu'elle a créée, mais la valeur de ses actions est de 1,5 million × 2 € = 3 millions d'euros.

Des termes de financement protecteurs pour les investisseurs

Investir dans une société non cotée est risqué. Pour maximiser leur probabilité de gain et limiter leurs risques, les *business angels* et les fonds de capital-investissement exigent le plus souvent des mécanismes de protection en leur faveur. Pour cela, ils demandent souvent à recevoir des **actions privilégiées** (*preferred stocks*), et non des **actions ordinaires**. Lorsqu'elles sont émises par des entreprises matures, les actions privilégiées offrent généralement de meilleurs droits de vote ou dividendes. Ici, il s'agit plutôt d'actions privilégiées convertibles : si tout va bien, ces titres seront ultérieurement convertis en actions ordinaires et tous les investisseurs seront traités de manière équitable. Mais, dans le cas contraire, les détenteurs de ces actions privilégiées bénéficieront de droits préférentiels et de protections spécifiques par rapport aux fondateurs de l'entreprise ou aux actionnaires historiques. C'est lors de la négociation du **pacte d'actionnaires** que ces clauses qui régiront les relations entre les fondateurs et les nouveaux investisseurs sont discutées. Les plus fréquentes sont les suivantes.

Priorité en cas de liquidation. Les investisseurs externes demandent presque systématiquement à bénéficier d'un droit de priorité en cas de faillite, de vente ou de fusion de la société. Cette clause leur garantit qu'avant tout paiement aux actionnaires ordinaires, ils recevront de manière prioritaire un montant minimal, généralement compris entre une et trois fois leur investissement initial.

Séniorité. Dans la même logique, les investisseurs d'un tour de table donné demandent souvent à bénéficier d'une priorité sur les investisseurs entrés précédemment au capital, pour être remboursés en premier en cas de problème. Pour se protéger à l'avance de cela, les investisseurs entrant dans des *rounds* précoces peuvent exiger que tout avantage accordé ultérieurement à d'autres leur soit également octroyé rétroactivement. Lorsque tous les titres disposent d'une séniorité égale, ils sont dits ***pari passu***.

Protection anti-dilution, ou clause de *ratchet*. Si l'entreprise ne se développe pas comme prévu, et qu'elle lève de nouveaux capitaux à un prix inférieur à celui d'un tour de table précédent (c'est un « *round* descendant »), les investisseurs des tours de table précédents risquent d'être largement dilués. Pour se protéger contre cela, le pacte d'actionnaires prévoit en général des protections anti-dilution qui prévoient de réduire le prix auquel ils peuvent convertir leurs actions, ce qui leur permettra d'augmenter leur part du capital aux dépens des fondateurs.

Participation au conseil d'administration. Les investisseurs externes exigent souvent de participer au conseil d'administration de l'entreprise dont ils prennent une part du capital, et demandent parfois jusqu'à un tiers des sièges, devenant ainsi les membres les plus influents du conseil[4]. Ce partage du pouvoir n'est pas toujours bien vécu par les fondateurs de l'entreprise, mais en fait, cette modification de gouvernance peut favoriser le succès de cette dernière, car le fonds peut aider à faire grandir l'entreprise grâce à son expertise et sa capacité à accompagner des entreprises en croissance. Il a ainsi été démontré que la proximité géographique (ou l'existence d'un vol direct) entre les sièges sociaux du fonds et de l'entreprise favorisait, toutes choses égales par ailleurs, le succès de l'entreprise[5].

Toutes ces dispositions sont évidemment négociables, de sorte que les termes de chaque tour de table dépendent en fait du pouvoir de négociation relatif de l'entreprise et des nouveaux investisseurs : plus le *business model* de l'entreprise sera séduisant et sa croissance forte, plus les investisseurs seront nombreux à vouloir entrer au capital, ce qui permettra aux fondateurs de l'entreprise d'obtenir des termes et une répartition des risques favorables. Mais dans le cas général, les investisseurs parviendront à obtenir des clauses protectrices significatives, et leurs actions privilégiées vaudront, avant leur conversion, plus que les actions ordinaires. Notons que le prix des actions privilégiées peut être fonction de la série considérée, si des clauses différentes s'appliquent en fonction du tour de table.

Exemple 23.2

La priorité de liquidation

La start-up Buzzme a levé 6 millions d'euros lors d'une série A, avec une priorité de liquidation 1× et une valorisation *post-money* de 20 millions d'euros, puis 10 millions d'euros lors d'une série B, avec priorité de liquidation 3×, valorisation *post-money* de 40 millions d'euros et séniorité par rapport à la série A. Si l'entreprise est vendue après le second tour de table, quel est le prix minimal de cession pour que le fondateur de Buzzme, détenteur d'actions ordinaires, touche quelque chose ? Quel est le prix minimal pour que tous les investisseurs convertissent leurs actions ?

Solution

En cas de cession, les investisseurs de la série B doivent recevoir au minimum $3 \times 10 = 30$ millions d'euros ; ceux de la série A, $1 \times 6 = 6$ millions. Par conséquent, si le prix de cession est égal ou inférieur à 30 millions d'euros, seuls les investisseurs de la série B reçoivent quelque chose, car ils bénéficient de la séniorité maximale. Entre 30 et 36 millions, les investisseurs de la série A peuvent à leur tour prétendre à rémunération. Enfin, ce n'est que si le prix dépasse 36 millions que le fondateur de Buzzme recevra de l'argent.

...

---

4. P. Gompers et J. Lerner (2009), *The Venture Capital Cycle*, MIT Press.
5. S. Bernstein, X. Giroud et R. Townsend (2016), « The Impact of Venture Capital Monitoring », *Journal of Finance*, 71, 1591-1622.

...

Grâce à leurs actions privilégiées, les investisseurs de la série B reçoivent jusqu'à trois fois leur investissement en cas de liquidation. Ils n'acceptent de convertir leurs actions et de perdre ce droit que si la valeur de l'entreprise a au minimum triplé depuis leur investissement, soit $3 \times 40 = 120$ millions d'euros. En effet, ils détiennent $10/40 = 25$ % du capital, donc si l'entreprise est cédée pour 120 millions d'euros après conversion de leurs actions, ils reçoivent bien 25 % $\times 120 = 30$ millions d'euros, soit autant que s'ils avaient conservé leurs actions privilégiées. À ce prix, les investisseurs de série A, qui possèdent $6 / 20 = 30$ % des actions restantes, soit 30 % $\times 75$ % $= 22,5$ % du capital, reçoivent $22,5$ % $\times 120 = 27$ millions d'euros et sont donc également incités à les convertir en actions ordinaires. Dans un tel cas, le fondateur de Buzzme récupère en définitive $120 - 30 - 27 = 63$ millions d'euros.

| Erreur à éviter | **L'interprétation de la valorisation d'une start-up** |

Lors de l'annonce de la conclusion d'un tour de table, la valorisation *post-money* de l'entreprise est souvent assimilée à sa valeur « boursière ». À première vue, cela semble logique, puisque la valorisation *post-money* est égale au nombre d'actions multiplié par le prix payé par le dernier investisseur à être entré au capital. Mais même si ce calcul ressemble à celui d'une capitalisation boursière, il y a une différence importante : pour une entreprise cotée, toutes les actions sont en général identiques. Ici, à chaque *round* de financement sont attachées des actions privilégiées spécifiques qui offrent des droits différents et peuvent donc avoir des valeurs différentes.

Prenons un exemple : lors de son dernier tour de table, une start-up a atteint une valorisation *post-money* de 300 millions d'euros avec 100 millions d'actions émises. Elle a aujourd'hui besoin de 100 millions d'euros supplémentaires, qu'un fonds de capital-risque est prêt à investir en échange d'actions privilégiées. Le fonds propose de payer soit huit euros par action s'il bénéficie d'une priorité de liquidation égale au montant investi, soit 10 euros par action s'il bénéficie d'une priorité de liquidation égale au triple de son investissement et d'une séniorité par rapport aux autres actionnaires. Suivant ce que choisira la start-up, sa valorisation *post-money* sera de 900 millions d'euros ou de 1,1 milliard... Pourtant, le fait de donner des droits supplémentaires à certains actionnaires en cas de liquidation ne change en rien la valeur de l'actif économique de l'entreprise[*] ! En revanche, cela réduit la richesse des actionnaires existants, puisque ce sont eux en définitive qui supportent le coût des privilèges octroyés aux nouveaux actionnaires. Des **conflits d'intérêt** entre actionnaires peuvent donc apparaître. Si la start-up est vendue ultérieurement pour 400 millions d'euros, les derniers entrés au capital, s'ils bénéficient d'une priorité de liquidation égale au triple de leur investissement, en récupéreront 300 millions, tandis que les actionnaires plus anciens récupéreront à peine 100 millions et que les fondateurs de l'entreprise n'auront presque rien.

[*] La valorisation *post-money* des licornes surévalue ainsi de 50 % en moyenne leur vraie valeur : W. Gornall et I. Strebulaev (2018), « Squaring Venture Capital Valuations with Reality », *Journal of Financial Economics*, à paraître.

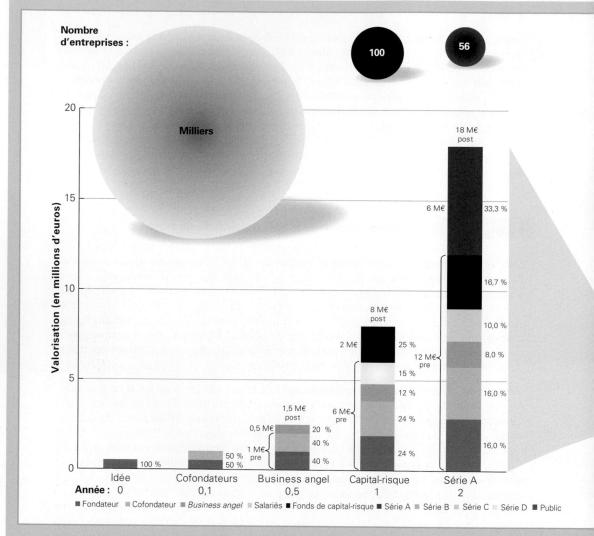

Figure 23.2 – Le cycle de financement d'une start-up

Le cycle de financement d'une start-up

La figure 23.2 illustre le cycle de financement d'une start-up, de sa création à son introduction en Bourse. Tout commence avec une simple idée, sur la base de laquelle deux entrepreneurs décident de s'associer pour fonder une start-up avec leurs économies. Au bout de six mois, ils n'ont pas encore de prototype ni de clients, mais les études de marché qu'ils ont réalisées suffisent à convaincre un *business angel* d'investir 500 000 € en échange de 20 % du capital. Six mois plus tard, le premier prototype est prêt, et les retours clients encourageants : sur cette base, un fonds de capital-risque accepte de prendre un « ticket » de 2 millions d'euros, sur base d'une valorisation *pre-money* de 6 millions. À l'occasion de ce premier tour de table (ou *seed round*, **round** d'amorçage),

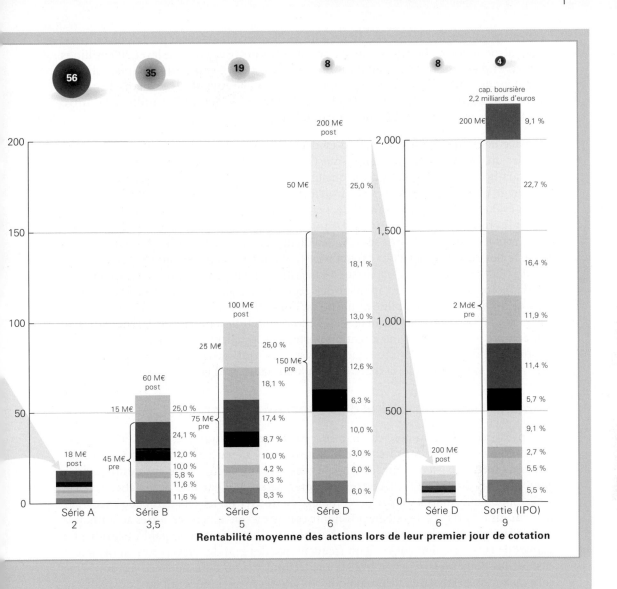

Rentabilité moyenne des actions lors de leur premier jour de cotation

les fondateurs réservent 15 % des actions à leurs salariés, afin d'attirer de nouveaux talents et de les fidéliser. Les choses sérieuses commencent au bout de deux ans : la start-up a ses premiers clients et peut lever 6 millions d'euros auprès d'un fonds de capital-risque lors d'un tour de table de série A, pour une valorisation *post-money* de 18 millions d'euros. À ce stade, chaque fondateur ne détient plus que 16 % des actions de l'entreprise.

Si le succès est au rendez-vous, avec la croissance de l'entreprise se succèdent les tours de table, ce qui permet à la start-up de lever 15, puis 25 et enfin 50 millions d'euros en quatre ans (séries B, C et D), pour une valorisation qui atteint 200 millions d'euros. À chaque tour, 10 % de nouvelles actions sont réservées aux salariés. Au bout de neuf ans, la start-up est devenue leader de son marché, elle gagne de l'argent et peut donc réfléchir à son introduction en Bourse, ce qui lui permet dans notre exemple de lever 200 millions d'euros et d'atteindre une capitalisation boursière de 2,2 milliards d'euros : chaque fondateur ne détient plus que 5,5 % des actions, mais elles valent 121 millions d'euros… Les actions de série A valent, elles, 11,4 % × 2,2 milliards d'euros = 250 millions d'euros, soit 42 fois la mise initiale du fonds de capital-risque.

Ce cycle de financement correspond évidemment à ce dont rêvent tous les créateurs de start-up. Mais de telles réussites sont l'exception plutôt que la règle, car la plupart des start-up font faillite au bout de quelques mois ou quelques années. La figure 23.2 indique le nombre de start-up qui parviennent à chaque étape : il faut que les *business angels* évaluent plusieurs milliers d'idées et de *business models* pour trouver 100 start-up qui réaliseront avec succès leur *round* d'amorçage ; à peine plus de la moitié d'entre elles réussiront leur tour de table de série A, et seulement quatre seront introduites en Bourse. C'est ce taux d'échec élevé qui explique les rentabilités élevées lorsque le succès est au rendez-vous : dans notre exemple, sur 56 investissements de 6 millions d'euros, chacun pendant sept ans, le fonds de capital-risque gagne quatre fois 250 millions d'euros et rien le reste du temps. Sa rentabilité annuelle est donc de $(4 \times 250 / 6 \times 56)^{1/7} - 1 = 17$ % : cette rémunération est élevée, mais c'est la compensation d'un risque également élevé. On comprend aussi l'extrême attention portée par les clients du fonds à la qualité du gérant : si ce dernier n'identifie « que » trois start-up qui entreront en Bourse, au lieu de quatre dans notre exemple, la rentabilité du fonds chute à 12 %…

Comment sortir du capital d'une société non cotée ?

Un investisseur en non coté est exposé à un **risque de liquidité**, puisqu'il n'est pas certain des conditions dans lesquelles il pourra céder sa participation. Différentes stratégies de sorties existent pour lui : il peut tenter de trouver un acheteur désireux de le remplacer au capital de l'entreprise, à un prix déterminé par une négociation privée. Cela est possible, mais il est parfois complexe de trouver un tel acheteur et de s'accorder avec lui sur un prix. La deuxième possibilité consiste à convaincre les autres actionnaires de vendre également leurs titres, et de chercher un acheteur intéressé par l'intégralité du capital de la société non cotée : il est fréquent que des grandes entreprises en rachètent des petites pour prendre le contrôle d'une technologie ou d'un nouveau produit. Une telle opération permet une sortie conjointe de tous les investisseurs initiaux, qui réalisent ainsi le plus souvent une plus-value.

Ces deux solutions sont mises en œuvre dans environ 90 % des cas[6], pour un montant moyen de 10 à 20 millions d'euros par opération. La troisième solution consiste à introduire en Bourse la société, pour qu'elle bénéficie de la liquidité du marché boursier pour lever des capitaux et que les actionnaires puissent librement revendre leurs actions sur le marché.

---

6. European Venture Capital Association, *EVCA Yearbook*.

Entretien	**Geoffroy Guigou, cofondateur de Younited Credit**

Geoffroy Guigou est cofondateur et directeur des opérations de Younited Credit, une fintech française qui entend révolutionner le crédit aux particuliers.

En quoi Younited Credit est-elle une *fintech* ?

Younited Credit est une entreprise de services financiers, avec le statut d'établissement de crédit, qui a créé une technologie propriétaire permettant aux prêteurs et emprunteurs de se rencontrer directement, sans intermédiaire, grâce au digital. Avec 100 ingénieurs sur 330 salariés, nous sommes donc bien à la croisée des mondes de la finance et de la technologie. Notre pari est qu'il est possible de proposer aux particuliers des crédits plus simples et plus compétitifs grâce à la technologie. Nous sommes donc en concurrence frontale avec les banques traditionnelles, que nous attaquons sur leur marché le plus gros, le plus rentable et le moins digitalisé : cela nous ouvre un énorme potentiel de croissance.

Pourquoi des particuliers et des investisseurs institutionnels deviennent-ils prêteurs sur votre plateforme ?

Ils acceptent de s'exposer au risque de crédit car cela leur permet de capter les marges bancaires et de disposer d'un placement de diversification totalement décorrélé des classes d'actifs traditionnelles.

Comment avez-vous financé la croissance exponentielle de Younited Credit ?

Depuis la création de la société en 2009, nous avons levé 160 millions d'euros en sept tours de financement, auprès d'actionnaires de référence qui nous accompagnent depuis longtemps, *business angels*, *family offices*, fonds d'investissement et acteurs de l'industrie financière. Notre tour de table est assez atypique car aucun fonds de capital-risque n'est présent. Pour la suite, nous envisageons une nouvelle levée de fonds sous 18 mois, probablement d'une centaine de millions d'euros.

Younited Credit entrera-t-elle bientôt dans le cercle des licornes françaises ?

Notre dernière levée s'est déroulée sur la base d'une valorisation *post-money* d'environ 500 millions d'euros. Mais devenir une licorne n'est pas un objectif pour nous : rien n'est plus simple que de gonfler la valorisation d'une *start-up* à l'aide d'actions privilégiées ! Nous préférons nous concentrer sur la croissance et la rentabilité de notre activité. Atteindre le milliard d'euros de chiffre d'affaires annuel est pour nous plus important que de devenir une licorne.

23.2. L'introduction en Bourse

Une **introduction en Bourse**, ou *Initial Public Offering* (IPO), consiste pour une société à faire coter ses actions pour la première fois sur un marché financier organisé et réglementé. Cette opération est complexe, longue et coûteuse ; elle mobilise de nombreux acteurs. Cette section décrit les étapes de cette opération et ses enjeux.

Pourquoi s'introduire en Bourse ?

Une introduction en Bourse favorise la **liquidité** des titres : une fois l'entreprise cotée, les actionnaires qui le désirent pourront vendre facilement leurs actions. En outre, cela facilite la **levée de capitaux** nouveaux (lors de l'introduction ou d'augmentations de capital ultérieures). En France, une vingtaine d'entreprises s'introduisent en Bourse chaque année, le volume total de ces introductions en Bourse étant de 1,5 à 2 milliards d'euros par an grâce aux émissions d'actions nouvelles et à la vente d'actions existantes (figure 23.5). Au niveau mondial, les principales introductions en Bourse se sont toutes produites sur le marché américain, le record étant actuellement détenu par Alibaba, numéro 1 chinois du commerce électronique, introduit sur le *New York Stock Exchange* en 2014 pour 22 milliards de dollars… Ce record pourrait être battu par le géant pétrolier saoudien Aramco, qui évoque son introduction en Bourse depuis plusieurs années – si cela se produisait, les 100 milliards de dollars pourraient être dépassés !

Du fait de la multiplicité d'investisseurs potentiels et de la possibilité donnée aux actionnaires historiques de vendre leurs titres, l'introduction en Bourse est inévitablement associée à une dispersion accrue de l'actionnariat, synonyme d'une dilution du pouvoir entre des actionnaires plus nombreux et moins impliqués dans la surveillance de l'entreprise. Une introduction en Bourse n'est donc pas neutre en termes de gouvernance d'entreprise. Autre contrainte, les sociétés cotées doivent respecter des exigences légales et réglementaires supplémentaires par rapport aux entreprises non cotées, en particulier en termes de transparence et de communication financière, qui imposent des coûts significatifs aux entreprises cotées. Pour ces raisons, certaines entreprises n'ont jamais souhaité entrer en Bourse. C'est en particulier le cas d'entreprises ayant des activités peu capitalistiques ou qui permettent d'autofinancer la croissance, comme des cabinets d'audit (Deloitte, KPMG…), des groupes de grande distribution (Auchan, Leclerc, Ikea…), ou des banques (BPCE, Crédit Mutuel…). Il ne faut pas oublier qu'il n'y a qu'un millier d'entreprises cotées en France sur plus de 4,5 millions !

Préparer une introduction en Bourse

Quelle(s) banque(s) choisir ? La première décision d'une entreprise qui souhaite entrer en Bourse concerne les banques d'investissement qu'elle souhaite engager pour l'accompagner dans le processus. Il s'agit de choisir une ou deux banques **chefs de file** (*lead underwriters*), qui vont préparer et coordonner le placement des titres. Elles seront chargées de définir les caractéristiques techniques, juridiques et financières de l'opération et de rédiger la documentation fournie aux autorités de marché et aux investisseurs.

Ensuite, l'entreprise et ses chefs de file sélectionnent ensemble les banques qui constitueront le **syndicat bancaire**, dont la taille dépendra de celle de l'opération. Les membres du syndicat seront, en fonction de leur implication dans l'opération, chefs de file associés, co-chefs de file ou co-managers et devront susciter l'intérêt des investisseurs, placer une partie des titres et participer activement à la détermination du prix auquel seront vendus les titres. Le tableau 23.2 détaille les principales banques actives sur le marché des introductions en Bourse au plan mondial et la figure 23.3 reproduit la première page de la note d'opération relative à l'introduction en Bourse d'EDF, qui détaille les membres du syndicat bancaire et leurs rôles.

Tableau 23.2	Classement mondial des banques introductrices (2018)

	Part de marché des introductions en Bourse	Montant des opérations (millions de dollars)	Nombre d'opérations	Commissions reçues (millions de dollars)
1 JP Morgan	8,9 %	3 838	21	94
2 Citi	8,7 %	3 777	23	114
3 Deutsche Bank	6,8 %	2 940	15	51
4 Morgan Stanley	6,2 %	2 700	17	57
5 Goldman Sachs	5,8 %	2 513	16	69
Top 10	**54,2 %**	**24 995**	**145**	**551**
Total		**46 540**	**234**	**1 125**

Source : Bloomberg.

Émission d'actions primaire ou secondaire ? Lors d'une introduction en Bourse, une entreprise propose ses actions à tous les investisseurs intéressés[7]. Les actions ainsi mises en vente peuvent être des actions nouvelles, émises par l'entreprise désireuse de lever des capitaux à l'occasion de son introduction en Bourse ; on parle alors d'**émission primaire**. C'est le cas de la plupart des introductions en Bourse en France. Les actions peuvent également être des actions déjà existantes vendues par un ou des actionnaires en place. L'introduction en Bourse permet alors aux actionnaires en place de sortir : c'est une **émission secondaire**. Bien entendu, émissions primaire et secondaire peuvent être combinées lors d'une introduction en Bourse.

Quelles démarches préalables effectuer ? Les conditions pour entrer en Bourse sont assez légères : pour se faire coter sur Euronext, il suffit de disposer de trois années de comptes aux normes IFRS audités, de s'engager à publier des informations financières au pas semestriel et d'ouvrir son capital à hauteur de 25 % ou de 5 millions d'euros au minimum. Ces conditions sont même allégées pour les entreprises souhaitant se faire coter sur un marché non réglementé[8] opéré par Euronext, Euronext Growth ou Euronext Access. Ainsi, nul besoin d'avoir un résultat net positif, une rentabilité minimale ou même de distribuer des dividendes pour entrer en Bourse.

En France, l'**Autorité des marchés financiers** (AMF), qui exerce son pouvoir de contrôle dès qu'une offre de titres financiers est faite au public et plus encore lorsqu'il s'agit de titres cotés, exige que l'entreprise informe de manière extrêmement détaillée les investisseurs qui auront la possibilité d'acheter les titres à propos de la situation de l'entreprise, de ses perspectives, de ses états financiers, des risques auxquels elle est exposée, etc. Ces informations sont fournies sous forme exhaustive dans un **prospectus d'introduction**, qui comprend un **document de référence**, ou **document d'enregistrement universel** (URD pour *Universal Registration Document*) décrivant l'entreprise et une **note d'opé-ration** décrivant l'offre proposée aux investisseurs. Ces deux documents sont déposés auprès de l'AMF qui doit donner son **visa** avant qu'ils ne puissent être distribués aux

---

7. Sauf cas particulier où l'entreprise procède exclusivement à un placement privé auprès d'investisseurs quali-fiés lors de son introduction en Bourse, ou se contente de demander l'admission d'actions existantes à la négociation en Bourse.

8. Au sens de la directive européenne.

investisseurs potentiels. Ces exigences ont pour objectif d'éviter les fraudes et abus de la part d'entreprises ou de dirigeants indélicats au détriment des actionnaires (voir chapitre 29). Sur la figure 23.3, le visa de l'AMF apparaît au centre.

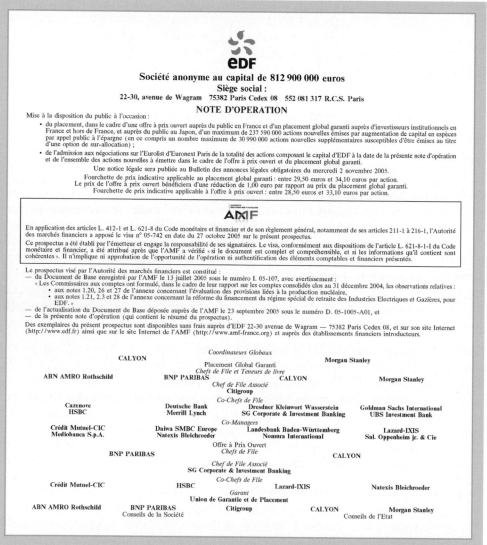

Figure 23.3 – Première page de la note d'opération relative à l'introduction en Bourse d'EDF

EDF est entrée en Bourse en 2005, à l'aide d'un placement garanti et d'une offre à prix ouvert.

Source : EDF.

Réaliser une introduction en Bourse

Le marketing *pre-deal* et le placement des titres. Quatre à six semaines avant la date prévue d'introduction en Bourse, l'entreprise, accompagnée et conseillée par ses banques, commence à rencontrer des investisseurs potentiels et des analystes, pour se faire connaître et raconter son ***equity story*** : l'entreprise, non cotée, est peu suivie des analystes et inconnue des investisseurs. Avant de la vendre au marché, il faut donc expliquer son positionnement, sa stratégie et ses projets. Plutôt que d'appeler cela une campagne marketing, on préfère parler de *pre-deal investor education*… C'est aussi l'occasion de partager une première estimation de la valeur de ses actions, calculée par les banques introductrices grâce aux méthodes d'évaluation décrites au chapitre 9, valeur actuelle des flux de trésorerie et méthode des comparables (ou des multiples). Lors de ces rencontres, les investisseurs potentiels font état de leur intérêt pour l'opération et donnent de premières indications relatives à leurs intentions.

L'évaluation d'une entreprise par la méthode des comparables

Marche ou Crêpe est une société bretonne non cotée. Son activité se résume à la commercialisation de crêpes industrielles. L'an dernier, son chiffre d'affaires était de 325 millions d'euros et son résultat net de 15 millions. L'entreprise a émis 20 millions d'actions. Pour préparer l'introduction en Bourse de Marche ou Crêpe, son banquier conseil doit valoriser l'entreprise par la méthode des comparables. Marche ou Crêpe a quatre concurrents cotés, dont le PER moyen est de 21,2 et le multiple de chiffre d'affaires moyen de 0,9×. Quel est le prix d'une action Marche ou Crêpe ?

Solution

Deux approches sont possibles :

- Le PER moyen des concurrents est égal à 21,2. On en déduit que la capitalisation boursière de Marche ou Crêpe doit être, environ, de 15 millions × 21,2 = 318 millions d'euros, soit un prix par action de 318 / 20 = 15,90 €.

- Le multiple de chiffre d'affaires moyen des concurrents est égal à 0,9×. On en déduit que la capitalisation boursière de Marche ou Crêpe doit être, environ, de 325 millions × 0,9 = 292,2 millions d'euros et le prix d'une action de 292,2 / 20 = 14,63 €.

La banque introductrice proposera donc probablement une fourchette de prix initiale de 13 à 17 € par action.

Exemple 23.3

Le placement des titres débute en général deux semaines avant la date prévue d'introduction en Bourse. La quasi-totalité des introductions en Bourse repose en France sur la combinaison d'un placement garanti et d'une offre à prix ouvert. Le **placement garanti** est réservé aux investisseurs institutionnels. Durant la phase de placement des titres, il faut aller à leur rencontre, sachant qu'ils ne se déplacent généralement pas : les dirigeants de l'entreprise réalisent donc pendant 15 jours un *road-show* continu pour les voir et accordent des entretiens en « *one-to-one* » aux plus importants. À l'issue de ces réunions, les investisseurs institutionnels indiquent le nombre d'actions qu'ils sont prêts à acheter et le prix qu'ils sont prêts à payer. Les banques chefs de file enregistrent ces intentions de souscription dans un **livre d'ordres** ; on dit qu'elles sont **teneur de livre**, ou *bookrunner*. Bien que non contraignants, les engagements des investisseurs institutionnels seront généralement respectés pour préserver leur relation de confiance avec les banquiers. À l'issue de la constitution du livre d'ordres (*book building*), le prix d'introduction des actions est déterminé par les banques introductrices en fonction des conditions de marché et de l'appétence des investisseurs. Si la demande exprimée par les investisseurs institutionnels est trop faible, l'entreprise doit décider de poursuivre avec un prix fortement décoté ou d'abandonner son projet d'introduction en Bourse : cela arrive dans 10 à 20 % des cas[9]. L'attribution des actions aux investisseurs institutionnels étant pour partie discrétionnaire, l'entreprise introduite en Bourse peut « choisir », dans une certaine mesure, certains de ses futurs actionnaires pour constituer un noyau stable d'investisseurs institutionnels qu'elle considère comme amicaux.

Le placement garanti destiné aux investisseurs institutionnels est le plus souvent accompagné d'une **offre à prix ouvert** (OPO), destinée aux investisseurs individuels. Pour attirer le maximum d'investisseurs, de nombreuses pages de publicité (appelées *tombstones*) sont achetées aux journaux et sites d'information financière. L'offre ne spécifie pas de prix d'introduction *a priori*, mais une fourchette de prix indicative. Les investisseurs intéressés passent des ordres sur Euronext précisant les quantités et prix des titres qu'ils souhaitent acheter. Le prix définitif des titres est fixé en fonction de la demande totale de titres (y compris par placement garanti), dans les limites de la fourchette initiale. Tous les ordres ayant spécifié un prix inférieur au prix définitif sont annulés, tous les ordres ayant spécifié un prix égal ou supérieur au prix définitif sont exécutés à ce prix.

Même si ces procédures sont plus rares, il est également possible de s'introduire en Bourse grâce à **une offre à prix minimal** (OPM) ou une **offre à prix ferme** (OPF). Pour l'offre à prix minimal, l'entreprise annonce un prix plancher, les investisseurs passent des ordres précisant les quantités et les prix souhaités (au-dessus du plancher). Les ordres sont centralisés par Euronext, qui détermine la fourchette de prix à l'intérieur de laquelle la majorité des ordres se trouve. Les ordres à l'intérieur de la fourchette seront servis au prix demandé, mais pas nécessairement de la quantité de titres demandée si la demande excède l'offre. Pour l'offre à prix ferme, le prix d'achat des titres est fixé à l'avance, unilatéralement, par l'entreprise. En cas d'excès de demande, la répartition des titres entre acheteurs s'effectue au *prorata* de leurs demandes, parfois avec un mécanisme favorisant les ordres de petite taille. Ce mécanisme repose sur un prix qui n'est pas fixé par le marché et peut donc entraîner des comportements stratégiques de la part des investisseurs (qui ont intérêt à demander une quantité de titres supérieure à celle qu'ils désirent effectivement, lorsqu'ils anticipent une sur-souscription).

Le placement des titres lors d'une introduction en Bourse est donc complexe, et implique presque toujours la constitution d'un livre d'ordres. On peut se demander pourquoi un « simple » mécanisme d'enchères électroniques n'a pas remplacé cette technique ancienne. Une étude[10] a montré que le mécanisme de placement garanti limite la possibilité d'erreurs lors de la détermination du prix d'introduction et que l'absence de livre d'ordres complique la découverte du « juste » prix des actions, incitant les investisseurs institutionnels à se détourner de ce type d'opérations et réduisant donc la base d'investisseurs intéressés. Quelques entreprises se sont néanmoins risquées à réaliser une introduction en Bourse par le biais d'une simple enchère électronique, la plus célèbre d'entre elles étant celle de Google en 2004.

---

9. M. Lowry, R. Michaely et E. Volkova (2017), « Initial Public Offerings: A Synthesis of the Literature and Directions for Future Research », *Foundations and Trends in Finance*, 11, 154-320.

10. R. Jagannathan et A. Sherman (2015), « Share Auctions of Initial Public Offerings: Global Evidence », *Journal of Financial Intermediation*, 24, 283-311.

Un placement garanti

Suze Environnement souhaite s'introduire en Bourse et placer 500 000 actions auprès d'investisseurs institutionnels. La banque chef de file pilote le placement garanti. À la fin de la période de placement, le livre d'ordres est :

Prix en euros	Nombre de titres demandés
8,00	25 000
7,75	100 000
7,50	75 000
7,25	150 000
7,00	150 000
6,75	275 000
6,50	125 000

À quel prix les actions seront-elles placées ?

Solution

Il faut calculer la demande cumulée de titres pour chaque prix. Dans la mesure où un investisseur prêt à débourser 8 € par action sera prêt à acheter l'action à seulement 7,75 €, la demande cumulée de titres au prix de 7,75 € est de 25 000 + 100 000 = 125 000 titres. Et ainsi de suite. La courbe de demande est donc :

Prix en euros	Demande cumulée
8,00	25 000
7,75	125 000
7,50	200 000
7,25	350 000
7,00	500 000
6,75	775 000
6,50	900 000

L'entreprise souhaite placer 500 000 titres. Tous les investisseurs ayant soumis un ordre d'achat à un prix strictement supérieur à 7 € seront servis à 100 % de la quantité de titres demandés, au prix unique de 7 € par action. Les investisseurs ayant soumis un ordre d'achat à 7 € exactement ne seront servis qu'à hauteur de 150 000 / 170 000 = 88 %, pour ne pas dépasser le nombre d'actions mises en vente.

Exemple 23.4

Les garanties de placement des titres. Au cours de l'opération, les banques introductrices peuvent être amenées à offrir à l'entreprise des garanties relatives au placement de ses titres :

• Pour les introductions en Bourse de petites ou moyennes entreprises, le syndicat bancaire réalise en général l'opération sous la forme d'un **placement pour compte** (*best efforts*). Cela signifie que les banques ont une obligation de moyens, mais pas de résultat. Elles s'engagent à essayer de vendre un maximum de titres, au prix le plus avantageux possible pour l'entreprise, mais ne garantissent pas le placement de tous les titres. Ce type de placement est souvent accompagné d'une option tout ou rien : si toutes les actions ne sont pas placées, l'introduction en Bourse est annulée.

Inutile de préciser que ce type de garantie n'est pas de nature à donner confiance aux investisseurs !

- Plus fréquemment, dans la quasi-totalité des introductions en Bourse de grandes entreprises (et bien sûr pour tous les placements garantis), le syndicat bancaire place les titres avec une **garantie de prise ferme**, qui garantit que tous les titres émis seront placés, au prix fixé pour l'introduction. Pour cela, les banques introductrices achètent les titres à l'émetteur à un prix légèrement inférieur au prix d'introduction pour les revendre ensuite aux investisseurs au prix d'introduction. Cette différence entre le prix d'achat et le prix de vente des titres constitue la rémunération des banques.

Si les banques introductrices accordent une clause de prise ferme et que tous les titres ne sont pas placés, elles se retrouveront « collées », c'est-à-dire contraintes de conserver les titres qui n'ont pu être vendus. Les banques assument donc à la place de l'entreprise le risque d'échec de l'opération[11]. Comment se protègent-elles contre ce risque ? Dans certains cas, les banques n'accordent cette garantie de prise ferme qu'*après* l'ouverture du livre d'ordres, ce qui est moins risqué pour elles car les premiers ordres reçus leur ont permis de juger de l'intérêt des investisseurs pour l'opération et d'utiliser les informations collectées pour fixer un prix d'introduction garantissant presque à coup sûr le succès de l'introduction. De plus, que la garantie soit donnée avant ou après l'ouverture du livre d'ordres, les banques disposent en général d'un autre mécanisme pour se couvrir, à savoir une **option de surallocation** (ou **option *greenshoe***[12]), qui leur permet de vendre plus d'actions qu'initialement prévu (souvent 15 % de plus) au prix fixé pour l'introduction en Bourse. Comment une telle clause permet-elle aux banques de se protéger contre des pertes ?

Reprenons l'exemple de l'introduction en Bourse d'EDF (figure 23.3), qui prévoyait cette clause pour 13 % d'actions supplémentaires. Les banques ont proposé à la vente, dès le début, 30,99 millions d'actions au titre de l'option de surallocation en plus des 206,6 millions d'actions initialement prévues, soit un total de 237,59 millions d'actions. Les 30,99 millions d'actions de l'option de surallocation sont vendues à découvert par la banque. Si l'introduction en Bourse est un succès, les banques introductrices exercent l'option de surallocation et reçoivent de la part de l'entreprise plus d'actions qu'initialement prévu ; ainsi, les banques peuvent couvrir leur position courte et réaliser un profit certain, puisqu'elles placent plus d'actions qu'initialement prévu et qu'elles achètent les actions à l'entreprise à un prix plus faible que celui auquel elles les revendent. Si l'introduction est un échec, les banques n'exercent pas l'option et rachètent les actions « en trop » sur le marché après l'introduction, afin de couvrir leur position. Ainsi, elles peuvent soutenir le cours de l'entreprise nouvellement introduite en Bourse[13] et probablement réaliser un profit, puisque le cours de Bourse auquel elles rachètent les titres a toutes les chances d'être inférieur au prix d'introduction, celle-ci ayant été un relatif échec.

---

11. La perte la plus élevée subie à cette occasion par des banques s'est produite lors de l'introduction en Bourse de British Petroleum en 1987. L'opération a été réalisée par tranches successives. Le prix des actions de la dernière tranche a été fixé juste avant le krach d'octobre 1987 et le placement des titres a eu lieu une semaine après le krach. Le soir de l'introduction, les pertes des banques ayant participé à l'opération étaient de 1,3 milliard de dollars – et le cours des actions BP a ensuite continué de baisser.
12. Le nom provient de la Green Shoe Company, première entreprise à prévoir une telle clause lors de son introduction en Bourse.
13. R. Aggarwal (2000), « Stabilization Activities by Underwriters After IPOs », *Journal of Finance*, 55(3), 1075-1103.

Une fois l'introduction en Bourse réalisée, les titres de l'entreprise s'échangent librement sur le **marché secondaire**. Il est fréquent que les banques impliquées dans l'opération s'engagent à intervenir sur le marché pour garantir une certaine liquidité du titre durant les premières semaines de cotation. Ces opérations sur le marché secondaire bénéficient tant à l'entreprise qu'aux investisseurs. Un marché liquide permet en effet à ces derniers d'acheter ou de vendre les titres facilement. Par ailleurs, un mécanisme de **verrouillage**, ou **clause de *lock-up***, interdit fréquemment aux anciens actionnaires de l'entreprise de céder leurs titres pendant une période définie après l'introduction (en général six mois) pour éviter un afflux trop brutal de titres qui déséquilibrerait le marché.

23.3. Les quatre énigmes des introductions en Bourse

Les économistes ont identifié quatre énigmes posées par les introductions en Bourse à la théorie financière, que cette section présente : (1) les entreprises sont fréquemment introduites en Bourse à un prix sous-évalué, (2) il existe des « vagues » d'introduction en Bourse, (3) les coûts d'une introduction en Bourse sont très élevés et (4) les performances boursières des entreprises récemment introduites en Bourse sont inférieures à celles du marché.

La sous-évaluation du prix d'introduction

Le prix auquel sont vendues les actions lors des introductions en Bourse est en moyenne plus faible que leur prix d'équilibre : on parle de **décote de placement**. En effet, le cours des actions augmente presque toujours le premier jour de cotation, ce qui indique bien que le prix d'introduction était inférieur à ce qu'auraient accepté de payer les investisseurs à l'équilibre. Ce phénomène s'observe dans tous les pays (figure 23.4). En France, entre 1983 et 2010, la performance moyenne des titres nouvellement introduits en Bourse le premier jour de cotation est de 10,5 %[14].

Qui bénéficie de cette décote ? En général, les banques introductrices s'arrangent pour fixer le prix d'introduction de façon à entraîner une hausse de l'action le premier jour de cotation. Elles limitent par ce moyen le risque de se retrouver avec des actions non placées, alors qu'elles ont octroyé une clause de prise ferme. Les investisseurs qui ont pu acheter des actions à un prix inférieur au prix d'équilibre y trouvent également leur compte. Les actionnaires historiques, au contraire, en supportent le coût, soit directement (s'ils vendent eux-mêmes des titres à un prix trop faible), soit indirectement (si l'entreprise émet de nouvelles actions à un prix trop faible, les actionnaires existants sont dilués plus que de raison). Pourquoi acceptent-ils cela ? On peut arguer un manque de concurrence, le marché des banques introductrices étant oligopolistique. Il semble toutefois que les banques d'investissement se livrent une réelle concurrence pour décrocher les mandats d'introduction en Bourse, d'autant qu'il y a peu d'opérations tous les ans (figure 23.5) et que le marché est facilement contestable : de nouveaux concurrents entrent régulièrement sur le marché des banques d'affaires.

---

14. T. Loughran, J. Ritter et K. Rydqvist (2004), « Initial Public Offerings: International Insights », *Pacific Basin Finance Journal*, 2, 165-199 et B. Husson et B. Jacquillat (1990), « Sous-évaluation des titres et méthodes d'introduction au second marché », *Finance*, 11, 123-134.

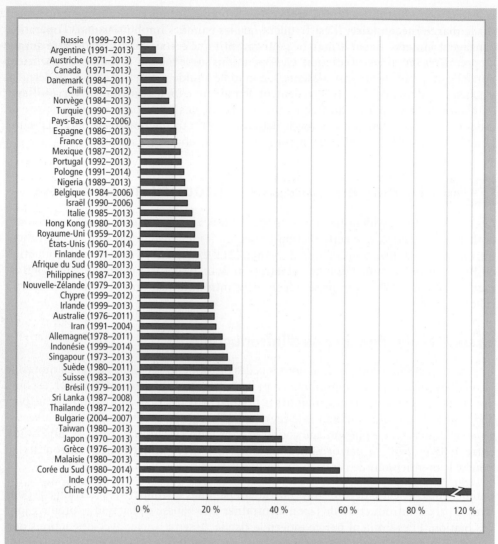

Figure 23.4 – Comparaison des performances des actions lors de leur premier jour de cotation

La rentabilité moyenne des actions le jour de leur admission à la cote est élevée dans tous les pays. Cette rentabilité est calculée comme l'écart (en pourcentage) entre le cours de clôture la première journée et le prix d'introduction. Pour la Chine, seul le compartiment A (réservé aux résidents chinois) est pris en compte. Les dates indiquent la période sur laquelle le calcul est effectué.

Source : Adapté à partir de J. Ritter, **bear.warrington.ufl.edu/ritter**.

Compte tenu de cette sous-évaluation des actions lors des introductions en Bourse, les investisseurs auraient tout intérêt à acheter le maximum de titres à cette occasion : un gain moyen de 10,5 % sur une journée correspond à une rentabilité annualisée de $1,105^{250} = 69\ 273\ 878\ 774\ \%$! Si les investisseurs ne mettent pas en œuvre cette stratégie, la seule explication possible est qu'ils ne le peuvent pas. Ce calcul suppose en effet qu'il est possible de réinvestir dès le lendemain (et au même taux) le profit tiré de l'introduction en Bourse du jour. Plus important, la hausse du titre dès le premier jour de cotation traduit le fait que l'introduction est un succès et donc que la demande de titres dépasse l'offre. De ce fait, les investisseurs ne reçoivent qu'une fraction des titres demandés (rationnement des investisseurs en cas de sursouscription). En résumé, participer de manière systématique aux introductions en Bourse revient à recevoir peu de titres quand l'introduction est un succès et que le cours augmente dès le premier jour, et beaucoup de titres lors des introductions en Bourse qui éveillent peu l'intérêt des investisseurs.

Ce résultat est une forme particulière d'**antisélection** (ou de **sélection adverse**), connue sous le nom de **malédiction du vainqueur** (*winner's curse*) : on ne gagne (on ne reçoit tous les titres souhaités) que lorsqu'on aurait préféré perdre, c'est-à-dire que l'introduction est un échec et que le cours de Bourse n'augmente pas le premier jour. Ce phénomène réduit très fortement la rentabilité de la stratégie consistant à participer à toutes les introductions en Bourse et à vendre dès le premier soir les titres obtenus[15]. En fait, la malédiction du vainqueur est si forte que cette stratégie ne permet pas d'obtenir une rentabilité supérieure à la rentabilité moyenne du marché. Cette malédiction implique également qu'une sous-évaluation systématique du prix des actions offertes lors d'une introduction est nécessaire pour que les investisseurs les moins informés participent tout de même à l'introduction.

Malédiction du vainqueur et introduction en Bourse

Un investisseur décide de passer un ordre d'achat sur 2 000 actions de toutes les entreprises qui seront introduites en Bourse à l'avenir. Historiquement, 80 % des introductions ont été sursouscrites ; la demande est alors, en moyenne, 16 fois plus élevée que l'offre de titres (le nombre de titres obtenu est réduit en proportion) et la hausse moyenne du cours de l'action le premier jour de cotation est de 20 %. Lors des autres introductions (20 % des cas), le prix des actions baisse de 5 % en moyenne le premier jour. On suppose que le prix moyen des actions lors de leur introduction en Bourse est de 15 €. Quelle est la rentabilité moyenne de cette stratégie ?

Solution

La rentabilité effective le premier jour de cotation est élevée : 0,8 × 20 % + 0,2 × – 5 % = 15 %, ce qui correspond, en participant à une introduction par mois, à une rentabilité annuelle de : $1{,}15^{12} - 1 = 435\ \%$. Toutefois, lorsque l'introduction est un succès, l'investisseur n'obtient que 2 000 / 16 = 125 titres. Son gain est de :

$$20\ \% \times 125 \text{ actions} \times 15\ € \text{ par action} = 375\ €$$

Une introduction ratée, par contre, est servie à 100 % et les 2 000 titres sont achetés au prix d'introduction. Ces titres perdent 5 % le premier jour, d'où une perte de :

$$-5\ \% \times 2\ 000 \text{ actions} \times 15\ € \text{ par action} = -1\ 500\ €$$

Au bout du compte, le profit moyen pour l'investisseur est nul :

$$0{,}8 \times 375 + 0{,}2 \times (-1\ 500) = 0$$

…

Exemple 23.5

---

15. K. Rock (1986), « Why New Issues Are Underpriced? », *Journal of Financial Economics*, 15(2), 197-212. Voir également M. Lewis (1990), « The Winner's Curse Problem, Interest Costs and the Underpricing of Initial Public Offerings », *Economic Journal*, 100, 76-89.

Exemple 23.5

…

On peut donc avoir une forte hausse des cours de la plupart des actions le jour de leur introduction en Bourse et en même temps une stratégie de participation systématique aux introductions avec une rentabilité nulle, voire négative. Une décote de placement significative est donc indispensable. Sans celle-ci, participer aux introductions en Bourse serait une stratégie à rentabilité négative pour les investisseurs ne disposant pas d'informations privilégiées pour prévoir le succès ou l'échec de l'opération et ces derniers ne participeraient donc jamais aux introductions en Bourse.

Les vagues d'introduction en Bourse

Lorsque le marché boursier est haussier, on compte un grand nombre d'introductions en Bourse, alors qu'elles sont rares en période de baisse des cours (figure 23.5). L'existence de telles vagues n'est pas en elle-même surprenante : les entreprises investissent et ont donc besoin de plus de capitaux en période de croissance qu'en période de récession. Mais l'ampleur des vagues demeure inexpliquée : il est peu probable que les opportunités de croissance des grandes entreprises françaises et leurs besoins en capitaux soient passés, par exemple, de 10 milliards d'euros en 2006 à… 0,1 milliard en 2008 ! Cela signifie que le nombre d'introductions en Bourse ne dépend pas exclusivement des besoins en capitaux des entreprises, et que d'autres facteurs influencent la décision des entreprises de s'introduire en Bourse ou de privilégier d'autres sources de financements à long terme. Ces facteurs sont encore peu clairs pour les économistes.

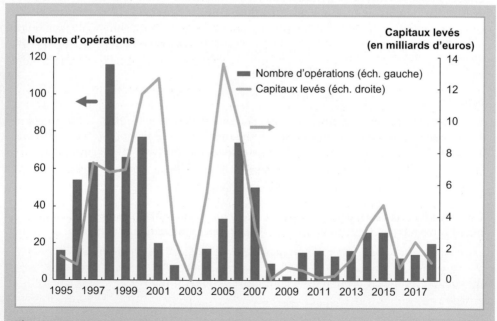

Figure 23.5 – Les vagues d'introductions en Bourse en France (1995-2018)

Le nombre d'introductions en Bourse et le montant des capitaux levés varient en fonction de la conjoncture économique et financière. Les derniers sommets ont été atteints entre 1998 et 2000, avant l'éclatement de la bulle internet, et en 2006-2007, avant le début de la crise financière.

Source : Euronext Factbooks.

| **Crise financière** | **Les introductions en Bourse dans le monde en 2008 et 2009** |

Le nombre d'introductions en Bourse dans le monde s'est effondré en 2008, à la suite de la crise financière. Les capitaux levés à l'occasion d'une introduction en Bourse ont ainsi chuté de 102 milliards de dollars au dernier trimestre 2007 à 1,4 milliard au premier trimestre 2009 ! Le nombre d'introductions en Bourse, lui, est passé de 600 à 50 au premier trimestre 2009. La crise financière a donc provoqué une quasi-disparition des introductions en Bourse.

Ce n'est pas le seul marché à avoir été touché par la crise : le nombre d'augmentations de capital et de LBO s'est également effondré en 2008. Pendant la crise, les investisseurs ont conservé un haut niveau d'aversion au risque (*flight to quality*), ce qui a provoqué à la fois la baisse des prix des actions sur les marchés mondiaux et la réduction des capitaux levés sur ces marchés.

Le coût d'une introduction en Bourse

S'introduire en Bourse coûte cher. La commission moyenne des banques introductrices (*underwriting spread*) est généralement de 5 à 10 % des capitaux levés : cela signifie que, en moyenne, elles achètent à l'entreprise des titres sous-évalués de 5 à 10 % avant de les revendre au prix d'introduction. Si l'entreprise émet des actions nouvelles pour une valeur de 50 millions d'euros, elle ne recevra donc, en fait, que 45 à 47,5 millions d'euros, le reste servant à rémunérer les banques. C'est élevé, surtout si on ajoute à cela les frais administratifs et juridiques, le droit d'enregistrement à payer à la Bourse, et les coûts indirects supportés par les actionnaires du fait de la sous-évaluation des titres le jour de l'introduction. La figure 23.6 compare les coûts liés à l'obtention de capitaux à long terme : l'introduction en Bourse est le moyen le plus coûteux d'obtenir des capitaux !

Plus étonnant encore, le coût en pourcentage des capitaux levés est assez stable, quel que soit le montant des capitaux levés : les grosses introductions en Bourse réclament évidemment plus de travail de la part des banquiers que les petites, mais cela ne suffit pas à expliquer un taux de commission presque indépendant de la taille de l'opération : comment les banques peuvent-elles gagner de l'argent sur une introduction en Bourse à 20 millions d'euros, qui rapporte « seulement » une commission de 1,5 million, alors qu'elles en demandent 5 ou 6 pour s'occuper d'une opération de 80 millions d'euros[16] ? On se serait plutôt attendu à un taux de commission décroissant avec la taille des opérations, car le coût des services fournis par les banques semble assez indépendant de la taille de l'opération. Ce n'est pas le cas, et aucun article de recherche ne fournit d'explication véritablement convaincante de ce phénomène. Une hypothèse est qu'il existe une collusion tacite entre les banques introductrices. Ce n'est pas impossible, mais le secteur des banques d'investissement est relativement peu concentré et de nouveaux concurrents apparaissent régulièrement : il n'existe donc pas de barrières à l'entrée de nature à maintenir artificiellement les prix élevés[17]. En outre, les banques d'investissement appliquent un taux de commission supérieur à 7 % dans certaines de leurs autres activités. L'absence de concurrence ente banques ne semble donc pas être une explication suffisante.

16. H. C. Chen et J. R. Ritter (2000), « The Seven Percent Solution », *Journal of Finance*, 55(3), 1105-1131.
17. R. S. Hansen (2001), « Do Investment Banks Compete in IPOs?: The Advent of the 7% Plus Contract », *Journal of Financial Economics*, 59(3), 313-346.

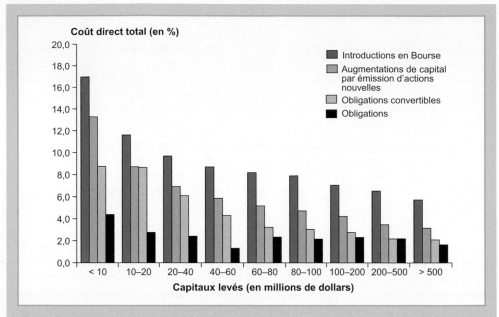

Figure 23.6 – Coûts directs liés à l'émission de titres

Cette figure illustre le coût direct total de l'émission de titres en pourcentage des capitaux levés. Ce coût comprend les frais, les commissions bancaires et les coûts juridiques et d'audit. Les données sont américaines, sur la période 1990-1994.

Source : adapté de I. Lee, S. Lochhead, J. Ritter et Q. Zhao (1996), « The Cost of Raising Capital », *Journal of Financial Research*, 10 (1), 59-74.

Une autre explication possible repose sur la théorie du signal : en se contentant de commissions réduites, une banque d'affaires craindrait de se signaler comme étant de moindre qualité que ses concurrentes, réduisant ainsi paradoxalement sa probabilité de remporter des mandats. Il a été démontré empiriquement[18] qu'une banque affichant un taux de commission sensiblement plus faible que la norme perdait des parts de marché, alors qu'une banque avec des commission très élevées en gagnait. Cela confirme l'idée que la qualité, réelle ou perçue, des banques introductrices joue un rôle majeur dans l'explication des commissions perçues lors des introductions en Bourse. Il demeure néanmoins étonnant que, sur un marché où les acteurs sont bien connus, le taux de commission soit vu par les clients comme informatif sur la qualité de service.

La sous-performance boursière après l'introduction en Bourse

Le jour de l'introduction en Bourse, les actions de la société connaissent généralement une augmentation significative de leur prix et une surperformance par rapport au marché. L'image est sensiblement différente si l'on regarde la performance des actions dans les trois à cinq ans qui suivent leur introduction en Bourse : elles réalisent une sous-performance significative[19]. De nombreuses études confirment ce résultat, sur

---

18. C. G. Dunbar (2000), « Factors Affecting Investment Banks Initial Public Offering Market Share », *Journal of Financial Economics*, 55(1), 3-41.

19. J. R. Ritter (1991), « The Long Run Performance of Initial Public Offerings », *Journal of Finance*, 46(1), 3-27.

presque tous les marchés : aux États-Unis les actions introduites en Bourse entre 1980 et 2001 ont affiché une sous-performance par rapport au marché de 23,4 % au cours de leurs trois premières années en Bourse[20].

Il semble néanmoins que cette sous-performance ne soit pas liée à l'introduction en Bourse elle-même, mais plutôt aux caractéristiques des entreprises qui décident de s'introduire en Bourse[21]. Cette thèse est renforcée par le fait que cette sous-performance n'est pas l'apanage des introductions en Bourse : elle se produit également lors des augmentations de capital des sociétés cotées. Cette énigme sera donc étudiée en détail dans la section suivante.

23.4. Les augmentations de capital des sociétés cotées

Il est aisé aux sociétés cotées de lever des capitaux supplémentaires pour financer leur croissance : il leur suffit de réaliser des **augmentations de capital** en numéraire, ou *Seasoned Equity Offering* (SEO). Cette opération consiste pour l'entreprise à émettre sur le marché de nouvelles actions, ce qui implique un partage du pouvoir et des revenus futurs entre actionnaires en place et nouveaux actionnaires. Le processus d'émission d'actions nouvelles ressemble à une introduction en Bourse, à la différence (notable) qu'il existe un prix de marché pour les actions, puisque l'entreprise est déjà cotée. Deux types d'émissions d'actions nouvelles existent. Les émissions « simples », ou sans droits préférentiels de souscription (*cash offer*), ne donnent aucun privilège aux actionnaires existants, au contraire des émissions avec droits préférentiels de souscription (*right offer*), qui prévoient que les anciens actionnaires puissent souscrire de manière privilégiée aux nouveaux titres.

L'augmentation de capital simple

Lors d'une **augmentation de capital simple**, ou **sans droits préférentiels de souscription**, l'entreprise annonce la quantité et le prix des actions qu'elle souhaite vendre, et les investisseurs intéressés transmettent leurs ordres d'achat à la banque chargée de conduire l'opération. Le placement des titres se fait par le biais d'un placement garanti, souvent couplé à une offre à prix ouvert.

Cette simplicité cache un problème de taille : à quel prix proposer les actions nouvelles ? Il faut que le prix soit fixe pendant toute la durée du placement des titres pour garantir l'équité entre investisseurs. Il faut également qu'il soit inférieur au prix de marché, sinon personne n'achètera d'actions nouvelles. Mais il doit aussi être le plus proche possible du prix de marché, car un prix inférieur au prix de marché occasionne un transfert de valeur des actionnaires existants vers les nouveaux actionnaires. Un exemple permet de montrer qu'il est difficile de concilier ces exigences contradictoires. L'entreprise Alpha n'a pas de dette et son seul actif est 100 € de trésorerie. Son capital est constitué de 50 actions d'une valeur unitaire de 2 €. Alpha annonce l'émission de 50 actions nouvelles au prix de 1 €, ce prix faible garantissant le succès de l'augmentation de capital. Une fois l'opération réalisée,

20. J. R. Ritter et I. Welch (2002), « A Review of IPO Activity, Pricing and Allocations », *Journal of Finance*, 57(4), 1795-1828.

21 H. Bessembinder et F. Zhang (2013), « Firm Characteristics and Long-Run Stock Returns after Corporate Events », *Journal of Financial Economics*, 109(1), 83–102,

l'entreprise dispose donc de 150 € d'actif et son passif est composé de 100 titres. Le prix d'une action est donc de 1,5 €. Les actionnaires existants ont perdu 50 centimes par action, qui ont été récupérés par les nouveaux actionnaires. On le voit, la fixation du prix des actions nouvelles lors d'une augmentation de capital simple est délicate et peut entraîner un transfert de valeur des anciens actionnaires au profit des nouveaux.

L'augmentation de capital avec droits préférentiels de souscription

L'**augmentation de capital avec droits préférentiels de souscription** (DPS) préserve les actionnaires existants d'une possible sous-évaluation des actions nouvellement émises. Avec cette technique, le prix de vente des actions nouvelles comprend (volontairement) une décote significative par rapport au prix de marché des actions, de 15 à 30 % en général. On est ainsi certain qu'une baisse des cours avant ou pendant le placement des titres ne le condamnera pas à l'échec, même sur une durée de deux semaines (la durée moyenne d'une augmentation de capital). Pour être certain que les actionnaires en place ne seront pas lésés au profit des nouveaux actionnaires, les premiers reçoivent gratuitement un droit préférentiel de souscription par action détenue. En revenant à l'exemple précédent, ce droit leur permet, s'ils le souhaitent, d'acheter une action nouvelle au prix de 1 €. Si tous les actionnaires en place exercent leur DPS, la valeur de l'entreprise est la même que dans le cas de l'augmentation simple (150 €) pour un passif constitué de 100 actions d'une valeur unitaire de 1,5 €. Mais ici, les anciens et les nouveaux actionnaires sont identiques : la perte des anciens actionnaires sur les titres déjà détenus est donc compensée par le profit que ces mêmes actionnaires font sur les actions nouvelles.

Que se passe-t-il si les anciens actionnaires ne participent pas à l'augmentation de capital ? Un droit de souscription permet d'acheter à 1 € une action dont le prix de marché est supérieur. Il ne s'agit donc ni plus ni moins que d'une option d'achat (dont le sous-jacent est l'action, le prix d'exercice est le prix d'émission des nouvelles actions et l'échéance est la fin de la période d'augmentation de capital ; voir chapitre 21). Ces options sont cotées sur un marché secondaire ; il est donc possible pour un actionnaire existant de revendre son droit préférentiel de souscription. À quel prix ? Acheter un DPS donne le droit d'acheter une action nouvelle au prix de 1 € alors qu'elle vaudra ensuite 1,50 €. L'achat du DPS fait donc gagner 50 centimes : c'est le prix maximal qu'un acheteur sera prêt à payer pour le DPS. Inversement, vendre un DPS fait perdre à un actionnaire existant 50 centimes, puisqu'il aurait pu l'exercer pour acheter à 1 € une action dont le prix sera de 1,50 €. C'est donc le prix minimal qu'un actionnaire en place exigera pour vendre un DPS. Finalement, le prix d'équilibre du DPS est donc bien de 50 centimes. Ainsi, l'acheteur du DPS aura payé 1,5 € au total l'action nouvelle, et l'actionnaire en place aura toujours un patrimoine de 2 € : une action valant 1,5 € plus 50 centimes en numéraire. L'émission de droits préférentiels de souscription garantit qu'aucun transfert de richesse n'aura lieu entre anciens et nouveaux actionnaires.

L'assurance donnée aux actionnaires en place qu'ils ne seront pas lésés et la plus grande probabilité de succès permise par une forte décote plaident clairement en faveur des augmentations de capital avec droits préférentiels de souscription. Cette méthode devrait logiquement s'imposer partout, comme c'est le cas en France ou au Royaume-Uni, où presque toutes les augmentations de capital prévoient des DPS. Pourtant, les émissions d'actions simples demeurent fréquentes dans certains pays, et en particulier aux États-Unis. Il n'est pas aisé d'expliquer ce paradoxe. Une explication possible réside dans le rôle plus important dévolu aux banques dans les émissions d'actions simples : elles jouent un rôle de « certification » de la qualité de l'émetteur des actions, ce qui pourrait faciliter le placement des actions lorsque l'information est asymétrique[22]. Une autre explication possible est que tous les actionnaires ne participent pas à une augmentation de capital, même lorsqu'elle est avantageuse pour eux : aux États-Unis, seuls 70 % des actionnaires le font[23]. Cela réduit l'intérêt relatif des DPS, puisque cela signifie que même avec DPS, il y a un transfert de richesse des actionnaires qui ne participent pas (souvent de petits actionnaires individuels) vers ceux qui participent.

Une émission d'actions nouvelles avec DPS

Purplemeth est une entreprise qui possède une capitalisation boursière de 1 milliard d'euros, pour 100 millions d'actions en circulation. L'entreprise souhaite lever 200 millions d'euros à l'aide d'une augmentation de capital avec droits préférentiels de souscription. Chaque actionnaire existant reçoit un DPS par action détenue. Les actions nouvelles seront émises au prix de 8 €. Combien de DPS faudra-t-il pour acheter une action nouvelle ? Quelle sera la valeur d'un DPS ?

Solution

Il y a 100 millions de DPS distribués gratuitement aux actionnaires en place, autant que d'actions avant l'opération. Si le prix des actions nouvelles est de 8 €, l'entreprise devra émettre 25 millions d'actions nouvelles pour lever 200 millions d'euros. Les 100 millions de DPS devant servir à acheter 25 millions d'actions, il faudra exiger quatre DPS pour chaque action nouvelle. D'après la Loi du prix unique, les deux situations suivantes doivent être équivalentes :

- posséder une action ancienne et avoir vendu le DPS correspondant ;
- avoir acheté quatre DPS et une action nouvelle.

On sait que le prix d'une action avant l'opération est de 1 milliard d'euros / 100 millions d'actions = 10 €. Donc, en termes financiers, on peut écrire l'équation suivante, en notant P_{DPS} le prix du droit :

$$10\ \text{€} - P_{DPS} = 4\,P_{DPS} + 8\ \text{€}$$

d'où $P_{DPS} = 0,4$ €. Vérifions cela : un investisseur décide d'acheter une action nouvelle ; pour ce faire, il doit dépenser $4 \times 0,40$ € = 1,60 € pour acheter les DPS et 8 € pour acheter l'action nouvelle, soit 8 € + 1,60 € = 9,60 € au total. Quel est le prix d'une action après l'opération ? Il y a en circulation 125 millions d'actions, et l'entreprise vaut maintenant 1,2 milliard d'euros : chaque action vaut 1,2 milliard / 125 millions = 9,60 €. Par conséquent, l'investisseur a acheté l'action nouvelle à son juste prix.

Qu'en est-il de l'actionnaire existant ? Il possédait avant l'opération une action qui valait 10 €. Elle ne vaut maintenant plus que 9,60 €. Il a donc perdu 40 centimes, exactement compensés par les 40 centimes reçus en vendant son DPS.

Exemple 23.6

---

22. E. Eckbo et R. Masulis (1992), « Adverse Selection and the Rights Offer Paradox », *Journal of Financial Economics*, 32(3), 293-332.

23. C. Holderness et J. Pontiff (2016), « Shareholder Nonparticipation in Valuable Rights Offerings: New Findings for an Old Puzzle », *Journal of Financial Economics*, 120, 252-268.

Comment réagit le prix des actions lors d'une augmentation de capital ?

L'annonce de l'émission d'actions nouvelles est en général accueillie par une baisse du cours du titre, de 3 à 5 % en moyenne. La valeur détruite par cette baisse peut représenter une fraction non négligeable du montant des capitaux levés. Pourquoi cette baisse ? On retrouve la **théorie du signal** et le problème de **sélection adverse** présentés au chapitre 16 : si les actionnaires en place jugent le prix de l'action sous-évalué (c'est-à-dire s'ils considèrent que le marché sous-estime les flux de trésorerie futurs de l'entreprise), on voit mal pourquoi ils accepteraient le principe d'une augmentation de capital, qui aura pour effet de diluer leur contrôle sur les flux de trésorerie futurs de l'entreprise pour un prix trop faible. C'est pourquoi une annonce d'augmentation de capital est vue comme le signe que les actionnaires en place sont convaincus que les actions de l'entreprise sont à leur prix ou au-dessus ; on comprend donc que le cours des actions baisse à l'annonce d'une augmentation de capital.

Pour autant, la sélection adverse n'explique pas tout. D'une part, les augmentations de capital avec DPS devraient théoriquement régler le problème de sélection adverse. Or, le cours de Bourse chute même dans ces cas-là. D'autre part, comme lors des introductions en Bourse, les entreprises ayant émis des actions nouvelles enregistrent de moins bonnes performances boursières que les autres les années qui suivent (figure 23.7). Cette sous-performance durable semble prouver que la baisse des cours à l'annonce de l'émission d'actions nouvelles est insuffisante, puisque le cours continue à baisser après ! Cette baisse des cours n'est pas liée directement à l'émission d'actions nouvelles, mais plutôt aux conditions qui ont poussé les entreprises à décider de cette opération : une entreprise lève en général des capitaux pour profiter d'une opportunité d'investissement, ce qui revient pour elle à exercer l'une de ses options de croissance. Comme le chapitre 22 l'a montré, une option de croissance est plus risquée que le projet sous-jacent ; exercer l'option réduit donc le bêta de l'entreprise et la rentabilité de ses titres[24].

---

24. M. Carlson, A. Fisher et R. Giammarino (2004), « Corporate Investment and Asset Price Dynamics Implications for the Cross-Section Returns », *Journal of Finance*, 59(6), 2577-2603; B. Eckbo, R. Masulis et O. Norli (2000), « Seasoned Public Offerings: Resolution of the New Issues Puzzle », *Journal of Financial Economics*, 56, 251–291 ; E. Lyandres, L. Sun et L. Zhang (2008), « The New Issues Puzzle: Testing the Investment-Based Explanation », *Review of Financial Studies*, 21, 2825–2855 ; M. Carlson, A. Fisher et R. Giammarino (2010), « SEO Risk Dynamics », *Review of Financial Studies*, 23, 4026-4077.

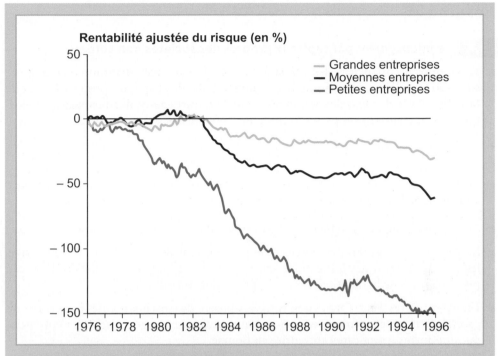

Rentabilité ajustée du risque (en %)

— Grandes entreprises
— Moyennes entreprises
— Petites entreprises

Figure 23.7 – La performance boursière des entreprises ayant émis des actions nouvelles

La figure représente les rentabilités anormales cumulées d'un portefeuille (l'alpha du portefeuille, constitué d'après la spécification des facteurs Fama-French-Carhart) composé d'actions nouvelles émises par des petites, moyennes ou grandes entreprises sur la période 1976-1996. La sous-performance boursière est beaucoup plus importante pour les petites entreprises que pour les autres.

Source : A. Brav, C. Geczy et P. Gompers (2000), « Is the Abnormal Return Following Equity Issuance Anomalous? », *Journal of Financial Economics,* 56, 209-249.

Le coût d'une augmentation de capital

Bien qu'inférieur au coût d'une introduction en Bourse, celui d'une augmentation de capital demeure significatif : en moyenne, il représente 4 à 6 % des capitaux levés (figure 23.6). Ce pourcentage est relativement indépendant du montant de l'opération, mais une émission d'actions nouvelles avec DPS est en général moins coûteuse qu'une émission d'actions simple[25]. Une raison supplémentaire de préférer les augmentations de capital avec DPS !

---

25. M. Slovin, M. Sushka et K. Lai (2000), « Alternative Flotation Methods, Adverse Selection, and Ownership Structure: Evidence from Seasoned Equity Issuance in the UK », *Journal of Financial Economics*, 57(2), 157-190.

Résumé

23.1. Le financement par capitaux propres des sociétés non cotées

- Si les moyens financiers des fondateurs et leurs capacités d'autofinancement ne suffisent pas, les sociétés non cotées peuvent lever des capitaux propres auprès de *business angels*, de fonds de capital-risque ou de *private equity*, d'investisseurs institutionnels ou d'entreprises prêtes à entrer au capital de sociétés non cotées.

- Lorsqu'une entreprise émet de nouvelles actions et qu'un nouvel actionnaire entre au capital, le contrôle des actionnaires historiques sur l'entreprise se réduit.

- La valorisation *pre-money* est calculée avant injection des nouveaux capitaux propres, au contraire de la valorisation *post-money* :

$$\text{Valorisation } post\text{-}money = \text{Valorisation } pre\text{-}money + \text{Capitaux investis} \quad (23.1)$$

- Les investisseurs en non coté exigent le plus souvent de recevoir des actions privilégiées, qui offrent des protections spécifiques par rapport aux actions ordinaires : priorité en cas de liquidation, séniorité, protection anti-dilution…

- Les actionnaires d'entreprises non cotées disposent de trois possibilités pour sortir du capital : vendre leur participation à un autre investisseur ; faire racheter l'entreprise par une autre ; introduire l'entreprise en Bourse.

23.2. L'introduction en Bourse

- Une introduction en Bourse consiste à faire coter, pour la première fois, les actions de l'entreprise sur un marché financier organisé. Cela implique de proposer des actions de l'entreprise, nouvelles ou existantes, au public.

- L'introduction en Bourse d'une entreprise permet d'offrir à ses actionnaires une meilleure liquidité et de profiter d'un accès facilité à des capitaux externes. Pour ce faire, l'entreprise doit se plier aux règles de transparence prévalant sur les marchés et accepter une dispersion croissante de son actionnariat.

- L'Autorité des marchés financiers contrôle les entreprises offrant au public des titres financiers et exige la publication d'un prospectus d'information complet et détaillé avant une introduction en Bourse.

- Les banques introductrices valorisent l'entreprise avant son introduction par les méthodes d'évaluation des actions classiques et grâce à la constitution d'un livre d'ordres.

- Lors d'une introduction en Bourse, les actions font le plus souvent l'objet d'un placement garanti couplé à une offre à prix ouvert. La banque introductrice peut donner un engagement de prise ferme ; elle garantit alors le succès de l'opération à son client. Elle pourra se protéger contre une partie du risque qu'elle prend grâce à une option de surallocation.

23.3. Les quatre énigmes des introductions en Bourse

- Quatre énigmes sont associées aux introductions en Bourse : (1) les entreprises sont fréquemment introduites à un prix sous-évalué, (2) il existe des « vagues » d'introduction en Bourse, (3) les coûts d'une introduction en Bourse sont très élevés et (4) les performances boursières des entreprises récemment introduites en Bourse sont inférieures à celles du marché.

23.4. Les augmentations de capital des sociétés cotées

- Les émissions d'actions nouvelles peuvent être effectuées avec ou sans droits préférentiels de souscription. En France, la première solution est de loin la plus fréquente. Elle permet d'éviter tout transfert de richesse des actionnaires en place vers les nouveaux actionnaires.

- La réaction du marché à l'annonce d'une émission d'actions nouvelles est en moyenne négative.

Exercices

L'astérisque désigne les exercices les plus difficiles.

1. Qui sont les investisseurs susceptibles de prendre une participation dans une entreprise non cotée ?

2. Quels sont les avantages et inconvénients à ce qu'une entreprise non cotée accueille à son capital une grande entreprise du secteur ?

3. OrbiSoft a été créée l'an dernier. Son fondateur a investi 800 000 € et possède 8 millions d'actions. OrbiSoft souhaite aujourd'hui réaliser un tour de table externe. Un fonds de capital-risque est prêt à investir 1 million d'euros en échange de 20 % du capital de l'entreprise.

   a. Combien d'actions le fonds doit-il recevoir ? Quel sera le prix par action ?

   b. Quelle est la valeur de l'entreprise après augmentation de capital ?

4. Un fonds de capital-risque a levé 100 millions d'euros. Chaque année pendant 10 ans (la durée de vie du fonds), 2 % de ce montant sera prélevé par les gérants du fonds. Suivant la pratique habituelle, le fonds n'investit donc que 80 millions d'euros : les frais de gestion sur toute la durée de vie du fonds sont mis de côté. Au bout de 10 ans, les investissements réalisés par le fonds sont valorisés à 400 millions d'euros ; les gérants ont droit à 20 % des profits, nets des frais de gestion.

   a. Quel est le TRI des 80 millions d'euros investis par le fonds ?

   b. Quel est le TRI pour un investisseur externe (après les frais prélevés par le fonds) ?

5. Il y a trois ans, Tanguy a créé son entreprise en investissant 100 000 € en échange de 5 millions d'actions. Depuis, trois tours de table ont eu lieu :

Tour de table	Prix d'une action (en euros)	Nombre d'actions émises
Série A	0,5	1 000 000
Série B	2,0	500 000
Série C	4,0	500 000

   a. Quelle est la valeur de l'entreprise avant le troisième tour de table ? Et après ?

   b. Si Tanguy n'a participé à aucun tour de table, quel pourcentage du capital détient-il après le troisième tour de table ?

6. Après un financement initial par ses fondateurs, l'entreprise de robotique Kela a procédé à plusieurs tours de table :

Tour de table	Valorisation *pre-money*	Valorisation *post-money*
Série A	8 millions d'euros	12 millions d'euros
Série B	25 millions d'euros	40 millions d'euros
Série C	100 millions d'euros	150 millions d'euros

a. Combien Kela a-t-elle levé à chaque tour ?

b. Quelle est la part des actions détenues par les fondateurs après chaque tour ?

c. Quelle part du capital détiennent les titulaires de chaque classe d'actions après la série C ?

d. Si Kela est finalement vendue 500 millions d'euros, quel est le gain pour chaque série ? Combien recevront les fondateurs ? (On suppose que toutes les actions privilégiées sont converties en actions ordinaires).

7. Beru.com a récemment levé 5 millions d'euros sur une valorisation *pre-money* de 9 millions d'euros. L'entreprise doit maintenant lever 6 millions d'euros supplémentaires. Si Beru.com souhaite éviter une baisse de sa valorisation entre les deux tours de table, quelle part de son capital peut-elle offrir au maximum ?

*8. Après un financement initial par ses fondateurs, BitBox a levé 10 millions d'euros lors d'une émission série A sur une valorisation *post-money* de 40 millions d'euros. Les actions de série A prévoient une clause de priorité en cas de liquidation jusqu'au remboursement de 1,5 fois le montant investi. BitBox a ensuite levé 25 millions d'euros en série B sur une valorisation *post-money* de 75 millions d'euros ; ces actions bénéficient de la séniorité par rapport aux actions de série A et offrent une clause de priorité en cas de liquidation jusqu'au remboursement de trois fois le montant investi. Combien les actionnaires détenant les actions de série A et B recevront-ils si BitBox est finalement vendue pour 85 millions d'euros ? Pour 100 millions d'euros ? Pour 200 millions d'euros ? Pour 300 millions d'euros ?

9. Quels sont les avantages et inconvénients d'une introduction en Bourse ?

10. Quelles sont les garanties que peuvent offrir les banques introductrices ? Lesquelles sont les plus risquées de leur point de vue ?

11. Business Subject s'introduit en Bourse grâce à un placement garanti. L'offre porte sur 1,8 million d'actions. Quel est le prix d'introduction, compte tenu des ordres d'achat ?

Prix d'une action (en euros)	Nombre d'actions demandées
14,0	100 000
13,8	200 000
13,6	500 000
13,4	1 000 000
13,2	1 200 000
13,0	800 000
12,8	400 000

12. Il y a trois ans, Émilien a créé SlowSilver, qui vend des vêtements de sport. Cette entreprise a réalisé trois *rounds* de financement :

Tour de table	Date	Investisseur	Nombre d'actions	Prix par action (en euros)
Fondateur	Février N	Émilien	500 000	1,0
Amorçage	Août N + 1	*Business angel*	1 000 000	2,0
Série A	Septembre N + 2	Fonds de capital-risque	2 000 000	3,0

En $N + 3$, Émilien doit lever de nouveaux capitaux pour financer la croissance de l'activité. Il envisage donc de s'introduire en Bourse et d'émettre à cette occasion 6,5 millions d'actions. SlowSilver a 5 millions d'euros de trésorerie et devrait réaliser un résultat d'exploitation de 7,5 millions d'euros.

a. Le banquier conseil en charge de l'opération pense que la valeur de marché de l'actif économique peut être évaluée à 20 fois le résultat d'exploitation, en se fondant sur des entreprises comparables. Si l'introduction en Bourse de SlowSilver se fait à ce multiple, quel sera le prix d'une action lors de l'introduction ?

b. Quel pourcentage du capital Émilien détiendra-t-il après l'introduction ?

13. Qu'est-ce que la sous-évaluation des actions lors des introductions en Bourse ? Qu'est-ce que la malédiction du vainqueur ?

14. Les éditions du Margoulin ont récemment été introduites en Bourse, au prix de 14 € par action. Le cours de clôture au premier jour de cotation était de 19 €. Quelle a été la performance du titre sur la première journée ? Qui a tiré profit de la sous-évaluation à l'introduction ? Qui en a payé le prix ? Pourquoi ?

15. Minus a émis 4 millions d'actions nouvelles lors de son introduction en Bourse, au prix unitaire de 18,5 €. La commission des banques introductrices est de 7 %. À combien s'élève cette commission ?

16. Cortex a 10 millions d'actions en circulation. L'entreprise souhaite s'introduire en Bourse. À cette occasion, 5 millions d'actions supplémentaires seront émises au prix de 20 €. Le syndicat bancaire prélève 7 % des capitaux levés. À la fin du premier jour de cotation, l'opération ayant été un succès, les actions s'échangent à 50 €.

a. Combien Cortex a-t-elle levé grâce à son introduction en Bourse ?

b. Quelle est la capitalisation boursière de l'entreprise à la fin du premier jour ?

c. On suppose que cette capitalisation boursière est la juste valorisation de l'entreprise. Si les actions nouvelles avaient été émises à leur juste prix, et en l'absence de frais, quel aurait été le prix d'une action Cortex si l'entreprise avait levé autant de capitaux qu'à la question *a.* ?

d. Si on compare les réponses b. et c., quel est le coût des imperfections de marché supporté par les actionnaires historiques de l'entreprise ?

17. Jean essaie d'acheter 1 000 actions lors de chaque introduction en Bourse. 10 % des introductions en Bourse sont des succès, et le cours de l'action double le premier jour. 80 % des introductions se passent moyennement et le cours de l'action augmente de 10 %. 10 % des introductions sont des échecs et le cours de l'action chute de 15 %.

a. Quelle est l'augmentation moyenne du cours des actions le premier jour de cotation (ce qui revient à calculer la sous-évaluation moyenne des actions lors des introductions en Bourse) ?

b. Compte tenu des demandes des autres investisseurs, Jean reçoit 50 actions en cas de succès, 200 actions dans le cas intermédiaire et 1 000 actions en cas d'échec. Quelle est la rentabilité de la stratégie de Jean, si l'on suppose que le prix de toutes les actions lors de leur introduction est de 15 € ?

18. Métropole a 10 millions d'actions en circulation qui s'échangent à 40 €. La société souhaite émettre des actions nouvelles en ayant recours à une émission avec droits préférentiels de souscription. Pour acquérir une nouvelle action au prix de 30 €, il faut détenir 10 droits. Quel montant l'entreprise peut-elle lever ? Quel est le prix d'un droit ?

19. Quels sont les avantages et les inconvénients d'une augmentation de capital avec droit préférentiel de souscription, par rapport à une augmentation de capital simple ?

20. Solaris a 10 millions d'actions en circulation, qui s'échangent au prix de 40 €. L'entreprise souhaite procéder à une augmentation de capital et compte pour cela distribuer à ses actionnaires un droit préférentiel de souscription par action détenue.

    a. Il faut cinq droits pour acheter une action nouvelle au prix de 40 €. Combien l'entreprise peut-elle lever de capitaux ? Quel sera le prix de l'action après l'émission des droits préférentiels de souscription ?

    b. L'entreprise change d'avis, il suffira finalement d'un droit pour acheter une action nouvelle au prix de 8 €. Combien l'entreprise peut-elle lever de capitaux ? Quel sera le prix de l'action après l'émission des droits préférentiels de souscription ?

    c. Quelle option est la meilleure pour les actionnaires existants ? Laquelle présente la plus grande probabilité de réussite ?

Étude de cas – L'introduction en Bourse de Facebook

L'introduction en Bourse de Facebook a eu lieu sur le Nasdaq le 18 mai 2012. Peu d'introductions en Bourse ont été aussi médiatisées. Outre la jeunesse de l'entreprise et la spécificité de son modèle d'activité, il s'agissait à l'époque de la plus grosse introduction en Bourse d'une entreprise *dotcom*. Comment cette introduction en Bourse s'est-elle déroulée ?

1. Trouvez le document déposé par Facebook à l'occasion de son introduction en Bourse sur le site officiel de la *U.S. Securities Exchange Commission* (**http://www.sec.gov/edgar.shtml**). Pour cela, allez sur la page « Search for Company Filings » et faites une recherche par nom d'entreprise. Le prospectus d'introduction en Bourse a été enregistré le jour même de l'opération sous le numéro 424B4. À partir des informations du prospectus :

    a. Calculez les commissions obtenues par les banques introductrices (*underwriting spread*), en pourcentage des capitaux levés. Comment ces commissions se comparent-elles à la pratique habituelle pour ce type d'opération ?

    b. Quel est le poids des actions nouvelles émises à l'occasion de l'introduction en Bourse, par rapport aux actions cédées par les actionnaires historiques ?

    c. Calculez la taille de l'option de surallocation, en nombre d'actions et en pourcentage de l'opération.

2. À partir des informations disponibles sur Yahoo Finance ;

a. Trouvez le prix auquel a clôturé l'action Facebook le jour de son introduction en Bourse. Quel a été le rendement de l'action lors son premier jour de cotation ? Comment ce rendement se compare-t-il à la performance moyenne des actions américaines lors de leur premier jour de cotation ?

b. Calculez la performance de l'action Facebook pendant ses trois premiers mois de cotation, puis la rentabilité annualisée associée à la détention des actions Facebook pendant ces trois mois.

3. Avant son introduction en Bourse, Facebook a levé des capitaux de toutes les manières possibles (*business angels*, fonds de capital-risque, etc.). Microsoft a ainsi investi dans Facebook en octobre 2007 :

a. À l'aide des informations contenues dans le communiqué de presse publié par Facebook à cette occasion (http://newsroom.fb.com) et du nombre d'actions Facebook détenues par Microsoft indiqué dans le prospectus d'introduction en Bourse, calculez le prix auquel Microsoft a acheté les actions Facebook.

b. Calculez le rendement annualisé de l'investissement réalisé par Microsoft entre octobre 2007 et l'introduction en Bourse de Facebook.

c. Quel montant a touché Microsoft lors de l'introduction en Bourse de Facebook (en supposant que Microsoft a vendu toutes ses actions lors de l'opération) ?

4. En septembre 2004, Facebook a également reçu 500 000 dollars d'un *business angel*, Peter Thiel, l'un des fondateurs de PayPal. En supposant qu'il a enregistré toutes ses actions au nom de la société Rivendell One LLC[26], utilisez les informations disponibles dans le prospectus d'information pour calculer :

a. le prix auquel P. Thiel a acheté les actions Facebook en tant que *business angel* ;

b. son rendement annualisé entre l'achat des actions et l'introduction en Bourse de Facebook ;

c. le montant qu'il a reçu lors de l'introduction en Bourse de Facebook au titre des actions détenues par Rivendell One (en supposant qu'il a vendu toutes ses actions lors de l'opération).

---

26. Le montant de l'investissement de P. Thiel dans Facebook n'est pas public, aucun élément ne justifie donc cette hypothèse. Notons tout de même que P. Thiel est fan de la trilogie du *Seigneur des anneaux*…

Chapitre 24
Le financement par dette

Après une éclipse entre 2008 et 2013, crise financière oblige, les *Leveraged Buy-Out* (LBO) sont revenus au-devant de la scène. Ces opérations, souvent initiées par des fonds de *private equity*, consistent à cibler des entreprises non cotées et à fort potentiel de croissance et à les acheter à grand renfort de dette[1]. Il peut même arriver que ces opérations ciblent des entreprises cotées. L'objectif est de les racheter en Bourse pour procéder ensuite à leur retrait de la cote ; on parle alors d'opérations de *Public to Private* (P2P). Toutes ces opérations reposent sur un recours massif à l'endettement qui, grâce à l'effet de levier, en améliore la rentabilité au prix d'une augmentation des risques financiers supportés par l'entreprise rachetée et l'investisseur. De nombreuses entreprises ont fait l'objet d'un LBO, de Toys'R'Us à Picard en passant par Orangina. Certains groupes s'en font même une spécialité : Altice, la maison-mère de SFR, *Libération* ou RMC, a ainsi accumulé une dette de plus de 30 milliards d'euros au fil de ses LBO (pour une capitalisation boursière de 6 milliards…). Et les LBO ne sont pas l'apanage des entreprises de taille moyenne : le loueur de voitures Hertz a été racheté en 2005 pour 10 milliards de dollars, tandis que le record des « méga-LBO » est détenu par TXU, producteur d'électricité au Texas, racheté en 2007 pour 45 milliards de dollars…

La dette ne sert pas qu'à financer les LBO : toutes les entreprises utilisent l'endettement à moyen ou long terme pour se financer[2]. Elles peuvent pour cela émettre des obligations (section 24.1) ou réaliser des emprunts bancaires (section 24.2). Leur principe est proche : il s'agit dans les deux cas d'un prêt consenti à une entreprise qui s'engage, en contrepartie, à procéder au remboursement du capital et au paiement d'intérêts selon un échéancier prédéterminé. Les obligations sont toutefois négociables sur un marché secondaire, au contraire des crédits bancaires ; cette frontière se brouille progressivement avec la croissance de la titrisation, qui permet précisément de rendre négociables sur un marché secondaire des crédits bancaires (section 24.3). Les États ont également recours à l'endettement pour financer l'écart structurel entre leurs dépenses et leurs recettes. Ce chapitre, contrairement aux précédents, ne se cantonne donc pas à l'analyse des emprunteurs privés : les spécificités des emprunts obligataires souverains sont traitées à la section 24.4. La section 24.5 est consacrée aux clauses de sauvegarde et la section 24.6 conclut le chapitre en abordant les modalités de remboursement des obligations.

---

1. La dette sera remboursée grâce aux bénéfices de l'entreprise rachetée. Il existe plusieurs variantes de LBO : le *Leveraged Management Buy Out* (LMBO) est un rachat de l'entreprise par ses salariés. Le LMBI (*Leveraged Management Buy-In*) est le rachat de l'entreprise par un ou des repreneurs extérieurs. Le BIMBO (*Buy-In Management Buy Out*) est une opération mixte, un ou plusieurs repreneurs extérieurs s'associant à des cadres de l'entreprise rachetée. Enfin, l'OBO (*Owner Buy-Out*) consiste en un rachat des actions des minoritaires par l'actionnaire majoritaire, ce rachat étant financé par endettement.
2. Compte tenu de ses spécificités, l'endettement à court terme sera traité dans la partie IX de l'ouvrage.

24.1. Les obligations d'entreprise

Le marché des obligations d'entreprise

Les **obligations d'entreprise**, ou **obligations corporate**, sont des titres de dette négociables de maturité initiale égale ou supérieure à un an, émis par les entreprises. Ces obligations présentent des caractéristiques très variables, car elles sont ajustées aux besoins et à la situation financière de chaque émetteur. L'émission d'obligations constitue une source de financement importante pour les entreprises : l'encours des obligations émises par les entreprises et les sociétés financières françaises s'élève en 2019 à 1 900 milliards d'euros[3], soit presque autant que la valeur de toutes les actions cotées en France (2 100 milliards d'euros). Néanmoins, seules les plus grandes entreprises ont accès au marché obligataire ; pour les autres, le coût est rédhibitoire et elles se contentent d'emprunts bancaires (traités à la section 24.2).

Placement et caractéristiques des obligations d'entreprise

Une entreprise qui désire émettre des obligations doit décider de nombreux paramètres relatifs aux caractéristiques techniques des obligations mais également aux modalités de placement des titres. Pour étudier les plus importantes, prenons l'exemple de l'émission obligataire réalisée par Renault le 24 juin 2019 (voir tableau 24.1).

Programme EMTN. Renault, comme la plupart des entreprises européennes qui émettent régulièrement des obligations, le fait dans le cadre d'un **programme EMTN**, pour *Euro Medium Term Notes* : ce programme définit une fois pour toutes le cadre contractuel dans lequel des obligations peuvent ensuite être émises de manière régulière et standardisée, chaque émission étant qualifiée de **tranche**. Ainsi, le programme EMTN de Renault existe depuis 2009 et il a dépassé sa 50e tranche.

Type de placement. Comme pour les actions, deux possibilités existent pour placer des obligations sur le marché. L'entreprise émettrice peut réaliser un **placement privé**. Un tel placement permet de bénéficier de contraintes réglementaires allégées (pas de prospectus à déposer auprès de l'AMF, etc.) mais ce régime d'exemption est réservé aux titres qui sont intégralement placés auprès d'**investisseurs qualifiés**[4] ou d'un **cercle restreint d'investisseurs** (150 au maximum), ou ceux pour lesquels la mise minimale est si élevée (au minimum 100 000 euros) que cela les réserve de fait aux professionnels. Contrepartie de ces formalités d'émission réduites, la liquidité des titres est faible sur le marché secondaire, car seuls les investisseurs qualifiés peuvent les acheter. L'autre solution consiste à faire une **offre au public de titres financiers**, ce qui nécessite de préparer un **document d'information synthétique** (lorsque le volume de titres émis est inférieur

---

3. À titre de comparaison, la valeur des obligations d'entreprise émises aux États-Unis dépasse 9 000 milliards de dollars.

4. Un investisseur qualifié est un « client professionnel » ou une « contrepartie éligible » dans la typologie de la directive européenne sur les marchés d'instruments financiers. Un client professionnel est une personne physique ou morale qui a les compétences et les moyens d'appréhender les risques liés aux opérations financières. Pour un particulier, par exemple, cela implique de détenir 500 000 € d'actifs financiers, de réaliser au moins 10 opérations par trimestre, d'avoir occupé pendant un an une position professionnelle dans le secteur financier exigeant la connaissance des instruments financiers et d'avoir démontré ses compétences financières à sa banque. Les contreparties éligibles sont les banques, sociétés d'investissement, etc.

à 8 millions d'euros) ou un **prospectus d'émission** dès que le seuil de 8 millions d'euros est franchi. Le prospectus doit décrire en détail l'émetteur, les titres émis, les facteurs de risque et obtenir un visa de l'**Autorité des marchés financiers (AMF)**. Ce formalisme permet ensuite de faire coter les obligations sur Euronext ou n'importe quel marché financier organisé et réglementé. C'est le cas pour les obligations émises par Renault décrites dans le tableau 24.1.

Tableau 24.1	Caractéristiques d'une émission obligataire de Renault
Lieu de l'émission	Paris (*programme Euro Medium Term Note*)
Marché secondaire	Euronext Paris
Montant et monnaie d'émission	1 000 millions d'euros
Prix d'émission	99,319 %
Valeur nominale	100 000 €
Date d'émission	24 juin 2019
Date d'échéance	24 juin 2025
Coupon	1,25 % fixe, coupon annuel
Valeur de remboursement	100 %
Séniorité	Dette senior sans collatéral
Note des obligations	BBB (S&P), Baa3 (Moody's), perspective stable
Clauses de sauvegarde	*Cross default*, pari passu, *engagement de ne pas faire (maintien du rating*, negative pledge)
Teneurs de livre	Crédit Agricole CIB, Commerzbank, HSBC, BBVA
Représentant de la masse	Association de représentation des masses de titulaires de valeurs mobilières

Teneur de livre. Qu'il s'agisse d'un placement privé ou d'une offre au public de titres financiers, l'entreprise doit choisir une banque d'investissement comme **teneur de livre** : elle sera chargée de conduire l'émission obligataire et de placer les titres, éventuellement dans le cadre d'un **syndicat bancaire**. Les banques retenues par Renault sont Crédit Agricole CIB, Commerzbank, HSBC et BBVA.

Valeur nominale. La **valeur nominale**, ou **valeur faciale,** de l'obligation représente le droit de créance porté par le titre de dette. Il s'agit du montant sur lequel seront calculés les coupons. La valeur nominale des obligations est souvent un multiple de 1 000 € : 100 000 € pour les obligations Renault.

Prix d'émission et valeur de remboursement. Le prix d'émission est celui qui est payé par les prêteurs pour acheter le titre. Il est exprimé en pourcentage de la valeur nominale ; il ne lui est pas nécessairement égal et, s'il lui est inférieur, une **prime d'émission** existe. C'est le cas des obligations Renault, puisque le prix d'émission est égal à 99,319 % du nominal, soit 99 319 € ; la prime d'émission est de 0,681 % (681 €). De la même manière, il peut y avoir une **prime de remboursement** lorsque la **valeur de remboursement** est supérieure à la valeur nominale. En l'absence de prime d'émission et de prime de remboursement, on dit que l'obligation est émise et remboursée **au pair**, ce qui est le cas des obligations Renault.

Fréquence et taux des coupons. Si la plupart des obligations donnent droit à un **coupon** annuel, certaines offrent un coupon semestriel ou trimestriel (en particulier aux États-Unis) ou ne donnent droit à aucun coupon. Ces dernières sont des **obligations**

zéro-coupon, qui ne donnent droit qu'à un flux unique de remboursement, à la maturité du titre. Les émetteurs peuvent proposer des taux de coupon fixes (cas le plus fréquent) ou des taux de coupon variables, indexés ou révisables : les **obligations à coupon fixe** offrent un coupon égal pendant toute la durée de l'emprunt à la valeur nominale multipliée par le taux de coupon fixe. Les **obligations à coupon variable** offrent un coupon qui évolue en fonction d'un taux d'intérêt de référence choisi à l'émission et observable sur le marché, le plus souvent le Libor ou l'Euribor[5]. Les **obligations à coupon indexé** voient leur coupon évoluer en fonction d'un indice défini à l'émission, qui peut être le taux d'inflation, le cours de l'or (emprunts Pinay 1952 ou Giscard 1973), voire un indice de marché. Enfin, les **obligations à coupon révisable** peuvent voir leur coupon varier, mais seulement dans certaines situations explicitement définies à l'avance. Un coupon révisable évolue donc moins fréquemment qu'un coupon variable ou indexé. Les obligations Renault offrent à leurs détenteurs un coupon annuel fixe.

Date de jouissance. Il s'agit de la date à partir de laquelle les intérêts commencent à courir. Dans le cas le plus simple, cette date est la même que la date de règlement, c'est-à-dire le jour où les prêteurs paient le prix d'émission. C'est le cas de l'obligation Renault.

Échéance. L'échéance est la date à laquelle se produit le dernier flux de remboursement du capital ou de paiement d'intérêts. La durée d'emprunt, ou maturité initiale, est la durée qui s'écoule entre la date de jouissance et l'échéance, tandis que la **maturité** est le temps restant entre l'instant présent et l'échéance. La durée d'emprunt des obligations d'entreprise est au minimum d'un an et une grande majorité des obligations affiche une maturité initiale de 5 à 30 ans. Certaines entreprises émettent cependant des titres à maturité plus longue : Walt Disney a émis en juillet 1993 pour 150 millions de dollars d'obligations d'une maturité de 100 ans, immédiatement appelées obligations « Belle au bois dormant », de même qu'EDF en 2014. Certaines entreprises émettent même des **obligations perpétuelles** : Engie a ainsi émis en 2019 un milliard d'euros de telles obligations. Les obligations Renault ont une maturité initiale de six ans.

Masse obligataire. Le prospectus d'émission définit un représentant légal unique pour tous les porteurs d'obligations (qualifiés de **masse obligataire**[6]). Celui-ci est chargé de défendre les intérêts des créanciers et de s'assurer que les termes du contrat de prêt sont respectés par l'émetteur. À cet effet, le représentant de la masse obligataire se voit reconnaître le droit à l'information et le droit d'assister aux assemblées générales des actionnaires, sans droit de vote[7]. Il doit, de plus, approuver toutes les modifications du contrat d'émission (par exemple, lorsque l'entreprise envisage de procéder à un nouvel emprunt conférant des droits prioritaires sur la masse déjà existante).

Mode de détention. Les obligations peuvent être détenues **au porteur** (*bearer bond*) ou **au nominatif** (*registered bond*). Historiquement, un titre au porteur signifiait que celui qui le détenait physiquement en était le propriétaire. Il touchait les intérêts de l'obligation en prouvant qu'il détenait le titre ; pour ce faire, il détachait, en déchirant le papier, une partie du certificat obligataire (le coupon) et la présentait à la banque responsable

---

5. Ce sont des taux de référence du marché monétaire. Il existe des Libor (*London Interbank Offered Rate*) pour neuf devises différentes. En revanche, il n'existe qu'un Euribor (*Euro Interbank Offered Rate*) pour l'euro.

6. Il y a une masse obligataire pour chaque émission obligataire, mais elles peuvent éventuellement fusionner.

7. À la différence des actionnaires, les obligataires ne sont pas admis individuellement à exercer un contrôle sur les opérations de l'entreprise tant que cette dernière respecte les termes de l'emprunt.

du paiement des coupons (voir figure 24.1). Toute personne détenant le coupon pouvait donc toucher les intérêts : le nom de coupon pour qualifier les intérêts d'une obligation est resté.

Figure 24.1 – Obligation au porteur, coupons semestriels attachés, émise en 1906 par la Compagnie Méditerranéenne de Navigation

Ce système n'est plus utilisé, car il est inefficace et risqué : perdre le certificat revenait à perdre tout droit aux paiements futurs. Tous les titres, y compris les obligations, sont aujourd'hui dématérialisés[8], c'est-à-dire inscrits en compte, soit chez l'intermédiaire financier qui tient le compte du propriétaire du titre (au porteur) soit directement auprès de l'émetteur du titre (au nominatif). En France, la quasi-totalité des obligations est donc détenue au porteur, modalité de détention plus flexible et plus simple. À chaque détachement de coupon, l'émetteur des obligations verse directement le coupon aux détenteurs d'obligations en régime nominatif (puisqu'il les connaît), par chèque ou plus fréquemment par virement bancaire. Le versement du coupon pour les titres au porteur induit un processus un peu plus complexe, puisqu'il faut verser les coupons aux intermédiaires financiers chez qui sont inscrites les obligations, à charge pour ces derniers de faire suivre les coupons à leurs destinataires finals.

Séniorité. Il existe une hiérarchie entre les créanciers de l'entreprise, définie par leur **séniorité** (ou rang de priorité) : c'est l'ordre dans lequel ils seront remboursés en cas de faillite de l'émetteur. Il existe différents degrés de priorité, de la dette senior (prioritaire) à la dette junior, ou subordonnée (non prioritaire). Si une entreprise ayant émis des obligations fait l'objet d'une liquidation judiciaire, ses actifs ne seront utilisés pour rembourser la dette subordonnée qu'après que les créanciers seniors l'ont été intégralement. Bien entendu, en échange du risque accru pris par les créanciers juniors, ces derniers bénéficient d'une rémunération plus attractive. Les obligations émises par Renault bénéficient de la plus grande séniorité parmi les titres de dette émis par l'entreprise.

Obligations domestiques et internationales

La simplicité pour une entreprise consiste à émettre des obligations domestiques, c'est-à-dire dans le pays où elle est basée et libellées dans la devise locale. L'entreprise n'a, dans ce cas, à se préoccuper ni des lois et formalités étrangères, ni du taux de change. C'est le cas des obligations émises par Renault (voir tableau 24.1). Notons tout de même que ces obligations peuvent être achetées par des investisseurs étrangers.

Une entreprise peut également émettre des obligations dans une monnaie autre que la sienne : on parle alors d'**obligations internationales**. Les raisons pour cela peuvent être multiples : accéder à un marché de la dette plus profond que son marché local, emprunter dans une devise différente pour profiter d'un meilleur taux d'intérêt ou pour réduire son risque de change (si l'entreprise a des recettes dans la devise en question), etc. Renault dispose ainsi d'un programme obligataire en yens, son émission la plus récente datant de 2018 pour un montant de 18 milliards de yens. Les obligations internationales peuvent être classées en trois catégories :

- Les **obligations étrangères** désignent les obligations émises par une entreprise dans un pays étranger, dans la devise et à destination des investisseurs de ce pays. Les obligations étrangères sont souvent affublées de surnoms exotiques : **obligations yankee** aux États-Unis, **samouraï** au Japon, **dim sum** en Chine ou **bulldog** au Royaume-Uni.

---

8. La dématérialisation des titres a eu lieu en France en 1984, soit avant la plupart des autres pays développés pour une raison simple : il fallait identifier les détenteurs de valeurs mobilières pour calculer le patrimoine total des ménages et, éventuellement, demander à ces derniers de payer l'impôt sur les grandes fortunes créé en 1982.

Les obligations émises par Renault au Japon sont donc des obligations samouraï. Une obligation émise en France par une entreprise étrangère, libellée en euros et destinée principalement aux investisseurs français, est également une obligation étrangère.

- Les **euro-obligations** n'ont, contrairement à leur nom, aucun lien avec la monnaie européenne. Ce sont des obligations libellées dans une monnaie qui n'est pas celle du pays dans lequel elles sont émises (et qui peut également être différente de la nationalité de l'émetteur). On trouve ainsi des euro-obligations en dollars émises à Londres par des entreprises anglaises, américaines ou japonaises. Du fait de la dimension internationale de l'opération, les émissions d'euro-obligations échappent aux contraintes juridiques nationales, ce qui les rend d'un grand intérêt pour les entreprises. La majorité des euro-obligations en Europe est cotée au Luxembourg.

- Enfin, les **obligations globales** peuvent combiner certaines caractéristiques des obligations étrangères et des euro-obligations : une émission d'obligations globales est menée de manière simultanée dans plusieurs pays, dans une ou plusieurs devises.

Une obligation offrant des coupons dans une monnaie qui n'est pas celle de l'investisseur lui fait courir un **risque de change**. En effet, bien que cette obligation présente le même risque de défaut qu'une obligation du même émetteur dans la monnaie de l'investisseur, elle expose ce dernier au risque que la monnaie étrangère se déprécie par rapport à sa monnaie domestique, ce qui réduirait la valeur des flux qu'il perçoit. Une obligation libellée dans une monnaie étrangère doit donc offrir une rentabilité plus élevée qu'une obligation comparable sans risque de change pour attirer des investisseurs.

| Finance verte | **Obligations vertes et crédits à impact** |

Les **obligations vertes** (*green bonds*) sont des obligations « comme les autres » du point de vue financier. Leur spécificité est que leur émetteur s'engage à utiliser les fonds récoltés pour financer des projets contribuant à la transition écologique. L'émetteur doit donc communiquer régulièrement sur l'affectation des fonds et les résultats des projets engagés et faire confirmer par un expert indépendant que les engagements pris sont respectés.

Le marché est récent, puisque la première obligation verte a été émise en 2007 par la Banque européenne d'investissement. Mais le succès a été rapide : la BEI a été suivie par d'autres organisations internationales (telle la Banque Mondiale), par des entreprises (les premières obligations vertes *corporate* en euros ont été émises en 2013 par EDF pour financer des projets d'énergie renouvelable) et par des États. La France émet ainsi des **OAT vertes** depuis 2017 pour financer les dépenses publiques de la lutte contre le réchauffement climatique : avec 7 milliards d'euros levés, c'est à ce jour la plus importante émission d'obligations vertes au monde. Depuis 2007, plus de 100 milliards d'euros ont été levés : ce succès s'explique par l'intérêt des investisseurs, qui verdissent ainsi leurs portefeuilles à peu de frais, puisque leur bonne volonté ne va pas jusqu'à accepter un taux d'intérêt inférieur à celui des obligations « grises ».

L'émission d'obligations vertes n'est néanmoins pas possible pour tous les emprunteurs ; il faut pour cela investir dans des projets identifiés dont l'impact environnemental peut être mesuré. Pour contourner cette limite, les **crédits à impact** sont apparus : il s'agit d'emprunts bancaires ou obligataires dont le taux d'intérêt est indexé sur l'atteinte d'objectifs environnementaux, sociaux ou de gouvernance (**critères ESG**) définis à l'avance. Ces crédits sont donc à la portée de tous les emprunteurs, qui seront ainsi financièrement incités à atteindre leurs objectifs ESG.

24.2. Les emprunts bancaires

Pour se financer par dette, les entreprises peuvent également souscrire des **emprunts bancaires**, ou indivis. Contrairement au marché obligataire, toutes les entreprises peuvent obtenir un financement bancaire : les formalités sont réduites, il n'y a pas de montant minimal d'emprunt, ni de maximum : pour des montants très élevés, il est même possible de mettre en place des **prêts syndiqués**, consentis par un **syndicat** de plusieurs banques dont l'une joue le rôle de chef de file, négociant les conditions du crédit avec l'emprunteur.

La plupart des emprunts bancaires de moyen et long terme consentis aux entreprises ont la forme classique d'un emprunt à échéance définie et à remboursement par fraction constante du capital (voir chapitre 5). À la différence des crédits octroyés aux particuliers, ils sont le plus souvent à **taux variable**, ce qui expose les entreprises qui empruntent à un **risque de taux**, contre lequel elles peuvent se protéger grâce aux techniques de gestion du risque présentées au chapitre 30.

Les entreprises peuvent également souscrire des **emprunts garantis par des actifs**, ou **emprunts contre collatéral** (*asset-backed loan*) : il s'agit d'emprunts qui permettent de financer l'achat d'un équipement ou d'un immeuble spécifique, qui est inscrit en garantie du crédit octroyé. C'est bien entendu plus sécurisant pour la banque qu'un crédit sans collatéral défini, il bénéficie donc d'un taux d'intérêt plus faible. Une forme particulière d'emprunt contre collatéral est le **crédit-bail**, étudié en détail au chapitre suivant.

Enfin, les entreprises peuvent recourir à des **financements de projet** (*project finance*), usuels dans le secteur des infrastructures et de l'énergie. Ici, l'entreprise souscrit un crédit dont le remboursement dépendra *exclusivement* des flux de trésorerie du projet. En cas d'échec du projet, l'entreprise ne sera pas tenue de rembourser l'emprunt et la banque réalisera une perte. La banque souhaitera donc vérifier par elle-même la solidité du projet et posera des conditions strictes sur sa gestion. Elle demandera également un taux d'intérêt plus élevé que celui d'un crédit normal. C'est un moyen pour les emprunteurs de lever de grandes quantités de dettes sans mettre en risque leur solvabilité financière.

24.3. Titrisation et *Asset-Backed Securities*

La **titrisation** consiste à transformer des actifs en titres financiers susceptibles d'être achetés ou vendus sur un marché financier. Ces titres sont adossés aux actifs sous-jacents, d'où leur nom : **titres adossés à des actifs** ou en anglais *Asset-Backed Securities* (ABS). Les flux de trésorerie dont bénéficie l'acheteur d'un ABS ne sont rien d'autre que les flux produits par les actifs sous-jacents. Les actifs les plus fréquemment utilisés pour créer de tels ABS sont des crédits hypothécaires souscrits par des ménages américains : on parle dans ce cas de *Mortgage-Backed Securities* (*mortgage* étant le terme générique pour les crédits immobiliers).

Il est évidemment possible de créer des ABS à partir de nombreux actifs : on a ainsi vu des titres adossés à des crédits à la consommation, à des crédits automobiles, voire à des encours de cartes de crédit. Certaines institutions financières ont rivalisé d'imagination pour créer des titres adossés aux flux de trésorerie générés par des hôpitaux, des chaînes de *fast-food* ou des autoroutes. Encore plus original, le chanteur David Bowie a émis en 1997 des obligations dont les intérêts étaient garantis par les royalties à venir sur ses albums parus avant 1990. Ce premier exemple de titrisation de droits de propriété intellectuelle a donné par la suite des idées à d'autres artistes, comme James Brown.

Le secteur de la titrisation a concentré entre 2000 et 2007 l'essentiel des innovations financières. Des produits de plus en plus complexes ont été structurés et mis sur le marché. Les ***Collateralized Debt Obligations***, ou CDO, un des produits les plus connus, étaient ainsi des ABS dont les actifs sous-jacents étaient eux-mêmes des ABS. De la titrisation au carré, en quelque sorte ! Le découpage des flux de trésorerie produits par un CDO en tranches de séniorités différentes a contribué à opacifier encore un peu plus ces titres. Ainsi, les acheteurs de la tranche junior du CDO ne recevaient aucune rémunération avant que les acheteurs des tranches supérieures n'aient touché la leur. À partir d'actifs de départ assez comparables et de risque homogène, l'ingénierie financière parvenait donc à créer des produits avec des niveaux de risques très différents, et donc des rentabilités elles-mêmes très différentes. Ces produits, qui se sont massivement développés au cours des années 2000, ont été au cœur de la crise financière qui a débuté en 2007.

Crise financière	**MBS, CMO et autres CDO…***

Les crédits *subprime* sont des crédits immobiliers proposés à des ménages ne présentant pas les garanties financières pour accéder aux emprunts « normaux », dits *prime*. Il s'agit généralement de ménages qui ne peuvent apporter la preuve de revenus réguliers et suffisants, ou qui sont déjà endettés, ou encore qui ont des antécédents de défaut de paiement. Le montant des prêts *subprime* est passé de 35 milliards de dollars en 1994 à 332 milliards en 2003 et à 600 milliards en 2006, soit 23 % de l'ensemble des prêts émis cette année-là et 10 % de la totalité de la dette hypothécaire américaine. Les crédits *subprime* concernaient alors près de 6 millions de ménages.

Pourquoi les banques prêtaient-elles aussi facilement à de « mauvais » emprunteurs ? Tout simplement parce que, grâce à la titrisation, elles avaient compris comment transformer les crédits risqués qu'elles octroyaient en *Mortgage-Backed Securities*, susceptibles d'être vendues sur les marchés financiers. Grâce à ces opérations, les banques ont ainsi pu faire supporter une grande partie des risques qu'elles prenaient à d'autres. De plus, la titrisation permettait de créer des titres avec différents niveaux de risque et de rentabilité : en effet, plusieurs milliers de crédits *subprime* étaient assemblés en un MBS (phase de *pooling*), puis le produit était découpé en plusieurs tranches de séniorités différentes pour former des *Collateralized Mortgage Obligations*, ou CMO (phase de *tranching*). Il était ainsi possible de créer des tranches moins risquées que les crédits de départ. La tranche de séniorité maximale, remboursée prioritairement, était ainsi exposée à un risque réduit : les détenteurs de cette tranche ne subissaient leurs premières pertes éventuelles qu'après que les détenteurs des autres tranches eurent tout perdu ! Chaque tranche du produit était donc « protégée » par l'existence de tranches inférieures. Les agences de notation attribuaient de ce fait des notes très élevées (AAA, en général) aux tranches seniors des CMO, persuadées du caractère sans risque de ces tranches.

•••

...

Bien entendu, le risque était maximal pour les détenteurs de la tranche la plus junior, appelée tranche *equity*, mais ceux-ci étaient compensés de ce risque par une rémunération très élevée. Avec la croissance rapide du volume de CMO au cours des années 2000, il devenait néanmoins de plus en plus difficile de trouver des investisseurs prêts à acheter ces tranches *equity*. Les banques d'investissement ont donc innové en ajoutant une couche de titrisation. Elles ont créé de nouveaux produits structurés, les *Collateralized Debt Obligations* (CDO), à partir des tranches *equity* de différents CMO : encore une fois, le *pooling* et le *tranching* ont permis de structurer des tranches notées AAA en partant de produits initialement risqués. Au final, l'ingénierie financière est parvenue à transformer plus de 80 % des prêts *subprime* initiaux, tous individuellement très risqués, en produits notés AAA (tranche senior du CMO + tranche senior du CDO structuré à partir de tranches *equity* de CMO).

Comment cette belle mécanique s'est-elle enrayée ? Tout simplement à cause du retournement du marché immobilier américain : jusqu'en 2006, les hausses de prix de l'immobilier aux États-Unis permettaient aux emprunteurs qui avaient du mal à payer leurs mensualités de revendre leur logement avec une plus-value suffisante pour garantir le remboursement du crédit. L'explosion de la bulle immobilière en 2006 a inversé la situation, et ceux qui comptaient sur de futures plus-values pour rembourser un crédit trop lourd ont fait défaut. Les premiers touchés ont été les emprunteurs les plus fragiles : le pourcentage d'emprunts *subprime* avec un retard d'au moins 60 jours dans le paiement des mensualités est passé de moins de 7 % en 2005 à plus de 20 % en 2007 et plus de 40 % en 2009. Cette hausse des défauts, bien supérieure à toutes les prévisions, a eu deux conséquences dramatiques pour la stabilité du système financier mondial :

- Les tranches de MBS suffisamment seniors pour être protégées jusqu'à 20 % de pertes sur les crédits sous-jacents et qui semblaient sans risque ont commencé à subir des pertes. Or, ces tranches avaient souvent été achetées par des banques et des institutions financières en quête de produits « peu risqués ».

- Plus grave, les CDO créés à partir des tranches juniors des MBS se sont mis à subir des pertes colossales, puisque toutes les pertes liées aux défauts sur les crédits *subprime* étaient imputées prioritairement à ces tranches juniors... Les détenteurs de tranches AAA de CDO ont parfois perdu jusqu'à 100 % de leur mise... alors que ces produits étaient censés être très peu risqués !

---

* Pour des détails sur la mécanique de la crise financière de 2008, voir : N. Couderc et O. Montel-Dumont (2008), *Des subprime à la récession : comprendre la crise*, La Documentation française.

24.4. Les obligations souveraines

Les États ne peuvent financer leur déficit budgétaire, c'est-à-dire le déséquilibre entre leurs recettes et leurs dépenses, qu'en s'endettant, puisqu'il leur est impossible d'émettre des actions. Compte tenu des déficits publics structurels des principaux pays industrialisés[9], les besoins de financement publics sont très importants. Ils dépassent même ceux des entreprises : le segment des obligations publiques a un volume supérieur à celui des obligations d'entreprise. Pour lever des fonds, certains pays émergents doivent

---

9. Le dernier excédent budgétaire en France date de 1980...

même émettre des obligations étrangères, c'est-à-dire emprunter des capitaux dans une monnaie qui n'est pas la leur (dette souveraine externe), le plus souvent en dollars ou en euros ; ils courent alors un risque de change.

Les caractéristiques des obligations souveraines françaises

En France, la dette publique s'élevait en 2019 à 2 360 milliards d'euros, soit 99 % du PIB. C'est l'**Agence France Trésor** qui est responsable de la gestion de la dette de l'État et qui émet (voir tableau 24.2) :

- Des **obligations assimilables du Trésor** (OAT) pour l'endettement à moyen et long terme (maturité initiale de 2 à 50 ans). La maturité de référence est de 10 ans en France, contre 30 aux États-Unis. Les OAT détachent un coupon annuel. Différents types d'OAT existent : les OAT « classiques » à taux fixe, les OAT vertes (voir encadré « Finance verte », *supra*), les OAT à taux variable (OAT TEC 10) ou indexées sur l'inflation (OAT*i* ou OAT€*i*). Ces dernières versent un coupon annuel dont le montant évolue au rythme de l'inflation[10]. Par définition, toutes les OAT sont **assimilables :** cela signifie que l'AFT émet périodiquement de nouvelles obligations présentant des caractéristiques identiques (maturité résiduelle, coupon…) aux OAT déjà sur le marché. De ce fait, il est impossible de distinguer les nouvelles obligations des anciennes. Une seule ligne d'OAT subsiste donc, les nouvelles obligations étant assimilées aux anciennes, et cette ligne bénéficie d'une liquidité accrue.

- Des **bons du Trésor à taux fixe et à intérêt précompté** (BTF) pour l'endettement à court terme (moins d'un an). Ces titres ont un montant nominal de 1 € et sont à intérêts précomptés. Il s'agit de titres zéro-coupon.

Calcul du coupon d'une OAT€*i*

Le 25 juillet 2001, l'Agence France Trésor a émis la toute première OAT€*i*, indexée sur l'indice d'inflation européen (IPCH), d'échéance 25 juillet 2012 et de taux de coupon 3 %. La valeur nominale du titre est de 1 €. À l'émission, l'IPCH était de 92,98. En juillet 2010, l'IPCH était de 108,68. Quelle est la valeur du coupon qui a été détaché ce mois-là ?

Solution

Entre la date d'émission et juillet 2010, l'IPCH a augmenté de 108,68 / 92,98 − 1 = 16,89 %. La valeur nominale de l'OAT€*i* a donc été ajustée à 1,1689 €. Le coupon versé en juillet 2010 était ainsi de 3 % × 1,1689 € = 3,51 centimes d'euros.

Exemple 24.1

---

10. Ces OAT sont souvent appelées TIPS, par analogie avec les obligations publiques américaines indexées sur l'inflation (*Treasury Inflation Protected Securities*). En pratique, la valeur nominale de l'OAT est ajustée en fonction du taux d'inflation. Ainsi, le taux de coupon est fixe mais le coupon en euros évolue. À l'échéance, le prêteur est protégé contre le risque d'inflation, puisque la valeur de remboursement est égale à la valeur nominale lors de l'émission, ajustée de l'inflation.

Tableau 24.2	Les titres de dette publique française			

Titre	Intérêts	Maturité	Encours (en milliards d'euros)	
			Fin 2000	**Fin 2019**
Bon du Trésor à taux fixe et à intérêt précompté (BTF)	Intérêt précompté	Inférieure à 1 an	43	110
Obligation assimilable du Trésor (OAT)	Intérêt annuel postcompté	2 à 50 ans	573	1 705

Source : Agence France Trésor.

En France, il existe d'autres emprunteurs publics que l'État. La dette publique comprend donc celle de l'État au sens strict, mais aussi celle de la Sécurité sociale (200 milliards d'euros), des organismes divers d'administration centrale qui regroupent divers instituts, agences ou encore écoles d'ingénieurs (60 milliards d'euros), et celle des collectivités territoriales (200 milliards d'euros). Contrairement à l'État, ces différents emprunteurs ne financent pas l'intégralité de leurs dettes grâce à l'émission d'obligations : ils s'endettent également auprès de banques commerciales et d'institutions spécialisées (la Caisse des Dépôts en particulier). Lorsque ces emprunteurs émettent des obligations, ils parviennent sans mal à obtenir un taux d'intérêt proche de celui consenti à l'État, car ils bénéficient de sa garantie, explicite ou non.

Le placement des obligations souveraines françaises

Les obligations émises par l'État sont placées de manière particulière : des **adjudications** régulières sont organisées par l'Agence France Trésor. Ainsi, les BTF sont adjugés tous les lundis, les OAT, les premier et troisième jeudis de chaque mois. Le montant proposé à la vente pour chaque type de titre est connu deux à quatre jours avant la date de l'adjudication. Ces adjudications sont « à la hollandaise » (ou « au prix demandé », ou « à prix multiples »). Cela signifie que les offres dont les prix sont les plus élevés[11] sont servies en premier, puis celles de prix plus faible, jusqu'à placer tous les titres proposés à la vente. Les acheteurs de titres de dette publique sur le marché primaire paient donc des prix différents, correspondant exactement à ceux qu'ils ont demandés[12]. Compte tenu des volumes, il s'agit d'un marché de professionnels : en 2019, les sociétés d'assurances françaises détenaient 18 % de l'encours de la dette publique, les établissements de crédit français 7 % et les autres investisseurs résidents 23 %. Le reste était détenu par des investisseurs non résidents (essentiellement des intermédiaires financiers) à hauteur de 52 %.

Pour améliorer la liquidité du marché secondaire de la dette publique, l'État a créé le statut de **spécialiste en valeurs du Trésor**, ou SVT : il s'agit d'une quinzaine de banques[13] qui conseillent l'AFT, l'informent de la demande qu'ils anticipent pour les titres publics, participent aux adjudications périodiques et assurent activement la liquidité du marché secondaire. Les SVT jouent donc le rôle de teneurs du marché des titres

---

11. C'est-à-dire la rentabilité à l'échéance la plus faible.

12. Au contraire, les adjudications réalisées par le *US Treasury* sont « à la française », c'est-à-dire à prix unique : tous les acheteurs bénéficient du prix le plus faible (donc de la rentabilité à l'échéance la plus élevée – le *stop out yield*) nécessaire pour que l'adjudication soit complète.

13. BNP Paribas, Barclays Bank, Société Générale, HSBC France, Goldman Sachs, etc.

de dette publique, affichant en permanence un cours acheteur et un cours vendeur sur chaque ligne de titre. Pour favoriser la liquidité des titres, l'État a également créé un marché des **OAT démembrées**, ou OAT STRIPS (pour *Separate Trading of Registered Interest and Principal*) : le détenteur d'une OAT peut demander son démembrement, et il recevra en échange de l'OAT des **certificats zéro-coupon fongibles** qui répliquent exactement les flux de l'OAT et qui permettent d'échanger de manière séparée les droits relatifs aux différents flux financiers de l'OAT.

Entretien	**Amine Tazi, chef économiste de l'Agence France Trésor**

L'AFT gère la dette de l'État français ; elle est rattachée à la direction générale du Trésor du ministère de l'Économie et des Finances.

Quelles sont les missions de l'AFT ?

Les principales missions de l'AFT sont :

- De prévoir et de gérer la trésorerie de l'État, en relation avec la Banque de France, les ordonnateurs et les comptables de l'État. L'objectif est que le compte de l'État soit toujours créditeur, que ce dernier puisse honorer ses dépenses et que les éventuels excédents de trésorerie soient placés de façon à fructifier.

- De définir la stratégie d'endettement de l'État, ce qui implique une très bonne connaissance des marchés de taux, avec pour objectifs de minimiser à moyen terme la charge de la dette et de favoriser la liquidité de l'ensemble des produits de dette émis, en conjuguant innovation et sécurité.

- D'assurer la gestion opérationnelle de la dette de l'État : organiser les adjudications et les rachats de dette et conclure des *swaps* de taux d'intérêt.

- De contrôler les risques et d'assurer le post-marché. Le *middle-office* contrôle et gère les risques associés aux opérations, tandis que le *back-office* enregistre et suit jusqu'à leur dénouement nos opérations.

Comment ont évolué les conditions de financement de l'État en 10 ans ?

La bonne capacité de notre système financier à absorber le choc de la crise de 2008, le caractère diversifié de notre économie, le faible niveau d'endettement du secteur privé et l'épargne abondante des ménages constituent autant d'éléments qui permettent à la France d'être aujourd'hui considérée parmi les émetteurs les plus solides. La crise a donc eu pour effet paradoxal d'améliorer les conditions de financement de la France, un mouvement qui s'est accentué depuis avec la politique monétaire non conventionnelle menée par la Banque centrale européenne : le taux d'intérêt offert sur les OAT est ainsi passé de 4,2 % en moyenne sur 1998-2008 au niveau historiquement bas de 0,2 % en 2019. La charge de la dette s'est également réduite pour s'établir à 42 milliards d'euros en 2019, soit 2 % du PIB, son plus bas niveau depuis 1982.

...

…

En parallèle, la recherche de rendement par les investisseurs, induite par la faiblesse des taux d'intérêt, a conduit à une demande accrue pour les titres à long terme français, ce qui s'est traduit par une augmentation de la durée de vie moyenne de la dette (à un plus haut historique de huit ans en 2019, contre sept en 2015). La réduction de l'encours de titres à court terme (BTF), dont la part dans la dette totale a diminué de 19 % en 2009 à 6 % en 2019, contribue aussi à limiter la sensibilité de la charge d'intérêt à une remontée des taux à court terme et donne une certaine capacité d'absorption de choc. La remontée de la croissance et de l'inflation, ainsi que la fin programmée du *quantitative easing* de la BCE, devraient conduire à une normalisation ordonnée des conditions de financement avec une hausse progressive des taux d'intérêt, que l'AFT est prête à gérer.

Comment se compose la base d'investisseurs de la dette de l'État ?

La dette française bénéficie aujourd'hui d'une base d'investisseurs large et diversifiée, aussi bien en termes sectoriels (banques centrales et commerciales, institutions publiques, assurances, fonds de pension et d'investissement) que géographiques. C'est une source de stabilité, car cela rend la dette française résiliente face au risque de changement de stratégie d'investissement d'un type d'acteur ou d'une zone géographique particulière. Les achats nets d'obligations souveraines françaises par les non-résidents sont actuellement élevés, avec une forte demande provenant d'Asie, signe de la confiance envers le crédit de la France et la force de son économie.

24.5. Les clauses de sauvegarde

Des **clauses de sauvegarde**, ou *covenants*, sont prévues dans les prospectus d'émission obligataire et les contrats de prêts, pour limiter l'autonomie de l'emprunteur et empêcher qu'il n'adopte un comportement contraire aux intérêts des créanciers. Certains dirigeants d'entreprises endettées pourraient, en effet, être tentés de mettre en place des politiques financières en faveur des actionnaires et aux dépens des créanciers, comme le chapitre 16 l'a montré. Par exemple, les actionnaires pourraient être incités, suite à l'émission d'obligations, à augmenter leurs dividendes, ce qui provoquerait une détérioration de la situation des créanciers. Le cas extrême serait celui d'une entreprise liquidant l'intégralité de ses actifs sous forme de dividendes avant de se déclarer en faillite : les actionnaires recevraient dans ce cas tous les actifs de l'entreprise (y compris les capitaux empruntés), alors que les créanciers perdraient tout… Si cela se produisait, cela donnerait évidemment lieu à des poursuites pour faillite frauduleuse. Mais certaines formes d'expropriation des créanciers sont moins visibles.

Pour se protéger, les créanciers insèrent presque toujours dans les contrats de prêt des clauses limitant les dividendes, empêchant l'entreprise de s'endetter au-delà d'un certain seuil, ou prévoyant un remboursement à 101 ou 102 % si l'entreprise est rachetée par une autre. De même, la plupart des obligations non collatéralisées prévoient des clauses interdisant à l'emprunteur d'émettre de nouvelles dettes avec un rang de priorité égal ou supérieur à la dette existante. Parmi les clauses fréquemment imposées par les prêteurs, on trouve :

- la **clause d'engagement de faire** : restructuration financière, vente d'actif stratégique, information régulière du créancier, respect d'un solde bancaire minimal, etc. ;

- la **clause d'engagement de ne pas faire** : plafond sur les investissements ou les valeurs de certains ratios financiers comme le taux d'endettement, modification de la date d'arrêté des comptes, etc. ;

- la **clause de *pari passu*** : l'entreprise devra offrir aux créanciers actuels les garanties supplémentaires qu'elle accordera à l'avenir à d'autres créanciers de même rang ;

- la **clause de *cross default*** : le non-remboursement par l'entreprise d'un autre crédit provoque le défaut immédiat de ses obligations, dont le remboursement peut être exigé immédiatement.

Si l'émetteur enfreint une clause de sauvegarde, cela peut entraîner une augmentation du coût de l'emprunt, une exigibilité immédiate du principal, voire un remboursement anticipé avec pénalité. On pourrait s'attendre à ce que les actionnaires essaient de limiter autant que possible les clauses de sauvegarde offertes aux créanciers. Ce n'est pas toujours le cas : une émission obligataire offrant des clauses de sauvegarde restrictives réduit la probabilité de défaut de l'émetteur, et donc le taux d'intérêt… Ajouter des clauses de sauvegarde peut donc faire baisser le coût de la dette pour l'entreprise. Comme le chapitre 16 l'a montré, si les clauses de sauvegarde sont prévues pour minimiser les coûts d'agence (en réduisant la capacité des dirigeants à lancer des projets à VAN négative), la baisse du taux d'intérêt peut compenser le coût de la moindre flexibilité de l'entreprise du fait de clauses de sauvegarde. Les obligations émises par Renault (voir tableau 24.1) prévoient ainsi des clauses de *cross default*, de *pari passu* et d'engagement de ne pas faire (maintien du rating et *negative pledge*, c'est-à-dire impossibilité de placer certains actifs de l'émetteur comme collatéraux d'emprunts futurs).

24.6. Le remboursement des emprunts obligataires

Il existe différentes façons de rembourser des obligations : la plus simple est d'attendre qu'elles arrivent à échéance. Mais rien n'empêche de racheter ses obligations sur le marché avant leur échéance, comme le ferait n'importe quel investisseur. Le contrat obligataire peut également autoriser l'émetteur à racheter ses obligations de manière anticipée à un prix prédéterminé : il s'agit dans ce cas d'obligations à clause de remboursement anticipé, ou obligations *callables*. Une autre possibilité consiste en la mise en place d'un fonds d'amortissement. Enfin, le contrat obligataire peut permettre à l'émetteur ou au détenteur de l'obligation d'opter pour sa conversion en un autre titre : on parle alors d'obligations convertibles.

Les obligations à clause de remboursement anticipé

Une **clause de remboursement anticipé** donne le droit (mais non l'obligation) à l'émetteur de racheter ses obligations à une certaine date ou à partir de cette date (la date d'exercice) à un prix spécifié à l'avance (le prix d'exercice). Cette clause n'est rien d'autre qu'une **option d'achat** que conserve l'émetteur des obligations sur celles-ci : un **call**, d'où le nom d'**obligations *callables***.

Toutes les clauses sont imaginables : on trouve ainsi sur le marché des obligations avec des clauses prévoyant des périodes sans rachat possible ou seulement un rachat partiel (limité par exemple à la moitié des obligations). Certaines clauses prévoient un prix de rachat à la valeur nominale de l'obligation ou évolutif au fil du temps, d'autres imposent à l'entreprise de financer d'une certaine manière le remboursement des obligations (par exemple grâce à l'émission d'actions), etc.

Pour comprendre l'influence d'une clause de remboursement anticipé sur le prix de l'obligation, il faut déterminer le moment où l'émetteur a intérêt à l'exercer : un émetteur peut, en effet, racheter sur le marché les obligations qu'il a émises dès qu'il le souhaite. Il ne fera donc jouer la clause de remboursement anticipé que si cela lui permet de racheter les obligations moins cher que ce qu'il aurait payé sur le marché. Prenons un exemple. Alpha a émis deux obligations identiques en tout point, à ceci près que l'une des deux prévoit une clause de remboursement anticipé (au pair) et l'autre non. Alpha veut rembourser l'une des deux obligations. Laquelle racheter ?

- Si le taux d'intérêt a baissé depuis l'émission, l'obligation simple s'échange à un prix supérieur au pair. Si Alpha veut racheter cette obligation, il lui faudra la racheter à son prix de marché, supérieur à sa valeur nominale. Au contraire, si Alpha rachète l'obligation *callable*, en faisant jouer la clause de remboursement anticipé, cela ne lui coûtera que la valeur nominale de l'obligation. En cas de baisse des taux d'intérêt, il est donc moins coûteux pour Alpha d'exercer la clause de remboursement anticipé ; dans ce cas, Alpha pourra même financer ce rachat (c'est-à-dire refinancer l'emprunt) par une émission d'obligations nouvelles sur le marché, puisque ces dernières offriront une rentabilité plus faible, les taux ayant baissé.

- Au contraire, si le taux d'intérêt a augmenté depuis l'émission des obligations, Alpha n'a aucun intérêt à les refinancer. Si Alpha souhaitait tout de même racheter une de ses obligations, il n'y aurait aucun intérêt à exercer la clause de rachat anticipé, puisque les deux obligations s'échangent à un prix plus faible que leur valeur nominale. Alpha pourrait donc racheter n'importe quelle obligation, directement sur le marché.

Si l'on considère le rachat anticipé du point de vue du créancier, l'exercice de l'option est une mauvaise nouvelle : cela signifie que les taux ont baissé et donc que l'obligataire ne pourra réinvestir ses capitaux qu'à un taux plus faible (sinon, la clause de rachat n'aurait pas été exercée !). Le porteur de l'obligation *callable* se trouve confronté au risque de devoir réinvestir ses capitaux à un moment peu propice pour lui, quand le taux d'intérêt sur le marché est plus faible que le taux de coupon qu'il touchait sur l'obligation remboursée par anticipation. De ce fait, les obligations *callables* sont *moins* attractives pour les obligataires que des obligations simples. Logiquement, l'obligation à clause de remboursement anticipé s'échangera donc à un prix plus faible (avec une rentabilité plus élevée) qu'une obligation classique. En fait, le prix d'une obligation *callable* est tout simplement égal au prix de l'obligation simple duquel on soustrait la valeur du *call* qu'a conservé l'émetteur.

Pour bien comprendre, revenons aux deux obligations émises par Alpha dans un cas simplifié où la clause autorise le remboursement au pair aujourd'hui uniquement. La figure 24.2 représente le prix à la date de remboursement anticipé de ces deux obligations en fonction de la rentabilité à l'échéance de l'obligation non *callable*. Si la rentabilité à l'échéance de cette dernière est plus faible que le taux de coupon (5 %), la clause de remboursement anticipé sera exercée : l'obligation *callable* sera rachetée au pair. Au contraire, si sa rentabilité à l'échéance est supérieure au taux de coupon, la clause ne sera pas exercée, car le prix des deux obligations est identique. Le prix de l'obligation *callable* est donc plafonné au pair : il peut être inférieur à ce niveau si les taux augmentent, mais ne le dépassera pas en cas de baisse des taux.

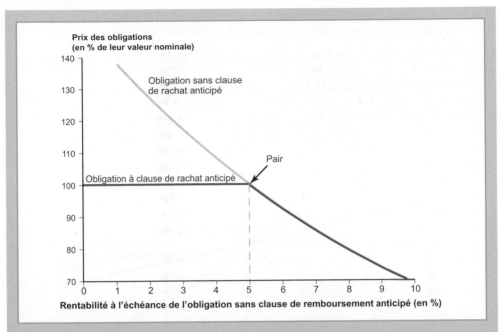

Figure 24.2 – Prix de deux obligations (l'une *callable*, l'autre non) à la date d'exercice de la clause de remboursement anticipé

Les deux obligations sont identiques, à ceci près que l'une des deux prévoit une clause de remboursement anticipé. Les deux obligations offrent un taux de coupon de 5 %. La clause de remboursement anticipé ne peut être exercée qu'aujourd'hui ; le cas échéant, le rachat sera effectué au pair.

Avant la date d'exercice du *call*, les investisseurs essaient d'anticiper la stratégie qui sera suivie par l'émetteur. Le prix de l'obligation reflète cette anticipation, comme l'illustre la figure 24.3. Quand la rentabilité est plus élevée sur le marché que le taux de coupon de l'obligation *callable*, les investisseurs évaluent que la probabilité de rachat anticipé est faible. L'obligation *callable* se comporte donc comme une obligation simple. En revanche, quand la rentabilité sur le marché est plus faible que le taux de coupon, les investisseurs anticipent l'exercice de la clause, et l'obligation *callable* affiche alors un prix proche de celui d'une obligation simple *de maturité égale à la date à laquelle on anticipe le rachat*, et non à la date de maturité de l'obligation *callable*.

Par convention, la **rentabilité à l'échéance** d'une obligation *callable* est calculée sans tenir compte de l'existence de cette clause : c'est le taux d'actualisation qui permet d'égaliser les flux futurs de l'obligation jusqu'à son échéance au prix de marché actuel. Or, la rentabilité effective dont bénéficiera l'obligataire ne sera égale à la rentabilité à l'échéance que si l'obligation est effectivement conservée jusqu'à échéance[14]. Comme le prix d'une obligation *callable* est plus faible que celui d'une obligation simple, sa rentabilité à l'échéance est plus élevée que celle d'une obligation simple. Mais l'hypothèse selon laquelle la clause ne sera jamais exercée n'est pas réaliste. Les investisseurs calculent donc un second indicateur lorsqu'ils examinent des obligations *callables :* la **rentabilité**

---

14. Autrement dit, si la clause de remboursement n'est pas exercée et si l'émetteur ne fait pas défaut.

avec exercice de la clause de remboursement anticipé, ou *yield to call*, c'est-à-dire en supposant que la clause sera exercée à la première occasion possible.

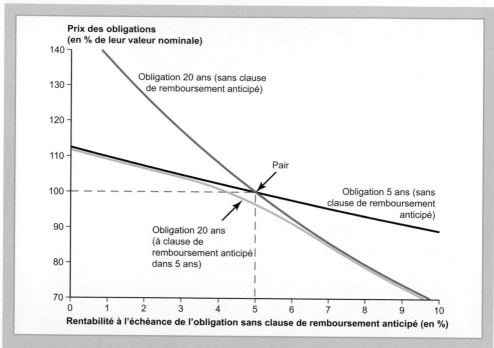

Figure 24.3 – Prix de deux obligations (l'une *callable*, l'autre non) avant la date d'exercice de la clause de remboursement anticipé

Lorsque la rentabilité à l'échéance de l'obligation simple est plus élevée que le taux de coupon de l'obligation *callable*, les investisseurs associent une probabilité faible à l'exercice de la clause de remboursement ; le prix de l'obligation *callable* est alors très proche de celui d'une obligation simple de même échéance. Au contraire, lorsque la rentabilité à l'échéance est plus faible sur le marché que le taux de coupon de l'obligation *callable*, la probabilité de remboursement anticipé est élevée. Le prix de l'obligation *callable* est alors proche de celui d'une obligation simple arrivant à échéance au moment où le *call* pourra être exercé.

Exemple 24.2

Rentabilité à l'échéance avec exercice de la clause de remboursement anticipé

Gamma vient d'émettre au pair une obligation *callable* d'échéance cinq ans et de taux de coupon 8 %. Le remboursement anticipé est possible à chaque date de détachement de coupon. L'obligation cote actuellement 103 % de sa valeur nominale. Quelle est la rentabilité à l'échéance de cette obligation ? Quel est son *yield to call* ?

Solution

Le diagramme des flux de l'obligation, si l'on néglige la clause de remboursement anticipée, est :

...

La rentabilité à l'échéance r de l'obligation est donc :

$$103 = \frac{8}{r}\left(1 - \frac{1}{(1+r)^5}\right) + \frac{100}{(1+r)^5}$$

On obtient $r = 7{,}26\,\%$. Si la clause est exercée à la première occasion, le diagramme des flux se simplifie :

```
        0              1
        |              |
               108 €
```

Le *yield to call*, ou rentabilité à l'échéance avec exercice de la clause de remboursement anticipé, r^*, est donc :

$$103 = \frac{108}{1+r^*} \Rightarrow r^* = 4{,}85\,\%$$

Le recours à un fonds d'amortissement

L'émetteur d'obligations peut mettre en place un **fonds d'amortissement**, qu'il abonde régulièrement. Ce fonds est géré par un mandataire extérieur à l'entreprise et les capitaux sont utilisés pour racheter des obligations (à leur valeur de remboursement, et non à leur valeur de marché). Lesquelles racheter ? Si la valeur de marché des obligations est inférieure à leur valeur nominale, peu importe, le mandataire peut en racheter le nombre souhaité directement sur le marché. En revanche, si la valeur de marché des obligations est supérieure à leur valeur nominale, personne ne sera volontaire pour échanger une obligation contre sa valeur nominale. Il faudra alors procéder à un tirage au sort parmi toutes les obligations en circulation : mieux vaut n'être pas tiré au sort, puisque cela signifie que l'obligation sera rachetée à un prix désavantageux pour son propriétaire.

Le rythme dont le fonds d'amortissement est abondé par l'entreprise est défini dans le prospectus d'émission : les paiements peuvent être dimensionnés pour permettre un remboursement des obligations par **séries égales** (le même nombre d'obligations est remboursé tous les ans), par **annuités égales** (les annuités versées sont égales, le nombre d'obligations remboursées varie donc chaque année) ou tout autre schéma souhaité par l'émetteur. Ce dernier se réserve parfois la possibilité d'accélérer ses versements (ce qui revient presque au même qu'une clause de remboursement anticipé sur ces obligations !), ou de ne débuter ses versements au fonds d'amortissement que quelques années après l'émission des obligations. Enfin, certains émetteurs sous-dimensionnent volontairement le fonds d'amortissement, ce qui signifie que l'amortissement progressif des obligations ne suffira pas et qu'il en restera sur le marché à maturité : ils devront donc consentir un ultime paiement significatif, le **ballon de l'emprunt**.

Les obligations convertibles

Certaines obligations, dites **hybrides**, peuvent, à l'initiative de leur émetteur ou de leur détenteur, donner accès à d'autres titres financiers. Parmi ces obligations hybrides, les plus courantes sont les **obligations convertibles** (OC), qui permettent à l'investisseur, s'il le désire, de demander leur conversion en actions[15]. En général, la conversion est possible n'importe quand jusqu'à l'échéance de l'obligation[16]. La conversion, si elle a lieu, se fait à un taux déterminé à l'émission, le **taux de conversion**, qui définit le nombre d'actions que l'investisseur obtient en échange de chacune de ses obligations. Les obligations convertibles représentent aujourd'hui environ 15 % des obligations d'entreprise.

La clause de conversion n'est rien d'autre qu'une option d'achat (**call**) donnée à l'acheteur des obligations par l'émetteur. Ainsi, il est possible d'analyser une obligation convertible comme la somme d'une obligation standard et d'une option d'achat sur un nombre déterminé d'actions de l'entreprise émettrice. Les actions en question peuvent être des actions nouvelles (l'option sera alors appelée **warrant**) ou des actions existantes que l'émetteur détient en auto-contrôle[17]. Si ce dernier a le choix entre les deux solutions, on parlera d'**OCEANE** (obligation convertible en actions nouvelles ou existantes).

À la date de conversion de l'obligation, le prix d'exercice de l'option d'achat est égal à la valeur nominale de l'obligation convertible divisée par le taux de conversion. Ce prix d'exercice s'appelle le **prix de conversion**. À titre d'exemple, une obligation convertible, de nominal 1 000 € et de taux de conversion 15, permet à son propriétaire de choisir entre 15 actions de l'émetteur ou 1 000 €. La conversion donne donc un prix implicite de l'action de 1 000 / 15 = 66,67 €. Le détenteur de l'obligation ne demandera la conversion que si le cours de l'action sur le marché est supérieur au prix de conversion, c'est-à-dire si l'action vaut plus de 66,67 €. Sinon, il préférera encaisser le nominal. Par conséquent, la valeur d'une obligation convertible est égale au maximum de sa valeur faciale (1 000 €) et du prix de 15 actions (voir figure 24.4).

La valeur de l'obligation convertible avant échéance est également représentée à la figure 24.4 : avant l'échéance de l'obligation, si l'action ne verse pas de dividendes, il n'est jamais optimal d'exercer par anticipation une option d'achat (voir chapitre 20) et il y a toujours intérêt à attendre l'échéance de l'obligation pour décider de la conversion. Si le cours de l'action est bas et que l'option d'achat soit largement en dehors de la monnaie, la valeur de l'option de conversion est presque nulle ; la valeur de l'obligation convertible est presque égale à celle d'une obligation standard. Si le cours de l'action est élevé, l'option d'achat est dans la monnaie ; l'obligation convertible s'échange alors à un prix légèrement supérieur à la valeur des actions, du fait de la valeur temps positive de l'option d'achat. La valeur d'une obligation convertible avant la conversion éventuelle est donc égale à celle d'une obligation « simple », à laquelle on ajoute la valeur d'une option d'achat sur les actions de l'entreprise émettrice.

---

15. Il existe également des obligations « reverse convertibles » (l'option de conversion est donnée à l'émetteur, et non à l'investisseur) et des obligations à bon de souscription d'actions (OBSA), constituées d'une obligation standard et d'un bon de souscription qui permet d'acheter, à un prix fixé lors de l'émission, un nombre déterminé d'actions. À la différence de l'option de conversion d'une obligation convertible, les bons peuvent s'échanger indépendamment des obligations : il s'agit donc d'une obligation standard à laquelle on ajoute une option. Le prix d'une OBSA est donc simplement la somme arithmétique des prix de l'obligation « nue » et de l'option d'achat.

16. Il s'agit donc d'une option américaine. Certaines obligations convertibles prévoient une période initiale pendant laquelle la conversion n'est pas possible.

17. L'exercice d'un warrant fait augmenter le nombre d'actions de l'entreprise, ce qui n'est pas le cas lorsque les obligations sont converties en actions existantes. L'exercice d'un warrant entraîne donc un effet de dilution pour l'ensemble des actionnaires (y compris le détenteur du warrant, puisqu'à compter de son exercice, il devient actionnaire de l'entreprise).

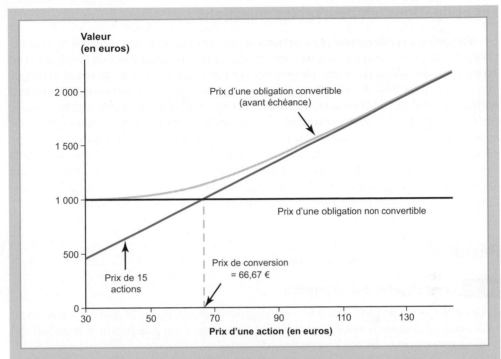

Figure 24.4 – Valeur d'une obligation convertible

À l'échéance, la valeur d'une obligation convertible est égale au maximum de la valeur faciale de l'obligation (1 000 €) et de la valeur de 15 actions. L'obligation sera convertie si le prix des actions est supérieur au prix de conversion. Avant l'échéance, la valeur de l'obligation convertible dépend de la probabilité de conversion. En tout état de cause, cette valeur sera supérieure à celle d'une obligation non convertible et supérieure au prix de 15 actions, à cause de la valeur temps du *call*.

Les entreprises émettent parfois des obligations convertibles à clause de remboursement anticipé (!). Quel est l'intérêt ? Si l'émetteur déclenche le remboursement anticipé des obligations, leurs détenteurs peuvent choisir de les convertir en actions plutôt qu'être remboursés en numéraire. En fait, cela permet à l'émetteur de contraindre les investisseurs à exercer ou abandonner leur option de conversion de manière anticipée, ce qui revient à transférer la valeur temps résiduelle du call des détenteurs d'obligations vers les actionnaires.

Pour résumer, une obligation convertible offre à son détenteur une option, qui a toujours une valeur positive. Une obligation convertible vaut par conséquent toujours plus qu'une obligation standard, ce qui signifie que si les deux obligations sont émises au pair, l'obligation non convertible doit offrir une rentabilité à l'échéance supérieure pour trouver acheteur. C'est la raison pour laquelle certains considèrent que la dette convertible est moins coûteuse pour l'entreprise qu'une dette standard. Mais cet argument est erroné : la dette convertible offre une rentabilité à l'échéance plus faible *parce qu'elle offre à son détenteur un call*. Si le cours de l'action de l'entreprise augmente et que l'obligataire décide d'exercer son option de conversion, l'entreprise devra céder des actions à un prix inférieur à leur valeur de marché. La rentabilité à l'échéance plus faible des obligations convertibles n'est rien d'autre qu'une compensation donnée aux actionnaires pour le risque qu'ils prennent en laissant l'entreprise émettre de la dette convertible.

Les obligations remboursables en actions

Les **obligations remboursables en actions (ORA)** ressemblent aux obligations convertibles, à ceci près qu'il n'y a aucune incertitude sur la transformation de l'obligation en actions, ni sur la date de la transformation (ce qui explique leur nom anglo-saxon de *mandatory convertible bonds*). Puisqu'il n'y a pas de dimension optionnelle dans une obligation remboursable en actions, leur détention implique un risque supplémentaire par rapport à des obligations standard : leur remboursement se fera obligatoirement en actions dont le cours futur est inconnu. La valeur théorique d'une obligation remboursable en actions est donc égale à la somme de la valeur actuelle des coupons et de la valeur actuelle de l'espérance du prix des actions reçues à l'échéance de l'obligation. Les ORA sont souvent émises par des entreprises en forte croissance, qui retardent ainsi l'émission d'actions et la dilution des actionnaires en place qu'elle entraîne.

Résumé

24.1. Les obligations d'entreprise

- Les entreprises peuvent émettre des obligations pour lever de la dette. Le placement des obligations sur le marché impose la préparation d'un prospectus d'émission qui définit l'ensemble des caractéristiques des titres.

- Parmi les caractéristiques des obligations, on trouve l'échéance, le taux et la fréquence des coupons, les prix d'émission et de remboursement et la séniorité.

- Les entreprises peuvent émettre des obligations sur leur marché domestique ou sur le marché international, sur lequel on trouve des obligations étrangères, des euro-obligations et des obligations globales.

24.2. Les emprunts bancaires

- Les entreprises peuvent souscrire des emprunts bancaires, auprès d'une banque ou d'un syndicat bancaire. Outre les emprunts classiques, elles peuvent accéder à des emprunts garantis par des actifs ou à des financements de projets.

24.3. Titrisation et *Asset-Backed Securities*

- La titrisation consiste à transformer des actifs en titres échangeables sur un marché. Ces titres sont adossés aux actifs sous-jacents (*Asset-Backed Securities*) et ils offrent à leurs détenteurs les flux de trésorerie générés par les actifs initiaux (crédits hypothécaires, crédits à la consommation, crédits automobiles, etc.).

- L'innovation financière a favorisé l'apparition de produits de plus en plus complexes, comme les CDO, titres adossés à des ABS. Ces produits ont joué un grand rôle dans le déclenchement de la crise financière de 2008.

24.4. Les obligations souveraines

- Les États émettent des obligations souveraines pour financer les déficits publics. En France, ces obligations sont des bons du Trésor ou des obligations assimilables du Trésor selon leur échéance.

24.5. Les clauses de sauvegarde

- Les clauses de sauvegarde, ou *covenants*, limitent l'autonomie de l'emprunteur pour l'empêcher de prendre des décisions qui pourraient réduire la probabilité de remboursement des créanciers.

24.6. Le remboursement des emprunts obligataires

- Il est possible de rembourser des obligations en les rachetant directement sur le marché ou en procédant à des rachats réguliers grâce à un fonds d'amortissement.

- Une clause de remboursement anticipé offre à l'émetteur des obligations une option d'achat lui donnant le droit (mais non l'obligation) de les racheter à partir d'une certaine date et à un prix convenu lors de l'émission.

- Une obligation *callable* s'échange à un prix plus faible qu'une obligation non *callable*. Le *yield to call*, ou rentabilité à l'échéance avec exercice de la clause de remboursement anticipé, est calculé sous l'hypothèse que le *call* sera exercé à la première occasion.

- Une obligation convertible offre à l'obligataire une option qui lui permet de convertir son obligation en actions de l'entreprise émettrice, à un taux de conversion déterminé. Une obligation convertible offre une rentabilité à l'échéance plus faible qu'une obligation non convertible. Une obligation remboursable en actions sera, elle, nécessairement remboursée sous forme d'actions, à un taux de conversion déterminé.

Exercices

1. Quelles sont les différences entre des obligations faisant l'objet d'un placement privé et celles faisant l'objet d'une offre au public de titres financiers ?

2. Pourquoi les obligations subordonnées offrent-elles une rentabilité plus élevée que les obligations seniors ?

3. Deux obligations de maturité 10 ans versent un coupon annuel fixe : la première est émise au pair avec un taux de coupon de 5 % ; la seconde est émise avec une prime d'émission de 1 % et un taux de coupon de 4,9 %. Quelle obligation offre la rentabilité à l'échéance la plus élevée ? Comment expliquer la différence ?

4. Quelle est la différence entre une euro-obligation et une obligation étrangère ?

5. Quelles sont les différences entre des emprunts avec et sans collatéral ?

6. Que sont les *Mortgage-Backed Securities* ?

7. Comment l'État français finance-t-il son déficit ?

8. L'Agence France Trésor émet le 15 janvier 2020 une OATi d'échéance cinq ans et de taux de coupon 3 %. À la date de l'émission, l'indice des prix est de 250. Cinq ans plus tard, l'indice des prix est de 300. Quel sera le coupon versé le 15 janvier 2025 ? Quel sera le montant du principal ?

9. L'Agence France Trésor émet le 15 janvier 2020, une OATi d'échéance 10 ans et de taux de coupon 6 %. À la date de l'émission, l'indice des prix est de 400. Dix ans plus tard, l'indice des prix est de 300. Quel sera le coupon versé le 15 janvier 2030 ? Quel sera le montant du principal ?

10. Pourquoi les émetteurs d'obligations peuvent-il avoir intérêt à insérer des clauses de sauvegarde dans le prospectus d'émission ?

11. Gamma vient d'émettre une obligation *callable* de maturité 10 ans et de taux de coupon 6 %. Les coupons sont annuels. En cas d'exercice du *call*, possible à chaque date de détachement de coupon, le remboursement se fera au pair. L'obligation cote aujourd'hui 102 %. Quelle est la rentabilité à l'échéance de l'obligation ? Quel est son *yield to call* ?

12. Thêta vient d'émettre une obligation *callable* de maturité trois ans et de coupon 5 % (TAP). Les coupons sont semestriels. En cas d'exercice du *call*, possible après deux ans puis à chaque détachement de coupon, le remboursement se fera au pair. L'obligation cote aujourd'hui 99 %. Quelle est la rentabilité à l'échéance de l'obligation ? Quel est son *yield to call* ?

13. Toutes choses égales par ailleurs, pourquoi la rentabilité d'une obligation convertible est-elle plus faible que celle d'une obligation non convertible ?

14. Une obligation convertible de valeur nominale 10 000 € offre un ratio de conversion de 450. Quel est le prix de conversion ?

Chapitre 25
Le financement par crédit-bail

Jusqu'à présent, on a considéré que les entreprises achetaient les équipements dont elles avaient besoin. En fait, elles peuvent se contenter de les louer : s'il est possible à un particulier de louer une voiture, pourquoi une entreprise ne pourrait-elle pas faire de même ? De fait, les entreprises peuvent louer de nombreux actifs, mobiliers ou immobiliers, ce qui leur permet, en échange d'un loyer, de disposer du droit de les utiliser de manière pérenne. Une première option pour les entreprises consiste à signer des contrats de location simples, qui laissent ou non la possibilité au locataire d'interrompre le contrat au terme d'un préavis, mais qui ne lui permettent pas de devenir propriétaire de l'actif au terme du contrat[1]. Il s'agit dans ce cas de locations comparables à celles que connaissent les particuliers.

Les entreprises ont également la possibilité de réaliser des opérations de crédit-bail, qui sont des contrats de location sur une durée déterminée avec une option d'achat à terme. Le crédit-bail permet donc à une entreprise de louer un actif pendant un temps, puis, si elle le souhaite, d'en devenir propriétaire à des conditions prédéfinies : c'est donc autant un moyen de financement d'investissements qu'un contrat de location. Cela explique le succès croissant du crédit-bail : les entreprises peuvent financer ainsi l'acquisition de la quasi-totalité des actifs dont elles ont besoin pour leur exploitation, de l'immobilier de bureau aux entrepôts en passant par des machines-outils, des avions ou des centrales électriques ! On sous-estime souvent l'importance de ce moyen de financement des entreprises. Pourtant 75 % des entreprises françaises louent en crédit-bail au moins un actif, et le montant d'actifs financés par ce biais dépasse en France les 100 milliards d'euros[2]. Au niveau mondial, 25 % des avions commerciaux n'appartiennent pas aux compagnies aériennes qui les exploitent, mais à des entreprises de crédit-bail : c'est bien GE Commercial Aviation Services, leader mondial du crédit-bail d'avions, qui possède la plus grande flotte d'avions commerciaux au monde, avec 2 000 avions utilisés par plus de 250 compagnies aériennes dans 75 pays.

Puisque le crédit-bail est un moyen de financement pour les entreprises, il est important d'en comprendre les particularités, qui sont présentées à la section 25.1. La section 25.2 aborde le traitement comptable des contrats de crédit-bail, tandis que les sections 25.3 et 25.4 traitent de leur évaluation et des raisons pour lesquelles autant d'entreprises y ont recours.

---

1. Les contrats de « location financière de longue durée », de durée ferme et sans option d'achat au terme du contrat sont des contrats de location simple, à ne pas confondre avec la location financement, autre nom du crédit-bail, qui prévoit nécessairement une option de transfert de propriété en fin de location.

2. Association française des sociétés financières.

25.1. Le crédit-bail, un moyen de financement

Le vocabulaire du crédit-bail

Un **crédit-bail,** ou *leasing*, permet à une entreprise d'utiliser un bien d'équipement à usage professionnel ou un actif immobilier sans en être propriétaire. On parle de **crédit-bail mobilier** dans le premier cas, et de **crédit-bail immobilier** dans le second. Ce sont des contrats de location de longue durée, celle-ci étant spécifiée dès la signature du contrat et le plus souvent ferme et irrévocable. La plupart des crédits-bails immobiliers a une durée supérieure à 15 ans[3], tandis que les crédits-bails mobiliers ont souvent des durées plus courtes, de trois à 10 ans. Ils peuvent porter sur une très large palette de biens d'équipement, puisqu'il suffit que l'équipement soit identifiable, d'usage durable et amortissable pour qu'un crédit-bail soit envisageable, et ces conditions sont remplies pour la quasi-totalité des équipements susceptibles de faire l'objet d'une immobilisation corporelle.

La mise en place d'un crédit-bail est simple et prend en général la forme d'un contrat tripartite : le fournisseur de l'équipement le vend au **crédit-bailleur,** qui l'achète puis le met en location chez le **crédit-preneur** ; ce dernier paie un loyer au crédit-bailleur et peut disposer librement de l'équipement en question. Le crédit-bailleur est donc propriétaire d'un actif mis à disposition du crédit-preneur : il y a bien dissociation juridique entre propriété et utilisation de l'actif. Cette dissociation n'est pas totale, néanmoins, puisque le crédit-preneur a l'option, s'il le souhaite, de devenir propriétaire de l'équipement à la fin du crédit-bail à des conditions précisées dès la signature. Trois possibilités sont envisageables : le locataire exerce son **option d'achat** et devient ainsi propriétaire de l'actif, il rend l'équipement à son propriétaire, ou il négocie une prolongation du crédit-bail.

Contrat de droit privé librement négocié, le contrat de crédit-bail offre une grande souplesse pour s'adapter aux souhaits du crédit-preneur et aux exigences du crédit-bailleur. Ainsi, la plupart des crédits-bails prévoient des loyers égaux et payés **terme à échoir** (c'est-à-dire à l'avance) pendant toute la durée du crédit-bail, mais certains contrats prévoient un premier loyer majoré, d'autres des loyers évolutifs au fil du temps, etc. De même, les contrats de crédit-bail peuvent comprendre des clauses portant sur la définition des responsabilités de chaque partie pour l'entretien de l'équipement et le partage des coûts associés, sur les conditions de sortie du contrat avant son terme et des éventuelles indemnités associées, sur la possibilité d'exercice anticipé de l'option d'achat par le crédit-preneur, sur les conditions de remplacement de l'équipement en cours de contrat par une version plus récente, etc. Bien entendu, tout a un coût : une clause favorable au locataire fait augmenter, toutes choses égales par ailleurs, le loyer et inversement.

En France, le crédit-bail est considéré comme une activité financière et donc encadré par le **Code monétaire et financier** : toute institution désirant exercer des activités de crédit-bail doit avoir le statut de **société de financement**[4] et donc disposer d'un agrément de

---

3. Un cas particulier de crédit-bail immobilier est la **cession-bail** (ou *sale and lease-back*), qui se produit lorsqu'une entreprise propriétaire de ses bureaux souhaite les vendre pour encaisser le produit de la vente tout en continuant à les occuper, en échange d'un loyer. La cession-bail consiste donc à céder les bureaux à une société de crédit-bail immobilier et à mettre en place simultanément un crédit-bail sur ces mêmes bureaux.

4. Une sous-catégorie des établissements de crédit qui ne peuvent pas recevoir de dépôts du public.

l'**Autorité de contrôle prudentiel et de résolution (ACPR)**, respecter les normes pruden-tielles, disposer de capitaux propres réglementaires minimaux, etc. Il est donc logique que la plupart des établissements proposant des services de crédit-bail soient filiales de groupes bancaires (Crédit Agricole Leasing & Factoring, BNP Paribas Leasing Solutions, Sogélease, etc.) ou filiales financières de groupes industriels dont les produits sont très souvent l'objet de crédits-bails. Dans ce dernier cas, ces filiales cantonnent leur activité au financement des équipements de leur maison-mère et cela participe d'une stratégie commerciale globale, dans laquelle l'entreprise propose à ses clients des équipements, des solutions de financement, des services de maintenance et d'entretien, etc. On retrouve ces schémas dans l'informatique (IBM Global Financing), l'automobile (PSA Finance), etc.

Loyers et valeur résiduelle de l'actif

La question centrale du crédit-bail est celle de la définition des loyers. Prenons un exemple. Gamma a besoin d'un chariot élévateur. Neuf, celui-ci vaut 20 000 €. Gamma veut le louer pendant quatre ans plutôt que de l'acheter. Le bailleur est d'accord pour acheter le chariot et signer un contrat de crédit-bail. À la fin des quatre ans, Gamma n'exercera pas l'option d'achat et le chariot reviendra au bailleur. Quel loyer Gamma est-elle prête à payer ? Le loyer dépend de la **valeur résiduelle** de l'actif à la fin de la location, c'est-à-dire du prix de marché de l'actif d'occasion au terme de la location. Si on estime que cette valeur résiduelle sera de 6 000 € dans quatre ans, cela signifie que le bail-leur sera capable de revendre l'actif dans quatre ans à ce prix-là. En notant L les loyers mensuels constants payés au bailleur par Gamma, les flux perçus par le bailleur sont :

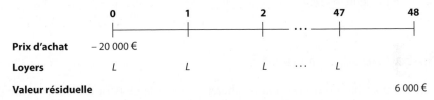

Si le marché du crédit-bail est parfait, du fait d'une forte concurrence entre bailleurs potentiels, les loyers, $L_1, L_2, ..., L_{48}$, doivent être tels que la valeur actuelle nette de l'opé-ration est nulle :

$$\text{VA}(L_1, L_2, ..., L_{48}) = \text{Prix d'achat} - \text{VA (Valeur résiduelle)} \qquad (25.1)$$

En d'autres termes, si les marchés sont parfaits, le coût du crédit-bail est égal au coût de l'achat de l'actif suivi de sa revente au terme de la période. Le montant des loyers L dépend donc du prix d'achat de l'actif, de sa valeur résiduelle et du taux d'actualisation.

Exemple 25.1

Le loyer d'une opération de crédit-bail

Quel est le loyer mensuel L payé (terme à échoir) par Gamma pour son chariot élévateur, si le taux sans risque annuel est de 6 % (TAP) et que le risque de défaut de Gamma est nul ?

Solution

Tous les flux sont sans risque. Il est donc possible de les actualiser au taux mensuel sans risque de 6 % / 12 = 0,5 %. D'après l'équation (25.1), on a :

$$VAN\,(L_1, L_2, \dots, L_{48}) = 20\,000 - \frac{6\,000}{(1 + 0,005)^{48}} = 15\,277,41\,\text{€}$$

On cherche donc le loyer mensuel L qui a une valeur actuelle de 15 277,41 €, sachant que le premier loyer est décaissé immédiatement et qu'il sera suivi de 47 mensualités :

$$L + \sum_{i=1}^{47} \frac{L}{(1 + 0,005)^i} = L + L\,\frac{1}{0,005}\left(1 - \frac{1}{1,005^{47}}\right) = 15\,277,41\,\text{€}$$

Ce qui permet de calculer le loyer L :

$$L = \frac{15\,277,41}{1 + \dfrac{1}{0,005}\left(1 - \dfrac{1}{1,005^{47}}\right)} = 357,01\,\text{€}$$

Sous l'hypothèse de marchés parfaits, le loyer mensuel pour le chariot élévateur est donc de 357,01 € pendant 48 mois.

Crédit-bail ou achat à crédit ?

Il aurait été possible pour Gamma d'acheter à crédit le chariot élévateur et de payer ensuite des mensualités d'emprunt. Avec un crédit de 20 000 € sur quatre ans, Gamma aurait payé des mensualités constantes M :

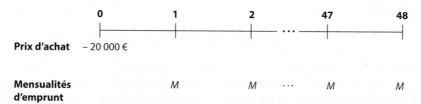

Si les marchés sont parfaits, grâce à une forte concurrence entre prêteurs potentiels, les mensualités sont telles que :

$$\text{VA}(M_1, M_2, \dots, M_{48}) = \text{Prix d'achat} \qquad (25.2)$$

En comparant les équations (25.1) et (25.2), on note que l'achat à crédit d'un actif impose le financement de la totalité de sa valeur, alors que sa location en crédit-bail n'impose le financement que de sa dépréciation économique durant la période d'utilisation. C'est pourquoi les mensualités d'emprunt sont nécessairement supérieures aux loyers d'un crédit-bail.

Les mensualités d'un emprunt

Quelle est la mensualité d'emprunt constante M versée par Gamma à sa banque pour son chariot élévateur, si le taux sans risque annuel est de 6 % (TAP), que Gamma n'a aucun risque de défaut et que le prêt a une durée de quatre ans ?

Solution

Tous les flux sont sans risque et peuvent donc être actualisés au taux mensuel sans risque de 6 % / 12 = 0,5 %. Les mensualités sont payées à terme échu. D'après l'équation (25.2), on a :

$$\sum_{i=1}^{48} \frac{M}{(1+0,005)^i} = M \times \frac{1}{0,005}\left(1 - \frac{1}{1,005^{48}}\right) = 20\ 000\ €$$

Donc :

$$M = \frac{20\ 000}{\dfrac{1}{0,005}\left[1 - \dfrac{1}{1,005^{48}}\right]} = 469,70\ €$$

Les mensualités d'emprunt sont supérieures aux loyers du crédit-bail. L'achat du chariot permet toutefois d'en disposer pendant toute sa durée de vie, et pas seulement pendant la durée du crédit-bail.

L'écart constaté entre les exemples 25.1 et 25.2 ne signifie évidemment pas qu'il convient de privilégier systématiquement le crédit-bail à l'achat à crédit : en achetant le chariot élévateur à crédit, il sera possible de le revendre à sa valeur résiduelle (6 000 €) au bout de quatre ans ou de le conserver. Au contraire, si on l'a loué et qu'on souhaite continuer à l'utiliser, il faudra l'acheter à sa valeur résiduelle et donc débourser 6 000 €. En marchés parfaits, en raison de la **Loi du prix unique**, les deux stratégies sont équivalentes : acheter l'actif directement à crédit ou dans le cadre d'un crédit-bail revient au même coût. En combinant les équations (25.2) et (25.1), on obtient :

$$VA(L_1, L_2, ..., L_{48}) + VA\ (\text{Valeur résiduelle}) = VA(M_1, M_2, ..., M_{48}) \qquad (25.3)$$

En d'autres termes, en marchés parfaits, effectuer une opération de crédit-bail sur un actif que l'on achètera ensuite à sa valeur résiduelle ou l'acheter à crédit immédiatement revient au même[5]. S'il n'existe aucune imperfection de marché, un crédit-bail a une VAN nulle par construction et les propositions de Modigliani-Miller restent vérifiées. En d'autres termes, une opération de crédit-bail n'influence pas la valeur de l'entreprise et permet seulement de répartir différemment les flux et les risques de l'entreprise entre agents[6].

---

5. M. Miller et C. Upton (1976), « Leasing, Buying and the Cost of Capital Services », *Journal of Finance*, 31(3), 761-786 ; W. Lewellen, M. Long et J. McConnell (1976), « Asset Leasing in Competitive Capital Markets », *Journal of Finance*, 31(3), 787-798.

6. J. McConnell et J. Schallheim (1983), « Valuation of Asset Leasing Contracts », *Journal of Financial Economics*, 12(2), 237-261 ; S. Grenadier (1995), « Valuing Lease Contracts: A Real-Options Approach », *Journal of Financial Economics*, 38(3), 297-331.

L'option d'achat en fin de crédit-bail

Dans l'exemple 25.1, on a supposé qu'en fin de crédit-bail le chariot reviendrait à son propriétaire, susceptible de le revendre sur le marché secondaire à sa valeur résiduelle. En fait, un contrat de crédit-bail prévoit une clause autorisant le locataire, s'il le désire, à acheter en fin de contrat l'actif à un prix déterminé dès la signature du contrat de crédit-bail. Un contrat de crédit-bail contient donc une **option d'achat**, dont le sous-jacent est l'actif loué et la date d'exercice est la fin du contrat de crédit-bail. Le prix d'exercice de l'option d'achat est librement négocié entre les parties prenantes du crédit-bail. En particulier, ce prix d'exercice peut être égal à la valeur résiduelle anticipée de l'actif au terme de la période de crédit-bail (auquel cas il est impossible d'anticiper l'exercice ou l'abandon de l'option) ou inférieur à cette valeur résiduelle anticipée (auquel cas l'exercice de l'option est probable). Plus le prix d'exercice de l'option d'achat sera faible, à valeur terminale résiduelle donnée, plus l'exercice de l'option sera probable et plus les loyers exigés par le propriétaire au cours de la période de crédit-bail seront élevés. Le cas limite serait atteint pour un prix d'exercice symbolique de 1 € au terme de la période de crédit-bail : cela reviendrait à faire disposer le locataire de l'actif pendant la totalité de sa durée de vie économique ; tout se passerait comme s'il avait acheté l'actif à crédit (en versant ses loyers durant le crédit-bail). Ces loyers seraient alors égaux aux mensualités d'emprunt correspondantes et auraient une valeur actuelle égale à la totalité de la valeur de l'actif, comme le montre l'exemple 25.3.

Exemple 25.3

Loyers et option d'achat

Quels sont les loyers pour le chariot élévateur de l'exemple 25.1 si le contrat de crédit-bail prévoit une option d'achat dont le prix d'exercice est de 6 000 € ? De 4 000 € ? De 1 € ?

Solution

Dans le premier cas, le locataire peut acheter à la fin du bail le chariot élévateur à sa valeur résiduelle (6 000 €). Le crédit-bailleur est indifférent à l'exercice ou non de l'option d'achat, puisqu'elle permet simplement au locataire d'acheter l'actif à son prix de marché. Le crédit-bailleur obtient donc toujours 6 000 €. Par conséquent, la solution de l'exemple 25.1 reste valable et les loyers mensuels sont de 357,01 €.

Avec un prix d'exercice de 4 000 €, le locataire exercera l'option grâce à laquelle il pourra acheter pour 4 000 € un actif dont le prix de marché sera de 6 000 €. Pour que la VAN du contrat de crédit-bail soit nulle, la valeur actuelle des loyers doit être égale à :

$$20\,000 - 4\,000 \,/\, 1{,}005^{48} = 16\,851{,}61 \text{ €}$$

Les loyers sont donc égaux à :

$$L = \frac{16\,851{,}61}{1 + \dfrac{1}{0{,}005}\left(1 - \dfrac{1}{1{,}005^{47}}\right)} = 393{,}79 \text{ €}$$

Les loyers sont plus élevés que dans le premier cas, car le locataire pourra réaliser un bénéfice de 2 000 € dans quatre ans en exerçant son option.

...

...

Avec un prix d'exercice à 1 €, le crédit-bailleur ne reçoit pratiquement aucune valeur résiduelle du chariot. La valeur actuelle des loyers doit donc permettre de couvrir la totalité du coût d'achat du chariot. Les loyers sont égaux à :

$$L = \frac{20\,000}{1 + \dfrac{1}{0,005}\left(1 - \dfrac{1}{1,005^{47}}\right)} = 467,36 \ €$$

Les loyers sont ici à peine inférieurs aux mensualités d'emprunt correspondantes (469,70 € ; exemple 25.2). L'écart entre les loyers et les mensualités provient de la nature des flux : terme à échoir pour les loyers, terme échu pour les mensualités (on vérifie que 467,36 × 1,005 = 469,70 €).

25.2. Le traitement comptable des contrats de crédit-bail

En Europe

L'entreprise qui a l'usage économique permanent de l'actif en crédit-bail n'en est pas légalement propriétaire ; elle s'est pourtant engagée à payer des loyers réguliers. Deux traitements comptables différents des opérations de crédit-bail sont donc envisageables.

Approche « juridique ». Le locataire n'est pas propriétaire des actifs pris en crédit-bail (c'est le crédit-bailleur). Il n'inscrit donc pas les actifs à son bilan et les loyers sont des charges d'exploitation, enregistrées en autres charges externes dans son compte de résultat. Les loyers réduisent donc son résultat courant avant impôt et par là même l'impôt à payer. Avec cette approche, le crédit-bail est un engagement hors-bilan pour le locataire[7], assimilé à une **location simple**. Cette approche juridique, qui donne la primauté à la réalité du contrat, s'applique pour les comptes sociaux des entreprises établis en normes comptables françaises ; elle a pour avantage de coller avec la réalité des flux de trésorerie décaissés par l'entreprise et avec leur traitement fiscal, mais elle n'est pas conforme à la réalité économique (le crédit-preneur a l'usage économique permanent du bien et a contracté un engagement pour ce faire).

Approche « économique ». L'approche économique consiste à retraiter en comptabilité les contrats de crédit-bail pour placer les comptes de l'entreprise dans la même situation que si elle avait acquis l'actif par emprunt. Pour ce faire, on inscrit à l'actif du bilan un droit d'usage immatériel de l'équipement et au passif une dette financière égale au minimum de la valeur actuelle des loyers futurs minimaux et de la juste valeur de l'équipement pris en crédit-bail. Cela conduit à un alourdissement comptable du taux d'endettement de l'entreprise, contrairement au cas précédent. Ensuite, pendant le crédit-bail, les loyers sont enregistrés dans le compte de résultat sous la forme d'une charge d'amortissement d'une part et d'une charge d'intérêts d'autre part. C'est l'approche de **location-financement**, autre nom du crédit-bail, retenue pour les comptes

---

7. Les loyers non échus et la valeur des équipements pris en crédit-bail devant être indiqués dans l'annexe des comptes.

consolidés, de manière obligatoire en **normes IFRS**[8] et de manière préférentielle en normes françaises : toutes les opérations de crédit-bail d'une durée supérieure à 12 mois doivent donc apparaître au bilan des locataires.

Exemple 25.4

Traitement comptable d'une opération de crédit-bail

Les Croisières Magellan envisagent de prendre un paquebot supplémentaire en crédit-bail. Son prix d'achat est de 400 millions d'euros. Le bilan de l'entreprise est le suivant :

Actif		Passif	
1 Immobilisations corporelles	1 500	1 Capitaux propres	700
2 Trésorerie	100	2 Passifs non courants	900
3 **Total de l'actif**	**1 600**	3 **Total du passif**	**1 600**

Quels seront le bilan et le taux d'endettement de l'entreprise selon que le bilan des Croisières Magellan est établi en normes françaises pour les comptes sociaux ou en normes IFRS ?

Solution

Dans les comptes sociaux des Croisières Magellan (en normes françaises), ni le bilan ni le taux d'endettement ne sont modifiés. La seule manifestation comptable du crédit-bail sera une augmentation des charges d'exploitation du fait des loyers.

Dans les comptes consolidés des Croisières Magellan en normes IFRS, le bilan fait apparaître une dette supplémentaire de 400 millions d'euros : le paquebot est inscrit à l'actif, la dette correspondante apparaît au passif, des frais financiers et des dotations aux amortissements seront comptabilisés dans le compte de résultat. Le taux d'endettement de l'entreprise augmente donc, de 900 / 1 600 = 56 % à 1 300 / 2 000 = 65 %.

Actif		Passif	
1 Immobilisations corporelles	1 900	1 Capitaux propres	700
2 Trésorerie	100	2 Passifs non courants	1 300
3 **Total de l'actif**	**2 000**	3 **Total du passif**	**2 000**

Aux États-Unis

Les États-Unis constituent un cas particulier pour la comptabilité des contrats de crédit-bail, puisqu'en **normes US GAAP**, tous les actifs loués, qu'il s'agisse d'une location simple ou d'un crédit-bail, doivent apparaître au bilan des entreprises. En revanche, l'enregistrement des flux dans le compte de résultat dépend des caractéristiques économiques du contrat considéré : pour une location simple (*operating lease*), le compte de résultat fera simplement apparaître le loyer en charge d'exploitation ; pour une location-financement (*finance lease*), il y aura enregistrement d'une charge d'intérêts et d'une charge d'amortissement. Chaque entreprise doit donc classer tout contrat dans l'une des deux catégories. Pour trancher, il existe une règle de décision selon laquelle si au

---

8. D'après la norme IFRS 16 entrée en vigueur le 1er janvier 2019.

moins l'un des critères suivants est rempli, il s'agit d'une location-financement, car on suppose qu'il suffit à impliquer de la part du crédit-preneur un comportement de (futur) propriétaire plus que de locataire vis-à-vis de l'actif considéré :

1. Le contrat prévoit le transfert de la propriété de l'actif au terme de la durée du bail.

2. Le contrat prévoit une option permettant le transfert de propriété de l'actif au terme de la durée du bail, et le prix d'exercice est tel qu'il existe une probabilité élevée (dès la date de signature du contrat) que l'option soit exercée.

3. La durée du bail est telle qu'elle recouvre au moins 75 % de la durée de vie économique du bien.

4. À la date de signature du contrat de location, la valeur actualisée *minimale* des paiements effectués au titre du crédit-bail (loyers, prix d'exercice de l'option d'achat…) est de 90 % ou plus de la « juste valeur » de l'actif loué.

Exemple 25.5

Finance lease ou operating lease ?

Air Alaska, une compagnie aérienne américaine, loue un Airbus au crédit-bailleur JetRent. À la signature du contrat, l'Airbus est évalué à 5 millions d'euros. Cet avion a une durée de vie économique de 15 ans. Le contrat (non résiliable) a une durée de 120 mois. Le loyer mensuel est de 63 000 €, terme à échoir. Le contrat prévoit une option d'achat au terme du crédit-bail. Le prix d'exercice est de 2 millions d'euros, égal à la valeur résiduelle anticipée de l'avion. Le taux d'actualisation annuel est de 10 %. S'agit-il d'un contrat de location-financement ou de location simple ? Et si le contrat comprend une clause de rupture du contrat au bout de cinq ans à la discrétion d'Air Alaska ?

Solution

Le contrat ne prévoit pas de clause de transfert automatique de propriété à la fin de la période de location. Le critère 1 n'est donc pas rempli. Il n'y a pas non plus de clause d'achat à terme « incitative », puisque le prix d'exercice de l'option est égal à la valeur résiduelle anticipée (2 millions). Le critère 2 n'est donc pas rempli. La durée du contrat est égale à 67 % de la durée de vie économique de l'actif, donc le critère 3 n'est pas rempli. En ce qui concerne le critère 4, il convient de calculer la valeur actualisée des paiements minimaux qu'effectuera Air Alaska :

$$\sum_{i=0}^{119} \frac{63\,000}{\left(1 + 10\,\% / 12\right)^i} = 4{,}81 \text{ millions d'euros}$$

La valeur actualisée des paiements effectués par le locataire est très proche de la valeur actuelle de l'avion : par conséquent, le contrat est un contrat de location-financement, et les loyers devront être inscrits pour partie en charges financières (pour la part relevant des intérêts) et pour partie en dotation aux amortissements (pour la partie relevant du remboursement du principal du prêt).

…

Exemple 25.5

…

Si le contrat prévoit une clause de rupture anticipée à la discrétion d'Air Alaska au bout de cinq ans, les trois premiers critères ne sont toujours pas remplis. En ce qui concerne le critère 4, il convient de calculer la valeur actualisée des paiements minimaux d'Air Alaska. Ces paiements sont minimaux si la clause de rupture du contrat au bout de cinq ans est exercée. Donc, la valeur actualisée des paiements est :

$$\sum_{i=0}^{59} \frac{63\,000}{\left(1 + 10\,\% / 12\right)^{i}} = 2,99 \text{ millions d'euros}$$

La valeur actualisée des paiements minimaux effectués par le locataire est significativement inférieure à la valeur actuelle de l'avion : le contrat est donc un contrat de location simple et les loyers seront enregistrés en charges d'exploitation.

25.3. L'évaluation des contrats de crédit-bail

En marchés parfaits, recourir à un crédit-bail ou acheter l'actif à crédit revient au même. Pour évaluer l'intérêt de prendre en crédit-bail un actif plutôt que de l'acheter, il faut donc prendre en compte les imperfections de marché et en particulier la fiscalité.

Les flux de trésorerie d'une opération de crédit-bail

Tout actif immobilisé par une entreprise est amorti au fil du temps. Les dotations aux amortissements permettent à l'entreprise de bénéficier d'une réduction de son assiette fiscale, et donc de ses impôts. Avec un crédit-bail, le crédit-preneur n'investit rien, mais les loyers payés sont comptabilisés en charges d'exploitation et viennent donc réduire le résultat courant avant impôt de l'entreprise. Quelle est la différence entre un crédit-bail et un achat comptant du point de vue de l'entreprise ?

Prenons un exemple. Une imprimerie veut disposer d'une nouvelle rotative, qui coûte 50 000 €. Sa durée de vie est de cinq ans, au terme de laquelle sa valeur résiduelle sera nulle. Cet actif peut être amorti linéairement sur sa durée de vie. Le taux d'impôt sur les sociétés est de 25 %. En cas d'achat, l'imprimerie bénéficiera donc d'une baisse de son impôt de (50 000 / 5) × 25 % = 2 500 € par an, pendant cinq ans. La rotative peut également faire l'objet d'un crédit-bail de durée identique. Le loyer annuel est de 12 000 € terme à échoir. Comptabilisé en charges d'exploitation, le loyer réduit l'assiette fiscale de l'entreprise et représente donc une dépense de 12 000 × (1 − 25 %) = 9 000 € après impôt.

Le tableau 25.1 résume les flux de trésorerie disponibles des deux options. Les autres revenus et dépenses d'exploitation n'ont pas à être pris en compte, puisqu'ils ne dépendent pas de l'option retenue. L'équation (8.6) établit que les flux de trésorerie disponibles peuvent être calculés en partant de l'excédent brut d'exploitation, en soustrayant les impôts, les investissements et l'augmentation du BFR puis en ajoutant les économies d'impôt permises par les dotations aux amortissements. Si la rotative est achetée, l'investissement et les économies d'impôt liées aux amortissements viennent modifier les flux de trésorerie disponibles de l'imprimerie ; si la rotative est louée, seule la baisse du résultat courant avant impôt liée au paiement des loyers a une incidence sur les flux de trésorerie disponibles. On remarque que les flux de trésorerie liés au crédit-bail présentent un profil différent des flux de trésorerie liés à l'achat : le coût de la rotative est mieux réparti dans le temps avec le crédit-bail. Pour savoir si l'imprimerie a plutôt intérêt à louer la rotative ou à l'acheter, il faut calculer la VAN de la différence entre les deux options.

Tableau 25.1	Crédit-bail ou achat ? Conséquences sur les flux de trésorerie disponibles					
		0	**1**	**2**	**3**	**4**	**5**

		0	1	2	3	4	5
Crédit-bail							
1	Loyer annuel (terme à échoir)	– 12 000	– 12 000	– 12 000	– 12 000	– 12 000	–
2	Économies d'impôt grâce aux loyers	3 000	3 000	3 000	3 000	3 000	–
3	**Flux de trésorerie disponibles** (1 + 2)	**– 9 000**	**– 9 000**	**– 9 000**	**– 9 000**	**– 9 000**	**–**
Achat comptant							
4	Investissement	– 50 000	–	–	–	–	–
5	Économies d'impôt grâce aux amortissements	–	2 500	2 500	2 500	2 500	2 500
6	**Flux de trésorerie disponibles** (4 + 5)	**– 50 000**	**2 500**	**2 500**	**2 500**	**2 500**	**2 500**

Crédit-bail ou achat comptant ? Une comparaison erronée

Pour actualiser les flux de trésorerie, il faut disposer du coût du capital approprié ; ce dernier dépend du risque inhérent aux flux de trésorerie. Quel est-il ? Si l'imprimerie ne paie pas les loyers promis, elle fera défaut sur le crédit-bail et le bailleur récupérera la rotative. Du point de vue des risques encourus par le crédit-preneur, un crédit-bail est donc proche d'un crédit adossé à l'actif. Par conséquent, il faut utiliser le taux d'intérêt auquel l'entreprise peut obtenir un prêt avec collatéral pour actualiser les loyers. Les économies d'impôt liées à la déductibilité des loyers et aux dotations aux amortissements sont également des flux de trésorerie peu risqués, puisqu'ils sont connus à l'avance[9]. La pratique habituelle est donc de les actualiser au même taux d'intérêt que les loyers. Si ce taux d'intérêt est de 8 %, les valeurs actuelles de l'achat et de la location de la rotative sont respectivement de :

$$VA(\text{Achat}) = -50\,000 + \frac{2\,500}{1 + 8\,\%} + \frac{2\,500}{(1 + 8\,\%)^2} + \frac{2\,500}{(1 + 8\,\%)^3} + \frac{2\,500}{(1 + 8\,\%)^4} + \frac{2\,500}{(1 + 8\,\%)^5}$$

$$= 40\,018\,\text{€}$$

$$VA(\text{Crédit-bail}) = -9\,000 - \frac{9\,000}{1 + 8\,\%} - \frac{9\,000}{(1 + 8\,\%)^2} - \frac{9\,000}{(1 + 8\,\%)^3} - \frac{9\,000}{(1 + 8\,\%)^4} = -38\,809\,\text{€}$$

---

9. Même si l'imprimerie affiche un résultat courant avant impôt négatif, ces économies d'impôt ne seront pas perdues puisque l'entreprise a la possibilité de procéder à des reports en avant ou en arrière des déficits.

Le crédit-bail semble à première vue moins coûteux que l'achat comptant, puisque son coût actualisé est inférieur de 40 018 € – 38 809 € = 1 209 €. Cette analyse néglige cependant un point important : le crédit-bail engage l'entreprise à payer les loyers futurs. Sinon, l'imprimerie peut voir la rotative saisie par le bailleur. En fait, même si l'actif pris en crédit-bail n'apparaît pas dans les comptes sociaux de l'entreprise et qu'aucune dette n'est comptabilisée à ce titre dans son passif, un crédit-bail a bien pour effet d'augmenter la dette de l'entreprise (ce que traduit la comptabilisation du crédit-bail en normes IFRS). Puisque le crédit-bail revient à financer l'achat d'un actif par un crédit adossé à l'actif en question, il faut comparer son coût à ceux des autres moyens de financement de risque équivalent, par exemple l'achat à crédit de la rotative. Pour savoir si l'entreprise a intérêt à conclure un crédit-bail, il faut donc le comparer à un achat à crédit et non à un achat comptant comme nous l'avons fait jusque-là.

Crédit-bail ou achat à crédit ? Une comparaison pertinente

Pour comparer un crédit-bail à un achat à crédit, il faut déterminer l'emprunt dont le remboursement impose à l'entreprise les mêmes paiements que si elle avait conclu un crédit-bail : ce que l'on appelle l'**emprunt équivalent au crédit-bail**[10].

La méthode de l'emprunt équivalent au crédit-bail. Il faut partir du tableau 25.2 pour calculer le différentiel de flux de trésorerie disponibles entre crédit-bail et achat comptant. Ce différentiel mesure la dette implicite liée au crédit-bail, car l'imprimerie aurait pu acheter à crédit la rotative en s'arrangeant pour que les flux de trésorerie (après impôt) de remboursement de son crédit soient égaux à ce différentiel. Combien l'imprimerie aurait-elle dû emprunter pour que les remboursements soient égaux à ceux de la dernière ligne du tableau 25.2 ? Pour répondre à cette question, il faut actualiser la séquence de flux de trésorerie, avec une précaution : le différentiel de flux de trésorerie représente les remboursements de l'emprunt après prise en compte de la déductibilité fiscale des intérêts. Il convient donc de diviser la séquence de flux par $(1 - \tau_{IS})$ avant de l'actualiser au taux d'intérêt r_D. Autrement dit, il faut utiliser un taux d'actualisation égal au coût de la dette après impôt, $r_D \times (1 - \tau_{IS})$. Par conséquent :

$$\text{Emprunt équivalent} =$$
$$\Sigma \, [\text{Différentiel de flux de trésorerie disponibles actualisé au taux } r_D \times (1 - \tau_{IS})] \quad (25.4)$$

Tableau 25.2	Différentiel de flux de trésorerie disponibles en cas de crédit-bail et d'achat de la rotative					
		0	1	2	3	4	5
1	Crédit-bail : flux de trésorerie disponibles (ligne 3 du tableau 25.1)	– 9 000	– 9 000	– 9 000	– 9 000	– 9 000	–
2	Achat comptant : flux de trésorerie disponibles (ligne 6 du tableau 25.1)	– 50 000	2 500	2 500	2 500	2 500	2 500
3	**Différentiel de flux de trésorerie disponibles** (1– 2)	**41 000**	**– 11 500**	**– 11 500**	**– 11 500**	**– 11 500**	**– 2 500**

10. S. Myers, D. Dill et A. Bautista (1976), « Valuation of Financial Lease Contracts », *Journal of Finance*, 31(3), 799-819.

Avec un taux d'intérêt de 8 %, le coût de la dette après impôt est de 8 % × (1 − 25 %) = 6 % et :

$$\text{Emprunt équivalent} = \frac{11\ 500}{1 + 6\ \%} + \frac{11\ 500}{(1 + 6\ \%)^2} + \frac{11\ 500}{(1 + 6\ \%)^3} + \frac{11\ 500}{(1 + 6\ \%)^4} + \frac{2\ 500}{(1 + 6\ \%)^5} = 41\ 717\ \text{€}$$

L'achat comptant de la rotative avec un endettement à hauteur de 41 717 € est donc équivalent, en termes de flux de trésorerie futurs, au crédit-bail. Ce montant est supérieur à l'économie réalisée la première année en choisissant le crédit-bail (ligne 3 du tableau 25.2 : 41 000 €) : acheter la rotative grâce à l'emprunt équivalent au crédit-bail plutôt qu'au crédit-bail lui-même permet de disposer aujourd'hui de 41 717 − 41 000 = 717 € en plus. Il faut donc acheter à crédit la rotative avec un emprunt équivalent au crédit-bail plutôt que de faire un crédit-bail !

La méthode directe. Le raisonnement à l'aide de l'emprunt équivalent au crédit-bail étant clair, il est possible de simplifier les choses en actualisant directement le différentiel de flux de trésorerie entre les deux stratégies au coût de la dette après impôt[11] :

$$VAN\,(\text{Différentiel}) = 41\ 000 - \frac{11\ 500}{1 + 6\ \%} - \frac{11\ 500}{(1 + 6\ \%)^2} - \frac{11\ 500}{(1 + 6\ \%)^3} - \frac{11\ 500}{(1 + 6\ \%)^4} - \frac{2\ 500}{(1 + 6\ \%)^5}$$

$$= -717\ \text{€}$$

On retrouve le même résultat qu'avec la méthode précédente ; la VAN du différentiel est négative, ce qui confirme qu'il faut privilégier l'achat à crédit au crédit-bail.

La méthode du taux de rentabilité interne du crédit-bail. Il est également possible d'utiliser la méthode du taux de rentabilité interne pour arbitrer entre crédit-bail et achat à crédit. Le taux d'intérêt r qui annule la VAN du différentiel de flux de trésorerie est solution de :

$$41\ 000 - \frac{11\ 500}{\left(1 + r\right)} - \frac{11\ 500}{\left(1 + r\right)^2} - \frac{11\ 500}{\left(1 + r\right)^3} - \frac{11\ 500}{\left(1 + r\right)^4} - \frac{2\ 500}{\left(1 + r\right)^5} = 0$$

ce qui donne ici r = 6,7 %, soit un taux supérieur au taux d'actualisation de l'entreprise (6 %). Puisqu'on est dans une situation d'emprunt, le taux le plus faible est le meilleur : il convient donc d'acheter à crédit la rotative. Rappelons toutefois que l'utilisation de cette méthode impose les mêmes précautions qu'au chapitre 7.

Pour résumer, la seule manière pertinente d'évaluer un contrat de crédit-bail consiste à le comparer à l'achat à crédit du même actif, ce qui impose de calculer la VAN du différentiel de flux de trésorerie entre les deux options. Si la VAN est en faveur de l'achat à crédit, l'acquisition doit être financée de manière à ne pas s'éloigner de la structure financière optimale de l'entreprise (voir chapitres 14 à 17). Dans le cas contraire, il faut mettre en place un crédit-bail, mais il convient de garder à l'esprit que les actifs pris en crédit-bail accroissent la dette effective de l'entreprise, d'un montant égal à l'emprunt

---

11. Lorsque les flux de trésorerie d'un investissement sont intégralement affectés au remboursement de la dette, $r_{CMPC} = r_U - (\tau_{IS} \times r_D)$, avec r_U le coût du capital à endettement nul (voir chapitre 18, équation 18.11). Le différentiel de flux de trésorerie entre crédit-bail et achat à crédit est peu risqué ; on considère donc que $r_U = r_D$, ce qui permet de conclure que $r_{CMPC} = r_D \times (1 - \tau_{IS})$

équivalent au crédit-bail, et ce même si les actifs en question n'apparaissent pas au bilan, ce qui est le cas pour les comptes sociaux des entreprises en France.

Exemple 25.6

Évaluation d'un contrat de crédit-bail

Le crédit-bailleur propose à l'imprimerie de réduire le loyer annuel à 11 600 €. Cette proposition doit-elle faire changer d'avis l'imprimerie ?

Solution

Le différentiel de flux de trésorerie entre le crédit-bail et l'achat est :

	0	1	2	3	4	5
Crédit-bail						
1 Loyer annuel (terme à échoir)	– 11 600	– 11 600	– 11 600	– 11 600	– 11 600	–
2 Économies d'impôt grâce aux loyers	2 900	2 900	2 900	2 900	2 900	–
3 **Flux de trésorerie disponibles** (1 + 2)	– 8 700	– 8 700	– 8 700	– 8 700	– 8 700	–
Achat comptant						
4 Investissement	– 50 000	–	–	–	–	–
5 Économies d'impôt grâce aux amortissements	–	2 500	2 500	2 500	2 500	2 500
6 **Flux de trésorerie disponibles** (4 + 5)	– 50 000	2 500	2 500	2 500	2 500	2 500
7 **Différentiel de flux de trésorerie disponibles** (3 – 6)	41 300	–11 200	–11 200	–11 200	–11 200	–2 500

Lorsqu'on actualise au coût de la dette après impôt de l'imprimerie (6 %), le gain tiré du crédit-bail comparativement à un achat à crédit est de :

$$VAN \text{ (Différentiel)} = 41\,300 - \frac{11\,200}{1 + 6\,\%} - \frac{11\,200}{(1 + 6\,\%)^2} - \frac{11\,200}{(1 + 6\,\%)^3} - \frac{11\,200}{(1 + 6\,\%)^4} - \frac{2\,500}{(1 + 6\,\%)^5}$$

$$= 623 \,€$$

La VAN est positive : le crédit-bail est devenu plus intéressant que l'achat à crédit grâce à la baisse du loyer.

25.4. Pourquoi le crédit-bail existe-t-il ?

Si les marchés étaient parfaits, le crédit-bail ne serait qu'une forme alternative de financement offerte à l'entreprise : la VAN d'un contrat de crédit-bail, comme celle d'un crédit bancaire, serait nulle. Alors, pourquoi le crédit-bail existe-t-il ? Pour cela, il faut que les deux parties y trouvent intérêt ; autrement dit, il faut que le crédit-bail ne soit pas un jeu à somme nulle, dans lequel ce que gagne le crédit-bailleur est égal à ce que perd le crédit-preneur. Comment est-il possible que le crédit-bail soit profitable à la fois pour le crédit-preneur et pour le crédit-bailleur ? Il convient de bien distinguer les « bonnes raisons » de recourir au crédit-bail, qui reposent sur l'existence d'imperfections de marché, des raisons plus contestables, qui reposent sur des erreurs de raisonnement.

Le crédit-bail trouve sa justification dans l'existence d'imperfections de marché

Le crédit-bailleur dispose d'un avantage comparatif pour trouver des locataires. Pour beaucoup d'actifs, il n'existe pas de marché secondaire développé et efficient : leur revente sur le marché d'occasion peut être compliquée, longue et coûteuse. Une compagnie aérienne qui n'est pas certaine d'avoir toujours besoin d'un avion supplémentaire aura probablement meilleur compte à le louer plutôt qu'à l'acheter : à la fin du crédit-bail, ce sera au crédit-bailleur de trouver un nouveau locataire… Les bailleurs se spécialisent donc sur la recherche de locataires pour les actifs qu'ils possèdent, ce qui leur permet de réaliser cette tâche à plus faible coût que leurs clients : un concessionnaire automobile sera probablement capable de revendre plus vite et à moindre frais une voiture à la fin d'un crédit-bail que le locataire de ladite voiture.

L'avantage comparatif des crédit-bailleurs pour trouver des locataires est d'autant plus grand que le marché secondaire des actifs est inefficient ; c'est particulièrement le cas lorsque l'information sur la qualité de l'actif est **asymétrique** : le propriétaire d'un tel actif, souvent qualifié de ***lemon*** à la suite de l'article de George Akerlof[12], n'est poussé à le vendre que s'il est d'une qualité inférieure à la moyenne des actifs sur le marché. Dans le cas contraire, il se trouverait en effet contraint de vendre un actif de bonne qualité sans pouvoir en obtenir un juste prix, puisque les acheteurs n'auraient pas confiance dans la qualité de l'actif en question. Du fait de l'asymétrie d'information, les bons actifs ne sont jamais mis en vente, ce qui fait baisser progressivement la qualité des actifs disponibles sur le marché, potentiellement jusqu'à la disparition du marché. Le crédit-bail permet de résoudre le problème et de faire disparaître l'asymétrie d'information, puisque tous les actifs reviendront régulièrement sur le marché (à la fin des contrats), indépendamment de leur qualité. Le crédit-bail peut ainsi contribuer à réduire les problèmes d'**antisélection**[13]. Comme les crédit-bailleurs disposent d'avantages pour trouver des locataires et réduire l'asymétrie d'information sur le marché d'occasion, ils peuvent réaliser des profits tout en proposant des loyers inférieurs à ceux qu'exigerait un agent non spécialisé.

Le crédit-bailleur dispose d'un avantage de spécialisation. Le crédit-bailleur bénéficie d'un avantage sur les locataires pour la maintenance, voire l'utilisation, des actifs loués : un loueur de photocopieurs peut disposer de techniciens spécialisés et d'un stock de pièces détachées, contrairement aux entreprises qui sont ses clientes. Il est donc optimal pour les deux parties de signer un contrat de crédit-bail avec une garantie d'entretien régulier du matériel par le crédit-bailleur. Certains contrats de crédit-bail prévoient même que le matériel loué sera opéré par le crédit-bailleur (crédit-bail d'un camion incluant la mise à disposition d'un chauffeur, par exemple). Grâce à cette spécialisation, le crédit-bailleur peut réaliser des gains d'efficacité ou d'échelle et ainsi dégager un profit tout en offrant des conditions de crédit-bail plus avantageuses que l'achat à crédit pour les locataires.

---

12. G. Akerlof (1970), « The Market for "Lemons": Quality Uncertainty and the Market Mechanism », *Quarterly Journal of Economics*, 84(3), 488–500.
13. T. Gilligan (2004), « Lemons and Leases in the Used Business Aircraft Market », *Journal of Political Economy*, 112(5), 1157-1180.

Lorsque l'utilisation d'un actif dépend de services annexes indispensables (la maintenance régulière d'une machine, par exemple), le crédit-bail présente un autre avantage pour les locataires : il leur évite le risque de se retrouver en **position de dépendance** par rapport au fournisseur, qui pourrait en profiter pour augmenter le prix de ses services et abuser de sa position[14]. La signature d'un contrat de crédit-bail incluant l'ensemble des services annexes permet de négocier les prix et conditions des services annexes en même temps que le crédit-bail, et de mettre en concurrence plusieurs crédit-bailleurs.

Le crédit-bailleur dispose d'un avantage informationnel pour estimer la valeur résiduelle de l'actif. Au début d'un crédit-bail, il peut exister une incertitude assez forte sur la valeur résiduelle de l'actif. Cette incertitude crée un risque pour le propriétaire de l'actif. Si une entreprise n'est pas disposée à courir ce risque, elle préférera conclure un accord de crédit-bail plutôt que d'acheter à crédit l'actif. En outre, on peut penser que le bailleur, étant spécialisé, sera mieux à même d'estimer cette valeur résiduelle qu'une entreprise non spécialisée. Lorsque le crédit-bailleur est le fabricant de l'actif, le fait qu'il supporte le risque lié à la valeur résiduelle de l'actif peut également améliorer son incitation à fabriquer des actifs de bonne qualité, durables et dont la valeur résiduelle sera élevée, ce qui réduit les **coûts d'agence**.

Notons néanmoins que cet effet peut jouer en sens inverse, puisque le crédit-bail peut également faire apparaître des coûts d'agence : le crédit-bailleur portant le risque inhérent à la valeur résiduelle de l'actif, le crédit-preneur est moins incité à l'entretenir et à en prendre soin que s'il l'avait acheté.

Le crédit-bailleur dispose d'un avantage contractuel en cas de faillite du crédit-preneur. Si le crédit-preneur fait faillite, le crédit-bailleur dispose d'une séniorité supérieure à celle des autres créanciers (même les plus seniors d'entre eux), puisqu'il est toujours propriétaire de l'actif pris en crédit-bail et qu'il peut donc le récupérer sans difficulté. Le crédit-bailleur sera, de plus, en meilleure position pour relouer l'actif en question que n'importe quel autre créancier de l'entreprise. Un actif en crédit-bail a donc une valeur plus élevée en cas de faillite de l'entreprise qu'un actif acheté à crédit. En conséquence, le bailleur est capable d'offrir des conditions de financement plus attractives que celles d'un prêteur traditionnel. Plusieurs études montrent que cet effet est significatif pour les petites et moyennes entreprises dont l'accès aux capitaux externes est limité[15].

Le crédit-bail peut permettre à un locataire très endetté de continuer à investir. Lorsqu'une entreprise souffre de **surendettement**, elle peut être amenée à renoncer à des investissements créateurs de valeur, car cela conduirait ses créanciers à capter une large part de la valeur créée par ces investissements (voir chapitre 16). Le crédit-bail peut résoudre ce problème[16], car les actifs pris en crédit-bail ne sont pas susceptibles d'être récupérés par les créanciers en cas de faillite.

---

14. Pour une analyse des conséquences de problèmes de *hold-up* sur le détenteur optimal du droit de propriété sur un actif, voir B. Klein, R. G. Crawford et A. Alchian (1978), « Vertical Integration, Appropriate Rents and the Competitive Contracting Process », *Journal of Law and Economics*, 21, 297-326.

15. S. Sharpe et H. Nguyen (1995), « Capital Market Imperfections and the Incentive to Lease », *Journal of Financial Economics*, 39(2-3), 271-294 ; J. Graham, M. Lemmon et J. Schallheim (1998), « Debt, Leases, Taxes, and the Endogeneity of Corporate Tax Status », *Journal of Finance*, 53(1), 131-162.

16. R. Stulz et H. Johnson (1985), « An Analysis of Secured Debt », *Journal of Financial Economics*, 14, 501–521.

Crédit-bail et surendettement

Zoustra est une entreprise qui a besoin d'une machine coûtant 1,1 million d'euros pour lancer un nouveau projet qui rapportera de manière certaine 0,55 million dans un an. La machine ne se déprécie pas et pourra être revendue à son prix d'achat dans un an. Pour financer l'actif, Zoustra peut réduire ses dividendes ou conclure un contrat de crédit-bail sur un marché concurrentiel. Le taux d'intérêt sans risque est de 10 %. Si Zoustra n'a aucun risque de faire faillite, quelle option choisir ? Et si Zoustra a une probabilité risque-neutre de 30 % de faire faillite[17] et que dans ce cas, les créanciers récupèrent l'intégralité des actifs ?

Solution

En l'absence de risque de faillite, la VAN de l'achat de la machine du point de vue des actionnaires est de − 1,1 + (0,55 + 1,1) / (1 + 10 %) = 0,4 million d'euros. D'après l'équation (25.1), le loyer est de 1,1 − 1,1 / (1 + 10 %) = 0,1 million. Pour les actionnaires, la VAN du crédit-bail est donc de − 0,1 + 0,55 / (1 + 10 %) = 0,4 million d'euros : les actionnaires de Zoustra sont indifférents entre les deux options.

Si l'entreprise a une probabilité risque-neutre de 30 % de faire faillite dans l'année, la VAN pour les actionnaires de l'achat de la machine est négative : − 1,1 + 70 % × (0,55 + 1,1) / (1 + 10 %) = − 0,05 million d'euros. En revanche, celle du crédit-bail est positive : − 0,1 + 70 % × 0,55 / (1 + 10 %) = 0,25 million d'euros. Grâce au crédit-bail, l'entreprise peut soustraire la machine de l'emprise potentielle des créanciers et ainsi procéder à des investissements créateurs de valeur malgré un problème de surendettement.

Exemple 25.7

Des arguments discutables en faveur du crédit-bail

Les imperfections de marché identifiées dans la section précédente permettent de comprendre l'intérêt du crédit-bail et le fait qu'il joue un rôle aussi important dans le financement des entreprises. Il n'en est pas de même des arguments qui suivent, et que l'on entend pourtant parfois de la bouche de financiers…

Le crédit-bail permet de réduire les dépenses d'investissement de l'entreprise. Certains dirigeants utilisent le crédit-bail plutôt que l'achat à crédit, car cela permet de réduire (facialement) les dépenses d'investissement et potentiellement d'échapper aux processus de contrôle et de pilotage des investissements qui existent dans toutes les entreprises. Lorsqu'un dirigeant dispose d'un plafond annuel d'investissements à ne pas dépasser, il peut être fortement tenté de recourir au crédit-bail si l'achat d'un actif dépasse le plafond, mais pas le loyer annuel du crédit-bail correspondant. Dans certaines entreprises, le recours au crédit-bail peut également permettre de rester en dessous du plafond imposant le recours à une procédure d'appel d'offres… Il va de soi que la réduction des dépenses d'investissement n'est ici que faciale et que le détournement des procédures internes de contrôle des investissements pose des problèmes de gouvernance (voir chapitre 29).

Le crédit-bail préserve les capacités d'investissement de l'entreprise. Un crédit-bail revient à financer à crédit 100 % de l'actif, puisqu'aucun paiement n'est effectué à la

---

17. Une probabilité risque-neutre signifie que l'on peut traiter le risque comme s'il était idiosyncratique ; il est donc possible d'actualiser les flux au taux sans risque (voir chapitre 21).

signature du contrat. On entend parfois certains directeurs financiers affirmer que le crédit-bail préserve les capacités d'investissement de l'entreprise. À l'exception d'entreprises n'ayant aucun accès à l'emprunt, cet argument n'est pas recevable puisqu'il est possible d'emprunter pour acheter l'actif.

Le crédit-bail réduit l'endettement de l'entreprise. L'argument le plus dangereux en faveur du crédit-bail est relatif aux aspects comptables du crédit-bail. Les comptes sociaux des entreprises établis en normes comptables françaises traitent les contrats de crédit-bail comme des engagements hors bilan : l'actif faisant l'objet du crédit-bail n'apparaîtra pas à l'actif du bilan et aucune dette correspondante ne sera inscrite au passif. Pour autant, les engagements de crédit-bail ont les mêmes effets qu'une dette financière sur les risques supportés par les actionnaires. Le recours au crédit-bail peut donc brouiller la lecture des comptes d'une entreprise et conduire à sous-estimer sa dette *effective*. Pour se garder de sous-évaluer la dette de certaines entreprises, les analystes financiers retraitent systématiquement les états financiers des engagements de crédit-bail, et c'est heureux. Le traitement comptable du crédit-bail en normes IFRS permet d'éviter ce biais, puisque tous les crédits-bails apparaissent au bilan des entreprises, ce qui permet de donner une image fidèle de leur endettement. Un exemple célèbre d'utilisation du crédit-bail à des fins de « comptabilité créative » reste Enron, l'entreprise de courtage en énergie qui a fait faillite en 2001 : Enron avait utilisé des contrats de crédit-bail qualifiés de contrats de location simple pour dissimuler une grande partie de sa dette aux yeux des investisseurs.

Résumé

25.1. Le crédit-bail, un moyen de financement

- Le crédit-bail est un contrat de location d'un actif qui voit le crédit-bailleur, propriétaire de l'actif, le mettre à disposition du crédit-preneur en échange de loyers réguliers, ce dernier disposant d'une option d'achat de l'actif au terme du crédit-bail.

- Si les marchés sont parfaits, le coût du crédit-bail est égal au coût d'achat de l'actif diminué de sa valeur résiduelle au terme du bail. De plus, le coût du crédit-bail suivi de l'achat de l'actif en fin de bail est égal au coût de l'emprunt nécessaire à l'achat immédiat de l'actif.

25.2. Le traitement comptable des contrats de crédit-bail

- Les contrats de crédit-bail peuvent faire l'objet de deux traitements comptables :
    - **a.** Le locataire n'inscrit pas l'actif dans son bilan et aucune dette n'est inscrite au passif. Les loyers sont enregistrés en charges d'exploitation. Le crédit-bail est un engagement hors-bilan pour le locataire. C'est la méthode utilisée en normes françaises pour les comptes sociaux des entreprises.
    - **b.** Le contrat de crédit-bail fait l'objet d'un retraitement comptable pour placer les comptes de l'entreprise dans la même situation que si elle avait acquis l'actif par emprunt : on inscrit à l'actif du bilan un droit d'usage immatériel de l'équipement et au passif une dette financière au titre des loyers futurs. C'est l'approche imposée par les normes françaises pour les comptes consolidés et par les normes IFRS.

25.3. L'évaluation des contrats de crédit-bail

- Pour savoir si une entreprise a intérêt à conclure un crédit-bail plutôt qu'à acheter un actif, il faut comparer le coût du crédit-bail avec celui de l'emprunt équivalent au crédit-bail. Cela implique de calculer le différentiel de flux de trésorerie entre les deux options, puis de calculer la VAN de ce différentiel en utilisant le coût de la dette après impôt comme taux d'actualisation.

25.4. Pourquoi le crédit-bail existe-t-il ?

- Le crédit-bail est une forme de financement des entreprises qui est créatrice de valeur parce qu'elle permet de résoudre certaines imperfections de marché. En particulier, le crédit-bailleur dispose d'un avantage comparatif dans la recherche de locataires et d'un avantage contractuel en cas de faillite du locataire. Il est plus efficace en raison de sa spécialisation et mieux à même d'estimer la valeur résiduelle des actifs. Enfin, cela permet à une entreprise très endettée de pouvoir tout de même investir dans des projets créateurs de valeur.

- Au contraire, le recours au crédit-bail ne devrait jamais reposer sur le souhait de réduire facialement ses investissements ou d'éviter un contrôle sur ceux-ci, de préserver les capacités d'investissement de l'entreprise ou d'améliorer son taux d'endettement.

Exercices

1. Un supercalculateur coûte 200 000 € à l'achat. Dans cinq ans, sa valeur résiduelle sera de 60 000 €. Le taux d'intérêt annuel sans risque est de 5 % (TAP). Quel est le loyer mensuel pour un crédit-bail sur cinq ans, si les marchés sont parfaits ? Quel serait le flux mensuel de remboursement d'un emprunt de 200 000 € sur cinq ans pour acheter le supercalculateur ?

2. Le taux d'intérêt annuel sans risque est de 5 % (TAP). Si un scanner médical peut être pris en crédit-bail (sans risque) pour 22 000 € par mois pendant sept ans et que les marchés sont parfaits, quelle valeur résiduelle le crédit-bailleur doit-il recevoir pour atteindre le point mort ?

3. Un crédit-bail est conclu pour une machine d'embouteillage coûtant 400 000 €. La durée du contrat est de cinq ans. Sa valeur résiduelle sera de 150 000 € au terme du bail. Le taux d'intérêt annuel sans risque est de 6 % (TAP). En marchés parfaits, quel doit être le loyer mensuel si l'option d'achat au terme de la période de bail prévoit un prix d'exercice de 150 000 € ? De 80 000 € ? De 1 € ?

4. Karrefour, entreprise de grande distribution, affiche le bilan suivant :

Actif (en millions d'euros)		Passif (en millions d'euros)	
1 Immobilisations corporelles	175	1 Capitaux propres	125
2 Trésorerie	20	2 Passifs non courants	70
3 Total de l'actif	**195**	**3 Total du passif**	**195**

L'entreprise conclut un contrat de crédit-bail pour un entrepôt valant 80 millions d'euros. Quels seront le bilan et le taux d'endettement de Karrefour en normes françaises (comptes sociaux) ? Et en normes IFRS ?

5. EarlyBird est une entreprise californienne qui souhaite conclure un crédit-bail pour un serveur informatique dont la valeur actuelle est de 50 000 $ et la durée de vie économique de huit ans. Le taux d'actualisation est de 9 %. Les contrats suivants, d'après les normes comptables américaines, seront-ils classés en contrats de location simple ou de location-financement ? Pourquoi ?

   a. Un contrat d'une durée de quatre ans avec une option d'achat au terme du bail à la valeur résiduelle de la machine. Les loyers sont de 1 150 $ par mois.

   b. Un contrat d'une durée de six ans avec une option d'achat au terme du bail à la valeur résiduelle de la machine. Les loyers sont de 790 $ par mois.

   c. Un contrat d'une durée de cinq ans avec une option d'achat au terme du bail à la valeur résiduelle de la machine. Les loyers sont de 925 $ par mois.

   d. Un contrat d'une durée de six ans avec une option d'achat au terme du bail à la valeur résiduelle de la machine. Les loyers sont de 1 000 $ par mois. Le contrat prévoit une clause d'annulation du contrat sans pénalités à la discrétion du crédit-preneur au bout de trois ans.

6. Crasseton envisage d'acheter une machine-outil valant 756 000 €. Si Crasseton achète la machine, elle sera amortie linéairement sur sept ans. Crasseton peut également faire un crédit-bail sur sept ans pour un loyer annuel de 130 000 €, au terme duquel la valeur résiduelle de la machine sera nulle. Le taux d'impôt sur les sociétés est de 25 %.

   a. Quels sont les flux de trésorerie disponibles si Crasseton achète la machine ?

   b. Quels sont les flux de trésorerie disponibles si Crasseton loue la machine ?

   c. Quel est le différentiel de flux de trésorerie entre les deux options ?

7. Arkelor veut disposer d'une pelleteuse valant 220 000 €. Si la pelleteuse est achetée, elle sera amortie linéairement sur cinq ans. Arkelor peut également conclure un crédit-bail sur la même période. Le loyer annuel est de 56 000 €. La pelleteuse ne vaudra plus rien au bout de cinq ans. Le taux d'impôt sur les sociétés est de 25 %. Le taux d'intérêt est de 8 %.

   a. Quel est le montant de l'emprunt équivalent au crédit-bail ?

   b. Arkelor doit-elle acheter à crédit la pelleteuse ou la prendre en crédit-bail ?

   c. Quel est le taux de rentabilité interne après impôt du crédit-bail ? Comparez avec le coût de la dette après impôt.

8. Clorox a besoin d'une nouvelle machine-outil. Crédit-bail ou achat à crédit, l'entreprise hésite. Le crédit-bail durerait cinq ans et imposerait un loyer annuel de 960 000 €, tandis que l'achat à crédit est possible pour 4,1 millions d'euros. Le taux d'intérêt est de 8 % et le taux d'imposition est de 25 %. La valeur résiduelle de la machine sera nulle dans cinq ans. En cas d'achat, l'actif sera amorti linéairement. Faut-il choisir l'achat à crédit ou le crédit-bail ? Et si l'actif est amorti de manière dégressive ?

9. Grocter et Pamble décide de se doter d'une nouvelle chaîne de production valant 15 millions d'euros. Si la chaîne est achetée, elle sera amortie linéairement sur cinq ans et ne vaudra plus rien à l'issue de la période ; les dépenses annuelles de maintenance seront de 1 million d'euros. L'entreprise peut également conclure un crédit-bail sur cinq ans, pour un loyer annuel de 4 millions d'euros. Le crédit-bailleur s'occupera de la maintenance. Le taux d'actualisation est de 4 % et le taux d'impôt sur les sociétés est de 25 %.

   a. Quelle est la VAN différentielle du crédit-bail par rapport à l'achat à crédit ?

   b. Quel est le loyer point mort (en d'autres termes, quel est le loyer pour lequel Grocter et Pamble sera indifférente entre les deux options) ?

10. Les Poissonneries de Marseille souhaitent disposer d'un nouveau chalutier qui coûte 48 millions d'euros et qui pourra être amorti de manière dégressive, dès l'année de son achat (on suppose qu'il est acheté le 1er janvier). Sa durée de vie est de cinq ans et sa valeur résiduelle nulle. Alors que le taux normal d'imposition est de 25 %, les Poissonneries ne sont pas imposées, car elles perdent de l'argent, et elles ne bénéficieront pas des économies d'impôt permises par les amortissements ou les loyers. Les Poissonneries étudient l'intérêt de réaliser une opération de crédit-bail. Le taux d'intérêt est de 8 %.

   a. Quel est le loyer pour lequel le crédit bailleur (imposé au taux normal) atteint le point mort ?

b. Quel est le bénéfice pour les Poissonneries de Marseille d'accepter le crédit-bail, et d'où vient-il ?

11. Air Express souhaite ouvrir une ligne Paris-Saint-Barth' et a besoin pour cela d'un Airbus A350. L'avion peut être acheté pour 225 millions d'euros ou pris en crédit-bail pour 25 millions d'euros par an. En cas d'achat, Air Express prévoit d'augmenter le nombre de sièges, ce qui permettra de réaliser 50 millions d'euros de bénéfices par an. En cas de crédit-bail, le bénéfice ne sera que de 35 millions d'euros. Le coût du capital est de 12,5 % ; on suppose que l'avion peut être revendu à son prix d'achat n'importe quand ; il n'y a pas d'impôts.

   a. Sur une durée d'un an, faut-il acheter l'avion ou le prendre en crédit-bail pour maximiser la VAN ?

   b. L'achat ou la location de l'avion sont financés par une réduction des dividendes qu'auraient pu toucher les actionnaires. Air Express est endettée et a une probabilité risque-neutre de 10 % de faire faillite à la fin de l'année à venir, auquel cas les actionnaires perdraient tout. Du point de vue des actionnaires, quelle option faut-il privilégier ?

   c. Quelle est la probabilité risque-neutre de faillite pour laquelle les actionnaires sont indifférents entre les deux options ?

Chapitre 26

La gestion du besoin en fonds de roulement et de trésorerie

Le besoin en fonds de roulement d'exploitation, ou BFR, est la différence entre les emplois et les ressources d'exploitation d'une entreprise (voir chapitre 2) : les emplois sont constitués des stocks et des créances d'exploitation, principalement des créances clients ; les ressources, à l'inverse, proviennent de charges contractées mais non encore payées, au premier rang desquelles les dettes fournisseurs. Le besoin en fonds de roulement, qui est le solde entre emplois et ressources, correspond donc aux fonds que l'entreprise doit investir pour financer son cycle d'exploitation[1].

Puisqu'un besoin en fonds de roulement, lorsqu'il existe, doit être financé, sa bonne gestion est essentielle à la performance de l'entreprise : toute réduction du BFR libère des fonds qui peuvent être utilisés pour rembourser des dettes, financer un investissement, ou autre. Hélas, définir ce qu'est la « bonne gestion » du BFR est moins simple qu'il n'y paraît, pour deux raisons : la première est que le BFR d'une entreprise est fonction de son activité. Ainsi, les stocks représentent 25 % de l'actif de Bonduelle, et seulement 0,5 % de celui d'Accor : si une entreprise agro-alimentaire dispose de stocks considérables de marchandises et de produits finis, la profitabilité d'une chaîne d'hôtels est liée à sa capacité à attirer des clients, ce qui implique d'importantes immobilisations, mais peu de stocks. Un changement d'activité, le lancement d'un nouveau produit ou l'internalisation d'une activité peuvent donc modifier le BFR d'une entreprise. La seconde raison est que le besoin en fonds de roulement d'une entreprise n'est pas uniquement une réalité financière : c'est la résultante de sa politique commerciale (accorder des termes de paiement souples aux clients dégrade le BFR mais laisse espérer une augmentation des ventes), de sa politique d'achat (demander des termes de paiement souples aux fournisseurs améliore le BFR mais peut dégrader les autres conditions d'achat) et de sa politique de gestion des stocks (réduire les stocks améliore le BFR mais augmente le risque de rupture d'approvisionnement). Bien gérer le BFR ne signifie donc pas nécessairement le réduire au minimum, mais plutôt l'optimiser pour que le bénéfice tiré des fonds immobilisés soit supérieur à leur coût.

Pour vérifier qu'une entreprise gère efficacement son BFR, il convient d'en comprendre l'origine (section 26.1), puis de s'intéresser aux postes qui le constituent : créances clients (section 26.2), dettes fournisseurs (section 26.3) et stocks (section 26.4). La dernière section du chapitre est consacrée à la gestion de trésorerie, l'actif le plus liquide du bilan.

---

1. Un BFR positif signifie que les emplois sont supérieurs aux ressources, il y a donc bien un besoin en fonds de roulement. Un BFR négatif signifie au contraire que le cycle d'exploitation normal de l'entreprise lui permet de dégager des ressources.

26.1. Pourquoi le besoin en fonds de roulement existe-t-il ?

Pour fonctionner, une entreprise doit constituer des stocks de matières premières, de produits en cours de fabrication ou de produits finis. Elle doit également accorder des délais de paiement à ses clients, pour les conserver et espérer en gagner de nouveaux. Inversement, elle bénéficie de délais de paiement de la part de ses fournisseurs. Un stock, une créance client ou une dette fournisseur restent rarement inscrits plus de quelques mois au bilan de l'entreprise : ce sont des **actifs** ou des **passifs courants**. Pourtant, le **besoin en fonds de roulement**, qui n'est rien d'autre que la différence entre ces emplois et ces ressources d'exploitation, est permanent, car ses composantes sont reconstituées constamment du fait de l'activité de l'entreprise. Il doit donc être financé de manière permanente[2], et toute augmentation du BFR constitue un investissement qui réduit la trésorerie de l'entreprise. Une variation du BFR influence donc ses flux de trésorerie futurs et sa valeur : la meilleure des raisons pour s'en préoccuper !

Analyser le **cycle d'exploitation** d'une entreprise pour comprendre l'origine de son besoin en fonds de roulement est donc indispensable pour savoir comment l'optimiser : ce dernier reflète le décalage qui existe entre le moment où l'argent sort de l'entreprise, au cours du cycle, et le moment où il y revient, à la fin du cycle. Tout cycle d'exploitation commence en effet par l'achat de matières premières dans l'industrie ou de produits finis dans le commerce. Qu'il y ait transformation des produits ou simplement revente en l'état, du temps s'écoule entre l'achat et la revente. Ensuite, les clients ne paieront pas tous immédiatement ; heureusement, les fournisseurs de l'entreprise sont dans la même situation. À chaque cycle d'exploitation correspond donc un **cycle de trésorerie**, qui mesure le décalage entre le moment où l'entreprise paie effectivement ses achats et celui où elle encaisse le produit de ses ventes (voir figure 26.1) : si l'entreprise paie ses fournisseurs comptant, le cycle d'exploitation est confondu avec le cycle de trésorerie. Sinon, le cycle de trésorerie est plus court que le cycle d'exploitation. Un décalage subsiste toutefois entre les sorties et les rentrées d'argent, qui doit être financé.

Le besoin en fonds de roulement est égal à :

$$\text{BFR} = \text{Stocks} + \text{Créances d'exploitation} - \text{Dettes d'exploitation} \tag{26.1}$$

Il est possible de l'exprimer en euros ou en pourcentage du chiffre d'affaires hors taxes, pour indiquer la part du chiffre d'affaires que doit immobiliser en permanence l'entreprise pour financer son cycle d'exploitation. Il est également possible de l'exprimer en jours de chiffre d'affaires :

$$\text{BFR en jours de CA} = \frac{\text{BFR} \times 365}{\text{Chiffre d'affaires HT}} \tag{26.2}$$

---

2. Le besoin en fonds de roulement peut néanmoins présenter une cyclicité ou une saisonnalité ; voir le chapitre 27 sur la manière de gérer une telle situation.

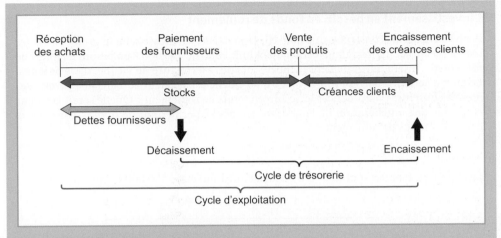

Figure 26.1 – Cycle d'exploitation et cycle de trésorerie

Le cycle d'exploitation est la durée moyenne entre la réception des achats réalisés auprès des fournisseurs et l'encaissement du produit des ventes. Le cycle de trésorerie est le délai moyen s'écoulant entre le paiement des fournisseurs et l'encaissement du produit des ventes.

Le tableau 26.1 indique le BFR d'entreprises françaises : il varie significativement de l'une à l'autre, en raison de différences sectorielles et de spécificités propres à chaque entreprise. Une entreprise industrielle comme Michelin doit avoir des stocks importants et ses clients (principalement les fabricants automobiles) bénéficient de conditions de paiement avantageuses. Son BFR est donc élevé : 80 jours de chiffre d'affaires. Comme toutes les compagnies aériennes, Air France-KLM réalise la plupart de ses ventes au comptant, donc ses créances d'exploitation sont faibles et ses stocks sont réduits : son BFR n'est que de cinq jours de chiffre d'affaires, le cycle d'exploitation est presque autofinancé. Un BFR peut même être négatif, comme pour Carrefour : les clients paient comptant, les fournisseurs sont réglés avec délai et les stocks sont faibles. Dans la grande distribution, le cycle d'exploitation est un levier de financement de l'entreprise. Cela explique pourquoi ces groupes sont rarement cotés en Bourse : ils peuvent plus facilement que d'autres autofinancer leur croissance grâce à leur besoin en fonds de roulement négatif. Au niveau agrégé, le BFR de l'ensemble des entreprises françaises représente 559 milliards d'euros.

Tableau 26.1	Le BFR d'entreprises françaises (en millions d'euros, 2018)					
	Stocks	Créances clients	Dettes fournisseurs	BFR	BFR en % du CA	BFR en jours de CA
Carrefour	6 135	3 390	15 303	– 5 778	–7,4 %	– 27,1
Air France-KLM	633	2 191	2 460	364	1,4 %	5,0
Total	14 880	17 270	26 134	6 016	2,9 %	10,5
L'Oréal	2 821	3 983	4 550	2 254	8,4 %	30,5
Michelin	4 447	3 307	2 946	4 808	21,8 %	79,7
Toutes entreprises françaises	444 100	721 500	606 600	559 000	–	–

Source : Rapports annuels des entreprises et Banque de France (2018), *Rapport annuel de l'Observatoire des délais de paiement* (données 2017).

L'investissement en besoin en fonds de roulement

Alpha envisage de construire une nouvelle usine. Outre l'investissement pour construire l'usine, ce projet impose un investissement immédiat de 450 000 € en besoin en fonds de roulement. Il sera intégralement récupéré lors de la fermeture de l'usine, dans huit ans. Le taux d'actualisation approprié est de 6 %. Quelle est la valeur actuelle de l'investissement à consentir pour financer le besoin en fonds de roulement ? Quelle serait la valeur créée par une amélioration de la gestion des stocks permettant de diviser par deux le besoin en fonds de roulement ?

Solution

Les flux de trésorerie sont de – 450 000 € aujourd'hui et de 450 000 € dans huit ans.

Avec un taux d'actualisation de 6 %, la VAN des flux de trésorerie est de :

$$VAN = -\,450\,000 + \frac{450\,000}{(1+0,06)^8} = -\,167\,664\,€$$

Même si Alpha récupère l'intégralité des fonds immobilisés par le besoin en fonds de roulement à la fin du projet, l'entreprise a perdu la valeur-temps de cet investissement. S'il est possible de réduire de moitié le besoin en fonds de roulement, la valeur actuelle de l'économie réalisée par Alpha est de : 167 664 / 2 = 83 832 €.

26.2. La gestion des créances clients

Le crédit commercial, une source de financement pour les entreprises

Comme tout un chacun, les entreprises préfèrent être payées comptant (un euro aujourd'hui vaut mieux qu'un euro demain…) Mais le refus d'accorder des délais de paiement peut faire fuir les clients vers la concurrence. La plupart des entreprises sont donc plus ou moins contraintes d'octroyer des délais de paiement à leurs clients, c'est-à-dire de les autoriser à payer leurs factures avec un délai. Des **créances clients** apparaissent donc à l'actif du bilan d'une entreprise : c'est le montant des ventes réalisées pour lesquelles elle n'a pas encore été payée. Symétriquement (toute entreprise est à la fois cliente et fournisseuse d'autres entreprises), les clients enregistrent à leur passif les dettes contractées auprès de leurs fournisseurs : le poste **dettes fournisseurs** représente ce qu'une entreprise doit à ses fournisseurs au titre de marchandises déjà reçues mais pas encore payées. Ces crédits octroyés par des entreprises à d'autres entreprises sont appelés **crédits interentreprises** et ils constituent une forme de financement pour les entreprises. Lorsque le bénéficiaire du délai de paiement est un particulier, on parle de **crédit à la consommation** ou de **facilité de paiement**, mais la logique est identique. L'ensemble des crédits accordés par les entreprises constitue le **crédit commercial**, égal par définition à la somme des postes créances clients de toutes les entreprises.

Les conditions du crédit commercial

Si une entreprise offre à l'un de ses clients un **délai de règlement** de 30 jours, le paiement sera exigible 30 jours après la date d'émission de la facture ou de la réception des marchandises ; ce dernier dispose donc d'un crédit d'un mois, pendant lequel il peut librement utiliser les fonds qu'il aurait dû verser à son fournisseur. Il est fréquent que les entreprises accordent à leurs clients un **escompte commercial**[3], c'est-à-dire une réduction du montant facturé, s'ils paient comptant ou avant une certaine date. Concéder de telles réductions permet aux entreprises d'attirer ou de conserver des clients mais aussi, en les incitant à anticiper leurs paiements, de réduire leurs cycles de trésorerie. Cette pratique impose évidemment un coût aux entreprises, puisqu'elles ne reçoivent pas la totalité du prix des produits vendus lorsque les clients paient rapidement.

Des conditions habituelles de crédit commercial en France sont de fixer un délai de règlement de 60 jours, assorti d'un escompte de 2 % pour règlement à 10 jours. Cela signifie que le paiement sera dû en totalité dans les 60 jours qui suivent l'émission de la facture, mais qu'en cas de paiement sous 10 jours, le montant à régler sera réduit de 2 %. Une convention fréquente consiste à autoriser le client à régler en une seule fois l'intégralité de ses achats du mois : cette disposition simplifie la vie de tout le monde en réduisant le nombre de flux monétaires : pour cela, le plus simple est d'offrir un délai de règlement de « 45 jours fin de mois », ce qui signifie que le paiement sera dû en totalité dans les 45 jours qui suivent la fin du mois en cours.

Crédit commercial et imperfections de marché

Sous l'hypothèse de perfection du marché des capitaux, le crédit commercial n'est qu'une forme de financement parmi d'autres : les créances clients et les dettes fournisseurs n'ont pas d'influence sur la valeur de l'entreprise. Dans la réalité, les imperfections de marché permettent aux entreprises qui utilisent à bon escient le crédit commercial de créer de la valeur.

Le taux d'intérêt effectif d'un crédit commercial. Un crédit commercial est un prêt octroyé par une entreprise à l'un de ses clients. S'il y a un escompte pour paiement comptant, cela permet de calculer le **taux d'intérêt annuel effectif** (TAE) du crédit commercial. Prenons un exemple. Harmis vend ses produits 100 € pièce ; ses conditions générales de vente précisent que les clients peuvent payer à 30 jours avec 2 % d'escompte pour paiement à 10 jours. Cela signifie qu'un client n'a pas intérêt à payer quoi que ce soit pendant les neuf premiers jours (puisqu'il bénéficie d'un crédit gratuit). S'il souhaite bénéficier de l'escompte, il doit payer (100 % – 2 %) × 100 € = 98 € le 10e jour. L'escompte coûte donc 2 € à Harmis. Le client peut également choisir de conserver 98 € pendant les 20 jours suivants, pour payer 100 € au terme des 30 jours. Le taux d'intérêt sur 20 jours est donc de (100 – 98) / 98 = 2,04 %. Cela correspond à un taux d'intérêt annuel effectif (avec une base exacte de 365 jours)[4] de :

$$TAE = \left(1 + 2{,}04\ \%\right)^{\frac{365}{20}} - 1 = 44{,}6\ \%$$

---

3. Il convient de ne pas confondre l'escompte commercial avec l'escompte bancaire, qui sera traité au chapitre 27 et qui consiste pour une entreprise à vendre à une banque commerciale les effets de commerce dont elle dispose avant leur échéance, afin de bénéficier immédiatement du montant des effets escomptés (moins les intérêts précomptés).

4. Voir chapitre 5, équation (5.1).

En d'autres termes, ne pas profiter de l'escompte en payant le 10e jour revient au même pour le client que contracter un emprunt au taux annuel effectif de 44,6 % : avec un tel taux, le client a meilleur compte à emprunter auprès de sa banque au taux d'intérêt de marché pour payer Harmis le 10e jour et profiter de l'escompte.

Exemple 26.2

Le taux d'intérêt effectif d'un crédit commercial

Un restaurant achète de l'huile de friture auprès d'un fournisseur qui propose de payer à 40 jours avec 1 % d'escompte pour paiement à 15 jours. Quel est le taux d'intérêt annuel effectif du crédit commercial ?

Solution

Le restaurant bénéficie de 1 % d'escompte s'il paie le 15e jour : pour 100 € d'huile livrée, il devra donc payer 99 € à 15 jours ou 100 € à 40 jours. Sur la période intermédiaire de 40 – 15 = 25 jours, le taux d'intérêt annuel effectif est de :

$$TAE = \left(\frac{100}{99}\right)^{\frac{365}{25}} - 1 = 15{,}8 \text{ \%}$$

Pourquoi préférer le crédit commercial à un crédit bancaire ? Du point de vue de l'entreprise qui bénéficie du crédit commercial, les avantages sont multiples : le crédit commercial est simple à comprendre, les coûts de transaction sont faibles et sa mise en place ne nécessite aucune formalité, contrairement à un crédit bancaire. Il s'agit d'une source de financement souple, qu'on peut mobiliser uniquement en cas de besoin, ou uniquement lorsque les conditions du crédit commercial sont compétitives par rapport aux conditions des crédits bancaires. De plus, cette source de financement est accessible à toutes les entreprises, y compris les plus petites ou les plus endettées.

Pourtant, les entreprises ne sont pas des banques et leur métier n'est pas d'accorder des crédits. Pourquoi les entreprises accordent-elles donc des crédits commerciaux ? Plusieurs raisons peuvent expliquer cela[5]. Avec le crédit commercial, les entreprises peuvent tout d'abord mettre en œuvre une politique commerciale ciblant certaines catégories de clients : plutôt que de proposer des prix bas sur toutes ses voitures, un concessionnaire automobile préférera peut-être proposer des prix plus élevés et des conditions de crédit commercial attractives pour les emprunteurs qui n'obtiendraient pas de crédit bancaire : cela revient à réduire le prix des voitures uniquement pour ces clients qui, sans cela, ne pourraient pas en acheter. Une autre explication possible est que dans certains cas, un fournisseur peut disposer d'une meilleure information qu'une banque sur la qualité d'emprunteur de son client, en particulier lorsque client et fournisseur s'inscrivent dans le cadre d'une relation de long terme. Un fournisseur peut également avoir une plus grande probabilité d'être remboursé qu'une banque, puisqu'il peut menacer de stopper ses livraisons en cas de retard de paiement. Enfin, en cas de faillite du client, le fournisseur pourra prendre possession des marchandises livrées et non encore payées, dont la valeur est plus élevée pour lui que pour une banque puisqu'il pourra les revendre à d'autres clients.

---

5. B. Biais et C. Gollier (1997), « Trade Credit and Credit Rationning », *Review of Financial Studies*, 10(4), 903-937 ; M. A. Petersen et R. G. Rajan (1997), « Trade Credit: Theories and Evidence », *Review of Financial Studies*, 10(3), 661-691.

La définition d'une politique de crédit commercial

Toute entreprise doit définir la **politique de crédit commercial** qu'elle applique à ses clients, et pour cela arbitrer entre l'objectif de réduction du besoin en fonds de roulement et celui de la satisfaction de ses clients. La politique de crédit, et donc la quantité de risque qu'accepte de courir l'entreprise, est susceptible d'influencer le montant du poste créances clients. Une politique commerciale prudente réduira probablement le niveau des ventes, mais le poste créances clients sera faible. Inversement, une politique agressive induira une augmentation des ventes en même temps que des créances clients et des risques d'impayés. La définition d'une politique de crédit commercial impose de fixer les termes de ce crédit, de définir les conditions pour qu'un client puisse en bénéficier, de mesurer le risque auquel s'expose l'entreprise et enfin de déterminer la politique de recouvrement.

Il faut tout d'abord décider des conditions du crédit commercial : durée, taux et conditions de l'escompte, etc. On constate empiriquement que la plupart des entreprises se contentent de suivre la politique commerciale traditionnelle de leur secteur d'activité, sans beaucoup s'interroger dessus. Il est également simple de déterminer quels clients peuvent y prétendre, puisqu'en France, les entreprises n'ont pas le droit d'effectuer de discrimination entre leurs clients en leur proposant des prix différents ou des conditions de crédit différentes à prix identique. Les entreprises peuvent néanmoins fixer des conditions de vente spécifiques en fonction de *catégories* de clients définies *ex ante* sur la base de critères objectifs. Ainsi, des conditions plus avantageuses peuvent être proposées aux clients qui achètent en grande quantité ou qui paient comptant. Inversement, l'entreprise peut limiter la quantité de marchandises achetable à crédit ou définir un plafond de crédit commercial pour chaque client important ou pour des catégories de clients, afin d'éviter de se retrouver dans une situation difficile en cas de disparition du ou des clients en question.

Ceci fait, l'entreprise doit évaluer le **risque de crédit** de chaque client, ne serait-ce que pour savoir à quoi elle s'expose. Pour ce faire, elle peut utiliser l'historique qu'elle possède sur ses clients, faire analyser leur solvabilité par le département crédit de sa direction financière ou consulter un spécialiste de l'évaluation du risque de crédit, **agence de notation** (FitchRatings, Moody's, etc.) ou entreprise spécialisée (Banque de France, Coface, Dun & Bradstreet, etc.).

Enfin, les entreprises doivent décider d'une **procédure de recouvrement**. Beaucoup d'entreprises attendent sans rien faire l'échéance des factures qu'elles ont envoyées : il est heureusement possible d'être proactif pour augmenter la probabilité d'être payé à l'heure par ses clients, par exemple en envoyant une relance préventive une semaine avant l'échéance de la facture. Cela permet de vérifier qu'il n'existe aucun litige ou problème qui pourrait bloquer la facture ou, le cas échéant, de le régler rapidement. Il est possible de cibler les relances sur les clients « mauvais payeurs » ou sur les factures avec les montants les plus élevés. Grâce aux outils de *robotic process automation* (RPA), il est aujourd'hui possible d'automatiser complètement le suivi des factures, la détection intelligente et anticipée des problèmes potentiels et le processus de relance.

Si cela ne suffit pas et qu'un client n'a pas payé une facture à son échéance, l'entreprise fait face à un **retard de paiement**. L'option consistant à ne rien faire face à une facture échue n'en est plus vraiment une, car cela dégrade le besoin en fonds de roulement de l'entreprise et, surtout, le risque d'impayé augmente sensiblement au fil du temps. L'entreprise a plusieurs possibilités, souvent utilisées de manière séquentielle pour faire monter progressivement la pression sur le mauvais payeur : relance par téléphone, e-mail, courrier recommandé, facturation d'intérêts de retard et, en dernier recours, transmission du dossier à un cabinet spécialisé en recouvrement de créances ou ouverture de poursuites judiciaires.

Les indicateurs de gestion des créances clients

Une fois la politique de crédit définie, il faut s'assurer qu'elle produit les effets attendus, et donc suivre régulièrement l'évolution du poste créances clients, à l'aide de deux indicateurs : le délai de rotation des créances clients et la balance âgée.

Le délai de rotation des créances clients. Le **délai de rotation des créances clients**, parfois appelé délai moyen de paiement des clients (*accounts receivable days*), rapporte l'encours clients au chiffre d'affaires journalier de l'entreprise[6] :

$$\text{Délai de rotation des créances clients} = \frac{\text{Créances clients}}{\text{Chiffre d'affaires journalier TTC}} = \frac{\text{Créances clients} \times 365}{\text{Chiffre d'affaires TTC}} \quad (26.3)$$

Ce délai exprime le temps moyen pour que l'entreprise recouvre le produit de ses ventes : une entreprise avec un chiffre d'affaires journalier moyen de 0,5 million d'euros et 18 millions de créances clients a un délai de rotation de ses créances clients de 18 / 0,5 = 36 jours de chiffre d'affaires. Cela signifie que cette entreprise offre, en moyenne, un peu plus d'un mois de crédit à ses clients.

Il convient de surveiller ce délai de rotation et son évolution au fil du temps : un délai de rotation élevé peut traduire une politique de crédit souple pour attirer ou conserver des clients ou une politique de recouvrement laxiste ou inefficace. S'il augmente au fil du temps, c'est peut-être le signe de difficultés de paiement croissantes chez certains clients ; une révision de la politique de crédit est alors nécessaire. À l'aide de cet indicateur, on peut également mesurer le retard avec lequel paient les clients : si le délai de rotation des créances clients est de 50 jours alors que la politique de crédit précise que les paiements sont dus à 30 jours, l'entreprise devrait se préoccuper du fait que ses clients paient en moyenne 20 jours après l'échéance théorique du crédit commercial. Investisseurs et analystes peuvent également utiliser cet indicateur pour mesurer la qualité de la politique de crédit d'une entreprise.

La balance âgée. Le délai de rotation est une moyenne qui peut dissimuler d'importantes variations, il est sensible à la date à laquelle il est calculé si les ventes connaissent des variations saisonnières et il ne permet pas de calculer le pourcentage de clients qui paient en retard. En plus de cet indicateur, il est donc utile de calculer la **balance âgée** (*aging schedule*) de l'entreprise, qui est un état récapitulatif des créances non soldées classées par date d'échéance. C'est une ventilation des créances clients en fonction de leurs anciennetés respectives dans les comptes de l'entreprise, qui peut être effectuée par nombre ou valeur des créances concernées.

---

6. Il convient de diviser l'encours clients, exprimé TTC au bilan, par un chiffre d'affaires également TTC, ce qui impose d'ajouter la TVA au chiffre d'affaires hors taxe indiqué dans le compte de résultat.

Prenons l'exemple d'une entreprise dont le chiffre d'affaire journalier est de 50 000 € et qui permet à ses clients de payer à 30 jours avec 2 % d'escompte pour paiement à 10 jours. Son encours clients actuel est constitué de : 220 créances pour 530 000 € depuis 15 jours ou moins ; 190 créances pour 450 000 € depuis 16 à 30 jours ; 80 créances pour 350 000 € depuis 31 à 45 jours ; 60 créances pour 200 000 € depuis 46 à 60 jours ; 20 créances pour 70 000 € depuis plus de 60 jours. Le tableau 26.2 représente la balance âgée de cette entreprise : le délai de rotation des créances clients est de 1 600 000 / 50 000 = 32 jours. En moyenne, les clients paient avec seulement deux jours de retard, mais en regardant de plus près la balance, on s'aperçoit que 28 % des clients paient avec retard et que cela concerne 39 % des créances clients en valeur.

| Tableau 26.2 | Balance âgée | | | |

Ancienneté de la créance (en jours)	(a) Nombre de créances		(b) Valeur des créances (en euros)	
	Créances	Pourcentage	Créances	Pourcentage
1-15	220	38,6 %	530 000	33,1 %
16-30	190	33,3 %	450 000	28,1 %
31-45	80	14,0 %	350 000	21,9 %
46-60	60	10,5 %	200 000	12,5 %
61 et +	20	3,5 %	70 000	4,4 %
Total	**570**	**100,0 %**	**1 600 000**	**100,0 %**

Si le poids de la partie inférieure de la balance âgée, qui rassemble les factures les plus anciennes, augmente, l'entreprise doit durcir sa politique de recouvrement pour éviter l'augmentation de son risque d'impayés. Il est possible de préciser l'analyse grâce à la **loi statistique d'encaissement**, qui indique le rythme auquel les factures émises un mois donné sont effectivement payées[7]. Une entreprise peut ainsi calculer que 10 % de ses ventes sont réglées en moyenne le mois de la vente, 40 % le mois suivant, 25 % sous deux mois et les 25 % sous trois mois. Il est alors possible d'utiliser cette loi pour apprécier la situation courante de l'entreprise ou prévoir l'évolution de l'encours clients sur les prochains mois.

26.3. La gestion des dettes fournisseurs

Une entreprise devrait se financer grâce au crédit commercial uniquement s'il constitue la source de financement la moins coûteuse à sa disposition. En outre, tous les crédits commerciaux ne se valent pas : un crédit commercial est d'autant plus intéressant que l'escompte offert par un fournisseur est faible (il est peu coûteux d'y renoncer) et que sa durée est longue. Enfin, une entreprise a toujours intérêt à payer ses fournisseurs le plus tard possible : le dernier jour permettant de bénéficier de l'escompte ou la date d'échéance de la facture. Pour toutes ces raisons, une entreprise doit disposer d'indicateurs et d'outils lui permettant d'optimiser la gestion de ses **dettes fournisseurs**.

---

7. Il est également possible d'estimer une loi d'encaissement pour chaque client important.

Le délai de rotation des dettes fournisseurs

Une entreprise a évidemment plus de facilité à piloter finement le paiement de ses fournisseurs que le règlement des factures par ses clients. Pour vérifier que les fournisseurs sont payés au moment optimal, il convient de calculer le **délai de rotation des dettes fournisseurs** (*accounts payable days outstanding*) : c'est le nombre de jours d'achats que représente le stock de dettes fournisseurs, c'est-à-dire le rapport des dettes fournisseurs à la moyenne des achats journaliers, définis comme la somme des achats de marchandises, de matières premières et des autres charges externes. Les dettes fournisseurs étant enregistrées TTC, il convient pour des raisons de cohérence de les rapporter aux achats TTC :

$$\frac{\text{Délai de rotation}}{\text{des dettes fournisseurs}} = \frac{\text{Dettes fournisseurs}}{\text{Achats journaliers TTC}} = \frac{\text{Dettes fournisseurs} \times 365}{\text{Achats annuels TTC}} \quad (26.4)$$

Si le délai de rotation des dettes fournisseurs est de 40 jours alors que les conditions de paiement prévoient un paiement à 30 jours, l'entreprise paie ses fournisseurs avec un retard moyen de 10 jours ; elle s'expose à une dégradation de ses relations avec ses fournisseurs, à des pénalités de retard, voire à des sanctions financières si elle fait l'objet d'un contrôle de la part des autorités. Si le délai de rotation moyen est seulement de 25 jours, ce n'est pas non plus optimal : l'entreprise pourrait gagner cinq jours de trésorerie.

Exemple 26.3

La gestion des dettes fournisseurs

Les dettes fournisseurs de Rono s'élèvent à 250 000 € pour des achats journaliers de 14 000 €. Ses fournisseurs offrent la possibilité de payer à 40 jours avec 2 % d'escompte pour paiement à 15 jours. Rono gère-t-elle efficacement ses dettes fournisseurs ?

Solution

Le délai de rotation des dettes fournisseurs est de 250 000 / 14 000 = 17,9 jours d'achats. C'est un délai très inférieur à l'échéance des factures, mais supérieur en moyenne au délai permettant de bénéficier systématiquement de l'escompte. Il faut donc regarder dans le détail si ce délai de rotation est uniforme (tous les fournisseurs sont payés au bout de 17,9 jours), auquel cas Rono a une très mauvaise gestion de ses dettes fournisseurs, ou si ce délai moyen cache en fait une grande majorité de factures payées à 15 jours pour bénéficier de l'escompte et une petite partie des factures payées à 40 jours, auquel cas la gestion des dettes fournisseurs est optimale.

Jouer sur les délais fournisseurs

Certaines entreprises ignorent délibérément les dates d'échéance des factures qu'elles reçoivent et décident unilatéralement de payer leurs fournisseurs en retard. Cela améliore leur besoin en fonds de roulement et réduit le coût du crédit commercial. Un escompte de 2 % pour paiement comptant pour un fournisseur offrant la possibilité de payer à 45 jours donne un taux d'intérêt effectif pour le crédit commercial de $(100 / 98)^{365/45} = 17{,}8\,\%$. Si le client paie avec 20 jours de retard, au bout de 65 jours donc, le taux d'intérêt n'est plus que de : $(100 / 98)^{365/65} = 12{,}0\,\%$. Certaines entreprises tentent également de bénéficier de l'escompte alors qu'elles paient au-delà de la période initiale – voire, pour certaines, après l'échéance de la facture !

Précisons que les entreprises qui jouent ainsi sur les délais fournisseurs prennent des risques : les fournisseurs peuvent dans ce cas appliquer des intérêts et pénalités de retard et surtout durcir leur politique de crédit commercial pour le mauvais payeur, en prévoyant dans les futurs contrats des clauses de réserve de propriété par lesquels ils conserveront la propriété des produits vendus jusqu'à leur paiement complet, voire en exigeant le paiement à la commande[8]. Certains fournisseurs vont jusqu'à cesser leurs relations d'affaires avec les clients les plus récalcitrants pour réduire leur risque d'impayés, ce qui oblige alors à trouver un autre fournisseur, potentiellement plus cher ou de moins bonne qualité. Payer un fournisseur en retard peut également avoir des conséquences sur la réputation de l'entreprise auprès de ses autres fournisseurs, car elle s'expose à une mauvaise notation en matière de crédit commercial, ce qui peut compliquer ses relations avec ses autres fournisseurs ; enfin, elle s'expose à un risque d'amende pour non-respect des termes de paiement – jusqu'à 2 millions d'euros en France.

Le coût d'un crédit commercial lorsque le délai de paiement est allongé

Quel est le taux d'intérêt annuel effectif s'il est possible de payer à 40 jours avec 1 % d'escompte pour paiement à 15 jours mais que le client ne paie que le 60e jour ?

Solution

Si le client paie à l'échéance de la facture, le crédit commercial est identique à celui de l'exemple 26.2 : le taux d'intérêt effectif est donc de 15,8 %. Si le client ne paie que le 60e jour, il dispose des fonds pendant 45 jours après expiration de la période d'escompte, donc le TAE est plus faible :

$$TAE = \left(\frac{100}{99}\right)^{\frac{365}{25}} - 1 = 15,8\ \%$$

Exemple 26.4

Le poids du crédit commercial en France

Souvent négligé dans l'analyse des sources de financement des entreprises car ce n'est ni un financement bancaire ni un financement de marché, le crédit commercial pèse pourtant lourd : en 2017, les entreprises françaises avaient octroyé 721 milliards d'euros de crédits commerciaux[9] et bénéficié de crédits de la part de leurs fournisseurs pour plus de 600 milliards d'euros (à comparer aux 1 050 milliards d'euros de crédits bancaires octroyés aux entreprises françaises et aux 620 milliards d'obligations émises, par exemple).

L'importance du crédit commercial en France s'explique par des délais de règlement plus élevés qu'ailleurs : le délai de rotation des créances clients est en moyenne de 44 jours de chiffre d'affaires (voir figure 26.2), loin derrière l'Allemagne (24 jours)

---

8. Pratiquer des conditions de règlement spécifiques pour certains clients peut constituer une pratique discriminatoire, condamnée par les tribunaux, si elles ne sont pas justifiées par des « contreparties réelles ». Toutefois, si un client présente peu de garanties de solvabilité, voire a déjà été défaillant, l'entreprise peut déroger aux conditions générales de vente, réduire les délais de paiement ou exiger un paiement comptant.

9. Banque de France (2018), *Rapport annuel de l'Observatoire des délais de paiement*.

ou le Royaume-Uni (27 jours). De même, le délai de rotation des dettes fournisseurs est de 51 jours, tandis que le retard moyen de règlement des dettes fournisseurs est de 11 jours. Avec l'action des pouvoirs publics, les choses s'améliorent grâce à la loi de modernisation de l'économie en 2008, renforcée par la loi Macron qui a imposé en 2015 un délai de règlement à compter de l'émission de la facture de 60 jours nets maximum ou de 45 jours fin de mois si accord des parties concernées. La loi Sapin 2 a augmenté en 2016 les sanctions et amendes pour délais de paiement excessifs et a imposé la publicité des sanctions.

Contrairement à une idée fausse, le solde du crédit interentreprise, différence moyenne entre dettes fournisseurs et créances clients, n'est jamais nul (voir encadré « Erreur à éviter »). Positif, il indique que les entreprises financent leurs partenaires, et inversement lorsqu'il est négatif. En France, on voit que les entreprises financent leurs partenaires commerciaux à hauteur de 11 jours de chiffre d'affaires.

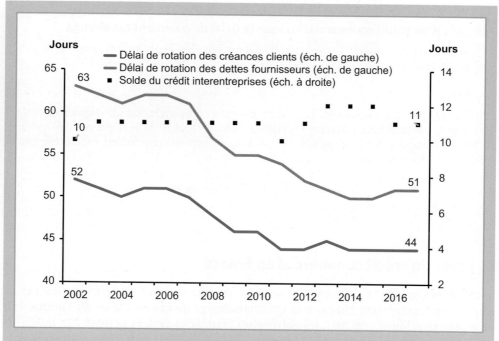

Figure 26.2 – Les délais de paiement en France (2002-2017)

Les délais de paiement baissent régulièrement en France depuis 2002, mais restent à un niveau élevé : 44 jours pour les créances clients et 51 pour les dettes fournisseurs.

Source : Banque de France (2018), *Rapport annuel de l'Observatoire des délais de paiement.*

Erreur à éviter	**Au niveau macroéconomique, les créances clients et les dettes fournisseurs ne s'équilibrent pas**

Comment expliquer que le délai de rotation des créances clients ne soit pas identique à celui des dettes fournisseurs ? Si l'entreprise A livre des marchandises à l'entreprise B, A apparaît comme fournisseur au bilan de B et B comme client au bilan de A : on pourrait s'attendre à ce que, au niveau agrégé, délais clients et fournisseurs soient égaux, c'est-à-dire que le solde du crédit interentreprise soit nul. Ce n'est pas le cas, car il existe des clients qui ne sont fournisseurs de personne et qui paient comptant : les ménages. Les entreprises qui vendent aux ménages présentent donc un délai de rotation de leurs créances clients inférieur à leur délai de rotation fournisseurs. « Grâce » aux ménages, les délais clients sont toujours inférieurs aux délais fournisseurs au niveau agrégé. Un autre facteur de déséquilibre entre délais clients et fournisseurs réside dans le commerce international : une partie des créances clients et dettes fournisseurs d'entreprises françaises apparaît dans le bilan d'entreprises étrangères.

26.4. La gestion des stocks

Si les marchés de capitaux étaient parfaits, le crédit commercial n'aurait pas besoin d'exister ou ne serait qu'une source de financement parmi d'autres à un taux d'intérêt concurrentiel. Il n'en est pas de même des stocks, indispensables à la bonne marche de l'entreprise, même dans un monde où les propositions de Modigliani-Miller seraient vérifiées. La **gestion des stocks**, complexe, est affaire de spécialiste : il s'agit de comparer en permanence coûts et bénéfices des stocks, pour éviter que des stocks excessifs immobilisent trop de capitaux et inversement que des stocks insuffisants ne mettent en péril la bonne marche de l'entreprise.

Pourquoi constituer des stocks ?

Toute entreprise, sans exception, doit disposer de stocks de matières premières, de pièces détachées ou de produits finis pour réduire les risques de rupture de charge lors de la production et les risques de rupture de vente lors de la commercialisation. Ces risques, s'ils se réalisaient, rendraient l'entreprise incapable de répondre rapidement aux demandes de ses clients, ce qui lui ferait perdre des ventes et amènerait certains clients à partir à la concurrence. C'est d'autant plus vrai pour les entreprises qui sont exposées à une saisonnalité de leur production ou de leurs ventes : il est rare que la demande des clients corresponde au cycle de production optimal pour l'entreprise. Dans le secteur des jouets, par exemple, il est habituel de réaliser 60 % de ses ventes annuelles entre octobre et décembre, Noël oblige. Un fabricant de jouets a donc le choix entre deux stratégies :

- Fabriquer des jouets tout au long de l'année. De ce fait, son stock de produits finis augmente régulièrement entre janvier et octobre, pour ensuite baisser fortement jusqu'à fin décembre.

- Ajuster sa stratégie de production à la saisonnalité des ventes. La quasi-totalité des jouets est produite entre septembre et décembre, lorsque les ventes sont élevées. Dans ce cas, les stocks n'augmentent pas au cours de la première partie de l'année, ce qui entraîne une réduction du BFR de l'entreprise et du coût de stockage. Mais cette stratégie implique d'autres coûts, liés à l'usure anormale des machines lors des périodes de production élevée, à la nécessité de recruter et de former des travailleurs saisonniers, etc.

Les fabricants de jouets comparent donc le coût de la détention de stocks à celui d'une stratégie de production ajustée aux ventes. Dans ce cas, comme souvent, la stratégie optimale est probablement intermédiaire : produire et stocker tout au long de l'année une partie des jouets et augmenter la cadence de production autant que possible entre septembre et décembre.

Les coûts de stockage

La détention de stocks impose des **coûts directs** à l'entreprise : il faut passer des commandes (coût de commande), puis acheter les stocks proprement dits (coût de transport et d'acquisition) et enfin les stocker (coût d'entreposage, d'assurance, d'obsolescence et de détérioration des produits stockés et coût d'opportunité des capitaux immobilisés).

L'objectif est de minimiser le coût total de stockage, ce qui impose d'arbitrer entre les différents coûts directs liés au stockage : plus le stock de l'entreprise est faible, plus les coûts d'entreposage sont faibles et ceux de commande sont élevés (il faut passer un grand nombre de commandes au cours de l'année). Zara, l'entreprise textile espagnole, livre par exemple ses boutiques du monde entier, par avion, depuis ses deux seuls centres de distribution espagnols ; en raison de la fréquence élevée des livraisons, les boutiques affichent des stocks très faibles. Zara a clairement privilégié la réduction des coûts d'entreposage de ses boutiques et accepte en contrepartie des coûts de transport élevés[10].

Les coûts de stockage peuvent être significatifs pour les entreprises. Leur optimisation est donc souvent un levier important pour améliorer la performance et réduire les capitaux ainsi immobilisés. Toujours dans le secteur de l'habillement, Gap a réussi en 2003 à réduire de 24 % son délai de rotation des stocks et à ainsi libérer 340 millions de dollars. Certaines entreprises vont plus loin et mettent en place une **gestion zéro stock**, ou **gestion *just-in-time*** (juste à temps). Ce type de gestion à flux tendus implique que le processus de fabrication de l'entreprise soit parfaitement synchronisé avec celui de ses fournisseurs, pour que la livraison des matières premières et pièces détachées nécessaires se produisent à l'instant même où l'entreprise en a besoin, ce qui lui permet de conserver des stocks toujours proches de zéro. La coordination entre l'entreprise et ses fournisseurs doit être parfaite, de même que la prévision de la demande adressée à l'entreprise. Une telle gestion à flux tendus oblige les sous-traitants à modifier eux-mêmes leurs méthodes de production et de gestion des stocks pour s'adapter.

Les délais de rotation des stocks

Pour suivre l'évolution des stocks d'une entreprise dans le temps, il est possible de calculer le **délai de rotation des stocks**, qui, à l'image des créances clients et des dettes fournisseurs, indique le nombre de jours de stocks dont dispose l'entreprise. Ce délai se

---

10. K. Ferdows, M. A. Lewis et A. D. Machuca (2004), « Rapid-Fire Fulfillment », *Harvard Business Review*, 82(11), 104-109.

calcule en rapportant les stocks au chiffre d'affaires ; les stocks étant comptabilisés HT, la cohérence impose de les rapporter aux achats HT :

$$\text{Délai de rotation des stocks} = \frac{\text{Stocks}}{\text{Achats journaliers HT}} = \frac{\text{Stocks} \times 365}{\text{Achats HT}} \qquad (26.5)$$

Pour affiner l'analyse, il est possible de calculer un délai de rotation pour chaque type de stock constitué par l'entreprise : on peut ainsi calculer le délai de rotation des matières premières, celui des produits finis, etc.

26.5. La gestion de la trésorerie

Il reste un actif courant dont nous n'avons pas encore parlé : la **trésorerie**. Une entreprise doit définir le niveau optimal de trésorerie dont elle souhaite disposer, mettre en place des outils d'optimisation de cette trésorerie et enfin placer la trésorerie disponible : l'ensemble de ces tâches relève de la gestion de trésorerie, qui est l'objet de cette section.

Le niveau optimal de trésorerie

Dans le cadre théorique de Modigliani-Miller, le niveau de détention de trésorerie d'une entreprise n'a aucune importance, puisque cette dernière est toujours en mesure de lever les fonds nécessaires ou de placer sa trésorerie excédentaire à un taux d'intérêt concurrentiel. Mais les marchés sont imparfaits. Une trésorerie trop élevée peut être coûteuse, car les actifs liquides sont peu rémunérés, soumis à une double imposition lorsqu'ils sont détenus par une entreprise et ils peuvent faire apparaître des coûts d'agence (voir chapitres 15 et 17). Inversement, une trésorerie trop faible peut exposer l'entreprise à une crise de liquidité et à subir des coûts de transaction élevés si elle doit lever des fonds en urgence. Toutes les entreprises détiennent donc des liquidités, dans des quantités variables suivant :

- l'importance des besoins quotidiens de trésorerie (le motif de transaction, selon J. M. Keynes) : comme tout un chacun, l'entreprise doit être capable de payer ses factures. La trésorerie nécessaire dépend de la taille moyenne des transactions et du cycle de trésorerie de l'entreprise ;

- l'incertitude sur les flux de trésorerie futurs (le motif de précaution keynésien). La trésorerie de précaution est fonction du degré de risque : plus les flux de trésorerie futurs sont volatils, plus il est difficile de prévoir les besoins quotidiens en liquidités et plus la trésorerie de précaution doit être élevée ;

- les contraintes imposées par les prêteurs, qui peuvent exiger un niveau minimal de trésorerie pour se protéger ; pour cela, ils peuvent demander à l'entreprise de respecter un niveau minimal de trésorerie pour réduire le risque de non-remboursement. Cela passe généralement par de la trésorerie immobilisée sur un compte dédié (DSRA, *Debt Service Reserve Account*).

Le niveau optimal de trésorerie est celui qui permet à l'entreprise de faire face à la saisonnalité anticipée de ses ventes et à des chocs imprévus de demande. Les entreprises exposées à des risques élevés ou bénéficiant de fortes opportunités de croissance auront donc tendance à détenir une part plus importante de leurs actifs sous forme liquide. Au contraire, les entreprises disposant d'un accès aisé aux marchés de capitaux détiendront en moyenne moins de trésorerie[11].

La prévision de trésorerie

Une fois que l'on a défini le niveau optimal de trésorerie pour l'entreprise, il convient de disposer d'une vue exhaustive des mouvements intervenant sur les comptes bancaires de l'entreprise et de construire une **prévision de trésorerie**. Cela pose trois difficultés. La première est qu'il convient de prendre en compte la *date effective* à laquelle l'argent versé par un client devient disponible sur le compte courant de l'entreprise, ou la date à laquelle l'argent payé à un fournisseur ne l'est plus. Cette date effective n'est pas celle qui est enregistrée par la comptabilité : lorsqu'un chèque est émis par une entreprise, il est enregistré en comptabilité au jour de son émission. L'argent correspondant restera sur le compte de l'entreprise le temps du trajet postal du chèque, puis celui de son traitement par le service courrier du fournisseur, puis celui de son traitement par la banque du fournisseur, soit entre trois et six jours en moyenne.

La deuxième difficulté réside dans la prise en compte des **dates de valeur** appliquées par les banques : ainsi, pour certains moyens de paiement (chèques, virements…), les banques créditent les comptes de leurs clients un jour après réception des fonds et débitent leurs propres comptes un jour avant l'envoi des fonds. Une entreprise recevant et payant un million d'euros le même jour aura donc, après application par la banque des dates de valeur, un découvert d'un million d'euros pendant deux jours et devra payer des intérêts. Il y a 20 ans, les banques appliquaient régulièrement deux à trois jours de valeur sur les opérations financières ; grâce aux progrès technologiques et à la Directive sur les services de paiement de 2007, le délai maximal est aujourd'hui d'un jour. Avec l'arrivée de systèmes de paiement instantanés, comme le *SEPA Instant Credit Transfer*, l'importance des dates de valeur devrait continuer à se réduire.

La troisième difficulté réside dans le fait qu'une entreprise dispose souvent de plusieurs dizaines, voire centaines de comptes bancaires : il en faut au minimum un par filiale (voire un par division opérationnelle), un par devise, et parfois dans différentes banques.

Une fois ces trois difficultés prises en compte, la prévision de trésorerie consiste à construire un tableau prévisionnel de toutes les recettes et dépenses de l'entreprise, compte par compte, devise par devise et jour par jour, pour anticiper le plus finement possible les besoins et les excédents de trésorerie de l'entreprise et ainsi optimiser leur gestion. Bien entendu, le niveau de précision sera d'autant plus grand que l'on s'intéresse à un horizon proche : il est courant d'effectuer des prévisions actualisées tous les jours pour le mois en cours, toutes les semaines pour le trimestre en cours et tous les mois pour le semestre en cours.

La gestion au quotidien de la trésorerie

Une fois que l'entreprise dispose d'une prévision précise de sa trésorerie, elle peut utiliser cette information pour en optimiser la gestion. En théorie, l'objectif à viser

---

11. T. Opler, L. Pinkowitz, R. Stulz et R. Williamson (1999), « The Determinants and Implications of Corporate Cash Holdings », *Journal of Financial Economics*, 52(1), 3-46.

est simple : atteindre chaque jour un solde bancaire le plus faible possible sur chaque compte bancaire. Ainsi, aucun compte ne sera jamais débiteur (pas d'intérêts à payer à la banque) et le maximum de disponibilités seront placées (rémunération maximale pour l'entreprise).

En pratique, l'idée est d'équilibrer systématiquement et quotidiennement tous les soldes des comptes bancaires de l'entreprise : on parle de **centralisation de trésorerie**, ou *cash pooling*. Cette centralisation peut être artificielle (la banque considère les différents comptes comme un seul et calcule les intérêts sur le solde global, il n'y a pas de flux entre les comptes) ou bien réelle, grâce à un compte-pivot qui reçoit ou envoie les fonds nécessaires pour que tous les soldes des comptes bancaires soient au niveau souhaité en fin de journée. On parle de **fusion des échelles d'intérêt** dans le premier cas et d'équilibrage des comptes dans le second, qui peut alors viser un solde donné sur chaque compte (TBA, pour *target balance account*) ou un solde nul (ZBA, pour *zero balance account*).

Où placer la trésorerie excédentaire ?

Grâce à la prévision et à la gestion active de leur trésorerie, toutes les entreprises ou presque disposent de disponibilités à placer à plus ou moins court terme : plusieurs placements s'offrent à elles, détaillés au tableau 26.3. Ils se caractérisent par des couples risque-rentabilité différents ; comme d'habitude, plus les risques de liquidité ou de contrepartie sont élevés, plus la rentabilité espérée sera forte. Le trésorier de l'entreprise doit donc décider de la quantité de risque qu'il accepte et de la rémunération qu'il vise. Cette décision dépend évidemment de la prévision de trésorerie de l'entreprise : si des besoins importants de liquidités sont prévus à court terme, le trésorier évitera probablement les placements les moins liquides pour choisir des **bons du Trésor** ou laisser les liquidités sur un **compte bancaire rémunéré**. Dans le cas contraire, il pourra placer tout ou partie des liquidités excédentaires de l'entreprise dans des supports plus risqués, comme les **NEU CP** (*Negociable European Commercial Paper*)[12], voire les **NEU MTN** (*Negociable European Medium Term Notes*), afin de générer un surcroît de rentabilité.

---

12. Nouveau **nom** des billets de trésorerie et des certificats de dépôt. Ce sont des titres de créance qui proposent une rémunération proche de celle offerte sur le marché monétaire.

| Crise financière | Les entreprises n'ont jamais détenu autant de liquidités |

Les entreprises n'ont jamais autant épargné qu'aujourd'hui : en France, les disponibilités des sociétés non financières ont progressé de 200 à 600 milliards d'euros entre 2008 et 2018 et deux entreprises françaises, Total et EDF, disposent même de plus de 25 milliards d'euros de trésorerie ! La même tendance se vérifie aux États-Unis, où 40 % des entreprises sont créditrices nettes : elles disposent de plus de trésorerie à court terme qu'elles n'ont de dettes.

Alors que les taux d'intérêt sont négatifs, pourquoi les entreprises accumulent-elles autant de disponibilités ? L'explication réside à la fois dans le recul des industries nécessitant de lourds investissements au profit du secteur des services dans lequel les investissements sont limités, dans une forte réticence à investir dans un contexte macroéconomique incertain mais aussi dans le souvenir de la crise de 2008. En effet, en 2008, au plus fort de la panique, les banques ne prêtaient plus aux entreprises et le marché monétaire était paralysé. Beaucoup d'entreprises n'ont évité de graves problèmes que grâce à leur épargne (même si, au plus fort de la crise, elles ont craint pendant un moment que leurs banques ne fassent faillite, emportant avec elles leur épargne).

| Tableau 26.3 | Où placer sa trésorerie excédentaire ? |

Placement	Caractéristiques	Échéance	Risque de contrepartie	Risque de liquidité
Bon du Trésor	Titre de dette de court terme émis par l'État. Valeur nominale : 1 €.	3, 6 ou 12 mois	Presque nul	Nul
NEU CP	Titre de dette de court terme émis par une institution financière ou une entreprise. Valeur nominale : 150 000 €.	Entre 1 jour et 1 an	De très faible à moyen, fonction de la qualité de l'émetteur	Faible ; l'émetteur peut racheter ses billets
NEU MTN	Identique au NEU CP	Plus d'un an	Identique au NEU CP	Identique au NEU CP
Compte bancaire rémunéré	Compte courant (la somme est disponible) ou compte à terme (elle est bloquée).	Libre. Quelques jours à des années	Fonction de la qualité de la banque	Nul si compte courant, élevé si compte à terme
Pension livrée, ou réméré (repo, pour repurchase agreement)	Prêt de liquidités contre titres entre une entreprise et une institution financière ou un investisseur institutionnel.	Libre. En pratique, excède rarement quelques mois	Très faible : le prêteur reçoit en garantie la propriété de titres qu'il conservera en cas de défaut de l'emprunteur	Aucune liquidité

Résumé

26.1. Pourquoi le besoin en fonds de roulement existe-t-il ?

- Le besoin en fonds de roulement d'une entreprise est égal à la différence entre ses emplois d'exploitation et ses ressources d'exploitation. Sa maîtrise repose sur une bonne gestion des créances clients, des dettes fournisseurs et des stocks.

- Le cycle de trésorerie est le délai moyen entre le paiement effectif des fournisseurs et la réception par l'entreprise du produit de ses ventes. Le cycle d'exploitation est la durée moyenne entre la réception des achats et la réception du produit des ventes. En règle générale, le cycle d'exploitation est plus long que le cycle de trésorerie, car les fournisseurs sont le plus souvent payés avec délai.

26.2. La gestion des créances clients

- Les crédits commerciaux sont des prêts octroyés par une entreprise à ses clients, parce que c'est un moyen de les attirer et de les fidéliser.

- Le coût du crédit commercial dépend de sa durée et du montant de l'escompte, s'il existe. Il faut comparer son taux d'intérêt effectif avec celui des sources de financement alternatives.

- Définir une politique de crédit commercial implique de décider à quels clients octroyer un crédit, à quelles conditions, quel risque accepter, quelle procédure de recouvrement mettre en place et que faire en cas de retard de paiement.

- Les deux principaux indicateurs de gestion des créances clients sont le délai de rotation des créances clients et la balance âgée.

26.3. La gestion des dettes fournisseurs

- Une entreprise doit gérer ses dettes fournisseurs de manière à payer les fournisseurs à la date optimale. L'indicateur à suivre est le délai de rotation des dettes fournisseurs.

- Une entreprise payant ses fournisseurs avec retard peut faire face à des intérêts et pénalités de retard, à des conditions de paiement plus strictes à l'avenir, à un risque réputationnel et à un risque d'amende.

26.4. La gestion des stocks

- Les entreprises détiennent des stocks pour éviter les ruptures de production ou de vente et pour s'adapter à la saisonnalité de leurs ventes, mais cela impose des coûts et donc un arbitrage entre coûts et bénéfices.

- Pour piloter la gestion des stocks, on peut calculer le délai de rotation des stocks.

26.5. La gestion de la trésorerie

- Les entreprises détiennent des liquidités pour faire face à leurs besoins quotidiens et à l'incertitude sur leurs flux de trésorerie futurs.

- Pour optimiser la gestion de leur trésorerie, les entreprises doivent réaliser des prévisions de trésorerie, puis mettre en place une procédure de centralisation de la trésorerie.

- Les disponibilités libérées par la centralisation de la trésorerie peuvent être placées en bons du Trésor, en NEU CP ou NEU MTN, sur des comptes bancaires, ou faire l'objet d'opérations de pension livrée.

1. Répondez aux questions suivantes :

   a. Quelles sont les définitions des cycles de trésorerie et d'exploitation ?

   b. Quelle est l'influence d'une augmentation des stocks sur le cycle de trésorerie ?

   c. Comment évolue le cycle de trésorerie d'une entreprise lorsqu'elle accepte l'escompte proposé par un fournisseur ?

2. Un allongement du cycle de trésorerie signifie-t-il nécessairement que l'entreprise gère mal les postes de son BFR ?

3. Pogeo envisage d'augmenter sa production de trottinettes électriques pour les 10 prochaines années, ce qui impose un investissement en BFR de 2 millions d'euros. À la fin de la période, l'investissement en BFR sera récupéré. Le taux d'actualisation est de 6 %. Quelle est la valeur actuelle de l'investissement en BFR ?

4. Gamma a réalisé un chiffre d'affaires HT de 32 millions d'euros, pour des achats HT de 20 millions. La TVA est de 20 %. Le bilan simplifié de Gamma, en centaines de milliers d'euros, est :

1	Actif non courant	8 500	Capitaux propres	9 030
2	*Stocks*	*1 300*	Passif non courant	3 000
3	*Créances clients*	*3 950*	*Dettes fournisseurs*	*1 500*
4	*Trésorerie*	*2 000*	*Autres passifs courants*	*2 220*
5	Actif courant (2 + 3 + 4)	7 250	Passif courant (3 + 4)	3 720
6	**Total Actif** (1 + 5)	**15 750**	**Total Passif** (1 + 2 + 5)	**15 750**

   Calculez le BFR de Gamma, en euros et en jours de chiffre d'affaires. Quels sont les délais de rotation des postes qui composent le BFR ?

5. Un fournisseur propose de payer à 30 jours avec 3 % d'escompte pour paiement à cinq jours. Quel est le taux d'intérêt effectif du crédit commercial si le client paie à 30 jours ? Et pour un paiement à 45 jours avec 1 % d'escompte pour paiement à 10 jours, si le client paie à 45 jours ?

6. Sigma envisage d'externaliser la gestion de ses créances clients et de leur recouvrement. Cela permettrait de réduire de 20 jours le délai de rotation des créances clients. Le chiffre d'affaires journalier TTC de Sigma est de 1,2 M€. Le taux d'intérêt à court terme est de 8 %. Le prestataire facture ses services 200 000 € par mois. Faut-il externaliser ?

7. La banque de Thêta lui propose un service de traitement informatisé des paiements de ses clients. Cela permettra à Thêta de réduire de cinq jours le délai de rotation des créances clients, mais la banque exige en échange que Thêta conserve un solde créditeur permanent minimal de 30 000 € sur son compte (sans intérêts). Le chiffre d'affaires journalier TTC de Thêta est de 10 000 €. Thêta doit-elle accepter ?

8. Quelles sont les étapes pour définir une politique de crédit commercial ?

9. Kappa détient les créances clients suivantes :

Client	Montant de la créance (en euros)	Ancienneté de la créance (en jours)
ABC	50 000	35
DEF	35 000	5
GHI	15 000	10
JKL	75 000	22
MNO	42 000	40
PQR	18 000	12
STU	82 000	53
VWX	36 000	90

Construisez la balance âgée de Kappa par périodes de 15 jours. L'entreprise octroie à ses clients des crédits commerciaux systématiques à 30 jours avec escompte de 1 % pour paiement avant 15 jours. Quelle conclusion tirer ?

10. Le fournisseur d'Omicron lui propose de payer à 25 jours avec 1 % d'escompte pour paiement sous 10 jours. Si l'entreprise veut bénéficier de l'escompte, elle doit obtenir un prêt bancaire, dont le taux d'intérêt est de 12 %. Que doit faire Omicron ?

11. Quelles sont les conséquences possibles pour une entreprise qui joue avec les délais de paiement fournisseurs ?

12. Un fournisseur de Véga propose de payer à 40 jours, avec 3 % d'escompte pour paiement sous 15 jours. Quel est le taux d'intérêt annuel effectif du crédit commercial si Véga règle à 40 jours ? Et à 50 jours ?

13. Le chiffre d'affaires d'Epsilon est de 60 millions d'euros à l'année N et de 75 millions en $N + 1$. Ses achats annuels sont de 52 millions en N et de 61 millions en $N + 1$. La TVA est de 20 %. Appuyez-vous sur le bilan d'Epsilon (établi en k€) pour calculer le BFR en jours de chiffre d'affaires et les délais de rotation des postes qui composent le BFR pour les années N et $N + 1$. Commentez l'évolution et les conséquences financières associées. Epsilon profite-t-elle pleinement des conditions offertes par ses fournisseurs, qui demandent un paiement à 30 jours ?

		N	N+1		N	N+1
1	Actif non courant	23 000	20 000	Capitaux propres	18 200	20 600
2	*Stocks*	6 200	6 600	Passif non courant	6 500	7 000
3	*Créances clients*	2 800	6 900	*Dettes fournisseurs*	3 600	4 600
4	*Trésorerie*	3 080	6 100	*Autres passifs courants*	6 780	7 400
5	Actif courant (2 + 3 + 4)	12 080	19 600	Passif courant (3 + 4)	10 380	12 000
6	**Total Actif** (1 + 5)	**35 080**	**39 600**	**Total Passif** (1 + 2 + 5)	**35 080**	**39 600**

14. Les achats de matières premières HT de Lambda sont de 8 millions d'euros et ses stocks de matières premières sont évalués à 2 millions d'euros. Calculez le délai de rotation des stocks de matières premières de Lambda. En moyenne dans le secteur, les stocks de matières premières sont de 20 % des achats annuels HT. Quel niveau de stocks Lambda doit-elle viser pour atteindre la moyenne sectorielle ?

15. Quel placement devrait logiquement offrir la rentabilité la plus élevée : bon du Trésor, NEU CP ou NEU MTN ? Pourquoi ?

Étude de cas – Optimisation du BFR

Vous venez d'être embauché à la direction financière de Total. Le directeur financier vous demande d'analyser le BFR de l'entreprise, pour voir s'il est possible de libérer des ressources financières et d'augmenter la valeur de l'entreprise grâce à une meilleure gestion du BFR. Vous ne voulez pas le décevoir…

1. Trouvez sur Internet les états financiers de Total sur les trois dernières années (sur Boursorama, Yahoo! Finance ou directement sur le site web de l'entreprise).

2. Trouvez sur Internet les états financiers de deux concurrents de Total, BP et ExxonMobil, pour la dernière année disponible.

3. Calculez le délai de rotation des créances clients, des dettes fournisseurs et des stocks pour Total (sur trois ans) et ses concurrents (sur la dernière année disponible). Pour chacun, calculez également le poids du BFR en jours de chiffre d'affaires.

4. Quelle a été évolution du BFR de Total et que peut-on en dire ? Et si l'on compare le BFR de Total à celui de ses concurrents ?

5. Si Total réduisait ses stocks de 10 %, quelle serait la réduction de son BFR ? Et si Total augmentait le délai de paiement de ses fournisseurs de 10 % ?

6. Si Total arrivait à aligner le délai de rotation de chacun des postes de son BFR sur le meilleur de ses deux concurrents, quelle somme serait ainsi libérée ? Quelles seraient les mesures à prendre pour cela, et avec quelles répercussions possibles sur les contreparties de Total ?

Chapitre 27
La gestion financière de court terme

Le Club Med a une activité irrégulière au cours de l'année, avec deux pics saisonniers au moment des vacances d'hiver et d'été. La saisonnalité de son activité influence évidemment ses flux de trésorerie. Durant les mois d'activité soutenue, l'entreprise accumule de la trésorerie excédentaire, et inversement ses dépenses excèdent ses recettes lors des mois creux. Le Club Med a donc besoin d'une gestion financière de court terme précise, pour s'assurer à chaque instant que ses besoins financiers de court terme sont couverts, indépendamment des besoins financiers qu'elle peut avoir par ailleurs à plus long terme pour financer des investissements.

Pour cela, le Club Med, comme toutes les entreprises, doit mettre en place un processus de planification financière de court terme, qui permet d'anticiper ses flux de trésorerie et de trouver les ressources financières nécessaires pour combler d'éventuels besoins financiers. Cela implique de prévoir les flux de trésorerie de l'entreprise à court terme (section 27.1), de définir la politique financière de court terme (section 27.2), puis de recourir aux instruments financiers les plus adaptés pour financer les besoins de court terme de l'entreprise : des crédits de trésorerie (section 27.3), des crédits de mobilisation (section 27.4) ou des titres de dette (section 27.5).

27.1. Budget et prévision financière à court terme

La gestion financière de court terme d'une entreprise débute en général par l'élaboration d'un **budget**, qui n'est rien d'autre qu'une prévision à court terme des flux de trésorerie futurs de l'entreprise. Les budgets peuvent être établis au pas mensuel, trimestriel ou semestriel, et couvrir une période allant de quelques mois à deux ou trois ans. Construire un budget répond à trois objectifs principaux : (*i*) disposer d'un outil de pilotage et de mesure de la performance de l'entreprise, (*ii*) évaluer la situation de trésorerie de l'entreprise à chaque période de prévision pour déterminer si elle sera en besoin ou excédent net de trésorerie et (*iii*) mesurer si le déséquilibre sera temporaire ou permanent. Si le déséquilibre est temporaire (quelques mois, un à deux ans au maximum), les outils de gestion financière de court terme présentés dans la suite de ce chapitre permettront de traiter le sujet. Dans le cas contraire, c'est la politique financière de long terme de l'entreprise qui devra être adaptée : une entreprise disposant d'un excédent durable de liquidités peut augmenter son taux de dividendes ou rembourser une partie de sa dette ; inversement un besoin de capitaux structurel devra être financé par des ressources financières de long terme.

Pour illustrer cela, le tableau 27.1 donne le budget trimestriel (fictif) de SnowCorp[1], un fabricant de skis, construit en décembre 2020 pour l'année suivante (le « (p) » à côté des dates en tête de colonne indiquant qu'il s'agit d'une prévision). Comme son budget le montre, SnowCorp anticipe une hausse de ses ventes trimestrielles de 10 % en 2021, à 5 millions d'euros ; l'entreprise devrait gagner de l'argent, avec un résultat net trimestriel de 450 000 euros. Le budget est construit sur l'hypothèse d'une production et de ventes uniformément réparties au cours de l'année, d'investissements égaux aux amortissements et d'un besoin en fonds de roulement qui augmente au premier trimestre à la suite de la hausse du chiffre d'affaires, puis qui se stabilise. À en croire le budget, la trésorerie d'exploitation de SnowCorp sera suffisante pour financer la croissance anticipée des ventes, puisque l'entreprise dégage chaque trimestre un excédent de trésorerie. Si la hausse anticipée du chiffre d'affaires est pérenne, cet excédent de trésorerie sera également durable, ce qui pourrait par exemple permettre à SnowCorp d'augmenter ses dividendes. Mais avant d'arriver à cette conclusion, il convient de vérifier que les hypothèses retenues par SnowCorp pour construire son budget sont réalistes.

Tableau 27.1	États financiers prévisionnels avec ventes constantes (en milliers d'euros)				
		T4 2020	T1 2021 (p)	T2 2021 (p)	T3 2021 (p)	T4 2021 (p)
Compte de résultat						
1	Chiffre d'affaires	4 545	5 000	5 000	5 000	5 000
2 –	Consommation de matières premières	– 2 955	– 3 250	– 3 250	– 3 250	– 3 250
3 –	Autres consommations externes	– 455	– 500	– 500	– 500	– 500
4 =	**Excédent brut d'exploitation**	**1 135**	**1 250**	**1 250**	**1 250**	**1 250**
5 –	Amortissements et provisions	– 650	– 650	– 650	– 650	– 650
6 =	**Résultat d'exploitation**	**485**	**600**	**600**	**600**	**600**
7 –	Impôt sur les sociétés (25 %)	– 121	– 150	– 150	– 150	– 150
8 =	**Résultat net**	**364**	**450**	**450**	**450**	**450**
Tableau des flux de trésorerie						
9	Résultat net		450	450	450	450
10	Amortissements et provisions		650	650	650	650
11	Δ *Créances clients*		*136*	–	–	–
12	Δ *Stocks*		–	–	–	–
13	Δ *Dettes fournisseurs*		*48*	–	–	–
14	Variation du BFR (11 + 12 – 13)		88	–	–	–
15	**Flux de trésorerie liés à l'activité** (9 + 10 – 14)		**1 012**	**1 100**	**1 100**	**1 100**
16	Acquisitions d'immobilisations		– 650	– 650	– 650	– 650
17	Cessions d'immobilisations		–	–	–	–
18	**Flux de trésorerie liés aux opérations d'investissement**		**– 650**	**– 650**	**– 650**	**– 650**
19	**Flux de trésorerie liés aux opérations de financement**		–	–	–	–
20	**Variation de la trésorerie** (15 + 18 + 19)		**362**	**450**	**450**	**450**

---

1. Les chapitres 2 et 19 expliquent la construction des états financiers. Pour simplifier, on suppose que le résultat financier de SnowCorp est nul.

Prise en compte de la saisonnalité des ventes

Peu de produits se vendent régulièrement tout au long de l'année. Lorsqu'il y a une **saisonnalité des ventes**, il en est de même pour les flux de trésorerie. Certaines entreprises parviennent à gérer cette saisonnalité en utilisant la trésorerie accumulée dans les périodes de forte activité pour faire face à leurs besoins pendant le reste de l'année. Mais ce n'est pas toujours possible ; il faut donc vérifier si un décalage temporel entre encaissements et décaissements ne crée pas un besoin de financement à court terme.

Revenons à SnowCorp : contrairement à l'hypothèse retenue dans le tableau 27.1, il est probable que les ventes de skis soient saisonnières. Historiquement, l'entreprise a réalisé 20 % de ses ventes au premier trimestre, 10 % aux deuxième et troisième trimestres grâce à des exportations vers le Chili et l'Australie, et 60 % au quatrième trimestre, juste avant le début de la saison en Europe et aux États-Unis. Il faut donc ajuster le budget pour tenir compte de cette saisonnalité des ventes, tout en supposant que SnowCorp continue à produire ses skis tout au long de l'année (tableau 27.2).

Tableau 27.2	États financiers prévisionnels avec saisonnalité des ventes (en milliers d'euros)				
		T4 2020	**T1 2021 (p)**	**T2 2021 (p)**	**T3 2021 (p)**	**T4 2021 (p)**
Compte de résultat						
1	Chiffre d'affaires	10 909	4 000	2 000	2 000	12 000
2 –	Consommation de matières premières	– 7 091	– 2 600	– 1 300	– 1 300	– 7 800
3 –	Autres consommations externes	– 773	– 450	– 350	– 350	– 850
4 =	**Excédent brut d'exploitation**	**3 045**	**950**	**350**	**350**	**3 350**
5 –	Amortissements et provisions	– 650	– 650	– 650	– 650	– 650
6 =	**Résultat d'exploitation**	**2 395**	**300**	**– 300**	**– 300**	**2 700**
7 –	Impôt sur les sociétés (25 %)	– 599	– 75	75	75	– 675
8 =	**Résultat net**	**1 796**	**225**	**– 225**	**– 225**	**2 025**
Tableau des flux de trésorerie						
9	Résultat net		225	– 225	– 225	2 025
10	Amortissements et provisions		650	650	650	650
11	Δ *Créances clients*		– 2 073	– 600	–	3 000
12	Δ *Stocks*		650	1 950	1 950	– 4 550
13	Δ *Dettes fournisseurs*		48	–	–	–
14	Variation du BFR (11 + 12 – 13)		– 1 471	1 350	1 950	– 1 550
15	**Flux de trésorerie liés à l'activité** (9 + 10 – 14)		**2 263**	**– 948**	**– 1 548**	**3 903**
16	Acquisitions d'immobilisations		– 650	– 650	– 650	– 650
17	Cessions d'immobilisations		–	–	–	–
18	**Flux de trésorerie liés aux opérations d'investissement**		**– 650**	**– 650**	**– 650**	**– 650**
19	**Flux de trésorerie liés aux opérations de financement**		–	–	–	–
20	**Variation de la trésorerie** (15 + 18 + 19)		**1 613**	**1 590**	**– 2 190**	**3 253**

À chiffre d'affaires annuel inchangé, le résultat net de SnowCorp est constant (1,8 million d'euros) et reste positif. Cependant, la saisonnalité des ventes affecte les flux de trésorerie de deux manières. D'une part, les achats consommés évoluent proportionnellement au chiffre d'affaires, ce qui n'est pas le cas des coûts fixes (frais administratifs, amortissements…) Le résultat net trimestriel connaît donc des variations considérables au fil de l'année. D'autre part, le besoin en fonds de roulement évolue toute l'année : au premier trimestre, SnowCorp reçoit les paiements des clients du quatrième trimestre de l'année précédente. Pendant les deuxième et troisième trimestres, SnowCorp se prépare en vue des ventes de fin d'année ; sa production de skis dépassant ses ventes, les stocks s'accumulent, ce qui impose de les financer. Au contraire, les dettes fournisseurs sont stables sur l'année puisque la production est constante. Les flux de trésorerie de SnowCorp sont donc négatifs aux deuxième et troisième trimestres. Enfin, au quatrième trimestre, les ventes élevées produisent des flux de trésorerie significatifs. La saisonnalité des ventes de SnowCorp provoque une succession d'excédent et de déficit de trésorerie : en milieu d'année, l'entreprise doit trouver des ressources à court terme supplémentaires pour financer ses stocks ; en début et fin d'année, elle affiche une trésorerie excédentaire.

Prise en compte des variations non anticipées des flux de trésorerie

Au-delà de la saisonnalité prévisible des ventes, les flux de trésorerie d'une entreprise subissent des variations non anticipées, ce qui peut faire apparaître un besoin de trésorerie à court terme. Le tableau 27.3 montre les états prévisionnels de SnowCorp si l'entreprise doit faire face au deuxième trimestre 2021 à la défaillance imprévue d'une machine-outil dont le remplacement impose un investissement de 1 million d'euros[2]. Cela conduit à un flux de trésorerie négatif de 550 000 € au deuxième trimestre, qu'il convient de financer, soit en utilisant les disponibilités de l'entreprise, soit en trouvant un financement externe : une baisse non anticipée des flux de trésorerie peut créer un besoin de financement à court terme. Les trimestres suivants, les amortissements de SnowCorp augmentent, du fait de l'amortissement linéaire sur cinq ans de la machine neuve qui débute (soit 50 000 € par trimestre).

---

2. Pour simplifier, on suppose que la valeur comptable résiduelle de la machine défaillante est nulle (il n'y a donc pas de conséquences fiscales). On néglige également les conséquences de la rupture de production. Les résultats généraux ne sont pas modifiés si l'on relâche ces hypothèses.

Tableau 27.3	États financiers prévisionnels avec ventes constantes et baisse non anticipée des flux de trésorerie (en milliers d'euros)

		T4 2020	T1 2021 (p)	T2 2021 (p)	T3 2021 (p)	T4 2021 (p)
Compte de résultat						
1	Chiffre d'affaires	4 545	5 000	5 000	5 000	5 000
2 −	Consommation de matières premières	− 2 955	− 3 250	− 3 250	− 3 250	− 3 250
3 −	Autres consommations externes	− 455	− 500	− 500	− 500	− 500
4 =	**Excédent brut d'exploitation**	**1 135**	**1 250**	**1 250**	**1 250**	**1 250**
5 −	Amortissements et provisions	− 650	− 650	− 650	− 700	− 700
6 =	**Résultat d'exploitation**	**485**	**600**	**600**	**550**	**550**
7 −	Impôt sur les sociétés (25 %)	− 121	− 150	− 150	− 138	− 138
8 =	**Résultat net**	**364**	**450**	**450**	**413**	**413**
Tableau des flux de trésorerie						
9	Résultat net		450	450	413	413
10	Amortissements et provisions		650	650	700	700
11	Δ *Créances clients*		*136*	–	–	–
12	Δ *Stocks*		–	–	–	–
13	Δ *Dettes fournisseurs*		*48*	–	–	–
14	Variation du BFR (11 + 12 − 13)		88	–	–	–
15	**Flux de trésorerie liés à l'activité** (9 + 10 − 14)		**1 012**	**1 100**	**1 113**	**1 113**
16	Acquisitions d'immobilisations		− 650	− 1 650	− 700	− 700
17	Cessions d'immobilisations		–	–	–	–
18	**Flux de trésorerie liés aux opérations d'investissement**		**− 650**	**− 1 650**	**− 700**	**− 700**
19	**Flux de trésorerie liés aux opérations de financement**		–	–	–	–
20	**Variation de la trésorerie** (15 + 18 + 19)		**362**	**− 550**	**413**	**413**

Il est important de souligner qu'une « bonne nouvelle » peut également faire apparaître un besoin de financement à court terme : la croissance aussi doit être financée ! Si, au premier trimestre 2021, SnowCorp parvient à conclure un contrat publicitaire avec les prochains Jeux olympiques, ses ventes augmenteront de 20 % dès le deuxième trimestre (voir tableau 27.4). Pour ce faire, SnowCorp doit réaliser une campagne publicitaire pour 1 million d'euros et investir 1 million d'euros pour augmenter sa capacité de production. Le résultat net du premier trimestre devient donc négatif, de même que la variation de trésorerie, qu'il conviendra donc de financer. Sur le deuxième trimestre, la croissance des ventes provoque une hausse du besoin en fonds de roulement, car l'augmentation du chiffre d'affaires implique plus de dettes fournisseurs et de créances clients. On le voit, une bonne nouvelle peut également imposer à l'entreprise de trouver des financements pour faire face à des besoins de court terme.

| Tableau 27.4 | États financiers prévisionnels avec augmentation des ventes (en milliers d'euros) |

		T4 2020	T1 2021 (p)	T2 2021 (p)	T3 2021 (p)	T4 2021 (p)
Compte de résultat						
1	Chiffre d'affaires	4 545	5 000	6 000	6 000	6 000
2 –	Consommation de matières premières	– 2 955	– 3 250	– 3 900	– 3 900	– 3 900
3 –	Autres consommations externes	– 455	– 1 500	– 600	– 600	– 600
4 =	**Excédent brut d'exploitation**	**1 135**	**250**	**1 500**	**1 500**	**1 500**
5 –	Amortissements et provisions	– 650	– 650	– 700	– 700	– 700
6 =	**Résultat d'exploitation**	**485**	**– 400**	**800**	**800**	**800**
7 –	Impôt sur les sociétés (25 %)	– 121	100	– 200	– 200	– 200
8 =	**Résultat net**	**364**	**– 300**	**600**	**600**	**600**
Tableau des flux de trésorerie						
9	Résultat net		– 300	600	600	600
10	Amortissements et provisions		650	700	700	700
11	Δ *Créances clients*		136	300	–	–
12	Δ *Stocks*		–	–	–	–
13	Δ *Dettes fournisseurs*		48	105	–	–
14	Variation du BFR (11 + 12 – 13)		88	195	–	–
15	**Flux de trésorerie liés à l'activité** (9 + 10 – 14)		**262**	**1 105**	**1 300**	**1 300**
16	Acquisitions d'immobilisations		– 1 650	– 650	– 650	– 650
17	Cessions d'immobilisations		–	–	–	–
18	**Flux de trésorerie liés aux opérations d'investissement**		**– 1 650**	**– 650**	**– 650**	**– 650**
19	**Flux de trésorerie liés aux opérations de financement**		–	–	–	–
20	**Variation de la trésorerie** (15 + 18 + 19)		**– 1 388**	**455**	**650**	**650**

27.2. Le principe de correspondance emplois-ressources

Sur la base de sa prévision budgétaire, l'entreprise peut évaluer son besoin de financement à court terme et réfléchir à la manière de le combler. Si les marchés de capitaux étaient parfaits, le mode de financement choisi par l'entreprise n'aurait pas de conséquence sur sa valeur. De nombreuses imperfections existent toutefois, par exemple des coûts de transaction : détenir des liquidités sur un compte non rémunéré impose un coût d'opportunité, de même que la négociation d'un crédit dans l'urgence pour faire face à un besoin imprévu de liquidité. La politique financière de court terme d'une entreprise doit donc s'attacher à choisir les instruments financiers qui permettront d'en minimiser le coût. Pour cela, le **principe de correspondance entre emplois et ressources** (*matching principle*) est un excellent guide, utilisé par de nombreuses entreprises[3] : *il faut financer*

---

3. Des études empiriques montrent que la plupart des entreprises appliquent le principe de correspondance. Voir par exemple W. Beranek, C. Cornwell et S. Choi (1995), « External Financing, Liquidity, and Capital Expenditures », *Journal of Financial Research*, 207-222 ; M. H. Stohs et D. C. Mauer (1996), « The Determinants of Corporate Debt Maturity Structure », *Journal of Business*, 69(3), 279-312.

les emplois à court terme par des ressources à court terme et les emplois pérennes avec des ressources durables.

Besoin en fonds de roulement structurel et conjoncturel

Le besoin en fonds de roulement d'une entreprise se compose de deux parties : le **besoin en fonds de roulement structurel** est le montant minimal *permanent* nécessaire pour financer le cycle d'exploitation normal d'une entreprise. Cet investissement durera autant que durera l'exploitation : c'est donc un emploi pérenne, même si un stock, une créance client ou une dette fournisseur restent rarement inscrits plus de quelques mois au bilan. Ce besoin en fonds de roulement structurel doit être financé par des ressources durables plutôt que par des ressources à court terme, d'après le principe de correspondance : cela permet de minimiser les coûts de transaction en réduisant la fréquence du renouvellement des financements en question.

Au-delà de ce qui doit être disponible en permanence pour financer le besoin en fonds de roulement structurel, la variation saisonnière ou non anticipée des ventes induit des variations conjoncturelles de la valeur des actifs et passifs courants de l'entreprise. Le **besoin en fonds de roulement conjoncturel** est la différence entre le besoin en fonds de roulement total de l'entreprise et son besoin en fonds de roulement structurel. Il s'agit d'un besoin à court terme qui doit être financé par des ressources à court terme.

Tableau 27.5	BFR prévisionnel avec saisonnalité des ventes (en milliers d'euros)				
	T4 2020	**T1 2021 (p)**	**T2 2021 (p)**	**T3 2021 (p)**	**T4 2021 (p)**
1 Créances clients	3 273	1 200	600	600	3 600
2 Stocks	300	950	2 900	4 850	300
3 Dettes fournisseurs	477	525	525	525	525
4 **BFR** (1 + 2 − 3)	**3 096**	**1 625**	**2 975**	**4 925**	**3 375**

À titre d'exemple, le tableau 27.5 montre les postes du besoin en fonds de roulement prévisionnel de SnowCorp utilisé pour construire le budget qui intégrait la saisonnalité des ventes (voir tableau 27.2) : du fait de cette saisonnalité, le besoin en fonds de roulement évolue au fil de l'année entre 1,625 et 4,925 millions d'euros. On peut considérer que le point bas de l'année, 1,625 million d'euros, correspond à la partie structurelle du besoin en fonds de roulement de SnowCorp à financer par des ressources durables, et que le reste en constitue la part conjoncturelle à financer par des ressources de court terme.

Le choix d'une politique financière de court terme

Le respect du principe de correspondance entre emplois et ressources doit, à long terme, permettre à l'entreprise de minimiser le coût de son financement. Que se passe-t-il si ce n'est pas le cas et qu'en contradiction avec ce principe, une entreprise finance la part structurelle de son besoin en fonds de roulement avec de la dette à court terme ? À l'échéance de la dette, l'entreprise devra négocier un nouvel emprunt, ce qui lui imposera des coûts de transaction et lui fera subir un **risque de taux** (si le taux d'intérêt de la nouvelle dette est plus élevé) et un **risque de refinancement** (si elle ne parvient pas à refinancer sa dette à temps ou à un taux raisonnable).

Financer la part structurelle du besoin en fonds de roulement par des ressources à court terme correspond donc à une **politique financière agressive** (une politique très agressive pourrait même aller jusqu'à financer une part des immobilisations de long terme avec de la dette court terme !) Quel est l'intérêt d'une telle politique ? Lorsque la courbe des taux est croissante, le taux d'intérêt court terme est moins élevé que le taux long terme : la dette à court terme peut donc sembler moins chère. Mais il n'existe pas d'opportunité d'arbitrage sur un marché concurrentiel. Le gain représenté par un taux d'intérêt à court terme plus faible s'accompagne d'un risque supplémentaire : que ce taux à court terme ait augmenté au moment du refinancement futur de la dette. C'est un risque supporté par les actionnaires de l'entreprise, qui logiquement réclameront une rémunération plus élevée, ce qui contrebalancera le gain réalisé en s'endettant à court terme. Il peut néanmoins être intéressant pour une entreprise de suivre une politique financière agressive, si les imperfections de marché décrites au chapitre 16 (coûts d'agence et information asymétrique) sont importantes. En effet, les prêteurs sont moins sensibles à la qualité de l'emprunteur pour des prêts à court terme. La valeur de la dette de court terme est donc moins influencée par les décisions des dirigeants ou par les informations qu'ils révèlent. S'endetter à court plutôt qu'à long terme peut permettre à l'entreprise de réduire les coûts d'agence et les coûts d'information asymétrique ; dans ce cas particulier, une politique financière agressive peut être en faveur des actionnaires.

Inversement, une entreprise peut financer ses besoins à court terme avec des ressources durables, ce qui correspond à une **politique financière prudente**. Cela consiste à financer les immobilisations, le besoin en fonds de roulement structurel, mais également une partie du BFR conjoncturel avec des ressources durables. L'entreprise qui suit une telle politique financière sera donc en excédent de trésorerie dès que son besoin en fonds de roulement conjoncturel sera faible et elle n'aura que rarement besoin de financements à court terme. Cela réduit le **risque de refinancement** de l'entreprise, mais n'est pas sans coût : le placement des excédents de trésorerie se fait en général à un taux d'intérêt inférieur au taux du marché. De plus, cette politique financière laisse la possibilité aux dirigeants de l'entreprise d'utiliser cette trésorerie sans réel contrôle des actionnaires (coût d'agence).

Une fois que l'entreprise dispose d'une prévision budgétaire et qu'elle a calculé son besoin de financement à court terme compte tenu de la politique financière de court terme qu'elle souhaite adopter, l'étape suivante consiste à choisir les instruments financiers auxquels elle aura recours. La suite du chapitre détaille les options de financement à court terme dont disposent les entreprises : crédits de trésorerie, crédits de mobilisation ou titres de dette.

27.3. Les crédits de trésorerie

Les crédits bancaires constituent la principale source de financement externe des entreprises. Il s'agit même de la seule source disponible pour la plupart des petites et moyennes entreprises. Ces crédits peuvent être à court ou long terme. Ces derniers sont traités en détail au chapitre 24 ; seuls les crédits de court terme, ou **crédits de trésorerie**, sont abordés dans cette section. Ces crédits de court terme sont souvent qualifiés de crédits courants, d'exploitation ou de fonctionnement, pour insister sur leur dimension court terme.

Le découvert bancaire et la facilité de caisse

Le moyen le plus simple de pallier un besoin de trésorerie à court terme est tout simplement de demander à sa banque une **autorisation de découvert** ou une **facilité de caisse**, à savoir l'autorisation de présenter un solde de compte courant débiteur pendant une période donnée (quelques semaines à quelques mois pour l'autorisation de découvert, quelques jours tous les mois pour une facilité de caisse). Les facilités de caisse, dont l'utilisation est très ponctuelle, sont utilisées pour les opérations régulières qui mobilisent beaucoup de trésorerie (paiement des salaires, remboursement de TVA, etc.). Découverts et facilités de caisse sont coûteux, puisque la banque facture un taux d'intérêt élevé auquel s'ajoute une **commission de plus fort découvert**. Les entreprises devraient donc éviter autant que faire se peut le recours à ces dispositifs pour privilégier d'autres formes de financement à court terme. Mais le fait de ne payer des intérêts qu'en fonction de l'utilisation réelle de ces dispositifs et leur simplicité peuvent rendre attractives ces sources de financement, notamment pour les petites entreprises.

Le crédit spot

Le **crédit spot** est une avance de trésorerie d'une durée de quelques jours à un an, consentie par une banque à une entreprise. Le plus souvent, ce crédit donne lieu à un remboursement unique, à échéance, des intérêts et du principal. Le taux d'intérêt est le plus souvent variable. Il est déterminé par un taux d'intérêt de référence, le taux d'intérêt des obligations d'État d'échéance un an ou l'**Euribor** (*Euro Interbank Offered Rate*), qui est le taux minimal à partir duquel les établissements bancaires peuvent emprunter des fonds en euros sur le marché interbancaire pour des échéances comprises entre une semaine et un an[4]. Puisque l'Euribor n'est accessible qu'aux banques européennes de bonne qualité, le taux d'intérêt d'un crédit spot intègre une marge qui s'ajoute à l'Euribor : ce *spread* est fonction de la qualité de crédit de l'entreprise emprunteuse. Ainsi, une entreprise notée AA pourra par exemple emprunter à « Euribor + 20 points », tandis qu'une moins bien notée devra accepter un *spread* de 50 ou 100 points.

En plus des intérêts, les banques peuvent prélever des **frais de dossier**, qui couvrent le coût des vérifications et démarches qu'effectue la banque lors de la mise en place du crédit et sont payés au moment de la mise à disposition des fonds, ou imposer à l'entreprise de conserver une partie des fonds prêtés (souvent 5 à 10 %) sur un compte non rémunéré. Ces exigences des banques contribuent à augmenter le taux d'intérêt effectif du prêt accordé.

Le **crédit de campagne** est un cas particulier de crédit spot, accordé lorsque l'activité de l'entreprise est fortement saisonnière (agriculture, tourisme, prêt-à-porter…) Ce type de financement est habituellement le plus long des financements de court terme d'une entreprise (jusqu'à un an) ; il est risqué pour la banque car le remboursement du crédit dépend de la vente future de la production saisonnière de l'entreprise.

---

[4] Lorsque le crédit est souscrit dans une autre monnaie que l'euro, le *benchmark* usuel est le Libor (*London Interbank Offered Rate*) de la monnaie concernée.

La ligne de crédit

Une entreprise qui utilise régulièrement des crédits spot peut avoir intérêt à la mise en place d'une **ligne de crédit**. C'est un accord par lequel une banque s'engage à prêter à une entreprise jusqu'à un certain montant pendant une durée définie, en fonction des besoins de l'entreprise. Cet accord très flexible permet à cette dernière de tirer sur la ligne de crédit en fonction de ses besoins. En ce sens, elle est adaptée au financement des besoins non anticipés de l'entreprise et réduit le risque d'une crise de liquidité.

La ligne de crédit peut être **confirmée** ou non. Dans ce dernier cas, l'accord n'engage pas légalement la banque, qui reste libre de consentir, ou non, le prêt selon la situation financière de l'emprunteur au moment où il souhaite y avoir recours. En revanche, si la ligne de crédit est confirmée, la banque est tenue de prêter les fonds, quelle que soit la situation de l'entreprise au moment où cette dernière décide de l'utiliser (sauf si elle est en faillite !). En échange d'une confirmation de ligne de crédit, la banque exige en général que l'entreprise maintienne un solde positif minimal permanent sur son compte courant et un besoin en fonds de roulement inférieur à un plafond. Une ligne de crédit confirmée, même non utilisée, coûte à l'entreprise une **commission d'engagement**, ou **commission de confirmation** (en général de 0,25 à 0,5 % du montant inutilisé de la ligne de crédit). En outre, les lignes de crédit stipulent une échéance afin d'éviter que les entreprises ne l'utilisent pour financer des emplois à long terme.

Les banques renégocient en général tous les ans les conditions d'une ligne de crédit. Une **ligne de crédit renouvelable** (*revolving*) est une ligne de crédit confirmée impliquant un engagement de la banque sur une durée plus longue, en général deux ou trois ans, et qui se reconstitue au fil des remboursements de l'emprunteur. Si la ligne de crédit renouvelable n'a pas de maturité fixe, il s'agit d'une **ligne de crédit permanente** (*evergreen credit line*). Si la ligne de crédit est octroyée à un groupe, utilisable à sa guise pour n'importe laquelle de ses filiales, on parlera d'**accord-cadre de crédit**.

Exemple 27.1

Le coût d'un crédit spot et d'une ligne de crédit

Une banque propose à SnowCorp de bénéficier d'un crédit spot de 500 000 € pendant trois mois au taux de 12 % (TAP) mais prélève des frais de dossier de 1 % du montant emprunté. Quel est le taux annuel effectif du crédit ? Snowcorp trouvant cela trop cher, sa banque lui propose de bénéficier d'une ligne de crédit confirmée de 800 000 € au taux de 10 % (TAP), avec une commission d'engagement de 0,5 %. SnowCorp tire 500 000 € en début d'année, qu'elle rembourse intégralement au bout de trois mois. Quel est le coût de la ligne de crédit pour SnowCorp ?

Solution

Avec le crédit spot, SnowCorp ne touche, en fait, que 495 000 €. Les intérêts à verser sur la durée du prêt sont de 500 000 × 12 % × 3 / 12 = 15 000 €.

...

...

Le taux d'intérêt sur trois mois est donc de : (515 000 / 495 000) – 1 = 4,04 %, ce qui correspond à un taux annuel effectif de $(1 + 4,04 \%)^4 - 1 = 17,17 \%$, contre 12,55 % s'il n'y avait pas de frais de dossier.

Si SnowCorp choisit la ligne de crédit, elle doit payer des intérêts chaque mois sur le montant emprunté, au taux mensuel de 10 % / 12 = 0,83 % €. SnowCorp doit également payer une commission d'engagement sur le montant non utilisé, soit 300 000 € pendant les trois premiers mois puis 800 000 € pendant les neuf mois suivants, au taux d'intérêt mensuel de 0,5 % / 12 = 0,042 %. L'échéancier des flux est donc :

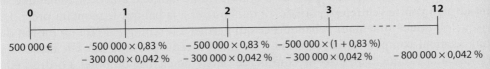

La séquence de flux associée à la ligne de crédit a un taux de rentabilité interne de 1,09 %, soit $(1 + 1,09 \%)^{12} - 1 = 13,9 \%$. La ligne de crédit coûte effectivement moins cher à SnowCorp que le crédit spot et elle offre de plus une meilleure flexibilité.

Le crédit relais

Un **crédit relais** (*bridge loan*) est un prêt à court terme utilisé pour attendre qu'une entreprise mette en place un financement à long terme. Ainsi, un promoteur immobilier peut demander un crédit relais pour financer la construction d'un centre commercial. Une fois le centre commercial construit, il obtiendra un financement à long terme. Des entreprises peuvent avoir recours à un crédit relais pour financer de nouvelles immobilisations en attendant de pouvoir emprunter dans de bonnes conditions ou de réaliser une augmentation de capital (on parle dans ce cas d'*equity bridge loan*).

Les crédits par signature

Contrairement aux crédits présentés jusqu'ici, les **crédits par signature** n'impliquent pas d'avance de trésorerie immédiate à une entreprise. La banque se contente d'engager sa signature au bénéfice de l'entreprise. Il s'agit donc d'un crédit potentiel, par lequel la banque s'engage à se substituer à l'entreprise si elle se révèle incapable d'honorer certains engagements. Les différents types de crédits par signature sont les **cautions bancaires**, les **garanties à première demande** et les **lignes de *back-up*** (qui peuvent servir de crédit de substitution pour couvrir le risque que l'entreprise ne parvienne pas à renouveler des titres de dette à court terme arrivés à échéance).

27.4. Les crédits de mobilisation

Outre les crédits de trésorerie, qui exposent la banque au risque de défaut de l'entreprise, les entreprises peuvent obtenir des crédits à court terme contre collatéral, c'est-à-dire garantis par certains actifs de l'entreprise. On parle alors de **crédits de mobilisation**. Les plus répandus mobilisent des stocks ou des créances clients. Ces crédits contre collatéral sont octroyés par des banques commerciales ou des sociétés d'affacturage.

La mobilisation des créances clients

L'escompte bancaire. **L'escompte bancaire**, ou nantissement des créances clients, est un accord par lequel une banque accepte de prêter des fonds à une entreprise et de recevoir en échange des créances clients comme collatéral du prêt. C'est un moyen pour l'entreprise d'accorder des délais de paiement à ses clients sans augmenter son besoin en fonds de roulement. Le prêt est en général à **intérêts précomptés** : il est égal à la valeur des créances clients escomptées moins les intérêts dus.

L'entreprise ayant escompté des créances clients en a transféré la propriété à la banque, mais elle en demeure garante : en cas d'impayé ou de faillite d'un client, la banque se retournera contre l'entreprise, qui devra rembourser à la banque le montant prêté. Le risque est donc limité pour la banque, ce qui permet à l'escompte d'être un moyen de financement compétitif. En revanche, c'est une procédure lourde, car elle impose la remise à la banque d'un **effet de commerce** (lettre de change ou billet à ordre), elle oblige à mobiliser l'intégralité de l'effet et se négocie créance par créance (sauf si l'entreprise a négocié avec la banque d'une **ligne d'escompte**).

La cession Dailly. Proche de l'escompte dans son principe, la **cession Dailly** (du nom du sénateur à l'origine de la loi en question) permet de mobiliser des créances clients non matérialisées par des effets de commerce (factures, etc.). Pour cela, une entreprise signe avec sa banque une convention-cadre définissant le type de créances, le mode de calcul des intérêts, etc. Ensuite, l'entreprise, chaque fois qu'elle le souhaite, remet à sa banque un bordereau de cession, dit « bordereau Dailly », accompagné des factures concernées. La banque octroie à l'entreprise un crédit de court terme égal à la valeur des créances cédées moins les intérêts précomptés. La banque peut demander à vérifier la réalité des créances ainsi cédées afin de se garantir contre les impayés (ce qui implique de notifier la cession de la créance au débiteur). Comme avec l'escompte, en cas d'impayé sur une facture mobilisée, la banque pourra toujours se retourner contre l'entreprise.

L'affacturage. Une **société d'affacturage**, ou **factor**, est une société financière, souvent filiale d'un groupe bancaire[5], qui achète les créances clients d'entreprises et se charge ensuite de leur recouvrement ; les clients concernés règlent directement leurs dettes à la société d'affacturage. Cette technique permet donc aux entreprises d'externaliser complètement la gestion de leurs créances clients et de mobiliser celles-ci pour obtenir des financements de court terme (jusqu'à 90 % du montant des créances cédées, le factor exigeant toujours une marge de sécurité). Le plus souvent, l'affacturage est sans recours (« assurance-crédit ») : le factor n'a pas la possibilité de se retourner contre l'entreprise emprunteuse en cas d'impayé de la part d'un client. Cela permet donc à l'entreprise de se prémunir contre les risques d'impayé. Bien entendu, ce service a un coût : les factors prélèvent une commission d'affacturage qui couvre le coût des services rendus (relance des clients, recouvrement, gestion des impayés, etc.) et une commission de financement, qui couvre le taux d'intérêt des fonds avancés à l'entreprise et les risques d'impayés si l'affacturage est sans recours.

La titrisation des créances clients. La **titrisation** consiste à transformer des actifs en titres, souscrits par des investisseurs et librement négociables ; cette technique permet à une entreprise de mobiliser tout ou partie de ses créances clients en les cédant à un fonds commun de titrisation.

---

5. Par exemple, BPCE Factor, LCL Eurofactor, BNP Paribas Factor, etc.

La mobilisation des stocks

Le crédit garanti par un gage sur stocks. Par ce type de contrat, un stock est apporté en garantie pour obtenir un crédit. Le **gage sur stock** accordé peut être **sans dépossession** : l'entreprise demeure propriétaire de son stock. C'est risqué pour le prêteur, car le stock peut alors diminuer sans qu'il s'en aperçoive et si une entreprise traverse des difficultés, elle peut être tentée de liquider ses stocks sans rembourser le prêteur. De ce fait, le taux d'intérêt est relativement élevé et les prêts accordés ne représentent qu'une fraction faible de la valeur totale du stock.

Le gage sur stock peut également être **avec dépossession**. Le créancier est alors garanti qu'un stock utilisé en collatéral d'un prêt ne disparaîtra pas, car les stocks sont déposés dans un entrepôt dédié, géré par un tiers de confiance, le **tiers détenteur**. Ce dernier contrôle en temps réel les entrées et sorties de marchandises et peut donc garantir à tout instant la valeur du stock déposé chez lui. La tierce détention réduit les risques pour le prêteur, ce qui lui permet de proposer un taux d'intérêt plus faible et de consentir un crédit plus élevé en pourcentage de la valeur des stocks gagés ; de plus, la commission prélevée par le tiers détenteur est compensée par le fait qu'en tant que professionnel du stockage, il est moins exposé qu'une entreprise standard au risque de vol ou de dommage, ce qui réduit les coûts d'assurance. La tierce détention est donc souvent le moyen le plus efficace de mobiliser des stocks pour obtenir un financement ; mais cela impose des contraintes lourdes à l'entreprise pour gérer et faire vivre son stock. C'est donc une solution adaptée aux stocks qui tournent peu, par exemple l'alcool ou le tabac, qui doivent attendre une certaine maturité avant d'être vendus.

L'émission de titres adossés aux stocks. Outre les créances clients, la titrisation peut concerner les stocks des entreprises. Depuis une vingtaine d'années, des *Asset-Backed Securities* adossées à des stocks sont émises par des sociétés non financières. Marne & Champagne a ainsi été la première entreprise française à utiliser ses stocks (de champagne !) comme collatéral d'ABS en 2000.

Taux d'intérêt annuel effectif de la mobilisation de stocks

Exemple 27.2

SnowCorp souhaite emprunter 2 millions d'euros pendant un mois. Grâce à la mobilisation de ses stocks, cette entreprise peut obtenir un taux d'intérêt annuel proportionnel de 12 %. Le prêteur impose d'avoir recours à la tierce détention. Les frais de stockage sont de 10 000 €, payables à la fin du mois. Quel est le taux d'intérêt annuel effectif ?

Solution

Le taux d'intérêt mensuel sur cette opération est de 12 % / 12 = 1 %. À la fin du mois, SnowCorp doit 2 000 000 × 1,01 = 2 020 000 € au prêteur et 10 000 € au tiers détenteur :

Le taux d'intérêt effectif mensuel est donc de : (2 030 000 / 2 000 000) − 1 = 1,5 %, soit un taux d'intérêt annuel effectif de $(1 + 1{,}5\,\%)^{12} - 1 = 19{,}6\,\%$.

27.5. Les titres négociables à court terme

Les entreprises peuvent se financer en émettant des titres négociables à court terme sur le marché monétaire. En général, cela permet aux grandes entreprises de bénéficier de conditions de financement plus favorables qu'avec un emprunt bancaire. Les titres émis par les entreprises sont des **NEU CP**, pour *Negociable European Commercial Papers*, qui ont remplacé les **billets de trésorerie**. Leur valeur minimale est de 150 000 € et leur maturité, qui peut varier d'un jour à un an, est le plus souvent comprise entre un et trois mois. Les intérêts (fixes) sont généralement précomptés. Les titres négociables à court terme peuvent être notés par les agences de notation.

Exemple 27.3

Taux d'intérêt annuel effectif d'un titre négociable à court terme

SnowCorp émet un titre négociable à court terme de valeur nominale 1 million d'euros et d'échéance trois mois. L'entreprise reçoit 980 000 € lors de cette émission. Quel est le taux d'intérêt annuel effectif ?

Solution

Le diagramme des flux est le suivant :

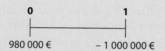

Le taux d'intérêt sur trois mois est de : (1 000 000 / 980 000) − 1 = 2,04 %, soit un taux d'intérêt annuel effectif de $(1 + 2,04\ \%)^4 - 1 = 8,42\ \%$.

Résumé

27.1. Budget et prévision financière à court terme

- La gestion financière de court terme d'une entreprise débute par l'élaboration d'un budget, qui est une prévision à court terme des flux de trésorerie futurs de l'entreprise. Cette prévision permet d'évaluer à chaque période si l'entreprise sera en déficit ou en excédent de trésorerie et si ce déséquilibre sera temporaire ou permanent.

- Les entreprises peuvent avoir besoin de financements à court terme pour faire face aux variations saisonnières de leur besoin en fonds de roulement ou à des variations non anticipées de leurs flux de trésorerie.

27.2. Le principe de correspondance emplois-ressources

- Le principe de correspondance entre emplois et ressources postule que les emplois à court terme doivent être financés par des ressources à court terme et que les emplois pérennes doivent l'être par des ressources durables.

27.3. Les crédits de trésorerie

- Les crédits de trésorerie constituent la principale source de financement à court terme des entreprises, surtout pour les petites et moyennes entreprises.

- Les découverts bancaires, les facilités de caisse, les crédits spot, les lignes de crédit, les crédits relais et les crédits par signature sont des crédits de trésorerie.

27.4. Les crédits de mobilisation

- Les crédits à court terme peuvent être collatéralisés, ce qui en réduit le risque pour les prêteurs ; les crédits de mobilisation des créances clients et des stocks sont les plus courants.

27.5. Les titres négociables à court terme

- Les grandes entreprises qui ont accès au marché monétaire peuvent émettre des titres négociables à court terme, ou NEU CP (*Negociable European Commercial Papers*), nouveau nom des billets de trésorerie, pour se financer à court terme à de meilleures conditions qu'avec un crédit de trésorerie.

Exercices

1. Parmi les entreprises suivantes, citez celles dont les besoins financiers à court terme sont importants : un commerce de détail de produits alimentaires ; un club de football professionnel ; un parc éolien ; un gestionnaire d'autoroutes ; une chaîne de restauration rapide. Pour chaque entreprise, ces besoins sont-ils variables au cours de l'année ? Pourquoi ?

2. L'entreprise Madone a réalisé sa prévision budgétaire. En quel mois la variation du besoin en fonds de roulement sera-t-elle maximale ? Quelle est l'évolution de la trésorerie de Madone sur la période ?

	Décembre	Janvier	Février	Mars	Avril	Mai	Juin
Résultat net	–	10	12	15	25	30	18
Amortissements et provisions	–	2	3	3	4	5	4
Acquisitions d'immobilisations	–	1	–	–	1	–	–
Besoin en fonds de roulement							
Créances clients	2	3	4	5	7	10	6
Stocks	3	2	4	5	5	4	2
Dettes fournisseurs	2	2	2	2	2	2	2

3. Quelle est la différence entre besoin en fonds de roulement structurel et conjoncturel ?

4. Le besoin en fonds de roulement trimestriel de Gamma est présenté dans le tableau ci-dessous. Déterminez les composantes structurelles et conjoncturelles de son besoin en fonds de roulement.

	T1	T2	T3	T4
Créances clients	200	100	100	600
Stocks	200	500	900	50
Dettes fournisseurs	100	100	100	100

5. Quelles raisons pourraient pousser une entreprise à financer avec une dette de court terme son besoin en fonds de roulement structurel ?

6. Véga a une trésorerie nulle et doit 10 000 € à un fournisseur qui lui propose de payer à 30 jours mais offre un escompte de 2 % pour un paiement immédiat. Véga doit-elle renoncer à l'escompte proposé ou faire un emprunt bancaire sur 30 jours à 15 % (TAP), avec des frais de dossiers de 1 % du montant emprunté ?

7. Entre deux prêts à un an de même montant, faut-il préférer un prêt à 8 % avec des frais de dossier de 1 % ou un prêt à 8 % qui impose de conserver 5 % du montant prêté sur un compte non rémunéré ?

8. Quelle est la différence entre une ligne de crédit renouvelable et une ligne de crédit permanente ?

9. Pour quel prêt le taux d'intérêt annuel effectif est-il le plus faible ?

   a. un prêt au taux de 6 % (TAP) avec capitalisation mensuelle ;

   b. un prêt au taux de 6 % (TAP) avec capitalisation annuelle pour lequel la banque impose de conserver 10 % du montant prêté sur un compte non rémunéré ;

   c. un prêt au taux de 6 % (TAP) avec capitalisation annuelle et frais de dossier de 1 % du montant emprunté.

10. Une entreprise a emprunté 10 000 € à sa banque pour trois ans et doit payer 400 € d'intérêts trimestriels. Le principal sera remboursé à terme. Quel est le taux d'intérêt annuel effectif ?

11. Alpha veut lever 1 million d'euros en émettant des titres négociables à court terme (NEU CP) à trois mois. Le montant net encaissé par Alpha est de 985 000 €, après paiement des frais d'émission. Quel est le taux d'intérêt annuel effectif ?

12. Magna a émis un titre négociable à court terme (NEU CP) d'une valeur nominale de 1 million d'euros et de maturité six mois. Magna a reçu en échange 973 710 €. Quel est le taux d'intérêt effectif payé par Magna ?

13. Quelle est la différence entre l'escompte bancaire et l'affacturage ?

14. Le Roi du Burger a emprunté pendant un mois 5 millions d'euros au taux de 9 % (TAP), en gageant une partie de ses stocks (avec dépossession). Le tiers détenteur fait payer au Roi du Burger 5 000 € de frais, payables à échéance. Quel est le taux d'intérêt annuel effectif ?

15. La Hutte à Pizzas envisage d'emprunter 500 000 € pendant un an grâce à la mise en gage de ses stocks (avec dépossession). Le taux d'intérêt annuel effectif est de 10 %. La société de stockage prélève 1 % de la valeur nominale du stock en début d'année. Quel est le taux d'intérêt annuel effectif ?

Chapitre 28
Les fusions-acquisitions

La fusion entre Sanofi et Aventis en 2004 demeure à ce jour la plus importante jamais réalisée sur le marché français : 59 milliards d'euros ! Si les opérations de cette taille sont rares, plusieurs dizaines de milliers de fusions-acquisitions ont lieu chaque année dans le monde : elles participent du **marché du contrôle des entreprises**. En effet, fusions et acquisitions ont ceci en commun qu'elles amènent une entreprise, un fonds ou des investisseurs à prendre possession des actions ou de l'actif net de l'entreprise cible de l'opération. Ce transfert de propriété peut prendre des formes juridiques variées et il peut être payé en numéraire, en actifs physiques ou en titres financiers – le plus souvent, des actions de l'entreprise initiatrice de l'offre. Mais quelles que soient les modalités pratiques de l'opération, l'objectif, lui, est toujours le même : il s'agit de modifier la structure de propriété d'une entreprise qui peut, ou non, être accompagnée d'une modification de son contrôle et de sa gouvernance.

Le coût, le caractère stratégique et les risques associés aux fusions-acquisitions justifient qu'elles reçoivent une attention particulière des dirigeants d'entreprise, de leurs directeurs financiers mais également de banquiers et de conseils spécialisés : le plus souvent, il est de la responsabilité du conseil d'administration d'autoriser les opérations d'acquisition. L'importance de ces opérations justifie donc un chapitre dédié, dont l'objectif est de comprendre le déroulement et la logique de ces opérations. Le chapitre débute avec des éléments historiques relatifs aux fusions-acquisitions (section 28.1). La section 28.2 est consacrée à la réaction du marché aux annonces de fusions-acquisitions et la section 28.3 aux raisons justifiant de telles opérations. Les stratégies d'acquisitions et de défense contre une offre hostile sont présentées aux sections 28.4 et 28.5. La dernière section du chapitre examine la valeur créée par ces opérations de croissance externe et sa répartition entre les différentes parties impliquées.

28.1. Les fusions-acquisitions : une histoire de vagues

Les entreprises peuvent croître de trois manières. La première consiste à acheter de nouveaux moyens de production, à gagner de nouveaux clients, etc. Il s'agit de **croissance organique**, ou interne, ce qui prend nécessairement du temps. La deuxième consiste à s'allier avec une autre entreprise dans le cadre d'un contrat ou d'une société commune (*joint-venture*) : il s'agit de **croissance par alliance**, ou conjointe. La dernière, plus rapide, mais souvent plus coûteuse, consiste à racheter une autre entreprise ou à fusionner avec elle : il s'agit alors de **croissance externe** ; c'est l'objet de ce chapitre.

Les **fusions-acquisitions**, ou opérations de M&A en franglais (pour *mergers and acquisitions*) sont très courantes et leur montant cumulé dépasse les 1 000 milliards d'euros par an. L'immense majorité de ces opérations concerne des petites ou moyennes entreprises ; seules une vingtaine d'opérations par an dans le monde dépassent les 20 milliards d'euros. Les **méga-fusions**, opérations supérieures à 50 milliards d'euros, sont encore plus rares, comme l'illustre le tableau 28.1.

Tableau 28.1	Les principales fusions dans le monde et en France (au 1er janvier 2019)		
Date de l'opération	**Acquéreur**	**Cible**	**Montant de l'opération**
Dans le monde (en milliards de dollars)			
1 2000	Vodafone	Mannesmann	203
2 2000	America Online (AOL)	Time Warner	182
3 2013	Verizon Communications	Verizon Wireless	130
4 2015	Dow Chemical	DuPont	130
5 2019	United Technologies	Raytheon	121
6 1999	Pfizer	Warner-Lambert	112
7 2015	Anheuser-Busch InBev	SAB Miller	110
8 2015	Heinz	Kraft	100
9 2007	RBS, Fortis et Santander	ABN Amro	98
10 1998	Exxon	Mobil	77
Lancées par une entreprise française (en milliards d'euros)			
1 2004	Sanofi	Aventis (FR)	59
2 2000	TotalFina	Elf (FR)	51
3 2008	Gaz de France	Suez (FR)	42
4 2000	Vivendi	Seagram (CA)	46
5 2000	France Télecom	Orange Ldt (UK)	45
6 2015	Lafarge	Holcim (SUI)	25
7 2018	Essilor	Luxottica (IT)	23
8 2018	Unibail-Rodamco	Westfield (AUS)	21
9 2010	Engie	International Power (UK)	20
10 1999	Rhône-Poulenc	Hoechst (ALL)	18

Source : Bloomberg.

Au niveau macroéconomique, il est frappant de noter que les fusions-acquisitions, pourtant initiées de manière indépendante par des milliers d'entreprises dans des secteurs et des pays différents, présentent une cyclicité très forte, au point que l'on parle de **vagues de fusions-acquisitions**. La figure 28.1 illustre l'évolution de la fréquence des rachats d'entreprises aux États-Unis, tandis que la figure 28.2 se concentre sur les deux dernières vagues en France : on remarque que les fusions-acquisitions sont plus fréquentes lorsque la croissance économique est au rendez-vous et que les marchés boursiers sont en hausse. Cela se comprend, puisque ces phénomènes possèdent les mêmes déterminants. Ainsi, lorsque le contexte économique est favorable, cela offre aux entreprises des opportunités de croissance mais également les moyens financiers de les saisir, puisqu'elles réalisent des profits confortables et affichent des valorisations boursières élevées ; il n'est donc pas étonnant que croissance économique, opérations de croissance externe et hausse des marchés actions aillent généralement de pair[1].

---

1.   J. Hartford (2005), « What Drives Merger Waves », *Journal of Financial Economics*, 77, 529-560.

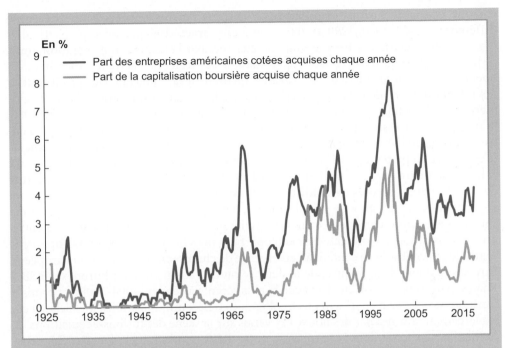

Figure 28.1 – Fréquence des rachats d'entreprises cotées aux États-Unis (1926-2018)

À des périodes relativement calmes en termes de rachats d'entreprises succèdent des périodes de plus forte activité. Les fusions se produisent donc par vagues.

Source : calculs réalisés par les auteurs à partir de données CRSP.

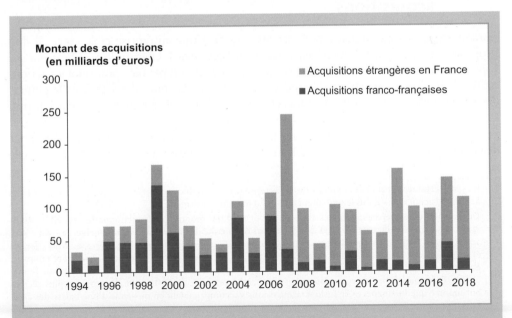

Figure 28.2 – Les deux dernières vagues de fusions-acquisitions en France

Source : Bloomberg

Chaque **vague de fusions-acquisitions** a marqué de son empreinte une décennie différente – 1960, 1980, 1990 et 2000 – et a été caractérisée par un type particulier d'opérations. Les années 1960 se sont caractérisées par la formation de **conglomérats**, résultant de fusions d'entreprises appartenant à des secteurs d'activité différents ; ces opérations étaient justifiées par la croyance qu'un dirigeant pouvait avec profit utiliser ses talents dans n'importe quel secteur d'activité et que la formation d'un conglomérat était bénéfique grâce à la diversification de ses activités. Dans les années 1980, la mode s'est inversée, et on a assisté à une multiplication des rachats hostiles d'entreprises (ou *raids*) ayant pour but de les découper et de les vendre par appartements (c'est-à-dire en pièces détachées). L'idée était que la somme des parties devait avoir une valeur supérieure au tout, du fait de la lourdeur, de l'inefficacité et des frais de structure du conglomérat (**décotes de holding** et **de conglomérat**). Avec les années 1990 sont apparues des opérations « de globalisation », le plus souvent amicales, impliquant des entreprises opérant dans des secteurs d'activité proches, pour faire émerger des entreprises transnationales, présentes sur la plupart des marchés mondiaux. En Europe, cette vague de concentration a conduit à l'émergence de **champions nationaux** ou européens, dans les secteurs de la finance, de la défense ou de l'aéronautique : Euronext, HSBC, Thalès, Air France-KLM, etc. La vague la plus récente à ce jour (2004-2008) a permis la consolidation au sein de secteurs technologiques (télécommunications, logiciels…) et a été largement animée par des nouveaux venus sur la scène des fusions-acquisitions, en particulier des fonds de *private equity*, comme KKR ou BlackRock. La crise financière de 2008 a mis un terme brutal à cette vague, et il a fallu attendre 2015 pour observer un redémarrage des opérations, sans pour autant retrouver les sommets d'avant-crise.

28.2. La réaction du marché aux annonces de fusions-acquisitions

Lorsqu'un acquéreur souhaite racheter les actions d'une entreprise cible cotée, il doit proposer un prix d'achat au moins égal au prix de l'action de la cible sur le marché *avant que l'opération ne soit annoncée*. Dans le cas contraire, on ne voit pas bien pourquoi les actionnaires de la cible accepteraient de vendre leurs actions ! De plus, il existe dans la plupart des pays un mécanisme protégeant les actionnaires de la cible contre un prix d'achat trop faible[2]. Dans la pratique, la plupart des offres de rachat donnent aux actionnaires de l'entreprise cible une **prime d'acquisition** par rapport à la valeur de leurs actions avant l'annonce de l'opération. Comme l'illustre le tableau 28.2, cette prime est significative[3] : en France elle

2. Il existe certaines situations dans lesquelles les actionnaires de la cible peuvent être contraints de vendre leurs actions à l'acquéreur – qu'ils le souhaitent ou non, d'où ce mécanisme.

3. Des travaux de recherche datant des années 1970 et 1980 ont montré que les actionnaires des cibles réalisaient des gains significatifs (de 20 % à 30 %) en cas de réussite de l'opération : G. Mandelker (1974), « Risk and Return: The Case of the Merging Firm », *Journal of Financial Economics*, 1(4), 303-335 ; M. C. Jensen et R. S. Ruback (1983), « The Market for Corporate Control: The Scientific Evidence », *Journal of Financial Economics*, 11(1), 5-50 ; M. Bradley, A. Desai et E. H. Kim (1983), « The Rationale Behind Interfirm Tender Offers: Information or Synergy », *Journal of Financial Economics*, 11(1), 183-206. Des articles plus récents ont montré que les annonces de fusions-acquisitions s'accompagnaient en moyenne d'une baisse des capitalisations boursières, mais ces résultats semblent résulter de pertes spectaculaires constatées à l'occasion de quelques opérations de très grande taille menées à la fin des années 1990 : T. Loughran et A. Vijh (1997), « Do Long-Term Shareholders Benefit from Corporate Acquisitions? », *Journal of Finance*, 52(5), 1765-1790 ; S. Moeller, R. Stulz et F. Schlingemann (2005), « Wealth Destruction on a Massive Scale: A Study of Acquiring Firm Returns in the Recent Merger Wave », *Journal of Finance*, 60(2), 757-782.

est de 27 % en moyenne et dépasse même 40 % aux états-Unis. La réaction du marché à l'annonce d'une opération très contrastée selon que l'on regarde les actions de la cible, qui augmentent de 15 % en moyenne, ou celles de l'acquéreur, qui ne bougent quasiment pas. Ce contraste soulève trois questions, auxquelles la suite de ce chapitre va répondre :

- Pourquoi un acquéreur accepte-t-il d'offrir une prime d'acquisition et donc de payer sa cible plus que sa valeur de marché ?

- Lors de l'annonce d'une offre de rachat, pourquoi le prix de la cible augmente-t-il moins que la prime offerte et pourquoi celui de l'acquéreur ne bouge-t-il pas ?

- Même si une cible vaut plus que sa valeur de marché avant l'annonce de l'opération et donc qu'une prime d'acquisition est justifiée, pourquoi l'acquéreur ne parvient-il pas à l'acheter à son prix d'avant l'annonce de l'opération ?

| **Tableau 28.2** | Prime de risque et réaction du prix des actions aux annonces de fusion |

	Prime d'acquisition	**Réaction du prix de l'action...**	
		... de la cible	**... de l'acquéreur**
États-Unis	43 %	15 %	1 %
France	27 %	16 %	0 %

Sources : États-Unis : B. E. Eckbo (2008), *Handbook of Corporate Finance: Empirical Corporate Finance*, vol. 2, chap. 15, p. 291-430, ed. Elsevier/North-Holland ; France : PricewaterhouseCoopers (2011), *Primes de contrôle* et S. Vandelanoite (2002), « Modalités de transmission et d'incorporation de l'information sur les marchés financiers », *Thèse de doctorat*.

28.3. Pourquoi faire de la croissance externe ?

Dans le cadre théorique de Modigliani-Miller, l'achat d'actions – comme de n'importe quel titre financier – est un investissement à VAN nulle. Comment une entreprise peut-elle donc en racheter une autre et offrir une prime d'acquisition tout en réalisant une opération à VAN positive ? Pour que cela soit possible, il faut que l'acquéreur, une fois l'opération réalisée, puisse faire augmenter la valeur de l'entreprise rachetée. Ce n'est évidemment pas le cas d'un actionnaire individuel, mais une entreprise qui en rachète une autre peut bénéficier de **synergies** : elles sont d'ailleurs systématiquement mises en avant lors des annonces de rachat d'entreprises, afin de justifier la prime offerte aux actionnaires de la cible. Ainsi, lors de la fusion entre Essilor et Luxottica en 2018, les dirigeants des deux entreprises ont promis à leurs actionnaires de 400 à 600 millions d'euros de synergies grâce à la fusion.

Ces synergies, promises aux actionnaires pour justifier une opération de croissance externe, ne sont bien entendu pas toujours au rendez-vous. Lorsqu'elles existent, elles peuvent provenir de deux sources : des réductions de coûts ou des augmentations de revenus. Les **synergies de coûts** sont en général plus simples à identifier et plus rapides à mettre en œuvre : elles impliquent de supprimer les doublons dans le nouveau groupe et de réunir certaines fonctions (informatique, achats, logistique, R&D...) pour améliorer la productivité de l'ensemble et bénéficier de meilleures conditions de la part des fournisseurs. Les **synergies de revenus** sont plus difficiles à prévoir et à réaliser : cela implique d'anticiper la réaction des clients des deux entreprises à la fusion et la modification de leurs comportements. Suivant les marchés et la complémentarité ou la substituabilité des produits des deux entreprises concernées, l'effet de la fusion sur les revenus peut être très différent. Lors de la fusion Essilor-Luxottica, sur 400 à 600 millions d'euros de synergies annoncées, la moitié relevait de synergies de revenus (circuits de distribution et offres complémentaires) et l'autre moitié de réduction de coûts (réduction des coûts R&D et logistiques, augmentation du pouvoir de négociation face aux fournisseurs, suppression de doublons). Il reste à comprendre les origines de ces synergies.

Profiter d'économies d'échelle ou de gamme

Lorsque la taille d'une entreprise augmente, il est fréquent qu'elle réalise des **économies d'échelle** : le coût unitaire de production baisse à mesure que la quantité de biens produits augmente. Ces économies d'échelle apparaissent en particulier lorsque l'entreprise a des coûts fixes élevés : dès que la production augmente, ils sont répartis sur une quantité plus grande de produits, ce qui fait baisser leur coût unitaire. De même, une entreprise peut profiter de prix d'autant plus intéressants de la part de ses fournisseurs qu'elle commande en grande quantité. La fusion entre deux entreprises peut faire apparaître de telles économies d'échelle.

Une entreprise peut également profiter d'**économies de gamme** lorsque la production conjointe de biens *différents* entraîne des coûts de production plus faibles et/ou des prix de vente plus élevés que dans le cas où les biens seraient produits par des entreprises différentes. Ainsi, la production conjointe d'avions civils et militaires par Airbus lui permet de bénéficier de coûts plus faibles, certains composants et certains équipements étant utilisés pour les deux types de productions. Un autre exemple est fourni par l'industrie bancaire, qui a lancé au cours des dernières années de plus en plus de produits d'assurance et bénéficie ainsi d'économies de gamme : le réseau de distribution et la clientèle existant déjà, le coût de commercialisation des produits d'assurance est faible.

Malgré l'existence de ces économies d'échelle et de gamme, il faut se garder de conclure que toute croissance est rentable : au-delà d'une certaine taille, les coûts d'organisation, de structure et de gestion augmentent plus que proportionnellement à la taille de l'entreprise. La croissance d'une entreprise implique également une baisse de sa réactivité et une réduction potentielle des incitations à créer de la valeur de la part des dirigeants et des salariés.

Réduire le pouvoir de marché des clients ou des fournisseurs

Il y a **intégration verticale** quand deux entreprises situées l'une en amont de l'autre dans la chaîne de valeur, à des stades de production ou de distribution différents, fusionnent[4] ; c'est le cas lorsqu'une entreprise fusionne avec l'un de ses fournisseurs (**intégration amont**) ou l'un de ses clients (**intégration aval**). Parmi les motifs pouvant justifier une telle intégration peut figurer le souci de contrôler une ressource, des compétences ou un réseau de distribution, afin de ne plus dépendre de facteurs externes. En effet, grâce à l'intégration verticale, l'entreprise fusionnée s'exonère des mécanismes de marché (les fournisseurs fixent leur prix, les distributeurs également) pour les remplacer

---

4. À l'inverse, on parle d'**intégration horizontale** lorsque deux entreprises concurrentes sur un même segment de marché fusionnent : Essilor et Luxottica par exemple.

par des mécanismes de coordination explicite, ce qui facilite la définition d'objectifs communs. Dans certains secteurs dépendant d'une ressource indispensable et rare, l'intégration verticale est fréquente, car elle permet de s'affranchir du pouvoir excessif d'un fournisseur. C'est le cas pour les compagnies pétrolières, qui contrôlent toute la chaîne de valeur : exploration-production, transport, raffinage et commercialisation.

L'inconvénient de l'intégration verticale réside dans l'augmentation de la taille des entreprises, et donc des coûts de structure et d'organisation. Il peut ainsi être plus efficace pour une entreprise de se concentrer sur le maillon de la chaîne de valeur sur lequel elle a un avantage concurrentiel. C'est le choix de Microsoft, par exemple, qui se concentre sur la mise au point et la commercialisation de logiciels, au contraire d'Apple qui produit ordinateurs et logiciels.

Acquérir une expertise spécifique

Pour être efficaces, tenir à distance leurs concurrents et répondre aux demandes de leurs clients, les entreprises ont fréquemment besoin de disposer d'expertises spécifiques. Il est possible de les développer en interne, avec du temps et au besoin en embauchant de nouveaux salariés disposant de l'expertise recherchée. Mais cela prend du temps, et il est parfois difficile, lorsqu'une entreprise n'est pas familière avec le domaine concerné, d'identifier les salariés nécessaires à l'acquisition de l'expertise souhaitée. S'il s'agit de débaucher des salariés d'entreprises concurrentes, encore faut-il savoir lesquels ! Et, dans certains cas, cela n'est pas possible ou pas suffisant : si un brevet a été déposé, si les salariés en question sont actionnaires de leur entreprise[5], etc.

Face à ces difficultés, il est souvent plus simple et plus rapide de racheter une entreprise détenant les compétences souhaitées. Ainsi, le groupe français de défense Thales a racheté en 2017 Gemalto, leader des cartes à puces, pour renforcer ses compétences en cybersécurité. Dans certains secteurs, tels que les technologies de l'information et de la communication, l'informatique, la pharmacie, de telles opérations sont monnaie courante, de petites entreprises innovantes étant rachetées par de grandes entreprises afin que ces dernières acquièrent l'expertise ou les brevets leur faisant défaut.

Réduire l'intensité concurrentielle

Une fusion entre deux concurrents réduit le nombre d'acteurs sur le marché. Certaines entreprises peuvent donc en racheter d'autres pour réduire l'intensité de la concurrence sur un marché donné et augmenter ainsi leurs profits. Pour limiter l'apparition de tels **monopoles** ou **oligopoles**, qui imposent à l'ensemble de l'économie un coût élevé, la plupart des pays se sont dotés d'un **droit de la concurrence**, ou loi *antitrust*, qui limite le pouvoir de marché des entreprises. Suivant les pays et les priorités politiques, ce droit est plus ou moins strict, mais son objectif est toujours le même : éviter une concentration excessive sur un marché donné. En France, le droit de la concurrence a été renforcé en 2008 par la **loi de modernisation de l'économie** : elle impose un contrôle plus systématique des concentrations d'entreprises par l'**Autorité de la concurrence**, un renforcement de la lutte contre les pratiques anticoncurrentielles (augmentation des

---

5. Voilà pourquoi les entreprises du secteur des nouvelles technologies octroient si volontiers des stock-options à leurs cadres et ingénieurs… Cela réduit la probabilité qu'ils se fassent débaucher.

sanctions notamment) et l'intensification de la coopération avec la Commission euro-péenne, très active dans la protection de la concurrence et la lutte contre les monopoles existants ou en formation.

Aux États-Unis, les règles sont assez proches de celles qui prévalent en Europe, grâce à trois lois : le **Sherman Act** (1890), qui interdit les fusions créant un monopole ou un pouvoir de marché abusif, le **Clayton Act** (1914), qui limite la capacité des entreprises à acheter des actions ou des actifs d'un concurrent en cas d'effet défavorable sur la concur-rence et le **Hart-Scott-Rodino Act** (1976), qui impose une autorisation préalable des pouvoirs publics pour certaines opérations.

La question des divergences entre les droits de la concurrence de pays différents se pose avec une acuité croissante, compte tenu du nombre grandissant de fusions entre entre-prises multinationales et d'opérations transfrontalières. Il arrive ainsi qu'une fusion autorisée quelque part soit interdite ailleurs : lorsque General Electric a annoncé le rachat d'Honeywell en octobre 2000, le Département de la justice américain n'a émis que des réserves mineures à l'opération, tandis que la Commission européenne s'y est fermement opposée, avançant comme argument l'existence d'effets anticoncurrentiels importants. Ainsi, la fusion envisagée entre deux entreprises américaines, autorisée par le gouvernement américain, n'a finalement pas eu lieu, en raison d'une décision de la Commission européenne ! En effet, même si les deux entreprises échappent à la juridic-tion de la Commission, cette dernière aurait pu imposer aux entreprises des contraintes pénalisantes sur leurs activités dans l'Union européenne. Aujourd'hui, une fusion entre deux entreprises multinationales pourrait théoriquement avoir à satisfaire 80 règles anti-concentration différentes. Heureusement, en pratique, les choses sont plus simples : il « suffit » que l'opération satisfasse aux droits des pays d'origine des entreprises concer-nées et de tous ceux dans lesquels elles ont des activités.

Toutes les entreprises sont intéressées par la possibilité de bénéficier de **rentes de mono-pole**. En l'absence de droit de la concurrence, il est probable que les entreprises seraient en moyenne beaucoup plus grosses qu'aujourd'hui. Un second facteur contribue égale-ment à limiter l'incitation des entreprises à fusionner pour accroître leur pouvoir de marché : lorsqu'une entreprise rachète un concurrent, elle en supporte seule le coût, alors que toutes les entreprises du secteur profitent de la réduction de l'intensité de la concurrence. Cela s'appelle en économie un **dilemme du prisonnier**. En pratique, toutefois, ce facteur ne doit pas jouer énormément, car lorsqu'une entreprise annonce le rachat d'un concurrent, la capitalisation boursière des autres entreprises du secteur n'augmente pas significativement[6].

Améliorer l'efficacité de l'entreprise cible

Lorsqu'une entreprise est mal gérée (doublons, mauvaise organisation, etc.), il est rationnel d'accepter de payer une prime pour la racheter, si l'acheteur pense qu'il sera capable d'y mettre en place une meilleure gestion et d'en améliorer l'efficacité. En théorie, pour évincer un dirigeant inefficace, il n'est pas indispensable de racheter l'en-treprise, il suffit qu'une majorité des actionnaires en décide ainsi. Dans la pratique, il est

---

6. B. E. Eckbo (1983), « Horizontal Mergers, Collusion and Stackholder Wealth », *Journal of Financial Economics*, 11(1), 241-273 ; R. Stillman (1983), « Examining Antitrust Policy Toward Horizontal Mergers », *Journal of Financial Economics*, 11(1), 225-240.

rare qu'un dirigeant soit renvoyé ainsi : il est plus simple pour un actionnaire mécontent de vendre ses titres ! Les actions d'une entreprise mal gérée souffrent donc d'une décote. C'est pourquoi il peut être rentable pour un investisseur de racheter une entreprise mal gérée, d'améliorer sa gestion puis de la revendre ; il réalise un gain égal à la hausse de la capitalisation boursière moins la prime d'achat initiale[7].

Soulignons néanmoins qu'il est relativement aisé d'identifier des entreprises peu performantes ou des dirigeants peu compétents, mais qu'il est plus difficile d'en améliorer la performance. Remplacer le dirigeant ne suffit pas, en général, à transformer une entreprise, et il ne faut pas sous-estimer la résistance au changement d'une organisation… De nombreuses fusions justifiées par la volonté d'améliorer l'efficacité de l'entreprise cible se soldent donc par des échecs.

Bénéficier d'économies d'impôt

Une entreprise qui réalise des bénéfices paie des impôts, tandis qu'une entreprise qui perd de l'argent ne touche pas d'argent de la part du Trésor public. Un conglomérat paiera donc moins d'impôts que deux entreprises mono-produits, si une division du conglomérat fait des bénéfices et l'autre des pertes. Cette motivation est toutefois plus faible en France que dans d'autres pays, les pertes réalisées lors d'un exercice pouvant être reportées sur les exercices suivants pour en réduire l'impôt à payer, ce qui offre les mêmes avantages qu'une fusion avec une entreprise subissant des pertes (à la valeur temps des économies d'impôt près).

L'imposition d'une entreprise diversifiée

Exemple 28.1

Ying et Yang sont deux entreprises dont chacune affiche chaque année un résultat courant avant impôt de + 100 millions ou – 25 millions d'euros (scénarios équiprobables). Les résultats des deux entreprises sont anticorrélés. L'impôt sur les sociétés est de 25 %. Quelle est la somme des résultats nets espérés des deux entreprises séparées ? Si Ying et Yang fusionnent, quel est le résultat net espéré de l'entreprise Ying-Yang ? On néglige la possibilité de reports en avant ou en arrière des déficits.

Solution

Si Ying affiche un résultat courant positif, elle doit payer des impôts. Son résultat net est alors de $100 \times (1 - 25\%) = 75$ millions d'euros. Lorsqu'elle subit des pertes, elle ne paie aucun impôt. L'espérance de son résultat net est donc de $75 \times 0,5 - 25 \times 0,5 = 25$ millions d'euros. C'est la même chose pour l'entreprise Yang. Si Ying et Yang sont deux entreprises indépendantes, la somme de leurs résultats nets *espérés* est donc de 50 millions d'euros.

En cas de fusion, l'entreprise Ying-Yang affiche chaque année un résultat courant avant impôt de $100 - 25 = 75$ millions d'euros. Le résultat net *certain* est donc de : $75 \times (1 - 25\%) = 56,25$ millions d'euros. L'entreprise Ying-Yang affiche un résultat net plus élevé que les résultats nets combinés de Ying et de Yang.

---

7. Des articles concluent à l'amélioration de la performance opérationnelle d'entreprises rachetées par des fonds de private equity : S. Kaplan (1989), « The Effects of Management Buyouts on Operating Performance and Value », *Journal of Financial Economics*, 24, 217-254 ; S. Bernstein et A. Sheen (2016), « The Operational Consequences of Private Equity Buyouts: Evidence from the Restaurant Industry », *Review of Financial Studies*, 29(9), 2387-2418.

Diversifier ses activités

Un motif fréquemment invoqué pour justifier une opération de croissance externe est la **diversification des activités** qu'elle permet. Le raisonnement ressemble à celui que mène un actionnaire à l'échelle de son portefeuille : en se diversifiant, une entreprise réduit le risque idiosyncratique auquel elle est exposée. Pourtant, si la diversification des portefeuilles est essentielle pour les actionnaires, elle n'a pas grand sens au niveau des entreprises : diversifier les activités d'une entreprise ne sert à rien si ses actionnaires détiennent des portefeuilles d'actions déjà diversifiés. De plus, la croissance externe est coûteuse (prime d'acquisition) et impose des coûts de structure. Enfin, la performance d'une entreprise diversifiée est plus difficile à mesurer, les coûts d'agence peuvent augmenter, de même que les risques de mauvaise allocation du capital entre les divisions de l'entreprise[8]. Il est par conséquent presque toujours plus efficace que les actionnaires diversifient leur portefeuille, plutôt que les entreprises leurs activités. Il est donc rare que la diversification d'activités soit directement créatrice de valeur lors d'une opération de croissance externe ; pour autant, elle peut en créer indirectement, pour trois raisons différentes.

Diversification et capacité d'endettement. Toutes choses égales par ailleurs, les entreprises diversifiées ont une probabilité plus faible que les autres de faire faillite. Elles ont donc une plus grande capacité d'endettement, ce qui les autorise à bénéficier d'économies d'impôt plus importantes sans risquer de difficultés financières. Cela peut justifier une fusion de diversification, si les gains sont plus importants que les coûts induits par le fait que l'entreprise est plus grande, moins centrée sur son cœur de métier et plus difficile à contrôler.

Diversification et allocation d'actifs. Une entreprise diversifiée peut, plus facilement qu'une autre, redéployer des actifs d'un secteur d'activité à un autre. Cela permet de transférer facilement capital et salariés d'activités peu rentables ou en décroissance vers des secteurs plus prometteurs et donc de saisir des opportunités, sans avoir besoin de faire appel aux marchés financiers. Bien entendu, la théorie de l'agence montre que cette flexibilité peut également permettre à certaines entreprises de poursuivre plus longtemps que nécessaire des activités déficitaires grâce au soutien d'activités rentables.

Diversification et liquidité des actions. La diversification des activités d'une entreprise est très utile pour ses actionnaires lorsque ces derniers ne peuvent ou ne veulent pas diversifier leurs portefeuilles d'actions. C'est souvent le cas pour les fondateurs d'entreprises non cotées qui y ont investi une large part de leur richesse ; c'est également le cas pour les familles ou les individus qui contrôlent une entreprise, la conservation du contrôle impliquant souvent qu'une large part de la fortune familiale soit investie en actions de l'entreprise. Dans ces cas, la diversification des activités de l'entreprise est un excellent moyen de réduire le risque supporté par les actionnaires, ce qui peut justifier des opérations de croissance externe. Ce n'est pas un hasard si les entreprises familiales que sont Bouygues, Bolloré ou LVMH se caractérisent toutes par une grande diversification de leurs activités.

---

8. A. M. Goel, V. Nanda et M. P. Narayanan (2004), « Career Concerns and Resource Allocation in Conglomerates », *Review of Financial Studies*, 17(1), 99-128.

Accroître ses bénéfices

Une fusion peut permettre d'afficher un bénéfice par action plus élevé que ceux des entreprises de départ, *alors même que la fusion ne crée aucune valeur économique*. L'exemple 28.2 illustre comment la fusion d'entreprises ayant des taux de croissance différents peut augmenter le bénéfice par action total. Ce raisonnement a parfois été utilisé comme justification à des opérations de croissance externe, mais il est évident que cela ne crée aucune valeur économique : l'argument ne tient donc pas ! C'est uniquement la conséquence du rachat d'une entreprise dont la majeure partie de la valeur repose sur sa capacité actuelle à réaliser des bénéfices par une entreprise dont la valeur repose sur son potentiel à obtenir des bénéfices futurs. L'évolution du bénéfice par action lors de la fusion n'est que le reflet de cela.

Fusion et bénéfice par action

Acieror opère dans un secteur d'activité mature, sans opportunités de croissance. Son bénéfice par action est de 5 € et son capital est composé d'un million d'actions au prix unitaire de 60 €. Internetic est une entreprise en pleine croissance avec le même bénéfice par action et le même nombre d'actions qu'Acieror, mais une de ses actions vaut 100 €. Sur le marché, Internetic vaut plus qu'Acieror du fait de ses opportunités de croissance. Internetic souhaite acheter Acieror en payant ce rachat en actions. L'opération ne créera pas de valeur. Si les marchés sont parfaits, combien d'actions Internetic faut-il offrir aux actionnaires d'Acieror ? Quel sera le bénéfice par action d'Internetic après la fusion ? Quel est le PER d'Internetic, avant et après la fusion ?

Solution

Internetic doit offrir 60 millions d'euros aux actionnaires d'Acieror pour qu'ils vendent leurs actions. Internetic doit donc émettre 600 000 actions nouvelles puisqu'une de ses actions s'échange à 100 € avant la fusion. Comme il y a un million d'actions Acieror, cela signifie que les actionnaires d'Acieror reçoivent 0,6 action Internetic pour chaque action Aciéror détenue. La valeur d'Internetic après la fusion est la somme des valeurs des deux entreprises avant la fusion : $100 \times 1 + 60 \times 1 = 160$ millions d'euros. Mais il y a maintenant 1,6 million d'actions Internetic. Chaque action vaut donc 100 € après la fusion : le prix de l'action Internetic n'a pas été modifié.

Pourtant, le bénéfice par action a augmenté : avant le rachat, chaque entreprise affichait un bénéfice de 5 € / action × 1 million = 5 millions d'euros. L'entreprise résultant de la fusion affiche donc 10 millions d'euros de bénéfice. Avec 1,6 million d'actions, le bénéfice par action d'Internetic après la fusion est de 10 / 1,6 = 6,25 €. En rachetant Acieror, le bénéfice par action d'Internetic a augmenté.

Avant la fusion, le PER d'Internetic est de : 100 € par action / 5 € par action = 20. Après le rachat, il passe à 100 € par action / 6,25 € par action = 16. Le PER a donc baissé suite à la fusion, reflétant le fait qu'après le rachat d'Acieror, la valeur d'Internetic provient davantage de bénéfices actuels que de potentiels bénéfices futurs.

Exemple 28.2

Servir les intérêts des dirigeants de l'entreprise

Une fusion peut être justifiée par des arguments économiques et profiter aux actionnaires. Mais les dirigeants peuvent également avoir intérêt à réaliser de telles opérations.

De nombreuses études empiriques montrent ainsi que l'annonce d'une acquisition fait, en moyenne, baisser le prix des actions de l'entreprise à l'initiative de l'offre, tout particulièrement lorsque cette dernière est grande ou que la cible est une société cotée. On peut avancer deux explications à cette réaction négative : un conflit d'intérêts entre actionnaires et dirigeants de l'entreprise initiatrice ou un excès de confiance des dirigeants.

Conflit d'intérêts entre actionnaires et dirigeants. Le prestige, la rémunération et le pouvoir des dirigeants peuvent augmenter suite à des fusions, s'ils se retrouvent à la tête d'entreprises plus grandes. Quand on sait que le dirigeant d'une grande entreprise ne possède généralement qu'un petit nombre d'actions de son entreprise, on comprend qu'une acquisition, même destructrice de valeur pour les actionnaires, puisse lui sembler attractive, car elle lui apporte d'importants bénéfices privés à un coût privé modéré[9]. Par exemple, si le dirigeant détient 1 % des actions de son entreprise, une acquisition qui fait perdre 100 millions d'euros à l'entreprise réduit son patrimoine personnel de 1 million d'euros. Si, suite à cette acquisition, la valeur actuelle de sa rémunération augmente de plus de 1 million d'euros, il a intérêt à réaliser cette opération, même si c'est au détriment de ses actionnaires. Cet exemple amène à se demander pourquoi le conseil d'administration accepterait une telle opération. Plusieurs réponses sont possibles : incapacité à surveiller efficacement le dirigeant, conviction que la stratégie de l'entreprise est la bonne, même quand le marché lui donne tort[10], etc. Il s'agit ici d'un problème de **gouvernance d'entreprise**, qui sera étudié en détail au chapitre 29.

Excès de confiance du dirigeant. Le chapitre 13 a montré que la plupart des individus surestiment leurs compétences : ils sont victimes d'**excès de confiance**. Les recherches en psychologie ont montré que ce n'est qu'après plusieurs échecs dans un domaine particulier qu'un individu accepte le fait que ses capacités ne sont pas supérieures à la moyenne dans ce domaine ; or la plupart des dirigeants ne réalisent qu'une seule grande acquisition au cours de leur carrière… L'hypothèse de l'*hubris*, mot grec qualifiant la tentation de démesure des hommes, pourrait donc expliquer certaines fusions-acquisitions[11] : un dirigeant surestimant sa capacité à créer de la valeur pourrait se lancer dans des acquisitions destructrices de valeur. Il existe une différence fondamentale entre cette explication et celle en termes de conflits d'intérêts : ici, le dirigeant est persuadé d'œuvrer dans l'intérêt des actionnaires mais a un comportement biaisé, alors que dans le cas précédent le dirigeant recherchait rationnellement son profit au détriment de ses actionnaires.

28.4. Comment acheter une entreprise ?

La première étape consiste à valoriser la cible. Ensuite, il faut passer à l'action : si l'entreprise n'est pas cotée, le rachat devra passer par une négociation privée avec les actionnaires de la cible. Si elle l'est, il faut lancer une offre publique, le plus souvent après une phase discrète de ramassage en Bourse. Dans tous les cas, un cadre réglementaire

---

9. M. Jensen (1986), « Agency Costs of Free Cash Flow, Corporate Finance and Takeovers », *American Economic Review*, 76, 323-329.

10. 75 % des fusions qui font perdre de l'argent aux actionnaires en font gagner au dirigeant initiateur de l'offre : J. Harford et K. Li (2007), « Decoupling CEO Wealth and Firm Performance: The Case of Acquiring CEOs », *Journal of Finance*, 62, 917-949.

11. R. Roll (1986), « The Hubris Hypothesis of Corporate Takeovers », *Journal of Finance*, 59(2), 197-216.

précis doit être respecté, afin de garantir l'égalité de traitement des actionnaires et la défense des intérêts de toutes les parties prenantes. La réaction de la cible, et plus précisément de son conseil d'administration, est souvent décisive pour le succès de l'opération.

La valorisation de la cible

L'entreprise cible d'une fusion-acquisition peut être valorisée avec les mêmes méthodes que n'importe quelle autre entreprise (voir chapitres 18 et 19). La **méthode des comparables** est facile à mettre en œuvre mais elle ne fournit qu'une estimation de la valeur de l'entreprise relativement aux entreprises comparables et ne tient pas compte des synergies potentielles. La valorisation par **actualisation des flux de trésorerie futurs** permet une estimation plus précise et tient compte des **synergies post-fusion** : c'est essentiel, car ce sont elles qui, par la valeur économique qu'elles créent, permettent de justifier la prime offerte aux actionnaires de la cible. L'estimation précise de la valeur actuelle des économies d'échelle ou d'impôt liées à la fusion, ou encore de la réduction du pouvoir de marché des fournisseurs et des autres facteurs listés dans la section précédente, est donc centrale dans la valorisation de la cible.

Le prix à offrir aux actionnaires de la cible est la somme de sa capitalisation boursière avant l'offre et de la prime d'acquisition. La valeur créée par l'acquisition de la cible est égale à la somme de sa capitalisation boursière avant l'offre et des synergies permises par la fusion[12]. La fusion est donc à VAN positive pour l'acquéreur si et seulement si la prime payée est inférieure aux synergies espérées. Mais la prime constitue un coût certain pour l'acquéreur, tandis que les synergies sont futures et incertaines. Certains investisseurs peuvent donc craindre qu'elles soient surestimées par l'acquéreur. Au total, c'est bien l'évaluation de ces synergies par le marché qui décide de la réaction du cours de Bourse de l'acquéreur lors de l'annonce de l'opération. Or celui-ci réagit très peu, comme le montre le tableau 28.2 : cela signifie que, en moyenne, le marché pense que la prime payée est à peu près égale à la valeur actuelle des synergies attendues de la fusion. Toutefois, les primes proposées varient beaucoup d'une opération à l'autre. Ainsi, les opérations de petite taille sont souvent associées à des réactions positives du marché, contrairement aux opérations de grande taille : sur un échantillon composé d'annonces de rachats de la part de 87 grandes entreprises cotées, la baisse de capitalisation boursière des acquéreurs est de plus de 1 milliard de dollars[13]. On ne peut donc pas exclure que certaines de ces opérations aient été justifiées par les intérêts des dirigeants de ces entreprises plus que par ceux de leurs actionnaires.

Acheter une entreprise non cotée

Lorsque la cible n'est pas cotée, l'acquéreur potentiel doit engager une **négociation privée** avec les actionnaires de la cible pour espérer conclure une opération. Celle-ci portera sur le prix proposé, mais également sur de nombreux autres sujets : modalités de paiement (numéraire ou titres), **clauses de complément** ou **d'ajustement de prix** qui permettent

---

12. Des rumeurs à propos d'une possible opération font augmenter le cours des actions de la cible potentielle, le marché anticipant l'offre d'une prime. Pour que le raisonnement soit correct, il faut considérer le prix de la cible avant toute rumeur.

13. S. Moeller, R. Stulz et F. Schlingemann (2005), « Wealth Destruction on a Massive Scale: A Study of Acquiring Firm Returns in the Recent Merger Wave », *Journal of Finance*, 60(2), 757-782.

le paiement conditionnel et différé d'une partie du prix (lorsque la condition porte sur les résultats de la cible postérieurement à l'opération, on parle de **clause d'*earn-out***), étendue des garanties juridiques, fiscales et financières données par les actionnaires de la cible (**garanties de passif**), conditions suspensives, conditions de maintien ou de départ des dirigeants de la cible, clause de non-concurrence, etc. La négociation est couronnée de succès lorsque les deux parties valident un **contrat de vente d'actions** (*share purchase agreement*, ou SPA) qui fixe l'ensemble des termes de la transaction.

Les actionnaires de la cible peuvent s'engager dans une telle négociation avec un seul acquéreur potentiel (**processus exclusif**), ou profiter de l'occasion pour mettre en concurrence plusieurs acquéreurs potentiels (**processus concurrentiel**). Le premier a le mérite de la plus grande confidentialité, mais le second permet d'espérer un meilleur prix ou de meilleures conditions de cession. Dans tous les cas, une phase de *due diligence* sera nécessaire pour donner à l'acquéreur potentiel le confort nécessaire sur l'entreprise qu'il envisage d'acheter et lui permettre d'affiner son estimation du prix qu'il est prêt à payer. Pour lire et analyser les milliers, voire les dizaines de milliers de contrats et documents mis à disposition par la cible dans une *data-room* physique ou électronique, l'acquéreur potentiel n'a en général pas d'autre choix que de mobiliser une armée d'experts techniques, juridiques et fiscaux. Dans le même temps, il demandera à bénéficier de visites des sites industriels ou commerciaux de la cible et d'échanges avec ses dirigeants (*management presentation*).

Acheter une entreprise cotée

N'importe qui peut acheter des actions d'une entreprise cotée, simplement en passant des ordres d'achat sur le marché. Un acquéreur potentiel peut donc acheter des actions de la cible progressivement, en petites quantités, directement sur le marché : on parle de **ramassage en Bourse**. En général, un ramassage ne peut réussir que s'il est discret, voire secret : dans le cas contraire, l'acquéreur court le risque de faire augmenter le prix des actions de la cible. Pour que les transactions se remarquent le moins possible, elles doivent être proportionnées au volume des transactions sur le titre. Il est également possible de faire passer les ordres d'achat par plusieurs acquéreurs, dans le cadre d'une **action de concert**. Il y a action de concert lorsque différents acheteurs se coordonnent pour prendre le contrôle d'une entreprise ou influencer sa politique. Dans ce cas, la réglementation prévoit que ces actionnaires doivent être considérés comme une seule entité, et traités comme tels, même si l'action de concert n'est formalisée par aucun accord écrit.

Il est également possible à l'acquéreur d'acheter un **bloc d'actions** de gré à gré avec un investisseur (à des conditions qui peuvent être différentes des conditions prévalant sur le marché au moment de la transaction). Les transactions de blocs permettent à un actionnaire important d'une entreprise de vendre l'intégralité de ses actions sans déséquilibrer le marché, ou au contraire à un acquéreur de prendre le contrôle rapidement d'une large partie du capital de la cible.

Mais il n'est pas possible de prendre le contrôle ou d'acheter la majorité des actions d'une entreprise cotée grâce à ces techniques, car la réglementation de marché l'interdit. Sans cela, le ramassage en Bourse ou l'achat de blocs d'actions pourraient en théorie permettre à un acquéreur de prendre le contrôle d'une entreprise sans que personne ne soit au courant. Pour éviter cela et garantir la bonne information des participants de marché, la réglementation impose des obligations strictes de transparence aux acquéreurs. Ainsi, toute transaction de bloc doit obligatoirement être portée à la connaissance du public dès sa conclusion. Tout actionnaire ou tout groupe d'actionnaires agissant de concert franchissant les seuils de 5, 10, 15, 20, 25, 30, 1/3, 50, 2/3, 90 et 95 %[14] du capital ou des droits de vote d'une entreprise doit le signaler au marché et à l'entreprise concernée, grâce à une **déclaration de franchissement de seuil**. S'y ajoute une **déclaration d'intention** pour les seuils de 10, 15, 20 et 25 %.

Puisque la réglementation encadre strictement les ramassages en Bourse et les achats de blocs, la prise de contrôle d'une entreprise cotée impose le plus souvent de lancer une **offre publique**. Cela consiste à proposer aux actionnaires de la cible de racheter leurs actions, sans limite de quantité, à un prix fixé et pendant une période donnée. Cette offre peut être formulée après négociation avec les dirigeants de la cible (**offre amicale**) ou sans consultation de ceux-ci, voire après l'échec des négociations (**offre hostile**). Dans certains cas, une entreprise peut se voir contrainte par la loi de lancer une offre sur une autre entreprise (**offre obligatoire**), pour garantir l'équité entre actionnaires de la cible. Ainsi, en France, un actionnaire seul ou agissant de concert est contraint de lancer une offre publique lorsqu'il franchit le seuil de 30 % du capital ou des droits de vote de la cible ou qu'il détient entre 30 et 50 % du capital et augmente sa participation d'un point en un an[15].

Tout comme les ramassages en Bourse, les offres publiques font l'objet d'une réglementation complexe, visant à garantir l'égalité de traitement entre actionnaires et une transparence maximale. Ainsi, une offre publique débute par le dépôt d'un dossier auprès de l'**Autorité des marchés financiers** (AMF) et par une publicité (obligatoire) de l'offre, afin de garantir l'information de tous les actionnaires de la cible. Après consultation de la cible et étude du dossier, l'AMF accorde ou non son visa[16]. Si l'offre a reçu le visa de l'AMF, les actionnaires de la cible disposent d'environ un mois pour décider d'apporter leurs actions ou non à l'acquéreur. Ils peuvent également vendre leurs actions sur le marché.

L'offre peut prévoir un paiement des titres en numéraire ; c'est une **offre publique d'achat** (OPA). Le paiement peut aussi être réalisé en actions de l'acquéreur (en « papier »), c'est une **offre publique d'échange** (OPE). Il est également possible de laisser le choix aux actionnaires de la cible entre numéraire et actions, dans le cadre d'une **offre mixte**. L'initiateur de l'offre doit en tout état de cause proposer un prix attractif pour les actions de la cible, incorporant une prime par rapport à leur prix de marché. Il arrive assez souvent que ce prix doive être ajusté à la hausse au cours de l'offre pour que l'offre soit un succès. La réussite d'une offre n'étant jamais garantie, le prix de marché des actions de la cible n'augmente jamais du montant exact de la valeur de la prime lors de l'annonce de l'opération.

---

14. Les entreprises peuvent de plus prévoir dans leurs statuts des seuils supplémentaires, par exemple à 2 %.

15. Il existe également des offres d'achat simplifiées, souvent lancées lorsqu'un actionnaire achète ou détient un bloc d'actions lui conférant la majorité du capital ou des droits de vote d'une entreprise. Ces offres simplifiées visent principalement à protéger les actionnaires minoritaires et à leur laisser la possibilité de profiter des mêmes conditions que les actionnaires majoritaires ayant vendu leurs titres.

16. Les refus de visa sont rares. Ils se produisent lorsque le dossier est incomplet ou que le prix proposé pour les actions de la cible ne semble pas équitable.

S'il est simple (mais coûteux) de convaincre les actionnaires de la cible de vendre leurs actions lors d'une OPA – il suffit de leur proposer une prime élevée –, comment attirer ces actionnaires en cas d'OPE ? Les actionnaires de la cible seront actionnaires de l'entreprise fusionnée à la fin de l'opération, si elle réussit. Il faut donc à la fois les inciter à échanger leurs actions et les convaincre de la pertinence de l'opération. Il est possible que la liquidité des actions de l'entreprise fusionnée soit supérieure à celle de la cible avant l'opération, ce qui peut constituer un attrait pour les actionnaires de cette dernière. Une autre partie de la réponse réside dans le calcul de la **parité d'échange** : il s'agit du nombre d'actions de l'acquéreur reçues pour chaque action de la cible apportée à l'offre. Notons V_{Init}, V_{Cib} et V_{Syn} la valeur de l'entreprise initiatrice avant l'opération, celle de la cible et celle des synergies associées à la fusion et N_{Init} et N_{Nouv} le nombre d'actions de l'entreprise initiatrice avant la fusion et le nombre de celles émises pour financer l'OPE. Le prix des actions de l'entreprise initiatrice augmente à la suite de l'opération (l'opération est à VAN positive pour les actionnaires de l'acquéreur) si la valeur des actions de l'entreprise fusionnée est supérieure à celle des titres qu'ils détenaient avant l'opération :

$$\frac{V_{Init} + V_{Cib} + V_{Syn}}{N_{Init} + N_{Nouv}} > \frac{V_{Init}}{N_{Init}} \tag{28.1}$$

Le membre de gauche de l'équation est le prix de l'action après la fusion : valeur totale de l'entreprise fusionnée divisée par le nombre d'actions après la fusion. Le membre de droite est le prix d'une action de l'entreprise initiatrice avant la fusion. La résolution de l'équation (28.1) permet d'obtenir N_{Nouv} :

$$N_{Nouv} < \left(\frac{V_{Cib} + V_{Syn}}{V_{Init}} \right) N_{Init} \tag{28.2}$$

On peut réécrire cette équation sous la forme d'une parité d'échange en la divisant par le nombre d'actions de l'entreprise cible avant la fusion, N_{Cib} :

$$\text{Taux d'échange} = \frac{N_{Nouv}}{N_{Cib}} < \left(\frac{V_{Cib} + V_{Syn}}{V_{Init}} \right) \frac{N_{Init}}{N_{Cib}} \tag{28.3}$$

Il est possible d'exprimer cette parité en fonction des prix des actions avant la fusion, en posant $P_{Cib} = V_{Cib} / N_{Cib}$ et $P_{Init} = V_{Init} / N_{Init}$. La VAN de l'opération est positive pour les actionnaires de l'entreprise initiatrice si :

$$\text{Taux d'échange} < \frac{P_{Cib}}{P_{Init}} \left(1 + \frac{V_{Syn}}{V_{Cib}} \right) \tag{28.4}$$

Exemple 28.3

Parité d'échange

Lorsque Sprane annonce une OPE sur Noxtel, une action Sprane vaut 25 € et une action Noxtel 30 €. Il y a 1,033 milliard d'actions Noxtel sur le marché. Les synergies espérées par Sprane sont de 12 milliards d'euros. Quelle est la parité d'échange maximale que Sprane peut offrir aux actionnaires de Noxtel tout en réalisant une opération à VAN positive ? Quelle est l'offre en numéraire maximale que Sprane pourrait faire ?

…

Exemple 28.3

...

Solution

La capitalisation boursière de Noxtel avant l'annonce de l'OPE est de $V_{Cib} = 1,033 \times 30 = 31$ milliards d'euros. D'après l'équation (28.4) :

$$\text{Taux d'échange} < \frac{P_{Cib}}{P_{Init}}\left(1 + \frac{V_{Syn}}{V_{Cib}}\right) = \frac{30}{25}\left(1 + \frac{12}{31}\right) = 1,665$$

Sprane peut offrir jusqu'à 1,665 action Sprane par action Noxtel apportée à l'offre en réalisant une opération à VAN positive. Si Sprane réalisait une OPA, compte tenu des synergies de 12 milliards d'euros / 1,033 milliard d'actions = 11,62 € par action, l'offre maximale serait de 30 + 11,62 = 41,62 € par action. On retrouve le même montant qu'avec l'OPE : 1,665 × 25 = 41,62 €.

Les arbitrages de fusion

Lors du lancement d'une offre publique, nul n'est certain de son succès : le Conseil d'administration de la cible peut accepter ou non l'offre ; les actionnaires de la cible peuvent réagir plus ou moins favorablement ; les régulateurs peuvent s'opposer à l'opération ; l'acquéreur doit souvent augmenter le prix initial de son offre en cours d'opération pour espérer l'emporter. L'incertitude sur le succès de l'offre accroît la volatilité du cours des actions de la cible et attire des spéculateurs qui parient sur le succès (ou l'échec) de l'opération. Ces investisseurs sont des **arbitragistes de fusion**, qui essaient de prévoir le résultat de l'offre et prennent des positions sur les actions des entreprises concernées en fonction de leurs anticipations. Il s'agit donc de stratégies risquées, fondées sur un pari, et non de stratégies d'arbitrage au premier sens du terme.

Pour comprendre cela, prenons l'exemple de l'offre publique d'échange entre HP et Compaq. En septembre 2001, HP a lancé une OPE sur Compaq, la parité d'échange étant de 0,6325 action HP par action Compaq. Après l'annonce, une action HP s'échangeait à 18,87 $. La valeur implicite de l'action Compaq, telle que définie par l'offre d'HP, était donc de 18,87 × 0,6325 = 11,94 $. Pourtant, une action Compaq ne valait à ce moment-là que 11,08 $ sur le marché. Si un arbitragiste de fusion avait acheté 10 000 actions Compaq et vendu à découvert 6 325 actions HP, il aurait gagné instantanément 6 325 × 18,87 − 10 000 × 11,08 = 8 553 $ et aurait échangé *en cas de succès de l'offre* ses 10 000 actions Compaq contre 6 325 titres HP, clôturant ainsi sa position courte sur le titre sans rien débourser au terme de l'opération. Cette stratégie est gagnante si l'OPE est un succès, grâce à la différence entre le prix des actions de Compaq sur le marché et leur prix implicite dans l'OPE (*merger arbitrage spread*). Mais elle est risquée car l'OPE peut échouer : l'arbitragiste devra alors racheter 6 325 actions HP et vendre 10 000 actions Compaq au prix du marché, alors que les cours auront probablement évolué en sens défavorable pour lui (puisque la fusion a échoué).

28.5. Comment se défendre contre une offre publique hostile ?

Il est possible que le conseil d'administration d'une entreprise cible rejette une offre publique et s'oppose à une fusion, même lorsqu'elle offre une prime élevée aux actionnaires. Il s'agit alors d'une **offre hostile** (l'acquéreur, souvent qualifié de prédateur ou de *raider* dans ces cas-là, parlant lui d'**offre non sollicitée**). Pour quelles raisons le conseil d'administration s'opposerait-il à une opération permettant aux actionnaires de l'entreprise de bénéficier d'une prime d'acquisition ? Et comment dans ce cas la cible peut-elle se défendre ?

Pourquoi refuser une offre d'achat ?

Un conseil d'administration doit agir dans l'intérêt de ses actionnaires. En pratique, ses membres disposent d'une relative autonomie, leur permettant de rejeter s'ils le désirent une offre, même si elle offre une prime élevée par rapport au cours de Bourse. Il est tout d'abord possible que le conseil d'administration juge que la prime proposée est trop faible et qu'il faut convaincre l'acquéreur de rehausser son offre (ou trouver un autre acquéreur plus généreux). De même, s'il s'agit d'une offre publique d'échange, payée en actions de l'acquéreur, le conseil d'administration peut considérer que les actions de l'entreprise initiatrice sont surévaluées, diminuant ainsi l'intérêt de l'offre pour les actionnaires de la cible. Enfin, le conseil peut être sceptique quant aux synergies annoncées et/ou aux perspectives de l'entreprise fusionnée.

Ces raisons sont systématiquement invoquées lorsqu'un conseil d'administration repousse une offre de rachat. Mais il est possible que ces préoccupations légitimes en dissimulent d'autres, moins avouables. Les dirigeants et membres du conseil d'administration de la cible peuvent en effet s'opposer à une offre d'achat pour défendre leurs propres intérêts, s'ils craignent d'être remerciés à l'issue de l'opération, ce qui est souvent le cas lorsque l'offre est justifiée par la conviction de l'acquéreur que l'efficacité de la cible peut être améliorée. De fait, un changement de contrôle d'une entreprise mal gérée est parfois le seul moyen d'en remplacer les dirigeants et d'en améliorer la gestion : on comprend alors que les administrateurs et les dirigeants en question ne considèrent pas d'un bon œil l'opération[17]…

Les stratégies anti-OPA à la disposition d'une entreprise se répartissent en deux grandes familles, étudiées dans les deux sections suivantes : les dispositions à prendre avant toute menace précise et les moyens de défense après le lancement d'une offre hostile, beaucoup plus limités et encadrés.

Les défenses pour réduire le risque d'être la cible d'une offre hostile

L'actionnaire de référence. Pour réduire le risque d'offre publique hostile, le plus simple est de verrouiller *ex-ante* le capital de l'entreprise, en faisant le nécessaire pour qu'une partie significative du capital soit aux mains d'un actionnaire loyal et

---

17. Pour autant, les administrateurs ne doivent pas oublier qu'ils sont personnellement responsables de tous leurs actes qui seraient contraires aux intérêts de l'entreprise et l'ensemble des intervenants doit respecter l'égalité de traitement entre actionnaires, agir de bonne foi et dans le respect des règles de marché.

stable (la technique des participations croisées étant encore plus efficace, la loyauté de l'actionnaire en question étant alors assurée…). Un *raider* aura ainsi plus de mal à prendre le contrôle de l'entreprise. À titre d'exemple, plus de la moitié des entreprises du CAC 40 disposent d'au moins un actionnaire détenant plus de 10 % du capital.

Les pilules empoisonnées. Une **pilule empoisonnée** est une disposition visant à compliquer la tâche d'un acquéreur potentiel. Cela consiste, par exemple, à donner le droit aux actionnaires historiques de l'entreprise d'acheter des actions à un prix préférentiel dans certaines situations ou à prévoir l'émission de titres particuliers en cas d'offre hostile (bons de souscription d'actions, actions à droits de vote multiples, etc.)[18]. L'objectif d'une pilule empoisonnée est simple : augmenter le coût de l'offre pour décourager le *raider*. En effet, les synergies attendues de l'opération doivent être d'autant plus élevées que la pilule empoisonnée est efficace, car cette dernière accroît le coût de l'opération.

En France, la loi autorise ainsi les entreprises, sous réserve de l'accord de leurs actionnaires en assemblée générale, à émettre en cas d'offre publique des **bons de souscription d'actions** (dits « bons défensifs », ou « bons Breton ») permettant à tous les actionnaires de souscrire à des actions nouvelles à un prix inférieur à leur cours de Bourse (voire gratuitement). La **loi Florange** de 2014 permet quant à elle aux entreprises d'accorder deux droits de vote par action aux actionnaires présents depuis plus de deux ans au capital : un *raider* pourrait ainsi en théorie détenir la majorité du capital, mais devoir attendre deux ans avant de disposer de la majorité des droits de vote…

Une autre version de la pilule empoisonnée consiste à mettre en place des **clauses de changement de contrôle**. Une entreprise peut être astreinte à rembourser un crédit bancaire par anticipation ou à résilier un contrat commercial en cas de changement de contrôle. Là encore, le coût associé à ces clauses réduit la probabilité d'une offre hostile, puisqu'elles réduisent les synergies espérées par le *raider*.

Les actionnaires voient généralement d'un mauvais œil la mise en place de tels mécanismes, car une pilule empoisonnée réduit la probabilité qu'une entreprise peu efficace soit la cible d'une offre publique et donc que ses actionnaires puissent vendre leurs actions avec une prime ou bénéficient de l'amélioration de la gestion de l'entreprise. Une pilule empoisonnée rend donc plus difficile, voire impossible, le remplacement des dirigeants d'une entreprise mal gérée : cela réduit la contrainte exercée sur les dirigeants par le « marché du contrôle des entreprises ». Il est donc logique que le cours des actions d'une entreprise créant une pilule empoisonnée baisse et que ces entreprises affichent une performance inférieure à la moyenne, une fois la pilule empoisonnée adoptée[19]. De fait, en France, seules trois entreprises du CAC 40 (Accor, Bouygues et Peugeot) ont demandé à leurs actionnaires l'autorisation d'émettre des bons défensifs en cas d'offre les visant.

Les pilules empoisonnées peuvent tout de même avoir un effet positif (sinon, les actionnaires ne les accepteraient jamais !) : elles augmentent le pouvoir de négociation de la cible dans le cadre d'une offre amicale. En effet, l'acquéreur potentiel sait qu'il doit

---

18 Le mécanisme de la pilule empoisonnée a été inventé en 1982 par l'avocat d'affaires Martin Lipton, qui a réussi à éviter une OPA de General American Oil sur El Paso Electric.

19. P. H. Malatesta et R. A. Walking (1988), « Poison Pills Securities: Stockholder Wealth, Profitability and Ownership Structure », *Journal of Financial Economics*, 20, 347-376 ; M. Ryngaert (1998), « The Effects of Poison Pills Securities on Stockholder Wealth », *Journal of Financial Economics*, 20(1), 377-417.

réussir sa négociation, car l'alternative d'une offre hostile serait coûteuse pour lui du fait de la pilule. Ce pouvoir de négociation accru peut permettre aux actionnaires de la cible de bénéficier d'une prime plus élevée, ce qu'attestent de nombreuses études[20].

Les parachutes dorés. Les **parachutes dorés** sont des dispositions prévoyant des indemnités très confortables – parfois de plusieurs millions d'euros – aux dirigeants d'une entreprise s'ils sont licenciés à la suite d'un changement de contrôle : cela ressemble fortement à une pilule empoisonnée ! Ces dispositions ont été sévèrement critiquées, car elles peuvent paraître excessives et semblent témoigner d'un gaspillage des ressources de l'entreprise. En fait, il semble bien que la mise en place de parachutes dorés crée de la valeur pour les actionnaires[21] : les dirigeants sont alors plus enclins à accepter les offres de rachat, ce qui diminue la probabilité qu'ils cherchent à s'enraciner. D'ailleurs, le cours des actions augmente en moyenne à l'annonce de la mise en place de parachutes dorés pour les dirigeants. Il a en outre été établi que la prime de rachat était plus élevée en présence de parachutes dorés.

Le renouvellement échelonné des mandats. Pour éviter une prise de contrôle par le biais de l'élection de membres du conseil d'administration favorables à un rapprochement avec un concurrent, une entreprise peut décider que les mandats des membres du conseil d'administration seront renouvelés de manière échelonnée, par exemple par tiers tous les ans. Cela oblige à la patience un actionnaire désireux de prendre le contrôle du conseil d'administration. Une pilule empoisonnée, doublée d'un **renouvellement échelonné des mandats**, constitue une excellente défense contre toute tentative de prise de contrôle.

Les défenses à utiliser après le lancement d'une offre hostile

Une fois l'offre publique lancée, et quelle que soit la raison pour laquelle le conseil d'administration de la cible décide de s'opposer à celle-ci, la cible doit se défendre contre le prédateur, même si ses moyens de défense sont limités et strictement encadrés par la réglementation boursière. La bataille boursière qui s'engage peut néanmoins être violente. L'objectif des dirigeants de la cible est de décrédibiliser l'offre et de la faire échouer, tandis que l'acquéreur cherche à acheter suffisamment d'actions pour prendre le contrôle de la cible et remplacer son conseil d'administration.

La modification de la structure financière. Le moyen le plus évident à la disposition d'une cible pour se protéger contre une offre hostile est de réaliser une **augmentation de capital**, afin de compliquer la tâche de l'acquéreur. Bien entendu, pour ne pas condamner à l'avance toute offre publique, celles-ci sont strictement encadrées lorsqu'une offre publique est en cours. D'autres modifications de la structure financière de la cible sont possibles pour décourager l'acquéreur : versement d'un dividende exceptionnel pour réduire la trésorerie, augmentation de la dette pour réaliser, avant même la clôture de

20. R. Comment et G. W. Schwert (1995), « Poison or Placebo: Evidence on the Deterrence and Wealth Effects of Modern Antitakeover Measures », *Journal of Financial Economics*, 39(1), 3-43 ; N. P. Varaiya (1987), « Determinants of Premiums in Acquisition Transactions », *Managerial and Decision Economics*, 8(3), 175-184 ; R. Heron et E. Lie (2006), « On the Use of Poison Pills and Defensive Payouts by Takeover Targets », *Journal of Business*, 79(4), 1783-1807.
21. M. Narayanan et A. Sundaram (1998), « A Safe Landing? Golden Parachutes and Corporate Behavior », *University of Michigan Business School working paper.*

l'offre, les synergies ayant justifié l'offre (économies d'impôt et incitation à une meilleure gestion permises par la dette), etc.

Le chevalier blanc. Pour contrer une offre publique, le plus efficace est encore… une offre publique concurrente. Face à une offre hostile, la cible peut chercher une troisième entreprise, considérée comme « amie », à qui elle préfère se vendre. Cette troisième entreprise sauvant la cible des griffes de l'acquéreur est appelée le **chevalier blanc**. Ce dernier, pour l'emporter, fera une offre plus avantageuse aux actionnaires de la cible que celle de l'acquéreur hostile. Bien entendu, le chevalier blanc s'engage fréquemment à laisser en place les dirigeants de la cible… Cette technique souffre cependant de deux défauts : l'initiateur de l'offre initiale peut surenchérir ; le caractère amical du chevalier blanc peut disparaître après le succès de son offre (le chevalier blanc se transforme alors en chevalier noir…).

Une variante de cette technique consiste à agir en confiant le soin à un « actionnaire ami » d'acheter le plus possible d'actions sur le marché, afin de compliquer la tâche de l'initiateur de l'offre initiale. Ces achats « amis » sont toutefois très réglementés et doivent être signalés aux autorités de marché, qui peuvent imposer à l'ami en question de lancer une contre-offre en bonne et due forme.

La contre-offre. Les cibles convaincues que la meilleure défense reste l'attaque peuvent tenter de retourner la situation à leur profit en lançant à leur tour une offre hostile sur les actions du *raider*. Cette stratégie, visant à manger plutôt que d'être mangé, est appelée « **stratégie Pacman** ». Le plus grand Pacman français a eu lieu en 1999 : en réponse à une offre non sollicitée de Elf, TotalFina a à son tour lancé une offre sur Elf. Les deux offres sont alors examinées à la loupe par les actionnaires, car les projets industriels des deux entreprises sont par définition très proches. En 1999, c'est TotalFina qui l'a emporté, pour donner naissance à TotalFina-Elf, vite rebaptisée Total.

La communication financière (et extra-financière). La victoire de TotalFina sur Elf doit beaucoup à une meilleure utilisation de la principale arme à la disposition des entreprises engagées dans une bataille boursière : la communication, sous toutes ses formes. Chaque entreprise défend son projet industriel et financier, détaille les synergies attendues et la création de valeur pour les actionnaires, et mobilise tous les arguments possibles à l'aide de publicités, de communiqués, de déclarations et de rencontres avec les actionnaires. Les pouvoirs publics, les salariés, les clients de l'entreprise, voire les citoyens, sont invités à prendre position. Des campagnes de communication dénigrant le projet de l'opposant sont également organisées ; celles-ci dépassent parfois de très loin le cadre aseptisé de la finance.

L'action en justice. Une entreprise cible d'une offre hostile a tout intérêt à saisir la justice. De fait, c'est presque systématique : cela permet de gagner du temps et de faire une publicité négative à l'adversaire. Cela peut parfois déboucher sur une issue favorable, même si ce n'est pas toujours la raison ayant motivé le dépôt de plainte ! L'action en justice peut porter – au choix – sur l'accusation de non-respect des règles de marché (égalité entre actionnaires), de délit d'initié, de diffusion d'informations incomplètes ou mensongères, d'abus de position dominante, etc.

L'imagination des dirigeants, des banquiers et des juristes spécialistes des fusions-acquisitions est sans limite : de nouveaux mécanismes anti-OPA apparaissent donc régulièrement, même s'ils sont souvent d'une efficacité limitée et parfois difficiles à mettre en place dans le respect du droit.

| **Zoom sur…** | **Une offre hostile devenue amicale : la fusion Arcelor-Mittal** |

Mittal Steel est une entreprise indienne, premier groupe sidérurgiste mondial. Le 27 janvier 2006, elle annonce le lancement d'une offre publique mixte sur Arcelor, son principal concurrent. Mittal offre quatre de ses actions et 32,25 € en échange de cinq actions Arcelor, ce qui valorise Arcelor à 18,6 milliards d'euros. Du point de vue de Mittal, l'offre se justifie par la complémentarité des deux entreprises en termes géographiques (Arcelor en Europe, Mittal en Amérique et en Asie) et de positionnement stratégique (les entreprises produisent des aciers destinés à des usages différents). Suite à cette annonce, les actions de Mittal augmentent de 10 %, celles d'Arcelor de 30 %.

Pourtant, la réaction initiale du conseil d'administration d'Arcelor est négative, appuyée par les syndicats de salariés, inquiets pour l'emploi, et par les politiques (pour cause de « patriotisme économique »). Arcelor met alors en place une stratégie de défense vis-à-vis de l'agresseur :

- Campagne de presse dénigrant l'offre, présentée comme destructrice de valeur, et l'adversaire, avec des arguments parfois discutables.

- Recherche d'un chevalier blanc (Nippon Steel, approché, décline la proposition).

- Campagne de séduction envers les actionnaires d'Arcelor pour que ces derniers refusent l'offre. Ainsi, Arcelor annonce un dividende exceptionnel et un plan de rachat d'actions. Avantage supplémentaire, cela réduit la trésorerie d'Arcelor et donc l'intérêt de l'offre pour Mittal.

- Modification du périmètre de l'entreprise : Arcelor transfère la propriété d'une filiale récemment acquise à une fondation néerlandaise, ce qui empêcherait sa revente, envisagée par Mittal pour financer l'opération.

Suite au feu vert des régulateurs, l'offre de Mittal aux actionnaires d'Arcelor court du 18 mai au 29 juin 2006. Mais la réaction hostile des dirigeants d'Arcelor oblige Mittal à améliorer son offre si elle veut l'emporter. À l'ouverture de l'offre, Mittal propose donc 22 milliards d'euros pour racheter Arcelor, puis 25,8 milliards d'euros quelques jours après. Mittal propose également d'améliorer sa propre gouvernance d'entreprise (suppression du contrôle familial sur l'entreprise exercé par le biais d'actions à droits de vote multiples) et offre une place aux dirigeants d'Arcelor au sein de l'entreprise fusionnée.

Malgré cela, les dirigeants d'Arcelor refusent toujours de soutenir l'offre et présentent un plan industriel alternatif, reposant sur un nouveau chevalier blanc, le russe Severstal. Le 11 juin, le conseil d'administration d'Arcelor rejette l'offre de Mittal, mais demande au directeur général d'Arcelor, Guy Dollé, de rencontrer les dirigeants de Mittal. Alors que le plan Arcelor-Severstal perd progressivement en crédibilité, attaqué par des actionnaires d'Arcelor et par les pouvoirs publics de différents pays européens, le dialogue s'ouvre entre Mittal Steel et Arcelor. Une semaine avant l'expiration de l'offre, la fusion Arcelor-Mittal semble probable, ses modalités sont pour l'essentiel arrêtées. Le 25 juin, le conseil d'administration d'Arcelor annonce qu'il soutient officiellement l'offre de Mittal. Les termes de l'offre prévoient que les anciens actionnaires d'Arcelor seront majoritaires dans l'entreprise (ils reçoivent 50,6 % des droits de vote) et que le contrôle de Mittal sur l'entreprise sera limité : il ne nommera que six administrateurs sur 18 et trois directeurs généraux sur sept. À la clôture de l'opération, 92 % des actions Arcelor ont été apportées à l'offre ; la fusion des deux entreprises peut alors commencer.

28.6. Qui capte la valeur créée par une fusion ?

Deux des questions posées en début de chapitre n'ont pas encore trouvé de réponse : pourquoi le cours de l'entreprise initiatrice n'augmente-t-il pas lors de l'annonce d'une opération ? Pourquoi l'entreprise initiatrice doit-elle offrir une prime aux actionnaires de l'entreprise cible ? C'est l'objet de cette dernière section. En fait, la réponse à ces deux questions est simple, mais paradoxale : c'est parce que ce sont rarement les investisseurs à l'origine de la fusion qui en tirent le plus de profit. Si le cours de Bourse de l'entreprise initiatrice n'augmente pas en moyenne, cela signifie tout simplement que la prime offerte aux actionnaires de la cible est approximativement égale à la valeur créée par l'opération. Cela implique que ce sont les actionnaires *de la cible*, et non de l'initiatrice, qui captent la valeur créée par cette dernière. Pour comprendre les raisons de ce constat étonnant, il faut étudier la réaction des actionnaires lorsqu'une offre publique est annoncée.

Le problème du passager clandestin

Prenons un exemple. L'entreprise Trankil a un million d'actionnaires détenant chacun une seule action. Trankil n'a aucune dette et est gérée de manière décontractée, son directeur général préférant le golf aux affaires. Cela ne l'empêche pas de profiter des avions privés de l'entreprise et des avantages que son statut lui procure. Les actions Trankil souffrent donc d'une décote par rapport à leur valeur potentielle : elles valent 45 €, contre 75 € si l'entreprise était mieux gérée. Il est possible de prendre le contrôle de l'entreprise avec 50 % de ses actions : cette situation attire l'attention d'Agressor, un fonds d'investissement, qui décide de lancer une OPA sur Trankil au prix de 60 € par action, soit une prime de 15 €. L'offre porte sur la totalité des titres de l'entreprise et prévoit une condition suspensive : elle sera annulée si moins de 50 % des actions sont apportées à l'offre.

Dans son principe, l'idée d'Agressor paraît excellente : si 50 % des actionnaires apportent leurs actions, le coût de l'opération sera de 60 € × 500 000 = 30 millions d'euros. Une fois le contrôle de l'entreprise acquis, le fonds pourra améliorer la gestion de Trankil. Lorsque le marché prendra conscience du changement, la valeur de marché de Trankil augmentera à 75 millions d'euros. Les actions détenues par Agressor vaudront chacune 75 € et le bénéfice du fonds sera de 15 € × 500 000 = 7,5 millions d'euros. Ce bénéfice pourra être encore plus élevé si un nombre plus élevé d'actionnaires apportent leurs titres à l'offre. Au maximum, si Agressor rachète l'intégralité des actions de Trankil, son gain sera de 15 millions d'euros : (75 – 60) × 1 million d'actions = 15 millions d'euros. La question est donc : l'offre d'Agressor sera-t-elle couronnée de succès ? En d'autres termes, la moitié au moins des actionnaires de Trankil acceptera-t-elle d'apporter ses titres à l'offre ?

Le prix proposé par Agressor (60 €) est supérieur à la valeur actuelle de l'action Trankil. Mais si 50 % des actionnaires apportent leurs titres à l'offre, attirés par la prime de 15 €, la situation des *autres* actionnaires de Trankil n'en sera que meilleure puisque leurs actions vaudront 75 €, et non 60 €, lorsque Agressor aura pris le contrôle de Trankil. Chaque actionnaire de Trankil a donc intérêt à ce que l'offre d'Agressor soit couronnée de succès mais en même temps à conserver ses propres actions. Si les actionnaires sont rationnels, tous conservent leurs titres, et l'offre d'Agressor échoue. Pour sortir de ce **dilemme du prisonnier**, et que les actionnaires décident d'apporter leurs actions à l'offre, il faut leur proposer au moins 75 € par action, ce qui empêche Agressor de réaliser un profit. Ainsi, tous les actionnaires de la cible, sans rien faire, profitent des gains permis par l'OPA, d'où l'expression de **problème du passager clandestin**. La conséquence logique de cette situation est qu'Agressor refusera de prendre des risques pour un bénéfice faible, voire nul, et que la fusion ne sera même pas lancée[22].

Pourquoi les fusions existent-elles ?

Suivant le raisonnement précédent, les investisseurs n'ont aucun intérêt à lancer des offres publiques. Pourquoi les fusions existent-elles alors ? Agressor n'a en fait pas besoin de convaincre *tous* les actionnaires de lui céder leurs titres. Avant de lancer une offre publique, le fonds peut commencer à acheter des actions Trankil sur le marché grâce à un **ramassage en Bourse**. Au bout d'un certain temps, Agressor doit révéler ses intentions. En France, une telle déclaration d'intention doit être faite au moment du franchissement de seuil de 10 % des actions ou des droits de vote. Si Agressor attend le dernier moment pour révéler ses intentions (ce qui est rationnel), il est déjà actionnaire à hauteur de 10 % de Trankil au moment où il annonce son intention de lancer une offre publique. Ces actions ayant été achetées discrètement sur le marché, elles l'ont été au prix de marché de 50 €. L'OPA ne portant « que » sur les 90 % d'actions restantes, l'acquéreur peut offrir un prix de 75 € par action. À ces conditions, après avoir pris le contrôle total de l'entreprise, le fonds réalisera un gain de (75 € – 50 €) × 1 000 000 × 10 % = 2,5 millions d'euros. Ce gain est plus faible que la valeur créée par l'opération, mais il peut suffire à justifier celle-ci.

Pourquoi la question des profits réalisés par Agressor est-elle importante ? Parce que les agents économiques tels qu'Agressor rendent un service important à l'économie : leur existence fait peser une menace sur toutes les entreprises mal gérées et les incite donc à améliorer leur gestion. Si les gains réalisés par les acquéreurs ne sont pas suffisants pour compenser leur travail et leurs risques, la menace perd en crédibilité, ce qui réduit l'incitation des entreprises à être efficaces.

Les *Leveraged Buy-Out*

Les *Leveraged Buy-Out* (LBO), présentés au chapitre 24, peuvent constituer un moyen pour les acquéreurs de capter une plus grande partie des bénéfices d'une OPA et de résoudre le problème du passager clandestin[23]. Pour comprendre pourquoi, revenons à Agressor, qui décide finalement d'annoncer qu'il souhaite racheter l'intégralité des actions Trankil au prix de 50 €, soit une prime de 5 € par action. Au lieu de payer les actions avec des capitaux propres, Agressor finance l'opération grâce à un emprunt souscrit par une société écran, la banque recevant les actions achetées en collatéral du prêt. En cas de succès de l'opération, Agressor pourra fusionner la société écran avec Trankil et ainsi faire peser les charges afférentes à l'emprunt sur Trankil (comme si c'était cette dernière qui avait emprunté les fonds, et non Agressor), ce qui permettra de libérer les actions placées en collatéral. À l'issue de l'opération, les actions présentées à l'offre seront détenues par Agressor, mais leur achat aura été financé par de la dette portée par Trankil !

---

22. S. Grossman et O. D. Hart (1980), « Takeover Bids, the Free-Rider Problem, and the Theory of the Corporation », *Bell Journal of Economics*, 11(1), 42-64.

23. H. Mueller et F. Panunzi (2004), « Tender Offers and Leverage », *Quarterly Journal of Economics*, 119, 1217-1248.

Pourquoi les actionnaires de Trankil accepteraient-ils cette opération ? S'ils apportent leurs actions à l'offre, ils reçoivent 50 €. S'ils n'apportent pas leurs titres, *mais que l'offre réussisse*, quelle sera leur situation[24] ? La valeur de marché de Trankil augmentera à 75 millions d'euros, mais l'entreprise se sera endettée, car Agressor a emprunté pour acheter les actions présentées à l'offre. Si on suppose que 50 % des actions Trankil ont été apportées à l'offre, l'emprunt se monte à 50 € $\times$ 1 000 000 $\times$ 50 % = 25 millions d'euros. Cette dette étant supportée par Trankil, la valeur des capitaux propres de l'entreprise V_{CP} est de :

$$V_{CP} = 75 - 25 = 50 \text{ millions d'euros}$$

Le nombre d'actions Trankil ne change pas au cours de l'opération ; par conséquent, le prix d'une action après le LBO est de 50 / 1 million d'actions = 50 €. En cas de réussite de l'OPA, les actionnaires sont donc indifférents entre garder leurs titres ou les apporter à l'offre. En revanche, les actionnaires ont intérêt à la réussite de l'offre ; sinon, le prix de leurs actions restera de 45 € : il se trouvera donc logiquement beaucoup d'actionnaires prêts à vendre leurs titres : l'OPA devrait être réussie et Agressor réalisera des profits plus élevés que grâce à un ramassage en Bourse (ses gains sont égaux à la valeur des actions qu'il détient après l'OPA, soit 50 € $\times$ 500 000 = 25 millions d'euros, puisqu'il n'a pas payé l'achat des titres).

Une opération de LBO

Une action de l'entreprise BadFat vaut actuellement 40 €. 20 millions d'actions sont en circulation. L'entreprise n'a aucune dette. Grâce à un LBO, Agressor veut racheter cette entreprise, dont la gestion pourrait être améliorée, ce qui augmenterait sa valeur de 50 %. Quel est le gain maximal d'Agressor ?

Solution

La valeur actuelle de BadFat est de 40 € $\times$ 20 millions = 800 millions d'euros. Elle augmentera de 400 millions d'euros en cas de réussite de l'opération. Si Agressor emprunte 400 millions d'euros et parvient à racheter 50 % des actions BadFat, le fonds prendra le contrôle de l'entreprise, ce qui fera augmenter sa capitalisation boursière à 1,2 milliard d'euros pour une dette à 400 millions d'euros. La valeur des capitaux propres V_{CP} de BadFat sera, après l'opération, de :

$$V_{CP} = 1\,200 - 400 = 800 \text{ millions d'euros}$$

La valeur des capitaux propres est inchangée. Agressor possède la moitié des actions, soit un gain de 400 millions d'euros puisqu'il n'a rien payé. Le fonds a donc bien capté l'intégralité de la valeur créée à l'occasion de l'opération.

Que se passe-t-il si Agressor décide d'emprunter plus de 400 millions d'euros, par exemple 450 ? La valeur des capitaux propres après la fusion serait alors de :

$$V_{CP} = 1\,200 - 450 = 750 \text{ millions d'euros}$$

...

Exemple 28.4

---

24. Pour simplifier, on néglige les imperfections de marché et la fiscalité.

Exemple 28.4

…

soit un montant inférieur à la valeur de l'entreprise avant la fusion. Les actionnaires de BadFat anticipant cette baisse, ils présentent tous leurs actions à l'offre, ce qui oblige Agressor à débourser 800 millions d'euros pour les acheter. Cela signifie que le fonds doit utiliser 800 – 450 = 350 millions d'euros de capitaux propres. Après l'opération, Agressor possède toutes les actions de BadFat, qui valent 750 millions d'euros, en les ayant payées 350 millions d'euros. Le gain du fonds est donc toujours de 400 millions d'euros. Le fonds ne peut pas réaliser des gains supérieurs à la valeur créée par l'opération.

Pour simplifier, l'exemple précédent ne prévoit pas de prime pour les actionnaires de la cible, alors qu'en pratique il y en a presque systématiquement une, et souvent significative : même si le problème du passager clandestin n'est plus central avec un LBO, l'acquéreur doit tout de même recueillir l'assentiment d'une majorité d'actionnaires et passer outre les potentielles défenses de la cible. De plus, les banques qui prêtent aux fonds de LBO exigent en général que l'acquéreur ne se contente pas de 50 % des actions de la cible et qu'il finance avec ses fonds une partie de l'opération : c'est pour elles un moyen de se protéger contre la non-réalisation des synergies promises.

De 2003 à 2007, les LBO se sont multipliés, car les fonds de *private equity* ont réalisé des levées massives de capitaux, les prêteurs étaient disposés à prendre des risques et les cibles étaient nombreuses. Quantité d'entreprises cotées ont ainsi été rachetées par des fonds, retirées de la cote et réorganisées. La crise financière de 2008 a mis un terme à ce mouvement, en réduisant les possibilités des fonds de *private equity* de lever des fonds ou de les emprunter. Certaines opérations conduites avant la crise ont même mené à la faillite des entreprises rachetées, étranglées par des dettes trop importantes : ainsi, Chrysler, détenue par le fonds de *private equity* Cerberus, s'est déclarée en faillite en 2009. Depuis lors, le marché des LBO retrouve progressivement des couleurs et a dépassé les 300 milliards de dollars en 2017 pour la première fois depuis la crise financière.

Prime d'acquisition et concurrence entre acquéreurs potentiels

La valeur créée lors des opérations de fusions-acquisitions revient principalement aux actionnaires de la société cible : le prix des actions des entreprises initiatrices ne réagit pas, en moyenne, aux annonces d'OPA, comme le montre le tableau 28.2. Pourquoi les entreprises initiatrices acceptent-elles donc de payer une prime d'acquisition alors que la valeur créée profite aux actionnaires de la société cible ?

Il n'existe pas de consensus pour répondre à cette question, mais l'explication la plus crédible réside dans la concurrence existant sur le marché des OPA : si une entreprise détecte une cible particulièrement attractive en termes de synergies, il est probable que cela attire d'autres acquéreurs potentiels, qui formuleront des offres plus attractives pour les actionnaires de la cible jusqu'à atteindre le prix d'équilibre. Tout se passe à l'image d'une vente aux enchères au cours de laquelle la cible est vendue au prix le plus élevé proposé par un des acquéreurs potentiels. En fait, les surenchères d'acquéreurs concurrents sont plutôt rares, ce qui signifie probablement que la prime initiale offerte est assez élevée pour dissuader les concurrents potentiels, au prix toutefois d'un transfert presque total de la valeur créée aux actionnaires de la société cible. On retrouve ici une forme de **malédiction du vainqueur** (*winner's curse*).

Grégoire Chertok, associé-gérant de Rothschild & Cie

Grégoire Chertok est associé-gérant au sein de la banque Rothschild & Cie où il est spécialiste des opérations de fusions-acquisitions. Rothschild & Cie est une des principales banques d'affaires dans le monde.

Quelles sont les principales motivations d'une opération de croissance externe ?

On distingue généralement deux types d'opérations de croissance externe : les opérations financières et les opérations industrielles. Les premières sont réalisées par des fonds d'investissement (c'est le cas des LBO, par exemple) et les secondes par des entreprises. L'objectif des entreprises qui se lancent dans de telles opérations est de compléter leur gamme de produits ou leur implantation géographique, ou de consolider leur positionnement sur le marché.

Les entreprises attendent principalement de ces opérations des synergies de coûts (économies d'échelle, etc.) ou de revenus. Au final, l'idée est toujours la même : que l'ensemble soit supérieur à la somme des parties.

Quel est le rôle d'une banque d'affaires lors d'une fusion-acquisition ?

Notre rôle est différent en fonction des étapes du processus. En amont, il s'agit d'aider les entreprises à définir leurs objectifs stratégiques et à identifier les cibles potentielles. Lorsque l'entreprise décide de réaliser une opération de fusion-acquisition, il nous faut réaliser l'évaluation de la cible et examiner les modalités de financement : faut-il lever des fonds propres sur le marché ou procéder par endettement ? Enfin, lors de l'opération proprement dite, notre rôle est celui de chef d'orchestre : nous organisons la négociation avec les vendeurs, discutons avec les autorités de tutelle, coordonnons le travail des auditeurs, des juristes et des fiscalistes impliqués dans le dossier.

Quel est le rôle de ces différentes parties prenantes ?

Les auditeurs sont chargés d'identifier les risques comptables, notamment les engagements hors-bilan. Les juristes préparent les contrats, rédigent les garanties données par le vendeur et, lorsque la société est cotée, veillent à ce que les règles boursières soient respectées. Les fiscalistes déterminent le montage financier permettant d'optimiser l'effet fiscal de l'opération. Il ne faut pas non plus oublier les responsables de la communication qui servent d'interface avec la presse et la communauté financière.

Résumé

28.1. Les fusions-acquisitions : une histoire de vagues

- Les opérations de fusions-acquisitions sont fréquentes : elles représentent plus de 1 000 milliards d'euros dans le monde chaque année. Elles sont marquées par une forte cyclicité ; des vagues de concentration ont eu lieu au cours des décennies 1960, 1980, 1990 et 2000. Une fusion peut être verticale, horizontale ou conglomérale.

28.2. La réaction du marché aux annonces de fusions-acquisitions

- Le cours de Bourse des entreprises à l'origine des annonces d'offres publiques n'augmente que très peu en moyenne, tandis que les actions des cibles s'apprécient en moyenne de 15 %.

28.3. Pourquoi faire de la croissance externe ?

- Pour justifier une opération de croissance externe, l'acquéreur met le plus souvent en avant l'existence de synergies, provenant d'économies d'échelle ou de gamme, d'une intégration verticale, de l'acquisition d'une expertise spécifique, d'une réduction de l'intensité concurrentielle, d'une amélioration de la gestion, d'économies d'impôt ou d'une diversification des activités. Certaines opérations sont réalisées pour servir les intérêts du dirigeant, et non ceux des actionnaires, ou à cause de son excès de confiance en lui.

28.4. Comment acheter une entreprise ?

- Du point de vue de l'acquéreur, le rachat d'une entreprise est créateur de valeur uniquement si la prime d'acquisition est inférieure aux synergies espérées. La réaction du cours des actions de l'acquéreur à l'annonce de l'offre permet de mesurer l'évaluation par le marché de la pertinence de l'opération et du prix proposé.

- L'achat d'une entreprise non cotée implique une négociation privée avec les actionnaires de la cible. Celle-ci doit permettre de trouver un accord sur le prix et sur l'ensemble des conditions associées à l'opération.

- L'achat d'une entreprise cotée débute en général par un ramassage discret d'actions de la cible sur le marché, suivi par le lancement d'une offre publique, consistant à proposer au marché d'acheter toutes les actions disponibles de la cible à un prix donné, pendant une période définie. Les actions de la cible peuvent être payées en numéraire (OPA) ou en actions de l'acquéreur (OPE).

28.5. Comment se défendre contre une offre publique hostile ?

- Lors d'une OPA amicale, le conseil d'administration de l'entreprise cible soutient la fusion et négocie avec l'acquéreur pour faire bénéficier ses actionnaires des meilleures conditions possibles. En cas d'offre hostile, au contraire, l'acquéreur doit convaincre les actionnaires de la société cible en dépit de l'opposition du conseil d'administration.

- La cible dispose de nombreux moyens de défense face à une offre hostile. Mettre en place un actionnaire de référence, des pilules empoisonnées, des parachutes dorés ou un renouvellement échelonné des mandats réduit la probabilité qu'une entreprise soit la cible d'une offre publique. Modifier sa structure financière, appeler à l'aide un chevalier blanc, lancer une contre-offre sur l'initiateur, communiquer de manière agressive et agir en justice réduisent la probabilité de succès d'une offre publique hostile.

28.6. Qui capte la valeur créée par une fusion ?

- Lorsqu'une entreprise cherche à en racheter une autre, les actionnaires de la cible peuvent avoir intérêt à conserver leurs titres, afin de bénéficier des synergies associées au rachat. Si tous les actionnaires mènent le même raisonnement, aucun d'entre eux ne cède ses actions, et l'opération est un échec, malgré la valeur qu'elle aurait créée. Ce paradoxe est la conséquence du problème du passager clandestin. Le ramassage en Bourse ou la réalisation d'un LBO constituent des réponses possibles à ce problème.

Exercices

1. Quels sont les deux mécanismes susceptibles de modifier la propriété et le contrôle d'une entreprise ?

2. Pourquoi les fusions apparaissent-elles par vagues ?

3. Comment une fusion horizontale peut-elle être créatrice de valeur pour les actionnaires de l'acquéreur ?

4. Pourquoi les actionnaires de la cible bénéficient-ils en moyenne d'une hausse de leurs titres à l'annonce de l'opération, contrairement aux actionnaires de l'acquéreur ?

5. Lorsqu'une entreprise en achète une autre pour acquérir une expertise spécifique (du capital humain, donc), quelles précautions doit-elle prendre lors de la structuration de l'opération ? En quoi celle-ci est-elle différente d'une acquisition fondée sur la recherche de synergies industrielles ?

6. Est-il normal que les autorités américaines puissent interdire une fusion entre deux entreprises européennes ? Pourquoi ?

7. Quel est l'effet de l'existence des reports en avant autorisés par le droit fiscal français sur les fusions entre entreprises dont les résultats nets sont de signes opposés ?

8. La diversification de portefeuille est positive pour les actionnaires. Pourquoi n'est-il pas utile que les entreprises se diversifient en formant des conglomérats ?

9. L'entreprise Prédateur a émis 1 million d'actions, chacune valant 40 € ; elle affiche un bénéfice par action de 4 € et songe à lancer une OPE sur l'entreprise Proie, dont le bénéfice par action est de 2 euros et qui a émis 1 million d'actions, valant 25 € chacune. Aucune synergie n'est à espérer.

    a. S'il n'y a pas de prime d'acquisition, quel sera le BPA de Prédateur après la fusion ?

    b. Si Prédateur propose un échange d'actions à une parité qui correspond à une prime de 20 % par rapport aux prix des actions avant l'annonce, quel sera le BPA de Prédateur après la fusion ?

    c. Quelles sont les raisons expliquant la variation du BPA à la question *a* ? La situation des actionnaires est-elle modifiée par l'opération ?

    d. Quel sera le PER de l'entreprise après la fusion, si aucune prime n'est payée ? Comparer avec les PER avant fusion.

10. Si les actions des concurrents de Proie (exercice 9), s'échangent en Bourse 14 fois leurs bénéfices, quelle prime Prédateur pourrait-elle proposer ?

11. Le dirigeant d'Ecobati détient 3 % des actions de l'entreprise. Il envisage une acquisition qui ferait baisser la valeur d'Ecobati de 50 millions d'euros, mais la valeur actuelle de sa rémunération augmenterait de 5 millions d'euros. Le dirigeant d'Ecobati a-t-il intérêt à réaliser cette acquisition ?

12. Les entreprises Loki et Thor décident de fusionner en échangeant les actions de Thor contre des actions de Loki à une parité offrant 40 % de prime aux actionnaires de Thor par rapport au prix d'avant l'annonce de fusion. Avant l'annonce, les actions de Thor valent sur le marché 40 € et celles de Loki 50 €. Quelle est la parité d'échange ?

13. L'entreprise Amon a annoncé son intention de lancer une offre publique d'échange sur l'entreprise Horus. Une action Amon vaut 35 €, une action Horus 25 €. La valeur d'Horus est de 4 milliards d'euros ; les synergies projetées sont de 1 milliard d'euros. Quelle parité d'échange maximale Amon peut-elle offrir pour bénéficier d'une VAN positive ?

14. En repartant de la question *b* de l'exercice 9, on suppose que l'annonce de l'OPA fait augmenter le prix de Proie et baisser celui de Prédateur : après l'annonce, la prime n'est donc plus de 20 %. S'il n'y a aucun risque d'échec de l'opération :

a. Quel sera le prix d'une action de l'entreprise fusionnée juste après la fusion ?

b. Quel est le prix d'une action Prédateur juste après l'annonce ? Et d'une action Proie ?

c. Quelle est la prime payée par Prédateur ?

15. Il y a un million d'actions ABC sur le marché, chacune vaut 20 €. Les actions XYZ, au nombre d'un million également, s'échangent à 2,50 €. ABC décide de racheter XYZ. L'opération est certaine et la fusion ne créera pas de synergies.

a. Comment réagiront les prix des actions des deux entreprises si ABC annonce un rachat en numéraire pour 3 millions d'euros ? Quelle est la prime ?

b. Comment réagiront les prix des actions des deux entreprises si ABC annonce un rachat par échange d'actions à la parité d'échange de 0,15 ? Quelle est la prime ?

c. Aux prix de marché actuels, les deux offres valorisent XYZ à 3 millions d'euros. Pourquoi les réponses aux questions a et b sont-elles différentes ?

16. Une action Bade vaut 20 €. Il y a 2 millions d'actions sur le marché. Goode, un fonds de LBO, pense que la réorganisation de Bade en augmenterait la valeur. Bade a mis en place une pilule empoisonnée : lorsqu'un actionnaire franchit le seuil de détention de 20 % des actions, tous les actionnaires de Bade, sauf l'acquéreur, reçoivent pour chaque action détenue un bon de souscription d'action leur permettant d'acheter une action nouvelle Bade à un prix réduit de 50 %. Si l'achat des actions de Bade par Goode ne fait pas varier leur cours, que le conseil d'administration de Bade considère que l'offre de Goode est hostile et que Goode vient de franchir le seuil de 20 % :

a. Combien d'actions nouvelles sont émises ? À quel prix ?

b. Quelle est l'évolution du poids de Goode dans l'actionnariat de Bade ?

c. Quelle est l'évolution du prix des actions Bade détenues par Goode ?

d. Quelle est la perte réalisée par Goode du fait de la pilule empoisonnée ? Qui profite du gain ?

17. En quoi le ramassage en Bourse permet-il de surmonter le problème du passager clandestin ?

18. Un fonds de LBO cherche à racheter l'entreprise Alarue. Une action Alarue vaut 20 €, il y a deux millions d'actions. Suite à la réorganisation de l'entreprise, sa valeur augmentera de 40 %. Le fonds propose aux actionnaires d'Alarue une prime de 5 € par action.

   a. Si 50 % des actions d'Alarue sont apportées au fonds, quel sera le prix des autres actions après l'opération ?

   b. Les actionnaires d'Alarue décideront-ils de vendre ou de conserver leurs titres ?

   c. Quel sera le gain du fonds grâce au rachat d'Alarue ?

Le début des années 2000 a été marqué par une vague de scandales financiers largement médiatisés. En 2001, Enron, dont la capitalisation boursière s'élevait à 68 milliards de dollars, a fait faillite en quelques mois, poussant des milliers de salariés au chômage. L'année suivante, WorldCom a connu un sort similaire : avant le scandale, l'entreprise affichait pourtant une capitalisation boursière de 115 milliards de dollars. En Europe, Ahold, numéro 3 mondial de la grande distribution, a reconnu en 2003 de graves irrégularités comptables, de même que Parmalat, huitième groupe privé italien. Le point commun de tous ces scandales est qu'ils trouvent leur origine dans des manipulations comptables réalisées par les dirigeants pour dissimuler la situation financière réelle de l'entreprise aux actionnaires, analystes financiers et régulateurs (voir chapitre 2). Comment cela a-t-il pu se produire ? Pourquoi les dirigeants n'ont-ils pas agi dans l'intérêt des actionnaires ? Pourquoi les auditeurs externes n'ont-ils pas décelé les fraudes ? Pourquoi les conseils d'administration n'ont-ils pas réagi ?

Ces questions renvoient à ce que l'on appelle la gouvernance d'entreprise. Une mauvaise gouvernance détruit de la valeur pour l'entreprise et ses actionnaires. L'amélioration de la gouvernance d'une entreprise permet donc d'en augmenter la valeur. En d'autres termes, la mise en place d'une bonne gouvernance peut être vue comme un projet à VAN positive (section 29.1). Il est donc important de comprendre les mécanismes qui permettent de prévenir ou de limiter les conflits d'intérêts entre dirigeants et actionnaires, comme un conseil d'administration efficace (section 29.2), une politique de rémunération incitative des dirigeants (section 29.3) et une implication directe des actionnaires (section 29.4). Il n'est jamais possible de faire complètement disparaître ces conflits ; la réglementation impose donc des limites à la capacité des dirigeants à agir à l'encontre des intérêts des actionnaires (section 29.5). Il peut également exister un conflit d'intérêt entre actionnaires majoritaires et minoritaires, autre problème de gouvernance d'entreprise qui doit être résolu (section 29.6).

29.1. Gouvernance d'entreprise et conflits d'intérêt

La **gouvernance d'entreprise** (*corporate governance*) traite du système de règles, de contrôles et d'incitations conçu pour limiter ou empêcher les fraudes et les conflits provoqués par des intérêts divergents entre parties prenantes au sein d'une entreprise[1]. Ces **conflits d'intérêt**, ou **conflits d'agence**, peuvent apparaître entre actionnaires et

---

1. A. Shleifer et R. W. Vishny (1997), « A Survey of Corporate Governance », *Journal of Finance*, 52(2), 737-783 ; J. Tirole (2006), *The Theory of Corporate Finance*, Princeton University Press.

créanciers ; ils sont traités au chapitre 16. De tels conflits peuvent également exister entre actionnaires et dirigeants d'une entreprise : c'est l'objet de ce chapitre.

En effet, la plupart des grandes entreprises a adopté le statut de **société anonyme**, qui se caractérise par la séparation de la propriété et du contrôle de l'entreprise. Cette séparation constitue un des facteurs essentiels du succès de la société anonyme (voir chapitre 1) : un actionnaire peut être propriétaire d'une partie seulement de la société, et par là même diversifier son portefeuille et réduire le risque auquel il est exposé. Cet élément est particulièrement important pour les dirigeants : ils peuvent diriger une entreprise sans en être les uniques propriétaires. De cette façon, ils réduisent leurs risques. Mais la séparation du contrôle et de la propriété ne présente pas que des avantages : les intérêts des actionnaires et des dirigeants ne sont pas alignés, ce qui peut faire apparaître des conflits entre eux. Ainsi, certaines fusions-acquisitions peuvent être provoquées par l'ambition d'un dirigeant souhaitant construire un empire industriel pour accroître son prestige, son pouvoir ou sa rémunération, au détriment des actionnaires (voir chapitre 28). Il existe bien d'autres exemples de conflits d'intérêt : de l'utilisation du jet de l'entreprise à l'achat d'œuvres d'art pour décorer le bureau du dirigeant[2], en passant par les frais de réception, la liste est infinie.

De tels conflits apparaissent dès que le dirigeant ne prend pas en compte *l'intégralité* des coûts ou des bénéfices dans sa décision : vous-même, commandez-vous le même menu au restaurant selon que le déjeuner passe en note de frais ou non ? Pour éviter ou minimiser ces conflits, il faut aligner les intérêts des différentes parties, ce qui impose toujours un coût. On peut par exemple aligner mieux les intérêts du dirigeant sur ceux des actionnaires en indexant sa rémunération sur le cours de Bourse de l'entreprise ; mais cela augmente également son exposition au risque de marché. Tout système de gouvernance d'entreprise doit donc arbitrer entre le bénéfice lié à la réduction des conflits d'intérêt inhérents à la séparation entre contrôle et propriété et le coût des mécanismes que cela impose. Pour le dirigeant d'une entreprise, ces mécanismes peuvent relever de deux logiques :

1. des incitations, qui augmentent la probabilité que le dirigeant prenne des décisions dans l'intérêt des actionnaires : espoirs de promotion, rémunération indexée sur les performances de l'entreprise, octroi d'actions ou de stock-options, etc. ;

2. des sanctions, qui réduisent la probabilité que le dirigeant prenne des décisions allant à l'encontre des intérêts des actionnaires : licenciement en cas de mauvais résultats ou suite à un changement de contrôle de l'entreprise, par exemple.

Au total, un système de gouvernance est constitué de nombreux mécanismes indépendants, susceptibles d'interagir de façon complexe. Ainsi, lorsqu'un dirigeant détient une fraction significative du capital de son entreprise, ses intérêts sont mieux alignés avec ceux des actionnaires. Toutefois, il exigera certainement une rémunération plus élevée pour compenser son risque et il sera plus difficile à licencier en cas de mauvais résultats, car il détient de nombreux droits de vote.

---

2. Ces exemples ne sont pas fictifs : au plus fort de la crise financière de 2008, alors que la banque américaine Merrill Lynch accumulait des pertes de plusieurs milliards de dollars, son P-DG dépensait 1,2 million de dollars pour rénover ses bureaux (dont une corbeille à papier d'une valeur de 1 400 $). À la même période, les dirigeants de Chrysler, Ford et General Motors sont venus à Washington pour réclamer l'aide financière de l'État… en jets privés.

29.2. Le contrôle du dirigeant par le conseil d'administration

Le **contrôle** (*monitoring*) des actions et décisions des dirigeants constitue une première solution aux conflits d'intérêt entre dirigeants et actionnaires. Mais tout contrôle mobilise du temps et de l'argent. Lorsque l'actionnariat de l'entreprise est très dispersé, les actionnaires n'ont, individuellement, aucun intérêt à accepter seuls de supporter ce coût. Il s'agit d'un problème classique de **passager clandestin** (*free-rider*) : l'actionnaire qui effectue le contrôle en supporte le coût, mais les bénéfices sont partagés par tous les actionnaires.

Un **conseil d'administration** constitue une solution à ce problème en déléguant à quelques agents explicitement désignés le soin de contrôler les dirigeants. Ces agents sont des **administrateurs**, élus par les actionnaires lors d'un vote en assemblée générale[3]. Le conseil d'administration « détermine les orientations de l'activité de la société et veille à leur mise en œuvre, conformément à son intérêt social, en prenant en considération les enjeux sociaux et environnementaux de son activité » (Code de commerce, art. L. 225-35) : il approuve les investissements, les orientations stratégiques et les acquisitions majeures, il décide de la rémunération des dirigeants, de leur recrutement et de leur licenciement. En règle générale, pour alléger la tâche des administrateurs et améliorer la qualité du contrôle, le conseil d'administration se dote de différents comités spécialisés : un comité d'audit, un comité de la stratégie et un comité des rémunérations sont les trois plus fréquents.

Les **administrateurs** se voient donc confier un pouvoir explicite de contrôle et de décision, qu'ils *doivent* exercer dans l'intérêt des actionnaires. Pour s'assurer que c'est bien le cas et éviter le risque d'**administrateurs de complaisance**, les administrateurs sont rémunérés, le plus souvent par des **jetons de présence**, et ils engagent leur responsabilité civile et pénale : un administrateur peut voir sa responsabilité engagée lorsque des actes contraires à l'intérêt social de l'entreprise ou des fautes de gestion sont commis, même s'il a agi par imprudence ou négligence. De même, l'inaction ou le défaut de surveillance peuvent constituer des fautes pour un administrateur.

Qui sont les administrateurs ?

Un conseil d'administration comprend une majorité de membres élus par les actionnaires – les administrateurs peuvent d'ailleurs être eux-mêmes des actionnaires importants de l'entreprise : ils ont alors un intérêt évident à contrôler de près le fonctionnement de l'entreprise et ils disposent d'un avantage évident pour être élus. Mais ils ne sont jamais seuls : la loi impose la présence d'administrateurs représentant les salariés. Il arrive également, dans les entreprises dont l'État est actionnaire, que des administrateurs soient désignés par l'État. Quelle que soit l'entreprise considérée, il est possible de classer les administrateurs en trois catégories :

- Les **administrateurs internes** (*inside directors*) sont des salariés, des anciens salariés ou des personnes en étroite relation avec des salariés ou des dirigeants de l'entreprise (liens familiaux par exemple).

---

3. Une fois élus, les administrateurs élisent le président du conseil d'administration. Lorsqu'une même personne cumule ce poste et celui de directeur général de l'entreprise, elle prend le titre de président-directeur général.

- Les **administrateurs imparfaitement indépendants** (*gray directors*) ne sont pas autant liés à l'entreprise que les administrateurs internes, mais ils ont une relation d'affaires réelle ou potentielle avec l'entreprise (banquiers, juristes, consultants, fournisseurs…). Leur avis pourrait être influencé par leur désir de satisfaire le directeur général ou par leurs intérêts personnels ou professionnels.

- Les **administrateurs indépendants** (*outside directors*) sont ceux qui n'ont pas d'intérêt commun – ni réel, ni potentiel – avec la direction. Ces administrateurs sont censés – plus encore que les précédents – agir dans l'intérêt des actionnaires.

Zoom sur… **Les conseils d'administration des entreprises françaises cotées**

Ernst & Young publie chaque année une étude sur la gouvernance des entreprises françaises cotées. Elle porte en 2019 sur 160 entreprises, montrant que :

- Le conseil d'administration typique est composé d'une dizaine de membres en moyenne (une quinzaine pour les entreprises du CAC 40), dont plus de la moitié d'administrateurs indépendants, plus de 40 % de femmes* et 25 % d'étrangers (alors que plus de la moitié de l'activité des grands groupes français est réalisée hors de France). Il se réunit en moyenne neuf fois par an.

- Plus de 60 % des conseils d'administration ont créé des comités spécialisés (comité d'audit, comité de la stratégie, comité de rémunération).

- La quasi-totalité des entreprises du CAC 40 verse des jetons de présence : en moyenne 66 000 € par administrateur (contre 25 000 € pour les administrateurs d'entreprises cotées de taille moyenne).

- Les administrateurs sont âgés en moyenne de 58 ans et cumulent deux à trois mandats, avec une ancienneté moyenne de six à huit ans par mandat.

---

* Contre à peine 12 % en 2010…

L'indépendance du conseil d'administration

Le contrôle que peut raisonnablement exercer un conseil d'administration sur le dirigeant est limité et varie beaucoup d'une entreprise à l'autre. On s'attend naturellement à ce que le contrôle soit plus efficace lorsque les administrateurs indépendants sont nombreux et cette intuition est vérifiée empiriquement[4] : le licenciement du directeur général en cas de mauvais résultats est alors plus probable[5], les acquisitions destructrices de valeur sont moins nombreuses, les dirigeants agissent davantage dans l'intérêt des actionnaires lorsque l'entreprise est la cible d'une opération d'acquisition[6] et enfin la

---

4. R. B. Adams, B. E. Hermalin et M. S. Weisbach (2010), « The Role of Boards of Directors in Corporate Governance: A Conceptual Framework and Survey », *Journal of Economic Literature*, 48(1), 58-107.

5. M. Weisbach (1988), « Outside Directors and CEO Turnover », *Journal of Financial Economics*, 20(1-2), 431-460.

6. J. Byrd et K. Hickman (1992), « Do Outside Directors Monitor Managers? Evidence from Tender Offer Bids », *Journal of Financial Economics*, 32(2), 195-207 ; J. Cotter, A. Shivdasani et M. Zenner (1997), « Do Independent Directors Enhance Target Shareholder Wealth During Tender Offers? », *Journal of Financial Economics*, 43(2), 195-218.

rémunération des dirigeants comprend une part élevée d'actions ou de stock-options[7]. D'ailleurs, le cours de Bourse des entreprises augmente lorsqu'un administrateur indépendant supplémentaire est élu, signe que cette annonce est bien accueillie par le marché.

Aucune étude n'apporte toutefois la preuve d'un lien entre structure du conseil et performance de l'entreprise. Les facteurs influençant les performances de l'entreprise sont en effet trop nombreux pour que l'on puisse discerner avec certitude l'effet propre du degré d'indépendance des administrateurs. Une difficulté supplémentaire réside dans la nature même de la fonction des administrateurs indépendants : parmi tous les administrateurs, ils sont par définition les moins proches de l'entreprise. Ils sont donc *a priori* moins sensibles aux performances de l'entreprise et moins incités à contrôler les dirigeants. Néanmoins, il est de plus en plus fréquent que la rémunération des administrateurs indépendants soit composée, au moins en partie, d'actions de l'entreprise, ce qui aligne leurs intérêts avec ceux des actionnaires. Il reste que les administrateurs indépendants, même les plus consciencieux, ne consacrent pas plus de quelques jours par mois à l'exercice de leur mandat, et il n'est pas rare que les administrateurs siègent dans plusieurs conseils[8] ou occupent des fonctions, souvent de direction, dans d'autres entreprises. Des études montrent d'ailleurs que la valeur liée à la présence d'administrateurs indépendants est plus faible lorsque ceux-ci ont de multiples occupations et qu'ils siègent dans de nombreux conseils d'administration[9].

La manière dont les administrateurs indépendants sont choisis compte néanmoins : en théorie, ce sont les actionnaires qui décident, par un vote en assemblée générale, des administrateurs qui les représenteront. En pratique, il arrive que le dirigeant essaie d'influencer le vote ; il peut susciter des candidatures jugées amicales, compliquer la tâche d'autres, voire apporter son soutien à certains candidats avant le vote en assemblée générale. Ce faisant, le dirigeant espère disposer d'administrateurs acquis à sa cause. Un conseil d'administration est dit **sous influence** lorsque son devoir de contrôle est compromis par l'existence de liens étroits entre certains administrateurs et les dirigeants, voire **de complaisance** lorsqu'il n'est plus qu'une chambre d'enregistrement des décisions prises par le dirigeant. Des études empiriques ont établi que l'ancienneté du directeur général, surtout lorsqu'il préside également le conseil, est un facteur déterminant de sa capacité à l'influencer : avec le temps, un nombre croissant d'administrateurs indépendants auront été proposés aux actionnaires par le directeur général. Même s'ils n'ont pas de relations d'affaires avec l'entreprise, il est probable qu'ils lui soient plus favorables que des administrateurs présents au conseil avant la nomination du dirigeant et qui ne lui doivent rien. Il est donc possible que la qualité du contrôle exercé par le conseil sur les décisions du dirigeant se dégrade au fil du temps, malgré la présence d'administrateurs indépendants. Enfin, même si l'on admet que les administrateurs indépendants exercent un contrôle efficace sur les dirigeants, rien n'assure que ce contrôle sera effectué dans l'intérêt des actionnaires : *quis custodiet ipsos custodes ?*

En France, le problème de l'indépendance du conseil d'administration vis-à-vis des dirigeants est compliqué par l'existence de liens forts entre élites politiques et économiques,

---

7. H. Ryan et R. Wiggins (2004), « Who is in Whose Pocket? Director Compensation, Board Independence, and Barriers to Effective Monitoring », *Journal of Financial Economics*, 73, 497-525.

8. Depuis la loi sur les nouvelles régulations économiques, il n'est pas possible d'exercer simultanément plus de cinq mandats d'administrateur (ou de membre du Conseil de surveillance) de sociétés anonymes françaises.

9. E. Fich et A. Shivdasani (2006), « Are Busy Boards Effective Monitors? », *Journal of Finance*, 61(2), 689-724.

traditionnellement issues des mêmes grandes écoles. À titre d'exemple, l'ENA et Polytechnique ont vocation à former des hauts fonctionnaires, mais de plus en plus d'anciens élèves rejoignent le secteur privé et forment une partie non négligeable des dirigeants et administrateurs des entreprises françaises. L'existence d'un moule commun et de relations de proximité a-t-elle une influence sur la gouvernance des entreprises françaises ? Sur la période 1992-2003, 20 % des entreprises françaises cotées sont dirigées par des polytechniciens ou des énarques, cette proportion étant d'autant plus élevée que l'entreprise est grande (elles représentent 70 % de l'actif comptable total français !). Dans le même temps, 40 % à 50 % des administrateurs de ces entreprises sont issus de l'une de ces deux écoles[10]. S'agit-il d'une coïncidence, d'une conséquence d'une supériorité intrinsèque de ces diplômés ou d'une illustration de ce fameux « esprit de corps », si caractéristique des grandes écoles à la française ? Il semble bien que l'appartenance d'un dirigeant à un grand corps d'État joue un rôle lors de la nomination des administrateurs : les dirigeants diplômés de l'ENA ou de l'X ayant précédemment occupé des fonctions dans le secteur public ont tendance à nommer des administrateurs ayant suivi le même parcours qu'eux. Un certain nombre d'administrateurs « indépendants » ne le sont donc peut-être pas tant que cela… De plus, les entreprises dirigées par d'anciens hauts fonctionnaires souffrent d'une gouvernance d'entreprise plus mauvaise que les autres : les dirigeants ont une probabilité plus faible de se faire licencier, ils sont souvent administrateurs de plusieurs autres sociétés en plus de leur poste, ils ont tendance à réaliser des acquisitions destructrices de valeur et la profitabilité de leurs entreprises est inférieure à la moyenne[11].

| Erreur à éviter | **Les célébrités ne sont pas (toujours) de bons administrateurs** |

Certains conseils d'administration sont remplis de célébrités du monde des affaires, des médias ou de la politique supposées apporter leur caution, leur expertise et leurs relations à l'entreprise. Cela ne doit pas empêcher les autres administrateurs et les actionnaires de réaliser leurs propres contrôles. Ainsi, la start-up de biotechnologie Theranos, surfant sur des annonces d'innovations révolutionnaires réduisant le coût des tests sanguins, a levé 800 millions de dollars et atteint une valorisation de 9 milliards de dollars avec un conseil d'administration de luxe : celui-ci comprenait quatre anciens secrétaires d'État américains (dont Henry Kissinger) et deux sénateurs, tous respectés, célèbres et indépendants de l'entreprise. Pourtant, ils n'ont exercé aucun contrôle sérieux sur cette dernière : ils ne connaissaient rien à la biotechnologie, n'ont pas cherché à vérifier la réalité des annonces faites par l'entreprise et n'ont même pas sollicité l'avis d'experts externes… De nombreux investisseurs, dont Rupert Murdoch, ont été éblouis par le prestige des administrateurs et sont tombés dans le panneau : ils ont perdu tout ce qu'ils avaient investi dans Theranos lorsque les annonces se sont révélées mensongères et que l'entreprise a fait faillite.

---

10. F. Kramarz et D. Thesmar (2007), « Social Networks in The Board Room », *Journal of the European Economic Association*, 11(4), 780-807.

11. Cela peut sembler contre-intuitif, puisqu'on pourrait penser que les dirigeants utilisent leurs relations politiques au bénéfice de l'entreprise, à l'image de ce qui semble se produire aux États-Unis, selon plusieurs études. En France, cet effet semble être plus que compensé par un effet négatif : les dirigeants des grandes entreprises françaises mettraient à profit leur position pour limiter artificiellement les licenciements et favoriser les embauches en périodes d'élection, et ce, indépendamment du parti au pouvoir : M. Bertrand, F. Kramarz, A. Schoar et D. Thesmar (2018), « The Cost of Political Connections », *Review of Finance*, 22(3), 849-876.

La taille du conseil d'administration

De manière un peu surprenante, les entreprises ayant un conseil d'administration de petite taille affichent de meilleures performances que les autres[12]. Certaines études en psychologie suggèrent que, de manière générale, les groupes de petite taille prennent de meilleures décisions ; cela peut constituer une explication à ce phénomène. D'autres explications relèvent de déterminants financiers : de telles entreprises sont souvent cotées depuis peu, car elles sont jeunes ou viennent de s'introduire en Bourse. En effet, la taille des conseils d'administration augmente au fil du temps, pour diverses raisons : ainsi, il est fréquent qu'un ou deux sièges supplémentaires soient ajoutés à la suite d'une fusion, pour satisfaire le directeur général de la cible…

Zoom sur…	**Les autres acteurs du contrôle des dirigeants**

En plus du conseil d'administration, nombreux sont ceux qui contribuent à contrôler les décisions et actions des dirigeants d'entreprise et qui peuvent exprimer sur la place publique leurs doutes à propos de la performance de l'entreprise ou de sa stratégie :

- Les **analystes financiers** examinent à la loupe les états financiers des entreprises qu'ils suivent, questionnent les dirigeants lors des conférences téléphoniques organisées à chaque publication de résultats et mettent à la disposition des actionnaires le résultat de leurs analyses.

- Les **créanciers** ont également un intérêt fort à suivre l'entreprise, puisqu'ils sont exposés au risque de faillite. Cependant, leur objectif premier n'est pas d'œuvrer à la maximisation de la valeur de l'entreprise, mais bien de minimiser les risques qu'elle prend.

- Les **salariés** occupent une place privilégiée pour détecter les fraudes que pourrait commettre un dirigeant. Pour les inciter à dénoncer les actes contraires à la loi ou à l'éthique dont ils seraient témoins dans l'exercice de leur métier, la **loi Sapin 2** (2016) protège les **lanceurs d'alerte** (*whistleblowers*) des représailles qui pourraient être exercées contre eux par leurs employeurs.

- Enfin, c'est le métier des **journalistes d'investigation** que de porter à la connaissance du public des faits censés demeurer cachés : un dirigeant d'entreprise, comme n'importe qui, peut donc faire l'objet d'une enquête journalistique. De nombreux scandales financiers ont ainsi été révélés au grand public par des journalistes, du scandale de Panama en 1892 jusqu'aux *Panama Papers* en 2016…

Par le contrôle effectif ou potentiel qu'ils exercent sur les entreprises et leurs dirigeants, tous ces acteurs contribuent à réduire les conflits d'intérêt potentiels entre actionnaires et dirigeants.

---

12. D. Yermack (1996), « Higher Market Valuation of Companies with Small Boards of Directors », *Journal of Financial Economics*, 40(2), 185-211.

29.3. La rémunération des dirigeants comme outil d'incitation

En plus du contrôle exercé par le conseil d'administration, une politique de rémunération incitative peut atténuer les conflits d'intérêt entre dirigeants et actionnaires, en alignant leurs intérêts respectifs.

Les composantes de la rémunération d'un dirigeant

Depuis plusieurs années, la rémunération des dirigeants fait l'objet d'une attention particulière. Des cabinets de conseil sont même spécialisés dans l'élaboration de politiques de rémunération incitatives pour les dirigeants. Il est vrai que les modalités de **rémunération des dirigeants** sont complexes. Outre leur salaire de base, les dirigeants bénéficient le plus souvent :

- d'une rémunération variable (bonus), indexée sur les performances financières ou industrielles de l'entreprise ou d'une de ses divisions (croissance du résultat net…) ;

- d'avantages en nature, logement ou voiture de fonction, frais de représentation, etc. ;

- d'actions, gratuites ou non[13], ou de stock-options octroyées dans le cadre de programmes d'intéressement pluriannuels ;

- de primes exceptionnelles, au moment du recrutement (*golden hello*), du départ (*golden parachute*), ou autre.

L'attribution d'un bonus est le moyen le plus simple d'aligner les intérêts du dirigeant et ceux des actionnaires. Mais cela impose de définir clairement l'objectif sur lequel est indexé le bonus. Un objectif mal défini peut créer de mauvaises incitations pour le dirigeant. Ainsi, un dirigeant dont le bonus est indexé au résultat net de l'entreprise sera incité à réduire autant que possible les dotations aux amortissements… Depuis une trentaine d'années, les entreprises ont donc modifié leur approche et ont recours à des instruments plus sophistiqués : actions gratuites ou stock-options. Dans les deux cas, le principe est identique : attribuer au dirigeant des actions ou des stock-options l'incite à augmenter autant que possible la valeur boursière de l'entreprise, car cela lui profite directement. Il n'est donc pas utile de définir explicitement un objectif. Une différence fondamentale existe néanmoins entre actions gratuites et stock-options : avec des actions gratuites, le dirigeant s'enrichit quel que soit le prix futur de l'action pourvu que l'entreprise ne fasse pas faillite[14], tandis qu'avec des stock-options, il ne gagne de l'argent que s'il réussit à faire augmenter la valeur de l'action au-dessus du prix d'exercice de ses stock-options.

---

13. L'attribution d'actions gratuites aux salariés n'est autorisée en France que depuis 2005 (et dans la limite de 10 % du capital social).

14. Sauf si l'attribution des actions gratuites est soumise à une condition de performance de l'entreprise, ce qui est de plus en plus fréquent.

Zoom sur...	**La rémunération des dirigeants en France**

La rémunération des dirigeants est longtemps restée une question taboue en France. Mais la loi sur les nouvelles régulations économiques a soumis les entreprises cotées à l'obligation de publier les rémunérations de leurs dirigeants. En 2018, la rémunération totale (salaire fixe, bonus, actions gratuites et primes diverses) du directeur général d'une entreprise du CAC 40 était de 5,8 millions d'euros en moyenne, contre 3,6 millions d'euros pour un dirigeant du SBF 120*. La rémunération moyenne des équipes dirigeantes (comités exécutifs, directoires…) est de 1 million d'euros.

Les « grands patrons » français sont parmi les mieux payés d'Europe, mais loin derrière les dirigeants américains d'entreprises du S&P500, qui reçoivent des salaires en moyenne près de quatre fois plus élevés (pour des entreprises en moyenne beaucoup plus grosses, il est vrai). Pourquoi les dirigeants sont-ils autant payés ? Il semblerait que cela soit lié à la structure même du « marché des dirigeants » : les bons dirigeants se paient cher parce qu'ils sont rares**. La concurrence est en effet très intense entre les entreprises pour fidéliser les meilleurs d'entre eux. En somme, c'est un peu la même chose que pour le football***…

*   *Source :* Proxinvest.

**   X. Gabaix et A. Landier (2008), « Why Has CEO Pay Increased So Much? », *Quaterly Journal of Economics*, 123(1), 49-100.

*** À titre de comparaison, le salaire de Paul Pogba, le sportif français le mieux payé en 2018, dépasse 33 millions d'euros ; le président de la République et le Premier ministre touchent chacun 182 000 € par an ; le salaire minimum est fixé en France à 18 300 €.

Rémunération et sensibilité aux performances de l'entreprise

De nombreuses études (essentiellement américaines) ont mesuré la sensibilité de la rémunération des dirigeants aux performances de l'entreprise. Des années 1970 au milieu des années 1980, une augmentation de la valeur de l'entreprise de 1 000 $ se traduisait en moyenne par une augmentation de la rémunération des dirigeants de 3,25 $[15]. Cela peut sembler faible pour inciter réellement un dirigeant à exercer un effort supplémentaire au service des actionnaires. Cependant, une sensibilité accrue de la rémunération des dirigeants aux performances de l'entreprise a un coût : une réduction de la diversification du portefeuille des dirigeants, qui exigeront donc en contrepartie une prime de risque. Le degré de sensibilité optimal dépend par conséquent du niveau d'aversion au risque des dirigeants, qui est difficile à mesurer.

Les rémunérations des dirigeants ont connu une très forte augmentation au cours des 30 dernières années (figure 29.1). Cette augmentation a concerné les dirigeants d'entreprise dans tous les pays développés, et provient essentiellement des actions et stock-options reçues, dans un contexte de marché boursier haussier qui plus est. La hausse de la rémunération des dirigeants s'étant accompagnée d'une augmentation du poids des composantes incitatives dans la rémunération, la sensibilité de la rémunération des dirigeants aux performances de l'entreprise a augmenté. Dans les années 1990,

---

15. M. Jensen et K. Murphy (1990), « Performance Pay and Top-Management Incentives », *Journal of Political Economy*, 98(2), 225-264.

une hausse de 1 000 $ de la valeur de l'entreprise se traduisait ainsi par une augmentation de la rémunération des dirigeants de 25 $[16], soit presque huit fois plus que dans les années 1980.

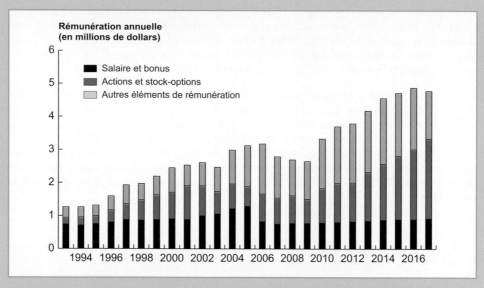

Figure 29.1 – La rémunération des dirigeants

La figure représente le salaire et le bonus du dirigeant médian, ainsi que les actions et stock-options qu'il reçoit. L'échantillon est constitué des dirigeants des 1 600 plus grandes entreprises américaines entre 1993 et 2017.

Source : Execucomp.

L'augmentation de la part des actions et des stock-options dans la rémunération des dirigeants ne va pas sans effets pervers. Ainsi, les stock-options sont souvent attribuées à la monnaie : leur prix d'exercice est égal au prix de l'action au moment de l'attribution. Les dirigeants sont donc incités à modifier le calendrier des annonces pour que les mauvaises nouvelles soient annoncées juste avant l'attribution de stock-options, afin de profiter d'un prix d'exercice plus faible, et que les bonnes nouvelles soient annoncées juste avant leur exercice[17]. Il est même arrivé que des dirigeants manipulent directement les caractéristiques de leurs stock-options pour maximiser leurs gains : **antidater** les stock-options, c'est-à-dire définir de façon *rétroactive* la date d'attribution pour la faire coïncider avec une date où le prix de l'action était bas, permet de recevoir des options dans la monnaie, ce qui revient pour les dirigeants à être rémunérés pour des performances passées dont ils ne sont pas responsables ou pour lesquelles ils ont déjà été rémunérés[18]. Du fait de

16. B. Hall et J. Liebman (1998), « Are CEOs Really Paid Like Bureaucrats? », *Quarterly Journal of Economics*, 103(3), 653-691.

17. D. Yermack (1997), « Good Timing: CEO Stock Option Awards and Company News Announcements », *Journal of Finance*, 52(2), 449-476 ; N. Burns et S. Kedia (2006), « The Impact of Performance-Based Compensation on Misreporting », *Journal of Financial Economics*, 79, 35-67.

18. E. Lie (2005), « On the Timing of CEO Stock Option Awards », *Management Science*, 51, 802-812 ; R. Heron et E. Lie (2007), « Does Backdating Explain the Stock Price Pattern Around Executive Stock Option Grants? », *Journal of Financial Economics*, 83, 271-295.

ces effets pervers, la réglementation et la fiscalité appliquées aux stock-options se sont progressivement durcies, au point que ces instruments sont progressivement remplacés par des actions gratuites attribuées sous condition de performance.

L'octroi de stock-options ou d'actions gratuites pose également un problème de définition des incitations offertes au dirigeant : ces titres ont une valeur qui est fonction de la performance boursière *absolue* de l'action de l'entreprise. Lorsqu'une entreprise voit son cours de Bourse augmenter, ses dirigeants s'enrichissent – même si le cours de Bourse de l'entreprise augmente deux fois moins que celui de tous ses concurrents... Les incitations offertes au dirigeant seraient meilleures si sa rémunération était indexée sur la surperformance de l'entreprise par rapport à ses concurrents ou par rapport au marché. Cela permettrait également de récompenser un dirigeant dans un marché baissier, pourvu que le cours de Bourse de son entreprise résiste mieux que les autres[19].

29.4. Les moyens d'action à la disposition des actionnaires

Lorsque les dirigeants manœuvrent pour limiter les contre-pouvoirs, on parle de **stratégie d'enracinement**. La mise en place de protections anti-OPA telles que les pilules empoisonnées (voir chapitre 28), le renouvellement échelonné des mandats des administrateurs ou des restrictions à la convocation d'assemblées générales exceptionnelles permettent aux dirigeants de réduire le pouvoir des actionnaires. Une telle stratégie d'enracinement fonctionne-t-elle réellement et impose-t-elle un coût aux actionnaires ?

Après tout, le fait qu'un dirigeant dispose d'un grand pouvoir n'est pas nécessairement mauvais, et de nombreuses entreprises très performantes sont dirigées par un actionnaire important, voire par leur fondateur : Arcelor-Mittal (Lakshmi Mittal), LVMH (Bernard Arnault), Bouygues (Martin Bouygues)... Ces dirigeants disposent d'une grande liberté du fait de l'absence ou de la faiblesse des contre-pouvoirs ; les conflits d'intérêt sont peu probables puisqu'ils sont d'importants actionnaires de leurs entreprises. On démontre ainsi que les décisions destructrices de valeur sont moins fréquentes lorsque les dirigeants détiennent une part importante du capital de l'entreprise[20].

Il n'en est pas de même pour l'enracinement des dirigeants qui ne sont pas actionnaires significatifs de l'entreprise : il semble qu'il soit effectivement destructeur de valeur et que les entreprises ayant limité le pouvoir de leurs actionnaires aient affiché des résultats inférieurs aux autres[21]. De plus, un lien existe entre le degré d'enracinement des dirigeants, le niveau de leur rémunération et la destruction de valeur lors des opérations de fusions-acquisitions[22]. Et les dirigeants enracinés sont également plus difficiles à faire

---

19. M. Bertrand et S. Mullainathan (2001), « Are CEOs Rewarded for Luck? », *Quarterly Journal of Economics*, 116(3), 901-929.

20. R. Walkling et M. Long (1984), « Agency Theory, Managerial Welfare, and Takeover Bid Resistance », *Rand Journal of Economics*, 15(1), 54-68.

21. P. Gompers, J. Ishii et A. Metrick (2003), « Corporate Governance and Equity Prices », *Quarterly Journal of Economics*, 118(1), 107-155. La cause n'est toutefois pas claire : J. Core, W. Guay et T. Rusticus (2006), « Does Weak Governance Cause Weak Stock Returns? An Examination of Firm Operating Performance and Investors' Expectations », *Journal of Finance*, 61(2), 655-687.

22. G. Garvey et T. Milbourn (2006), « Asymmetric Benchmarking in Compensation: Executives Are Paid for Good Luck but Not Punished for Bad », *Journal of Financial Economics*, 82(1), 197-225 , R. Masulis, C. Wang et F. Xie (2007), « Corporate Governance and Acquirer Returns », *Journal of Finance*, 62(4), 1851-1889

partir si nécessaire… Quels sont les moyens dont disposent les actionnaires pour limiter l'enracinement d'un dirigeant ? Que peuvent-ils faire s'ils ne sont pas d'accord avec les décisions qu'il prend ?

L'activisme actionnarial

Des actionnaires mécontents d'un dirigeant et constatant l'impuissance du conseil d'administration disposent de moyens d'action directs pour éviter d'être expropriés par des dirigeants trop soucieux de leurs intérêts personnels. La solution la plus simple, la plus immédiate et la moins coûteuse pour un actionnaire mécontent consiste à vendre ses actions. Les actionnaires votent alors, dans le jargon de la finance, « avec leurs pieds ». S'ils sont nombreux à procéder ainsi, cela peut faire baisser la valeur des actions de l'entreprise, ce qui exerce une pression sur le dirigeant et augmente la probabilité qu'il se fasse licencier ou que l'entreprise soit la cible d'une offre publique hostile.

Les actionnaires peuvent également décider de voter « avec leurs mains ». Chaque année, le conseil d'administration établit la liste des résolutions qui seront soumises à l'approbation des actionnaires lors de leur assemblée générale. Un mois avant l'assemblée, un avis est publié au *Bulletin des annonces légales*, détaillant l'ordre du jour et la liste des résolutions proposées. Tous les actionnaires souhaitant participer à l'assemblée générale peuvent le faire ; s'ils ne souhaitent pas se déplacer, ils peuvent voter par correspondance ou en ligne. En France, deux tiers des actions sont en moyenne représentés aux assemblées générales des grandes entreprises cotées. Les actionnaires peuvent donc refuser d'entériner les résolutions proposées par le conseil d'administration. Ainsi, mécontents des performances de l'entreprise et refusant de jouer la Belle au bois dormant plus longtemps, 45 % des actionnaires de la Walt Disney Company ont refusé en 2004 de voter la réélection de Michael Eisner au poste de P-DG[23]. La résolution a tout de même été adoptée, mais un tel taux de rejet est très rare pour une entreprise cotée en Bourse. Le signal était donc sans ambiguïté ; sous la pression, Eisner et le conseil d'administration de Disney ont décidé de dissocier les postes de président du conseil et de directeur général. Ce genre de mobilisation des actionnaires est qualifié d'**activisme actionnarial**. En France, ces dernières années, plusieurs dizaines de résolutions présentées et défendues par les dirigeants des 250 principales sociétés françaises cotées ont été rejetées par les actionnaires. Le taux de contestation des résolutions proposées par les dirigeants est ainsi plus élevé qu'il y a quelques années : 5 % des votes exprimés pour les 250 plus grandes entreprises françaises en moyenne, contre environ 1 % à la fin des années 1990[24]. Les mesures les plus contestées concernent la mise en place de dispositifs anti-OPA, les modifications statutaires limitant les droits des actionnaires, les augmentations de capital sans droit préférentiel de souscription et les plans d'intéressement à long terme des dirigeants et des salariés.

Pour pousser plus loin la contestation, les actionnaires peuvent demander, avant la tenue de l'assemblée générale, l'inscription à l'ordre du jour d'un projet de résolution. Pour ce faire, ils doivent détenir au moins 0,5 % du capital[25] (seuil plus élevé pour les petites

---

23. M. Eisner cumulait en effet les postes de *Chairman of the Board* (président du Conseil) et de Chief *Executive Officer* (directeur général).

24. Proxinvest.

25. Les petits porteurs se réunissent souvent en association pour défendre leurs intérêts et franchir ce seuil. La principale association en France est l'Association de défense des actionnaires minoritaires (ADAM).

entreprises). Ce projet de résolution sera soumis au vote des actionnaires. *A priori*, tout type de projet de résolution peut être envisagé. En pratique, trois catégories de résolutions sont déposées : interpeller le dirigeant sur son mode de gestion, infléchir la stratégie de l'entreprise ou dénoncer des pratiques jugées peu responsables, notamment en matière de lutte contre le changement climatique (voir encadré).

| Finance verte | **Greenpeace, actionnaire militant** |

Greenpeace est une ONG, fondée en 1971, qui lutte pour la paix et la défense de l'environnement. Outre les moyens d'action traditionnels, Greenpeace pratique l'activisme actionnarial. Le principe est simple : Greenpeace achète quelques actions des entreprises qu'elle cible. L'objectif n'est pas de toucher des dividendes, mais de participer aux assemblées générales, de déposer des projets de résolution et d'essayer d'influencer les décisions des entreprises. Greenpeace a ainsi utilisé ce levier pour s'opposer aux forages envisagés par BP en Alaska en 2000, ou aux projets d'extraction de pétrole non conventionnels de BP ou Shell en 2010. Ces résolutions ont obtenu, au mieux, 15 % des suffrages : on est donc loin des 50 % (voire 66 % dans certains cas) nécessaires à leur adoption. Malgré tout, pour Greenpeace, le bilan est positif car cela sensibilise de nombreux actionnaires à ses combats et aux questions environnementales.

De plus en plus d'actionnaires découvrent les vertus de l'activisme. Ainsi, 360 gros investisseurs institutionnels mondiaux ont formé l'alliance *Climate Action 100*, dont l'objectif est de soutenir l'accord de Paris et de forcer les entreprises dans lesquelles ils investissent à prendre au sérieux les questions environnementales. à leur initiative, 99 % des actionnaires de BP ont ainsi voté en 2019 une résolution contraignante forçant l'entreprise à définir une stratégie cohérente avec une trajectoire limitant le réchauffement climatique à + 2°C.

Il est rare que les résolutions déposées par des actionnaires soient approuvées si elles ne reçoivent pas le soutien explicite du conseil d'administration. Mais elles peuvent mettre en difficulté un dirigeant ou le conseil d'administration si elles rencontrent un relatif succès. Des études montrent que le marché répond positivement lorsque ces résolutions sont adoptées, suggérant que celles-ci ont bien un impact positif sur la gouvernance des entreprises[26]. En France, d'après Proxinvest, une cinquantaine de résolutions sont proposées par les actionnaires minoritaires chaque année. Pour la première fois, en 2007, l'une d'elles a recueilli plus de deux tiers des voix, seuil nécessaire pour réformer les statuts d'une entreprise : les actionnaires d'Alcatel-Lucent ont réussi à supprimer le plafonnement des droits de vote en vigueur jusque-là.

L'activisme actionnarial a le vent en poupe depuis deux décennies. L'explication n'est pas à chercher du côté des petits actionnaires individuels, traditionnellement peu activistes, car ils ont peu à gagner[27], mais plutôt du côté des **investisseurs institutionnels** (les fameux « zinzins »). Le comportement de ces derniers évolue en effet progressivement

---

26. D. Levit et N. Malenko (2011), « Non-Binding Voting for Shareholder Proposals », *Journal of Finance*, 66(5), 1579-1614 ; V. Cuñat, M. Guadalupe et M. Gine (2012), « The Vote Is Cast: The Effect of Corporate Governance on Shareholder Value », *Journal of Finance*, 67(5), 1943-1977.

27. C'est la conséquence du paradoxe du vote : avant de décider d'aller voter, les agents arbitrent entre coûts (se déplacer, s'informer…) et bénéfices (défendre ses choix). La probabilité qu'un actionnaire vote est fonction du nombre de titres qu'il détient et de son anticipation du résultat du vote : plus le résultat est incertain, plus l'incitation à aller voter est forte.

dans le sens d'une participation plus active aux assemblées générales des entreprises, certains allant jusqu'à mettre en avant l'effet positif de leur activisme sur la stratégie ou la gestion de certaines entreprises. Compte tenu de leur poids, ces actionnaires peuvent également avoir des discussions informelles avec les dirigeants et les administrateurs des entreprises dont ils sont actionnaires, dans le but d'influer sur la stratégie et les mécanismes de gouvernance. Leur capacité d'influence est alors proportionnelle à leur poids dans l'actionnariat, mais aussi à la possibilité qu'ils ont de faire appel aux autres actionnaires, par exemple en menaçant de déposer une résolution en assemblée générale s'ils ne sont pas écoutés. De fait, certains investisseurs institutionnels activistes arrivent à leurs fins sans même que le problème soit rendu public[28].

Certains fonds d'investissement ont d'ailleurs élaboré une stratégie d'investissement fondée sur l'activisme actionnarial : ce sont les **fonds activistes**. Ils identifient des entreprises qu'ils jugent sous-évaluées, ramassent un grand nombre d'actions en Bourse puis mettent une forte pression sur les dirigeants pour les forcer à améliorer la gestion ou modifier la stratégie de l'entreprise. Pour cela, ils recourent fréquemment à des campagnes médiatiques dans le but de convaincre les autres actionnaires et certains vont jusqu'à réaliser des opérations de **prêt-emprunt de titres** pour peser plus lourd lors des assemblées générales (voir encadré). Les fonds activistes parviennent à leurs fins (au moins partiellement) deux fois sur trois, ce qui justifie que le cours de Bourse des entreprises ciblées par ces fonds affiche un rendement supérieur de 7 % en moyenne à celui du marché à l'annonce de l'arrivée d'un fonds activiste à leur capital, et que celui-ci ne revienne à la normale que lorsque le fonds échoue dans son entreprise[29].

Zoom sur…	**Le prêt-emprunt de titres en période d'assemblée générale**

Certains investisseurs institutionnels empruntent jusqu'à 10 % des titres d'une société juste avant son assemblée générale. L'Autorité des marchés financiers s'est donc interrogée sur « la légitimité des opérations de prêt-emprunt de titres en période d'assemblées générales, dans la mesure où les droits de vote qui s'attachent aux titres empruntés peuvent servir à soutenir des actions ponctuelles, menées pour influer sur le déroulement de l'assemblée générale ou obtenir le contrôle d'une société, sans en prendre de risque capitalistique et en toute opacité vis-à-vis des autres actionnaires et du marché » ; elle a imposé qu'un investisseur détenant plus de 0,5 % des droits de vote d'une société grâce à un prêt-emprunt de titres en informe la société avant l'assemblée générale. Pour aller plus loin, il serait possible de suspendre les droits de vote des titres empruntés, mais ce n'est pas à l'ordre du jour.

La menace d'une offre publique hostile

Si l'activisme actionnarial ne suffit pas à faire entendre raison à un dirigeant n'œuvrant pas dans le sens souhaité par les actionnaires, ces derniers disposent d'un dernier moyen d'action : remplacer les dirigeants au moyen d'une prise de contrôle hostile[30]. Il arrive

---

28. W. Carleton, J. Nelson et M. Weisbach (1998), « The Influence of Institutions on Corporate Governance Through Private Negotiations: Evidence from TIAA-CREF », *Journal of Finance*, 53(4), 1335-1362.
29. A. Brav, W. Jiang, F. Partnoy et R. Thomas (2008), « Hedge Fund Activism, Corporate Governance, and Firm Performance », *Journal of Finance*, 63(4), 1729-1775.
30. C'est d'ailleurs un motif fréquent des prises de contrôle (voir chapitre 28).

que la simple menace d'une offre publique hostile suffise à rappeler à l'ordre le dirigeant récalcitrant. En effet, lorsqu'un dirigeant se sent menacé, il a tout intérêt à satisfaire ses actionnaires, ce qui revient – dans la logique de création de valeur pour les actionnaires – à améliorer la gestion de l'entreprise. Les administrateurs également peuvent craindre une telle prise de contrôle, susceptible d'aboutir à leur remplacement, ce qui peut les inciter à renforcer leur contrôle des actions des dirigeants.

La menace est d'autant plus crédible pour les dirigeants que les offres publiques hostiles sont fréquentes. Ainsi, les périodes d'activité soutenue de fusions-acquisitions constituent des périodes pendant lesquelles les dirigeants ont plus intérêt à agir en faveur de leurs actionnaires[31]. L'existence de cette menace explique d'ailleurs les raisons pour lesquelles dirigeants et administrateurs tentent fréquemment de faire adopter par l'assemblée générale des mesures anti-OPA telles que des pilules empoisonnées. Ces projets de résolution sont fréquemment rejetés par les actionnaires, à juste titre semble-t-il : de nombreuses études empiriques suggèrent en effet l'existence d'un lien négatif entre existence de mesures anti-OPA et performances de l'entreprise.

En fait, l'amélioration des incitations des dirigeants ne repose pas réellement sur les prises de contrôle effectives – qui demeurent, somme toute, assez rares –, mais sur la menace implicite qu'elles représentent : pour que l'incitation existe, il suffit que le pouvoir au sein d'une entreprise soit *contestable* (au sens de la **contestabilité** des marchés), c'est-à-dire qu'il soit *possible* de le faire changer de mains. À ce sujet, d'importantes différences existent d'un pays à l'autre : certains pays disposent d'un « marché du contrôle des entreprises » beaucoup plus actif et efficace que d'autres. La France ne brille pas par la contestabilité de son marché du contrôle des entreprises, les dirigeants des entreprises françaises étant moins fréquemment licenciés que les autres – en particulier qu'aux États-Unis, où les prises de contrôle hostiles sont plus courantes que dans les autres pays.

29.5. La réglementation au chevet de la gouvernance d'entreprise

La nomination d'administrateurs indépendants, la mise en place de rémunérations incitatives ou l'activisme actionnarial sont autant de mécanismes qui améliorent la gouvernance d'entreprise et réduisent les conflits d'intérêt entre actionnaires et dirigeants. Ce n'est pas toujours suffisant ; la réglementation a donc dû imposer au fil du temps des mécanismes pour modifier l'équilibre entre dirigeants et actionnaires, défendre les intérêts des petits porteurs et assurer l'équité entre actionnaires.

Les codes de bonne conduite

La réflexion sur les moyens d'améliorer la gouvernance d'entreprise a débuté en France au début des années 1990. Comme le veut la tradition française, de nombreux rapports ont été consacrés à la question ; ils ont permis de construire une compréhension partagée du sujet à l'initiative de syndicats ou d'organismes patronaux et ont débouché sur une tentative d'**autorégulation** fondée sur la publication de **codes de bonne conduite**.

---

31. W. Mikkelson et M. Partch (1997), « The Decline of Takeovers and Disciplinary Managerial Turnover », *Journal of Financial Economics*, 44(2), 205-228.

Les deux **rapports Viénot**, commandités par l'Association française des entreprises privées (AFEP) et le MEDEF, ont été publiés en 1995 et 1999 : le premier traite de la mission, de la composition et du fonctionnement souhaitable d'un conseil d'administration, tandis que le second insiste sur la dissociation des fonctions de président du conseil d'administration et de directeur général[32] et plaide pour la transparence des rémunérations des cadres dirigeants d'entreprises cotées, y compris en ce qui concerne la distribution d'actions gratuites et de stock-options (principe de *say-on-pay*). Le **rapport Bouton** (2002), commandité par l'AFEP et le MEDEF suite au scandale Enron, insiste sur la nécessaire indépendance du conseil d'administration et invite à renforcer celle des commissaires aux comptes, à améliorer la qualité de l'information financière et à revoir les normes comptables.

Ces rapports ont eu un grand impact sur la gouvernance des entreprises cotées françaises, à tel point que la quasi-totalité d'entre elles se réfèrent aujourd'hui explicitement au **code AFEP-MEDEF** lorsqu'elles abordent des questions de gouvernance. L'objectif de ce code, dont la dernière révision date de 2018, est de « développer des normes de gouvernance qui permettent aux sociétés cotées d'améliorer leur fonctionnement et leur gestion dans une grande transparence et de répondre ainsi aux attentes des investisseurs et du public[33] ».

De la loi NRE à la loi PACTE

Ces codes de bonne conduite, pour utiles qu'ils soient, n'ont pas permis d'empêcher les excès et scandales des années 2000 ; l'État est donc intervenu pour imposer des règles communes minimales à toutes les entreprises. Plusieurs lois se sont succédé sur le sujet.

La **loi sur les nouvelles régulations économiques**, dite loi NRE (2001), a créé la possibilité de dissocier les fonctions de président du conseil d'administration et de directeur général, a limité la taille du conseil d'administration à 18 membres (24 en cas de fusion) et a défini un nombre maximal de mandats par administrateur (cinq). Elle a également créé l'obligation pour les entreprises cotées de diffuser, dans leur rapport annuel, des informations sur les conséquences sociales et environnementales de leurs activités. Cette obligation, aujourd'hui commune, était la première reconnaissance légale d'une **responsabilité sociale des entreprises**, postulant que les entreprises ne doivent pas avoir pour objectif unique la maximisation de la valeur actionnariale (voir encadré).

La **loi sur la sécurité financière** a été votée en 2003 en réaction aux scandales boursiers consécutifs à l'éclatement de la bulle internet. Elle a renforcé la responsabilité, civile et pénale, des dirigeants et des administrateurs. Elle a également amélioré le fonctionnement et le contrôle des métiers du chiffre : analystes financiers, agences de notation, commissaires aux comptes, avec la création d'un Haut Conseil du Commissariat aux comptes. L'objectif de la loi était de limiter les sources de conflits d'intérêt potentiels : indépendance des commissaires aux comptes, séparation des activités d'audit et de

---

32. En 1992, au Royaume-Uni, la commission Cadbury préconisait déjà de séparer les fonctions de directeur général et de président ; il semble que les entreprises ayant suivi cette recommandation aient eu de meilleurs résultats : J. Dahya, A. A. Lonie et D. M. Power (1996), « The Case for Separating the Roles of Chairman and CEO: An Analysis of Stock Market and Accounting Data », *Corporate Governance*, 4(2), 71-77.

33. Il existe également un code de bonne conduite à destination des entreprises de taille intermédiaire, le code Middlenext.

conseil, etc. Toujours dans l'optique de renforcement du contrôle et de la transparence, la loi a également créé l'**Autorité des marchés financiers** (AMF), autorité administrative indépendante chargée de la régulation et de la supervision des marchés financiers, dont les missions sont :

- de veiller à la protection de l'épargne investie dans les titres financiers offerts au public ;
- d'œuvrer au bon fonctionnement des marchés d'instruments financiers ;
- de contrôler l'information mise à la disposition des investisseurs et de garantir l'équité entre eux, ce qui implique de lutter contre les délits d'initié.

Dernier avatar législatif sur le sujet, la **loi PACTE** (plan d'action pour la croissance et la transformation des entreprises), votée en 2019, s'inscrit dans la continuité des lois précédentes : transparence accrue sur la rémunération des dirigeants, renforcement des exigences de diversité au sein des organes de direction des entreprises et poids accru des administrateurs représentant les salariés. La mesure phare de la loi PACTE consiste en une modification de l'article 1833 du Code civil, inchangé depuis 1978. Celui-ci définit l'**intérêt social d'une entreprise** et postule que « toute société doit avoir un objet licite et être constituée dans l'intérêt commun des associés ». La loi PACTE précise que : « la société est gérée dans son intérêt social, en prenant en considération les enjeux sociaux et environnementaux de son activité » : la responsabilité sociale des entreprises est maintenant explicitement reconnue par la loi.

Finance verte	Quelle responsabilité sociale pour les entreprises ?

Pour Milton Friedman, prix Nobel d'économie 1976, la réponse est simple : « la responsabilité sociale des entreprises est de faire des profits […] ; l'entreprise n'a pas de responsabilité sociale envers le public, ses seules responsabilités sociales sont les revenus qu'elle procure à ses propriétaires. Le travail d'un dirigeant est de faire de l'argent, d'atteindre ou de battre l'indice de référence du marché ». Sa position a le mérite de la clarté : pour lui, dans la droite ligne d'Adam Smith, c'est en cherchant le profit que l'entreprise rend le plus grand service possible à la société.

Pourtant, un nombre croissant de théoriciens, de politiciens, mais également de chefs d'entreprises et d'actionnaires (voir l'encadré « Fonds ISR » du chapitre 11) soutiennent, au contraire, que les entreprises ont une responsabilité sociale étendue et qu'elles doivent certes prendre en compte l'intérêt de leurs actionnaires (*shareholders*), mais également ceux des autres parties prenantes (*stakeholders*), c'est-à-dire de tous ceux qui participent, de près ou de loin, à leur existence. Réduire l'empreinte environnementale de l'entreprise, améliorer la qualité des vie des salariés, proposer des produits durables sont autant de manières de concilier économie, social et protection de l'environnement. Et ce n'est même pas nécessairement contraire à la recherche du profit, puisque cela améliore l'image de l'entreprise, ce qui peut attirer de nouveaux clients… La loi PACTE ne dit pas autre chose lorsqu'elle impose de gérer une entreprise dans son intérêt social tout en prenant en considération les enjeux sociaux et environnementaux de son activité. Il reste à voir comment cette obligation légale se traduira concrètement dans les stratégies et les choix d'investissement des entreprises, et en particulier de celles dont les activités sont responsables, directement ou indirectement, de l'émission de grandes quantités de gaz à effet de serre.

Nicole Notat est fondatrice et présidente de VigeoEiris, l'une des principales agences de notation extra-financière, dont le métier est de mesurer la performance ESG de 4 900 entreprises dans le monde.

Quelle est l'utilité de la notation extra-financière ?

Notre métier consiste à fournir à des investisseurs, des entreprises et des banques notre opinion sur la manière dont les entreprises que nous notons intègrent les facteurs de responsabilité sociale dans leurs activités. La notation que nous réalisons repose sur un référentiel d'évaluation, que nous avons établi à partir des principes internationaux définissant ce qu'est la responsabilité sociale d'une entreprise, et sur une méthode d'analyse, qui mesure les engagements pris par les entreprises, contrôle la manière dont ils sont mis en œuvre et vérifie qu'ils produisent des résultats concrets et mesurables.

Mesurer la performance extra-financière d'une entreprise est très utile, puisque cela permet de faire entrer de nouveaux critères dans les décisions (financières) des investisseurs, des banques et des entreprises. Un fonds doit-il entrer au capital d'une entreprise dont les activités contribuent à aggraver le changement climatique ? En prêtant à une telle entreprise, une banque ne s'expose-t-elle pas à un risque de crédit à long terme si l'activité de l'entreprise n'est pas compatible avec la lutte contre le dérèglement climatique ?

Quelles perspectives pour le marché de la notation extra-financière ?

La demande qui nous est adressée est exponentielle et de nouveaux acteurs se convertissent chaque mois à l'intérêt de la notation extra-financière. Toutes les entreprises cotées sont aujourd'hui notées par VigeoEiris, et nous avons de plus en plus de questions concernant des entreprises non cotées. Preuve de ce succès, Moody's, l'une des principales agences de notation financière au monde, est devenue en 2019 l'actionnaire majoritaire de VigeoEiris. Nous avons bien entendu mis en place une muraille de Chine entre les analystes crédit de Moody's et les analystes ESG de VigeoEiris, mais ce mouvement montre l'importance croissante de la notation extra-financière ! Pour que la responsabilité sociale des entreprises continue de progresser, il faut maintenant améliorer la transparence : il faudrait que les informations relatives à la performance extra-financière d'une entreprise soient soumises à la même obligation de communication et de publicité que celles qui mesurent sa performance financière : il est aussi important de connaître les émissions de CO_2 d'une entreprise que son excédent brut d'exploitation !

Et aux États-Unis ?

La France ne fait pas figure de cas isolé : tous les pays développés ont durci leurs droits des sociétés depuis une vingtaine d'années, dans le souci d'éviter de nouveaux scandales financiers. Ainsi, aux États-Unis, deux textes importants ont été votés pour renforcer la gouvernance d'entreprise. Le premier est la **loi Sarbanes-Oxley**. Votée en 2002, elle a pour objectif principal d'améliorer la qualité et la fiabilité des informations fournies au conseil d'administration et aux actionnaires et impose :

- **le renforcement de l'indépendance des auditeurs.** Les cabinets d'audit doivent s'assurer que les états financiers reflètent de façon fiable et sincère la santé financière de l'entreprise. La loi interdit le mélange d'activités d'audit et de conseil, limite strictement les prestations non liées à l'audit qu'un cabinet peut offrir aux entreprises dont elle audite les comptes et impose une rotation des auditeurs tous les cinq ans. L'objectif est de réduire tout risque de conflit d'intérêt qui mettrait en péril l'indépendance des auditeurs ;

- **l'alourdissement des sanctions en cas de divulgation d'informations erronées.** Le directeur général et le directeur financier doivent certifier personnellement la fiabilité des états financiers présentés aux actionnaires. En cas de fausses déclarations intentionnelles, les amendes peuvent atteindre 5 millions de dollars et les peines d'emprisonnement 20 ans (soit, théoriquement, plus que pour un homicide sans préméditation…) ;

- **l'obligation de faire auditer leur dispositif de contrôle interne et d'en publier les conclusions.** Cette obligation est celle qui a suscité le plus de débats, car sa mise en œuvre est coûteuse pour les entreprises. Son coût a initialement été évalué à 1,24 milliard de dollars, mais des études plus récentes estiment celui-ci à plus de 20 milliards de dollars.

La loi Sarbanes-Oxley a ceci de particulier qu'elle s'impose aux entreprises américaines, mais également à toutes les entreprises cotées aux États-Unis : lorsqu'elle est entrée en vigueur, certaines entreprises étrangères ont préféré se faire radier de la cote plutôt que de s'y soumettre.

Le second texte important, la **loi Dodd-Frank** votée à la suite de la crise financière, comprend des dispositions en matière de gouvernance d'entreprise et de rémunération des dirigeants. Ainsi, elle impose à toutes les entreprises cotées de se doter d'un comité de rémunération composé exclusivement d'administrateurs indépendants, d'organiser un vote consultatif des actionnaires sur la rémunération des dirigeants au minimum tous les trois ans, d'être plus transparentes à propos de la politique de rémunération de leurs dirigeants[34], et enfin de mettre en place des **dispositifs de récupération** (*clawback provisions*) permettant aux actionnaires de récupérer pendant trois ans certaines rémunérations attribuées aux dirigeants mais jugées rétrospectivement abusives.

La lutte contre les délits d'initié

Les **délits d'initié** (*insider trading*) sont des opérations d'achat ou de vente de titres en Bourse par des personnes physiques ou morales disposant d'informations privilégiées. Celles-ci peuvent avoir été obtenues directement ou indirectement (on parle alors de recel de délit d'initié). Les délits d'initié sont sanctionnés, car ils créent une inégalité entre investisseurs sur les marchés financiers. Si, aux États-Unis, la lutte contre les délits d'initié est ancienne (la réglementation date de 1934), il a fallu attendre 1967 pour que ce délit soit défini en droit français (Code monétaire et financier, article L. 465-1).

Au premier rang des personnes susceptibles de commettre des délits d'initié figurent les dirigeants des entreprises qui, par définition, disposent d'informations auxquelles les autres investisseurs n'ont pas accès – il y a donc, là encore, un potentiel conflit d'intérêt entre dirigeants et actionnaires. Si les dirigeants avaient la possibilité de profiter de leurs informations, ils pourraient réaliser systématiquement des profits au détriment

---

34. Notamment en publiant le rapport entre la rémunération du dirigeant et celle du salarié médian, le lien entre rémunération et performance financière de l'entreprise, ainsi que tout dispositif permettant aux dirigeants de se couvrir contre une baisse de la valeur de marché des actions de l'entreprise.

des actionnaires extérieurs à la gestion de l'entreprise, ce qui réduirait l'incitation de ces derniers à placer leur épargne sur les marchés. Les dirigeants sont donc des initiés « primaires ». Consultants, banquiers, auditeurs, journalistes, administrateurs et bien d'autres encore peuvent également avoir accès à des informations privilégiées du fait de leur profession ou de leur fonction. Ce sont des initiés « secondaires ».

En tout état de cause, d'un point de vue juridique, le délit d'initié est souvent difficile à déceler, et plus encore à prouver, tout particulièrement lorsqu'il s'agit d'initié secondaire. Néanmoins, les sanctions sont lourdes pour ceux qui se font prendre : en France, les délits d'initié peuvent donner lieu à des peines d'emprisonnement allant jusqu'à cinq ans et des amendes jusqu'à 100 millions d'euros ou 10 fois le gain réalisé lors de l'opération frauduleuse.

Zoom sur…   **Des délits d'initiés sanctionnés par l'AMF**

La commission des sanctions de l'Autorité des marchés financiers (AMF) rend en moyenne une vingtaine de décisions par an ; les sanctions prononcées sont le plus souvent des amendes, de quelques dizaines de milliers à plusieurs millions d'euros en fonction de la gravité des faits. La sanction la plus élevée prononcée par l'AMF à ce jour, 14 millions d'euros, concerne un délit d'initié commis en 2008 à l'occasion de l'OPA de la SNCF sur sa filiale de transport et de logistique Geodis. Quelques jours avant l'annonce de l'opération, un responsable d'une salle des marchés du Crédit Libanais avait procédé à des achats massifs d'actions Geodis sur la foi d'informations fournies par un de ses cousins, salarié d'UBS, banque à la manœuvre dans l'OPA sur Geodis. L'opération avait permis au responsable en question de réaliser une plus-value de 6 millions d'euros…

Aux États-Unis, la SEC sanctionne environ 100 personnes par an pour délit d'initié et inflige régulièrement des amendes de plusieurs dizaines de millions de dollars, voire des peines de prison allant jusqu'à 11 ans.

29.6. La protection des actionnaires minoritaires

Les droits des actionnaires, la structure de propriété et de contrôle des entreprises varient d'un pays à l'autre. Ainsi, le degré de protection des investisseurs est sensiblement plus élevé aux États-Unis qu'en France et plus en France qu'en Thaïlande, par exemple. La question est de savoir si ces différences sont liées à l'origine du système légal[35] : le système juridique britannique (fondé sur la *common law*) assure en effet une meilleure protection des actionnaires que le droit civil français, germanique ou scandinave. Ce lien entre type de système juridique et protection des investisseurs est toutefois controversé : même en Grande-Bretagne, la protection des investisseurs n'est pas très ancienne, puisqu'au début du xxe siècle, la protection des actionnaires minoritaires n'existait nulle part dans le monde[36].

En tout état de cause, les droits des actionnaires et la protection dont ils disposent varient sensiblement entre les pays. Comme les sections précédentes de ce chapitre l'ont

---

35. R. La Porta, F. Lopez-de-Silanes, A. Shleifer et R. Vishny (1998), « Law and Finance », *Journal of Political Economy*, 106, 1113-1155.

36. J. Franks, C. Mayer et S. Rossi (2009), « Ownership: Evolution and Regulation », *Review of Financial Studies*, 22(10), 4009-4056.

montré, l'essentiel du débat relatif à la gouvernance d'entreprise porte sur les conflits d'agence entre actionnaires et dirigeants. Mais il ne faut pas ignorer que des conflits peuvent également apparaître entre **actionnaires majoritaires** et **actionnaires minoritaires**. Théoriquement, le contrôle de l'entreprise revient à l'actionnaire ou au groupe d'actionnaires détenant 50 % des droits de vote, donc du capital. En fait, plusieurs méthodes permettent à certains actionnaires de contrôler effectivement une entreprise sans détenir la moitié de son capital, ce qui est évidemment contraire aux intérêts des autres actionnaires. Ce problème peut apparaître dans plusieurs configurations : lorsqu'un actionnaire détient un bloc de contrôle, lorsque l'entreprise a émis des actions à droits de vote multiples, lorsqu'une structure pyramidale est mise en place ou encore lorsqu'il existe des participations croisées. Bien entendu, ces situations ne s'excluent pas mutuellement[37].

Les blocs de contrôle

Un actionnaire détient un **bloc de contrôle** lorsque la quantité de titres qu'il détient lui assure *de facto* le contrôle de l'entreprise ; on parle alors d'**actionnaire contrôlant**. Détenir 20 % des droits de vote d'une entreprise peut suffire à la contrôler, si le reste des actions est dispersé entre de nombreux petits actionnaires.

Une **entreprise familiale** est une entreprise dont une partie importante du capital est aux mains d'une même famille, souvent celle qui l'a fondée, il y a parfois plusieurs générations. Ces entreprises sont beaucoup plus nombreuses que ce que l'on croit généralement : elles représentent ainsi deux tiers des entreprises cotées à la Bourse de Paris et près de la moitié des sociétés qui composent le CAC 40. On retrouve de telles entreprises dans tous les pays, aux États-Unis, où un tiers des sociétés parmi les 500 plus grandes sont des entreprises familiales (Wal-Mart, par exemple), ou en Inde, où les groupes Tata et Mittal portent les noms de leurs fondateurs, qui sont actionnaires principaux et dirigeants de l'entreprise. Lorsqu'un actionnaire, un groupe d'actionnaires ou une famille exerce son contrôle sur une entreprise, les conflits d'intérêt apparaissent rarement entre actionnaires et dirigeants : ces derniers sont souvent très proches des actionnaires de contrôle, voire en font partie. Cependant, cette proximité est susceptible de faire apparaître un nouveau conflit d'intérêt, entre les différents groupes d'actionnaires : le dirigeant risque de ne plus agir dans l'intérêt de *tous* les actionnaires, mais seulement dans l'intérêt des actionnaires contrôlant l'entreprise. Cela peut se traduire, par exemple, par l'embauche de toute la famille à des postes à haute rémunération, mais pas nécessairement à hautes responsabilités. Il est également possible que l'entreprise conclue des contrats favorisant d'autres sociétés, contrôlées par la même famille.

En pratique, il semble que les entreprises familiales aient de meilleurs résultats que les autres, que l'entreprise soit dirigée par son fondateur ou l'un de ses héritiers[38]. Les raisons de cette bonne performance des entreprises familiales sont encore débattues, mais relèvent peut-être d'une gestion des ressources humaines plus « paternaliste » :

---

37. OCDE (2007), « Absence de proportionnalité entre propriété et contrôle », Groupe de direction sur le gouvernement d'entreprise.

38. D. Thesmar et D. Sraer (2007), « Performance and Behavior of Family Firm: Evidence From The French Stock market », *Journal of the European Economic Association*, 5(4), 709-751. Comme le soulignent les auteurs, ce dernier résultat est plutôt contre-intuitif : en effet, ne dit-on pas souvent ; « la première génération crée, la deuxième la maintient et la troisième la tue » ?

lorsque la conjoncture est mauvaise, les entreprises familiales ont moins tendance que les autres à licencier. En contrepartie, les rémunérations sont en moyenne plus faibles dans ces entreprises, ce qui en améliore la profitabilité.

Les actions à droits de vote multiples

La démocratie actionnariale suppose *a priori* la proportionnalité entre fraction du capital détenue, droits sur les flux de trésorerie de l'entreprise et droits de vote. C'est le principe « une action, une voix ». Certaines entreprises s'affranchissent pourtant de ce principe en émettant des **actions à droits de vote multiples**. Ces actions permettent à une entreprise de lever des capitaux, tout en limitant la dilution dont sont victimes les actionnaires contrôlant, ceux-ci disposant de droits de vote plus importants que la fraction du capital qu'ils détiennent effectivement. Ainsi, Mark Zuckerberg contrôle plus de 50 % des droits de vote de Facebook en détenant la majorité des actions de classe B de l'entreprise, sachant que ces actions donnent chacune droit à 10 droits de vote, contre un seul pour les actions de catégorie A.

Les actions à droits de vote multiples sont courantes en Allemagne, au Brésil, au Canada, en Italie, en Corée du Sud, dans les pays scandinaves. Au contraire, elles sont rares aux États-Unis et interdites en Belgique, en Chine, au Japon, à Singapour ou en Espagne. En France, une entreprise peut émettre des **actions à droits de vote doubles** qui, comme leur nom l'indique, donnent deux voix lors des votes en assemblée générale, mais leur émission est réglementée : en particulier, elles doivent faire l'objet d'une inscription nominative, depuis deux ans au moins, au nom du même actionnaire.

Les pyramides

Un troisième moyen pour contrôler une entreprise sans détenir la majorité de son capital est de créer une **pyramide**, ou **structure pyramidale**. Dans une pyramide, un actionnaire ou un groupe d'actionnaires contrôle une entreprise de tête. Cette entreprise contrôle une ou plusieurs autres entreprises qui, à leur tour, peuvent contrôler de nouvelles entreprises. Si les pourcentages de contrôle sont à chaque fois de 50 %, l'actionnaire majoritaire de la première entreprise contrôle les entreprises du deuxième niveau, même s'il ne détient effectivement que 25 % de leur capital. De même, son contrôle sur les entreprises de troisième niveau s'exerce alors qu'il n'en détient que 12,5 %. Plus la pyramide comprend de niveaux, plus le contrôle de l'actionnaire s'exerce avec un pourcentage faible du capital et plus la différence entre le contrôle effectif et les droits sur les flux de trésorerie futurs augmente, car ces derniers correspondent à la fraction directe des actions détenues.

Les pyramides de ce type sont courantes, en particulier en Europe et en Asie. Ainsi, la figure 29.2 résume la pyramide mise en place par la famille Pesenti en Italie (en 1995)[39]. La famille Pesenti contrôle cinq entreprises de construction – Italmobiliare, Italcementi, Franco Tosi, Cementerie Siciliane et Cementeri de Sardegna –, alors qu'elle ne détient la majorité du capital d'*aucune* d'entre elles. Ainsi, la famille Pesenti reçoit 29 % des divi-

---

39. P. Volpin (2002), « Governance with Poor Investor Protection: Evidence from Top Executive Turnover in Italy », *Journal of Financial Economics*, 64(1), 61-90 ; H. Almeida et D. Wolfenzon (2005), « A Theory of Pyramidal Ownership and Family Business Groups », *Journal of Finance*, 61(6), 2537-2680.

dendes d'Italmobiliare, qui a droit à 32 % des dividendes d'Italcementi qui elle-même a droit à 74 % des dividendes de Cementerie Siciliane. La famille Pesenti n'a donc droit qu'à 29 % × 32 % × 74 % = 7 % des dividendes de Cementerie Siciliane. Pourtant, elle contrôle 45 % des droits de vote de cette entreprise… La pyramide, doublée d'actions à droits de vote multiples, permet donc à la famille Pesenti de contrôler une entreprise dont elle détient à peine 7 % des actions !

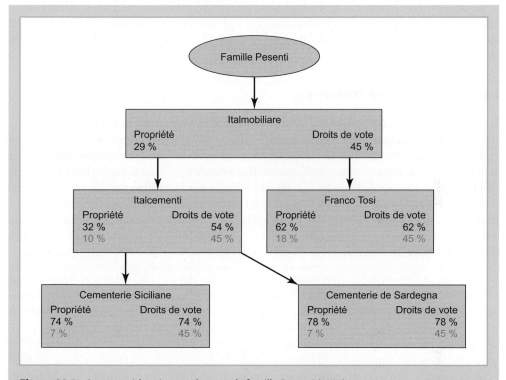

Figure 29.2 – La pyramide mise en place par la famille Pesenti (1995)

Pour chaque entreprise sont indiqués les droits aux dividendes et les droits de vote détenus par la famille Pesenti, qui diffèrent lorsqu'il existe des actions à droits de vote multiples. Les chiffres en noir représentent les droits de l'entreprise située au-dessus dans la pyramide, les chiffres en couleur ceux de la famille Pesenti : Italmobiliare détient 32 % des actions d'Italcementi mais 54 % des droits de vote. La famille Pesenti, grâce à sa détention de 29 % des actions Italmobiliare qui lui donnent 45 % de ses droits de vote, reçoit 10 % des dividendes d'Italcementi seulement, mais détient 45 % de ses droits de vote.

Le conflit d'intérêt est évident : la famille Pesenti a tout avantage à faire « remonter » les profits (et donc les dividendes) vers le haut de la pyramide – c'est-à-dire vers les entreprises dans lesquelles ses droits sur les dividendes sont plus élevés. Cette pratique, inhérente à la forme pyramidale, est qualifiée de ***tunnelling***[40]. La famille Pesenti pourrait, par exemple, obliger Cementerie Siciliane à signer un contrat avec son fournisseur

---

40. S. Johnson, R. La Porta, F. Lopez-de-Silanes et A. Shleifer (2000), « Tunneling », *American Economic Review*, 90(2), 22-27. Ce nom provient d'une image, les bénéfices étant remontés discrètement (par un tunnel) dans la pyramide, avant d'apparaître au grand jour dans une entreprise dont la famille contrôlant la pyramide possède une large part des droits au dividende.

Italmobiliare, prévoyant un prix très favorable à ce dernier. Les profits de Cementerie Siciliane seraient donc réduits au profit de ceux d'Italmobiliare, ce qui profite à la famille Pesenti et lèse les actionnaires minoritaires de Cementerie Siciliane.

Les actionnaires minoritaires savent qu'ils subissent les décisions des actionnaires de contrôle et qu'ils risquent d'être expropriés d'une partie de leurs bénéfices. On s'attend donc à ce que le prix des actions soit plus faible en présence d'un actionnaire de contrôle et d'une pyramide qu'en leur absence, ce qui est confirmé par de nombreuses études empiriques[41]. En d'autres termes, cela signifie que l'actionnaire de contrôle doit supporter un coût lié à son contrôle sur l'entreprise : le coût du capital de l'entreprise est plus élevé.

Les participations croisées

Dans certains pays, de nombreuses entreprises sont liées les unes aux autres par l'intermédiaire de **participations croisées** (*cross-holdings*). C'est le cas notamment au Japon ou en Corée du Sud. Au Japon, les entreprises forment ainsi des groupes, appelés *keiretsu*, au sein desquels on retrouve systématiquement une grande banque qui assure le financement de l'ensemble. La supervision des entreprises s'exerce par la banque principale, mais aussi par les entreprises du groupe qui se contrôlent mutuellement. En Corée du Sud, les *chaebols* sont d'énormes conglomérats d'entreprises industrielles opérant dans des secteurs d'activités très divers : Hyundai, Samsung, LG… SK Corporation a par exemple des filiales dans les secteurs de l'énergie, de la chimie, de la pharmacie et des télécommunications.

Les participations croisées directes sont rares dans les pays anglo-saxons et de moins en moins fréquentes en Europe. Mais il existe une forme plus subtile de participations croisées que l'on retrouve partout : celle-ci passe par le canal d'un actionnariat partiellement commun. Ainsi, les plus grands fonds d'investissement gèrent tant de capitaux qu'ils se retrouvent presque inévitablement au capital d'entreprises concurrentes. Même si ces fonds ne sont pas impliqués directement dans la gestion des entreprises dont ils sont actionnaires, le fait que des entreprises concurrentes aient des actionnaires identiques pose question en termes de droit de la concurrence. Ainsi, il a été démontré que les prix des billets d'avion sont plus élevés lorsque les compagnies aériennes en concurrence sur l'itinéraire en question ont des actionnaires communs. Et lorsque le poids de ces actionnaires communs augmente, comme après la fusion entre Barclays Global Investors et BlackRock, deux des principaux gérants de fonds mondiaux, la hausse des prix des billets d'avion n'en est que plus forte[42]. Les autorités de la concurrence étudient donc aujourd'hui l'influence que peuvent avoir des actionnaires communs sur la concurrence entre entreprises.

---

41. P. Hanouna, A. Sarin et A. Shapiro (2013), « Value of Corporate Control: Some International Evidence », *Journal of Investment Management*, 11, 78-99 ; C. Doidge (2004), « U.S. Cross-Listings and the Private Benefits of Control: Evidence from Dual Class Shares », *Journal of Financial Economics*, 72(3), 519-553 ; L. Zingales (1994), « The Value of the Voting Right: A Study of the Milan Stock Exchange Experience », *Review of Financial Studies*, 7, 125-148 ; H. Almeida et D. Wolfenzon (2006), « A Theory of Pyramidal Ownership and Family Business Groups », *Journal of Finance*, 61, 2637-2680 ; L. Bebchuk, R. Kraakman et G. Triantis (2000), « Stock Pyramids, Cross- Ownership, and Dual Class Equity », *Concentrated Corporate Ownership*, Chicago: University of Chicago Press, 295-318 ; M. Bertrand, P. Mehta et S. Mullainathan (2002), « Ferreting Out Tunneling: An Application to Indian Business Groups », *Quarterly Journal of Economics*, 117, 121-148.
42. J. Azar, M. Schmalz et I. Tecu (2018), « Anticompetitive Effects of Common Ownership », *Journal of Finance*, 73, 1513-1565.

29.7. Qu'est-ce qu'une bonne gouvernance ?

La gouvernance d'entreprise est un système de règles, de contrôles et d'incitations construit pour limiter les conflits d'intérêt entre parties prenantes d'une entreprise. Les bénéfices d'une bonne gouvernance sont évidents. Cependant, il ne faut pas ignorer les coûts liés à un système de gouvernance d'entreprise : les administrateurs d'une entreprise doivent être rémunérés, les stock-options et actions gratuites attribuées aux dirigeants imposent une dilution aux autres actionnaires, tout contrôle est coûteux, etc.

Un arbitrage doit donc être effectué entre coûts et bénéfices d'une amélioration de la gouvernance d'entreprise, et celui-ci peut être complexe. Aucun modèle de gouvernance ne conviendra parfaitement à toutes les entreprises. Il serait par exemple ridicule d'affirmer que les actionnaires minoritaires de Microsoft ont pâti du contrôle exercé par Bill Gates sur son entreprise. Mais des contre-exemples existent… De plus, le système de gouvernance dans une entreprise donnée est le fruit de l'histoire et de contingences propres. Son efficacité dépend de la volonté des actionnaires et des dirigeants actuels et passés, mais également des normes juridiques, comptables et sociales du pays : certaines pratiques acceptables dans un pays ne le sont pas ailleurs. Ainsi, il n'est pas surprenant que les structures de gouvernance d'entreprise diffèrent autant entre entreprises et pays[43].

Résumé

29.1. Gouvernance d'entreprise et conflits d'intérêt

- La gouvernance d'entreprise traite du système de règles, de contrôles et d'incitations conçu pour limiter ou empêcher les fraudes et les conflits d'intérêt entre les parties prenantes d'une entreprise.

- Des conflits d'intérêt peuvent apparaître entre dirigeants et actionnaires du fait de la séparation entre propriété et contrôle de l'entreprise.

29.2. Le contrôle du dirigeant par le conseil d'administration

- Le conseil d'administration nomme le directeur général de l'entreprise, contrôle ses décisions et peut mettre fin à ses fonctions. Il détermine les orientations stratégiques de l'entreprise et veille à leur mise en œuvre. Les administrateurs doivent théoriquement agir dans l'intérêt des actionnaires et de l'entreprise, mais ils peuvent être sous l'influence du dirigeant.

29.3. La rémunération des dirigeants comme outil d'incitation

- Le fait pour le dirigeant qu'une partie de sa rémunération soit liée à la performance de l'entreprise peut l'inciter à la gérer dans l'intérêt des actionnaires, car cette

---

43. J. Charkham (1994), Keeping Good Company: A Study of Corporate Governance in Five Countries, Clarendon Press ; J. Franks et C. Mayer (1997), « Corporate Ownership and Control in the UK, Germany and France », *Journal of Applied Corporate Finance*, 9(4), 30-45 ; R. La Porta, F. Lopez-de-Silanes et A. Shleifer (1999), « Corporate Ownership Around the World », *Journal of Finance*, 54(4), 471-517 ; D. K. Denis et J. J. McConnell (2003), « International Corporate Governance », *Journal of Financial and Quantitative Analysis*, 38(1), 1-38.

rémunération incitative aligne ses intérêts sur ceux des actionnaires. Cela peut également l'inciter à prendre plus de risques.

■ Le plus simple pour offrir une rémunération incitative à un dirigeant consiste à lui octroyer des actions ou des stock-options. Mais la détention d'actions peut avoir un effet pervers, en rendant plus difficile son licenciement. Les actionnaires doivent également veiller à ce que les dirigeants n'influencent pas le prix des actions pour augmenter leur rémunération.

29.4. Les moyens d'action à la disposition des actionnaires

■ Face à un dirigeant ne satisfaisant pas les actionnaires et un conseil d'administration sous influence, les actionnaires disposent de différents moyens de pression : ils peuvent vendre leurs actions, faire entendre leur voix au cours des assemblées générales (activisme actionnarial), voire menacer d'une prise de contrôle hostile.

■ À l'inverse, le conseil d'administration et les dirigeants peuvent mettre en place des mesures ayant pour but de limiter le pouvoir des actionnaires, dans une stratégie d'enracinement des dirigeants : pilules empoisonnées, renouvellement échelonné des mandats, limitation des droits des actionnaires.

29.5. La réglementation au chevet de la gouvernance d'entreprise

■ Les mécanismes de gouvernance décidés par les actionnaires et les entreprises s'inscrivent dans un cadre légal contraignant, qui vise à réduire les asymétries d'information entre dirigeants et actionnaires et donc le coût du capital.

■ Dans la plupart des pays développés, la loi impose aux entreprises de mettre en place des dispositifs de contrôle interne indépendants, d'être transparentes sur la rémunération des dirigeants et de garantir la fiabilité des informations comptables et financières qu'elles diffusent.

■ Un délit d'initié (*insider trading*) est une opération d'achat ou de vente de titres réalisée par une personne disposant d'informations privilégiées, que cette information ait été obtenue directement ou indirectement. Ces opérations sont sanctionnées car elles vont à l'encontre de l'égalité entre investisseurs.

29.6. La protection des actionnaires minoritaires

■ La protection des actionnaires minoritaires est également une question centrale pour la gouvernance d'entreprise ; la détention d'un bloc de contrôle, la mise en place d'une pyramide, l'utilisation d'actions à droits de vote multiples ou l'existence de participations croisées peuvent favoriser un actionnaire au détriment des autres.

29.7. Qu'est-ce qu'une bonne gouvernance ?

■ Tout système de contrôle ou d'incitation a un coût. Pour tout mécanisme de gouvernance, un arbitrage doit donc être réalisé entre ses coûts et ses bénéfices. De plus, son efficacité dépendra des normes juridiques, comptables et sociales du pays considéré, mais aussi de l'histoire et de la culture de l'entreprise concernée. Il est donc logique que les structures de gouvernance d'entreprise diffèrent autant entre entreprises et pays.

Exercices

1. Pourquoi les dirigeants de sociétés anonymes doivent-ils être contrôlés par les actionnaires ?

2. Quels sont les conflits d'intérêt possibles entre actionnaires et dirigeants ? Donnez des exemples.

3. Quels sont les avantages et les inconvénients des sociétés anonymes en tant que structure organisationnelle ?

4. Quel est le rôle du conseil d'administration dans la gouvernance d'entreprise ?

5. Comment un dirigeant peut-il influencer son conseil d'administration ?

6. Le concept d'administrateur indépendant n'est-il qu'un mythe ?

7. Quel rôle les analystes financiers peuvent-ils jouer dans la gouvernance des entreprises ?

8. Dans quelle mesure les créanciers sont-ils impliqués dans la gouvernance des entreprises ?

9. Un salarié qui a connaissance d'agissements illégaux de la part de son entreprise doit-il les dénoncer ou est-il tenu au secret professionnel ?

10. Quels sont les avantages liés à l'attribution d'actions gratuites à un dirigeant ?

11. Augmenter le nombre d'actions détenues par le dirigeant améliore-t-il nécessairement les performances de l'entreprise ?

12. Quels sont les problèmes que pourrait poser l'octroi de stock-options à un dirigeant peu scrupuleux ?

13. Qu'est-ce que l'activisme actionnarial ?

14. Que peut faire le conseil d'administration lorsqu'il est confronté à un actionnaire mécontent ?

15. Qu'est-ce qu'un fonds activiste ?

16. Qu'est-ce que le *say-on pay* ?

17. À quel arbitrage les autorités sont-elles confrontées au moment de légiférer sur la gouvernance des entreprises ?

18. Quelle est la responsabilité sociale des entreprises ?

19. Pourquoi interdire aux investisseurs initiés de profiter de leurs informations privilégiées ? Cela a-t-il un coût ?

20. La loi Dodd-Frank impose aux entreprises cotées aux États-Unis de fournir des informations concernant les dispositifs éventuellement utilisés par les dirigeants pour se couvrir contre la baisse de la capitalisation boursière des entreprises qu'ils dirigent. En quoi est-ce une mesure de bonne gouvernance ?

21. Les droits des actionnaires minoritaires sont-ils mieux défendus aux États-Unis ou en France ? Pourquoi ?

22. Comment un actionnaire peut-il tirer profit d'une pyramide ?

Chapitre 30
La gestion des risques

Les entreprises sont exposées à de multiples risques : échec commercial d'un nouveau produit, fuite des clients vers la concurrence, variation du prix des matières premières, etc. Certains risques sont pris de manière volontaire par les entreprises, d'autres sont subis ou inhérents à leur activité. Les entreprises doivent identifier, maîtriser et minimiser l'impact de ces risques sur leurs activités et leur valeur. Pour ce faire, elles disposent de plusieurs instruments. Le premier est la prévention des risques : on peut réduire, voire faire disparaître certains risques en respectant ou en renforçant les normes de sécurité sur le lieu de travail, en adoptant une politique d'investissement prudente ou en vérifiant régulièrement la bonne santé financière des partenaires de l'entreprise. La prévention est essentielle, mais elle ne suffit pas. Comme la partie V de l'ouvrage l'a montré, les risques sont *in fine* supportés par les investisseurs – les créanciers si la matérialisation d'un risque provoque la faillite de l'entreprise, les actionnaires dans les autres cas (par le biais de la volatilité de la rentabilité de leurs actions). Les investisseurs peuvent réduire leur exposition à ces risques spécifiques en diversifiant leurs portefeuilles, mais cela ne signifie pas pour autant que l'entreprise doive se contenter de leur transférer ces risques sans chercher à les gérer.

Il existe en effet des produits qui permettent de couvrir une entreprise contre certains risques et d'en protéger les investisseurs. Une entreprise peut par exemple s'assurer contre les conséquences d'un accident : suite à l'explosion de l'usine AZF à Toulouse en septembre 2001, Total a reçu 750 millions d'euros au titre de l'assurance dommages et responsabilité civile, pour un coût du sinistre de 2 milliards d'euros. Les marchés financiers permettent également de se couvrir contre une large variété de risques. Air France, ainsi, achète grâce à des produits dérivés 60 % de son kérosène jusqu'à deux ans à l'avance, afin de se protéger contre une hausse du prix du baril de pétrole : en 2018, cette couverture a permis à la compagnie aérienne d'économiser 720 millions d'euros car elle avait acheté son kérosène au prix de 63 $ le baril alors qu'il s'échangeait sur le marché à 72 $... Autre exemple, l'encours des instruments de gestion du risque de change souscrits par Sanofi pour couvrir ses flux futurs en devises étrangères dépassait les 20 milliards d'euros en 2018.

Ce chapitre présente les stratégies utilisées par les entreprises pour réduire les risques auxquels elles sont exposées : elles peuvent recourir à des contrats d'assurance (section 30.1) ou utiliser les marchés financiers pour se couvrir contre des variations de prix de matières premières (section 30.2), de taux de change (section 30.3) ou de taux d'intérêt (section 30.4).

30.1. L'assurance

L'assurance est le produit le plus couramment utilisé par les entreprises pour se protéger contre des risques qu'elles ne peuvent ou ne souhaitent pas gérer en interne. Toutes les entreprises souscrivent des polices d'assurance dommages, garantissant leurs actifs contre les risques accidentels (incendie, inondation, etc.). C'est d'ailleurs obligatoire pour certains actifs (voitures et immeubles, par exemple). Les entreprises peuvent également souscrire les polices d'assurance suivantes :

- **Responsabilité civile,** qui protègent l'entreprise des coûts résultant d'un dommage causé par celle-ci à des tiers ou à leurs biens.

- **Pertes d'exploitation,** qui couvrent l'entreprise contre toute baisse du chiffre d'affaires consécutive à l'interruption d'activité en cas de sinistre couvert par l'assurance dommages.

- **Homme clé,** qui dédommagent l'entreprise des pertes causées par la disparition ou l'invalidité de salariés cruciaux pour sa pérennité.

Le principe de l'assurance

Considérons le cas d'une usine de panneaux solaires qui, chaque année, a une chance sur 5 000 (0,02 %) d'être détruite par un incendie. En cas d'incendie, le coût de reconstruction de l'usine sera de 150 millions d'euros.

Événement	Probabilité	Perte (en millions d'euros)
Pas d'incendie	99,98 %	0
Incendie	0,02 %	150

Chaque année, l'espérance de perte pour cause d'incendie est donc de :

$$99,98\ \% \times 0 + 0,02\ \% \times 150 \text{ millions} = 30\ 000\ €$$

L'espérance de perte est très faible. Mais la perte *maximale* est élevée si le sinistre survient. Si l'entreprise pouvait éliminer ce risque pour un montant inférieur à sa valeur actuelle de 30 000 € par an, elle réaliserait un investissement à VAN positive. Il n'est pas possible de supprimer le risque d'incendie, mais l'entreprise peut transférer ce risque à un assureur qui compensera le coût de 150 millions d'euros en cas de sinistre. À cet effet, l'entreprise devra verser une **prime d'assurance** à l'assureur. Un contrat d'assurance n'est donc rien d'autre qu'un moyen pour l'assuré d'échanger une perte potentielle future contre une dépense actuelle certaine.

La prime d'assurance en marché parfait

Lorsqu'une entreprise souscrit une assurance, elle transfère un risque à un assureur, en échange d'une prime. Comment celle-ci est-elle déterminée ? Dans le cadre d'un marché parfait, sans frictions ni coûts de transaction, la concurrence entre assureurs exerce une pression sur le prix du contrat d'assurance telle que les assureurs ne peuvent recevoir que la juste rémunération du risque qu'ils prennent. La VAN de la vente de polices d'assurance est donc nulle : leur prix est égal à la valeur actuelle des indemnisations auxquelles auront droit les assurés – il est dit **actuariellement neutre**. Avec r_p le coût du capital approprié compte tenu du risque de perte, le prix actuariellement neutre d'un contrat d'assurance est[1] :

Prime d'assurance actuariellement neutre

$$\text{Prime d'assurance} = \frac{\text{Prob.}(\text{Perte}) \times E[\text{Montant versé en cas de sinistre}]}{1 + r_p} \quad (30.1)$$

Le coût du capital r_p dépend du risque assuré. Dans l'exemple de l'usine de panneaux solaires, le risque d'incendie n'est pas corrélé aux performances du marché boursier ou de l'économie : il est spécifique à l'entreprise et peut donc être diversifié au sein d'un portefeuille. En mutualisant les risques des différentes polices qu'elles vendent, les sociétés d'assurances peuvent ainsi détenir des portefeuilles faiblement risqués, au sens où les montants à verser chaque année aux sinistrés sont relativement prévisibles (voir chapitre 10). Le risque d'incendie a par conséquent un bêta égal à 0. La prime de risque est donc nulle et $r_p = r_f$.

Tel n'est pas le cas de tous les risques assurables. Certains risques pouvant provoquer plusieurs dizaines de milliards d'euros de pertes, tels que les ouragans ou les tremblements de terre, ont des bêtas positifs, car ils ne peuvent pas être totalement diversifiés[2]. L'occurrence de certains risques peut également être corrélée entre entreprises : le changement climatique, qui accroît la probabilité d'occurrence de catastrophes naturelles, augmente ainsi la demande de couverture des risques climatiques de la part de *toutes* les entreprises. Enfin, certains risques peuvent avoir un effet direct sur les marchés financiers : les attentats du 11 septembre 2001 ont ainsi coûté plus de 34 milliards de dollars aux assureurs et ont fait chuter les Bourses mondiales d'environ 12 %. Si le bêta est positif, le coût du capital r_p doit inclure une prime de risque positive[3].

Cependant, une assurance contre un risque non diversifiable a généralement un bêta *négatif*, car les indemnisations versées aux entreprises sont élevées lorsque les pertes assurées sont importantes et donc que le portefeuille de marché a une faible valeur. La prime de risque est par conséquent *négative*, ce qui implique que le coût du capital r_p soit *plus faible* que le taux sans risque r_f et que le prix du contrat d'assurance soit *plus* élevé (voir équation 30.1). Les entreprises qui souscrivent de telles polices d'assurance obtiennent donc des rentabilités inférieures à celle de l'actif sans risque ($r_p < r_f$), ce qui est normal puisque le bêta de ces polices est négatif[4].

---

1. Si on suppose que la prime est payée en début d'année et que le paiement en cas de sinistre a lieu en fin d'année.

2. Parmi les sinistres les plus coûteux pour l'industrie de l'assurance, on peut citer les ouragans Harvey, Irma et Maria en 2017, aux États-Unis, qui ont provoqué 92 milliards de dollars de dégâts assurés et plus de 200 milliards de dégâts totaux. Contre ces risques climatiques extrêmes, la plupart des sociétés d'assurances s'assurent auprès de **réassureurs**, tels que Munich Re ou Swiss Re. Ces derniers mutualisent les risques des assureurs du monde entier. Les réassureurs supportent ainsi environ 30 % des risques liés aux polices d'assurance couvrant les catastrophes naturelles.

3   Il est également possible d'utiliser, comme au chapitre 21, des probabilités risque-neutre pour calculer l'espérance de perte dans l'équation (30.1) et de continuer à utiliser le taux d'intérêt sans risque pour actualiser les flux.

4. Certains risques sont à bêta positif, lorsque les pertes assurées sont plus importantes alors que les rentabilités du portefeuille de marché sont élevées.

Exemple 30.1

Prime d'assurance et MEDAF

Gotal possède un immeuble de bureaux, qu'elle souhaite assurer contre le risque d'incendie. En cas de réalisation du risque, l'entreprise recevra 1 milliard d'euros. La probabilité du sinistre est de 0,1 %. Les rentabilités de l'actif sans risque et du portefeuille de marché sont respectivement de 4 % et 10 %. Quelle est la prime actuariellement neutre si le risque est à bêta nul ? Et si le risque a un bêta de – 2,5 ?

Solution

Si le bêta du risque est nul, la prime d'assurance actuariellement neutre est :

$$\text{Prime} = \frac{\text{Prob.}(\text{Perte}) \times E\left[\text{Montant versé en cas de sinistre}\right]}{1 + r_f} = \frac{0,1\% \times 1 \text{ milliard}}{1,04}$$

$$= 0,962 \text{ million d'euros}$$

Si le bêta n'est pas nul, le MEDAF permet d'estimer le coût du capital r_P approprié :

$$r_P = r_f + \beta_P\left(E\left[R_m\right] - r_f\right) = 4\% - 2,5 \times \left(10\% - 4\%\right) = -11\%$$

La prime actuariellement neutre est alors :

$$\text{Prime} = \frac{0,1\% \times 1 \text{ milliard}}{1 - 11\%} = 1,124 \text{ million d'euros}$$

Cette prime est supérieure à l'espérance de perte, qui est de 1 million d'euros. Mais le prix est bien actuariellement neutre, car le bêta de cette assurance est négatif.

Pourquoi s'assurer ?

Si les marchés financiers sont parfaits, on retrouve le raisonnement de Modigliani et Miller : la souscription d'une police d'assurance, comme n'importe quelle opération financière, a une VAN nulle ; elle ne modifie pas la valeur de l'entreprise. En s'assurant, une entreprise modifie l'allocation de ses risques, en en transférant une partie à son assureur plutôt qu'à ses actionnaires et créanciers. Mais elle ne modifie pas son risque total (le risque d'incendie n'a pas disparu) ; sa valeur ne change donc pas. Pour comprendre l'intérêt de s'assurer, il faut donc prendre en compte les imperfections de marché identifiées dans la partie V de cet ouvrage.

Coût des difficultés financières. Lorsqu'une entreprise s'endette, cela augmente la probabilité qu'elle rencontre des difficultés financières, qui lui feraient supporter des coûts directs et indirects (voir chapitre 16) : coûts d'agence, investissements sous-optimaux, etc. L'entreprise qui s'assure contre des risques susceptibles d'engendrer des difficultés financières se protège donc des coûts associés. Ainsi, supposons qu'une compagnie aérienne risque de rencontrer des difficultés financières en cas d'accident aérien. Si l'on suppose que le coût d'un tel accident est de 150 millions d'euros et que le coût des difficultés financières induites est de 40 millions d'euros, la compagnie aérienne a intérêt à souscrire une police d'assurance couvrant la perte potentielle de 150 millions d'euros : en cas d'accident, les 150 millions d'euros remboursés par l'assureur ont une valeur de 190 millions d'euros aux yeux de la compagnie aérienne.

Coût d'émission de titres financiers. À la suite d'un sinistre, une entreprise peut se retrouver contrainte d'émettre de nouveaux titres pour lever des capitaux auprès d'investisseurs externes. Cela engendre des coûts visibles, liés aux commissions des banques, et invisibles, liés à la sous-évaluation des titres lors de leur émission à cause de coûts d'agence ou du phénomène de sélection adverse. La souscription d'une assurance permet à une entreprise de compenser ses pertes, et donc de ne pas devoir solliciter de capitaux externes, ce qui lui évite de supporter le coût d'émission de titres financiers.

Assurance et coûts des difficultés financières

On suppose que le risque d'accident aérien est de 1 % pour une compagnie aérienne de premier rang et que le coût du sinistre est de 150 millions d'euros. Ce risque a un bêta nul. Le taux sans risque est de 4 %. Quelle est la prime actuariellement neutre d'une police d'assurance couvrant ce risque ? Quelle est la VAN de la police d'assurance pour une compagnie aérienne qui, en cas de sinistre, devra supporter des difficultés financières (coût : 40 millions d'euros) et émettre des nouveaux titres (coût : 10 millions d'euros) ?

Exemple 30.2

Solution

La perte espérée est de 1 % × 150 millions = 1,5 million d'euros. Le bêta du risque est nul, donc la prime actuariellement neutre est 1,5 / (1 + 4 %) = 1,44 million d'euros. Le bénéfice de l'assurance pour la compagnie aérienne est de 150 + 40 + 10 millions d'euros, car en s'assurant, elle évite les coûts des difficultés financières et d'émission des titres. La VAN de la police d'assurance est donc :

$$VAN = -1,44 + \frac{1\ \% \times (150 + 40 + 10)}{1 + 4\ \%} = 0,48 \text{ million d'euros}$$

Impôts progressifs. Lorsqu'une entreprise est soumise à un impôt progressif, s'assurer permet en général de payer moins d'impôts. Il faut pour ce faire que l'entreprise soit dans une tranche d'imposition plus élevée lorsqu'elle paie la prime que celle dans laquelle elle serait en cas de sinistre assuré. Prenons un exemple. Jézabel cultive des champs d'oliviers. La probabilité de mauvaise récolte est de 10 %. Ce risque a un bêta nul. Le taux sans risque est de 4 %. La prime actuariellement neutre pour l'assurance de 100 000 € de récolte est :

$$\frac{10\ \% \times 100\,000}{1,04} = 9\,615 €$$

L'entreprise de Jézabel est actuellement imposée au taux de 25 %, mais en cas de mauvaise récolte, le taux d'imposition marginal ne sera que de 15 %. La VAN de la police d'assurance est donc :

$$VAN = -9\,615 \times (1 - 25\ \%) + \underbrace{\frac{10\ \% \times 100\,000}{1 + 4\ \%}}_{= 9\,615} \times (1 - 15\ \%) = 962 €$$

Le gain provient de la capacité offerte par l'assurance de transférer des bénéfices réalisés en périodes de taux d'imposition élevé vers des périodes de taux d'imposition plus faible. Le gain permis par l'assurance est d'autant plus élevé que les pertes potentielles ont une influence significative sur le taux marginal d'imposition de l'entreprise.

Capacité d'endettement. Les entreprises ne dépassent pas un certain taux d'endettement pour éviter le risque de rencontrer des difficultés financières et les coûts associés. Une police d'assurance peut réduire la probabilité de telles difficultés, ce qui permet d'accroître le taux d'endettement[5], et donc de réduire l'impôt sur les sociétés et de bénéficier des autres avantages liés à l'endettement identifiés au chapitre 16.

Incitations des dirigeants. Une police d'assurance réduit la volatilité des résultats de l'entreprise provoquée par des événements externes à l'entreprise et non contrôlés par les dirigeants. Les bénéfices et le cours des actions de l'entreprise sont donc des indicateurs plus fiables de sa performance réelle lorsqu'elle est assurée.

Évaluation des risques. Les sociétés d'assurances sont spécialisées dans l'évaluation des risques. Elles sont souvent mieux informées sur certains risques auxquels une entreprise est exposée que l'entreprise elle-même. Cette dernière peut profiter de cette expertise lors de l'évaluation de ses projets d'investissement. Par exemple, si une entreprise réfléchit à une assurance contre les risques d'incendie, elle apprendra quels sont les bâtiments considérés comme les plus risqués par l'assureur par le biais de la prime d'assurance demandée pour les assurer. De plus, les sociétés d'assurances inspectent à intervalles réguliers les entreprises qu'elles assurent et formulent des recommandations de sécurité, ce qui est utile pour réduire la probabilité de sinistre.

Les coûts de l'assurance

On l'a vu, même si les primes d'assurance sont actuariellement neutres, il peut être créateur de valeur pour une entreprise de s'assurer. Toutefois, certaines imperfections de marché peuvent faire augmenter le prix d'un contrat d'assurance au-dessus du prix actuariellement neutre, ce qui réduit l'intérêt d'en souscrire un.

Trois types d'imperfections peuvent apparaître dans la relation entre une entreprise et son assureur. Premièrement, le recours à une assurance impose des coûts, car la société d'assurances a des frais de fonctionnement (commerciaux, publicité, experts, avocats…). Ces dépenses sont bien entendu incluses dans les primes payées par les assurés et en représentent une fraction importante (autour de 20 % pour l'assurance dommages et risques divers).

Deuxièmement, un phénomène d'**antisélection** existe et provoque une augmentation du coût de l'assurance : la volonté d'une entreprise de souscrire une police d'assurance peut signaler qu'elle est confrontée à un risque plus élevé que la moyenne. Si les entreprises disposent d'informations privées sur les risques auxquels elles sont exposées, il faut que les sociétés d'assurances reçoivent des primes plus élevées pour compenser les effets de cette antisélection.

Enfin, il existe des coûts d'agence. La souscription d'une police d'assurance réduit les incitations à la prudence : c'est le problème de l'**aléa moral**. Dans sa version la plus extrême, il s'agit même de fraude : l'assuré provoque délibérément ou fait semblant de

---

5. Il est fréquent que les créanciers prévoient dans le contrat de prêt une clause obligeant l'entreprise à souscrire une assurance.

subir des pertes afin d'être indemnisé. En moyenne, l'aléa moral explique environ 10 % du montant des primes.

Pour réduire les conséquences de ces imperfections de marché, les sociétés d'assurances ont mis au point plusieurs stratégies. Afin de prévenir l'antisélection, elles contrôlent les entreprises pour évaluer le plus finement possible les risques : de la même manière qu'un bilan de santé est souvent imposé avant de souscrire une assurance vie, l'inspection des usines et des facteurs de risques sont des étapes imposées par les assureurs avant la souscription d'une assurance-dommage. Afin de réduire l'aléa moral, les sociétés d'assurances font appel à des experts en cas de sinistre pour détecter les fraudes ou les actes de malveillance.

De plus, la structure même des polices d'assurance est conçue pour réduire ces coûts : la plupart des contrats prévoient à la fois une **franchise**, un montant initial de pertes non couvert par l'assurance, et une **limite de responsabilité** afin de fixer un plafond aux pertes potentielles couvertes par l'assurance. Ces dispositions ont pour conséquence que les assurés continuent à supporter une partie des risques liés à l'occurrence de sinistres. Ils restent donc incités à les éviter, ce qui réduit l'aléa moral. De plus, les assureurs proposent différents contrats, caractérisés par différentes franchises et différentes limites de responsabilité. Grâce à la diversité des contrats offerts, les sociétés d'assurances collectent une partie de l'information privée détenue par les entreprises : les entreprises supportant le plus de risques se dirigeront naturellement vers les contrats prévoyant des franchises plus faibles et des limites de responsabilité plus élevées, de la même manière que les mauvais conducteurs choisissent plus volontiers des assurances très protectrices. Ainsi, les assureurs peuvent estimer l'intensité du risque d'une entreprise en fonction de la police d'assurance choisie[6], ce qui leur permet de réduire le phénomène d'antisélection.

Antisélection et assurance

L'entreprise Muez sait qu'un incendie de son usine lui ferait perdre 100 millions d'euros. Elle souhaite s'assurer. Pour chaque euro reçu au titre de l'assurance en cas de sinistre, l'entreprise économisera 50 centimes d'euro de coûts des difficultés financières. Deux polices d'assurance sont proposées à l'entreprise, la première ayant une limite de responsabilité à 55 millions d'euros (P_{55}) et la seconde à 100 millions d'euros (P_{100}). Dans les deux cas, la prime à payer est 20 % supérieure à la prime actuariellement neutre, car la société d'assurances doit couvrir ses frais administratifs. Compte tenu de l'antisélection, la probabilité de sinistre est de 5 % pour la première police et de 6 % pour la seconde. Le bêta du risque est nul et le taux sans risque est de 5 %. Quelle police d'assurance l'entreprise Muez doit-elle choisir si elle estime que la probabilité d'un incendie est de 5 % ? Même question si elle l'estime à 6 % ?

...

Exemple 30.3

---

6. A. Raviv (1979), « The Design of an Optimal Insurance Policy », *American Economic Review*, 69, 84-96 ; G. Huberman, D. Mayers et C. Smith (1983), « Optimal Insurance Policy Indemnity Schedules », *Bell Journal of Economics*, 14, 415-426 ; M. Rothschild et J. Stiglitz (1976), « Equilibrium in Competitive Insurance Markets: An Essay on the Economics of Imperfect Information », *Quarterly Journal of Economics*, 90, 629-649.

…

Solution

La prime demandée pour chaque police est :

$$\text{Prime}(P_{55}) = \frac{5\ \% \times 55}{1,05} \times 1,2 = 3,14 \text{ millions d'euros}$$

$$\text{Prime}(P_{100}) = \frac{6\ \% \times 100}{1,05} \times 1,2 = 6,86 \text{ millions d'euros}$$

Si le risque de sinistre est de 5 %, la VAN de chaque police est :

$$VAN(P_{55}) = -3,14 + \frac{5\ \% \times 55}{1,05} \times 1,5 = 0,79 \text{ million d'euros}$$

$$VAN(P_{100}) = -6,86 + \frac{5\ \% \times 100}{1,05} \times 1,5 = 0,29 \text{ million d'euros}$$

Si la probabilité de sinistre est de 5 %, l'entreprise doit donc choisir la première police, dont la limite de responsabilité est la plus faible. Au contraire, si l'entreprise fait face à un risque d'incendie de 6 %, elle doit choisir la seconde police, avec une limite de responsabilité plus élevée :

$$VAN(P_{55}) = -3,14 + \frac{6\ \% \times 55}{1,05} \times 1,5 = 1,57 \text{ million d'euros}$$

$$VAN(P_{100}) = -6,86 + \frac{6\ \% \times 100}{1,05} \times 1,5 = 1,71 \text{ million d'euros}$$

Preuve de l'existence d'un phénomène d'antisélection, les entreprises plus risquées choisissent la police d'assurance dont la limite de responsabilité est la plus élevée.

30.2. Le risque prix des matières premières

Les entreprises souscrivent des assurances pour se protéger contre des événements indépendants de leur activité, susceptibles d'endommager ou de détruire certains de leurs actifs. Elles font également face à des risques intrinsèquement liés à leurs activités : l'évolution du **prix des matières premières** constitue ainsi un risque majeur pour beaucoup d'entre elles. Pour les compagnies aériennes par exemple, l'achat de kérosène constitue souvent le deuxième poste de dépenses, après la masse salariale. Air France dépense 6 milliards d'euros chaque année en kérosène, soit 25 % de son chiffre d'affaires. Comme le prix du baril peut varier de 20, voire 30 ou 50 % en quelques mois, les fluctuations du prix du pétrole constituent l'un des principaux risques que doit gérer Air France. Différents produits existent pour réduire, voire annuler, l'exposition d'une entreprise aux variations des prix des matières premières. Leur principe est proche de celui de l'assurance : ils permettent à l'entreprise de recevoir des flux monétaires qui compensent tout ou partie des pertes provoquées par une évolution défavorable du prix des matières premières.

La couverture par intégration verticale ou stockage

Les entreprises peuvent se couvrir en investissant dans des actifs réels. Les deux stratégies les plus courantes sont l'intégration verticale et le stockage. L'**intégration verticale** consiste pour une entreprise à fusionner avec l'un de ses fournisseurs ou de ses clients. Une hausse du prix des matières premières augmente les coûts de production de l'une et les revenus de l'autre ; la fusion des deux sociétés devient donc insensible aux variations des prix des matières premières. À titre d'exemple, en 2015, le fabricant de pneumatiques Michelin a créé une coentreprise avec BPG afin de produire du caoutchouc en Indonésie ; cela réduit la sensibilité de Michelin aux coûts d'approvisionnement en caoutchouc. De même, une compagnie aérienne pourrait compenser la hausse de prix des carburants en fusionnant avec une société pétrolière.

L'intégration verticale réduit le risque, mais ne crée pas toujours de valeur. Modigliani et Miller ont en effet montré que les entreprises ne créent pas de valeur lorsqu'elles font ce que peuvent faire eux-mêmes les investisseurs. Et n'importe quel investisseur peut « intégrer verticalement » son portefeuille, simplement en achetant des actions d'une entreprise et de son fournisseur. En fait, il est plus simple et moins coûteux qu'un investisseur diversifie son portefeuille plutôt qu'une entreprise ne rachète son fournisseur, sachant que cette dernière doit généralement payer une prime d'acquisition (voir chapitre 28). Pour que l'intégration verticale soit créatrice de valeur, il faut qu'elle permette des synergies. Boeing, par exemple, a acquis plusieurs de ses fournisseurs impliqués dans le développement du 787 *Dreamliner*, afin d'améliorer le contrôle qualité et de réduire les délais de fabrication. Mais cet exemple n'est pas généralisable, car une entreprise et ses fournisseurs n'ont pas les mêmes intérêts et présentent peu de complémentarités stratégiques puisqu'elles se situent à deux stades différents du processus de production. De plus, l'intégration verticale ne permet pas une couverture parfaite du risque : le fournisseur est exposé à bien d'autres risques que celui des matières premières. Avec l'intégration verticale, l'entreprise élimine partiellement un risque, mais s'expose à d'autres.

Une autre stratégie pour se prémunir d'une hausse de prix d'une matière première consiste à l'acheter à l'avance et à la **stocker**. Une compagnie aérienne inquiète d'une hausse future du prix du pétrole peut l'acheter dès maintenant. Elle fige ainsi le coût futur de la matière première, égal au prix d'achat augmenté des coûts de stockage. Dans l'industrie, cette stratégie est rarement optimale sur des périodes dépassant quelques mois car les coûts de stockage sont souvent significatifs ; cela force l'entreprise à anticiper ses paiements et détériore son besoin en fonds de roulement. Enfin, cette stratégie est unidirectionnelle, puisqu'elle augmente l'exposition de l'entreprise à une baisse du prix de la matière première stockée.

La couverture à l'aide de contrats d'approvisionnement de long terme

Autre méthode de couverture, les entreprises peuvent conclure des **contrats d'approvisionnement de long terme** avec un fournisseur, de la même manière qu'elles signent des baux de plusieurs années pour leurs bureaux. La compagnie aérienne Southwest Airlines est un bon exemple de l'utilisation de tels contrats : début 2000, le pétrole valait 20 $ le baril ; l'entreprise a mis en place une stratégie de protection contre une hausse des prix du pétrole, grâce à la signature de contrats d'approvisionnement au prix de 23 $ le baril.

Les prix ayant augmenté jusqu'à 30 $ au cours de l'année, les compagnies aériennes ont fait face à d'importantes difficultés, tandis que Southwest a réalisé grâce à sa couverture des économies représentant environ 50 % de son bénéfice annuel (voir figure 30.1).

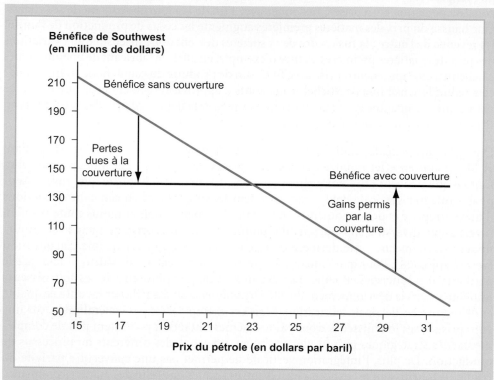

Figure 30.1 – Couverture contre les risques de variation du prix des matières premières

En signant un contrat d'approvisionnement de long terme, Southwest Airlines se couvre contre les variations du prix du pétrole. Avec un contrat d'approvisionnement à 23 $ le baril, les économies réalisées par Southwest sont d'autant plus importantes que le prix du pétrole est élevé sur le marché. Si le prix du baril passe en dessous de 23 $, la couverture est coûteuse pour l'entreprise.

Comme avec une assurance, on ne gagne pas toujours en se couvrant : si le prix du baril de pétrole était tombé en dessous de 23 $, la couverture de Southwest aurait réduit son bénéfice car elle aurait été obligée de payer 23 $ par baril de pétrole. L'entreprise a probablement jugé que ce risque était plus supportable que celui d'une absence de couverture : le contrat de long terme a permis à l'entreprise de fixer ses bénéfices à un niveau acceptable, indépendamment de la variation future du prix du pétrole. C'est d'ailleurs ce qui s'est passé entre 2014 et 2016, la baisse des prix du pétrole ayant fait perdre à Southwest 1,8 milliard de dollars sur ses couvertures. Évidemment, la hausse de la marge opérationnelle permise par cette baisse des prix du pétrole a compensé la perte : la couverture fonctionne dans les deux sens, comme le montre la figure 30.1.

Les contrats d'approvisionnement sont des contrats bilatéraux, conclus entre une entreprise et un fournisseur. À ce titre, ils présentent plusieurs inconvénients. Tout d'abord, ils exposent chaque partie au risque de défaut ou de manquement aux termes du contrat de la contrepartie : ces contrats protègent contre le risque de prix des matières premières au prix d'un **risque de contrepartie**. Ensuite, il est impossible de conclure de tels contrats de manière anonyme ; l'acheteur sait qui est le vendeur, et réciproquement. Cela peut constituer un inconvénient dans la mesure où cela contraint les entreprises à révéler une partie de leur stratégie de long terme. Troisièmement, la valeur de marché d'un tel contrat à un instant donné de la vie du contrat est difficile à déterminer : l'estimation des gains et pertes est complexe. Enfin, l'annulation d'un tel contrat en cas de nécessité est souvent coûteuse, voire impossible.

Couverture avec des contrats à long terme

Choc'auLait aura besoin l'an prochain de 10 000 tonnes de fèves de cacao. Le prix actuel des fèves est de 1 400 € la tonne. À ce prix, l'entreprise s'attend à un résultat d'exploitation de 22 millions d'euros. Quel sera le résultat d'exploitation de l'entreprise si le prix des fèves s'établit à 1 950 € la tonne ? Et s'il baisse à 1 200 € la tonne ? Quel sera le résultat d'exploitation si l'entreprise conclut un contrat d'approvisionnement prévoyant un prix fixe de 1 450 € la tonne ?

Solution

Si le prix des fèves de cacao atteint 1 950 € la tonne, le coût d'approvisionnement de l'entreprise augmentera de 10 000 × (1 950 – 1 400) = 5,5 millions d'euros. Toutes choses égales par ailleurs, le résultat d'exploitation sera donc de 22 – 5,5 = 16,5 millions d'euros. Si le prix des fèves de cacao baisse à 1 200 € la tonne, le résultat d'exploitation s'établira à 22 millions – (1 200 – 1 400) × 10 000 = 24 millions d'euros. Alternativement, l'entreprise peut se couvrir en signant un contrat d'approvisionnement fixant le prix à 1 450 € la tonne. Son résultat d'exploitation sera alors de 22 millions – (1 450 – 1 400) × 10 000 = 21,5 millions d'euros.

Exemple 30.4

La couverture à l'aide de futures

Il est également possible de se couvrir contre un risque prix des matières premières grâce à des produits financiers, et en particulier des **futures**. Un future est un **contrat à terme ferme**, qui fixe les conditions d'échange d'un actif donné à une date future et à un prix déterminé aujourd'hui. Les futures sont négociés de manière anonyme sur des marchés organisés[7] à un prix de marché observable publiquement. La liquidité est en général très bonne sur ces contrats ; ainsi, l'acheteur comme le vendeur peuvent fermer une position à tout moment, simplement en inversant celle-ci sur le marché. De plus, les futures protègent les parties prenantes contre le risque de défaut, grâce au mécanisme d'**appels de marge** (*margin calls*).

La figure 30.2 présente les prix au 11 août 2019 des futures sur pétrole brut léger (*light sweet crude oil*) qui s'échangent sur le *Chicago Mercantile Exchange*. Chaque contrat représente l'engagement d'échanger 1 000 barils de pétrole au prix de marché des futures à date de livraison. Par exemple, lorsqu'ils traitent le contrat échéance décembre 2020, acheteurs et vendeurs concluent le 11 août 2019 la promesse de s'échanger 1 000 barils de pétrole en décembre 2020 au prix de 50 $ le baril (soit 50 000 $ par contrat). Avec un future, acheteurs et vendeurs fixent le prix auquel ils s'échangeront des barils de pétrole dans près de deux ans.

---

7. Tels que le *Chicago Mercantile Exchange* (CME), Eurex ou l'*Intercontinental Exchange* (ICE).

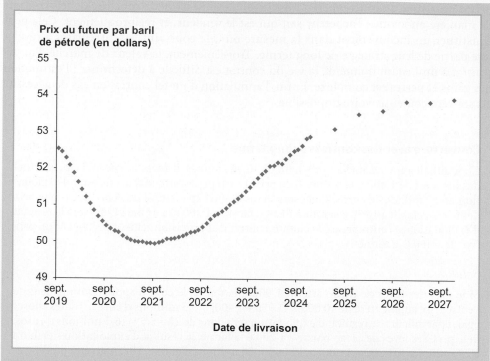

Figure 30.2 – Prix des contrats futures sur le pétrole brut léger, au 11 août 2019

Chaque point représente le prix par baril d'un contrat future pour une livraison du pétrole au cours du mois indiqué sur l'axe des abscisses.

Les prix des futures ne sont pas des prix payés aujourd'hui : ce sont les prix convenus aujourd'hui qui seront payés à la date d'échéance du contrat. Les prix des futures sont fixés par le jeu de l'offre et de la demande qui s'exprime pour chaque date de livraison. Ils dépendent donc des anticipations de prix futurs du pétrole, ajustées d'une prime de risque[8].

Éliminer le risque de crédit. Comment l'acheteur d'un future peut-il s'assurer que le vendeur tiendra ses engagements au terme du contrat, et inversement ? En effet, si l'acheteur s'est engagé à acheter du pétrole en décembre 2020 au prix de 50 $ le baril, il aura objectivement intérêt à faire défaut si, à ce moment-là, le prix de marché comptant est de 45 $. Et le vendeur du future sera dans la même situation si le prix comptant est supérieur

---

8. Avec P_t le prix comptant futur du pétrole (à la date de livraison t) et F_t le prix du future convenu aujourd'hui pour une livraison à la date t, l'acheteur du contrat reçoit à l'échéance un actif valant P_t et paie F_t. Son gain net est donc de $P_t - F_t$; celui du vendeur est symétrique : $F_t - P_t$. La VAN d'un contrat est calculée en actualisant le prix à terme au taux sans risque (car il est connu dès la signature du contrat) et le prix du pétrole futur à un taux r_p, intégrant la prime de risque liée à l'évolution du prix du pétrole. La concurrence entre acheteurs et vendeurs conduit à une VAN nulle, donc :

$$0 = \frac{E[P_t]}{(1+r_p)^t} - \frac{F_t}{(1+r_f)^t} \Leftrightarrow F_t = E[P_t]\frac{(1+r_f)^t}{(1+r_p)^t}$$

De plus, le prix d'un future ne peut dépasser le coût de stockage (ou coût de « portage ») du pétrole sur la période du contrat, $P_0 (1 + r)^t +$ Valeur future(coûts de stockage). Sinon, il serait rationnel d'acheter comptant du pétrole, de le stocker et de vendre des futures pour profiter d'une opportunité d'arbitrage.

à 50 \$. Pour éviter cela et contraindre acheteurs et vendeurs à tenir leurs engagements, les marchés organisés de contrats à terme demandent aux parties prenantes de déposer un collatéral, appelé **dépôt de garantie** ou **marge**, lorsqu'ils achètent ou vendent des futures. La valeur du collatéral exigé de chaque partie prenante est ajustée quotidiennement grâce à une **valorisation au prix de marché** (*mark to market*) des positions. Cela signifie que les gains et les pertes sont calculés tous les jours sur la base des variations des prix de marché.

Pour comprendre, supposons que la variation des prix de marché du future pétrole, échéance décembre 2020, entre le 11 août 2019 et le 1er décembre 2020 (soit 342 jours de Bourse) soit décrite dans le tableau 30.1. Un acheteur qui conclut un contrat à la date 0 s'engage à payer un prix à terme de 50 \$ par baril. Le lendemain, si le prix du future baisse à 48 \$, l'acheteur du contrat réalise une perte de 2 \$ par baril. Le compte de marge de l'acheteur du contrat est immédiatement débité de ce montant. Cette somme est créditée sur le compte du vendeur ; le jeu est à somme nulle (les positions sont symétriques). Le surlendemain, si le prix monte à 49 \$, un gain de 1 \$ est crédité sur le compte de marge de l'acheteur. Et ainsi de suite, jusqu'à l'échéance du contrat. À chaque instant, la perte cumulée de l'acheteur est égale à la somme de ses pertes quotidiennes passées, par définition égale à la différence entre le prix initial du future (50 \$) et le prix du contrat en valeur de marché (et inversement pour le vendeur).

Tableau 30.1	Valorisation au prix de marché du future sur pétrole échéance décembre 2020 (en dollars par baril)							
Jour de négociation	**0**	**1**	**2**	**3**	**...**	**340**	**341**	**342**
Prix de marché du *future*	50	48	49	47		41	42	40
Gain/Perte du jour		– 2	1	– 2		2	1	– 2
Gains/Pertes cumulés		– 2	– 1	– 3		– 9	– 8	– 10

En décembre 2020, la livraison aura lieu au prix du future à ce moment-là. Il sera égal au prix comptant du pétrole à cette date[9]. L'acheteur paie donc au final le baril de pétrole 50 \$. Les pertes cumulées sur son compte de marge sont de 10 \$. Le coût total de sa position est bien de 40 + 10 = 50 \$ par baril, soit le prix du baril qu'il s'était engagé à payer initialement. La valorisation quotidienne des positions en valeur de marché impose donc aux acheteurs et aux vendeurs de régler leurs pertes lorsqu'elles se produisent, et non à l'échéance du contrat. Il n'y a pas par conséquent de risque de défaut tant que les comptes de marge de l'acheteur et du vendeur sont suffisamment approvisionnés[10]. Acheter un future échéance décembre 2020 n'est donc pas très différent de signer un contrat d'approvisionnement de long terme fixant un prix de 50 \$ par baril[11]. Toutefois, l'achat d'un future permet aux parties prenantes de liquider leurs positions à tout moment, leurs pertes ou gains déjà réalisés étant cumulés sur leur compte de marge. Le contrat est alors réassigné à un nouvel

9. À la date de livraison, le future concerne une livraison immédiate. La Loi du prix unique établit donc que son prix doit être égal à celui du pétrole au comptant.

10. La **chambre de compensation** exige un solde minimum (la marge de maintenance) sur chaque compte de marge. Lorsqu'il est atteint, son détenteur doit le réapprovisionner (c'est un **appel de marge**), sans quoi son compte est fermé et ses positions débouclées.

11. Les gains et les pertes liés à la valorisation quotidienne en valeur de marché du contrat se produisent au cours de la vie du future, et non à sa date d'expiration. Pour être précis, il faudrait donc capitaliser les flux se produisant avant l'échéance : la valeur future du contrat est en fait un peu supérieure à 50 \$.

acheteur ou un nouveau vendeur à son prix de marché. Cette liquidité ainsi que l'absence de risque de crédit expliquent le succès des futures pour la couverture contre le risque de variation des prix des matières premières et le grand nombre de matières premières pour lesquelles des futures existent : électricité, or, maïs, blé, bétail, cacao, sucre ou encore jus d'orange congelé et émissions de CO_2 !

Finance verte | **Le marché du carbone**

Il existe en Europe un marché de futures carbone. Ce marché, créé en 2005, s'inscrit dans le système communautaire d'échange de quotas d'émission de gaz à effet de serre (ou EU-ETS, pour *European Union Emission Trading Scheme*) : les entreprises des secteurs concernés doivent acheter autant de droits d'émissions qu'elle émettent de gaz à effet de serre. Application directe du principe pollueur-payeur, un tel marché permet d'imposer un coût aux entreprises dont les activités contribuent au changement climatique et donc de les inciter à mettre en place des mesures de réduction de leurs émissions : les entreprises qui font le plus d'efforts peuvent revendre leurs quotas inutilisés aux entreprises qui ont dépassé leur plafond d'émissions. D'année en année, le volume de quotas émis par les autorités européennes baisse, pour faire augmenter le prix des quotas d'émission et réduire les émissions de gaz à effet de serre.

Erreur à éviter | **La couverture des risques**

Bien mesurer l'exposition au risque. Pour certaines entreprises, l'achat de matières premières constitue le principal poste de dépenses. Pour autant, ces entreprises sont exposées aux variations de prix des matières premières *uniquement* si elles ne peuvent pas les répercuter sur leur prix de vente et donc les transférer à leurs clients. Ainsi, une station-service n'a pas besoin de se couvrir contre l'évolution du cours du pétrole, puisque le prix payé par les clients dépend de celui-ci : elle dispose d'une couverture naturelle. Une entreprise ne doit couvrir que la fraction de ses revenus qui est effectivement exposée au risque de prix, sous peine de contracter une sur-couverture, qui l'expose au risque qu'elle cherchait justement à éviter (mais en sens inverse !).

Ne pas négliger le risque de liquidité. Avec une couverture par des futures, une entreprise lisse ses bénéfices, puisqu'elle compense des pertes d'exploitation par des gains sur les futures, et inversement. Si l'entreprise réalise des pertes sur ses futures, elle devra répondre à des appels de marge et donc disposer des capitaux nécessaires pour y faire face. Sinon, elle sera contrainte de faire défaut sur les futures, et sa couverture disparaîtra. Le recours aux futures induit donc un risque de liquidité. *Metallgesellschaft AG* a ainsi perdu plus d'un milliard de dollars sur des futures sur pétrole en 1992 et a fait faillite l'année suivante : l'entreprise avait acheté des futures pour se couvrir contre le risque de hausse du prix du pétrole, mais le prix du pétrole a baissé et elle n'a pas pu faire face aux appels de marge.

Tenir compte du risque de base. Les futures sont standardisés : ils ne sont disponibles que pour certaines quantités, certaines dates et certains lieux de livraison spécifiques. Un future promettant la livraison d'un baril de pétrole brut à Londres en juin 2020 constitue une couverture acceptable, mais pas parfaite, contre la hausse du prix du kérosène à Marseille en août 2020. Il existe donc un risque de base, lié à l'imparfaite corrélation entre la valeur du future et le risque que l'entreprise souhaite couvrir.

Pourquoi se couvrir contre le risque de prix des matières premières ?

Sur un marché parfait, les contrats d'approvisionnement de long terme et les futures sur matières premières sont des investissements à VAN nulle. Ils ne modifient pas la valeur de l'entreprise. La conclusion de tels contrats peut néanmoins être intéressante : cela réduit certains coûts qui apparaissent à cause d'imperfections de marché, tels que les coûts liés à des difficultés financières et les coûts d'émission de titres. De cette façon, l'entreprise peut augmenter sa capacité d'endettement, profiter d'économies d'impôt et créer des incitations vertueuses pour les dirigeants. Enfin, les marchés de futures sur matières premières fournissent une information précieuse aux producteurs et consommateurs de matières premières : une société pétrolière peut fixer le prix futur du pétrole avant de commencer le forage d'un puits de pétrole ; un agriculteur peut fixer le prix de vente de sa récolte de blé avant même qu'il soit planté.

La couverture du risque prix des matières premières présente des avantages proches de ceux d'une assurance, mais les coûts ne sont pas identiques : les marchés des matières premières sont peu sensibles aux problèmes d'antisélection et d'aléa moral. Les entreprises ne sont pas mieux informées que les investisseurs externes sur l'évolution future des prix des matières premières ; elles ne peuvent pas l'influencer par leurs actions. Et les futures sont des contrats liquides qui imposent peu de frais administratifs. Pour autant, cela ne signifie pas qu'il n'existe aucun coût : lorsqu'une entreprise veut se couvrir, elle doit s'attendre à des appels de marge et doit donc s'assurer de pouvoir y répondre. De plus, si une entreprise s'engage dans des contrats qui ne correspondent pas exactement aux risques qu'elle court, elle se retrouve dans une position de **spéculation**, qui augmente son risque plutôt que de le réduire. Lorsqu'une entreprise autorise certaines divisions à s'engager dans de telles opérations d'achat et/ou de vente de futures, elle ouvre la porte à la spéculation et doit donc mettre en place des procédures de contrôle interne et de gouvernance pour s'assurer que tel n'est pas le cas.

Zoom sur…	Les stratégies de couverture des compagnies aériennes

Entre 2004 et 2005, le prix du baril de pétrole est passé de 30 $ à plus de 60 $. Grâce à sa politique de couverture agressive, Air France-KLM couvrait à ce moment-là près de 85 % de ses besoins en carburant au prix moyen de 38 $ le baril. D'autres compagnies n'avaient pas mis en place une telle stratégie, du fait de son coût potentiel (à la suite de la baisse du trafic aérien après le 11 septembre 2001, beaucoup de compagnies aériennes n'avaient pas la trésorerie nécessaire). Ainsi, en 2004, Delta a dû vendre ses contrats d'approvisionnement pour lever des fonds et éviter la faillite et United Airlines, placée sous la protection de la loi américaine contre les faillites, n'avait couvert que 30 % de ses besoins en carburant en 2005 au prix de 45 $ le baril. Ces stratégies de couverture disparates s'expliquent donc par les situations financières différentes des compagnies aériennes à ce moment-là : Air France-KLM affichait le troisième résultat d'exploitation de toutes les compagnies aériennes en 2005 et a donc réduit son risque grâce à une couverture contre la hausse du prix du carburant. Delta et United, au contraire, étaient dans une situation financière tendue, rendant la couverture inapte à réduire le coût de leurs difficultés financières. La meilleure stratégie pour les actionnaires de ces deux compagnies était de prendre ce risque : une baisse des prix du pétrole leur aurait permis de réaliser d'importantes plus-values, alors qu'une hausse des prix aurait dégradé la situation des créanciers, qui auraient supporté l'essentiel des pertes liées à la faillite.

30.3. Le risque de change

Le chapitre 3 a défini le taux de change comme le taux auquel une monnaie s'échange contre une autre. Ainsi, le 2 octobre 2019, le taux de change s entre euro et dollar était de 0,91 euro pour un dollar ($s_{USD/EUR} = 0,91$) ou de manière équivalente :

$$s_{EUR/USD} = \frac{1}{0,91 \text{ euro par dollar}} = 1,10 \text{ dollar par euro}$$

La plupart des taux de change sont aujourd'hui **flottants**, comme le taux euro/dollar : ils évoluent en fonction de l'offre et de la demande pour chaque monnaie sur le marché. L'offre et la demande pour une monnaie dépendent de trois facteurs :

- **L'achat et la vente de biens et services par les entreprises.** Un importateur américain échange des dollars contre des euros lorsqu'il achète des voitures à un constructeur allemand.

- **L'achat et la vente de titres par les investisseurs.** Un investisseur japonais échange des yens contre des euros lorsqu'il achète des obligations espagnoles.

- **L'achat et la vente de devises par les Banques centrales.** La Banque centrale britannique échange des livres sterling contre des euros lorsqu'elle souhaite exercer une pression à la baisse sur la valeur de la livre.

L'offre et la demande de monnaies varient donc en fonction de la situation économique mondiale et des anticipations des agents, ce qui fait bouger les taux de change. La figure 30.3 représente le taux de change euro/dollar entre 1999 et 2019 : la valeur de l'euro par rapport au dollar fluctue de manière importante, pouvant gagner ou perdre 20 % en l'espace de quelques mois. De son plus bas en 2000 à son plus haut de l'été 2008, l'euro a pratiquement doublé de valeur vis-à-vis du dollar ; de 2008 à 2019, l'euro a perdu 30 % face au dollar.

Figure 30.3 – Taux de change euro/dollar (en dollars pour un euro)

L'évolution des taux de change expose toutes les entreprises qui travaillent avec des fournisseurs ou des clients étrangers à une variation de leurs coûts ou de leurs revenus. Prenons l'exemple d'une entreprise française, Alpescycle, qui fabrique des vélos. Pour cela, elle importe des pièces détachées des États-Unis. Trek, son fournisseur américain, peut décider de facturer ses marchandises en dollars ; le coût en euros des importations d'Alpescycle sera alors d'autant plus élevé que le dollar s'apprécie par rapport à l'euro. Si Alpescycle refuse de prendre ce risque de change, la seule solution est que Trek accepte de facturer ses produits en euros. C'est alors ce dernier qui court le risque de change. Si aucune des deux entreprises n'accepte de prendre à sa charge ce risque de change, c'est-à-dire d'importer ou d'exporter dans une monnaie qui n'est pas la sienne, les deux entreprises devront soit renoncer à travailler ensemble, soit mettre en place une couverture de ce risque de change. Elles peuvent pour cela utiliser soit des contrats forwards ou des options.

Les effets du risque de change

Le 1er janvier, Alpescycle a commandé des pièces à Trek pour sa production de l'année en cours ; à ce moment-là, le taux de change au comptant était de $s_{EUR/USD} = 1$ et les deux entreprises étaient tombées d'accord sur un prix de 500 000 $ à payer le 31 décembre. Nous sommes le 31 décembre, et le taux de change est maintenant de $s_{EUR/USD} = 0,84$. Quel est le coût en euros de la facture pour Alpescycle ? Si le prix avait été fixé à 500 000 € (soit, au moment de la signature du contrat, une valeur identique à celle en dollars), quelle somme en dollars aurait reçue Trek ?

Exemple 30.5

Solution

Avec une facture exprimée en dollars, le coût pour Alpescycle est de : (1 / 0,84) × 500 000 = 595 238 €, soit 19 % de plus que le coût calculé à la signature du contrat. Si le prix avait été fixé en euros, Trek aurait reçu 500 000 € × 0,84 = 420 000 $, soit 16 % de moins qu'espéré un an avant. L'une des deux parties réalise donc une perte significative, l'identité du perdant dépendant de la monnaie de règlement choisie.

La couverture de change à l'aide de forwards

Il est possible de se couvrir contre le risque de change qui apparaît dans chaque transaction impliquant des monnaies différentes à l'aide d'un contrat de change à terme, ou **forward de change**. C'est un contrat qui permet de fixer à l'avance le taux de change auquel une transaction future aura lieu. Il spécifie le taux de change futur auquel la transaction sera effectuée, les montants à échanger et la date de livraison. Le taux de change futur est un taux de change à terme, car c'est un taux de change déterminé aujourd'hui pour une opération future. On le note en général *f*, comme forward.

En mettant en place une telle couverture, une entreprise peut éliminer son risque de change et le transférer à l'autre partie prenante du forward, en général une banque. Pourquoi cette dernière accepte-t-elle de prendre ce risque ? Tout d'abord, elle dispose en général de plus de capital qu'une entreprise ; elle peut donc faire face à ce risque sans problème. De plus, la banque peut se couvrir à son tour en trouvant une tierce partie souhaitant réaliser l'opération inverse. En devenant contrepartie de deux forwards (voir figure 30.4), le premier pour vendre des euros contre des dollars et le second pour faire l'inverse, la banque n'est pas exposée au moindre risque de change. On parle de **compensation des risques**. La banque réalise même un gain, grâce aux commissions payées par les entreprises lors de la conclusion des forwards !

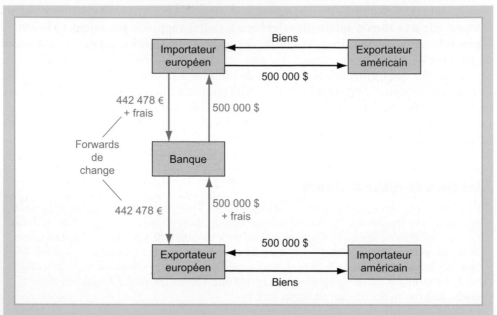

Figure 30.4 – Forwards et risque de change (avec les chiffres de l'exemple 30.6)

L'importateur et l'exportateur européens couvrent tous les deux leur exposition au risque de change grâce à des forwards conclus avec la banque (traits en couleur). Cette dernière ne court aucun risque de change car les deux positions opposées se compensent.

Se couvrir avec un forward de change

Exemple 30.6

Le 1er janvier, Alpescycle a commandé pour 500 000 $ de pièces détachées à Trek et a conclu avec sa banque un forward pour ce montant, d'échéance un an et de taux de change à terme $f_{EUR/USD}$ = 1,13. Combien Alpescycle paiera-t-elle à sa banque le 31 décembre ?

Solution

Le paiement ne dépend pas de l'évolution du taux de change au comptant, grâce au forward. En fin d'année, Alpescycle recevra de sa banque 500 000 $ au taux de change à terme $f_{EUR/USD}$ = 1,13 et devra donc lui payer 500 000 $ / 1,13 = 442 478 €. Le forward permet à Alpescycle de fixer définitivement le taux de change à l'échéance et élimine tout risque de variation, favorable comme défavorable, du taux de change. Sans le forward, si le taux de change au comptant était passé à 0,8, Alpescycle aurait dû payer 625 000 € pour obtenir les 500 000 $ nécessaires. En sens inverse, le forward empêchera Alpescycle de tirer profit d'une éventuelle hausse du taux de change au comptant.

Stratégie de *cash-and-carry* et prix des forwards

Une stratégie alternative, dite de **cash-and-carry**, permet de se protéger contre un risque de change. Elle consiste à répliquer les flux monétaires d'un contrat forward. Il est par conséquent possible d'utiliser cette stratégie en conjonction avec la Loi du prix unique pour déterminer les taux de change à terme.

Loi du prix unique et taux de change à terme. Un forward de change permet à un investisseur de fixer aujourd'hui le taux auxquels seront convertis en euros des flux futurs en dollars. Cette **position de change** est représentée à la figure 30.5. Les dates sont représentées horizontalement et les monnaies verticalement : les « dollars dans un an », par exemple, sont en haut et à droite. Le taux de change à terme $f_{EUR/USD}$ représente le taux auquel il est possible d'échanger des euros contre des dollars dans un an grâce à un forward. Le taux de change au comptant $s_{EUR/USD}$ permet l'échange immédiat d'euros contre des dollars. L'échange de dollars actuels contre des dollars futurs, ou d'euros actuels contre des euros futurs, est possible en tenant compte du taux d'intérêt relatif à la monnaie considérée. La figure 30.5 montre comment on peut convertir des euros actuels en dollars dans un an grâce à une stratégie de *cash-and-carry*. Trois transactions simultanées sont nécessaires :

- emprunter des euros aujourd'hui pour un an au taux d'intérêt r_{EUR} ;

- convertir les euros contre des dollars aujourd'hui au taux de change au comptant $s_{EUR/USD}$;

- prêter les dollars aujourd'hui pendant un an au taux d'intérêt r_{USD}.

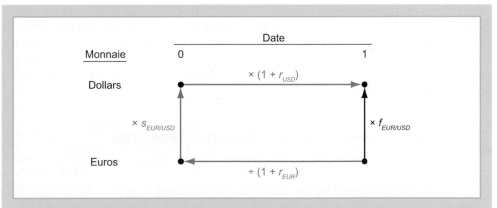

Figure 30.5 – Diagramme d'une position de change représentant une stratégie de *cash-and-carry* et un forward

La stratégie de *cash-and-carry* (les trois transactions en couleur) réplique les flux d'un forward (la transaction en noir) : à cet effet, il faut emprunter dans une monnaie, convertir la somme au taux de change comptant puis la placer dans l'autre monnaie.

Dans un an, la première transaction obligera l'investisseur à rembourser des euros alors qu'il recevra des dollars au titre de la troisième transaction. Il a donc converti des « euros dans un an » en « dollars dans un an », comme s'il avait conclu un forward. On appelle ces opérations une stratégie de *cash-and-carry*, car elle résulte d'un emprunt d'argent aujourd'hui (*cash*) qui est porté (*carry*) dans le futur.

La conclusion d'un forward et une stratégie de *cash-and-carry* aboutissent au même résultat. Elles doivent donc coûter la même chose d'après la Loi du prix unique. C'est pourquoi il est possible de calculer le taux de change à terme d'un forward à partir des taux utilisés dans la stratégie de *cash-and-carry*, sous l'hypothèse d'absence d'opportunité d'arbitrage :

Parité des taux d'intérêt couverte

$$f_{EUR/USD} = s_{EUR/USD} \times \frac{1 + r_{USD}}{1 + r_{EUR}} \tag{30.2}$$

L'équation (30.2) exprime le taux de change à terme en fonction du taux de change au comptant et des taux d'intérêt de chaque monnaie. Les deux membres de l'équation sont bien dans la même unité : des dollars par euro dans un an. Si le taux de change au comptant est $s_{EUR/USD} = 1,02$, et que les taux d'intérêt annuels sont $r_{USD} = 6,37\%$ et $r_{EUR} = 3,76\%$, alors d'après l'équation (30.2), le taux de change à terme échéance un an devrait être, en l'absence d'opportunité d'arbitrage :

$$f_{EUR/USD} = s_{EUR/USD} \times \frac{1 + r_{USD}}{1 + r_{EUR}} = 1,02 \times \frac{(1 + 6,37\%)}{(1 + 3,76\%)} = 1,05$$

L'équation (30.2) correspond à la **relation de parité des taux d'intérêts couverte** (PTIC). Elle stipule que la différence entre le taux de change à terme et le taux de change au comptant dépend exclusivement du différentiel de taux d'intérêt entre les deux monnaies. Lorsque les taux d'intérêt sont différents, les investisseurs sont incités à emprunter dans la monnaie à faible taux d'intérêt pour placer dans celle à taux d'intérêt élevé. Pour se protéger contre le risque de dépréciation de la monnaie à taux d'intérêt élevé pendant l'opération, il faut fixer le taux de change futur, et pour cela conclure un forward. L'équation (30.2) indique que le taux de change à terme du forward compensera exactement le gain provenant du différentiel de taux d'intérêt, éliminant ainsi toute opportunité d'arbitrage.

Exemple 30.7

Taux de change à terme en l'absence d'opportunité d'arbitrage

Le taux de change au comptant livre sterling/euro est $s_{GBP/EUR} = 1,362$. Au même moment, les taux d'intérêt à un an sont $r_{GBP} = 5,74\%$ et $r_{EUR} = 4,75\%$. Quel est le taux de change à terme, s'il n'existe aucune opportunité d'arbitrage ?

Solution

D'après l'équation (30.2) :

$$f_{GBP/EUR} = s_{GBP/EUR} \frac{1 + r_{EUR}}{1 + r_{GBP}} = 1,362 \times \frac{(1 + 4,75\%)}{(1 + 5,74\%)} = 1,349$$

Comme le taux de change est exprimé en euros par livre sterling, le taux d'intérêt en euros doit apparaître au numérateur et celui de la livre sterling au dénominateur. Bien entendu, le problème pourrait être résolu en convertissant tous les taux en termes de livre sterling par euro. Le taux de change à terme est ici inférieur au taux de change au comptant afin de compenser le taux d'intérêt plus élevé sur les investissements en livres sterling.

L'équation (30.2) peut être facilement généralisée pour les forwards d'échéance supérieure à un an. Lorsqu'on place ou que l'on emprunte pendant T années, le taux à terme à T années en l'absence d'arbitrage est :

$$f_{EUR/USD} = s_{EUR/USD} \times \frac{\left(1 + r_{USD}\right)^T}{\left(1 + r_{EUR}\right)^T} \tag{30.3}$$

avec r le taux d'intérêt sans risque à T années issu de la courbe des taux d'intérêt dans chacune des deux monnaies.

Pourquoi préférer un forward à une stratégie de *cash-and carry*? Le contrat forward est plus simple ; il implique une seule transaction, et non trois. Les coûts de transaction sont donc plus faibles. Ensuite, il peut être compliqué ou coûteux d'emprunter dans une monnaie qui n'est pas la sienne. En règle générale, les stratégies de *cash-and-carry* sont utilisées par les grandes banques internationales, qui peuvent facilement emprunter dans toutes les monnaies du monde et qui subissent des coûts de transaction très faibles. Elles utilisent cette stratégie pour couvrir leurs risques de change résultant de forwards conclus avec des entreprises clientes.

Stratégie de *cash-and-carry*

L'entreprise Astra a conclu avec sa banque un accord par lequel elle s'engage à échanger 100 millions d'euros contre des livres sterling dans un an au taux de change de $f_{GBP/EUR} = 1{,}349$. Le taux de change au comptant est $s_{GBP/EUR} = 1{,}362$. Au même moment, les taux d'intérêt à un an sont $r_{GBP} = 5{,}74\ \%$ et $r_{EUR} = 4{,}75\ \%$. Comment la banque peut-elle couvrir son risque si elle n'a pas d'autres clients intéressés par des forwards sur devises ?

Solution

Astra versera dans un an 100 millions d'euros à sa banque et recevra en échange : $100 / 1{,}349 = 74{,}12$ millions de livres sterling. Si la banque ne trouve pas de clients souhaitant réaliser l'opération inverse, cette dernière peut neutraliser son risque grâce à une stratégie de *cash-and-carry*. Elle doit pour cela emprunter $100 / (1 + 4{,}75\ \%) = 95{,}47$ millions d'euros. Ce prêt sera remboursé grâce aux 100 millions d'euros qu'elle recevra dans un an de la part d'Astra. La banque convertit ensuite les euros empruntés en livres sterling au taux de change comptant : $95{,}47 / 1{,}362 = 70{,}10$ millions de livres sterling et place cette somme sur le marché anglais pendant un an. Elle obtiendra bien dans un an : $70{,}10 \times (1 + 5{,}74\ \%) = 74{,}12$ millions de livres sterling : grâce à ces trois transactions, la banque a fermé sa position ; elle a donc couvert son risque de change.

Exemple 30.8

Crise financière   **Arbitrages sur le marché des changes ?**

Le marché des changes est l'un des marchés financiers les plus actifs et liquides au monde : c'est l'un des derniers endroits où l'on s'attend à trouver des opportunités d'arbitrage ! C'est pourtant le cas depuis la crise financière de 2008, puisqu'un écart est apparu entre les taux forward cotés et ceux obtenus par l'intermédiaire de stratégies *cash-and-carry* : en d'autres termes, la relation de parité des taux d'intérêt couverte que traduit l'équation (30.2) n'est plus vérifiée. La figure ci-dessous représente le profit réalisé en empruntant des dollars pour trois mois, en les convertissant immédiatement en euros, en les plaçant à trois mois, tout en figeant avec un forward le taux à terme auquel les euros seront convertis en dollars. Avant 2007, les profits permis par cette stratégie d'arbitrage couvraient à peine les coûts de transaction. Depuis lors, des opportunités d'arbitrage significatives sont apparues et persistent. Comment expliquer cela ? Une première explication réside dans le risque de défaut. Pour réaliser un arbitrage, il faut emprunter et prêter, et au plus fort de la crise financière, le risque de défaut était perçu comme significatif. Il existe également un risque de contrepartie lorsqu'on conclut un forward, d'autant plus élevé pendant la crise financière que certains craignaient une vague de faillites bancaires. Les arbitragistes ont donc probablement considéré pendant la crise financière que cette stratégie était risquée et que le profit n'était que la juste compensation du risque.

Mais ces explications ne suffisent pas pour comprendre la persistance des opportunités d'arbitrage jusqu'à aujourd'hui, alors qu'elles offrent des profits supérieurs aux coûts de transaction et de financement. Une partie de l'explication réside probablement dans la réglementation bancaire mise en place après la crise : celle-ci a renforcé les contraintes prudentielles imposées aux banques, augmentant le coût de leurs opérations sur le marché des changes. L'activité des grandes banques internationales – qui sont les arbitragistes les plus naturels sur le marché des changes – étant contrainte, cela peut expliquer la persistance d'opportunités d'arbitrage.

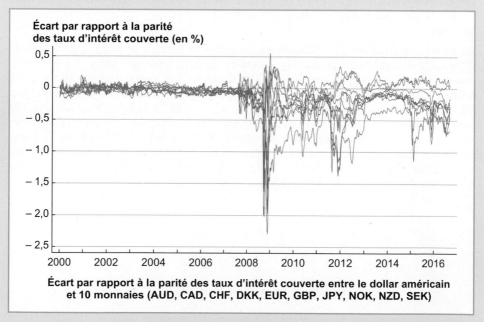

Écart par rapport à la parité des taux d'intérêt couverte entre le dollar américain et 10 monnaies (AUD, CAD, CHF, DKK, EUR, GBP, JPY, NOK, NZD, SEK)

Source : L. Mancini, A. Ranaldo et J. Wrampelmeyer (2012), « Liquidity in the Foreign Exchange Market: Measurement, Commonality, and Risk Premiums », *Journal of Finance*, 68, 1805-1841 et W. Du, A. Tepper et A. Verdelhan (2018), « Deviations from Covered Interest Rate Parity », *Journal of Finance*, 73(3), 915-957.

La couverture de change à l'aide d'options

Les **options de change** constituent le second outil de couverture du risque de change à disposition des entreprises. À l'instar des options sur actions (voir chapitre 20), ces options donnent à leur détenteur le droit, mais non l'obligation, d'échanger à une date future déterminée une monnaie contre une autre à un taux de change spécifié. À la différence des forwards de change qui fixent définitivement un taux de change futur, les options de change permettent de s'assurer contre l'évolution d'un taux de change *au-delà d'un certain seuil*. L'exemple suivant illustre cela.

On suppose que le taux de change à terme livre sterling/euro est $f_{GBP/EUR} = 1{,}20$. Au lieu de se couvrir à l'aide d'un contrat forward, une entreprise qui aura besoin de livres sterling dans un an peut décider d'acheter un **call** sur livre sterling qui lui donnera le droit d'acheter des livres sterling à un prix d'exercice maximal fixé aujourd'hui[12]. On suppose qu'un call européen d'échéance un an écrit sur la livre sterling de prix d'exercice $K = 1{,}20$ s'échange sur le marché à 0,05 € par livre sterling. Cela signifie qu'il est possible d'acquérir aujourd'hui le droit, mais non l'obligation, d'acheter dans un an une livre contre 1,20 €, en payant immédiatement 5 centimes d'euro par livre. Ainsi, l'acheteur du call est protégé d'une hausse de la livre tout en ayant la possibilité de profiter d'une baisse de cette dernière.

Le tableau 30.2 donne le résultat de cette stratégie en fonction du taux de change comptant dans un an. Si le taux de change au comptant est inférieur au prix d'exercice de l'option ($K = 1{,}20$), l'entreprise n'exerce pas l'option et convertit les euros en livres sterling au taux de change au comptant ; s'il est supérieur, l'entreprise exerce son option et convertit les euros en livres sterling au prix d'exercice (troisième colonne). La prise en compte de la prime de l'option (quatrième colonne) permet de déterminer le coût total de la couverture pour l'entreprise (cinquième colonne)[13].

| **Tableau 30.2** | Couverture avec une option de change (prime = 0,05 € par livre sterling et $K = 1{,}20$) |

Taux de change au comptant	Option exercée ?	Taux de change utilisé	+ Prime de l'option	= Coût total
1,00	Non	1,00	0,05	1,05
1,15	Non	1,15	0,05	1,20
1,30	Oui	1,20	0,05	1,25
1,45	Oui	1,20	0,05	1,25

12. Les options de change sont le plus souvent négociées de gré à gré avec une banque, mais on peut en trouver sur certains marchés organisés comme le Chicago Mercantile Exchange ou le Philadelphia Stock Exchange.

13. Ce calcul ignore les intérêts qui auraient pu être gagnés en plaçant la prime de l'option.

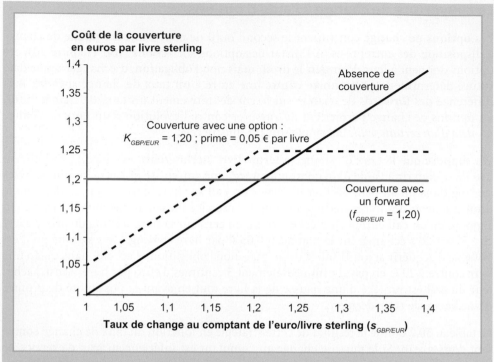

Figure 30.6 – Couverture à l'aide d'un forward ou d'une option de change

La couverture à l'aide d'un forward fixe le taux de change et immunise l'entreprise contre toute évolution future du taux de change. L'absence de couverture la laisse totalement exposée au risque. La couverture optionnelle permet de bénéficier d'une dépréciation de la livre tout en se protégeant contre une appréciation de celle-ci.

Pourquoi se couvrir avec une option plutôt qu'avec un forward ? Beaucoup de directeurs financiers préfèrent les options, car l'entreprise peut tirer profit d'une évolution favorable du taux de change et ne pas risquer de subir un taux de change défavorable par rapport au taux de change au comptant prévalant au moment de la transaction.

Les entreprises privilégient également une couverture optionnelle lorsque la transaction à couvrir risque de ne pas avoir lieu (réponse à un appel d'offre, prix de vente futur incertain, etc.). Dans ce cas, un forward pourrait faire courir à l'entreprise un risque inverse au risque initial si la transaction était finalement annulée. Au contraire, il suffit de ne pas exercer l'option pour s'affranchir de toute obligation liée à cette couverture devenue inutile.

Couverture d'une exposition conditionnelle

Sagemcom fabrique des décodeurs pour les réseaux de télévision par câble et vient de signer un contrat de fourniture avec un opérateur anglais pour 20 millions de livres sterling. Mais l'opérateur anglais peut, s'il le souhaite, résilier le contrat au bout de six mois, sans indemnités. Sagemcom court donc un double risque : (1) il est possible que le contrat soit annulé sans compensation ; (2) si le contrat n'est pas annulé, il est possible que la livre sterling se déprécie vis-à-vis de l'euro, ce qui réduirait la valeur du contrat exprimée en euros. Le taux de change au comptant est de $s_{GBP/EUR} = 1{,}362$; le taux de change à terme à six mois est : $f_{GBP/EUR} = 1{,}354$. Un put d'échéance six mois écrit sur la livre sterling de prix d'exercice $K = 1{,}354$ se négocie actuellement à 0,05 € par livre. Quelle est la situation de Sagemcom selon qu'elle ne se couvre pas, qu'elle se couvre à l'aide d'un forward, ou à l'aide d'un put ?

Solution

Si Sagemcom ne se couvre pas et que le contrat est annulé, il n'y a ni gain ni perte. Si Sagemcom ne se couvre pas et que le contrat n'est pas annulé, l'entreprise est exposée à un risque de change : si la livre sterling se déprécie jusqu'à 1,15 €, le chiffre d'affaires du contrat sera seulement de $20 \times 1{,}15 = 23$ millions d'euros (au lieu de $20 \times 1{,}362 = 27{,}2$ millions d'euros au taux de change comptant) : le profit de Sagemcom en l'absence de couverture est représenté en gris sur la figure.

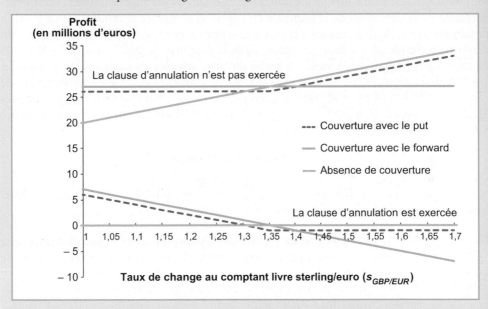

Si Sagemcom se couvre avec un contrat forward, l'entreprise s'assure un chiffre d'affaires de $20 \times 1{,}354 = 27{,}08$ millions d'euros si le contrat n'est pas annulé (ligne horizontale en couleur en haut). Mais l'entreprise s'expose alors à un risque de change en cas d'annulation du contrat : elle sera tout de même obligée de verser 20 millions de livres sterling en échange de 27,08 millions d'euros. Si le taux de change au comptant augmente à 1,50 € par livre, les 20 millions de livres sterling vaudront $20 \times 1{,}5 = 30$ millions d'euros. Sagemcom perdra donc $30 - 27{,}08 = 2{,}92$ millions d'euros à cause du forward (ligne pleine en couleur en bas). Le recours à un forward ne permet donc pas à l'entreprise de se couvrir de manière adéquate.

...

…

Si Sagemcom choisit de se couvrir avec un put, cela lui coûte $20 \times 0{,}05 = 1$ million d'euros. Si le contrat est honoré, le chiffre d'affaires du contrat est sécurisé en cas de dépréciation de la livre : si le taux de change baisse en dessous du prix d'exercice de l'option ($K = 1{,}354$), le put est exercé et le chiffre d'affaires de l'entreprise est de $20 \times (1{,}354 - 0{,}05) = 26{,}08$ millions d'euros (ligne en pointillé, en haut). Si le contrat est annulé, Sagemcom a payé une prime (1 million d'euros) en échange de l'espérance de réaliser un gain grâce au put si la livre se déprécie vis-à-vis de l'euro.

L'évaluation des options de change. L'exemple précédent repose sur l'achat d'un put par Sagemcom au prix de 0,05 € par livre sterling. De la même manière qu'un taux de change à terme peut être évalué grâce à la réplication d'un forward à l'aide d'une stratégie de *cash-and-carry*, il est possible d'évaluer une option de change à l'aide d'une stratégie dynamique de **réplication**, identique à celle utilisée pour valoriser les options sur actions (voir chapitre 21) : les méthodes d'évaluation telles que la **formule de Black et Scholes** et le modèle binomial s'appliquent parfaitement aux options de change.

L'actif sous-jacent de l'option est une monnaie ; on utilise donc le taux de change au comptant à la place du cours de l'action. Le taux d'intérêt étranger mesure la rémunération tirée de la détention de la monnaie étrangère et remplace le rendement de l'action (les dividendes). Pour déterminer le prix d'une option européenne écrite sur une action versant un dividende, il faut remplacer dans la formule de Black et Scholes le cours du titre S par S^*, qui est la valeur actuelle du titre calculée en excluant les dividendes qui seront versés avant l'échéance de l'option. Avec un taux de change au comptant de s euros par livre sterling et des taux d'intérêt r_{GBP} et r_{EUR}, on a $s^* = s/(1 + r_{GBP})^T$. Le prix d'un call européen écrit sur la livre sterling qui expire dans T années de prix d'exercice K € pour une livre sterling[14] est donc :

Prix d'un call de change

$$C = \frac{s_{GBP/EUR}}{\left(1 + r_{GBP}\right)^T} N\left(d_1\right) - \frac{K}{\left(1 + r_{EUR}\right)^T} N\left(d_2\right) \tag{30.4}$$

avec $N(d)$ la valeur de la fonction de répartition d'une loi normale centrée réduite aux points d_1 et d_2, calculés en remarquant que $s^*/VA(K) = f/K$, où f est le taux de change à terme de l'équation (30.3). Donc :

$$d_1 = \frac{\ln\left(f_T/K\right)}{\sigma\sqrt{T}} + \frac{\sigma\sqrt{T}}{2} \quad \text{et} \quad d_2 = d_1 - \sigma\sqrt{T} \tag{30.5}$$

En inversant les équations (30.4) et (30.5), il est possible d'estimer la volatilité implicite du taux de change à partir des prix de marché des options.

---

14. M. Garman et S. Kohlhagen (1983), « Foreign-Currency Options Values », *Journal of International Money and Finance*, 2, 231-237.

Volatilité implicite du taux de change

Le taux de change au comptant $s_{GBP/EUR}$ est de 1,362. Les taux d'intérêt à six mois en Europe et en Grande-Bretagne sont respectivement $r_{EUR} = 4,70\ \%$ et $r_{GBP} = 5,94\ \%$. Si un call européen d'échéance six mois écrit sur la livre sterling et de prix d'exercice $K = 1,354$ s'échange sur le marché au prix de 0,05 € par livre, quelle est la volatilité implicite du taux de change d'après la formule de Black et Scholes ?

Solution

Les équations (30.4) et (30.5) permettent de calculer le prix du call. Les paramètres de cette formule sont : $s_{GBP/EUR} = 1,362$, $K = 1,354$, $T = 0,5$, $r_{EUR} = 4,70\ \%$ et $r_{GBP} = 5,94\ \%$. Le taux de change à terme à six mois $f_{0,5}$ est* :

$$f_{0,5} = 1,362 \times \frac{1 + 0,0470 \times 0,5}{1 + 0,0594 \times 0,5} = 1,354$$

Le prix de marché du call est de 0,05 € par livre, donc :

$$0,05 = \frac{1,362}{\left(1 + 0,0594\right)^{0,5}} N\left(d_1\right) - \frac{1,354}{\left(1 + 0,0470\right)^{0,5}} N\left(d_2\right)$$

et

$$d_1 = \frac{\ln\left(1,354 \big/ 1,354\right)}{\sigma\sqrt{0,5}} + \frac{\sigma\sqrt{0,5}}{2} \quad \text{et} \quad d_2 = d_1 - \sigma\sqrt{0,5}$$

La volatilité implicite est obtenue à l'aide du solveur d'un tableur (ou de la fonction « valeur cible »). On obtient $\sigma = 11,14\ \%$.

---

* Sur le marché monétaire (échéance inférieure ou égale à un an), les intérêts sont calculés de manière proportionnelle et non composée.

30.4. Le risque de taux d'intérêt

Lorsqu'une entreprise emprunte, elle doit payer des intérêts. Une hausse des taux d'intérêt alourdit le coût des emprunts passés à taux variable et des emprunts futurs. À l'inverse, certaines entreprises ont des engagements à long terme (loyers, crédit-bail) : une baisse des taux d'intérêt augmente la valeur actuelle de ces passifs et réduit la valeur de l'entreprise. Les variations de taux d'intérêt constituent donc un risque et une préoccupation majeure pour beaucoup d'entreprises.

Mesurer le risque de taux d'intérêt

Avant de couvrir un risque de taux d'intérêt, il faut le mesurer. Le principal outil permettant cette mesure est la **duration**. Le chapitre 6 a introduit la notion de duration d'une obligation comme mesure de sa sensibilité aux variations du taux d'intérêt. La duration des obligations zéro-coupon augmente ainsi avec leur maturité. À titre d'exemple, une obligation zéro-coupon de valeur faciale 100 €, arrivant à échéance dans 10 ans, voit sa valeur baisser lorsque le taux d'intérêt passe de 5 % à 6 % de :

$$\frac{100}{1,06^{10}} - \frac{100}{1,05^{10}} = 55,84 - 61,39 = -5,55 €$$

soit une baisse de 9,0 %. Une même variation du taux d'intérêt ne fera baisser le prix d'une obligation de maturité cinq ans que de 4,6 %. Plus un flux monétaire est éloigné dans le temps, plus l'effet d'une variation du taux d'intérêt sur sa valeur actuelle est important.

Comment évolue la valeur d'un titre donnant droit à *plusieurs* flux lorsque le taux d'intérêt change ? On sait que la rentabilité d'un portefeuille est égale à la moyenne pondérée par la capitalisation des rentabilités des titres qui le composent (voir chapitre 11). De même, puisque la sensibilité au taux d'intérêt d'un flux monétaire dépend de sa maturité, celle d'un titre découle des flux auxquels il donne droit *pondérés par leurs maturités*. Formellement, la duration d'un titre est définie comme :

Duration d'un titre

$$\text{Duration} = \sum_{t} \frac{VA(F_t)}{P} \times t \tag{30.6}$$

avec F_t le flux de la date t, $VA(F_t)$ sa valeur actuelle (actualisée à la rentabilité à l'échéance de l'obligation) et P le prix de l'obligation, c'est-à-dire la somme des valeurs actuelles des flux versés par celle-ci. La duration pondère donc chaque maturité t par sa contribution au prix de l'obligation $VA(F_t)/P$.

Exemple 30.11

La duration d'une obligation

Quelle est la duration d'une obligation zéro-coupon arrivant à échéance dans 10 ans ? Quelle est la duration d'une obligation, négociée au pair, de taux de coupon annuel 10 % arrivant à échéance dans 10 ans ?

Solution

Une obligation zéro-coupon n'offre qu'un seul flux. Par conséquent, dans l'équation (30.6), $VA(F_{10}) = P$; sa duration est égale à sa maturité.

L'obligation couponnée s'échange au pair. Sa rentabilité à l'échéance est égale à son taux de coupon, 10 %. Sa duration est calculée dans le tableau 30.3 : elle est inférieure à sa maturité, car l'obligation verse des coupons. Plus le taux de coupon est élevé, plus la pondération des premiers flux est forte, ce qui réduit la duration.

…

...

Tableau 30.3	Duration d'une obligation portant des coupons			
T (années)	**F_t**	**$VA(F_t)$**	**$VA(F_t)/P$**	**$(VA(F_t)/P) \times t$**
1	10	9,09	0,0909	0,0909
2	10	8,26	0,0826	0,1653
3	10	7,51	0,0751	0,2254
4	10	6,83	0,0683	0,2732
5	10	6,21	0,0621	0,3105
6	10	5,64	0,0564	0,3387
7	10	5,13	0,0513	0,3592
8	10	4,67	0,0467	0,3732
9	10	4,24	0,0424	0,3817
10	110	42,41	0,4241	4,2410
	Prix de l'obligation = 100		**1,0000**	**Duration = 6,7590**

De la même manière que la sensibilité au taux d'intérêt d'un flux monétaire augmente avec sa maturité, celle d'une suite de flux s'accroît avec sa duration :

Duration et sensibilité : *si r, le taux d'actualisation augmente de ε, où ε correspond à une petite variation de ce taux, la valeur actuelle des flux monétaires se modifie approximativement de*[15] :

$$\text{Variation (en \%) du prix} = -\,\text{Duration} \times \frac{\varepsilon}{1+r} \qquad (30.7)$$

La duration peut donc servir à mesurer la sensibilité au taux d'intérêt d'un titre ou d'un portefeuille. Comment les entreprises utilisent-elles la duration pour réduire leur exposition au risque de taux ?

Estimation de la sensibilité au taux d'intérêt à partir de la duration

La rentabilité à l'échéance d'une obligation d'échéance 10 ans et de taux de coupon annuel 10 % passe de 10 % à 10,25 %. Quelle est la variation en pourcentage de son prix, estimée à l'aide de sa duration ? Quelle est la variation exacte de son prix ?

Solution

La duration de cette obligation est de 6,76 ans (exemple 30.11). L'équation (30.7) permet d'estimer la variation en pourcentage de son prix :

$$\text{Variation (en \%) du prix} = -\,6{,}76 \times \frac{0{,}25\,\%}{1+0{,}1} = -\,1{,}54\,\%$$

...

---

15. L'expression Duration/$(1 + r)$ est également appelée la duration modifiée. L'équation (30.7) peut se réécrire : Variation (en %) du prix $\approx$ – Duration modifiée $\times$ ε. On obtient l'équation (30.7) en remarquant que la variation approximative du prix d'une obligation lorsque r varie peu est égale à la dérivée de son prix par rapport à r :

$$\frac{\partial P}{\partial r} = \sum_t \frac{\partial P}{\partial r}\left(\frac{F_t}{(1+r)^t}\right) = \sum_t -\left(\frac{F_t}{(1+r)^{t+1}}\right) t = -\frac{1}{1+r}\sum_t VA\left(F_t\right) \times t$$

On obtient l'équation (30.7) en divisant cette dérivée par P pour obtenir une variation relative du prix.

…

En fait, le prix de cette obligation avec une rentabilité à l'échéance de 10,25 % est de :

$$10 \times \frac{1}{0,1025}\left(1 - 1,1025^{-10}\right) + 100 \times 1,1025^{-10} = 98,48 \text{ €}$$

ce qui correspond à une baisse de 1,52 % de son prix : l'estimation par la duration est assez précise.

La couverture en duration

La capitalisation boursière d'une entreprise correspond à la différence entre son actif et sa dette en valeur de marché : si une variation du taux d'intérêt influence la valeur de ceux-ci, elle modifie également la valeur de l'entreprise. La sensibilité de la valeur d'une entreprise à une variation du taux d'intérêt peut donc être calculée grâce à la duration de son bilan ; pour se couvrir contre un risque de taux d'intérêt, l'entreprise doit réduire celle-ci. Prenons un exemple.

La duration d'un bilan bancaire. Une banque collecte des dépôts à court terme auprès de particuliers et accorde des prêts, généralement à long terme (crédits immobiliers, par exemple). La duration de l'actif d'une banque est donc structurellement supérieure à celle de son passif : il y a un **écart de duration** (*duration mismatch*), ce qui expose les banques à un risque de taux d'intérêt. On parle également de **risque de transformation** car la banque transforme des dépôts à court terme en prêts à long terme.

Le tableau 30.4 présente le bilan simplifié d'une banque en valeur de marché, ainsi que la duration des différents postes. Quelle est la duration *combinée* de l'actif et des dettes de la banque ? La duration d'un portefeuille est égale à la moyenne (pondérée par la valeur) des durations des différents titres qui le composent. En d'autres termes, la duration d'un portefeuille de titres de valeurs de marché respectives V_A et V_B et de durations respectives D_A et D_B est :

Duration d'un portefeuille

$$D_{A+B} = \frac{V_A}{V_A + V_B} D_A + \frac{V_B}{V_A + V_B} D_B \tag{30.8}$$

| **Tableau 30.4** | Bilan d'une banque en valeur de marché (en millions d'euros) |

	Actif		Duration (en années)		Passif		Duration (en années)
1	*Crédits immobiliers*	*170*	*8*	1	Capitaux propres	15	
2	*Crédits à la consommation*	*120*	*2*	2	Passif non courant	75	12
3	Crédits octroyés (1 + 2)	290		3	Dépôts à terme	90	1
4	Trésorerie	10	0	4	Dépôts à vue	120	0
5	**Total Actif** (3 + 4)	**300**		5	**Total Passif** (1 à 4)	**300**	

Les durations de l'actif (A) et de la dette (D) de la banque sont donc :

$$D_A = \frac{10}{300} \times 0 + \frac{120}{300} \times 2 + \frac{170}{300} \times 8 = 5,33 \text{ années}$$

$$D_D = \frac{120}{285} \times 0 + \frac{90}{285} \times 1 + \frac{75}{285} \times 12 = 3,47 \text{ années}$$

Le bilan de la banque présente un écart de duration important. Si les taux d'intérêt augmentent, l'actif perdra plus de valeur que la dette, car sa duration est plus élevée. Et la valeur des capitaux propres, égale à la différence entre la valeur de l'actif et celle de la dette, baissera. Il est aussi possible de calculer la duration des capitaux propres de la banque : ceux-ci peuvent être vus comme un portefeuille constitué d'une position longue dans l'actif et d'une position courte sur la dette. D'après l'équation (30.8) :

Duration des capitaux propres

$$D_{CP} = \frac{V_A}{V_A - V_D} D_A - \frac{V_D}{V_A - V_D} D_D$$

$$= \frac{300}{15} \times 5,33 - \frac{285}{15} \times 3,47 = 40,67 \text{ années} \qquad (30.9)$$

Cela signifie que si le taux d'intérêt augmente de 1 %, l'actif baisse approximativement de 5,33 % × 300 = 16 millions d'euros tandis que la valeur de la dette ne se réduit que de 3,47 % × 285 = 9,9 millions d'euros. Une hausse (modeste) de 1 % du taux d'intérêt fait donc baisser la valeur des capitaux propres de la banque de (16 − 9,9) = 6,1 millions d'euros, soit 6,1 / 15 = 41 % !

Comment la banque peut-elle réduire la sensibilité de son bilan au risque de taux d'intérêt ? Une couverture complète du risque de taux implique une duration nulle des capitaux propres : on parle dans ce cas de **bilan *duration-neutre***. Un tel bilan est par construction **immunisé** contre le risque de taux : la valeur des capitaux propres ne dépend plus du taux d'intérêt. Pour faire cela, la banque doit réduire la duration des postes de son actif ou augmenter celle des postes de son passif. Pour une banque, il est possible de réduire la duration de son actif en vendant à d'autres institutions financières une partie des crédits immobiliers octroyés. Ici, pour atteindre un bilan duration-neutre, le volume de crédits à vendre est[16] :

$$\text{Volume de crédits à vendre} = \frac{\begin{array}{c}\text{Variation de la duration}\\\text{du portefeuille}\end{array} \times \text{Valeur du portefeuille}}{\text{Variation de la duration de l'actif}} \qquad (30.10)$$

La duration des crédits immobiliers passe de 8 à 0 si la banque les vend. D'après l'équation (30.10), la banque doit donc vendre (40,7 − 0) × 15 / (8 − 0) = 76,3 millions de crédits immobiliers. La duration de son actif s'établit alors à :

---

16. Afin d'établir l'équation (30.10), on note P, la valeur originale du portefeuille et V le montant des actifs à vendre. D_P et D_V correspondent à leurs durations respectives. Si l'on note D_A la duration des nouveaux actifs achetés, la duration du nouveau portefeuille, D_P^* est : $D_P^* = \frac{P}{P} \times D_P + \frac{V}{P} \times D_A - \frac{V}{P} \times D_V$. On obtient donc : $V = ((D_P - D_P^*) \times P) / (D_A - D_V)$.

$$\underbrace{\frac{10+76,3}{300}}_{\substack{\text{Augmentation}\\\text{des disponibilités}}} \times 0 + \frac{120}{300} \times 2 + \underbrace{\frac{170-76,3}{300}}_{\substack{\text{Vente de crédits}}} \times 8 = 3,30 \text{ années}$$

La duration de ses capitaux propres vaudra après cette opération $\frac{300}{15} \times 3,30 - \frac{285}{15} \times 3,47 = 0$, ce qui confirme que la banque a atteint son objectif de bilan duration-neutre. Le tableau 30.5 présente le bilan en valeur de marché de la banque après immunisation.

Tableau 30.5	Bilan d'une banque en valeur de marché (en millions d'euros)					

	Actif		**Duration (en années)**		**Passif**		**Duration (en années)**
1	*Crédits immobiliers*	*93,7*	*8,0*	1	Capitaux propres	15,0	0,0
2	*Crédits à la consommation*	*120,0*	*2,0*	2	Passif non courant	75,0	12,0
3	Crédits octroyés (1 + 2)	213,7		3	Dépôts à terme	90,0	1,0
4	Trésorerie	86,3	0,0	4	Dépôts à vue	120,0	0,0
5	**Total Actif** (3 + 4)	**300,0**	**3,3**	5	**Total Passif** (1 à 4)	**300,0**	**3,3**

Limites d'une couverture en duration. L'égalisation de la duration de l'actif et du passif d'une banque lui permet d'annuler son risque de taux d'intérêt. Cependant, cette couverture doit être ajustée de manière dynamique, car la duration d'un portefeuille dépend du taux d'intérêt courant. Lorsqu'il évolue, les valeurs de marché des titres varient, ce qui modifie les poids utilisés lors du calcul de duration. Le maintien d'une duration nulle pour un portefeuille impose donc d'ajuster sa composition au fur et à mesure que le taux d'intérêt change[17].

De plus, un portefeuille ayant une duration nulle n'est protégé que contre une translation de la **courbe des taux**, et non contre un pivotement (aplatissement ou pentification) ou une modification de sa courbure (« papillon » convexe ou concave). Si le taux d'intérêt de court terme augmente alors que celui de long terme reste constant, la valeur des titres de maturité courte baisse par rapport à celle des titres ayant des maturités plus longues, bien que les premiers aient des durations plus courtes que les seconds. Il existe

---

17. La duration est une mesure locale du risque de taux d'intérêt. Or, la relation qui lie le prix d'une obligation à sa rentabilité à l'échéance est convexe, conduisant à une erreur de mesure du risque d'autant plus grande que la modification des taux d'intérêt est importante : en effet, comme la duration ne représente que la pente du prix de l'obligation à la rentabilité à l'échéance (note de bas de page 15), l'écart entre la variation de prix réelle de l'obligation suite à une modification de ce dernier et celui prévu par cette pente (dérivée première) dépend de la convexité de l'obligation. Celle-ci fournit donc une mesure de la variation de la duration d'un portefeuille suite à une modification des taux d'intérêt. Elle correspond par conséquent à une mesure de second ordre de la sensibilité du prix d'une obligation au risque de taux d'intérêt. Il est donc possible de réécrire l'équation (30.7) lorsque ε est important par :

$$\text{Variation (en \%) du prix} \approx -\text{Duration modifiée} \times \varepsilon + 0,5 \times \text{Convexité} \times \varepsilon^2$$

où

$$Convexité = \frac{\frac{\partial^2 P}{\partial r^2}}{P} = \frac{\frac{1}{(1+r)^2} \sum_t \left(\frac{F_t}{(1+r)^t}\right) t(t+1)}{P} = \frac{\frac{1}{(1+r)^2} \sum_t VA(F_t) \times t(t+1)}{P}$$

des méthodes de couverture contre le risque de taux, plus complexes, qui permettent de tenir compte de ce risque de variation de la *pente* de la courbe des taux.

En outre, même si les actifs d'une banque ont des maturités identiques, leurs risques de crédit peuvent être différents. La couverture en duration ne les protégera donc pas d'une variation relative de leurs **spreads de crédit** (*credit spreads*). C'est ce qui s'est produit lors de la crise financière de 2008, où l'on a observé de manière concomitante une baisse de la rentabilité à l'échéance des obligations d'État et une hausse de celle des obligations d'entreprise (voir l'encadré « Crise financière » du chapitre 6).

Zoom sur...	**La crise des Caisses d'épargne américaines (*Savings & Loan*)**

À la fin des années 1970, de nombreuses Caisses d'épargne américaines présentaient un bilan analogue à celui de la banque ci-dessus. Le taux d'intérêt sur les dépôts était fixé par le gouvernement, qui encourageait ces Caisses d'épargne à octroyer des prêts de long terme et à taux fixe. Elles étaient donc particulièrement vulnérables à une hausse des taux d'intérêt. Celle-ci a eu lieu au début des années 1980 : les taux sont passés de 9 % à plus de 15 % en moins d'un an. De nombreuses Caisses d'épargne sont rapidement devenues insolvables, avec une dette qui dépassait la valeur de leurs actifs.

La plupart des banques auraient été incapables dans cette situation de lever des capitaux et auraient dû se déclarer en faillite. Mais les dépôts étaient protégés par une garantie fédérale ; les Caisses d'épargne, même insolvables, ont ainsi pu attirer de nouveaux déposants, ce qui leur a permis de rembourser les anciens déposants et de poursuivre leur activité. Beaucoup d'entre elles ont alors mis en place une stratégie très risquée (*gambling for resurrection*) en achetant des obligations « pourries » dans l'espoir de bénéficier d'une rentabilité élevée, afin de revenir à une situation financière saine (au sujet des incitations des actionnaires à prendre des risques excessifs lorsque l'entreprise est proche de la faillite, voir le chapitre 16). Ces stratégies ont pour l'essentiel échoué, ce qui a aggravé les difficultés des Caisses d'épargne. À la fin des années 1980, le gouvernement américain a dû en fermer plus de 50 % et rembourser les dépôts des clients, ce qui a représenté un coût de plus de 100 milliards de dollars pour les finances publiques.

La couverture de taux à l'aide de *swaps*

On a montré comment une banque peut réduire la sensibilité de son bilan au taux d'intérêt en vendant une partie de ses actifs. Comment faire lorsqu'on ne souhaite pas vendre d'actifs ? Il est alors possible de se couvrir contre un risque de taux à l'aide d'un **swap de taux d'intérêt**. Cette méthode est très appréciée des entreprises et des banques car elle n'impose pas de modification de leurs bilans[18]. Comme un forward, un *swap* est un contrat conclu par une entreprise avec une banque. Les deux parties prenantes s'engagent à échanger les coupons provenant de deux types d'emprunts différents. Dans un *swap* classique, une partie s'engage à payer des coupons calculés à partir d'un taux fixe et à recevoir ceux déterminés à partir d'un taux de marché constaté pendant la période précédant le détachement du coupon. En d'autres termes, le second taux d'intérêt fluctue en fonction de l'offre et de la demande sur le marché ; c'est un taux *variable*. Un *swap* de taux classique (ou, dans le jargon de la finance, **vanille**) consiste donc en un échange d'un taux fixe contre un taux variable.

---

18. L'utilisation de forwards, de futures ou d'options sur taux d'intérêt est également possible, mais les entreprises utilisent principalement les *swaps*.

Prenons un exemple. Considérons un *swap* vanille cinq ans portant sur 100 millions d'euros au taux fixe de 7,8 %. Les *swaps* impliquent le plus souvent des flux semestriels. Ici, les coupons semestriels à taux fixe sont donc de 0,5 × (7,8 % × 100) = 3,9 millions d'euros. Les coupons à taux variables sont en général calculés sur la base d'un taux d'intérêt de marché échéance six mois : taux des bons du Trésor à six mois, Euribor[19] ou Libor[20]. Ce taux fluctue au long de la vie du *swap* et chaque coupon est calculé sur la base du taux d'intérêt à six mois prévalant sur le marché six mois avant son paiement. Le tableau 30.6 détaille les flux relatifs à ce *swap*. Ainsi, le premier échange de flux a lieu au bout d'un semestre : coupon à taux fixe de 3,9 millions d'euros contre coupon à taux variable de 0,5 × (6,8 % × 100) = 3,4 millions d'euros, ce qui signifie que le payeur du taux fixe verse 0,5 million d'euros au payeur du taux variable. En effet, chaque flux monétaire entre les deux parties prenantes du *swap* porte uniquement sur la différence entre le coupon à taux fixe et celui à taux variable. Contrairement à un emprunt classique, dans un *swap*, les deux parties n'échangent pas le principal : le montant de 100 millions d'euros est uniquement utilisé pour calculer les coupons. Pour cette raison, ce montant est appelé **notionnel du *swap***. Il n'y a donc aucun paiement effectué à l'initiation du contrat. En d'autres termes, à l'instar des contrats forwards et futures, un *swap* est structuré de telle sorte qu'il ait un coût initial nul. Cela signifie que le taux fixe du *swap* est calculé en fonction de la courbe des taux constatée sur le marché au moment de la conclusion de la transaction. De ce fait, à la conclusion d'un contrat de *swap*, la transaction est à VAN nulle pour les deux parties.

Tableau 30.6	Flux monétaires d'un *swap* taux fixe contre taux variable (en millions d'euros)

Semestre	Euribor 6 mois	Coupon à taux fixe	Coupon à taux variable	Flux du payeur de taux fixe au payeur de taux variable
0	6,8 %	–	–	–
1	7,2 %	3,90	3,40	0,5
2	8,0 %	3,90	3,60	0,3
3	7,4 %	3,90	4,00	– 0,1
4	7,8 %	3,90	3,70	0,2
5	8,6 %	3,90	3,90	–
6	9,0 %	3,90	4,30	– 0,4
7	9,2 %	3,90	4,50	– 0,6
8	8,4 %	3,90	4,60	– 0,7
9	7,6 %	3,90	4,20	– 0,3
10		3,90	3,80	0,1

Combinaison de *swaps* et d'emprunts. Les entreprises utilisent fréquemment des *swaps* de taux pour modifier leur exposition au risque de taux. Le taux d'intérêt payé par une entreprise sur sa dette peut fluctuer pour deux raisons : une variation du taux d'intérêt sans risque sur le marché ou une évolution de la solvabilité de l'entreprise, qui

---

19. L'*Euro Interbank Offered Rate*, ou Euribor, est le taux interbancaire offert sur des prêts en euros pour une échéance donnée. Les taux Euribor trois et six mois servent de référence pour les contrats *swaps* en euros.

20. Le *London Interbank Offered Rate*, ou Libor, est le taux auquel les grandes banques se prêtent des liquidités dans une devise donnée sur la place londonienne. Il existe des taux Libor pour neuf devises (euro, dollar, franc suisse, livre sterling, yen, etc.).

détermine la prime de risque de crédit qu'elle doit offrir en plus du taux sans risque. En combinant des *swaps* et des emprunts, les entreprises peuvent décider à quelle source de risque de taux elles s'exposent. Prenons un exemple. La société Alliage fabrique des machines-outils et souhaite se développer. Elle doit emprunter à cet effet 10 millions d'euros. L'Euribor six mois et le taux à 10 ans sont respectivement de 4,7 % et de 5,5 %. Ces taux sont ceux auxquels peut emprunter une entreprise notée AAA, ce qui n'est pas le cas d'Alliage, qui doit payer un *spread* de crédit de 2 %.

Alliage doit-elle emprunter à court terme puis refinancer sa dette tous les six mois ou emprunter à 10 ans à taux fixe ? La première solution expose l'entreprise à une hausse du taux d'intérêt qui augmenterait le coût des refinancements successifs. La seconde solution permet d'éviter cela, mais empêchera l'entreprise de bénéficier de l'amélioration de sa solvabilité et de son *rating* qui devrait accompagner son développement au cours des prochaines années, puisque le taux d'intérêt fixe est déterminé sur la base de la solvabilité *actuelle* de l'entreprise. Le tableau 30.7 témoigne de ce compromis.

Tableau 30.7	Emprunt à court ou à long terme ?	
Stratégie	**Avantage**	**Inconvénient**
Emprunt à long terme au taux fixe de 7,5 % (5,5 % + 2 %)	Permet de fixer le taux d'intérêt de référence à long terme de 5,5 %	Fixe le *spread* de crédit au niveau (élevé) de 2 % correspondant à la solvabilité et donc à la note de crédit actuelles de l'entreprise
Emprunt à court terme au taux variable $r_t + \delta_t$	Permet de bénéficier d'un *spread* δ_t qui baissera en dessous de 2 %, à mesure que la note de crédit d'Alliage s'améliorera	Risque d'une augmentation du taux d'intérêt à court terme r_t au-dessus de son niveau actuel de 4,7 %

*Note : r_t correspond au taux Euribor six mois à la date t. δ_t représente le *spread* de crédit d'Alliage compte tenu de sa solvabilité à la date t.*

Dans une telle situation, il est possible de cumuler les avantages des deux stratégies grâce à un *swap* de taux : Alliage emprunte 10 millions d'euros grâce à un emprunt de court terme, qui sera renouvelé tous les six mois. Le taux d'intérêt sur ces emprunts est de $r_t + \delta_t$, avec r_t le taux Euribor relatif à un prêt sur six mois débutant en t et δ_t le *spread* de crédit de l'entreprise compte tenu de sa note de crédit à la date t. Ensuite, pour éliminer le risque d'une hausse future du taux d'intérêt r_t, Alliage peut contracter un *swap* de taux d'intérêt 10 ans, par lequel elle s'engage à payer un taux fixe annuel de 5,5 % en échange d'un taux variable r_t[21]. Lorsque l'on combine les flux du *swap* avec ceux de l'emprunt à court terme, le coût net du prêt pour Alliage devient :

$$\underbrace{r_t + \delta_t}_{\substack{\text{Taux variable} \\ \text{de l'emprunt}}} \;+\; \underbrace{5,5\,\%}_{\substack{\text{Taux fixe payé} \\ \text{sur le } swap}} \;-\; \underbrace{r_t}_{\substack{\text{Taux variable} \\ \text{sur le } swap}} \;=\; \underbrace{5,5\,\% + \delta_t}_{\substack{\text{Coût net} \\ \text{de l'emprunt}}}$$

---

21. Le taux fixe du *swap* correspond au taux à 10 ans du marché pour un emprunteur noté AAA. Alliage peut obtenir un tel taux sans pour autant être aussi bien notée, car le risque de crédit est très faible lors d'un *swap* puisque le notionnel n'est pas échangé. De ce fait, les taux de *swaps* sont relativement indépendants de la notation de la dette des parties prenantes.

Par conséquent, le coût net de l'emprunt pour Alliage sera initialement de 7,5 %, compte tenu de son *spread* de crédit actuel de 2 %. L'entreprise sera protégée contre une hausse du taux d'intérêt tout en profitant d'une baisse du coût de son emprunt si sa notation de crédit s'améliore et que son *spread* de crédit δ_t baisse.

Exemple 30.13

Swap de taux d'intérêt

L'entreprise Bolt souhaite emprunter 10 millions d'euros. Le taux d'intérêt long terme pour les emprunteurs AAA est de 6 %. Compte tenu de sa notation, Bolt peut emprunter à 6,5 %. L'entreprise s'attend à une baisse des taux au cours des prochaines années, elle préférerait donc emprunter à court terme pour se refinancer à intervalles réguliers. Mais le directeur financier de Bolt craint une dégradation future de la qualité de la signature de l'entreprise, ce qui conduirait à l'augmentation de son *spread* de crédit sur tout nouvel emprunt. Comment Bolt peut-elle bénéficier de la baisse à venir des taux d'intérêt sans craindre les effets d'une dégradation de sa notation ?

Solution

Bolt peut emprunter au taux fixe à long terme de 6,5 % et conclure un *swap* grâce auquel elle recevra un taux fixe de 6 % et paiera le taux de court terme r_t. Le coût net de l'emprunt pour Bolt sera donc de :

Taux fixe de l'emprunt		Taux variable sur le *swap*		Taux fixe sur le *swap*		Coût net de l'emprunt
6,5 %	+	r_t	−	6 %	=	$r_t + 0{,}5\,\%$

Ce faisant, Bolt fixe son *spread* de crédit à son niveau actuel, soit 0,5 %, et conserve la possibilité de profiter d'une baisse des taux d'intérêt.

Utilisation de *swaps* pour modifier la duration. Les entreprises peuvent également utiliser les *swaps* de taux dans le cadre d'une stratégie de couverture en duration. La valeur d'un *swap*, initialement nulle, évolue dans le temps en fonction des variations de taux d'intérêt. Lorsque le taux d'intérêt augmente, la valeur du *swap* baisse pour la partie qui reçoit le taux fixe et augmente pour celle qui le paie.

Il est possible de calculer la sensibilité au taux d'intérêt d'un *swap* en remarquant que du point de vue de celui qui reçoit le taux fixe, un *swap* peut être répliqué à l'aide d'un portefeuille composé d'une position longue dans une obligation de long terme et d'une position courte dans un titre de dette de plus court terme et de valeurs faciales égales au notionnel du *swap*[22]. Ainsi, un *swap* 10 ans de notionnel 10 millions d'euros et de taux fixe 6 % peut être répliqué par une position longue de 10 millions d'euros en obligations 10 ans de taux de coupon 6 % et une position courte de 10 millions d'euros en bons du Trésor six mois au taux court terme du marché. Un *swap* modifie donc la duration du portefeuille, car il existe une différence de duration entre les deux obligations. Grâce à l'équation (30.10), on peut calculer le notionnel qui est nécessaire pour obtenir la modification souhaitée de la duration d'un portefeuille. Les *swaps* sont donc utiles pour modifier la duration d'un portefeuille sans avoir à effectuer de transactions sur les actifs qui le composent.

---

22 À l'inverse, répliquer les flux d'un swap pour la partie qui paie le taux fixe revient à avoir une position courte en obligations de long terme et longue en titres de court terme.

Exemple 30.14

Swap et immunisation de portefeuille

Comment un *swap* peut-il aider la banque dont le bilan est représenté dans le tableau 30.4 à couvrir son exposition au risque de taux d'intérêt sans avoir à céder une partie de son portefeuille de crédits ? Sur le marché, les obligations de long et court terme ont respectivement des durations de 6,76 et 0,5 années.

Solution

La banque souhaite réduire la duration de ses 15 millions d'euros de capitaux propres de 40,7 années à 0. Grâce à l'équation (30.10), on peut calculer le notionnel du *swap* nécessaire pour cela, compte tenu des durations des obligations :

$$N = \frac{40,7 \times 15}{6,76 - 0,5} = 97,5 \text{ millions d'euros}$$

La banque doit conclure un *swap* 10 ans de notionnel 97,5 millions d'euros. Elle paiera le taux fixe et recevra le taux variable. La valeur de ce *swap* augmentera si le taux d'intérêt augmente, ce qui immunisera le bilan de la banque.

Résumé

30.1 L'assurance

- Toutes les entreprises souscrivent des assurances pour réduire certains risques. Une prime d'assurance actuariellement neutre est égale à la valeur actuelle de la perte espérée :

$$\text{Prime d'assurance} = \frac{\text{Prob.}(\text{Perte}) \times E\left[\text{Montant versé en cas de sinistre}\right]}{1 + r_p} \quad (30.1)$$

- Les assurances contre des grands risques, qui ne peuvent être correctement diversifiés, possèdent en général un bêta négatif, ce qui augmente leur coût.

- Un contrat d'assurance peut être créateur de valeur pour les entreprises du fait d'imperfections de marché : existence de coûts des difficultés financières, coûts d'émission de nouveaux titres, fiscalité, capacité d'endettement limitée, etc.

- Les coûts de l'assurance comprennent des coûts administratifs et des frais généraux ainsi que les conséquences financières pour les assureurs des phénomènes d'antisélection et d'aléa moral.

30.2. Le risque prix des matières premières

- Les entreprises disposent de plusieurs stratégies pour gérer les risques liés à leur exposition aux variations de prix des matières premières. Elles peuvent :

  a. effectuer des investissements réels dans des actifs qui annulent ce risque : intégration verticale ou constitution de stocks ;

  b. conclure des contrats d'approvisionnement de long terme avec leurs fournisseurs ou leurs clients afin de garantir la stabilité des prix ;

c. couvrir leur risque en négociant, sur les marchés financiers, des futures sur matières premières.

30.3. Le risque de change

- Les entreprises peuvent se protéger contre le risque de change sur les marchés financiers grâce aux forwards de change. Ces contrats permettent de fixer à l'avance et de manière irrévocable le taux de change qui prévaudra pour une opération future.

- La stratégie de *cash-and-carry* permet de répliquer les flux d'un forward de change. Suivant la Loi du prix unique, il est possible de déterminer le taux de change à terme à partir du calcul du coût de cette stratégie, appelée aussi relation de parité des taux d'intérêt couverte. Pour un échange qui aura lieu dans T années, le taux de change à terme est :

$$f_{EUR/USD} = s_{EUR/USD} \times \frac{\left(1 + r_{USD}\right)^T}{\left(1 + r_{EUR}\right)^T} \tag{30.3}$$

- Grâce aux options de change, les entreprises peuvent s'assurer contre une variation du taux de change au-delà d'un certain niveau. Une entreprise peut décider d'utiliser des options plutôt que des forwards si :

  a. elle souhaite bénéficier d'une évolution favorable du taux de change sans être contrainte d'effectuer l'opération en cas d'évolution défavorable ;

  b. l'exposition de l'entreprise au risque de change est conditionnelle.

- Le prix des options de change peut être déterminé à l'aide de la formule de Black et Scholes :

$$C = \frac{s_{GBP/EUR}}{\left(1 + r_{GBP}\right)^T} N\left(d_1\right) - \frac{K}{\left(1 + r_{EUR}\right)^T} N\left(d_2\right) \tag{30.4}$$

avec

$$d_1 = \frac{\ln\left(f_T / K\right)}{\sigma\sqrt{T}} + \frac{\sigma\sqrt{T}}{2} \quad \text{et} \quad d_2 = d_1 - \sigma\sqrt{T} \tag{30.5}$$

30.4. Le risque de taux d'intérêt

- Les variations de taux d'intérêt constituent un risque pour la plupart des banques et des entreprises. La duration permet de mesurer l'exposition à ce risque :

$$\text{Duration} = \sum_t \frac{VA\left(F_t\right)}{P} \times t \tag{30.6}$$

- La sensibilité au taux d'intérêt d'une séquence de flux monétaires augmente avec sa duration. Pour une faible variation ε du taux d'intérêt, la variation de sa valeur actuelle est donnée par :

$$\text{Variation (en \%) du prix} = -\text{Duration} \times \frac{\varepsilon}{1 + r} \tag{30.7}$$

- La duration d'un portefeuille est égale à la moyenne des durations des titres qui le composent, pondérées par leurs valeurs respectives. La duration des capitaux propres d'une entreprise est déterminée par la duration de son actif et de ses dettes :

$$D_{CP} = \frac{V_A}{V_A - V_D} D_A - \frac{V_D}{V_A - V_D} D_D \qquad (30.9)$$

- Les entreprises peuvent se couvrir contre le risque de taux d'intérêt en achetant ou en vendant des actifs pour réduire, voire annuler, la duration de leurs capitaux propres.

- Les *swaps* de taux d'intérêt permettent aux entreprises de séparer le risque de fluctuations du taux d'intérêt de celui lié à l'évolution de leur *spread* de crédit :

  a. En empruntant à taux fixe à long terme et en concluant un *swap* de taux d'intérêt payeur de taux variable, une entreprise paie un taux d'intérêt variable plus un *spread* fixe fonction de sa notation initiale.

  b. En empruntant à taux variable à court terme et en concluant un *swap* de taux d'intérêt payeur de taux fixe, une entreprise paie un taux d'intérêt fixe plus un *spread* qui évolue en fonction de sa notation.

- Les entreprises peuvent utiliser des *swaps* de taux d'intérêt pour modifier leur exposition au taux d'intérêt sans avoir besoin d'acheter ou de céder des actifs.

Exercices

1. GazPlus gère les gazoducs du Zaziland. GazPlus craint qu'une catastrophe naturelle interrompe un gazoduc, ce qui lui coûterait 65 millions d'euros. La probabilité estimée d'une telle catastrophe est de 3 % par an ; son bêta est de − 0,25. Le taux sans risque et la prime de risque de marché sont respectivement de 5 % et 10 %. Quelle est la prime d'assurance actuariellement neutre ?

2. Une usine se situe dans une région sujette aux tremblements de terre. Si un tel événement se produit, la perte sera de 450 millions d'euros. La probabilité d'un tel événement est de 2 % par an, avec un bêta de − 0,5. Le taux sans risque et la prime de risque de marché sont respectivement de 5 % et 10 %.

   a. Quelle est la prime d'assurance actuariellement neutre ?

   b. Si la société d'assurances applique une marge de 15 % sur le montant actuariellement neutre pour couvrir ses frais généraux, quel est le coût des difficultés financières auquel doit s'attendre l'entreprise si elle n'est pas assurée pour qu'il soit rationnel de s'assurer ?

3. Ticheurt importe des biens de Chine. L'entreprise craint une rupture des négociations commerciales sino-européennes, ce qui entraînerait une suspension des importations chinoises et une baisse du résultat d'exploitation de Ticheurt, s'accompagnant d'une baisse de son taux marginal d'imposition de 40 % à 10 %. Une société d'assurances propose une police d'assurance offrant 500 000 € en cas de moratoire sur les importations chinoises. La probabilité du moratoire est de 10 % et son bêta de − 1,5. Le taux sans risque et la prime de risque de marché sont respectivement de 5 % et 10 %.

   a. Quelle est la prime d'assurance actuariellement neutre ?

   b. Quelle est la VAN de cette assurance pour Ticheurt ? Pourquoi est-elle positive ?

4. L'entreprise Citéo a une probabilité de 9 % de subir un incendie qui lui ferait perdre 10 millions d'euros dans un an. Si l'entreprise met en œuvre une politique de prévention des risques qui coûte immédiatement 100 000 €, elle peut réduire à 4 % cette probabilité. Le bêta de la perte potentielle est nul. Le taux sans risque est de 5 %.

   a. Quelle est la VAN de la politique de prévention si l'entreprise ne dispose d'aucune assurance ?

   b. Même question si l'entreprise est assurée contre l'incendie.

   c. Quelle est la prime d'assurance actuariellement neutre ?

   d. Quelle est la franchise minimale qui encouragerait Citéo à mettre en place la politique de prévention ? Quelle est la prime d'assurance actuariellement neutre avec cette franchise ?

5. Rio Tinto espère extraire 1 million de tonnes de cuivre l'année prochaine, avec un coût de production moyen de 1 800 € par tonne.

a. Quel sera le résultat d'exploitation de Rio Tinto, si l'entreprise vend le cuivre à un prix de 2 500 € la tonne ? De 3 000 € ? De 3 500 € ?

b. Quel sera le résultat d'exploitation de Rio Tinto si l'entreprise s'engage dès maintenant auprès de ses clients à leur vendre le cuivre au prix de 2 900 € la tonne grâce à un contrat d'approvisionnement de long terme ?

c. Quel sera le résultat d'exploitation de Rio Tinto si le contrat d'approvisionnement porte sur 50 % de la production et que le reste est vendu au prix du marché, selon que ce dernier est de 2 500 €, 3 000 € ou 3 500 € la tonne ?

d. Quelle est l'anticipation qui peut pousser Rio Tinto à choisir parmi ces trois stratégies ?

6. Pétroll devra acheter 100 000 barils de pétrole dans 10 jours et craint une augmentation de leur prix. L'entreprise conclut 100 futures sur le pétrole, chacun portant sur 1 000 barils. Le prix actuel d'un future est de 60 $ par baril. Si le prix des futures évolue comme suit :

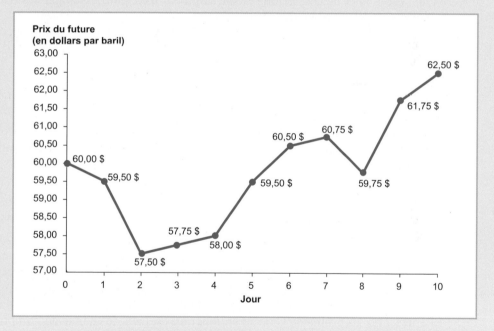

a. Quel sont les gains ou les pertes journaliers réalisés par Pétroll du fait de la valorisation du contrat en valeur de marché ?

b. Quel sera le gain ou la perte de l'entreprise dans 10 jours ? A-t-elle été protégée contre la hausse des prix du pétrole ?

c. Quelle a été la perte maximale subie par Pétroll sur la période ? Cela peut-il poser problème ?

7. Starbucks achète 50 000 tonnes de café chaque année. Si le prix du café augmente, Starbucks peut reporter 60 % de la hausse sur ses clients. L'entreprise souhaite couvrir ses bénéfices contre une variation des prix du café. Dans cette optique, pour quelle quantité de café Starbucks doit-il conclure un contrat d'approvisionnement de long terme ?

8. Une start-up allemande développe une application iPhone pour un client situé au Royaume-Uni, qui paiera 100 000 livres sterling dans trois mois. La start-up s'inquiète du risque de change, en particulier du risque de baisse de la livre sterling par rapport à l'euro et souhaite étudier les possibilités de fixer le taux de change à l'avance.

a. La banque lui fournit les cotations de change (EUR et USD par GBP) suivantes :

	1 semaine	2 semaines	1 mois	2 mois	3 mois
EUR / GBP					
Achat (*bid*)	1,1888	1,1895	1,1889	1,1765	1,1788
Vente (*ask*)	1,1902	1,1912	1,1909	1,1952	1,1837
USD / GBP					
Achat (*bid*)	1,5932	1,5941	1,5977	1,5972	1,6021
Vente (*ask*)	1,5947	1,5965	1,6000	1,6106	1,6184

Quel est le taux de change que la start-up peut fixer pour échanger ses livres sterling contre des euros dans trois mois ?

b. Compte tenu des taux de change à terme, que peut-on dire des taux d'intérêt en Grande-Bretagne et dans la zone euro ? Même question pour les taux d'intérêt en Grande-Bretagne et aux états-Unis.

9. Charles est courtier en fruits de mer congelés. Il vient de signer un contrat avec un distributeur suisse, à qui il doit fournir 4 tonnes de crabes dans un an en échange de 170 000 francs suisses (CHF). L'achat des crabes coûtera dans un an 100 000 €.

a. Représentez sur un graphique les profits de Charles en fonction du taux de change futur $s_{CHF/EUR}$, pour des valeurs comprises entre 0,5 et 1. Ce sont les profits en l'absence de couverture.

b. Le taux de change à terme un an est actuellement $f_{CHF/EUR} = 0,85$. Représentez les profits de Charles en fonction du taux de change au comptant futur s'il conclut un forward pour vendre les francs suisses contre des euros à ce taux.

c. Un call d'échéance un an pour l'achat de francs suisses au prix d'exercice $K = 0,85$ vaut actuellement 0,10 € par franc suisse. Un put de mêmes caractéristiques permettant de vendre des francs suisses est disponible au même prix. Quelle option Charles doit-il acheter s'il souhaite se couvrir à l'aide d'options ? Représentez les profits de Charles en fonction du taux de change au comptant futur s'il se couvre avec des options (en ignorant la valeur temps entre l'achat et l'exercice de l'option).

d. Au cours de l'année, un embargo est décidé par la Suisse sur les produits alimentaires européens. Le contrat est annulé : Charles n'achète pas les crabes et ne reçoit pas les francs suisses. Que se passe-t-il en fonction de la couverture mise en place par Charles ? Si cet embargo avait été prévisible, qu'aurait dû faire Charles ?

10. Le taux de change actuel du dollar australien (AUD) vis-à-vis de l'euro est $s_{AUD/EUR} = 0,74$. Les taux d'intérêt à un an en Europe et en Australie sont respectivement $r_{EUR} = 4,75 \%$ et $r_{AUD} = 7,70 \%$. La volatilité du taux de change est de 10 %. D'après la formule de Black et Scholes, quel est le prix d'un call européen d'échéance un an sur le dollar australien et de prix d'exercice 0,74 € par dollar australien ?

11. Quatre obligations ont la même rentabilité à l'échéance : deux obligations zéro-coupon respectivement d'échéance cinq et neuf ans et deux obligations à coupon annuel également d'échéance cinq et neuf ans. Classez ces titres dans l'ordre croissant de leur duration.

12. Valentin est chargé de la gestion des risques à la Caisse d'épargne du Midi, dont le bilan (en millions d'euros) est :

Actif			Passif		
1	*Crédits immobiliers*	150	1	Capitaux propres	20
2	*Crédits à la consommation*	100	2	Passif non courant	100
3	Crédits octroyés (1 + 2)	250	3	Dépôts à terme	100
4	Trésorerie	50	4	Dépôts à vue	80
5	**Total Actif** (3 + 4)	**300**	5	**Total Passif** (1 à 4)	**300**

À l'actif, les durations des crédits immobiliers et à la consommation sont respectivement de sept et deux ans alors que celle de la trésorerie est nulle. Au passif, celles du passif non courant et des dépôts à terme sont respectivement de 10 et deux ans alors que celle des dépôts à vue est nulle.

a. Quelle est la duration des capitaux propres de la Caisse d'épargne du Midi ?

b. La Caisse d'épargne du Midi fait face à de nombreux remboursements par anticipation de ses crédits immobiliers. La valeur de son portefeuille de crédits immobiliers passe de 150 à 100 millions d'euros, et sa trésorerie de 50 à 100 millions d'euros. Quelle est la nouvelle duration des capitaux propres de la Caisse d'épargne du Midi ? Si le taux d'intérêt est actuellement de 4 %, et baisse à 3 %, quelle est la variation approximative de la valeur des capitaux propres de la Caisse d'épargne du Midi ?

c. Après les remboursements anticipés des crédits immobiliers et avant la baisse du taux d'intérêt, la Caisse d'épargne du Midi décide de couvrir son risque de taux d'intérêt grâce à l'achat d'obligations d'État zéro-coupon de maturité 10 ans. Que doit-elle faire pour éliminer complètement son risque de taux ?

13. Citrix a acheté un portefeuille d'obligations d'État d'une valeur de marché de 44,8 millions d'euros et d'une duration de 13,5 années. Citrix a une dette de 39,2 millions d'euros en valeur de marché, d'une duration de quatre ans et des capitaux propres de 5,6 millions d'euros. La courbe des taux actuelle est plate à 5,5 %. Il faut évaluer le risque de taux auquel est exposé Citrix.

a. Quel est l'effet sur l'actif de Citrix d'une hausse imprévue de 50 points de base du taux d'intérêt ? Même question sur la valeur de sa dette. Quelle serait alors la variation de la valeur de ses capitaux propres ?

b. Quelle est la duration des capitaux propres de Citrix ?

c. L'objectif est d'annuler l'exposition de Citrix au risque de taux d'intérêt en vendant des obligations de duration 13,5 ans pour acheter à la place des obligations de duration deux ans. Quel montant d'obligations faut-il vendre pour immuniser le bilan de Citrix au risque de taux d'intérêt ?

d. Citrix décide de ne pas mettre en œuvre la stratégie de la question précédente et de recourir à un *swap*. La duration d'une obligation à taux fixe de maturité

10 ans est de sept ans. Quel est le notionnel du *swap* nécessaire à l'immunisation de Citrix ? Citrix doit-elle payer ou recevoir le taux fixe ?

14. Glomax doit emprunter 100 millions d'euros. Elle peut les emprunter à court terme avec un *spread* de 1 % au-dessus de l'Euribor ou émettre des obligations de maturité 10 ans à taux fixe, avec un *spread* de 2,50 % par rapport aux obligations d'État de même maturité. La rentabilité à l'échéance de ces dernières est de 7,60 %. Le *swap* taux fixe 10 ans contre Euribor cote actuellement au taux fixe de 8 %. Le directeur financier de Glomax pense que l'entreprise devrait améliorer son *rating* au cours des prochaines années, mais ne souhaite pas s'exposer au risque de taux d'intérêt à court terme.

a. Quelle stratégie est optimale pour Glomax ? Quel est le coût net de l'emprunt pour Glomax ?

b. Trois ans plus tard, la note de crédit de Glomax s'est améliorée et l'entreprise peut emprunter avec un *spread* de 0,50 % par rapport aux obligations d'État, qui ont désormais une rentabilité à l'échéance de 9,10 % et une maturité de sept ans. Le *swap* taux fixe sept ans contre Euribor cote, à ce moment-là, au taux fixe de 9,50 %. Comment l'entreprise peut-elle à cette date fixer définitivement son *spread* pour les années restantes de l'emprunt ? Quel est désormais le coût net de l'emprunt pour Glomax ?

Chapitre 31
L'évaluation des projets internationaux

En 2017, Airbus a inauguré sa seconde usine à Tianjin, en Chine. Cette usine, une *joint-venture* détenue à 51 % par le constructeur aéronautique et à 49 % par un consortium chinois, produit des A330 destinés au marché chinois. Pour Airbus, cela implique de s'adapter à un nouvel environnement macroéconomique avec, notamment, des flux de trésorerie libellés en yuans, la devise chinoise. Pour prendre la décision d'investir et de localiser une partie de leur production en Chine, les dirigeants d'Airbus ont dû tenir compte des spécificités liées à la dimension internationale du projet envisagé :

- Un projet à l'étranger implique des flux de trésorerie exprimés en monnaie étrangère, alors que l'entreprise mesure la valeur créée par le projet dans la monnaie de son pays d'origine.

- Le taux d'intérêt et le coût du capital sont différents d'un pays à l'autre, car le contexte macroéconomique n'est pas le même.

- Il existe également des différences légales, réglementaires et fiscales qui doivent être prises en compte.

Sans prétendre à l'exhaustivité[1], ce chapitre présente la manière d'adapter les outils et concepts étudiés aux chapitres précédents pour évaluer un projet d'investissement réalisé dans un pays étranger. Il débute en considérant le cas de marchés internationaux parfaitement intégrés (section 31.1), ce qui facilite l'évaluation des projets à l'étranger (section 31.2). L'analyse est ensuite étendue au cas de marchés imparfaitement intégrés (section 31.3) puis aux projets présentant un risque de change (section 31.4).

31.1. L'évaluation d'un projet à l'étranger en marchés intégrés

Des marchés financiers sont dits **intégrés** au niveau international lorsque la valeur d'un projet réalisé à l'étranger ne dépend pas de la monnaie (domestique ou étrangère) utilisée pour l'analyse. Considérons par exemple un actif étranger – suisse – risqué qui offre un flux de trésorerie unique F_{CHF} dans un an. Sur le marché suisse, le prix de cet

---

1. Ce qui nécessiterait un ouvrage entier. Voir par exemple Y. Simon et C. Morel (2015), *Finance internationale*, 11e éd., Economica.

actif est égal à la valeur actuelle du flux de trésorerie, actualisé au coût du capital approprié *du point de vue d'un investisseur suisse* :

$$\frac{F_{CHF}}{(1 + r^*_{CHF})} \tag{31.1}$$

Le **taux de change comptant** (ou **taux spot**) de l'euro contre franc suisse est noté $s_{EUR/CHF}$: il exprime le nombre de francs suisses nécessaires à l'achat de 1 €[2]. Un investisseur français qui souhaite acheter cet actif doit donc payer aujourd'hui :

$$\frac{1}{s_{EUR/CHF}} \times \frac{F_{CHF}}{(1 + r^*_{CHF})} \tag{31.2}$$

Au bout d'un an, l'investisseur français devra convertir en euros le flux de trésorerie reçu. De son point de vue, la rentabilité de l'actif est déterminée par la valeur *en euros* de ce flux. On suppose que cet investisseur décide, pour limiter le risque de change, de s'engager de manière irrévocable à convertir le flux futur espéré dans un an au taux de change à terme $f_{EUR/CHF}$. Sous l'hypothèse que le taux de change au comptant n'est pas corrélé au flux de trésorerie futur de l'actif, la valeur en euros du flux attendu est : $f_{EUR/CHF} \times F_{CHF}$[3]. Si l'on note r^*_{EUR} le coût du capital approprié pour l'investisseur français, la valeur actuelle du flux est :

$$\frac{1}{f_{EUR/CHF}} \times \frac{F_{CHF}}{(1 + r^*_{EUR})} \tag{31.3}$$

D'après la Loi du prix unique, elle est égale au prix payé par l'investisseur français :

$$\frac{1}{s_{EUR/CHF}} \times \frac{F_{CHF}}{(1 + r^*_{CHF})} = \frac{1}{f_{EUR/CHF}} \times \frac{F_{CHF}}{(1 + r^*_{EUR})}$$

Donc :

$$f_{EUR/CHF} = s_{EUR/CHF} \times \frac{(1 + r^*_{CHF})}{(1 + r^*_{EUR})} \tag{31.4}$$

Cette équation, proche d'une condition posée au chapitre 30, est simplement la **parité des taux d'intérêt couverte** pour des flux risqués. Quelles sont les hypothèses nécessaires pour que cette parité soit vérifiée ? Le chapitre 3 a établi que les prix sont concurrentiels

2. Un taux de change euro/devise indique le nombre d'unités de devise équivalant à 1 €. Si la monnaie étrangère est le franc suisse, $s_{EUR/CHF} = 1,4$ signifie qu'il faut 1,4 franc suisse pour acheter 1 €. Une hausse du taux de change signifie que l'euro se déprécie (ou, symétriquement, que le franc suisse s'apprécie). Lorsque le taux de change est coté $s_{EUR/CHF}$, on dit que l'euro est **coté au certain** (on parle de 1 €) et que le franc suisse est **coté à l'incertain** (quantité d'unités monétaires indiquée par le taux de change). Il est possible de coter le taux de change « en sens inverse » : $s_{CHF/EUR} = 1 / 1,4 = 0,71$.

3. Le flux exprimé en francs suisses sera en fait de $F_{CHF} + \varepsilon$, avec ε l'aléa sur le flux (nul en moyenne). En euros, ce flux a une valeur de $f_{EUR/CHF} \times F_{CHF} + s_{1, EUR/CHF} \times \varepsilon$: le taux de change à terme s'applique à la valeur espérée du flux et le solde, égal par définition à l'aléa, sera converti au taux de change comptant futur $s_{1, EUR/CHF}$ pour l'instant inconnu. On a : $E[s_{1, EUR/CHF} \times \varepsilon] = E[s_{1, EUR/CHF}] \times E[\varepsilon] = 0$, car les deux variables ne sont pas corrélées et $E[\varepsilon] = 0$.

sur un marché normal. Dans un contexte international, cela signifie que tout investisseur peut convertir n'importe quel montant d'une monnaie à une autre, au taux de change au comptant ou au taux de change à terme, et que n'importe quel investisseur peut acheter ou vendre n'importe quel actif financier en n'importe quelle quantité, dans n'importe quel pays, à son prix de marché. Sous ces hypothèses (qui correspondent à l'**intégration parfaite des marchés financiers au niveau international**), la parité des taux d'intérêt couverte est respectée et la valeur d'un projet ou d'un actif ne dépend pas de la monnaie utilisée pour l'analyse.

Valeur actuelle d'un projet en marchés financiers intégrés

Exemple 31.1

Un investisseur français cherche à estimer la valeur actuelle d'un flux de 10 millions de yens (JPY) survenant dans un an. Le taux de change au comptant est $s_{EUR/JPY} = 160,00$ et le taux à terme à un an est $f_{EUR/JPY} = 153,905$. Le coût du capital en euros approprié pour ce flux est $r^*_{EUR} = 5\,\%$, tandis que le coût du capital en yens relatif au même flux est $r^*_{JPY} = 1\,\%$. Quelle est la valeur actuelle de ce flux, du point de vue d'un investisseur japonais ? Quel est l'équivalent en euros de cette valeur actuelle ? Quelle est la valeur actuelle du point de vue d'un investisseur français qui ne souhaite pas courir de risque de change et qui raisonne en euros ?

Solution

La valeur actuelle en yens de ce flux est : 10 000 000 / (1 + 1 %) = 9 900 990 yens. La conversion de cette valeur actuelle en euros (avec le taux de change au comptant) donne : 9 900 990 / 160,00 = 61 881 €. L'équivalent en euros de la valeur actuelle d'un flux de 10 millions de yens dans un an est donc de 61 881 €.

Si l'investisseur français ne souhaite pas prendre de risque de change, il doit conclure dès aujourd'hui une opération de change à terme, lui permettant de fixer irrévocablement le taux de change futur dont il bénéficiera. Les 10 millions de yens seront donc convertis en euros au taux de change à terme à un an. Puisque l'investisseur français raisonne avec un coût du capital en euros et que le flux se produira dans un an, la valeur actuelle des euros reçus dans un an est égale à (10 000 000 / 153,905) / (1 + 5 %) = 61 881 €. Les marchés financiers européens et japonais sont parfaitement intégrés, les deux stratégies conduisent au même résultat.

31.2. Calculer la VAN d'un projet réalisé à l'étranger

Calculer la VAN d'un projet réalisé à l'étranger impose de convertir en monnaie domestique des flux exprimés en monnaie étrangère. En marchés intégrés, il existe deux méthodes équivalentes pour cela :

- calculer la VAN du projet en monnaie étrangère, puis la convertir en monnaie domestique au taux de change comptant ;
- convertir tous les flux en monnaie domestique, puis calculer la VAN de ces flux.

La première méthode est la plus simple, puisque c'est celle utilisée dans tous les chapitres précédents de cet ouvrage, avec une étape finale supplémentaire : convertir la VAN en monnaie domestique. La seconde méthode nécessite quelques précautions, qui sont présentées dans cette section.

La méthode du CMPC avec des flux exprimés en monnaie étrangère

Prenons un exemple. KKO est une entreprise française qui fabrique du chocolat de dégustation. Elle envisage la construction d'une usine en Suisse, dont la production serait destinée à la Suisse, premier pays consommateur de chocolat au monde. KKO souhaite évaluer ce projet à l'aide de la méthode du coût moyen pondéré du capital. Les données du projet sont les suivantes : l'investissement initial se monte à 15 millions de francs suisses (CHF), l'usine a une durée de vie de quatre ans et une valeur résiduelle nulle. Le chiffre d'affaires annuel de la filiale suisse devrait être de 37,5 millions de francs suisses. Les consommations de matières premières et autres consommations externes devraient être respectivement de 10,625 millions et de 5 millions de francs suisses et les charges de personnel de 5,625 millions de francs suisses. Une campagne publicitaire de 4,1 millions de francs suisses sera nécessaire pour faire connaître la marque. Le taux d'imposition des sociétés en Suisse est de 20 %. Les flux de trésorerie disponibles du projet, en francs suisses, sont présentés dans le tableau 31.1.

	Année	**0**	**1**	**2**	**3**	**4**
Tableau 31.1	Flux de trésorerie disponibles du projet en francs suisses					
Résultat net à endettement nul						
1 Chiffre d'affaires		–	37 500	37 500	37 500	37 500
2 – Consommation de matières premières		–	– 10 625	– 10 625	– 10 625	– 10 625
3 – Autres consommations externes		– 4 100	– 5 000	– 5 000	– 5 000	– 5 000
4 – Charges de personnel, impôts et taxes		–	– 5 625	– 5 625	– 5 625	– 5 625
5 – Dotation aux amortissements et provisions		–	– 3 750	– 3 750	– 3 750	– 3 750
6 **= Résultat d'exploitation**		**– 4 100**	**12 500**	**12 500**	**12 500**	**12 500**
7 – Impôt sur les sociétés		820	– 2 500	– 2 500	– 2 500	– 2 500
8 **= Résultat net à endettement nul**		**– 3 280**	**10 000**	**10 000**	**10 000**	**10 000**
Flux de trésorerie disponibles						
9 + Amortissements		–	3 750	3 750	3 750	3 750
10 – Investissements		– 15 000	–	–	–	–
11 – Augmentation du BFR		–	–	–	–	–
12 **= Flux de trésorerie disponibles** (8 à 11)		**– 18 280**	**13 750**	**13 750**	**13 750**	**13 750**

L'incertitude relative aux flux futurs du projet n'est pas corrélée à l'incertitude relative au taux de change comptant futur. De ce fait, la valeur espérée des flux futurs du projet en euros est égale à la valeur espérée des flux en francs suisses multipliée par le taux de change à terme. Pour calculer les taux de change à terme jusqu'à un horizon de quatre ans, on utilise la formule de parité des taux d'intérêt couverte.

Calcul des taux de change à terme. Le taux de change au comptant est $s_{EUR/CHF} = 1,60$. Pour simplifier, on suppose que la courbe des taux est plate en France comme en Suisse. Le taux sans risque relatif aux placements en euros $r_{f,\,EUR}$ est de 4 %, tandis que

$r_{f, CHF}$ = 7 %. D'après la relation de parité des taux d'intérêt couverte (équation 30.3), on a :

$$f_{1, EUR/CHF} = s_{EUR/CHF} \times \frac{\left(1 + r_{f, CHF}\right)}{\left(1 + r_{f, EUR}\right)} = 1,60 \times \frac{1 + 7\,\%}{1 + 4\,\%} = 1,646$$

$$f_{2, EUR/CHF} = s_{EUR/CHF} \times \frac{\left(1 + r_{f, CHF}\right)^2}{\left(1 + r_{f, EUR}\right)^2} = 1,60 \times \frac{(1 + 7\,\%)^2}{(1 + 4\,\%)^2} = 1,694$$

Avec la même formule, on obtient $f_{3, EUR/CHF}$ = 1,742 et $f_{4, EUR/CHF}$ = 1,793. Pour convertir des francs suisses en euros, il faut considérer l'inverse de ces taux de change ($1 / f_{1, EUR/CHF}$).

Conversion des flux de trésorerie disponibles. Grâce à ces taux de change à terme, il est possible de convertir les flux de trésorerie du projet en euros (voir tableau 31.2).

Tableau 31.2	Flux de trésorerie disponibles du projet convertis en euros				
		0	**1**	**2**	**3**	**4**
1	Flux de trésorerie disponibles en francs suisses	– 18 280	13 750	13 750	13 750	13 750
2	Taux de change à terme ($1 / f_{EUR/CHF}$)	0,625	0,607	0,590	0,574	0,558
3	**Flux de trésorerie disponibles en euros** (1×2)	**– 11 425**	**8 353**	**8 119**	**7 891**	**7 670**

Évaluation du projet par la méthode du CMPC. Les flux du projet étant maintenant exprimés en euros, on peut l'évaluer comme s'il s'agissait d'un projet domestique. On suppose que le risque de marché du projet est comparable à celui de l'entreprise et donc qu'il est possible d'utiliser le coût des capitaux propres et le coût de la dette de KKO pour calculer le CMPC du projet[4].

À partir du bilan en valeur de marché de KKO (voir tableau 31.3), on voit que l'entreprise dispose de 20 millions d'euros de trésorerie excédentaire pour une dette de 320 millions d'euros. La dette nette est donc : V_D = 320 – 20 = 300 millions d'euros. La capitalisation boursière de l'entreprise est également de 300 millions d'euros. Le taux d'endettement de l'entreprise est donc de 0,5. Si KKO souhaite maintenir inchangée sa structure financière, que le coût de ses capitaux propres est de 10 % et le coût de sa dette de 6 %, son CMPC est égal à :

$$r_{CMPC} = \frac{V_{CP}}{V_{CP} + V_D} r_{CP} + \frac{V_D}{V_{CP} + V_D} r_D (1 - \tau_S)$$
$$= 0,5 \times 10\,\% + 0,5 \times 6\,\% \times (1 - 20\,\%) = 7,4\,\%$$

On considère ici le taux d'imposition des sociétés en Suisse (20 %), car les bénéfices en question seront réalisés et imposés en Suisse.

---

4. Il n'est pas réaliste de supposer que le risque d'un projet réalisé à l'étranger est *exactement* le même que celui d'un projet domestique (ou que celui de l'entreprise), car le projet réalisé à l'étranger est exposé à un risque de change résiduel, ce qui n'est pas le cas d'un projet domestique.

Tableau 31.3	Bilan en valeur de marché de KKO (en millions d'euros)		

Actif		Passif	
1 Actifs non courants et courants	600	1 Capitaux propres	300
2 Trésorerie	20	2 Dettes non courantes et courantes	320
3 **Total de l'actif** (1 + 2)	**620**	3 **Total du passif** (1 + 2)	**620**

La valeur du projet est la somme des valeurs actuelles des flux de trésorerie disponibles exprimés en euros et actualisés au coût moyen pondéré du capital :

$$VAN = -11\,425 + \frac{8\,353}{(1+7{,}4\,\%)} + \frac{8\,119}{(1+7{,}4\,\%)^2} + \frac{7\,891}{(1+7{,}4\,\%)^3} + \frac{7\,670}{(1+7{,}4\,\%)^4} = 15\,525$$

La VAN du projet est de 15,525 millions d'euros ; il faut donc le réaliser.

Vérification à l'aide de la Loi du prix unique

Les calculs précédents reposent sur les hypothèses d'intégration parfaite des marchés financiers et d'absence de corrélation entre le taux de change et les flux futurs du projet. Pour savoir si elles sont vérifiées, il est possible d'utiliser l'autre méthode de calcul de la VAN d'un projet étranger et pour cela de calculer la VAN du projet en francs suisses, puis de la convertir en euros grâce au taux de change au comptant. Il faut donc actualiser les flux en francs suisses au coût du capital pertinent pour un projet en Suisse : on peut l'estimer à partir de celui d'entreprises spécialisées dans le chocolat en Suisse (ce qui n'est pas très compliqué à trouver !). Afin que les deux méthodes de calcul de la VAN donnent le même résultat, le coût du capital suisse r_{CHF}^* doit satisfaire à la Loi du prix unique (équation 31.4) :

$$\left(1 + r_{CHF}^*\right) = \left(1 + r_{EUR}^*\right) \times \frac{f_{EUR/CHF}}{s_{EUR/CHF}} \tag{31.5}$$

Si tel n'est pas le cas, les hypothèses retenues par KKO lors de l'évaluation de son projet suisse ne sont pas vérifiées : l'intégration des marchés financiers n'est pas parfaite ou il existe une corrélation entre taux de change au comptant et flux de trésorerie du projet. Il est possible de réécrire l'équation (31.5) grâce à la relation de parité des taux d'intérêt couverte (équation 30.3) :

$$\frac{f_{EUR/CHF}}{s_{EUR/CHF}} = \frac{\left(1 + r_{f,CHF}\right)}{\left(1 + r_{f,EUR}\right)} \tag{31.6}$$

avec $r_{f,CHF}$ et $r_{f,EUR}$ les taux d'intérêt sans risque étranger et domestique. Grâce aux équations (31.5) et (31.6), on peut donc exprimer le coût du capital étranger (ici, suisse) en fonction du coût du capital domestique et des taux d'intérêt sans risque :

Coût du capital étranger

$$r_{CHF}^* = \frac{1 + r_{f,CHF}}{1 + r_{f,EUR}}\left(1 + r_{EUR}^*\right) - 1 \tag{31.7}$$

Si les hypothèses retenues par KKO sont réalistes, le coût du capital calculé avec l'équation (31.7) doit être égal à celui d'entreprises suisses comparables.

Coût du capital étranger

D'après la Loi du prix unique, quel est le CMPC suisse équivalent au CMPC domestique pour le projet de KKO ? En calculant la VAN en francs suisses du projet puis en convertissant celle-ci en euros, retrouve-t-on la VAN calculée précédemment ?

Solution

Le CMPC suisse du projet est (équation 31.7) :

$$r^*_{CHF} = \frac{1 + r_{f,CHF}}{1 + r_{f,EUR}}(1 + r^*_{EUR}) - 1 = \frac{1 + 7\%}{1 + 4\%}(1 + 7,4\%) - 1 = 10,5\%$$

Ce coût du capital doit être utilisé pour actualiser les flux de trésorerie disponibles en francs suisses du projet (voir tableau 31.1) :

$$VAN = -18\,280 + \frac{13\,750}{(1 + 10,5\%)} + \frac{13\,750}{(1 + 10,5\%)^2} + \frac{13\,750}{(1 + 10,5\%)^3} + \frac{13\,750}{(1 + 10,5\%)^4} = 24\,840$$

La VAN du projet est donc de 24,84 millions de francs suisses. Lorsque l'on convertit cette VAN en euros à l'aide du taux de change comptant, on retrouve bien la VAN calculée précédemment : 24,84 × 0,625 = 15,525 millions d'euros.

Exemple 31.2

La fiscalité des projets internationaux

On a considéré dans l'exemple précédent que la filiale suisse de KKO est imposée au taux suisse (20 %), même si KKO est une entreprise française. C'est ce qu'il se passe dans la réalité, car l'impôt sur les sociétés fonctionne en France avec un **principe de territorialité** : il ne concerne que les bénéfices des entreprises *exploitées en France*. La filiale étrangère d'une entreprise française est par conséquent fiscalement « résidente » de son pays d'implantation, et les bénéfices réalisés par la filiale suisse d'une entreprise française sont imposés en Suisse, suivant les modalités d'imposition suisses. Il existe quelques exceptions à ce principe, en particulier lorsque les bénéfices des filiales étrangères d'entreprises françaises ne sont pas soumis à l'impôt sur les sociétés. C'est le cas lorsque le pays étranger est « à fiscalité privilégiée », ce qui limite l'évasion fiscale permise par la localisation de filiales dans des **paradis fiscaux**.

Notons que d'autres pays imposent l'intégralité des bénéfices de leurs entreprises, indépendamment des pays dans lesquels les bénéfices sont réalisés. La plupart des systèmes fiscaux de ces pays prévoient néanmoins des règles fiscales permettant de réduire, voire d'annuler la double imposition des bénéfices, ce qui aboutit à un résultat proche de celui obtenu avec le principe de territorialité français.

31.3. L'évaluation d'un projet à l'étranger en marchés cloisonnés

Tous les marchés financiers ne sont pas intégrés au niveau international : dans certains pays, en particulier émergents, les investisseurs étrangers ne peuvent pas réaliser toutes les opérations financières qu'ils souhaitent. Il y a alors un **cloisonnement des marchés financiers au niveau international**[5]. Quelles sont les conséquences d'un tel cloisonnement pour les projets à l'étranger ?

Distorsions microéconomiques

En présence de marchés financiers cloisonnés, il est possible qu'une entreprise ait un coût d'accès au capital différent suivant les pays : on peut imaginer que KKO se finance à meilleur compte sur le marché financier français, où l'entreprise est connue et suivie par des analystes, que sur le marché suisse. Si c'est le cas, le coût moyen pondéré du capital change selon le marché sur lequel l'entreprise se finance, et KKO a un CMPC en francs suisses plus élevé que celui déterminé par l'équation (31.7). De ce fait, la valeur du projet suisse est plus faible pour KKO s'il est financé à l'aide de capitaux levés en Suisse plutôt qu'en France. En présence de **marchés financiers cloisonnés**, KKO doit donc lever des capitaux là où ils sont le moins coûteux pour maximiser la VAN du projet : en France dans notre exemple. Cela permet d'appliquer la méthode de la section précédente pour calculer la VAN du projet étranger.

L'importance du marché des *swaps* **de devises** démontre l'existence de nombreux cloisonnements entre marchés financiers. Ces *swaps* sont des contrats qui ressemblent aux *swaps* de taux (voir chapitre 30), mais qui permettent à leurs détenteurs de recevoir des flux réguliers dans une monnaie et de verser des flux réguliers dans une autre monnaie. Ces *swaps* prévoient en général des flux terminaux également exprimés dans des monnaies différentes. Il est donc possible pour une entreprise d'emprunter des capitaux sur son marché domestique (là où elle bénéficie en général des conditions de financement les plus favorables), puis de transformer les remboursements (intérêts et principal) en flux de la monnaie souhaitée grâce à un *swap* de devises. Grâce à ces *swaps*, les entreprises peuvent réduire le risque de change qui existe lorsque l'actif et le passif de leur bilan sont libellés dans des monnaies différentes, tout en réalisant des investissements à l'étranger et en se finançant sur les marchés les plus attractifs.

Distorsions macroéconomiques

Dans certains pays, les marchés financiers sont soumis à des contraintes relatives à la nationalité des investisseurs. Ainsi, certains segments de marché peuvent être réservés aux investisseurs domestiques. Il est également possible que des contraintes spécifiques limitent l'accès d'investisseurs étrangers au capital d'entreprises de secteurs « stratégiques » tels que la défense ou l'énergie : c'est le cas en France.

Des barrières aux flux internationaux de capitaux peuvent aussi contribuer au cloisonnement des marchés financiers : de nombreux pays contrôlent ou limitent les entrées et

---

5. Voir P. Krugman, M. Melitz, M. Obstfeld, G. Capelle-Blancard et M. Crozet (2018), *Économie internationale*, 11e éd., Pearson.

sorties de capitaux (Russie, Chine, Tunisie…) ou disposent d'un taux de change fixe, ce qui empêche la libre conversion de leurs monnaies sur le marché des changes.

Il peut également exister des spécificités politiques, juridiques ou sociales qui réduisent l'incitation des investisseurs étrangers à détenir des titres d'un pays donné, ou à les pousser à exiger une prime de risque « pays ». Ainsi, dans un pays peu réputé pour son respect des droits de propriété, les obligations d'État devront probablement offrir plus que le taux « sans risque », car elles intégreront une prime de risque de défaut. Dans tous les cas, la relation de parité des taux d'intérêt couverte n'est plus vérifiée.

Des obligations d'État risquées

Exemple 31.3

Le 30 septembre 2019, le taux de change comptant entre l'euro et le rouble était $s_{EUR/RUB} = 70,78$. Ce même jour, le taux de change à terme un an était $f_{EUR/RUB} = 75,54$. Le taux d'intérêt offert par les obligations d'État russes d'échéance un an était de 6,53 %, tandis que le taux d'intérêt comparable en France était de – 0,60 %. Quel est le taux de change à terme un an cohérent avec la relation de parité des taux d'intérêt couverte ? Pourquoi ce dernier est-il différent du taux de change à terme effectivement constaté sur le marché ?

Solution

Le taux de change à terme calculé à l'aide de la relation de parité des taux d'intérêt couverte est :

$$f_{EUR/RUB} = s_{EUR/RUB} \times \frac{(1 + r_{f, RUB})}{(1 + r_{f, EUR})} = 70,78 \times \frac{(1 + 6,53\,\%)}{(1 - 0,60\,\%)} = 75,86$$

Le taux de change à terme implicite est supérieur au taux de change à terme constaté sur le marché. Cette différence est la conséquence du risque de défaut des obligations d'État russes. Un investisseur russe détenant 1 000 roubles peut trouver un placement *réellement* sans risque en convertissant ses roubles en euros pour acheter des obligations françaises. Pour ne pas courir de risques lorsqu'il convertira dans un an en roubles le produit de son placement, il aura conclu dès l'origine un contrat à terme fixant le taux de change à terme ; il obtiendra donc dans un an :

$$\frac{1\,000}{70,78} \times (1 - 0,6\,\%) \times 75,54 = 1\,060,85 \text{ roubles}$$

soit un taux sans risque effectif en roubles de 6,085 %. Le taux d'intérêt des obligations d'État russes (6,53 %) intègre donc une prime de risque de 6,53 % – 6,085 % = 0,545 %, qui rémunère les investisseurs acceptant de détenir des titres d'État russes plutôt que des actifs *réellement* sans risque.

Réaliser un projet à l'étranger lorsque les marchés financiers sont cloisonnés

Lorsque les marchés financiers sont cloisonnés, certains pays (ou devises) offrent des rentabilités plus élevées que d'autres lorsqu'on les exprime dans une même monnaie. Si le cloisonnement est la conséquence d'imperfections de marché, il est possible pour les entreprises d'en tirer profit en réalisant des projets dans les pays offrant des rentabilités élevées financés par des capitaux levés dans des pays à faible rentabilité.

La capacité des entreprises à profiter de cette stratégie est néanmoins limitée : dans le cas contraire, les différences de rentabilité entre pays disparaîtraient rapidement. Il n'en demeure pas moins que certaines entreprises peuvent profiter du cloisonnement des marchés, grâce à un avantage concurrentiel particulier, la négociation d'un accord avec le pays concerné pour s'affranchir du contrôle des changes, ou autre. Comme le montre l'exemple 31.4, le cloisonnement des marchés financiers complique l'évaluation des projets, mais crée des opportunités dont certaines entreprises peuvent profiter.

Exemple 31.4

Rachat d'une entreprise étrangère en marchés cloisonnés

Teks est une entreprise française qui souhaite acheter une entreprise mexicaine, Mex, pour 525 millions de pesos. Le taux de change est $s_{EUR/MXN} = 10$. Cette opération devrait faire augmenter les flux de trésorerie disponibles de Teks de 21 millions de pesos la première année ; les flux augmenteront ensuite de 8 % par an. Le CMPC après impôt approprié pour le projet mexicain est de 12 % en pesos, contre 7,5 % en euros. Le taux d'intérêt sans risque est de 6 % en France et de 9 % au Mexique ; la courbe des taux est plate dans les deux pays et il n'y a pas de cloisonnement sur les marchés des titres sans risque. Quelle est la valeur créée pour Teks par le rachat de Mex ?

Solution

Pour répondre à la question, le plus simple est de calculer la VAN du projet en pesos, puis de convertir celle-ci en euros grâce au taux de change comptant :

$$VAN = -525 + \frac{21}{0,12 - 0,08} = 0$$

Lorsqu'elle est *exprimée en pesos*, la VAN de l'opération envisagée par Teks est nulle, probablement parce que Teks est en concurrence avec d'autres entreprises mexicaines pour racheter Mex.

Mais il est également possible de calculer la VAN du projet en euros, en convertissant chaque flux de trésorerie disponible en euros. Le prix d'achat de Tex est égal à 525 / 10 = 52,5 millions d'euros. Les flux ultérieurs doivent être convertis à l'aide de taux de change à terme. Le taux de change à terme relatif à un flux se produisant à l'année N est (équation 30.3) :

$$f_{EUR/MXN} = s_{EUR/MXN} \times \frac{(1 + r_{f,MXN})^N}{(1 + r_{f,EUR})^N} = 10 \times \frac{(1,09)^N}{(1,06)^N}$$

$$= 10 \times 1,0283^N = 10,283 \times 1,0283^{N-1}$$

Les flux de trésorerie de l'année N peuvent être convertis en euros grâce au taux de change à terme approprié :

$$\frac{F_N}{f_{EUR/MXN,N}} = \frac{21 \times 1,08^{N-1}}{10,283 \times 1,0283^{N-1}} = 2,0422 \times 1,0503^{N-1}$$

…

Exemple 31.4

...

Les flux espérés en euros sont donc :

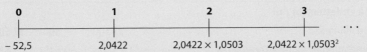

0	1	2	3	...
– 52,5	2,0422	2,0422 × 1,0503	2,0422 × 1,0503²	

Les flux en euros augmentent ainsi de 5,03 % par an. La VAN de cette séquence de flux est par conséquent de :

$$VAN = -52,5 + \frac{2,0422}{0,075 - 0,0503} = 30,18$$

La VAN du rachat de Mex, *exprimée en euros*, est de 30,18 millions. Les VAN ne sont donc pas identiques suivant qu'on les exprime en pesos ou en euros. Comment savoir si le projet est créateur de valeur ? Tout dépend de l'origine de cet écart : il peut provenir de l'existence d'une corrélation entre taux de change comptant et flux de trésorerie du projet. Si c'est le cas, la VAN exprimée en euros est fausse. Il peut également trouver son origine dans une mauvaise estimation par Teks du coût moyen pondéré du capital à utiliser au Mexique. Une troisième explication possible est que les marchés financiers français et mexicains sont cloisonnés. Dans ce cas, Teks dispose d'un avantage concurrentiel sur les entreprises mexicaines grâce à son accès au marché financier français, ce qui lui permet de lever des capitaux à un coût plus faible que les entreprises mexicaines et donc de réaliser une VAN positive en rachetant Mex.

31.4. L'évaluation d'un projet à l'étranger exposé à un risque de change

Les sections précédentes reposent sur l'hypothèse que les flux de trésorerie réalisés à l'étranger ne sont pas corrélés au taux de change. C'est le cas si le projet a des coûts et des revenus dans la monnaie du pays étranger, c'est-à-dire que les matières premières y sont achetées et la production vendue. La situation est différente si le projet prévoit l'import de matières premières d'un pays tiers ou l'export de la production : il y a alors corrélation entre les flux de trésorerie du projet et le taux de change. Les flux de trésorerie en monnaie étrangère sont alors exposés à un risque de change, dont il faut tenir compte.

Pour comprendre comment, revenons à KKO, en supposant maintenant que sa filiale suisse importe du lait de France, pour un coût de 5 millions de francs suisses par an. Les flux de trésorerie en francs suisses sont corrélés au taux de change : si le prix du lait est stable en euros et que l'euro s'apprécie par rapport au franc suisse, le coût du lait en francs suisses augmente, ce qui réduit les flux de trésorerie en francs suisses. Il y a donc bien corrélation entre flux de trésorerie et taux de change : il n'est plus possible de convertir ces flux de trésorerie disponibles en euros avec les taux de change à terme. Au taux de change comptant $s_{EUR/CHF} = 1,60$, cela signifie que le coût des matières premières pour la filiale suisse est de 5 / 1,60 = 3,125 millions d'euros et de 5,625 millions de francs suisses, au lieu de 10,625 millions de francs suisses dans la situation précédente. Un risque de change est apparu ; il faut donc traiter séparément les flux par monnaie. Le tableau 31.4 ne traite ainsi que des flux en francs suisses.

| Tableau 31.4 | Flux de trésorerie disponibles anticipés en francs suisses |

	Année	0	1	2	3	4
Résultat net à endettement nul						
1 Chiffre d'affaires		–	37 500	37 500	37 500	37 500
2 – Consommation de matières premières		–	– 5 625	– 5 625	– 5 625	– 5 625
3 – Autres consommations externes		– 4 100	– 5 000	– 5 000	– 5 000	– 5 000
4 – Charges de personnel, impôts et taxes		–	– 5 625	– 5 625	– 5 625	– 5 625
5 – Dotation aux amortissements et provisions		–	– 3 750	– 3 750	– 3 750	– 3 750
6 **= Résultat d'exploitation**		**– 4 100**	**17 500**	**17 500**	**17 500**	**17 500**
7 – Impôt sur les sociétés		820	– 3 500	– 3 500	– 3 500	– 3 500
8 **= Résultat net à endettement nul**		**– 3 280**	**14 000**	**14 000**	**14 000**	**14 000**
Flux de trésorerie disponibles						
9 + Amortissements		–	3 750	3 750	3 750	3 750
10 – Investissements		– 15 000	–	–	–	–
11 – Augmentation du BFR		–	–	–	–	–
12 **= Flux de trésorerie disponibles** (8 à 11)		**– 18 280**	**17 750**	**17 750**	**17 750**	**17 750**

Les flux de trésorerie disponibles du tableau 31.4 ne sont pas influencés par le taux de change puisqu'ils sont tous en francs suisses. Il est donc possible de convertir ces flux de trésorerie disponibles en euros, grâce aux taux de change à terme, comme dans le tableau 31.2. C'est ce qui est fait en ligne 3 du tableau 31.5.

| Tableau 31.5 | Flux de trésorerie disponibles anticipés en euros |

	Année	0	1	2	3	4
1 Flux de trésorerie disponibles en francs suisses		– 18 280	17 750	17 750	17 750	17 750
2 Taux de change à terme ($1 / f_{EUR/CHF}$)		0,625	0,607	0,590	0,574	0,558
3 **Flux de trésorerie disponibles en euros** (1 x 2)		**– 11 425**	**10 783**	**10 480**	**10 187**	**9 901**
4 – Coûts du projet en euros		–	– 3 125	– 3 125	– 3 125	– 3 125
5 – Impôt sur les sociétés		–	625	625	625	625
6 **Flux de trésorerie disponibles en euros** (3 + 4 + 5)		**– 11 425**	**8 283**	**7 980**	**7 687**	**7 401**

Une fois les flux de trésorerie en francs suisses convertis en euros, il est possible d'y ajouter directement les flux de trésorerie en euros, en n'oubliant pas les économies d'impôt qu'ils permettent[6], ce qui permet d'obtenir les flux de trésorerie disponibles totaux du projet (lignes 4 à 6). Une fois connus les flux de trésorerie disponibles du

---

6. Même si les impôts sont payés en Suisse, leur montant fluctue avec le coût d'achat du lait et donc avec le taux de change. Les économies d'impôt associées doivent donc être considérée comme des flux exprimés en euros.

projet, il est possible d'en calculer la VAN en euros, en les actualisant au CMPC en euros de KKO[7] :

$$VAN = -11\,425 + \frac{8\,283}{(1+7,4\,\%)} + \frac{7\,890}{(1+7,4\,\%)^2} + \frac{7\,687}{(1+7,4\,\%)^3} + \frac{7\,401}{(1+7,4\,\%)^4} = 14\,973$$

Dans cet exemple, les flux susceptibles d'être influencés par le taux de change sont aisément identifiables. En pratique, c'est souvent plus complexe ; la mesure de la sensibilité des flux d'un projet aux variations de taux de change impose parfois de recourir à des régressions économétriques (lorsque des données historiques existent), à l'image de la mesure de la sensibilité des rentabilités d'un titre au risque de marché (voir partie IV).

Résumé

31.1. L'évaluation d'un projet à l'étranger en marchés intégrés

- Si les marchés financiers sont intégrés au niveau international, la valeur d'un projet réalisé à l'étranger ne dépend pas de la monnaie (domestique ou étrangère) retenue pour l'analyse.

31.2. Calculer la VAN d'un projet réalisé à l'étranger

- Sur un marché financier intégré, si le taux de change comptant et les flux en monnaie étrangère ne sont pas corrélés, deux méthodes équivalentes permettent de calculer la VAN d'un projet réalisé à l'étranger :

  a. calculer la VAN du projet en monnaie étrangère, puis la convertir en monnaie domestique au taux de change comptant ;

  b. convertir tous les flux en monnaie domestique à l'aide des taux de change à terme appropriés, puis calculer la VAN.

- Si les marchés financiers sont intégrés et si le taux de change comptant et les flux libellés en monnaie étrangère ne sont pas corrélés, il existe une relation entre le CMPC étranger et le CMPC domestique :

$$r_{CHF}^* = \frac{1 + r_{f,CHF}}{1 + r_{f,EUR}}(1 + r_{EUR}^*) - 1 \tag{31.7}$$

31.3. L'évaluation d'un projet à l'étranger en marchés cloisonnés

- Les marchés financiers peuvent être cloisonnés pour différentes raisons, microéconomiques ou macroéconomiques. Dans ce cas, le coût du capital dans deux pays, exprimé dans une même monnaie, peut être différent. Certaines entreprises peuvent alors disposer d'un avantage concurrentiel si elles ont accès aux marchés financiers de plusieurs pays.

---

7. Le CMPC domestique est utilisé pour actualiser les flux de trésorerie sous l'hypothèse que la prime de risque additionnelle pour le risque de change est faible. Dans le cas contraire, les flux en francs suisses et les flux en euros doivent être actualisés à des taux différents pour tenir compte du risque de change inhérent aux flux en francs suisses.

31.4. **L'évaluation d'un projet à l'étranger exposé à un risque de change**

- Lorsqu'un projet implique des flux de trésorerie en différentes monnaies, les flux en monnaie étrangère peuvent être corrélés au taux de change. Dans ce cas, il faut valoriser séparément les flux en fonction de la monnaie dans laquelle ils se produisent.

Exercices

L'astérisque désigne les exercices les plus difficiles.

1. Un investisseur français souhaite calculer la valeur actuelle d'un flux de 5 millions de dollars à recevoir dans un an. Les taux de change comptant et à terme sont $s_{EUR/USD} = 1,25$ et $f_{EUR/USD} = 1,286$. Le taux d'actualisation est de 4 % en euros et de 7 % en dollars.

   a. Quelle est la valeur actuelle du flux si on l'actualise en dollars avant de le convertir en euros ?

   b. Quelle est la valeur actuelle du flux si on le convertit en euros avant de l'actualiser ?

   c. Que conclure à propos de l'intégration des marchés financiers français et américains ?

2. Une entreprise française a vendu une partie de sa production à des clients péruviens et attend un paiement de 4 millions de sols (PEN) dans un an. Le taux de change comptant est $s_{EUR/PEN} = 1,8$. Le taux de change à un an est $f_{EUR/PEN} = 1,75$.

   a. Quelle est la valeur actuelle du flux en sols (taux d'actualisation : 10 %) ? Quelle est sa valeur actuelle en euros ?

   b. Quelle est la valeur actuelle de ce flux si on le convertit en euros avant de l'actualiser (taux d'actualisation : 5 %) ?

   c. Les marchés financiers français et péruviens sont-ils intégrés ?

3. Une entreprise française étudie la possibilité d'ouvrir une filiale aux États-Unis. Les prévisions de flux de trésorerie de la filiale sont de − 17 millions de dollars en année 0 puis de 10 millions de dollars par an pendant trois ans. Le taux de change comptant est $s_{EUR/USD} = 1,45$. Le taux d'intérêt sans risque est de 4 % aux États-Unis et de 6 % en France. Les marchés financiers français et américains sont parfaitement intégrés et les flux futurs du projet ne sont pas corrélés au taux de change. Le CMPC en euros est de 8 %. Quelle est la valeur actuelle en euros de ce projet ? Faut-il l'entreprendre ?

4. Reprenez les données de l'exercice précédent mais avec un taux de change au comptant égal à $s_{EUR/USD} = 1,25$. Quelle est maintenant la valeur actuelle en euros du projet ? Faut-il l'entreprendre ?

5. Une entreprise américaine doit estimer le coût du capital relatif à des projets réalisés en France. On a : $s_{EUR/USD} = 1,20$ et $f_{EUR/USD} = 1,157$. Le CMPC de l'entreprise américaine est de 8 % pour les projets en dollars. Les marchés financiers sont intégrés et le taux d'imposition est supposé identique dans les deux pays. Quel est le coût du capital des projets en euros, si les flux du projet ne sont pas corrélés au taux de change comptant ?

6. Une entreprise française envisage de lancer un projet au Japon. Le coût des capitaux propres en euros de l'entreprise est de 11 %. Les taux sans risque sont $r_{f,\,EUR} = 5\ \%$ et $r_{f,\,JPY} = 1\ \%$. Les marchés financiers sont supposés intégrés. Quel est le coût des

capitaux propres des projets de l'entreprise en yens, si les flux du projet ne sont pas corrélés au taux de change au comptant ?

7. Le coût de la dette en euros de l'entreprise française Coval est de 7,5 %. Coval envisage d'émettre des obligations sur le marché japonais pour financer un projet au Japon. L'impôt sur les sociétés est de 30 %, quel que soit le pays considéré. Les taux sans risque sont $r_{f,\ EUR} = 5\ \%$ et $r_{f,\ JPY} = 1\ \%$. Coval suppose que les marchés financiers sont intégrés et que les flux de son projet ne sont pas corrélés au taux de change au comptant. Quel est le coût de la dette en yens de l'entreprise ? Indice : calculer le coût de la dette après impôt en euros puis l'équivalent en yens.

8. MangezMoi est une entreprise française hésitant à s'implanter en Bolivie. Les flux de trésorerie de la filiale bolivienne ne sont pas corrélés au taux de change. Ces flux devraient être de − 25 millions de bolivianos (BOB) en année 0 puis de 15 millions de bolivianos par an pendant trois ans. Le projet bolivien a un risque identique aux autres projets de l'entreprise. Le CMPC en euros de MangezMoi est de 9,5 %. Les taux d'intérêt sans risque sont $r_{f,\ EUR} = 4,5\ \%$ et $r_{f,\ BOB} = 7\ \%$. Les marchés financiers sont parfaitement intégrés. Quel est le CMPC de l'entreprise en bolivianos ? Quelle est la valeur actuelle du projet en bolivianos ?

*9. Le taux d'intérêt sur les obligations d'État russes est de 7,5 %, le taux de change au comptant est $s_{EUR/RUB} = 28$, le taux de change à terme est $f_{EUR/RUB} = 28,5$ et le taux d'intérêt sans risque français est de 4,5 %. Quelle est la prime de risque implicite offerte par les obligations d'État russes ?

*10. On suppose que le projet suisse de KKO (voir tableau 31.1) prévoit maintenant que toutes les ventes de la filiale suisse se feront en France, pour un montant de 23 millions d'euros par an pendant quatre ans. La structure des coûts demeure inchangée et tous les impôts sont payés en Suisse. Quelle est la VAN de ce nouveau projet ?

Étude de cas – Évaluer un projet en Australie

Le groupe Accor envisage de lancer une nouvelle chaîne d'hôtels en Australie. Ce projet nécessite un investissement initial de 5 milliards de dollars australiens (AUD), suivi d'investissements supplémentaires de 150 millions par an pendant les quatre années suivantes. Toutes les immobilisations sont amorties de manière linéaire sur cinq ans, qui est la durée d'utilisation des hôtels avant qu'une rénovation intégrale soit nécessaire. Le chiffre d'affaires devrait atteindre 6 milliards de dollars australiens la première année, puis croître de 10 % par an. Le coût des ventes est égal à 15 % du chiffre d'affaires, tandis que les coûts commerciaux en représentent 37 %. Le besoin en fonds de roulement s'établit à 11 % du chiffre d'affaires (dès l'année 0), et il est intégralement récupéré à la fin de la cinquième année. On suppose que le taux d'imposition sur les bénéfices est identique en France et en Australie (25 %), que les marchés financiers sont intégrés et que les flux de trésorerie du projet ne sont pas corrélés au taux de change. L'objectif est de déterminer la VAN du projet en euros, le coût du capital en euros d'Accor étant de 12 %.

1. Il faut disposer du taux de change et des taux d'intérêt pour la France et l'Australie. Toutes les informations se trouvent sur le site **fr.investing.com**, soit à la page Marchés > Forex pour le taux de change, soit à la page Marchés > Obligations > Obligations d'État pour les taux d'intérêt français et australiens sur des échéances de un à cinq ans.

2. Déterminez les flux de trésorerie disponibles du projet en dollars australiens.

3. Déterminez le taux de change à terme $f_{EUR/AUD}$ pour chaque année du projet. Utilisez ces taux de change à terme pour convertir les flux de trésorerie en euros.

4. Calculez la VAN du projet en euros.

Index